Qué es Qué

What's What

Enciclopedia visual bilingüe

Español - Inglés

folio

Título original: WHAT'S WHAT
Editado por:
Ediciones Folio, S.A.
Diagonal 652, ed. A, 6.ª
08034 - Barcelona

Edición original de:
Hammond Inc.
Maplewood, New Jersey (USA)

© Hammond Incorporated
© Ediciones Folio, S.A. 1988

ISBN: 84-7583-132-X
Depósito Legal B-20.685-1988

Realización editorial:
Thema, S.A.

Impreso y encuadernado por:
Cayfosa
Ctra. Caldes, km. 3
Sta. Perpètua de la Mogoda

Printed in Spain

Directores
Reginald Bragonier Jr., David Fisher

Investigadores
Stephanie Bernardo, Denise Demong,
Sandy Dorfman, Barbara Lefferts

Investigadores asociados
Susan Baran, Dina Boogaard, Edith Hathaway,
Howard Leib, Barry O'Donnell, Patricia Schulman,
Lita Telerico, Carol Tormey, Beverly Weintraub

Investigadores adjuntos
Reginald Bragonier III, Brooke Nelson, Tina Oxenberg

Iconografía
Peter Kleinman, Don Murphy, Michael Renzhiwich

Artistas colaboradores
Neal Adams, Charles Addams, John Hill,
Calvin Klein, Jan Leighton, Dee Molenaar,
The Schechter Group, Dr. Seuss, Mort Walker,
Jo Ann Wanamaker, Andy Warhol, Mike Witte

Fotógrafos colaboradores
Bill Ashe, John Barrett, BODI
David Burnett, Phil Koenig, Michael Weiss

Indices
Dorothy Macdonald
Annamaria Bouza, Marion D. S. Dreyfus, Andrea Immel

Grabados reducidos
Melissa Ayers - *Gerente de producción*
Gary Bralow - *Director artístico*
Eric Kibble - *Composición*
Mark Mugrage - *Dibujante mecánico*

Hammond Incorporated
Hugh Johnson - *Editor*
Warren Cox - *Director editorial comercial*
Dwight Dobbins - *Director artístico*
Dorothy Bacheller - *Revisor*
Maria Maggi - *Revisor de textos*
Herb Pierce - *Director técnico*

MODO DE EMPLEO

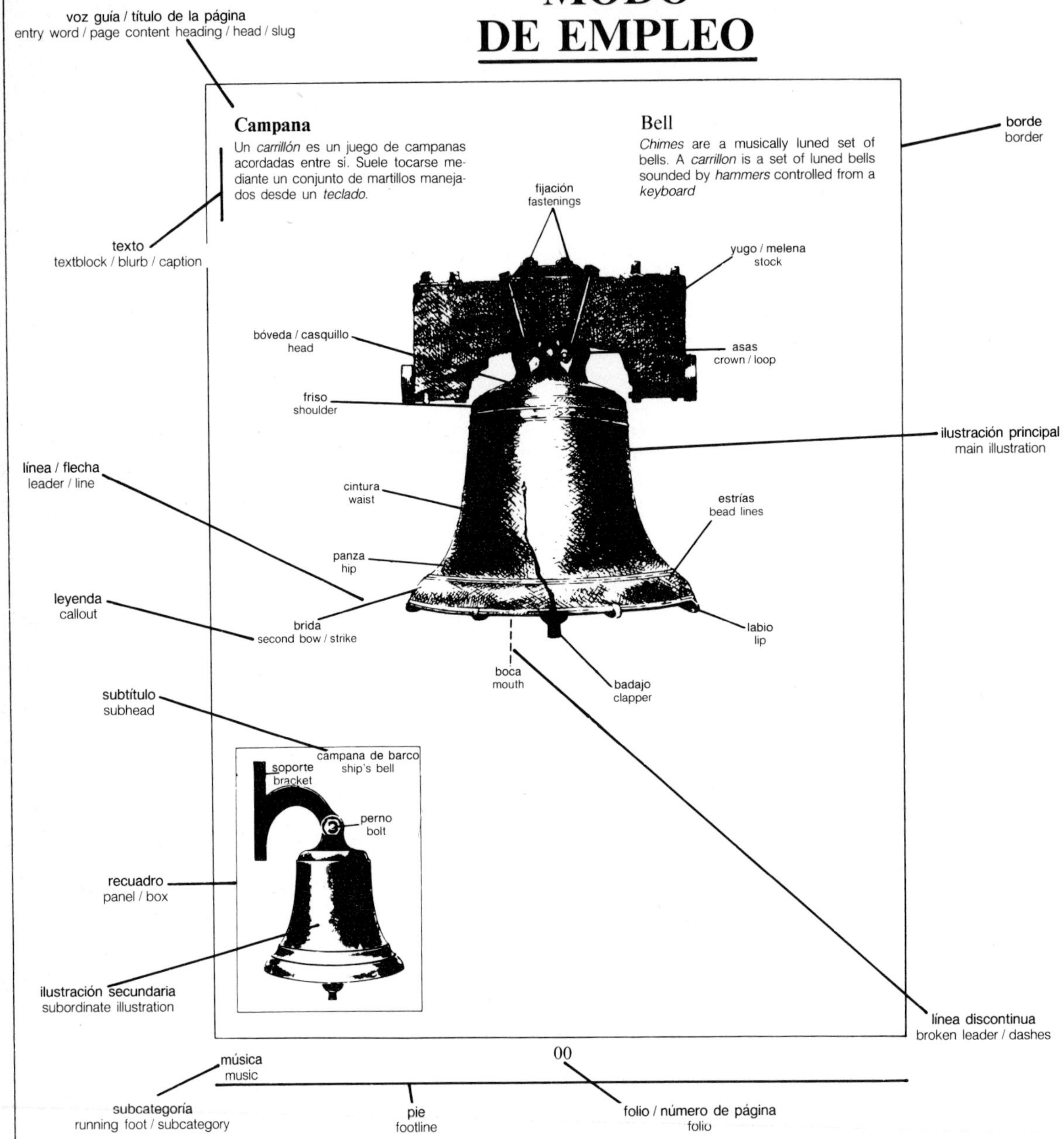

voz guía / título de la página
entry word / page content heading / head / slug
Campana
Un *carrillón* es un juego de campanas acordadas entre sí. Suele tocarse mediante un conjunto de martillos manejados desde un *teclado*.
Bell
Chimes are a musically luned set of bells. A *carrillon* is a set of luned bells sounded by *hammers* controlled from a *keyboard*
borde
border
texto
textblock / blurb / caption
fijación
fastenings
yugo / melena
stock
bóveda / casquillo
head
asas
crown / loop
friso
shoulder
ilustración principal
main illustration
línea / flecha
leader / line
cintura
waist
estrías
bead lines
panza
hip
leyenda
callout
brida
second bow / strike
labio
lip
boca
mouth
badajo
clapper
subtítulo
subhead
campana de barco
ship's bell
soporte
bracket
perno
bolt
recuadro
panel / box
ilustración secundaria
subordinate illustration
línea discontinua
broken leader / dashes
música
music
00
subcategoría
running foot / subcategory
pie
footline
folio / número de página
folio

Ejemplo: para encontrar el nombre de la pieza de la campana que la hace sonar al golpearla por dentro, se busca en el índice general en la palabra *música*, subcategoría de *Artes y Oficios*. También se puede consultar el índice alfabético, donde figuran la palabra *campana* y los nombres de sus partes. Cualquiera de esas voces remite a la página correspondiente. Acudiendo a ésta y observando la ilustración, se encontrará el *badajo*. A la inversa, si ya se conoce el nombre, pero se quiere saber cómo es o en que parte de la campana se halla, se busca *badajo* en el índice y se vuelve a la página donde figura.

Qué Es

Hasta ahora resultaba casi imposible localizar palabras olvidadas o nunca aprendidas. La razón era obvia: para recurrir a un diccionario primero hace falta saber qué palabra se busca. QUE ES QUE resuelve ese problema según un método completamente nuevo: el *visual*. Así, para encontrar una palabra, el lector no tiene más que consultar las ilustraciones de este libro, en las que se identifican todos los detalles visibles indicando sus nombres. Este sistema de clasificación visual pone por primera vez al alcance verbal del lector las palabras que se emplean para describir los innumerables objetos que conforman nuestro entorno cotidiano.

Los objetos elegidos para su inclusión en QUE ES QUE se han seleccionado en función de su utilidad para el lector contemporáneo; aunque en un solo volumen de este tipo no se pueden tener pretensiones enciclopédicas, QUE ES QUE ofrece un enfoque sumamente amplio y un tratamiento práctico de los términos concretos. Así en las ilustraciones sólo aparecen, por lo general, las partes visibles de los objetos, aunque, en los casos en que es necesario o deseable identificar algún detalle no visible de algo, su localización aparece indicada mediante una línea discontinua. Los distintos modelos y variantes de ciertos objetos sólo se han señalado cuando alguno de sus componentes los caracterizan de forma que su propio nombre se halla diferenciado de la denominación genérica, como en el caso de los impertinentes, que aparecen en la página de los aparatos ópticos. Además, se ha utilizado gran número de ilustraciones compuestas, es decir, representaciones en las que se combinan diversos elementos pertenecientes a objetos similares.

Cómo Se Utiliza

El sistema de clasificación del libro es sencillo y directo. Teniendo en cuenta que cualquier objeto del mundo físico forma parte de un todo más amplio, el lector podrá encontrar cualquier particularidad con sólo localizar la correspondiente entrada principal. Todos los objetos se incluyen de forma natural en alguna de las doce categorías siguientes: *La Tierra, Seres vivos, Edificios y construcciones, Medios de transporte, Medios de comunicación, Artículos de uso personal, La casa, Deportes y actividades recreativas, Artes y labores manuales, Máquinas, instrumentos y armas, Uniformes, trajes y vestimentas ceremoniales* y *Signos y Símbolos*.

Para localizar una entrada hay que consultar en primer lugar la tabla de materias, donde se ordenan los temas por categorías y subcategorías según el carácter y la utilidad de cada objeto. De esta forma, el lector podrá determinar fácilmente la parte del libro donde se halla la entrada que busca. El automóvil, por ejemplo, se encontrará en el apartado dedicado a Medios de transporte. Del mismo modo, un determinado objeto, o el nombre de una de sus partes, podrá encontrarse consultando el índice general situado al final del libro. Una ballena para cuello de camisa, por ejemplo, se localizará buscando en «camisa», «cuello» o cualquier otra parte de la camisa conocida por el lector, puesto que todas estas entradas remitirán a la página en la que se ilustran e identifican todas las partes de dicha prenda. El riguroso sistema de remisiones facilita aún más la tarea de encontrar cualquier objeto o detalle en el libro.

Y Por Qué

QUE ES QUE es mucho más que un libro normal de consulta. Contando con la colaboración de conocidos artistas y expertos en las distintas artes visuales, los directores se han esforzado al máximo para producir un libro que no sólo sea informativo, sino atractivo. Esperamos que su utilización resulte entretenida, además de ilustrativa.

Prefacio

La obra que presentamos al público hispanoparlante es la traducción del WHAT'S WHAT publicado en los Estados Unidos. En este sentido se trata de una adaptación de la obra original, ya que ciertos conceptos (nosotros distinguimos cuatro fases de la luna y los norteamericanos ocho), ciertas formas de pensar (nuestra reflexión lógica es a menudo distinta), ciertos objetos (la configuración del billete de banco), ciertos deportes (el fútbol americano no se practica en España, aunque sí en ciertos países latinoamericanos) nos son extraños.

También se apreciará que nuestra comprensión del mundo, tal como aparece en la concepción de las páginas así como de los textos que las presentan, es a veces muy diferente; tanto es así que nos planteamos un mundo que nuestra lengua ha elaborado previamente. Además, la concepción de los creadores del WHAT'S WHAT contribuye también a modificar nuestra perspectiva. Por otra parte, sería erróneo creer que el inglés americano forma un conjunto homogéneo y así el vocabulario propuesto no es siempre el que aconsejan los organismos internacionales de normalización. En algún caso, algunos objetos y materiales presentados son a veces algo antiguos (la plataforma de perforación, por ejemplo). Es por estos motivos por los que el lector quizá pueda notar algunas disparidades, aunque sin embargo estas particularidades tan netamente norteamericanas contribuyen sin duda a conocer mejor la idiosincrasia de aquella parte del mundo.

Por otra parte, ello no afecta esencialmente a la utilidad primordial de esta enciclopedia visual, cual es la denominación de las partes de los objetos, aunque el modelo que veamos no sea tan cotidiano.

La versión española nos muestra la riqueza de nuestra lengua, que da nombre preciso a todos los conceptos propuestos, e incluso, ofrece varios sinónimos en muchos casos. Ello da fe del esfuerzo realizado en la adaptación de este útil libro, teniendo en cuenta la multitud de tecnicismos y nuevos términos correspondientes a objetos aparecidos en esta década, como pueda ser un videocassette.

Estamos seguros de QUÉ ES QUÉ/WHAT'S WHAT será una obra insustituible en la biblioteca de cualquier profesional y estudiante y en general de cualquier hogar, dada la innegable utilidad de enseñar a decir todas las cosas por su nombre.

Los editores

Tabla de materias

LA TIERRA - 1

El sistema planetario (2-3): el universo

La Tierra (4-6): estructura interna, cartografía, vientos y corrientes oceánicas

Suelos (7-12): paisajes terrestres, montañas, volcán, caverna, glaciar

Aguas (13-15): río, ola, costas y margen continental

Meteorología (16-19): nubes, sistemas tormentosos, equipo meteorológico, mapa meteorológico

Mapas (20-22): mapas de países, de ciudades, topográficos, temáticos, de navegación

SERES VIVOS - 23

El hombre (24-29): el cuerpo humano, anatomía popular, sistemas muscular y esquelético, órganos internos, órganos de los sentidos, las extremidades

Animales comestibles (30-33): vaca, cordero, cerdo, volátiles

Animales domésticos (34-36): perro, gato, caballo

Animales salvajes (37-47): aves, arañas, insectos, reptiles, anfibios, vida marina, crustáceos y moluscos, mamífero fantástico

Plantas (48-56): árbol, sistema radicular, hoja, flor, hortalizas, frutos, suculentas, plantas inferiores, gramíneas

EDIFICIOS Y CONSTRUCCIONES - 57

Casa (58-67): cimentación, armazón, exterior, puerta, ventana, escalera, valla, materiales de construcción, muro de ladrillo

Arquitectura de otros países (68-71): arquitectura internacional, arco, columna

Construcciones especiales (72-94): prisión, rascacielos, ascensor, escalera mecánica, castillo, fortificaciones, tienda india/tipi, cúpulas, iglesia/catedral, circo, parque de atracciones, aeropuerto, estación de clasificación

Otras construcciones (95-100): puente, túnel, esclusa, presa, plataforma de perforación submarina, establo y silo

MEDIOS DE TRANSPORTE - 101

Automóvil (102-110): carrocería, vista en sección, interior, motor, sutidor de gasolina

Transportes públicos (111-115): paso a nivel, ferrocarril, autobús

Vehículos de carga (116-117): camión tractor, trailer

Vehículos de emergencia (118-121): automóvil de policía, ambulancia, vehículos de bomberos

Vehículos de servicio público (122-123): camión remolque, barredora mecánica, camión de recogida de basuras

Vehículos de dos ruedas (124-125): bicicleta, motocicleta

Vehículos de recreo (126): casa rodante, moto para nieve

Carruajes (127): diligencia, cabriolé de plaza

Embarcaciones (128-145): terminología náutica, bote de remos, velero, vela, motor fuera borda, yates a motor, petrolero, buque de pasajeros, buque de guerra de superficie, portaaeronaves, submarino, remolcador y buque contraincendios, aerodeslizador y embarcación de colchón de aire

Aeronaves (146-153): helicóptero, avión particular, planeador, avión comercial, cabina de pilotaje del 747, avión de caza, tablero de instrumentos, dirigible

Vehículos espaciales (154-158): lanzadera espacial, plataforma de lanzamiento, cabina de mando de la lanzadera espacial, módulo lunar, vehículo lunar, traje espacial

MEDIOS DE COMUNICACION - 159

Comunicación impresa (160-169): lápiz, bolígrafo y pluma, máquina de escribir, procedimientos de impresión

Comunicación visual (170-174): cámara y película fotográficas, cámara de cine, proyectores, accesorios fotográficos

Comunicación sonora (175-179): magnetófonos, equipo de alta fidelidad, teléfono, emisor-receptor

Comunicación audiovisual (180-182): videocassette, televisión, satélite

ARTICULOS DE USO PERSONAL - 183

Indumentaria masculina (184-190): chaqueta y chaleco, camisa, cinturón y tirantes, pantalones, corbatas, ropa interior

Indumentaria femenina (191-194): prendas interiores, chaqueta y pantalón, blusa y falda, vestido

Indumentaria unisex (195-197): jersey, prendas de abrigo

Sombreros (198-199): sombreros masculinos, sombreros femeninos

Calzado (200-203): zapato de caballero, zapato de señora, bota y sandalia, accesorios del calzado

Cierres de mercería (204-205): alfiler, cremallera, botones

Peinados y barbas (206-210): maquinillas de afeitar, cabello masculino, utensilios para el cuidado del cabello, cabello femenino, utensilios para el peinado

Cosméticos (211-213): cepillo de dientes, maquillaje, productos de belleza

Joyería (214-215): piedra preciosa, anillo, colgante-medallón

Relojes y cronómetros (216): reloj de pulsera, reloj de bolsillo

Gafas (217): tipos de lentes, impertinentes y monóculo

Bolsos (218): bolso de bandolera

Carteras (219-223): cartera o billetero, cartera con chequero

Artículos de fumador (224-225): cigarro, cigarrillo, pipa

Paraguas (226)

LA CASA - 227

Salón (228-237): chimenea, reloj de pared, silla, sillón reclinable, sofá, velas y candelabros, lámparas e iluminación, coberturas para ventanas

Comedor (238-242): mesa, mobiliario de comedor, servicio de mesa, servicio de postre, alfombra

Cocina (243-265): compactador de basura, cocina, refrigerador, lavavajillas, abridores, cafeteras, tostador de pan, batidora, exprimidores, cuchillo, batería de cocina, medidas y mezcladores, utensilios para preparaciones, coladores y filtros, ralladores y picadoras, ingredientes crudos, alimentos preparados, postres, comida rápida, bolsas, cestas y recipientes

Dormitorio (266-268): cama y accesorios, mobiliario de dormitorio

Cuarto de baño (269-271): grifo y lavabo, baño y ducha, inodoro/retrete

Cuarto de servicio (272-281): escritorio, material de escritorio, máquina de coser, plancha, lavadora y secadora, escoba y fregona, aspiradora, extintor, equipaje

Jardín (282-284): accesorios para bebés, accesorios de jardín, barbacoa

DEPORTES Y ACTIVIDADES RECREATIVAS - 285

Deportes de equipo (286-293): béisbol, fútbol americano, hockey sobre hielo, baloncesto, fútbol y lacrosse

Deportes de competición (294-313): atletismo en pista, zapatilla de calentamiento, instrumentos para pruebas en pista, valla, salto con pértiga, gimnasia, cama elástica, boxeo, golf, tenis, cancha/frontón de pelota mano y squash, Jai Alai/pelota vasca o cesta punta, esgrima, natación y salto de trampolín, bolos, tejo y croquet, balonvolea y bádminton

Juegos de mesa (314-315): billar, ping-pong

Deportes individuales (316-328): juego de dardos, cometas, patinaje sobre ruedas, patinaje sobre hielo, esquí alpino, trineo y deslizador, esquí acuático, surf, submarinismo, globo aerostático, paracaídas y planeador, alpinismo

Deportes hípicos (329-331): equipo de montar, carreras de calesines

Carreras de automóviles (332-333): los grandes premios automovilísticos, carreras de dragsters

Deportes al aire libre (334-337): pesca, camping/acampada, mochila y saco de dormir

Cultura física (338)

Juegos de tablero (339): ajedrez, damas, backgammon y juegos de fichas

Juegos de azar (340-342): juegos de cartas

ARTES Y LABORES MANUALES - 343

Teatro (344-345): escenario, teatro

Música (346-361): campana (v. pág. VI), partitura, orquesta, violín, madera, metal, órgano, piano, guitarra, guitarra eléctrica, batería, gaita, acordeón e instrumentos populares, accesorios musicales

Bellas artes (362-373): elementos de la composición, pintura, herramientas de escultor, alfarería, xilografía, serigrafía y huesos tallados, litografía, calcografía, vidrio emplomado, marco para cuadros

Labores manuales (376-380): costura, costura decorativa, punto, tejido, patrón de corte y confección

MAQUINAS, INSTRUMENTOS Y ARMAS - 381

Fuentes de energía (382-389): energía eólica, sistema de energía solar, reactor nuclear, línea de alta tensión, válvula electrónica y transistor, batería, interruptor, enchufe y clavija

Unidades de climatización (390-394): caldera de calefacción, calentador de agua, acondicionamiento de aire, intercambiador de calor, estufa de leña

Motores (395-397): máquina de vapor, motor de combustión interna, motores a reacción

Herramientas domésticas (398-416): banco de trabajo, tornillos de sujeción, clavos y tornillos, tuercas, pernos y tornillos, martillo, destornillador, alicates, llave, sierras de mano, taladradora, herramientas de cepillar y dar forma, lijadora portátil, útiles de medida, útiles de pintura, navaja múltiple

Utiles de jardinería (417-421): azada, rastrillo, pala y podaderas, aspersores y boquillas, cortacésped, carretilla y sembradora, sierra de cadena

Utensilios de ganadería (422): lazo, alambre de espino, hierro para marcar reses

Trampas (423): cepo para osos

Maquinaria agrícola (424): tractor, enganche y grada

Equipos para la construcción (425-426): bulldozer, teodolito y martillo perforador

Instrumentos de cálculo (427-431): máquina de votar, perforadora de fichas, ordenador, caja registradora, calculadoras

Instrumentos científicos (432-433): microscopio, telescopio y gemelos

Aparatos detectores (434-437): radar y sonar, detectores, material de laboratorio

Instrumentos médicos (438-446): material de exploración física, mesas médicas, medios terapéuticos, aparatos ortopédicos, prótesis y correctores dentales, unidad dentaria, equipo dental, dientes

Dispositivos de seguridad (447-450): cámara acorazada y caja fuerte, cerraduras de puerta, llave y candado, bisagra y aldabilla

Cadena y polea (451)

Instrumentos de ejecución (452): guillotina, patíbulo con horca, silla eléctrica

Armas (453-466): armas blancas, armadura. arco y flecha, cañón y catapulta, escopeta y fusil, armas cortas, armas automáticas, mortero y bazooka, granada y mina, carro de combate, misil y torpedo

UNIFORMES, TRAJES Y VESTIMENTAS CEREMONIALES - 467

Indumentaria real (468-469): galas reales, atributos reales, corona y cetro

Indumentaria religiosa (470-471): trajes y ornamentos religiosos

Indumentaria nupcial (472): novia y novio

Indumentaria de la servidumbre (473): mayordomo y doncella

Indumentaria local (474-475): vaquero e indio, mandarín chino, árabe

Trajes de época (476): general del siglo XVIII, pirata, usurero, mago/brujo

Trajes de artistas (477-479): payaso, ballet, jefe de majorettes

Uniformes (482-484): bombero

SIGNOS Y SIMBOLOS - 485

Banderas (486)

Escudo de armas (487)

Señales de tráfico (488-489)

Señales públicas (490-491)

Símbolos religiosos (492)

Signos del Zodiaco (493)

Símbolos científicos y comerciales (494-495)

Lenguaje por señas y alfabeto Braille (496)

Signos ortográficos (497)

Signos de corrección de imprenta (498)

Signos empleados por los vagabundos (499)

LAPIDA Y ATAUD - 500

Indice Inglés (501)

Indice Español de los títulos de las páginas y de las subcategorías (563)

La Tierra

En esta sección se ofrecen diversos procediemientos para conocer la Tierra, desde la contemplación del planeta como un pequeño punto perteneciente a un enorme espacio cósmico compartido con otros cuerpos celestes, hasta la consideración de las características físicas y descripciones simbólicas que ilustran los distintos aspectos y detalles de la superficie terrestre.
Hay representaciones imaginarias, como la ilustración del universo, en las que se condensa visualmente la información mediante la ordenación conjunta de elementos de distinta naturaleza. Las ilustraciones en sección, como la que muestra las capas internas de la Tierra, sólo se emplean cuando los elementos que deben mostrarse e identificarse no pueden verse directamente. La ilustración de la caverna, por último, se presenta en sección transversal con el fin de mostrar los elementos y detalles que quedarían ocultos en una ilustración de tipo tradicional.

Globo terráqueo
Globe

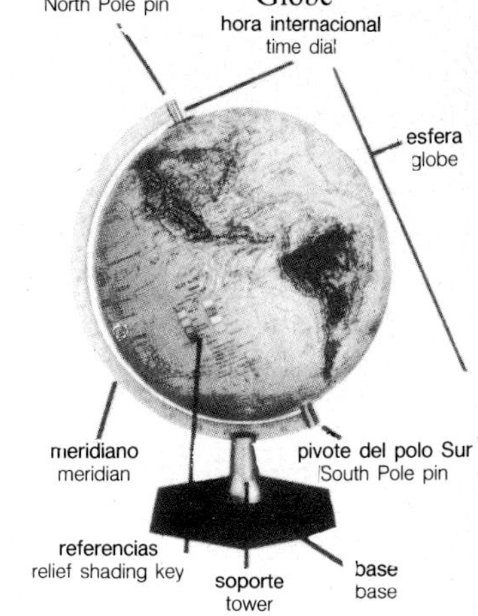
pivote del polo Norte
North Pole pin
hora internacional
time dial
esfera
globe
meridiano
meridian
pivote del polo Sur
South Pole pin
referencias
relief shading key
soporte
tower
base
base

El universo

En esta recreación imaginaria del universo se ven fragmentos y componentes de la *masa cósmica* total, tales como el *sistema solar* y las *galaxias locales* y *periféricas*. Los *planetas* observables se hallan iluminados por la luz de nuestro sol. Los *meteoros* o *estrellas fugaces* se manifiestan como líneas luminosas en el *cielo*, producidas por su desintegración al penetrar en la atmósfera terrestre.

The Universe

This whimsical creation of the universe includes such bits and pieces of the entire *cosmic mass* as the *solar system*, *local galaxies* and *external galaxies*. Observable *planets* are illuminated by the light of our sun. *Meteors*, or *shooting stars*, are seen as streaks of light in the *sky* as the are vaporized on entering earth's atmosphere.

supergigante roja
red supergiant star
galaxia espiral
spiral galaxy
galaxia elíptica achatada
side
galaxias elípticas
elliptical galaxies
galaxia elíptica
esférica
full face
galaxias espirales nc
common spiral gal
agujero negro
black hole
galaxias irregulare
irregular galaxies
galaxia espiral bar
barrel spiral gala
asteroides / planetoides
asteroids / planetoids
Plutón
Pluto
nebulosa / nube interestelar
nebula / interstellar cloud
Neptuno
Neptune
estrellas
stars
Urano
Uranus
efecto Doppler
doppler shift
constelación
constellation

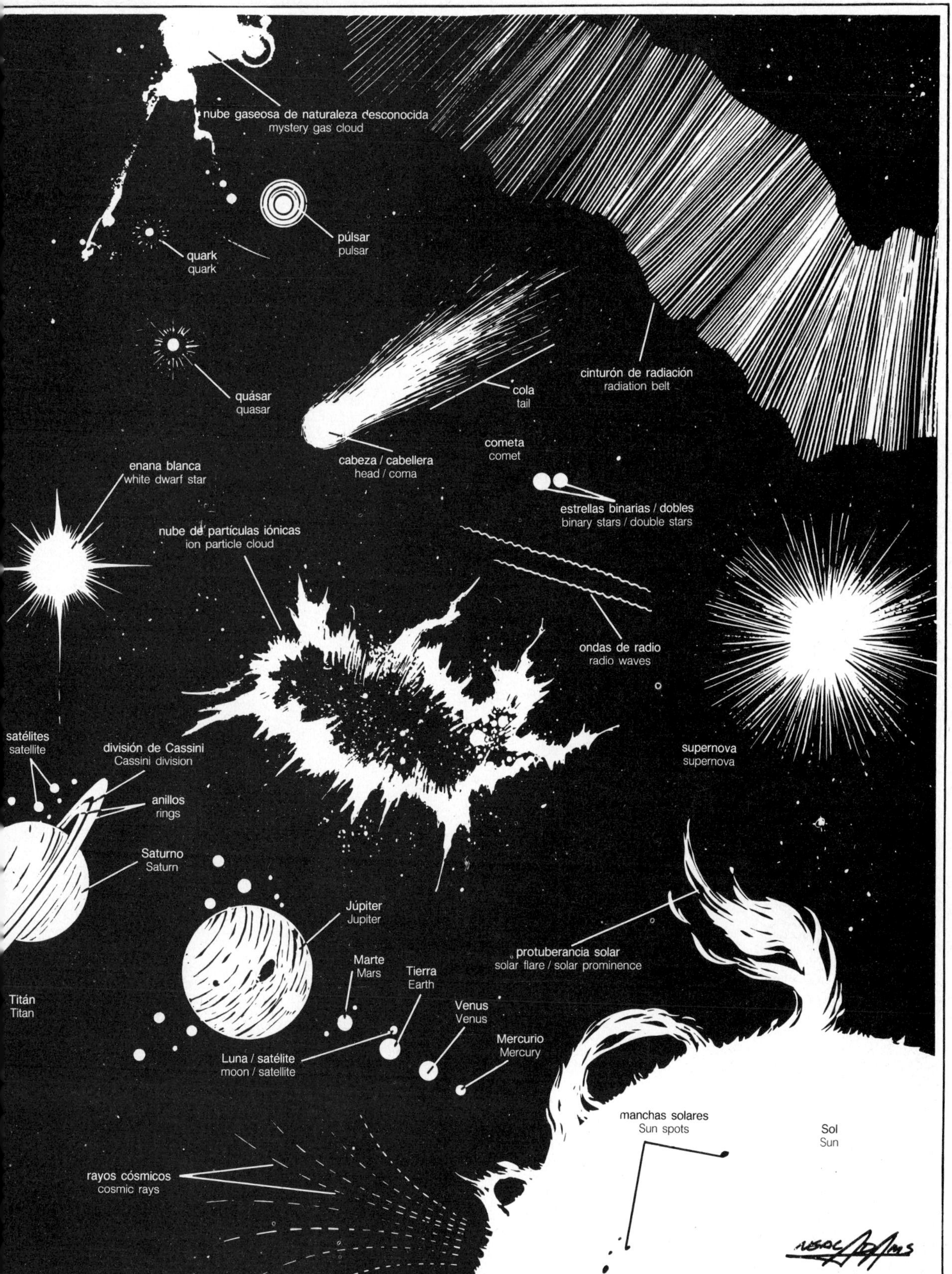

nube gaseosa de naturaleza desconocida
mystery gas cloud
púlsar
pulsar
quark
quark
cinturón de radiación
radiation belt
quásar
quasar
cola
tail
cometa
comet
cabeza / cabellera
head / coma
enana blanca
white dwarf star
estrellas binarias / dobles
binary stars / double stars
nube de partículas iónicas
ion particle cloud
ondas de radio
radio waves
satélites
satellite
división de Cassini
Cassini division
supernova
supernova
anillos
rings
Saturno
Saturn
Júpiter
Jupiter
protuberancia solar
solar flare / solar prominence
Marte
Mars
Tierra
Earth
Titán
Titan
Venus
Venus
Mercurio
Mercury
Luna / satélite
moon / satellite
manchas solares
Sun spots
Sol
Sun
rayos cósmicos
cosmic rays

Estructura de la Tierra

Los geólogos dividen la Tierra en tres zonas fundamentales: la *litosfera*, que incluye todos los sólidos, desde la superficie hasta el núcleo terrestre; la *hidrosfera*, compuesta por los océanos, los ríos y, en general, toda el agua en estado líquido, y la *atmósfera*, que es la capa gaseosa que rodea nuestro planeta. Su satélite natural, la Luna, tiene un ciclo de 29,5 días en el que pasa por cuatro fases cuya sucesión determina el *mes lunar*.

Earth Core

Geologists divide the earth into three zones: the *lithospere*, containing all solids from the land surface to the earth's center; the *hydrosphere*, all surface water areas; and the *atmosphere*, the layered gaseous envelope surrounding the earth's surface. The moon goes through eight phases ever 29.5 days, called a *synodic period*, or *lunar month*, in which parts of it are in dark shadow and not visible from earth.

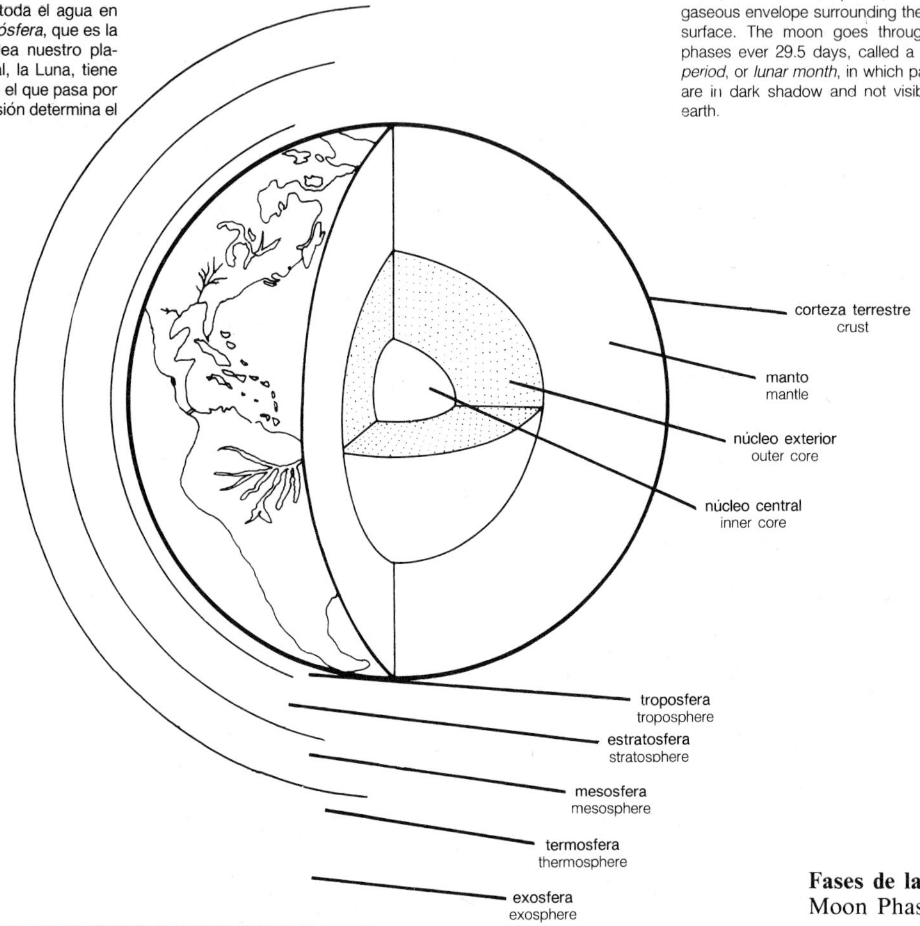

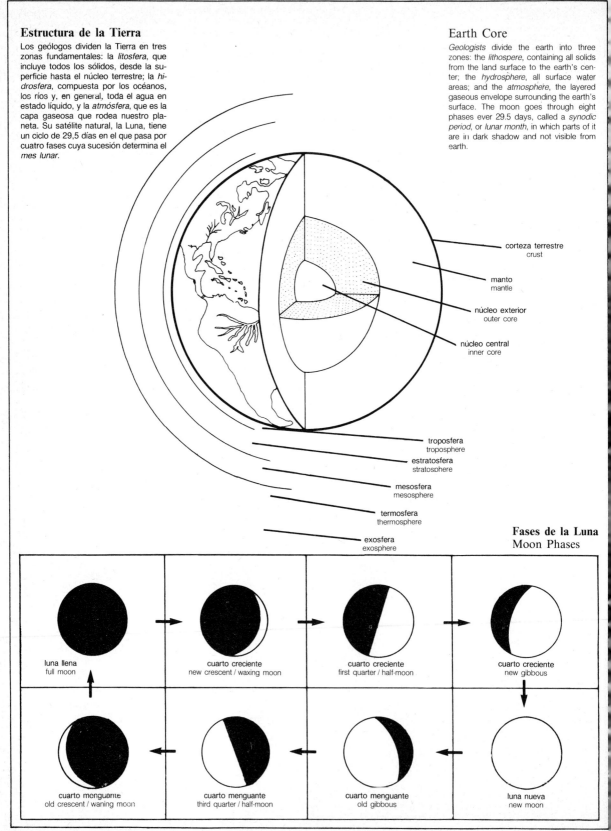

corteza terrestre
crust
manto
mantle
núcleo exterior
outer core
núcleo central
inner core
troposfera
troposphere
estratosfera
stratosphere
mesosfera
mesosphere
termosfera
thermosphere
exosfera
exosphere

Fases de la Luna
Moon Phases

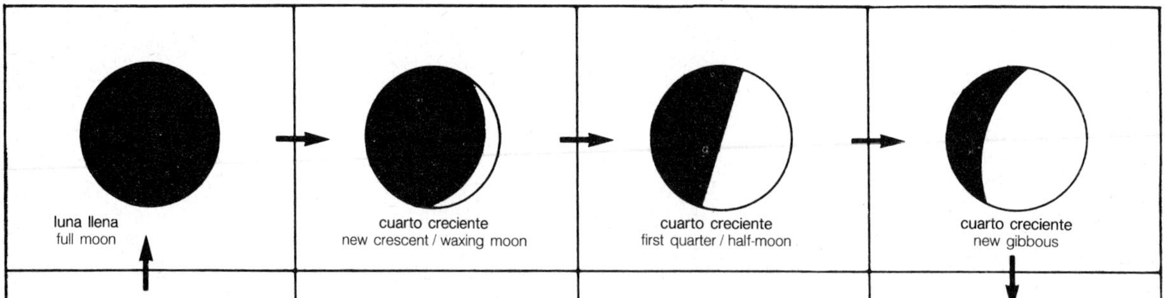

luna llena
full moon
cuarto creciente
new crescent / waxing moon
cuarto creciente
first quarter / half-moon
cuarto creciente
new gibbous
cuarto menguante
old crescent / waning moon
cuarto menguante
third quarter / half-moon
cuarto menguante
old gibbous
luna nueva
new moon

Cartografía

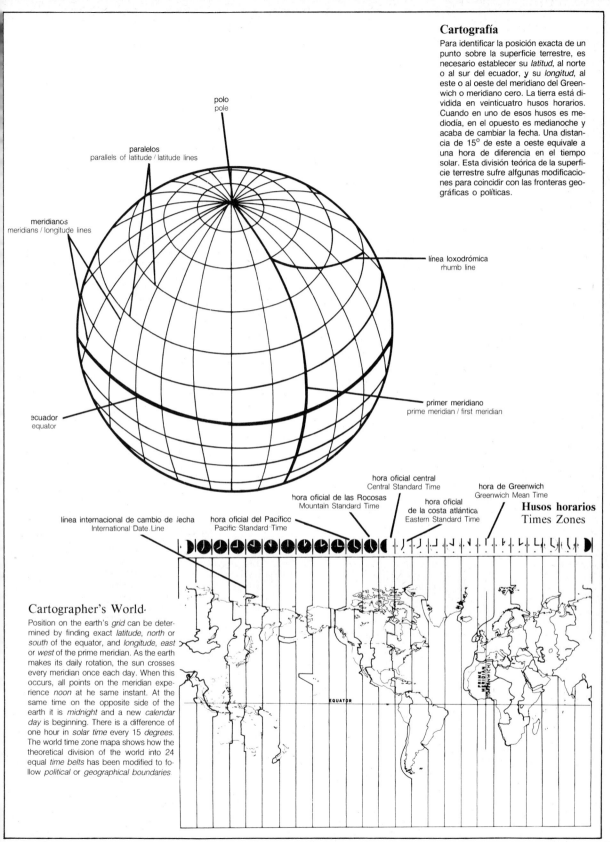

Para identificar la posición exacta de un punto sobre la superficie terrestre, es necesario establecer su *latitud*, al norte o al sur del ecuador, y su *longitud*, al este o al oeste del meridiano del Greenwich o meridiano cero. La tierra está dividida en veinticuatro husos horarios. Cuando en uno de esos husos es mediodía, en el opuesto es medianoche y acaba de cambiar la fecha. Una distancia de 15° de este a oeste equivale a una hora de diferencia en el tiempo solar. Esta división teórica de la superficie terrestre sufre alfgunas modificaciones para coincidir con las fronteras geográficas o políticas.

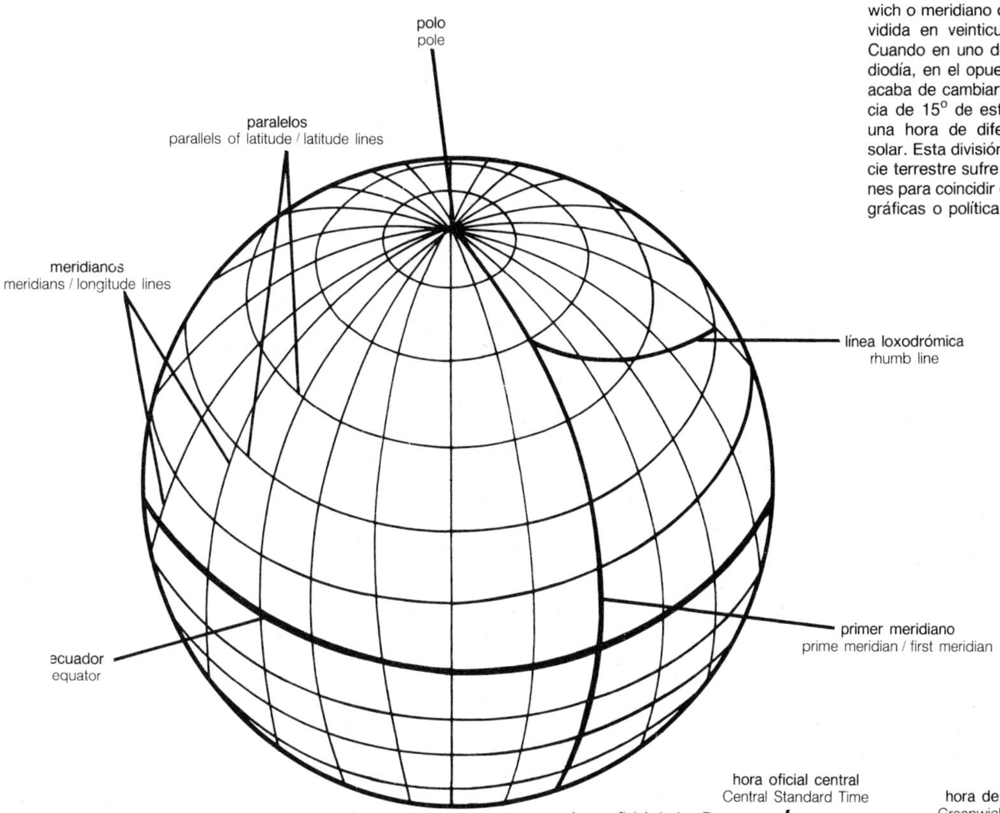
polo
pole
paralelos
parallels of latitude / latitude lines
meridianos
meridians / longitude lines
línea loxodrómica
rhumb line
primer meridiano
prime meridian / first meridian
ecuador
equator

Husos horarios
Times Zones

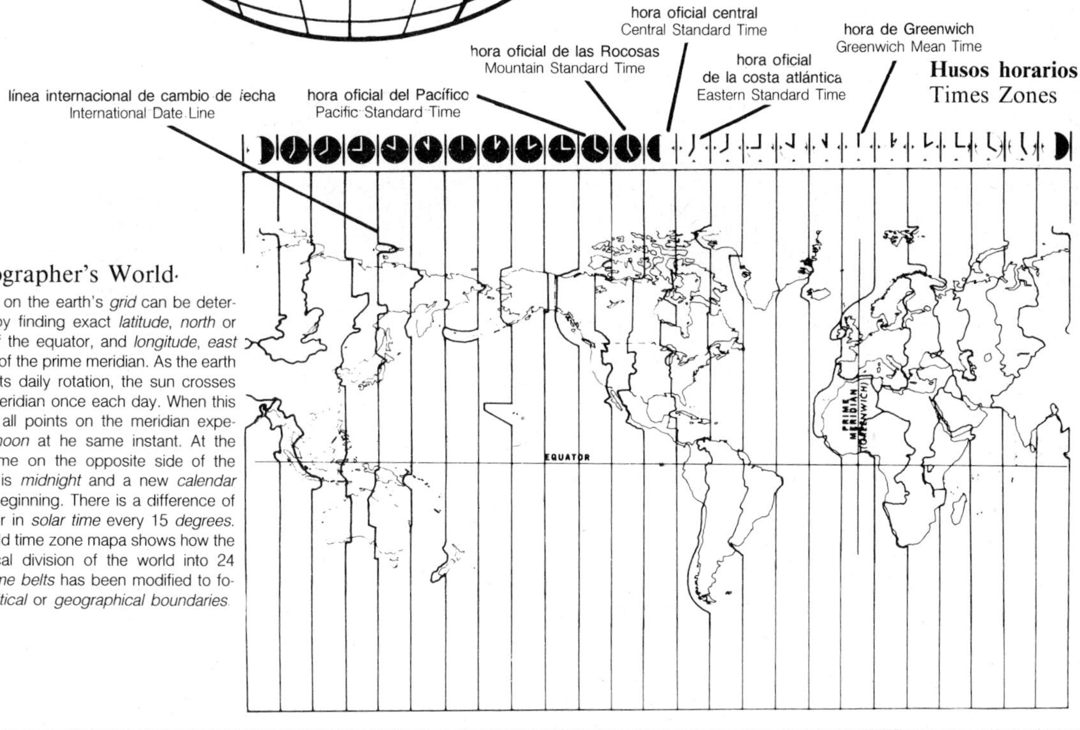
línea internacional de cambio de fecha
International Date Line
hora oficial del Pacífico
Pacific Standard Time
hora oficial de las Rocosas
Mountain Standard Time
hora oficial central
Central Standard Time
hora oficial
de la costa atlántica
Eastern Standard Time
hora de Greenwich
Greenwich Mean Time
EQUATOR
PRIME MERIDIAN (GREENWICH)

Cartographer's World

Position on the earth's *grid* can be determined by finding exact *latitude*, *north* or *south* of the equator, and *longitude*, *east* or *west* of the prime meridian. As the earth makes its daily rotation, the sun crosses every meridian once each day. When this occurs, all points on the meridian experience *noon* at he same instant. At the same time on the opposite side of the earth it is *midnight* and a new *calendar day* is beginning. There is a difference of one hour in *solar time* every 15 *degrees*. The world time zone mapa shows how the theoretical division of the world into 24 equal *time belts* has been modified to follow *political* or *geographical boundaries*.

Vientos y corrientes oceánicas

Los *patrones zonales* de los vientos se pueden desplazar hacia el norte y hacia el sur de acuerdo con las estaciones del año. Los que se ven aquí son los predominantes en invierno. Las *corrientes estacionales* varían de velocidad y dirección según los vientos estacionales, mientras que las *corrientes permanentes* experimentan cambios relativamente pequeños.

Wind and Ocean Currents

The *zonal patterns* of wind are displaced northward and southward seasonally. Those shown here prevail in winter. *Seasonal currents* change speed and direction due to seasonal winds, whereas *permanent currents* experience relatively little change.

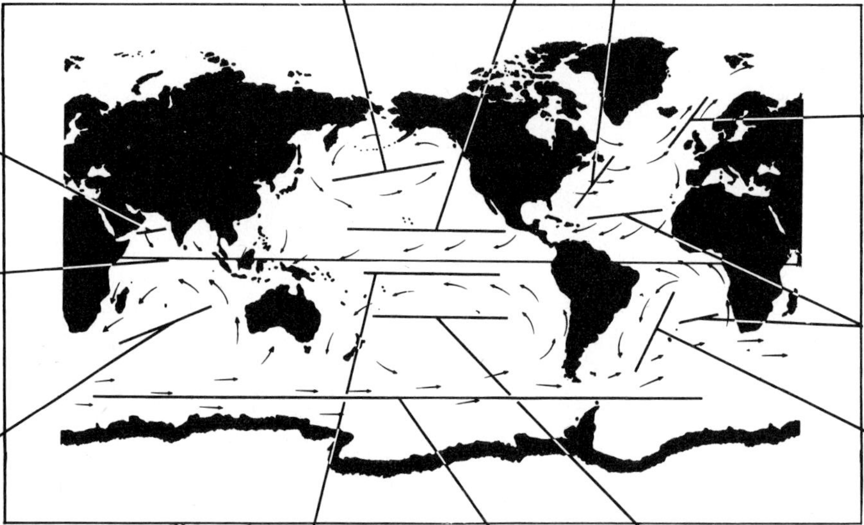

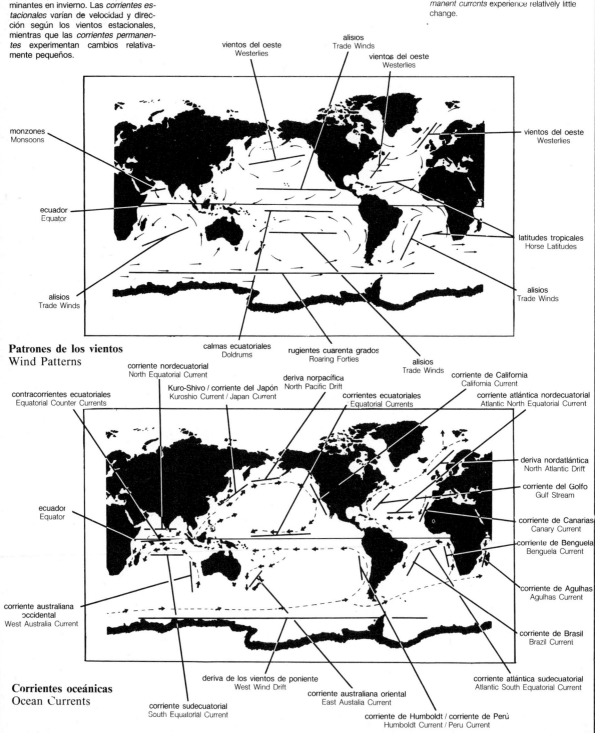

vientos del oeste
Westerlies
alisios
Trade Winds
vientos del oeste
Westerlies
monzones
Monsoons
vientos del oeste
Westerlies
ecuador
Equator
latitudes tropicales
Horse Latitudes
alisios
Trade Winds
alisios
Trade Winds
calmas ecuatoriales
Doldrums
rugientes cuarenta grados
Roaring Forties
alisios
Trade Winds

Patrones de los vientos
Wind Patterns

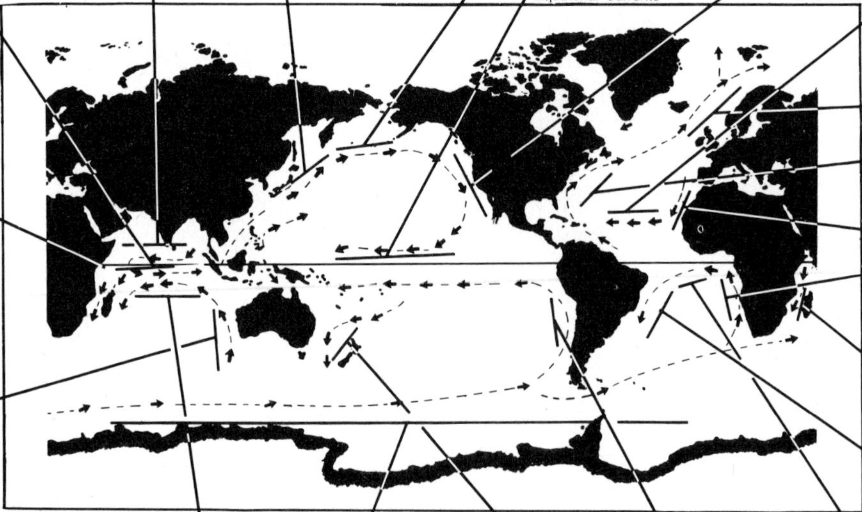

corriente nordecuatorial
North Equatorial Current
deriva norpacífica
North Pacific Drift
corriente de California
California Current
contracorrientes ecuatoriales
Equatorial Counter Currents
Kuro-Shivo / corriente del Japón
Kuroshio Current / Japan Current
corrientes ecuatoriales
Equatorial Currents
corriente atlántica nordecuatorial
Atlantic North Equatorial Current
deriva nordatlántica
North Atlantic Drift
corriente del Golfo
Gulf Stream
ecuador
Equator
corriente de Canarias
Canary Current
corriente de Benguela
Benguela Current
corriente de Agulhas
Agulhas Current
corriente australiana occidental
West Australia Current
corriente de Brasil
Brazil Current
deriva de los vientos de poniente
West Wind Drift
corriente atlántica sudecuatorial
Atlantic South Equatorial Current
corriente australiana oriental
East Austalia Current
corriente sudecuatorial
South Equatorial Current
corriente de Humboldt / corriente de Perú
Humboldt Current / Peru Current

Corrientes oceánicas
Ocean Currents

Paisajes terrestres

Una parte de un océano o mar que se adentra en la Tierra es un *golfo*. Una estrecha franja de Tierra que se prolonga hacia el agua es un *espolón* o *flecha*. Una barra arenosa o de gravas que conecta una isla con el *continente* o con otra isla es un *tómbolo*.

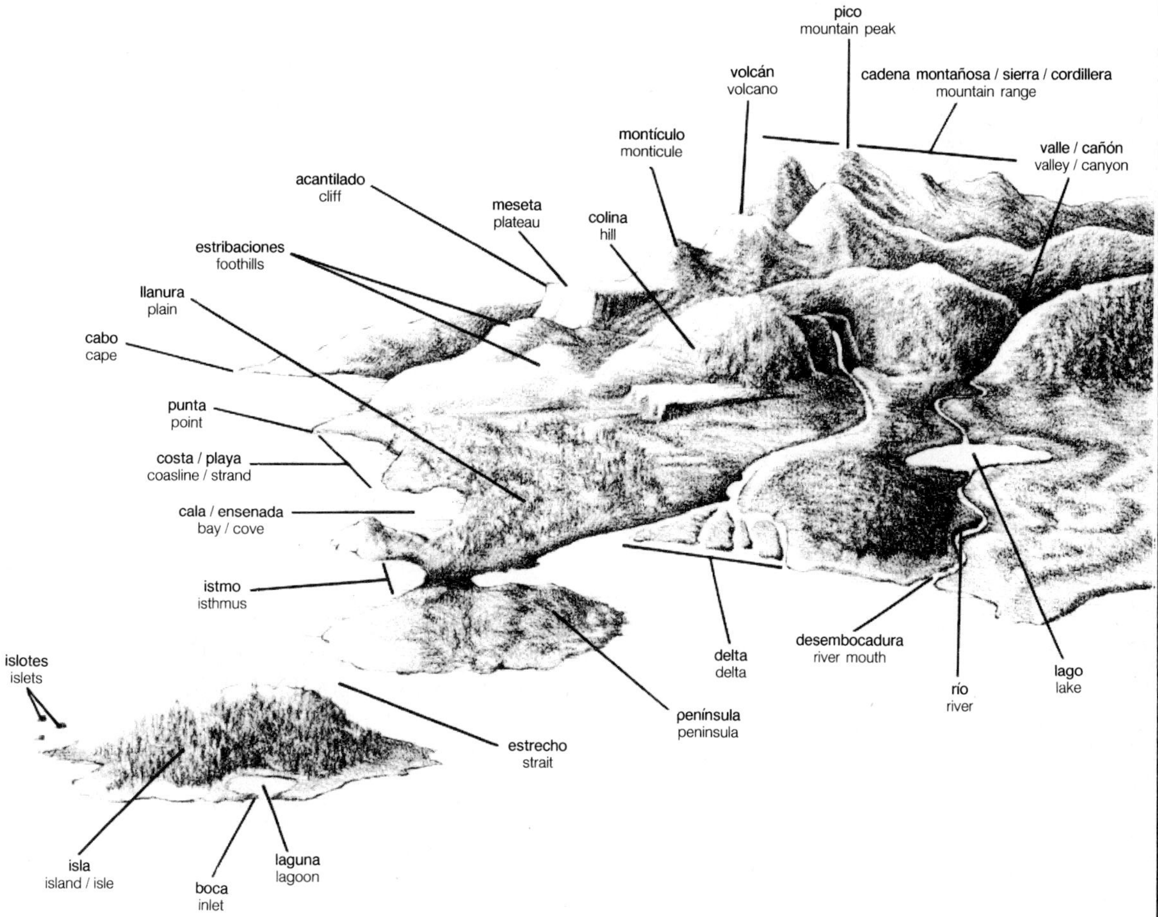

pico
mountain peak
volcán
volcano
cadena montañosa / sierra / cordillera
mountain range
montículo
monticule
valle / cañón
valley / canyon
acantilado
cliff
meseta
plateau
colina
hill
estribaciones
foothills
llanura
plain
cabo
cape
punta
point
costa / playa
coasline / strand
cala / ensenada
bay / cove
istmo
isthmus
islotes
islets
delta
delta
desembocadura
river mouth
lago
lake
río
river
península
peninsula
estrecho
strait
isla
island / isle
laguna
lagoon
boca
inlet

Land Features

A part of an *ocean* or *sea* extending into the land is a *gulf*. A narrow finger of land extending into the water is a *spit*. A sand or gravel bar connecting and island with the *mainland* or another island is a *tombolo*.

Montañas

Una serie de montañas, como las que se ven aquí, es una *cordillera*. Un espacio circular entre las montañas es un *circo*. Un *kame* es un cerro dejado al retirarse una masa de hielo. Una colina o montaña aislada que se eleva abruptamente de las tierras circundantes es un *cerro testigo*.

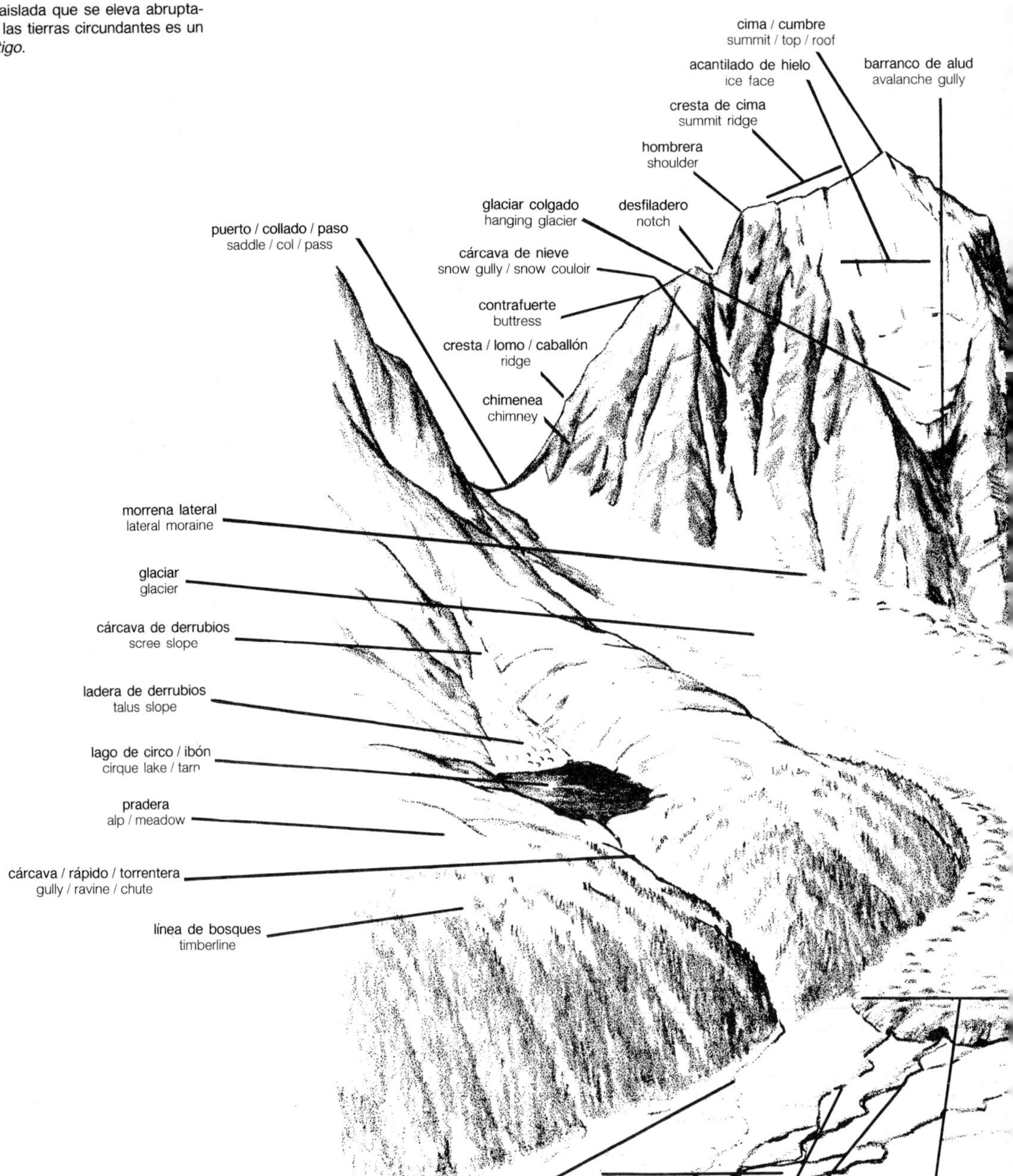

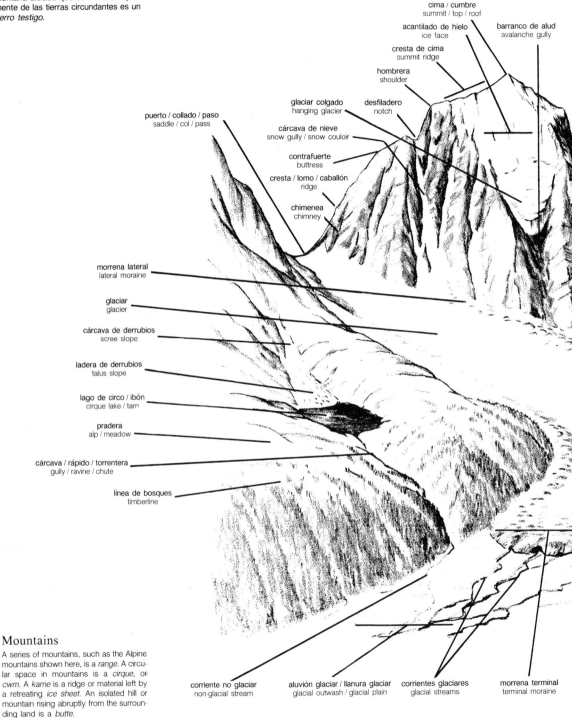

cima / cumbre
summit / top / roof
acantilado de hielo
ice face
barranco de alud
avalanche gully
cresta de cima
summit ridge
hombrera
shoulder
glaciar colgado
hanging glacier
desfiladero
notch
puerto / collado / paso
saddle / col / pass
cárcava de nieve
snow gully / snow couloir
contrafuerte
buttress
cresta / lomo / caballón
ridge
chimenea
chimney
morrena lateral
lateral moraine
glaciar
glacier
cárcava de derrubios
scree slope
ladera de derrubios
talus slope
lago de circo / ibón
cirque lake / tarn
pradera
alp / meadow
cárcava / rápido / torrentera
gully / ravine / chute
línea de bosques
timberline
corriente no glaciar
non-glacial stream
aluvión glaciar / llanura glaciar
glacial outwash / glacial plain
corrientes glaciares
glacial streams
morrena terminal
terminal moraine

Mountains

A series of mountains, such as the Alpine mountains shown here, is a *range*. A circular space in mountains is a *cirque*, or *cwm*. A *kame* is a ridge or material left by a retreating *ice sheet*. An isolated hill or mountain rising abruptly from the surrounding land is a *butte*.

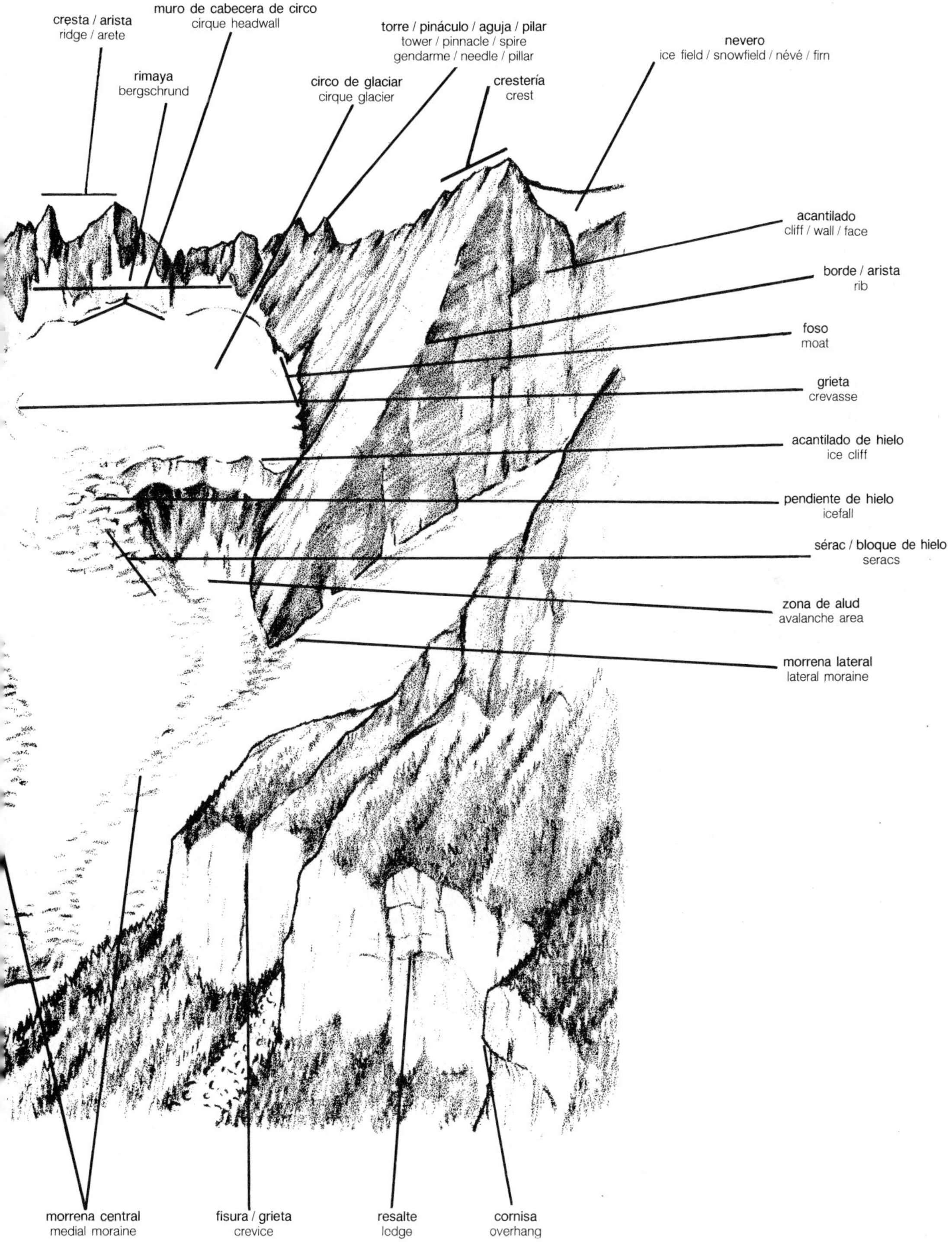

cresta / arista
ridge / arete
muro de cabecera de circo
cirque headwall
rimaya
bergschrund
circo de glaciar
cirque glacier
torre / pináculo / aguja / pilar
tower / pinnacle / spire
gendarme / needle / pillar
crestería
crest
nevero
ice field / snowfield / névé / firn
acantilado
cliff / wall / face
borde / arista
rib
foso
moat
grieta
crevasse
acantilado de hielo
ice cliff
pendiente de hielo
icefall
sérac / bloque de hielo
seracs
zona de alud
avalanche area
morrena lateral
lateral moraine
morrena central
medial moraine
fisura / grieta
crevice
resalte
ledge
cornisa
overhang

Volcán

En los volcanes de chimenea central, tal como el que se ve aquí, los materiales fundidos surgen de una única chimenea. Los volcanes de fisura emiten los materiales a lo largo de fracturas

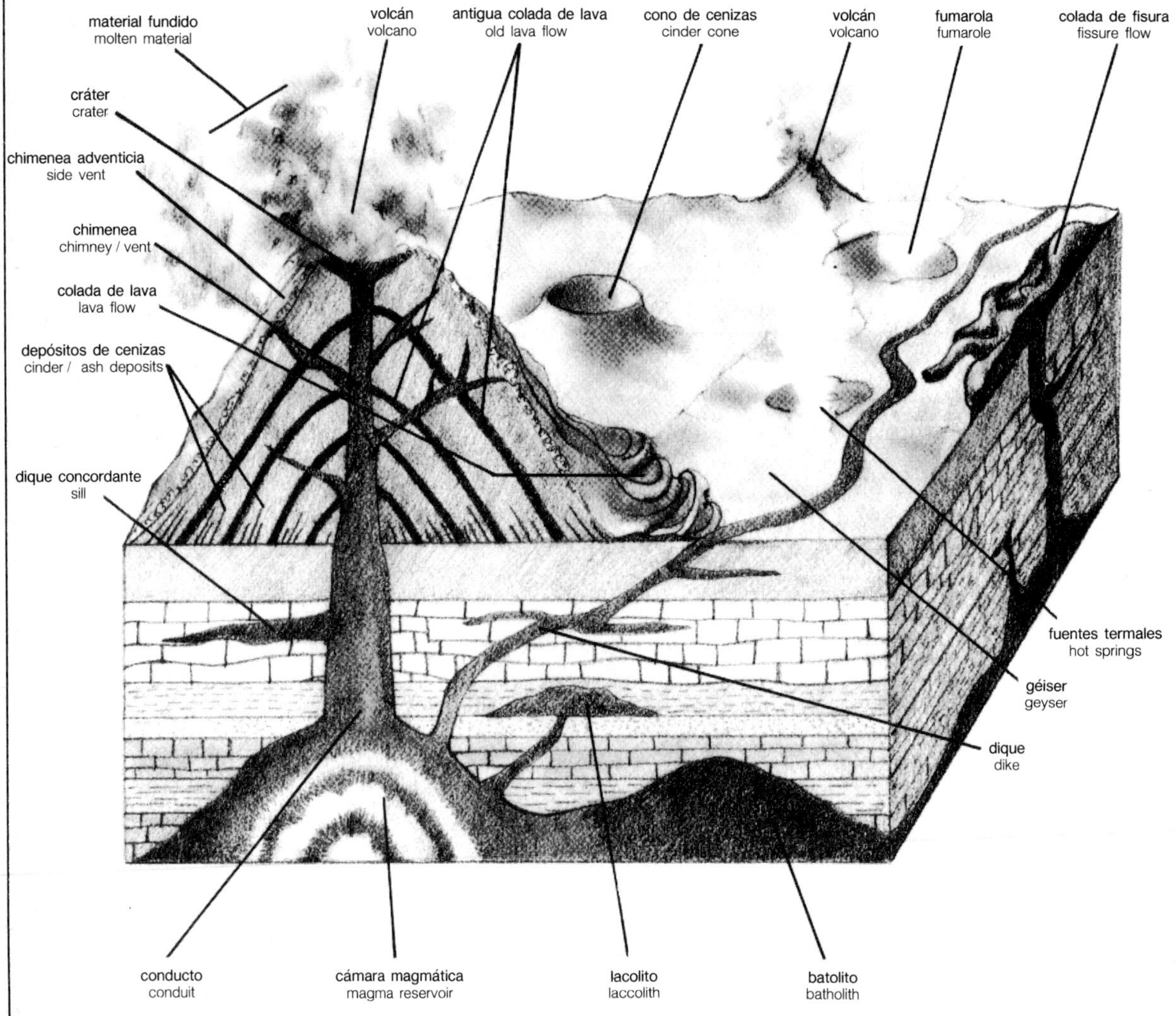

material fundido
molten material
cráter
crater
chimenea adventicia
side vent
chimenea
chimney / vent
colada de lava
lava flow
depósitos de cenizas
cinder / ash deposits
dique concordante
sill
volcán
volcano
antigua colada de lava
old lava flow
cono de cenizas
cinder cone
volcán
volcano
fumarola
fumarole
colada de fisura
fissure flow
fuentes termales
hot springs
géiser
geyser
dique
dike
conducto
conduit
cámara magmática
magma reservoir
lacolito
laccolith
batolito
batholith

Volcano

In *central-vent volcanoes*, such as the one shown here, material erupts from a single pipe. *Fissure volcanoes* extrude material along extensive *fractures.*

Sección transversal de una caverna

La exploración de las simas, cuevas, cavernas y *grutas* subterráneas recibe el nombre de *espeleología*. La mayoría de las *cavidades* subterráneas son de origen *córsico* o *volcánico*. Las primeras son consecuencia de un proceso de disolución de las rocas calizas que, conjugado con la acción erosiva de las aguas subterráneas, da lugar a veces a inmensos conjuntos de salas, galerías, pasadizos, cámaras, y pozos comunicados entre sí.

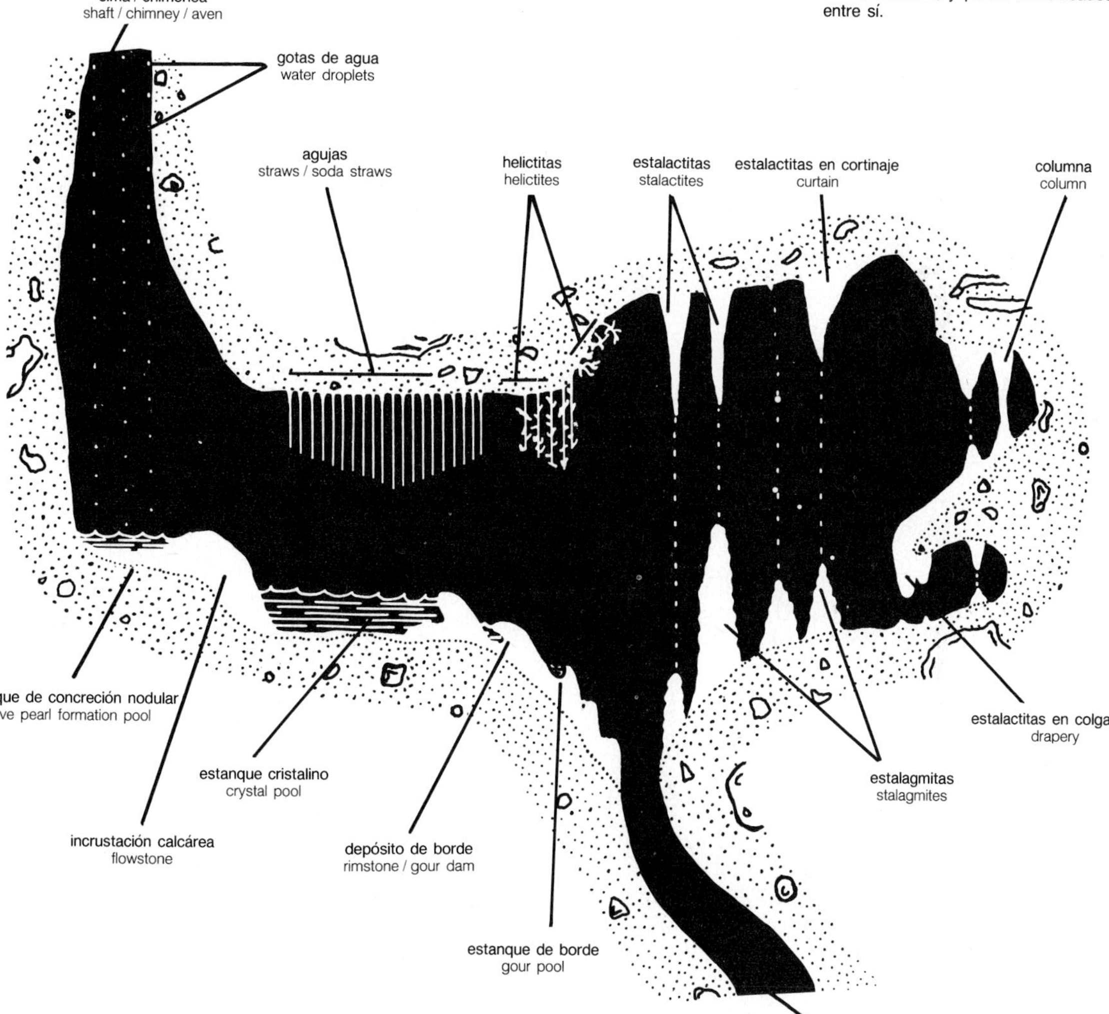

sima / chimenea
shaft / chimney / aven
gotas de agua
water droplets
agujas
straws / soda straws
helictitas
helictites
estalactitas
stalactites
estalactitas en cortinaje
curtain
columna
column
stanque de concreción nodular
cave pearl formation pool
estalactitas en colgadura
drapery
estanque cristalino
crystal pool
estalagmitas
stalagmites
incrustación calcárea
flowstone
depósito de borde
rimstone / gour dam
estanque de borde
gour pool
corriente
streamway

Cave Cross Section

The exploration of caves, or *caverns*, is called *spelunking* or *caving*. The area lighted by daylight just inside a cave entrance is the *twilight zone*. An underground structure containing many *galleries*, *chambers* or *rooms* is a *cave system*. Anything formed inside a cave, *cavern* or *grotto*, by dripping water is *dripstone*. Knobby calcite growths often found on *walls* and *floor* of once-submerged caves are called *cave coral* or *cave popcorn*.

Glaciar

Los icebergs se forman cuando la *lengua* de un glaciar llega hasta el mar y penetra en él. Entonces se desprenden enormes masas o *témpanos* de hielo que flotan a la deriva arrastrados por las corrientes marinas. Los icebergs representan una grave amenaza para la navegación.

Glacier

When a glacier terminates at he water's edge, sections break off, or *calve*, to form icebergs. Icebergs often break apart to form smaller, separate *bergs*, *bergy bits* or *bitty bergs*. Even smaller sections are called *growlers*. *Ice packs*, formed when the water surface between floating ice freezes, are called *floes*. Sections that break off are called *floebergs*.

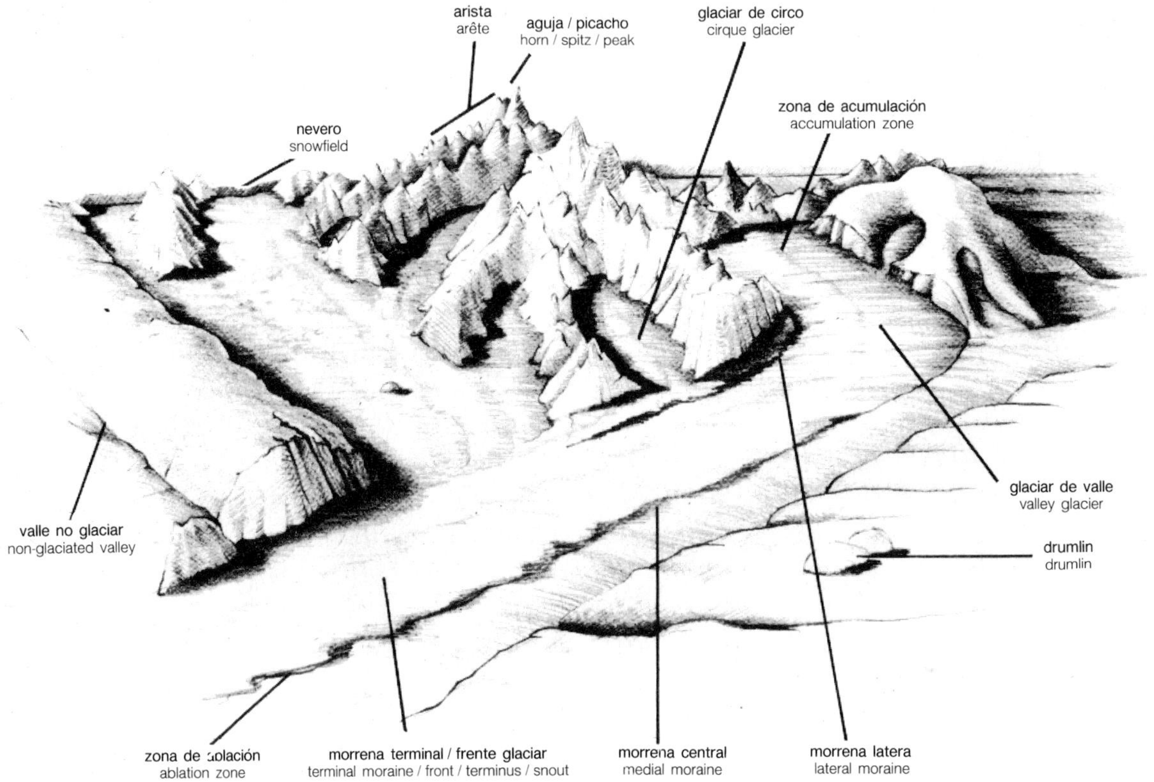

arista
arête
aguja / picacho
horn / spitz / peak
glaciar de circo
cirque glacier
nevero
snowfield
zona de acumulación
accumulation zone
glaciar de valle
valley glacier
valle no glaciar
non-glaciated valley
drumlin
drumlin
zona de ablación
ablation zone
morrena terminal / frente glaciar
terminal moraine / front / terminus / snout
morrena central
medial moraine
morrena latera
lateral moraine

Glaciar
Glacier

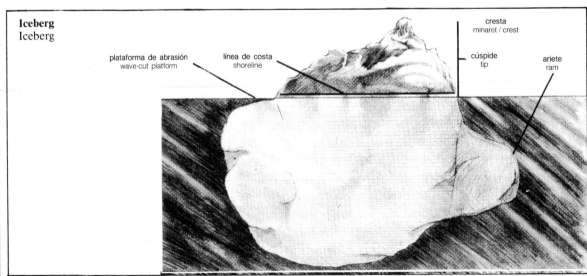

Iceberg
Iceberg

cresta
minaret / crest
plataforma de abrasión
wave-cut platform
línea de costa
shoreline
cúspide
tip
ariete
ram

Río

Un *sistema fluvial* está formado por un río principal y sus afluentes o tributarios. Drena una *cuenca fluvial* y discurre a lo largo de un *curso* que excava un *cauce* en la tierra. Cuando las aguas se salen del cauce, se produce una *riada, inundación* o *avenida*.

River

A *river system* consists of the main river and its tributaries or branches. It drains from a *river basin*, and flows along a course, or *watercourse*, cutting a *channel* through the land. A *flood* occurs when it overflows its banks.

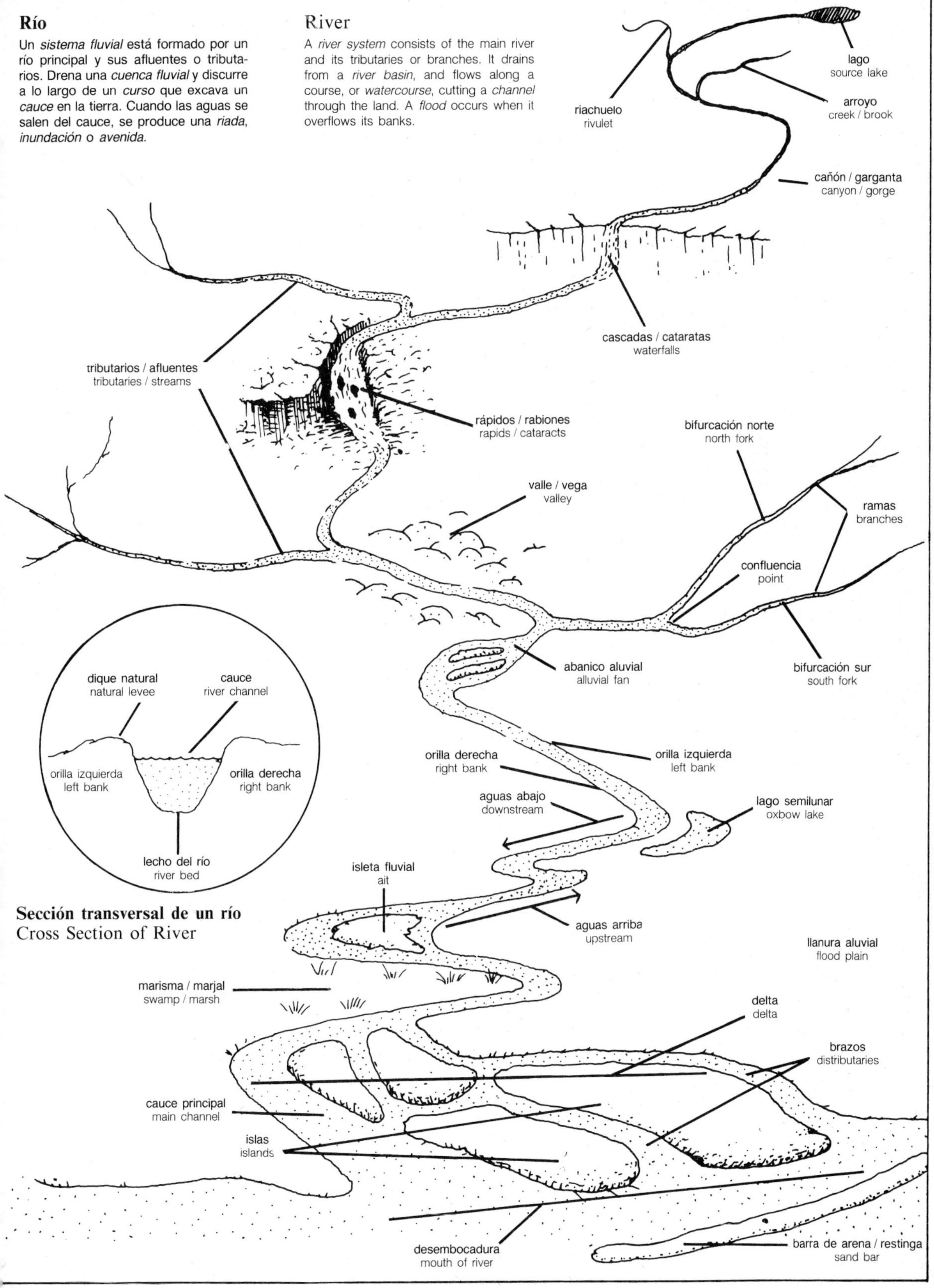
lago
source lake
arroyo
creek / brook
riachuelo
rivulet
cañón / garganta
canyon / gorge
cascadas / cataratas
waterfalls
tributarios / afluentes
tributaries / streams
rápidos / rabiones
rapids / cataracts
bifurcación norte
north fork
valle / vega
valley
ramas
branches
confluencia
point
abanico aluvial
alluvial fan
bifurcación sur
south fork
orilla derecha
right bank
orilla izquierda
left bank
aguas abajo
downstream
lago semilunar
oxbow lake
isleta fluvial
ait
aguas arriba
upstream
llanura aluvial
flood plain
marisma / marjal
swamp / marsh
delta
delta
brazos
distributaries
cauce principal
main channel
islas
islands
desembocadura
mouth of river
barra de arena / restinga
sand bar
dique natural
natural levee
cauce
river channel
orilla izquierda
left bank
orilla derecha
right bank
lecho del río
river bed

Sección transversal de un río
Cross Section of River

Olas y costa

La *longitud* de una ola es la distancia en línea recta entre dos crestas, el *período* es el tiempo que tardan dos olas en pasar por el mismo punto y *altura*, la distancia vertical medida desde el seno hasta la cresta. Existen *olas de superficie*, *olas de marea*, *olas internas*, *tsunamis* y elevaciones del nivel del mar debidas a las tormentas. Cuando el mar se agita sin formar crestas se dice que hay marejada. El *macareo* o *pororo* es el oleaje que sube río arriba al ascender la marea.

Wave and Shoreline

Wavelength is the linear distance between two wave crest, *period* is the time it takes two crest to pass a given point, and *wave height* is the vertical distance measured from the trough to the crest of a wave. There are *surface waves, tidal waves, internal waves, tsunamis, storm surges* and *seiches*. Long, crestless waves ase *swells*. The rapid flow of water up into the *beach face* following the breaking of *surf* is the *uprush* or *swash*.

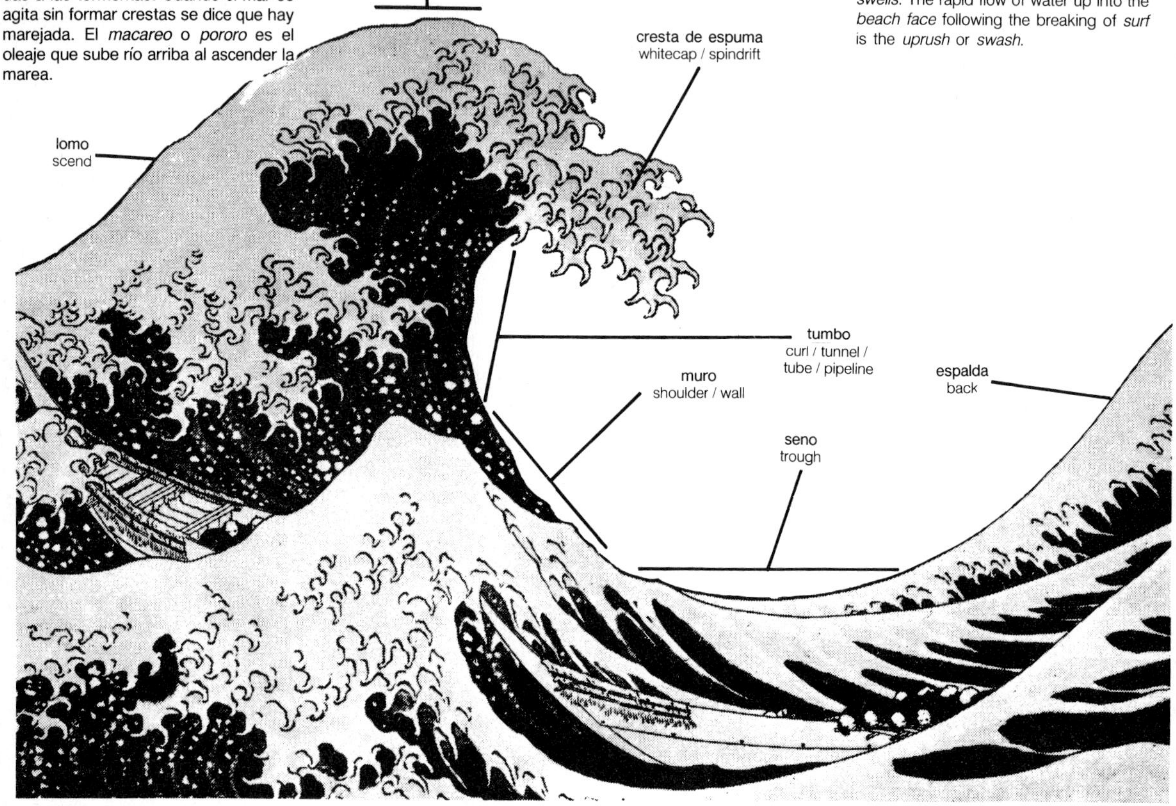
cresta
crest
cresta de espuma
whitecap / spindrift
lomo
scend
tumbo
curl / tunnel / tube / pipeline
muro
shoulder / wall
espalda
back
seno
trough

Perrfil de costa
Shoreline Profile

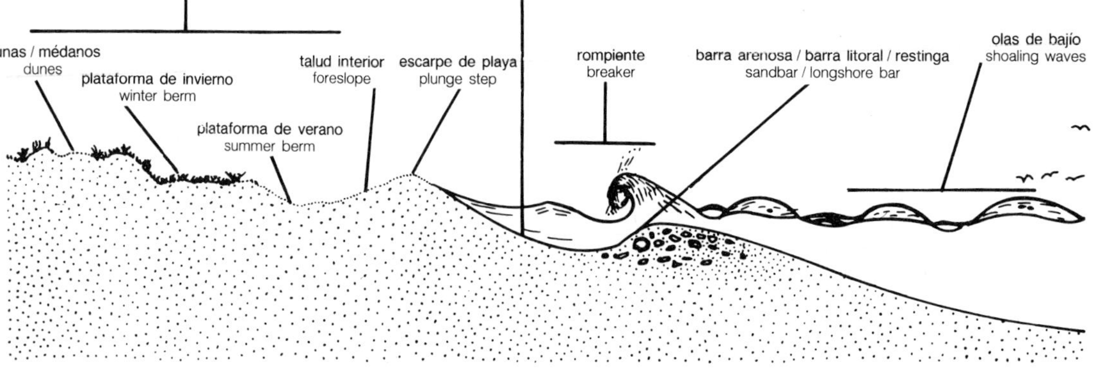
costa / playa
shore / beach / backshore
terraza de marea baja
low-tide terrace / lonsghore though
dunas / médanos
dunes
plataforma de invierno
winter berm
talud interior
foreslope
escarpe de playa
plunge step
rompiente
breaker
barra arenosa / barra litoral / restinga
sandbar / longshore bar
olas de bajío
shoaling waves
plataforma de verano
summer berm

Costa y margen continental

La *zona litoral* es la parte de la costa comprendida entre los niveles de las *mareas alta y baja*. La *plataforma continental* es la parte del continente que se encuentra sumergida en el océano. Se considera que el límite exterior de la plataforma continental lo constituye la curva de las 100 *brazas* de profundidad (unos 170 metros).

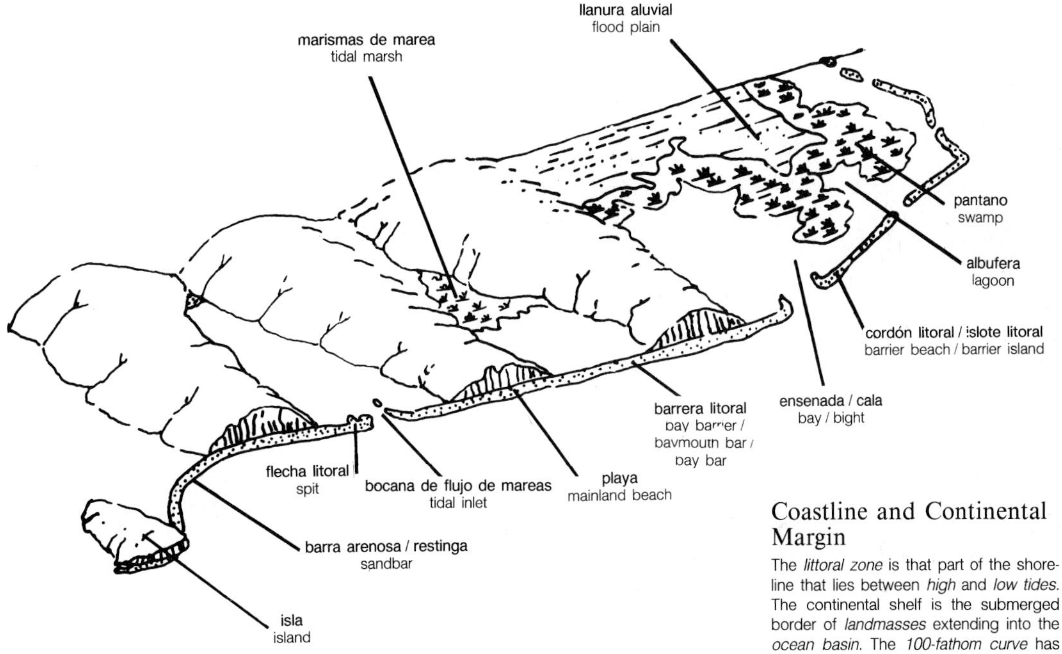

llanura aluvial
flood plain
marismas de marea
tidal marsh
pantano
swamp
albufera
lagoon
cordón litoral / islote litoral
barrier beach / barrier island
ensenada / cala
bay / bight
barrera litoral
bay barrier / baymouth bar / bay bar
playa
mainland beach
flecha litoral
spit
bocana de flujo de mareas
tidal inlet
barra arenosa / restinga
sandbar
isla
island

Coastline and Continental Margin

The *littoral zone* is that part of the shoreline that lies between *high* and *low tides*. The continental shelf is the submerged border of *landmasses* extending into the *ocean basin*. The *100-fathom curve* has long been used as the outer limit of the continental shelf.

Perfil del margen continental
Continental Margin Profile

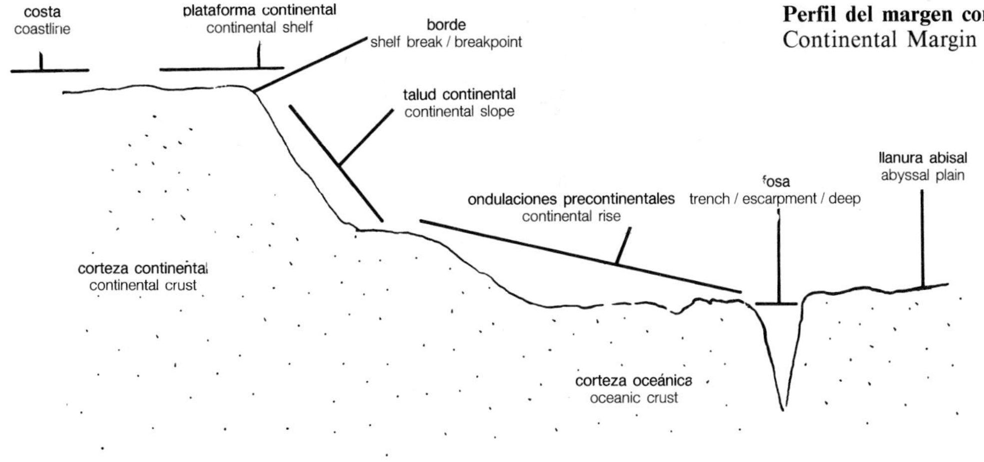

costa
coastline
plataforma continental
continental shelf
borde
shelf break / breakpoint
talud continental
continental slope
llanura abisal
abyssal plain
fosa
trench / escarpment / deep
ondulaciones precontinentales
continental rise
corteza continental
continental crust
corteza oceánica
oceanic crust

Nubes

El nombre dado a una nube describe al mismo tiempo su aspecto y su altura sobre el suelo. Las nubes están formadas por minúsculas gotas de agua o por *cristales de hielo* y cambian continuamente de forma debido a la evaporación, al viento y a los *movimientos verticales del aire*.

Clouds

The name of a cloud describes both its appearance and its height above the ground. Clouds are formed from tiny droplets of water or *ice crystals* and continually change shape due to evaporation, wind and *air movements*.

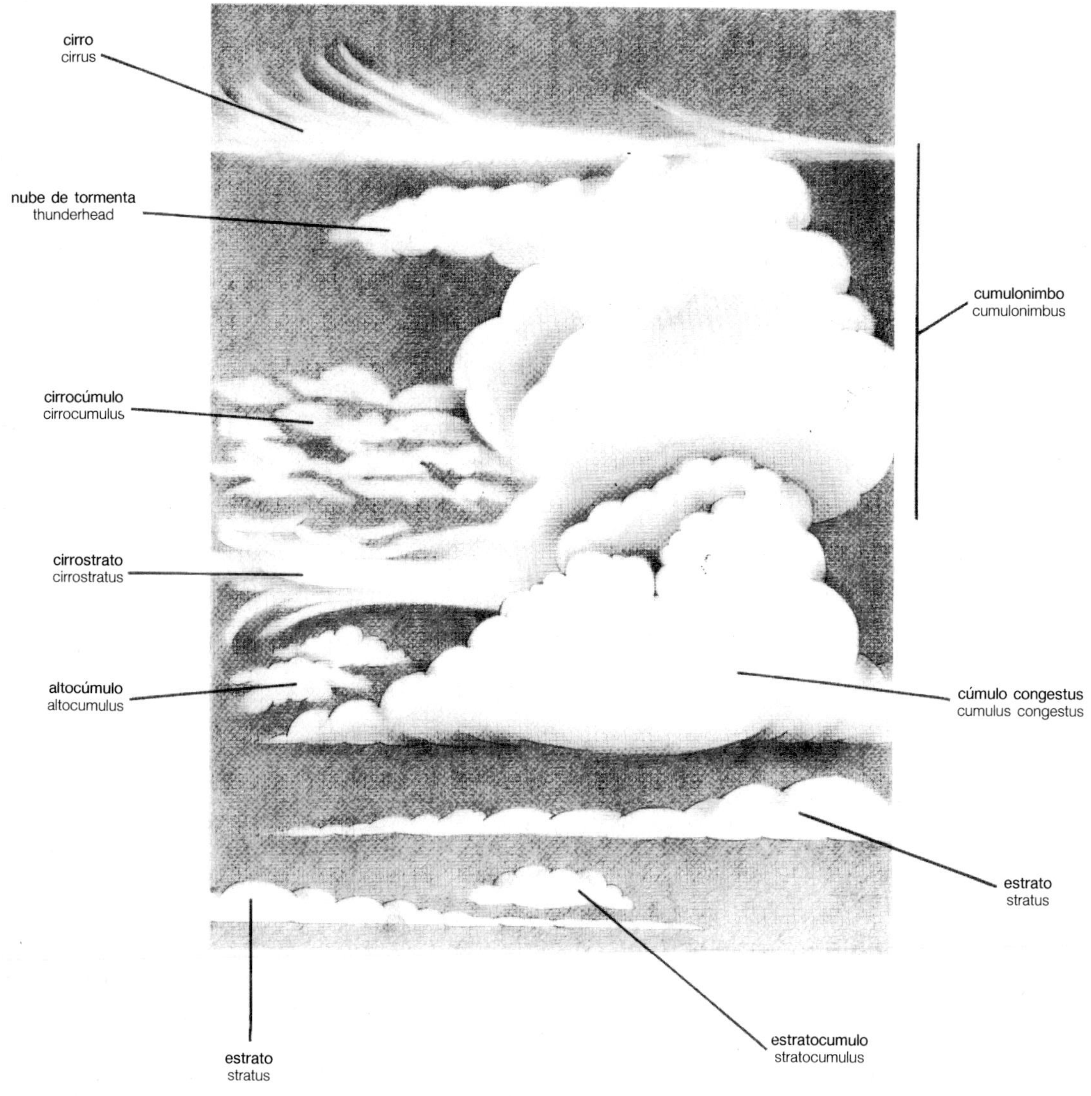

cirro
cirrus
nube de tormenta
thunderhead
cumulonimbo
cumulonimbus
cirrocúmulo
cirrocumulus
cirrostrato
cirrostratus
altocúmulo
altocumulus
cúmulo congestus
cumulus congestus
estrato
stratus
estratocumulo
stratocumulus
estrato
stratus

Sistemas tormentosos

Todas las tormentas presentan unas mismas características generales: rayos, *truenos*, fuertes ráfagas de *viento*, densas *lluvias* y, en ocasiones, *granizo*. Cuando los huracanes tienen lugar en el Pacífico, reciben el nombre de *tifones*, mientras que *tornado* es el nombre utilizado en América.

Storm Systems

Thunderstorms carry the same general features: lightning, *thunder*, strong gusts of *wind*, heavy *showers*, and occasionally *hailstones*. When hurricanes occur in the Pacific, they are called *typhoons*. Tornados are also known as *twisters*.

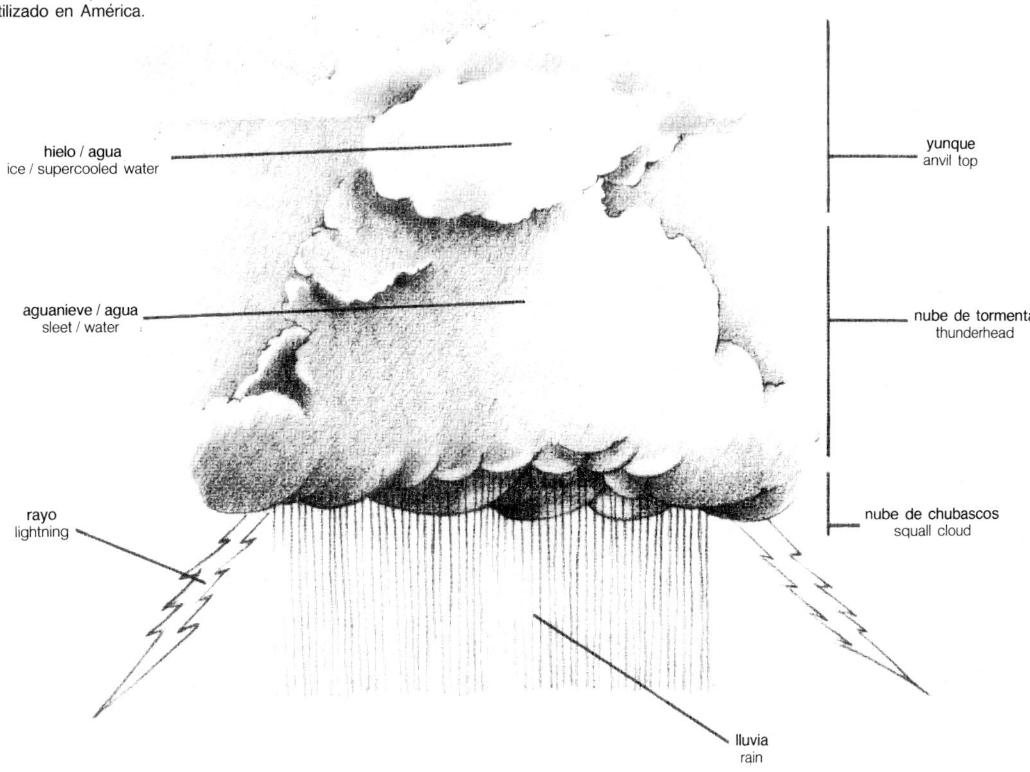
hielo / agua
ice / supercooled water
aguanieve / agua
sleet / water
rayo
lightning
yunque
anvil top
nube de tormenta
thunderhead
nube de chubascos
squall cloud
lluvia
rain

Tormenta
Thunderstorm

Tornado
Tornado

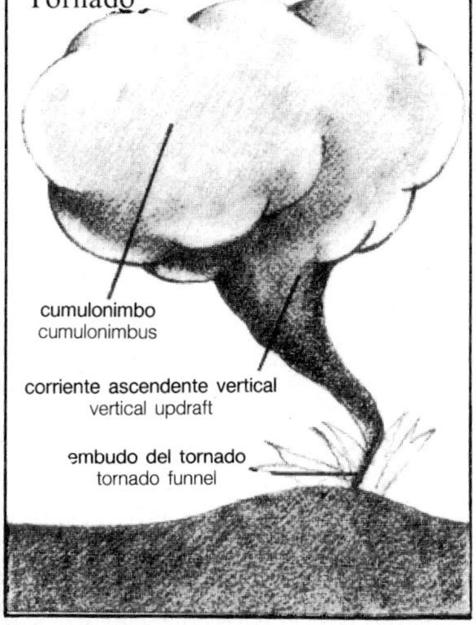
cumulonimbo
cumulonimbus
corriente ascendente vertical
vertical updraft
embudo del tornado
tornado funnel

Sección transversal de un huracán
Cross Section of Hurricane

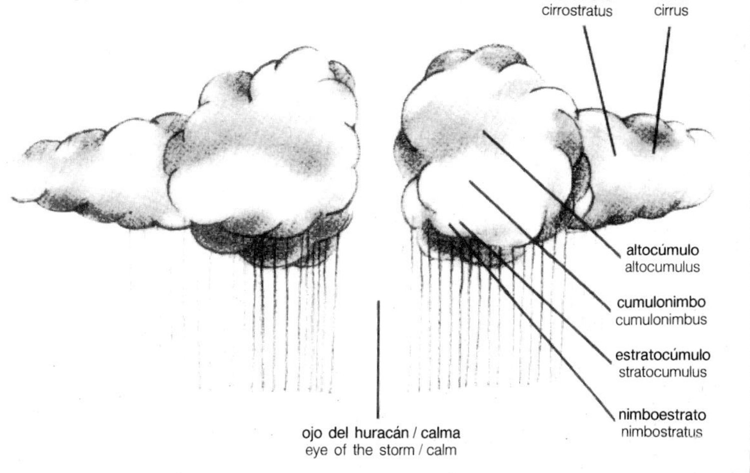
cirrostrato
cirrostratus
cirro
cirrus
altocúmulo
altocumulus
cumulonimbo
cumulonimbus
estratocúmulo
stratocumulus
nimboestrato
nimbostratus
ojo del huracán / calma
eye of the storm / calm

Equipo meteorológico

Un equipo similar al mostrado aquí, permite al *meteorólogo* realizar *predicciones del tiempo.*

Weather Monitoring Equipment

Equipment, such as that shown here, helps a *meteorologist* predict weather and make *weather forecasts.*

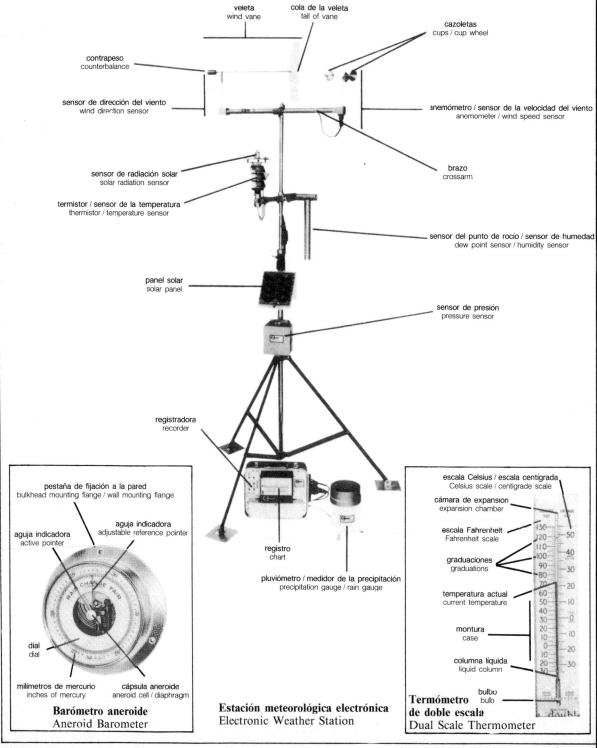

veleta
wind vane
cola de la veleta
tail of vane
cazoletas
cups / cup wheel
contrapeso
counterbalance
sensor de dirección del viento
wind direction sensor
anemómetro / sensor de la velocidad del viento
anemometer / wind speed sensor
brazo
crossarm
sensor de radiación solar
solar radiation sensor
termistor / sensor de la temperatura
thermistor / temperature sensor
sensor del punto de rocío / sensor de humedad
dew point sensor / humidity sensor
panel solar
solar panel
sensor de presión
pressure sensor
registradora
recorder
registro
chart
pluviómetro / medidor de la precipitación
precipitation gauge / rain gauge

Estación meteorológica electrónica
Electronic Weather Station

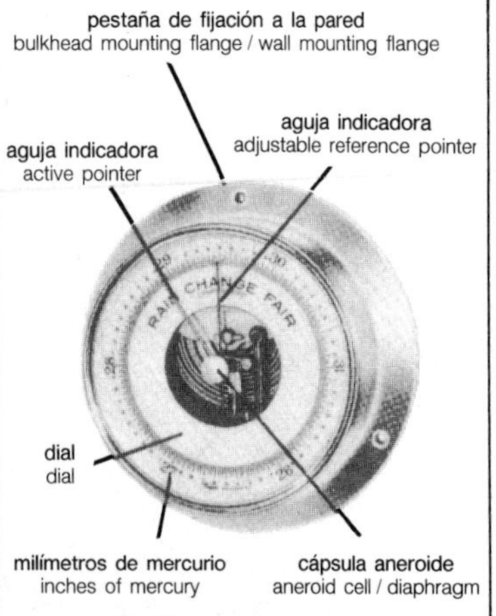

pestaña de fijación a la pared
bulkhead mounting flange / wall mounting flange
aguja indicadora
adjustable reference pointer
aguja indicadora
active pointer
RAIN CHANGE FAIR
dial
dial
milímetros de mercurio
inches of mercury
cápsula aneroide
aneroid cell / diaphragm

Barómetro aneroide
Aneroid Barometer

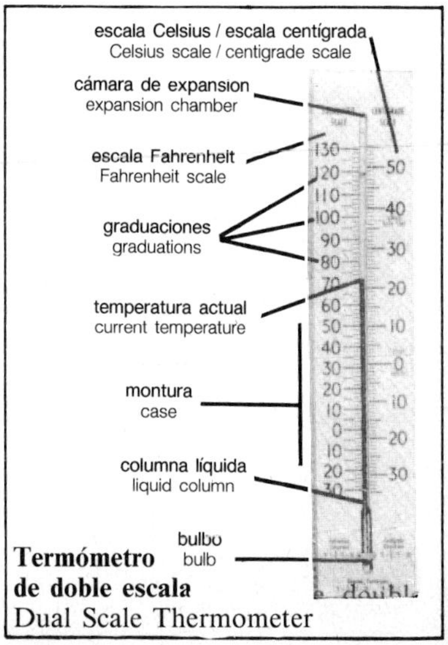

escala Celsius / escala centígrada
Celsius scale / centigrade scale
cámara de expansion
expansion chamber
escala Fahrenheit
Fahrenheit scale
graduaciones
graduations
temperatura actual
current temperature
montura
case
columna líquida
liquid column
bulbo
bulb

Termómetro de doble escala
Dual Scale Thermometer

Mapa meteorológico

Este mapa del tiempo, o *registro sinóptico*, indica las condiciones meteorológicas de una zona muy extensa. El número indica la temperatura prevista para la zona encerrada en la línea de trazo.

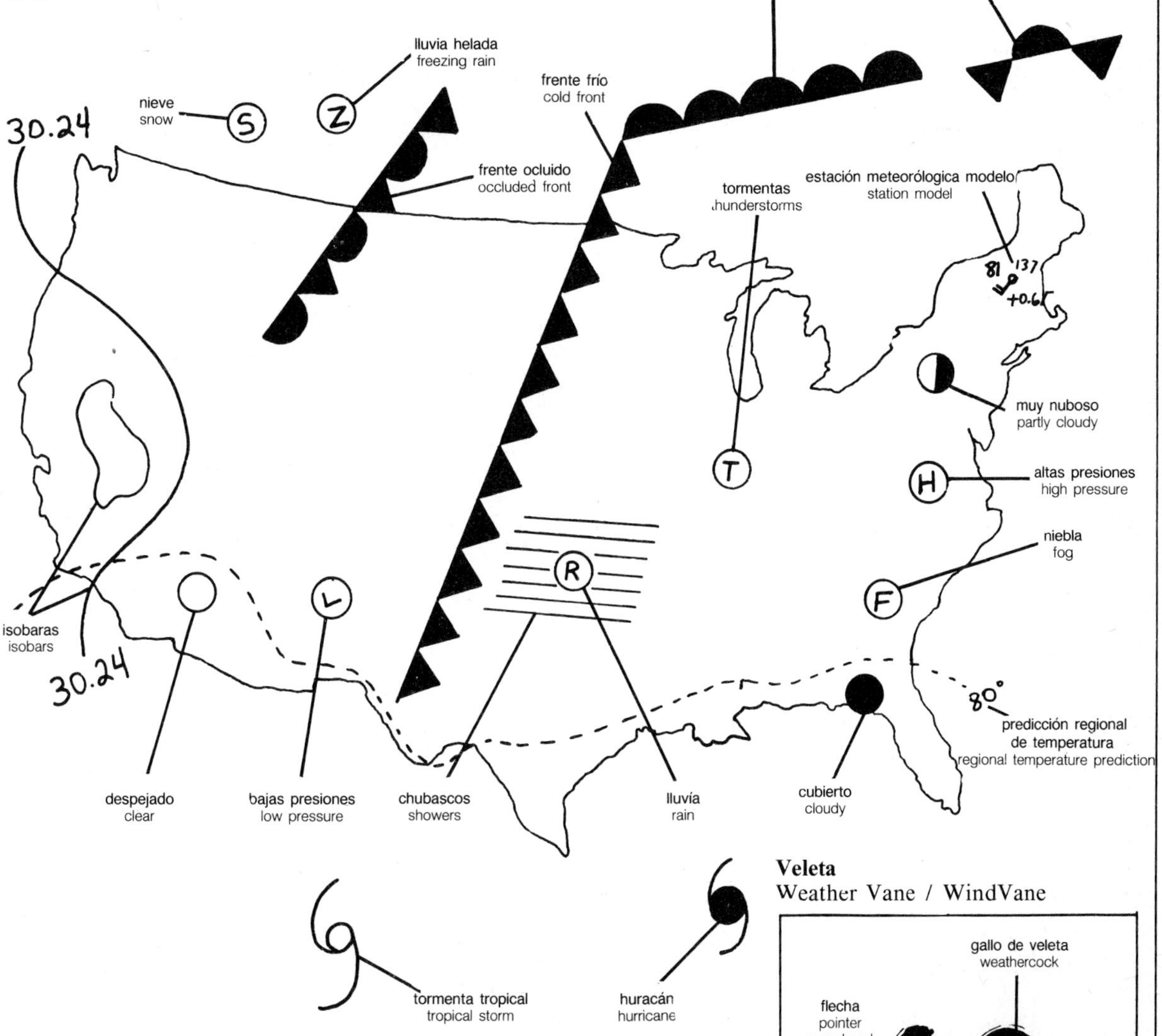

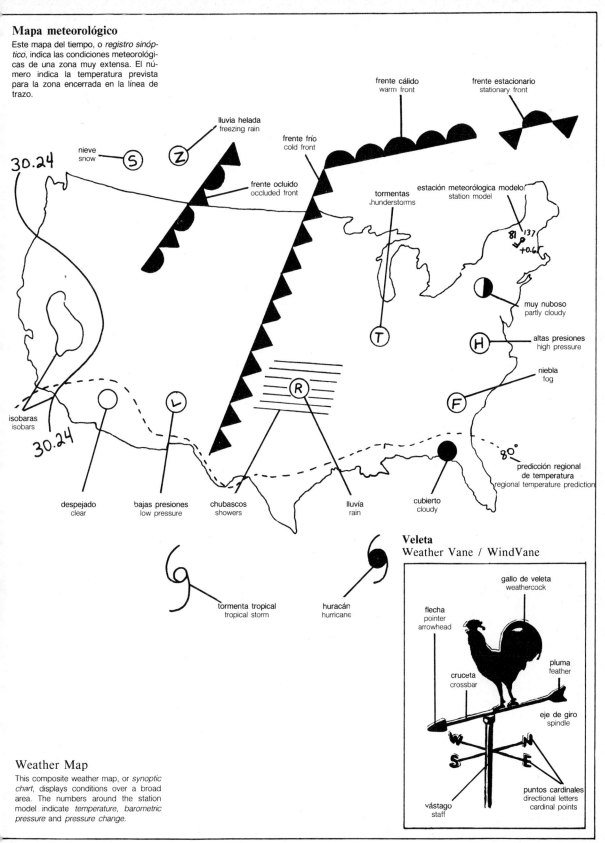

frente cálido
warm front
frente estacionario
stationary front
lluvia helada
freezing rain
frente frío
cold front
nieve
snow
30.24
frente ocluido
occluded front
tormentas
thunderstorms
estación meteorólogica modelo
station model
81
137
+0.6
muy nuboso
partly cloudy
altas presiones
high pressure
niebla
fog
isobaras
isobars
30.24
80°
predicción regional
de temperatura
regional temperature prediction
despejado
clear
bajas presiones
low pressure
chubascos
showers
lluvía
rain
cubierto
cloudy
tormenta tropical
tropical storm
huracán
hurricane

Veleta
Weather Vane / WindVane

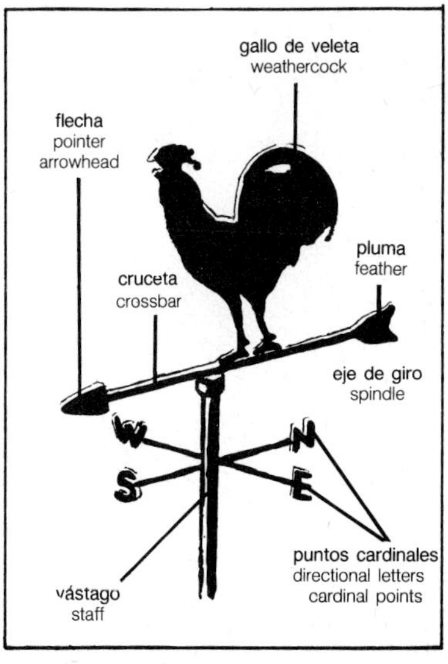

gallo de veleta
weathercock
flecha
pointer
arrowhead
pluma
feather
cruceta
crossbar
eje de giro
spindle
puntos cardinales
directional letters
cardinal points
vástago
staff

Weather Map

This composite weather map, or *synoptic chart*, displays conditions over a broad area. The numbers around the station model indicate *temperature*, *barometric pressure* and *pressure change*.

Mapa

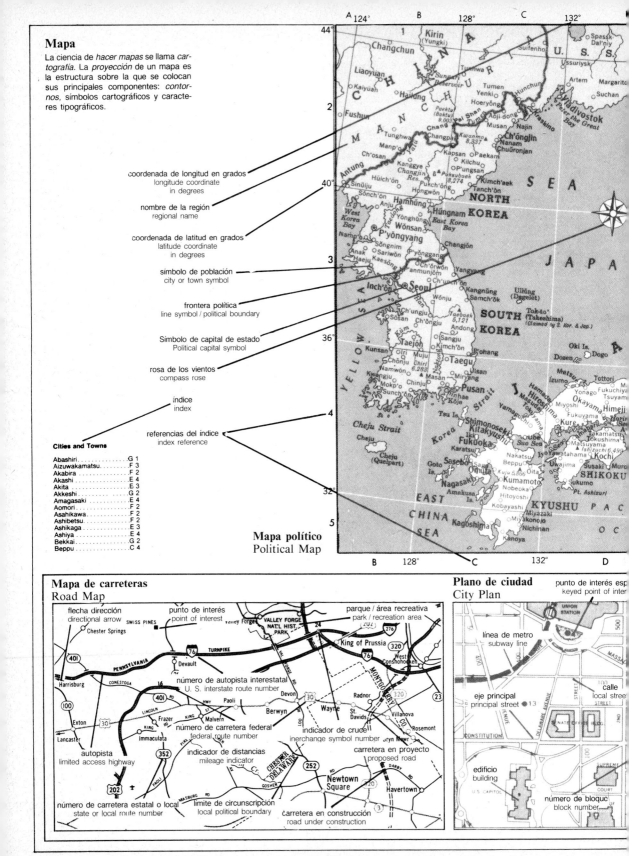

La ciencia de *hacer mapas* se llama *cartografía*. La *proyección* de un mapa es la estructura sobre la que se colocan sus principales componentes: *contornos*, símbolos cartográficos y caracteres tipográficos.

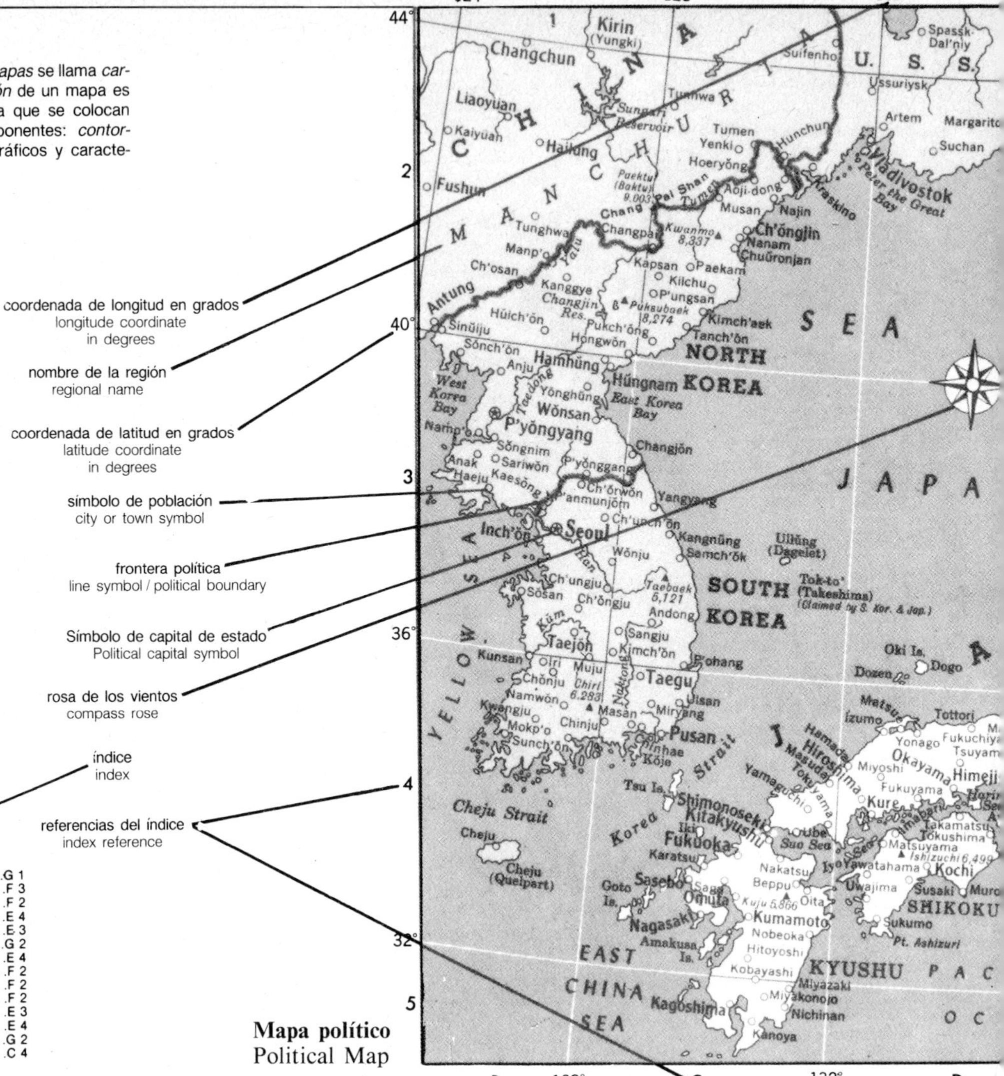

coordenada de longitud en grados
longitude coordinate in degrees
nombre de la región
regional name
coordenada de latitud en grados
latitude coordinate in degrees
símbolo de población
city or town symbol
frontera política
line symbol / political boundary
Símbolo de capital de estado
Political capital symbol
rosa de los vientos
compass rose
índice
index
referencias del índice
index reference
A 124° B 128° C 132°
44° 2 40° 3 36° 4 32° 5
B 128° C 132° D
CHINA
MANCHURIA
U. S. S.
NORTH KOREA
SOUTH KOREA
SEA OF JAPAN
YELLOW SEA
EAST CHINA SEA
KYUSHU
SHIKOKU
Changchun
Kirin (Yungki)
Liaoyuan
Kaiyüan
Hailung
Fushun
Vladivostok
P'yŏngyang
Seoul
Inch'ŏn
Taejŏn
Taegu
Pusan
Cheju Strait
Cheju (Quelpart)
Korea Strait
Shimonoseki
Kitakyushu
Fukuoka
Nagasaki
Kumamoto
Kagoshima
Hiroshima

Cities and Towns

Abashiri	G 1
Aizuwakamatsu	F 3
Akabira	F 2
Akashi	E 4
Akita	E 3
Akkeshi	G 2
Amagasaki	E 4
Aomori	F 2
Asahikawa	F 2
Ashibetsu	F 2
Ashikaga	E 3
Ashiya	E 4
Bekkai	G 2
Beppu	C 4

Mapa político
Political Map

Mapa de carreteras
Road Map

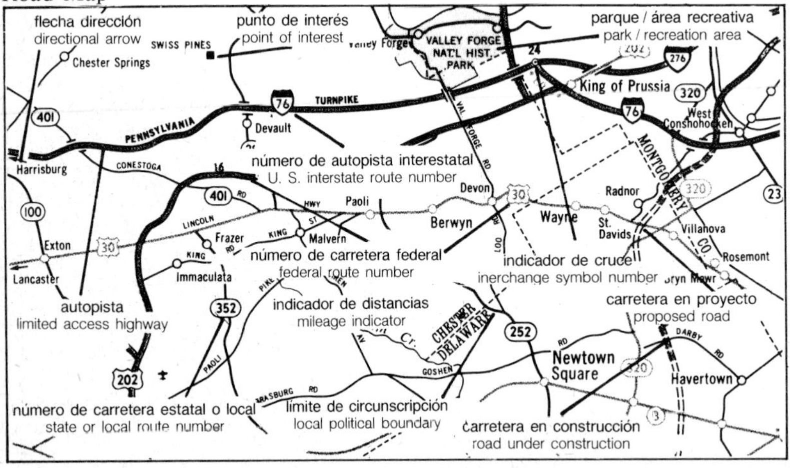

flecha dirección
directional arrow
punto de interés
point of interest
parque / área recreativa
park / recreation area
número de autopista interestatal
U. S. interstate route number
número de carretera federal
federal route number
indicador de cruce
inerchange symbol number
autopista
limited access highway
indicador de distancias
mileage indicator
carretera en proyecto
proposed road
número de carretera estatal o local
state or local route number
límite de circunscripción
local political boundary
carretera en construcción
road under construction
Chester Springs
SWISS PINES
VALLEY FORGE NAT'L HIST. PARK
King of Prussia
TURNPIKE
PENNSYLVANIA
Devault
Harrisburg
CONESTOGA
Exton
Lancaster
Frazer
Malvern
Immaculata
Paoli
Berwyn
Devon
Wayne
Radnor
St. Davids
Villanova
Rosemont
Conshohocken
MONTGOMERY CO.
CHESTER DELAWARE
Newtown Square
Havertown

Plano de ciudad
City Plan

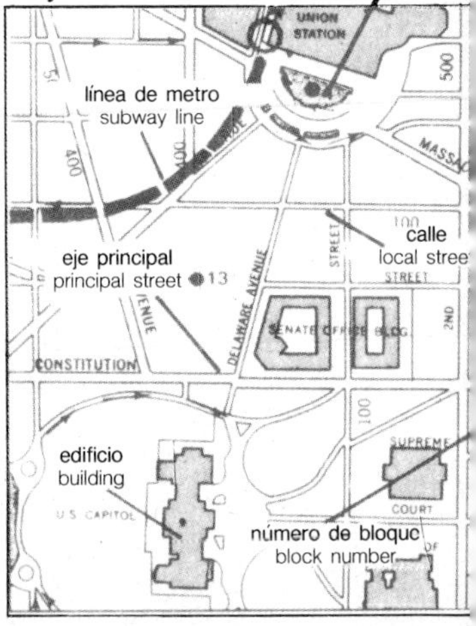

punto de interés esp
keyed point of inter
línea de metro
subway line
eje principal
principal street
calle
local stree
edificio
building
número de bloque
block number
UNION STATION
CONSTITUTION
DELAWARE AVENUE
SENATE OFFICE BLDG.
U.S. CAPITOL
SUPREME COURT

Map

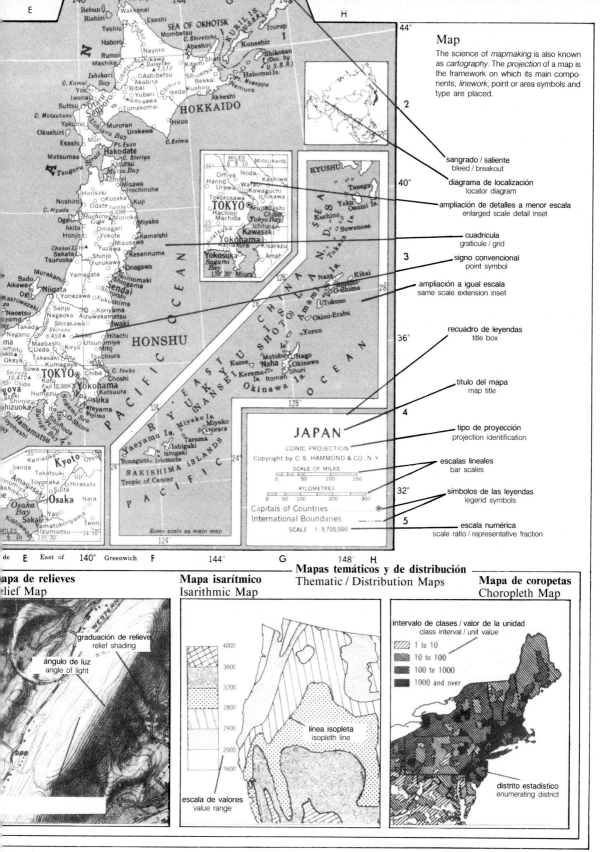

The science of *mapmaking* is also known as *cartography*. The *projection* of a map is the framework on which its main components, *linework*, point or area symbols and type are placed.

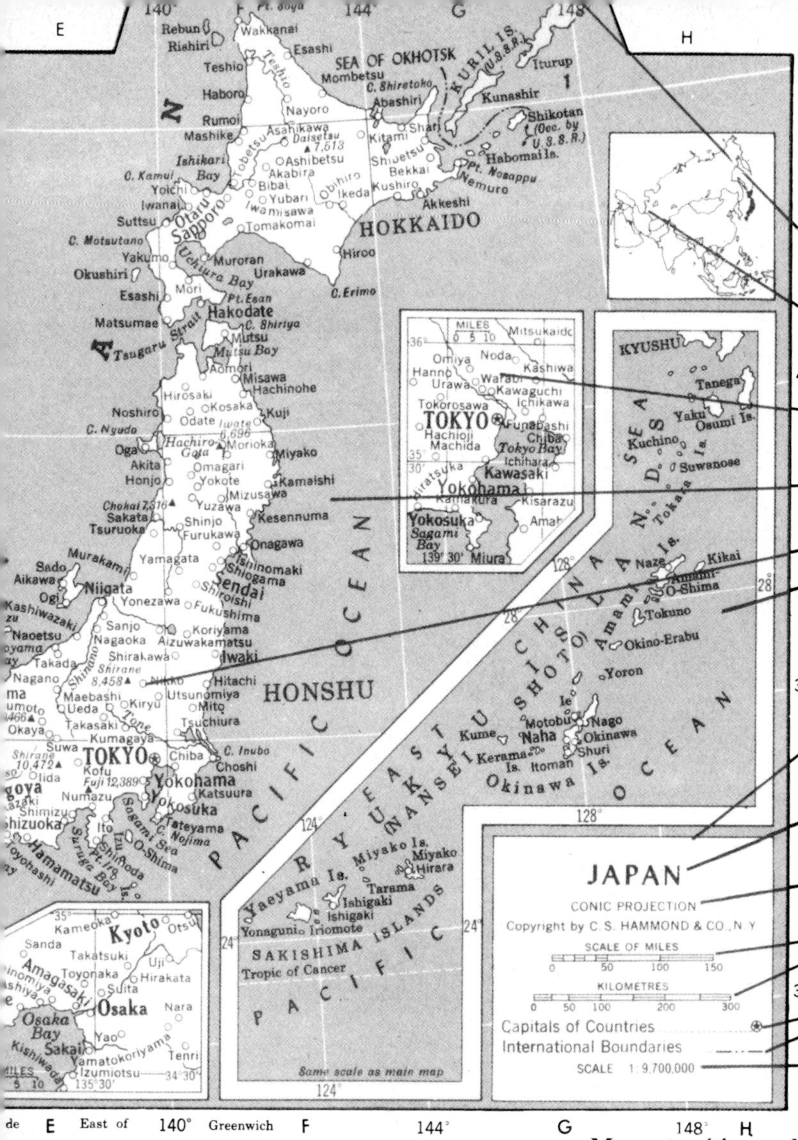

SEA OF OKHOTSK
HOKKAIDO
HONSHU
PACIFIC OCEAN
EAST CHINA SEA
RYUKYU (NANSEI SHOTO)
SAKISHIMA ISLANDS
KYUSHU
TOKYO
Tropic of Cancer
Same scale as main map
JAPAN
CONIC PROJECTION
Copyright by C. S. HAMMOND & CO., N. Y.
SCALE OF MILES
0 50 100 150
KILOMETRES
0 50 100 200 300
Capitals of Countries
International Boundaries
SCALE 1: 9,700,000
East of 140° Greenwich
44°
40°
36°
32°
2
3
4
5
sangrado / saliente
bleed / breakout
diagrama de localización
locator diagram
ampliación de detalles a menor escala
enlarged scale detail inset
cuadricula
graticule / grid
signo convencional
point symbol
ampliación a igual escala
same scale extension inset
recuadro de leyendas
title box
título del mapa
map title
tipo de proyección
projection identification
escalas lineales
bar scales
símbolos de las leyendas
legend symbols
escala numérica
scale ratio / representative fraction

Mapas temáticos y de distribución
Thematic / Distribution Maps

Mapa de relieves
Relief Map

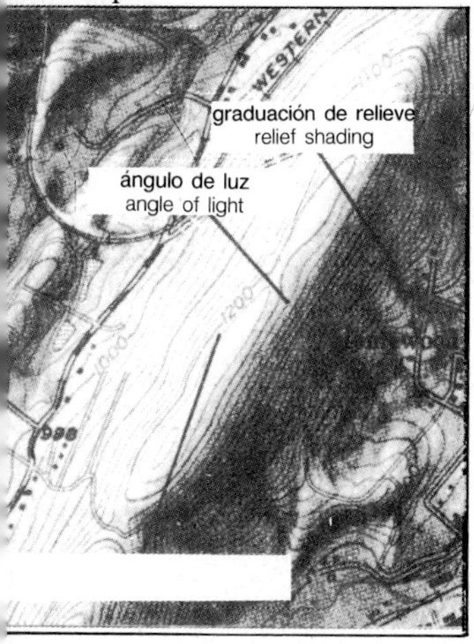

graduación de relieve
relief shading
ángulo de luz
angle of light

Mapa isarítmico
Isarithmic Map

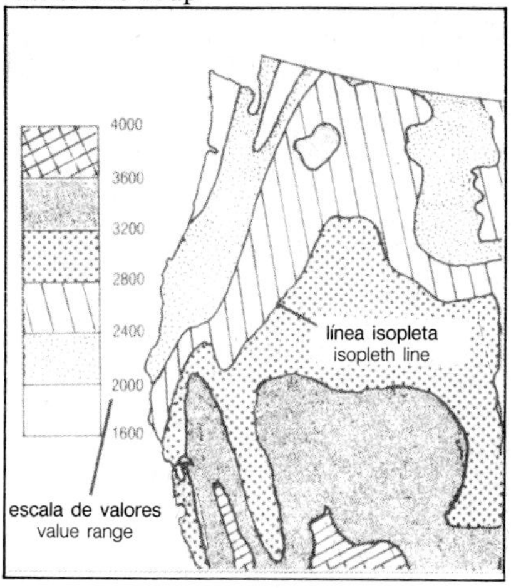

4000
3600
3200
2800
2400
2000
1600
línea isopleta
isopleth line
escala de valores
value range

Mapa de coropetas
Choropleth Map

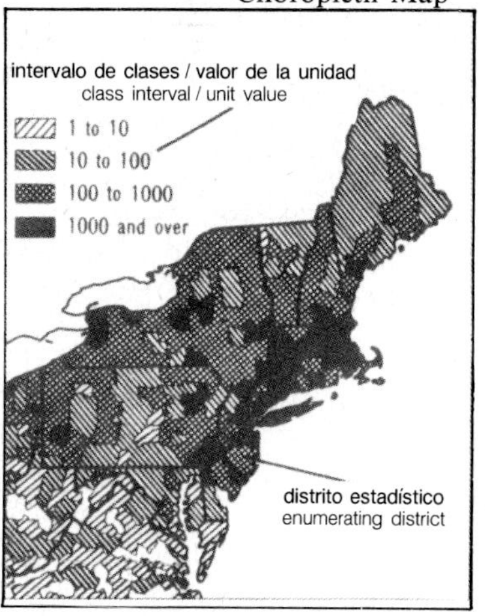

intervalo de clases / valor de la unidad
class interval / unit value
1 to 10
10 to 100
100 to 1000
1000 and over
distrito estadístico
enumerating district

Carta náutica y mapa topográfico

En las cartas náuticas, la referencia *cero de sondeo* se indica en le *título*. *Contienen escalas de conversión* de profundidades para permitir a los navegantes trabajar en *metros*, *brazas* o *pies*. El espacio que queda por fuera de la carta o el mapa, usado para identificarlo y explicarlo, es el *margen*.

Nautical Chart and Topographic Map

On nautical charts, *sounding datum reference* is stated in the *chart title*. *Depth conversion scales* are provided to enable the mariner to work in *meters*, *fathoms*, or *feet*. The space outside a chart or map, used to identify and explain the map, is the *map margin*.

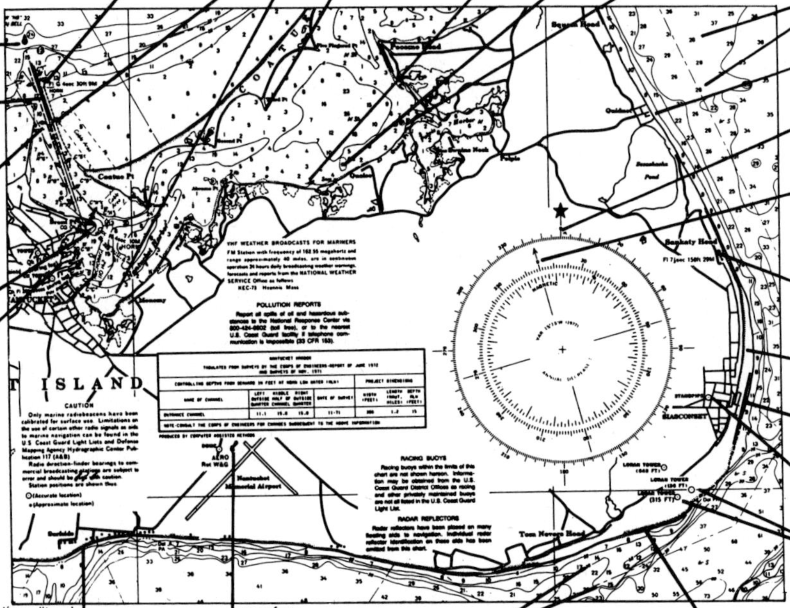

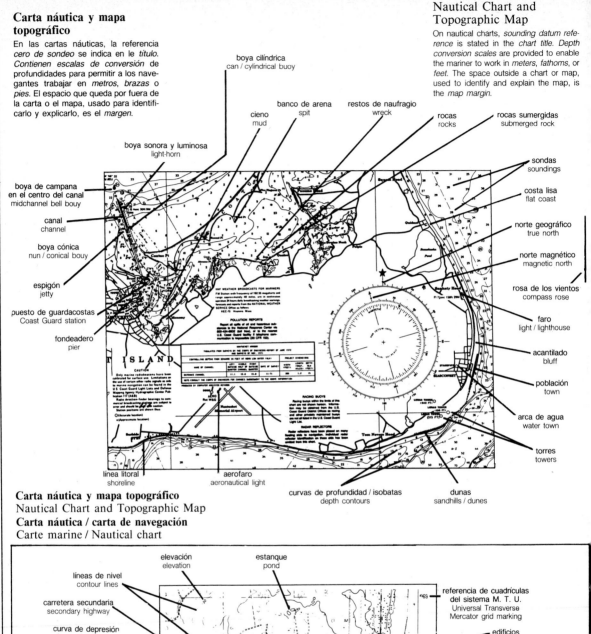

boya cilíndrica
can / cylindrical buoy
banco de arena
spit
restos de naufragio
wreck
cieno
mud
rocas
rocks
rocas sumergidas
submerged rock
boya sonora y luminosa
light-horn
sondas
soundings
boya de campana en el centro del canal
midchannel bell bouy
costa lisa
flat coast
canal
channel
norte geográfico
true north
boya cónica
nun / conical bouy
norte magnético
magnetic north
espigón
jetty
rosa de los vientos
compass rose
puesto de guardacostas
Coast Guard station
faro
light / lighthouse
fondeadero
pier
acantilado
bluff
población
town
arca de agua
water town
torres
towers
línea litoral
shoreline
aerofaro
aeronautical light
curvas de profundidad / isobatas
depth contours
dunas
sandhills / dunes

Carta náutica y mapa topográfico
Nautical Chart and Topographic Map
Carta náutica / carta de navegación
Carte marine / Nautical chart

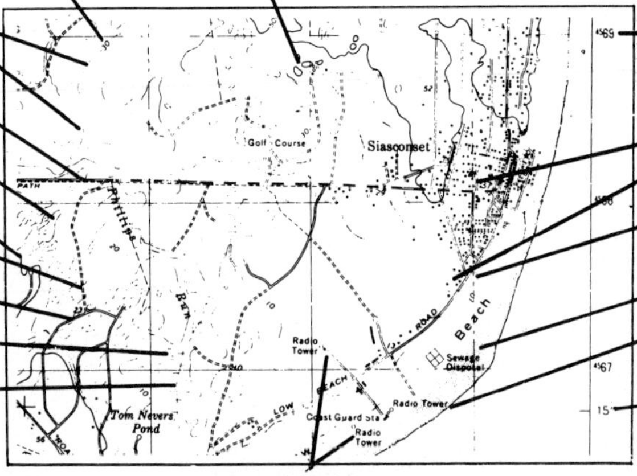

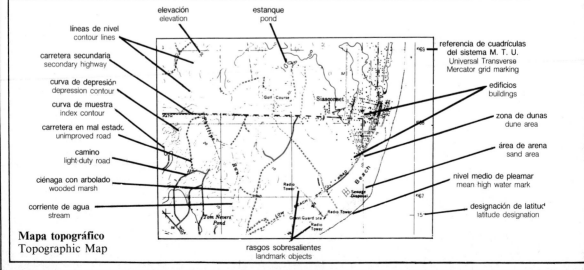

elevación
elevation
estanque
pond
líneas de nivel
contour lines
referencia de cuadrículas del sistema M. T. U.
Universal Transverse Mercator grid marking
carretera secundaria
secondary highway
edificios
buildings
curva de depresión
depression contour
curva de muestra
index contour
zona de dunas
dune area
carretera en mal estado
unimproved road
área de arena
sand area
camino
light-duty road
nivel medio de pleamar
mean high water mark
ciénaga con arbolado
wooded marsh
designación de latitud
latitude designation
corriente de agua
stream
rasgos sobresalientes
landmark objects

Mapa topográfico
Topographic Map

Seres vivos

Para facilitar la consulta, esta sección se ha dividido en cinco subcategorías: el hombre, animales comestibles, animales domésticos, animales salvajes y plantas. Los animales y las plantas que se han seleccionado para formar parte de cada subsección reúnen la mayoría de las características comunes a todos los miembros de las principales familias que representan.

Excepto en el caso del hombre, al que se dedica mayor atención que a cualquier otro de los temas de esta sección debido al evidente interés que tiene para nosotros, lo único que se ha identificado en las ilustraciones son las partes externas de los seres vivos. Sin embargo, los animales comestibles se han representado de forma que aparezcan las partes de las que se obtiene nuestro alimento diario. Los animales domésticos y salvajes, agrupados en algunos casos por hábitats, están representados por un solo miembro de cada especie. Se incluye, no obstante, la ilustración de un «mamífero fantástico», para indicar los rasgos característicos de diversos animales.

El reino vegetal se halla representado literalmente desde las raíces hasta las ramas más altas, incluida la descripción de las partes de una flor, las plantas especiales y las partes comestibles tales como frutos y verduras.

La célula animal
Animal Cell

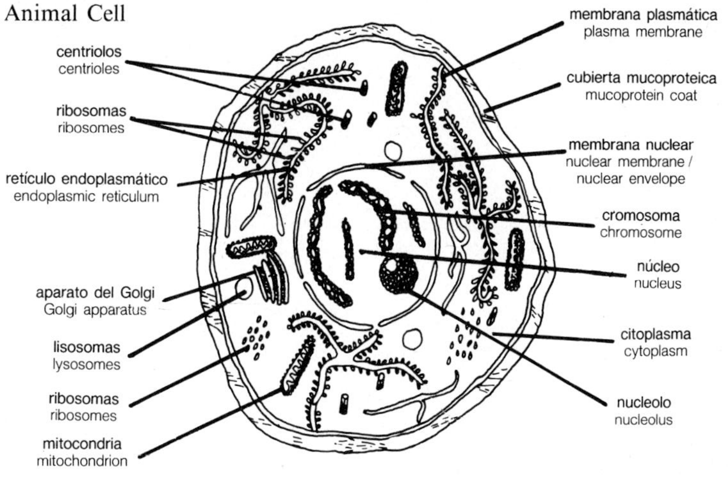

centriolos
centrioles
ribosomas
ribosomes
retículo endoplasmático
endoplasmic reticulum
aparato del Golgi
Golgi apparatus
lisosomas
lysosomes
ribosomas
ribosomes
mitocondria
mitochondrion
membrana plasmática
plasma membrane
cubierta mucoproteica
mucoprotein coat
membrana nuclear
nuclear membrane / nuclear envelope
cromosoma
chromosome
núcleo
nucleus
citoplasma
cytoplasm
nucleolo
nucleolus

El cuerpo humano

El cuerpo, sin *cabeza* ni *miembros* recibe el nombre de *tronco* o *torso*.

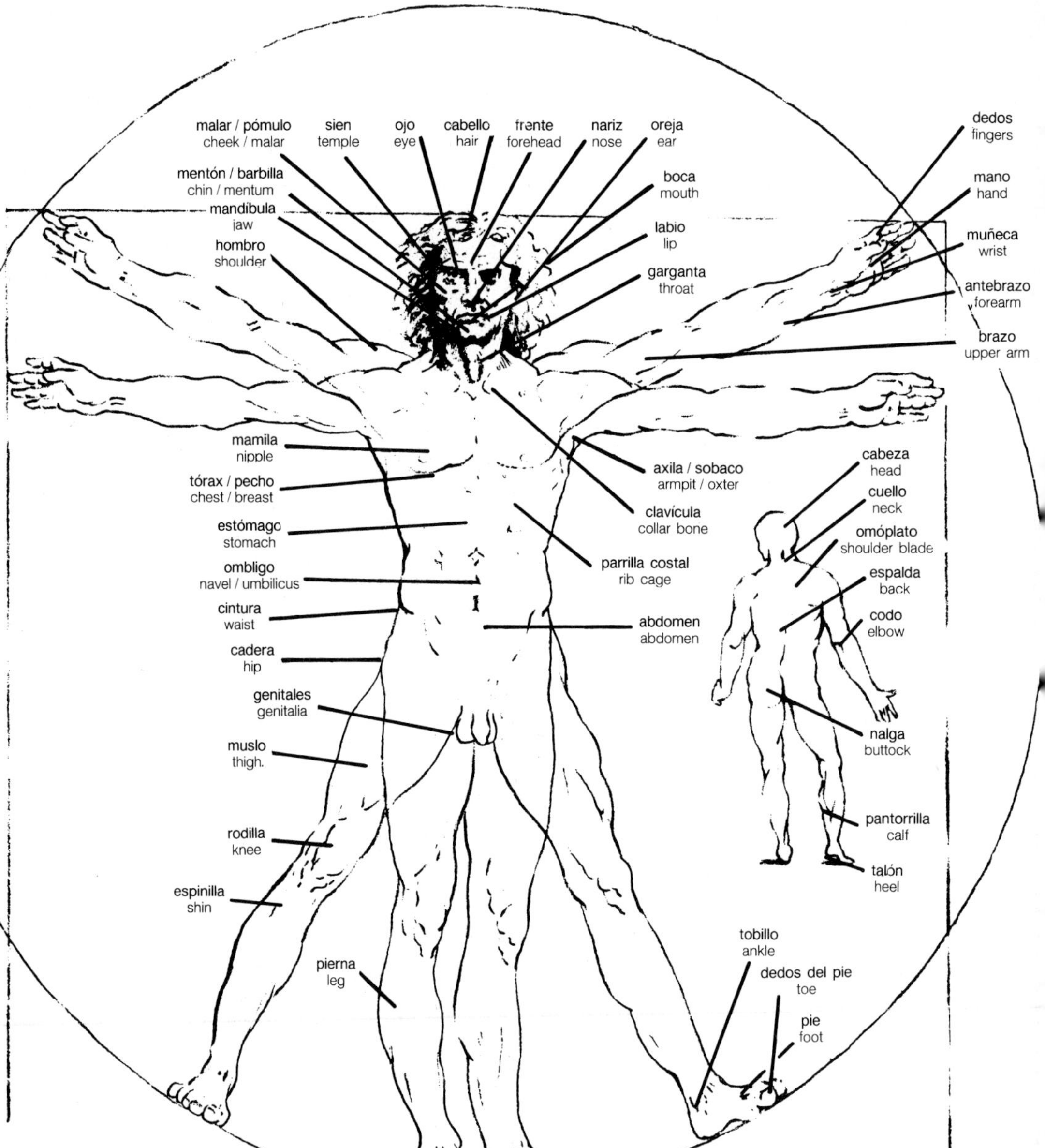
malar / pómulo
cheek / malar
sien
temple
ojo
eye
cabello
hair
frente
forehead
nariz
nose
oreja
ear
dedos
fingers
mentón / barbilla
chin / mentum
mandíbula
jaw
hombro
shoulder
boca
mouth
labio
lip
garganta
throat
mano
hand
muñeca
wrist
antebrazo
forearm
brazo
upper arm
mamila
nipple
tórax / pecho
chest / breast
axila / sobaco
armpit / oxter
estómago
stomach
clavícula
collar bone
ombligo
navel / umbilicus
parrilla costal
rib cage
cintura
waist
abdomen
abdomen
cadera
hip
genitales
genitalia
muslo
thigh.
rodilla
knee
espinilla
shin
pierna
leg
cabeza
head
cuello
neck
omóplato
shoulder blade
espalda
back
codo
elbow
nalga
buttock
pantorrilla
calf
talón
heel
tobillo
ankle
dedos del pie
toe
pie
foot

The Human Body

The body, less the *head* and *limbs*, is referred to as the *trunk* or *torso*.

Anatomía popular

Los términos que se utilizan en esta ilustración para designar la anatomía exterior del ser humano son los propios de la lengua común, distintos de los empleados en el lenguaje médico.

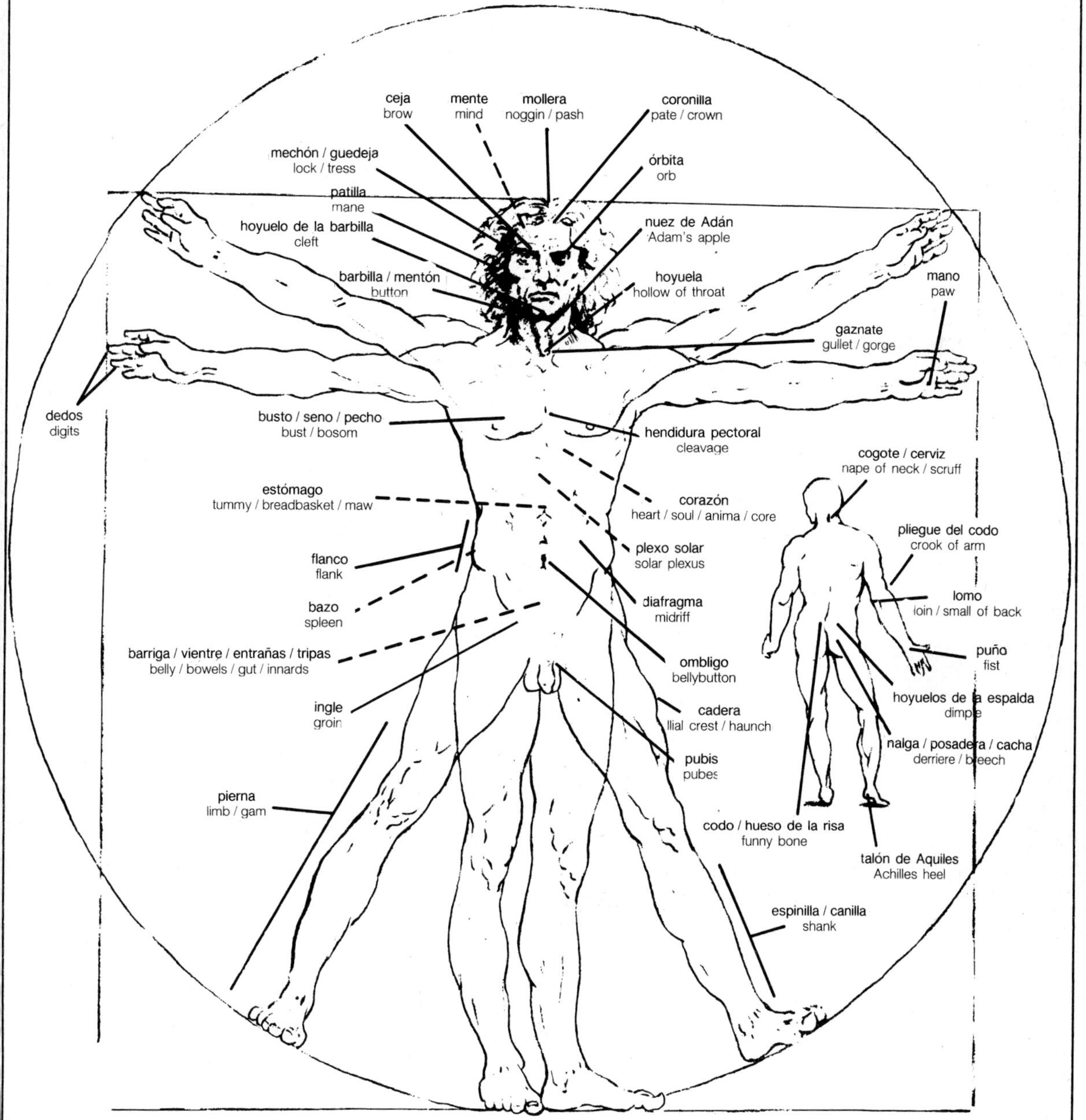

ceja
brow
mente
mind
mollera
noggin / pash
coronilla
pate / crown
mechón / guedeja
lock / tress
órbita
orb
patilla
mane
hoyuelo de la barbilla
cleft
nuez de Adán
Adam's apple
barbilla / mentón
button
hoyuela
hollow of throat
mano
paw
gaznate
gullet / gorge
dedos
digits
busto / seno / pecho
bust / bosom
hendidura pectoral
cleavage
cogote / cerviz
nape of neck / scruff
estómago
tummy / breadbasket / maw
corazón
heart / soul / anima / core
pliegue del codo
crook of arm
flanco
flank
plexo solar
solar plexus
lomo
loin / small of back
bazo
spleen
diafragma
midriff
barriga / vientre / entrañas / tripas
belly / bowels / gut / innards
ombligo
bellybutton
puño
fist
hoyuelos de la espalda
dimple
ingle
groin
cadera
Ilial crest / haunch
nalga / posadera / cacha
derriere / breech
pubis
pubes
pierna
limb / gam
codo / hueso de la risa
funny bone
talón de Aquiles
Achilles heel
espinilla / canilla
shank

Literary Anatomy

The terms used in this novel approach to descriptive male and female anatomy are derived from popular literature. *Loins* generally designate the parts of the body which should be clothed or girded. A fold of flesh is called a *collop*.

Sistemas muscular y esquelético

Los *músculos voluntarios* son los que, como su mismo nombre indica, se controlan a voluntad para imprimir movimientos a los *huesos* del *esqueleto*. En cambio, los *músculos involuntarios*, como el *cardiaco* actúan con independencia de la voluntad. La unión de dos huesos se denomina *articulación* o *coyuntura*. El *cartílago* es un tipo de tejido conjuntivo sólido, resistente y elástico. El encéfalo está protegido por la caja ósea llamada *cráneo*.

Skeletal and Muscular System

Voluntary muscles are subject to or controlled by will, pulling on *bones* of the *skeleton* to produce movement. *Involuntary muscles*, like the heart, act independently of volition. Where one bone meets another is a *joint*. *Cartilage*, or *gristle*, is a flexible type of connective tissue. The bony structure in which the brain is housed is the *cranium*.

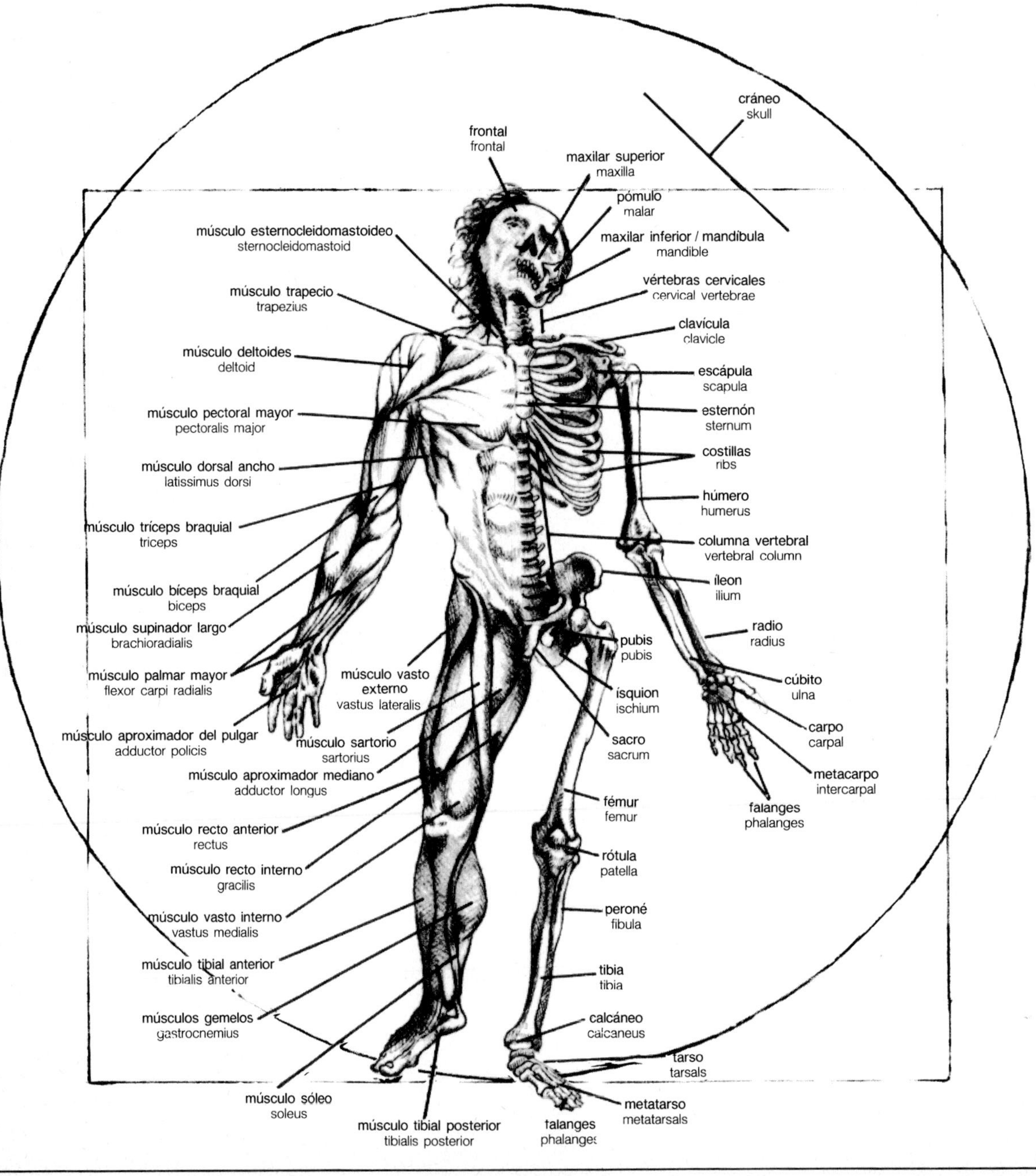
cráneo
skull
frontal
frontal
maxilar superior
maxilla
pómulo
malar
músculo esternocleidomastoideo
sternocleidomastoid
maxilar inferior / mandíbula
mandible
vértebras cervicales
cervical vertebrae
músculo trapecio
trapezius
clavícula
clavicle
músculo deltoides
deltoid
escápula
scapula
músculo pectoral mayor
pectoralis major
esternón
sternum
costillas
ribs
músculo dorsal ancho
latissimus dorsi
húmero
humerus
músculo tríceps braquial
triceps
columna vertebral
vertebral column
íleon
ilium
músculo bíceps braquial
biceps
músculo supinador largo
brachioradialis
radio
radius
pubis
pubis
músculo palmar mayor
flexor carpi radialis
músculo vasto externo
vastus lateralis
cúbito
ulna
isquion
ischium
carpo
carpal
músculo aproximador del pulgar
adductor policis
músculo sartorio
sartorius
sacro
sacrum
metacarpo
intercarpal
músculo aproximador mediano
adductor longus
fémur
femur
falanges
phalanges
músculo recto anterior
rectus
rótula
patella
músculo recto interno
gracilis
peroné
fibula
músculo vasto interno
vastus medialis
músculo tibial anterior
tibialis anterior
tibia
tibia
músculos gemelos
gastrocnemius
calcáneo
calcaneus
tarso
tarsals
músculo sóleo
soleus
metatarso
metatarsals
músculo tibial posterior
tibialis posterior
talanges
phalanges

Órganos internos

El *tubo digestivo* está compuesto por el *esófago*, el *estómago*, el *intestino delgado* y el *intestino grueso*. Las vísceras más importantes que colaboran en la digestión son el *páncreas* y el *hígado* con la *vesícula biliar*. El corazón es la bomba que impulsa la sangre a través del *sistema circulatorio*, es decir, a través de las *arterias*, *venas* y *capilares*. Los pulmones, donde se realiza la respiración, son los órganos principales del *sistema respiratorio*.

ınternal Organs

The stomach and intestines are the principal organs of the *digestive system*, or *alimentary canal*, and the *pancreas*, liver and *gall bladder* all aid in the nutrition process and the elimination of wastes. The heart is the pump of the *circulatory system* sending blood through *arteries*, *veins* and *capillaries*. The lungs are the center of the *respiratory system*.

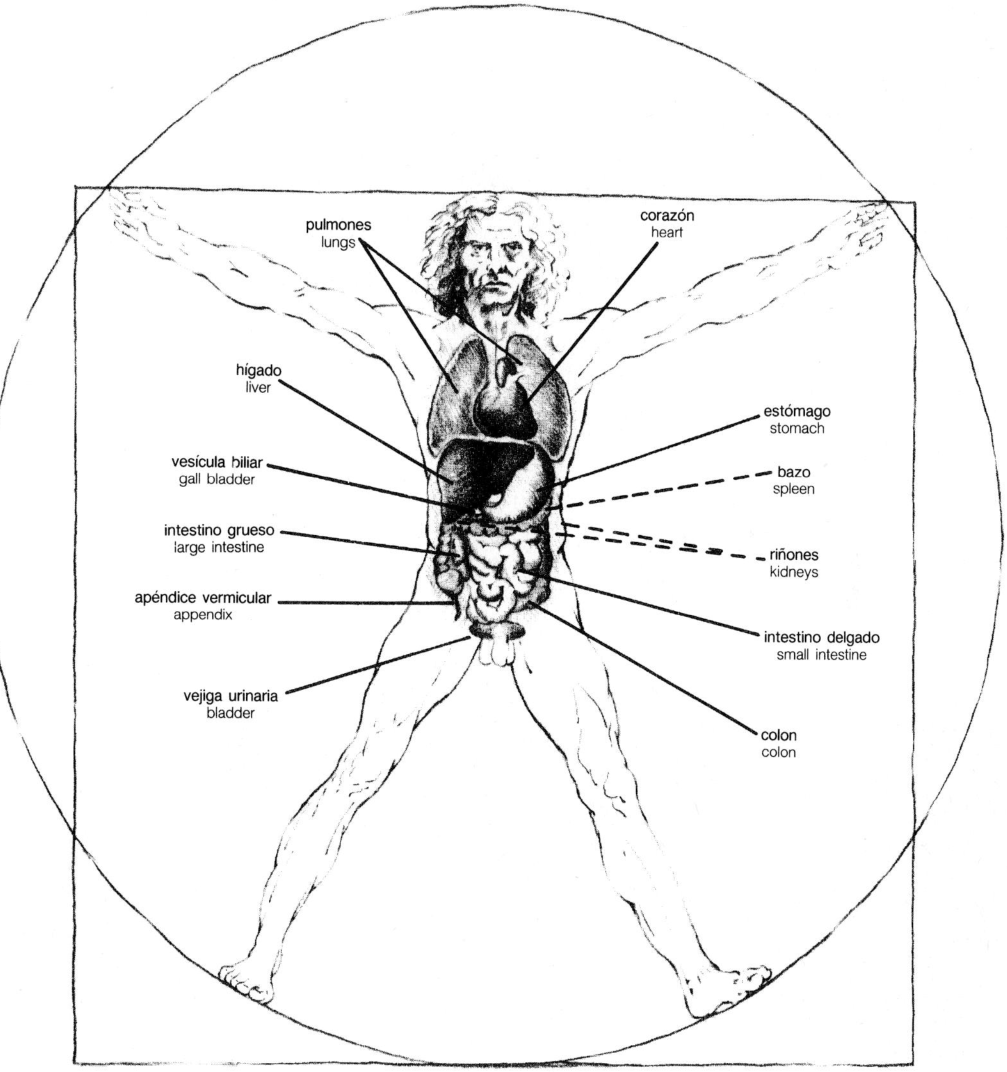

pulmones
lungs
corazón
heart
hígado
liver
estómago
stomach
vesícula biliar
gall bladder
bazo
spleen
intestino grueso
large intestine
riñones
kidneys
apéndice vermicular
appendix
intestino delgado
small intestine
vejiga urinaria
bladder
colon
colon

Órganos de los sentidos

El ángulo donde se unen el párpado inferior y el superior se denomina *comisura de los párpados*. *La comisura interna* es la más cercana a la nariz y la *comisura externa* la que se halla más próxima a las sienes. El *ojo* se halla alojado en la *fosa orbitaria* u *órbita*. Está cubierto por la *córnea* por delante y la *esclerótica* en el resto. El *paladar* corresponde al cielo de la boca. La *faringe* es el comienzo de la garganta.

Sense Organs

The eye, which is located in an *eye socket*, or *orbit*, is covered with a transparent layer called the *cornea*. The angle formed where upper and lower eyelids come together is called the *cantus*. The junction nearest the nose is the *inner cantus*, the other is the *outer cantus*. The tongue rubs against the *palate* at the top of the mouth. The *pharynx* is the beginning of the *throat*, or *gullet*.

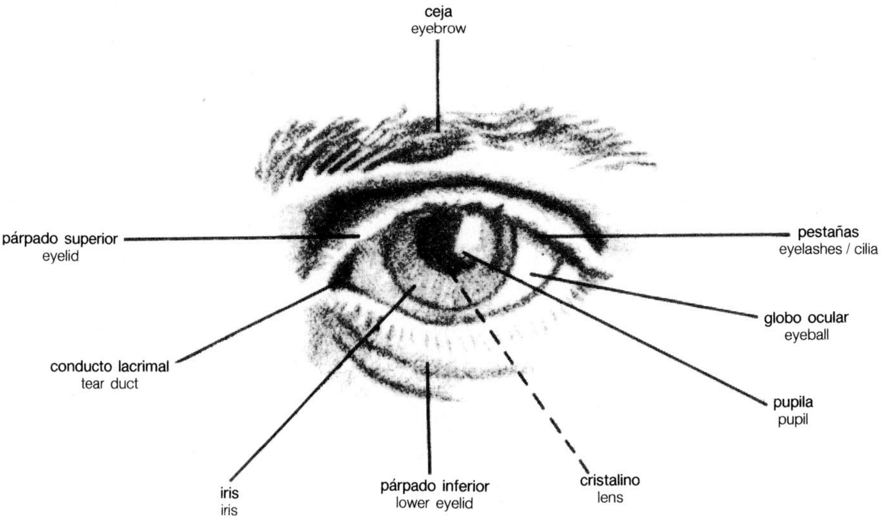

ceja
eyebrow
párpado superior
eyelid
pestañas
eyelashes / cilia
globo ocular
eyeball
conducto lacrimal
tear duct
pupila
pupil
iris
iris
párpado inferior
lower eyelid
cristalino
lens

Ojo
Eye

Nariz y boca
Nose and Mouth

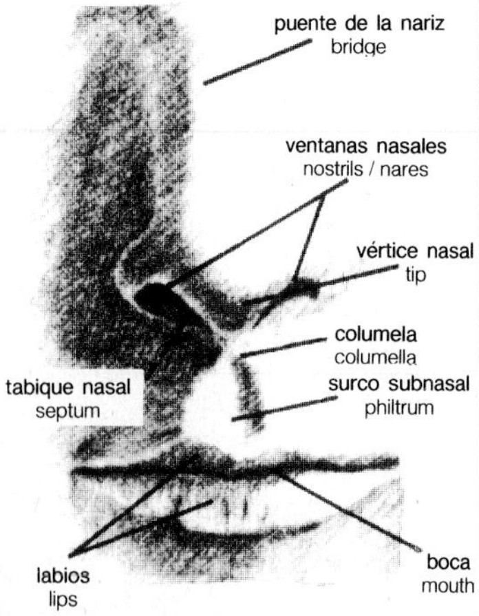

puente de la nariz
bridge
ventanas nasales
nostrils / nares
vértice nasal
tip
columela
columella
tabique nasal
septum
surco subnasal
philtrum
labios
lips
boca
mouth

Oído externo / Pabellón auricular / Oreja
Outer Ear / Auricle / Pinna

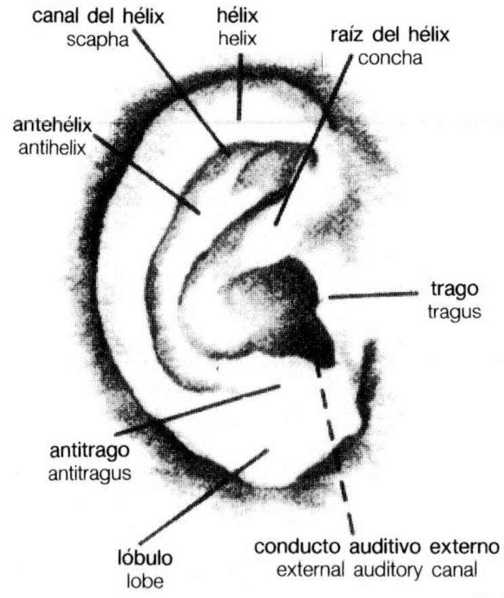

canal del hélix
scapha
hélix
helix
raíz del hélix
concha
antehélix
antihelix
trago
tragus
antitrago
antitragus
lóbulo
lobe
conducto auditivo externo
external auditory canal

Lengua
Tongue

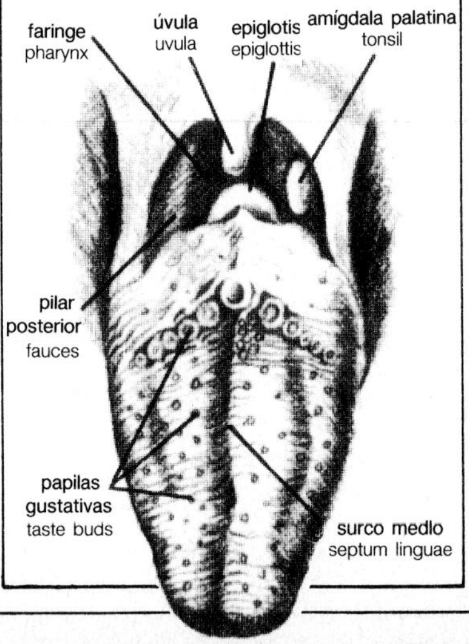

faringe
pharynx
úvula
uvula
epiglotis
epiglottis
amígdala palatina
tonsil
pilar posterior
fauces
papilas gustativas
taste buds
surco medio
septum linguae

Las extremidades

El espacio situado entre el pulgar y el índice se denomina *tabaquera anatómica* o *pliegue del primer interóseo dorsal.* Una *huella dactilar* es la impresión en tinta de las curvas de los pliegues de la piel de la yema de los dedos. El dorso de la mano se denomina *opistenar.*

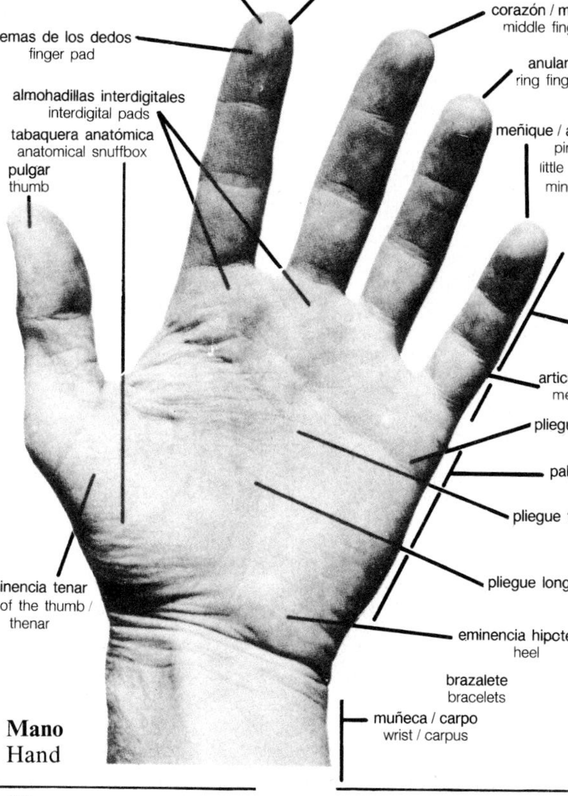

indice
index finger / forefinger
punta de los dedeos
fingertip
yemas de los dedos
finger pad
almohadillas interdigitales
interdigital pads
tabaquera anatómica
anatomical snuffbox
pulgar
thumb
corazón / medio
middle finger
anular
ring finger
meñique / auricular
pinkie / little finger / minimus
dedo
finger / digit
articulación metacarpofalángica
metacarpophalangeal crease
pliegue transverso distal / línea del corazón
distal transverse / Heart Line
palma de la mano
palm
pliegue transverso proximal / línea de la cabeza
proximal transverse / Head Line
pliegue longitudinal / línea de la vida
Lifeline
eminencia tenar
ball of the thumb / thenar
eminencia hipotenar
heel
brazalete
bracelets
muñeca / carpo
wrist / carpus

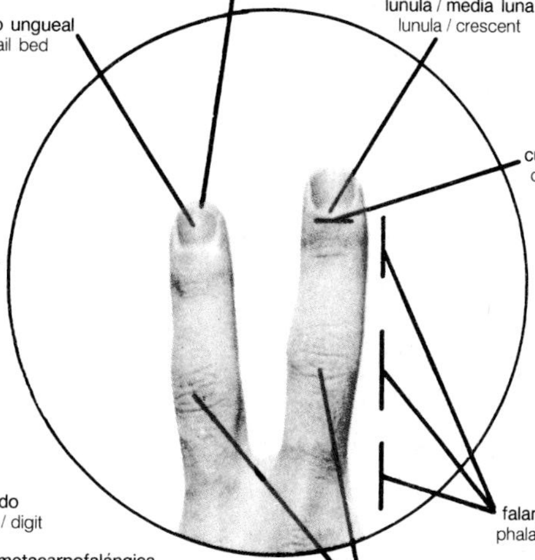

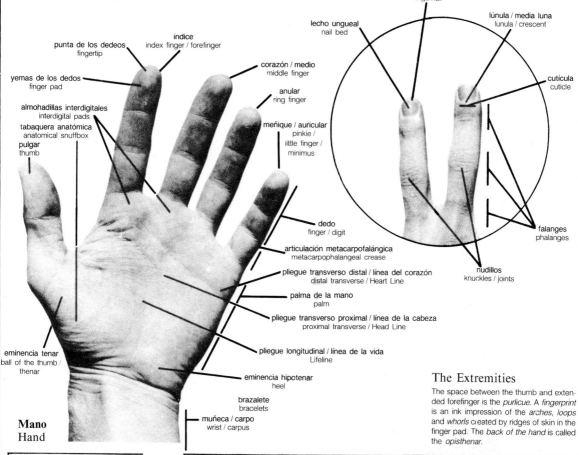

uña
fingernail
lecho ungueal
nail bed
lúnula / media luna
lunula / crescent
cutícula
cuticle
falanges
phalanges
nudillos
knuckles / joints

Mano
Hand

The Extremities

The space between the thumb and extended forefinger is the *purlicue.* A *fingerprint* is an ink impression of the *arches, loops* and *whorls* created by ridges of skin in the finger pad. The *back of the hand* is called the *opisthenar.*

Pie
Foot

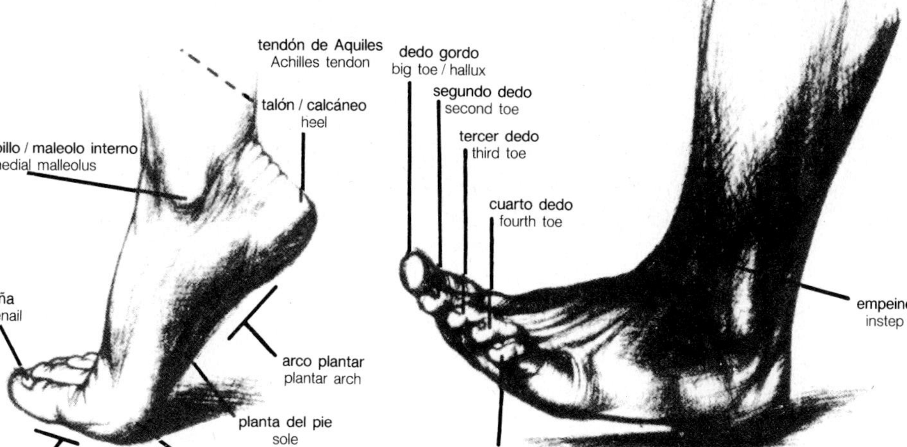

tendón de Aquiles
Achilles tendon
talón / calcáneo
heel
articulación del tobillo / maleolo interno
ankle joint / medial malleolus
uña
toenail
arco plantar
plantar arch
planta del pie
sole
arco transversal del pie
transverse arch
base del primer metatarsiano
ball of the foot
dedo gordo
big toe / hallux
segundo dedo
second toe
tercer dedo
third toe
cuarto dedo
fourth toe
quinto dedo / meñique
little toe / minimus
empeine
instep

Vaca

A los animales jóvenes de ganado *vacuno* o *bovino* se les llama *terneros*; las hembras, después de pasar por las fases de *becerras* y *novillas*, se hacen vacas adultas; el macho es el *toro*, pero cuando ha sido castrado y criado para animal de tiro o de labor recibe el nombre de *buey*. Una vez abierto para el despiece, el cuerpo de la res se llama *canal*.

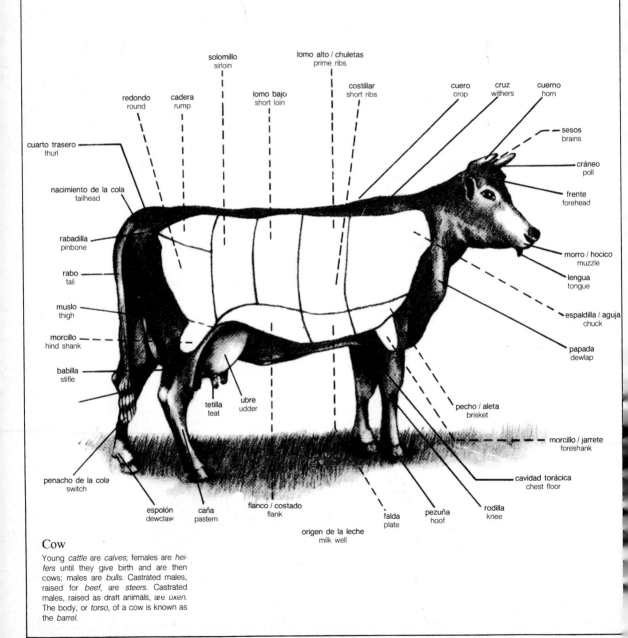

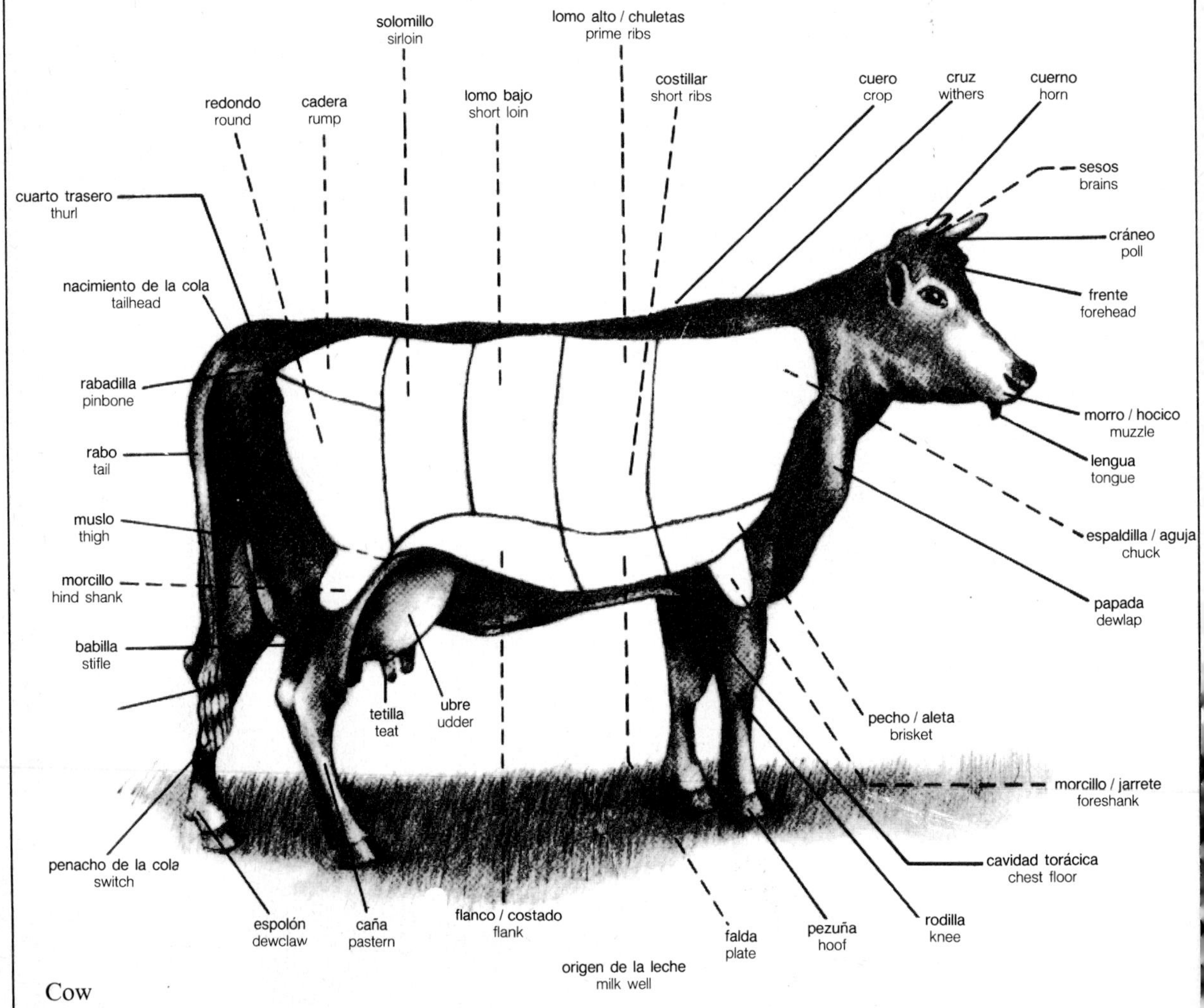
solomillo
sirloin
lomo alto / chuletas
prime ribs
redondo
round
cadera
rump
lomo bajo
short loin
costillar
short ribs
cuero
crop
cruz
withers
cuerno
horn
sesos
brains
cuarto trasero
thurl
cráneo
poll
nacimiento de la cola
tailhead
frente
forehead
rabadilla
pinbone
morro / hocico
muzzle
rabo
tail
lengua
tongue
muslo
thigh
espaldilla / aguja
chuck
morcillo
hind shank
papada
dewlap
babilla
stifle
tetilla
teat
ubre
udder
pecho / aleta
brisket
morcillo / jarrete
foreshank
penacho de la cola
switch
cavidad torácica
chest floor
espolón
dewclaw
caña
pastern
flanco / costado
flank
falda
plate
pezuña
hoof
rodilla
knee
origen de la leche
milk well

Cow

Young *cattle* are *calves*; females are *heifers* until they give birth and are then cows; males are *bulls*. Castrated males, raised for *beef*, are *steers*. Castrated males, raised as draft animals, are *oxen*. The body, or *torso*, of a cow is known as the *barrel*.

Cordero

El corderillo joven, que todavía mama, se llama *lechal*; el cordero *pascual* es algo mayor. La hembra adulta es la *oveja*, y el macho, el *carnero*. Se les esquila a finales de primavera.

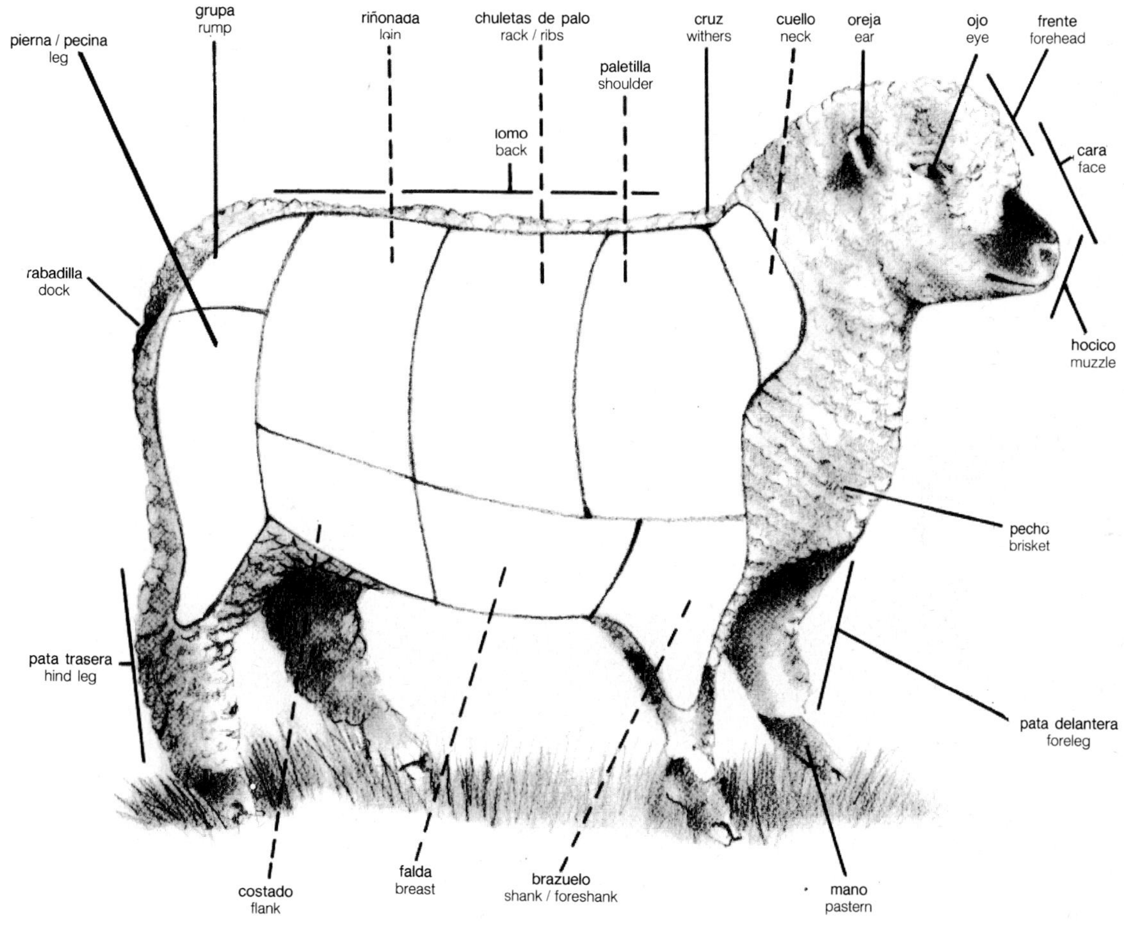

grupa
rump
riñonada
loin
chuletas de palo
rack / ribs
cruz
withers
cuello
neck
oreja
ear
ojo
eye
frente
forehead
pierna / pecina
leg
paletilla
shoulder
lomo
back
cara
face
rabadilla
dock
hocico
muzzle
pecho
brisket
pata trasera
hind leg
pata delantera
foreleg
costado
flank
falda
breast
brazuelo
shank / foreshank
mano
pastern

Sheep

A young sheep is called a *lamb*. An adult male is a *ram*; an adult female is a *ewe*. The meat of a young sheep is called *lamb*, while that of an animal over eighteen months old is called *mutton*.

Cerdo

Los animales jóvenes se llaman *lechones* en las especies domésticas, y *jabatos* en las salvajes. El macho recibe el nombre de *verraco*, y la hembra, el de *marrana*. Los cerdos domésticos se conocen también por el nombre de *puercos*, y sus parientes salvajes son los *jabalíes*. El cerdo que ha cumplido un año y es apto para la matanza se conoce como *cerdo de muerte*; hasta ese momento, mientras no está bien cebado, es un *cerdo de vida*.

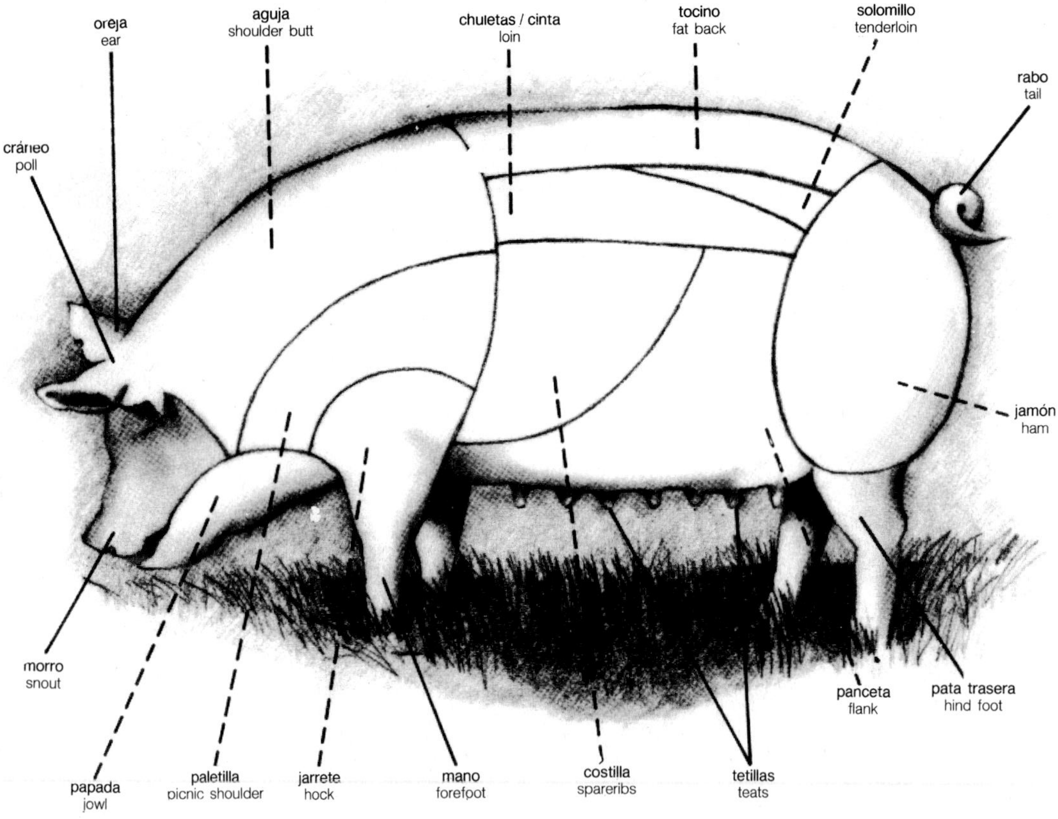

oreja
ear
aguja
shoulder butt
chuletas / cinta
loin
tocino
fat back
solomillo
tenderloin
rabo
tail
cráneo
poll
jamón
ham
morro
snout
panceta
flank
pata trasera
hind foot
papada
jowl
paletilla
picnic shoulder
jarrete
hock
mano
forefoot
costilla
spareribs
tetillas
teats

Pig

Young pigs are called *shoats*. Small or sub-adult domestic animals are *pigs* or *gruntlings*. If they weigh over 120 pounds, they are called *hogs*. Adult males are *boars*. Adults females are *sows*. Pigs, hogs, boars and sows are referred to as *swine*. Pig meat is called *pork*.

Aves de corral

Los pollos, pavos, *patos*, *gansos* y *faisanes*, sobre todo cuando son domésticos, se engloban en el término colectivo *volátiles* o *aves de corral*. El macho adulto del pollo es el *gallo*. Un *capón* es un macho que ha sido castrado antes de alcanzar la madurez sexual. La hembra adulta es la *gallina* y, cuando está incubando, se denomina *clueca*. A diferencia de los demás volátiles, el pato tiene los *pies palmeados*, con membranas entre los dedos, y el pico ancho y aplastado, provisto de pequeños *dientes*. De las entrañas de un volátil o *menudillos*, suelen comerse el *corazón*, el *hígado*, los *riñones* y la *molleja*.

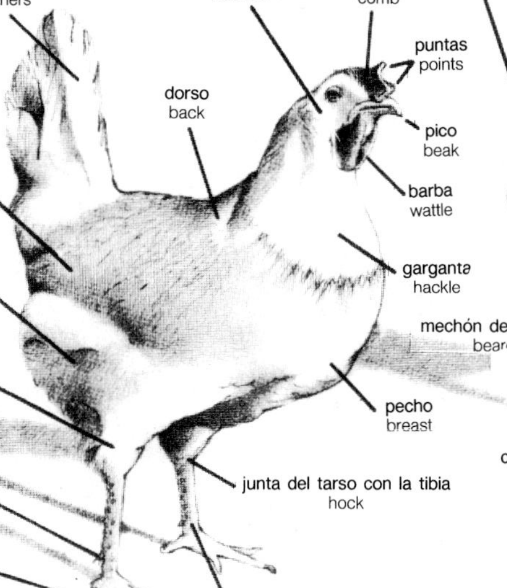
plumas de la cola / plumas timoneras
sickles / tail feathers
plumas coberteras
saddle feathers
plumón
fluff / body feathers
muslo
thigh
espolón
spur
dedo posterior
hind toe
dedos
toes
lóbulo de la oreja
earlobe
cresta
comb
puntas
points
dorso
back
pico
beak
barba
wattle
garganta
hackle
pecho
breast
junta del tarso con la tibia
hock
pata
shank

Pollo
Chicken

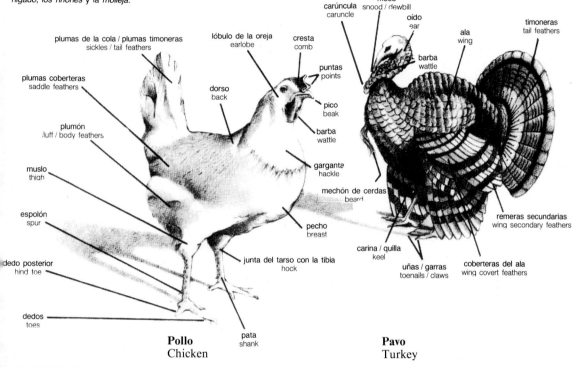

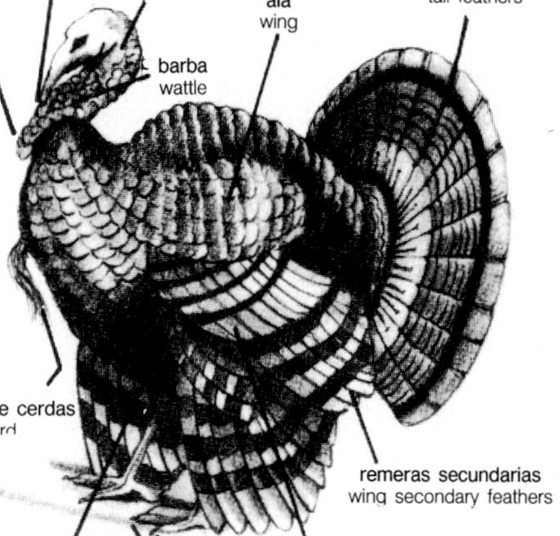
moco
snood / dewbill
carúncula
caruncle
oído
ear
ala
wing
timoneras
tail feathers
barba
wattle
mechón de cerdas
beard
remeras secundarias
wing secondary feathers
carina / quilla
keel
uñas / garras
toenails / claws
coberteras del ala
wing covert feathers

Pavo
Turkey

Despiece de un ave
Poultry Parts

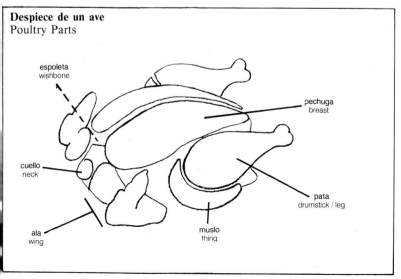

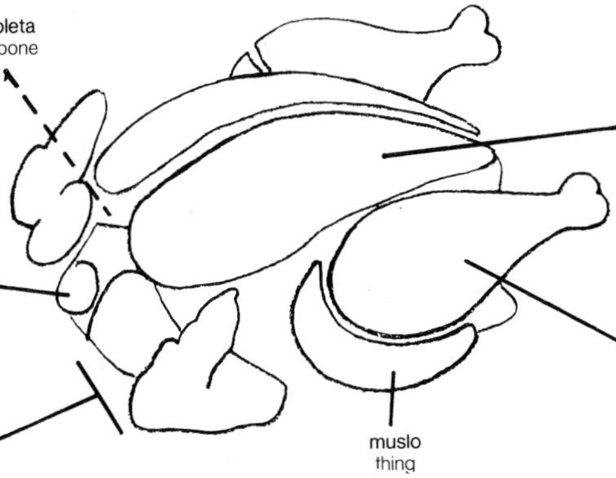
espoleta
wishbone
pechuga
breast
cuello
neck
pata
drumstick / leg
ala
wing
muslo
thing

Poultry

Chickens, turkeys, *ducks*, *geese* and *pheasants* are known collectively as *fowl* in the wild, as *poultry* if domesticated. A male chicken is a *rooster*, a female is a *hen*. A male turkey is a *tom*. Young chickens are *chicks*; young turkeys are *poults*. A *capon* is a male chicken that has been castrated before sexual maturity. Unlike other poultry, ducks have *webbed feet* and broad, flat *bills* with small *teeth*. Among the *entrails* of a fowl, the most edible are the *giblets*, the *heart*, the *liver* and the *gizzard*.

Perro

Los perros son mamíferos digitígrados; al andar se apoyan sobre los extremos de sus cuatro dedos, protegidos por almohadillas especiales. El quinto dedo está reducido a una uña interna *rudimentaria* que no llega al suelo, y se denomina *espolón*. *Cola en escoba* es la que tiene los pelos más abundantes en la base que en la punta. *Cola de carnero* es la que cuelga floja. *Rabón* o *rabicorto* es el animal que tiene el rabo más corto de lo que le corresponde a su especie.

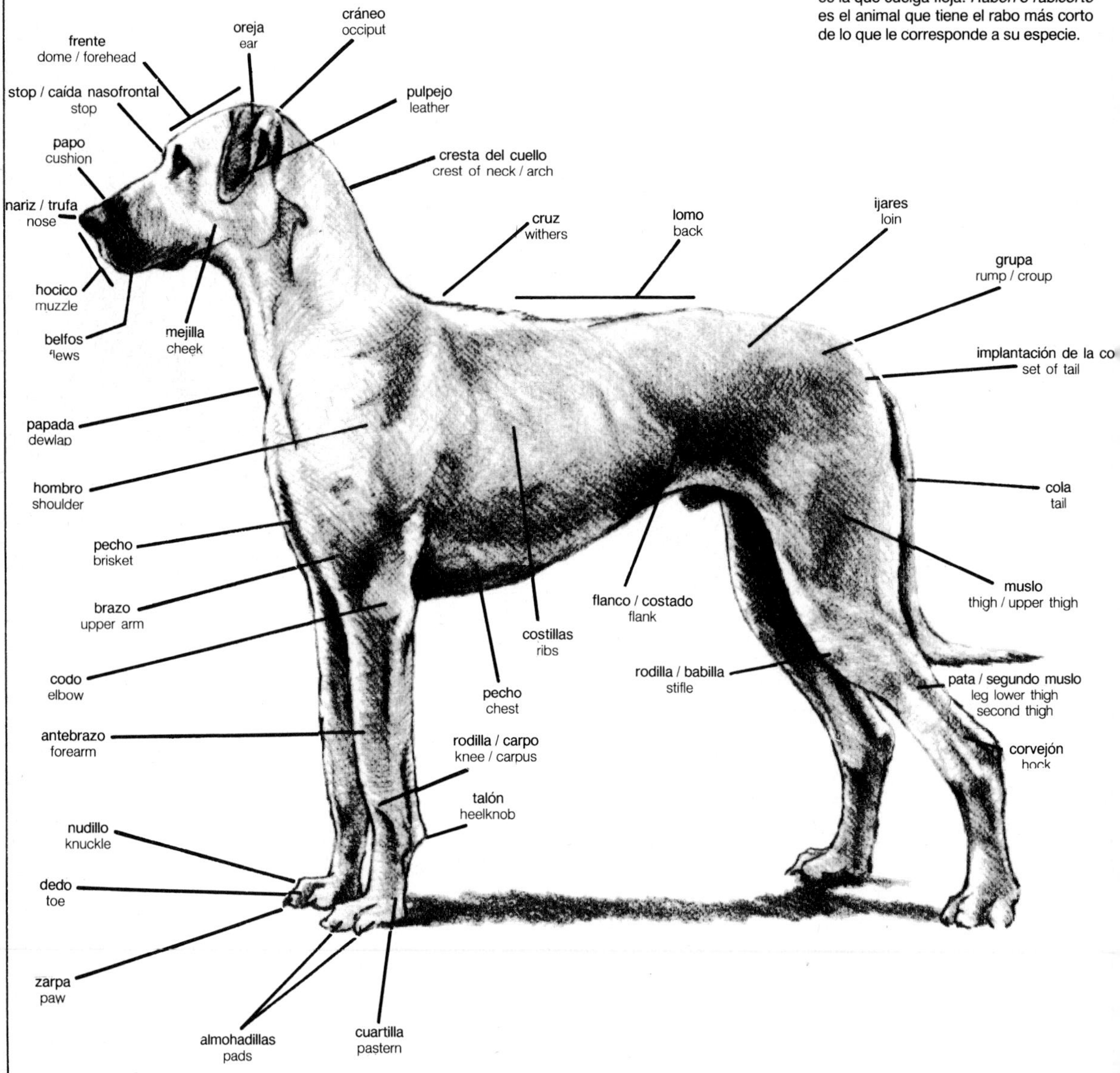

frente
dome / forehead
oreja
ear
cráneo
occiput
stop / caída nasofrontal
stop
pulpejo
leather
papo
cushion
cresta del cuello
crest of neck / arch
nariz / trufa
nose
cruz
withers
lomo
back
ijares
loin
grupa
rump / croup
hocico
muzzle
belfos
flews
mejilla
cheek
implantación de la co
set of tail
papada
dewlap
hombro
shoulder
cola
tail
pecho
brisket
muslo
thigh / upper thigh
brazo
upper arm
flanco / costado
flank
costillas
ribs
codo
elbow
rodilla / babilla
stifle
pata / segundo muslo
leg lower thigh
second thigh
pecho
chest
antebrazo
forearm
rodilla / carpo
knee / carpus
corvejón
hock
talón
heelknob
nudillo
knuckle
dedo
toe
zarpa
paw
almohadillas
pads
cuartilla
pastern

Dog

Dogs are digitigrade animals; they walk on what are anatomically their four *fingertips*, or *pads*. The fifth finger or *thumb* a functionless inner claw, is known as a *dewclaw*, and does not reach the ground. The bushy tail of a rough-coated dog is called a *brush*. A smooth-coated dog's tail is a *stern*.

Gato

Las crías del gato se llaman *cachorros*. Otros nombres familiares de este animal son minino y morrongo. El gato puede retraer las *uñas*, que quedan ocultas en repliegues de la *zarpa*. El *hocico* del gato está formado por la *nariz* y los *maxiliares*.

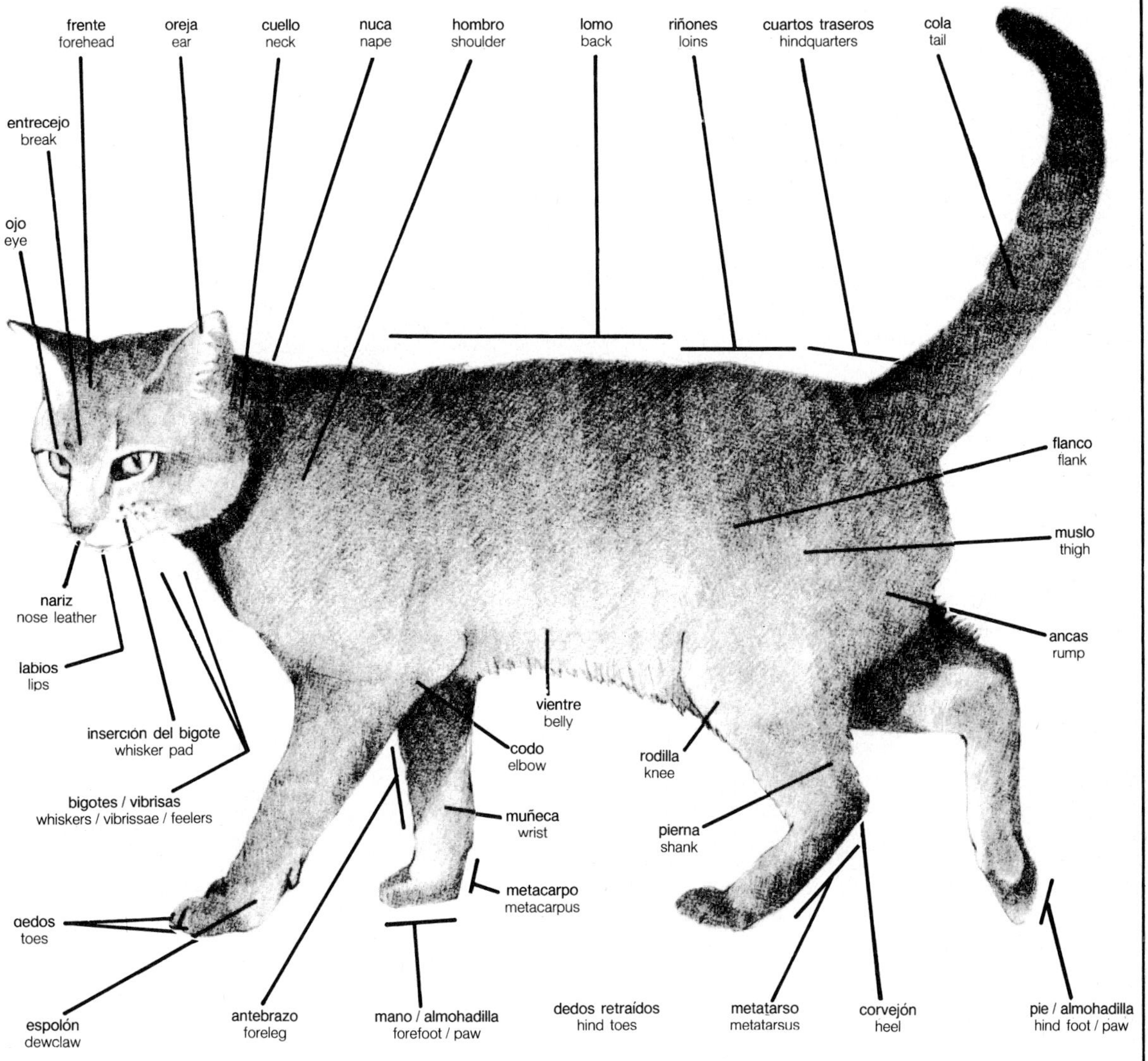

frente
forehead
oreja
ear
cuello
neck
nuca
nape
hombro
shoulder
lomo
back
riñones
loins
cuartos traseros
hindquarters
cola
tail
entrecejo
break
ojo
eye
flanco
flank
muslo
thigh
ancas
rump
nariz
nose leather
labios
lips
inserción del bigote
whisker pad
bigotes / vibrisas
whiskers / vibrissae / feelers
vientre
belly
codo
elbow
rodilla
knee
muñeca
wrist
pierna
shank
metacarpo
metacarpus
dedos
toes
espolón
dewclaw
antebrazo
foreleg
mano / almohadilla
forefoot / paw
dedos retraídos
hind toes
metatarso
metatarsus
corvejón
heel
pie / almohadilla
hind foot / paw

Cat

Newborn cats are called *kittens*, adult males are *tomcats*, and adult females are *cattas*. Cats are capable of drawing their *toenails*, or *claws*, into *sheaths* located above the *pads* of their feet. A cat's *muzzle* consists of the *nose* and *jaw* sections of its face.

Caballo

Un caballo que no ha cumplido el año se llama *potrillo*. Los machos jóvenes son *potros* y las hembras, *potrancas*. La hembra adulta es la *yegua*. Los machos adultos destinados a la reproducción se denominan *sementales* o *garañones*. Un *capón* es un macho castrado.

Horse

A horse less than a year old is a *foal*. Male foals are *colts*, females are *fillies*. A mature male is a *stallion*, a female is a *mare*. In breeding, the male parent is a *sire*, the female is a *dam*. A castrated male is called a *gelding*.

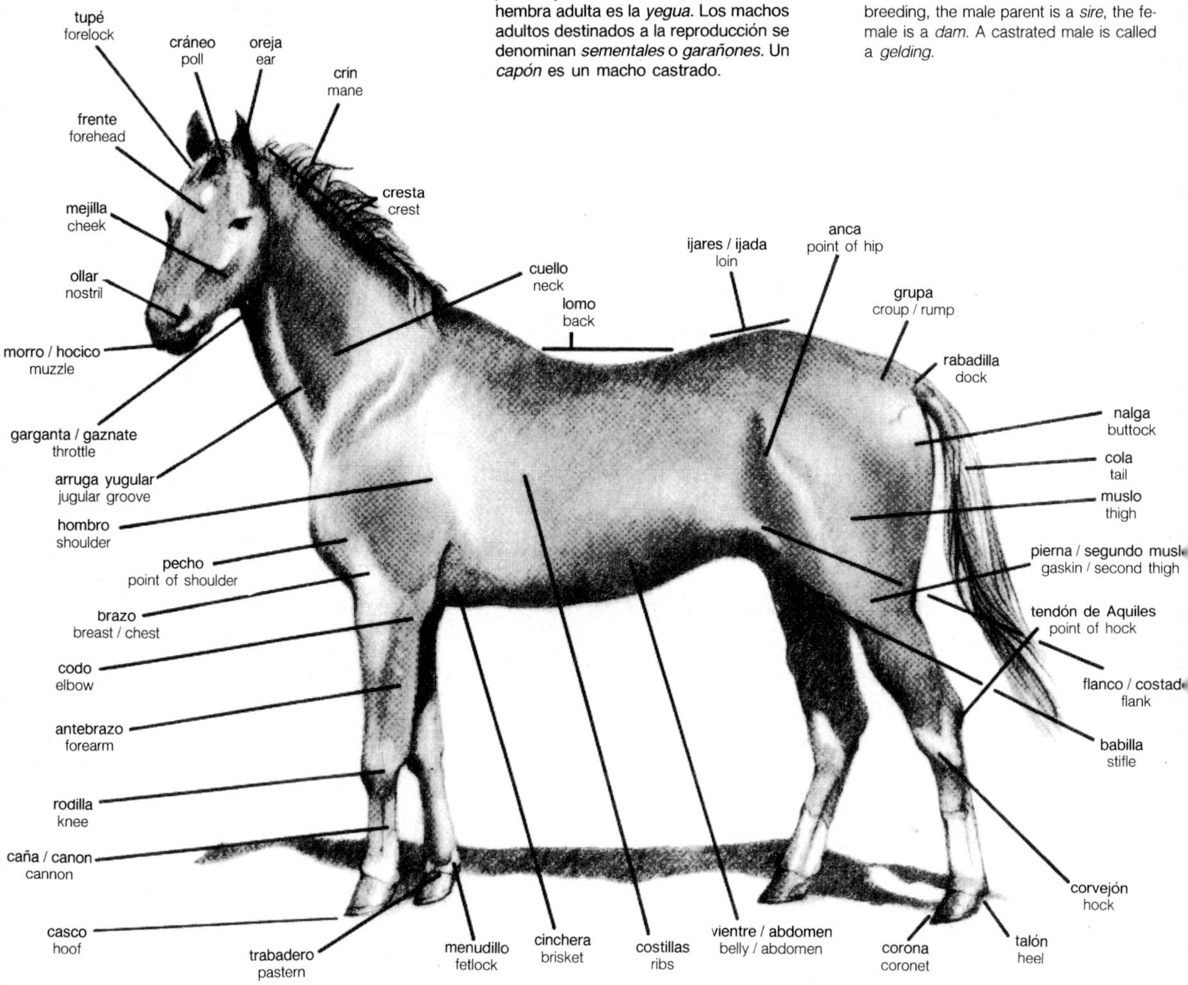

tupé
forelock
cráneo
poll
oreja
ear
crin
mane
frente
forehead
cresta
crest
mejilla
cheek
ollar
nostril
morro / hocico
muzzle
garganta / gaznate
throttle
arruga yugular
jugular groove
hombro
shoulder
pecho
point of shoulder
brazo
breast / chest
codo
elbow
antebrazo
forearm
rodilla
knee
caña / canon
cannon
casco
hoof
trabadero
pastern
menudillo
fetlock
cinchera
brisket
costillas
ribs
vientre / abdomen
belly / abdomen
corona
coronet
talón
heel
cuello
neck
lomo
back
ijares / ijada
loin
anca
point of hip
grupa
croup / rump
rabadilla
dock
nalga
buttock
cola
tail
muslo
thigh
pierna / segundo musl
gaskin / second thigh
tendón de Aquiles
point of hock
flanco / costad
flank
babilla
stifle
corvejón
hock

Pie
Foot

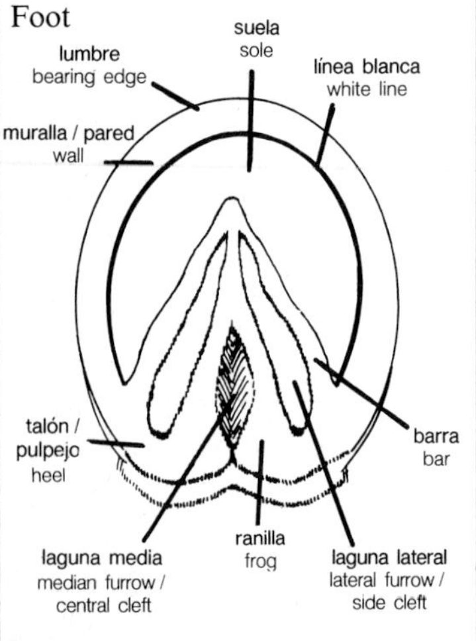

suela
sole
lumbre
bearing edge
línea blanca
white line
muralla / pared
wall
talón /
pulpejo
heel
barra
bar
ranilla
frog
laguna media
median furrow /
central cleft
laguna lateral
lateral furrow /
side cleft

Casco
Hoof

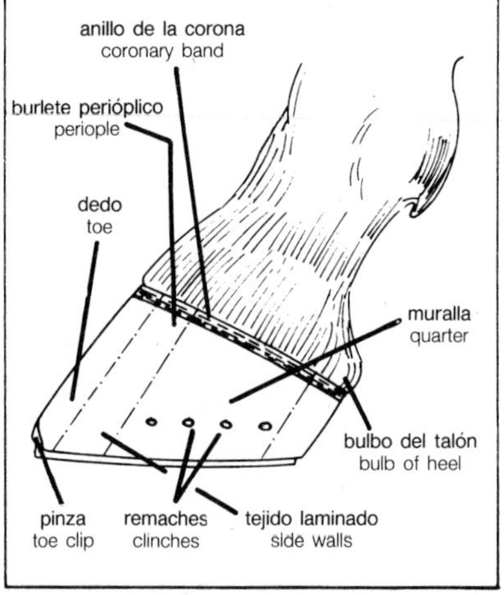

anillo de la corona
coronary band
burlete periópLico
periople
dedo
toe
muralla
quarter
bulbo del talón
bulb of heel
pinza
toe clip
remaches
clinches
tejido laminado
side walls

Herradura
Shoe

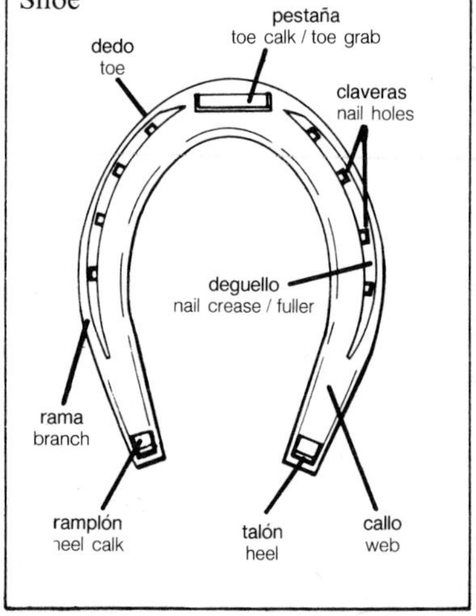

pestaña
toe calk / toe grab
dedo
toe
claveras
nail holes
deguello
nail crease / fuller
rama
branch
ramplón
heel calk
talón
heel
callo
web

Aves

Las *plumas de vuelo*, *remeras* y *timoneras*, tienen la lámina formada por *barbas* densamente entretejidas. El cuerpo del animal está revestido por las *coberteras* y un fino *plumón* subyacente. Toda porción del cuerpo de un ave que no está cubierta de plumas recibe el nombre de *apterio*.

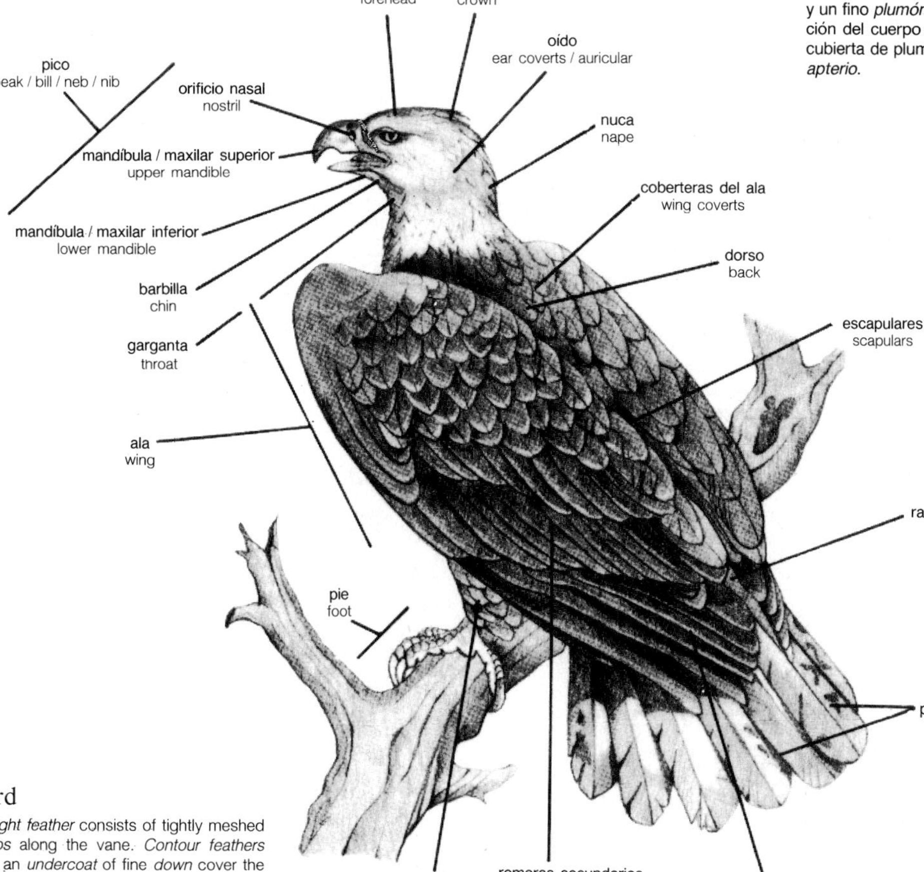

frente
forehead
cráneo
crown
oído
ear coverts / auricular
pico
beak / bill / neb / nib
orificio nasal
nostril
nuca
nape
mandíbula / maxilar superior
upper mandible
coberteras del ala
wing coverts
mandíbula / maxilar inferior
lower mandible
dorso
back
barbilla
chin
escapulares
scapulars
garganta
throat
ala
wing
rabadilla / obispillo
rump
pie
foot
plumas de la cola / timoneras
tail feathers
muslo
thigh
remeras secundarias
secondaries
remeras primarias
primaries

Bird

A *flight feather* consists of tightly meshed *barbs* along the vane. *Contour feathers* and an *undercoat* of fine *down* cover the bird's body. A featherless portion of a bird's skin is called an *apterium*.

Pie en garra
Grasping Foot

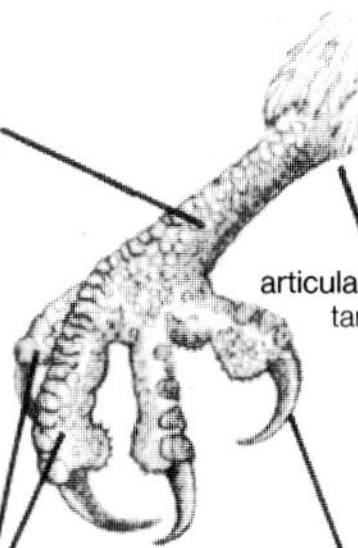

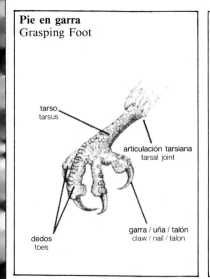

tarso
tarsus
articulación tarsiana
tarsal joint
dedos
toes
garra / uña / talón
claw / nail / talon

Pie palmeado
Swimming Foot / Webbeb Foot

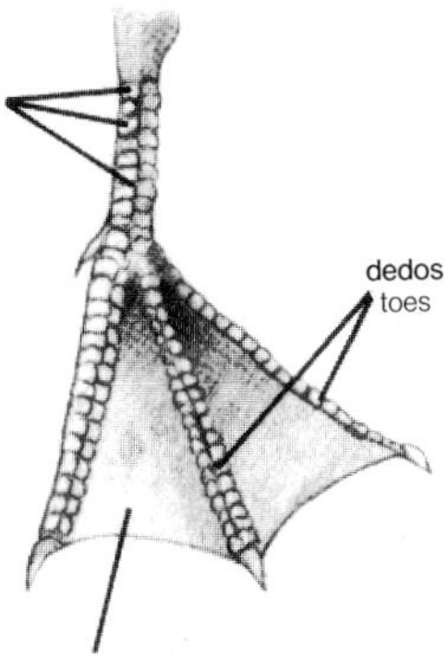

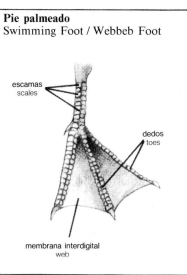

escamas
scales
dedos
toes
membrana interdigital
web

Pluma
Feather

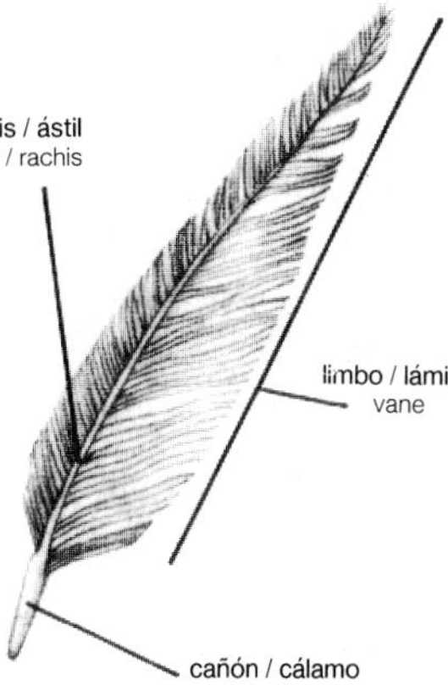

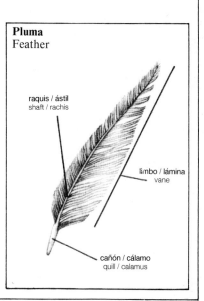

raquis / ástil
shaft / rachis
limbo / lámina
vane
cañón / cálamo
quill / calamus

Arañas

Las arañas devanan *hilos de seda* que utilizan para construir telas, *nidos* o *hilos aeróstatos*, que les sirven para trasladarse por impulso del viento. Cuando una araña construye su tela, tiende primero un *hilo puente* entre dos soportes, y forma una órbita o *marco* hacia abajo. A continuación teje un armazón o *red provisional*, no viscosa, sobre la que se apoya para construir la espiral de *tela adhesiva*.

Spider

Spiders produce *silk threads* which they use to make webs, *nests* or *parachutes* that allow the wind to carry them from one location to another. When a spider spins a web, it first constructs a *bridge* between two supports and fashions an *orb* beneath. A *scaffolding web* of dry thread is then used to lay down a *viscid spiral* of sticky thread.

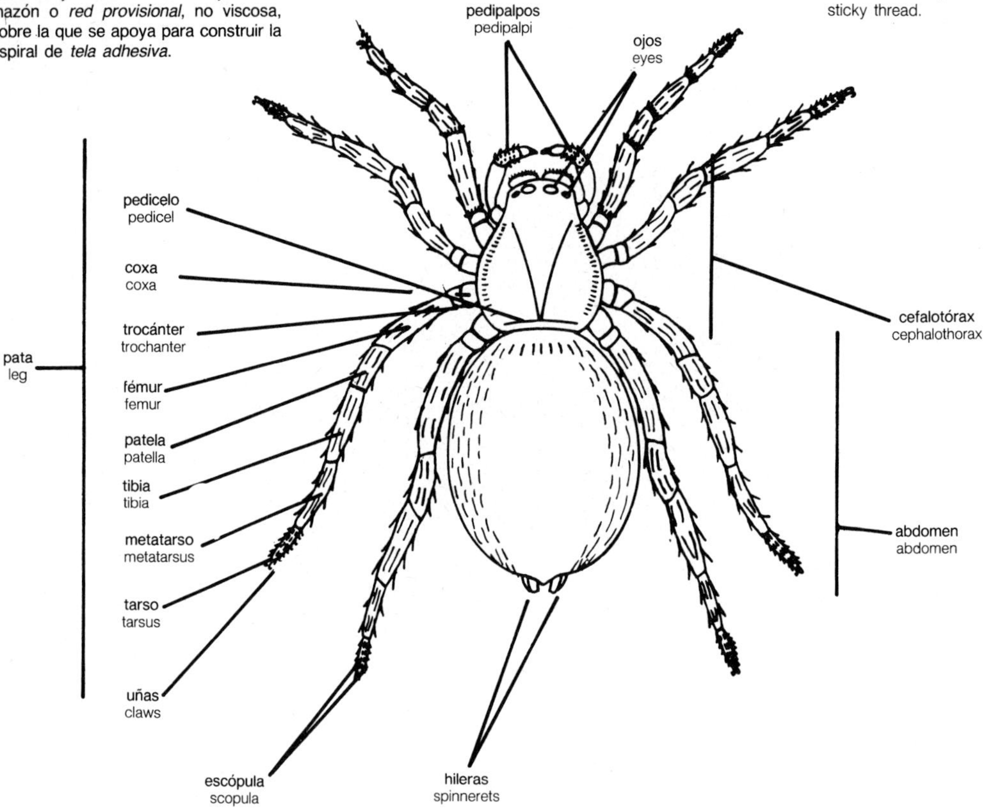

pedipalpos
pedipalpi
ojos
eyes
pedicelo
pedicel
coxa
coxa
trocánter
trochanter
pata
leg
fémur
femur
patela
patella
tibia
tibia
metatarso
metatarsus
tarso
tarsus
uñas
claws
escópula
scopula
hileras
spinnerets
cefalotórax
cephalothorax
abdomen
abdomen

Cabeza vista de frente
Face

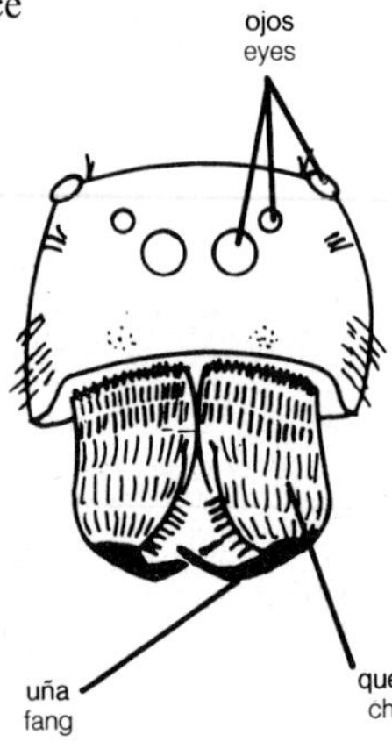

ojos
eyes
uña
fang
quelíceros
chelicera

Telaraña
Web

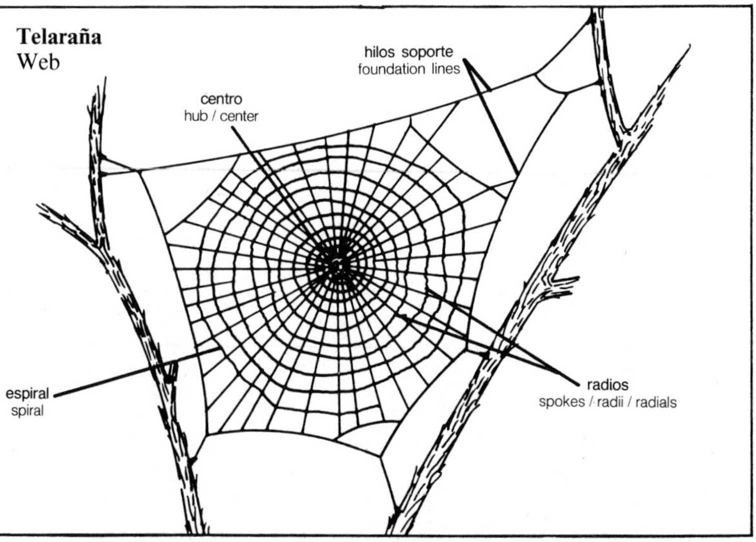

hilos soporte
foundation lines
centro
hub / center
espiral
spiral
radios
spokes / radii / radials

Insectos

El cuerpo de los insectos está protegido por un caparazón externo o *exosqueleto*. La mayoría de las especies atraviesan por cuatro fases durante la *metamorfosis*: *huevo*, *larva* u *oruga*, *pupa* o *crisálida* e insecto *adulto*.

Insects

Insects have shell-like outer coverings called *exoskeletons*. Most undergo four stages during *metamorphosis*: the *egg*, the *larva*, the *pupa*, and the *adult*.

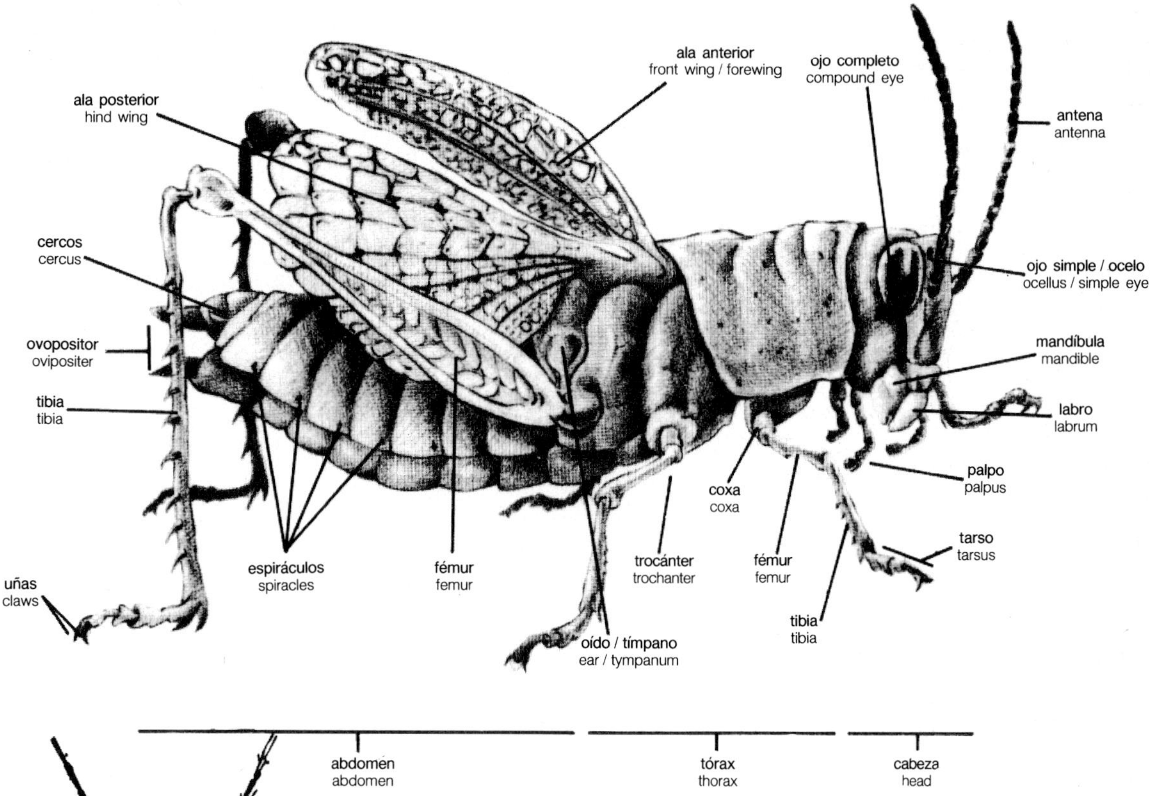

ala anterior
front wing / forewing
ojo completo
compound eye
ala posterior
hind wing
antena
antenna
cercos
cercus
ojo simple / ocelo
ocellus / simple eye
ovopositor
ovipositer
mandíbula
mandible
tibia
tibia
labro
labrum
palpo
palpus
coxa
coxa
tarso
tarsus
espiráculos
spiracles
fémur
femur
trocánter
trochanter
fémur
femur
uñas
claws
tibia
tibia
oído / tímpano
ear / tympanum
abdomen
abdomen
tórax
thorax
cabeza
head

Saltamontes
Grasshopper

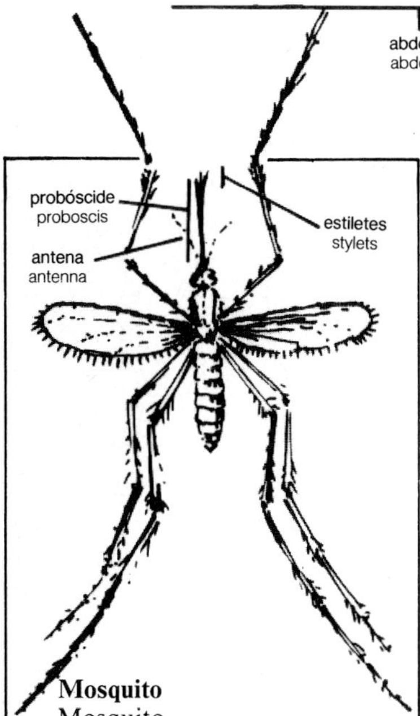

probóscide
proboscis
estiletes
stylets
antena
antenna

Mosquito
Mosquito

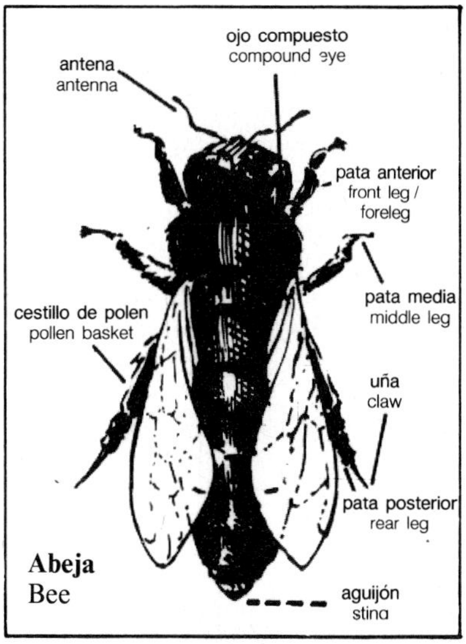

ojo compuesto
compound eye
antena
antenna
pata anterior
front leg /
foreleg
pata media
middle leg
cestillo de polen
pollen basket
uña
claw
pata posterior
rear leg
aguijón
sting

Abeja
Bee

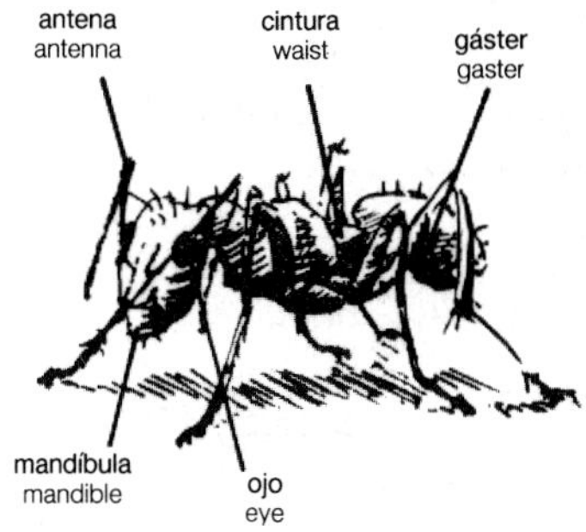

antena
antenna
cintura
waist
gáster
gaster
mandíbula
mandible
ojo
eye

Hormiga
Ant

Reptiles

Además de los grandes grupos de reptiles representados aquí, hay que destacar el *tuatara*, reliquia de la era de los *dinosaurios*, que presenta un *tercer ojo* vestigial en la parte superior de la cabeza. Todas las *serpientes venenosas* inyectan el veneno o *ponzoña* en su presa por medio de colmillos, pero no todas tienen *«colmillos hipodérmicos»* como la serpiente de cascabel de la ilustración. La hinchazón aplastada que aparece bajo la cabeza de la cobra recibe el nombre de *capuchón*. Existen tortugas terrestres y marinas. Estas últimas tienen pies palmeados o *aletas*. Muchos *escincos* que pertenecen al grupo de los lagartos, carecen de patas o de párpados.

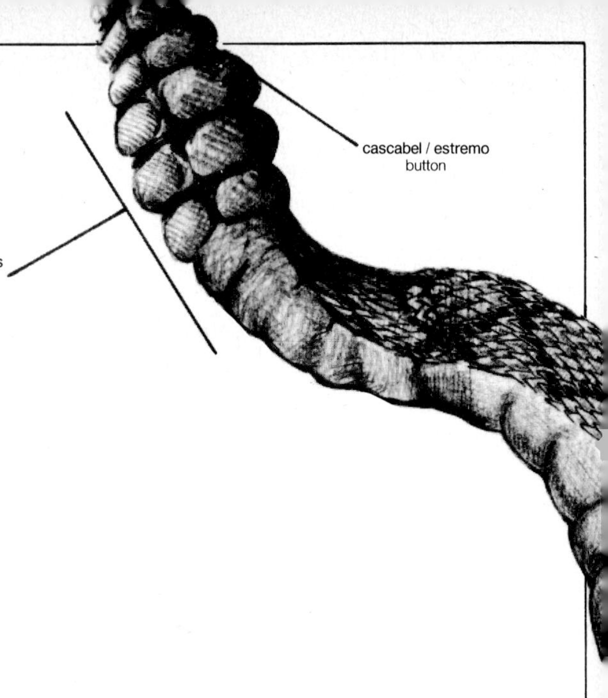
cascabel / estremo
button
cascabel / anillos articulados
rattle / segments

Serpiente
Snake

Reptiles

In addition to the reptile families represented here, there is the lizardlike *tuatara*, a leftover from the days of the *dinosaurs*, with a vestigial *third eye* on the top of its head. All *poisonous snakes* inject their prey with *venom* through fangs, but not all venomous snakes have "*hypodermic fangs*" like the rattler shown here. The flattened swelling below a cobra's head is called the *hood*. Most land-living turtles are called *tortoises*. Turtles that live in the sea have *flippers*. Many *skinks*, which are lizards, have no legs or eyelids.

Tortuga
Turtle / Tortoise

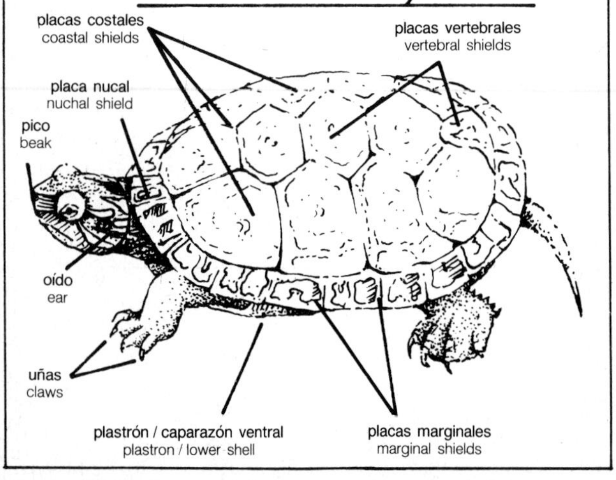
caparazón dorsal
carapace / upper shell
placas costales
coastal shields
placas vertebrales
vertebral shields
placa nucal
nuchal shield
pico
beak
oído
ear
uñas
claws
plastrón / caparazón ventral
plastron / lower shell
placas marginales
marginal shields

Lagarto / Iguana
Lizard / Iguana

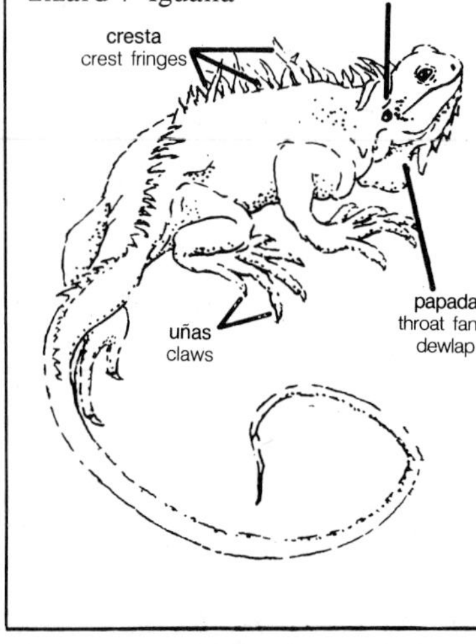
oído
ear
cresta
crest fringes
papada
throat fan /
dewlap
uñas
claws

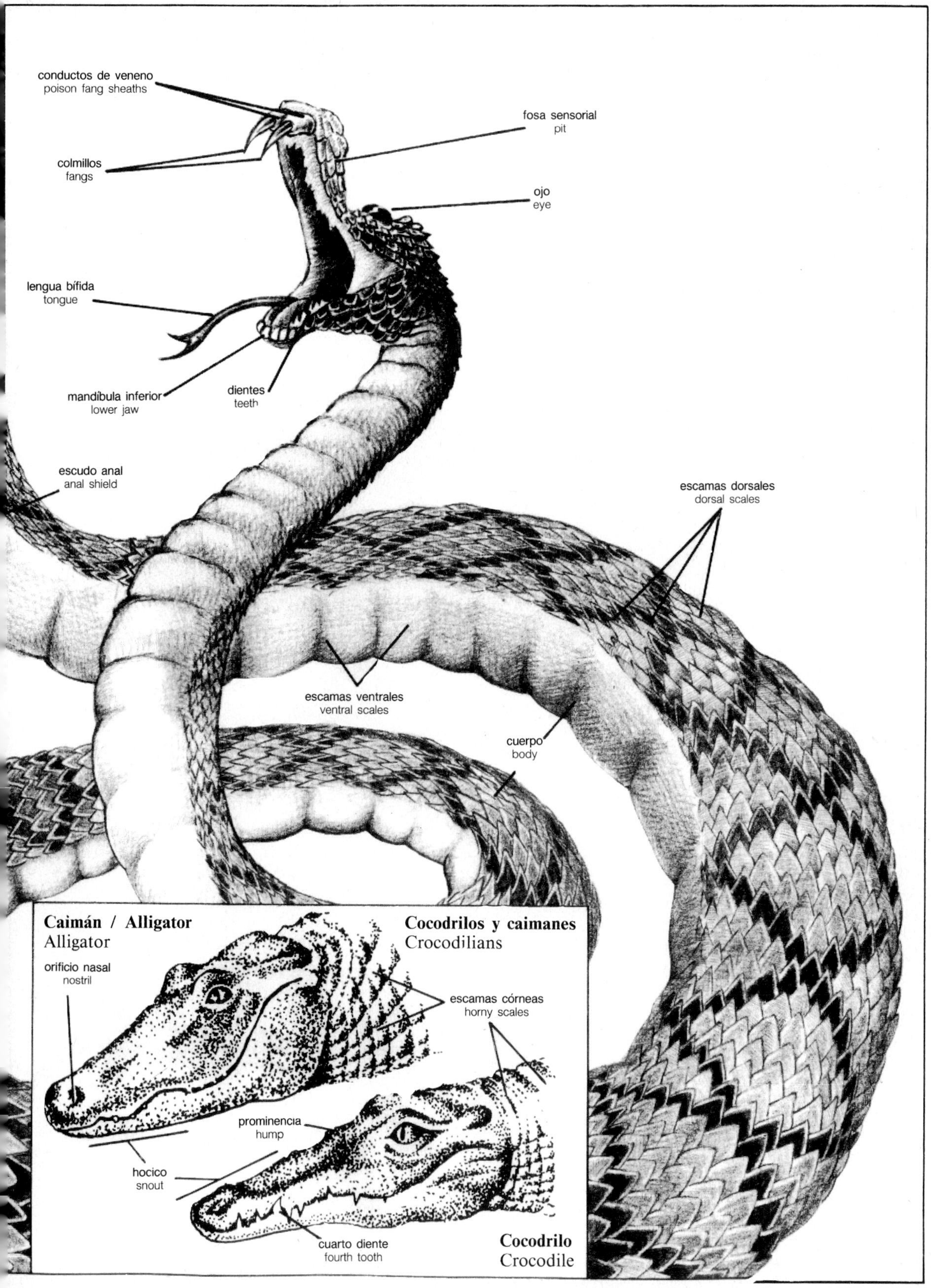
conductos de veneno
poison fang sheaths
fosa sensorial
pit
colmillos
fangs
ojo
eye
lengua bífida
tongue
mandíbula inferior
lower jaw
dientes
teeth
escudo anal
anal shield
escamas dorsales
dorsal scales
escamas ventrales
ventral scales
cuerpo
body
Caimán / Alligator
Alligator
Cocodrilos y caimanes
Crocodilians
orificio nasal
nostril
escamas córneas
horny scales
prominencia
hump
hocico
snout
cuarto diente
fourth tooth
Cocodrilo
Crocodile

Anfibios

Las ranas y los sapos son muy similares, pero los segundos tienen costumbres más terrestres, y su piel es más seca y rugosa.

Amphibians

Frogs and toads resemble one another closely, but toads are characteristically more terrestrial and have rougher, drier skin.

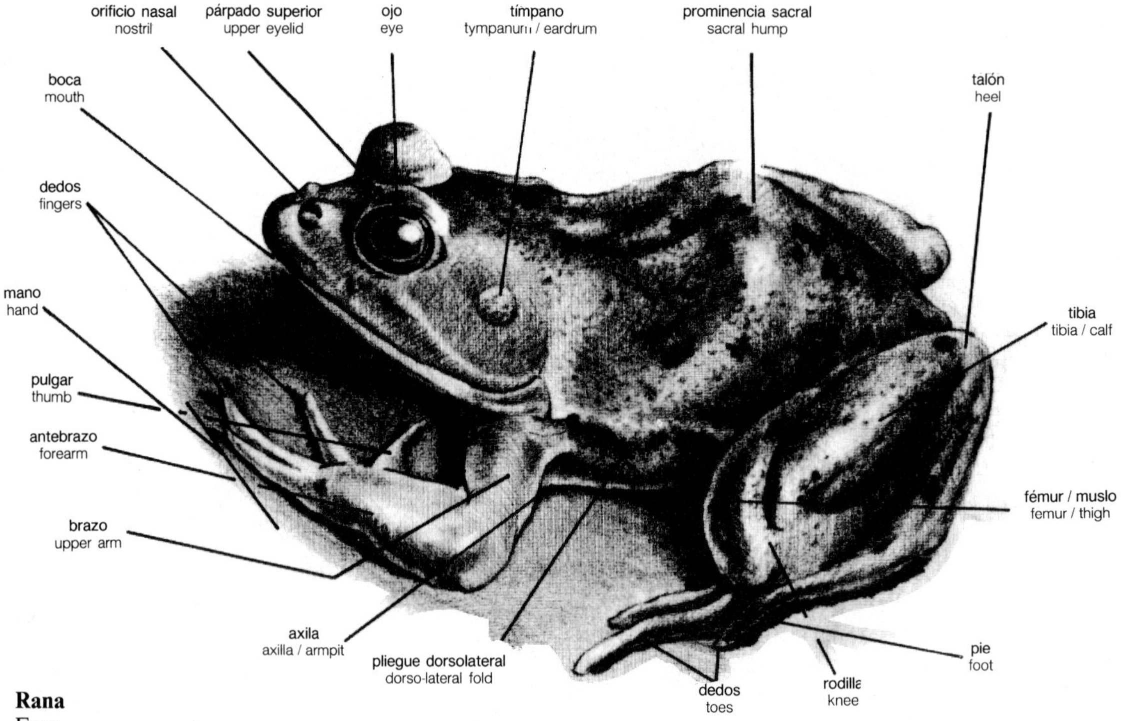

orificio nasal
nostril
párpado superior
upper eyelid
ojo
eye
tímpano
tympanum / eardrum
prominencia sacral
sacral hump
boca
mouth
talón
heel
dedos
fingers
mano
hand
tibia
tibia / calf
pulgar
thumb
antebrazo
forearm
fémur / muslo
femur / thigh
brazo
upper arm
axila
axilla / armpit
pliegue dorsolateral
dorso-lateral fold
dedos
toes
rodilla
knee
pie
foot

Rana
Frog

Renacuajo
Tadpole / Polliwog

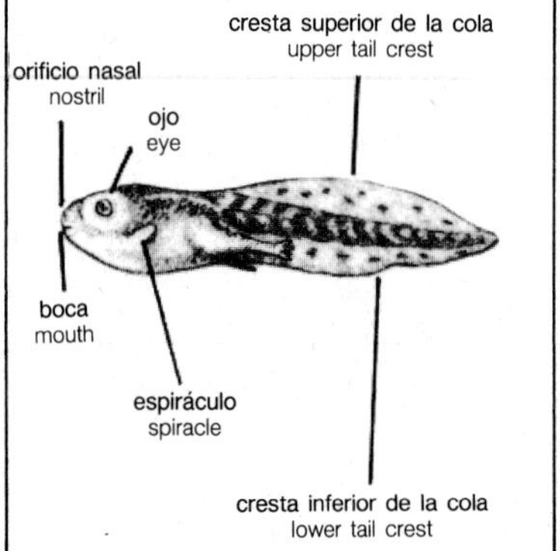

cresta superior de la cola
upper tail crest
orificio nasal
nostril
ojo
eye
boca
mouth
espiráculo
spiracle
cresta inferior de la cola
lower tail crest

Sapo
Toad

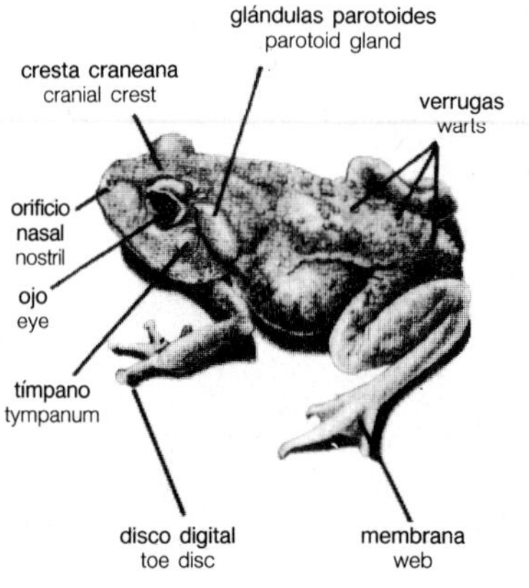

glándulas parotoides
parotoid gland
cresta craneana
cranial crest
verrugas
warts
orificio nasal
nostril
ojo
eye
tímpano
tympanum
disco digital
toe disc
membrana
web

Salamandra
Salamander

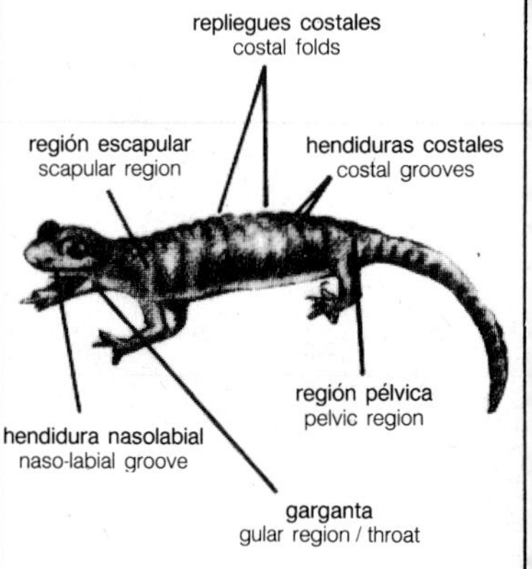

repliegues costales
costal folds
región escapular
scapular region
hendiduras costales
costal grooves
región pélvica
pelvic region
hendidura nasolabial
naso-labial groove
garganta
gular region / throat

Vida marina

Los peces suelen nadar en grupos, que se llaman *bancos* o *cardumes*, y se reproducen por huevos. El conjunto de éstos, y las crías recién salidas, reciben el nombre de *freza*.

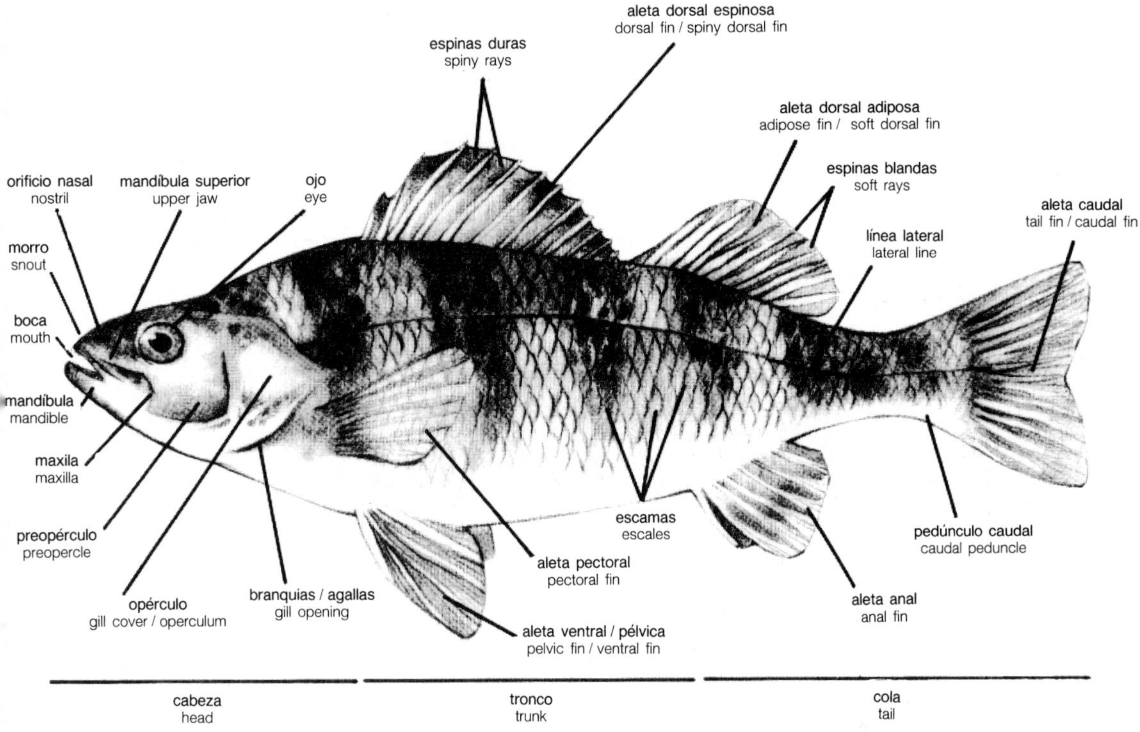

aleta dorsal espinosa
dorsal fin / spiny dorsal fin
espinas duras
spiny rays
aleta dorsal adiposa
adipose fin / soft dorsal fin
espinas blandas
soft rays
orificio nasal
nostril
mandíbula superior
upper jaw
ojo
eye
aleta caudal
tail fin / caudal fin
línea lateral
lateral line
morro
snout
boca
mouth
mandíbula
mandible
maxila
maxilla
preopérculo
preopercle
escamas
escales
pedúnculo caudal
caudal peduncle
aleta pectoral
pectoral fin
opérculo
gill cover / operculum
branquias / agallas
gill opening
aleta anal
anal fin
aleta ventral / pélvica
pelvic fin / ventral fin
cabeza
head
tronco
trunk
cola
tail

Pez
Fish

Marine Life

Fish often swim in groups, called *schools*, and reproduce by depositing eggs, or *spawning*. Recently hatched or small adult fish are called *fry*.

Delfín
Dolphin

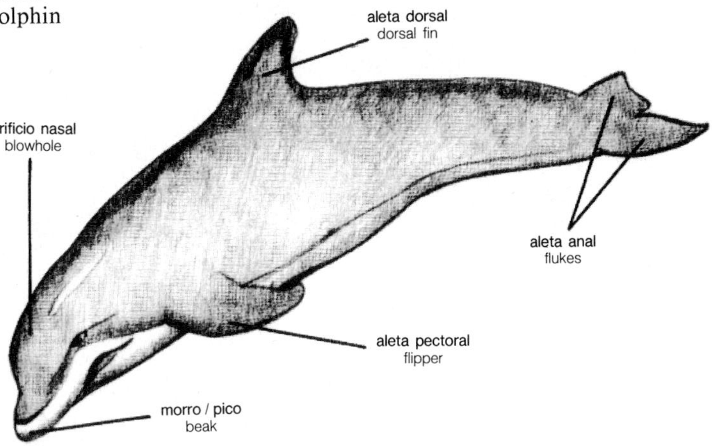

aleta dorsal
dorsal fin
orificio nasal
blowhole
aleta anal
flukes
aleta pectoral
flipper
morro / pico
beak

Raya
Stingray

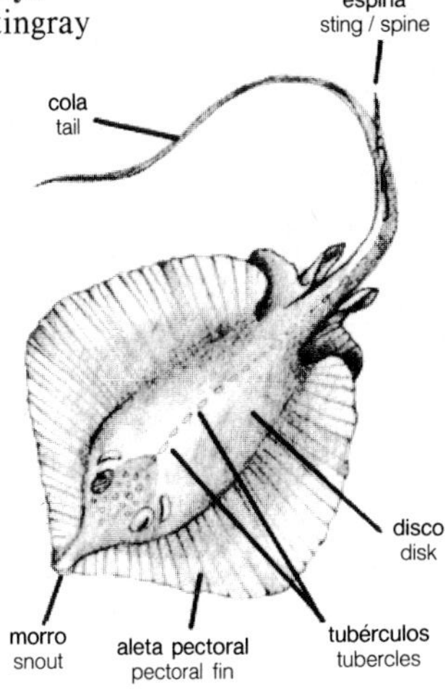

espina
sting / spine
cola
tail
disco
disk
morro
snout
aleta pectoral
pectoral fin
tubérculos
tubercles

Vida marina

El *manto* de un pulpo es el sólido revestimiento protector que cubre su cuerpo y le da forma. Los pulpos y los calamares poseen *cromatóforos* o *células pigmentarias*, que les permiten cambiar de coloración, así como bolsas o *glándulas de tinta*, mediante la cual se ocultan de sus enemigos. La estrella de mar presenta una *boca* en su *superficie oral*. Los pólipos madreporarios o *corales* viven en el interior de *esqueletos calcáreos*, que constituyen la base de los *arrecifes coralinos*.

Marine Life

The *mantle* of an octopus is the tough protective wrapper that covers the body and gives it shape. Octopuses and squid have *chromatophores*, or *pigment cells*, which enable them to change color, as well as *ink glands*, or *sacs*, that secrete protective "ink". Starfish have *mouths* on their *oral surfaces*. Coral polyps live within limestone *skeletons*, which form the basis for *coral reefs*.

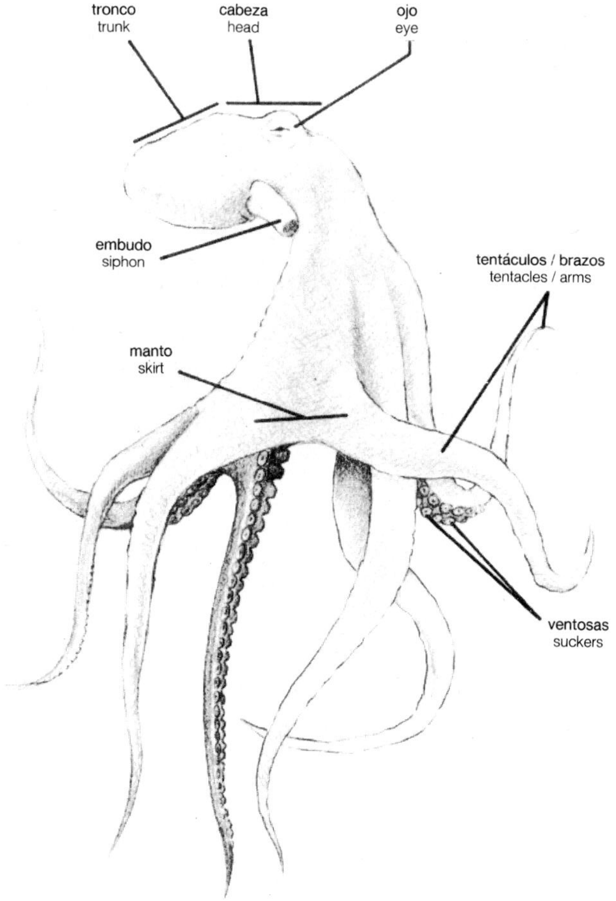

tronco
trunk
cabeza
head
ojo
eye
embudo
siphon
tentáculos / brazos
tentacles / arms
manto
skirt
ventosas
suckers

Pulpo
Octopus / Devilfish

Medusa
Jellyfish

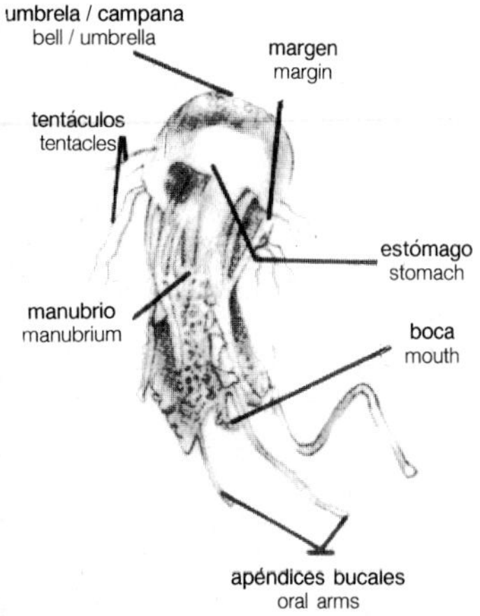

umbrela / campana
bell / umbrella
margen
margin
tentáculos
tentacles
estómago
stomach
manubrio
manubrium
boca
mouth
apéndices bucales
oral arms

Estrella de mar
Starfish / Sea Star

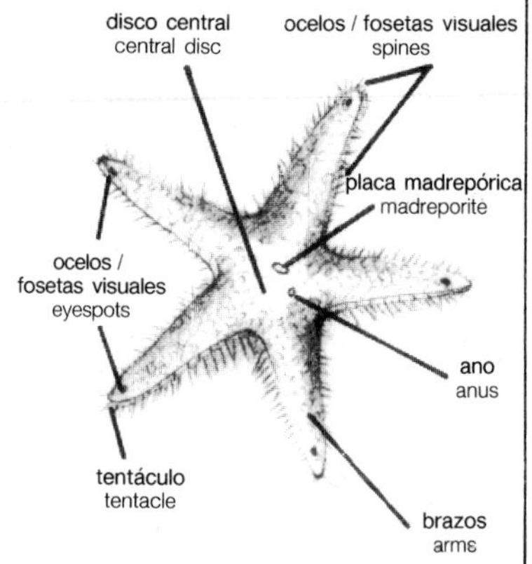

disco central
central disc
ocelos / fosetas visuales
spines
placa madrepórica
madreporite
ocelos /
fosetas visuales
eyespots
ano
anus
tentáculo
tentacle
brazos
arms

Sección de un pólipo madreporario
Coral Polyp Cross Section

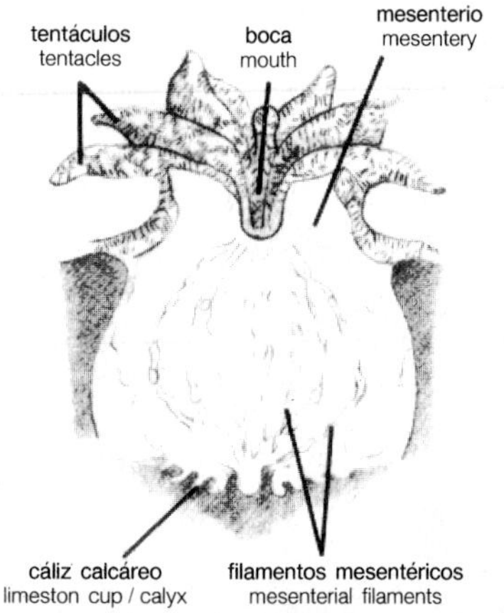

tentáculos
tentacles
boca
mouth
mesenterio
mesentery
cáliz calcáreo
limeston cup / calyx
filamentos mesentéricos
mesenterial filaments

Crustáceos y moluscos

Llamamos *mariscos* a diversos *crustáceos* y *moluscos* comestibles. Los bogavantes, *langostas*, *cangrejos*, *gambas*, *cigalas* y *percebes* son crustáceos; su cuerpo está protegido por una cubierta de *quitina*, cuya dureza varía con el contenido en *cal*. La langosta se diferencia fácilmente del bogavante porque carece del primer par de pinzas o quelas. Las *vieiras*, *almejas*, *caracoles*, *ostras* y *mejillones* son moluscos. La ciencia que estudia los moluscos se llama *malacología*. *Concología* es el estudio de las conchas.

Shellfish

Lobsters with only claw are called *culls*, and lobsters that have lost both claws are known as *pistols*. *Crustaceans*, such as lobsters, *crabs*, *shrimp*, *crayfish* and *barnacles*, are covered with a coating of *chitin*, which varies in hardness according to *lime* content. Scallops, clams, *snails*, *oysters* and *mussels* are *mollusks*. The study of mollusks is *malacology*. The study of shells only is *conchology*.

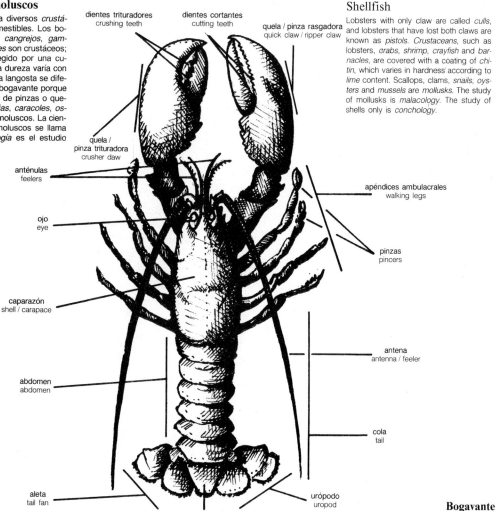

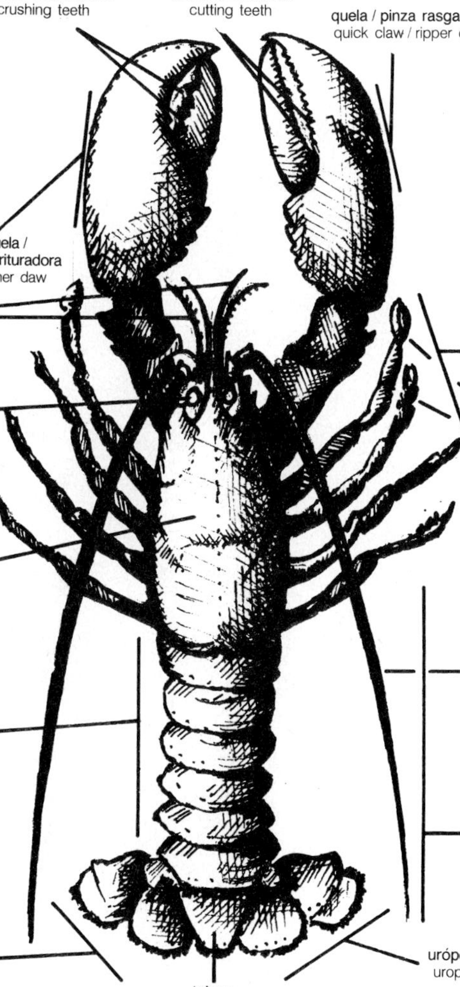
dientes trituradores
crushing teeth
dientes cortantes
cutting teeth
quela / pinza rasgadora
quick claw / ripper claw
quela / pinza trituradora
crusher daw
anténulas
feelers
apéndices ambulacrales
walking legs
ojo
eye
pinzas
pincers
caparazón
shell / carapace
antena
antenna / feeler
abdomen
abdomen
cola
tail
aleta
tail fan
urópodo
uropod
telson
telson

Bogavante
Lobster

Concha univalva / caracol
Univalve Shell

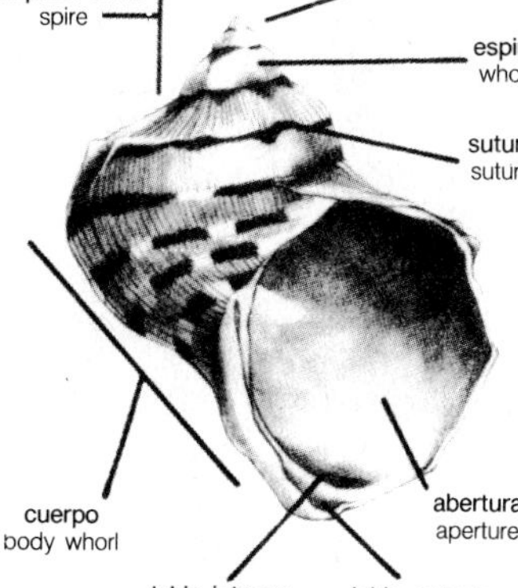
ápice
apex / tip
cúspide / cima
spire
espira
whorl
sutura
suture
cuerpo
body whorl
abertura
aperture
labio interno
inner lip
labio externo
outer lip

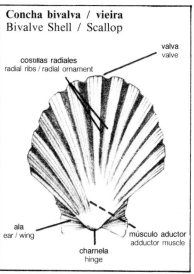

Concha bivalva / vieira
Bivalve Shell / Scallop

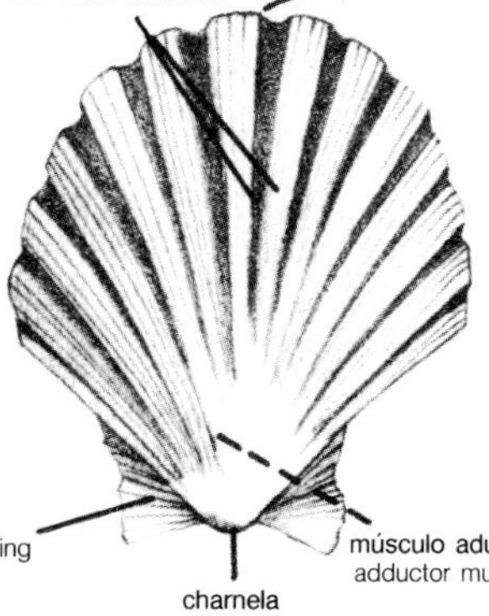
valva
valve
costillas radiales
radial ribs / radial ornament
ala
ear / wing
músculo aductor
adductor muscle
charnela
hinge

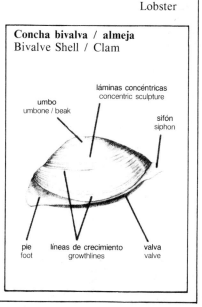

Concha bivalva / almeja
Bivalve Shell / Clam

láminas concéntricas
concentric sculpture
umbo
umbone / beak
sifón
siphon
pie
foot
líneas de crecimiento
growthlines
valva
valve

Mamífero fantástico

Este notable animal llama la atención sobre las partes más distintivas de diversas especies de *mamíferos*. Faltan los apéndices posteriores o *colas*, que varían desde el largo y fino *rabo* del león, rematado en un penacho, hasta la tupida cola en escoba del zorro, y la rechoncha del jabalí. En la mitología abundan las descripciones de animales legendarios, que reunían características de distintas especies. EL *manticora*, por ejemplo, aunaba la cabeza de un hombre, el cuerpo de un león y la cola de un *dragón* o *escorpión*.

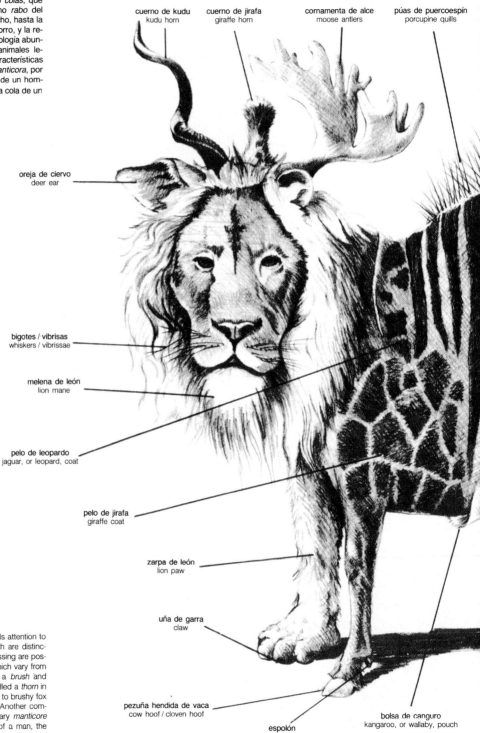

cuerno de kudu
kudu horn
cuerno de jirafa
giraffe horn
cornamenta de alce
moose antlers
púas de puercoespín
porcupine quills
oreja de ciervo
deer ear
bigotes / vibrisas
whiskers / vibrissae
melena de león
lion mane
pelo de leopardo
jaguar, or leopard, coat
pelo de jirafa
giraffe coat
zarpa de león
lion paw
uña de garra
claw
pezuña hendida de vaca
cow hoof / cloven hoof
espolón
dewclaw
bolsa de canguro
kangaroo, or wallaby, pouch

Ultimate Beast

This remarkable *creature* calls attention to those parts of animals which are distinctive to particular species. Missing are posterior extensions, or *tails*, which vary from long, thin tails that end in a *brush* and have a horny appendage called a *thorn* in the middle, such as a lion's, to brushy fox tails and stubby boar tails. Another composite animal is the legendary *manticore* which combined the head of a man, the body of a lion, and the tail of a *dragon* or *scorpion*.

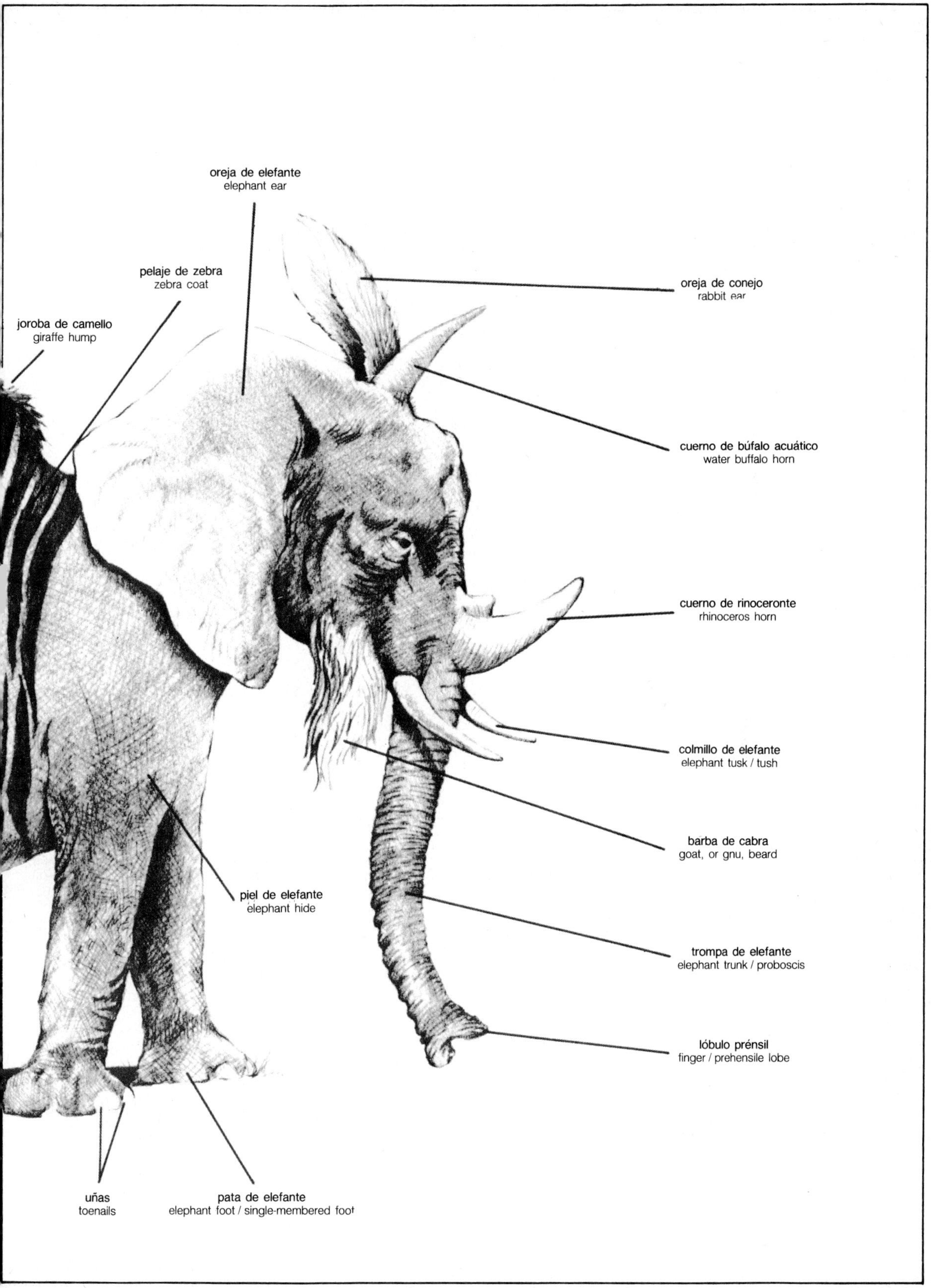

oreja de elefante
elephant ear
oreja de conejo
rabbit ear
pelaje de zebra
zebra coat
joroba de camello
giraffe hump
cuerno de búfalo acuático
water buffalo horn
cuerno de rinoceronte
rhinoceros horn
colmillo de elefante
elephant tusk / tush
barba de cabra
goat, or gnu, beard
piel de elefante
elephant hide
trompa de elefante
elephant trunk / proboscis
lóbulo prénsil
finger / prehensile lobe
uñas
toenails
pata de elefante
elephant foot / single-membered foot

Árbol

Cuando se corta un árbol, la porción de *tronco* que queda unida a la *raíz* es el *tocón*.

Tree

When a tree is cut down, what remains attached to de *root* is called a *stump*.

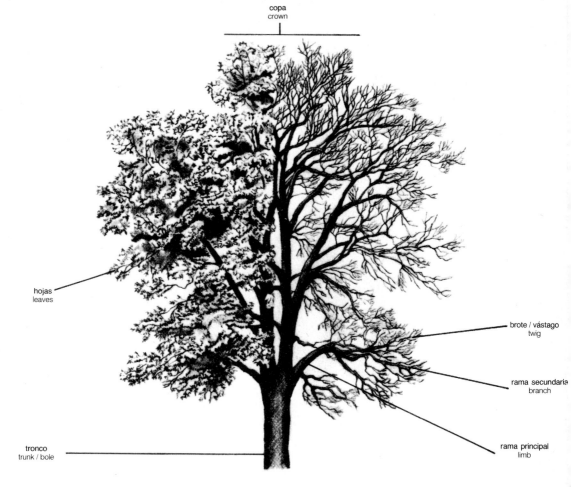

copa
crown
hojas
leaves
brote / vástago
twig
rama secundaria
branch
tronco
trunk / bole
rama principal
limb

Sección del tronco
Tree Trunk Cross Section

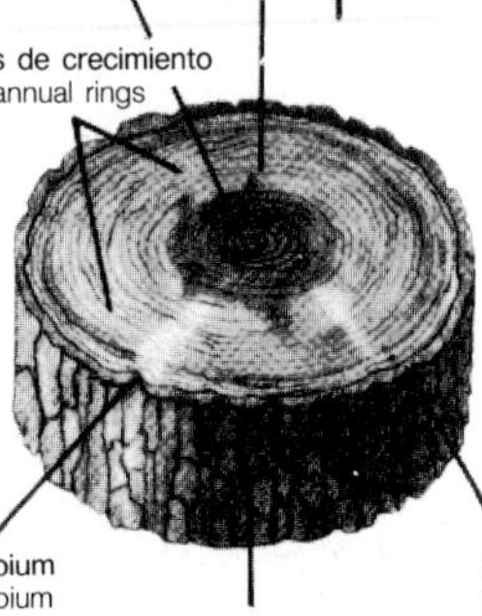

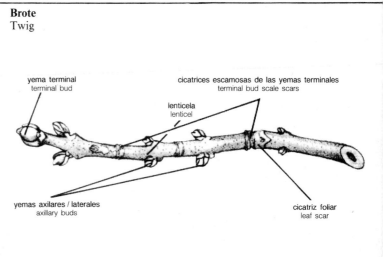

medula
heartwood
leño
sapwood
xilema
xylem
anillos de crecimiento
annual rings
cambium
cambium
corteza
bark
floema
phloem

Brote
Twig

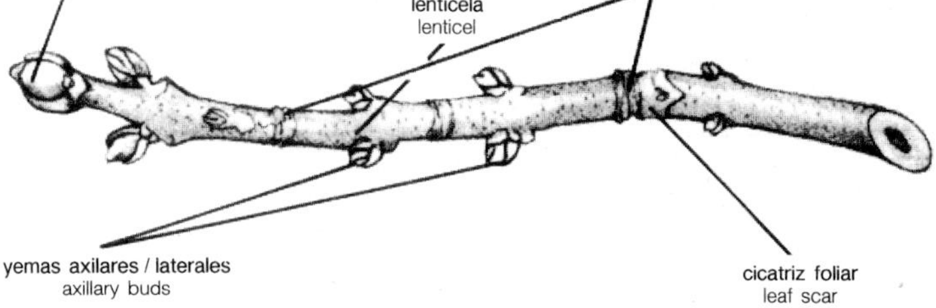

yema terminal
terminal bud
cicatrices escamosas de las yemas terminales
terminal bud scale scars
lenticela
lenticel
yemas axilares / laterales
axillary buds
cicatriz foliar
leaf scar

Sistema radicular

Las raíces primarias se desarrollan a partir de la *radícula*, o *raíz rudimentaria*, de la semilla. Las *raíces adventicias* tienen su origen en otros órganos de la planta.

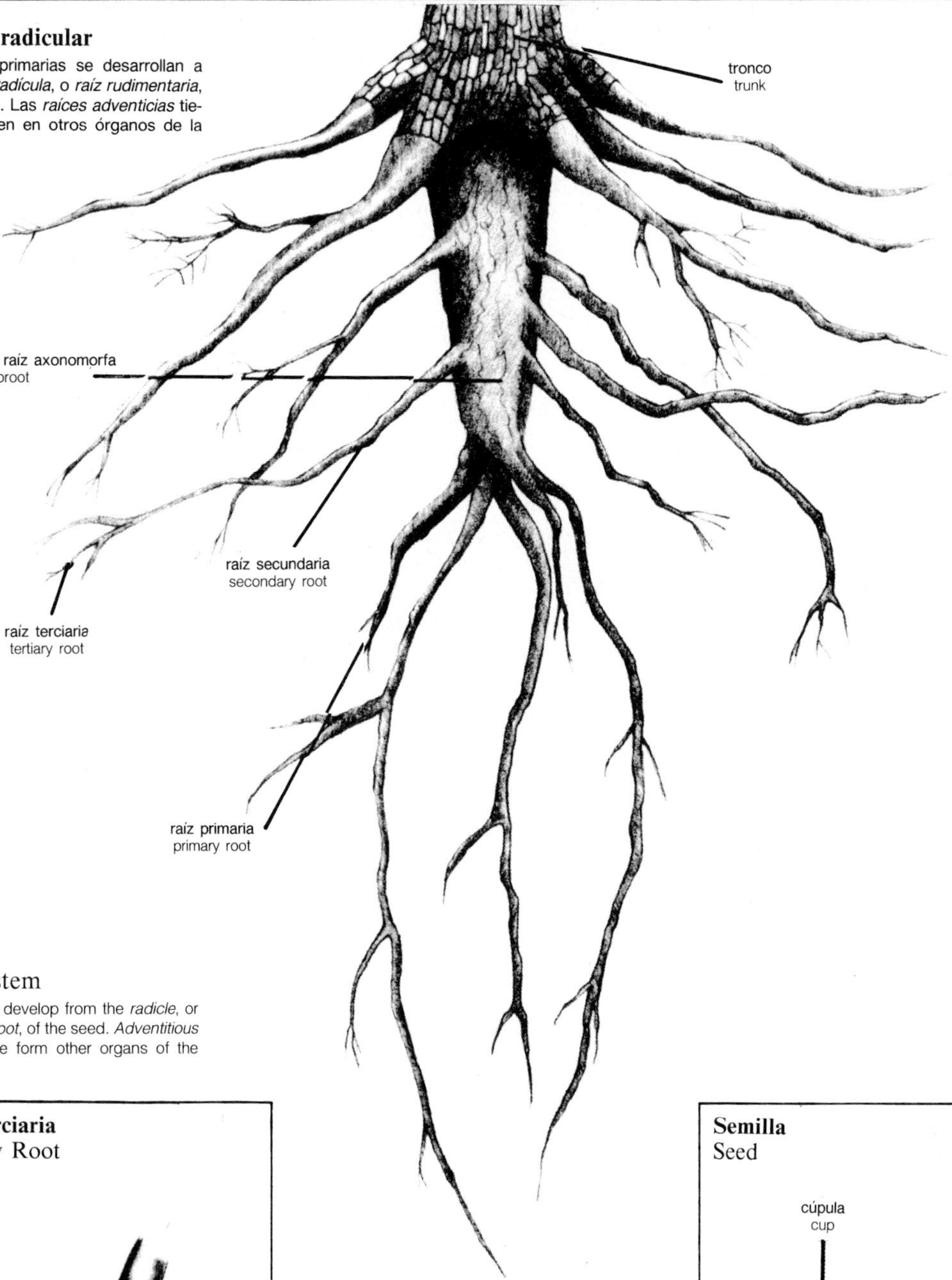

tronco
trunk
raíz pivotante / raíz axonomorfa
taproot
raíz secundaria
secondary root
raíz terciaria
tertiary root
raíz primaria
primary root

Root System

Primary roots develop from the *radicle*, or *rudimentary root*, of the seed. *Adventitious roots* originate form other organs of the plant.

Raíz terciaria
Tertiary Root

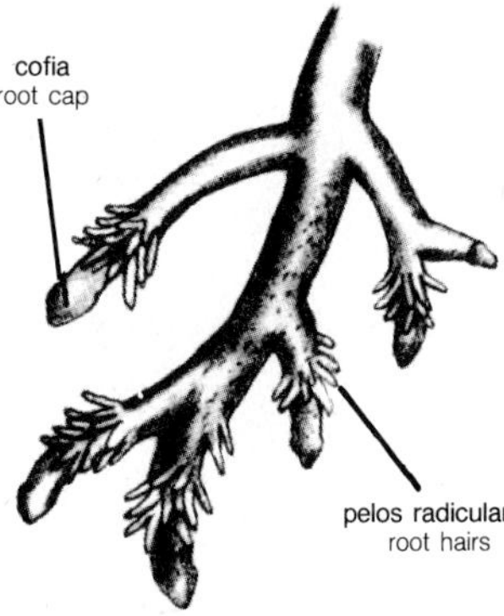

cofia
root cap
pelos radiculares
root hairs

Semilla
Seed

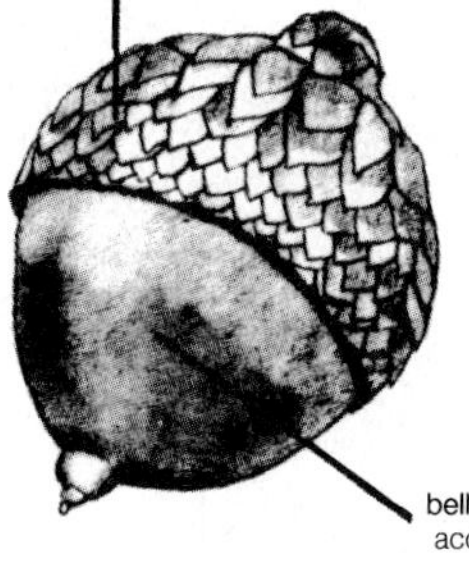

cúpula
cup
bellota
acorn

Hoja

La capa cérea que recubre la superficie foliar es la *cutícula*. Las minúsculas hojas, espinas o apéndices que se forman en la base del pecíolo se denominan *estípulas*. Las hojas *compuestas* tienen el limbo dividido en dos o más secciones, o *folíolos*. El conjunto de hojas producidas por una o varias plantas recibe el nombre de *follaje*.

Leaf

The waxy layer covering the outer leaf is the *cuticle*. Tiny leaves, spines or growths at the base of a leaf stem are called *stipules*. *Compound leaves* are made up of two or more blades, or *leaflets*. The aggregate of leaves produced by one or more plants is called *foliage*.

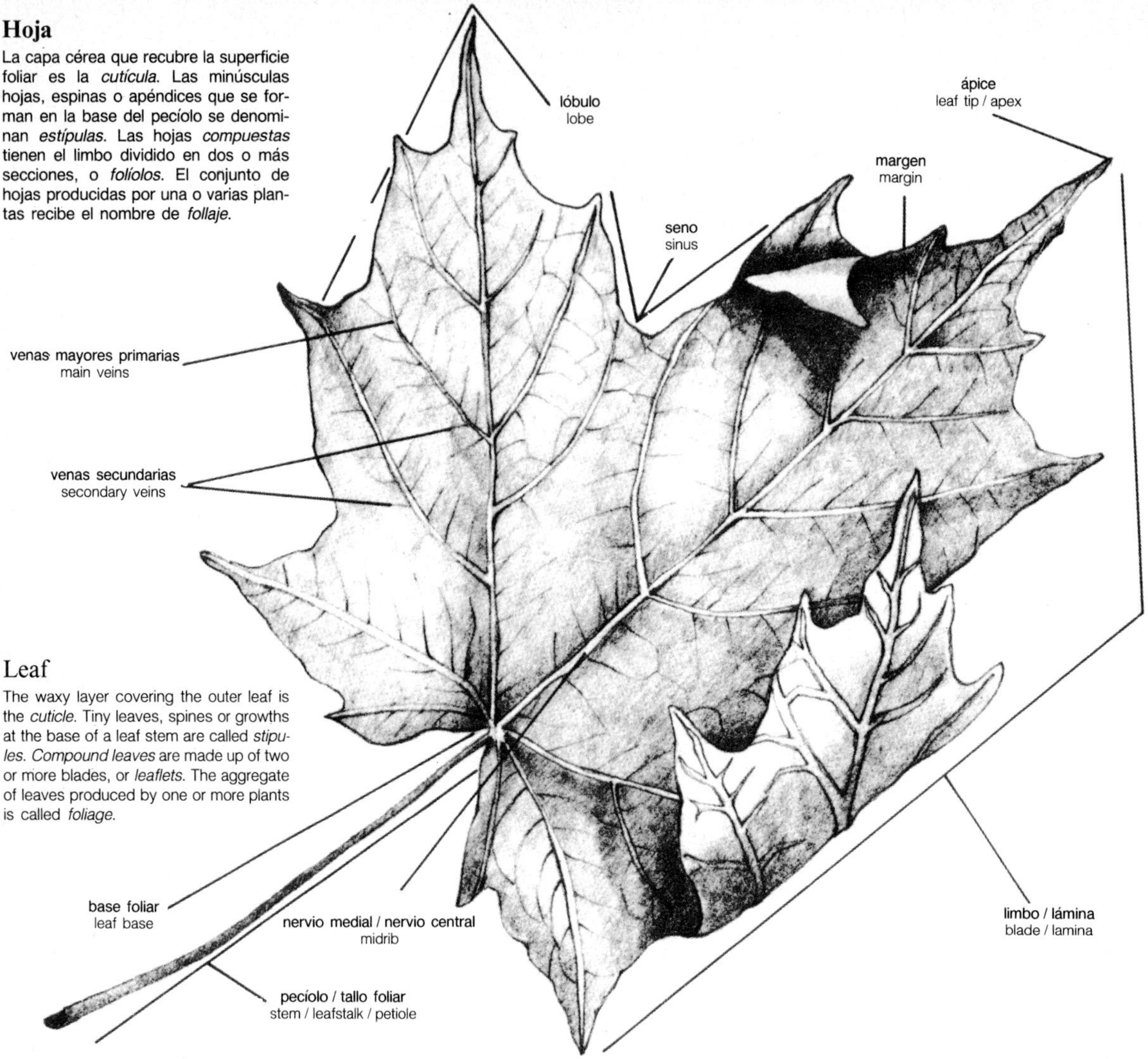
lóbulo
lobe
ápice
leaf tip / apex
margen
margin
seno
sinus
venas mayores primarias
main veins
venas secundarias
secondary veins
base foliar
leaf base
nervio medial / nervio central
midrib
limbo / lámina
blade / lamina
pecíolo / tallo foliar
stem / leafstalk / petiole

Piña / Cono
Pine Cone

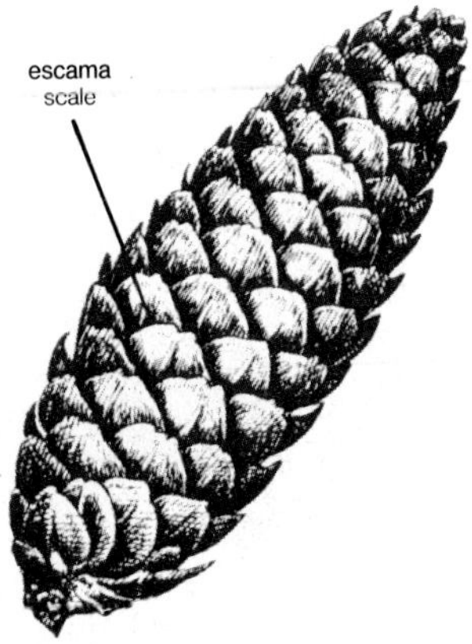
escama
scale

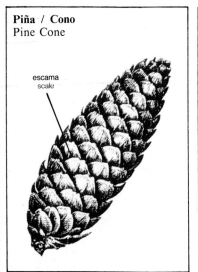

Sámara
Samara / Key

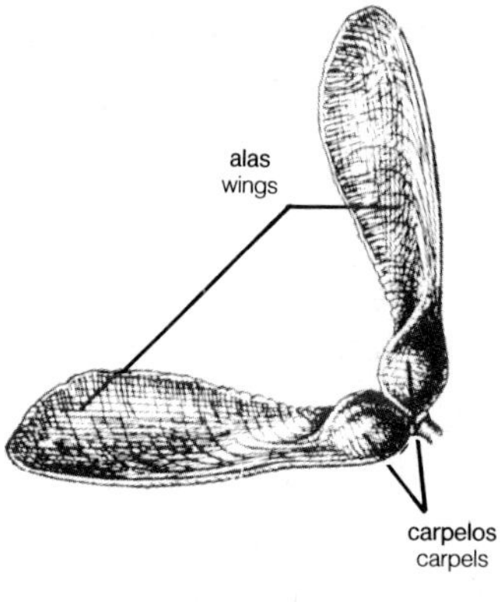
alas
wings
carpelos
carpels

Palmera
Palm

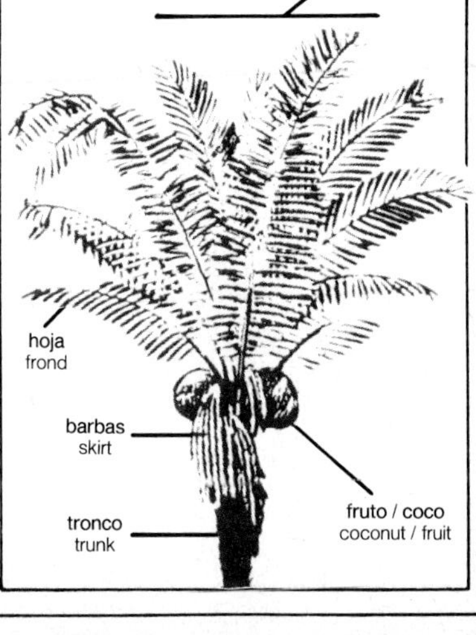
copa
crown
hoja
frond
barbas
skirt
tronco
trunk
fruto / coco
coconut / fruit

Flor

La mayoría de las flores presentan un *cáliz* externo formado por *sépalos*, que protege el verticilo interno (*corola*) de *pétalos*, perfumados y de vivos colores. Cuando los sépalos y los pétalos son casi idénticos, como en la flor que se ve aquí, reciben el nombre de *tépalos*. Las *semillas* de la flor se originan cuando el *polen* de la antera fecunda los *óvulos*, o *células huevo*, en el estigma.

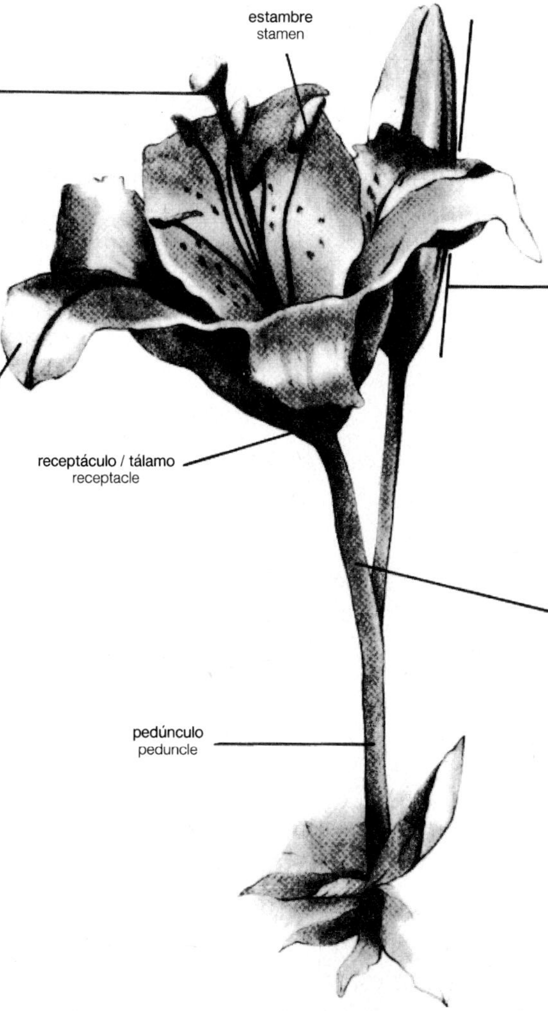

estambre
stamen
pistilo
pistil
capullo / botón floral
bud
pétalo
petal
receptáculo / tálamo
receptacle
pedicelo / tallo floral
stem / stalk / pedicel
pedúnculo
peduncle

Flower

Most flowers have an outer covering of leaflike *sepals protecting* an inner whorl of bright-colored, scented *petals*. When sepals and petals are almost identical, as they are in the lily shown here, they are called *tepals*. Flower *seeds* are created when *polen* from the anther fertilizes *ovules*, or *egg cells*, in the stigma.

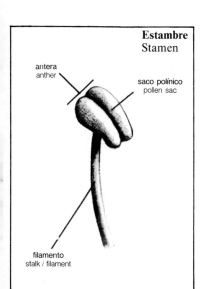

Estambre
Stamen

antera
anther
saco polínico
pollen sac
filamento
stalk / filament

Pétalo
Petal

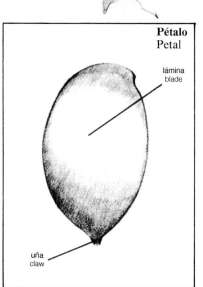

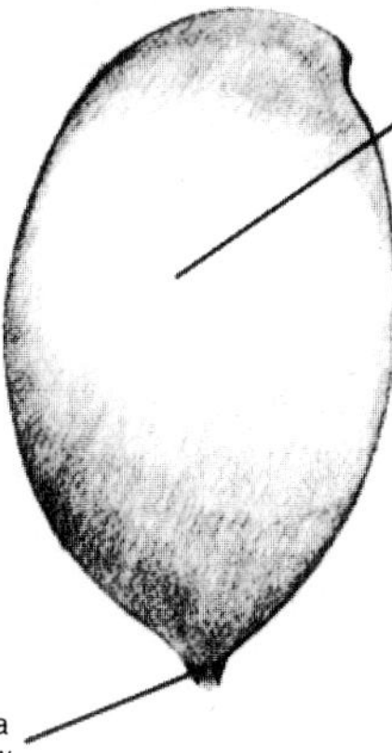

lámina
blade
uña
claw

Pistilo
Pistil

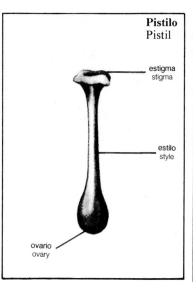

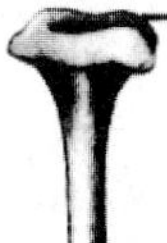

estigma
stigma
estilo
style
ovario
ovary

Hortalizas

Llamamos hortalizas a ciertas plantas que se pueden comer. Las raíces de la zanahoria, la remolacha y el nabo son comestibles, al igual que los tallos del espárrago, los tubérculos de la patata, las bases foliares de la cebolla y el puerro, las hojas de la col, la lechuga y la espinaca, los *frutos inmaduros*, u ovarios, del pepino, el guisante y la calabaza estival, y los *frutos maduros* del tomate y la calabaza de invierno.

Vegetables

A vegetable is that part of a plant that can be eaten. The roots of carrots, beets and turnips are edible, as are asparagus stems, potato tubers, leek and onion leaf bases, cabbage, lettuce and spinach leaves, the *immature fruit*, or *ovary*, of cucumbers, peas and summer squash, and the *mature fruit* of tomatoes and winter squash.

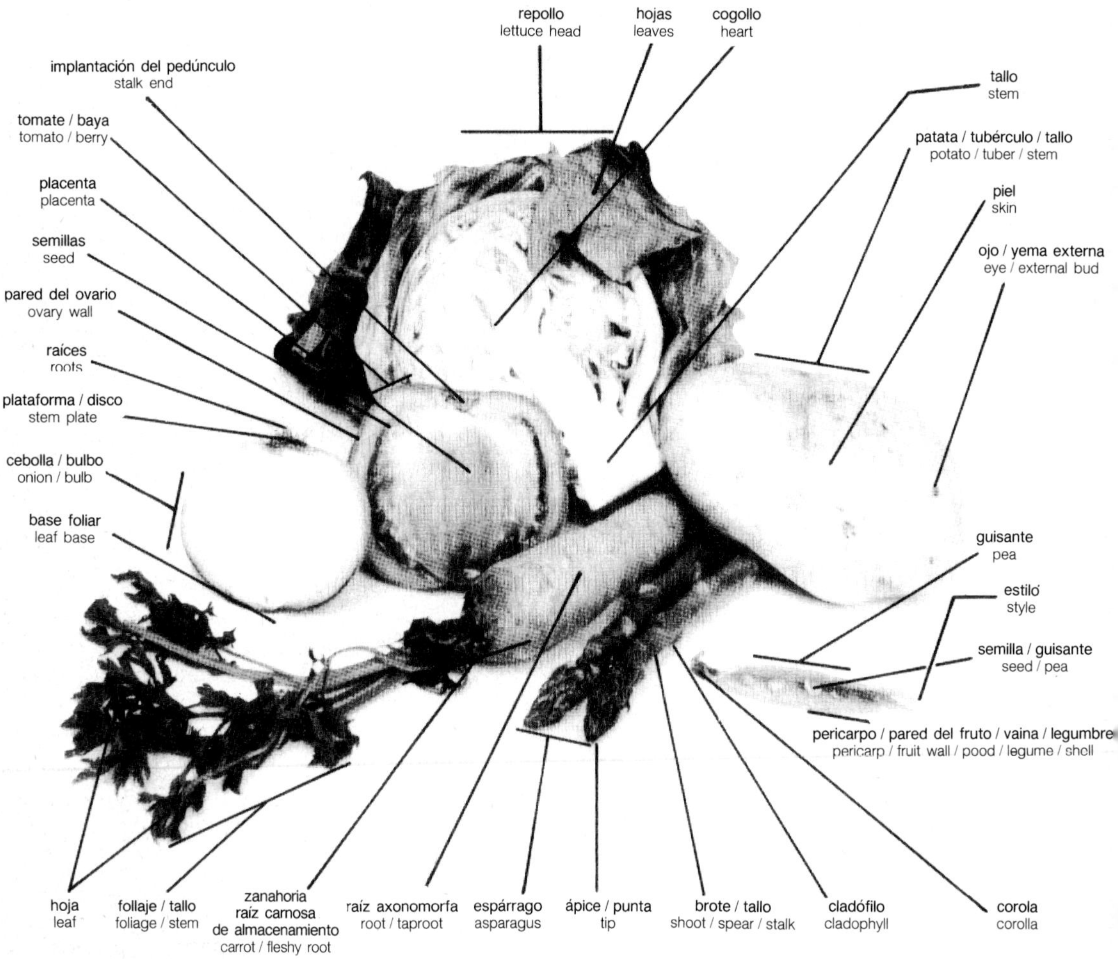

repollo
lettuce head
hojas
leaves
cogollo
heart
implantación del pedúnculo
stalk end
tomate / baya
tomato / berry
placenta
placenta
semillas
seed
pared del ovario
ovary wall
raíces
roots
plataforma / disco
stem plate
cebolla / bulbo
onion / bulb
base foliar
leaf base
tallo
stem
patata / tubérculo / tallo
potato / tuber / stem
piel
skin
ojo / yema externa
eye / external bud
guisante
pea
estilo
style
semilla / guisante
seed / pea
pericarpo / pared del fruto / vaina / legumbre
pericarp / fruit wall / pood / legume / shell
hoja
leaf
follaje / tallo
foliage / stem
zanahoria
raíz carnosa
de almacenamiento
carrot / fleshy root
raíz axonomorfa
root / taproot
espárrago
asparagus
ápice / punta
tip
brote / tallo
shoot / spear / stalk
cladófilo
cladophyll
corola
corolla

Frutos

Las *nueces* y algunos productos que vulgarmente denominamos hortalizas, como el tomate y el pimiento, son en realidad *frutos*. Los frutos se clasifican según el número de ovarios de que se componen. Pueden ser simples, como el melocotón, y agregados de frutos o infrutescencias, como las fresas. Cada uno de los segmentos de un *fruto complejo*, como la piña y el higo, es comestible. Denominamos *frutas* a ciertos *frutos comestibles*.

Fruits

Nuts and crops commonly referred to as vegetables, such as tomatoes and melons, are actually *vegetable fruits.* Fruits are classed according to the number of ovaries they have: They range from simple fruits, such as peaches, to aggregate fruits, such as strawberries. Each segment of *multiple fruits*, such as pineapples and figs, is edible.

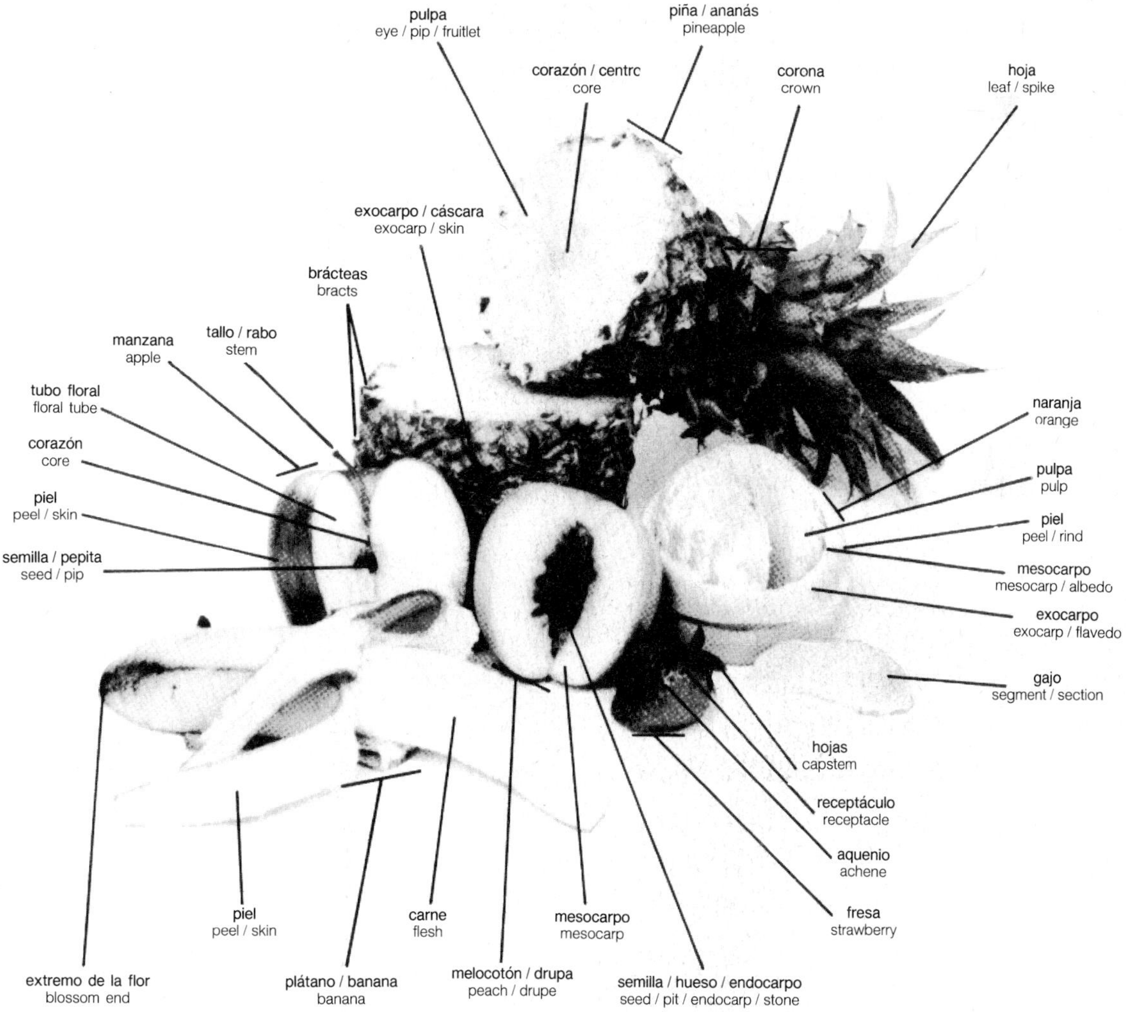

pulpa
eye / pip / fruitlet
piña / ananás
pineapple
corazón / centrc
core
corona
crown
hoja
leaf / spike
exocarpo / cáscara
exocarp / skin
brácteas
bracts
manzana
apple
tallo / rabo
stem
tubo floral
floral tube
corazón
core
piel
peel / skin
semilla / pepita
seed / pip
naranja
orange
pulpa
pulp
piel
peel / rind
mesocarpo
mesocarp / albedo
exocarpo
exocarp / flavedo
gajo
segment / section
hojas
capstem
receptáculo
receptacle
aquenio
achene
fresa
strawberry
piel
peel / skin
carne
flesh
mesocarpo
mesocarp
extremo de la flor
blossom end
plátano / banana
banana
melocotón / drupa
peach / drupe
semilla / hueso / endocarpo
seed / pit / endocarp / stone

Suculentas

Las plantas suculentas poseen en sus tallos tejidos carnosos, que tienen la capacidad de retener agua durante largo tiempo. Ciertos cactos presentan, además de espinas y flores *gloquididos* protectores, que son cerdas pelosas muy afiladas.

Succulents

Succulents are plants with *fleshy tissue* that have the ability to store moisture for long periods of time in their stem. Some cacti have protective *glochidia*, razor-sharp hairlike bristles, in addition to spines and flowers.

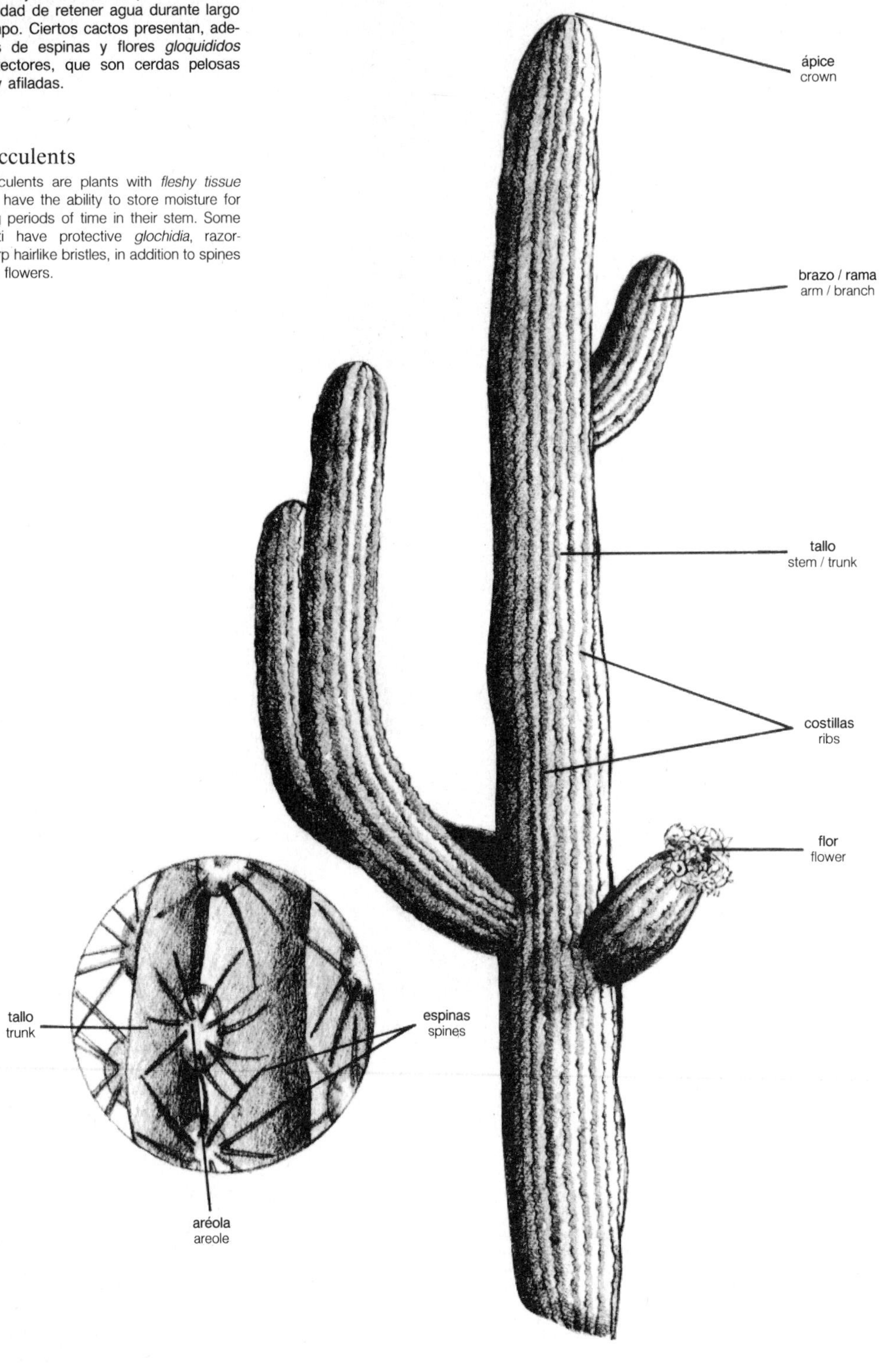
ápice
crown
brazo / rama
arm / branch
tallo
stem / trunk
costillas
ribs
flor
flower
tallo
trunk
espinas
spines
aréola
areole

Plantas inferiores

Las setas pertenecen al grupo de los *hongos*. Los helechos, desprovistos de flores y de semillas, se reproducen por *esporas*, contenidas en los esporangios que crecen en el envés de las hojas. Las algas marinas se fijan al fondo del océano por medio de *rizoides*, extensiones del tallo.

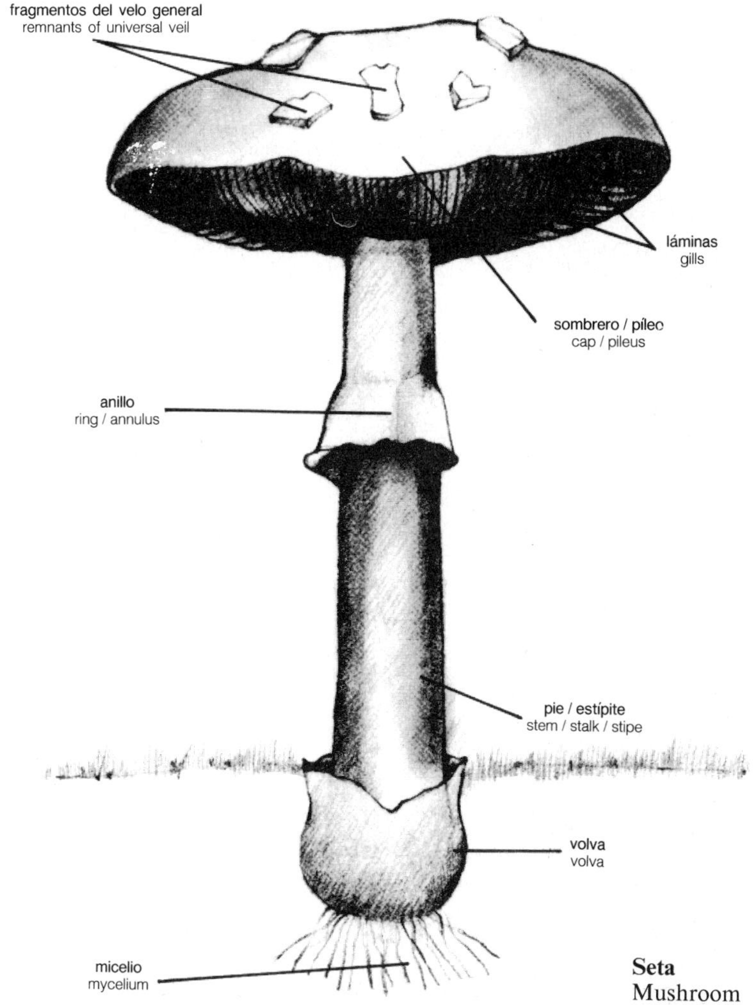
fragmentos del velo general
remnants of universal veil
láminas
gills
sombrero / píleo
cap / pileus
anillo
ring / annulus
pie / estípite
stem / stalk / stipe
volva
volva
micelio
mycelium

Seta
Mushroom

Special Plants

Toadstools are inedible mushrooms, or *fungi*. Flowerless, seedless ferns reproduce by means of *spores* carried in spore cases on the underside of the leaves. Seaweed, such as the *marine algae* shown here, attaches itself to the ocean floor by means of a *holdfast*.

Helecho
Fern

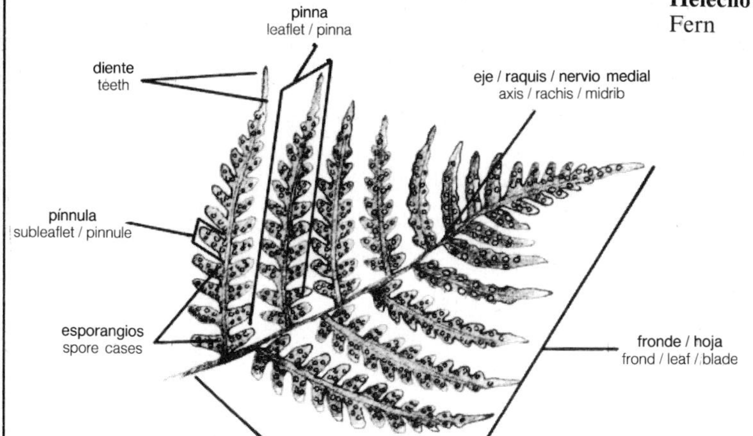
pinna
leaflet / pinna
diente
teeth
eje / raquis / nervio medial
axis / rachis / midrib
pínnula
subleaflet / pinnule
esporangios
spore cases
fronde / hoja
frond / leaf / blade
tallo / pecíolo
stem / petiole / stipe

Alga
Seaweed

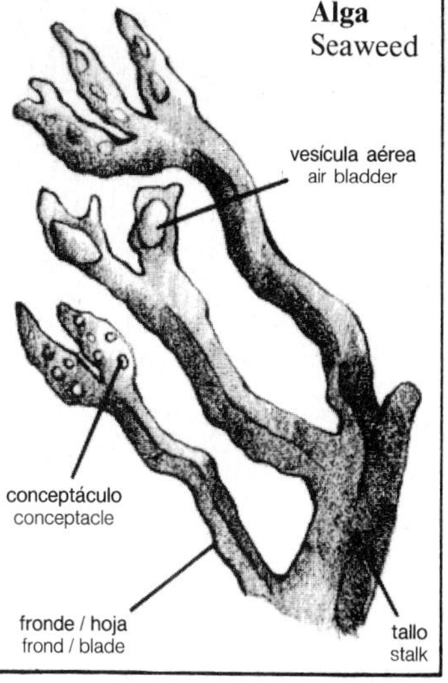
vesícula aérea
air bladder
conceptáculo
conceptacle
fronde / hoja
frond / blade
tallo
stalk

Gramíneas

En las gramíneas o hierbas, como en las demás plantas superiores, se distinguen los *órganos vegetativos* y los *órganos* reproductores (*florales*). Los *cereales*, como el *trigo*, la *avena*, la *cebada* y el maíz, producen *frutos* comestibles, los *granos*. Los rizomas y los *estolones* -tallos que crecen arrastrándose por el suelo- dan lugar a nuevas plantas, por lo que sirven para la multiplicación. La *inflorescencia* o grupo de flores de las gramíneas se compone de numerosas espículas. Las hojas son *paralelinervias*.

Grass

There are two parts to grass plants, the *vegetable organs* and the *floral organs*. Cereal *grasses*, such as *wheat*, *oat*, *barley* and corn, produce edible *fruit*, *seed* or *kernels*. Rhizomes and *stolons*, or *runners* -aboveground stems- spread out from grass plants to produce new plants. The *inflorescence*, or *flower cluster*, of grasses consists of many spikelets. Grass leaves are *parallel-veined*.

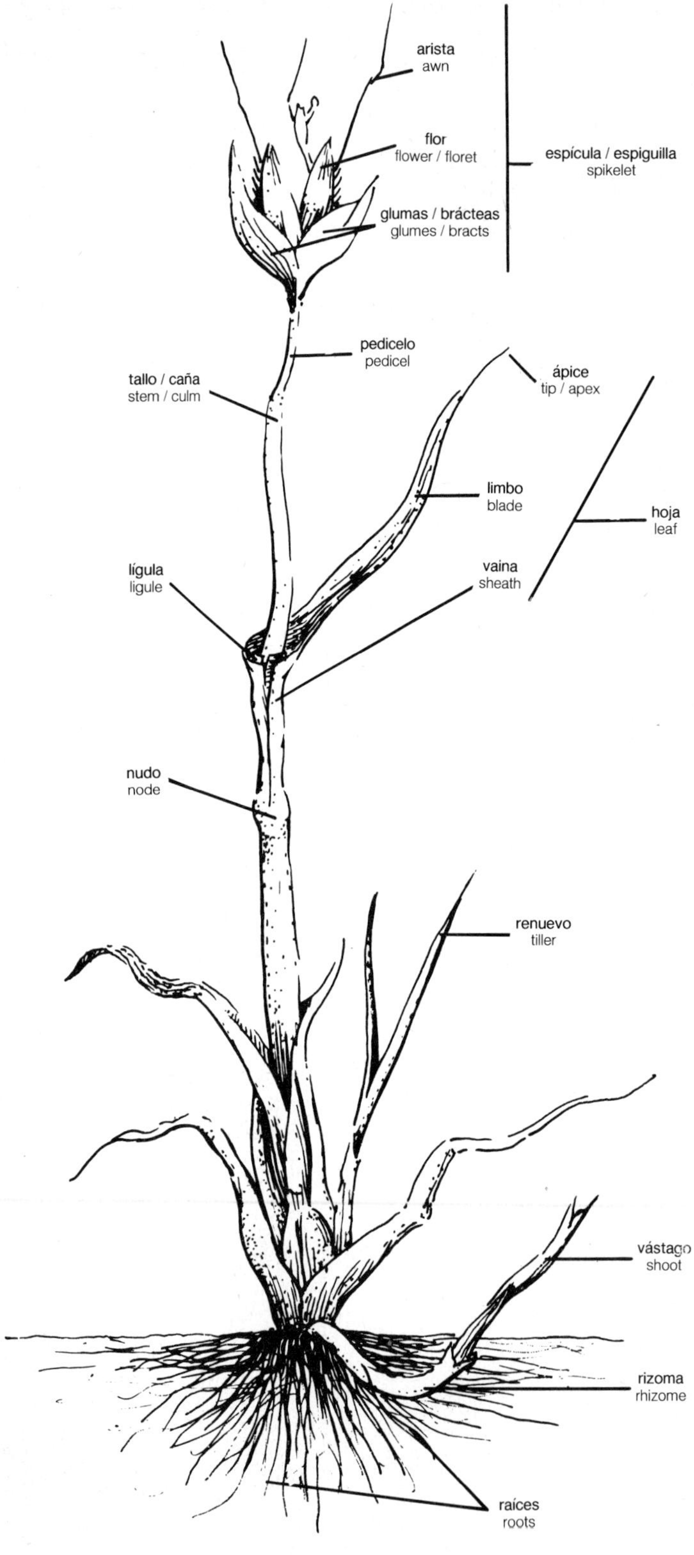

arista
awn
flor
flower / floret
glumas / brácteas
glumes / bracts
espícula / espiguilla
spikelet
pedicelo
pedicel
tallo / caña
stem / culm
ápice
tip / apex
limbo
blade
hoja
leaf
lígula
ligule
vaina
sheath
nudo
node
renuevo
tiller
vástago
shoot
rizoma
rhizome
raíces
roots

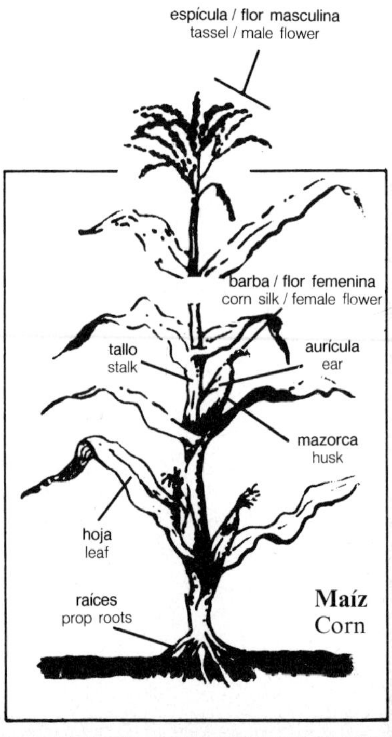

espícula / flor masculina
tassel / male flower
barba / flor femenina
corn silk / female flower
tallo
stalk
aurícula
ear
mazorca
husk
hoja
leaf
raíces
prop roots
Maíz
Corn

Edificios y construcciones

La edificación humana fundamental es la casa, la cual aparece representada atendiendo a aspectos muy diversos, desde los cimientos y armazones hasta las ventanas y paredes.
En el resto de la sección, los edificios y construcciones se agrupan en tres subcategorías: arquitectura de otros países, que incluye desde las pagodas a las pirámides; construcciones especiales, tales como los rascacielos, las prisiones, los parques de atracciones y los aeropuertos; y otras construcciones habituales en nuestra vida cotidiana (puentes, túneles, canales y presas).
Todos los términos referentes a los elementos presentes en la mayoría de los edificios, idénticos a los que se encuentran en una casa normal, han sido convenientemente ilustrados. No obstante, los objetos específicos de determinado edificio o las partes constitutivas del ascensor o las escaleras mecánicas de un rascacielos son suficientemente características como para merecer una descripción detallada. En algunos casos se han empleado planos en planta y secciones transversales para facilitar al lector el acceso a términos específicos de determinada construcción.

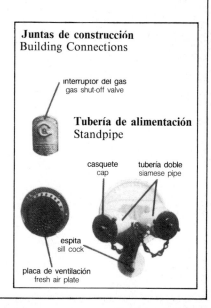

Juntas de construcción
Building Connections

interruptor del gas
gas shut-off valve

Tubería de alimentación
Standpipe

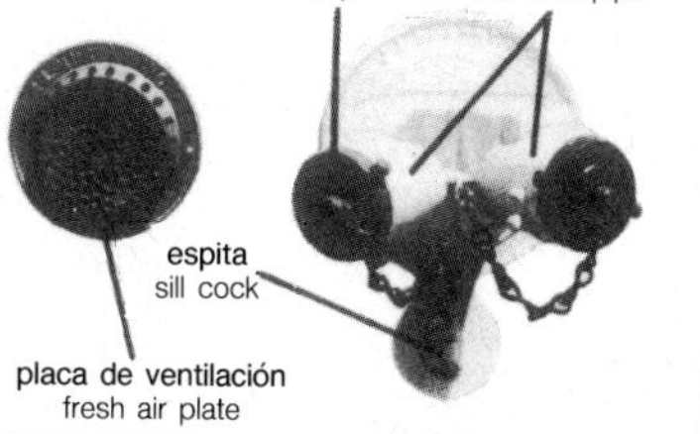
casquete
cap
tubería doble
siamese pipe
espita
sill cock
placa de ventilación
fresh air plate

Cimentación

Algunas casas se construyen sobre postes enterrados o *pilares*; otras sobre pavimentos de hormigón o *placas*. La zona de la casa que se encuentra por debajo del nivel del terreno se denomina *sótano*. Las casas que no tienen sótano suelen disponer de una zona libre entre el entarimado del piso y el terreno para poder acceder a las tuberías.

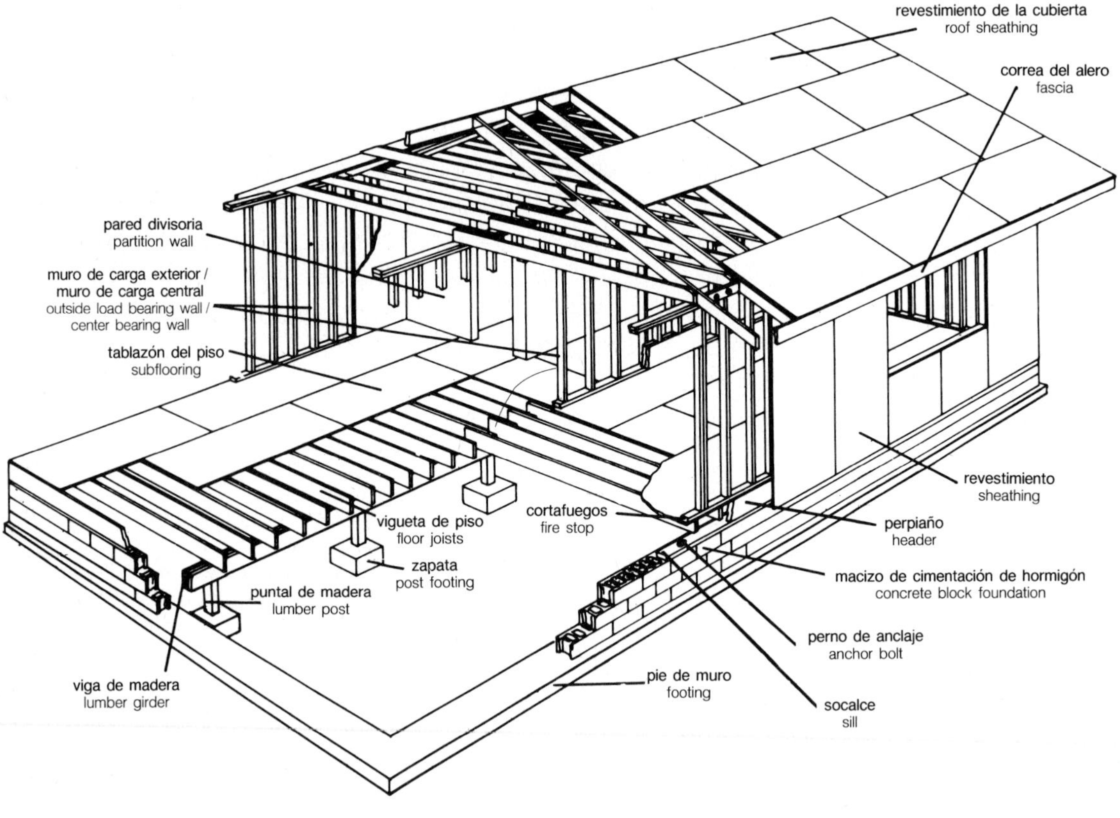
revestimiento de la cubierta
roof sheathing
correa del alero
fascia
pared divisoria
partition wall
muro de carga exterior / muro de carga central
outside load bearing wall / center bearing wall
tablazón del piso
subflooring
revestimiento
sheathing
perpiaño
header
cortafuegos
fire stop
vigueta de piso
floor joists
zapata
post footing
puntal de madera
lumber post
macizo de cimentación de hormigón
concrete block foundation
perno de anclaje
anchor bolt
viga de madera
lumber girder
pie de muro
footing
socalce
sill

Foundation

Some houses are built on sunken *posts,* or *piers.* Others are built on concrete floors, or *slabs.* The area of a house built below ground level is the *basement.* Houses without basements usually have an area between the floor joists and the ground called a *crawl space,* through which acces in gained to inspect pipes.

Armazón

Todas las piezas de madera de un armazón que están colocadas en diagonal se llaman *riostras*. Las piezas pequeñas que se clavan entre las tablas como refuerzo reciben el nombre de *zoquetes*. Las *vigas* son piezas escuadradas de madera, como las *viguetas*, que sirven de sostén para el *piso*, el *techo* o los *dinteles*; estos últimos son elementos horizontales que soportan la carga sobre huecos tales como puertas y ventanas.

Frame

Any diagonally placed piece of timber in a frame is a *brace*. A *cat* is a small piece of lumber nailed between studs for reinforcement. *Beams* are squared off pieces of timber, such as *joists*, used to support *floor* or *ceiling*, or *lintels*, horizontal *members* designed to carry loads above openings such as doors and windows.

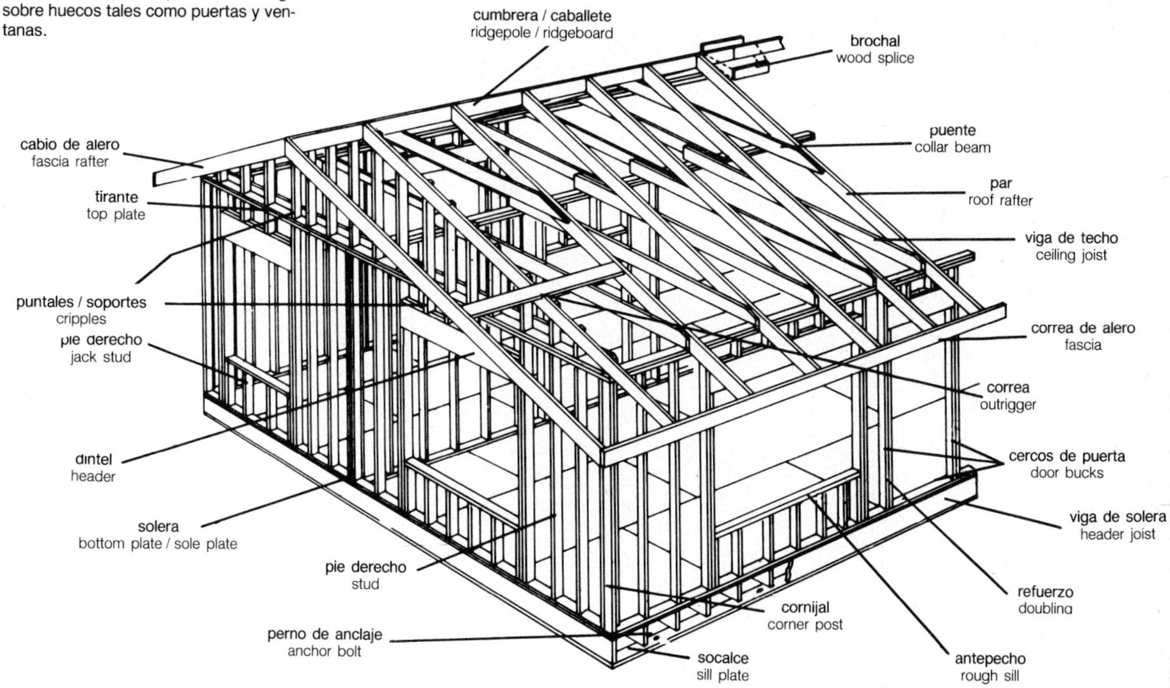

cumbrera / caballete
ridgepole / ridgeboard
brochal
wood splice
cabio de alero
fascia rafter
puente
collar beam
tirante
top plate
par
roof rafter
viga de techo
ceiling joist
puntales / soportes
cripples
pie derecho
jack stud
correa de alero
fascia
correa
outrigger
dintel
header
cercos de puerta
door bucks
solera
bottom plate / sole plate
viga de solera
header joist
pie derecho
stud
refuerzo
doubling
cornijal
corner post
perno de anclaje
anchor bolt
socalce
sill plate
antepecho
rough sill

Entramado de cubierta compuesta

Composite Roof Truss

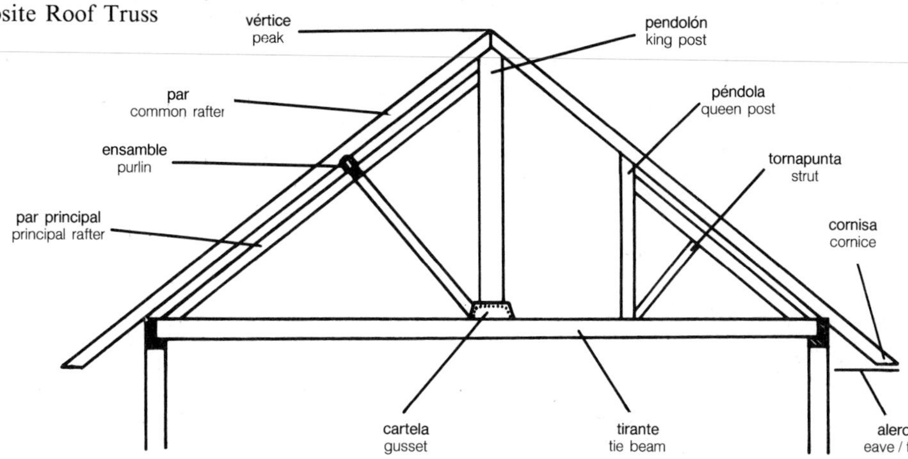

vértice
peak
pendolón
king post
par
common rafter
péndola
queen post
ensamble
purlin
tornapunta
strut
par principal
principal rafter
cornisa
cornice
cartela
gusset
tirante
tie beam
alero
eave / tail

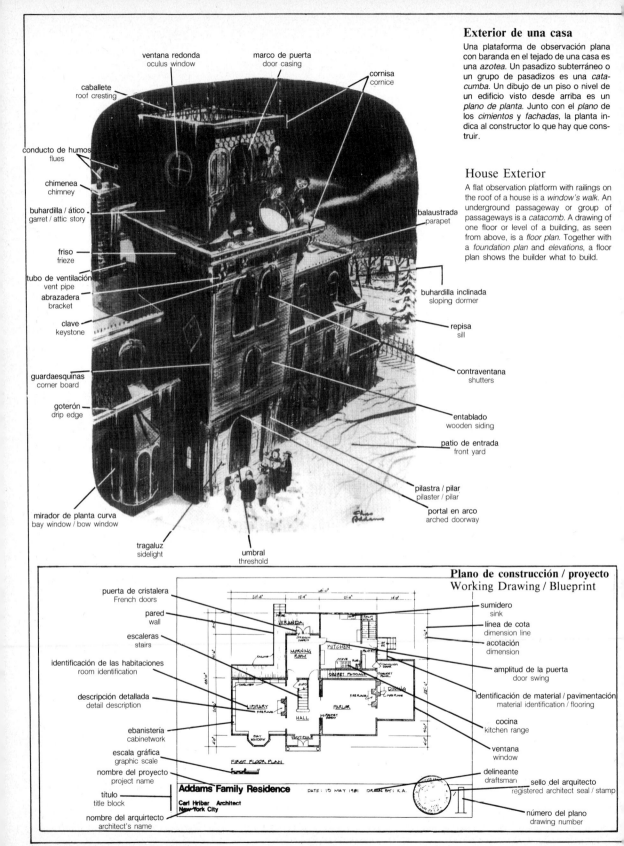

Exterior de una casa

Una plataforma de observación plana con baranda en el tejado de una casa es una *azotea*. Un pasadizo subterráneo o un grupo de pasadizos es una *catacumba*. Un dibujo de un piso o nivel de un edificio visto desde arriba es un *plano de planta*. Junto con el *plano* de los *cimientos* y *fachadas*, la planta indica al constructor lo que hay que construir.

House Exterior

A flat observation platform with railings on the roof of a house is a *window's walk*. An underground passageway or group of passageways is a *catacomb*. A drawing of one floor or level of a building, as seen from above, is a *floor plan*. Together with a *foundation plan* and *elevations*, a floor plan shows the builder what to build.

ventana redonda
oculus window
marco de puerta
door casing
cornisa
cornice
caballete
roof cresting
conducto de humos
flues
chimenea
chimney
buhardilla / ático
garret / attic story
balaustrada
parapet
friso
frieze
tubo de ventilación
vent pipe
abrazadera
bracket
buhardilla inclinada
sloping dormer
clave
keystone
repisa
sill
guardaesquinas
corner board
contraventana
shutters
goterón
drip edge
entablado
wooden siding
patio de entrada
front yard
pilastra / pilar
pilaster / pilar
portal en arco
arched doorway
mirador de planta curva
bay window / bow window
tragaluz
sidelight
umbral
threshold

Plano de construcción / proyecto
Working Drawing / Blueprint

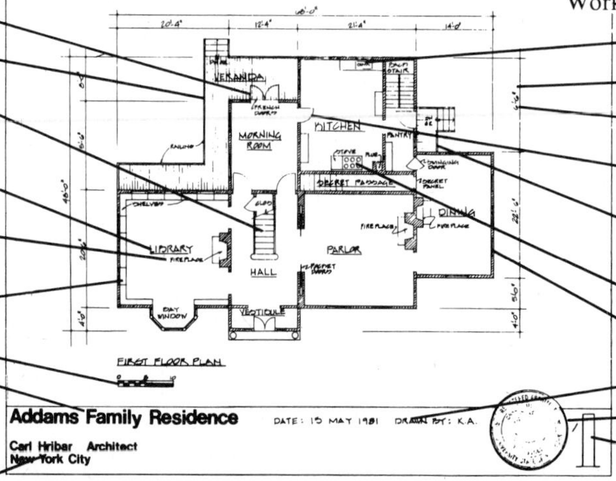

puerta de cristalera
French doors
pared
wall
escaleras
stairs
identificación de las habitaciones
room identification
descripción detallada
detail description
ebanistería
cabinetwork
escala gráfica
graphic scale
nombre del proyecto
project name
título
title block
nombre del arquirtecto
architect's name
sumidero
sink
línea de cota
dimension line
acotación
dimension
amplitud de la puerta
door swing
identificación de material / pavimentación
material identification / flooring
cocina
kitchen range
ventana
window
delineante
draftsman
sello del arquitecto
registered architect seal / stamp
número del plano
drawing number
VERANDA
MORNING ROOM
KITCHEN
LIBRARY
HALL
PARLOR
DINING
VESTIBULE
FIRST FLOOR PLAN
Addams Family Residence
DATE: 15 MAY 1981
DRAWN BY: K.A.
Carl Hribar Architect
New York City

Exterior de la casa

El espacio situado inmediatamente debajo de la cubierta es el *desván*. La planta inferior recibe el nombre de *sótano* si, por lo menos en parte, se encuentra por debajo del nivel del terreno o de la calle. Las construcciones que sobresalen de la estructura principal o que se encuentran adosadas a la misma se denominan *alas*. Otros elementos exteriores son los *patios*, *terrazas*, *galerías* y *pórticos* que se utilizan como zonas de recreo. Las galerías cubiertas y acristaladas se llaman *verandas*. Los *jardines* aportan el elemento natural con los árboles, arbustos, arriates y senderos.

House Exterior

The room or space under the roof is the *attic*. The lowest story of a house is called the *basement* if it is at least partly below ground or street level. A part of a house projecting on one side or subordinate to the main structure is called a *wing*. *Patios*, *terraces*, *decks* and *porches* adjoin a house and are used for play or relaxation. An open *gallery* alongside a house with its own roof is a *veranda*. The trees, shrubs, paths and gardens around a house are called *landscaping*.

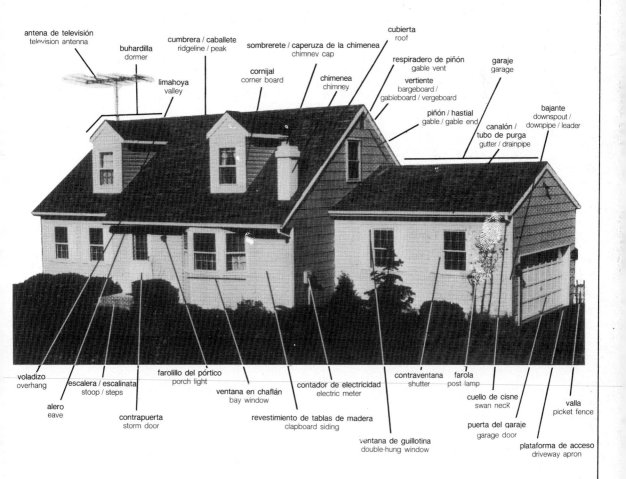

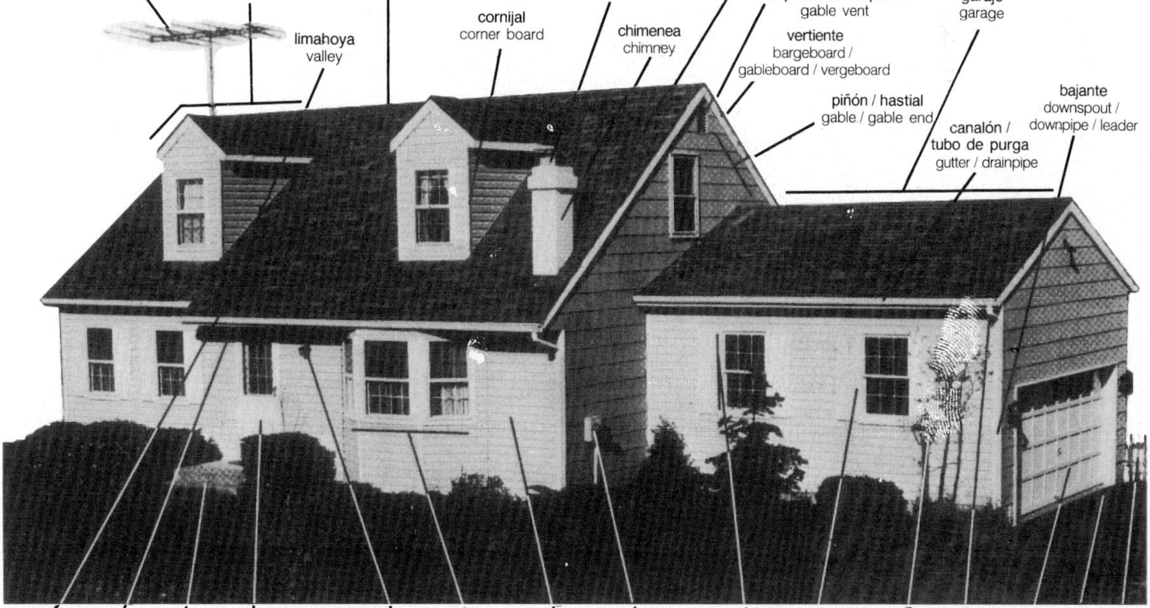
antena de televisión
television antenna
buhardilla
dormer
cumbrera / caballete
ridgeline / peak
limahoya
valley
cornijal
corner board
sombrerete / caperuza de la chimenea
chimney cap
chimenea
chimney
cubierta
roof
respiradero de piñón
gable vent
vertiente
bargeboard / gableboard / vergeboard
piñón / hastial
gable / gable end
garaje
garage
canalón / tubo de purga
gutter / drainpipe
bajante
downspout / downpipe / leader
voladizo
overhang
alero
eave
escalera / escalinata
stoop / steps
contrapuerta
storm door
farolillo del pórtico
porch light
ventana en chaflán
bay window
revestimiento de tablas de madera
clapboard siding
contador de electricidad
electric meter
ventana de guillotina
double-hung window
contraventana
shutter
farola
post lamp
cuello de cisne
swan neck
puerta del garaje
garage door
plataforma de acceso
driveway apron
valla
picket fence

Puerta

La parte inferior de la puerta se llama *umbral*. El *cancel* es una contrapuerta que se adosa, en algunas ocasiones, a las puertas de entrada como protección. Una puerta pequeña abierta en la hoja de otra mayor se denomina *postigo*. Las puertas *vidrieras* o *francesas* son las que tienen paneles de cristal en toda su longitud o en gran parte de la misma. Detrás de las puertas, en el suelo o en la pared, se suelen colocar unos protectores de goma para evitar los golpes.

Door

The *sill*, *threshold*, or *saddle* is that part directly beneath the door. Entrance doors are often covered by *screendoors*. A door cut in half horizontally whose two parts can be used independently is called a *Dutch door*. A door having glass panes throughout or nearly throughout its length is a *French door*. The rubber-tipped projection attached to the wall behind an opening door to protect it from the impact is a *doorstop*.

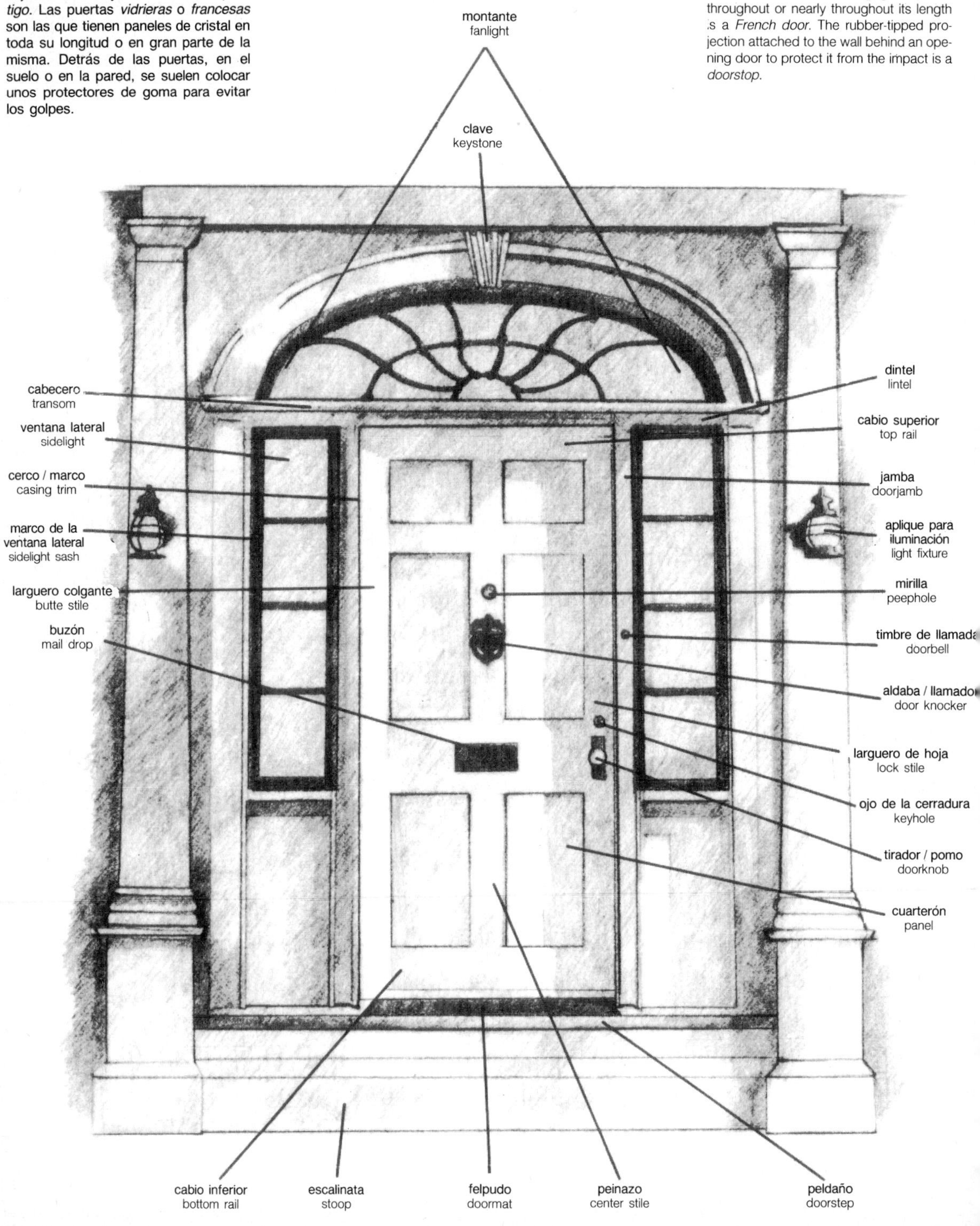

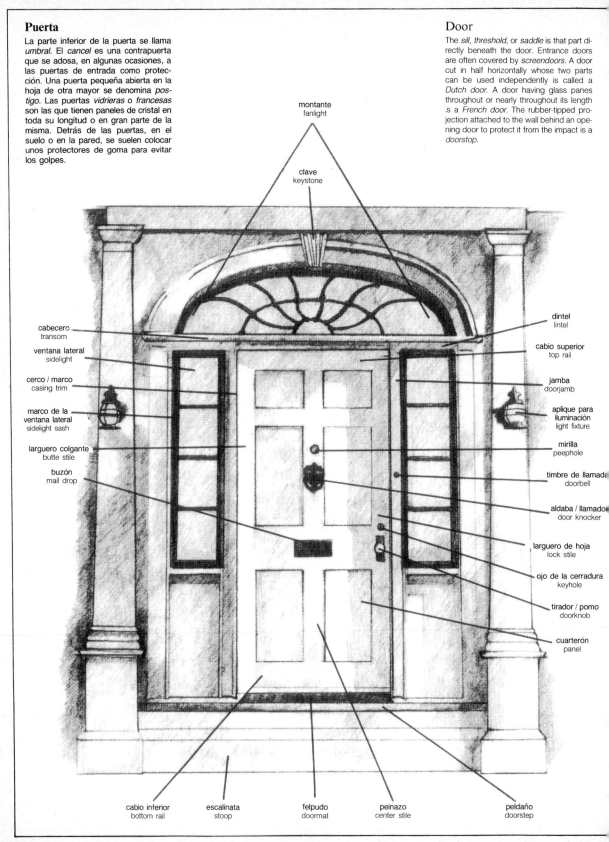

montante
fanlight
clave
keystone
cabecero
transom
ventana lateral
sidelight
cerco / marco
casing trim
marco de la ventana lateral
sidelight sash
larguero colgante
butte stile
buzón
mail drop
dintel
lintel
cabio superior
top rail
jamba
doorjamb
aplique para iluminación
light fixture
mirilla
peephole
timbre de llamada
doorbell
aldaba / llamador
door knocker
larguero de hoja
lock stile
ojo de la cerradura
keyhole
tirador / pomo
doorknob
cuarterón
panel
cabio inferior
bottom rail
escalinata
stoop
felpudo
doormat
peinazo
center stile
peldaño
doorstep

Ventana

La parte inferior de la ventana recibe el nombre de *alféizar*. El término *marco* sirve para designar tanto el cerco al cual va sujeta la ventana como el bastidor de la misma. En las *ventanas de guillotina*,- como la que reproducimos, las dos hojas pueden moverse hacia arriba y hacia abajo. Las ventanas más comunes son las que van montadas sobre *bisagras*; también hay *ventanas de corredera* y *basculantes*. Las *ventanas de celosía* llevan un enrejado que permite ver desde el interior sin ser visto desde fuera.

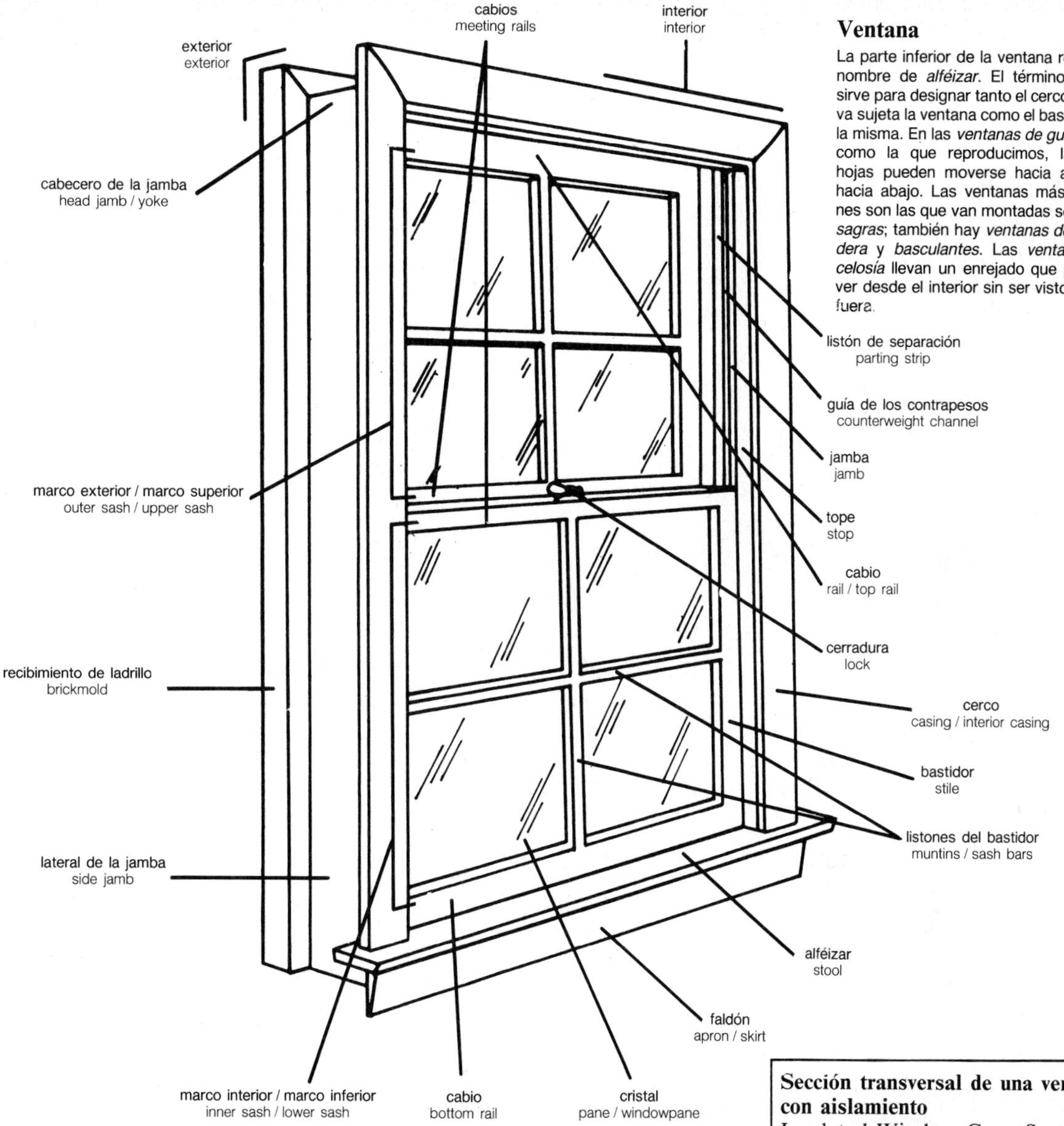

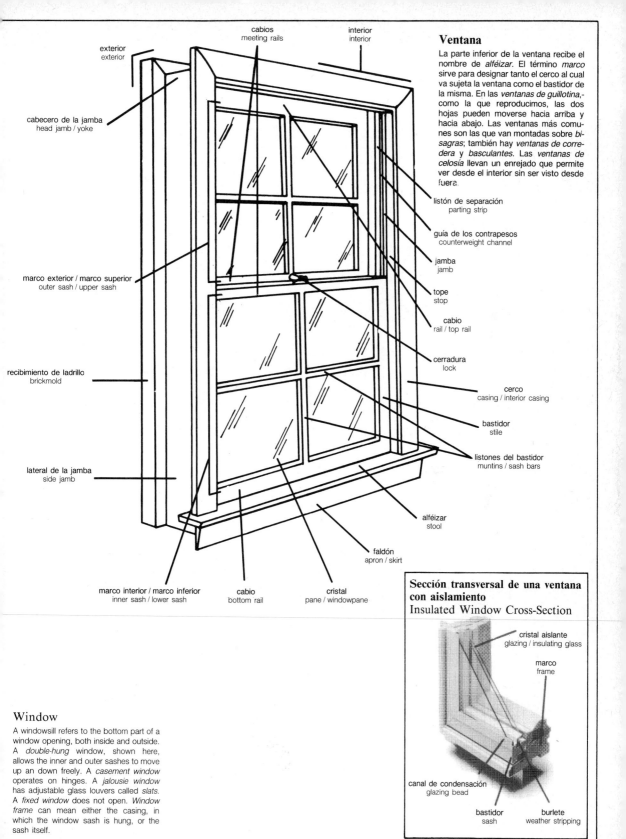

cabios
meeting rails
interior
interior
exterior
exterior
cabecero de la jamba
head jamb / yoke
marco exterior / marco superior
outer sash / upper sash
recibimiento de ladrillo
brickmold
lateral de la jamba
side jamb
listón de separación
parting strip
guía de los contrapesos
counterweight channel
jamba
jamb
tope
stop
cabio
rail / top rail
cerradura
lock
cerco
casing / interior casing
bastidor
stile
listones del bastidor
muntins / sash bars
alféizar
stool
faldón
apron / skirt
marco interior / marco inferior
inner sash / lower sash
cabio
bottom rail
cristal
pane / windowpane

Sección transversal de una ventana con aislamiento
Insulated Window Cross-Section

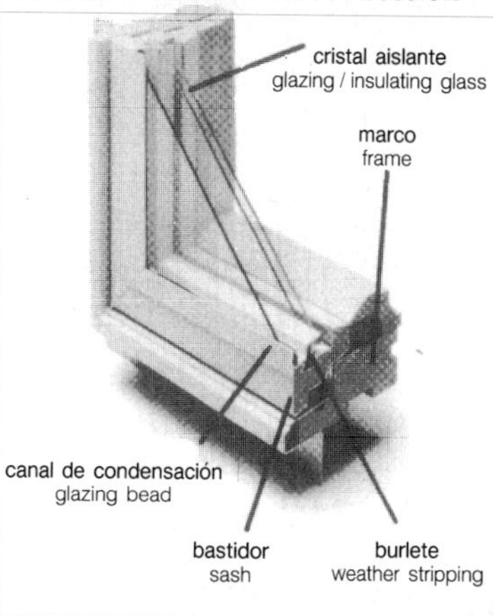

cristal aislante
glazing / insulating glass
marco
frame
canal de condensación
glazing bead
bastidor
sash
burlete
weather stripping

Window

A windowsill refers to the bottom part of a window opening, both inside and outside. A *double-hung* window, shown here, allows the inner and outer sashes to move up an down freely. A *casement window* operates on hinges. A *jalousie window* has adjustable glass louvers called *slats*. A *fixed window* does not open. *Window frame* can mean either the casing, in which the window sash is hung, or the sash itself.

Escalera

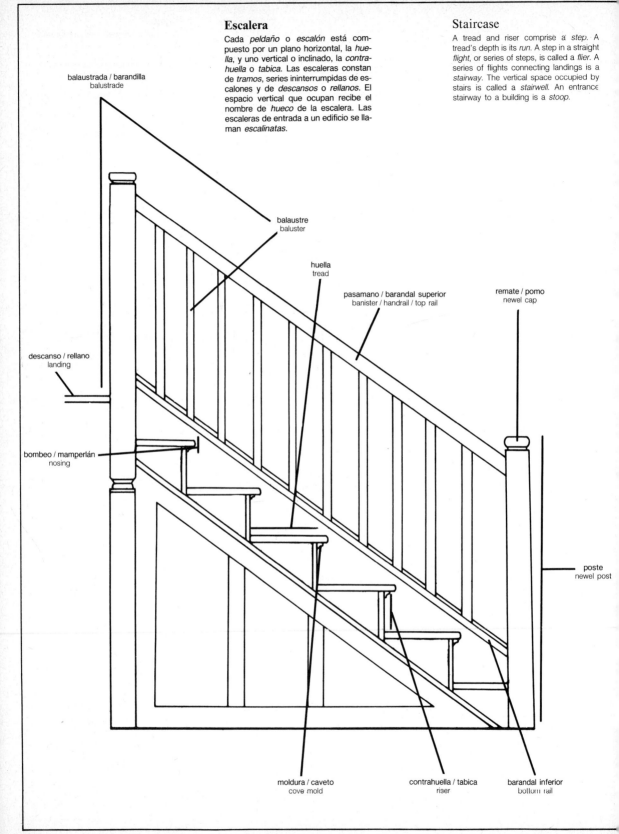

Cada *peldaño* o *escalón* está compuesto por un plano horizontal, la *huella*, y uno vertical o inclinado, la *contrahuella* o *tabica*. Las escaleras constan de *tramos*, series ininterrumpidas de escalones y de *descansos* o *rellanos*. El espacio vertical que ocupan recibe el nombre de *hueco* de la escalera. Las escaleras de entrada a un edificio se llaman *escalinatas*.

Staircase

A tread and riser comprise a *step*. A tread's depth is its *run*. A step in a straight *flight*, or series of steps, is called a *flier*. A series of flights connecting landings is a *stairway*. The vertical space occupied by stairs is called a *stairwell*. An entrance stairway to a building is a *stoop*.

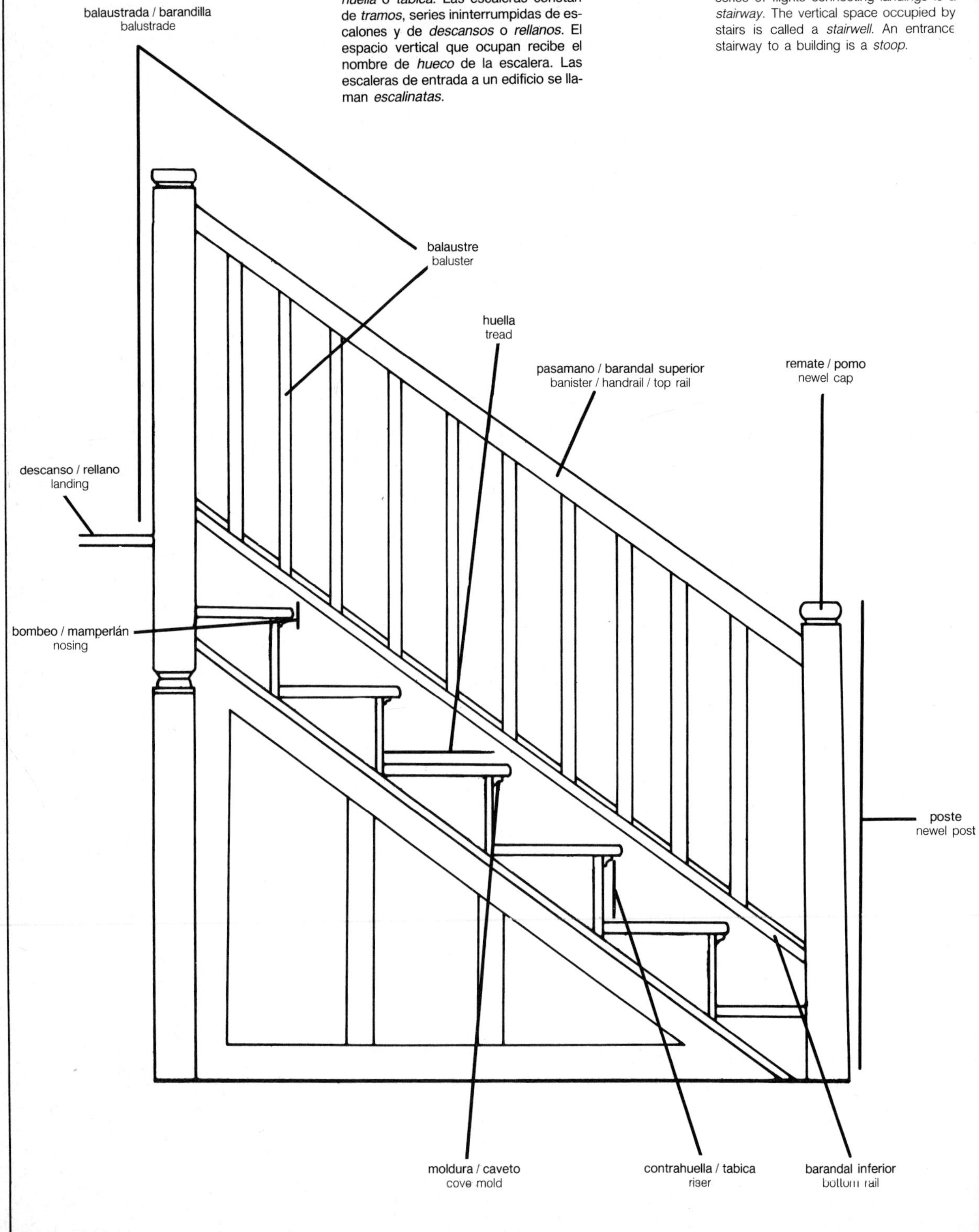
balaustrada / barandilla
balustrade
balaustre
baluster
huella
tread
pasamano / barandal superior
banister / handrail / top rail
remate / pomo
newel cap
descanso / rellano
landing
bombeo / mamperlán
nosing
poste
newel post
moldura / caveto
cove mold
contrahuella / tabica
riser
barandal inferior
bottom rail

Valla

Una valla maciza recibe el nombre de *tapia*; si su función es sustentar un terreno en declive se denomina *muro de contención.* Este tipo de muros suelen tener unos orificios de *drenaje* a través de los cuales se filtra el agua del terreno. Las vallas están formadas por *elementos de sostén* o *postes* hincados en el terreno y un *material de relleno* que ocupa la superficie restante.

Fence

A solid fence can be called a *screen.* If it holds back a slope of ground it is a *retaining wall.* Supporting *members*, or *fence posts*, are anchored in foundation *postholes.* Any material used between posts is *in fill.* A *weep hole* in a retaining wall allows water to seep through.

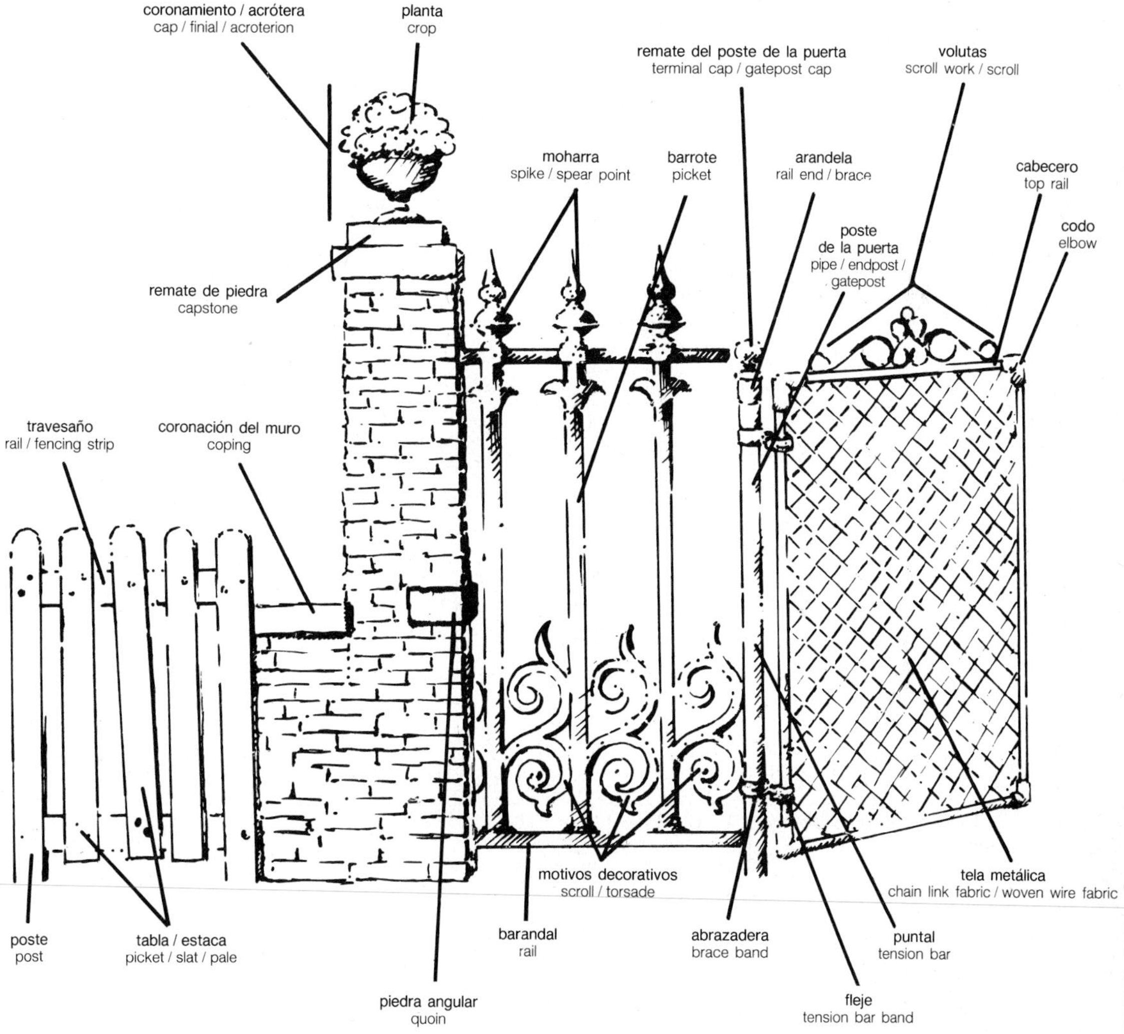
coronamiento / acrótera
cap / finial / acroterion
planta
crop
remate del poste de la puerta
terminal cap / gatepost cap
volutas
scroll work / scroll
moharra
spike / spear point
barrote
picket
arandela
rail end / brace
cabecero
top rail
codo
elbow
poste
de la puerta
pipe / endpost /
gatepost
remate de piedra
capstone
travesaño
rail / fencing strip
coronación del muro
coping
motivos decorativos
scroll / torsade
tela metálica
chain link fabric / woven wire fabric
poste
post
tabla / estaca
picket / slat / pale
barandal
rail
abrazadera
brace band
puntal
tension bar
piedra angular
quoin
fleje
tension bar band

Valla de madera
Wood Fence

Pilar de mampostería
Masonry Gate Post / Gate Pier

Verja de hierro forjado
Wrought Iron Fence

Puerta de tela metálica
Steel Chain Gate

Materiales de construcción

Las *tablas* son piezas largas y planas de madera; las de mayor espesor se llaman *tablones*. En construcción se denominan *vigas* y, cuando forman parte de una cubierta, *cabios*. Las tablas delgadas y toscas reciben el nombre de *ripias*. El *cascote* está constituido por fragmentos de ladrillos rotos.

Building Materials

Boards are *timber*, or lumber, cut in long, flat *slabs*. When used in construction, boards are referred to as *beams*, or *balks*. When they are used to support a pitched roof, they are called *rafters*. A plank is thicker tan a board. *Shakes* are *wooden shingles*, but cracks in wood caused by wind or frost are also calles shakes. A *spall* is a chip or flakinq of brick.

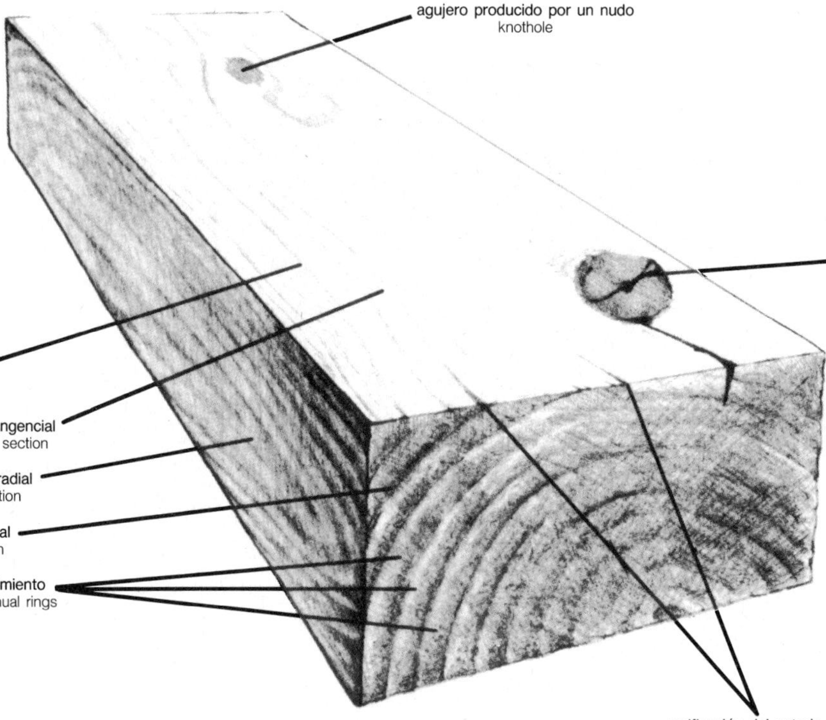

agujero producido por un nudo
knothole
nudo
knot
fibra / veta
grain
cara / sección tangencial
face / tangential section
lateral / sección radial
side / radial section
fibra / sección transversal
end grain / cross section
anillos de crecimiento
growth rings / annual rings
verificación del estado de curado
seasoning checks

Madera
Lumber

Ladrillo / Material de albañilería
Brick / Masonry Unit

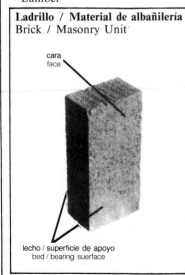

cara
face
lecho / superficie de apoyo
bed / bearing suerface

Tabla de chilla para techado
Roofing Shingle

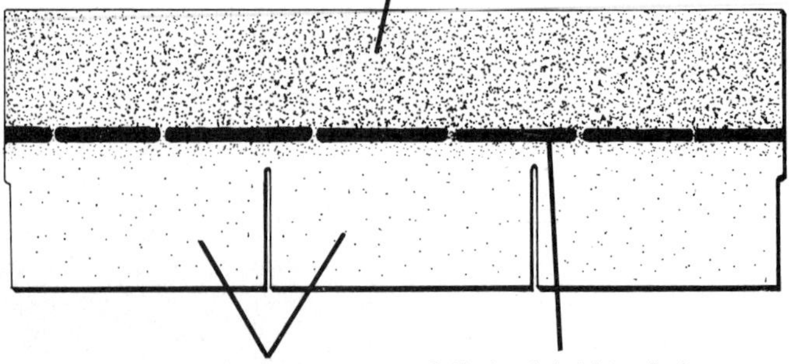

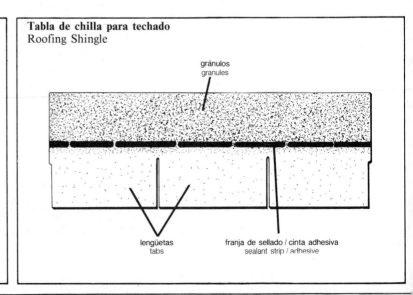

gránulos
granules
lengüetas
tabs
franja de sellado / cinta adhesiva
sealant strip / adhesive

Muro de ladrillo

Son obras de *mampostería* las que se construyen con piedras o ladrillos. Los ladrillos reciben distintos nombres según sus características y su utilización. La forma de colocación de las piedras o ladrillos en un muro se llama *aparejo*. La superficie que queda a la vista es la *cara* o *paramento*. Las *grapas* son piezas de hierro o de acero que sirven para reforzar la unión entre los elementos del muro y las *rozas* son los canales o rebajes que se practican en el mismo para empotrar tuberías u otro tipo de conducciones. El material que se utiliza para unir las piedras o ladrillos del muro se llama *aglomerante*.

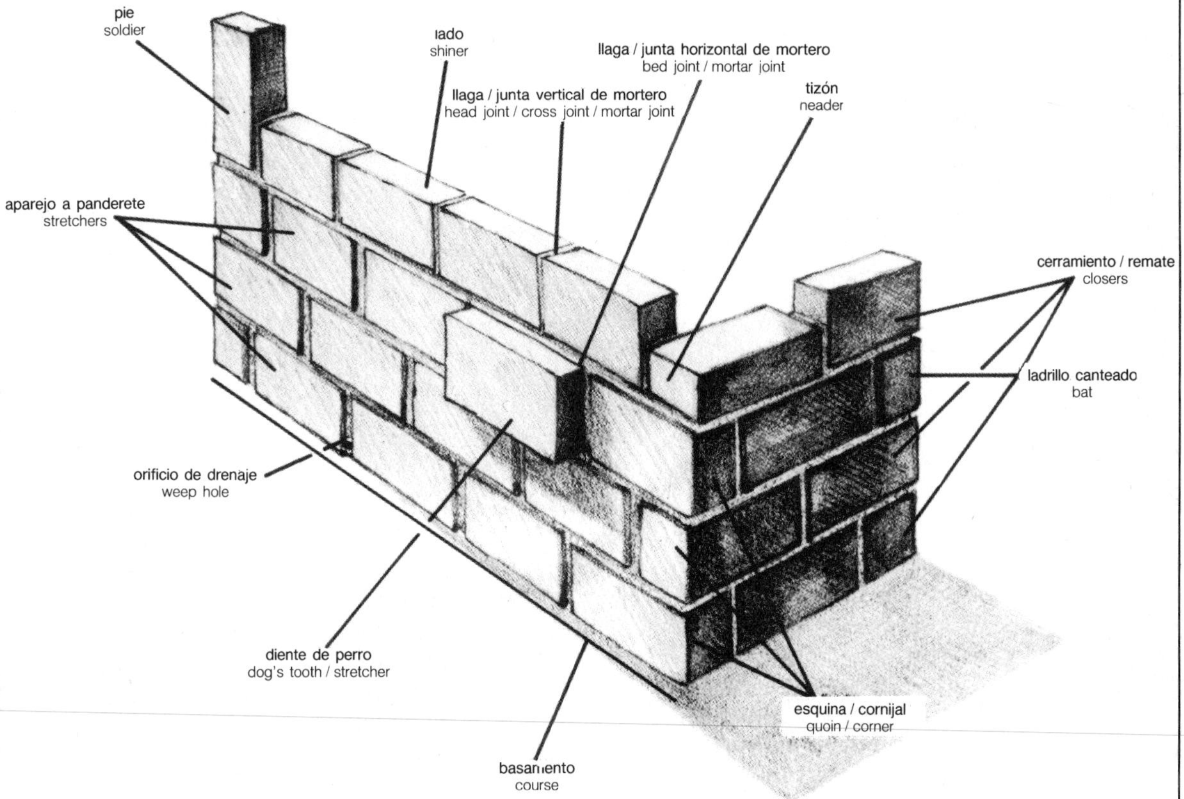
pie
soldier
lado
shiner
llaga / junta horizontal de mortero
bed joint / mortar joint
llaga / junta vertical de mortero
head joint / cross joint / mortar joint
tizón
neader
aparejo a panderete
stretchers
cerramiento / remate
closers
ladrillo canteado
bat
orificio de drenaje
weep hole
diente de perro
dog's tooth / stretcher
esquina / cornijal
quoin / corner
basamento
course

Brick Wall

Bricks and brick faces take on different names, depending on where and how they are used or exposed. Structures built of *stone* or brick are called *masonry*. The pattern in which a wall is laid is its *bond*. The exposed surface is the *face*. A piece of iron or steel used to brace a wall is a *cramp*, while a recess left within for pipes or ducts is a *chase*. A *tie* is any material that holds masonry together.

Arquitectura internacional

Los japoneses desarrollaron una arquitectura enteramente a base de madera, logrando un alto nivel de perfeccionamiento en el sistema de ensambladura. Los *minaretes* forman parte de las mezquitas musulmanas y desde ellos el *muecín* o *almuédano* llama al pueblo a la oración. Los *obeliscos* se erigían en honor de los dioses y solían estar acompañados de *columnas* y *estelas*. Las *pirámides*, estructuras de base cuadrangular, se utilizaban como templos o como tumbas, mientras que las *mastabas*, pirámides truncadas, eran monumentos exclusivamente funerarios. Los *zigurats*, construcciones en forma de pirámide escalonada, albergaban un santuario donde se celebraba el culto.

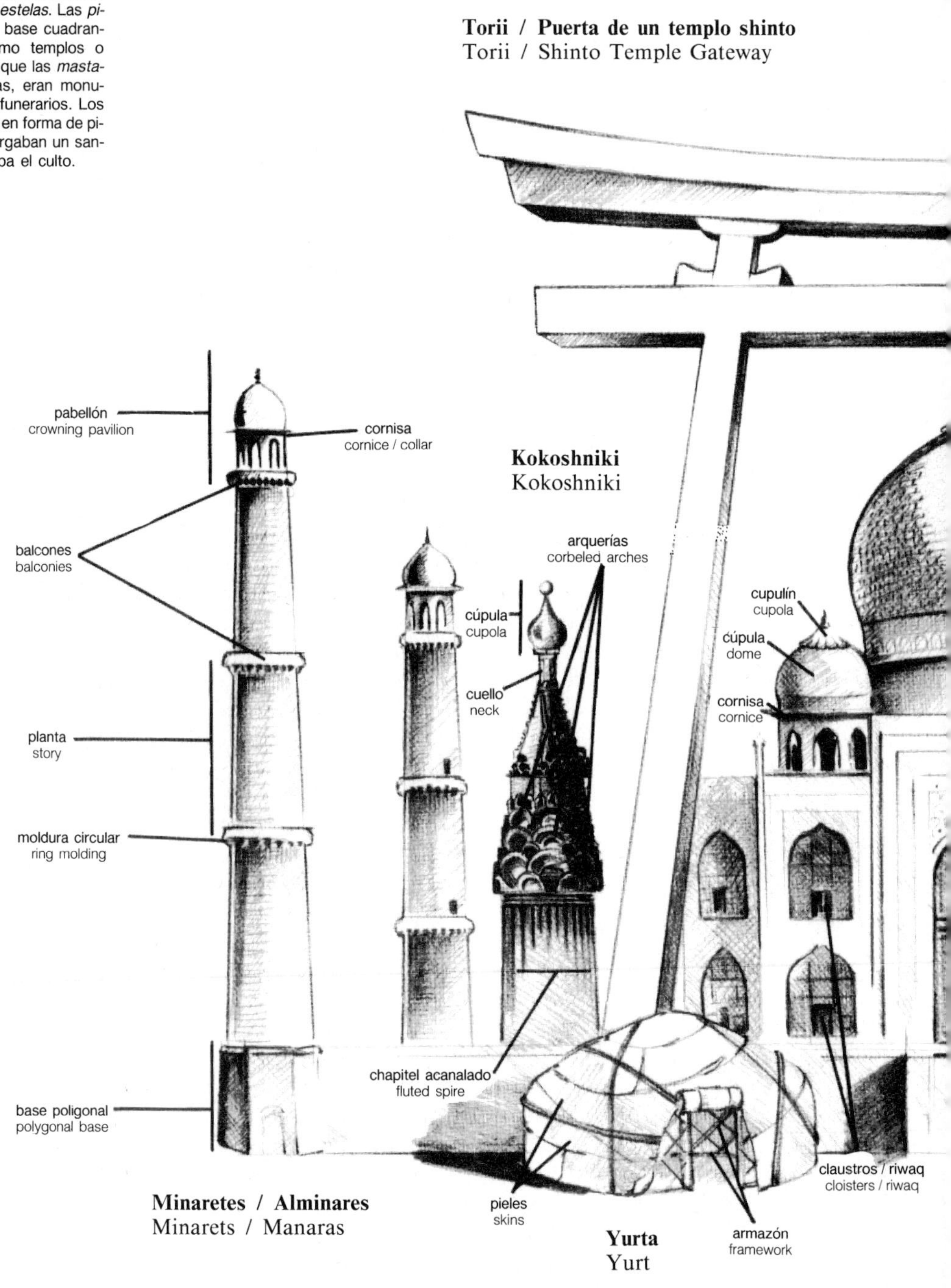
Torii / Puerta de un templo shinto
Torii / Shinto Temple Gateway
pabellón
crowning pavilion
cornisa
cornice / collar
balcones
balconies
planta
story
moldura circular
ring molding
base poligonal
polygonal base
Minaretes / Alminares
Minarets / Manaras
Kokoshniki
Kokoshniki
arquerías
corbeled arches
cúpula
cupola
cuello
neck
chapitel acanalado
fluted spire
cupulín
cupola
cúpula
dome
cornisa
cornice
claustros / riwaq
cloisters / riwaq
pieles
skins
armazón
framework
Yurta
Yurt

International Architecture

The Japanese developed the *wholetimbered building*, with *interlocking timbered joints*. Minarets, from which *criers*, or *muezzins*, call people to prayer, are normally attached or annexed to a mosque. Obelisks were often surrounded by *pillars*, or stelae, erected in honor of gods Pyramids, *quadrilateral structures*, were used as tombs or temples. Flat-topped pyramids called *mastabas* were strictly *funerary structures*, while *ziggurats*, stepped pyramids supporting a *shrine*, were used for worship.

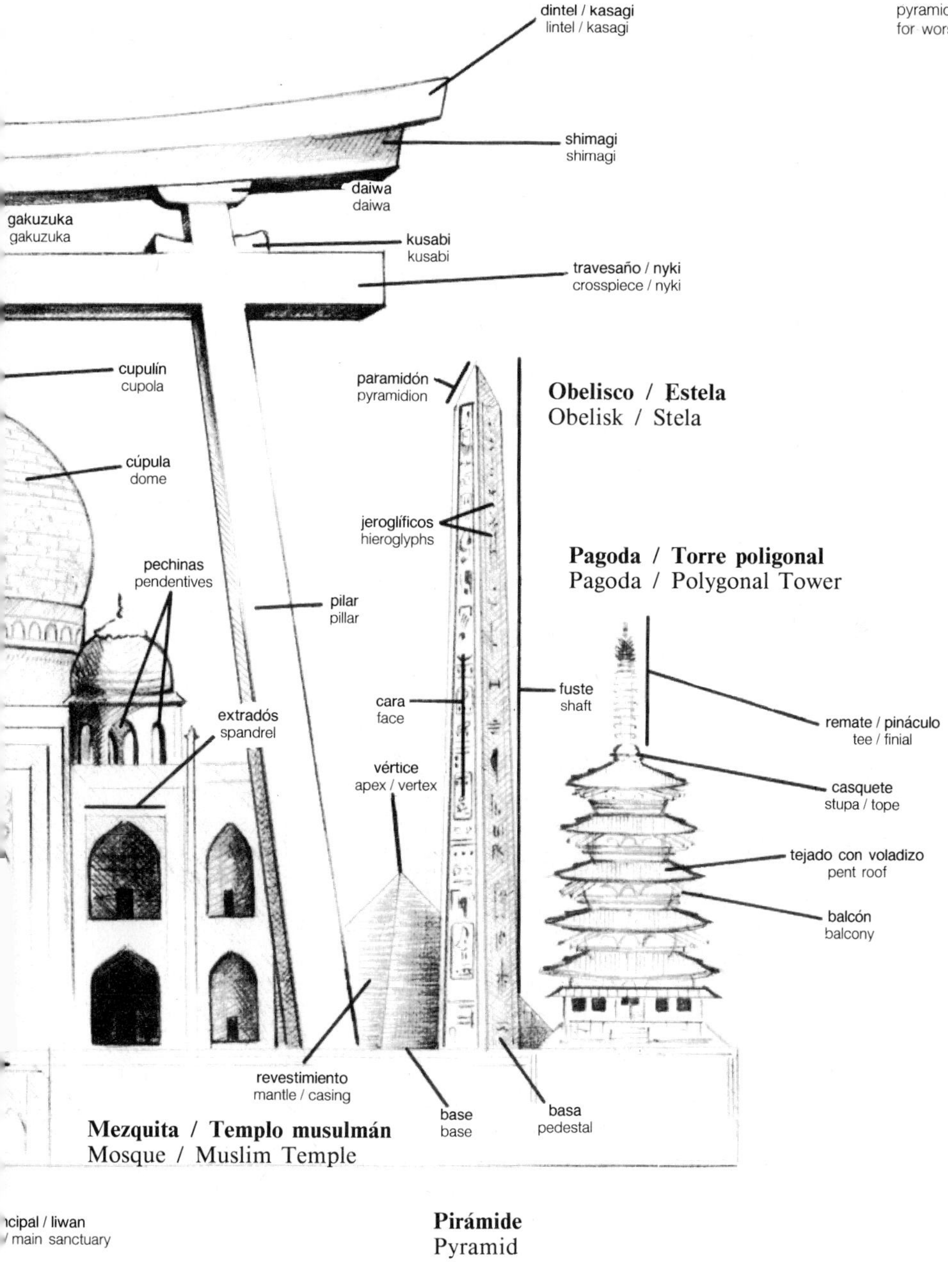

dintel / kasagi
lintel / kasagi
shimagi
shimagi
daiwa
daiwa
gakuzuka
gakuzuka
kusabi
kusabi
travesaño / nyki
crosspiece / nyki
cupulín
cupola
paramidón
pyramidion
Obelisco / Estela
Obelisk / Stela
cúpula
dome
jeroglíficos
hieroglyphs
Pagoda / Torre poligonal
Pagoda / Polygonal Tower
pechinas
pendentives
pilar
pillar
fuste
shaft
cara
face
extradós
spandrel
remate / pináculo
tee / finial
vértice
apex / vertex
casquete
stupa / tope
tejado con voladizo
pent roof
balcón
balcony
revestimiento
mantle / casing
base
base
basa
pedestal
Mezquita / Templo musulmán
Mosque / Muslim Temple
ıcipal / liwan
/ main sanctuary
Pirámide
Pyramid

Arco

La *luz* de un arco es la distancia entre las impostas y su altura o *flecha* se mide desde la línea de arranque de las impostas hasta el extremo superior del intradós. Las zonas del arco que quedan entre la clave y las impostas se denominan *riñones*.

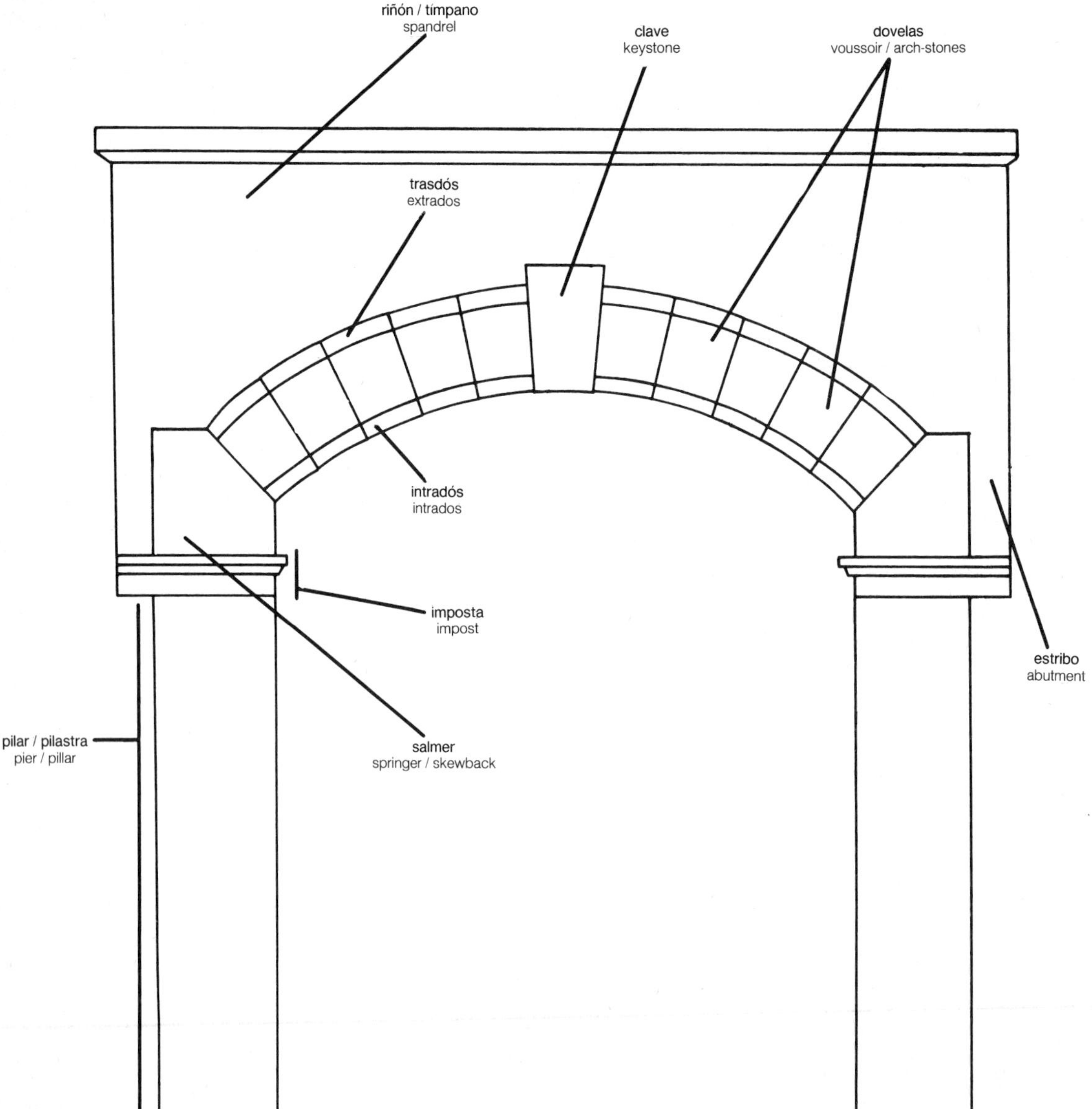

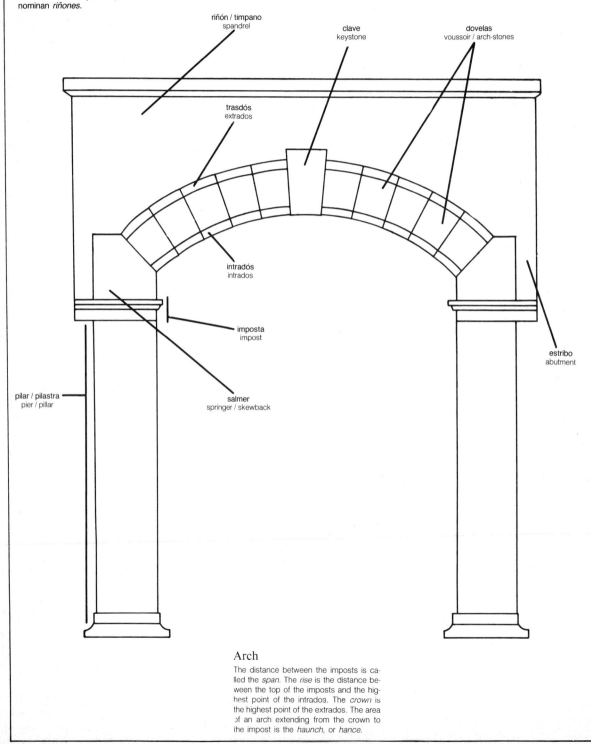

riñón / tímpano
spandrel
clave
keystone
dovelas
voussoir / arch-stones
trasdós
extrados
intradós
intrados
imposta
impost
estribo
abutment
pilar / pilastra
pier / pillar
salmer
springer / skewback

Arch

The distance between the imposts is called the *span*. The *rise* is the distance beween the top of the imposts and the highest point of the intrados. The *crown* is the highest point of the extrados. The area of an arch extending from the crown to the impost is the *haunch*, or *hance*.

Columna

La distancia entre dos columnas, medida entre sus ejes, se denomina *intercolumnio.*

Column

The clear space between two columns is intercolumniation.

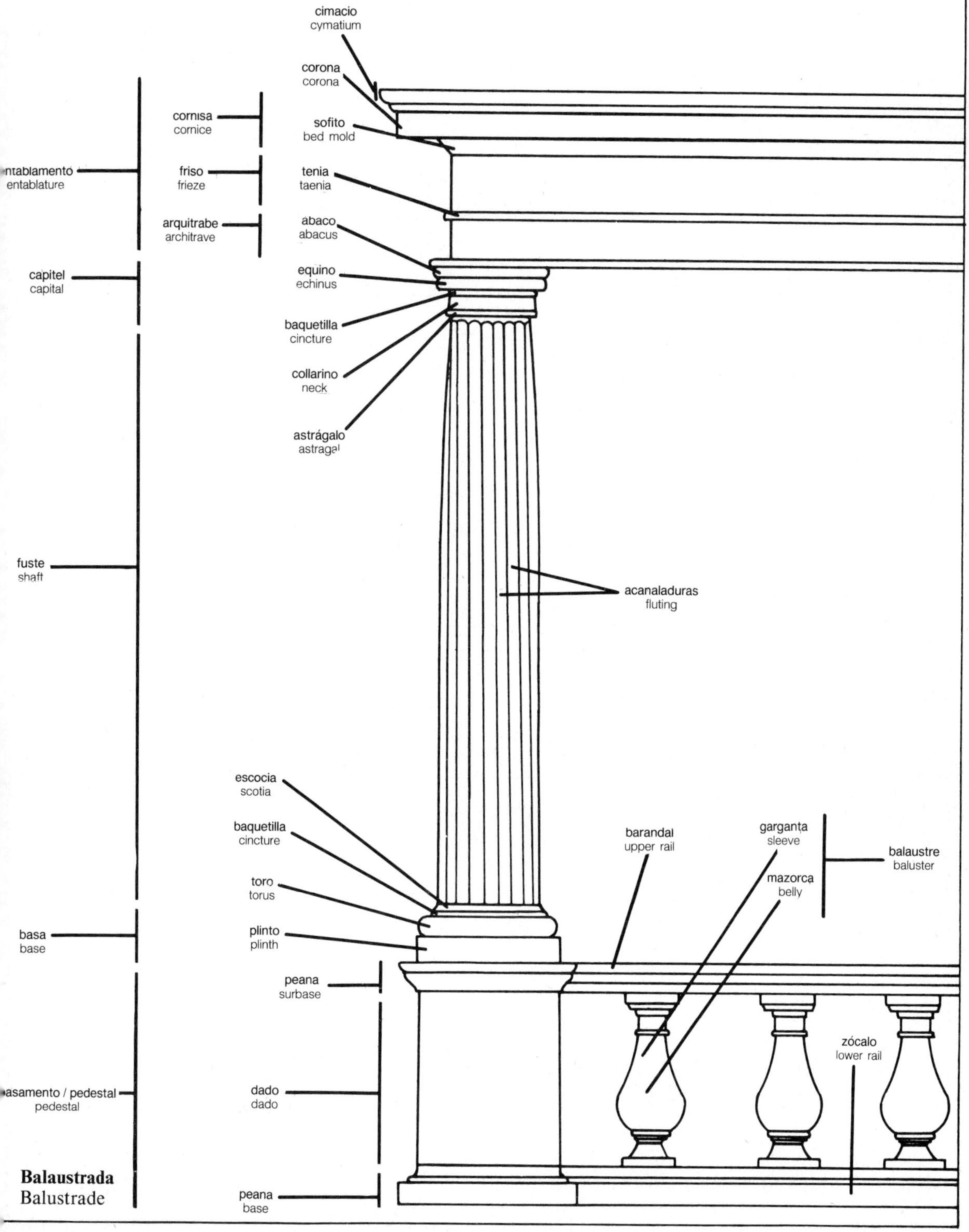
cimacio
cymatium
corona
corona
cornisa
cornice
sofito
bed mold
ntablamento
entablature
friso
frieze
tenia
taenia
arquitrabe
architrave
abaco
abacus
capitel
capital
equino
echinus
baquetilla
cincture
collarino
neck
astrágalo
astragal
fuste
shaft
acanaladuras
fluting
escocia
scotia
baquetilla
cincture
barandal
upper rail
garganta
sleeve
balaustre
baluster
mazorca
belly
toro
torus
basa
base
plinto
plinth
peana
surbase
zócalo
lower rail
asamento / pedestal
pedestal
dado
dado
peana
base

Balaustrada
Balustrade

Capitolio

El primer piso del Capitolio alberga la *Sala de Columnas*, los pasillos de la *Cámara* y del *Senado*, las oficinas de tráfico y una estafeta de correos. Cuando se llama al orden a la Cámara, se coloca la *Maza de la Cámara de Representantes* sobre un *pedestal* cilíndrico a la derecha del atril del portavoz. En el lado del Senado hay una lámpara con dos bombillas. La roja indica una sesión ejecutiva, la blanca una sesión ordinaria. Los visitantes de las cámaras del Congreso se sientan en las *galerías*.

Capitol

The first floor of the Capitol contains the *Hall of Columns*, *House* and *Senate corridors*, *committee rooms*, *restaurants*, *transportation offices* and a *post office*. When the House is called to order, the *Mace of the House of Representatives* is placed on a cylindrical *pedestal* to the right of the Speaker's desk. On the Senate side is a *chandelier* with two bulbs below it. The red one indicates an executive session; the white, a regular session. Visitors to the chambers of Congress sit in *galleries*.

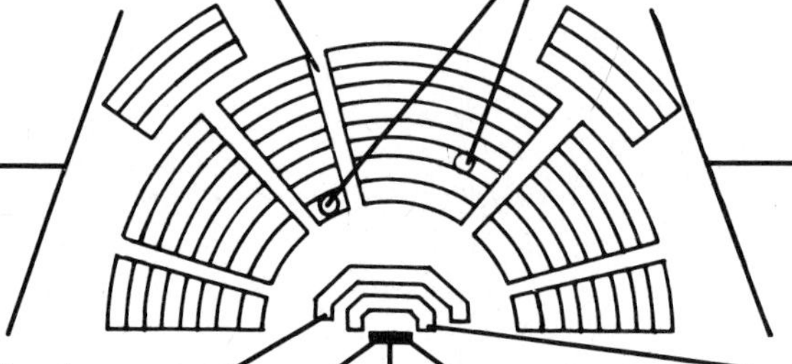
«el pasillo»
"the aisle"
líderes
floor leaders
Republicanos
Republicans
Demócratas
Democrats
secretarios
journal clerk, tally clerk, reading clerk
parlamentario
parliamentarian
altavoz
speaker
cronómetro
timekeeper
taquígrafos
official reporters

Cámara de Representantes
House of Representatives Chamber

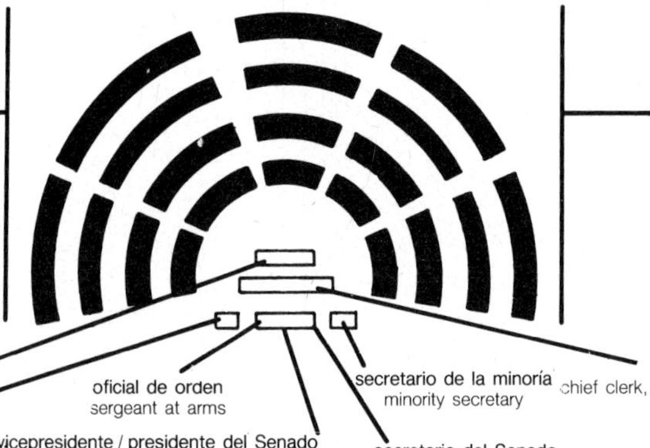
Republicanos
Republicans
Demócratas
Democrats
taquígrafo
official reporter
oficial de orden
sergeant at arms
secretario de la minoría
minority secretary
secretarios
chief clerk, legislative clerk, parliamentarian, journal cle
secretario de la mayoría
majority secretary
vicepresidente / presidente del Senado
vice president / president of the Senate
secretario del Senado
secretary of the Senate

Cámara del Senado
Senate Chamber

Edificio del Capitolio
Capitol Building

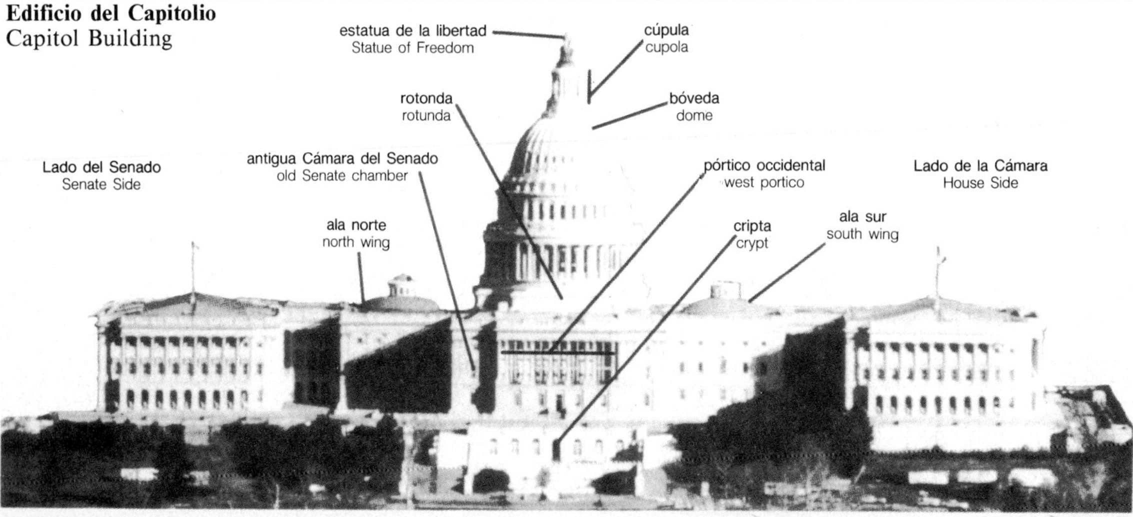
estatua de la libertad
Statue of Freedom
cúpula
cupola
rotonda
rotunda
bóveda
dome
Lado del Senado
Senate Side
antigua Cámara del Senado
old Senate chamber
pórtico occidental
west portico
Lado de la Cámara
House Side
ala norte
north wing
cripta
crypt
ala sur
south wing

La Casa Blanca

La Casa Blanca, una *mansión* histórica que sirve de *hogar* y *oficina* al presidente de los Estados Unidos, contiene *retratos*, *antigüedades* y *recuerdos*. Además de las habitaciones y oficinas que se muestran aquí, existe un *puesto de mando* a prueba de bombas en el subterráneo y una pista de aterrizaje de *helicópteros* en la zona sur de césped.

White House

The White House, a historic *mansion* that serves as the President's *home* and *office*, contains *portraits*, *antiques* and *memorabilia*. In addition to the rooms and offices shown here, there is a bombproof *command post* in the cellar and a *helipad* on the south lawn.

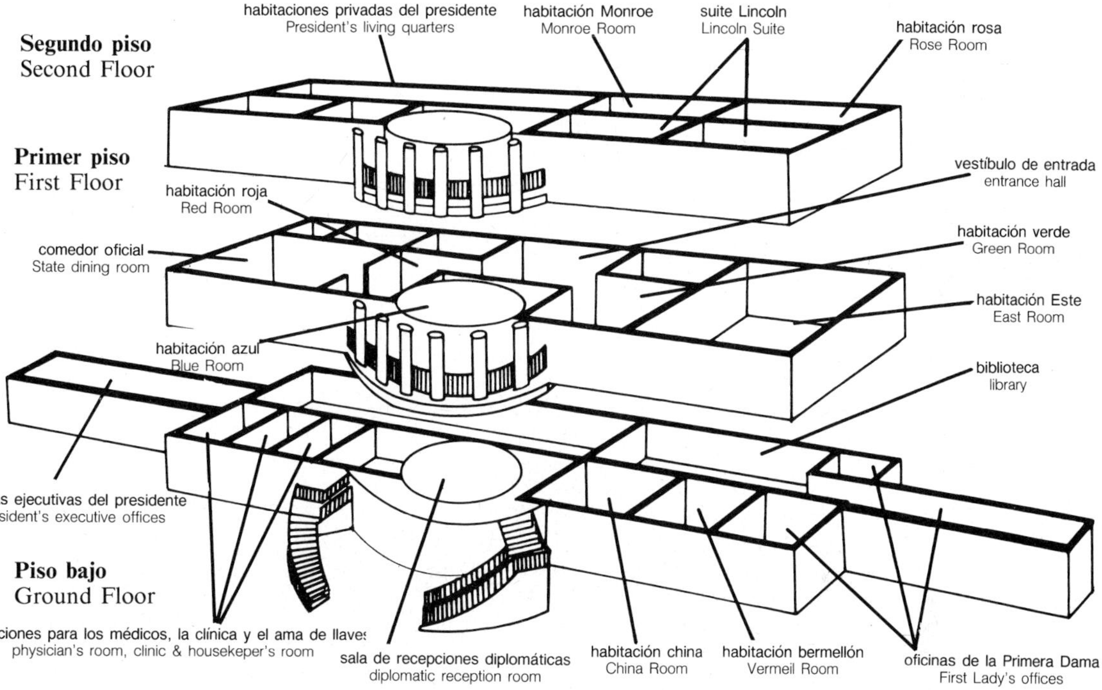

Segundo piso
Second Floor
habitaciones privadas del presidente
President's living quarters
habitación Monroe
Monroe Room
suite Lincoln
Lincoln Suite
habitación rosa
Rose Room
Primer piso
First Floor
vestíbulo de entrada
entrance hall
habitación roja
Red Room
comedor oficial
State dining room
habitación verde
Green Room
habitación Este
East Room
habitación azul
Blue Room
biblioteca
library
ficinas ejecutivas del presidente
President's executive offices
Piso bajo
Ground Floor
abitaciones para los médicos, la clínica y el ama de llaves
physician's room, clinic & housekeper's room
sala de recepciones diplomáticas
diplomatic reception room
habitación china
China Room
habitación bermellón
Vermeil Room
oficinas de la Primera Dama
First Lady's offices

Plano
House Plan

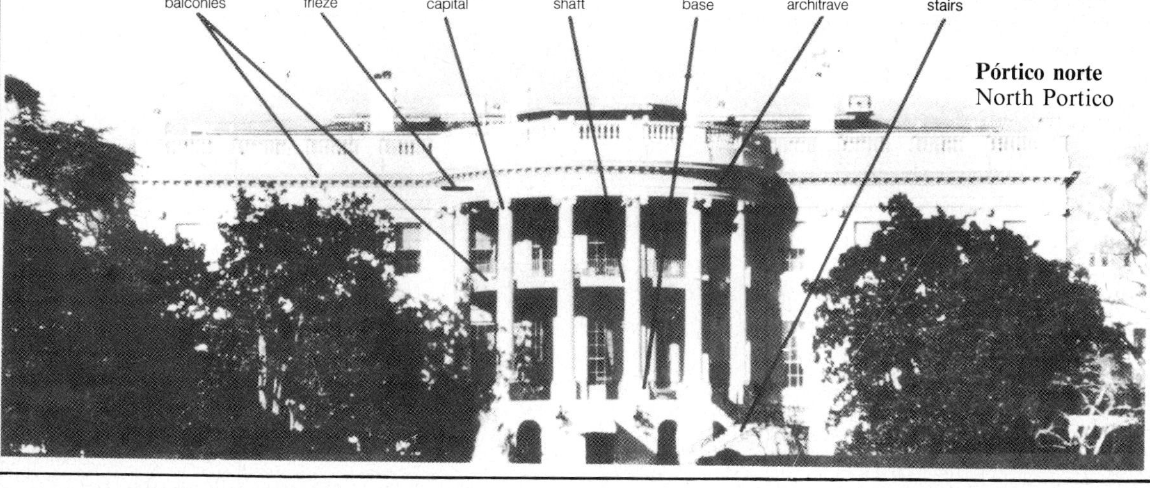

balcones
balconies
friso
frieze
capitel
capital
fuste
shaft
base
base
arquitrave
architrave
escaleras
stairs
Pórtico norte
North Portico

Prisión

En algunas prisiones, como las que reproducimos, se extreman la medidas de seguridad por medio de *muros de gran altura*, *centinelas armados* y distintos *puntos de control*. En otras, en cambio, las cercas son de *tela metálica* y los sistemas de seguridad son fundamentalmente electrónicos, con *alarmas* en las puertas, *monitores de televisión* y sistemas de intercomunicación controlados por *computadoras centrales*. En cualquier tipo de institución penitenciaria, incluso en las cárceles, los presidiarios se alojan en *celdas* provistas de *rejas*.

Prison

Maximun security prisons, such as the one seen here, are characterized by high *walls*, *armed guards* and *security checkpoints*. *Minimum security prisons* may be surrounded by *chainlink fences* and have *security systems* that are largely electronic, with *doors*. *alarms*, *TV monitors* and *intercoms* monitored by *central computers*. *Prisoners*, or *inmates*, in all *correctional facilities*, including *jails*, live in *cells* with *barred doors*.

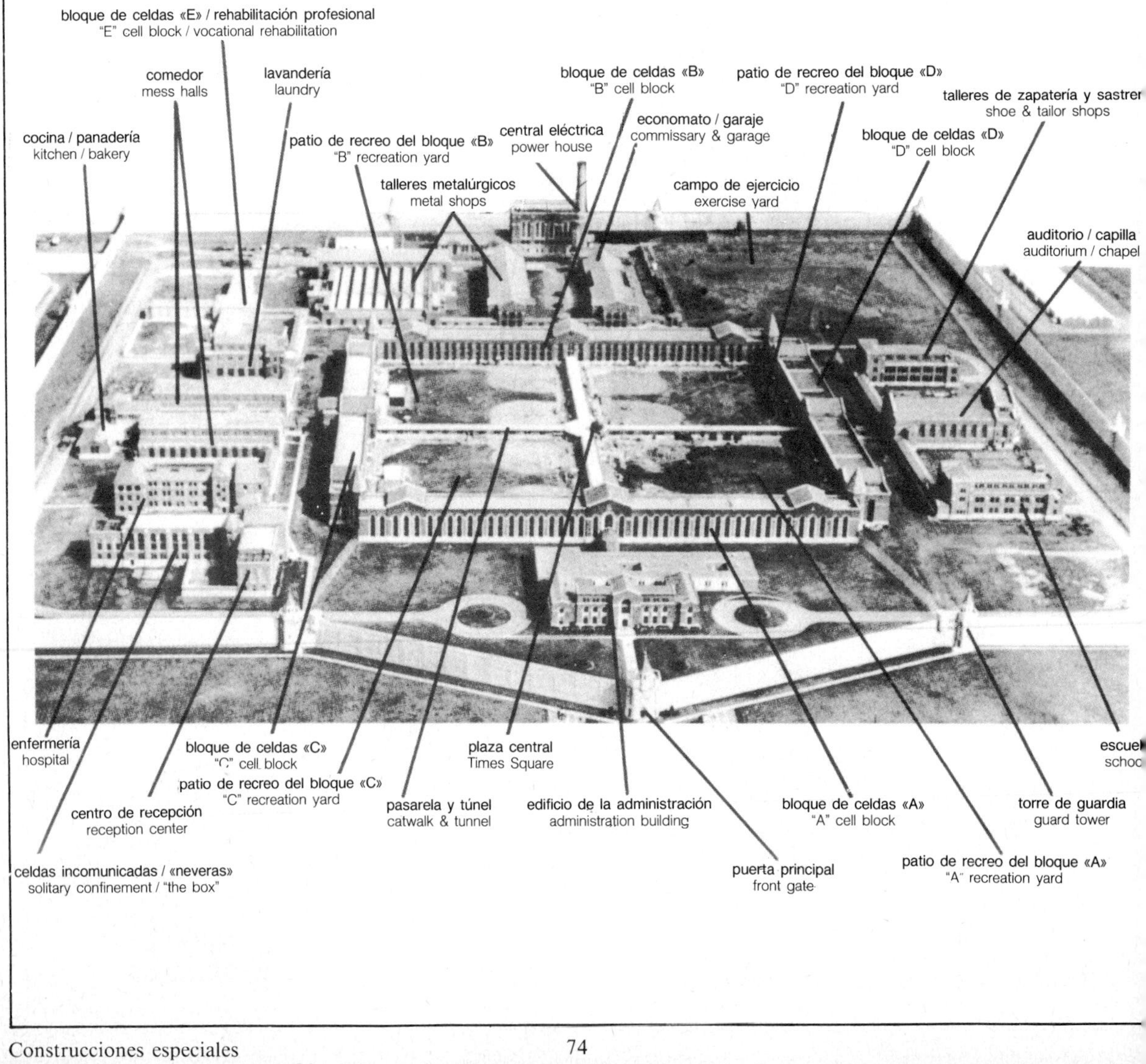

bloque de celdas «E» / rehabilitación profesional
"E" cell block / vocational rehabilitation
comedor
mess halls
lavandería
laundry
cocina / panadería
kitchen / bakery
patio de recreo del bloque «B»
"B" recreation yard
talleres metalúrgicos
metal shops
central eléctrica
power house
bloque de celdas «B»
"B" cell block
economato / garaje
commissary & garage
patio de recreo del bloque «D»
"D" recreation yard
campo de ejercicio
exercise yard
bloque de celdas «D»
"D" cell block
talleres de zapatería y sastrer
shoe & tailor shops
auditorio / capilla
auditorium / chapel
enfermería
hospital
bloque de celdas «C»
"C" cell block
patio de recreo del bloque «C»
"C" recreation yard
centro de recepción
reception center
celdas incomunicadas / «neveras»
solitary confinement / "the box"
pasarela y túnel
catwalk & tunnel
plaza central
Times Square
edificio de la administración
administration building
puerta principal
front gate
bloque de celdas «A»
"A" cell block
patio de recreo del bloque «A»
"A" recreation yard
torre de guardia
guard tower
escue
schoo

Rascacielos

Se llaman *rascacielos* los edificios de más de veinte plantas. Se construyen sobre *pilares de hormigón armado* cimentados sobre pilotes hincados en el suelo o en fondo de roca. En el centro del edificio, o *espina dorsal*, suelen estar los *ascensores*. La maquinaria que hace funcionar todos los sistemas y servicios del edificio está situada en plantas especiales. La piedra que se coloca en la ceremonia de inauguración recibe el nombre de *piedra angular*.

Skyscraper

A skyscraper, or *building* more than twenty stories high, is built on a *foundation* of reinforced concrete *piers* supported by *piles* driven into soil or bedrock. The center of the building or *core* usually contains the *elevator bank*. The machinery needed to operate the building's systems is located on the *mechanical floors*. A *cornerstone* is a stone laid at a formal inauguration ceremony.

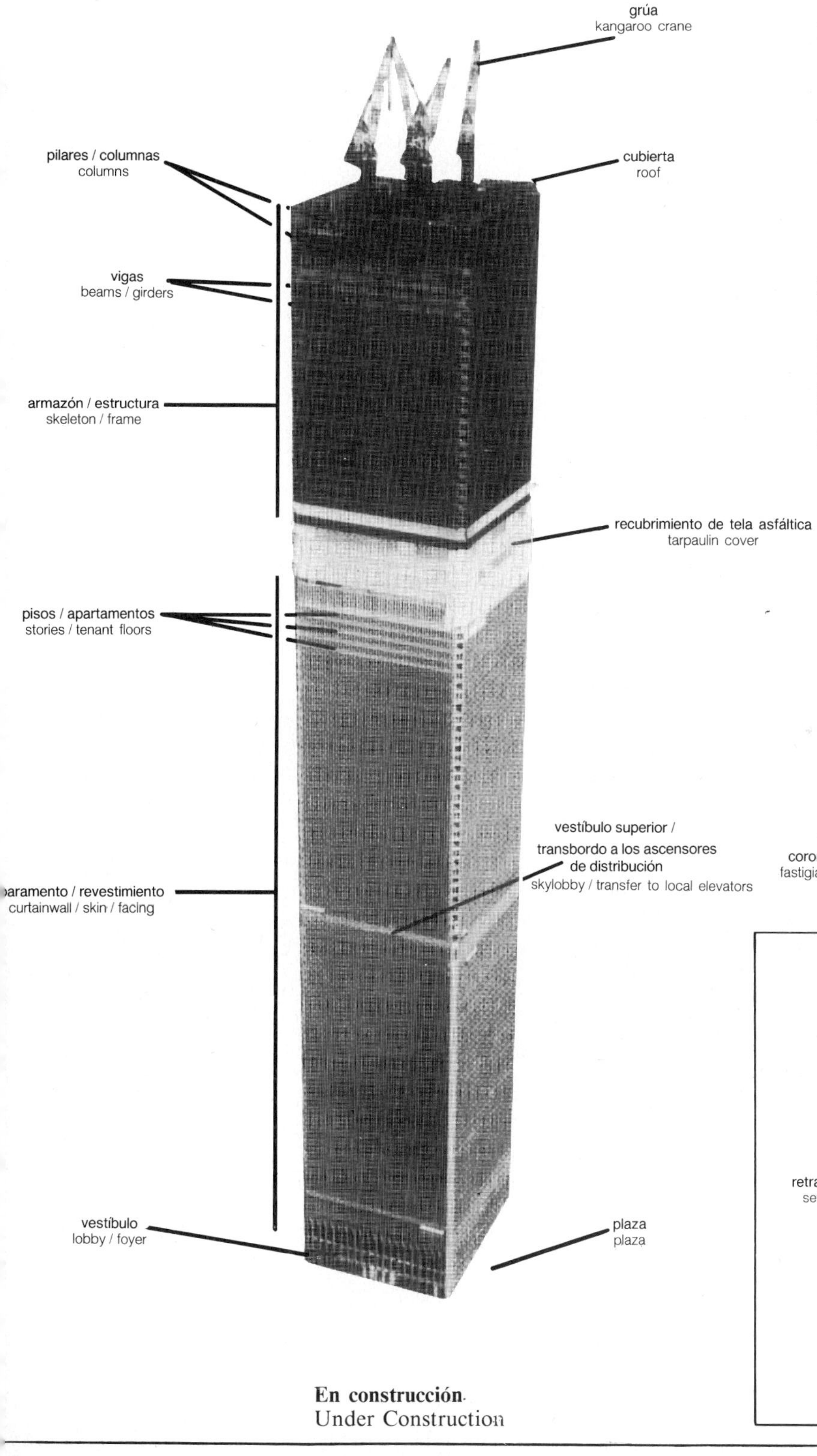
grúa
kangaroo crane
pilares / columnas
columns
cubierta
roof
vigas
beams / girders
armazón / estructura
skeleton / frame
recubrimiento de tela asfáltica
tarpaulin cover
pisos / apartamentos
stories / tenant floors
vestíbulo superior / transbordo a los ascensores de distribución
skylobby / transfer to local elevators
aramento / revestimiento
curtainwall / skin / facing
vestíbulo
lobby / foyer
plaza
plaza

En construcción
Under Construction

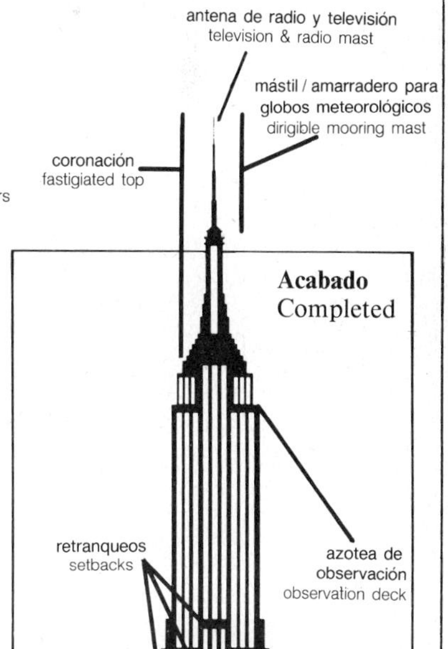
antena de radio y televisión
television & radio mast
mástil / amarradero para globos meteorológicos
dirigible mooring mast
coronación
fastigiated top
retranqueos
setbacks
azotea de observación
observation deck

Acabado
Completed

Ascensor

El mecanismo de tracción de los cables de que va suspendido el ascensor se llama *torno*. La mayoría de las cabinas de los ascensores tienen salidas o trampillas de emergencia, en el techo. La puerta de la cabina, generalmente corredera, suele ir dividida en las hojas que se abren hacia ambos lados. Muchos ascensores modernos van equipados con un dispositivo de memoria que registra las paradas solicitadas por los viajeros.

Elevator

There is padding which makes up the *safety edges* on the *shafts*, or innermost sides, of elevator doors. Most elevator cars have *emergency top exists* in the *canopy* or real ceiling as well as *service cabinets* which contain *fan switches*, *light* and *start switches*. An individual who directs people to the next available car in a *bank* of elevators is called a *starter*.

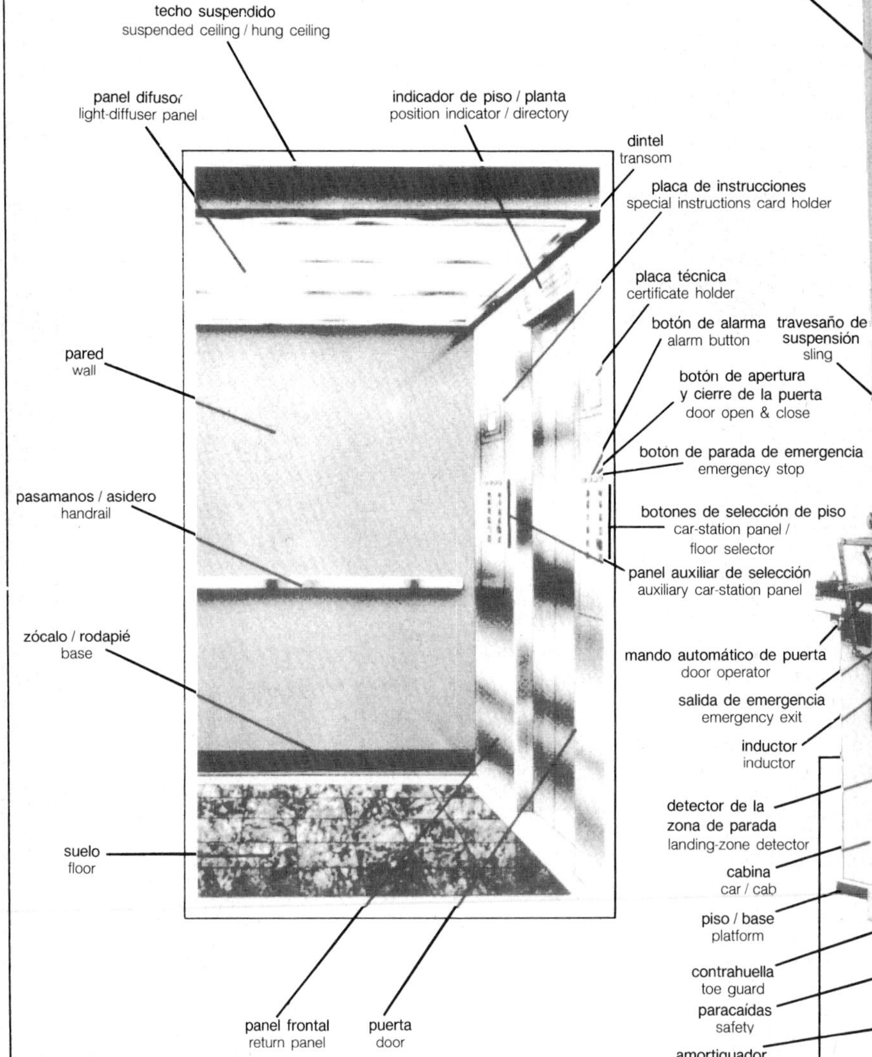

techo suspendido
suspended ceiling / hung ceiling
panel difusor
light-diffuser panel
indicador de piso / planta
position indicator / directory
dintel
transom
placa de instrucciones
special instructions card holder
placa técnica
certificate holder
botón de alarma
alarm button
botón de apertura y cierre de la puerta
door open & close
botón de parada de emergencia
emergency stop
botones de selección de piso
car-station panel / floor selector
panel auxiliar de selección
auxiliary car-station panel
pared
wall
pasamanos / asidero
handrail
zócalo / rodapié
base
suelo
floor
panel frontal
return panel
puerta
door

Cabina
Car / Cab

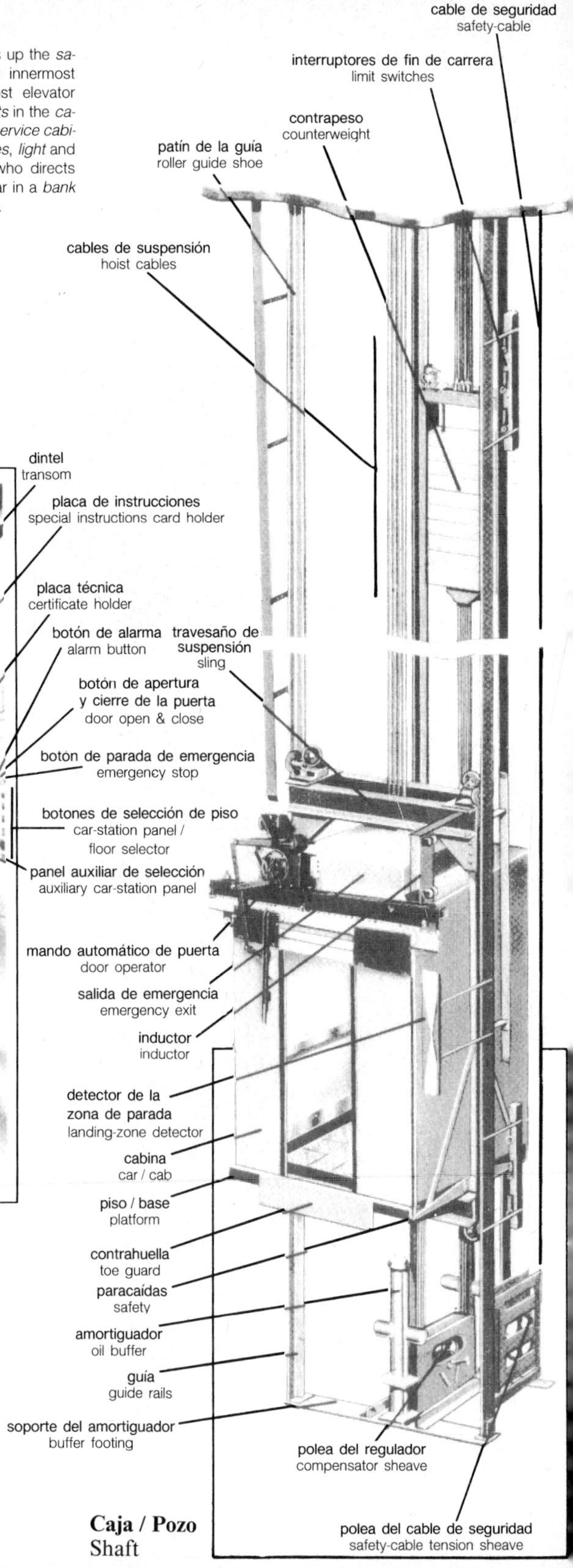

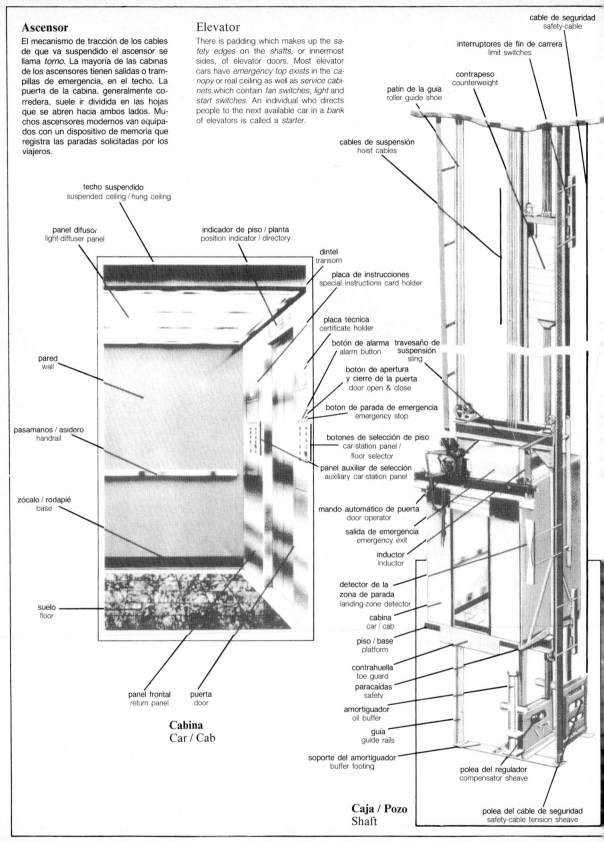

cable de seguridad
safety-cable
interruptores de fin de carrera
limit switches
contrapeso
counterweight
patín de la guía
roller guide shoe
cables de suspensión
hoist cables
travesaño de suspensión
sling
mando automático de puerta
door operator
salida de emergencia
emergency exit
inductor
inductor
detector de la zona de parada
landing-zone detector
cabina
car / cab
piso / base
platform
contrahuella
toe guard
paracaídas
safety
amortiguador
oil buffer
guía
guide rails
soporte del amortiguador
buffer footing
polea del regulador
compensator sheave
polea del cable de seguridad
safety-cable tension sheave

Caja / Pozo
Shaft

Escalera mecánica

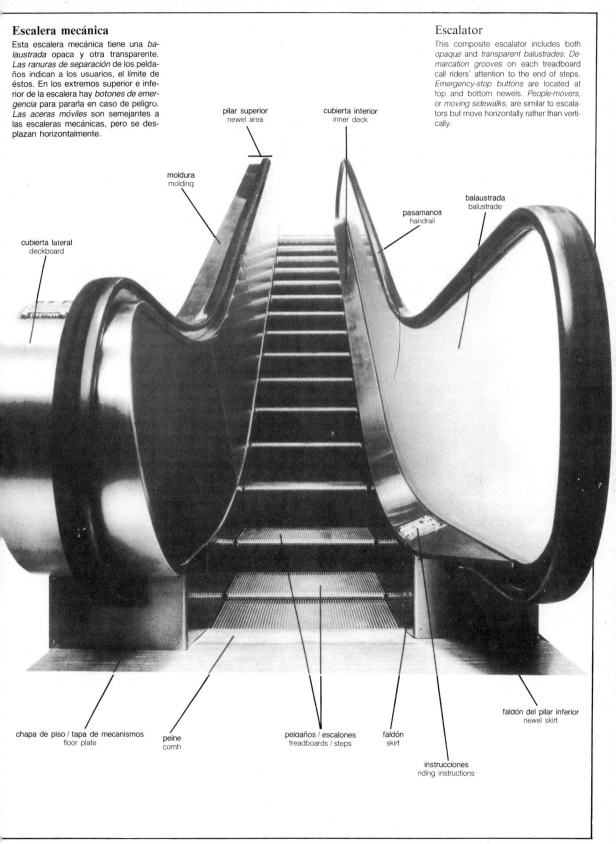

Esta escalera mecánica tiene una *balaustrada* opaca y otra transparente. *Las ranuras de separación* de los peldaños indican a los usuarios, el límite de éstos. En los extremos superior e inferior de la escalera hay *botones de emergencia* para pararla en caso de peligro. *Las aceras móviles* son semejantes a las escaleras mecánicas, pero se desplazan horizontalmente.

Escalator

This composite escalator includes both *opaque* and *transparent balustrades*. *Demarcation grooves* on each treadboard call riders' attention to the end of steps. *Emergency-stop buttons* are located at top and bottom newels. *People-movers*, or *moving sidewalks*, are similar to escalators but move horizontally rather than vertically.

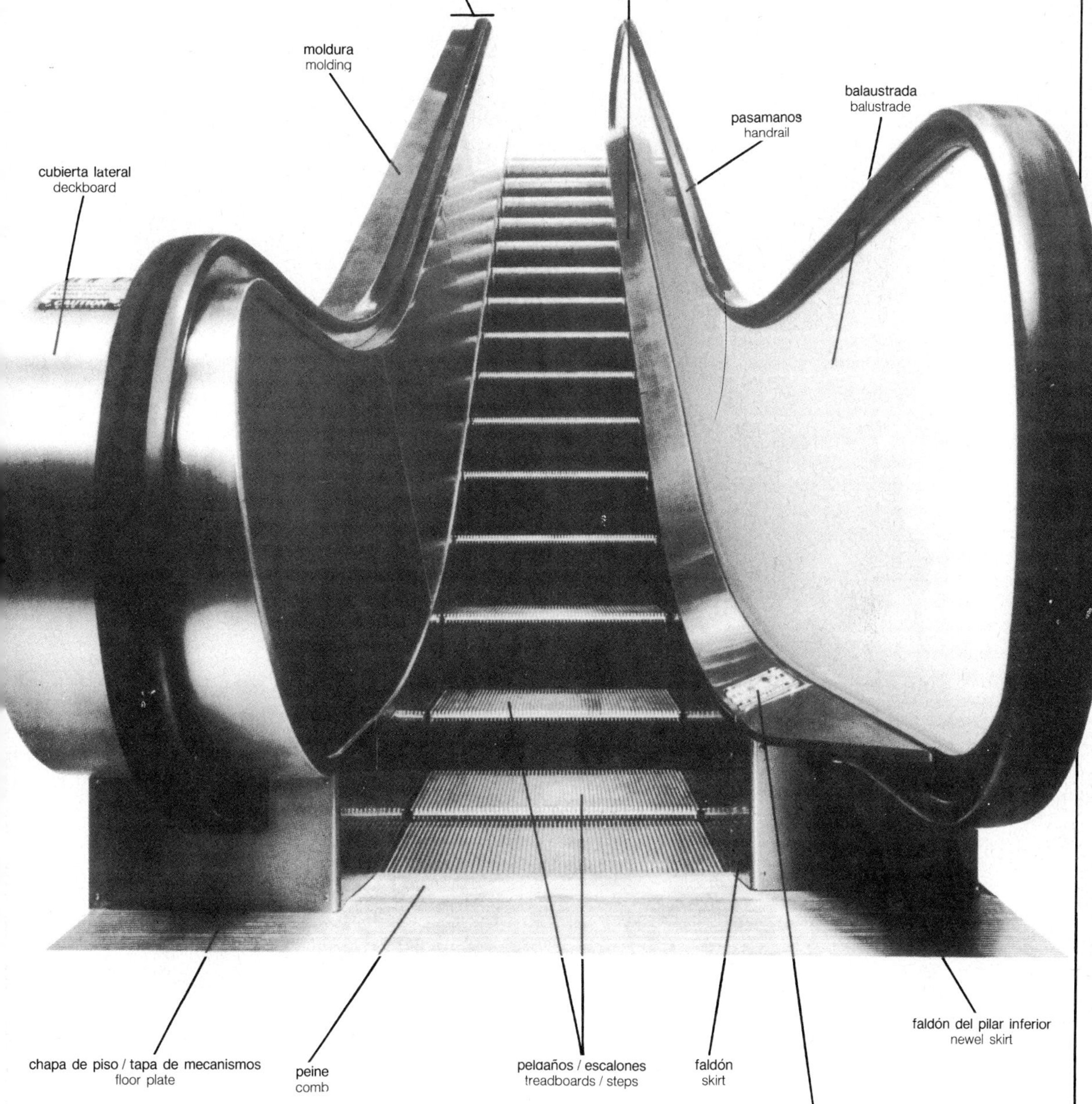

pilar superior
newel area
cubierta interior
inner deck
moldura
molding
balaustrada
balustrade
pasamanos
handrail
cubierta lateral
deckboard
CAUTION
faldón del pilar inferior
newel skirt
chapa de piso / tapa de mecanismos
floor plate
peine
comb
peldaños / escalones
treadboards / steps
faldón
skirt
instrucciones
riding instructions

Castillo

Un castillo estaba rodeado por un foso que se salvaba mediante un *puente levadizo*. Las estrechas aberturas en el suelo de las torres por las que se arrojaban pedruscos o aceite hirviendo sobre los atacantes se llamaban *matacanes*.

Castle

A castle was protected by a moat which could be crossed by a lowered *drawbridge*. Narrow openings in turret or tower floors, uses to drop boiling liquids or stones on attackers, were called *machicolations*.

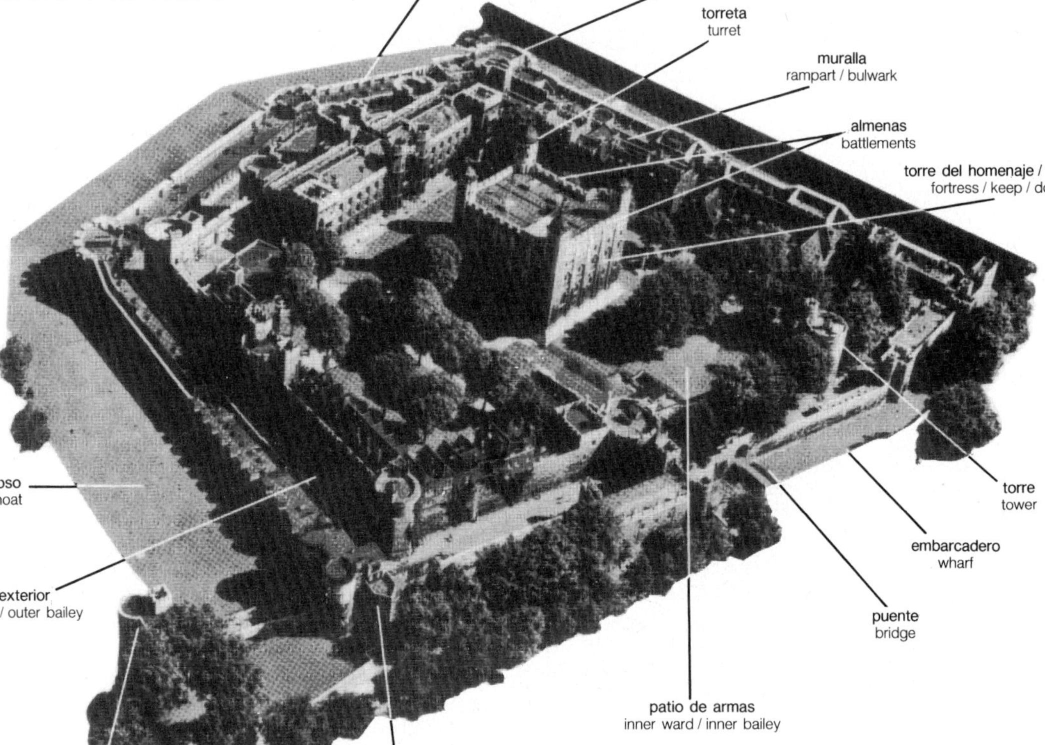

casamatas
casemates
baluarte
bastion / mount
torreta
turret
muralla
rampart / bulwark
almenas
battlements
torre del homenaje / fortaleza
fortress / keep / donjon
torre
tower
embarcadero
wharf
puente
bridge
patio de armas
inner ward / inner bailey
cuerpo de guardia
gatehouse / barbican
barbacana
outwork
patio exterior
outer ward / outer bailey
foso
moat

Parapeto almenado
Embattled Parapet

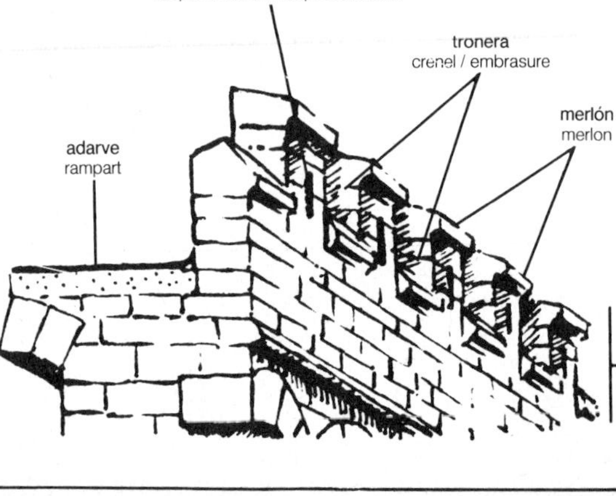

aspillera / saetera
loophole / arrow loop / balistraria
tronera
crenel / embrasure
merlón
merlon
adarve
rampart
almena
battlement

Garita / Torreta
Bartizan / Turret

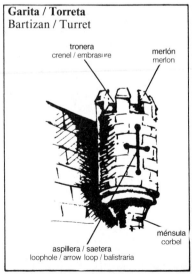

tronera
crenel / embrasure
merlón
merlon
ménsula
corbel
aspillera / saetera
loophole / arrow loop / balistraria

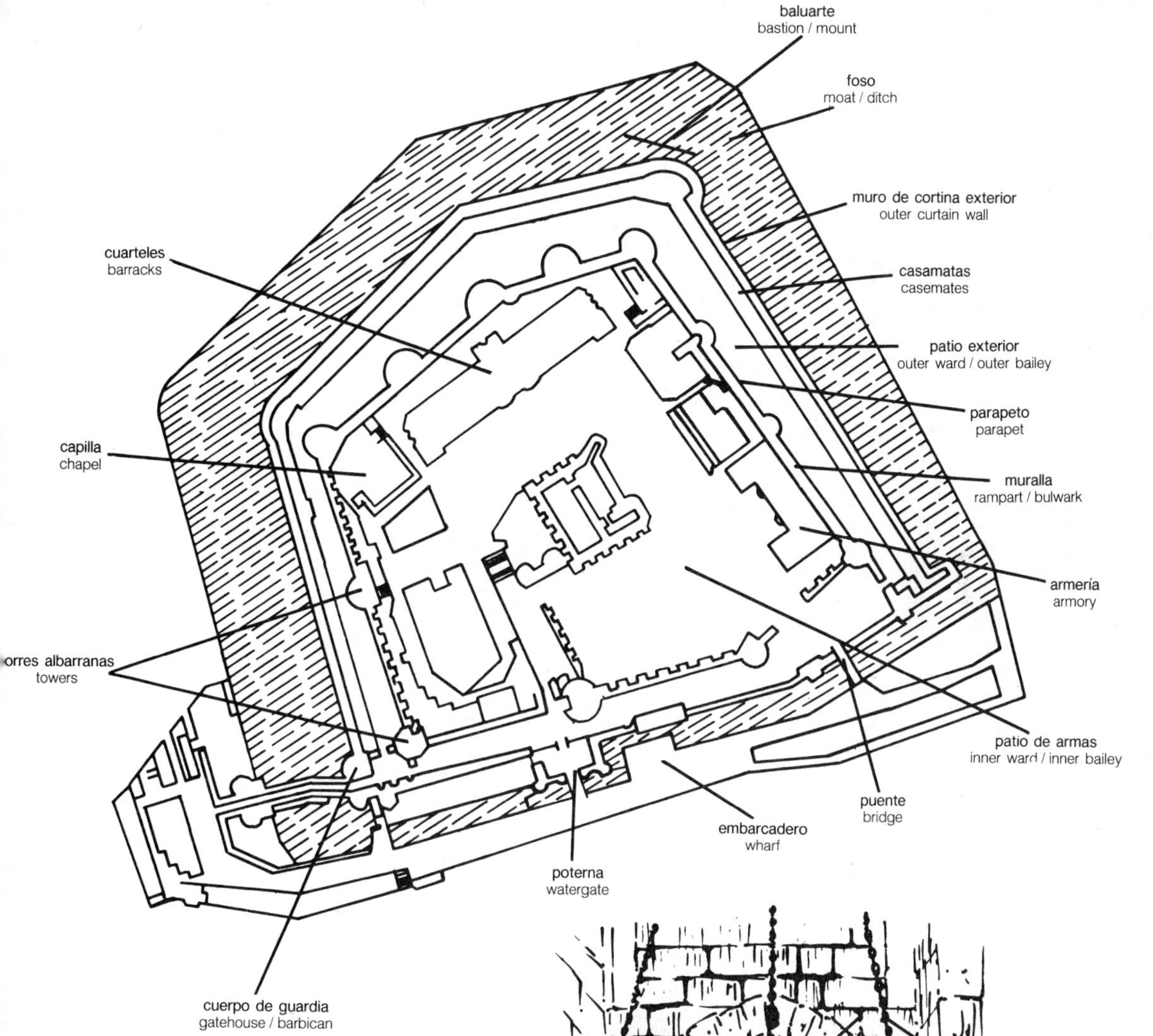
baluarte
bastion / mount
foso
moat / ditch
muro de cortina exterior
outer curtain wall
casamatas
casemates
patio exterior
outer ward / outer bailey
parapeto
parapet
muralla
rampart / bulwark
armería
armory
patio de armas
inner ward / inner bailey
puente
bridge
embarcadero
wharf
poterna
watergate
cuerpo de guardia
gatehouse / barbican
orres albarranas
towers
capilla
chapel
cuarteles
barracks

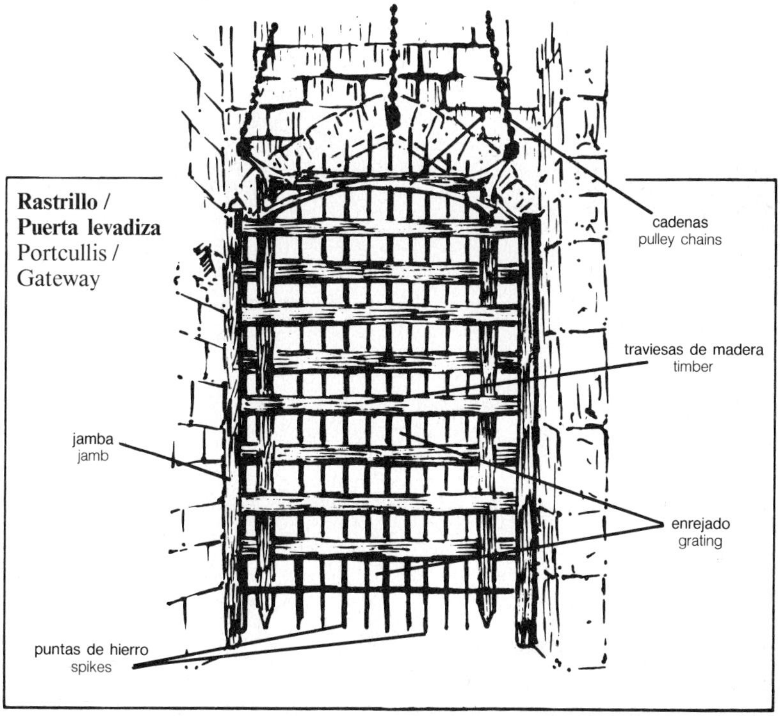
cadenas
pulley chains
traviesas de madera
timber
jamba
jamb
enrejado
grating
puntas de hierro
spikes

Rastrillo / Puerta levadiza
Portcullis / Gateway

Fuerte fronterizo

Aquí aparece representado un típico *fuerte* de la época de la colonización del Oeste norteamericano: estaba protegido por una empalizada de madera detrás de la cual los soldados disparaban contra los atacantes desde *parapetos* elevados. La pólvora y la munición se guardaban en un almacén llamado *polvorín*.

Fortifications

This *field fortification* or *trading post* was protected by wooden walls from behind which soldiers could fire on attackers from raised *parapets*. *Powder* and *ammunition* were stored in a building called a *magazine*.

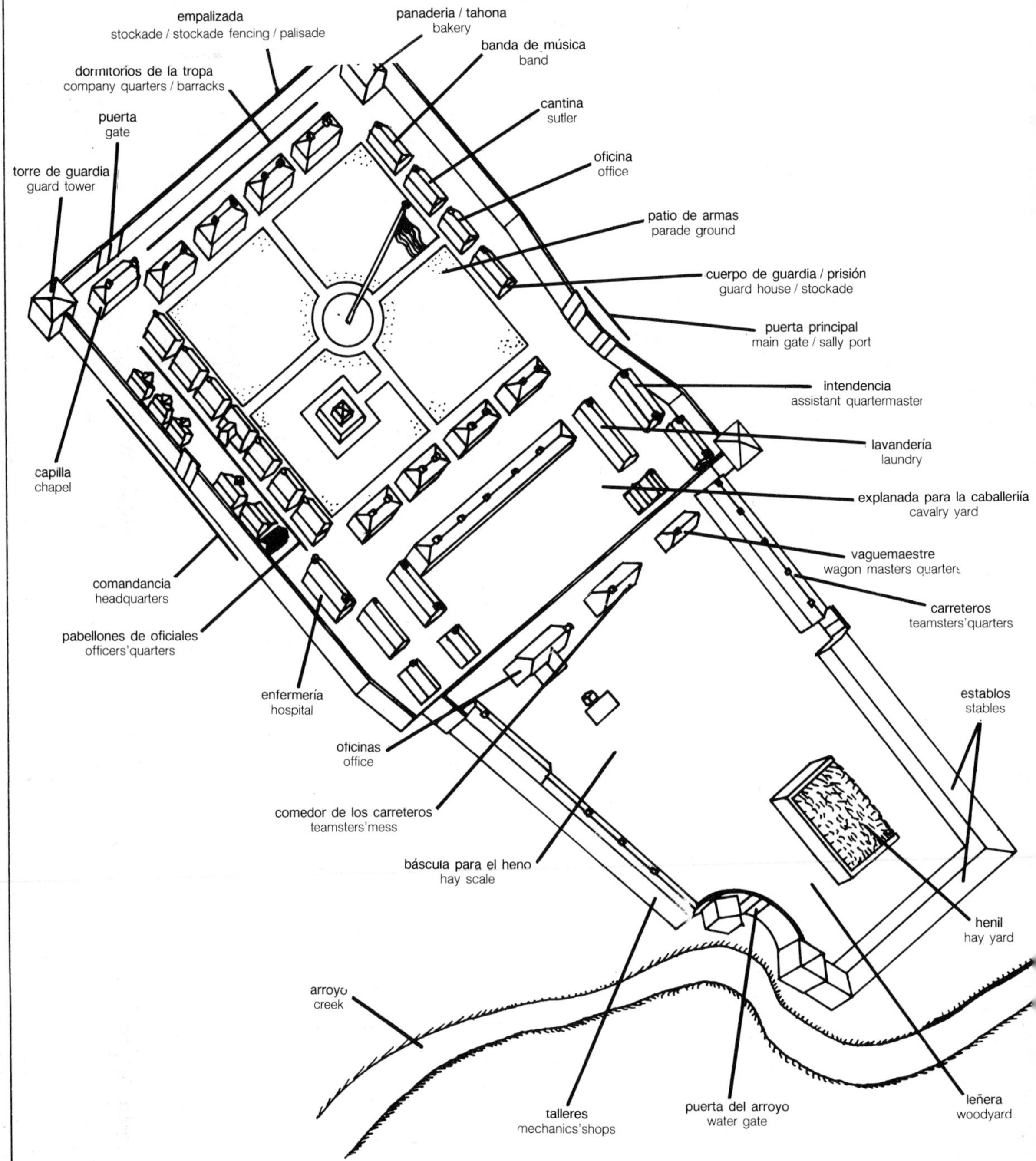

empalizada
stockade / stockade fencing / palisade
panaderia / tahona
bakery
banda de música
band
dormitorios de la tropa
company quarters / barracks
cantina
sutler
puerta
gate
oficina
office
torre de guardia
guard tower
patio de armas
parade ground
cuerpo de guardia / prisión
guard house / stockade
puerta principal
main gate / sally port
intendencia
assistant quartermaster
lavandería
laundry
capilla
chapel
explanada para la caballeriía
cavalry yard
vaguemaestre
wagon masters quarters
comandancia
headquarters
carreteros
teamsters' quarters
pabellones de oficiales
officers' quarters
establos
stables
enfermería
hospital
oficinas
office
comedor de los carreteros
teamsters' mess
báscula para el heno
hay scale
henil
hay yard
arroyo
creek
leñera
woodyard
talleres
mechanics' shops
puerta del arroyo
water gate

Fuerte fronterizo
Frontier Fort

Fortificaciones

Las fortificaciones permanentes, como la que aparece en la figura, tenían *paredes* y *taludes* de *mampostería* y *tierra*. En su interior se solían construir *casamatas*, de paredes resistentes a las explosiones, y tenían *parapetos terreros* para proteger a los soldados.

Fortifications

Permanent fortifications, such as the *point* of the star fort illustrated here, had *walls* and *slopes* made of *masonry* and earth. They often had *casemates*; *bombproofs*, walls impervious to explosives: *drawbridges* and *earthen breastworks*, breast-high protection for soldiers.

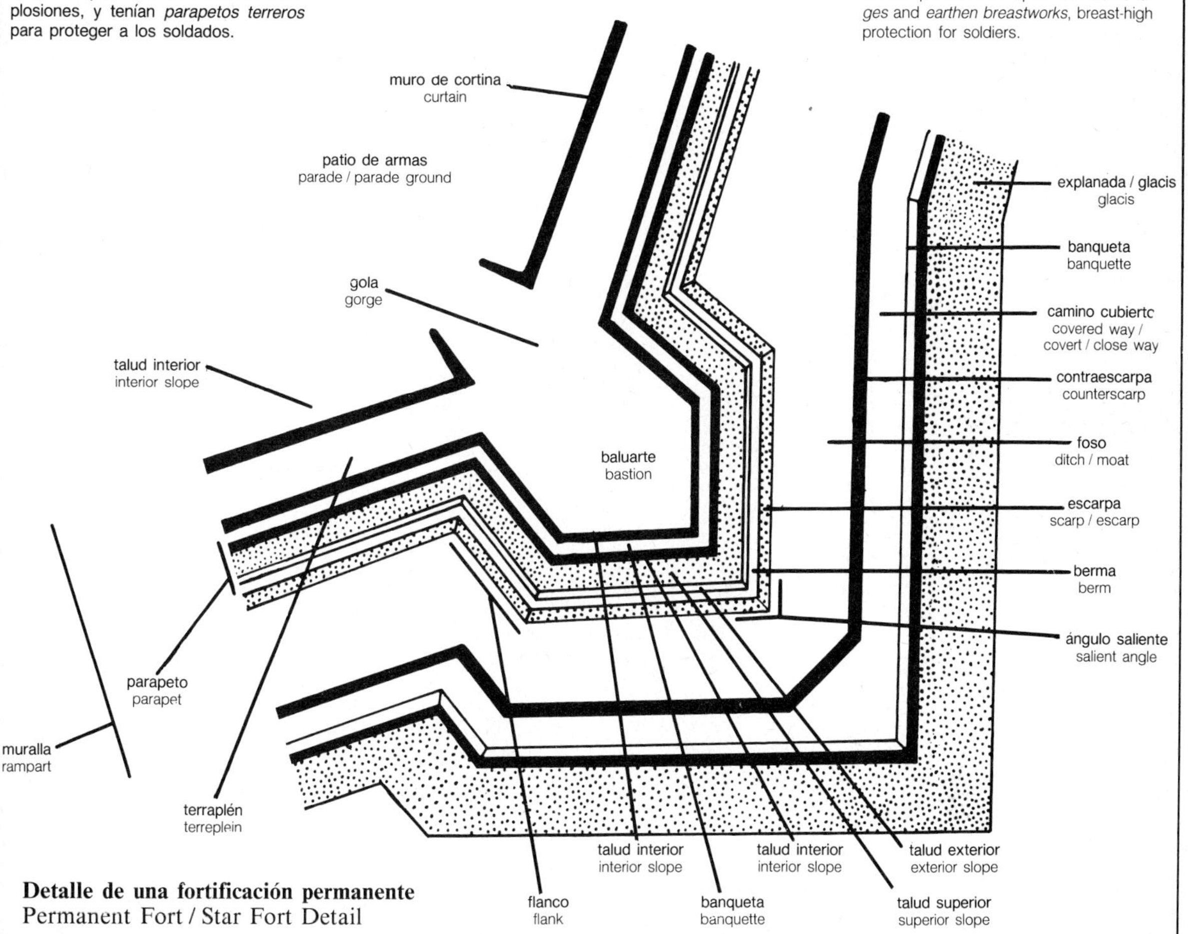

muro de cortina
curtain
patio de armas
parade / parade ground
gola
gorge
talud interior
interior slope
baluarte
bastion
parapeto
parapet
muralla
rampart
terraplén
terreplein
explanada / glacis
glacis
banqueta
banquette
camino cubierto
covered way / covert / close way
contraescarpa
counterscarp
foso
ditch / moat
escarpa
scarp / escarp
berma
berm
ángulo saliente
salient angle
talud interior
interior slope
talud interior
interior slope
talud exterior
exterior slope
flanco
flank
banqueta
banquette
talud superior
superior slope

Detalle de una fortificación permanente
Permanent Fort / Star Fort Detail

Corte transversal
Cross Section

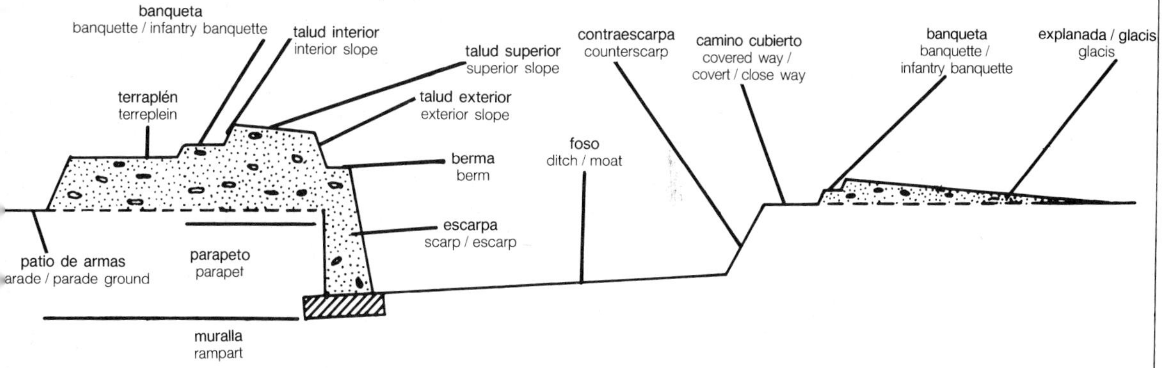

banqueta
banquette / infantry banquette
talud interior
interior slope
talud superior
superior slope
contraescarpa
counterscarp
camino cubierto
covered way / covert / close way
banqueta
banquette / infantry banquette
explanada / glacis
glacis
terraplén
terreplein
talud exterior
exterior slope
berma
berm
foso
ditch / moat
escarpa
scarp / escarp
patio de armas
arade / parade ground
parapeto
parapet
muralla
rampart

Tienda india/Tipi

La *estructura* o *armazón* de palos sostenía la *cubierta* de la tienda, que solía confeccionarse con *pieles de búfalo curtidas*. En el suelo se cavaba un hoyo para encender fuego. Otras tribus vivían en *chozas* de madera, recubiertas de *cortezas*, *esteras* o *pieles*; en *cabañas* con tejado de ramas o esteras; en chozas de tierra y ramas, con cubierta de *barro* seco o *césped*; o, en fin, en cavernas naturales o cavidades excavadas en la roca.

Tepee / Teepee / Tipi

The *pole frame* of an Indian tepee was held together at the top by a *hide rope*. It was covered with dressed buffalo *skins* and a *fire pit* on the floor within. Other Indian dwellings included *wigwams*, rounded or ovalshaped lodges formed by poles overlaid with *bark*, *mats* or skins; *wickiups*, huts made of *brushwood* or covered with mats; and *hogans*, dwellings constructed of *earth* and *branches* and covered with *mud* or *sod*.

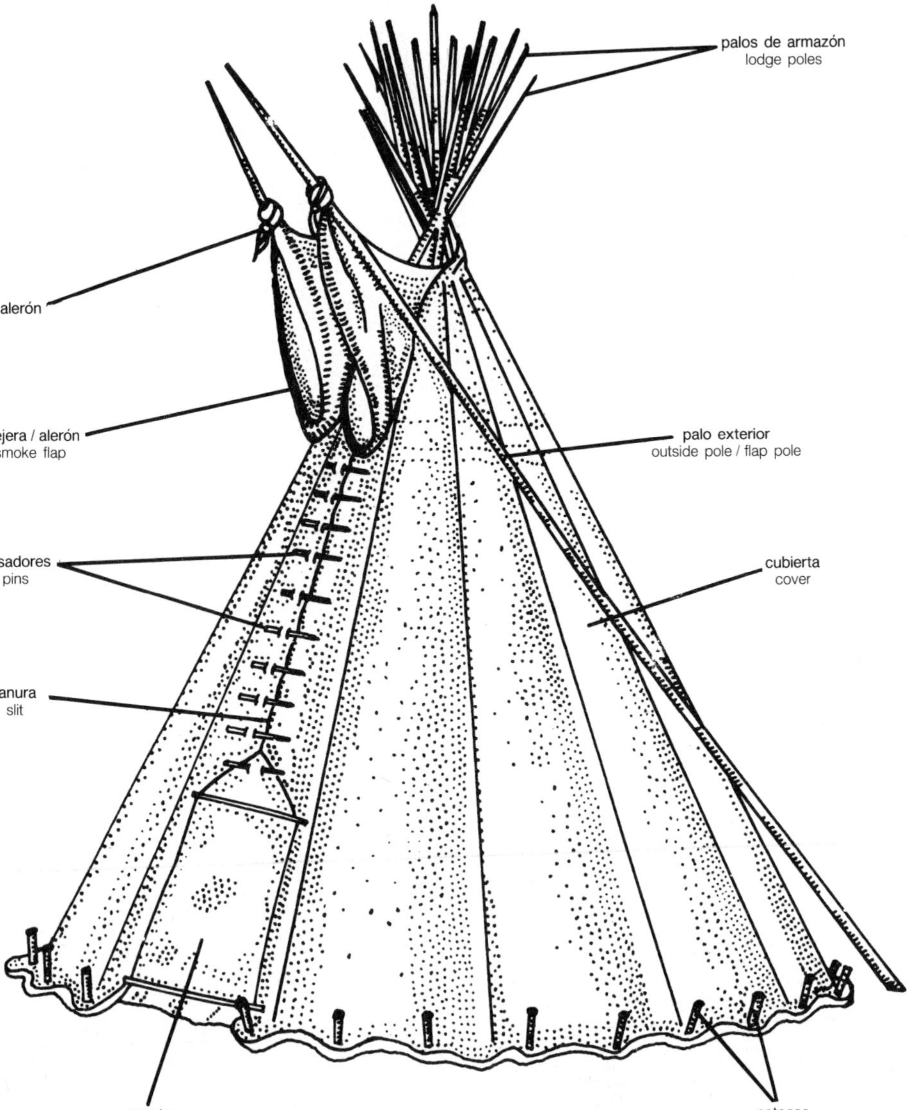
palos de armazón
lodge poles
remate del alerón
ear
orejera / alerón
smoke flap
palo exterior
outside pole / flap pole
pasadores
pins
cubierta
cover
ranura
slit
puerta
door
estacas
pegs

Cúpulas

En términos generales, una cúpula es una *bóveda* semiesférica que descansa sobre un *anillo*. Las cúpulas geodésicas están formadas por una *malla* de compresión que descansa sobre grandes círculos que se desplazan en tres direcciones en cualquier área determinada.

Domed Structures

Traditionally, a dome is a circular *vault* whose walls exert equal thrust in all directions, resisted by a *tension ring*. The geodesic dome consists of a *grid* of *compression* or *tension members* lying upon *great circles* running in three directions in any given area.

Iglú
Igloo / Iglu

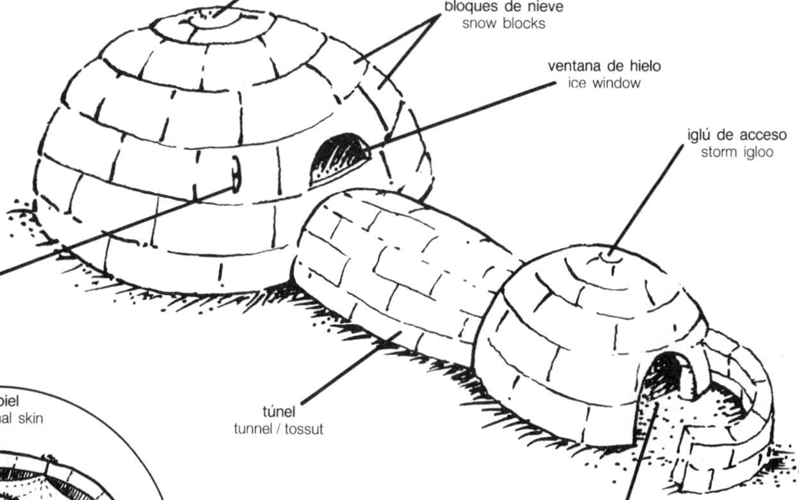

bloque angular
king block
bloques de nieve
snow blocks
ventana de hielo
ice window
iglú de acceso
storm igloo
respiradero
air hole
túnel
tunnel / tossut
entrada
entrance

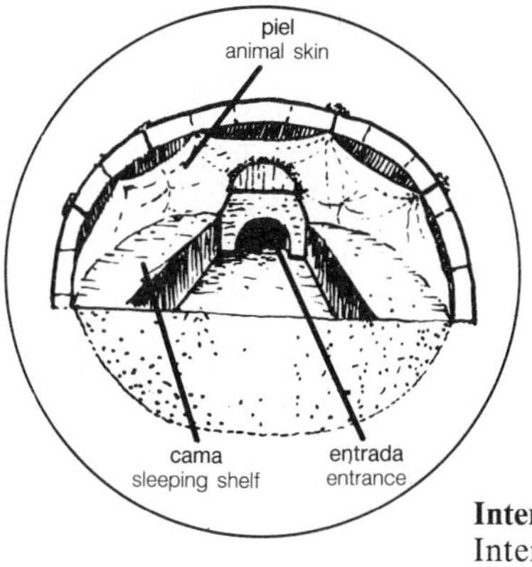

piel
animal skin
cama
sleeping shelf
entrada
entrance

Interior
Interior

Cúpula geodésica
Geodesic Dome

nudos
hubs
barras
spoke / strut
piel / revestimiento
skin / face

Iglesia / Catedral

Los edificios destinados al culto se llaman *iglesias*. Las *catedrales* tienen, por lo general, grandes dimensiones y son sede de un obispo o arzobispo y su cabildo.

Church / Cathedral

A small building used for worship is called a *chapel*. Living quarters used by church clergy are the *rectory*. The office in which church business is conducted is the *chancellery*.

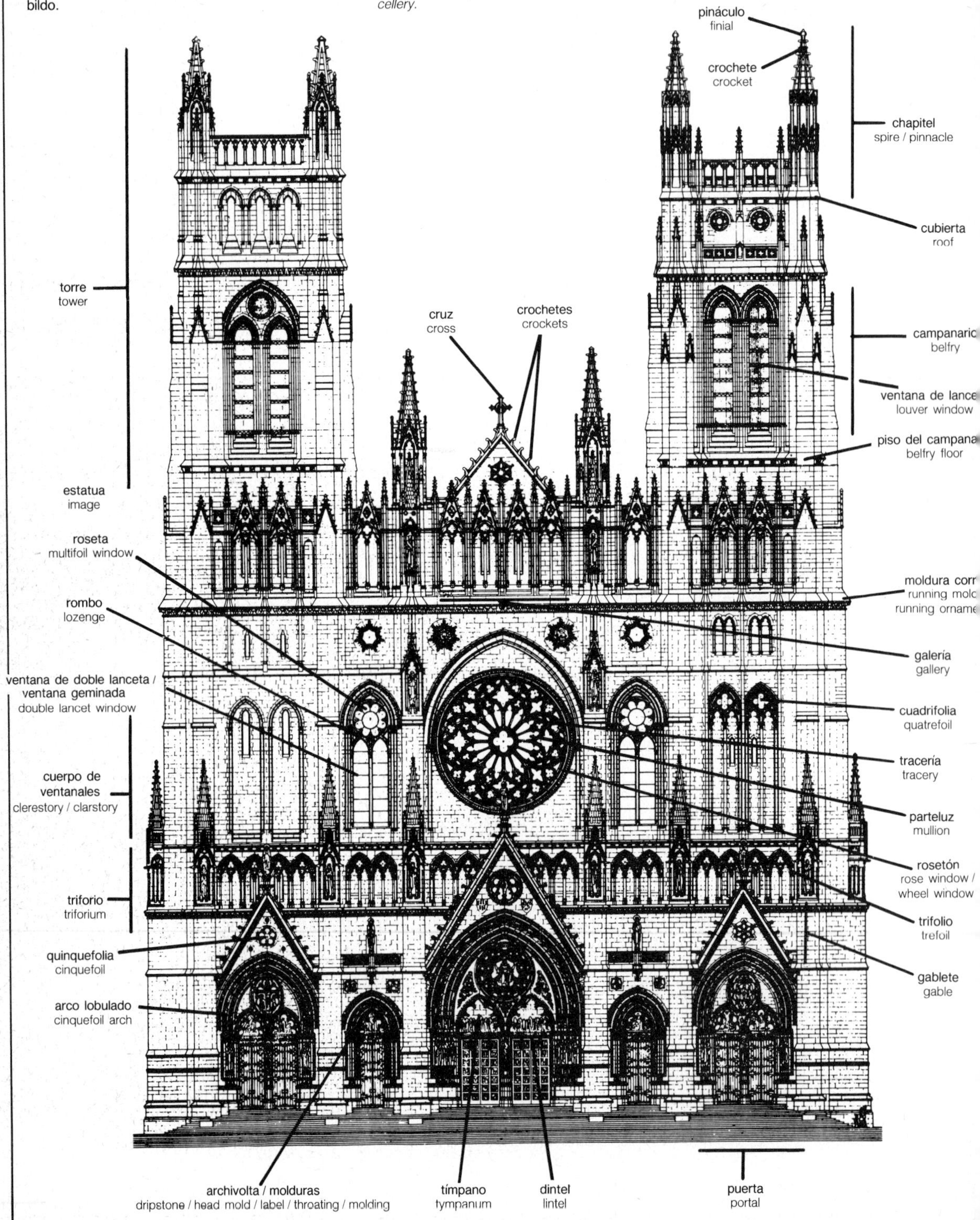

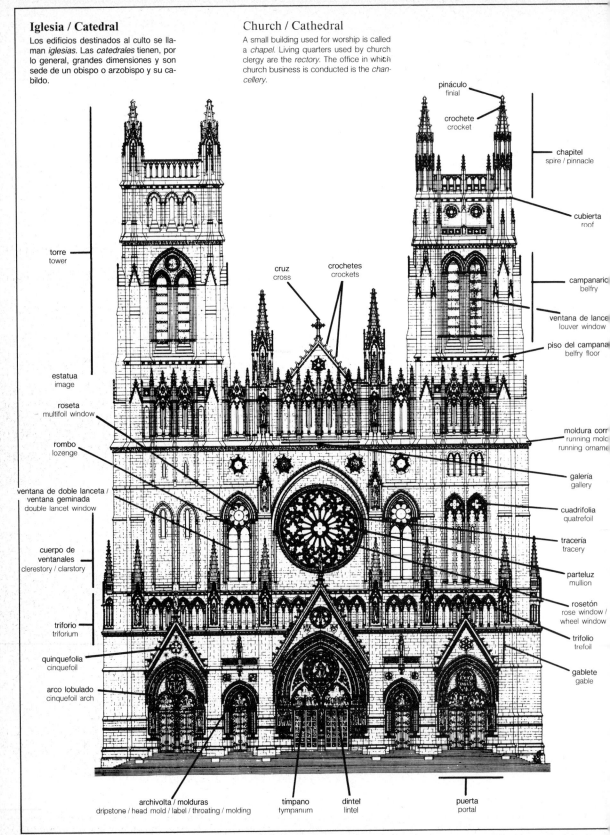

pináculo
finial
crochete
crocket
chapitel
spire / pinnacle
cubierta
roof
torre
tower
cruz
cross
crochetes
crockets
campanari
belfry
ventana de lance
louver window
piso del campana
belfry floor
estatua
image
roseta
multifoil window
moldura corr
running mol
running ornam
rombo
lozenge
galería
gallery
ventana de doble lanceta / ventana geminada
double lancet window
cuadrifolia
quatrefoil
tracería
tracery
cuerpo de ventanales
clerestory / clarstory
parteluz
mullion
rosetón
rose window / wheel window
triforio
triforium
trifolio
trefoil
quinquefolia
cinquefoil
gablete
gable
arco lobulado
cinquefoil arch
archivolta / molduras
dripstone / head mold / label / throating / molding
tímpano
tympanum
dintel
lintel
puerta
portal

Interior de la iglesia

El altar mayor y el coro, zona reservada para el clero, se encuentran en el *presbiterio*. El *púlpito* es una pequeña tribuna elevada desde la cual predica el sacerdote a los fieles. En el *tabernáculo* o *sagrario* se guardan los objetos consagrados que se utilizan en la celebración de la Eucaristía: el *copón* que contiene las hostias, la *patena*, platillo de metal donde se deposita la hostia durante la misa y el *cáliz*, recipiente para el vino consagrado.

Church Interior

That part of a church containing the altar and seats for the clergy and choir is called the *chancel*. A *pulpit* is an elevated platform used in preaching or conducting a worship service. The *tabernacle* is a receptacle for consecrated elements of the Eucharist; the *pix*, the container in which Communion *wafers* are kept; the *paten*, a plate used to hold *Communion bread*; and the *chalice*, or *Communion cup*, used to dispense consecrated wine.

Planta
Floor Plan

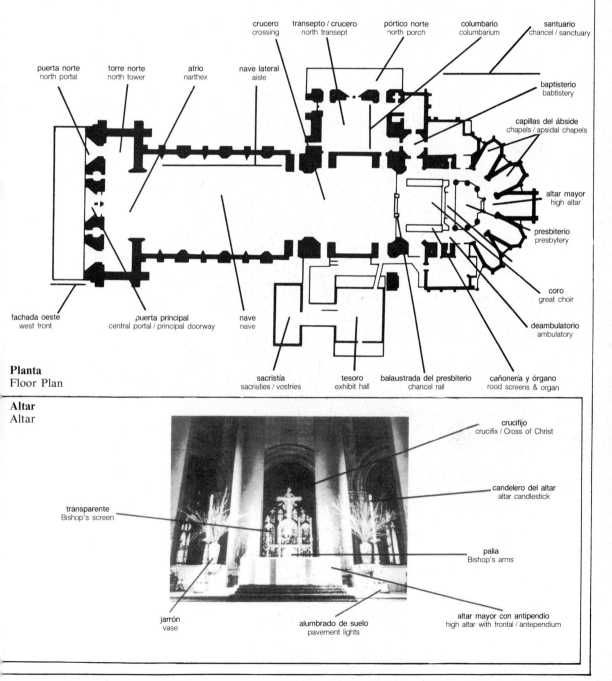

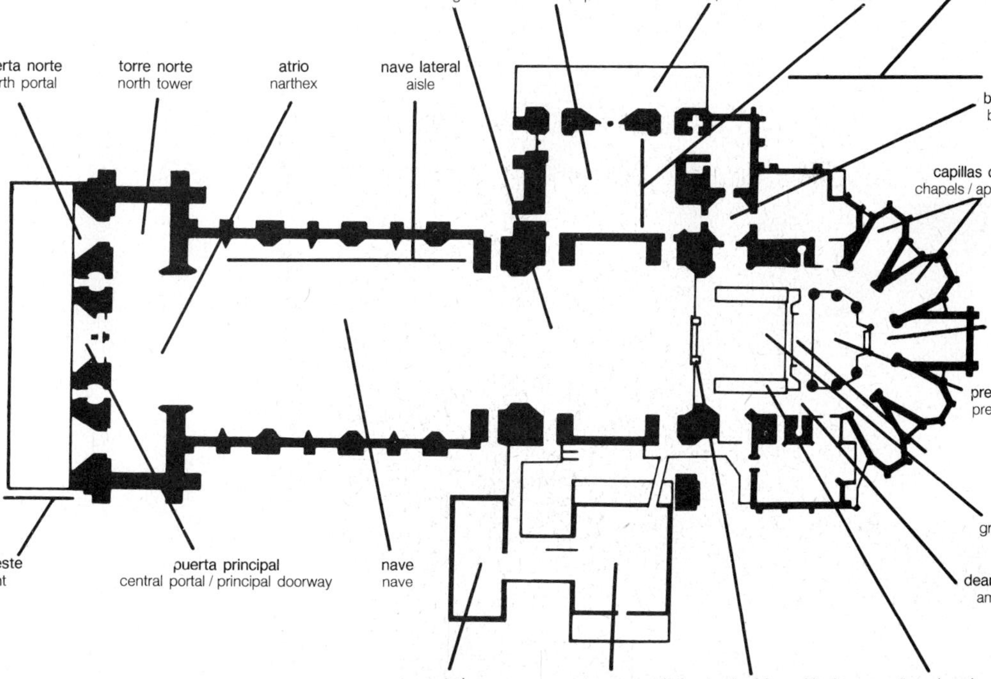
crucero
crossing
transepto / crucero
north transept
pórtico norte
north porch
columbario
columbarium
santuario
chancel / sanctuary
puerta norte
north portal
torre norte
north tower
atrio
narthex
nave lateral
aisle
baptisterio
babtistery
capillas del ábside
chapels / apsidal chapels
altar mayor
high altar
presbiterio
presbytery
coro
great choir
deambulatorio
ambulatory
fachada oeste
west front
puerta principal
central portal / principal doorway
nave
nave
sacristía
sacristies / vestries
tesoro
exhibit hall
balaustrada del presbiterio
chancel rail
cañonería y órgano
rood screens & organ

Altar
Altar

crucifijo
crucifix / Cross of Christ
candelero del altar
altar candlestick
transparente
Bishop's screen
palia
Bishop's arms
jarrón
vase
alumbrado de suelo
pavement lights
altar mayor con antipendio
high altar with frontal / antependium

Sinagoga

La *Tora* es un rodillo de cuero o pergamino que contiene los cinco primeros libros de las *Escrituras*, o *Pentateuco*, escritas en hebreo. Se mantiene cerrada mediante una faja parecida a correas.

luz permanente / Ner Tamid
eternal light / Ner Tamid
estrella de David
Star of David / Magen David / Shield of David
arco
ark
candelabro siete brazo
menorah
Torah
Torah
puerta del arco
ark door
bancos
pews
púlpito
pulpit

Synagogue / Temple

The Torah is a parchment or leather *scroll* containing the first five books of the *Scriptures* or *Pentateuch*, written in Hebrew. It is tied closed with a beltlike *wrapper*.

Sala del tribunal

La pequeña antesala donde el juez se pone la toga y celebra conferencias es el despacho del *juez*. Después de que un *jurado* haya escuchado un caso, delibera en la sala de jurados. Un juez puede utilizar a veces un mazo.

Courtroom

The small anteroom off the courtroom in which the *judge* changes into his *robes* and holds conferences is called the *judge's chambers*. After a *jury* has heard a case, it deliberates in a *jury room*. A judge may sometimes use a malletlike *gavel* during proceedings.

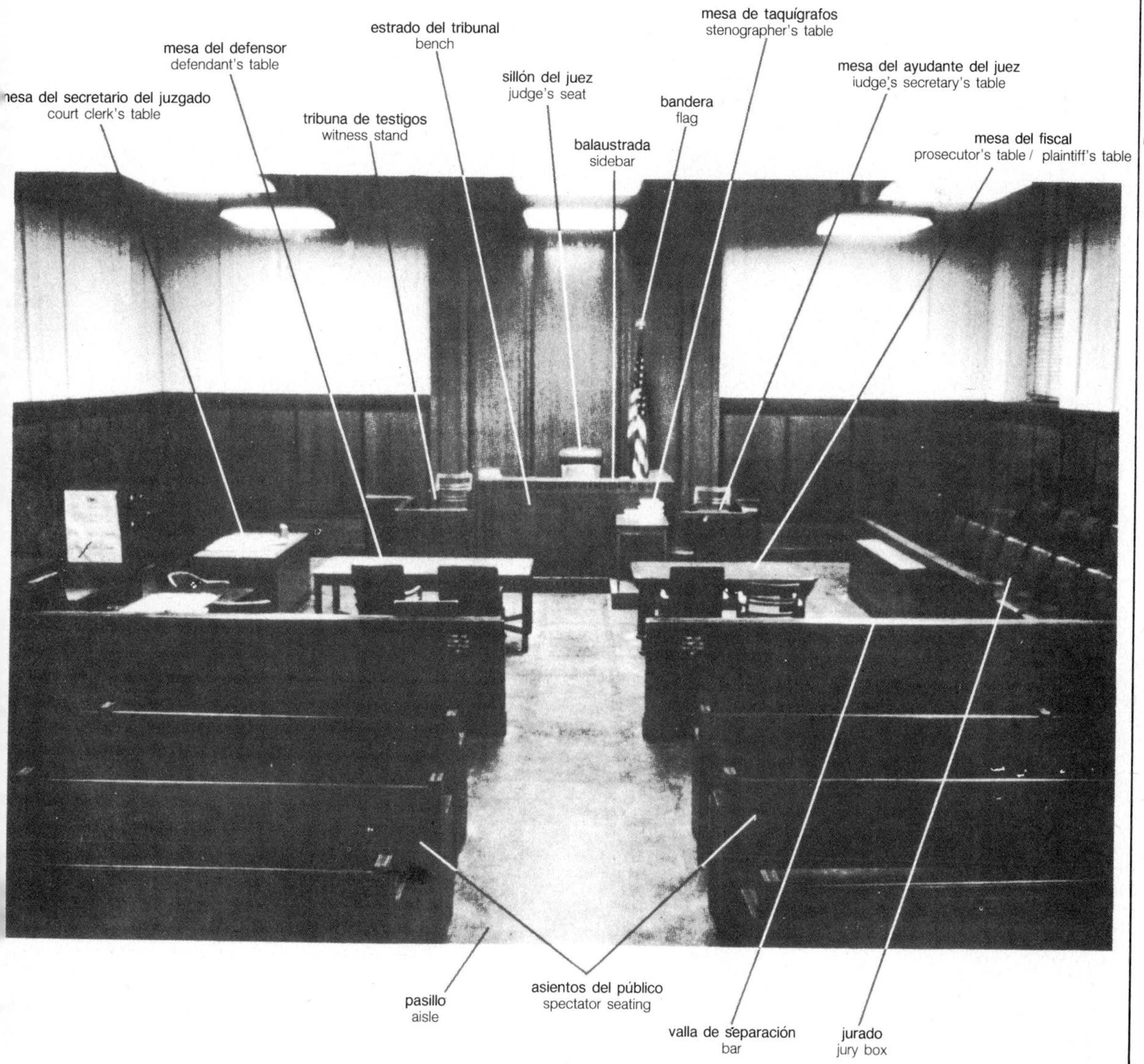

mesa de taquígrafos
stenographer's table
estrado del tribunal
bench
mesa del defensor
defendant's table
mesa del ayudante del juez
iudge's secretary's table
sillón del juez
judge's seat
nesa del secretario del juzgado
court clerk's table
bandera
flag
tribuna de testigos
witness stand
balaustrada
sidebar
mesa del fiscal
prosecutor's table / plaintiff's table
asientos del público
spectator seating
pasillo
aisle
valla de separación
bar
jurado
jury box

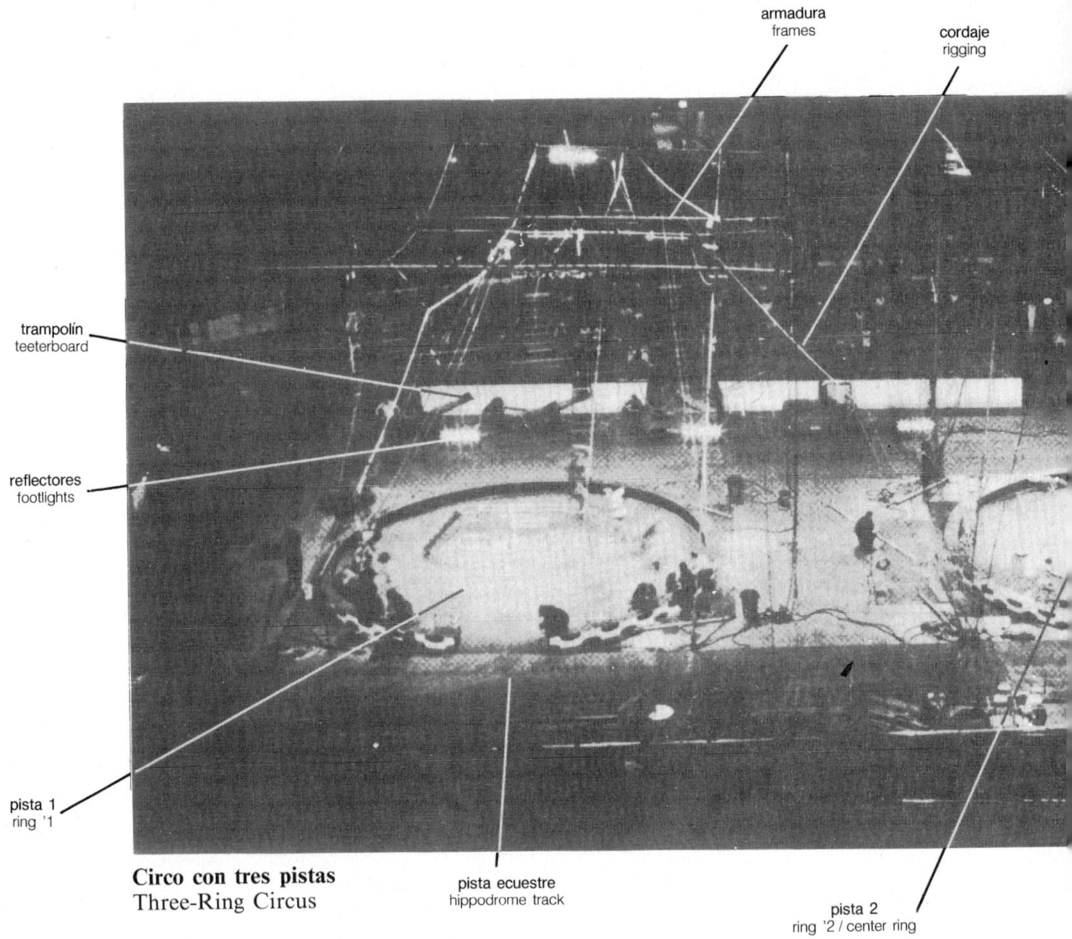
armadura
frames
cordaje
rigging
trampolín
teeterboard
reflectores
footlights
pista 1
ring '1
pista ecuestre
hippodrome track
pista 2
ring '2 / center ring

Circo con tres pistas
Three-Ring Circus

Trapecistas
Aerialists / Flyers / Trapeze Artists

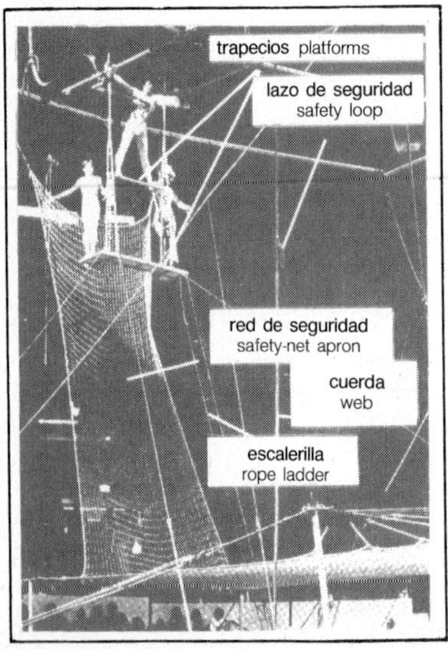
trapecios platforms
lazo de seguridad
safety loop
red de seguridad
safety-net apron
cuerda
web
escalerilla
rope ladder

Domador de fieras
Animal Tamer

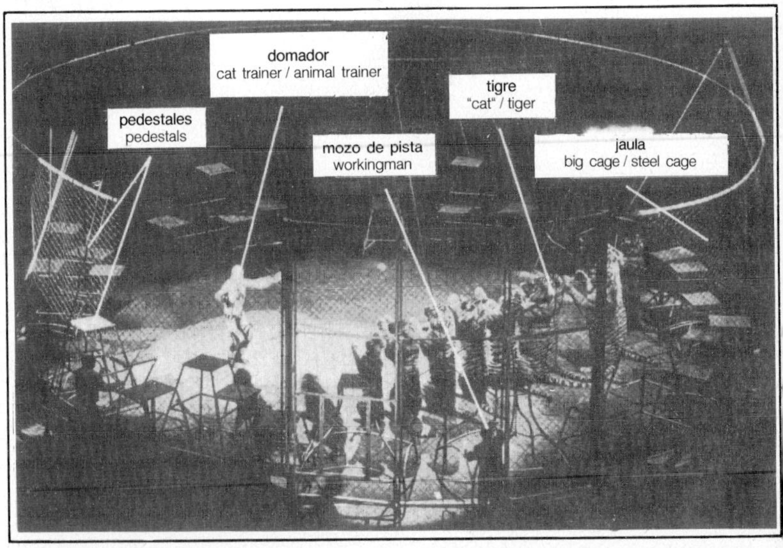
domador
cat trainer / animal trainer
tigre
"cat" / tiger
pedestales
pedestals
mozo de pista
workingman
jaula
big cage / steel cage

Circo

Los espectáculos de circo se celebran sobre *pistas* o *arenas* cubiertas por grandes *carpas* de lona. Suelen comenzar y terminar con un gran *desfile* o *parada*, en el que participan todos los artistas del espectáculo. El *director de pista*, vestido de *levita* o *frac* y tocado con *chistera*, va anunciando los números, que incluyen *domadores*, *payasos*, *acróbatas*, *funámbulos*, *trapecistas* y *malabaristas*. Antiguamente, en una tienda contigua a la carpa, se exhibían personas o animales monstruosos, *mujeres forzudas* o *tatuadas*, *gigantes*, *enanos*, *lanzadores de sables o cuchillos* y *comedores de fuego*.

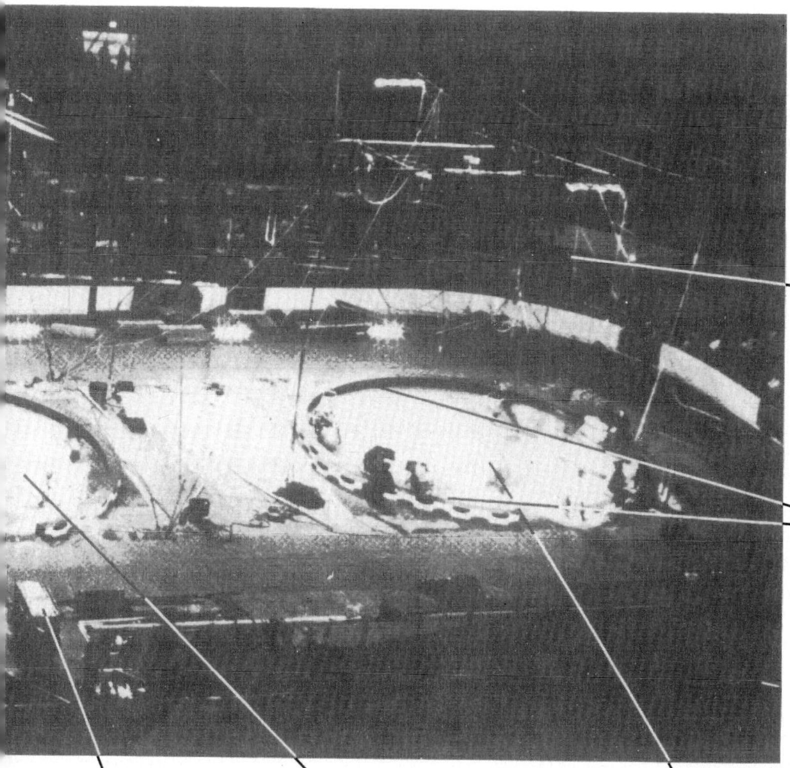

público
audience
pista circular
ring curbs
jaula de fieras
animal cage
foco
spotlight
pista 3
ring '3

Circus

Circuses traditionally take place in tents erected by *roustabouts* and begin with a *parade* in which all the performers enter the *arena*. A *ringmaster*, usually clad in *top hat* and *tails*, announces acts, including *animal* and *clown acts*; tightrope, or high-wire acts; and *jugglers*. In the past, *sideshows*, which took place in an adjoining tent, featured *tattooed ladies*, *giants*, *midgets*, *swordswallowers* and *fire-eaters*.

Carpa
Circus Tent / Big Top / Top

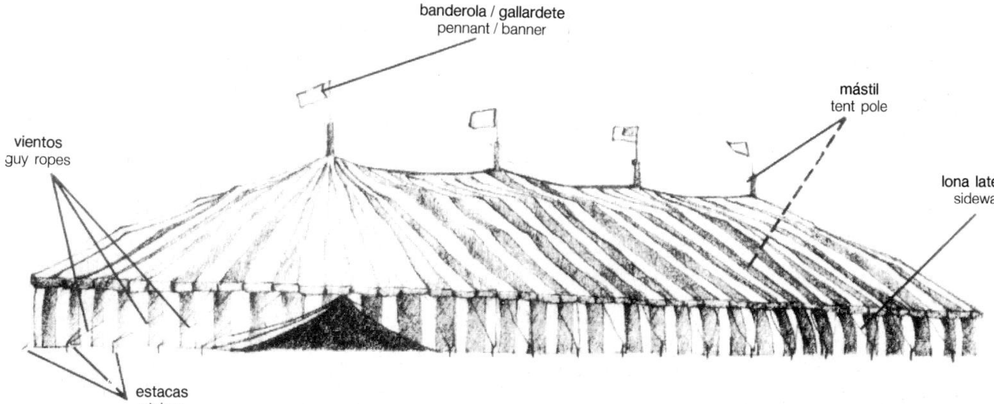

banderola / gallardete
pennant / banner
mástil
tent pole
vientos
guy ropes
lona lateral
sidewall
estacas
stakes

Parque de atracciones

La montaña rusa es un *artefacto de feria* con una serie de desniveles, (*rampas, descensos*) y tramos horizontales, en línea recta o curva, por los que se deslizan unos coches. Las *ruedas de seguridad* impiden que éstos descarrilen; *las ruedas guía* son para las curvas.

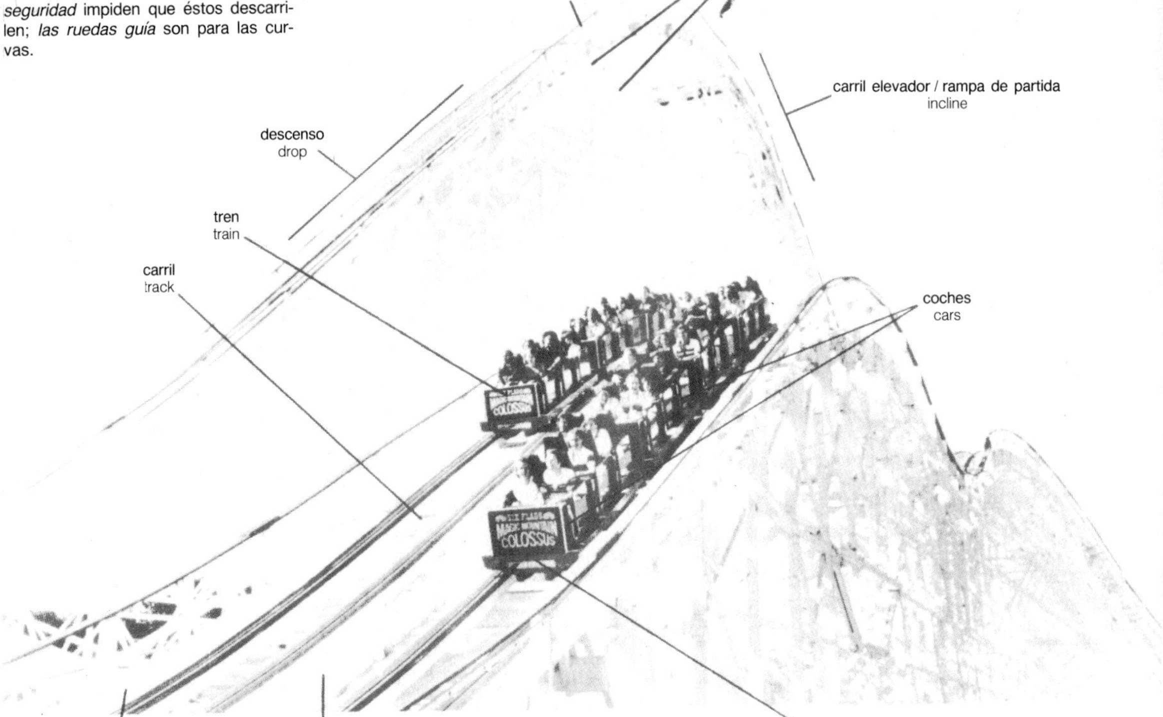
montantes, y travesaños del armazón
uprights & bents
barandilla
handrail
carril elevador / rampa de partida
incline
descenso
drop
tren
train
carril
track
coches
cars
andén
walk board
cable de seguridad
maintenance safety rope
ruedas de deslizamiento
tractor wheels / road wheels

Amusement Park

A roller coaster consists of *hills, straightaways* and *loops. Upstop wheels* lock roller-coaster cars to the track, *guide wheels* are used for turns and tractor wheels are used for gliding.

Montaña rusa
Roller Coaster

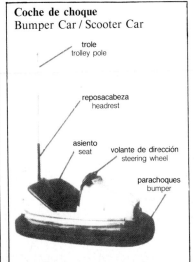

Coche de choque
Bumper Car / Scooter Car

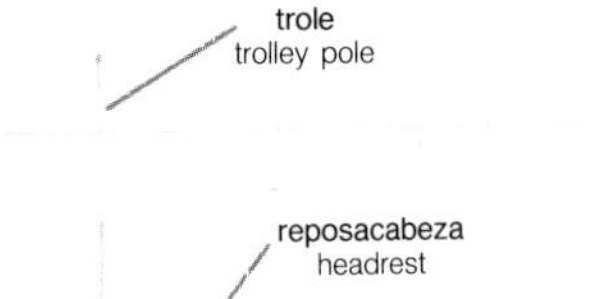
trole
trolley pole
reposacabeza
headrest
asiento
seat
volante de dirección
steering wheel
parachoques
bumper

Canal elevador
Incline Track

traviesas
tie beams
cúspide / coronamiento
crown
cadena
chain
cremallera
antirretroceso
anti-rollback /
ratchet angle
guía
guide
larguero
ledger

Parque de atracciones

En un tiovivo hay caballitos *fijos* a la *plataforma*, otros que suben y bajan alternativamente, unidos a unas barras verticales y también los llamados *voladores* que se inclinan hacia fuera, a medida que aumenta la velocidad de rotación del aparato. Tradicionalmente, la música de los caballitos se produce por medio de un *organillo*.

Amusement Park

Immobile carousel horses are called *gallopers*. *Jumpers* move up and down on horse rods. *Flying horses* tilt outward as the carousel picks up speed. Merry-go-round music is traditionally provided by a mechanical *band organ*, often referred to as a *calliope*.

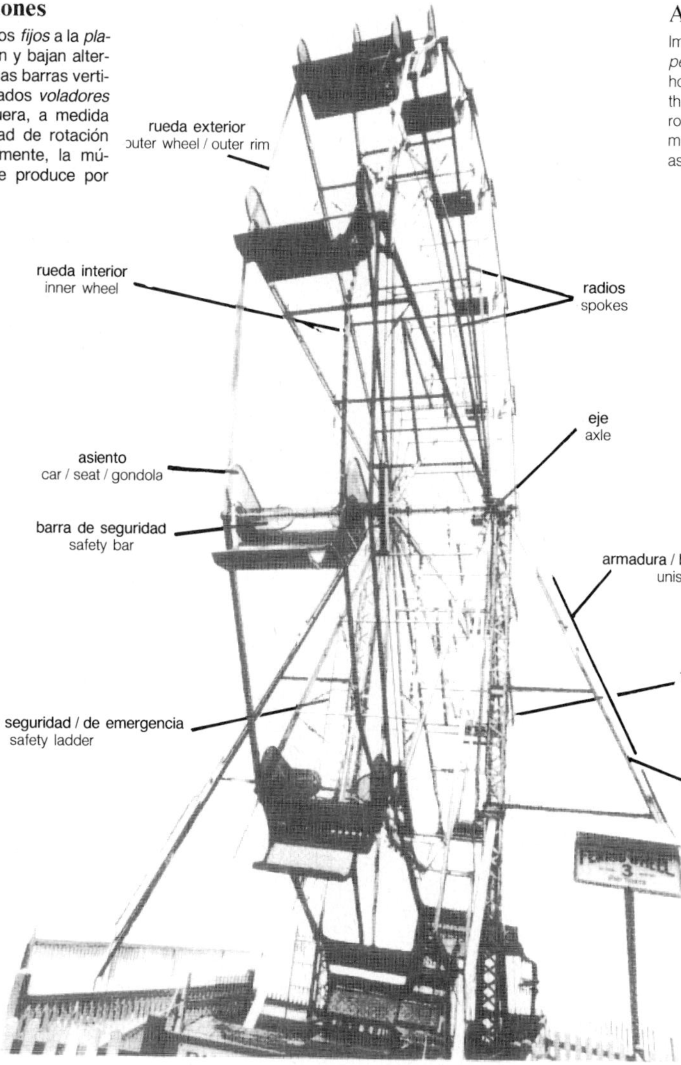
rueda exterior
outer wheel / outer rim
rueda interior
inner wheel
radios
spokes
eje
axle
asiento
car / seat / gondola
barra de seguridad
safety bar
armadura / bastidor en pirámide
unistrut / A-frame
torre de celosía
tower / leg
escalera de seguridad / de emergencia
safety ladder
soporte
support
FERRIS WHEEL
3

Noria
Ferris Wheel

Tiovivo / Caballitos
Merry-Go-Round / Carousel

pintura de la corona / tabla
panel painting
bastidor giratorio
rotating frame
corona interior
inner cornice
caballo
horse
góndola / carroza
gondola / chariot
plataforma
platform
corona exterior
rim / rounding board / cornice / shield
barra de movimiento alternativo
horse rod
mecanismo de accionamiento
inside drive

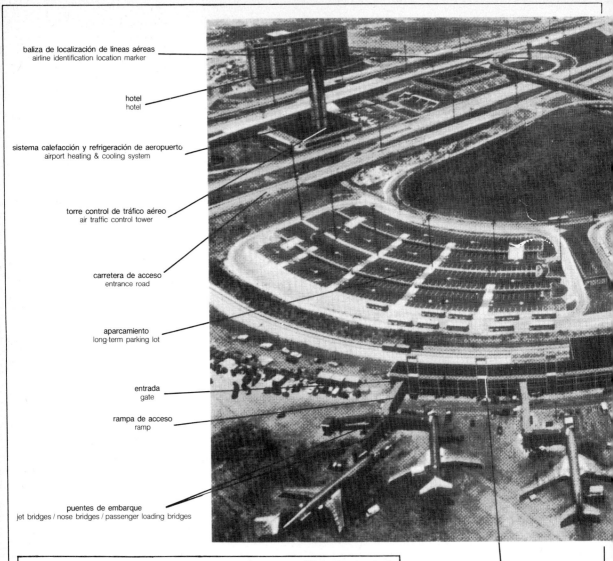

baliza de localización de lineas aéreas
airline identification location marker
hotel
hotel
sistema calefacción y refrigeración de aeropuerto
airport heating & cooling system
torre control de tráfico aéreo
air traffic control tower
carretera de acceso
entrance road
aparcamiento
long-term parking lot
entrada
gate
rampa de acceso
ramp
puentes de embarque
jet bridges / nose bridges / passenger loading bridges
salas de espera de pasajeros
passenger concurse

Pista de aterrizaje
Runway

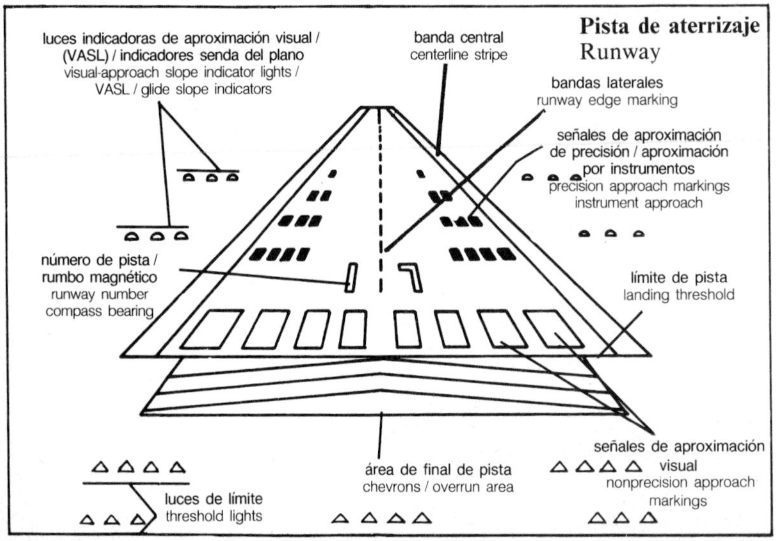
luces indicadoras de aproximación visual / (VASL) / indicadores senda del plano
visual-approach slope indicator lights / VASL / glide slope indicators
banda central
centerline stripe
bandas laterales
runway edge marking
señales de aproximación de precisión / aproximación por instrumentos
precision approach markings
instrument approach
número de pista / rumbo magnético
runway number
compass bearing
límite de pista
landing threshold
señales de aproximación visual
nonprecision approach markings
área de final de pista
chevrons / overrun area
luces de límite
threshold lights

Aeropuerto

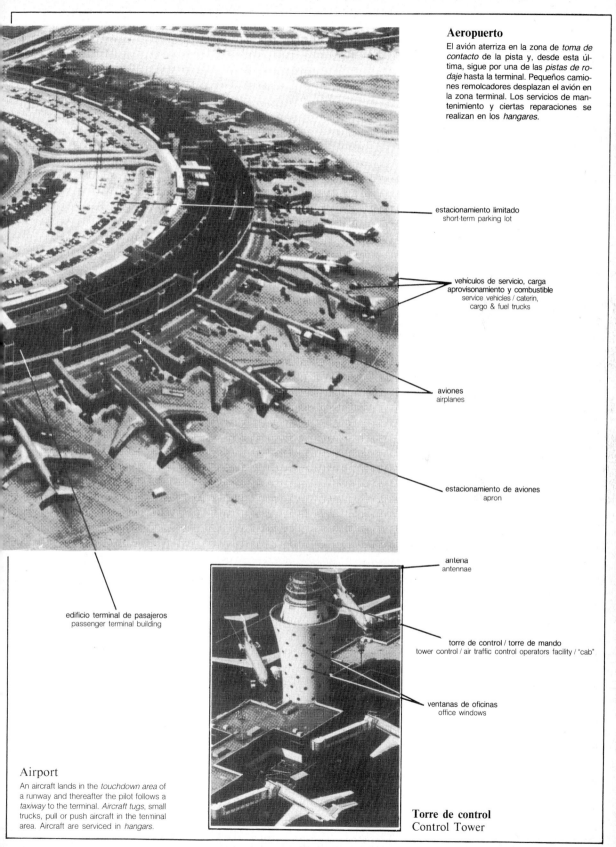

El avión aterriza en la zona de *toma de contacto* de la pista y, desde esta última, sigue por una de las *pistas de rodaje* hasta la terminal. Pequeños camiones remolcadores desplazan el avión en la zona terminal. Los servicios de mantenimiento y ciertas reparaciones se realizan en los *hangares*.

estacionamiento limitado
short-term parking lot
vehículos de servicio, carga
aprovisonamiento y combustible
service vehicles / caterin,
cargo & fuel trucks
aviones
airplanes
estacionamiento de aviones
apron
edificio terminal de pasajeros
passenger terminal building

Airport

An aircraft lands in the *touchdown area* of a runway and thereafter the pilot follows a *taxiway* to the terminal. *Aircraft tugs*, small trucks, pull or push aircraft in the terminal area. Aircraft are serviced in *hangars*.

antena
antennae
torre de control / torre de mando
tower control / air traffic control operators facility / "cab"
ventanas de oficinas
office windows

Torre de control
Control Tower

Estación de clasificación

En una estación de clasificación existe cierto número de vías paralelas y diagonales conectadas mediante *agujas* en las que se hace maniobrar a los vagones para formar los *trenes*. Allí permanecen también las locomotoras y demás *material rodante* cuando no se están utilizando o aguardan reparación. En las estaciones de clasificación por gravedad se impulsa a los vagones desde una *albardilla* hasta la *vía muerta* donde se esté formando un tren.

Railroad Yard

A railroad yard, or *marshalling yard*, consists of a system of *parallel tracks*, *crossovers* and *switches* where cars are formed into *trains* and where cars, *locomotives* and other *rolling stock* are kept when not in use or awaiting repair. In *hump yards*, freight cars are pushed down a *hump* onto a *siding*, determined by a *yardmaster*, to be coupled to a forming train. *Electropneumatic retarders* control the speed of the cars as they move along the tracks.

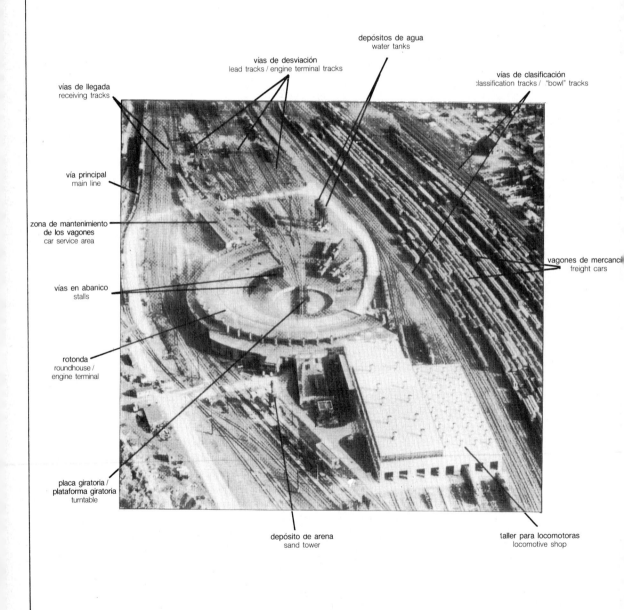

depósitos de agua
water tanks
vías de desviación
lead tracks / engine terminal tracks
vías de clasificación
lassification tracks / "bowl" tracks
vías de llegada
receiving tracks
vía principal
main line
zona de mantenimiento de los vagones
car service area
vagones de mercanci
freight cars
vías en abanico
stalls
rotonda
roundhouse / engine terminal
placa giratoria / plataforma giratoria
turntable
depósito de arena
sand tower
taller para locomotoras
locomotive shop

Puente

El espacio entre dos *estribos* o pilas de un puente se llama *ojo*. El *tablero* es la parte plana por encima de la cual discurre el tráfico. Hay *puentes fijos*, como los colgantes, y *móviles*, como los *levadizos* o *basculantes* y los *giratorios*. Un *puente de pontones* descansa sobre soportes flotantes.

Bridge

A pedestrian walkway on a bridge is a *footpath*. *Fixed bridges* have no moving parts, while *movable bridges*, such as lift bridges, *drawbridges* and *bascule bridges* either lift or swing open. A *pontoon bridge* is built on *floating piers*.

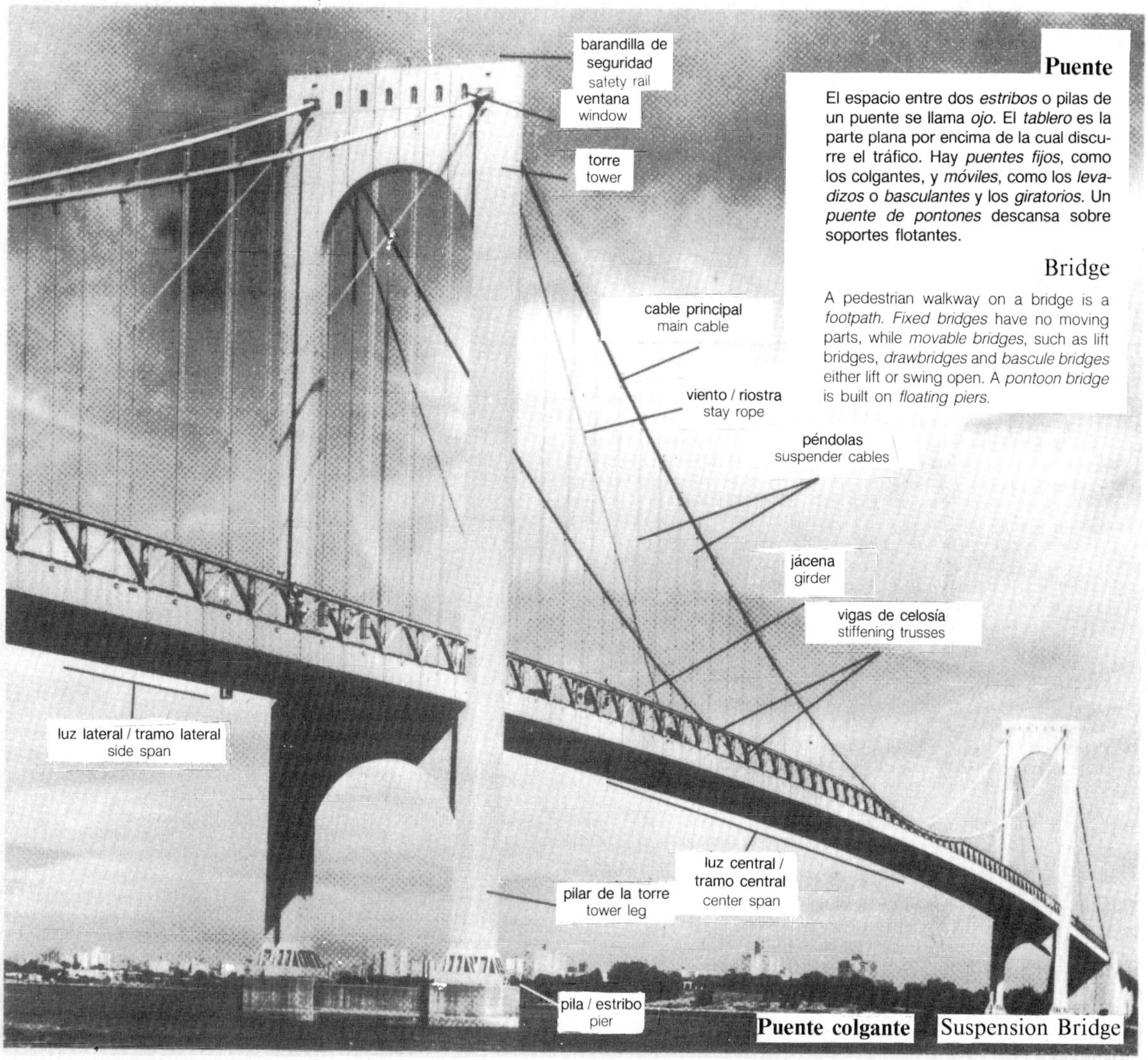

barandilla de seguridad
safety rail
ventana
window
torre
tower
cable principal
main cable
viento / riostra
stay rope
péndolas
suspender cables
jácena
girder
vigas de celosía
stiffening trusses
luz lateral / tramo lateral
side span
luz central / tramo central
center span
pilar de la torre
tower leg
pila / estribo
pier

Puente colgante Suspension Bridge

Puente de elevación vertical Lift Bridge

guía del tramo levadizo
span guide
torre de la maquinaria
machinery tower
luces
aviation light
contrapeso principal
main counterweight
pozo del ascensor
elevator shaft
contrapeso auxiliar
auxiliary counterweight
tramo elevable
lift span
tirante vertical
vertical brace
riostra
tie brace
cordón superior
upper chord
cordón inferior
lower chord
carretera
roadway
fiador
span lock
topes
shoes
casilla del guarda
gatehouse
defensas
fenders

Túnel

Los túneles se abren para vencer determinados obstáculos naturales (sobre todo montañas y ríos) que se oponen al establecimiento de vías de comunicación. Cuando son excavados en roca viva a veces no necesitan revestimientos. En los túneles subfluviales, la ventilación se consigue mediante *chimeneas* que asoman a la superficie o mediante *ventiladores aspirantes* instalados en los extremos.

Tunnel

Tunnels that take water to hydroelectric plants or to municipal waterworks and those that remove storm water and sewage are called *conduits*. Tunnels cut through rock frequently require no *lining*. Underwater tunnels can be ventilated by *safts* leading to the surface or by *exhaust* or *booster fans* at the ends.

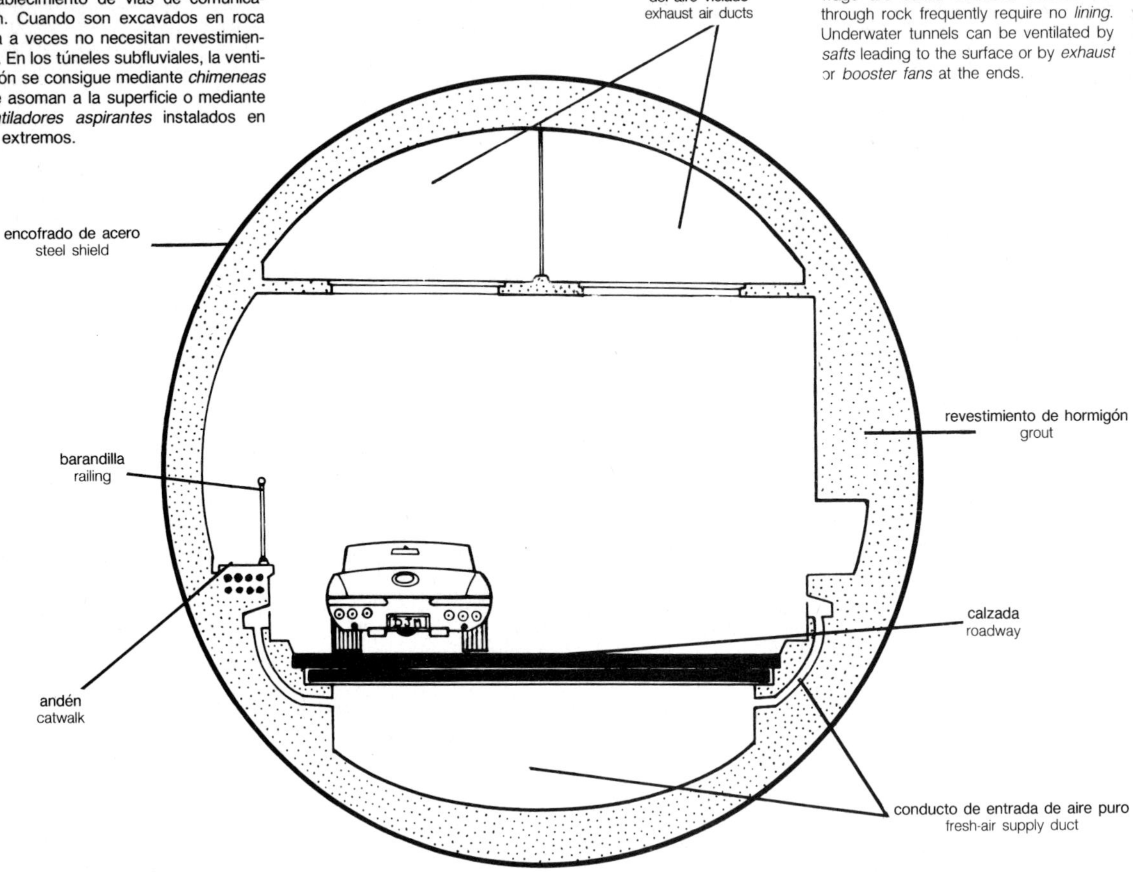

conductos de evacuación del aire viciado
exhaust air ducts
encofrado de acero
steel shield
revestimiento de hormigón
grout
barandilla
railing
calzada
roadway
andén
catwalk
conducto de entrada de aire puro
fresh-air supply duct

Sección transversal
Cross Section

Túnel subfluvial
Underwater Tunnel

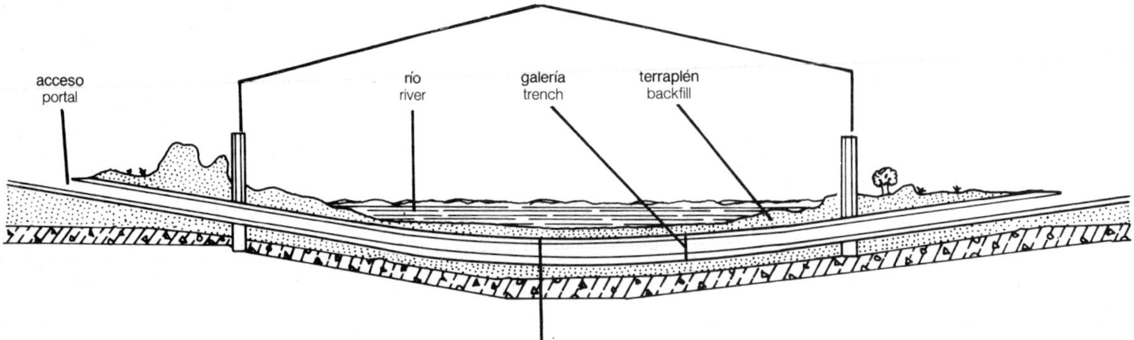

edificios de ventilación
ventilation buildings
acceso
portal
río
river
galería
trench
terraplén
backfill
encofrado del túnel
tunnel shield

Esclusa

En una esclusa se hace subir o bajar el nivel del agua abriendo o cerrando las compuertas instaladas en las paredes o *morros* o en el suelo o *zampeado*. Mientras la esclusa está en funcionamiento se asegura a los barcos mediante *cabos* o *guindalezas* a los *bolardos* del muelle, para mantenerlos estables. Antes de introducirse el material de tracción eléctrica, los barcos atravesaban las esclusas arrastrados por bestias de tiro que seguían el *camino de sirga*.

Canal Lock

The water level in a canal lock is raised or lowered through *sluice gates* in the lock wall or *floor*. *Shipboard lines* or *hawsers* secured to *bollards* along the lockside hold the vessel steady while the lock is in operation. Before *electric locomotives* were used, animals would haul boats through locks following a *towpath*.

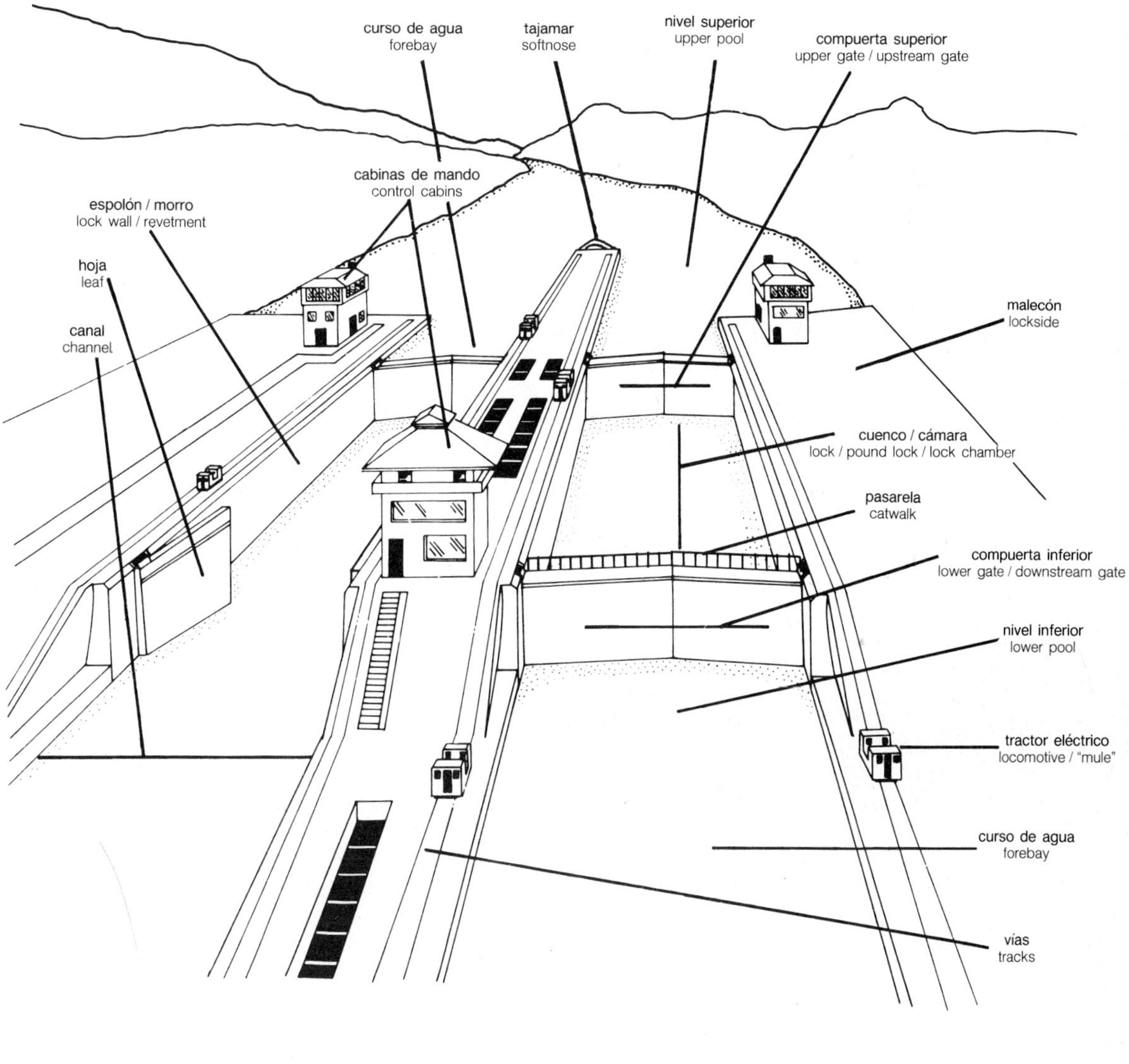

curso de agua
forebay
tajamar
softnose
nivel superior
upper pool
compuerta superior
upper gate / upstream gate
cabinas de mando
control cabins
espolón / morro
lock wall / revetment
hoja
leaf
canal
channel
malecón
lockside
cuenco / cámara
lock / pound lock / lock chamber
pasarela
catwalk
compuerta inferior
lower gate / downstream gate
nivel inferior
lower pool
tractor eléctrico
locomotive / "mule"
curso de agua
forebay
vías
tracks

Presa

En algunas presas se construyen escalas que permiten el paso de los peces aguas arriba. En otras, situadas en zonas madereras, hay toboganes para los troncos. En los márgenes de los ríos se construyen diques de contención para impedir las riadas

Dam

Many dams have steep channels divided by partitions into pools, called *fishways* or *fish ladders*, that enable fish to swim upriver. Other dams have *log chutes* designed to allow logs to pass through. A *dike*, or *levee*, is an earthwork construction built to block water rather tan to regulate its flow.

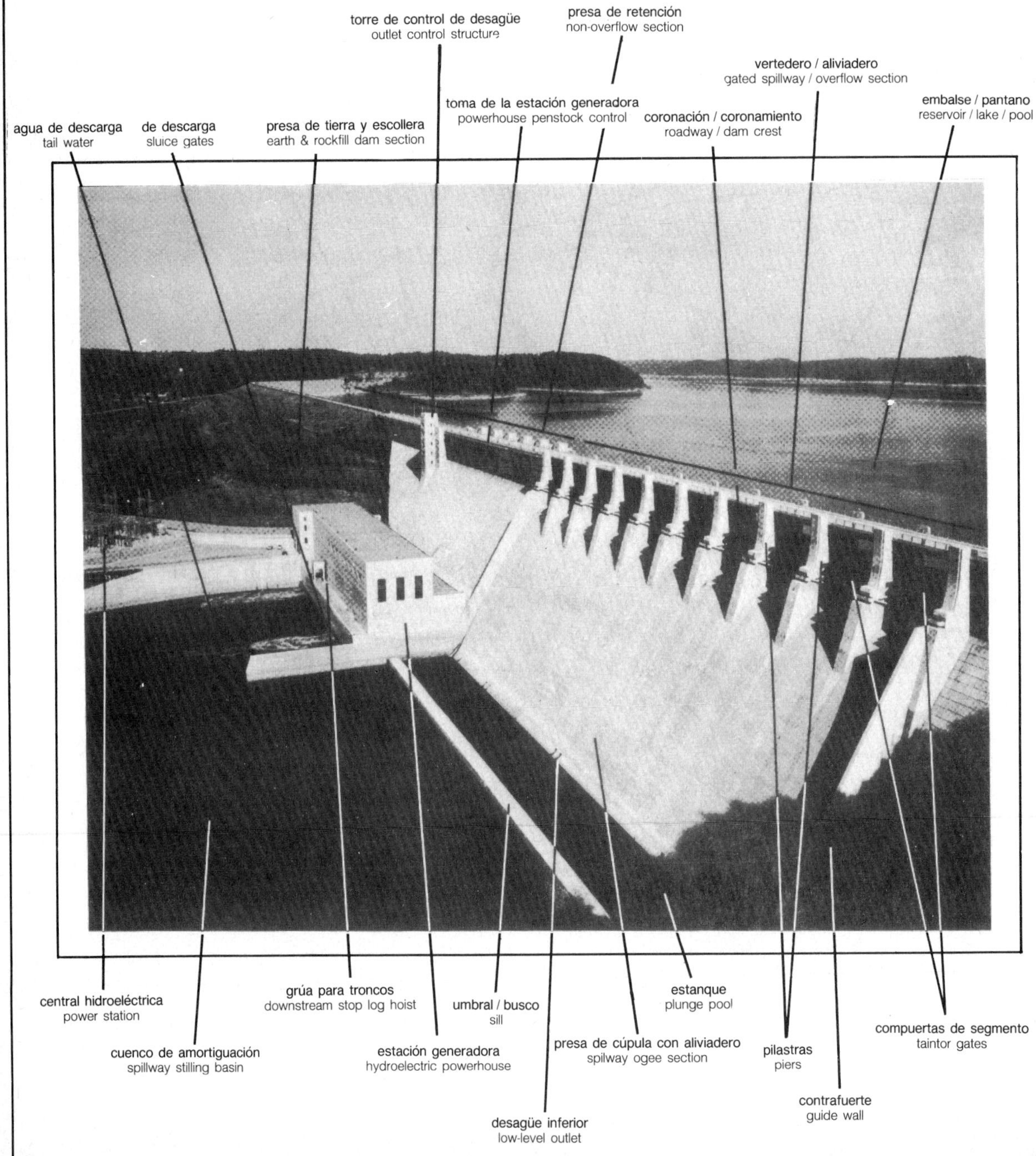

torre de control de desagüe
outlet control structure
presa de retención
non-overflow section
vertedero / aliviadero
gated spillway / overflow section
toma de la estación generadora
powerhouse penstock control
coronación / coronamiento
roadway / dam crest
embalse / pantano
reservoir / lake / pool
agua de descarga
tail water
de descarga
sluice gates
presa de tierra y escollera
earth & rockfill dam section
central hidroeléctrica
power station
cuenco de amortiguación
spillway stilling basin
grúa para troncos
downstream stop log hoist
estación generadora
hydroelectric powerhouse
umbral / busco
sill
desagüe inferior
low-level outlet
presa de cúpula con aliviadero
spilway ogee section
estanque
plunge pool
pilastras
piers
contrafuerte
guide wall
compuertas de segmento
taintor gates

Pataforma de perforación submarina

En aguas poco profundas, esta plataforma *semisumergible* trabaja en posición flotante. Cuando perfora en aguas más profundas, mediante un *dispositivo hidroneumático* de compensación de movimientos se mantiene la *tubería* fija en el *pozo* a pesar de los movimientos que el mar imprime a la plataforma. El perforador controla el *taladro*, los cambios de *trépano* y las grandes válvulas hidráulicas que sirven para impedir las explosiones.

Oil Drilling Platform / Offshore Rig

In shallow water this *semisubmersible* rig drills in the floating position. When drilling at greater depths the motion compensator, a *hydraulicpneumatic device*, moves up and down as the rig does in the sea to keep the *pipe* stationary in the *hole*. The "driller" controls the *drill*, *bit* changes and large hydraulic valves, or *blowout preventors*.

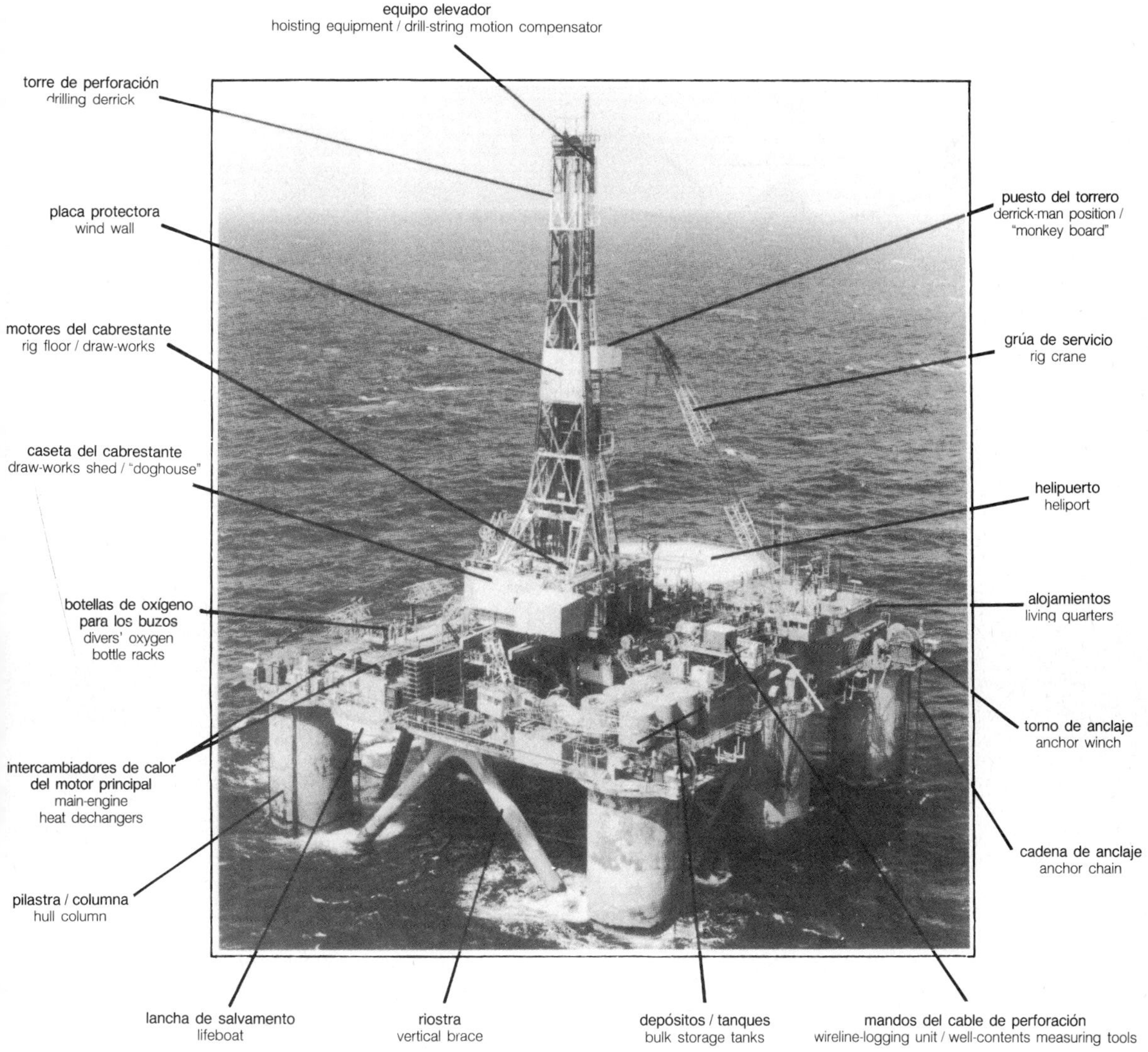

equipo elevador
hoisting equipment / drill-string motion compensator
torre de perforación
drilling derrick
placa protectora
wind wall
motores del cabrestante
rig floor / draw-works
caseta del cabrestante
draw-works shed / "doghouse"
botellas de oxígeno para los buzos
divers' oxygen bottle racks
intercambiadores de calor del motor principal
main-engine heat dechangers
pilastra / columna
hull column
puesto del torrero
derrick-man position / "monkey board"
grúa de servicio
rig crane
helipuerto
heliport
alojamientos
living quarters
torno de anclaje
anchor winch
cadena de anclaje
anchor chain
lancha de salvamento
lifeboat
riostra
vertical brace
depósitos / tanques
bulk storage tanks
mandos del cable de perforación
wireline-logging unit / well-contents measuring tools

Establo y silo

La planta de un establo suele estar dividida por un pasillo central a cuyos lados están situados los puntales para la sujeción del ganado. En ambas partes hay *canales* para la evacuación del estiércol y también *pesebres* o comederos donde se alimentan las vacas o los caballos. El heno se guarda en el piso superior llamado *pajar*. El espacio que rodea el establo es el *corral* y en él se almacena el estiércol. Otras dependencias comunes son los *graneros*, los *humeros*, los *semilleros* y las *cochiqueras*.

Barn and Silo

A barn *floor* is divided in the center by a *feed passage* that may be lined with *stanchions* to hold cows. On either side are *manure gutters*, and on each side of these are *mangers*, *boxes* or *troughs*, from which horses or cattle eat. Hay is stored in a *loft*, a storage room next to the roof. Surrounding a barn is a *yard* with a *manure pit* large enough to back a wagon into. Other barnyard structures, adjoining the main barn or built nearby, include *grain pits*, or *bins*; *springhouses*; *smokehouses*, and *pigpens*.

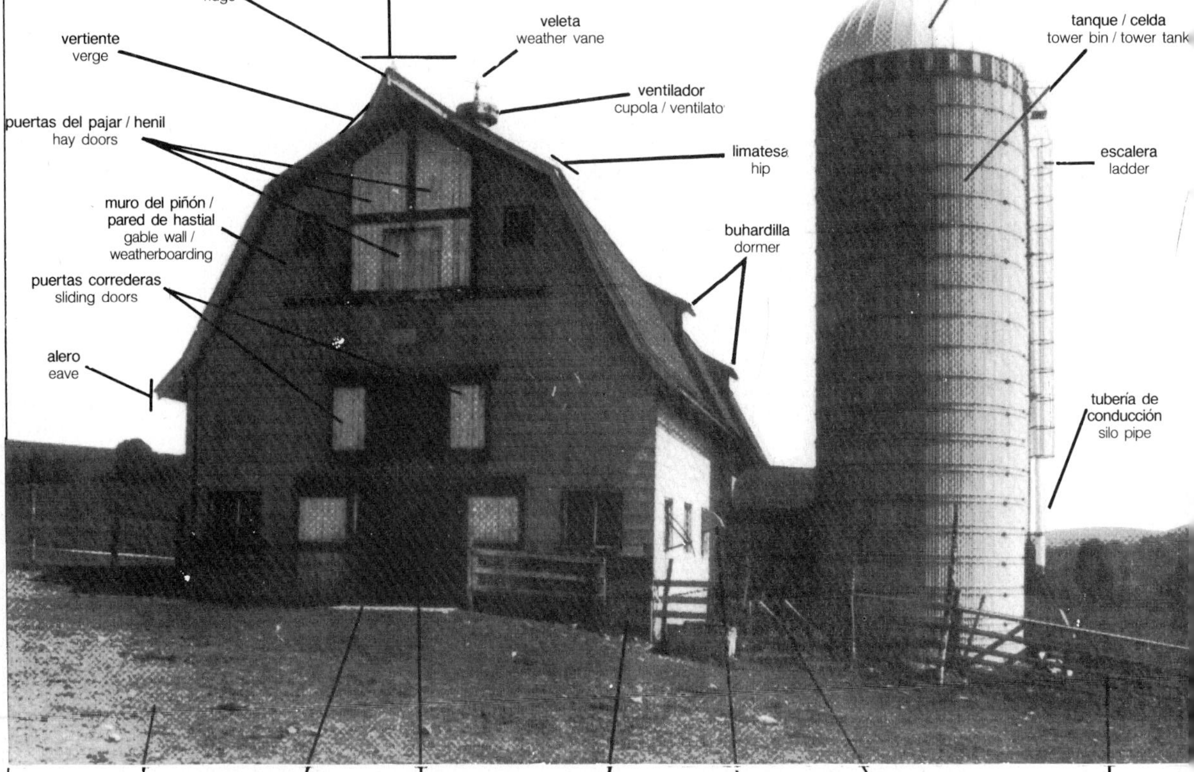
cúpula
dome / umbrella / parachute / pumpkin / melon
toma
intake
cumbrera
ridge
visera
gable / penthouse / door hood
vertiente
verge
veleta
weather vane
tanque / celda
tower bin / tower tank
ventilador
cupola / ventilato
puertas del pajar / henil
hay doors
limatesa
hip
escalera
ladder
muro del piñón / pared de hastial
gable wall / weatherboarding
buhardilla
dormer
puertas correderas
sliding doors
alero
eave
tubería de conducción
silo pipe
patio
service court
plataforma de entrada
apron
portón
great door
pajar auxiliar
extended bay
toldo
awning
corral
feeding pen
valla
split-rail fencing

Establo
Barn

Silo
Silo

Medios de transporte

En esta sección figuran los principales medios de transporte comenzando por el vehículo más universal y cotidiano: el automóvil. La descripción de éste se inicia con la ilustración de un modelo especialmente diseñado en el que se muestran todas las partes externas que aparecen o han aparecido en los últimos prototipos. También se muestra un dibujo en sección en el que se señalan los elementos internos más importantes, aunque con frecuencia invisibles, de un automóvil, así como diversas ilustraciones sobre el motor y el tablero de instrumentos.
Otras subcategorías importantes se refieren a vehículos de transporte público, de emergencia, de servicio público y de recreo, embarcaciones, aeronaves y vehículos espaciales. También se incluyen en esta sección los vehículos de carácter militar, tales como navíos y aviones de combate.
Las ilustraciones en sección muestran las partes internas de un transatlántico, así como las cabinas de pilotaje de un reactor Jumbo, de un avión de caza y de una lanzadera espacial.

Rueda
Wheel

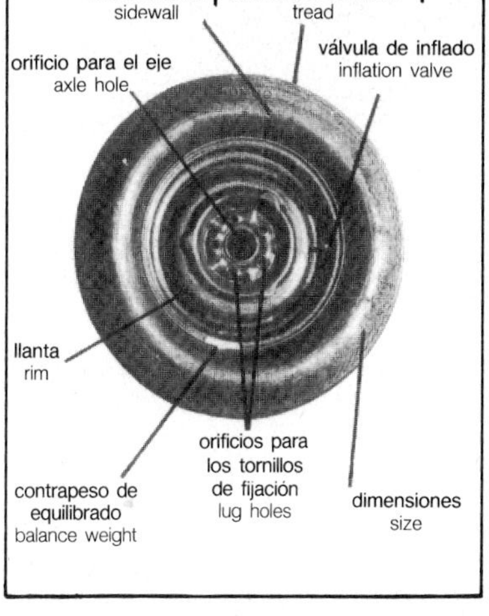
cubierta (neumático)
tire
banda lateral
sidewall
banda de rodadura
tread
válvula de inflado
inflation valve
orificio para el eje
axle hole
llanta
rim
orificios para los tornillos de fijación
lug holes
contrapeso de equilibrado
balance weight
dimensiones
size

Carrocería

La carrocería de este coche diseñado especialmente por encargo del cliente descansa sobre el *chasis* y las ruedas. Los automóviles antiguos solían tener asientos traseros descubiertos en el lugar del portaequipajes. En los *descapotables*,el techo se pliega totalmente y queda recogido en un compartimiento que hay delante del portaequipajes. Muchos coches actuales están provistos de ponetes *deslizantes* en el techo. Un *sedán* suele tener cuatro puertas y dos filas de asientos delante y atrás a lo ancho. Un *cupé* es una versión más pequeña del sedán, con sólo dos puertas. El respaldo de los asientos delanteros es abatible, para que puedan entrar los pasajeros a la parte de atrás. Una *furgoneta* es un coche en forma de paralelepípedo con espacio libre detrás de los asientos posteriores, donde a veces hay *asientos plegables* o *trasportines* para más pasajeros. Los autos con fuertes prestaciones y carrocería más aerodinamica se llaman *coches deportivos*.

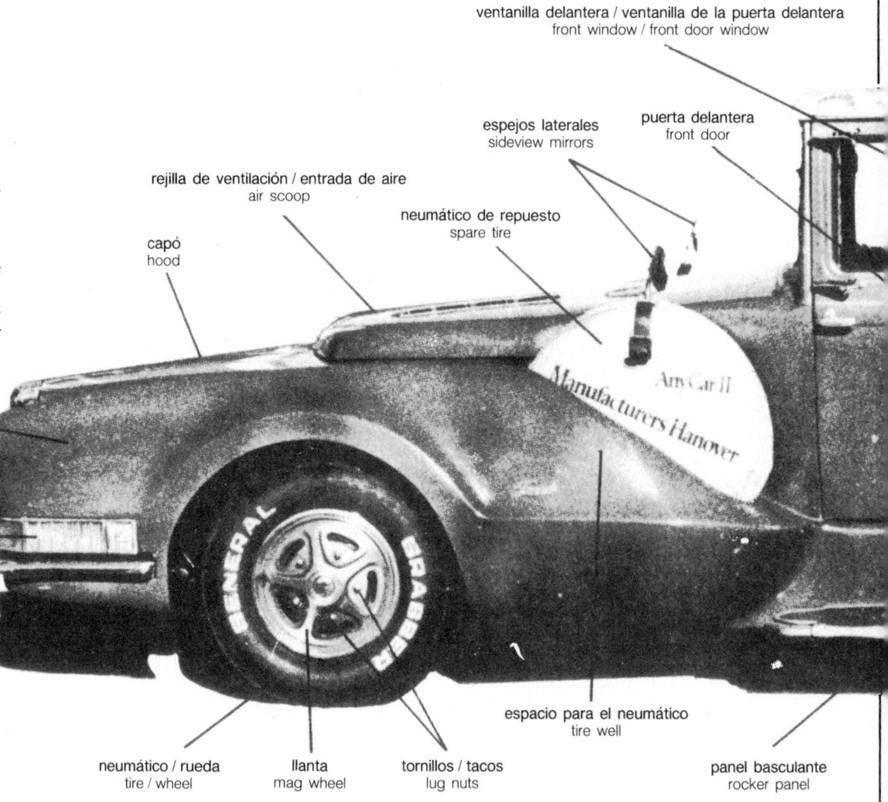
ventanilla delantera / ventanilla de la puerta delantera
front window / front door window
espejos laterales
sideview mirrors
puerta delantera
front door
rejilla de ventilación / entrada de aire
air scoop
neumático de repuesto
spare tire
capó
hood
guardabarros / aleta delantera
fender / front quarter panel
indicador de dirección / intermitente
signal light / cornering lamp
AnyCar II
Manufacturers Hanover
GENERAL
GRABBER
espacio para el neumático
tire well
neumático / rueda
tire / wheel
llanta
mag wheel
tornillos / tacos
lug nuts
panel basculante
rocker panel

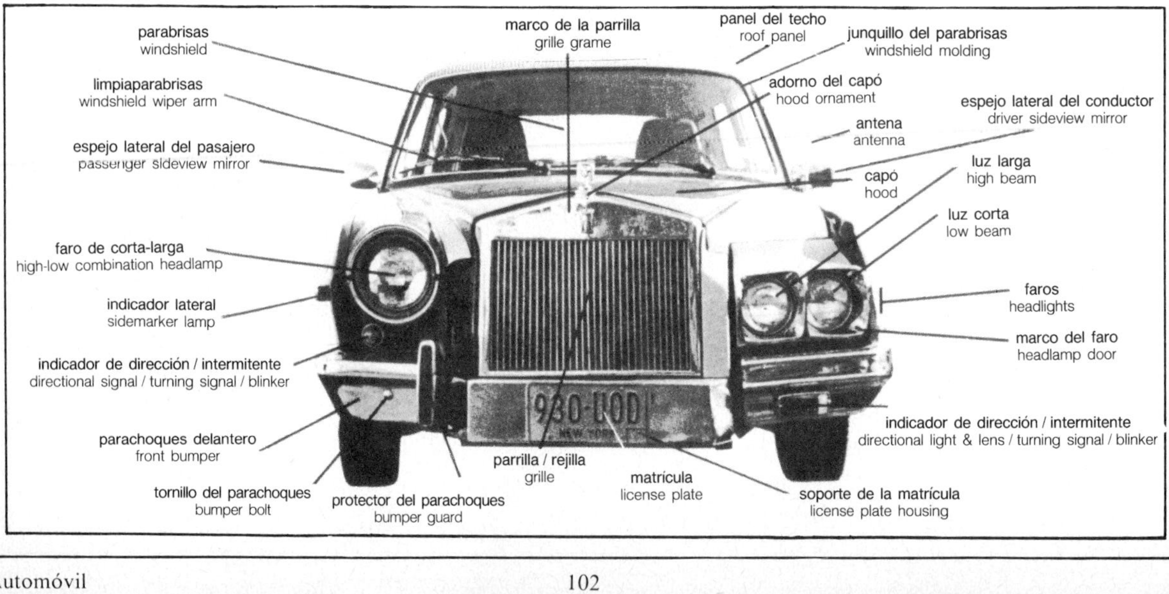
parabrisas
windshield
marco de la parrilla
grille grame
panel del techo
roof panel
junquillo del parabrisas
windshield molding
limpiaparabrisas
windshield wiper arm
adorno del capó
hood ornament
espejo lateral del conductor
driver sideview mirror
antena
antenna
espejo lateral del pasajero
passenger sideview mirror
capó
hood
luz larga
high beam
luz corta
low beam
faro de corta-larga
high-low combination headlamp
faros
headlights
indicador lateral
sidemarker lamp
marco del faro
headlamp door
indicador de dirección / intermitente
directional signal / turning signal / blinker
930-UOD
NEW YORK
indicador de dirección / intermitente
directional light & lens / turning signal / blinker
parachoques delantero
front bumper
parrilla / rejilla
grille
matrícula
license plate
tornillo del parachoques
bumper bolt
protector del parachoques
bumper guard
soporte de la matrícula
license plate housing

Automobile / Car Exterior

The *body* of this specially designed car, or *customized automobile*, rests on a *chassis* consisting of a *frame* and wheels. Older cars often had *rumble seats* instead of trucks. On *convertibles*, the entire top folds into a compartment called the *boot*. Many contemporary cars have sliding *sun roofs* or *moon roofs*. A *sedan* usually has four doors and full-width front and rear seats. A *coupe* is a smaller version of a sedan, having only two doors. A *station wagon* is a boxlike car with storage space behind the rear seat, which may have *fold-down seats for additional passenger seating. A high-performance car with a low-slung body is a* sports car.

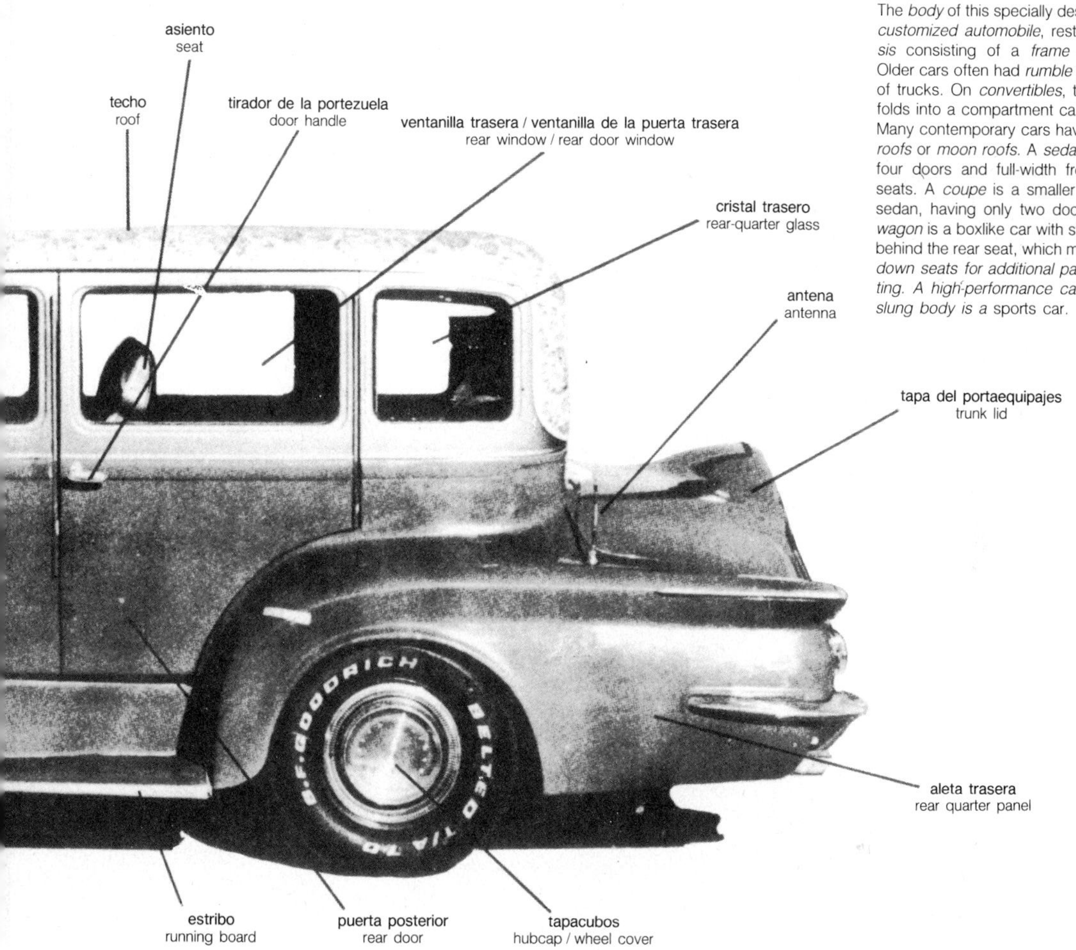

asiento
seat
techo
roof
tirador de la portezuela
door handle
ventanilla trasera / ventanilla de la puerta trasera
rear window / rear door window
cristal trasero
rear-quarter glass
antena
antenna
tapa del portaequipajes
trunk lid
aleta trasera
rear quarter panel
estribo
running board
puerta posterior
rear door
tapacubos
hubcap / wheel cover

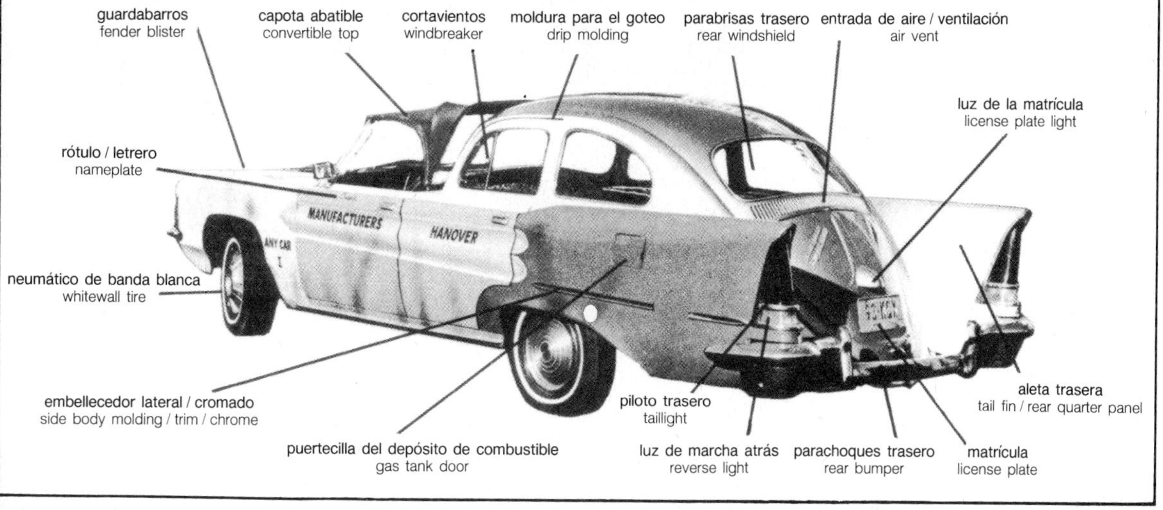

guardabarros
fender blister
capota abatible
convertible top
cortavientos
windbreaker
moldura para el goteo
drip molding
parabrisas trasero
rear windshield
entrada de aire / ventilación
air vent
luz de la matrícula
license plate light
rótulo / letrero
nameplate
neumático de banda blanca
whitewall tire
embellecedor lateral / cromado
side body molding / trim / chrome
puertecilla del depósito de combustible
gas tank door
piloto trasero
taillight
luz de marcha atrás
reverse light
parachoques trasero
rear bumper
matrícula
license plate
aleta trasera
tail fin / rear quarter panel

Vista en sección de un automóvil

Todos los coches tienen varios sistemas mecánicos: la *transmisión*, compuesta por el *embrague*, caja de cambios, árbol de transmisión y eje trasero; el *sistema de refrigeración*, destinado a regular la temperatura del motor; el sistema eléctrico encargado, entre otras cosas, de suministrar corriente al *motor de arranque*, a las luces y a los accesorios; el *sistema de suspensión*, que asegura un desplazamiento suave y confortable del vehículo, y el *sistema de frenos*.

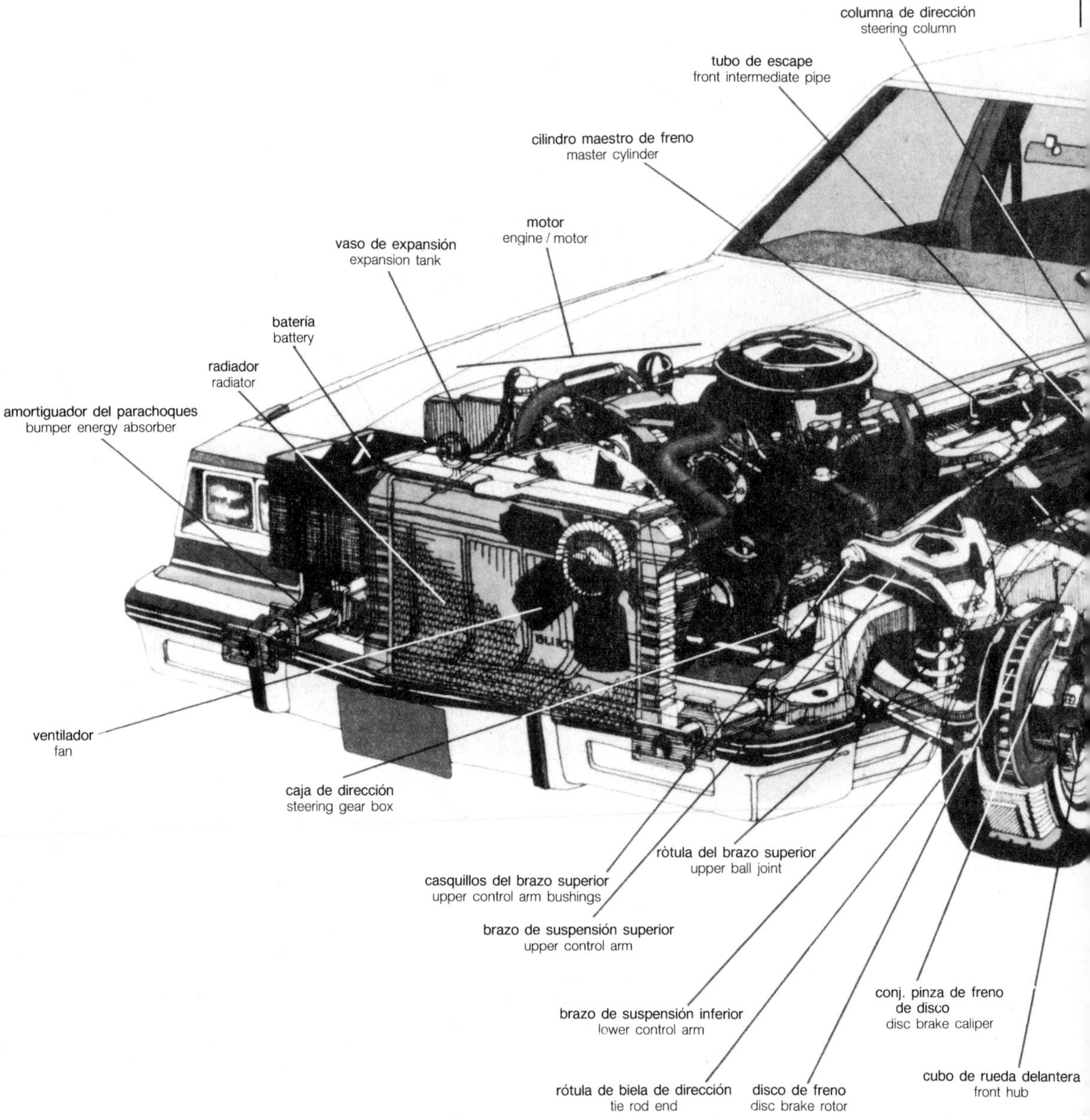

columna de dirección
steering column
tubo de escape
front intermediate pipe
cilindro maestro de freno
master cylinder
motor
engine / motor
vaso de expansión
expansion tank
batería
battery
radiador
radiator
amortiguador del parachoques
bumper energy absorber
ventilador
fan
caja de dirección
steering gear box
ròtula del brazo superior
upper ball joint
casquillos del brazo superior
upper control arm bushings
brazo de suspensión superior
upper control arm
brazo de suspensión inferior
lower control arm
conj. pinza de freno de disco
disc brake caliper
rótula de biela de dirección
tie rod end
disco de freno
disc brake rotor
cubo de rueda delantera
front hub

Automobile Cutaway

Various systems are incorporated in a car: a *power train*, which consists of *clutch*, transmission, driveshaft and rear axle; a *cooling system* designed to control engine *starter motor*, accessories and lights; a *suspension system* to provide a smooth ride; and a *braking system*.

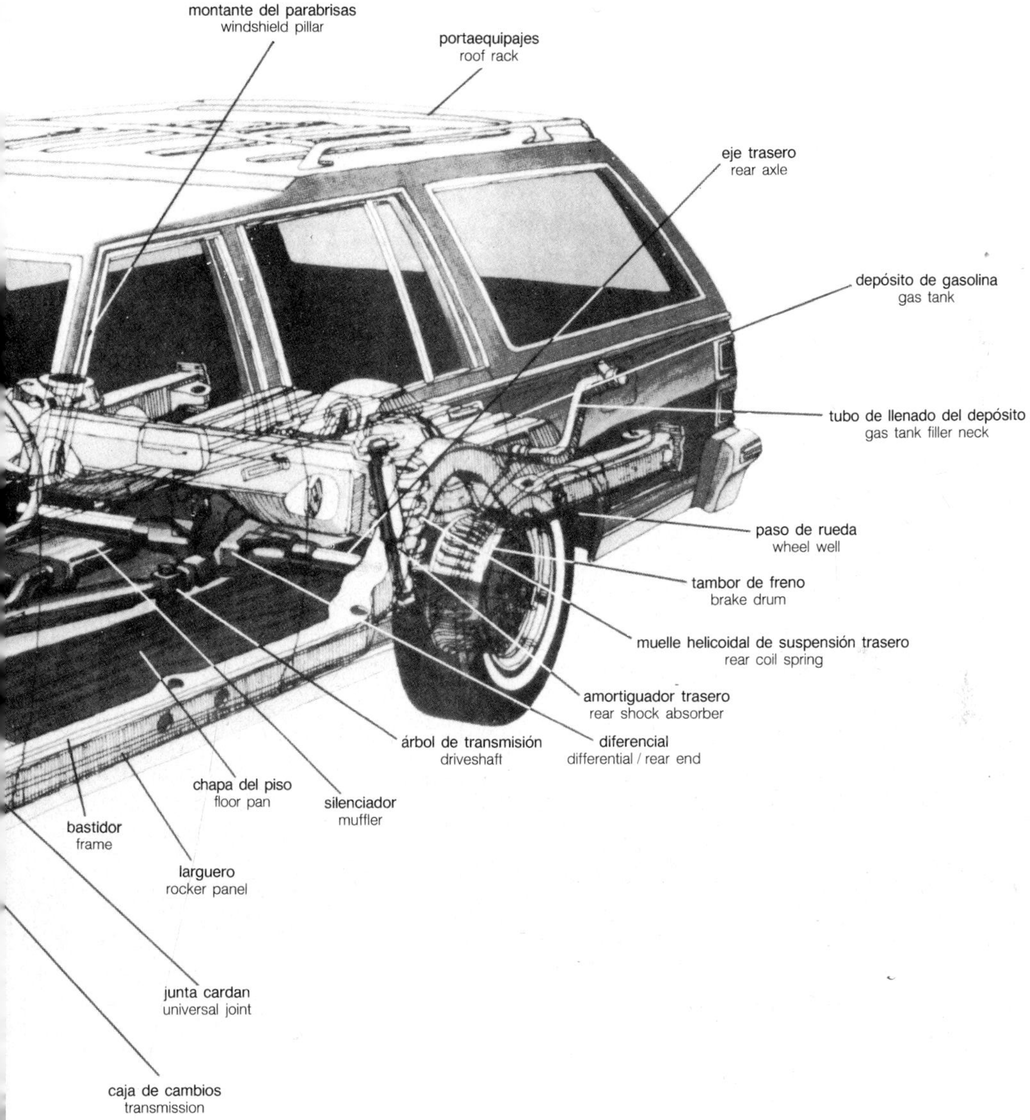

montante del parabrisas
windshield pillar
portaequipajes
roof rack
eje trasero
rear axle
depósito de gasolina
gas tank
tubo de llenado del depósito
gas tank filler neck
paso de rueda
wheel well
tambor de freno
brake drum
muelle helicoidal de suspensión trasero
rear coil spring
amortiguador trasero
rear shock absorber
árbol de transmisión
driveshaft
diferencial
differential / rear end
chapa del piso
floor pan
silenciador
muffler
bastidor
frame
larguero
rocker panel
junta cardan
universal joint
caja de cambios
transmission

Interior de un automóvil

Además de los mandos e indicadores que pueden verse en esta fotografía de un *tablero de instrumentos* (salpicadero) el puesto de conducción de un automóvil lleva entre otros los siguientes: *luces de alumbrado* y *posición*, *apertura del capó*, *estrangulador de arranque*, *acelerador manual*, *velocidad de barrido del limpiaparabrisas*, *indicadores de dirección*. Por encima del tablero de instrumentos suele haber un *espejo retrovisor* central y dos *viseras quitasol* abatibles, una a cada lado. Los asientos van equipados con *cinturones de seguridad*.

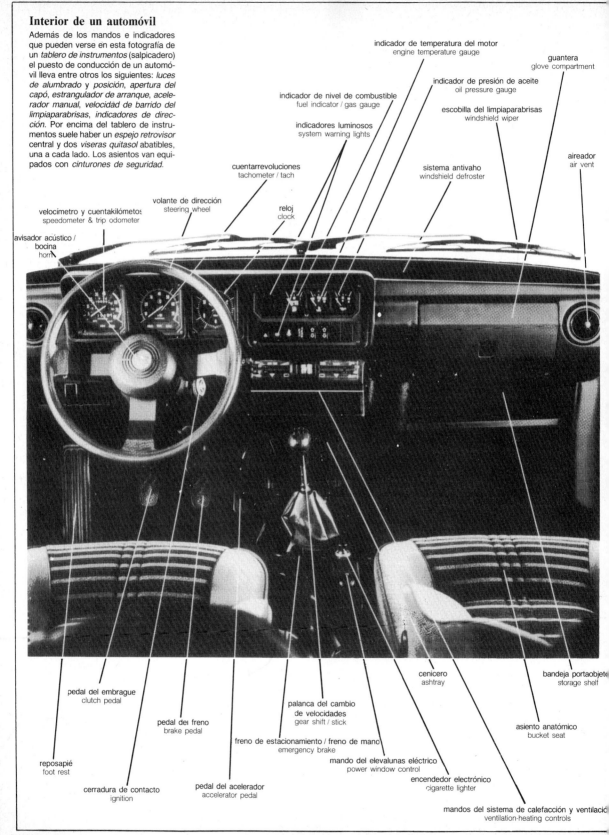

indicador de temperatura del motor
engine temperature gauge
guantera
glove compartment
indicador de presión de aceite
oil pressure gauge
indicador de nivel de combustible
fuel indicator / gas gauge
escobilla del limpiaparabrisas
windshield wiper
indicadores luminosos
system warning lights
aireador
air vent
cuentarrevoluciones
tachometer / tach
sistema antivaho
windshield defroster
volante de dirección
steering wheel
velocímetro y cuentakilómetos
speedometer & trip odometer
reloj
clock
avisador acústico /
bocina
horn
cenicero
ashtray
bandeja portaobjet
storage shelf
pedal del embrague
clutch pedal
palanca del cambio
de velocidades
gear shift / stick
pedal deı freno
brake pedal
asiento anatómico
bucket seat
freno de estacionamiento / freno de mano
emergency brake
reposapié
foot rest
mando del elevalunas eléctrico
power window control
encendedor electrónico
cigarette lighter
cerradura de contacto
ignition
pedal del acelerador
accelerator pedal
mandos del sistema de calefacción y ventilació
ventilation-heating controls

Car Interior

In addition to parts shown on this *dash*, or *dashboard*, are *headlight* and *warning light controls*, *hood release*, *engine choke* and *hand throtle*, *windshield wiper speed control* and *directional signal switch*. Above the dash, there is usually a *rear-view mirror*. Flip-down *sun visors* are located above the windshield. Car seats are equipped with *seat belts* or *safety belts*.

Motor de automóvil

Las piezas que componen el motor de un automóvil van alojadas en el interior del *bloque de cilindros* o acopladas a su exterior, o bien forman parte de la *culata* o van unidas a ella. Las configuraciones (número y disposición de los cilindros) más corrientes en los motores de automóvil son *cuatro* o *seis cilindros en línea*, *seis* u *ocho en V* y *cuatro* o *seis horizontales enfrentados*.

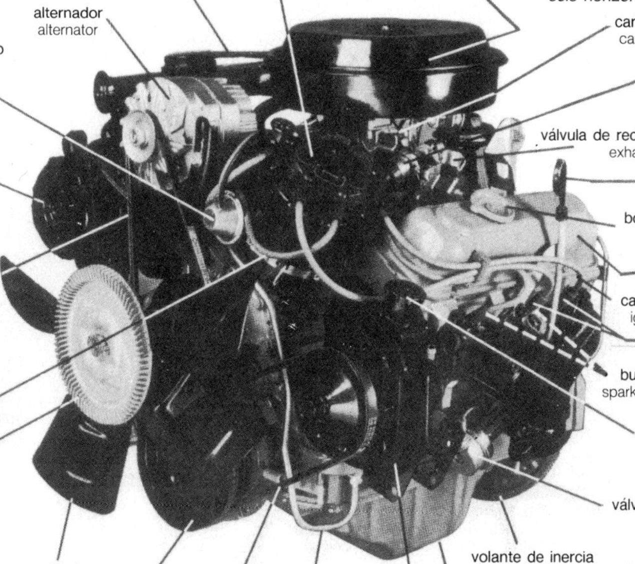

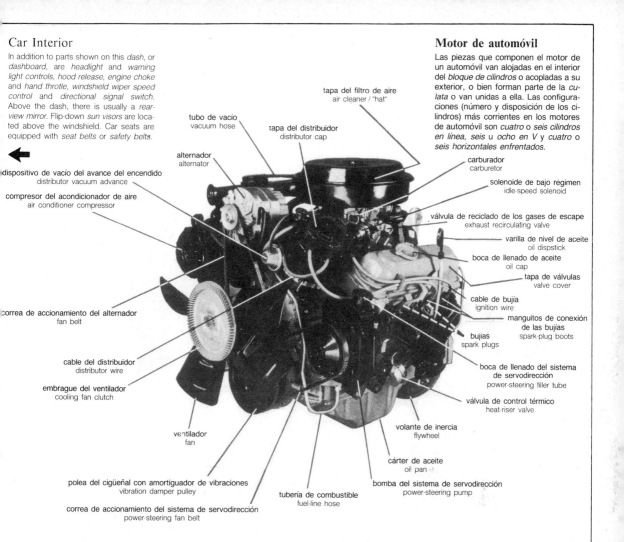

tapa del filtro de aire
air cleaner / "hat"
tubo de vacío
vacuum hose
tapa del distribuidor
distributor cap
alternador
alternator
dispositivo de vacío del avance del encendido
distributor vacuum advance
compresor del acondicionador de aire
air conditioner compressor
carburador
carburetor
solenoide de bajo régimen
idle-speed solenoid
válvula de reciclado de los gases de escape
exhaust recirculating valve
varilla de nivel de aceite
oil dispstick
boca de llenado de aceite
oil cap
tapa de válvulas
valve cover
cable de bujía
ignition wire
manguitos de conexión de las bujías
spark-plug boots
bujías
spark plugs
correa de accionamiento del alternador
fan belt
cable del distribuidor
distributor wire
embrague del ventilador
cooling fan clutch
boca de llenado del sistema de servodirección
power-steering filler tube
válvula de control térmico
heat-riser valve
volante de inercia
flywheel
ventilador
fan
cárter de aceite
oil pan
polea del cigüeñal con amortiguador de vibraciones
vibration damper pulley
bomba del sistema de servodirección
power-steering pump
tubería de combustible
fuel-line hose
correa de accionamiento del sistema de servodirección
power-steering fan belt

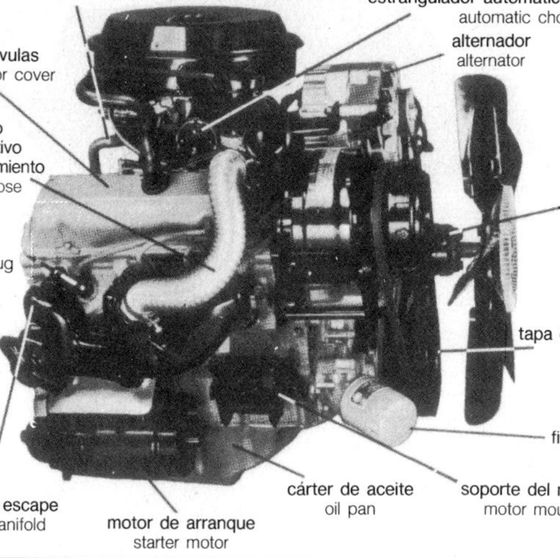

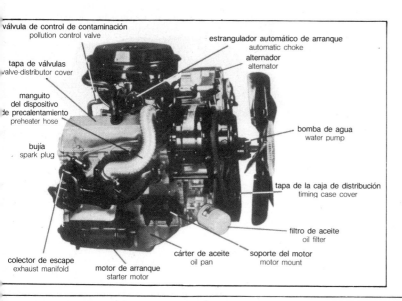

válvula de control de contaminación
pollution control valve
estrangulador automático de arranque
automatic choke
alternador
alternator
tapa de válvulas
valve-distributor cover
manguito del dispositivo de precalentamiento
preheater hose
bomba de agua
water pump
bujía
spark plug
tapa de la caja de distribución
timing case cover
filtro de aceite
oil filter
colector de escape
exhaust manifold
motor de arranque
starter motor
cárter de aceite
oil pan
soporte del motor
motor mount

Automobile Engine

The parts of an engine are fitted into or on the *engine block* or within the *head*. Common engine configurations include the *horizontally opposed*, or *flat four-cylinder*, the *in-line six*; and the *V-8*.

Surtidor de gasolina

Algunas *estaciones de servicio* funcionan en régimen de *autoservicio*. Los surtidores de gasolina extraen el combustible de unos *tanques subterráneos*. Hay gasolina de distintos grados o calidades aptas para diferentes tipos de motores. Dichos grados vienen definidos por el *índice de octano*.

proteccion / paragolpes
fender guard
muelle de retención
anchor springs
caño / tubo de descarga
spout
gatillo / palanca
trigger
guarda
guard
pinza del regulador
regulator clip

Boquilla surtidora automática
Automatic Nozzle

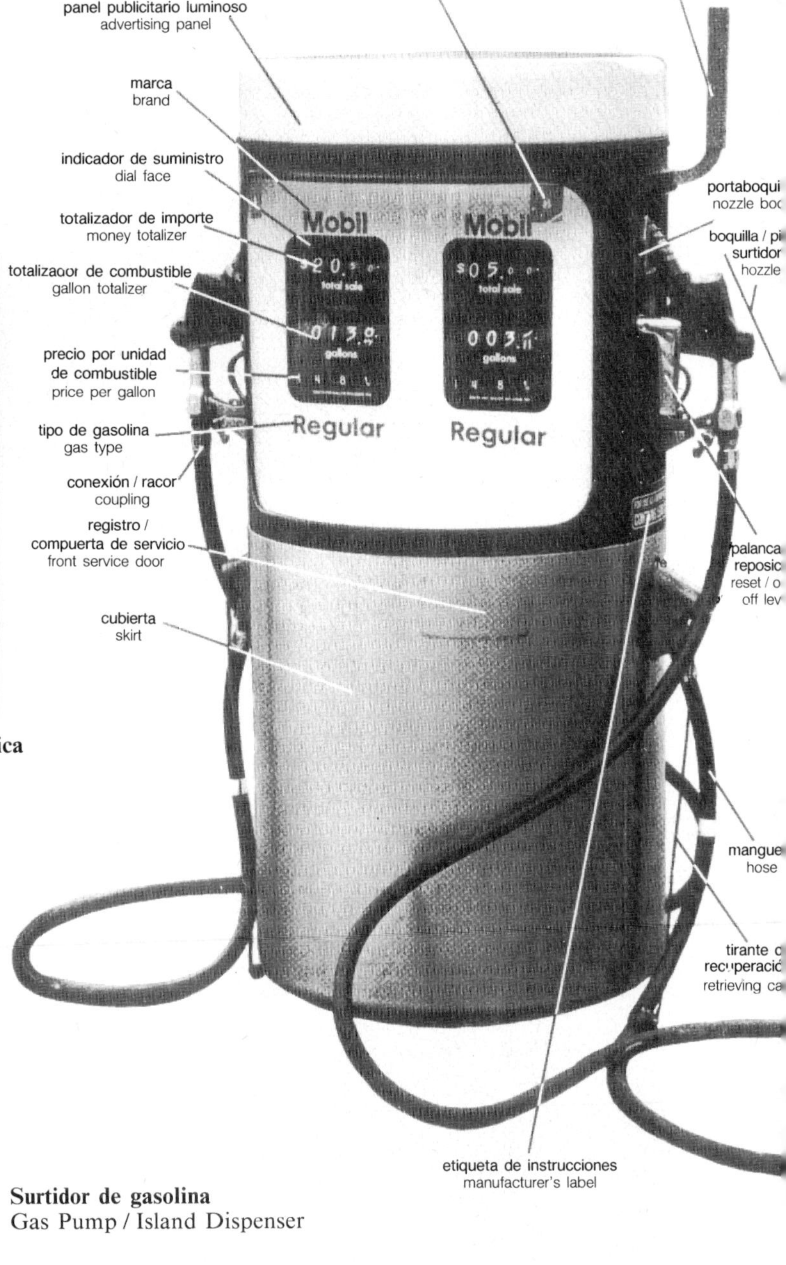

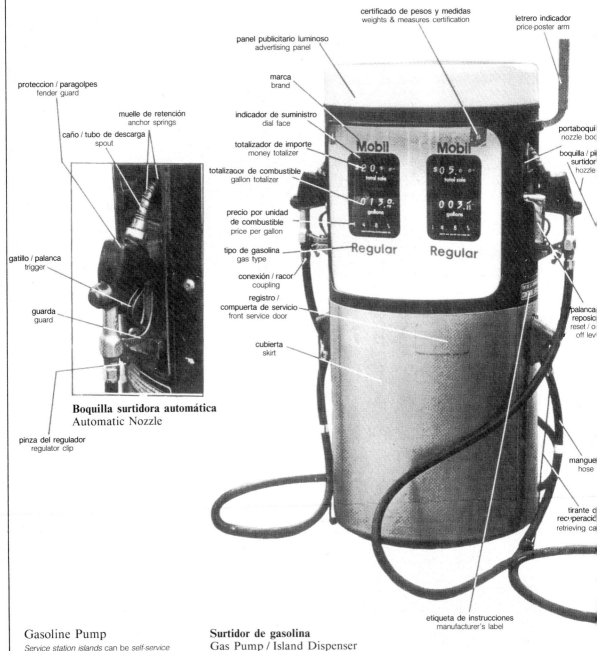

certificado de pesos y medidas
weights & measures certification
letrero indicador
price-poster arm
panel publicitario luminoso
advertising panel
marca
brand
indicador de suministro
dial face
totalizador de importe
money totalizer
totalizador de combustible
gallon totalizer
precio por unidad de combustible
price per gallon
tipo de gasolina
gas type
conexión / racor
coupling
registro / compuerta de servicio
front service door
cubierta
skirt
portaboqui
nozzle boc
boquilla / pi
surtidor
hozzle
palanca
reposic
reset / o
off lev
mangue
hose
tirante c
recuperació
retrieving ca
etiqueta de instrucciones
manufacturer's label
Mobil
total sale
gallons
Regular

Surtidor de gasolina
Gas Pump / Island Dispenser

Gasoline Pump

Service station islands can be *self-service* or *full-service*. Gas pumps draw supplies from underground *storage tanks*. Gasoline is purchased in different *grades* determined by *octane number*.

Dispositivos de control de tráfico

Los semáforos, o *señales* de *tráfico* de cuatro caras, son accionados manualmente por un policía de tráfico o bien funcionan de manera automática mediante un *temporizador* eléctrico. Los parquímetros, montados encima de un *poste tubular*, contienen *temporizadores de arranque automático*. Unos registradores acuñados activan un *cierre de pago* preliminar de tal modo que no pueden introducirse monedas adicionales en el *cajetín de pago*. Algunos contadores tienen un *detector* de *arandelas* que hace que las *arandelas* y *monedas* falsas pasen de largo sin registrar tiempo en el *disco indicador*.

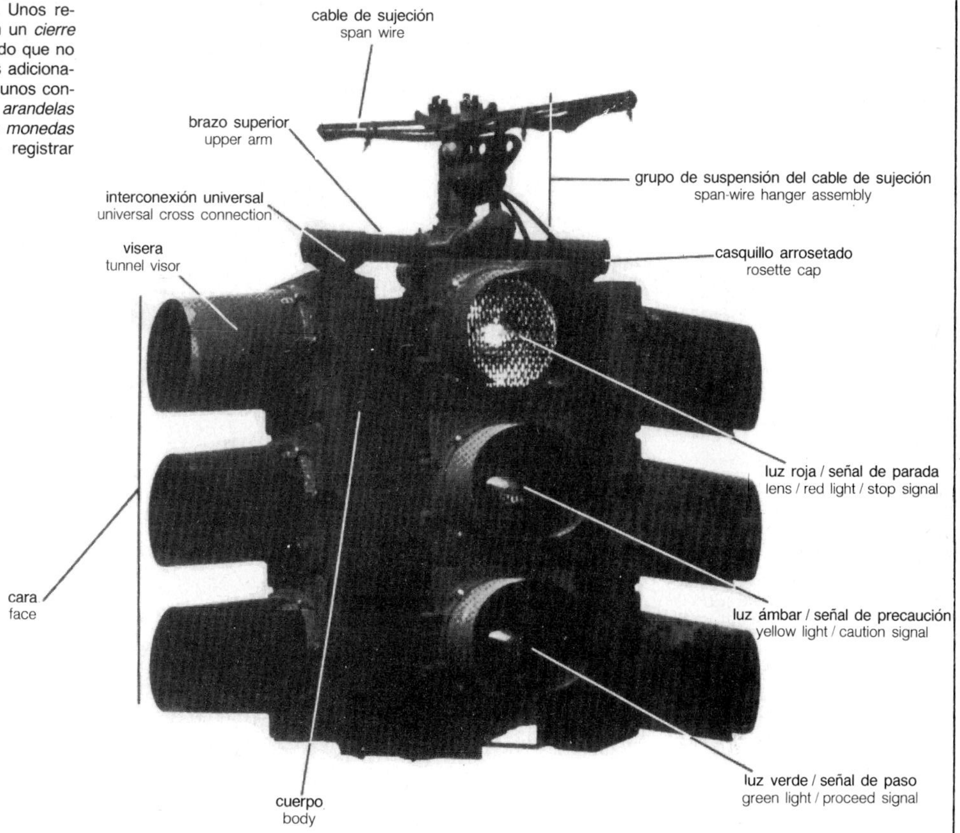
cable de sujeción
span wire
brazo superior
upper arm
grupo de suspensión del cable de sujeción
span-wire hanger assembly
interconexión universal
universal cross connection
visera
tunnel visor
casquillo arrosetado
rosette cap
luz roja / señal de parada
lens / red light / stop signal
luz ámbar / señal de precaución
yellow light / caution signal
cara
face
luz verde / señal de paso
green light / proceed signal
cuerpo
body

Semáforo
Traffic Light

Parquímetro
Parking Meter

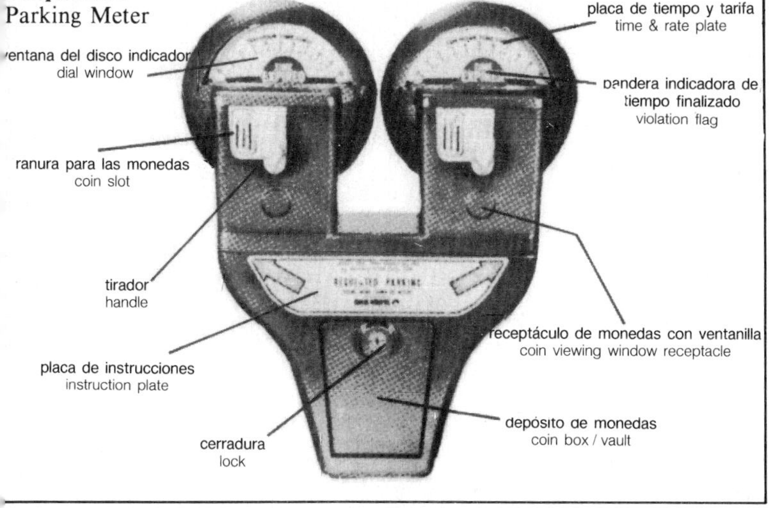
entana del disco indicador
dial window
placa de tiempo y tarifa
time & rate plate
bandera indicadora de tiempo finalizado
violation flag
ranura para las monedas
coin slot
tirador
handle
receptáculo de monedas con ventanilla
coin viewing window receptacle
placa de instrucciones
instruction plate
depósito de monedas
coin box / vault
cerradura
lock

Traffic Control Devices

Four-face traffic signals, or lights, are operated manually by a traffic-control official or run automatically by an electric *timer*. Parking meters, set stop *pipe standards*, contain *self-starting timers*. Jammed meters activate a *slot closer* so that additional coins cannot be inserted in the *slot block*. Some meters have a *washers* and *slugs* to pass through without registering time on the *dial*.

Autopista

En los desvíos y bifurcaciones se colocan barreras que absorben energía o *dispositivos* de *atenuación* de *impactos* para reducir los accidentes. Algunas carreteras llevan *barreras protectoras* o *quitamiedos*. Los *mojones* informan sobre la distancia entre puntos específicos. Muchas *autopistas* y *autovías* tienen *áreas de descanso, zonas panorámicas* y *áreas de servicio.*

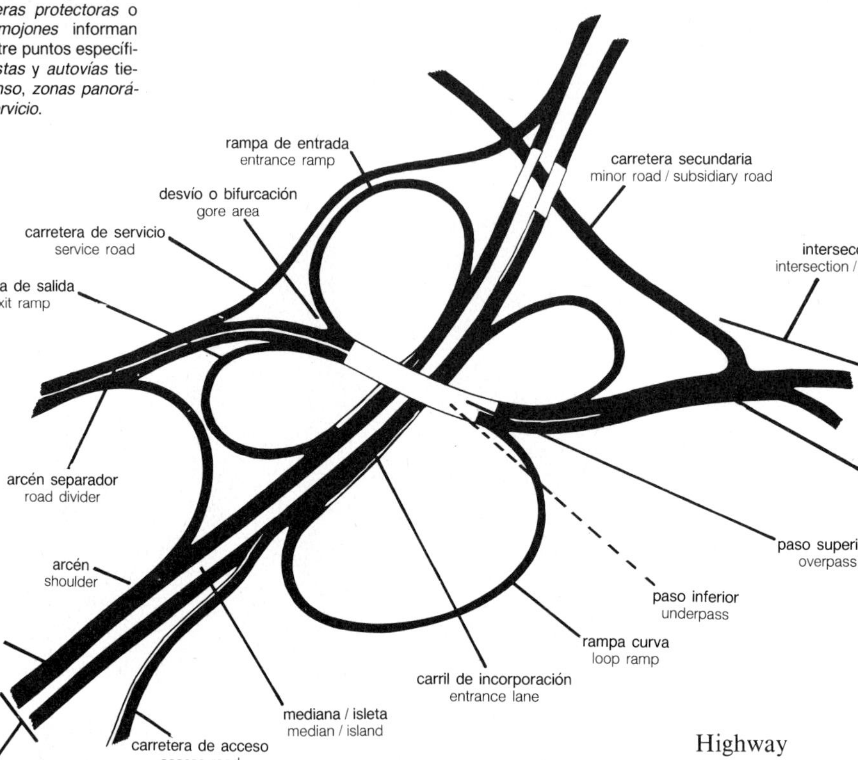

rampa de entrada
entrance ramp
carretera secundaria
minor road / subsidiary road
desvío o bifurcación
gore area
carretera de servicio
service road
intersección
intersection / junction
rampa de salida
exit ramp
arcén separador
road divider
carretera principa
major road
paso superior / puente
overpass / bridge
arcén
shoulder
paso inferior
underpass
pista / calzada
lane / roadway
rampa curva
loop ramp
carril de incorporación
entrance lane
mediana / isleta
median / island
carretera de acceso
access road
caja del firme / autopista de dos calzadas
roadbed / divided highway

Highway

Energy absorbing barriers, or *impact attentuation devices*, are positioned in gore areas to reduce accidents. Some roads are lined with *guard-rails*, or *railings*. *Milestone*, or *mile markers*, provide distance information between specific points. Many *expressways*, *freeways* and *thruways* have *rest areas*, *scenic overlooks* and *service areas*.

Nudo de autopistas / cruce
Cloverleaf / Interchange

Cabina de peaje
Toll Booth

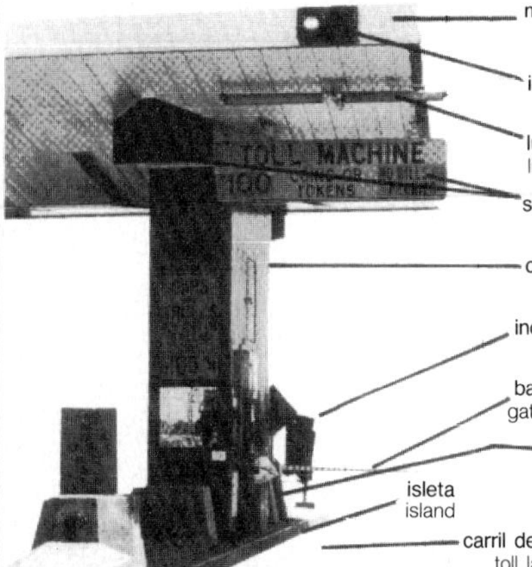

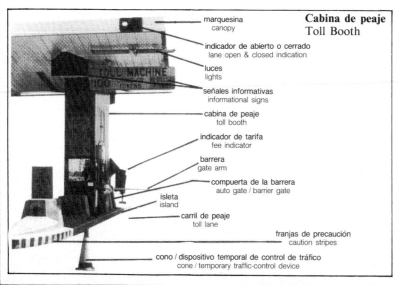

TOLL MACHINE
100
TOKENS
marquesina
canopy
indicador de abierto o cerrado
lane open & closed indication
luces
lights
señales informativas
informational signs
cabina de peaje
toll booth
indicador de tarifa
fee indicator
barrera
gate arm
compuerta de la barrera
auto gate / barrier gate
isleta
island
carril de peaje
toll lane
franjas de precaución
caution stripes
cono / dispositivo temporal de control de tráfico
cone / temporary traffic-control device

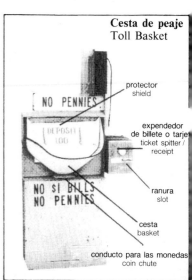

Cesta de peaje
Toll Basket

NO PENNIES
NO $1 BILLS
NO PENNIES
protector
shield
expendedor
de billete o tarje
ticket spitter /
receipt
ranura
slot
cesta
basket
conducto para las monedas
coin chute

Paso a nivel

En una *línea férrea*, además, de las vías con sus carriles, terraplenes y elementos de soporte, hay *puentes* y *túneles*. La distancia entre carriles es el *ancho de vía* y el grado de inclinación, hacia arriba o hacia abajo recibe el nombre de *pendiente* o gradiente. La parte superior del carril se denomina *cabeza* y la base *patín*.

Railroad Crossing

A railroad *roadway* consists of two rails, or tracks, and all their supporting elements, including *railroad bridges*, *tunnels* and *embankments*. The roadway follows the *right of way*. The distance between rails is the *gauge*, while the degree of rise or fall in a *roadbed* is the *grade*. The top of a rail is the *railhead*. The bottom is the *rail foot*.

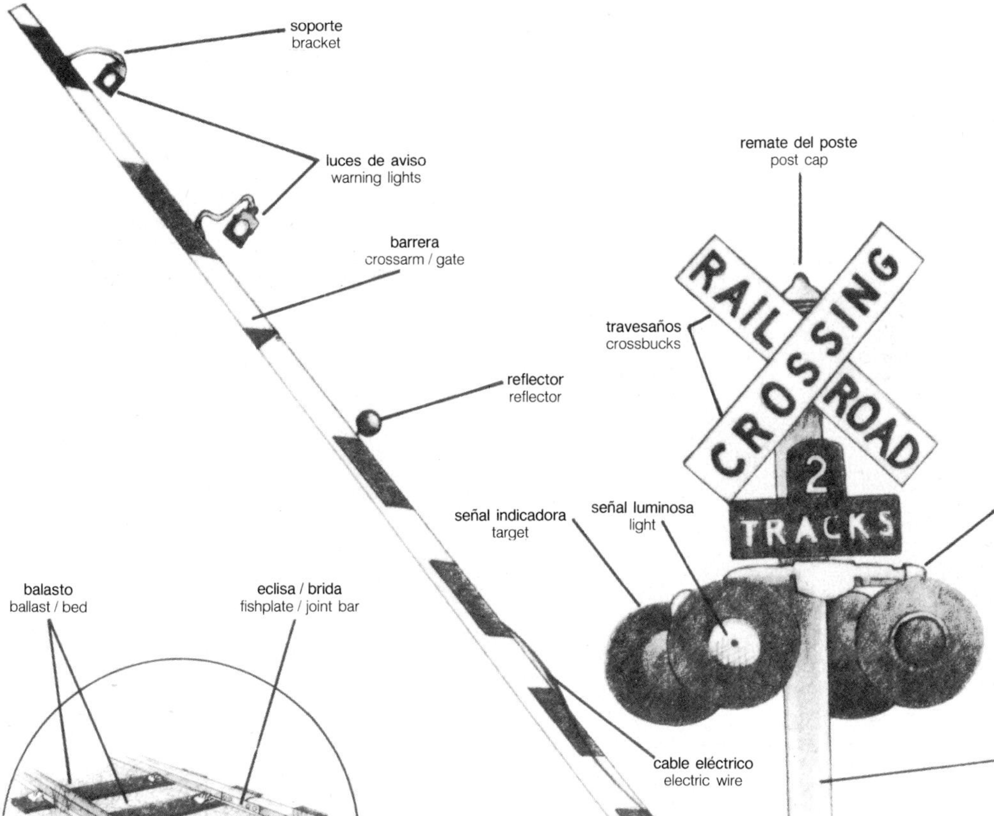

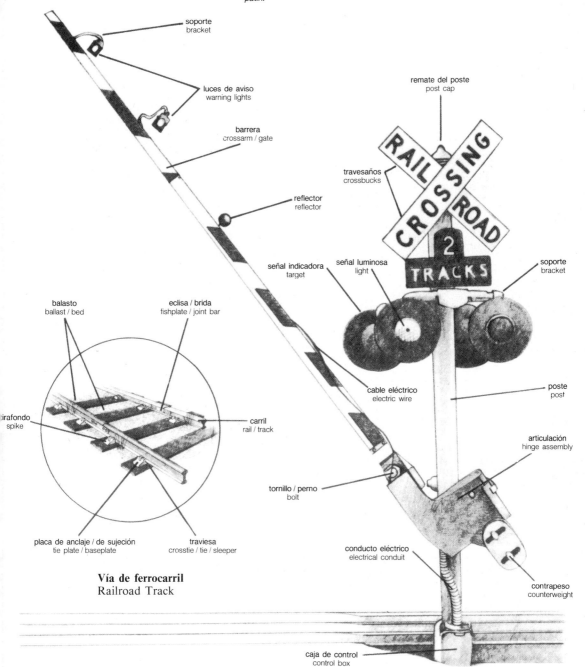

soporte
bracket
luces de aviso
warning lights
barrera
crossarm / gate
reflector
reflector
remate del poste
post cap
travesaños
crossbucks
RAIL ROAD CROSSING
2 TRACKS
señal indicadora
target
señal luminosa
light
soporte
bracket
cable eléctrico
electric wire
poste
post
articulación
hinge assembly
tornillo / perno
bolt
conducto eléctrico
electrical conduit
contrapeso
counterweight
caja de control
control box

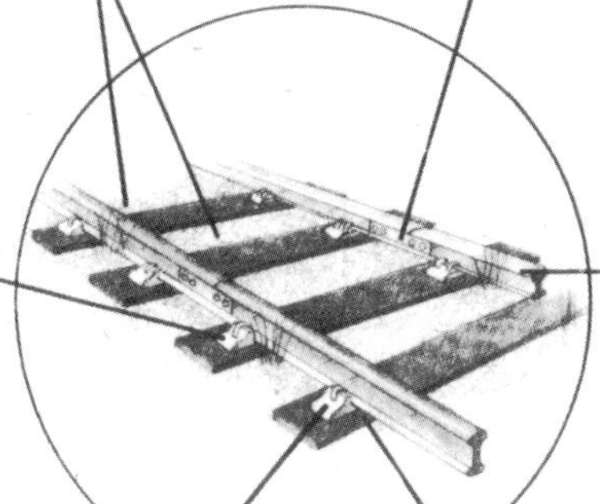

balasto
ballast / bed
eclisa / brida
fishplate / joint bar
irafondo
spike
carril
rail / track
placa de anclaje / de sujeción
tie plate / baseplate
traviesa
crosstie / tie / sleeper

Vía de ferrocarril
Railroad Track

Señal de proximidad de paso a nivel
Crossing Signal

Ferrocarril

Además de las locomotoras aquí representadas, las hay *diesel* y *eléctricas*. Los *vagones de mercancías* son principalmente de tres tipos: abiertos, cerrados y plataformas. Los *trenes de pasajeros* tienen *coches-restaurante*, *coches-cama*, *coches-salón* y *furgón de equipajes*.

Railroad

In addition to the locomotives shown here, there are *diesel* and *electric locomotives*. *Open-top cars*, boxcars and flatcars are the main types of *freight cars*, while *passenger trains* consist of *dining cars*, *sleeping cars* and *baggage cars*.

Locomotora de vapor
Steam Locomotive

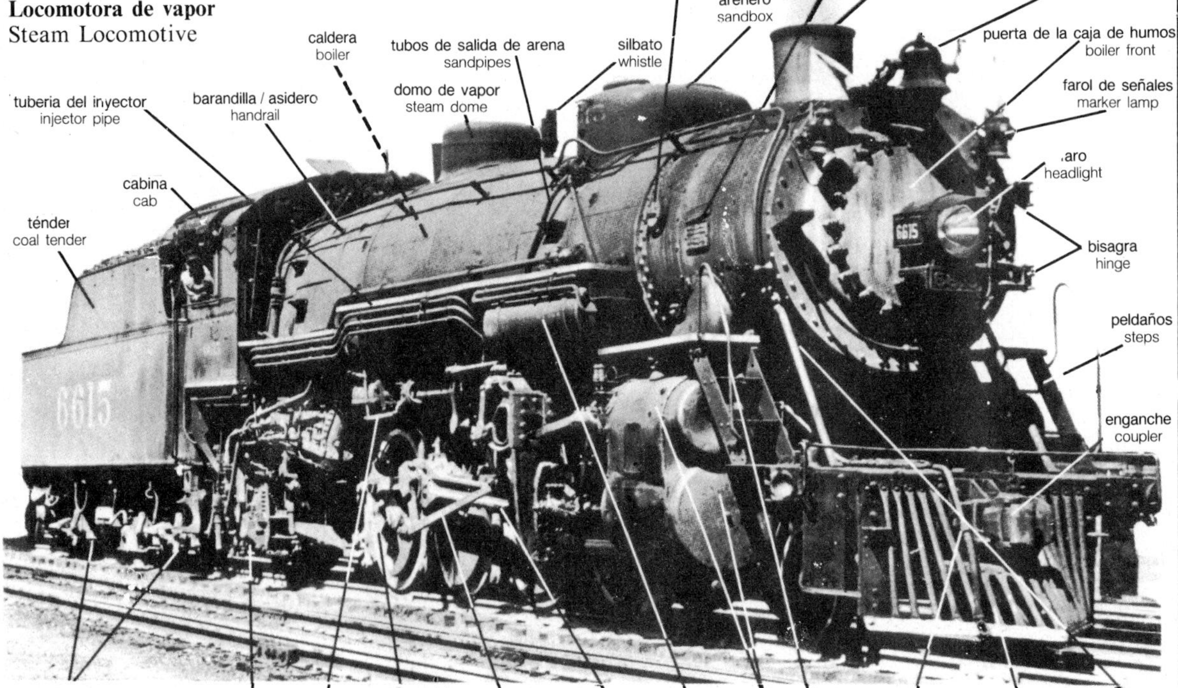
chapa de la caldera
boiler plate / jacket
registro de limpieza
boiler washout plug
chimenea
smokestack
campana
bell
arenero
sandbox
puerta de la caja de humos
boiler front
caldera
boiler
tubos de salida de arena
sandpipes
silbato
whistle
domo de vapor
steam dome
farol de señales
marker lamp
tuberia del inyector
injector pipe
barandilla / asidero
handrail
faro
headlight
cabina
cab
ténder
coal tender
bisagra
hinge
peldaños
steps
enganche
coupler
bogie del tender
tender trucks
eje portante
trailing truck
contramarcha / cambio de marcha
reverse
rueda motriz
driving wheel
biela de acoplamiento
connecting rod
biela motriz
main rod
depósito de aire
air reservoir
cilindro
cylinder
barandilla / pasamanos
handrail
tubo del freno neumático
air brake hose
quitapiedras / botaganado
cow catcher / pilot
riostra
deck brace

Tren / material móvil / material rodante
Train / Rolling Stock

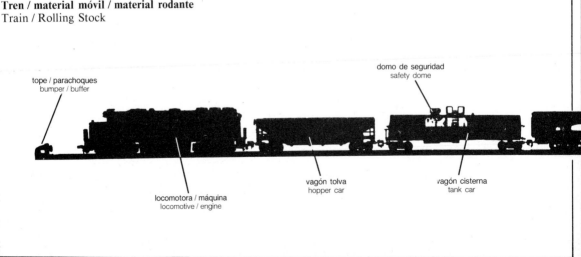

tope / parachoques
bumper / buffer
domo de seguridad
safety dome
locomotora / máquina
locomotive / engine
vagón tolva
hopper car
vagón cisterna
tank car

Locomotora de turbina
Turbine Locomotive

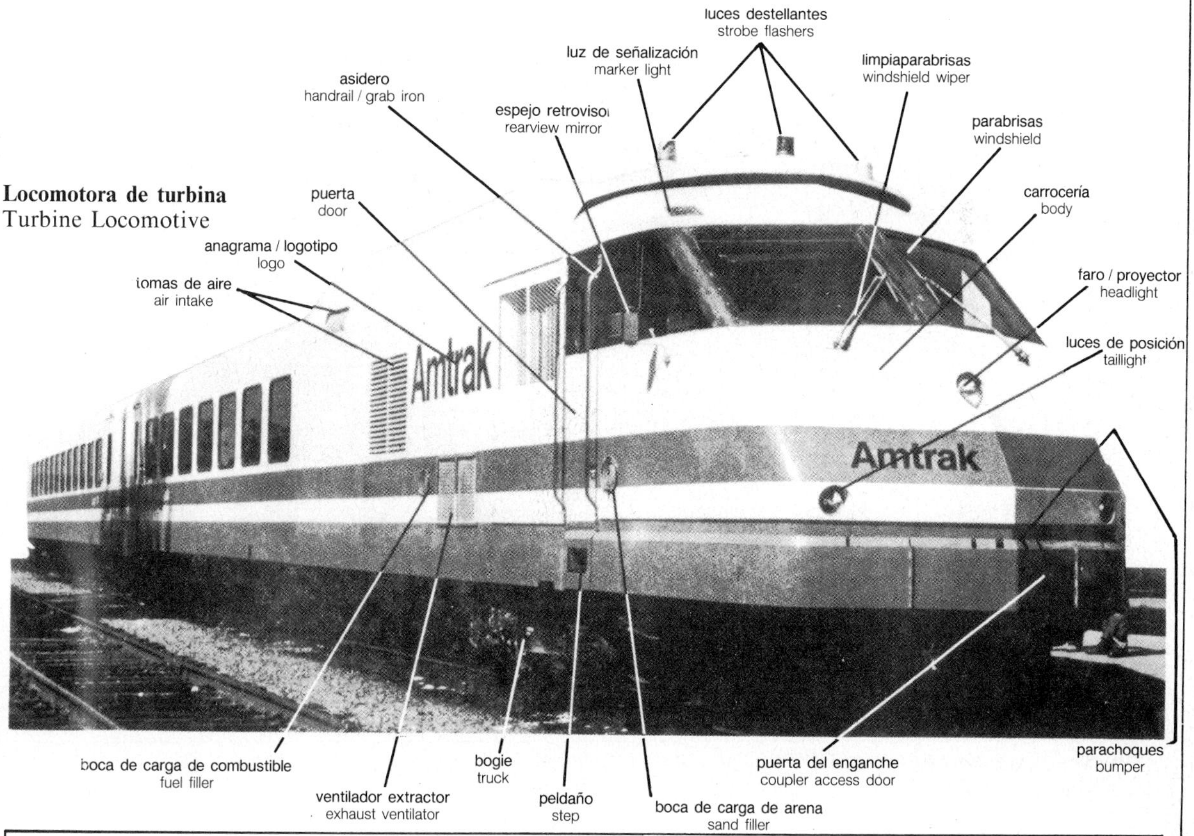
luces destellantes
strobe flashers
luz de señalización
marker light
limpiaparabrisas
windshield wiper
asidero
handrail / grab iron
espejo retroviso
rearview mirror
parabrisas
windshield
carrocería
body
puerta
door
anagrama / logotipo
logo
faro / proyector
headlight
tomas de aire
air intake
luces de posición
taillight
boca de carga de combustible
fuel filler
ventilador extractor
exhaust ventilator
bogie
truck
peldaño
step
boca de carga de arena
sand filler
puerta del enganche
coupler access door
parachoques
bumper

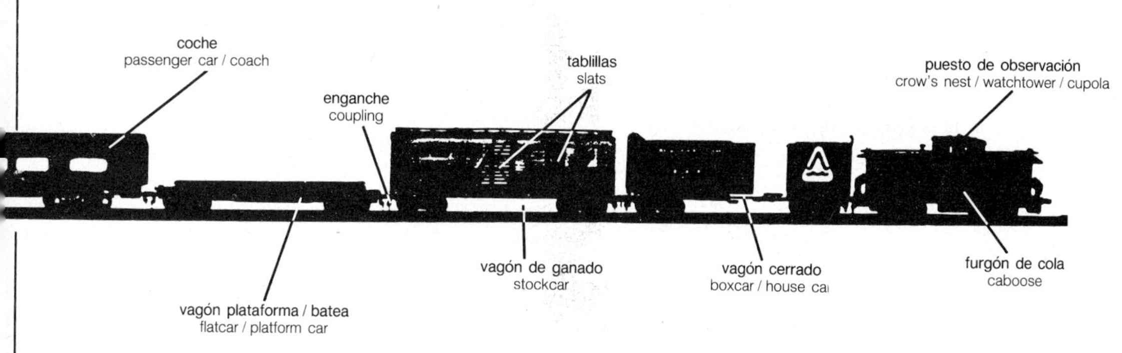
coche
passenger car / coach
tablillas
slats
puesto de observación
crow's nest / watchtower / cupola
enganche
coupling
vagón de ganado
stockcar
vagón cerrado
boxcar / house ca
furgón de cola
caboose
vagón plataforma / batea
flatcar / platform car

Autobús

Los coches de viajeros de largo recorrido suelen tener *asientos reclinables* como los de los aviones, con *rejillas* para el equipaje y *luces para leer*. A veces tienen también *aseos* y *escotillas* de ventilación en el techo. Los *autocares* destinados a visitas turísticas suelen tener el techo transparente, por lo menos en parte, para permitir mayor visibilidad a los pasajeros.

Bus

Long-distance coaches have airplanelike *reclining seats* with *overhead baggage racks* and *reading lights*. They may also have *lavatories* and *roof ventilation hatches*. *Sightseeing buses* have *transparent roofs* at least in part, to increase the viewing area.

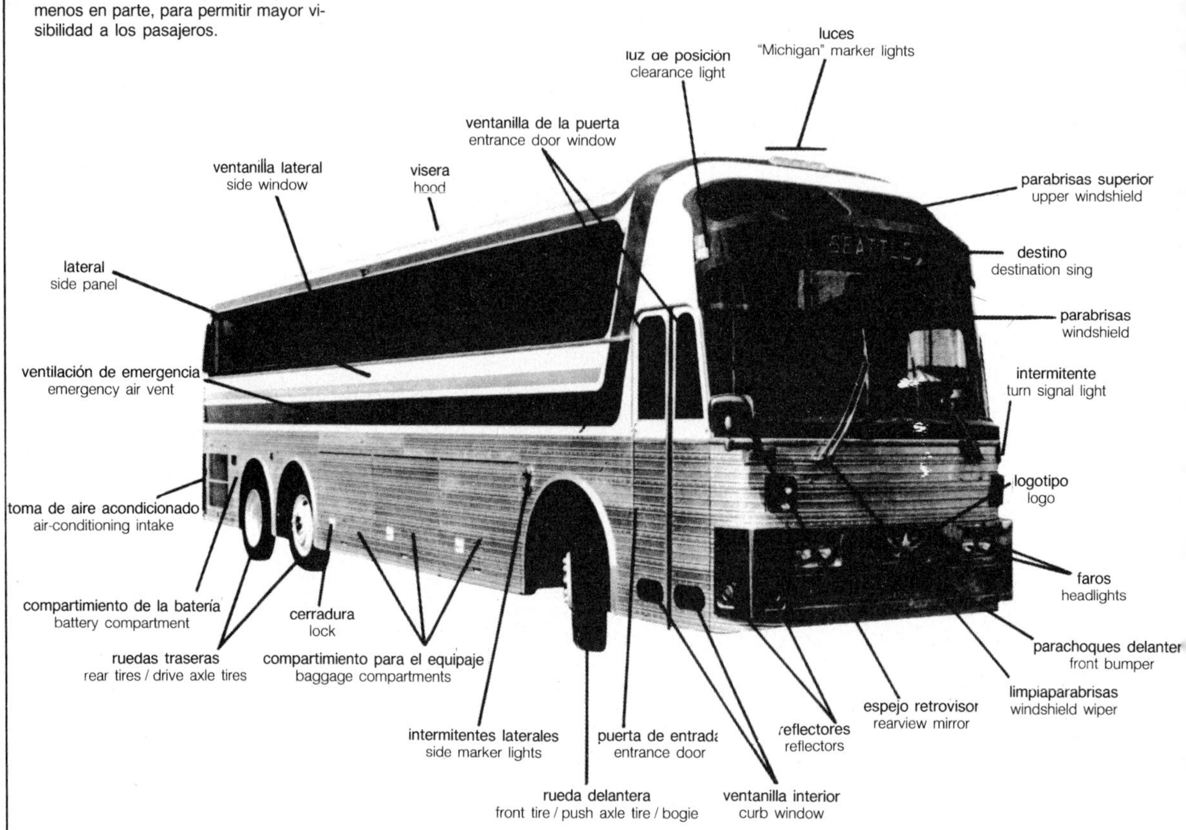

luces
"Michigan" marker lights
luz de posición
clearance light
ventanilla de la puerta
entrance door window
ventanilla lateral
side window
visera
hood
parabrisas superior
upper windshield
destino
destination sing
lateral
side panel
parabrisas
windshield
ventilación de emergencia
emergency air vent
intermitente
turn signal light
logotipo
logo
toma de aire acondicionado
air-conditioning intake
faros
headlights
compartimiento de la batería
battery compartment
cerradura
lock
parachoques delanter
front bumper
ruedas traseras
rear tires / drive axle tires
compartimiento para el equipaje
baggage compartments
limpiaparabrisas
windshield wiper
espejo retrovisor
rearview mirror
reflectores
reflectors
intermitentes laterales
side marker lights
puerta de entrada
entrance door
rueda delantera
front tire / push axle tire / bogie
ventanilla interior
curb window

Coche de línea / Autobús interurbano / Autocar
Coach / Intercity Bus

Interior de un autobús urbano
Commuter Bus Interior

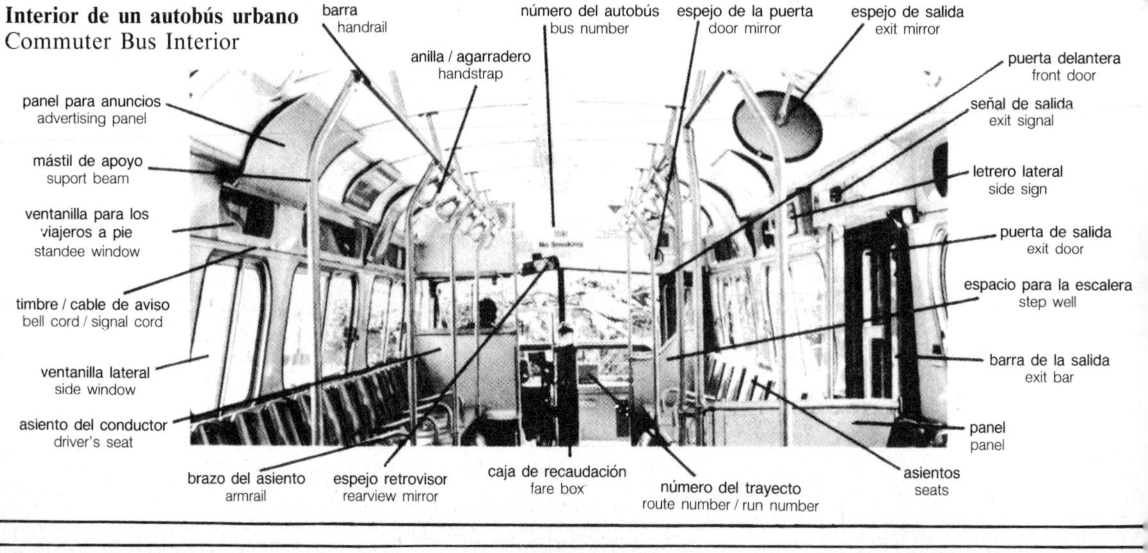

barra
handrail
número del autobús
bus number
espejo de la puerta
door mirror
espejo de salida
exit mirror
anilla / agarradero
handstrap
puerta delantera
front door
panel para anuncios
advertising panel
señal de salida
exit signal
mástil de apoyo
suport beam
letrero lateral
side sign
ventanilla para los viajeros a pie
standee window
puerta de salida
exit door
espacio para la escalera
step well
timbre / cable de aviso
bell cord / signal cord
ventanilla lateral
side window
barra de la salida
exit bar
asiento del conductor
driver's seat
panel
panel
brazo del asiento
armrail
espejo retrovisor
rearview mirror
caja de recaudación
fare box
número del trayecto
route number / run number
asientos
seats

Metropolitano

El metro, o *metropolitano*, suele consistir en un *tren* que toma la energía de un *tercer carril*, los *túneles* del metro, *tramos elevados* y *estaciones subterráneas*, o *paradas*, a lo largo de la *ruta*.

Subway

A subway, or *rapid transit system*, usually consists of a *train* which derives its power from a *third rail*: subterranean *tunnels*, or *tubes*; *elevated tracks*; and *subway stations*, or *stops*, along each *route*.

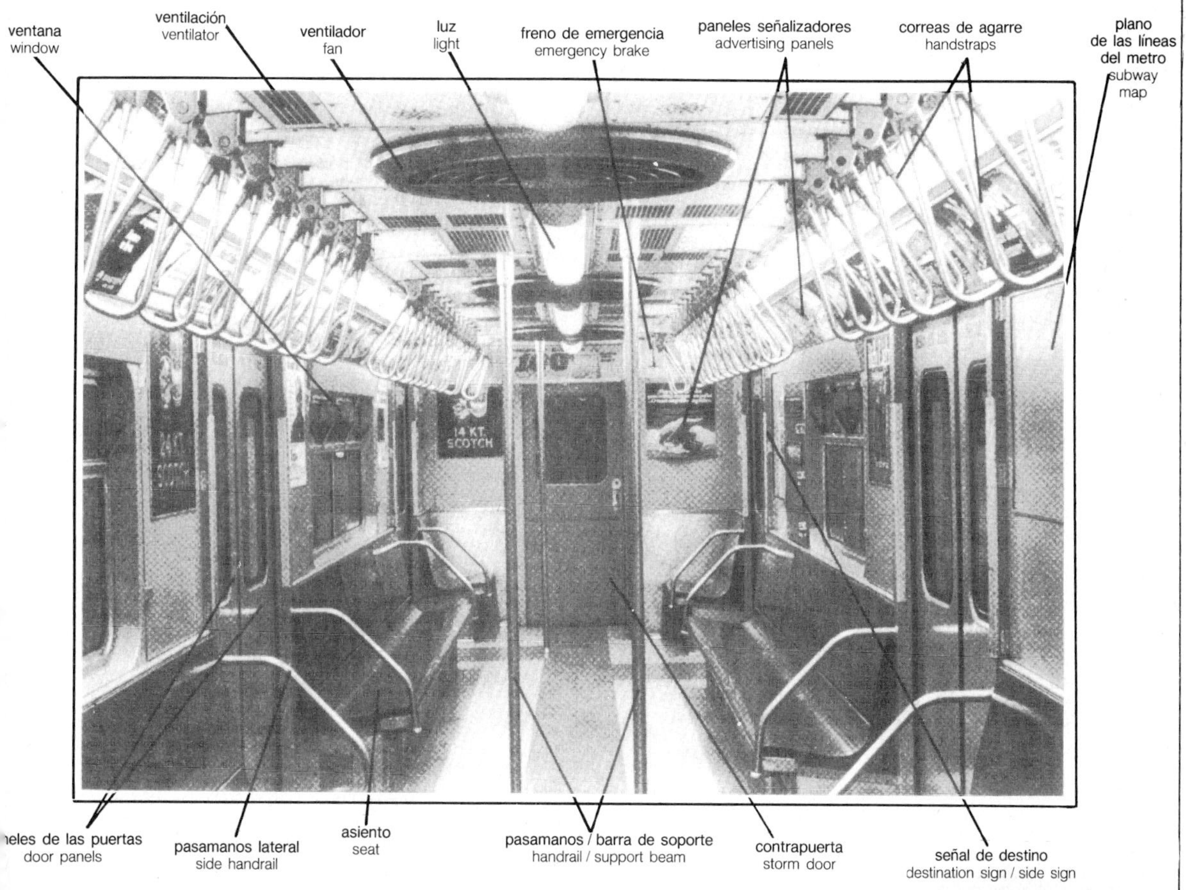

ventana
window
ventilación
ventilator
ventilador
fan
luz
light
freno de emergencia
emergency brake
paneles señalizadores
advertising panels
correas de agarre
handstraps
plano de las líneas del metro
subway map
14 KT. SCOTCH
ıeles de las puertas
door panels
pasamanos lateral
side handrail
asiento
seat
pasamanos / barra de soporte
handrail / support beam
contrapuerta
storm door
señal de destino
destination sign / side sign

Luz del techo de un taxi
Taxi roof light

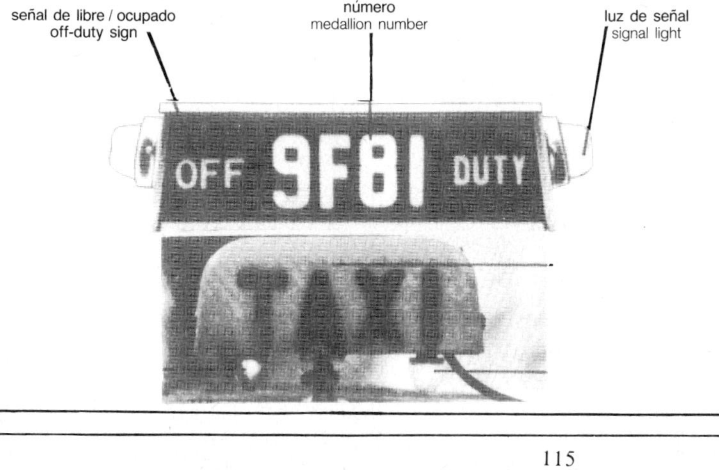

señal de libre / ocupado
off-duty sign
número
medallion number
luz de señal
signal light
OFF 9F81 DUTY
TAXI

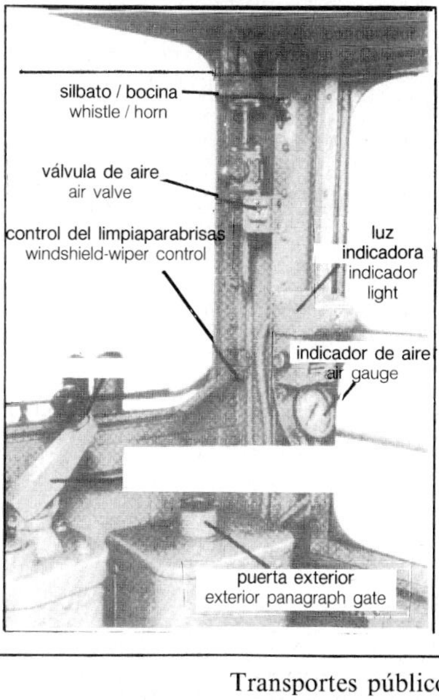

silbato / bocina
whistle / horn
válvula de aire
air valve
control del limpiaparabrisas
windshield-wiper control
luz indicadora
indicador light
indicador de aire
air gauge
puerta exterior
exterior panagraph gate

Camión tractor

Se utilizan para arrastrar vehículos no autopropulsados (*remolques*). En algunos la cabina dispone de un compartimiento separado de la misma por un tabique y provisto de una litera para el conductor o el ayudante. En el techo suelen llevar un *deflector aerodinámico* que reduce la resistencia del aire al avance del remolque. El vehículo frigorífico de la página siguiente es del tipo *semirremolque*, lo que significa que parte de su peso descansa sobre el tractor llamado en este caso *tractocamión* o *trailer*. Los remolques propiamente dichos circulan totalmente apoyados sobre sus propias ruedas.

Truck

A *rig* consists of a tractor *coupled* with or *hooked up* to a trailer. A cab may have a partitioned section within, called a *sleeping box*, for the driver, and a *varashield*, a capelike device designed to deflect air and reduce resistance on the trailer, mounted on the roof. The *refrigeration van*, or *reefer*, shown on the opposite page, is a semi, meaning that the tractor bears some of its weight. A true trailer rests and rides on its own wheels.

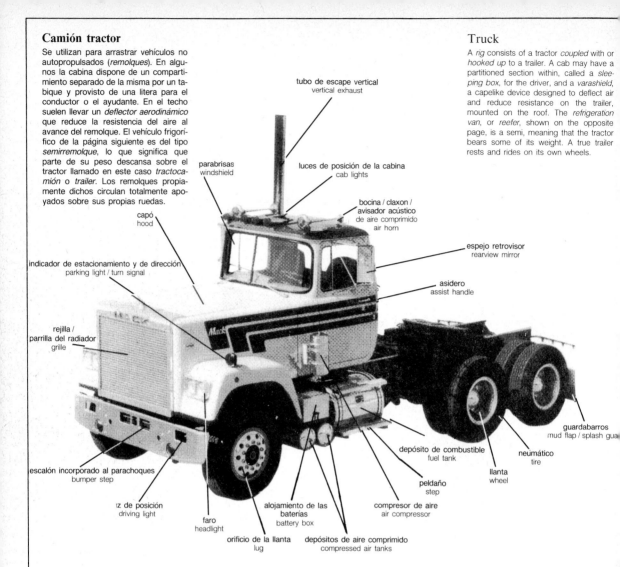

tubo de escape vertical
vertical exhaust
parabrisas
windshield
luces de posición de la cabina
cab lights
bocina / claxon / avisador acústico de aire comprimido
air horn
capó
hood
espejo retrovisor
rearview mirror
indicador de estacionamiento y de dirección
parking light / turn signal
asidero
assist handle
rejilla / parrilla del radiador
grille
guardabarros
mud flap / splash gua
depósito de combustible
fuel tank
neumático
tire
escalón incorporado al parachoques
bumper step
llanta
wheel
peldaño
step
ız de posición
driving light
alojamiento de las baterías
battery box
compresor de aire
air compressor
faro
headlight
orificio de la llanta
lug
depósitos de aire comprimido
compressed air tanks

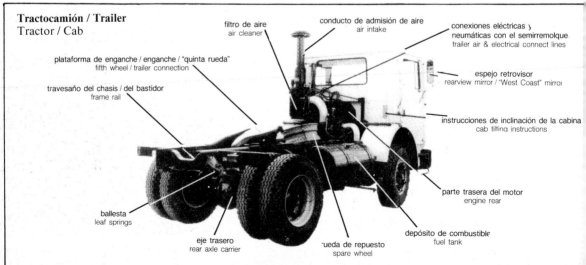

Tractocamión / Trailer
Tractor / Cab

filtro de aire
air cleaner
conducto de admisión de aire
air intake
conexiones eléctricas y neumáticas con el semirremolque
trailer air & electrical connect lines
plataforma de enganche / enganche / "quinta rueda"
fifth wheel / trailer connection
espejo retrovisor
rearview mirror / "West Coast" mirror
travesaño del chasis / del bastidor
frame rail
instrucciones de inclinación de la cabina
cab tilting instructions
parte trasera del motor
engine rear
ballesta
leaf springs
depósito de combustible
fuel tank
eje trasero
rear axle carrier
rueda de repuesto
spare wheel

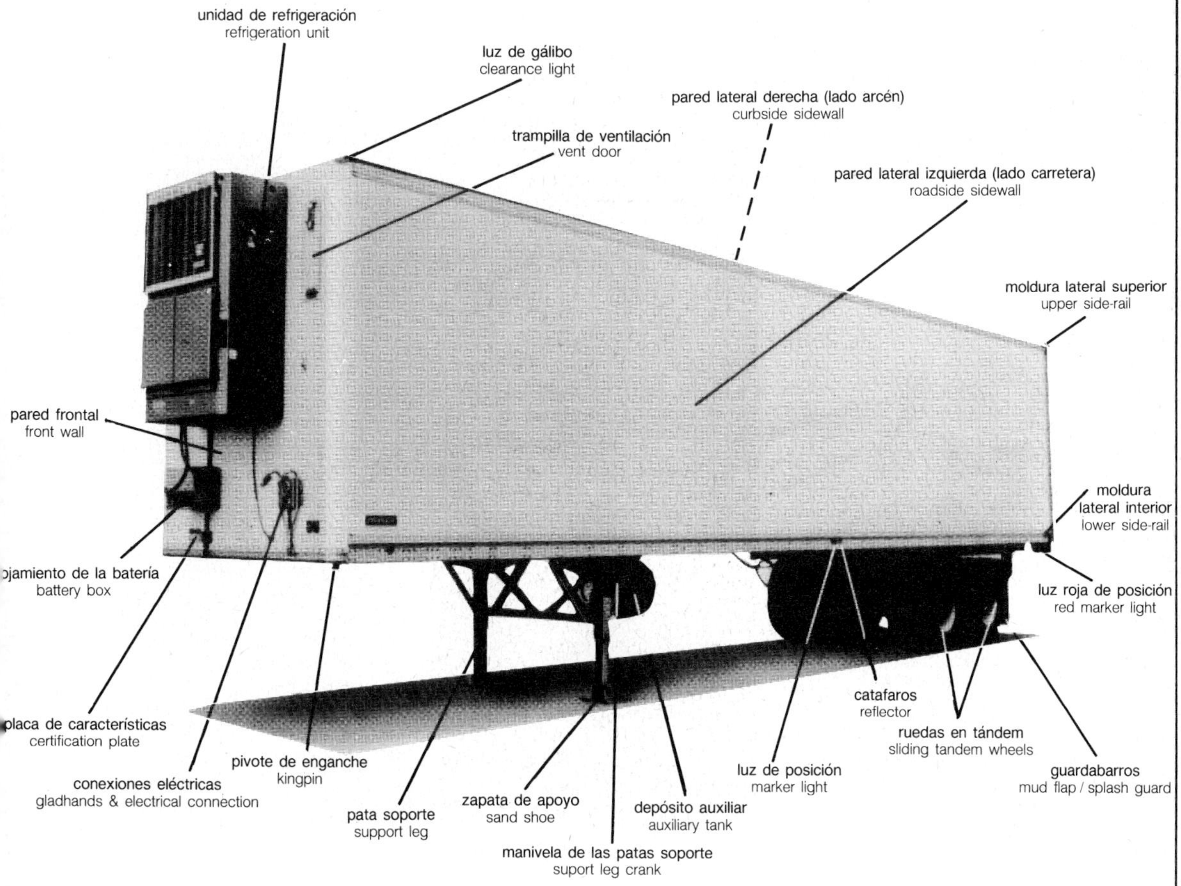
unidad de refrigeración
refrigeration unit
luz de gálibo
clearance light
pared lateral derecha (lado arcén)
curbside sidewall
trampilla de ventilación
vent door
pared lateral izquierda (lado carretera)
roadside sidewall
moldura lateral superior
upper side-rail
pared frontal
front wall
moldura lateral interior
lower side-rail
ojamiento de la batería
battery box
luz roja de posición
red marker light
catafaros
reflector
placa de características
certification plate
ruedas en tándem
sliding tandem wheels
pivote de enganche
kingpin
luz de posición
marker light
guardabarros
mud flap / splash guard
conexiones eléctricas
gladhands & electrical connection
zapata de apoyo
sand shoe
depósito auxiliar
auxiliary tank
pata soporte
support leg
manivela de las patas soporte
suport leg crank

Semirremolque frigorífico
Semitrailer / Van

Plataforma
Platform / Flat Bed

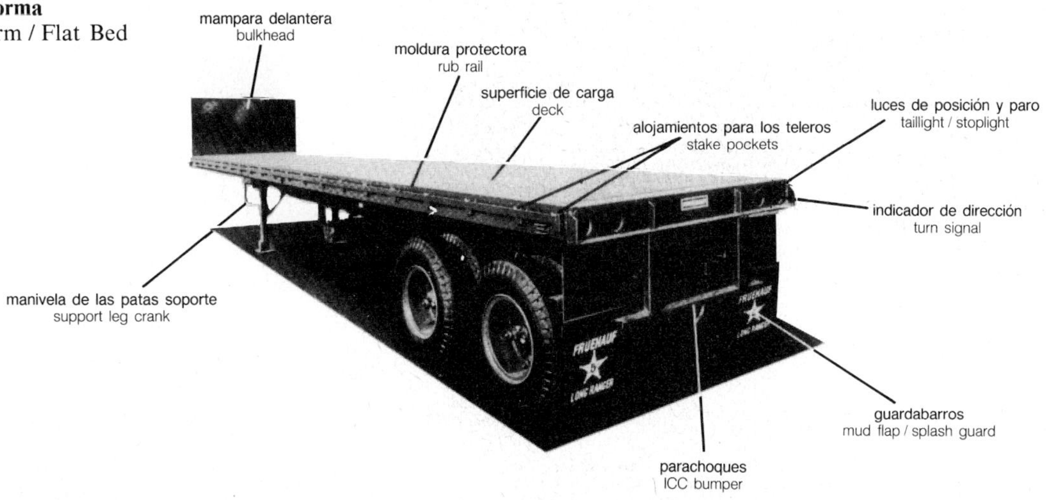
mampara delantera
bulkhead
moldura protectora
rub rail
superficie de carga
deck
luces de posición y paro
taillight / stoplight
alojamientos para los teleros
stake pockets
indicador de dirección
turn signal
manivela de las patas soporte
support leg crank
guardabarros
mud flap / splash guard
parachoques
ICC bumper

Automóvil de policía

Muchos coches de policía llevan potentes luces *giratorias* en cada extremo de la barra del techo. A veces existe una rejilla de alambre entre el asiento del conductor y el posterior. En el portaequipajes, los coches de policía suelen llevar un *equipo de oxígeno*, *bengalas*, *extintores*, *armas antidisturbios*, un *botiquín de primeros auxilios*, *mantas* y una *almohadilla*.

Police Car

Many police cars have *alley lights*, strong floodlights at either end of the light bar on the roof. A wire screen between the driver's seat and the back seat of the car is called the *cage*. Contained in the trunk of many police cars are a *hurst tool* or *jaws of life*, a *haligan tool*, an *oxygen unit*, *flares*, a *fire extinguisher*, a *riot gun*, a *first-aid kit*, *blankets* and a *pillow*.

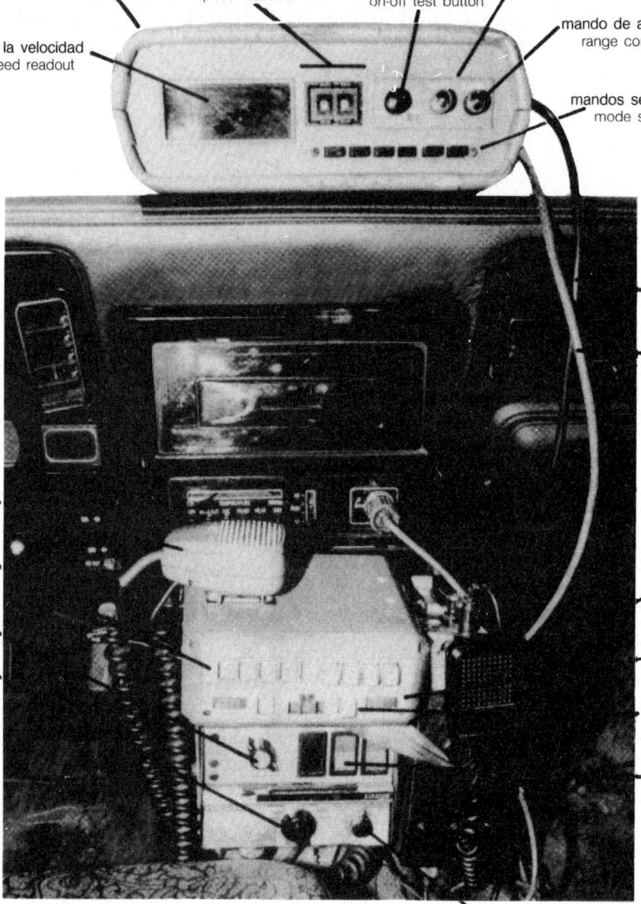

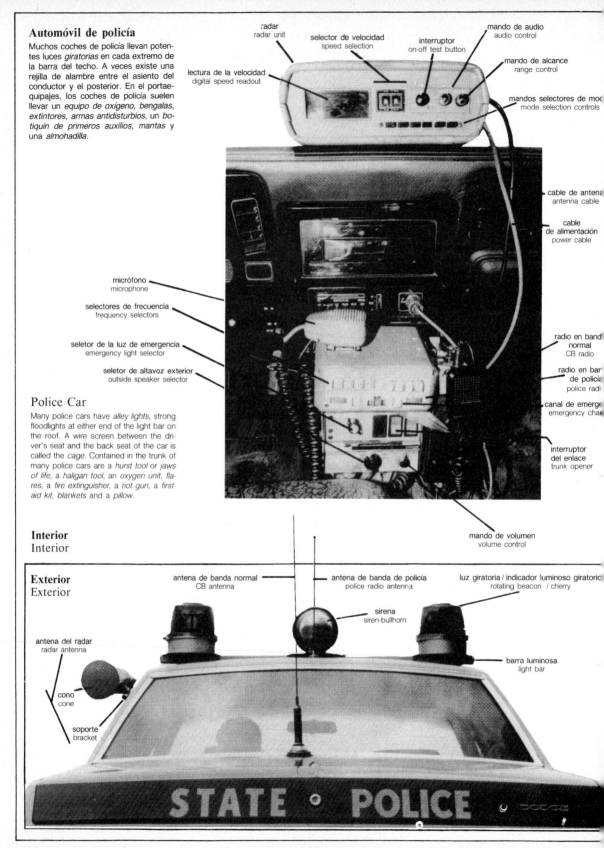

radar
radar unit
selector de velocidad
speed selection
interruptor
on-off test button
mando de audio
audio control
mando de alcance
range control
lectura de la velocidad
digital speed readout
mandos selectores de mo
mode selection controls
cable de anten
antenna cable
cable
de alimentación
power cable
micrófono
microphone
selectores de frecuencia
frequency selectors
seletor de la luz de emergencia
emergency light selector
seletor de altavoz exterior
outside speaker selector
radio en band
normal
CB radio
radio en bar
de polici
police radi
canal de emerg
emergency cha
interruptor
del enlace
trunk opener
mando de volumen
volume control

Interior
Interior

Exterior
Exterior

antena de banda normal
CB antenna
antena de banda de policía
police radio antenna
luz giratoria / indicador luminoso giratori
rotating beacon / cherry
sirena
siren-bullhorn
antena del radar
radar antenna
barra luminosa
light bar
cono
cone
soporte
bracket
STATE POLICE

Ambulancia

Las *unidades de primeros auxilios* modernas, tales como la que vemos en la ilustración, llevan, además de los artículos enumerados, *lienzos para quemaduras*, *gasas*, *bateas para vómitos*, *collaretes y rodillos* para el cuello, *depresores de lengua*, *agua oxigenada* y *alcohol*, *tubos de extensión*, *bombonas de oxígeno de reserva*, *férulas*, *sacos de arena* (para tracción), *ropa de cama*, una *camilla* y una *silla de ruedas*.

Ambulance

Additional equipment carried inside *advanced life-support units*, such as the one shown here, are *burn sheets*, *gauze*, *emesis basins*, *cervical collars*, *neck rolls*, *bitee sticks*, *tongue blades*, *peroxide* and *alcohol*, *extension tubes*, additional *oxygen tanks*, *splints*, *sandbags* (for traction), *linens*, a *scoop stretcher* and a *carrying chair*.

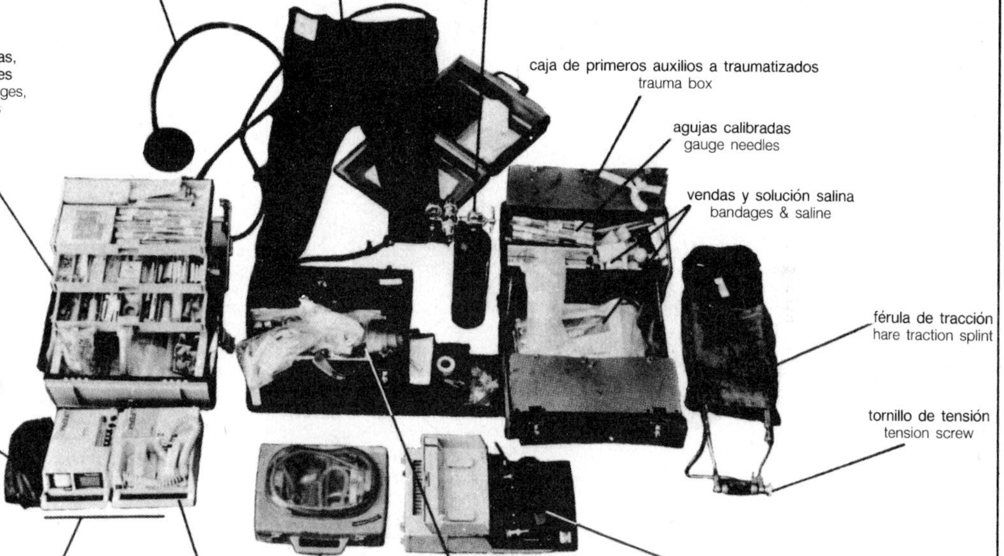
pantalones inflables anti-*shock*
inflatable anti-shock trousers
balón de oxígeno
oxygen cylinder
bomba de pie
foot pump
botiquín / vendas, jeringas, antineurálgicos, sedantes
drug box / bandages, syringes, pain-killers, tranquilizers
caja de primeros auxilios a traumatizados
trauma box
agujas calibradas
gauge needles
vendas y solución salina
bandages & saline
férula de tracción
hare traction splint
anguito de tensión arterial (esfigmoma)
ood-pressure cuff
tornillo de tensión
tension screw
desfibrilador
defibrillator
radio telemétrica portátil
portable telemetry radio
electrocardiógrafo portátil
portable electrocardiogram / lifepack
estuche para intubaciones / primeros auxilios respiratorios
intubation box / breathing aid
aspirador
suction unit / throat pump

Equipo médico
Paramedic Equipment

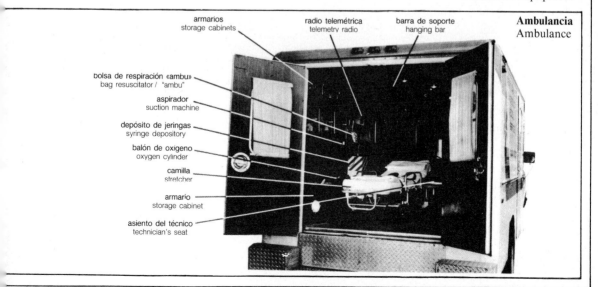

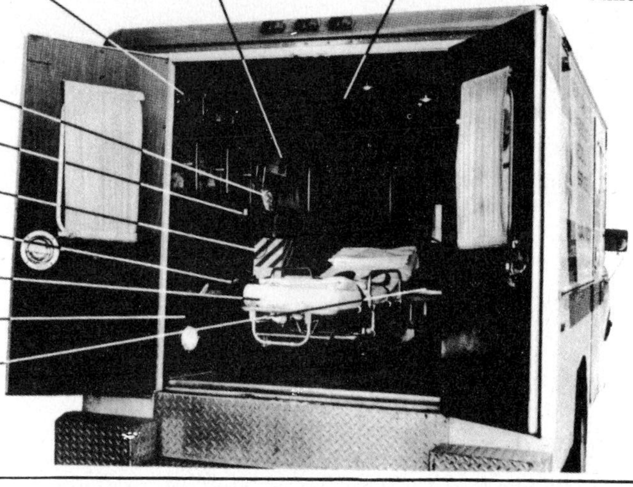
armarios
storage cabinets
radio telemétrica
telemetry radio
barra de soporte
hanging bar
bolsa de respiración «ambu»
bag resuscitator / "ambu"
aspirador
suction machine
depósito de jeringas
syringe depository
balón de oxigeno
oxygen cylinder
camilla
stretcher
armario
storage cabinet
asiento del técnico
technician's seat

Ambulancia
Ambulance

Vehículos de bomberos

En un coche de bomberos la escalera extensible y la plataforma se mueven sobre una *placa giratoria*. Dentro de la autobomba hay un tanque de agua con una bomba de presión que sirven para combatir incendios de poca importancia, un *tambor* que va soltando la manguera a la longitud requerida y una *escala* de tramos acoplables. Otros elementos del equipo de lucha contra incendios son las *redes salvavidas*, los *toboganes*, las *botellas de oxígeno*, y el *botiquín* de primeros auxilios.

Fire Engine

On a fire truck, the entire tower ladder and control platform revolve on a *turntable.* Contained within a pumper is a water *booster tank* for fighting small fires, a *booster hose-reel*, for letting out hose line, and an *extension ladder.* Most fire fighting *aparatus* also carry *air tanks*, *lift-nets*, *EMT.* or *first aid boxes*, and *smoke ejector.*

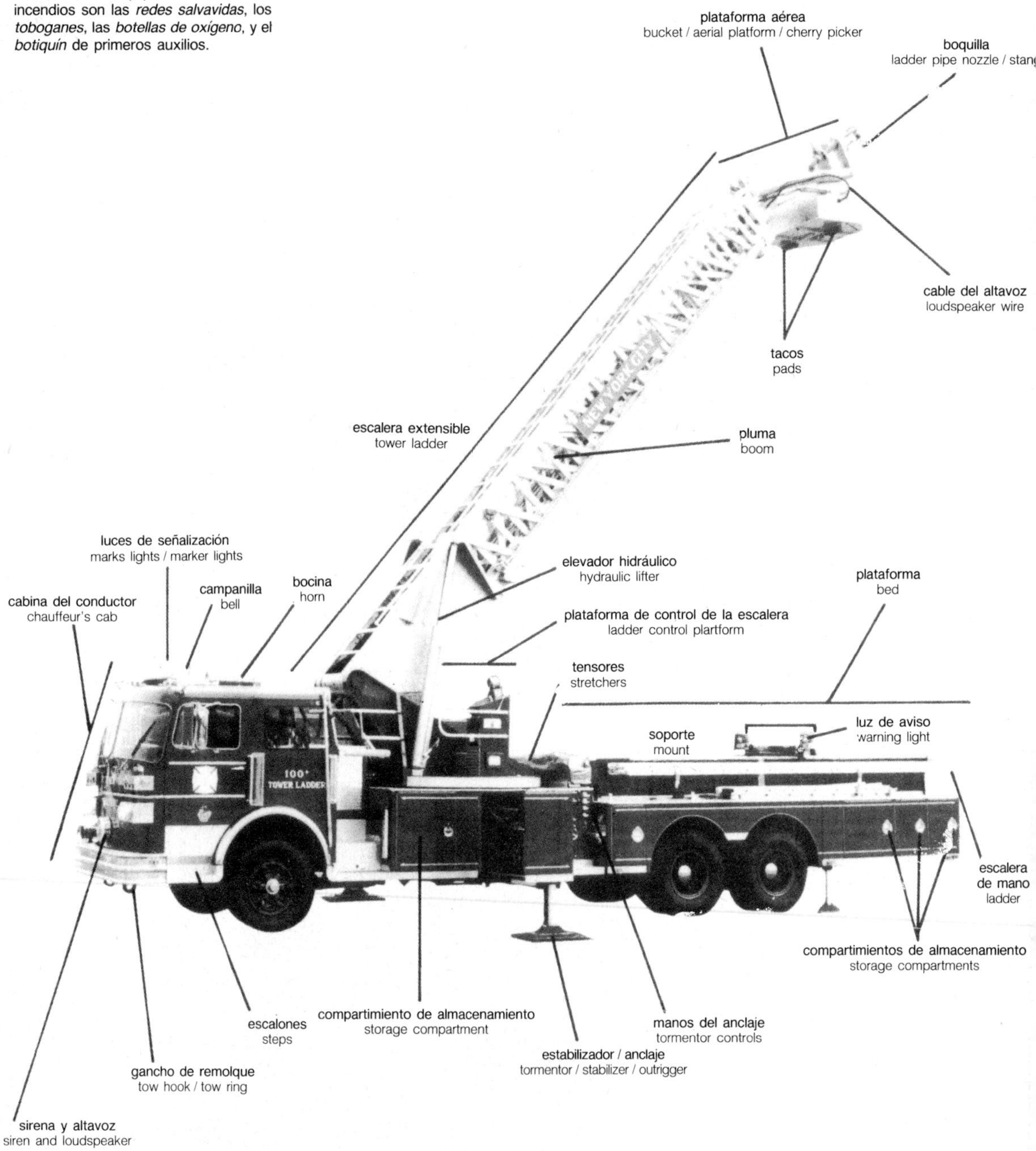
plataforma aérea
bucket / aerial platform / cherry picker
boquilla
ladder pipe nozzle / stan
cable del altavoz
loudspeaker wire
tacos
pads
escalera extensible
tower ladder
pluma
boom
luces de señalización
marks lights / marker lights
campanilla
bell
bocina
horn
cabina del conductor
chauffeur's cab
elevador hidráulico
hydraulic lifter
plataforma
bed
plataforma de control de la escalera
ladder control plartform
tensores
stretchers
soporte
mount
luz de aviso
warning light
100'
TOWER LADDER
escalera
de mano
ladder
compartimientos de almacenamiento
storage compartments
escalones
steps
compartimiento de almacenamiento
storage compartment
manos del anclaje
tormentor controls
estabilizador / anclaje
tormentor / stabilizer / outrigger
gancho de remolque
tow hook / tow ring
sirena y altavoz
siren and loudspeaker

Escalera extensible
Tower Ladder / Truck

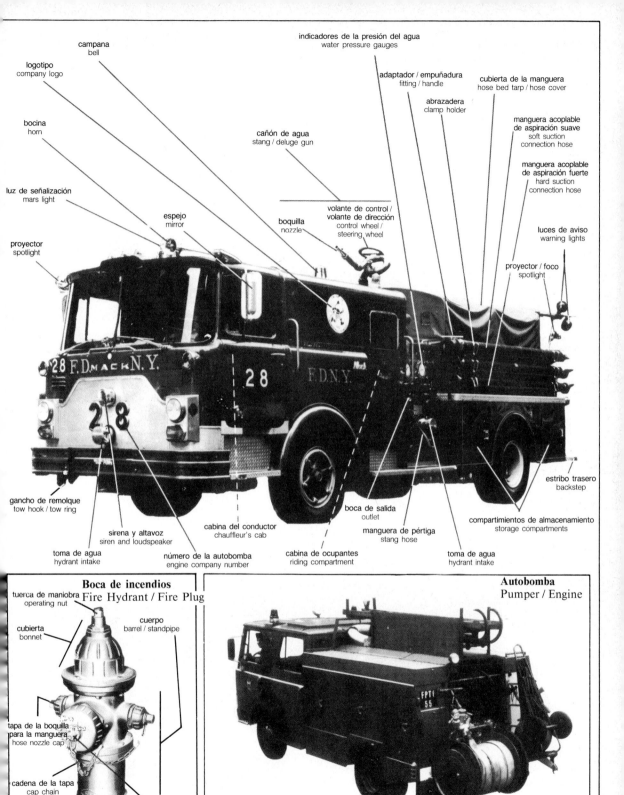

campana
bell
logotipo
company logo
indicadores de la presión del agua
water pressure gauges
adaptador / empuñadura
fitting / handle
cubierta de la manguera
hose bed tarp / hose cover
abrazadera
clamp holder
bocina
horn
manguera acoplable de aspiración suave
soft suction connection hose
cañón de agua
stang / deluge gun
manguera acoplable de aspiración fuerte
hard suction connection hose
luz de señalización
mars light
volante de control / volante de dirección
control wheel / steering wheel
espejo
mirror
boquilla
nozzle
luces de aviso
warning lights
proyector
spotlight
proyector / foco
spotlight
28 F.D. MACK N.Y.
28
F.D.N.Y.
estribo trasero
backstep
gancho de remolque
tow hook / tow ring
boca de salida
outlet
compartimientos de almacenamiento
storage compartments
cabina del conductor
chauffleur's cab
manguera de pértiga
stang hose
sirena y altavoz
siren and loudspeaker
toma de agua
hydrant intake
número de la autobomba
engine company number
cabina de ocupantes
riding compartment
toma de agua
hydrant intake

Boca de incendios
Fire Hydrant / Fire Plug

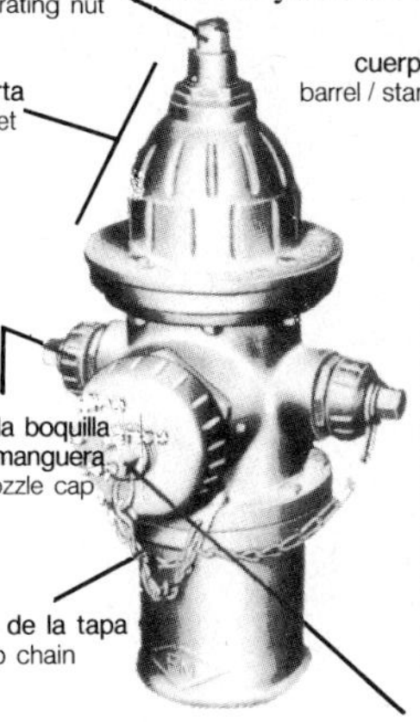
tuerca de maniobra
operating nut
cuerpo
barrel / standpipe
cubierta
bonnet
tapa de la boquilla para la manguera
hose nozzle cap
cadena de la tapa
cap chain
tapa de la conexión para la bomba
steamer connection cap / steamer nozzle cap

Autobomba
Pumper / Engine

FPT
55

Camión remolque / Vehículo grúa

Los camiones de remolque o *grúas* acuden a los lugares donde han ocurrido accidentes. Un camión remolque totalmente equipado lleva *extintores de incendios*, un *cargador de batería*, *cables de conexión* y una *palanca desconectadora* de dos puntas que permite abrir las puertas de los coches accidentados.

Tow Truck / Wrecker

Tow trucks, or *rigs*, that respond to accident reports are called "chasers". A fully-equipped tow truck carries *fire extinguishers*, *battery charger*, *battery jumper cables*, and a twopronged *lockout tool* which enables the operator to open locked car doors.

polea del cable de remolque
tow-cable pulley
brazo / aguilón
boom
luces de marcha
running lights
columna / soporte
upright / stanchion
polea
cable pulley
cabrestante
winch
cable
cable
mandos del cabrestante
winch controls
barandilla
guardrail
490-3675
LST TOWING
indicador lateral
side marker
tubo de escape
tailpipe
caja de herramientas
tool-storage box
placa de empuje frontal
front push plate
rueda de llantas con hendiduras
split-rim wheel
estribo
step
cubo invertido / cubo de la doble rueda
inverted hub / dual wheel hub
ruedas traseras dobles
dual rear wheels
guardabarros
mud flap / splash guard

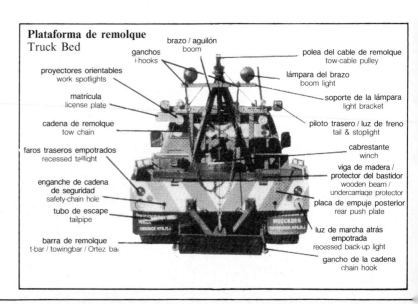

Plataforma de remolque
Truck Bed

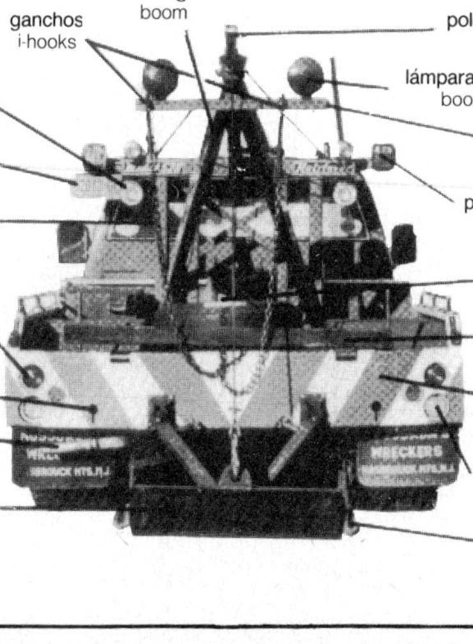

brazo / aguilón
boom
ganchos
i-hooks
polea del cable de remolque
tow-cable pulley
proyectores orientables
work spotlights
lámpara del brazo
boom light
soporte de la lámpara
light bracket
matrícula
license plate
cadena de remolque
tow chain
piloto trasero / luz de freno
tail & stoplight
faros traseros empotrados
recessed taillight
cabrestante
winch
viga de madera / protector del bastidor
wooden beam / undercarriage protector
enganche de cadena de seguridad
safety-chain hole
placa de empuje posterior
rear push plate
tubo de escape
tailpipe
luz de marcha atrás empotrada
recessed back-up light
barra de remolque
t-bar / towingbar / Ortez ba
gancho de la cadena
chain hook

Vehículos de saneamiento

Los *basureros* o *barrenderos* utilizan también un gran *camión cisterna*, lleno de agua, para limpiar y regar las calles.

Sanitation Vehicles

Garbage collectors, *sanitation men*, or "sanmen", also use a large, watercarrying truck called a *flusher* to wet down and clean streets.

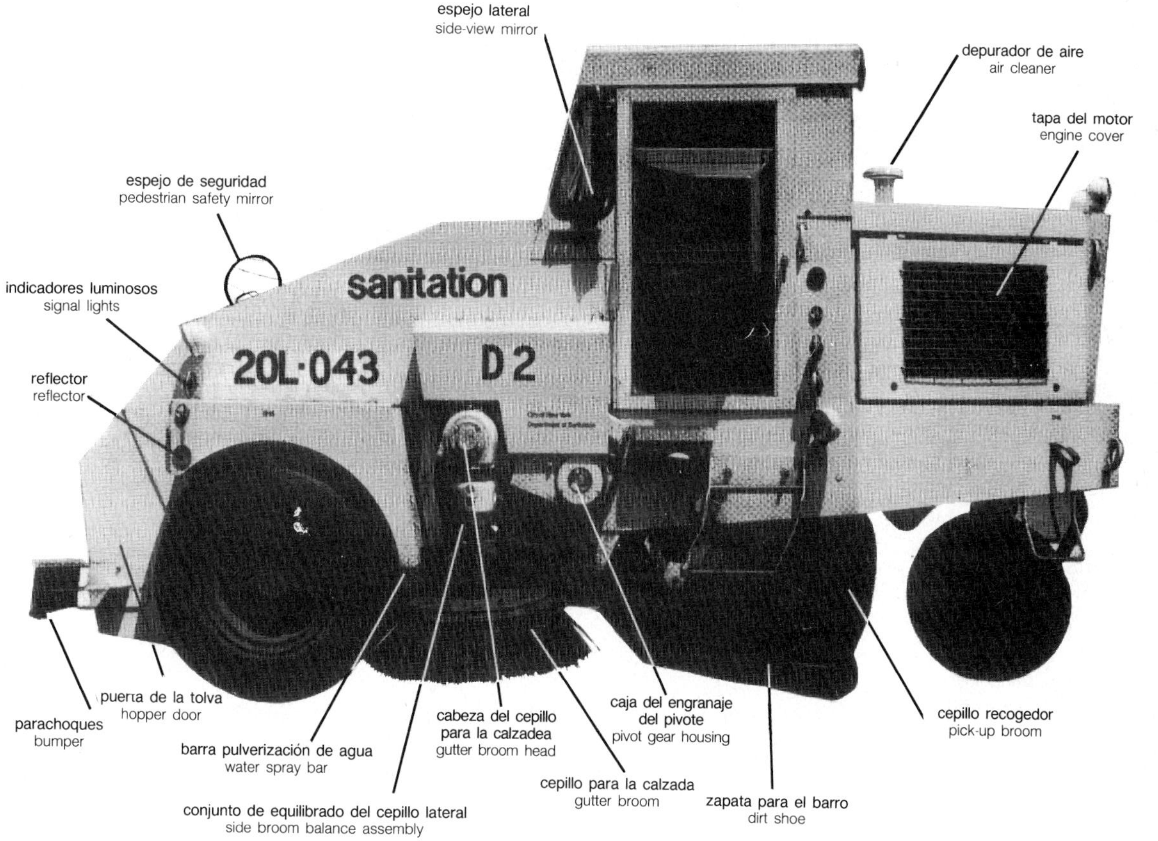

espejo lateral
side-view mirror
depurador de aire
air cleaner
tapa del motor
engine cover
espejo de seguridad
pedestrian safety mirror
indicadores luminosos
signal lights
reflector
reflector
sanitation
20L·043
D2
puerta de la tolva
hopper door
parachoques
bumper
barra pulverización de agua
water spray bar
conjunto de equilibrado del cepillo lateral
side broom balance assembly
cabeza del cepillo para la calzadea
gutter broom head
caja del engranaje del pivote
pivot gear housing
cepillo para la calzada
gutter broom
zapata para el barro
dirt shoe
cepillo recogedor
pick-up broom

Barredora mecánica
Mechanical Sweeper / Street Cleaner

Camión de recogida de basuras
Side-Loading Collection Truck / Garbage Truck

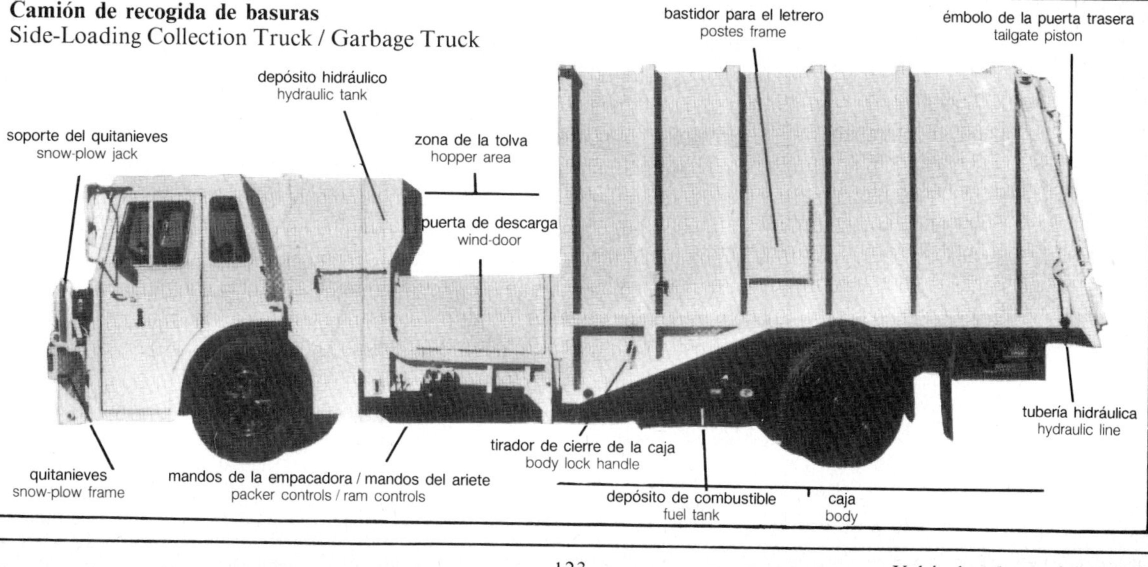

bastidor para el letrero
postes frame
émbolo de la puerta trasera
tailgate piston
depósito hidráulico
hydraulic tank
soporte del quitanieves
snow-plow jack
zona de la tolva
hopper area
puerta de descarga
wind-door
tubería hidráulica
hydraulic line
tirador de cierre de la caja
body lock handle
quitanieves
snow-plow frame
mandos de la empacadora / mandos del ariete
packer controls / ram controls
depósito de combustible
fuel tank
caja
body

Bicicleta

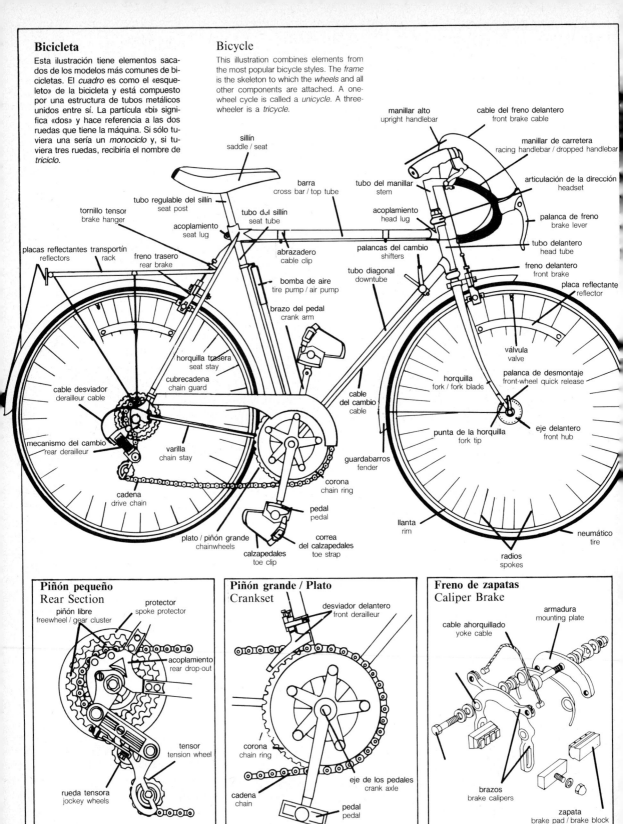

Esta ilustración tiene elementos sacados de los modelos más comunes de bicicletas. El *cuadro* es como el «esqueleto» de la bicicleta y está compuesto por una estructura de tubos metálicos unidos entre sí. La partícula «bi» significa «dos» y hace referencia a las dos ruedas que tiene la máquina. Si sólo tuviera una sería un *monociclo* y, si tuviera tres ruedas, recibiría el nombre de *triciclo*.

Bicycle

This illustration combines elements from the most popular bicycle styles. The *frame* is the skeleton to which the *wheels* and all other components are attached. A one-wheel cycle is called a *unicycle*. A three-wheeler is a *tricycle*.

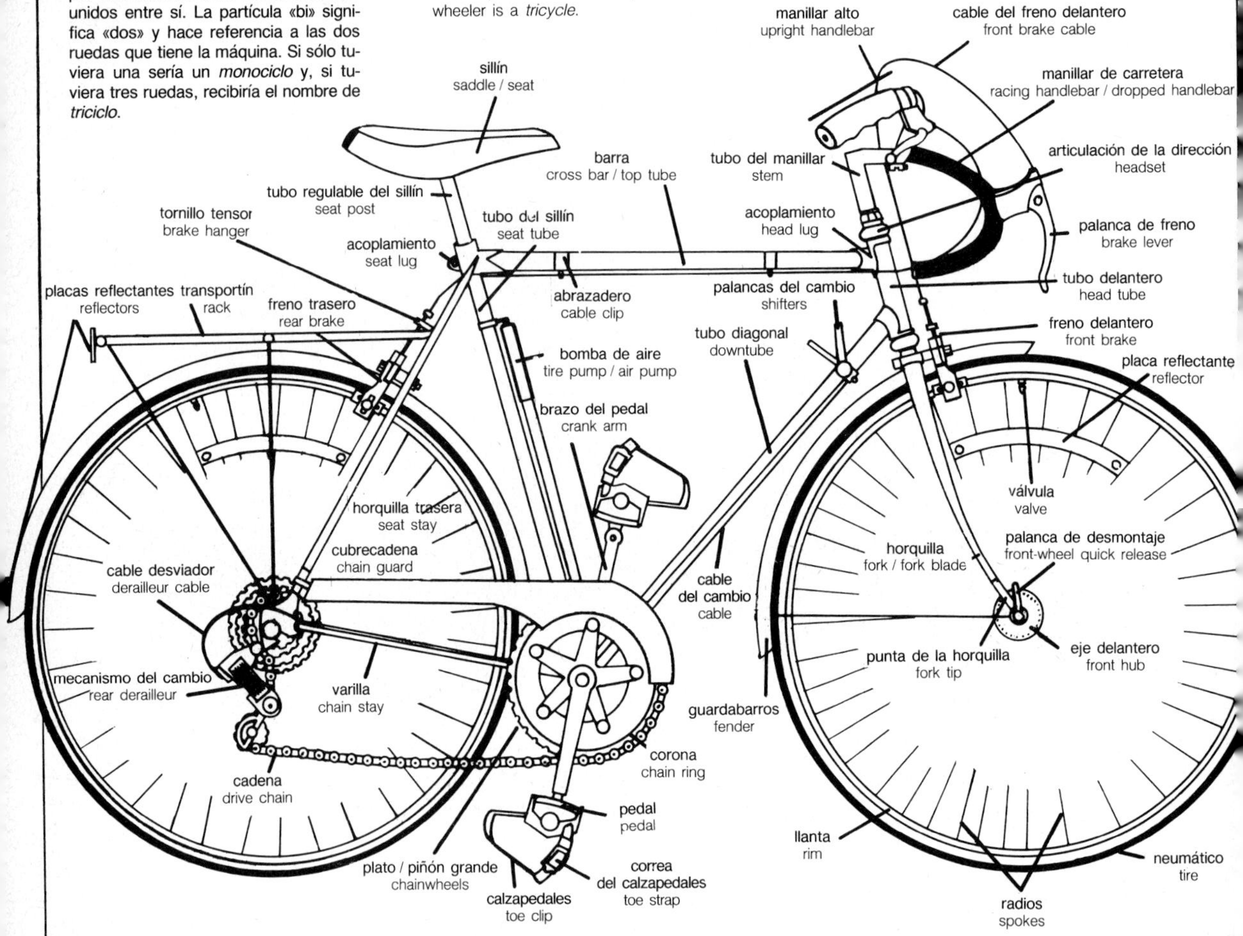

manillar alto
upright handlebar
cable del freno delantero
front brake cable
sillín
saddle / seat
manillar de carretera
racing handlebar / dropped handlebar
barra
cross bar / top tube
tubo del manillar
stem
articulación de la dirección
headset
tubo regulable del sillín
seat post
tornillo tensor
brake hanger
tubo del sillín
seat tube
acoplamiento
head lug
palanca de freno
brake lever
acoplamiento
seat lug
tubo delantero
head tube
placas reflectantes transportín
reflectors rack
freno trasero
rear brake
abrazadero
cable clip
palancas del cambio
shifters
freno delantero
front brake
tubo diagonal
downtube
bomba de aire
tire pump / air pump
placa reflectante
reflector
brazo del pedal
crank arm
válvula
valve
horquilla trasera
seat stay
palanca de desmontaje
front-wheel quick release
cubrecadena
chain guard
horquilla
fork / fork blade
cable desviador
derailleur cable
cable
del cambio
cable
punta de la horquilla
fork tip
eje delantero
front hub
mecanismo del cambio
rear derailleur
varilla
chain stay
guardabarros
fender
corona
chain ring
cadena
drive chain
pedal
pedal
llanta
rim
neumático
tire
plato / piñón grande
chainwheels
correa
del calzapedales
toe strap
calzapedales
toe clip
radios
spokes

Piñón pequeño
Rear Section

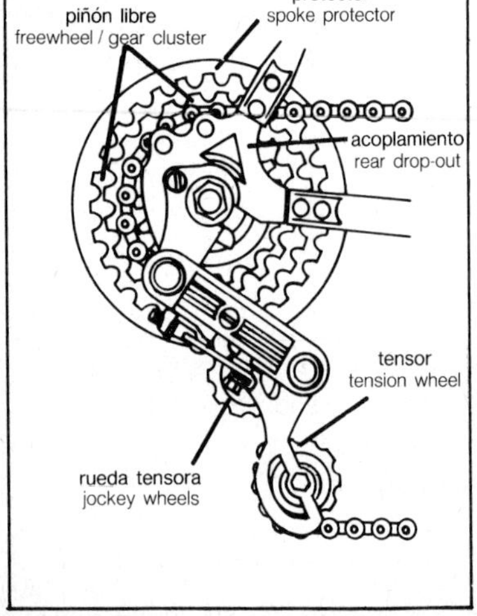

protector
spoke protector
piñón libre
freewheel / gear cluster
acoplamiento
rear drop-out
tensor
tension wheel
rueda tensora
jockey wheels

Piñón grande / Plato
Crankset

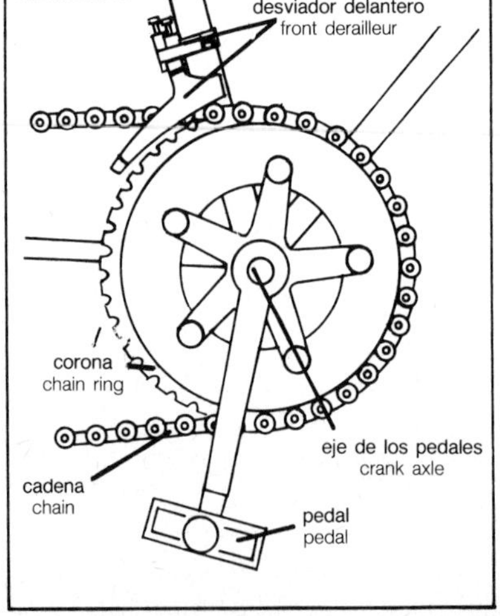

desviador delantero
front derailleur
corona
chain ring
eje de los pedales
crank axle
cadena
chain
pedal
pedal

Freno de zapatas
Caliper Brake

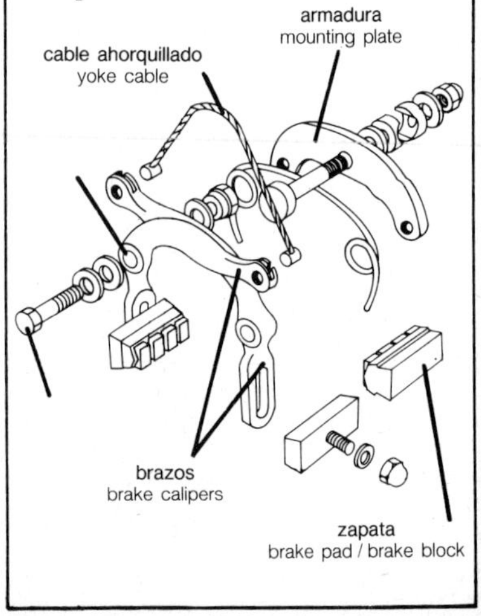

armadura
mounting plate
cable ahorquillado
yoke cable
brazos
brake calipers
zapata
brake pad / brake block

Motocicleta

Entre los elementos auxiliares que suele llevar una motocicleta, podemos citar la *carena* (protección aerodinámica generalmente moldeada en fibra de vidrio), las *barras traseras de apoyo para el pasajero*, los *portabultos* y las *maletas laterales*. Las *motos de trial* y de montaña están concebidas especialmente para circular por terrenos no pavimentados. Para estacionar una motocicleta se la sube sobre su *caballete* o se la apoya en la *pata de cabra* lateral.

Motorcycle

Motorcycle accesories include *faring*, a molded wind deflector, *sissy bar*, a passenger backrest, and storage containers called *saddlebags*, or *panier cases*. A motorcycle for of-fthe-road use is called a *trail bike* or *dirt bike*. A *sidestand*, *kickstand* or *centerstand* holds the motorcycle upright when not in use.

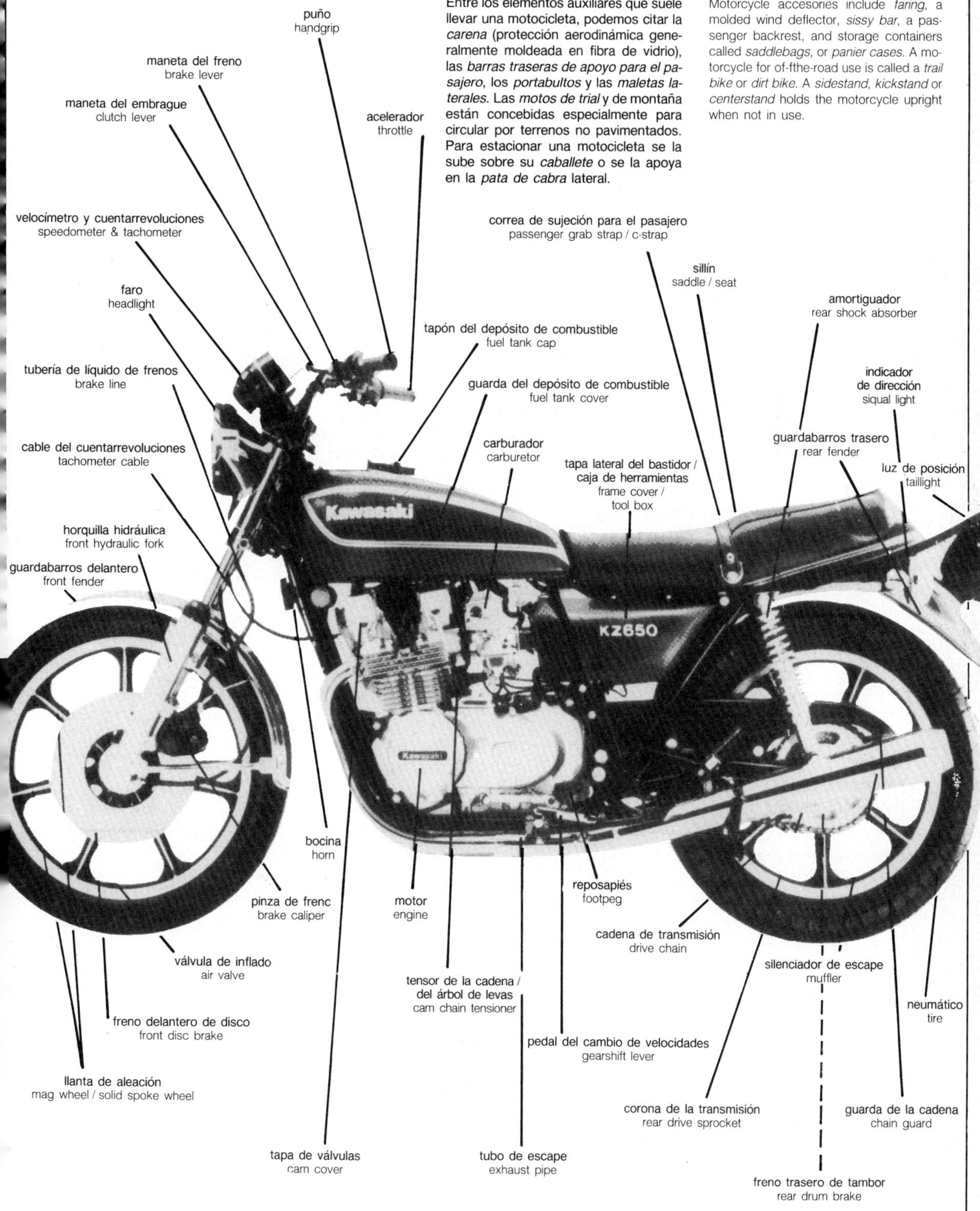
puño
handgrip
maneta del freno
brake lever
maneta del embrague
clutch lever
acelerador
throttle
velocímetro y cuentarrevoluciones
speedometer & tachometer
faro
headlight
tubería de líquido de frenos
brake line
cable del cuentarrevoluciones
tachometer cable
horquilla hidráulica
front hydraulic fork
guardabarros delantero
front fender
correa de sujeción para el pasajero
passenger grab strap / c-strap
sillín
saddle / seat
amortiguador
rear shock absorber
tapón del depósito de combustible
fuel tank cap
guarda del depósito de combustible
fuel tank cover
indicador de dirección
siqual light
carburador
carburetor
tapa lateral del bastidor / caja de herramientas
frame cover / tool box
guardabarros trasero
rear fender
luz de posición
taillight
bocina
horn
pinza de frenc
brake caliper
motor
engine
reposapiés
footpeg
cadena de transmisión
drive chain
válvula de inflado
air valve
tensor de la cadena / del árbol de levas
cam chain tensioner
silenciador de escape
muffler
neumático
tire
freno delantero de disco
front disc brake
pedal del cambio de velocidades
gearshift lever
llanta de aleación
mag wheel / solid spoke wheel
corona de la transmisión
rear drive sprocket
guarda de la cadena
chain guard
tapa de válvulas
cam cover
tubo de escape
exhaust pipe
freno trasero de tambor
rear drum brake

Vehículos de recreo

La *calefacción* y la *cocina* de una *casa rodante*, funcionan con *gas propano.* Existen también las llamadas *caravanas*, viviendas rodantes remolcables con un automóvil normal, así como *vehículos todo terreno* (de dos o cuatro ruedas motrices), tales como los llamados «*jeep*».

Recreational Vehicles

The *heating* and *cooking units* in the rear *coach* of a camper run on *propane gas.* Unlike campers, which run under their own power, *trailers* are hitched behind a vehicle and towed. Other *off-the-road vehicles* include *four-wheel drive jeeps* and *dune buggies.*

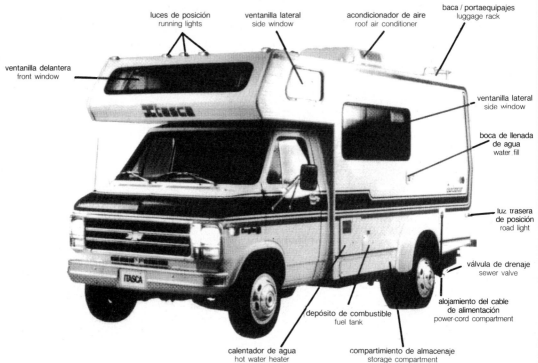

luces de posición
running lights
ventanilla lateral
side window
acondicionador de aire
roof air conditioner
baca / portaequipajes
luggage rack
ventanilla delantera
front window
ventanilla lateral
side window
boca de llenada de agua
water fill
luz trasera de posición
road light
válvula de drenaje
sewer valve
alojamiento del cable de alimentación
power-cord compartment
depósito de combustible
fuel tank
calentador de agua
hot water heater
compartimiento de almacenaje
storage compartment

Casa rodante
Camper / Motor Home

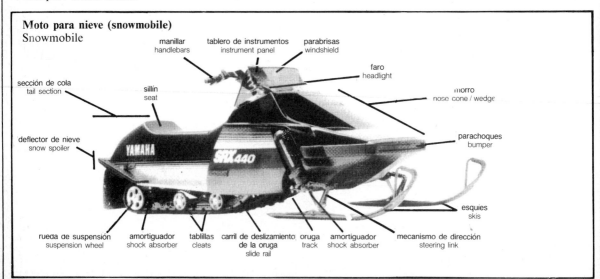

Moto para nieve (snowmobile)
Snowmobile

manillar
handlebars
tablero de instrumentos
instrument panel
parabrisas
windshield
faro
headlight
sección de cola
tail section
sillín
seat
morro
nose cone / wedge
deflector de nieve
snow spoiler
parachoques
bumper
esquíes
skis
rueda de suspensión
suspension wheel
amortiguador
shock absorber
tablillas
cleats
carril de deslizamiento de la oruga
slide rail
oruga
track
amortiguador
shock absorber
mecanismo de dirección
steering link

Carruajes de caballos

Las *diligencias* eran arrastradas por *tiros de caballos* y conducidas por *cocheros*. Acompañando al cochero solía ir un *guarda* armado con una escopeta. El *cabriolé* era un carruaje, generalmente de alquiler, con dos ruedas y capota plegable. La *calesa* tenía dos ruedas en vez de las cuatro del *faetón*, que podía ser descubierto o cubierto.

Horse-drawn Carriages

Stagecoaches were a drawn by teams of horses and commanded by *drivers* called the *whip*. Charlie or Jehu. Protection was provided by a *guard*, or *shotgun*. A *buggy* was four-wheeled. A *gig* had two wheels. A *buckboard* had a spring-supported seat attached to a board directly connected to the axles. A *cabriolet* was a *hackney carriage*, or *cab*, with only two wheels and a folding top.

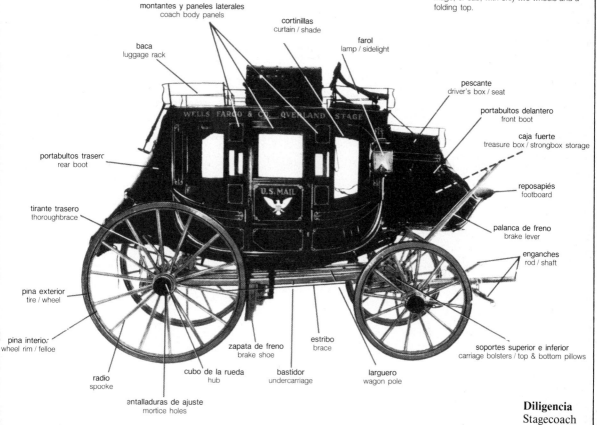

montantes y paneles laterales
coach body panels
cortinillas
curtain / shade
baca
luggage rack
farol
lamp / sidelight
WELLS FARGO & CO. OVERLAND STAGE
U.S. MAIL
pescante
driver's box / seat
portabultos delantero
front boot
caja fuerte
treasure box / strongbox storage
portabultos trasero
rear boot
reposapiés
footboard
tirante trasero
thoroughbrace
palanca de freno
brake lever
enganches
rod / shaft
pina exterior
tire / wheel
pina interior
wheel rim / felloe
zapata de freno
brake shoe
estribo
brace
soportes superior e inferior
carriage bolsters / top & bottom pillows
radio
spooke
cubo de la rueda
hub
bastidor
undercarriage
larguero
wagon pole
entalladuras de ajuste
mortice holes

Diligencia
Stagecoach

Cabriolé de plaza
Hansom Cab

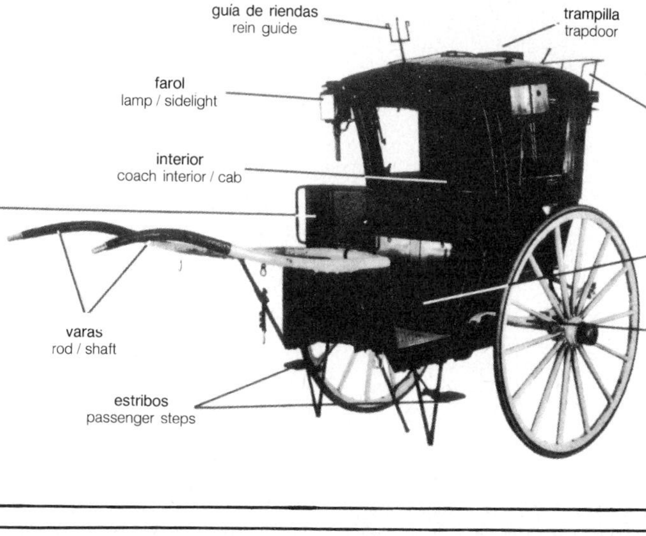

guía de riendas
rein guide
trampilla
trapdoor
farol
lamp / sidelight
pescante
dickey / driver'r seat
interior
coach interior / cab
guardafangos / guardabarros
dashboard / splasboard
portezuela
half-door
varas
rod / shaft
eje
cranked axle
estribos
passenger steps

Terminología naútica

La parte exterior de un barco se llama *casco*. La ancnura máxima del mismo es la *manga*. Cualquier cabo que vaya de un costado a otro del barco se dice que va *de banda a banda*. La parte del bote situada de cara al viento se llama *barlovento*, y el lado opuesto *sotavento*.

Nautical Terminology

The outer shell of a boat is the *hull*. A hull's greatest width is the *beam*. Any line running from one side of a boat to the other is said to run *athwartships*. That part of a boat facing the direction from which the wind is blowing is called the *windward* side. The opposite side is called the *leeward* side.

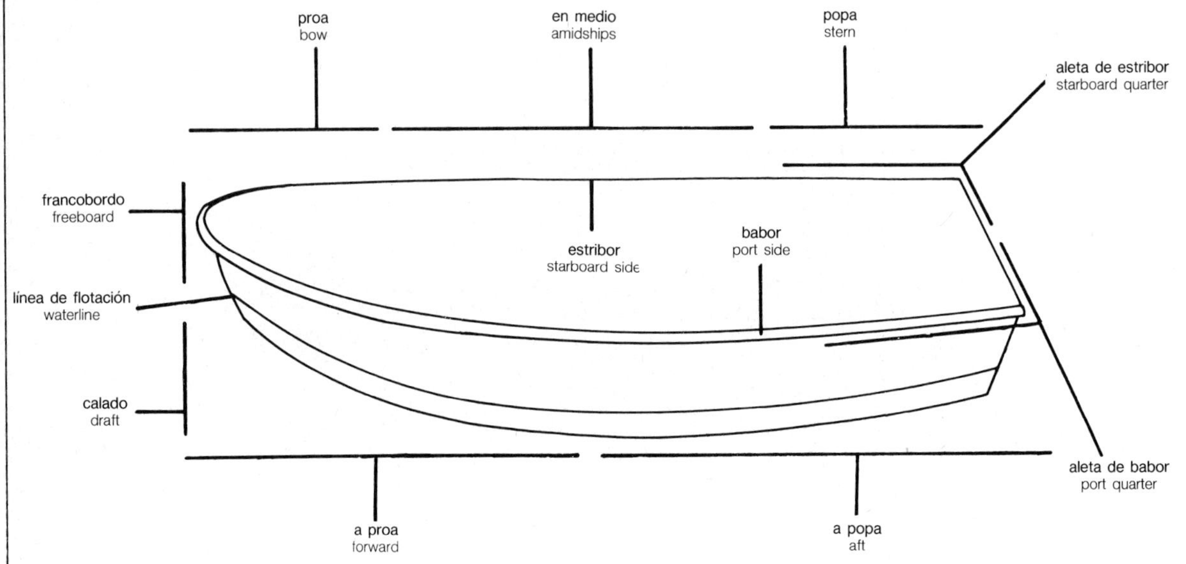

proa
bow
en medio
amidships
popa
stern
aleta de estribor
starboard quarter
francobordo
freeboard
estribor
starboard side
babor
port side
línea de flotación
waterline
calado
draft
aleta de babor
port quarter
a proa
forward
a popa
aft

Ancla
Anchor

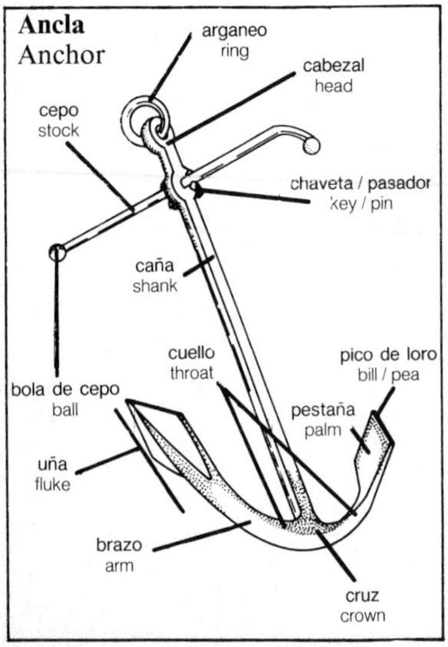

arganeo
ring
cabezal
head
cepo
stock
chaveta / pasador
key / pin
caña
shank
cuello
throat
pico de loro
bill / pea
bola de cepo
ball
pestaña
palm
uña
fluke
brazo
arm
cruz
crown

Cabo / Amarra
Rope / Line

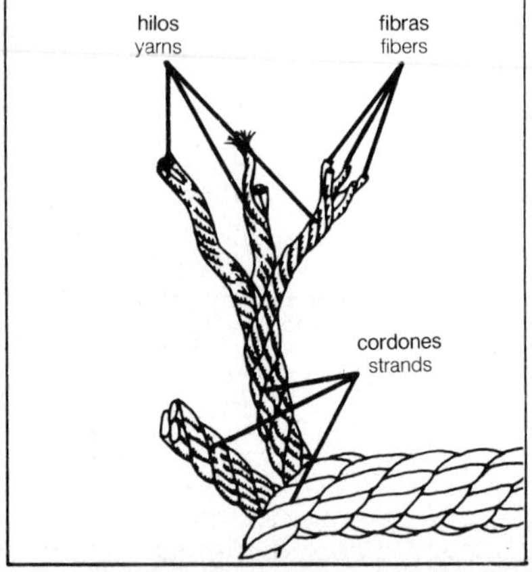

hilos
yarns
fibras
fibers
cordones
strands

Boya
Buoy

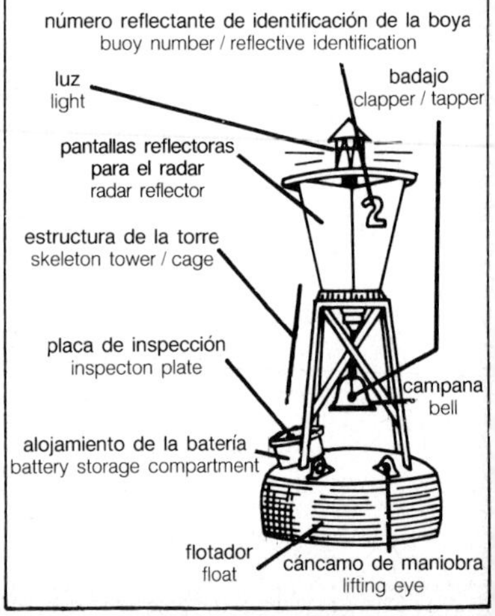

número reflectante de identificación de la boya
buoy number / reflective identification
luz
light
badajo
clapper / tapper
pantallas reflectoras
para el radar
radar reflector
estructura de la torre
skeleton tower / cage
placa de inspección
inspecton plate
campana
bell
alojamiento de la batería
battery storage compartment
flotador
float
cáncamo de maniobra
lifting eye

Bote de remos

Cualquier tipo de *embarcación* pequeña, *con o sin cubierta*, y propulsada por remos es un bote de remos o *esquife*. Si se emplea para servir a un *yate* o *motora*, se llama *chinchorro*, *falúa* o *bote auxiliar*.

Rowboat

Any small *craft*, either *decked* or *open* and propelled by oars, is a rowboat, or *skiff*. If it is used to service a *yacht* or *motor cruiser*, it is called a *dinghy*, *dink* or *tender*.

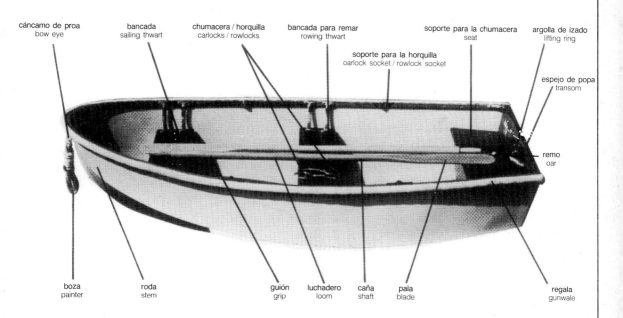

cáncamo de proa
bow eye
bancada
sailing thwart
chumacera / horquilla
carlocks / rowlocks
bancada para remar
rowing thwart
soporte para la chumacera
seat
argolla de izado
lifting ring
soporte para la horquilla
oarlock socket / rowlock socket
espejo de popa
transom
remo
oar
boza
painter
roda
stem
guión
grip
luchadero
loom
caña
shaft
pala
blade
regala
gunwale

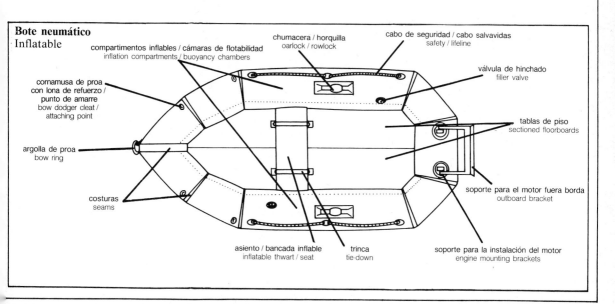

Bote neumático
Inflatable

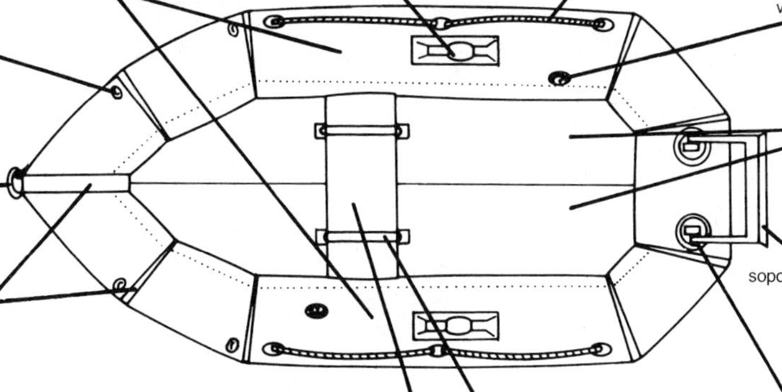
compartimentos inflables / cámaras de flotabilidad
inflation compartments / buoyancy chambers
chumacera / horquilla
oarlock / rowlock
cabo de seguridad / cabo salvavidas
safety / lifeline
válvula de hinchado
filler valve
cornamusa de proa
con lona de refuerzo /
punto de amarre
bow dodger cleat /
attaching point
tablas de piso
sectioned floorboards
argolla de proa
bow ring
costuras
seams
soporte para el motor fuera borda
outboard bracket
asiento / bancada inflable
inflatable thwart / seat
trinca
tie-down
soporte para la instalación del motor
engine mounting brackets

Velero

La *jarcia firme*, compuesta por obenques y estays, mantiene erguido el mástil o *palo* del velero. Las *drizas* se emplean para izar las velas, y la *jarcia de labor*, compuesta por cabos y escotas, sirve para maniobrar con ellas. Para gobernar algunas embarcaciones en lugar de la rueda del timón se emplea la *caña*.

Sailboat

Standing rigging, shrouds and stays, keep a sailing vessel's mast, or *spar*, upright. *Halyards* are used to hoist sails and *running rigging*, lines and *sheets*, control them. On some boats a *tiller* is used instead of a wheel to steer.

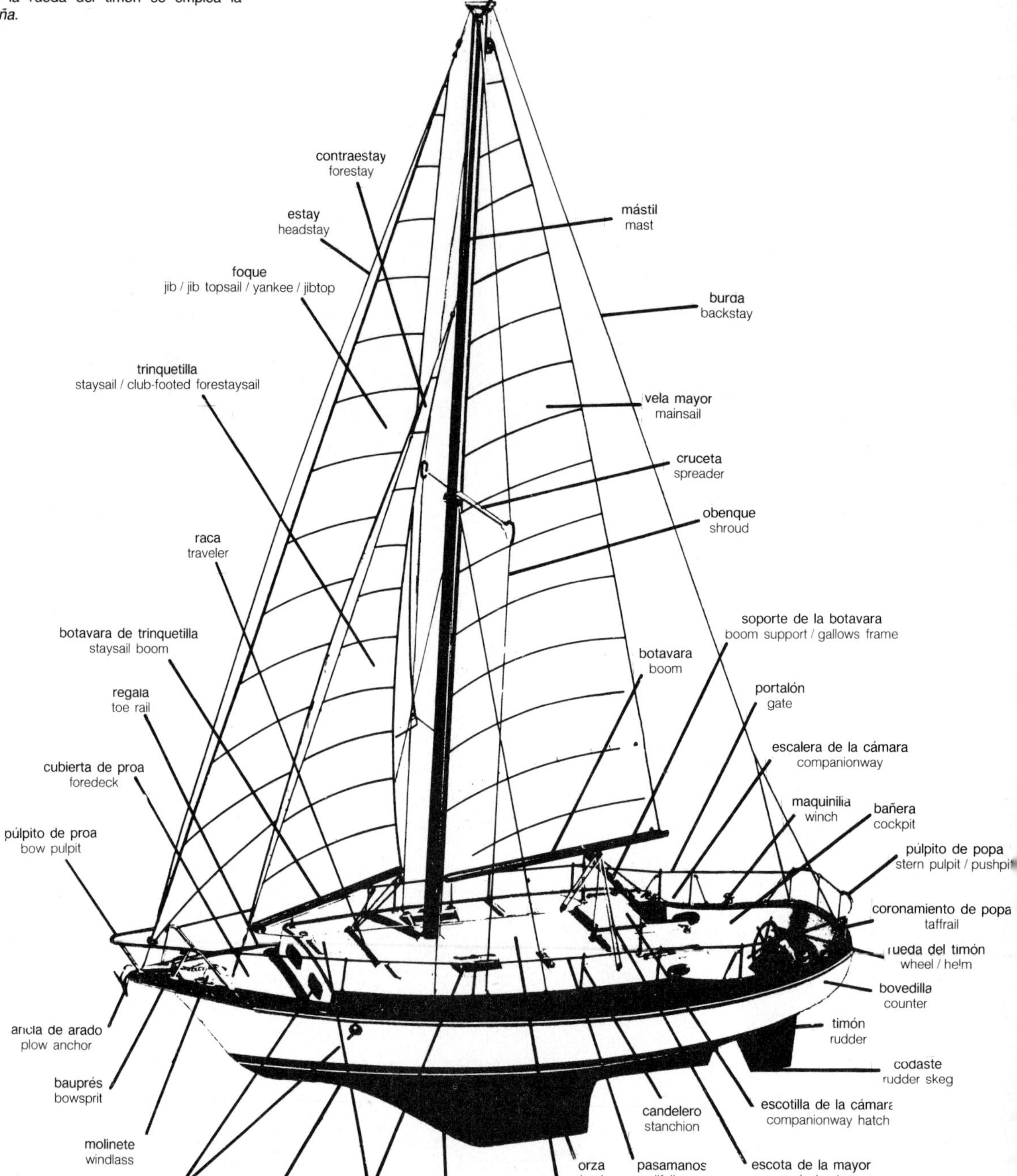
tope
masthead
contraestay
forestay
estay
headstay
mástil
mast
foque
jib / jib topsail / yankee / jibtop
burda
backstay
trinquetilla
staysail / club-footed forestaysail
vela mayor
mainsail
cruceta
spreader
obenque
shroud
raca
traveler
soporte de la botavara
boom support / gallows frame
botavara de trinquetilla
staysail boom
botavara
boom
regala
toe rail
portalón
gate
escalera de la cámara
companionway
cubierta de proa
foredeck
maquinilla
winch
bañera
cockpit
púlpito de proa
bow pulpit
púlpito de popa
stern pulpit / pushpit
coronamiento de popa
taffrail
rueda del timón
wheel / helm
bovedilla
counter
ancla de arado
plow anchor
timón
rudder
codaste
rudder skeg
bauprés
bowsprit
escotilla de la cámara
companionway hatch
candelero
stanchion
molinete
windlass
orza
keel
pasamanos
lifeline
escota de la mayor
mainsheet
portillos
ports / portlights
quilla
forefoot
escotillas
hatches
carena
boot top
cubierta de la cámara
cabin top / coach roof / trunk

Compartimientos de un barco de vela

La zona comprendida entre el piso de los camarotes y la quilla del barco se denomina *pantoque*. Las embarcaciones dotadas de compartimientos suelen tener un *cuarto de derrota* en el que se encuentran las *cartas marinas*, y demás instrumentos para la navegación.

Sailboat Accommodations

The area between a vessel's cabin sole and its hull is called the *bilge*. Boats with overnight accommodations usually have a *navigator's station* featuring a *chart table*.

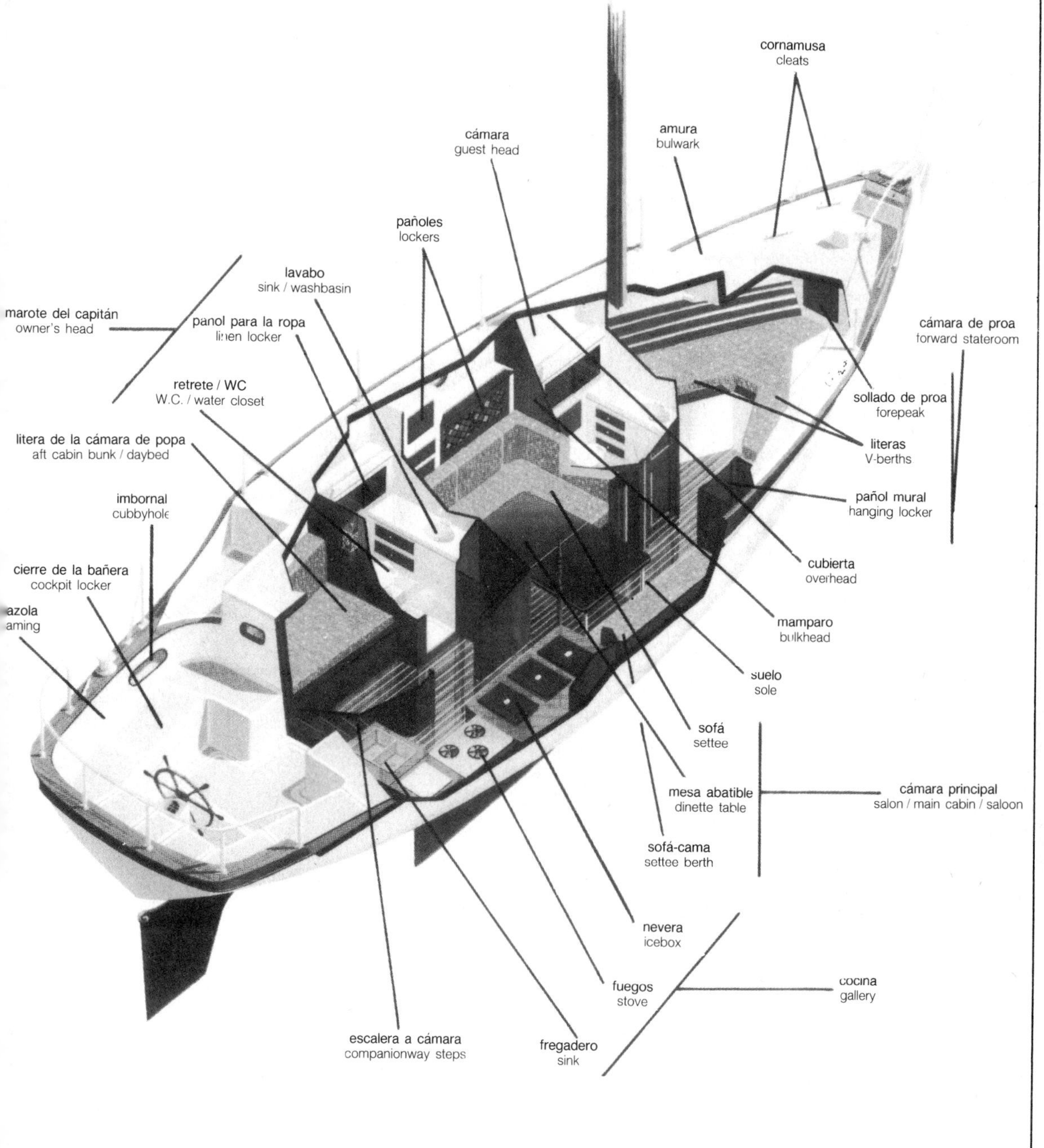
cornamusa
cleats
cámara
guest head
amura
bulwark
pañoles
lockers
lavabo
sink / washbasin
marote del capitán
owner's head
panol para la ropa
linen locker
cámara de proa
forward stateroom
retrete / WC
W.C. / water closet
sollado de proa
forepeak
litera de la cámara de popa
aft cabin bunk / daybed
literas
V-berths
imbornal
cubbyhole
pañol mural
hanging locker
cierre de la bañera
cockpit locker
cubierta
overhead
azola
aming
mamparo
bulkhead
suelo
sole
sofá
settee
mesa abatible
dinette table
cámara principal
salon / main cabin / saloon
sofá-cama
settee berth
nevera
icebox
cocina
gallery
fuegos
stove
escalera a cámara
companionway steps
fregadero
sink

Vela

Las velas se dividen en dos grandes categorías: el *aparejo* o *juego de velas* y las velas extra. En un balandro moderno el juego de velas está compuesto por la vela mayor y la vela de proa ó *foque*. Entre las extras, empleadas para obtener una velocidad óptima, se cuentan los *spinnakers* y las *velas de capa* para el mal tiempo. Existen dos tipos de compás, el *compás magnético*, que aparece en la ilustración, y el *girocompás* movido eléctricamente.

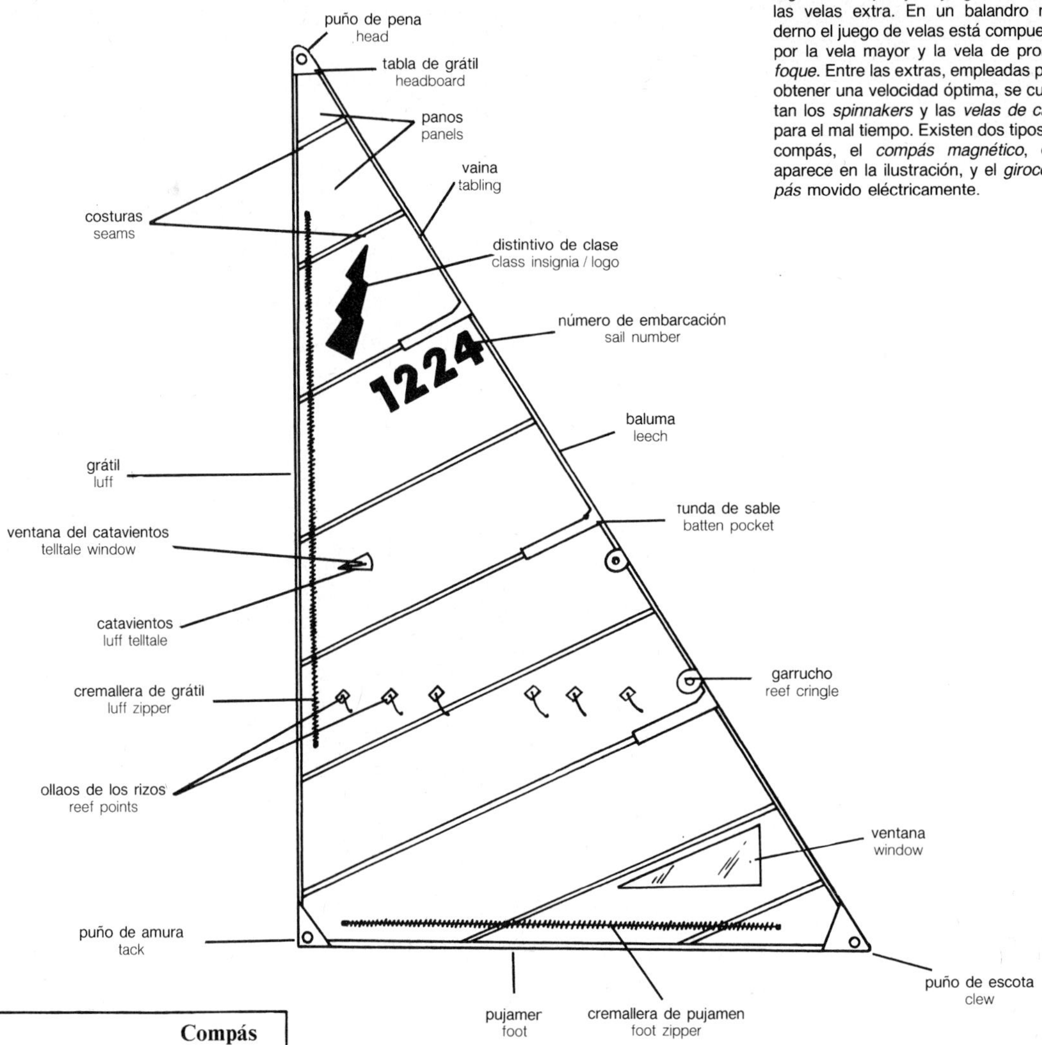

puño de pena
head
tabla de grátil
headboard
panos
panels
vaina
tabling
costuras
seams
distintivo de clase
class insignia / logo
número de embarcación
sail number
1224
baluma
leech
grátil
luff
funda de sable
batten pocket
ventana del catavientos
telltale window
catavientos
luff telltale
garrucho
reef cringle
cremallera de grátil
luff zipper
ollaos de los rizos
reef points
ventana
window
puño de amura
tack
puño de escota
clew
pujamer
foot
cremallera de pujamen
foot zipper

Vela mayor
Mainsail

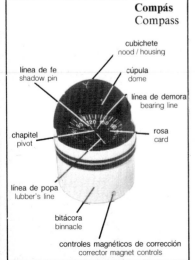

Compás
Compass

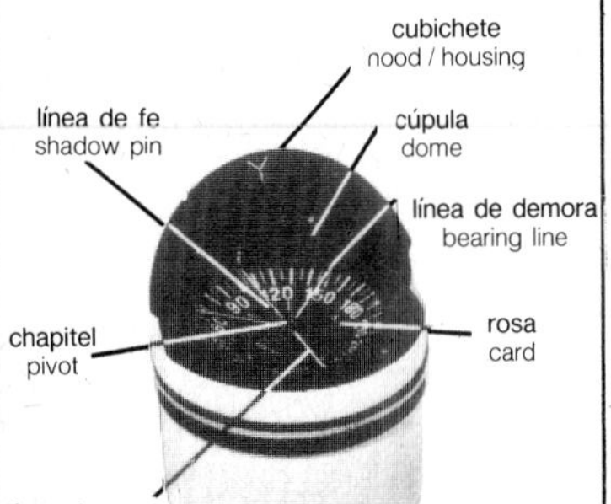

cubichete
nood / housing
línea de fe
shadow pin
cúpula
dome
línea de demora
bearing line
chapitel
pivot
rosa
card
línea de popa
lubber's line
bitácora
binnacle
controles magnéticos de corrección
corrector magnet controls

Sail

Sails fall into two broad categories: *standing sails*, or *suits of sails*, and extras. Standing sails, such as those found on a modern *sloop*, would be mainsail and *keadsail*, or *jib*. Extras, set to keep the vessel moving at optimum speed, include *spinnakers*, and, in bad weather, *trysails*. There are two types of compass: the *magnetic compass*, shown below, and the electrically-driven *gyro compass*.

Motor fuera borda

Son dos los tipos básicos de motores que se emplean en la propulsión de embarcaciones: fuera borda e *intraborda*. El sextante marino, sucesor de los antiguos *octantes* y *cuadrantes*, se utiliza para medir el ángulo existente entre un determinado cuerpo celeste y el horizonte terrestre o marítimo de forma que los navegantes puedan determinar su posición en el mar.

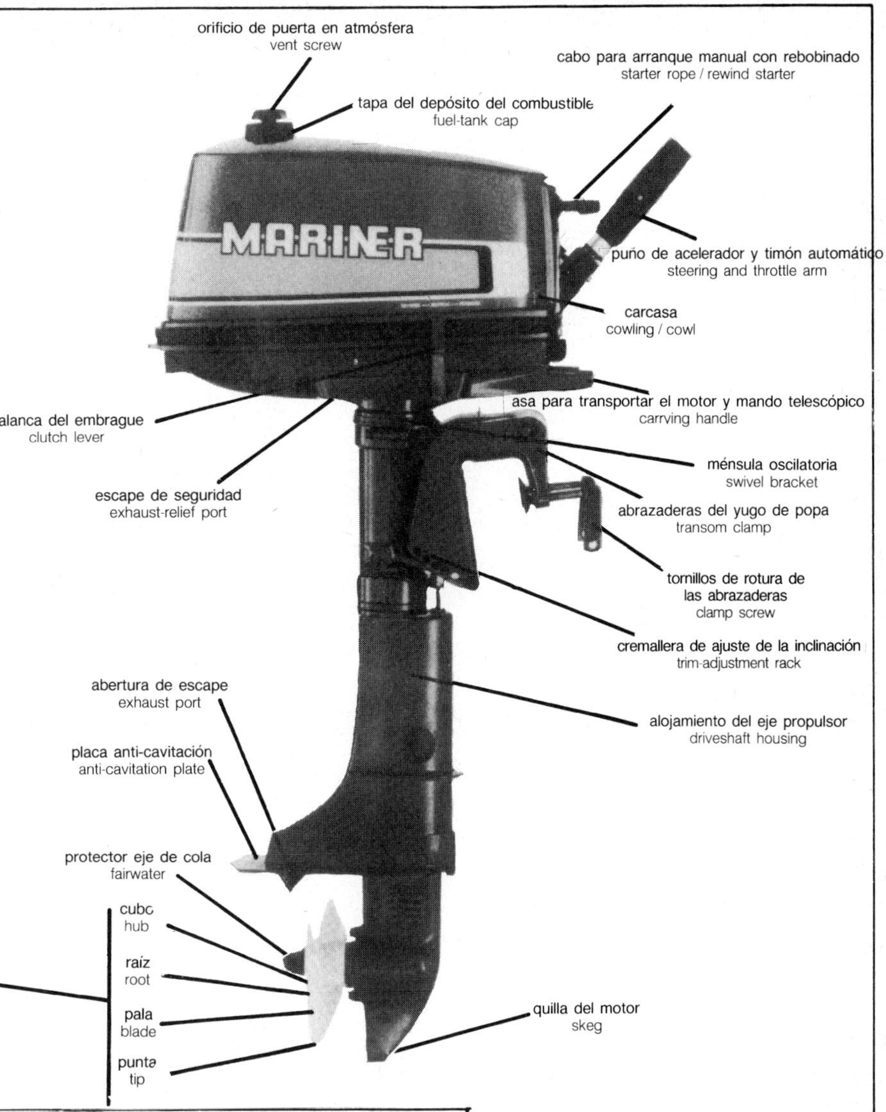
orificio de puerta en atmósfera
vent screw
cabo para arranque manual con rebobinado
starter rope / rewind starter
tapa del depósito del combustible
fuel-tank cap
MARINER
puño de acelerador y timón automático
steering and throttle arm
carcasa
cowling / cowl
asa para transportar el motor y mando telescópico
carrving handle
palanca del embrague
clutch lever
ménsula oscilatoria
swivel bracket
escape de seguridad
exhaust-relief port
abrazaderas del yugo de popa
transom clamp
tornillos de rotura de las abrazaderas
clamp screw
cremallera de ajuste de la inclinación
trim-adjustment rack
abertura de escape
exhaust port
alojamiento del eje propulsor
driveshaft housing
placa anti-cavitación
anti-cavitation plate
protector eje de cola
fairwater
cubo
hub
hélice
propeller
raíz
root
pala
blade
quilla del motor
skeg
punta
tip

Sextante
Sextant

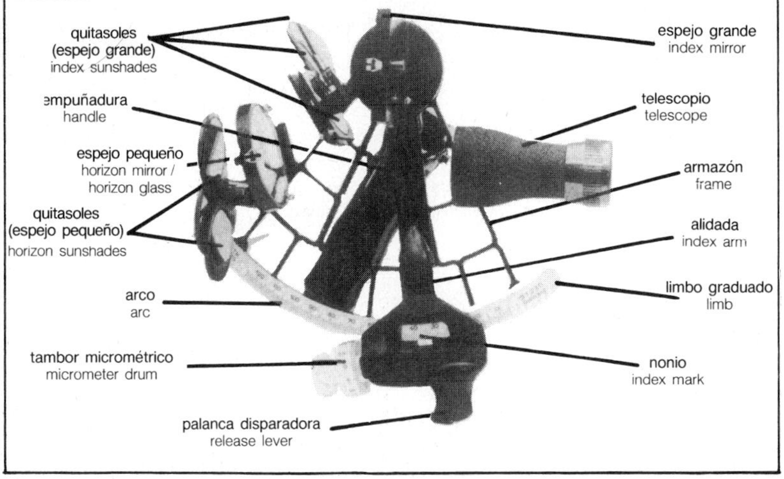
quitasoles (espejo grande)
index sunshades
espejo grande
index mirror
empuñadura
handle
telescopio
telescope
espejo pequeño
horizon mirror / horizon glass
armazón
frame
quitasoles (espejo pequeño)
horizon sunshades
alidada
index arm
arco
arc
limbo graduado
limb
tambor micrométrico
micrometer drum
nonio
index mark
palanca disparadora
release lever

Outboard Engine

Three basic types of engines are used to power vessels: outboards, *inboard-outboards*, or *sterndrives*, and *inboards*, A marine sextant, a successor to the *octant* and *quadrant*, is used to measure the angle between a celestial body and the earth's horizon to help mariners determine their position at sea.

Yate a motor

Básicamente existen dos tipos de *formas de casco*: de *desplazamiento* y de *planeo*. Entre estas dos clases se encuentran los *cascos cuadernas en V*, de *fondo liso*, y de *fondo redondeado*. Las *casas flotantes* son barcos paralelepipédicos proyectados para conseguir el máximo espacio interior. Los dispositivos de acero que se emplean para izar y bajar el bote auxiliar de un yate se llaman *pescantes*.

Powerboat

There are basically two kinds of power boat *hull forms*: *displacement* and *planing*. Within these categories there are *V-bottom*, *cathedral*, gullwing, *flat-bottom* and *round-bottom hulls*. *Houseboats* are boxlike vessels designed to provide maximum living space aboard. Projecting steel fittings used to hoist and carry a dinghy on a yacht are called *davits*.

Consola de control
Control Console

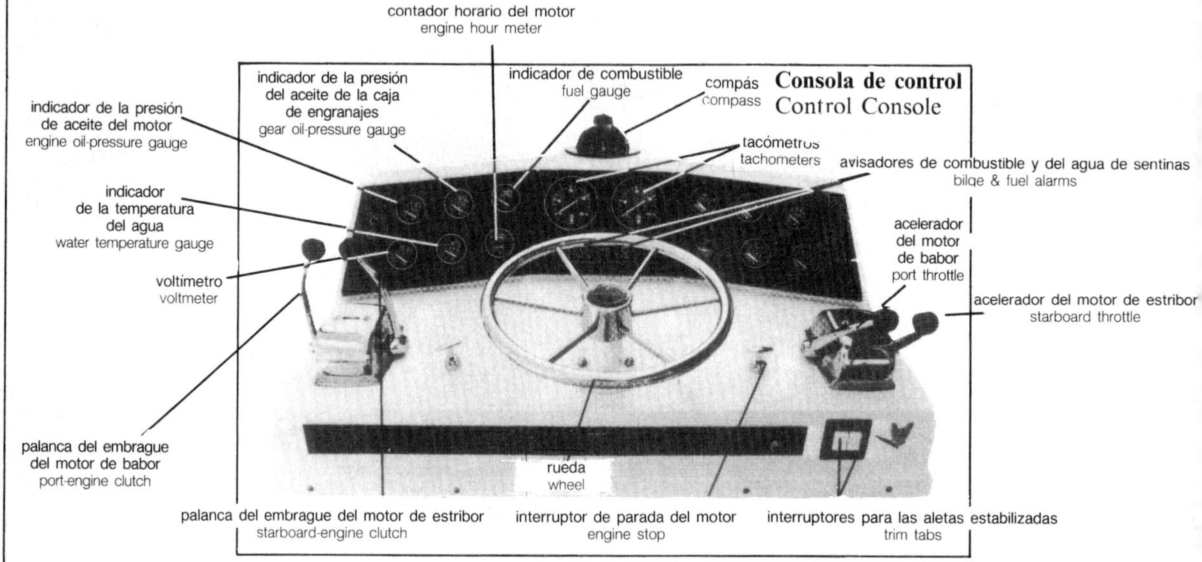

contador horario del motor
engine hour meter
indicador de la presión del aceite de la caja de engranajes
gear oil-pressure gauge
indicador de combustible
fuel gauge
compás
compass
indicador de la presión de aceite del motor
engine oil-pressure gauge
tacómetros
tachometers
avisadores de combustible y del agua de sentinas
bilge & fuel alarms
indicador de la temperatura del agua
water temperature gauge
acelerador del motor de babor
port throttle
voltímetro
voltmeter
acelerador del motor de estribor
starboard throttle
palanca del embrague del motor de babor
port-engine clutch
rueda
wheel
palanca del embrague del motor de estribor
starboard-engine clutch
interruptor de parada del motor
engine stop
interruptores para las aletas estabilizadas
trim tabs

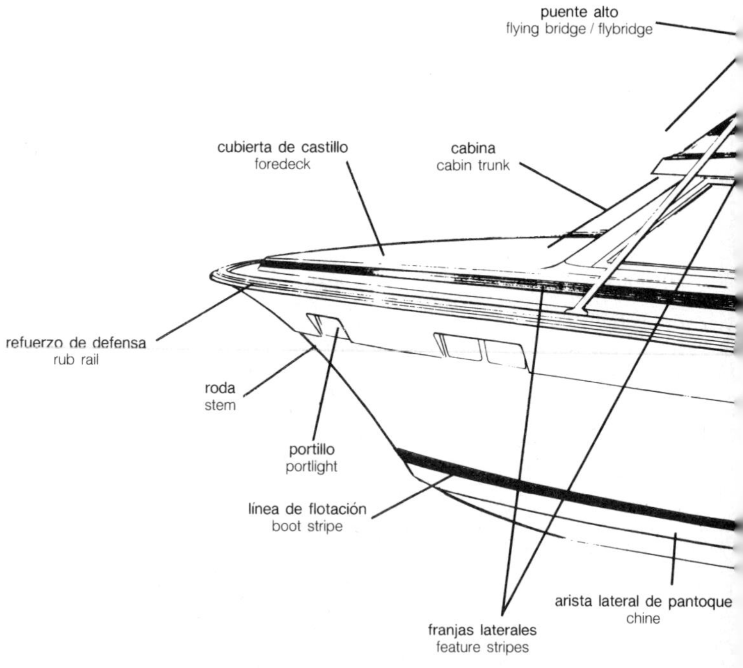

puente alto
flying bridge / flybridge
cubierta de castillo
foredeck
cabina
cabin trunk
refuerzo de defensa
rub rail
roda
stem
portillo
portlight
línea de flotación
boot stripe
arista lateral de pantoque
chine
franjas laterales
feature stripes

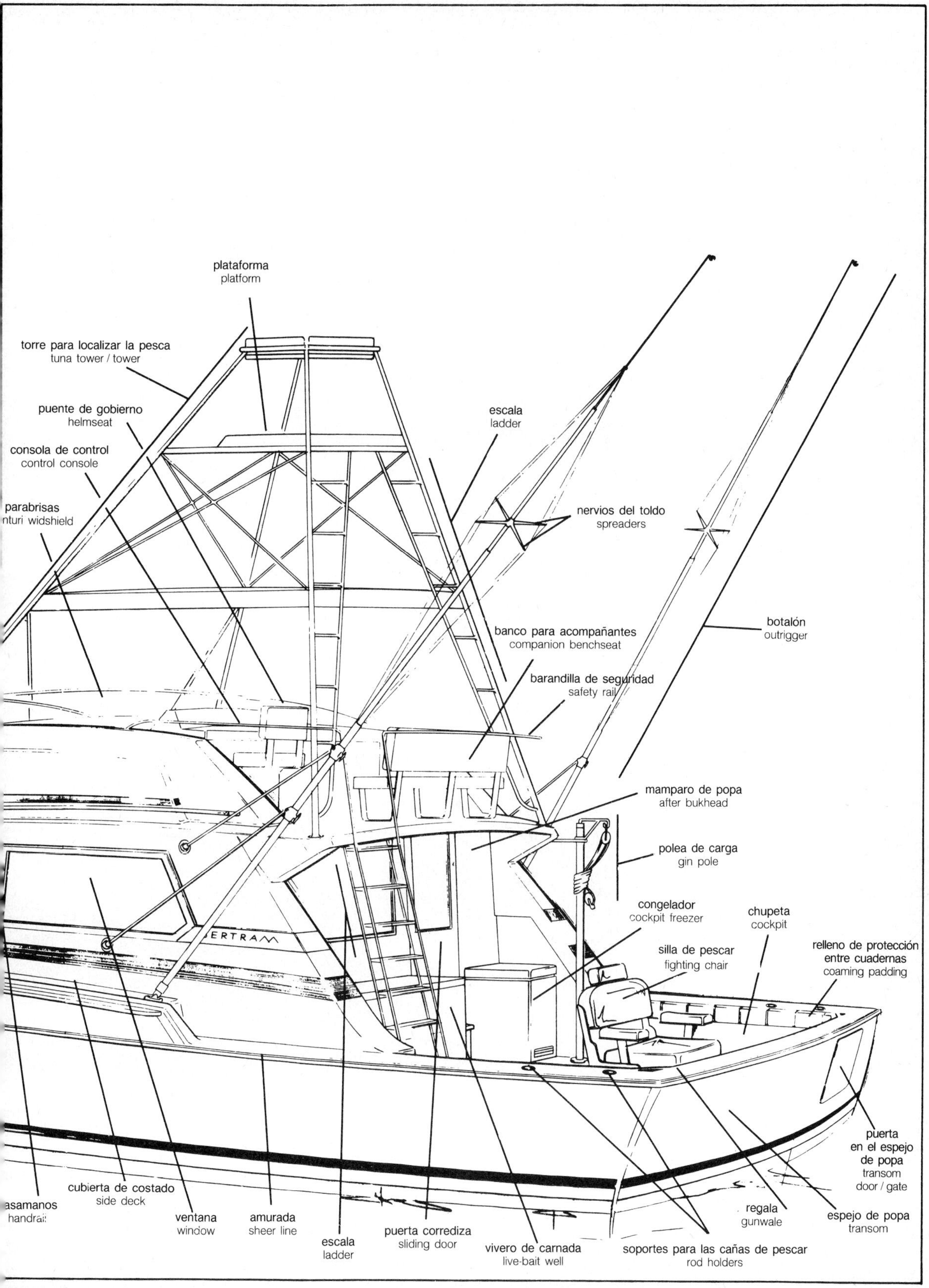
plataforma
platform
torre para localizar la pesca
tuna tower / tower
puente de gobierno
helmseat
consola de control
control console
parabrisas
nturi widshield
escala
ladder
nervios del toldo
spreaders
botalón
outrigger
banco para acompañantes
companion benchseat
barandilla de seguridad
safety rail
mamparo de popa
after bukhead
polea de carga
gin pole
congelador
cockpit freezer
chupeta
cockpit
silla de pescar
fighting chair
relleno de protección
entre cuadernas
coaming padding
puerta
en el espejo
de popa
transom
door / gate
espejo de popa
transom
regala
gunwale
soportes para las cañas de pescar
rod holders
vivero de carnada
live-bait well
puerta corrediza
sliding door
escala
ladder
amurada
sheer line
ventana
window
cubierta de costado
side deck
asamanos
handrai:

Petrolero

Los principales *buques de carga* son los *ro- ro* (de carga rodante); *portacontenedores*; *frigoríficos* o *congeladores*; de *carga seca* y de *carga líquida* como el *superpetrolero* de la figura. Los *buques mercantes* que transportan *carga* o *fletes* se llaman de *línea regular* si hacen un recorrido fijo a intervalos regulares, o *buques tramp* si no tienen una ruta determinada.

Tanker

Cargo ships include *roll on-roll of ships*; *container ships*; *barge carriers*; *pallet ships*; *refrigerator ships*, or *reefers*; *dry-bulk carriers*; and *liquid-bulk carriers* such as the *super tanker* seen here. A *merchant ship* carrying *cargo* or *freight* is called a *liner* if it travels on scheduled routes at regular intervals, or a *tramp* if it does not have a fixed or scheduled route.

pasarela de proa
"catwalk" fore & alf
palo trinquete
foremast
cofa del serviola
crown nest / lookout area
acceso al pañol de la cubierta inferior
belowdeck storage entrance
válvulas de seguridad
pressure & vacuum relief valves
molinete del ancla y chigre de amarre
anchor windlass & mooring winch
molinete del ancla y chigre de amarre
anchor windlass & mooring winch

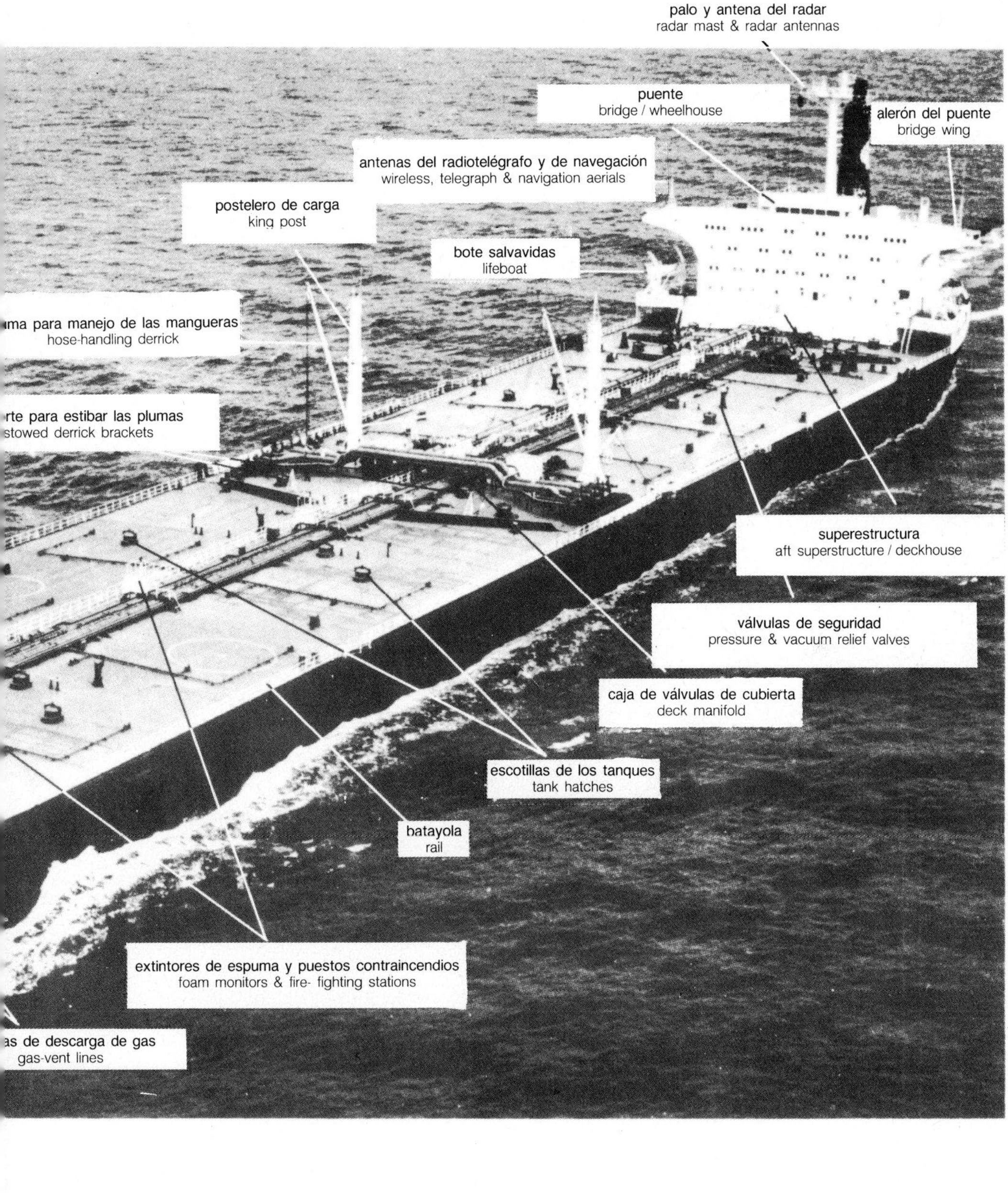
palo y antena del radar
radar mast & radar antennas
puente
bridge / wheelhouse
alerón del puente
bridge wing
antenas del radiotelégrafo y de navegación
wireless, telegraph & navigation aerials
postelero de carga
king post
bote salvavidas
lifeboat
ıma para manejo de las mangueras
hose-handling derrick
ırte para estibar las plumas
stowed derrick brackets
superestructura
aft superstructure / deckhouse
válvulas de seguridad
pressure & vacuum relief valves
caja de válvulas de cubierta
deck manifold
escotillas de los tanques
tank hatches
batayola
rail
extintores de espuma y puestos contraincendios
foam monitors & fire- fighting stations
ıs de descarga de gas
gas-vent lines

Buque de pasajeros / Transatlántico

Los *mamparos principales*, que son paredes de acero situadas transversalmente en el buque, suelen ser estancos. El *mamparo de colisión* es un *mamparo estanco* cerca de la proa, cuya finalidad es evitar la inundación del barco en el caso de una colisión. Las ventanas circulares en los costados se llaman *portillos* u *ojos de buey*. Cuando el buque atraca al muelle se retira parte de la *batayola* o *amurada* y sobre ese lugar se coloca una pasarela portátil o *plancha de portalón*. Para evitar que las ratas suban a bordo cuando el buque está atracado, se ponen unos discos cónicos de metal en las *amarras*.

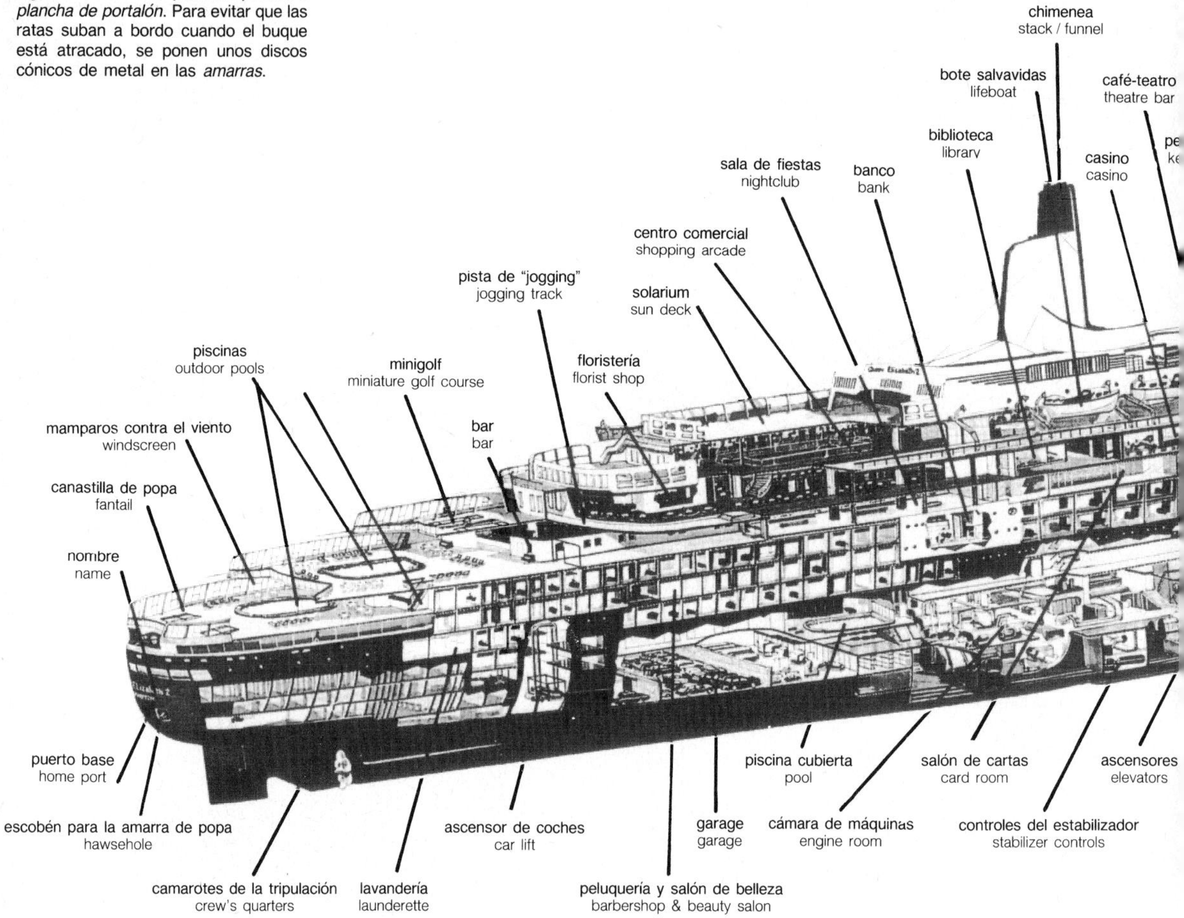

chimenea
stack / funnel
bote salvavidas
lifeboat
café-teatro
theatre bar
biblioteca
library
casino
casino
sala de fiestas
nightclub
banco
bank
centro comercial
shopping arcade
pista de "jogging"
jogging track
solarium
sun deck
piscinas
outdoor pools
minigolf
miniature golf course
floristería
florist shop
mamparos contra el viento
windscreen
bar
bar
canastilla de popa
fantail
nombre
name
puerto base
home port
escobén para la amarra de popa
hawsehole
camarotes de la tripulación
crew's quarters
lavandería
launderette
ascensor de coches
car lift
peluquería y salón de belleza
barbershop & beauty salon
garage
garage
piscina cubierta
pool
cámara de máquinas
engine room
salón de cartas
card room
controles del estabilizador
stabilizer controls
ascensores
elevators

Passenger Ship / Ocean Liner

Main bulkheads, steel walls running athwartships on a ship, are normally watertight. A *collision bulkhead* is a *watertight bulkhead* near the bow to prevent floding in the event of collision. Circular windows aboard ship are called *ports* or *portholes*. A ship is boarded at the pier by a portable stairway, or *gangplank*, which fits in an opening in a ship's *rail* or *bulwark*. A metal shield on *berthing hawsers* to prevent rats from coming aboard is a *ratcatcher*.

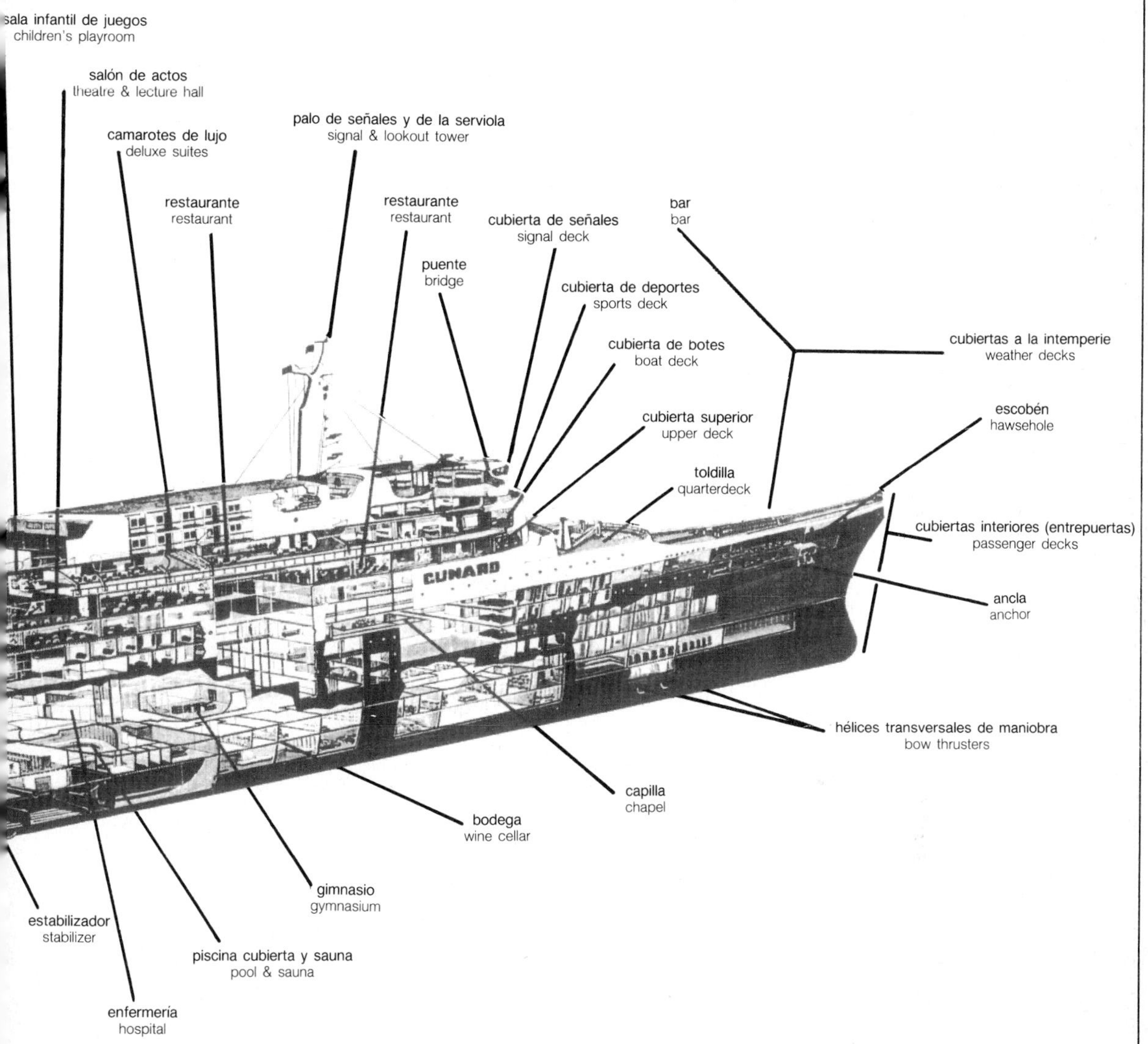

sala infantil de juegos
children's playroom
salón de actos
theatre & lecture hall
camarotes de lujo
deluxe suites
palo de señales y de la serviola
signal & lookout tower
restaurante
restaurant
restaurante
restaurant
cubierta de señales
signal deck
bar
bar
puente
bridge
cubierta de deportes
sports deck
cubierta de botes
boat deck
cubiertas a la intemperie
weather decks
cubierta superior
upper deck
escobén
hawsehole
toldilla
quarterdeck
cubiertas interiores (entrepuertas)
passenger decks
CUNARD
ancla
anchor
hélices transversales de maniobra
bow thrusters
capilla
chapel
bodega
wine cellar
gimnasio
gymnasium
estabilizador
stabilizer
piscina cubierta y sauna
pool & sauna
enfermería
hospital

Buque de guerra de superficie

Los *buques de guerra*, como el *destructor* de la figura, se emplean para proteger las *rutas de navegación*, evitar invasiones por mar y apoyar operaciones militares en tierra. En la actualidad, este tipo de barcos llevan misiles *superficie-aire* y *superficie-superficie*, y un gran número de *armas defensivas*. Algunos de ellos, como los portaaeronaves y los submarinos, son de *propulsión nuclear*.

Surface Fighting Ship

Beginning wit *dreadnoughts*, or *battleships*, modern surface *warships*, such as this *destroyer*, or *tin can*, have the capability to protect *shipping lanes*, deter invasions or support military operations on land. Today military vessels carry *surface-to-air missiles* and *surface-to-surface missiles*, as well as a range of *defensive guided weapons*. Many are *nuclear-powered*.

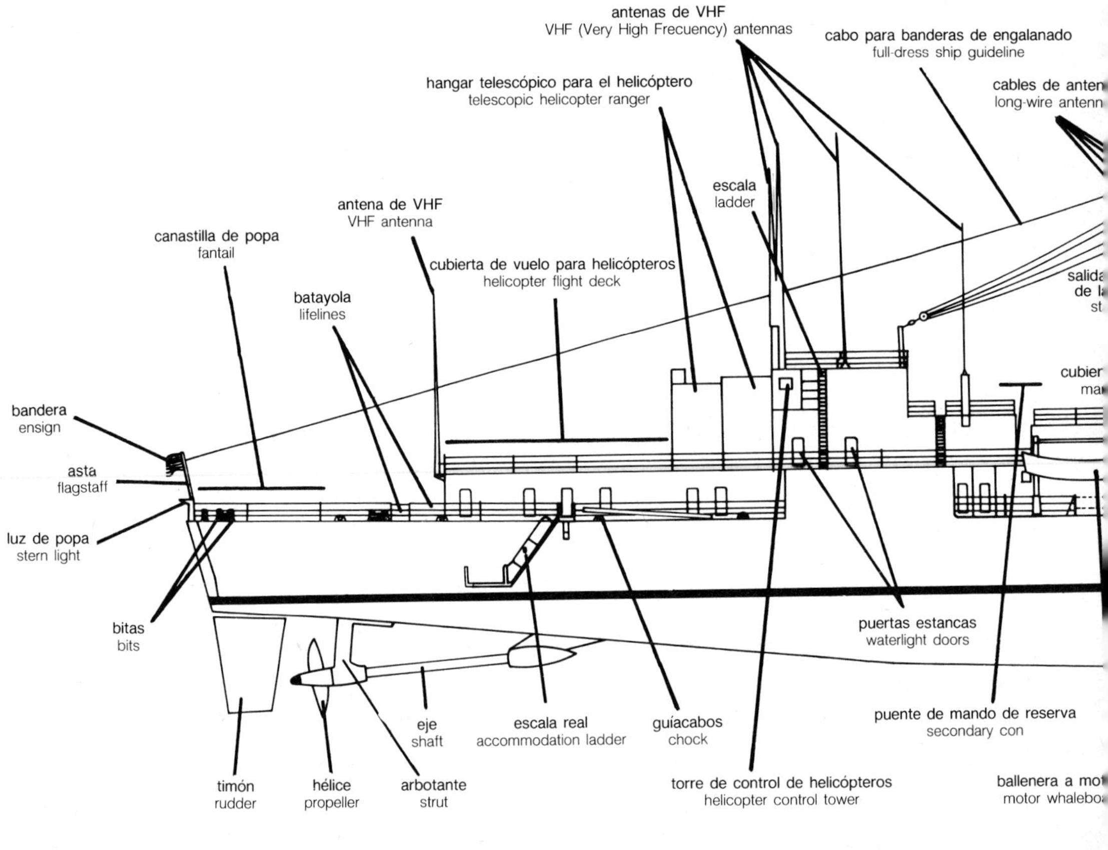
antenas de VHF
VHF (Very High Frecuency) antennas
cabo para banderas de engalanado
full-dress ship guideline
hangar telescópico para el helicóptero
telescopic helicopter ranger
escala
ladder
antena de VHF
VHF antenna
canastilla de popa
fantail
cubierta de vuelo para helicópteros
helicopter flight deck
batayola
lifelines
bandera
ensign
asta
flagstaff
luz de popa
stern light
bitas
bits
puertas estancas
waterlight doors
puente de mando de reserva
secondary con
eje
shaft
escala real
accommodation ladder
guíacabos
chock
timón
rudder
hélice
propeller
arbotante
strut
torre de control de helicópteros
helicopter control tower

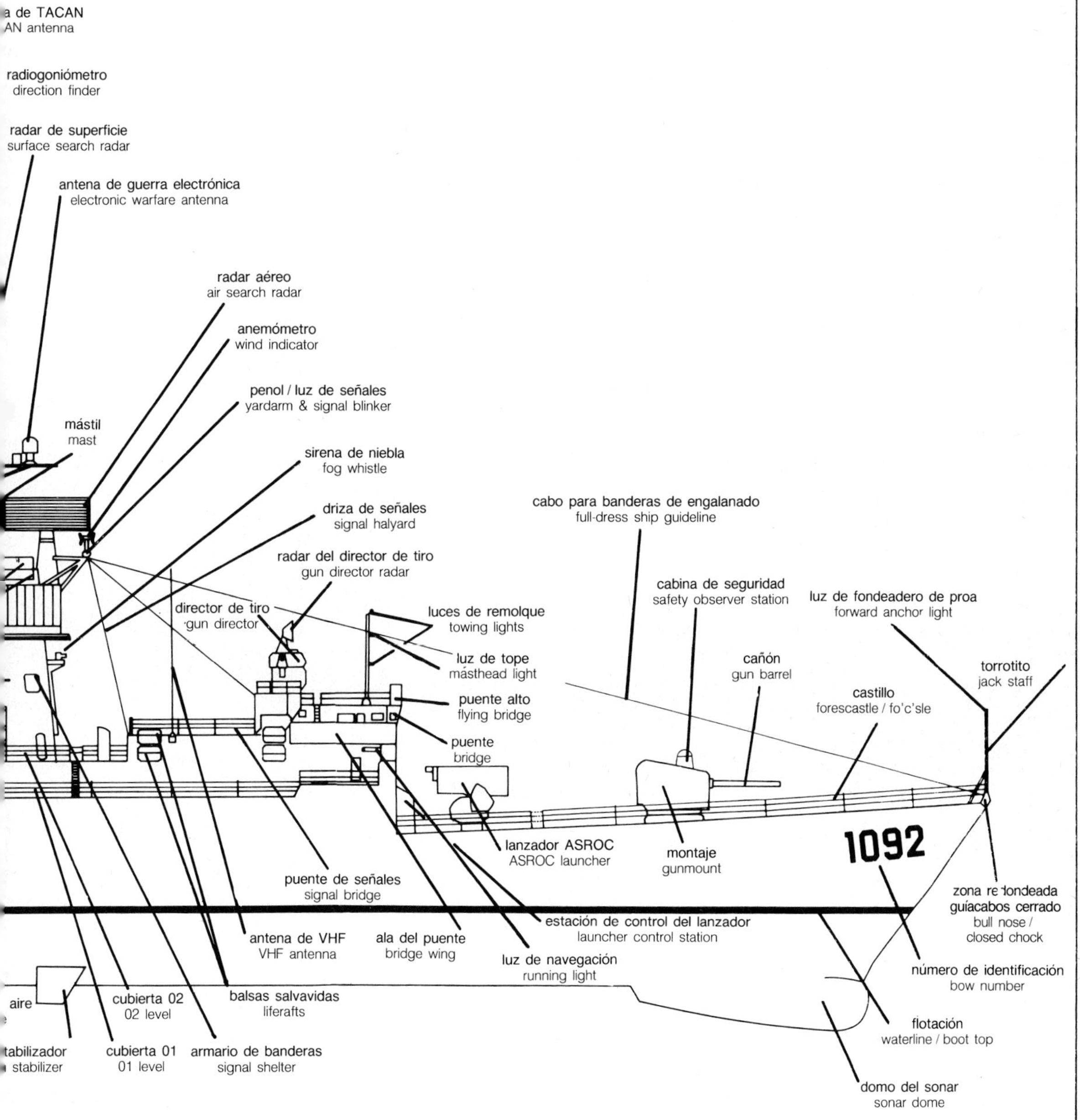
a de TACAN
AN antenna
radiogoniómetro
direction finder
radar de superficie
surface search radar
antena de guerra electrónica
electronic warfare antenna
radar aéreo
air search radar
anemómetro
wind indicator
penol / luz de señales
yardarm & signal blinker
mástil
mast
sirena de niebla
fog whistle
driza de señales
signal halyard
cabo para banderas de engalanado
full-dress ship guideline
radar del director de tiro
gun director radar
cabina de seguridad
safety observer station
luz de fondeadero de proa
forward anchor light
director de tiro
gun director
luces de remolque
towing lights
luz de tope
masthead light
cañón
gun barrel
torrotito
jack staff
puente alto
flying bridge
castillo
forescastle / fo'c'sle
puente
bridge
1092
lanzador ASROC
ASROC launcher
montaje
gunmount
puente de señales
signal bridge
zona redondeada
guíacabos cerrado
bull nose /
closed chock
estación de control del lanzador
launcher control station
antena de VHF
VHF antenna
ala del puente
bridge wing
luz de navegación
running light
número de identificación
bow number
aire
cubierta 02
02 level
balsas salvavidas
liferafts
flotación
waterline / boot top
tabilizador
stabilizer
cubierta 01
01 level
armario de banderas
signal shelter
domo del sonar
sonar dome

Portaaeronaves

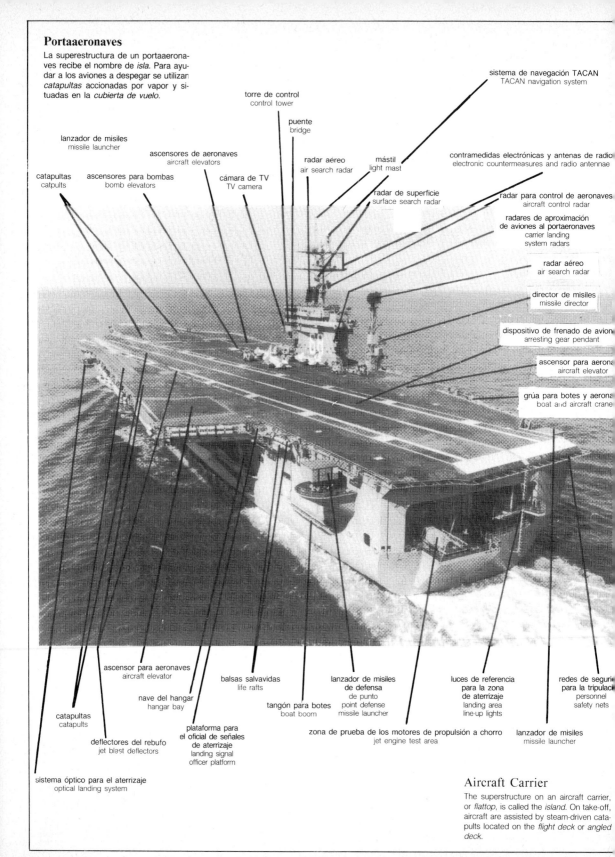

La superestructura de un portaaeronaves recibe el nombre de *isla*. Para ayudar a los aviones a despegar se utilizan *catapultas* accionadas por vapor y situadas en la *cubierta de vuelo*.

sistema de navegación TACAN
TACAN navigation system
torre de control
control tower
puente
bridge
lanzador de misiles
missile launcher
ascensores de aeronaves
aircraft elevators
radar aéreo
air search radar
mástil
light mast
contramedidas electrónicas y antenas de radio
electronic countermeasures and radio antennae
catapultas
catpults
ascensores para bombas
bomb elevators
cámara de TV
TV camera
radar de superficie
surface search radar
radar para control de aeronaves
aircraft control radar
radares de aproximación de aviones al portaeronaves
carrier landing system radars
radar aéreo
air search radar
director de misiles
missile director
dispositivo de frenado de avion
arresting gear pendant
ascensor para aerona
aircraft elevator
grúa para botes y aerona
boat and aircraft crane
ascensor para aeronaves
aircraft elevator
balsas salvavidas
life rafts
lanzador de misiles de defensa de punto
point defense missile launcher
luces de referencia para la zona de aterrizaje
landing area line-up lights
redes de seguri para la tripulaci
personnel safety nets
nave del hangar
hangar bay
tangón para botes
boat boom
catapultas
catapults
plataforma para el oficial de señales de aterrizaje
landing signal officer platform
zona de prueba de los motores de propulsión a chorro
jet engine test area
lanzador de misiles
missile launcher
deflectores del rebufo
jet blast deflectors
sistema óptico para el aterrizaje
optical landing system

Aircraft Carrier

The superstructure on an aircraft carrier, or *flattop*, is called the *island*. On take-off, aircraft are assisted by steam-driven catapults located on the *flight deck* or *angled deck*.

Submarino

Los submarinos tienen dos cascos: un *casco de presión* interior de gran espesor, y un *casco exterior* mucho más delgado. El espacio entre ambos se divide en varios compartimientos, llamados *tanques de lastre*, que sirven para controlar la flotabilidad y la inmersión. En la torre de mando se encuentran las *antenas de radio y radar* y diferentes *periscopios* empleados para observación y navegación. Los subamarinos que no son de propulsión nuclear llevan un *snorkel* o tubo respiradero. La navegación submarina se realiza mediante un *sistema de guiado inercial.* Además de los clásicos *torpedos*, también pueden lanzar *misiles*.

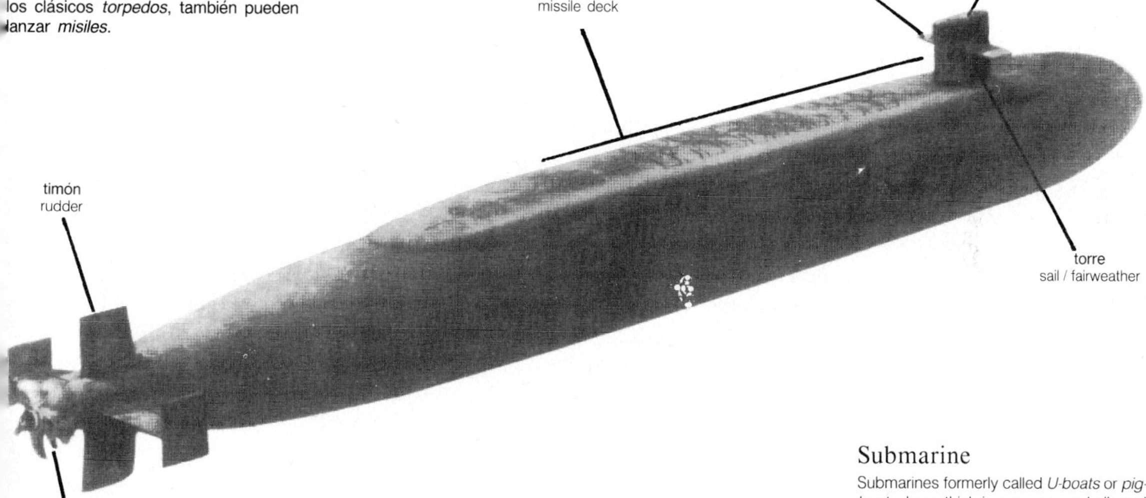
aletas de la torre
fairweather planes / sailplanes
puente de mando
bridge / conning tower
cubierta de misiles
missile deck
timón
rudder
torre
sail / fairweather
helice
propeller

Submarine

Submarines formerly called *U-boats* or *pigboats*, have thick inner *pressure hulls* and lighter *outer hulls.* The space between hulls is divided into several *ballast tanks*, used to control the vessel's buoyancy and trim. The conning tower contains *radio* and *radar antennas* and various *periscopes*, used for observation and navigation. In older submarines the sail also contained a *snorkel tube*. Navigation underwater is accomplished by means of an *inertial guidance system*. In addition to missiles, submarines can carry *torpedoes*.

Submarino de misiles balísticos
Fleet Ballistic Missile Submarine

Submarino de ataque de propulsión nuclear
Nuclear-Powered Attack Submarine

zona de seguridad
safety-line track
número de identificación
hull number
casco fusiforme
turtleback

Remolcador y buque contraincendios

Las *defensas* de proa de los *remolcadores* antiguos están hechas con cabos viejos. Los *remolcadores de empuje* tienen la proa elevada y lisa para remolcar empujando un *grupo de barcazas*. Los buques contraincendios suelen ser remolcadores equipados con *bombas de alta presión*, *mangueras* y *toberas*.

Tugboat and Fireboat

A *pudding fender* is a large fender made of old rope, formerly fitted to the bow of many *tubs*, or *towboats*. A *pusher tug*, also called a *pushboat*, is specially designed with a high flat bow for *barge cluster* push-towing. A fireboat is usually a tug fitted with such items as *high-pressure pumps*, *hoses* and *nozzles*.

Remolcador
Tugboat

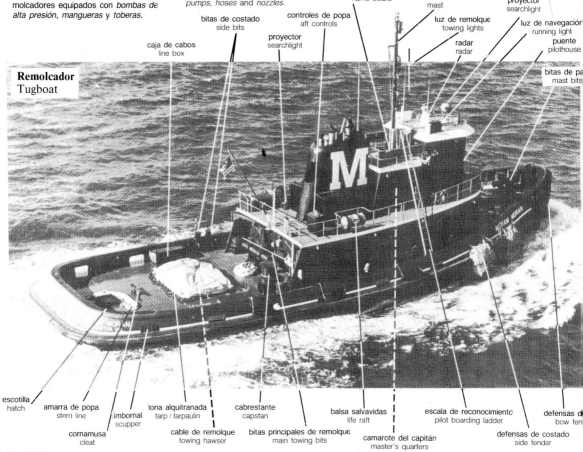

nombre
name board
mástil
mast
proyector
searchlight
bitas de costado
side bits
controles de popa
aft controls
luz de remolque
towing lights
luz de navegación
running light
caja de cabos
line box
proyector
searchlight
radar
radar
puente
pilothouse
bitas de pa
mast bits
escotilla
hatch
amarra de popa
stern line
imbornal
scupper
cornamusa
cleat
lona alquitranada
tarp / tarpaulin
cable de remolque
towing hawser
cabrestante
capstan
bitas principales de remolque
main towing bits
balsa salvavidas
life raft
camarote del capitán
master's quarters
escala de reconocimiento
pilot boarding ladder
defensas de costado
side fender
defensas d
bow fen

Buque contraincendios
Fireboat

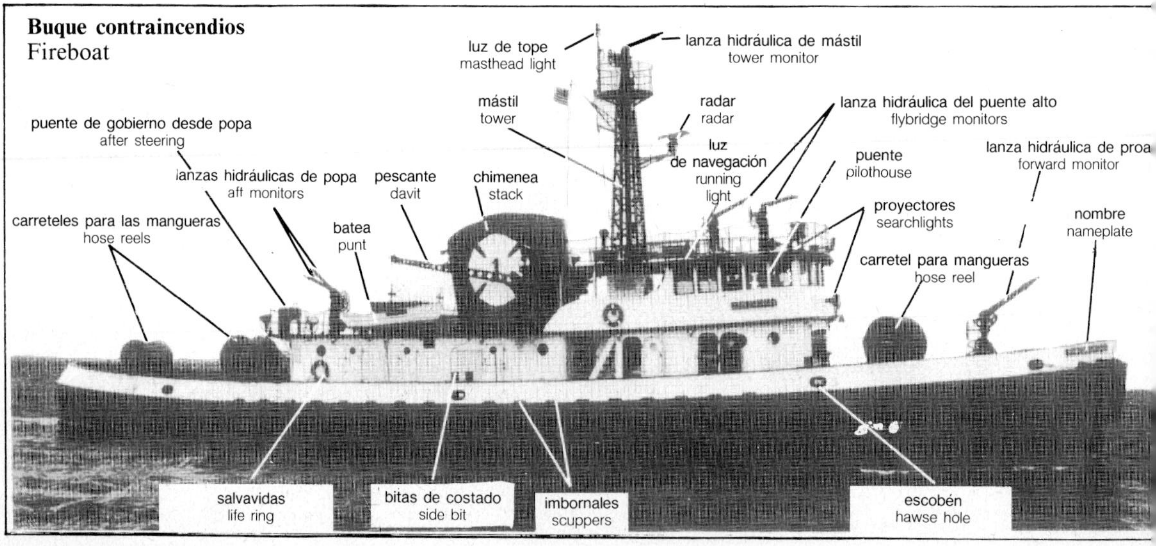
luz de tope
masthead light
lanza hidráulica de mástil
tower monitor
mástil
tower
radar
radar
lanza hidráulica del puente alto
flybridge monitors
puente de gobierno desde popa
after steering
luz
de navegación
running
light
puente
pilothouse
lanza hidráulica de proa
forward monitor
lanzas hidráulicas de popa
aft monitors
pescante
davit
chimenea
stack
carreteles para las mangueras
hose reels
batea
punt
proyectores
searchlights
nombre
nameplate
carretel para mangueras
hose reel
salvavidas
life ring
bitas de costado
side bit
imbornales
scuppers
escobén
hawse hole

Aerodeslizadores e hidroalas

Las embarcaciones de colchón de aire o *vehículos de efecto de superficie* son *vehículos anfibios* que se desplazan sobre un colchón de aire creado por los *ventiladores de sustentación* mediante *conductos* o *chorros* que salen por debajo del casco. Existen cuatro clases de hidroalas: de *escalera*, de *efecto de profundidad*, de *corte de superficie* y de *alas sumergidas*.

Hovercraft and Hydrofoil

Air Cushion Vehicles (*ACV*), or *ground effect machines* are *amphibious vehicles* that ride on a cushion of air blown by *lift fans* throug *slots* or *jets* around the underside of the hull. There are four classes of hydrofoils: *ladder*, *depth-effect*, *surface-piercing* and *submerged foils*.

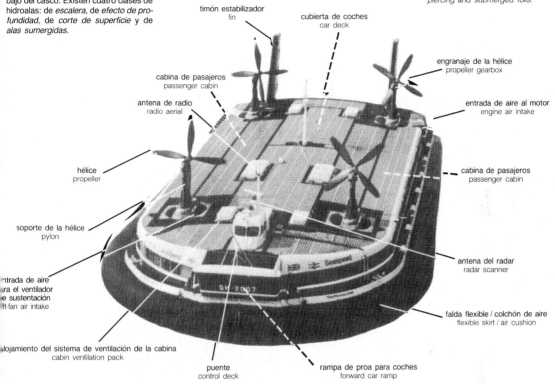

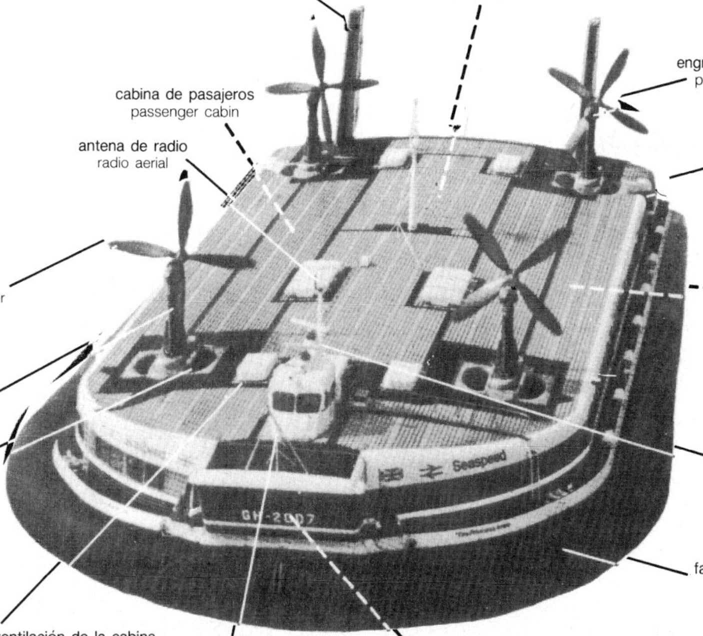
timón estabilizador
fin
cubierta de coches
car deck
engranaje de la hélice
propeller gearbox
cabina de pasajeros
passenger cabin
antena de radio
radio aerial
entrada de aire al motor
engine air intake
hélice
propeller
cabina de pasajeros
passenger cabin
soporte de la hélice
pylon
antena del radar
radar scanner
ntrada de aire
ra el ventilador
e sustentación
ft-fan air intake
falda flexible / colchón de aire
flexible skirt / air cushion
lojamiento del sistema de ventilación de la cabina
cabin ventilation pack
puente
control deck
rampa de proa para coches
forward car ramp
Seaspeed
GH-2007

Aerodeslizador / Embarcación de colchón de aire
Hovercraft / Air Cushion Vehicle

Hidroala
Hydrofoil

puente
wheelhouse
cabina de pasajeros de proa
forward passenger cabin
cabina de pasajeros
passenger cabin
soporte frontal de ángulo variable
steerable front strut
hidroala / ala
hydrofoil / wing

Helicóptero

El cuerpo principal de un helicóptero se denomina *fuselaje*. El helicóptero de salvamento y rescate que se ve aquí tiene *casco anfibio*. Los helicópteros militares armados se denominan también *de ataque*.

Helicopter

The main body of a helicopter, *chopper*, *whirlybird*, or *eggbeater*, is called the *fuselage*. The rescue helicopter shown here has an *amphibious hull*. Armed military helicopters are called *gunships*.

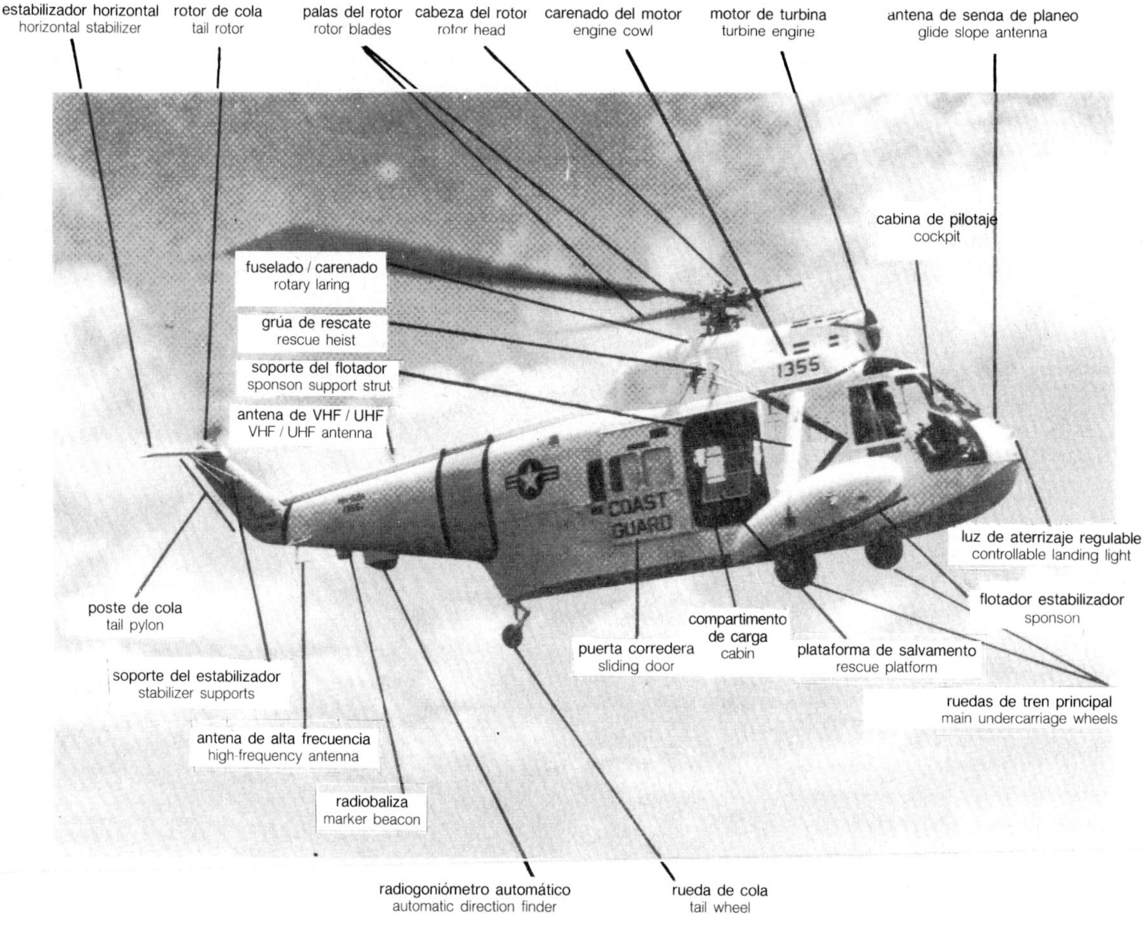
estabilizador horizontal
horizontal stabilizer
rotor de cola
tail rotor
palas del rotor
rotor blades
cabeza del rotor
rotor head
carenado del motor
engine cowl
motor de turbina
turbine engine
antena de senda de planeo
glide slope antenna
cabina de pilotaje
cockpit
fuselado / carenado
rotary laring
grúa de rescate
rescue heist
soporte del flotador
sponson support strut
antena de VHF / UHF
VHF / UHF antenna
1355
COAST GUARD
luz de aterrizaje regulable
controllable landing light
flotador estabilizador
sponson
poste de cola
tail pylon
compartimento de carga
cabin
puerta corredera
sliding door
plataforma de salvamento
rescue platform
soporte del estabilizador
stabilizer supports
ruedas de tren principal
main undercarriage wheels
antena de alta frecuencia
high-frequency antenna
radiobaliza
marker beacon
radiogoniómetro automático
automatic direction finder
rueda de cola
tail wheel

Avión privado

La sección central del cuerpo del avión se denomina *fuselaje*. Para el amerizaje el avión suele servirse de *flotadores*. Para el despegue y comienzo del *vuelo planeado*, el planeador es remolcado por otro avión o vehículo motorizado, mediante un cable sujeto a un *gancho de arrastre*. El planeador toma tierra mediante una *rueda o patín de aterrizaje*.

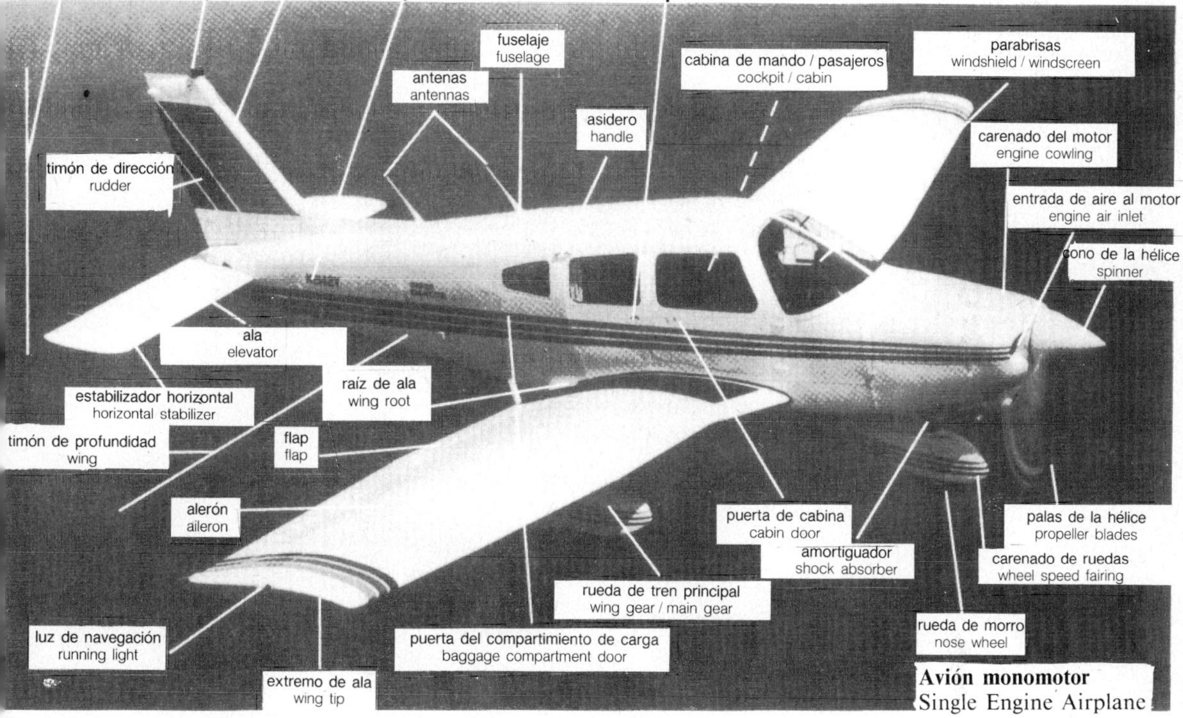
empenaje de cola
tail assembly
baliza de destellos
rotating beacon
estabilizador vertical
vertical fin
matrícula
registration number
logotipo del fabricante
manufactures's logo
fuselaje
fuselage
antenas
antennas
asidero
handle
cabina de mando / pasajeros
cockpit / cabin
parabrisas
windshield / windscreen
carenado del motor
engine cowling
entrada de aire al motor
engine air inlet
cono de la hélice
spinner
timón de dirección
rudder
ala
elevator
estabilizador horizontal
horizontal stabilizer
raíz de ala
wing root
timón de profundidad
wing
flap
flap
alerón
aileron
puerta de cabina
cabin door
amortiguador
shock absorber
palas de la hélice
propeller blades
carenado de ruedas
wheel speed fairing
rueda de tren principal
wing gear / main gear
luz de navegación
running light
puerta del compartimiento de carga
baggage compartment door
rueda de morro
nose wheel
extremo de ala
wing tip

Avión monomotor
Single Engine Airplane

Planeador / Velero
Glider / Sailplane

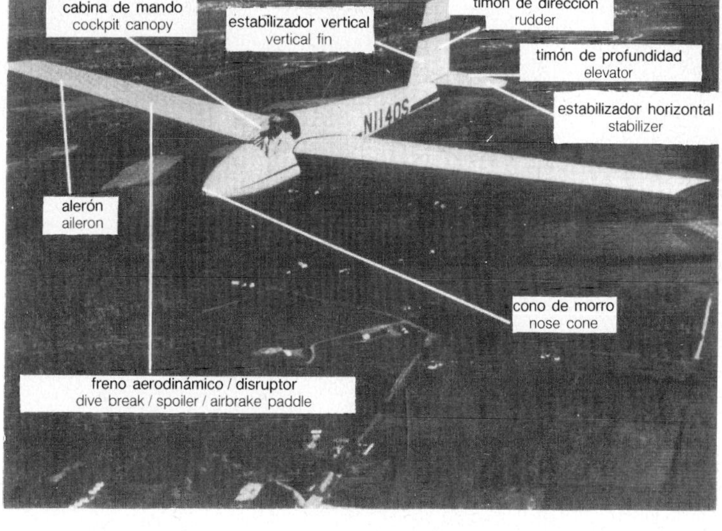
cabina de mando
cockpit canopy
estabilizador vertical
vertical fin
timón de dirección
rudder
timón de profundidad
elevator
estabilizador horizontal
stabilizer
N114QS
alerón
aileron
cono de morro
nose cone
freno aerodinámico / disruptor
dive break / spoiler / airbrake paddle

Private Aircraft

A aircraft's central body portion is called the *fuselage*. To land on water, an airplane uses *pontoons*. To become airborne and begin *soaring*, a glider is pulled behind a motordriven airplane or car by a cable attached to a *tow hook*. A glider lands on either a *landing wheel* or a skid.

Avión comercial

El *borde de salida* de las alas de un avión reactor Jumbo, como el que se ve aquí, lleva unos pequeños dispositivos para descarga de la *electricidad estática* que reducen la acumulación de ésta en el avión. El equipaje de poco peso y volumen de los pasajeros puede guardarse en pequeños *compartimientos laterales individuales* o en armarios delanteros. En muchos aviones, los asientos llevan un doble acolchado que actúa como *dispositivo de flotación*. Las *balsas salvavidas* se almacenan en compartimientos del techo, encima de las puertas, y las *rampas de salida de emergencia* se guardan plegadas en el interior de las puertas.

Civil Aircraft

The *trailing edge* of the wings on a *jumbo jet*, such as the one shown here, has small *station discharge wicks* to reduce electrical-charge buildup. Passengers store carry-on belongings in *overhead bins*, or *stowage compartments*, or in front *closets*. Aboard many aircraft, seat cushions double as *flotation devices*. Life *rafts* are stored in overhead ceiling compartments above the doors, and *emergency escape chutes* are folded inside the doors.

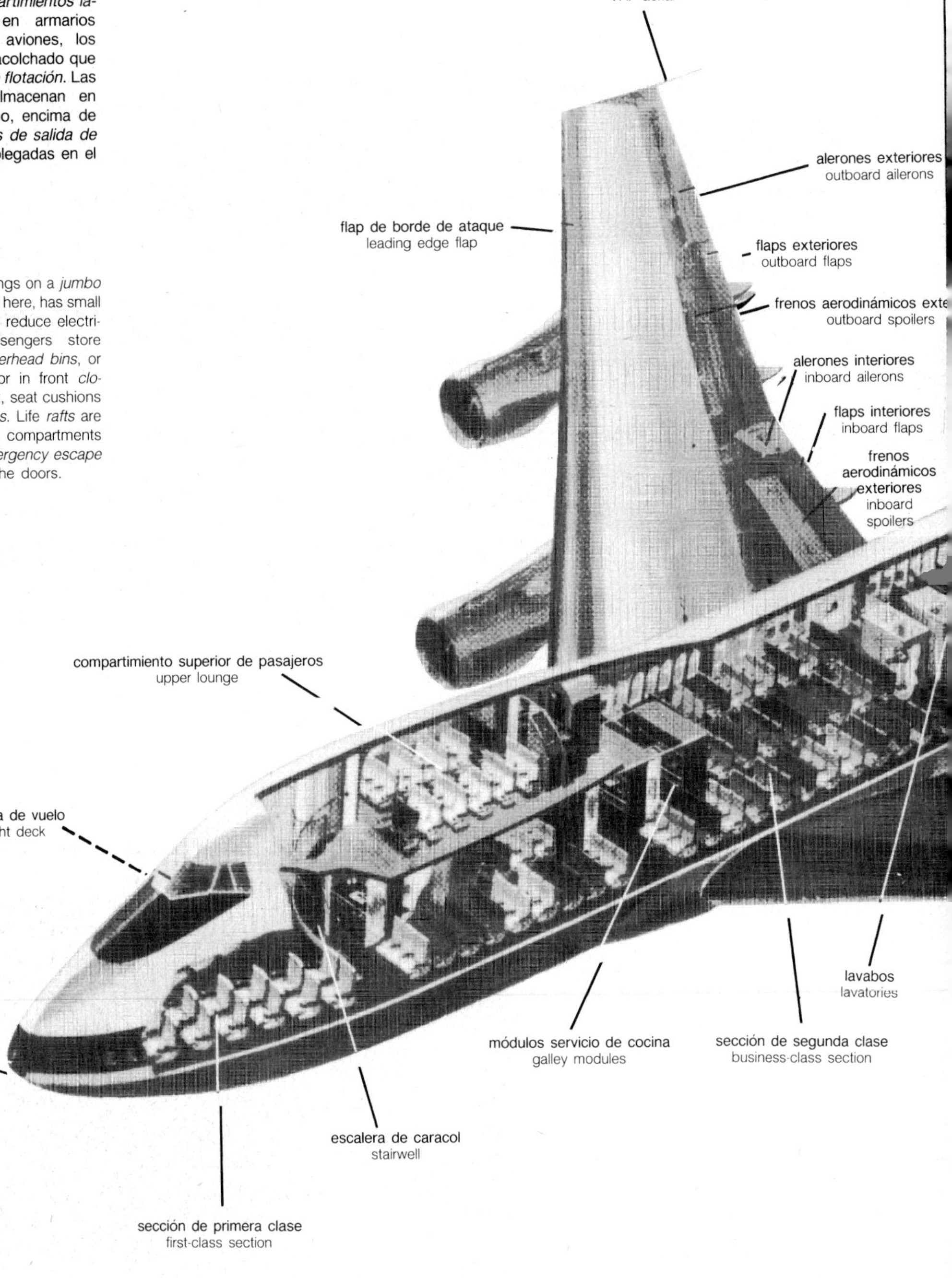
antena de VHF
VHF aerial
alerones exteriores
outboard ailerons
flap de borde de ataque
leading edge flap
flaps exteriores
outboard flaps
frenos aerodinámicos exte
outboard spoilers
alerones interiores
inboard ailerons
flaps interiores
inboard flaps
frenos aerodinámicos exteriores
inboard spoilers
compartimiento superior de pasajeros
upper lounge
cabina de vuelo
flight deck
lavabos
lavatories
cono de radar
radar cone
módulos servicio de cocina
galley modules
sección de segunda clase
business-class section
escalera de caracol
stairwell
sección de primera clase
first-class section

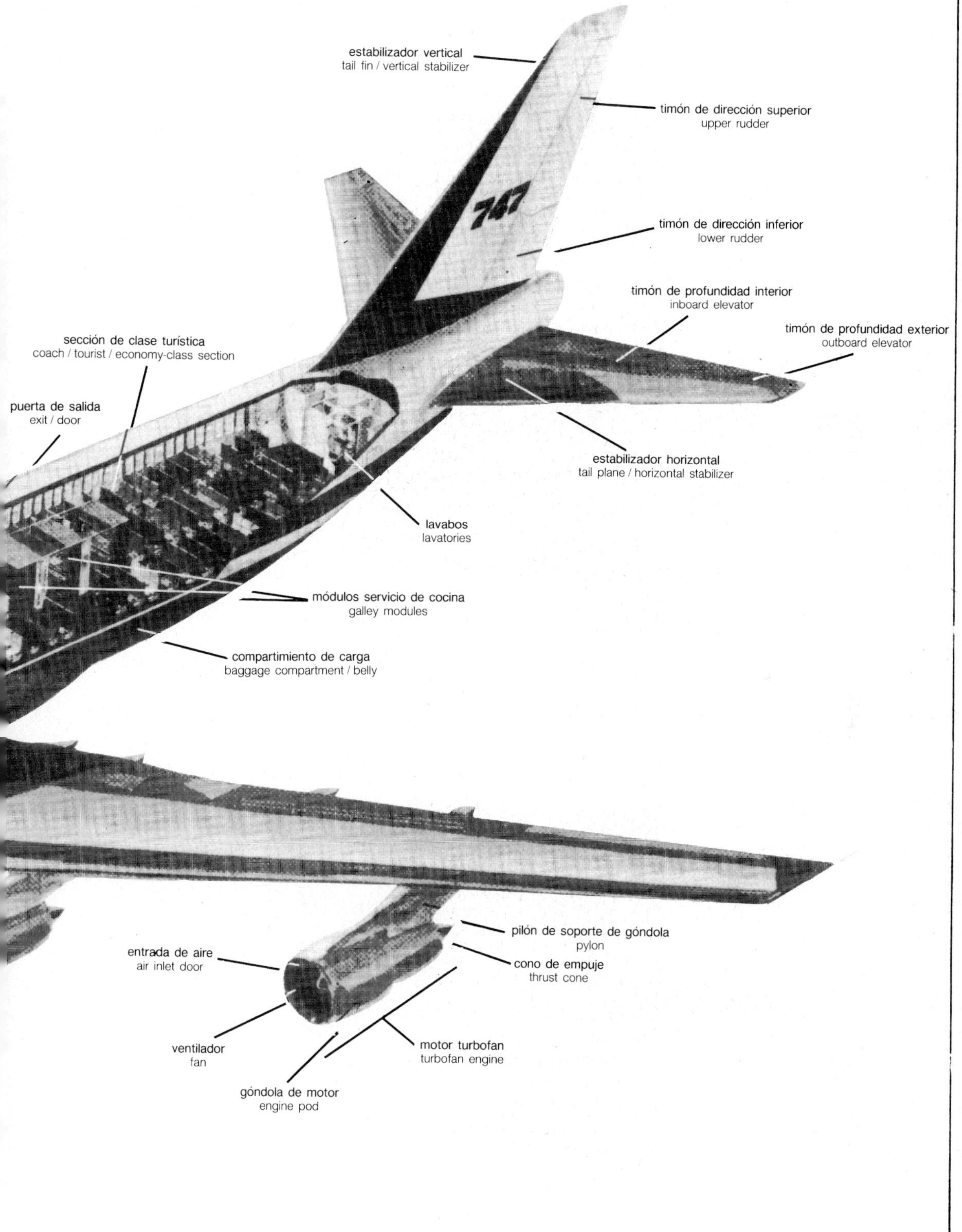

estabilizador vertical
tail fin / vertical stabilizer
timón de dirección superior
upper rudder
timón de dirección inferior
lower rudder
timón de profundidad interior
inboard elevator
timón de profundidad exterior
outboard elevator
sección de clase turística
coach / tourist / economy-class section
puerta de salida
exit / door
estabilizador horizontal
tail plane / horizontal stabilizer
lavabos
lavatories
módulos servicio de cocina
galley modules
compartimiento de carga
baggage compartment / belly
pilón de soporte de góndola
pylon
entrada de aire
air inlet door
cono de empuje
thrust cone
ventilador
fan
motor turbofan
turbofan engine
góndola de motor
engine pod

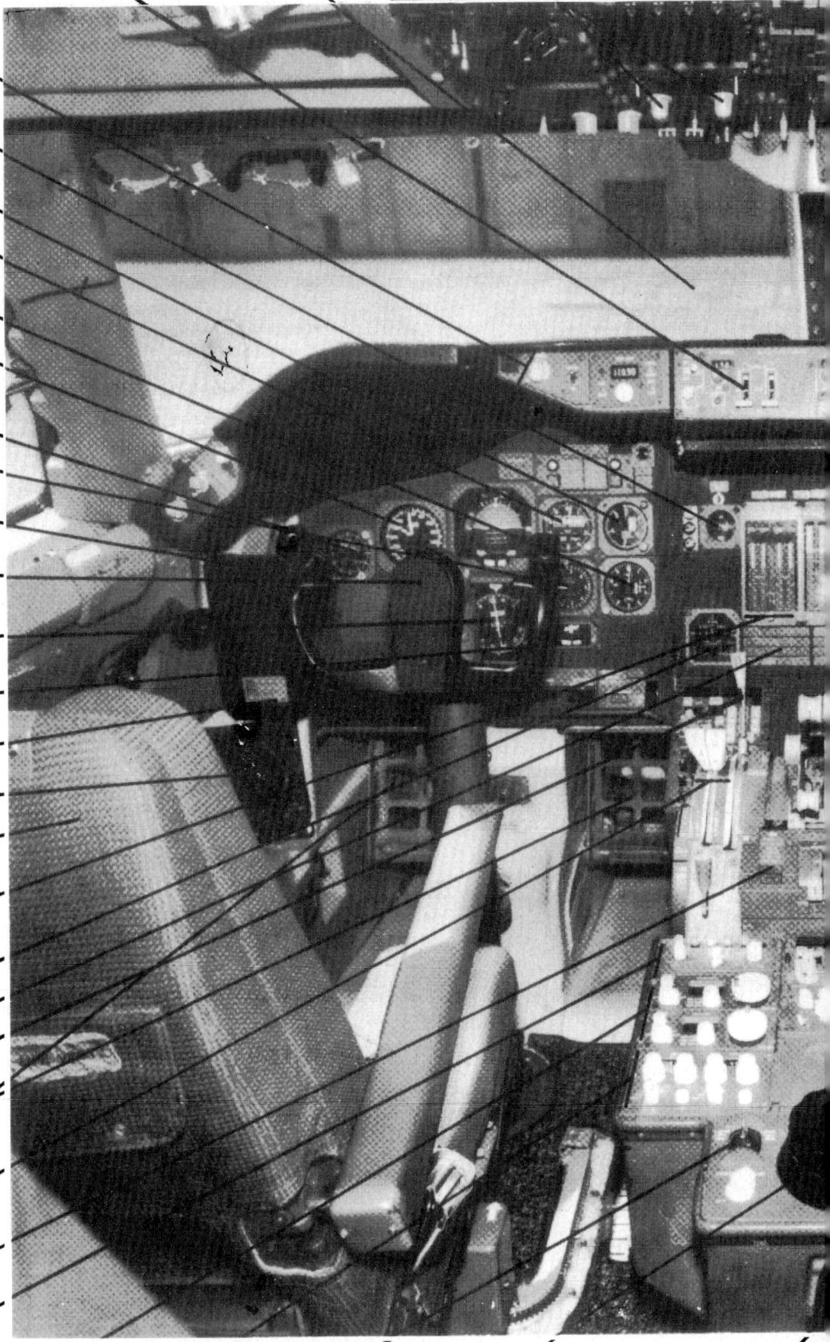

panel instrumental de techo
overhead switch panel
parabrisas
windshield / windscreen
interruptor del piloto automático
autopilot engage switch
interruptores de calculadora navegacional
navigational computer switches
radio de navegación
navigational radio
temperatura total del aire
total air temperature
altímetro radar
radar altimeter
altímetro barométrico
barometric altimeter
altímetro de reserva
standby altimeter
indicador de n.º de Mach y velocidad respecto al aire
Mach / air speed indicator
reloj
clock
indicador de velocidad vertical
vertical speed indicator
controles compensación de cabeceo
pitch trim controls
columna de control
control yoke
indicador de dirección horizontal
horizontal direction indicator
indicador de virajes e inclinación lateral
turn and bank indicator
palanca mando dirección en tierra
ground steering tiller
pantalla radar meteorológico
weather radarscope
asiento del piloto
captain's seat
indicadores de relación de presión de motores
engine pressure ratio gauges
indicador de posición de control de vuelo
flight control position indicator
panel de luces de aviso
warning light panel
manija de flap desacelerador
speed brake handle
pedales de timón dirección y frenos
rudder & brake pedals
palancas de compensación manual de estabilizador
manual stabilizer trim levers
palanca frenos de estacionamiento
parking brake lever
panel de control de radar meteorológico
weather radar control panel
radiogoniómetro automático
automatic direction finder
radio UHF
UHF radio
compensador de alerón
aileron trim
compensador del timón de direccion
rudder trim
micrófono de intercomunicación y aviso a pasaje
intercom & passenger announcement microphon

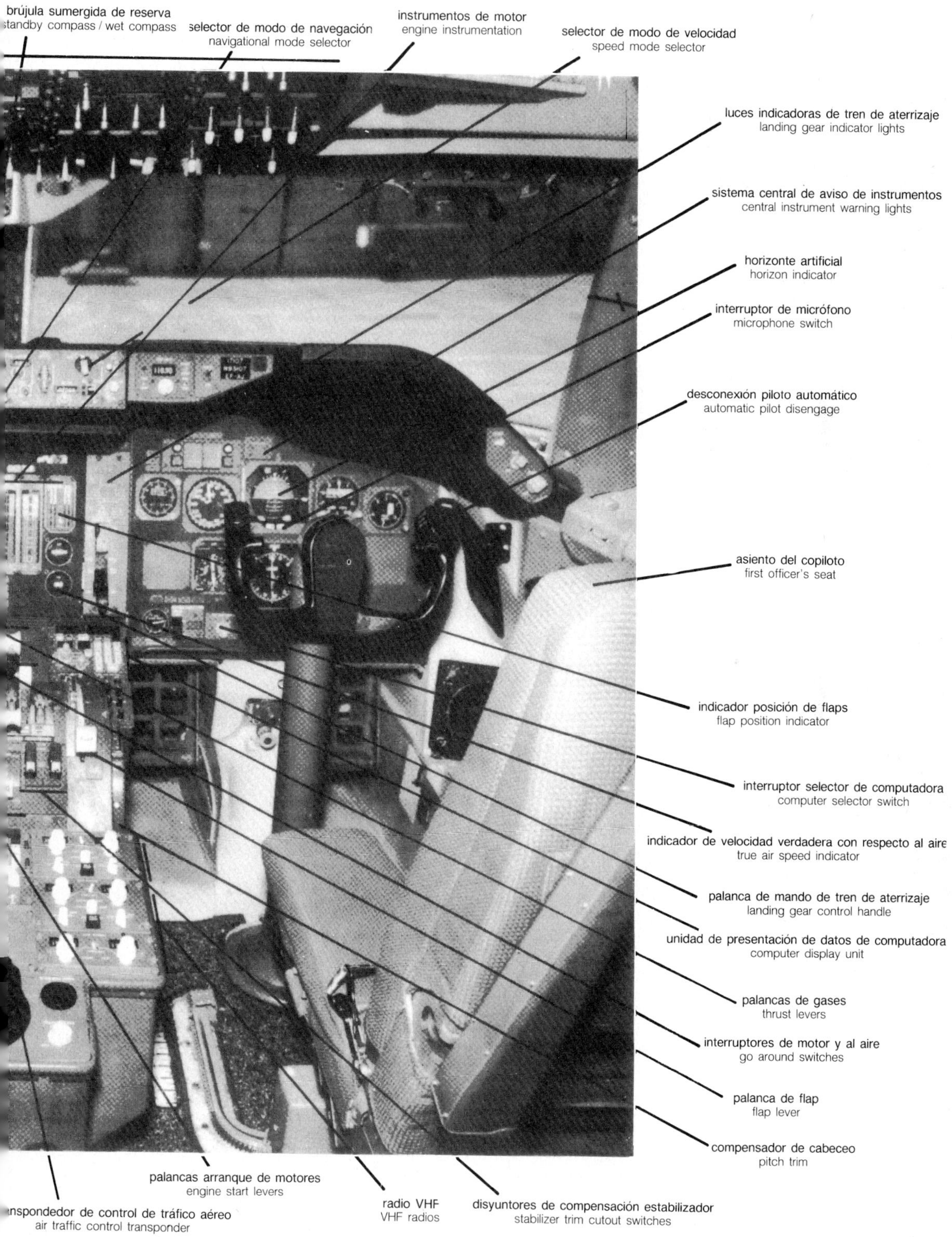
brújula sumergida de reserva
tandby compass / wet compass
selector de modo de navegación
navigational mode selector
instrumentos de motor
engine instrumentation
selector de modo de velocidad
speed mode selector
luces indicadoras de tren de aterrizaje
landing gear indicator lights
sistema central de aviso de instrumentos
central instrument warning lights
horizonte artificial
horizon indicator
interruptor de micrófono
microphone switch
desconexión piloto automático
automatic pilot disengage
asiento del copiloto
first officer's seat
indicador posición de flaps
flap position indicator
interruptor selector de computadora
computer selector switch
indicador de velocidad verdadera con respecto al aire
true air speed indicator
palanca de mando de tren de aterrizaje
landing gear control handle
unidad de presentación de datos de computadora
computer display unit
palancas de gases
thrust levers
interruptores de motor y al aire
go around switches
palanca de flap
flap lever
compensador de cabeceo
pitch trim
palancas arranque de motores
engine start levers
nspondedor de control de tráfico aéreo
air traffic control transponder
radio VHF
VHF radios
disyuntores de compensación estabilizador
stabilizer trim cutout switches

Avión de caza

Un caza de combate, como el que aparece aquí, tiene una estructura de diseño avanzado con *ala en flecha variable* y *armamento de largo alcance*. Vuela a velocidades superiores a la del sonido, o *supersónicas*.

Combat Aircraft

A fighter, such as the one shown here, has an advanced *airframe* with a *variable sweep wing* and a *longrange weapon system*. It is flown at speeds in excess of the speed of sound, or *mach speeds*.

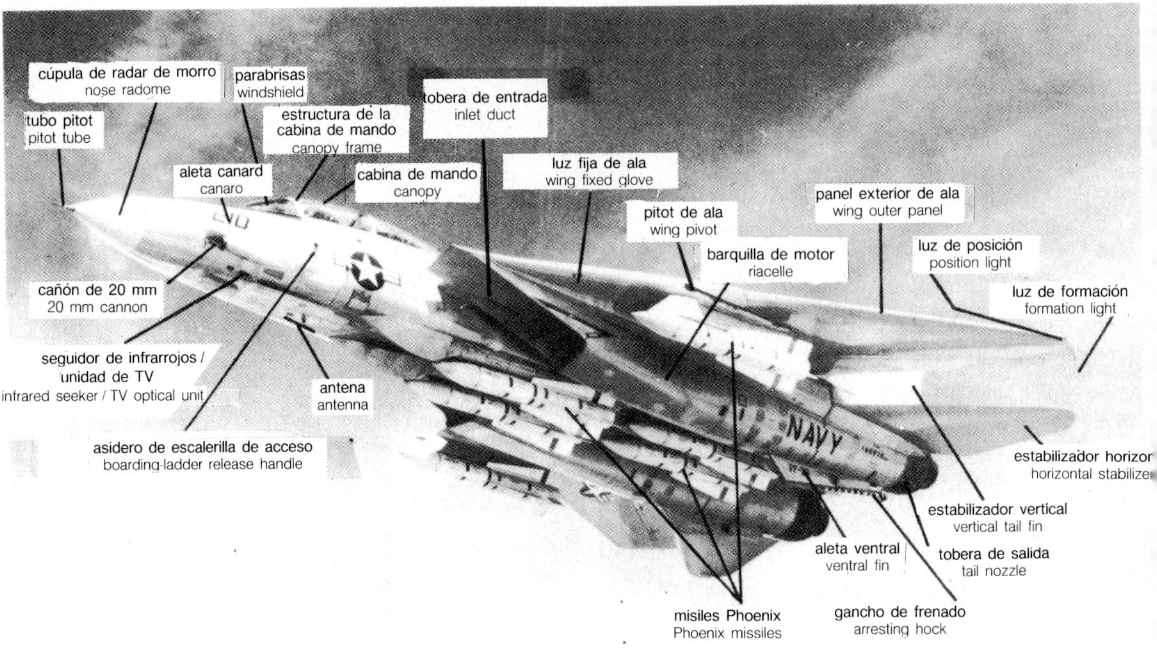

cúpula de radar de morro
nose radome
parabrisas
windshield
tobera de entrada
inlet duct
tubo pitot
pitot tube
estructura de la cabina de mando
canopy frame
aleta canard
canaro
cabina de mando
canopy
luz fija de ala
wing fixed glove
panel exterior de ala
wing outer panel
pitot de ala
wing pivot
barquilla de motor
riacelle
luz de posición
position light
luz de formación
formation light
cañón de 20 mm
20 mm cannon
seguidor de infrarrojos / unidad de TV
infrared seeker / TV optical unit
antena
antenna
asidero de escalerilla de acceso
boarding-ladder release handle
NAVY
estabilizador horizor
horizontal stabilize
estabilizador vertical
vertical tail fin
aleta ventral
ventral fin
tobera de salida
tail nozzle
misiles Phoenix
Phoenix missiles
gancho de frenado
arresting hock

Armamento
Jet Fighter

Reactor de caza
Weaponry

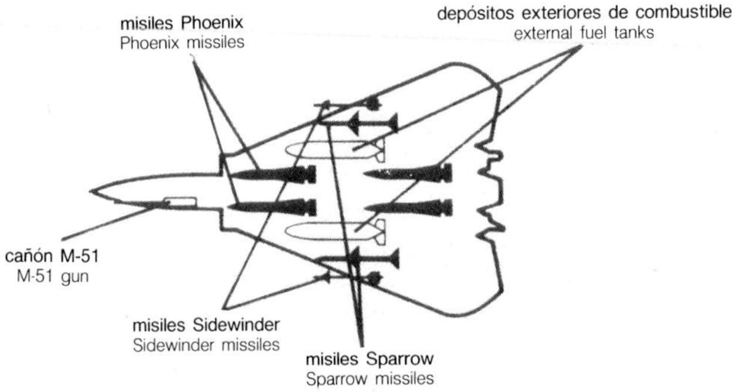

misiles Phoenix
Phoenix missiles
depósitos exteriores de combustible
external fuel tanks
cañón M-51
M-51 gun
misiles Sidewinder
Sidewinder missiles
misiles Sparrow
Sparrow missiles

Tablero de instrumentos

Detrás del *piloto* se encuentra el *navegante*, u *oficial de control de misiles*, que controla la *presentación de información táctica*, *armamento*, y *paneles de contramedidas y contraarmamento electrónicos.*

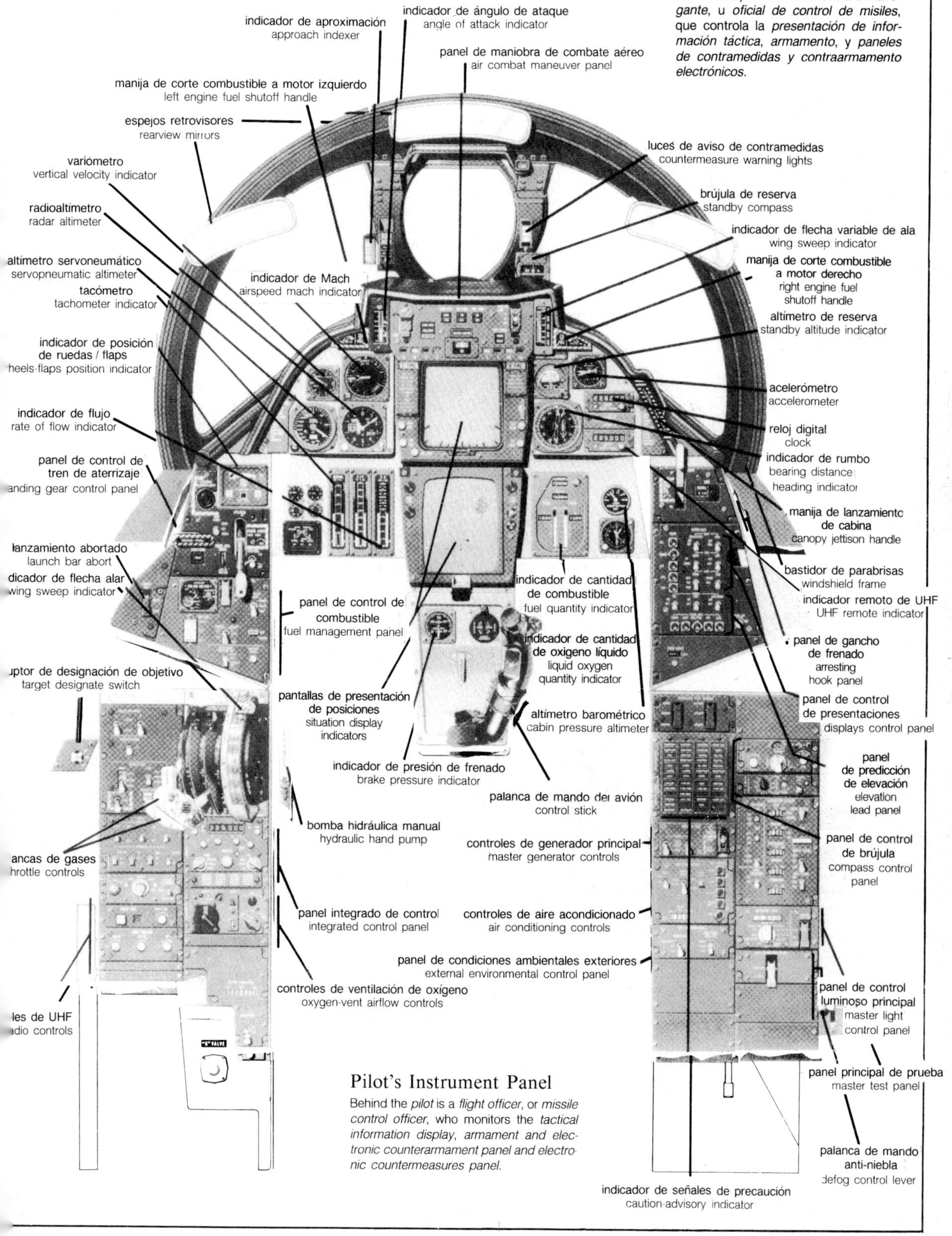

indicador de aproximación
approach indexer
indicador de ángulo de ataque
angle of attack indicator
panel de maniobra de combate aéreo
air combat maneuver panel
manija de corte combustible a motor izquierdo
left engine fuel shutoff handle
espejos retrovisores
rearview mirrors
variómetro
vertical velocity indicator
radioaltímetro
radar altimeter
altímetro servoneumático
servopneumatic altimeter
tacómetro
tachometer indicator
indicador de Mach
airspeed mach indicator
indicador de posición de ruedas / flaps
heels-flaps position indicator
indicador de flujo
rate of flow indicator
panel de control de tren de aterrizaje
anding gear control panel
lanzamiento abortado
launch bar abort
dicador de flecha alar
wing sweep indicator
ptor de designación de objetivo
target designate switch
ancas de gases
hrottle controls
les de UHF
adio controls
luces de aviso de contramedidas
countermeasure warning lights
brújula de reserva
standby compass
indicador de flecha variable de ala
wing sweep indicator
manija de corte combustible a motor derecho
right engine fuel shutoff handle
altímetro de reserva
standby altitude indicator
acelerómetro
accelerometer
reloj digital
clock
indicador de rumbo
bearing distance heading indicator
manija de lanzamiento de cabina
canopy jettison handle
bastidor de parabrisas
windshield frame
indicador remoto de UHF
UHF remote indicator
panel de gancho de frenado
arresting hook panel
panel de control de presentaciones
displays control panel
panel de predicción de elevación
elevation lead panel
panel de control de brújula
compass control panel
panel de control luminoso principal
master light control panel
panel principal de prueba
master test panel
palanca de mando anti-niebla
defog control lever
indicador de cantidad de combustible
fuel quantity indicator
indicador de cantidad de oxígeno líquido
liquid oxygen quantity indicator
altímetro barométrico
cabin pressure altimeter
panel de control de combustible
fuel management panel
pantallas de presentación de posiciones
situation display indicators
indicador de presión de frenado
brake pressure indicator
palanca de mando del avión
control stick
bomba hidráulica manual
hydraulic hand pump
controles de generador principal
master generator controls
panel integrado de control
integrated control panel
controles de aire acondicionado
air conditioning controls
panel de condiciones ambientales exteriores
external environmental control panel
controles de ventilación de oxígeno
oxygen-vent airflow controls
indicador de señales de precaución
caution-advisory indicator
"G" VALVE

Pilot's Instrument Panel

Behind the *pilot* is a *flight officer*, or *missile control officer*, who monitors the *tactical information display, armament and electronic counterarmament panel and electronic countermeasures panel.*

Lanzadera espacial y plataforma de lanzamiento

La lanzadera espacial consta de tres partes principales: nave espacial orbitadora, depósito exterior y dos cohetes aceleradores de combustible sólido. Muchas plataformas de lanzamiento incorporan *deflectores de llama* diseñados para dirigir los *gases ardientes* de escape y vapor al exterior. La torre articulada es una estructura móvil utilizada par la erección y servicio de los cohetes antes del lanzamiento.

Space Shuttle and Launch Pad

A shuttle has three main components: an orbiter, external tank and two solid-rocket boosters. Many launch pads have *flame buckets* designed to direct *fireballs* and steam away from the pad itself. A gantry is a movable structure used for erecting and servicing as rocket prior to launch.

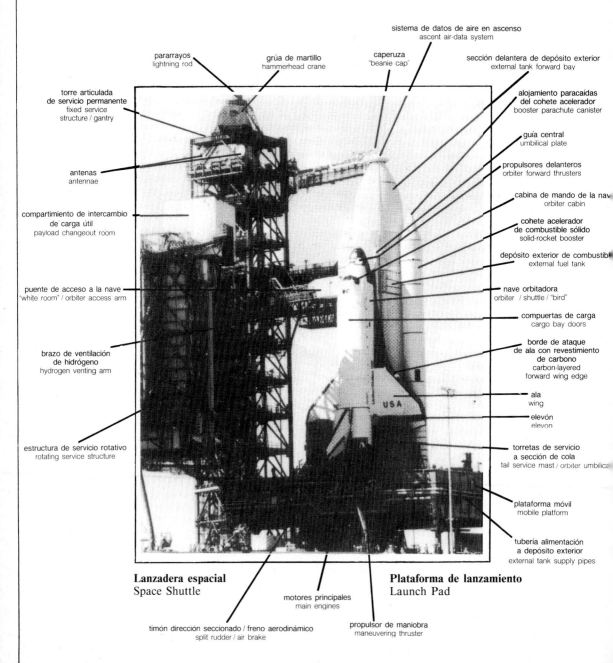

sistema de datos de aire en ascenso
ascent air-data system
pararrayos
lightning rod
grúa de martillo
hammerhead crane
caperuza
"beanie cap"
sección delantera de depósito exterior
external tank forward bay
torre articulada de servicio permanente
fixed service structure / gantry
alojamiento paracaídas del cohete acelerador
booster parachute canister
guía central
umbilical plate
antenas
antennae
propulsores delanteros
orbiter forward thrusters
cabina de mando de la nav
orbiter cabin
compartimiento de intercambio de carga útil
payload changeout room
cohete acelerador de combustible sólido
solid-rocket booster
depósito exterior de combustib
external fuel tank
puente de acceso a la nave
"white room" / orbiter access arm
nave orbitadora
orbiter / shuttle / "bird"
compuertas de carga
cargo bay doors
brazo de ventilación de hidrógeno
hydrogen venting arm
borde de ataque de ala con revestimiento de carbono
carbon-layered forward wing edge
ala
wing
USA
elevón
elevon
estructura de servicio rotativo
rotating service structure
torretas de servicio a sección de cola
tail service mast / orbiter umbilica
plataforma móvil
mobile platform
tubería alimentación a depósito exterior
external tank supply pipes
motores principales
main engines
timón dirección seccionado / freno aerodinámico
split rudder / air brake
propulsor de maniobra
maneuvering thruster

Lanzadera espacial
Space Shuttle

Plataforma de lanzamiento
Launch Pad

Cabina de mando de la lanzadera espacial

Entre los controles de techo hay *disyuntores eléctricos*, *reguladores ambientales* y de *combustible*. La unidad *orbitadora* lleva alojamiento y espacio de trabajo hasta para siete tripulantes, entre los que figuran dos pilotos, los *especialistas de misión* y los de *equipos*. Existe también un *sistema integrado de cuatro ordenadores*, con un quinto para resolver las discrepancias entre los cuatro primeros.

Space Shuttle Flight Deck

Overhead controls include *circuit breakers*, *environmental monitors* and *fuel cell monitors*. The *orbiter* has work and living quarters for as many as seven people, including two pilots, *mission specialists* and *payload redundant computer system*, including a fifth computer to arbitrate disputes among the first four.

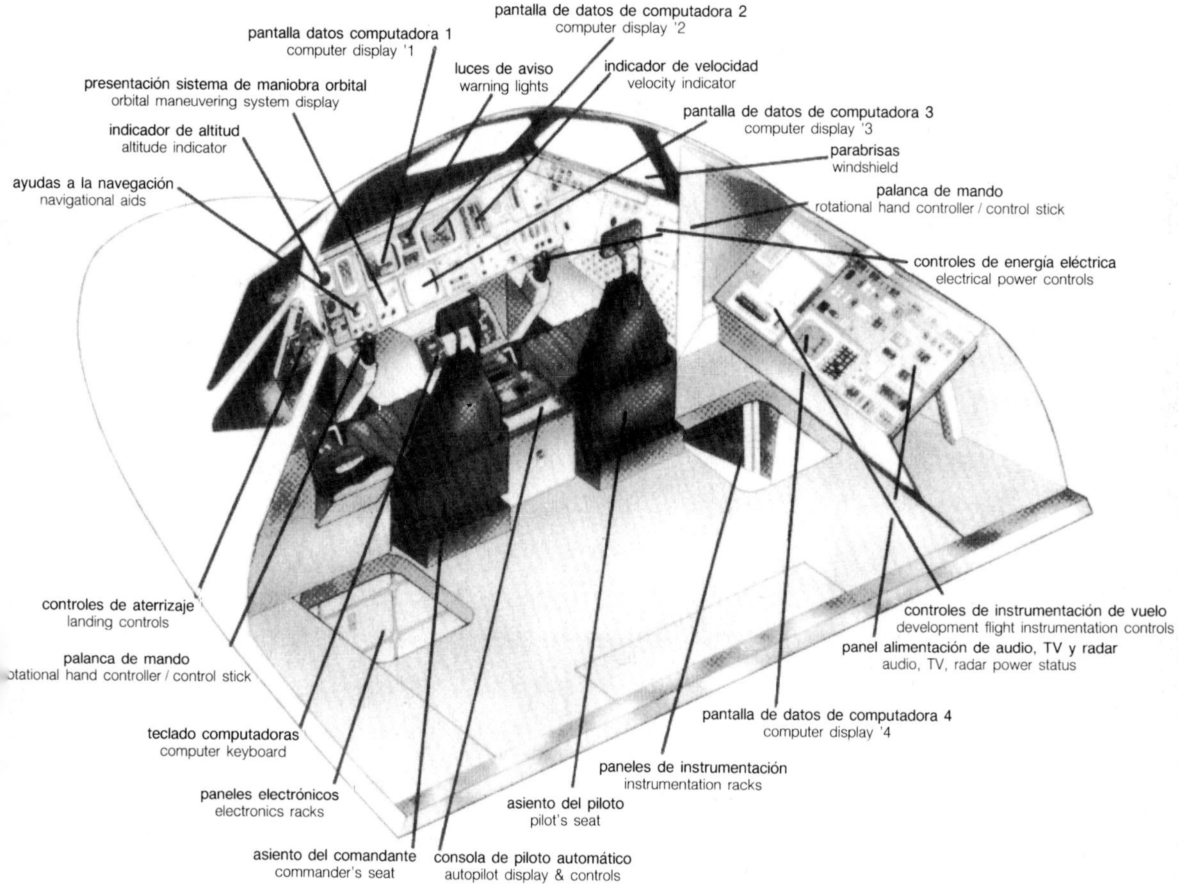
pantalla de datos de computadora 2
computer display '2
pantalla datos computadora 1
computer display '1
luces de aviso
warning lights
indicador de velocidad
velocity indicator
presentación sistema de maniobra orbital
orbital maneuvering system display
pantalla de datos de computadora 3
computer display '3
indicador de altitud
altitude indicator
parabrisas
windshield
ayudas a la navegación
navigational aids
palanca de mando
rotational hand controller / control stick
controles de energía eléctrica
electrical power controls
controles de aterrizaje
landing controls
controles de instrumentación de vuelo
development flight instrumentation controls
panel alimentación de audio, TV y radar
audio, TV, radar power status
palanca de mando
otational hand controller / control stick
pantalla de datos de computadora 4
computer display '4
teclado computadoras
computer keyboard
paneles de instrumentación
instrumentation racks
paneles electrónicos
electronics racks
asiento del piloto
pilot's seat
asiento del comandante
commander's seat
consola de piloto automático
autopilot display & controls

Módulo lunar

El *módulo lunar*, o de alunizaje, consta de una *sección inferior de descenso*, que aloja el *motor de alunizaje*, de *equipo exploratorio*, *depósitos auxiliares* y tren de alunizaje. La sección de ascenso, o subida, contiene la *cabina de tripulación y controles*, *compartimento de equipos*, *depósitos y motor de despegue*, este último utilizado también para la reunión con el módulo de mando en órbita.

Lunar Lander

The *lunar module* consists of a lower *descent stage* which houses the *landing engine*, exploration equipment, *secondary tanks* and landing gear. The *ascent stage* contains *crew compartment* and *controls*, equipment compartment, tanks and take-off *engine*, used to rejoin the *command module*.

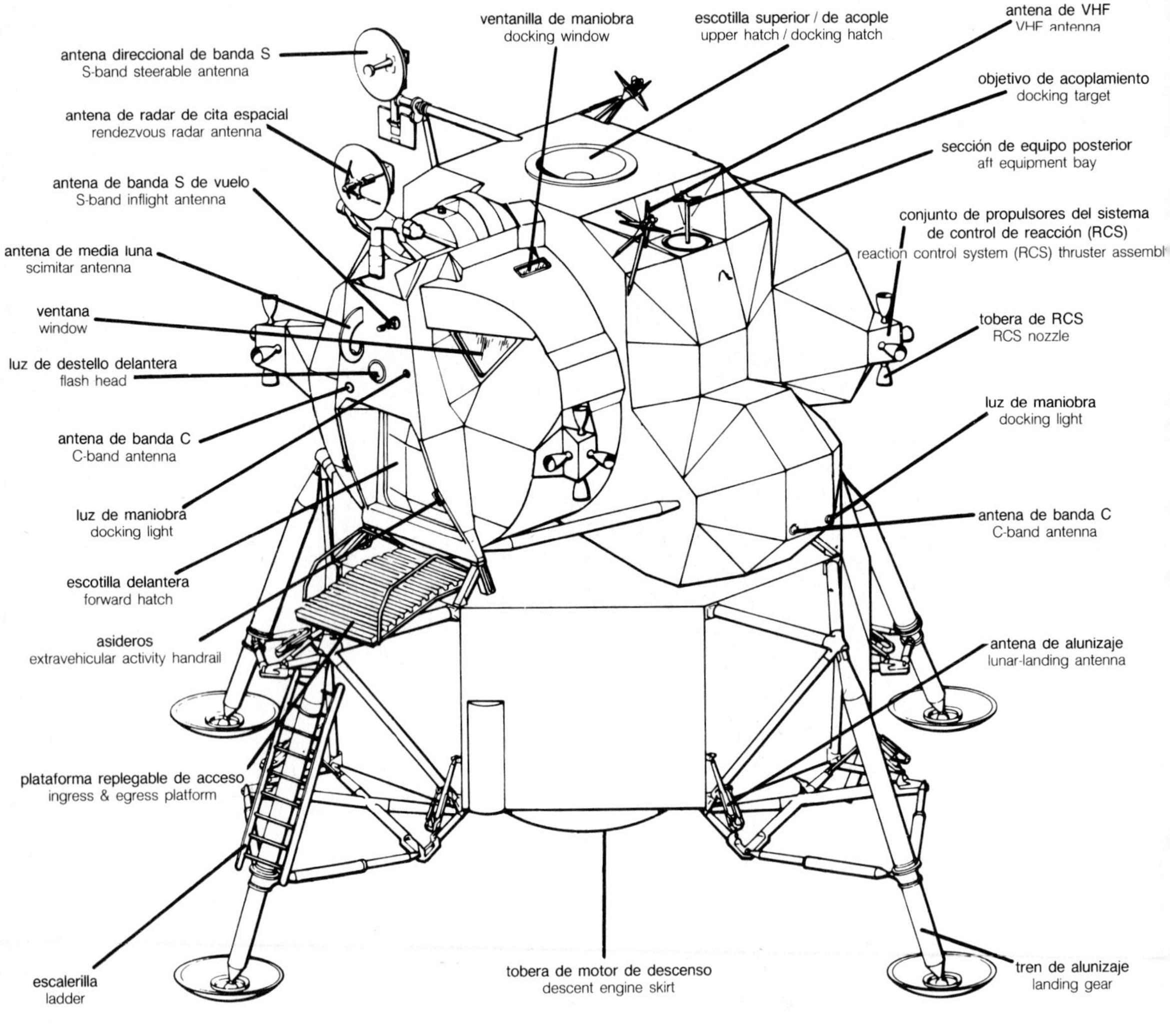
ventanilla de maniobra
docking window
escotilla superior / de acople
upper hatch / docking hatch
antena de VHF
VHF antenna
antena direccional de banda S
S-band steerable antenna
objetivo de acoplamiento
docking target
antena de radar de cita espacial
rendezvous radar antenna
sección de equipo posterior
aft equipment bay
antena de banda S de vuelo
S-band inflight antenna
conjunto de propulsores del sistema de control de reacción (RCS)
reaction control system (RCS) thruster assembl
antena de media luna
scimitar antenna
ventana
window
tobera de RCS
RCS nozzle
luz de destello delantera
flash head
luz de maniobra
docking light
antena de banda C
C-band antenna
luz de maniobra
docking light
antena de banda C
C-band antenna
escotilla delantera
forward hatch
asideros
extravehicular activity handrail
antena de alunizaje
lunar-landing antenna
plataforma replegable de acceso
ingress & egress platform
escalerilla
ladder
tobera de motor de descenso
descent engine skirt
tren de alunizaje
landing gear

Vehículo lunar

El *vehículo de exploración lunar*, va plegado en el módulo de alunizaje, de donde se le extrae y prepara para el transporte de los astronautas y de su material sobre la superficie de la Luna. El traje espacial es un *conjunto integrado térmico meteoroide* de varias capas que va unido a otro interior que cubre el torso del astronauta. Este último consta de un *forro interno*, *cámara de aire* y *capa protectora*.

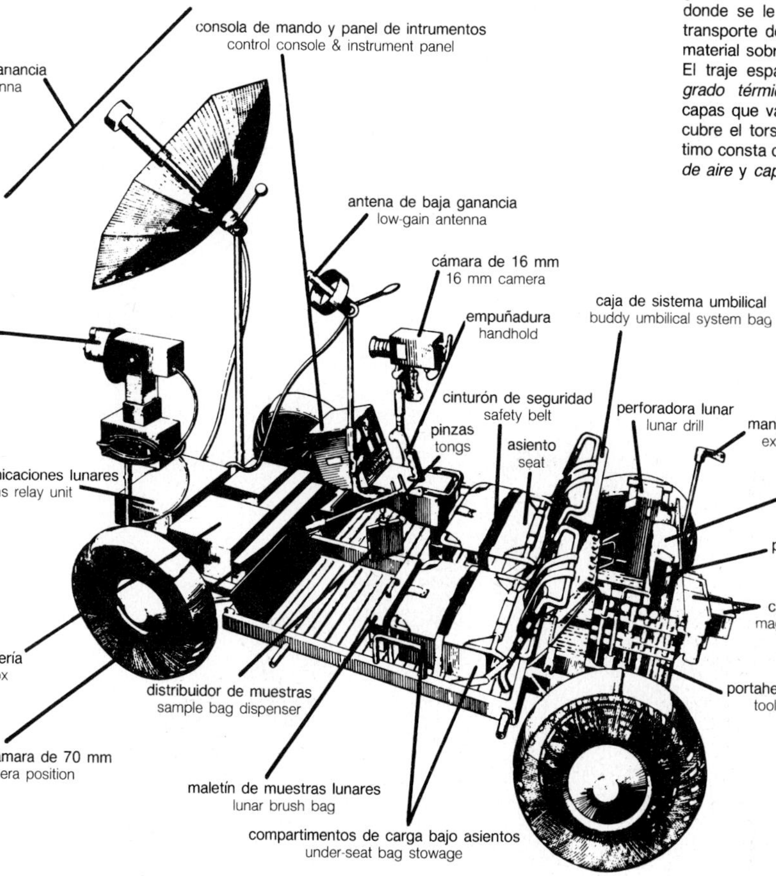

antena de alta ganancia
high-gain antenna
consola de mando y panel de intrumentos
control console & instrument panel
antena de baja ganancia
low-gain antenna
cámara de 16 mm
16 mm camera
cámara de TV
TV camera
empuñadura
handhold
caja de sistema umbilical
buddy umbilical system bag
cinturón de seguridad
safety belt
perforadora lunar
lunar drill
manija de extensión
extension handle
pinzas
tongs
asiento
seat
unidad de relés de comunicaciones lunares
lunar communications relay unit
cámara estereofotogramétrica
stereo camera
plataforma de carga útil
payload pallet
cajas del magnetómetro
magnetometer stowage bags
caja de batería
battery box
distribuidor de muestras
sample bag dispenser
portaherramientas
tool carrier
posición de la cámara de 70 mm
70 mm camera position
maletín de muestras lunares
lunar brush bag
compartimentos de carga bajo asientos
under-seat bag stowage

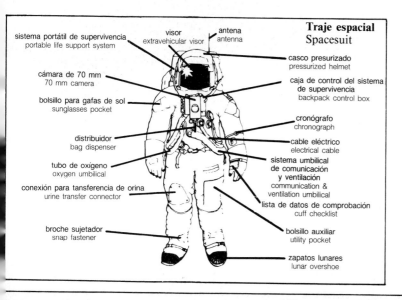

Traje espacial
Spacesuit

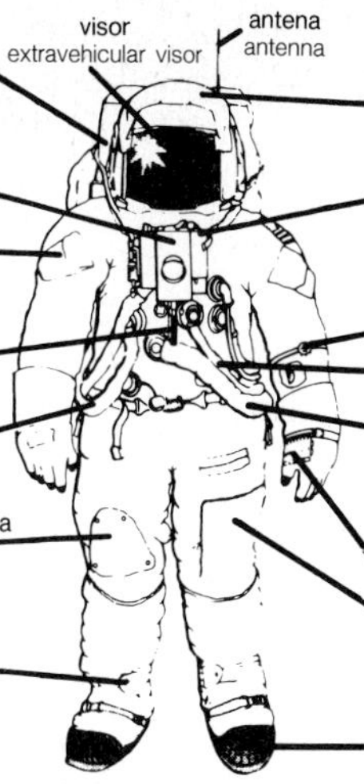

sistema portátil de supervivencia
portable life support system
visor
extravehicular visor
antena
antenna
casco presurizado
pressurized helmet
cámara de 70 mm
70 mm camera
caja de control del sistema de supervivencia
backpack control box
bolsillo para gafas de sol
sunglasses pocket
cronógrafo
chronograph
distribuidor
bag dispenser
cable eléctrico
electrical cable
tubo de oxígeno
oxygen umbilical
sistema umbilical de comunicación y ventilación
communication & ventilation umbilical
conexión para tansferencia de orina
urine transfer connector
lista de datos de comprobación
cuff checklist
broche sujetador
snap fastener
bolsillo auxiliar
utility pocket
zapatos lunares
lunar overshoe

Lunar Rover

Officially called the *Lunar Roving Vehicle*, the *moon buggy* is folded in the Lunar Lander and deployed to transport astronauts and equipment on the lunar surface. The spacesuit, or *integrated thermal meteoroid garment*, is a many-layered structure lace to a *torso limb suit* which consists of an inner cloth *comfort lining*, a *bladder*, and a *restraint layer*.

Aerostato

Los dirigibles son aeronaves con motor que pueden orientarse hacia la dirección que se desee. Pueden ser *flexibles* o *semirrígidos*, según los *globos compensadores* o *depósitos de gas* que mantienen la forma de la aeronave. Los *dirigibles rígidos*, en los que la *envoltura* va sobre un *armazón* metálico, se denominan *zepelines*. Al bajar a tierra, estas aeronaves se atan a un *mástil de amarre*.

Lighter-than-air Craft

Engine-driven, steerable lighter-than-air craft are called blimps, or dirigibles. They can be *nonrigid* or *semirigid*, dependent on interior *ballonets*, or *air bags*, to maintain their shapes. *Rigid airships*, with metal *frameworks* within their *envelopes*, are referred to as *Zeppelins*. Airships are tethered to *mooring masts* when not aloft.

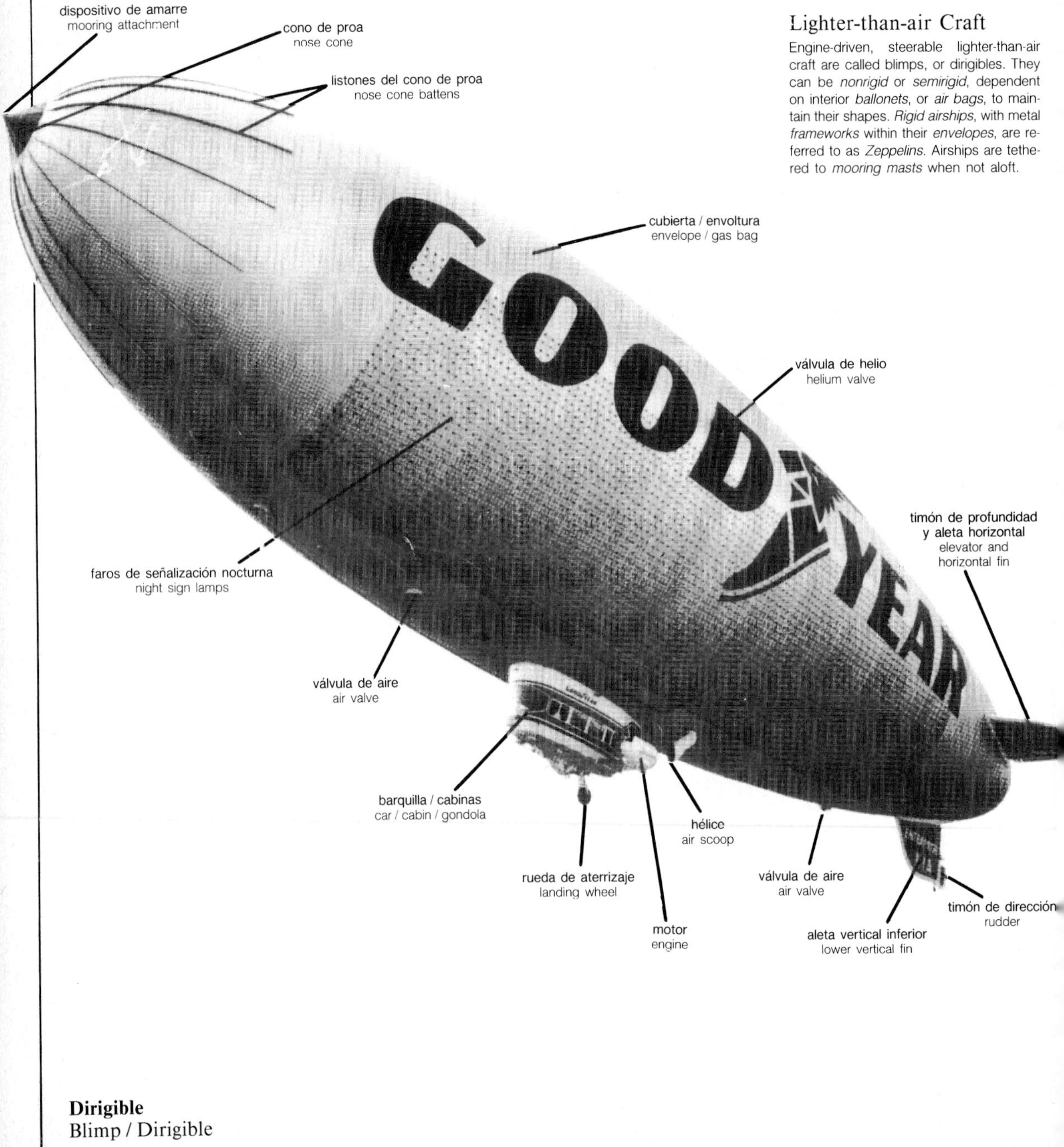
dispositivo de amarre
mooring attachment
cono de proa
nose cone
listones del cono de proa
nose cone battens
cubierta / envoltura
envelope / gas bag
válvula de helio
helium valve
timón de profundidad y aleta horizontal
elevator and horizontal fin
faros de señalización nocturna
night sign lamps
válvula de aire
air valve
barquilla / cabinas
car / cabin / gondola
hélice
air scoop
rueda de aterrizaje
landing wheel
válvula de aire
air valve
timón de dirección
rudder
motor
engine
aleta vertical inferior
lower vertical fin
GOODYEAR

Dirigible
Blimp / Dirigible

Medios de comunicación

Los medios de comunicación constituyen uno de los aspectos de la vida moderna que se desarrollan con mayor rapidez. No obstante, la información impresa continuará siendo un medio fundamental en las comunicaciones del futuro, tal como pretende demostrar el presente libro al proporcionar una forma de acceso visual al lenguaje. Por consiguiente, se examinará con cierto detalle este tipo de comunicación.
Por limitaciones de espacio no se han podido presentar instrumentos y aparatos industriales tales como estaciones transmisoras, torres de microondas, estudios de grabación de sonido y de televisión y equipos para revelado de películas.
No obstante, se han representado todos los aparatos de comunicación (visuales, sonoros y audiovisuales) que se emplean normalmente en la mayoría de las casas. La única excepción es el satélite que aparece al final de la sección, incluido atendiendo al papel fundamental que desempeña en las modernas comunicaciones de todo tipo.

Manipulador telegráfico
Telegraph Key

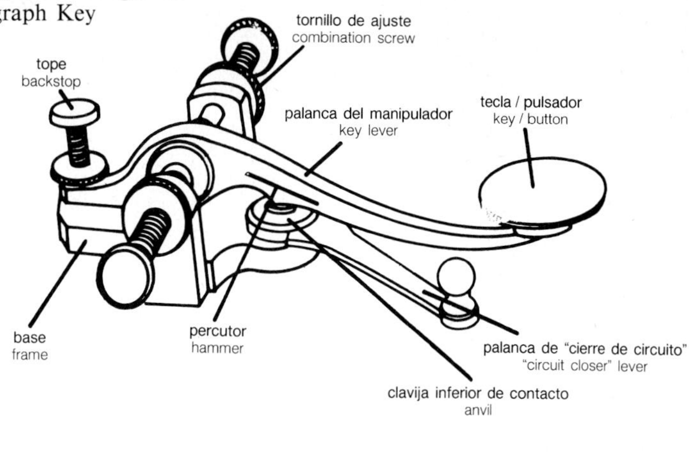
tornillo de ajuste
combination screw
tope
backstop
palanca del manipulador
key lever
tecla / pulsador
key / button
base
frame
percutor
hammer
palanca de "cierre de circuito"
"circuit closer" lever
clavija inferior de contacto
anvil

Lápiz, bolígrafo y pluma

Hay lápices o *portaminas* en los que se aprieta o se hace girar un botón para hacer salir la mina a medida que se va gastando. Algunas plumas estilográficas funcionan mediante *cartuchos* cargados de tinta, pero otras cuentan con un *cargador* tradicional consistente en un *depósito* que se llena mediante un mecanismo de *émbolo* o de una varilla de presión, si el depósito es de material flexible, de caucho por ejemplo. Antiguamente se empleaban plumas de ave para escribir.

Pen and Pencil

In refillable *lead pencils* a *barrel cap* is turned in order to push new lead out the tip. Some fountain pens are *cartridge-loaded* but older models have a barrel, *ink reservoir* and *self-filling mechanism. Quills*, or *feather pens*, made from the horny, hollow barrel of bird feathers, were dipped in *ink wells*.

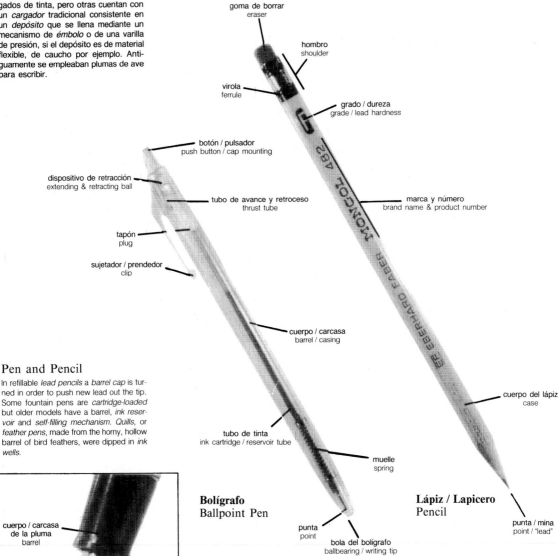

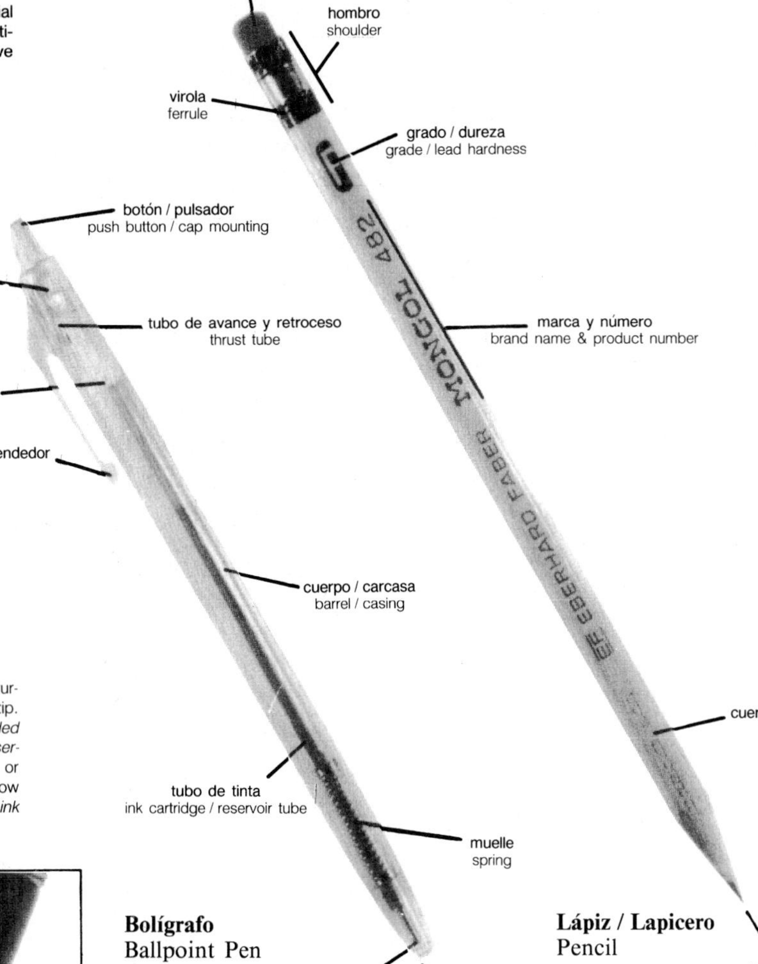
goma de borrar
eraser
hombro
shoulder
virola
ferrule
grado / dureza
grade / lead hardness
MONGOL 482
EF EBERHARD FABER
marca y número
brand name & product number
cuerpo del lápiz
case
punta / mina
point / "lead"
botón / pulsador
push button / cap mounting
dispositivo de retracción
extending & retracting ball
tubo de avance y retroceso
thrust tube
tapón
plug
sujetador / prendedor
clip
cuerpo / carcasa
barrel / casing
tubo de tinta
ink cartridge / reservoir tube
muelle
spring
punta
point
bola del bolígrafo
ballbearing / writing tip

Bolígrafo
Ballpoint Pen

Lápiz / Lapicero
Pencil

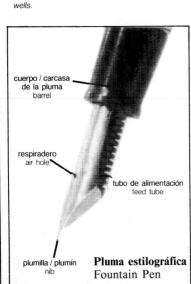

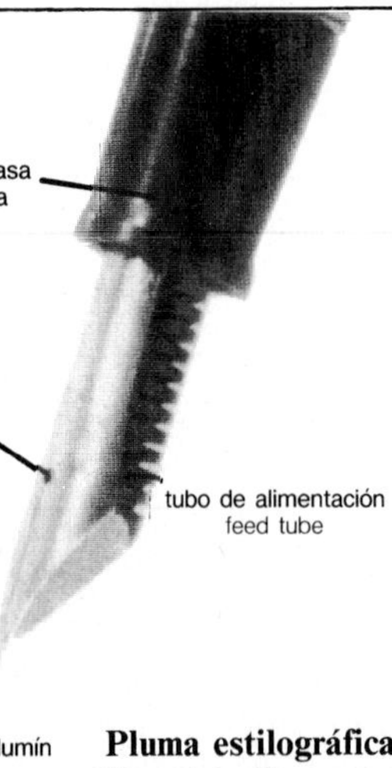
cuerpo / carcasa
de la pluma
barrel
respiradero
air hole
tubo de alimentación
feed tube
plumilla / plumín
nib

Pluma estilográfica
Fountain Pen

Correspondencia

Una nota añadida a una carta se llama *posdata*. Cuando se incluyen otros documentos en una carta se señalan como *anexo*. La parte posterior de un sobre, que se pega con la goma después de meter la carta, es la *lengüeta*. Los sellos de correos pueden comprarse en *bloques*, *tiras* o *sueltos*.

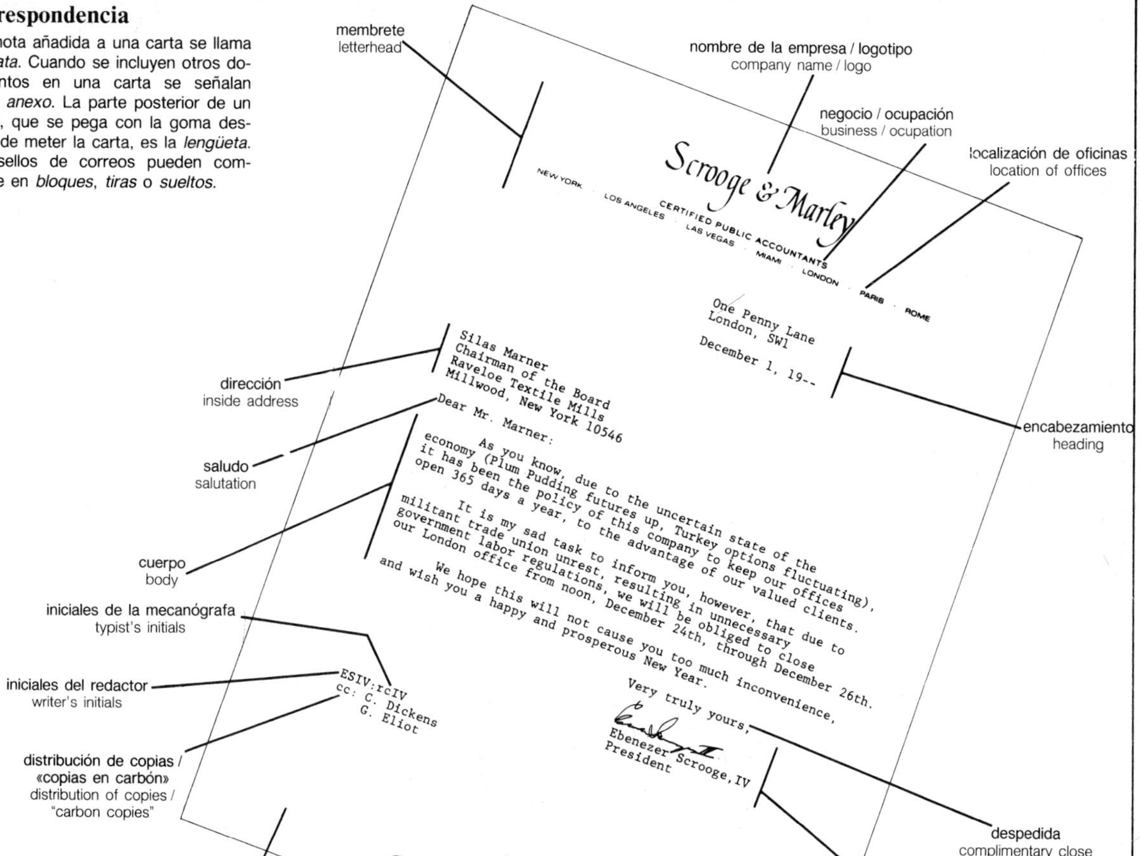

membrete
letterhead
nombre de la empresa / logotipo
company name / logo
negocio / ocupación
business / ocupation
localización de oficinas
location of offices
Scrooge & Marley
NEW YORK · LOS ANGELES · LAS VEGAS · MIAMI · LONDON · PARIS · ROME
CERTIFIED PUBLIC ACCOUNTANTS
One Penny Lane
London, SW1
December 1, 19--
Silas Marner
Chairman of the Board
Raveloe Textile Mills
Millwood, New York 10546
Dear Mr. Marner:
As you know, due to the uncertain state of the economy (Plum Pudding futures up, Turkey options fluctuating), it has been the policy of this company to keep our offices open 365 days a year, to the advantage of our valued clients.
It is my sad task to inform you, however, that due to militant trade union unrest, resulting in unnecessary government labor regulations, we will be obliged to close our London office from noon, December 24th, through December 26th.
We hope this will not cause you too much inconvenience, and wish you a happy and prosperous New Year.
Very truly yours,
Ebenezer Scrooge, IV
President
ESIV:rcIV
cc: C. Dickens
G. Eliot
dirección
inside address
saludo
salutation
cuerpo
body
iniciales de la mecanógrafa
typist's initials
iniciales del redactor
writer's initials
distribución de copias / «copias en carbón»
distribution of copies / "carbon copies"
encabezamiento
heading
despedida
complimentary close
nombre y firma
signature block
papel de escribir
stationery

Correspondence

A note appended to a completed letter is called a *postscript*, abbreviated as *P.S.* When items are enclosed with a letter they are indicated by the word *enclosure (s)* or *encl.* The back portion of an envelope which is glued down after a letter has been inserted is the *flap*. Postage stamps can be purchased in *books*, *strips*, *blocks*, *coils* and *sheets*, or *panes*.

Carta
Letter

Sobre
Envelope

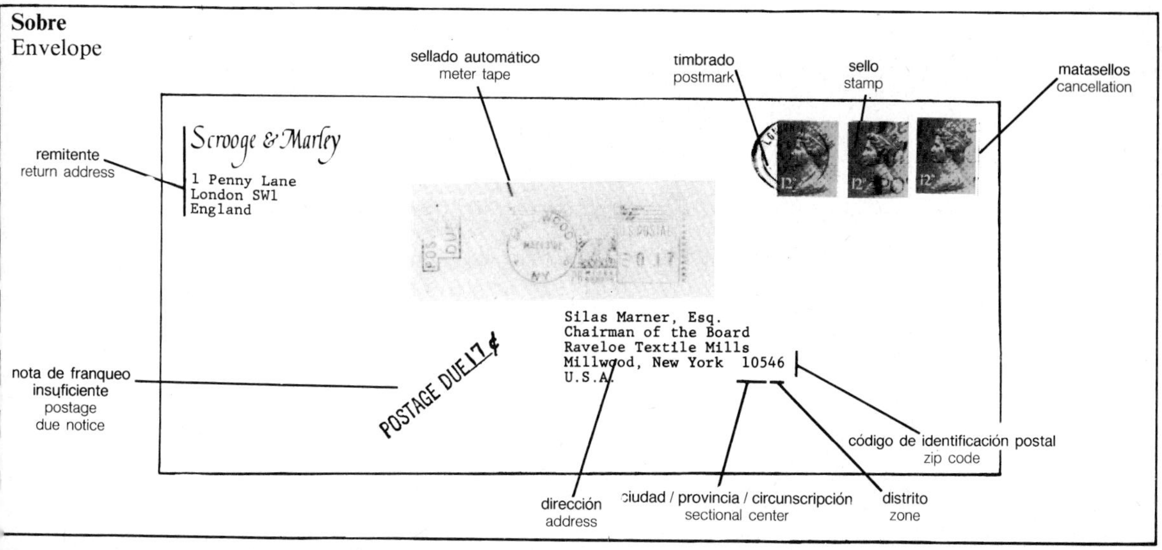

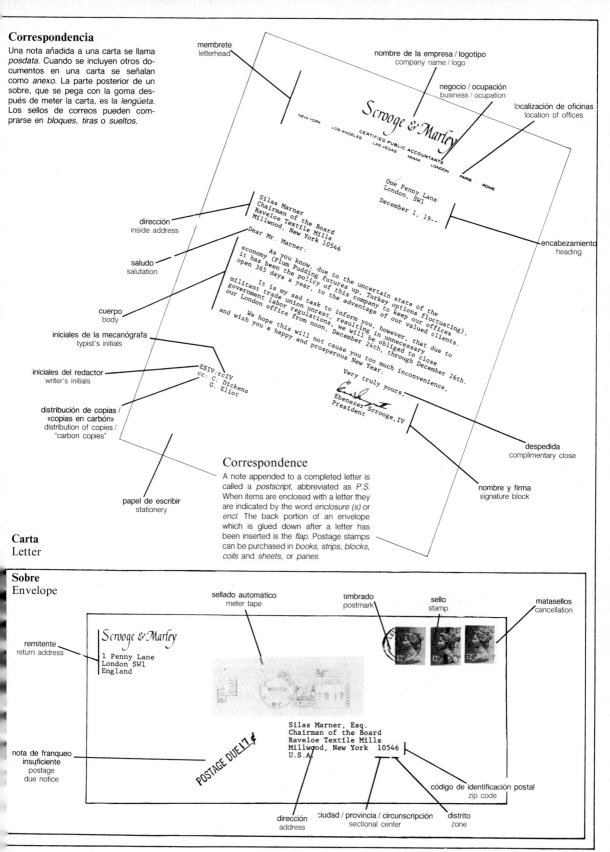

sellado automático
meter tape
timbrado
postmark
sello
stamp
matasellos
cancellation
remitente
return address
Scrooge & Marley
1 Penny Lane
London SW1
England
Silas Marner, Esq.
Chairman of the Board
Raveloe Textile Mills
Millwood, New York 10546
U.S.A.
POSTAGE DUE 17¢
nota de franqueo insuficiente
postage due notice
código de identificación postal
zip code
dirección
address
ciudad / provincia / circunscripción
sectional center
distrito
zone

Máquina de escribir

En las máquinas de escribir mecánicas, portátiles o de oficina, y en las eléctricas más antiguas, la pulsación de la tecla de un tipo envía la barra correspondiente a éste hacia la cinta entintada. En los modelos eléctricos modernos, el conjunto de las barras de los tipos ha sido sustituido por una bola.

Typewriter

On standard manual or *office typewriters*, lightweight *portables* and older *electrics*, when a key labeled with a *character* is struck, it sends the appropriate type bar toward an inked *ribbon*. On modern electric typewriters type bars in the *type basket* have been replaced with a ball.

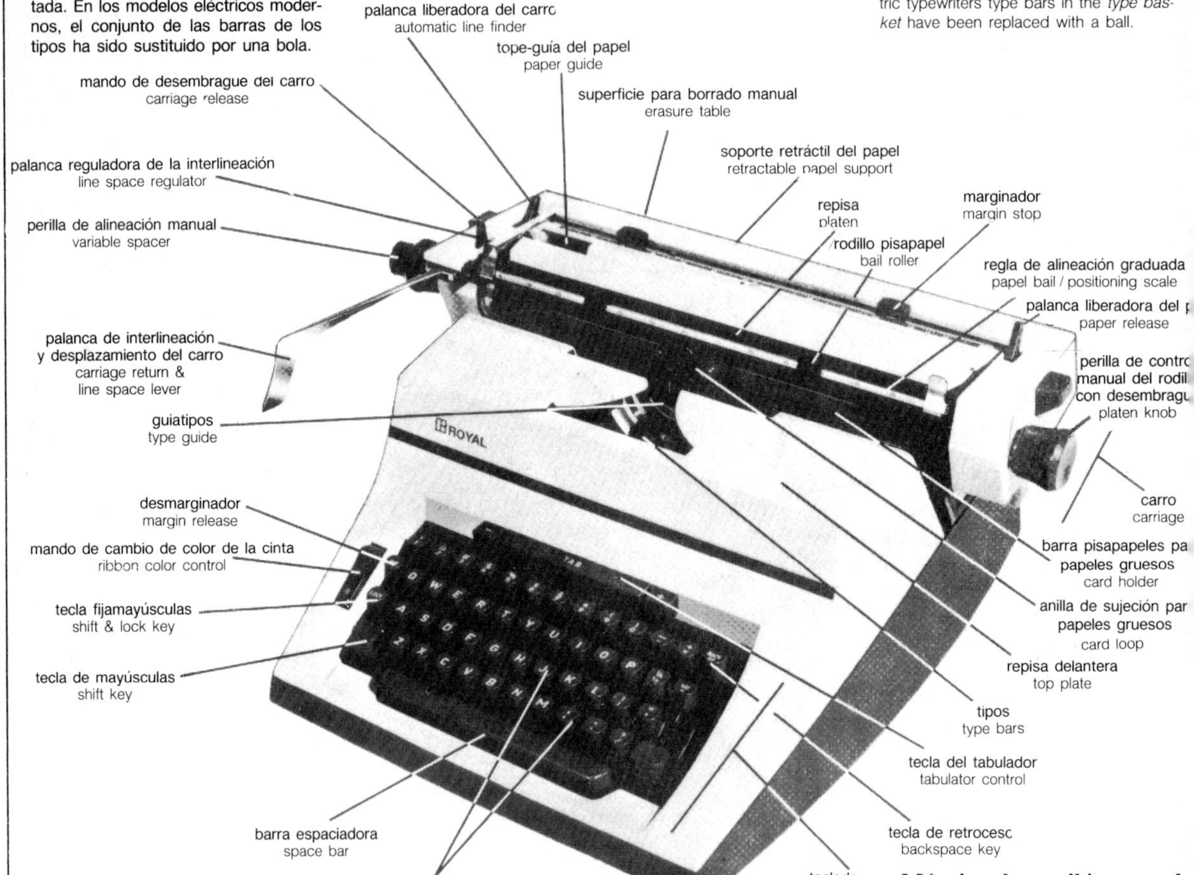

palanca liberadora del carro
automatic line finder
tope-guía del papel
paper guide
mando de desembrague del carro
carriage release
superficie para borrado manual
erasure table
palanca reguladora de la interlineación
line space regulator
soporte retráctil del papel
retractable papel support
repisa
platen
marginador
margin stop
perilla de alineación manual
variable spacer
rodillo pisapapel
bail roller
regla de alineación graduada
papel bail / positioning scale
palanca liberadora del p
paper release
palanca de interlineación
y desplazamiento del carro
carriage return &
line space lever
perilla de contro
manual del rodil
con desembragu
platen knob
guiatipos
type guide
ROYAL
carro
carriage
desmarginador
margin release
mando de cambio de color de la cinta
ribbon color control
barra pisapapeles pa
papeles gruesos
card holder
tecla fijamayúsculas
shift & lock key
anilla de sujeción par
papeles gruesos
card loop
tecla de mayúsculas
shift key
repisa delantera
top plate
tipos
type bars
tecla del tabulador
tabulator control
barra espaciadora
space bar
tecla de retroceso
backspace key
teclas de letras
keys
teclado
keyboard

Máquina de escribir manual
Manual Typewriter

Cartucho de la cinta / Máquina de escribir
Ribbon Cartridge / Electric Typewriter

bola
ball / core
cinta corregible
correctable ribbon
cinta correctora
correction tape
alambre guía
guide post
modelo de tipo
typestyle
tipo
character
indicador de final de cinta
ribbon end indicator
alambre separador
separator wire
palanca de liberación
de elementos
element release lever
control de impresión
impression control
rodillo
roller
carrete recogedor
take-up spool
eje
spindle / knob
palanca de carga de cinta
tape load lever
palanca de carga de la
cinta corredora
ribbon load lever

Tipografía

Los tipos con serif, o trazo terminal, se denominan de *imprenta*.

Typography

Type with serifs is called *book type*. Type without serifs is *sans serif*.

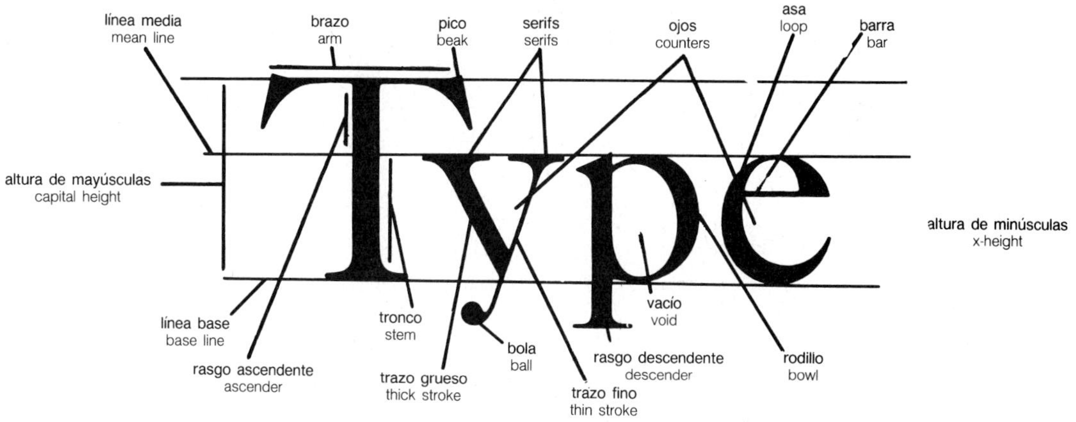

línea media
mean line
brazo
arm
pico
beak
serifs
serifs
ojos
counters
asa
loop
barra
bar
altura de mayúsculas
capital height
altura de minúsculas
x-height
Type
línea base
base line
rasgo ascendente
ascender
tronco
stem
trazo grueso
thick stroke
bola
ball
vacío
void
rasgo descendente
descender
trazo fino
thin stroke
rodillo
bowl

Composición tipográfica
Typeface Composition

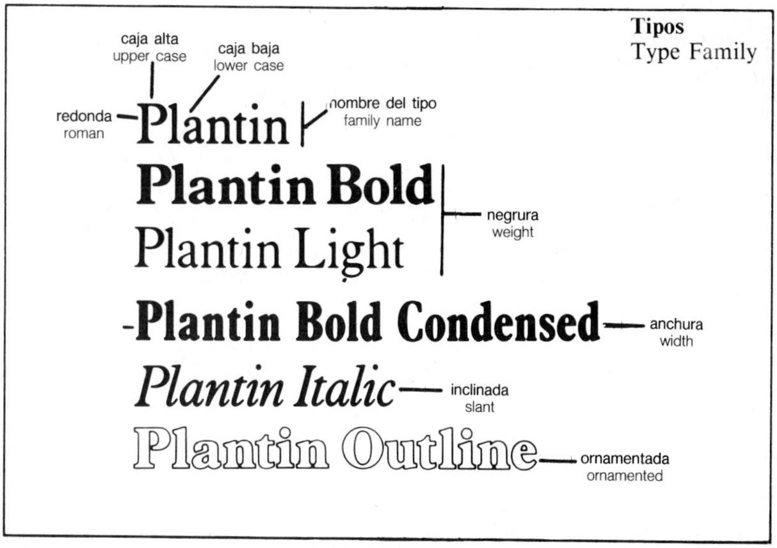

Tipos
Type Family
caja alta
upper case
caja baja
lower case
redonda
roman
Plantin
nombre del tipo
family name
Plantin Bold
Plantin Light
negrura
weight
Plantin Bold Condensed
anchura
width
Plantin Italic
inclinada
slant
Plantin Outline
ornamentada
ornamented

Procedimientos de impresión

La multiplicación de los caracteres realizados por fundición es llamada composición en caliente; actualmente se usan métodos fotográficos: es la composición en frío. En función de su aspecto, las formas de impresión pueden clasificarse en elementos de impresión en relieve (la tipográfia), elementos de impresión en hueco (heliografía, huecografía o talla dulce), y elementos de impresión planos (litografía y offset). La impresión se efectúa, para el papel en hojas en máquinas planas, y para el papel en bobinas, en rotativas.

Printing Processes

All *metal type* is know collectively as *hot metal*, in contrast to *cold type*, which is produced photographically. The letterpress method of printing uses a raised surface, or *relief*, while gravure uses a depressed surface, or *intaglio*, and lithography uses a *plane*, or *flat surface*. Printing is done on sheets of paper on *sheet-fed presses* or on rolls of paper on *webfed presses*.

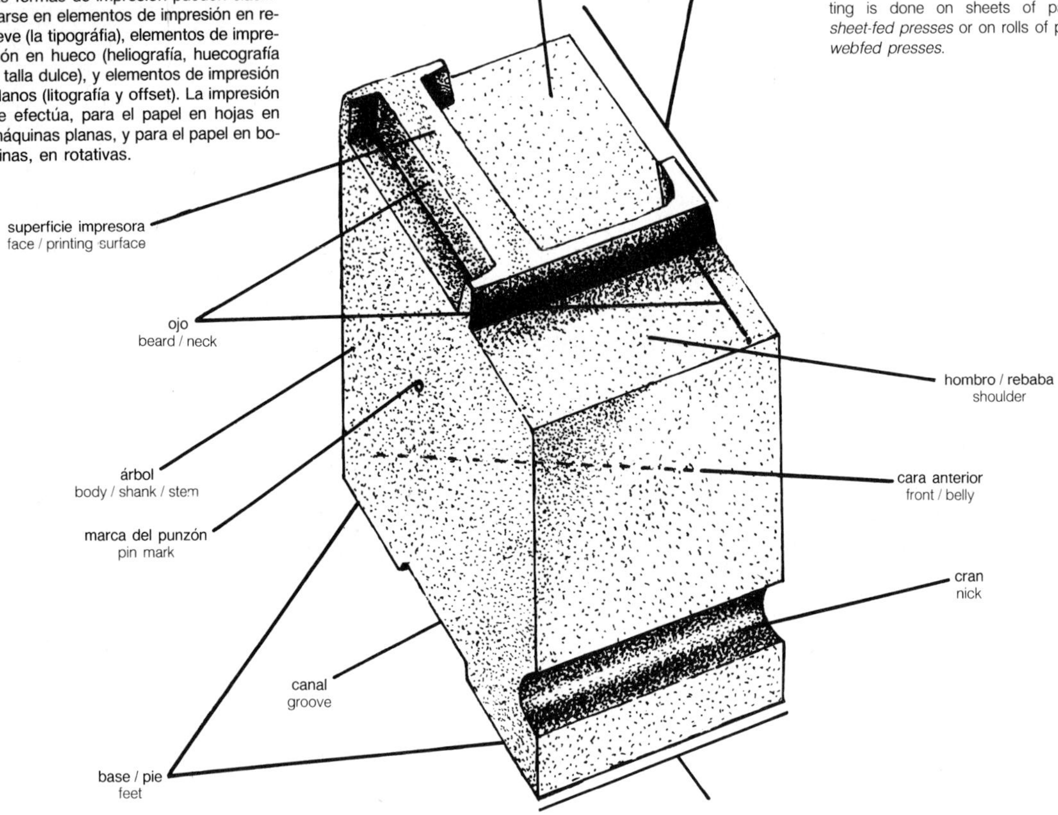
cuerpo
point size
hombro / rebaba
counter
superficie impresora
face / printing surface
ojo
beard / neck
hombro / rebaba
shoulder
árbol
body / shank / stem
cara anterior
front / belly
marca del punzón
pin mark
cran
nick
canal
groove
base / pie
feet

Tipo
Type

Tipografía en máquina rotativa
Letterpress / Rotary Press

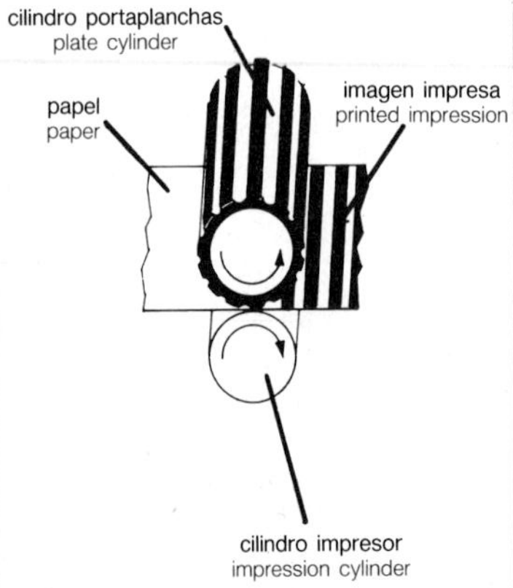
cilindro portaplanchas
plate cylinder
papel
paper
imagen impresa
printed impression
cilindro impresor
impression cylinder

Huecograbado
Rotogravure

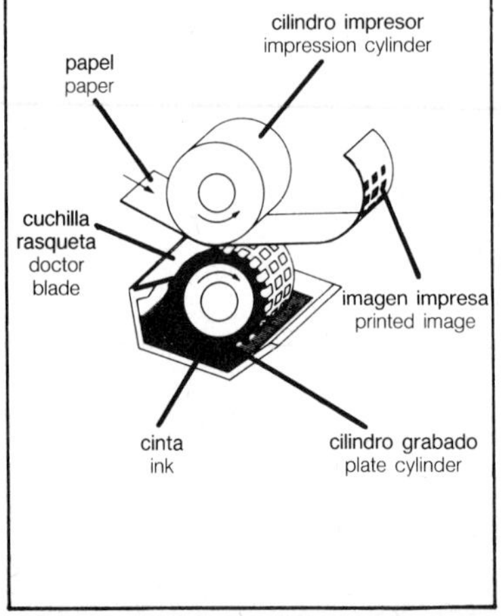
cilindro impresor
impression cylinder
papel
paper
cuchilla rasqueta
doctor blade
imagen impresa
printed image
cinta
ink
cilindro grabado
plate cylinder

Offset / Litografía
Offset-Lithography

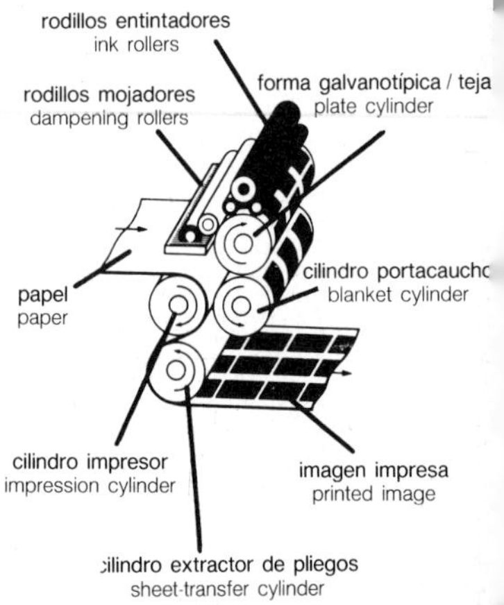
rodillos entintadores
ink rollers
rodillos mojadores
dampening rollers
forma galvanotípica / teja
plate cylinder
cilindro portacaucho
blanket cylinder
papel
paper
cilindro impresor
impression cylinder
imagen impresa
printed image
cilindro extractor de pliegos
sheet-transfer cylinder

Libro

El *cuerpo* de un libro está formado por las *hojas*, cada uno de cuyos lados es una *página*. Dos páginas opuestas forman una plana. Las páginas previas al *texto* se denominan *preliminares*. Las páginas que siguen al texto constituyen las *referencias*. Una caja para libros, abierta por uno de sus extremos, se llama *estuche*.

Book

The *body* of a book is made up of *leaves*, each side of which is a *page*. Two facing pages form a spread. Pages leading up to the actual *text* are called *preliminaries* or *front matter*. Those pages following the text are *back matter*, *end matter* or *reference matter*. A box for a book, open at one end, is called a *slipcase* or *forel*.

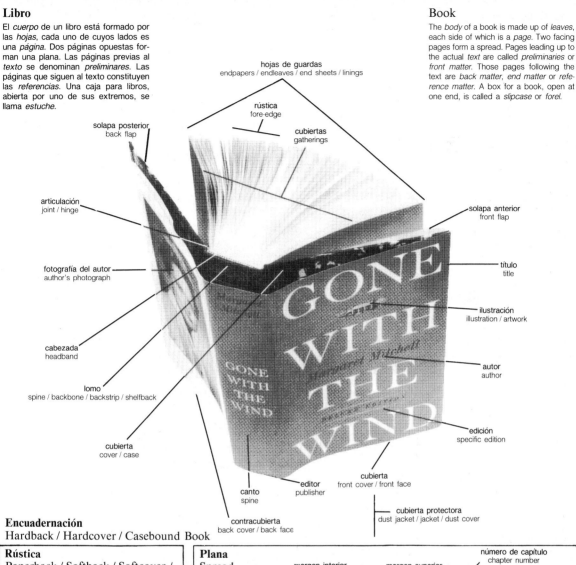

hojas de guardas
endpapers / endleaves / end sheets / linings
rústica
fore-edge
solapa posterior
back flap
cubiertas
gatherings
articulación
joint / hinge
solapa anterior
front flap
fotografía del autor
author's photograph
título
title
ilustración
illustration / artwork
cabezada
headband
autor
author
lomo
spine / backbone / backstrip / shelfback
edición
specific edition
cubierta
cover / case
cubierta
front cover / front face
editor
publisher
canto
spine
cubierta protectora
dust jacket / jacket / dust cover
contracubierta
back cover / back face
GONE WITH THE WIND
Margaret Mitchell

Encuadernación
Hardback / Hardcover / Casebound Book

Rústica
Paperback / Softback / Softcover / Softbound Book

editor
publisher
cubiertas
covers/wrappers
marca
ophon / trademark
precio
price
lomo
spine
MARGARET MITCHELL'S
GONE WITH THE WIND
solapa
blurb
número de orden
orden número / inventory control number
ISBN, número estándar internacional del libro
international Standar Book Number / ISBN

Plana
Spread

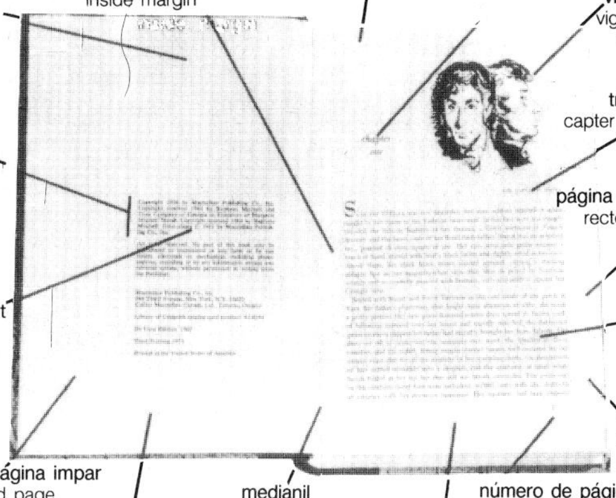

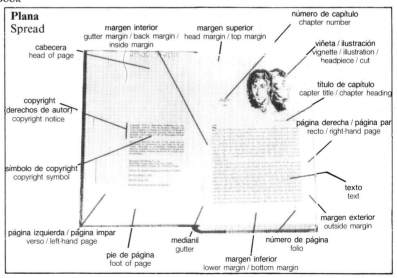

margen interior
gutter margin / back margin / inside margin
margen superior
head margin / top margin
número de capítulo
chapter number
cabecera
head of page
viñeta / ilustración
vignette / illustration / headpiece / cut
título de capítulo
capter title / chapter heading
copyright
(derechos de autor)
copyright notice
página derecha / página par
recto / right-hand page
símbolo de copyright
copyright symbol
texto
text
margen exterior
outside margin
página izquierda / página impar
verso / left-hand page
mediantil
gutter
número de página
folio
pie de página
foot of page
margen inferior
lower margin / bottom margin

Periódico

Los términos varían de un periódico a otro: Los que aquí se muestran son los utilizados en el *New York Times*. Hay también periódicos de formato *reducido*.

copyright / derechos de autor
copyright
fecha de edición
issue date
cabecera / nombre / logotipo
nameplate / flag / logo
perfil
skyline
precios fuera de la ciudad
out-of-town prices
informe meteorológico
weather ear
impressum
left ear
número de volumen
volume number
precio
price
línea de resma
folio line
línea de separación
dingbat
titulares
banner headline
título
readout dash
titular
head
tipo de 5 1/2 puntos
agate line
entrada
deck / bank
subtitular
bar line
autor
byline
fecha
dateline
introducción
lead / lede
artículo
twinned stories
referencia en cursiva
italic of story
cuerpo del artículo
body of story
subtítulo
subhead
créditos
credit line
línea de continuación
jump line
foto
art
pie de ilustración
caption / cut line
índice
index
línea divisoria
hairline rule
TODAY: SIX PAGES OF BICENTENNIAL ARTICLES AND PICTURES
"All the News That's Fit to Print"
The New York Times
LATE CITY EDITION
VOL. CXXV ... No. 43,262
NEW YORK, MONDAY, JULY 5, 1976
20 CENTS
Nation and Millions in City Joyously Hail Bicentennial
ISRAELIS RETURN WITH 103 RESCUED IN UGANDA RAID
Toll Is Put at 3 Hostages, 7 Hijackers, Army Officer and 20 of Amin's Men
FORD LAUDS OPERATION
Freed Captives Are Received Joyously at Airport After Their 7-Day Ordeal
PRESIDENT TALKS
Philadelphia Throngs Told U.S. Is Leader—Liberty Bell Rings
PANOPLY OF SAILS
Harbor Armada Led by Tall Ships in Salute to Fourth
French Officials See Signs Amin, Hijackers Colluded
CARTER TO BEGIN TALKS ON TICKET
A Day of Picnics, Pomp, Pageantry and Protest
Ethnic Diversity Adds Spice to the Holiday
O, Say, It Was a Glorious Patchwork-Quilt of a Fourth
NEWS INDEX

Newspaper

Terms vary from newspaper to newspaper. Those shown here are used at *The New York Times*. Small-size newspapers are called *tabloids*.

Cubierta y páginas de una revista

Las *revistas* pueden ser publicaciones de tipo general destinadas al gran público, revistas *técnicas* o *comerciales* que van destinadas a empresas o industrias particulares o revistas especializadas, publicadas para profesionales concretos. Las empresas distribuyen entre su personal un «órgano interno». La cubierta puede tener *anuncios* de las *secciones* del interior o una *portada*.

Magazine Cover and Contents page

Periodicals may be consumer magazines, intended for the general public; *trade* or *technical magazines* intended for particular industries and businesses; or *journals*, published for people engaged in professions. *House organs* are distributed within a specific company. Covers may have cover *blurbs* with *selling copy*, describing inside stories, and *cover captions*.

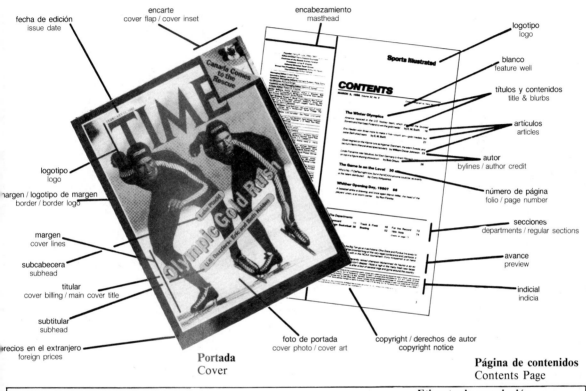

fecha de edición
issue date
encarte
cover flap / cover inset
encabezamiento
masthead
logotipo
logo
blanco
feature well
títulos y contenidos
title & blurbs
artículos
articles
autor
bylines / author credit
número de página
folio / page number
secciones
departments / regular sections
avance
preview
indicial
indicia
logotipo
logo
argen / logotipo de margen
border / border logo
margen
cover lines
subcabecera
subhead
titular
cover billing / main cover title
subtitular
subhead
recios en el extranjero
foreign prices
foto de portada
cover photo / cover art
copyright / derechos de autor
copyright notice
TIME
Canada Comes to the Rescue
Olympic Gold Rush
U.S. Dazzlers: Eric and Beth Heiden
Sports Illustrated
CONTENTS
The Winter Olympics
The Game is on the Level
Whither Opening Day, 1980?

Portada
Cover

Página de contenidos
Contents Page

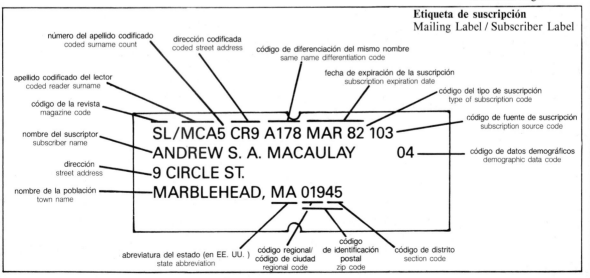

Etiqueta de suscripción
Mailing Label / Subscriber Label

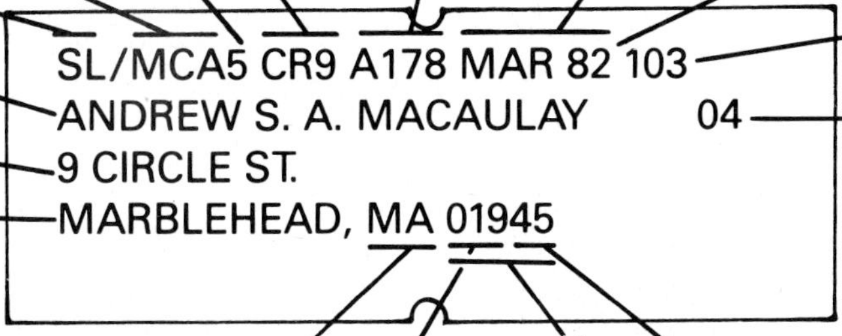
número del apellido codificado
coded surname count
dirección codificada
coded street address
código de diferenciación del mismo nombre
same name differentiation code
fecha de expiración de la suscripción
subscription expiration date
apellido codificado del lector
coded reader surname
código del tipo de suscripción
type of subscription code
código de la revista
magazine code
código de fuente de suscripción
subscription source code
nombre del suscriptor
subscriber name
código de datos demográficos
demographic data code
dirección
street address
nombre de la población
town name
SL/MCA5 CR9 A178 MAR 82 103
ANDREW S. A. MACAULAY 04
9 CIRCLE ST.
MARBLEHEAD, MA 01945
abreviatura del estado (en EE. UU.)
state abbreviation
código regional/
código de ciudad
regional code
código
de identificación
postal
zip code
código de distrito
section code

Configuración de una revista

El diseño de la página de una revista se llama *composición.* En la que aquí se muestra, la *maqueta* ha sido sustituida por *texto.* Dos páginas opuestas se llaman una *plana* o *doble plana.* Un *encarte* es un *artículo* enmarcado dentro del texto.

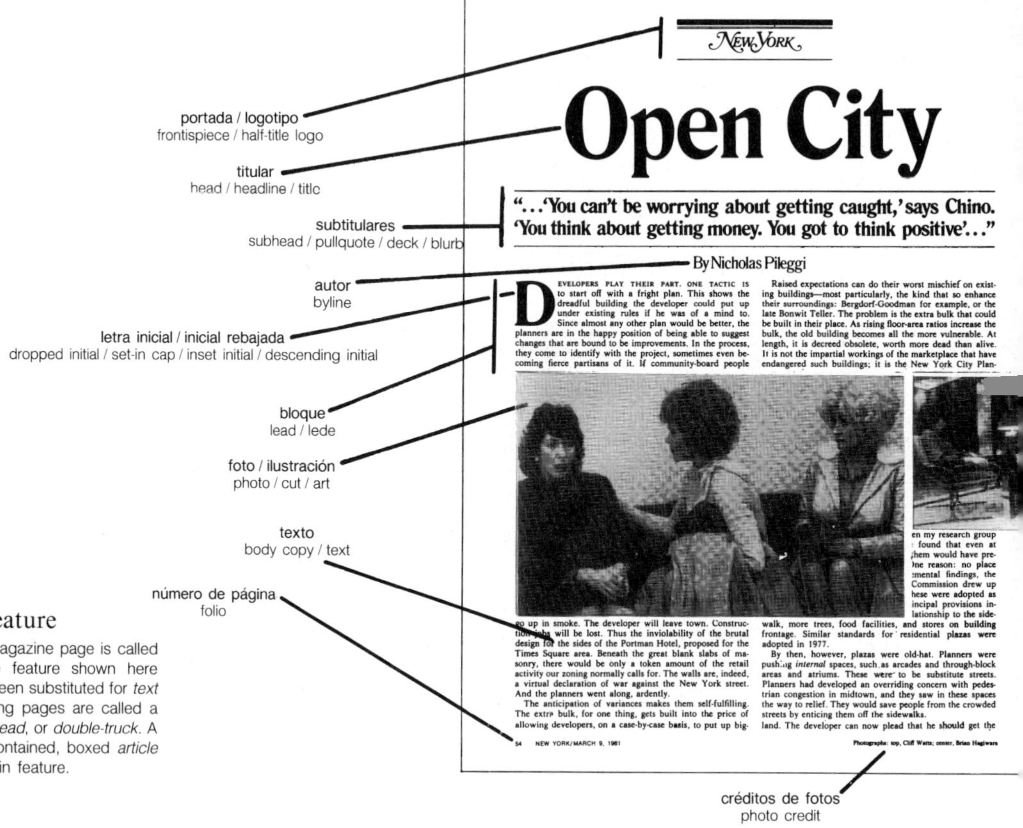

New York
Open City
"...'You can't be worrying about getting caught,' says Chino. 'You think about getting money. You got to think positive'..."
By Nicholas Pileggi
54 NEW YORK/MARCH 9, 1981
portada / logotipo
frontispiece / half-title logo
titular
head / headline / title
subtitulares
subhead / pullquote / deck / blurb
autor
byline
letra inicial / inicial rebajada
dropped initial / set-in cap / inset initial / descending initial
bloque
lead / lede
foto / ilustración
photo / cut / art
texto
body copy / text
número de página
folio
créditos de fotos
photo credit

Magazine Feature

The design of a magazine page is called the *layout.* In the feature shown here *dummy type* has been substituted for *text* or *copy.* Two facing pages are called a spread, *double spread,* or *double-truck.* A *sidebar* is a self-contained, boxed *article* bearing on the main feature.

Artículos generales
Service Articles

Críticas y recensiones
Reviews

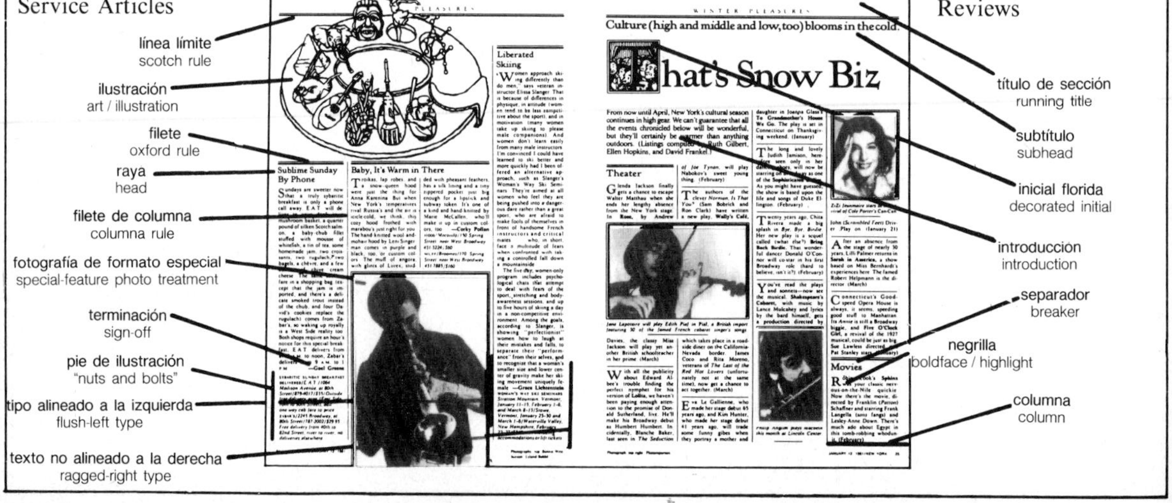

Liberated Skiing
Sublime Sunday By Phone
Baby, It's Warm in There
Culture (high and middle and low, too) blooms in the cold.
That's Snow Biz
Theater
Movies
línea límite
scotch rule
ilustración
art / illustration
filete
oxford rule
raya
head
filete de columna
columna rule
fotografía de formato especial
special-feature photo treatment
terminación
sign-off
pie de ilustración
"nuts and bolts"
tipo alineado a la izquierda
flush-left type
texto no alineado a la derecha
ragged-right type
título de sección
running title
subtítulo
subhead
inicial florida
decorated initial
introduccion
introduction
separador
breaker
negrilla
boldface / highlight
columna
column

Configuración de una revista

Una página que se desdobla al tamaño de dos es una doble *página. Una línea continua* al final de una página remite al lector al resto del texto que aparecerá en otro lugar de la revista. Un breve texto de una línea que atrae la atención del lector es el *subtítulo.* Las tarjetas de suscripción unidas a la revista se llaman *insertos*; si van sueltas se llaman *encartes.*

Magazine Feature

A page that folds out to twice the size of a regular page is called a *gatefold.* A *jump line*, or *continued line*, at the end of a page refers the reader to the remaining text of a story appearing elsewhere in the magazine. A brief descriptive headline above the main head, designed to attract the reader's attention, is a *kicker, teaser, eyebrow*, or *highline.* Subscription cards bound into a magazine are called *inserts.* Those not physically connected are called *blow-ins.*

medianil
gutter / gutter margin
cursiva
italics
margen
margin
leyenda
caption / legend
sangrado
bleed
línea separadora
cutoff rule
pie de página
footnote
fecha
date & running foot

written as if it were of general applicability. There's not the trace of a wink. With great solemnity such legislation sets forth the findings of need and benefit that the commission must make before giving approval.

So bulk begot bulk: a bonus for this, a bonus for that, air-rights transfer, zoning-lot mergers. The very complexity of the arrangements became a further argument for them. Change just one part and the whole intricate project will go up in smoke. The developer will leave town. Construction jobs will be lost. Thus the inviolability of the brutal design for the sides of the Portman Hotel, proposed for the Times Square area. Beneath the great blank slabs of masonry, there would be only a token amount of the retail activity our zoning normally calls for. The walls are, indeed, a virtual declaration of war against the New York street. And the planners went along, ardently.

The anticipation of variances makes them self-fulfilling.

STAND AT MADISON AVENUE AND 57TH STREET AND look south. You immediately know something has gone very wrong. All those massive new buildings going up: They're overpowering in their immensity, almost physically menacing, out of all relation to this narrow street. Madison felt like a canyon with buildings only 10 to 20 stories high; now they're going up to 40-, 50-, and 60-odd stories—and from sidewalks that are still a miserable thirteen feet wide.

Taken one by one, some of the new buildings are of striking design—the IBM and AT&T Buildings, for example, or the Tishman Building, with its pyramidal base. No city has been overbuilding with such a fine group of architects and planners or such sophisticated zoning tools at its disposal. But the result is nevertheless brutal. These buildings can't be taken one by one; they're coming at us in bunches. They are not only huge, but huge togeth-

studied plazas in the early '70's, we found that even at lunchtime on a pleasant day, most of them would have precious few people sitting in them. (One reason: no place to sit.) Based on this and other elemental findings, the urban-design group of the Planning Commission drew up new standards for open spaces, and these were adopted as zoning amendments in 1975. The principal provisions included plenty of sitting space, close relationship to the sidewalk, more trees, food facilities, and stores on building frontage. Similar standards for residential plazas were adopted in 1977.

By then, however, plazas were old-hat. Planners were pushing *internal* spaces, such as arcades and through-block areas and atriums. These were to be substitute streets. Planners had developed an overriding concern with pedestrian congestion in midtown, and they saw in these spaces the way to relief. They would save people from the crowded streets by enticing them off the sidewalks.

protesting. As Margot Wellington, executive director of the Municipal Art Society of New York, puts it, "Our zoning has now reached the point of disintegration." Community boards are on the brink of insurrection. Joana Battaglia, head of Community Board 6 says, that "we are having unwanted amenities foisted on us at the expense of the best amenities of all—light and air." Even the developers are unhappy, complaining that they have been paying more in time and red tape than the extra bulk was worth. Besieged on all sides, the Planning Commission has been conducting a large-scale study of midtown development to see what might be done.

increase since he paid through the nose for the site in the expectation that he would. It is a crass argument but surprisingly effective. In justifying dispensations for one building, the commission may cite dispensations granted for another. We gave in before. We ought to again.

Street action: *Anti-crime cops Ronald Donahue (left) and Louis Scarcella (right) bu... three suspects in Brooklyn. Two were charged with gun possession and the driv... right) with having marijuana. All were freed pending a hearing later this mont...*

pedestrians, they could build bigger again. Everybody would benefit. The planners would get the support of the developers for their new zoning, the developers would get the extra bulk, and the public, at no apparent cost, would get enjoyable open spaces.

So the concept of incentive zoning was launched. But in the 1970s, things began to go awry. The number of height bonuses offered for plazas and other "amenities" was multiplying; so were variances and exceptions of various kinds. Buildings were getting bigger, and they were getting bigger closer together. It turned out that this incentive-

of the game were sp... key rule was somethi... was the number by... size of his plot into fl... ing he could go up 1... 30 if he covered only half, and so forth. But by adding a plaza to his plan, he could go up to a floor-area ratio of eighteen. Over the years, almost every builder did that, sprinkling plazas of various shapes and sizes all up and down the avenues, with the result that New York gained more open space than all the other cities in the country.

In time, however, this system proved too confining. Fewer and fewer sites were left that were big enough for buildings as big as the builders wanted. One solution was to build elsewhere. But the builders wanted to stay in high-rent east midtown. So the planners obligingly changed the rules,

**New York City is far from being the crime capital of the United States. New York does lead the nation's 25 largest cities in robberies per 100,000 people, according to the latest FBI statistics. But the city ranks seventh in*

MARCH 9, 1981/NEW YORK 109

Columna
Column

Reverso del libro
Back of the Book

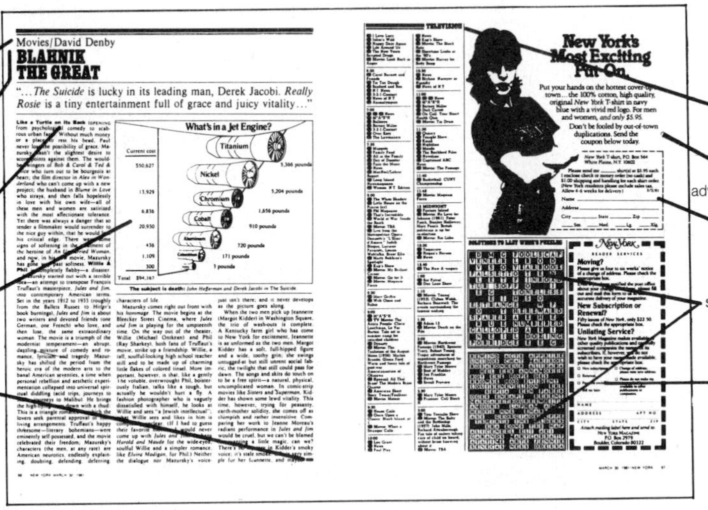

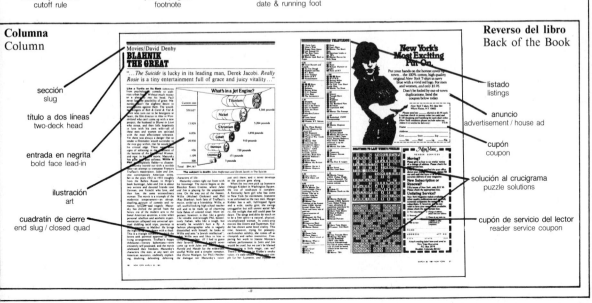

sección
slug
título a dos líneas
two-deck head
entrada en negrita
bold face lead-in
ilustración
art
cuadratín de cierre
end slug / closed quad
listado
listings
anuncio
advertisement / house ad
cupón
coupon
solución al crucigrama
puzzle solutions
cupón de servicio del lector
reader service coupon
Movies/David Denby
BLAHNIK THE GREAT
"...The Suicide is lucky in its leading man, Derek Jacobi. Really Rosie is a tiny entertainment full of grace and juicy vitality..."
What's in a Jet Engine?
Titanium
Nickel
Chromium
Cobalt
The subject is death: John Heffernan and Derek Jacobi in The Suicide
TELEVISION
New York's Most Exciting Put-On.
Put your hands on the hottest cover-up in town... the 100% cotton, high quality, original New York T-shirt in navy blue with a vivid red logo. For men and women, and only $5.95.
Don't be fooled by out-of-town duplications. Send the coupon below today.
SOLUTIONS TO LAST WEEK'S PUZZLES
New York
READER SERVICES
Moving?
New Subscription or Renewal?
Unlisting Service?

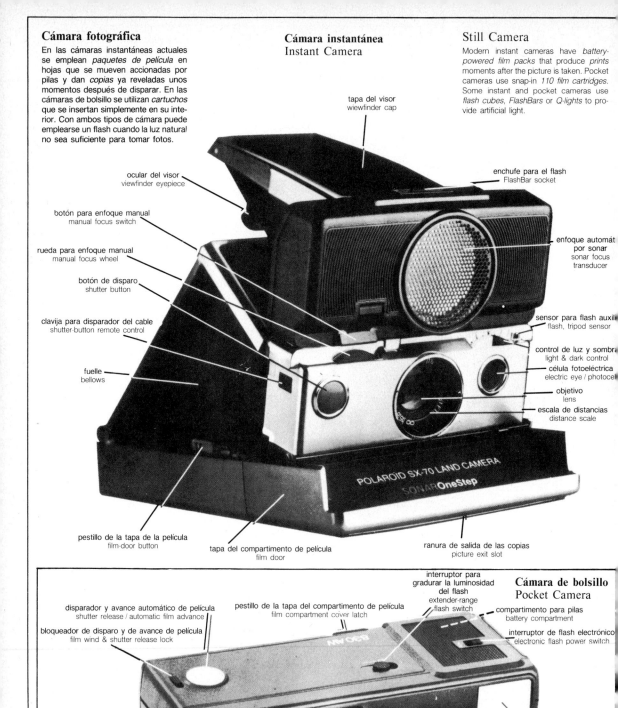

Cámara fotográfica

En las cámaras instantáneas actuales se emplean *paquetes de película* en hojas que se mueven accionadas por pilas y dan *copias* ya reveladas unos momentos después de disparar. En las cámaras de bolsillo se utilizan *cartuchos* que se insertan simplemente en su interior. Con ambos tipos de cámara puede emplearse un flash cuando la luz natural no sea suficiente para tomar fotos.

Cámara instantánea
Instant Camera

Still Camera

Modern instant cameras have *battery-powered film packs* that produce *prints* moments after the picture is taken. Pocket cameras use snap-in *110 film cartridges*. Some instant and pocket cameras use *flash cubes, FlashBars* or *Q-lights* to provide artificial light.

tapa del visor
wiewfinder cap
ocular del visor
viewfinder eyepiece
enchufe para el flash
FlashBar socket
botón para enfoque manual
manual focus switch
rueda para enfoque manual
manual focus wheel
enfoque automát
por sonar
sonar focus
transducer
botón de disparo
shutter button
clavija para disparador del cable
shutter-button remote control
sensor para flash auxil
flash, tripod sensor
control de luz y sombr
light & dark control
célula fotoeléctrica
electric eye / photocel
fuelle
bellows
objetivo
lens
escala de distancias
distance scale
POLAROID SX-70 LAND CAMERA
SONAR OneStep
pestillo de la tapa de la película
film-door button
tapa del compartimento de película
film door
ranura de salida de las copias
picture exit slot

Cámara de bolsillo
Pocket Camera

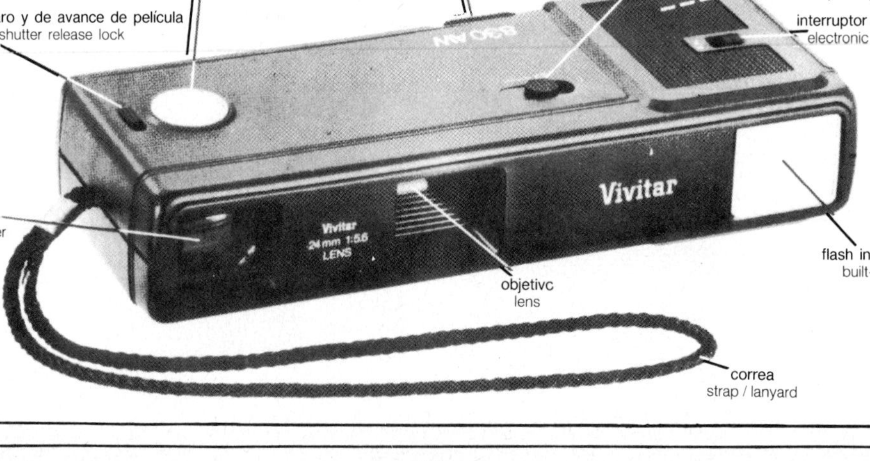

interruptor para
gradurar la luminosidad
del flash
extender-range
flash switch
disparador y avance automático de película
shutter release / automatic film advance
pestillo de la tapa del compartimento de película
film compartment cover latch
compartimento para pilas
battery compartment
bloqueador de disparo y de avance de película
film wind & shutter release lock
interruptor de flash electrónico
electronic flash power switch
Vivitar
Vivitar
24mm 1:5.6
LENS
visor
viewfinder
objetivc
lens
flash incorporado
built-in flash
correa
strap / lanyard

Cámara y película fotográficas

Para enfocar las *imágenes* el fotógrafo mira a través del *visor*. Las cámaras tienen otros accesorios, además del motor de arrastre que aquí se muestra, como *objetivos intercambiables* (teleobjetivos, gran angulares, zoom o para fines especiales), *anillos*, *cables* para accionar el disparador, *filtros*, *pantallas de enfoque*, etc.

Still Camera and Film

To focus an *image*, a *photographer* looks through the *viewfinder* on the back of the camera. In addition to the motor drive, or *power winder*, shown on this model, camera accessories include *interchangeable lenses –telphoto, wide-angle, zoom* and *special-purpose– lens caps* and *hoods, shutter-release cables, filters, focusing screens, eyecups, chest pods* and *action straps.*

zapata con conexión para flash
hot shoe / flash attachment
palanca de avance de película
film advance lever
selector de la modalidad de toma
mode selector
ventanilla con escala de iluminación
scale illumination window
liberador del selector
selector release
liberador del cierre de la tapa posterior
back-cover release knob
manivela de rebobinado
rewind crank
ajuste de la exposición
exposure adjustment
liberador del disparador
shutter release
selector de velocidad de disparo
shutter-speed selector
ntanilla con número de esposición
frame counter window
selector de sensibilidad de película
film-speed selector
encendido del motor de arrastre
motor drive coupler lug
argolla para la correa
neckstrap eyelet
anillo y escala de apertura
aperture scale / aperture ring
escala de profundidad de campo
depth-of-field scale
argolla para la correa
strap lug
escala de distancias
distance scale
anillo de enfoque
focusing ring
cuerpo de la cámara
camera body
retardador de disparo
self-timer
objetivo
lens
motor de arrastre
motor drive
minolta
XD 11
MD ROKKOR-X 1:1.4 f=50mm
MINOLTA LENS MADE IN JAPAN

Cámara réflex de un objetivo
Single Lens Reflex Camera

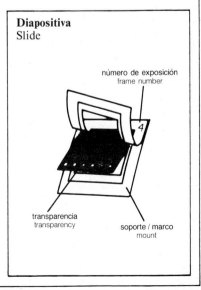

Carrete de película
Film Roll

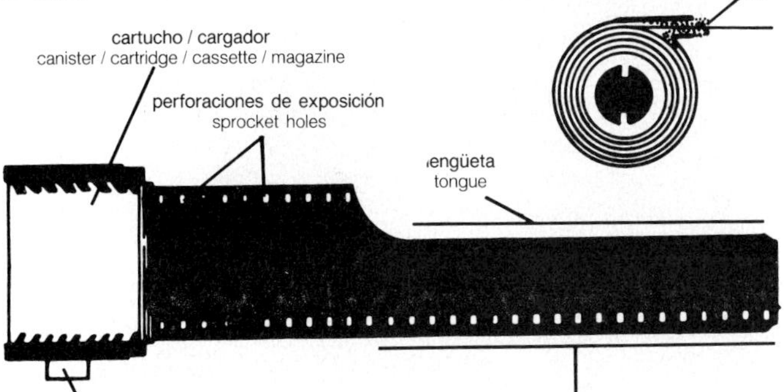

fieltro
felt
cartucho / cargador
canister / cartridge / cassette / magazine
perforaciones de exposición
sprocket holes
lengüeta
tongue
guía
leader
carrete
spool

Diapositiva
Slide

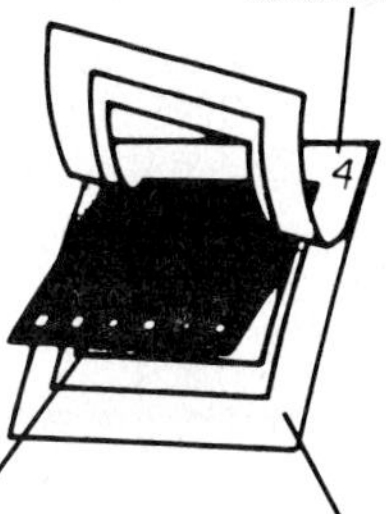

número de exposición
frame number
4
transparencia
transparency
soporte / marco
mount

Cámara de cine

Las cámaras de cine o *tomavistas* para aficionados, como la que muestra la ilustración, emplean película presentada en *cartuchos insertables*. En otros modelos más grandes la película va en un *globo*, recipiente a prueba de sonido que contiene las bobinas alimentadora y de recogida y que va fijo a la parte superior del tomavistas. Cuando se graba el sonido por el sistema simple, la cámara lo hace en la misma película que registra las imágenes. La banda sonora de una película puede ser de lectura *óptica* o *magnética*.

Movie Camera

Home-movie cameras, such as the one shown here, use film contained in *drop-in cartridges*. In large commercial models, *unexposes film* moves through the body from the *supply reel* to the *take-up reel*. The reels in these cameras are often housed in a *blimp*, a soundproof device that fits on top of the body. *Single-system sound cameras* record both *image* and *sound* on the same film. Sound tracks on film may be either *optical* or *magnetic*.

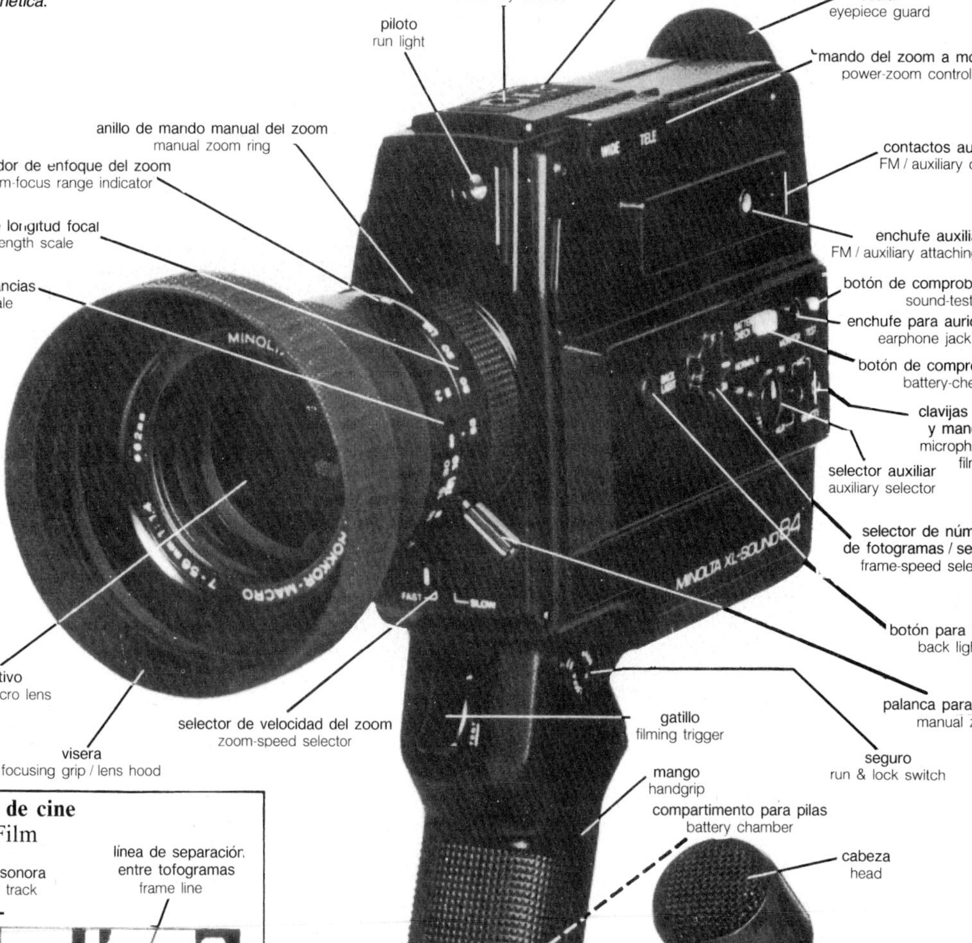
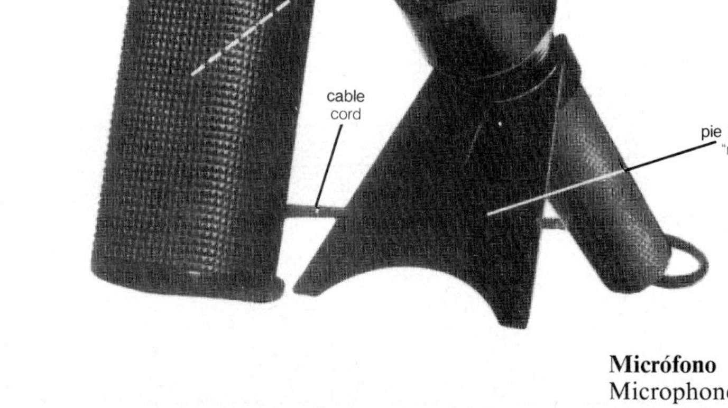

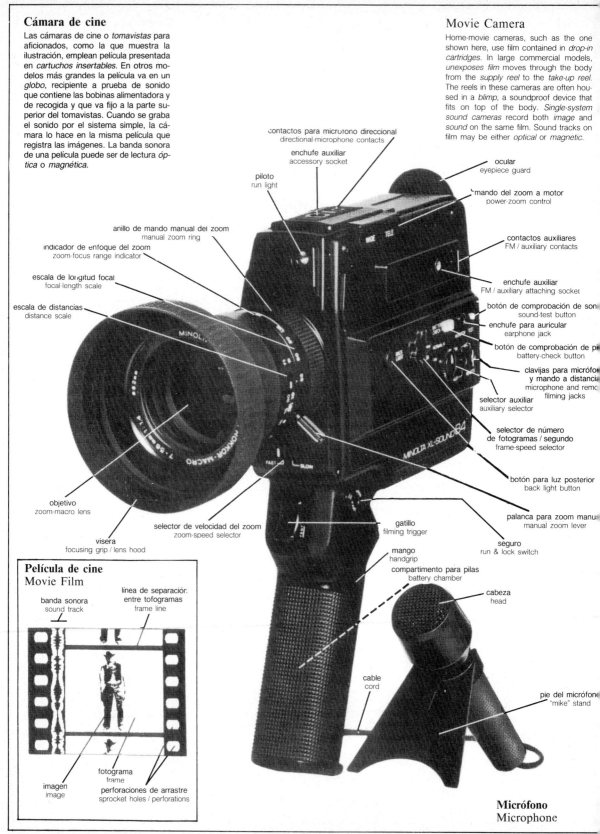

contactos para micrófono direccional
directional-microphone contacts
enchufe auxiliar
accessory socket
piloto
run light
ocular
eyepiece guard
mando del zoom a motor
power-zoom control
anillo de mando manual del zoom
manual zoom ring
indicador de enfoque del zoom
zoom-focus range indicator
escala de longitud focal
focal-length scale
escala de distancias
distance scale
contactos auxiliares
FM / auxiliary contacts
enchufe auxiliar
FM / auxiliary attaching socket
botón de comprobación de son
sound-test button
enchufe para auricular
earphone jack
botón de comprobación de pi
battery-check button
clavijas para micrófo
y mando a distanci
microphone and remo
filming jacks
selector auxiliar
auxiliary selector
selector de número
de fotogramas / segundo
frame-speed selector
botón para luz posterior
back light button
palanca para zoom manu
manual zoom lever
objetivo
zoom-macro lens
selector de velocidad del zoom
zoom-speed selector
gatillo
filming trigger
seguro
run & lock switch
visera
focusing grip / lens hood
mango
handgrip
compartimento para pilas
battery chamber
cabeza
head
cable
cord
pie del micrófono
"mike" stand

Película de cine
Movie Film

banda sonora
sound track
línea de separación entre tofogramas
frame line
fotograma
frame
imagen
image
perforaciones de arrastre
sprocket holes / perforations

Micrófono
Microphone

Proyectores

El proyector de películas que se ve aquí es de rebobinado automático, con una bobina alimentadora otra recogedora y altavoz incorporado. Las *bandejas* del proyector de diapositivas pueden ser circulares o rectas.

Projectors

The film projector shown here is a *self-threading, reel-to-reel* model with a built-in *speaker.* Slide proyectors may have circular, or *carousel.* trays, *slide cubes* or *straight trays.*

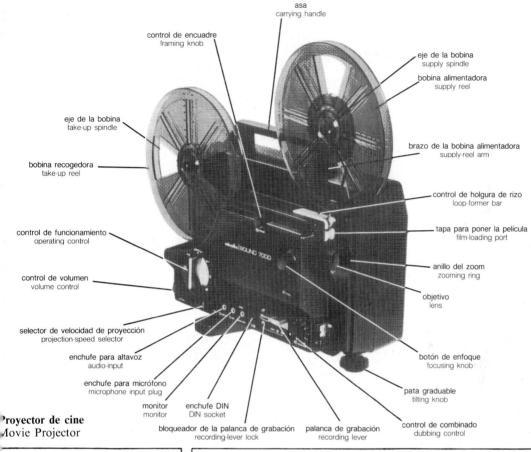

asa
carrying handle
control de encuadre
framing knob
eje de la bobina
supply spindle
bobina alimentadora
supply reel
eje de la bobina
take-up spindle
bobina recogedora
take-up reel
brazo de la bobina alimentadora
supply-reel arm
control de holgura de rizo
loop-former bar
control de funcionamiento
operating control
tapa para poner la película
film-loading port
SOUND 7000
anillo del zoom
zooming ring
control de volumen
volume control
objetivo
lens
selector de velocidad de proyección
projection-speed selector
enchufe para altavoz
audio-input
botón de enfoque
focusing knob
enchufe para micrófono
microphone input plug
pata graduable
tilting knob
monitor
monitor
enchufe DIN
DIN socket
bloqueador de la palanca de grabación
recording-lever lock
palanca de grabación
recording lever
control de combinado
dubbing control

Proyector de cine
Movie Projector

Pantalla
Screen

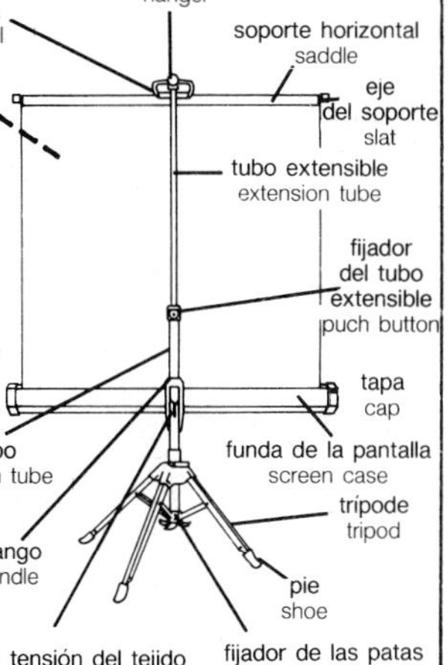

colgador
hanger
argolla
pull bail
soporte horizontal
saddle
antalla
screen
eje
del soporte
slat
tubo extensible
extension tube
fijador
del tubo
extensible
puch button
tapa
cap
tubo
bottom tube
funda de la pantalla
screen case
trípode
tripod
mango
handle
pie
shoe
dor de la tensión del tejido
fabric-tension lock
fijador de las patas
leg lock

Proyector de diapositivas
Slide Projector

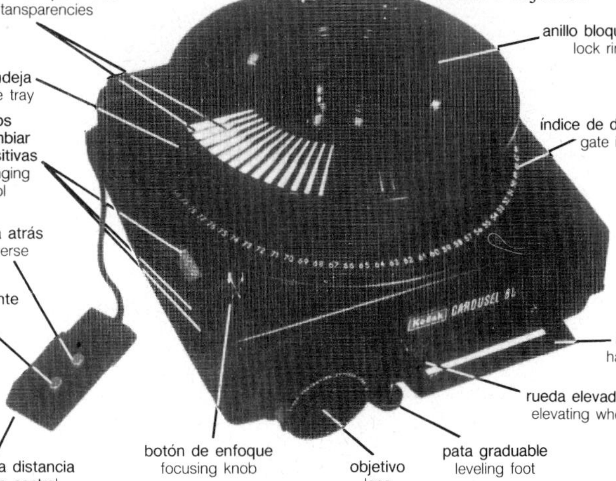

diapositivas / tansparencias
slides / tansparencies
anillo bloqueador
lock ring
bandeja
slide tray
mandos
para cambiar
las diapositivas
slide-dranging
control
índice de diapositivas
gate index
hacia atrás
reverse
hacia adelante
forward
Kodak CAROUSEL
asa
handle
rueda elevadora
elevating wheel
mando a distancia
remote control
botón de enfoque
focusing knob
objetivo
lens
pata graduable
leveling foot

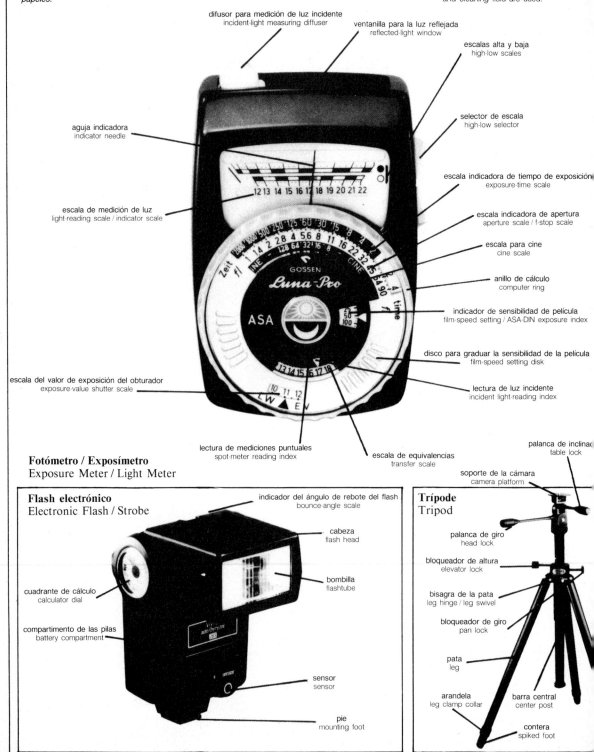

Accesorios fotográficos

Además de los accesorios que se ven aquí hay *correas*, *bolsas*, y elementos de limpieza como *brochas*, *líquidos* y *papeles*.

Photographic Accessories

In addition to the accessories shown here, *carrying straps*, *gadget bags*, and *cleaning supplies* such as *brushes*, *lens tissue* and *cleaning fluid* are used.

difusor para medición de luz incidente
incident-light measuring diffuser
ventanilla para la luz reflejada
reflected-light window
escalas alta y baja
high-low scales
selector de escala
high-low selector
aguja indicadora
indicator needle
escala indicadora de tiempo de exposición
exposure-time scale
escala de medición de luz
light-reading scale / indicator scale
escala indicadora de apertura
aperture scale / f-stop scale
escala para cine
cine scale
anillo de cálculo
computer ring
indicador de sensibilidad de película
film-speed setting / ASA-DIN exposure index
disco para graduar la sensibilidad de la película
film-speed setting disk
escala del valor de exposición del obturador
exposure-value shutter scale
lectura de luz incidente
incident light-reading index
lectura de mediciones puntuales
spot-meter reading index
escala de equivalencias
transfer scale
GOSSEN
Luna-Pro
ASA

Fotómetro / Exposímetro
Exposure Meter / Light Meter

Flash electrónico
Electronic Flash / Strobe

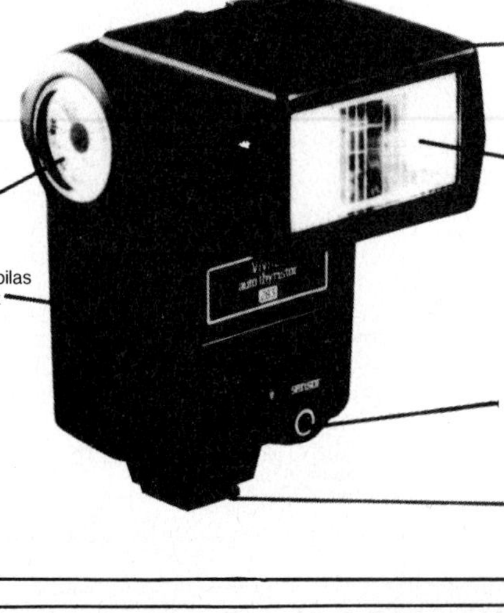

indicador del ángulo de rebote del flash
bounce-angle scale
cabeza
flash head
bombilla
flashtube
cuadrante de cálculo
calculator dial
compartimento de las pilas
battery compartment
sensor
sensor
pie
mounting foot

Trípode
Tripod

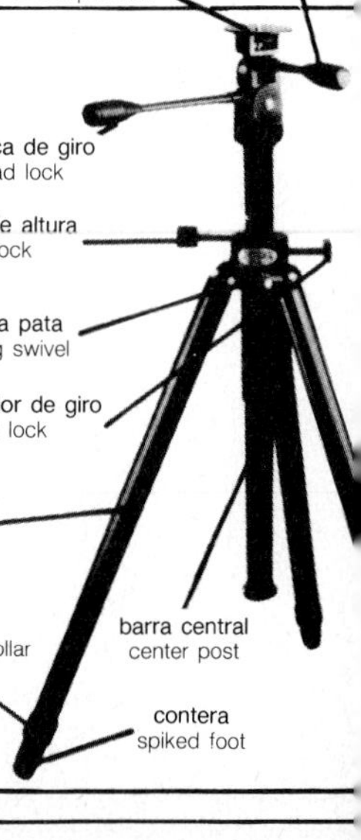

palanca de inclina
table lock
soporte de la cámara
camera platform
palanca de giro
head lock
bloqueador de altura
elevator lock
bisagra de la pata
leg hinge / leg swivel
bloqueador de giro
pan lock
pata
leg
arandela
leg clamp collar
barra central
center post
contera
spiked foot

Magnetófonos

El sonido se graba en una *cinta magnética* al pasar ésta por delante de una *cabeza grabadora*. La mayoría de los magnetófonos de cassettes llevan un *micrófono incorporado*, aunque también están preparados para grabar con *micrófonos externos*. Funcionan con *pilas*, *baterías recargables* o mediante *conexión directa a la red de corriente alterna*.

Tape Recorders

Sound is recorded on *magnetic tape* by passing the tape over a *recording head*. Most cassette recorders have *built-in microphones* but are designed to work with *external mikes* as well. They are *battery-powered*, have *rechargeable battery packs* or *AC power cords*.

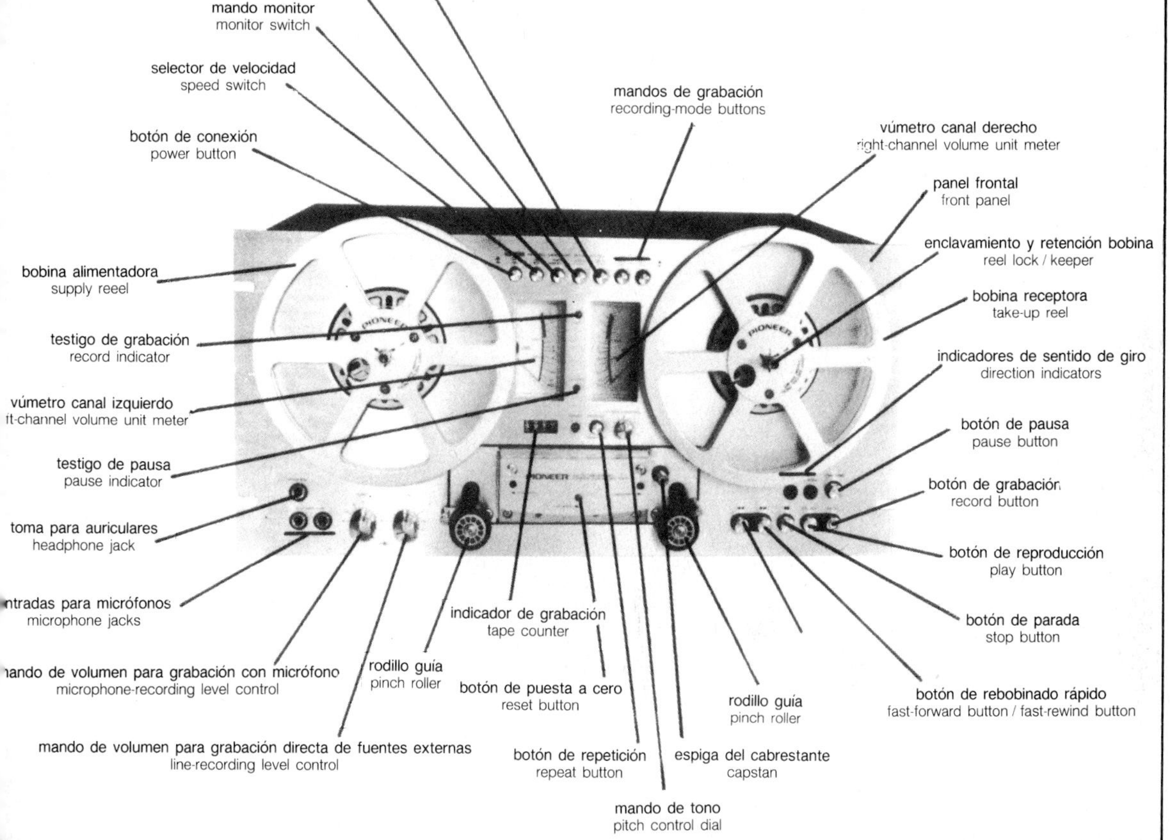

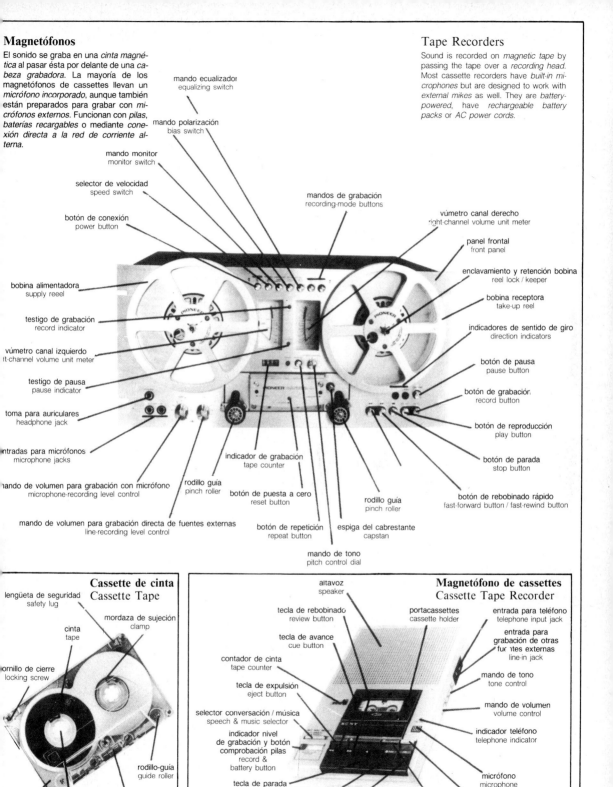

mando ecualizador
equalizing switch
mando polarización
bias switch
mando monitor
monitor switch
selector de velocidad
speed switch
botón de conexión
power button
mandos de grabación
recording-mode buttons
vúmetro canal derecho
right-channel volume unit meter
panel frontal
front panel
enclavamiento y retención bobina
reel lock / keeper
bobina alimentadora
supply reeel
bobina receptora
take-up reel
testigo de grabación
record indicator
indicadores de sentido de giro
direction indicators
vúmetro canal izquierdo
lt-channel volume unit meter
botón de pausa
pause button
testigo de pausa
pause indicator
botón de grabación
record button
toma para auriculares
headphone jack
botón de reproducción
play button
entradas para micrófonos
microphone jacks
indicador de grabación
tape counter
botón de parada
stop button
mando de volumen para grabación con micrófono
microphone-recording level control
rodillo guía
pinch roller
botón de puesta a cero
reset button
rodillo guía
pinch roller
botón de rebobinado rápido
fast-forward button / fast-rewind button
mando de volumen para grabación directa de fuentes externas
line-recording level control
botón de repetición
repeat button
espiga del cabrestante
capstan
mando de tono
pitch control dial

Cassette de cinta
Cassette Tape

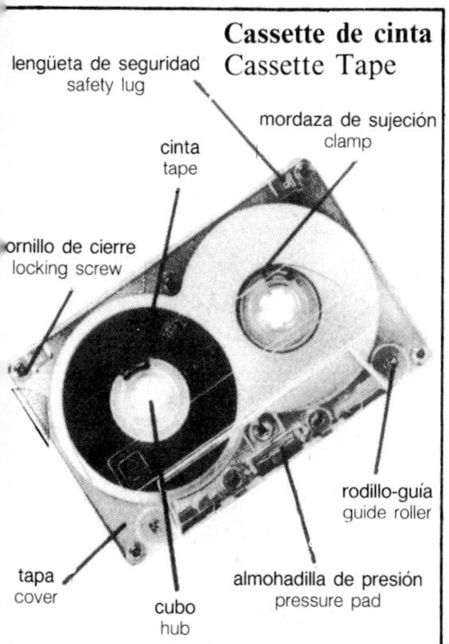

lengüeta de seguridad
safety lug
mordaza de sujeción
clamp
cinta
tape
tornillo de cierre
locking screw
rodillo-guía
guide roller
tapa
cover
almohadilla de presión
pressure pad
cubo
hub

Magnetófono de cassettes
Cassette Tape Recorder

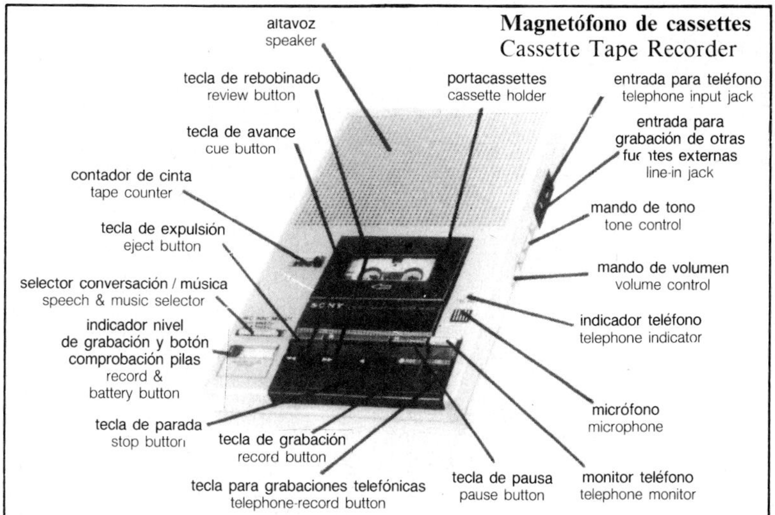

altavoz
speaker
tecla de rebobinado
review button
portacassettes
cassette holder
entrada para teléfono
telephone input jack
tecla de avance
cue button
entrada para grabación de otras fuentes externas
line-in jack
contador de cinta
tape counter
mando de tono
tone control
tecla de expulsión
eject button
mando de volumen
volume control
selector conversación / música
speech & music selector
indicador teléfono
telephone indicator
indicador nivel de grabación y botón comprobación pilas
record & battery button
micrófono
microphone
tecla de parada
stop button
tecla de grabación
record button
tecla para grabaciones telefónicas
telephone-record button
tecla de pausa
pause button
monitor teléfono
telephone monitor

Equipo de alta fidelidad

Existen tres tipos principales de discos: los *elepés*, de 33 cm de diámetro y varias grabaciones por cada cara, los *singles* o *sencillos*, de 17 cm y con una sola grabación por cara, y los *epés*, de esta misma medida y con un par de grabaciones por cada cara. Los *discos estereofónicos* llevan una doble *banda sonora* por surco, los *monoaurales* una sola y los *cuadrafónicos* cuatro. Todos ellos van protegidos por una funda interior y otra exterior denominada *carátula*. Se llama *jukebox* a un fonógrafo operado con monedas que emite música seleccionada.

Phonographic Equipment

A *long-paying record*, or *LP*, contains several *recordings* on both the front and *flip sides*. A *stereo record* has *twin soundtracks* in a single groove, whereas a *monaural record* has one and a *quadraphonic record* has four. Records are protected by a *sleeve* which is slipped into an *album cover*, or *jacket*. A *jukebox* is a coinoperated phonograph that plays selected music.

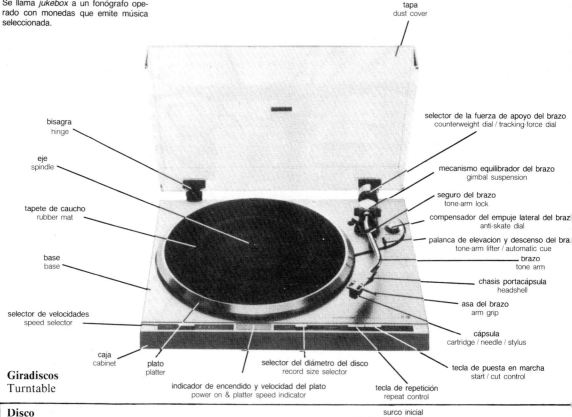

tapa
dust cover
bisagra
hinge
eje
spindle
tapete de caucho
rubber mat
base
base
selector de velocidades
speed selector
caja
cabinet
plato
platter
indicador de encendido y velocidad del plato
power on & platter speed indicator
selector del diámetro del disco
record size selector
tecla de repetición
repeat control
tecla de puesta en marcha
start / cut control
cápsula
cartridge / needle / stylus
asa del brazo
arm grip
chasis portacápsula
headshell
brazo
tone arm
palanca de elevacion y descenso del bra
tone-arm lifter / automatic cue
compensador del empuje lateral del braz
anti-skate dial
seguro del brazo
tone-arm lock
mecanismo equilibrador del brazo
gimbal suspension
selector de la fuerza de apoyo del brazo
counterweight dial / tracking-force dial

Giradiscos
Turntable

Disco
Record / Platter / Disc

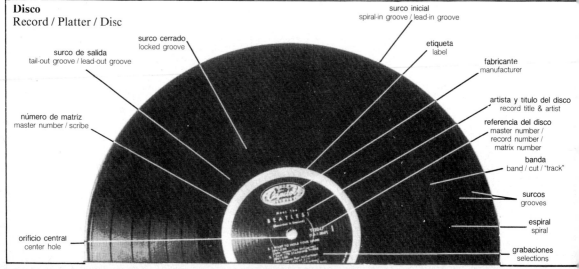

surco inicial
spiral-in groove / lead-in groove
surco cerrado
locked groove
surco de salida
tail-out groove / lead-out groove
número de matriz
master number / scribe
orificio central
center hole
etiqueta
label
fabricante
manufacturer
artista y titulo del disco
record title & artist
referencia del disco
master number / record number / matrix number
banda
band / cut / "track"
surcos
grooves
espiral
spiral
grabaciones
selections

Equipo de alta fidelidad

Se denomina *sonido en alta fidelidad* al emitido con un grado mínimo de distorsión. El equipo de alta fidelidad comprende por regla general un *sintonizador*, un *preamplificador*, un amplificador y un juego de bafles; su potencia de salida se mide en *watios*.

Phonographic Equipment

A phonographic system produces minimally distorted sound, or *high fidelity*. It is usually comprised of a *tuner*, a *pre-amp*, an amplifier and speakers. Its power output is measured in *watts*.

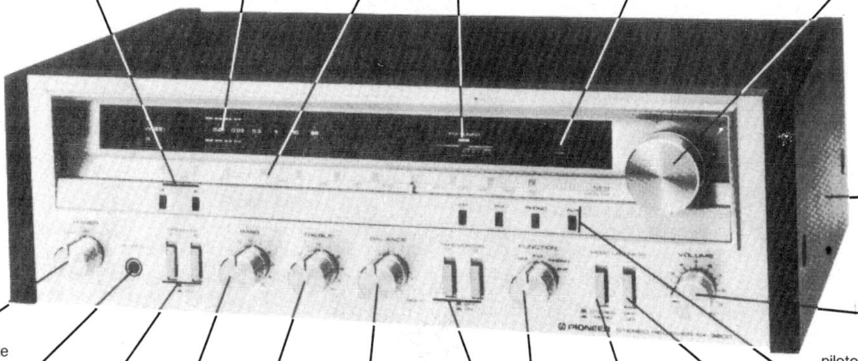

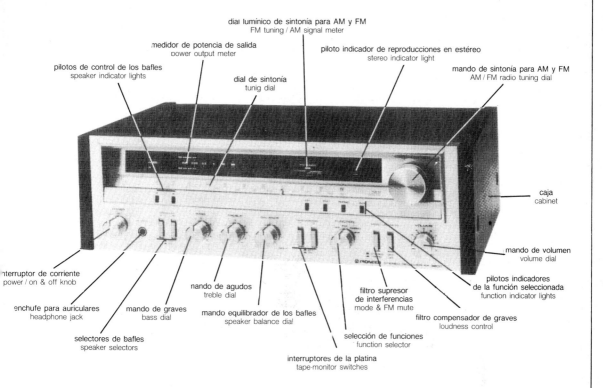

dial lumínico de sintonía para AM y FM
FM tuning / AM signal meter
medidor de potencia de salida
power output meter
piloto indicador de reproducciones en estéreo
stereo indicator light
pilotos de control de los bafles
speaker indicator lights
dial de sintonía
tunig dial
mando de sintonía para AM y FM
AM / FM radio tuning dial
caja
cabinet
mando de volumen
volume dial
nterruptor de corriente
power / on & off knob
pilotos indicadores
de la función seleccionada
function indicator lights
nando de agudos
treble dial
filtro supresor
de interferencias
mode & FM mute
enchufe para auriculares
headphone jack
mando de graves
bass dial
mando equilibrador de los bafles
speaker balance dial
filtro compensador de graves
loudness control
selectores de bafles
speaker selectors
selección de funciones
function selector
interruptores de la platina
tape-monitor switches

Receptor-amplificador
Receiver / Amplifier

Auriculares
Headphones

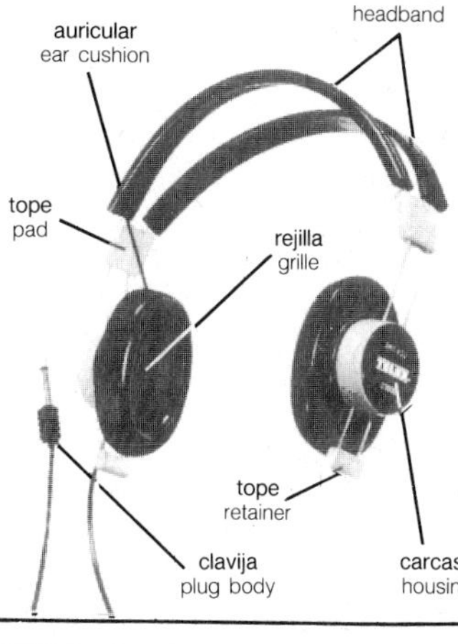

diadema
headband
auricular
ear cushion
tope
pad
rejilla
grille
tope
retainer
clavija
plug body
carcasa
housing

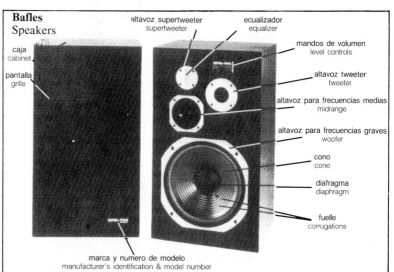

Bafles
Speakers

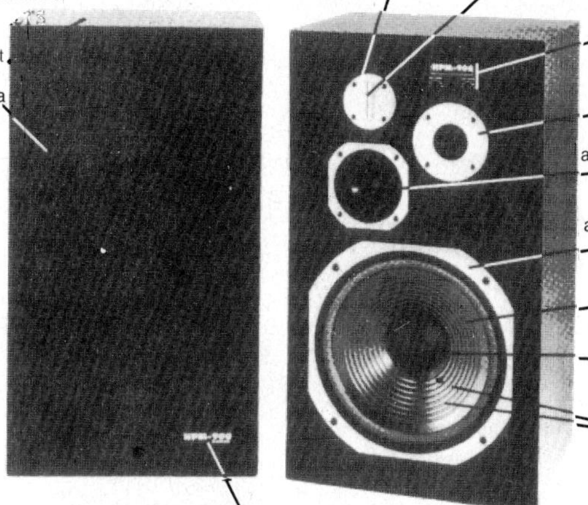

altavoz supertweeter
supertweeter
ecualizador
equalizer
caja
cabinet
pantalla
grille
mandos de volumen
level controls
altavoz tweeter
tweeter
altavoz para frecuencias medias
midrange
altavoz para frecuencias graves
woofer
cono
cone
diafragma
diaphragm
fuelle
corrugations
marca y numero de modelo
manufacturer's identification & model number

Teléfono

Los teléfonos tienen un *cuerpo* coloreado que es lo que constituye la *carcasa*. El *microteléfono* descansa sobre un *soporte*, apoyándose en la *horquilla* provista del *gancho conmutador*. En la parte posterior de la carcasa hay un entrante que se utiliza para levantar el teléfono.

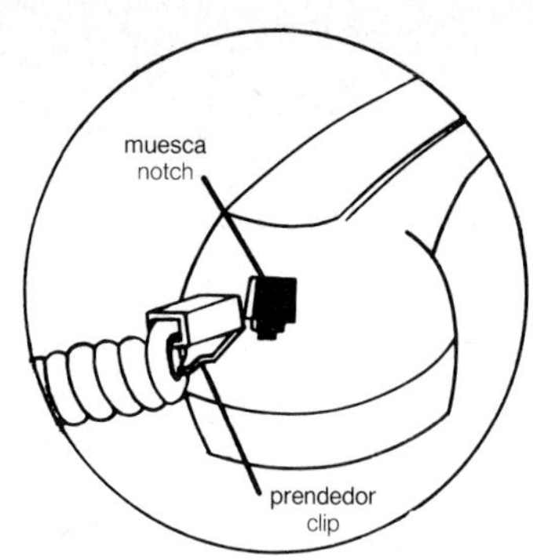

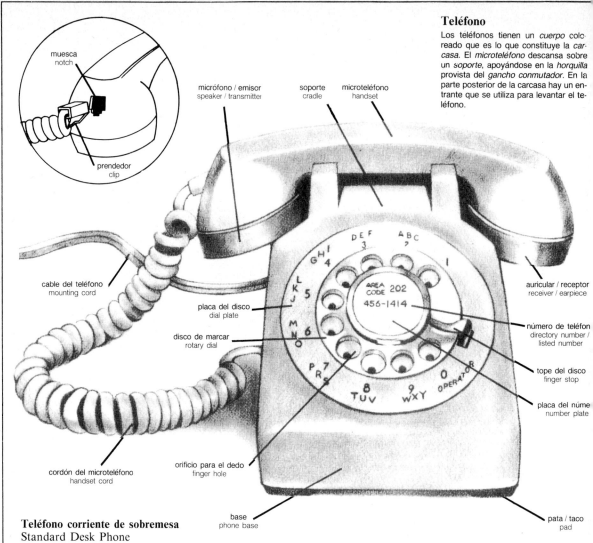

muesca
notch
prendedor
clip

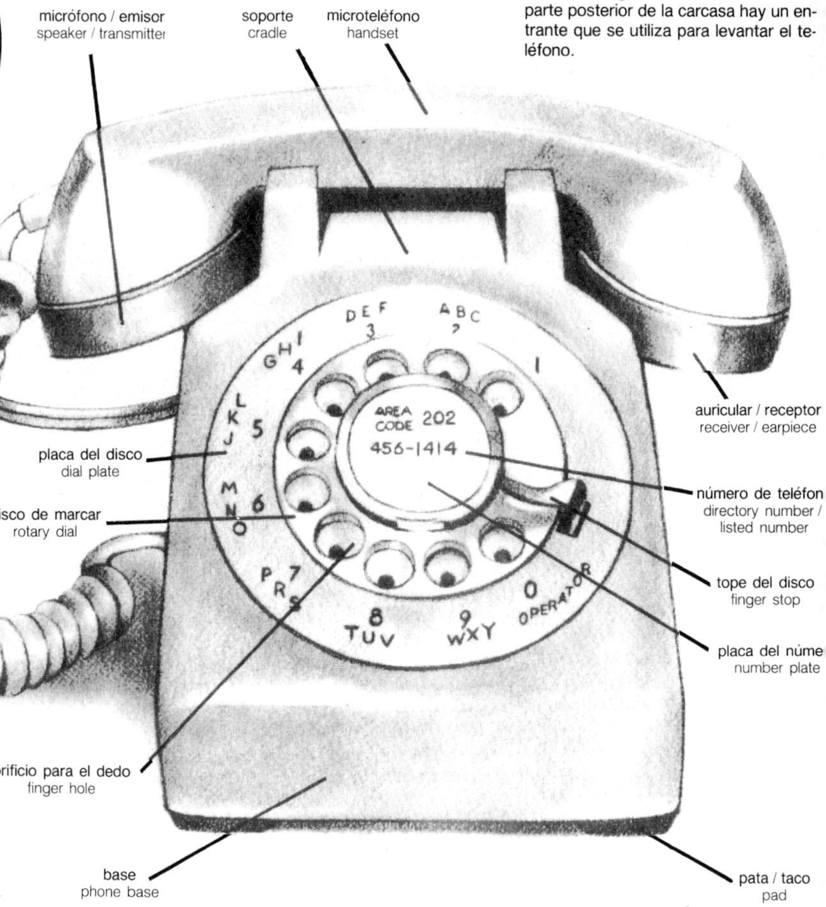

micrófono / emisor
speaker / transmitter
soporte
cradle
microteléfono
handset
auricular / receptor
receiver / earpiece
cable del teléfono
mounting cord
placa del disco
dial plate
disco de marcar
rotary dial
número de teléfon
directory number / listed number
tope del disco
finger stop
placa del núme
number plate
cordón del microteléfono
handset cord
orificio para el dedo
finger hole
base
phone base
pata / taco
pad
AREA CODE 202
456-1414

Teléfono corriente de sobremesa
Standard Desk Phone

Teléfono público
Pay Phone

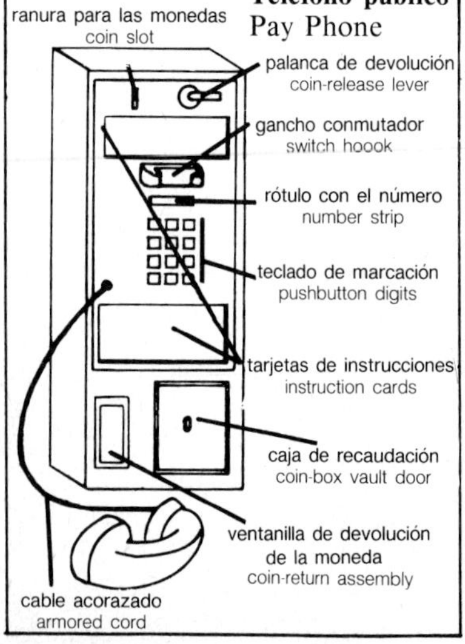

ranura para las monedas
coin slot
palanca de devolución
coin-release lever
gancho conmutador
switch hoook
rótulo con el número
number strip
teclado de marcación
pushbutton digits
tarjetas de instrucciones
instruction cards
caja de recaudación
coin-box vault door
ventanilla de devolución de la moneda
coin-return assembly
cable acorazado
armored cord

Teléfono antiguo
Candlestick Phone

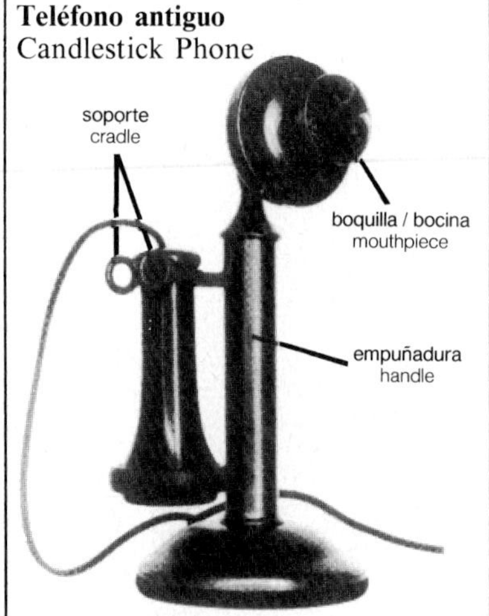

soporte
cradle
boquilla / bocina
mouthpiece
empuñadura
handle

Teléfono de góndola
Trimline Phone

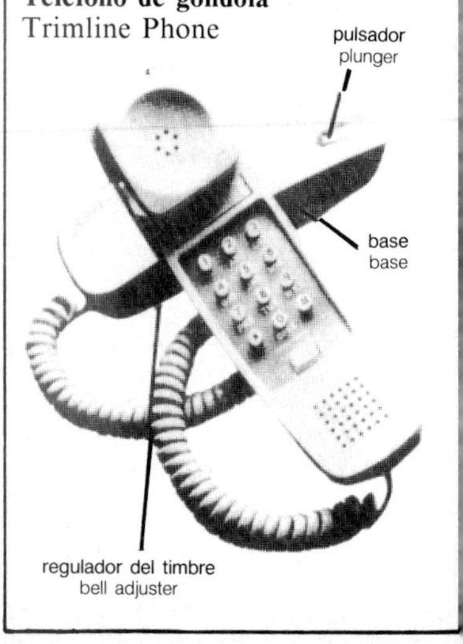

pulsador
plunger
base
base
regulador del timbre
bell adjuster

Emisor-receptor

Un *radioteléfono portátil* es un *emisor-receptor transceptor* de bolsillo que se utiliza para transmitir y recibir a corta distancia. Los aparatos de banda ciudadana *(CB)*, como el que muestra la figura poseen mayor alcance, aunque sigue siendo bastante limitado. Los *radioaficionados* utilizan emisores-receptores capaces de establecer comunicación a larga distancia.

Transceiver

A *walkie-talkie* is a hand-held transceiver used to transmit and receive over short distances. *CBS*, or Citizens Band radios, like the one shown here, have greater but still limited range. *Amateur radio operators*, or "*hams*", use transceivers capable of communicating over vast distances.

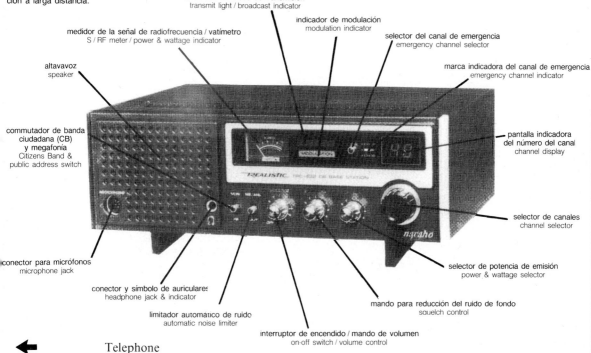

indicador luminoso de transmisión
transmit light / broadcast indicator
indicador de modulación
modulation indicator
medidor de la señal de radiofrecuencia / vatímetro
S / RF meter / power & wattage indicator
selector del canal de emergencia
emergency channel selector
altavavoz
speaker
marca indicadora del canal de emergencia
emergency channel indicator
commutador de banda ciudadana (CB) y megafonía
Citizens Band & public address switch
pantalla indicadora del número del canal
channel display
REALISTIC
MODULATION
selector de canales
channel selector
conector para micrófonos
microphone jack
selector de potencia de emisión
power & wattage selector
conector y símbolo de auriculares
headphone jack & indicator
mando para reducción del ruido de fondo
squelch control
limitador automático de ruido
automatic noise limiter
interruptor de encendido / mando de volumen
on-off switch / volume control

Telephone

The colored shell of a telephone is the *casing*. The *handset* rests in the *cradle* on *plungers*. The recessed area in the back of the casing, by which the phone is lifted, is the *grasper*.

Estación base
Base Station

Micrófono
Microphone

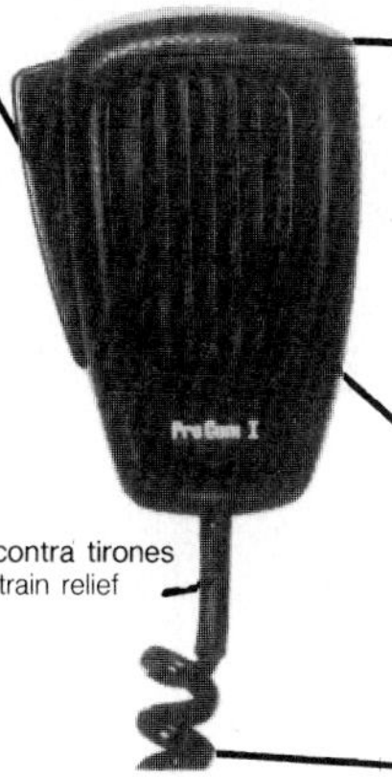
interruptor
talk switch
cuerpo
housing
rejilla
grille
protector contra tirones
cord strain relief
cable
cord

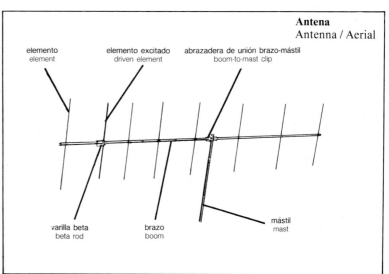

Antena
Antenna / Aerial

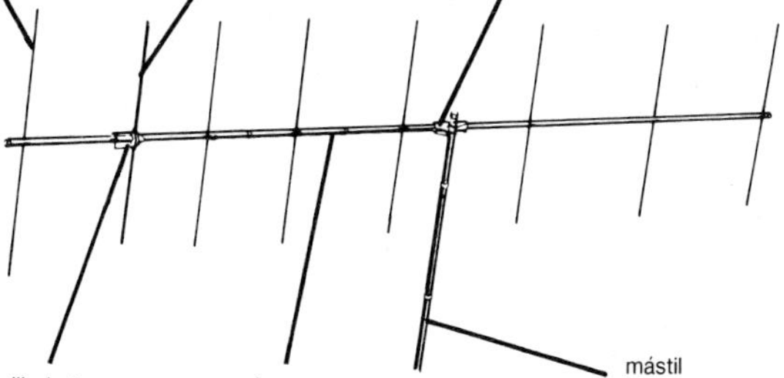
elemento
element
elemento excitado
driven element
abrazadera de unión brazo-mástil
boom-to-mast clip
varilla beta
beta rod
brazo
boom
mástil
mast

Vídeocassette

Los vídeocassette o «videos» son unos aparatos para grabación y reproducción de señales de vídeo registradas en cassettes de cinta magnética. Se utilizan en combinación con *televisores* o *monitores de televisión*. Pueden manejarse por control remoto con unos mandos a distancia de reducido tamaño. Algunos modelos están especialmente concebidos para la reproducción de vídeodiscos en lugar de *cassettes video*, pero no permiten la grabación de imágenes en el disco.

Video Recorder

Video recorders are used in conjunction with *television sets*, or *monitors*. They can be operated by hand-size *remote control units*. Some recorders use a grooveless *disc*, others use a *video cassette tape*.

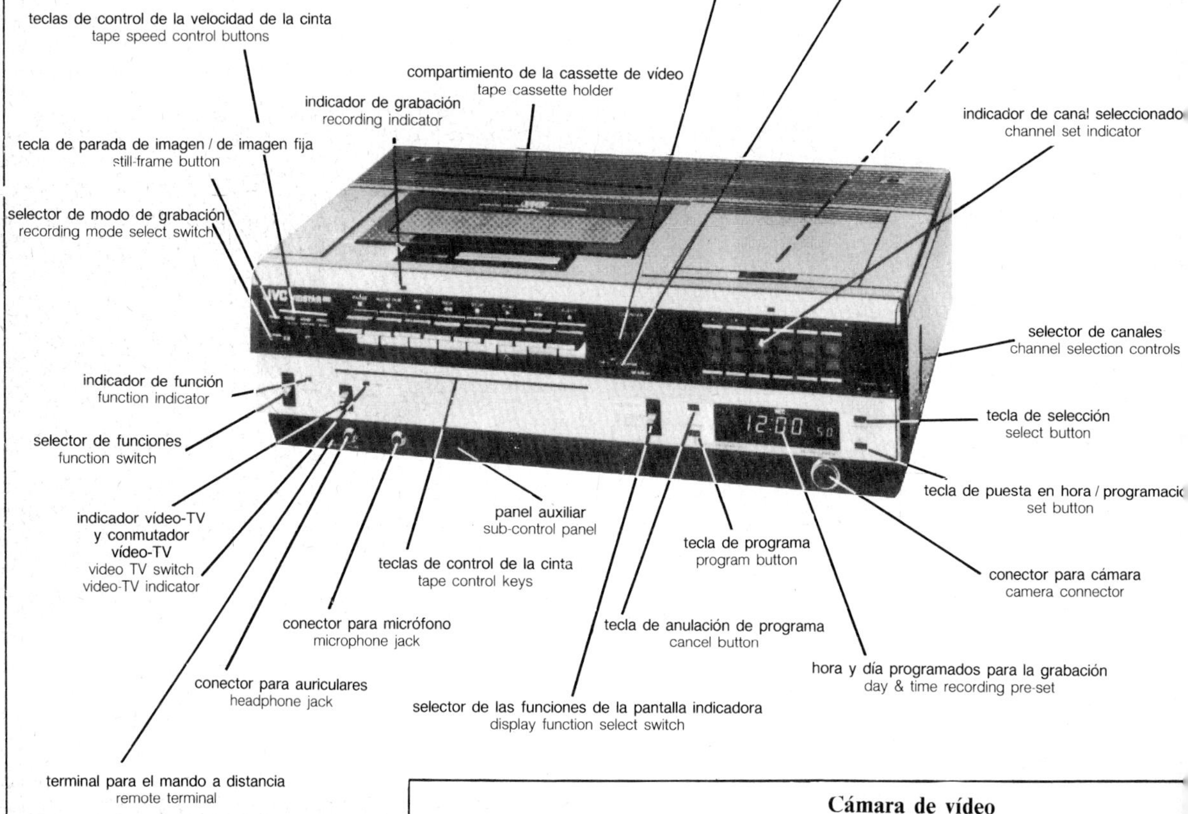

teclas de control de la velocidad de la cinta
tape speed control buttons
compartimiento de la cassette de vídeo
tape cassette holder
indicador de grabación
recording indicator
contador de cinta
tape counter
tecla de localización
search switch
mandos de ajuste de la sintonía
pre-tuning controls
indicador de canal seleccionado
channel set indicator
tecla de parada de imagen / de imagen fija
still-frame button
selector de modo de grabación
recording mode select switch
selector de canales
channel selection controls
indicador de función
function indicator
tecla de selección
select button
selector de funciones
function switch
tecla de puesta en hora / programació
set button
panel auxiliar
sub-control panel
indicador vídeo-TV
y conmutador
vídeo-TV
video TV switch
video-TV indicator
teclas de control de la cinta
tape control keys
tecla de programa
program button
conector para cámara
camera connector
conector para micrófono
microphone jack
tecla de anulación de programa
cancel button
hora y día programados para la grabación
day & time recording pre-set
conector para auriculares
headphone jack
selector de las funciones de la pantalla indicadora
display function select switch
terminal para el mando a distancia
remote terminal

Cámara de vídeo
Video Camera

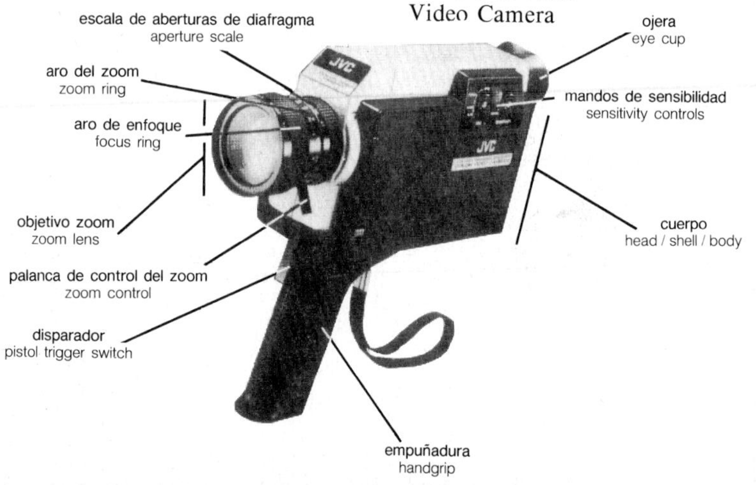

escala de aberturas de diafragma
aperture scale
ojera
eye cup
aro del zoom
zoom ring
mandos de sensibilidad
sensitivity controls
aro de enfoque
focus ring
objetivo zoom
zoom lens
cuerpo
head / shell / body
palanca de control del zoom
zoom control
disparador
pistol trigger switch
empuñadura
handgrip

Televisión

El *tubo de imágenes* es el componente más importante de un televisor. Los aparatos más modernos están preparados para recibir hasta 105 canales, incluidos los de *frecuencia ultra-alta*, *alta frecuencia*, y *frecuencia media*. Un rayo láser de escasa intensidad situado en el interior del giradiscos traduce en imágenes 54.000 pistas circulares.

Television

The picture tube, or "*gun*", is the largest single component in a television set's *chassis*. Today's sets are capable of receiving 105 channels, including *ultra-high frecuency*, *very high frecuency*, *midband and superband signals*. A low-power *laser beam* located in the player's *cabinet* translates 54,000 circular *tracks*, or "*frames*", into pictures.

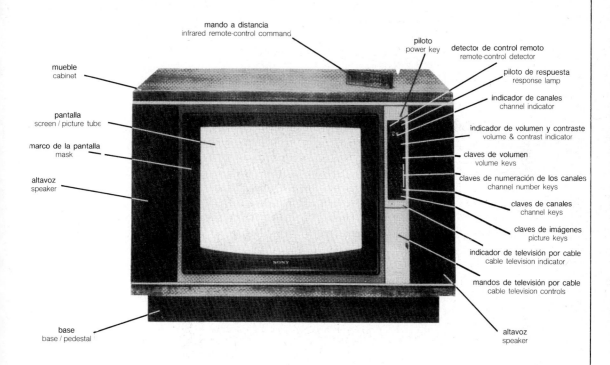

mando a distancia
infrared remote-control command
piloto
power key
detector de control remoto
remote-control detector
mueble
cabinet
piloto de respuesta
response lamp
indicador de canales
channel indicator
pantalla
screen / picture tube
indicador de volumen y contraste
volume & contrast indicator
marco de la pantalla
mask
claves de volumen
volume keys
altavoz
speaker
claves de numeración de los canales
channel number keys
claves de canales
channel keys
claves de imágenes
picture keys
indicador de televisión por cable
cable television indicator
mandos de televisión por cable
cable television controls
SONY
base
base / pedestal
altavoz
speaker

Televisor
Television Set / Monitor

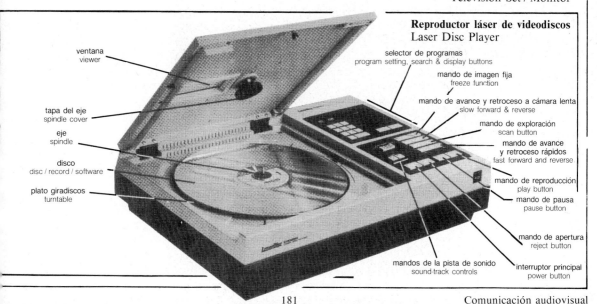

Reproductor láser de videodiscos
Laser Disc Player

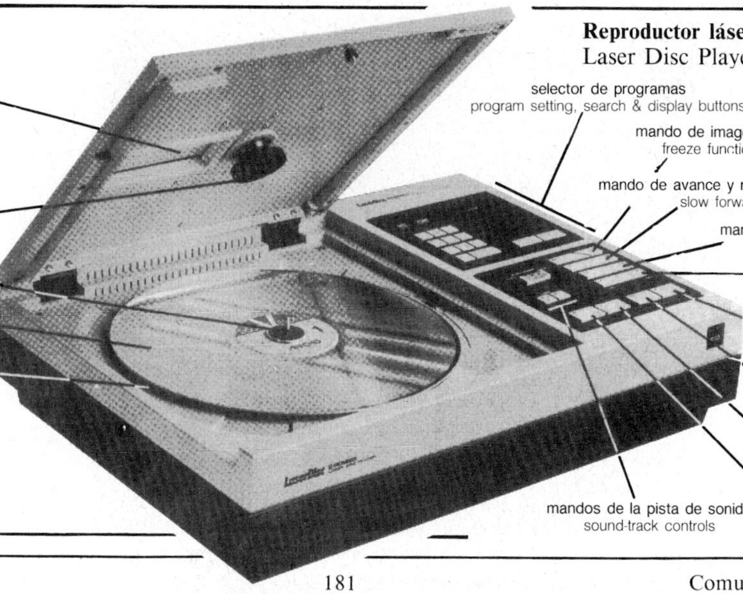

ventana
viewer
selector de programas
program setting, search & display buttons
mando de imagen fija
freeze function
tapa del eje
spindle cover
mando de avance y retroceso a cámara lenta
slow forward & reverse
eje
spindle
mando de exploración
scan button
mando de avance
y retroceso rápidos
fast forward and reverse
disco
disc / record / software
mando de reproducción
play button
plato giradiscos
turntable
mando de pausa
pause button
mando de apertura
reject button
mandos de la pista de sonido
sound-track controls
interruptor principal
power button

Satélite

Los *satélites repetidores activos* son satélites de comunicaciones que amplifican los haces de señales que reciben, antes de retransmitirlos. Los *satélites pasivos o reflectores* reflejan las señales, sin amplificarlas. Los satélites como el que se muestra aquí se utilizan para la exploración espacial y hacen mediciones científicas para retransmitir la información a la Tierra.

Satellite

Active repeater satellites are communications satellites that amplify signals beamed to them for retransmission. *Passive* or *reflector satellites* mirror signals without amplifying them. Satellites used for space exploration, such as the one shown here make scientific measurements and transmit the information back to earth.

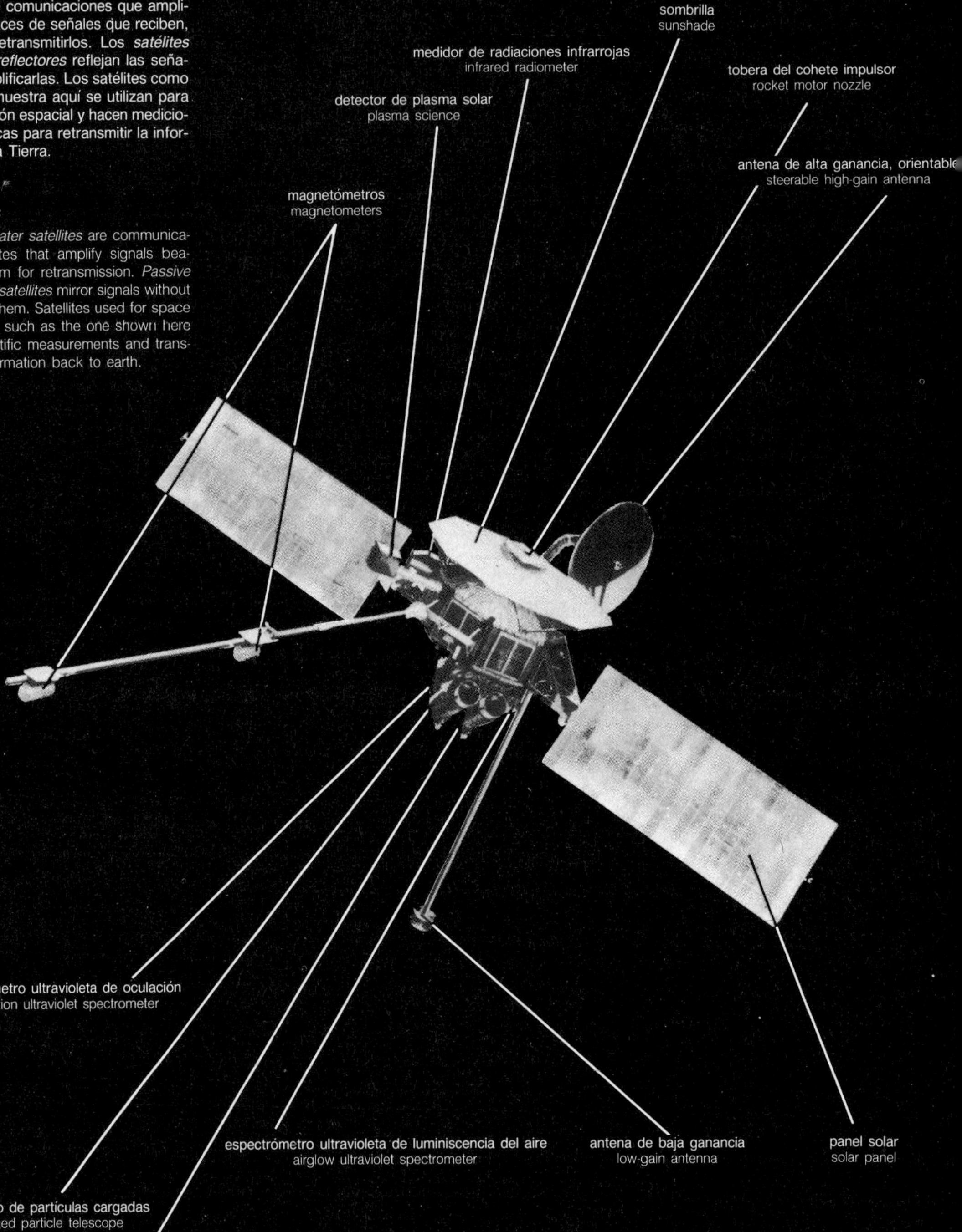

sombrilla
sunshade
medidor de radiaciones infrarrojas
infrared radiometer
tobera del cohete impulsor
rocket motor nozzle
detector de plasma solar
plasma science
antena de alta ganancia, orientable
steerable high-gain antenna
magnetómetros
magnetometers
espectrómetro ultravioleta de ocultación
occulation ultraviolet spectrometer
espectrómetro ultravioleta de luminiscencia del aire
airglow ultraviolet spectrometer
antena de baja ganancia
low-gain antenna
panel solar
solar panel
telescopio de partículas cargadas
charged particle telescope
cámaras de TV
TV cameras

Artículos de uso personal

En esta sección figuran los artículos y prendas que suelen ponerse, llevar o emplear las personas en su vida cotidiana. Se representan, por tanto, los vestidos, los sombreros, el calzado y las joyas.
En los casos en que la indumentaria masculina y femenina difiere apreciablemente, los distintos artículos aparecen separados. En cambio, cuando se trata de prendas utilizadas por ambos sexos, como jerseys y abrigos, sólo se ha representado una versión. Se ha hecho todo lo posible por ilustrar las distintas variantes de algunos objetos concretos. Por muy moderno que sea un vestido o un peinado, sus partes y detalles serán los mismos que los que aparecen en las ilustraciones de las páginas siguientes.
Los cosméticos, maquillajes, peinados y joyas también se han incluido en esta sección, debido a la importancia que tienen en la vida cotidiana, al igual que sucede con otros objetos tales como gafas, bolsos, carteras, relojes y artículos de fumador. El paraguas, imprescindible en los días lluviosos, también aparece aquí.

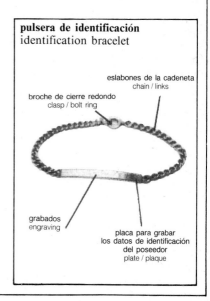

pulsera de identificación
identification bracelet

eslabones de la cadeneta
chain / links
broche de cierre redondo
clasp / bolt ring
grabados
engraving
placa para grabar
los datos de identificación
del poseedor
plate / plaque

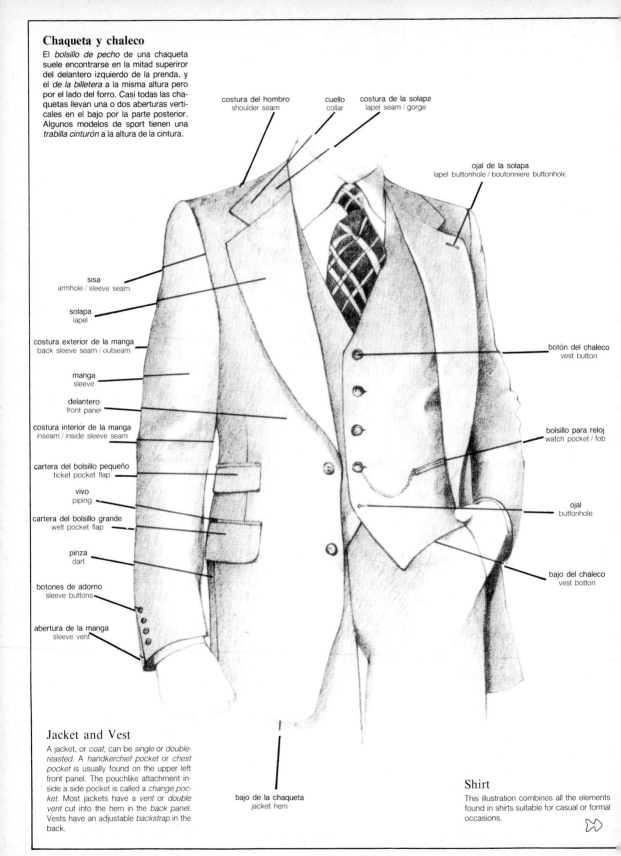

Chaqueta y chaleco

El *bolsillo de pecho* de una chaqueta suele encontrarse en la mitad superiror del delantero izquierdo de la prenda, y el *de la billetera* a la misma altura pero por el lado del forro. Casi todas las chaquetas llevan una o dos aberturas verticales en el bajo por la parte posterior. Algunos modelos de sport tienen una *trabilla cinturón* a la altura de la cintura.

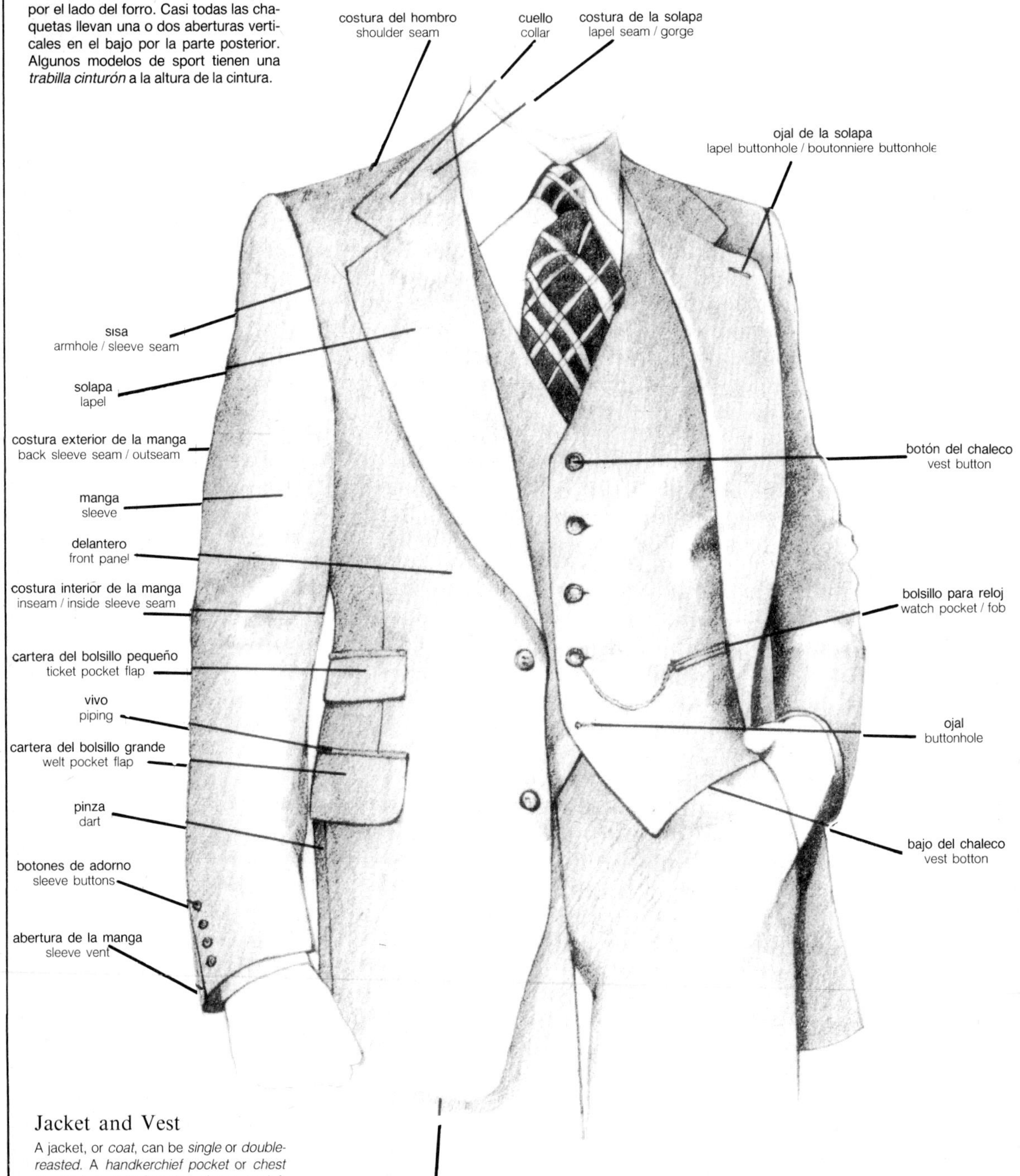

costura del hombro
shoulder seam
cuello
collar
costura de la solapa
lapel seam / gorge
ojal de la solapa
lapel buttonhole / boutonniere buttonhole
sisa
armhole / sleeve seam
solapa
lapel
costura exterior de la manga
back sleeve seam / outseam
manga
sleeve
delantero
front panel
costura interior de la manga
inseam / inside sleeve seam
cartera del bolsillo pequeño
ticket pocket flap
vivo
piping
cartera del bolsillo grande
welt pocket flap
pinza
dart
botones de adorno
sleeve buttons
abertura de la manga
sleeve vent
botón del chaleco
vest button
bolsillo para reloj
watch pocket / fob
ojal
buttonhole
bajo del chaleco
vest botton
bajo de la chaqueta
jacket hem

Jacket and Vest

A jacket, or *coat*, can be *single* or *double-reasted.* A *handkerchief pocket* or *chest pocket* is usually found on the upper left front panel. The pouchlike attachment inside a side pocket is called a *change pocket.* Most jackets have a *vent* or *double vent* cut into the hem in the *back panel.* Vests have an adjustable *backstrap* in the back.

Shirt

This illustration combines all the elements found in shirts suitable for casual or formal occasions.

Camisa

En esta ilustración se combinan los elementos propios de una camisa corriente con los de una de etiqueta.

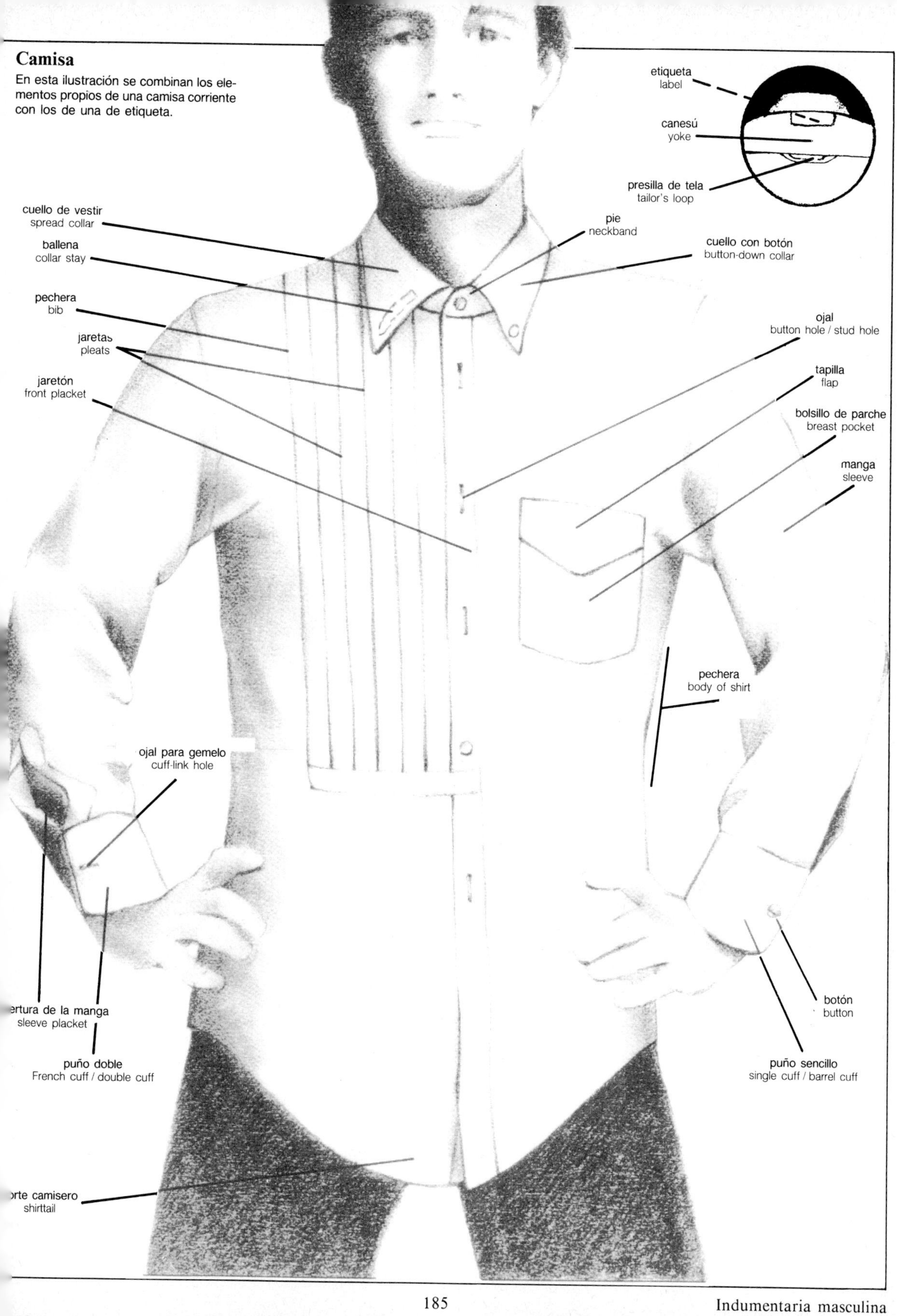
etiqueta
label
canesú
yoke
presilla de tela
tailor's loop
cuello de vestir
spread collar
pie
neckband
ballena
collar stay
cuello con botón
button-down collar
pechera
bib
jaretas
pleats
ojal
button hole / stud hole
jaretón
front placket
tapilla
flap
bolsillo de parche
breast pocket
manga
sleeve
pechera
body of shirt
ojal para gemelo
cuff-link hole
ertura de la manga
sleeve placket
botón
button
puño doble
French cuff / double cuff
puño sencillo
single cuff / barrel cuff
orte camisero
shirttail

Cinturón y tirantes

Algunas hebillas grandes sin forrar van adornadas con profusos relieves. Las hebillas militares se ajustan empujando un pasador. Los agujeros de los cinturones se refuerzan a veces con ojetes metálicos. El modelo de tirantes que se ve en la ilustración es el que suele llevarse corrientemente, mientras que los de etiqueta constan de dos cintas cruzadas a la espalda en lugar de una sola.

Belt and Suspenders

Large, often elaborately engraved buckles are called *plaque buckles. Military buckles*, or *ratchet buckles*, are adjusted by pushing a *tension rod* inside the *frame.* Some belts come with reinforcing *eyelets* in the punch holes. The composite pair of suspenders shown here are *fireman's, policeman's*, or *working man's suspenders.* They all have a single elastic band at the back, whereas *dress suspenders* have crossed bands.

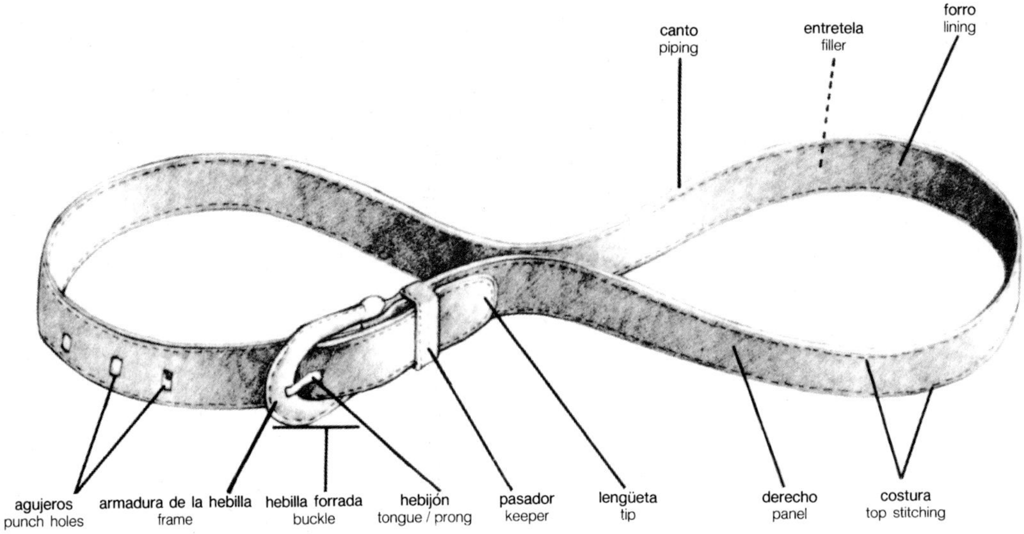

canto
piping
entretela
filler
forro
lining
agujeros
punch holes
armadura de la hebilla
frame
hebilla forrada
buckle
hebijón
tongue / prong
pasador
keeper
lengüeta
tip
derecho
panel
costura
top stitching

Cinturón
Belt

Tirantes
Suspenders / Braces / Galluses

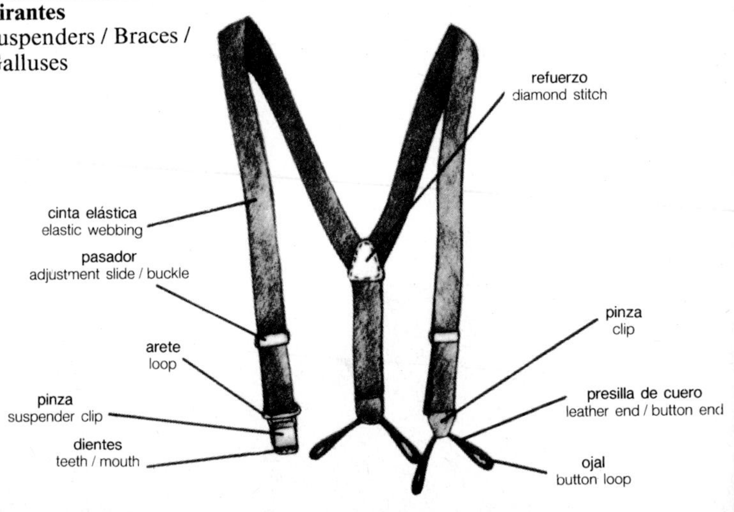

refuerzo
diamond stitch
cinta elástica
elastic webbing
pasador
adjustment slide / buckle
arete
loop
pinza
suspender clip
dientes
teeth / mouth
pinza
clip
presilla de cuero
leather end / button end
ojal
button loop

Pantalones

Se denomina *fondillos* a la parte de los pantalones correspondiente a las posaderas. Los *shorts* o *pantalones cortos* son pantalones que cubren sólo hasta medio muslo y los *bermudas* los que llegan hasta cerca de la rodilla. Los *pantalones vaqueros* o *tejanos* suelen llevar *remaches* de refuerzo en los bolsillos y las costuras. La *cinturilla* de un pantalón se cierra con botones y ojales o con corchetes.

Pants

The back of a *pair of pants* is called the *seat.* Mid- thigh or knee length pants are *shorts. Jeans* often have pockets and seams reinforced with *rivets. Waistband closures* on pants are secured with *button tab closings* or metal *hook* and *eye closings.*

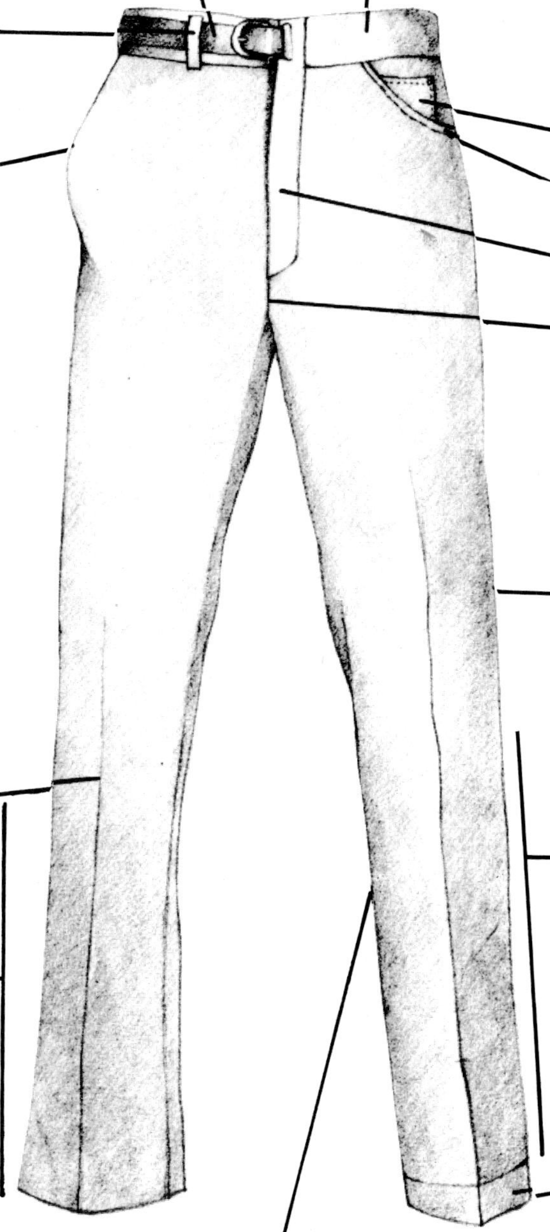

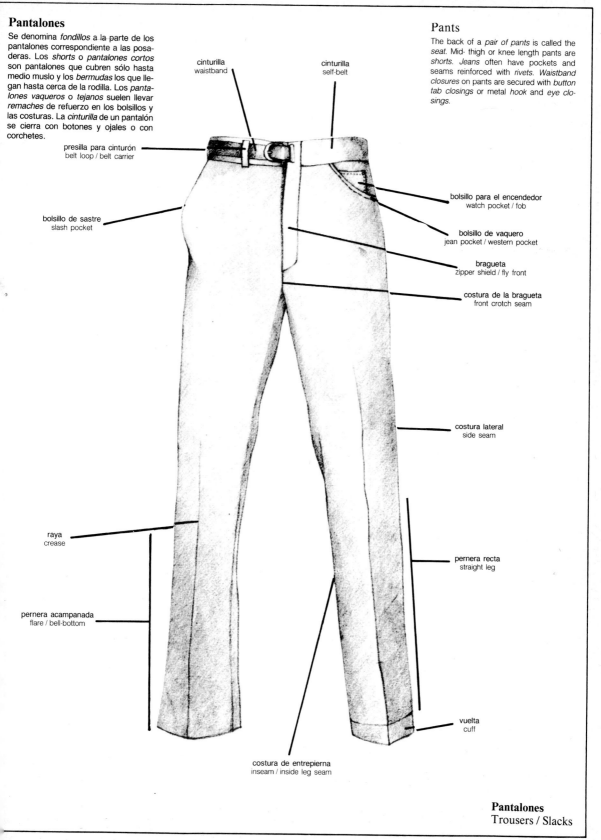

cinturilla
waistband
cinturilla
self-belt
presilla para cinturón
belt loop / belt carrier
bolsillo para el encendedor
watch pocket / fob
bolsillo de sastre
slash pocket
bolsillo de vaquero
jean pocket / western pocket
bragueta
zipper shield / fly front
costura de la bragueta
front crotch seam
costura lateral
side seam
raya
crease
pernera recta
straight leg
pernera acampanada
flare / bell-bottom
vuelta
cuff
costura de entrepierna
inseam / inside leg seam

Pantalones
Trousers / Slacks

Corbatas

Algunas corbatas llevan una presilla de tela cosida al revés de la pala grande a través de la cual se pasa la pala pequeña para dejarla bien colocada. Un *pasador* es una horquilla metálica decorativa que sirve para sujetar la corbata al borde de la pechera de la camisa. El *alfiler de corbata* cumple el mismo cometido.

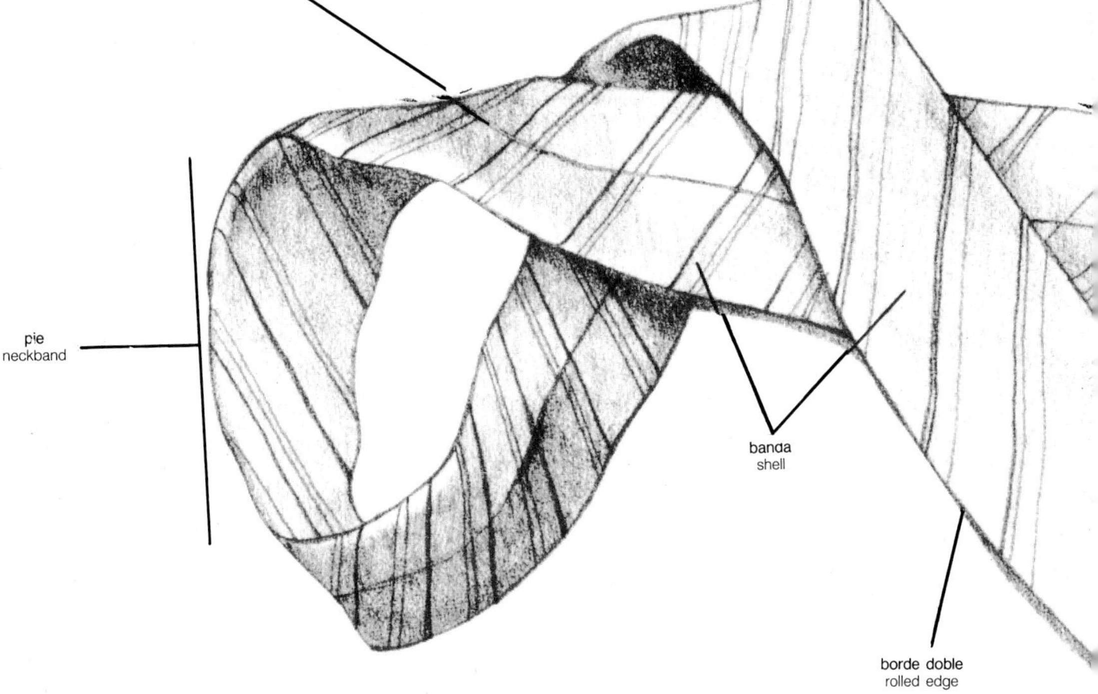
costura invisible
slip-stitched seam
pie
neckband
banda
shell
borde doble
rolled edge

Corbata
Necktie / Four-in-Hand

Pajarita
Bow Tie / Buterfly Tie

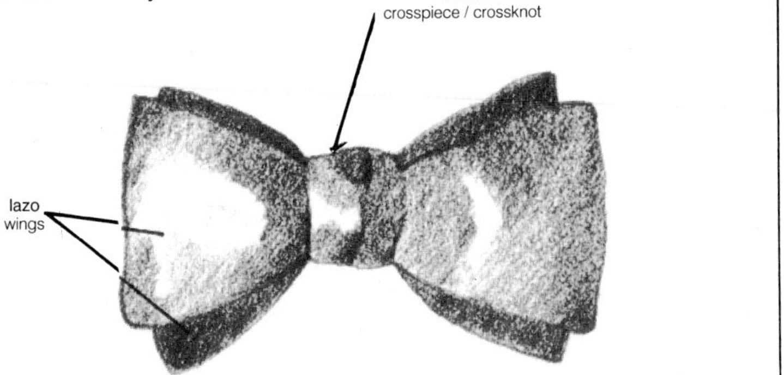
nudo
crosspiece / crossknot
lazo
wings

Lazo
String Tie / Bolo Tie

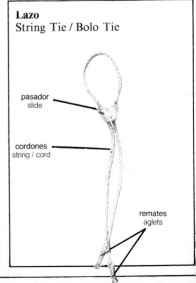

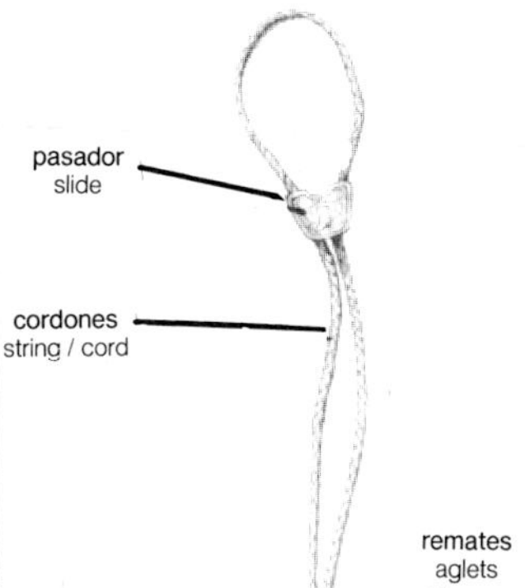
pasador
slide
cordones
string / cord
remates
aglets

Neckwear

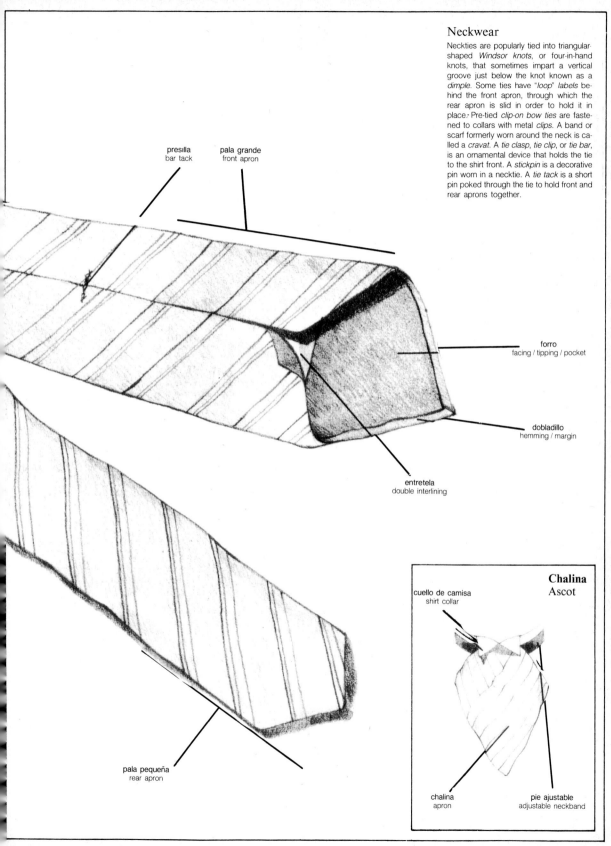

Neckties are popularly tied into triangular-shaped *Windsor knots*, or four-in-hand knots, that sometimes impart a vertical groove just below the knot known as a *dimple*. Some ties have "*loop*" *labels* behind the front apron, through which the rear apron is slid in order to hold it in place. Pre-tied *clip-on bow ties* are fastened to collars with metal *clips*. A band or scarf formerly worn around the neck is called a *cravat*. A *tie clasp*, *tie clip*, or *tie bar*, is an ornamental device that holds the tie to the shirt front. A *stickpin* is a decorative pin worn in a necktie. A *tie tack* is a short pin poked through the tie to hold front and rear aprons together.

presilla
bar tack
pala grande
front apron
forro
facing / tipping / pocket
dobladillo
hemming / margin
entretela
double interlining
pala pequeña
rear apron

Chalina
Ascot

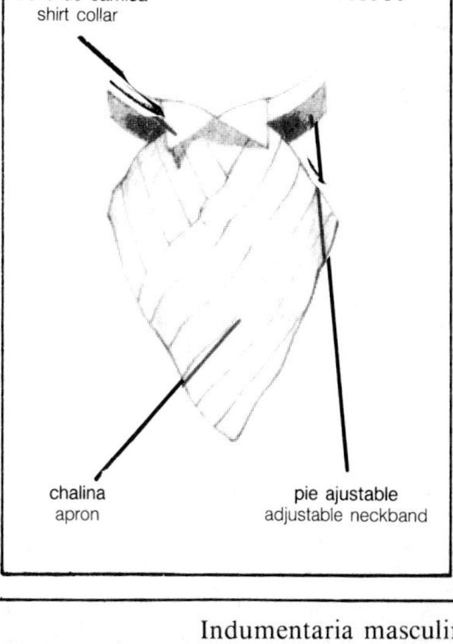
cuello de camisa
shirt collar
chalina
apron
pie ajustable
adjustable neckband

Ropa interior

En lugar de hombreras, otras camisetas llevan mangas cortas o largas. Los *calzoncillos largos* no siguen la línea de la ingle, sino que tienen una hechura semejante a la de los pantalones cortos. Algunos slips deportivos están diseñados de forma que en la bolsa puedan colocarse protectores forrados de goma.

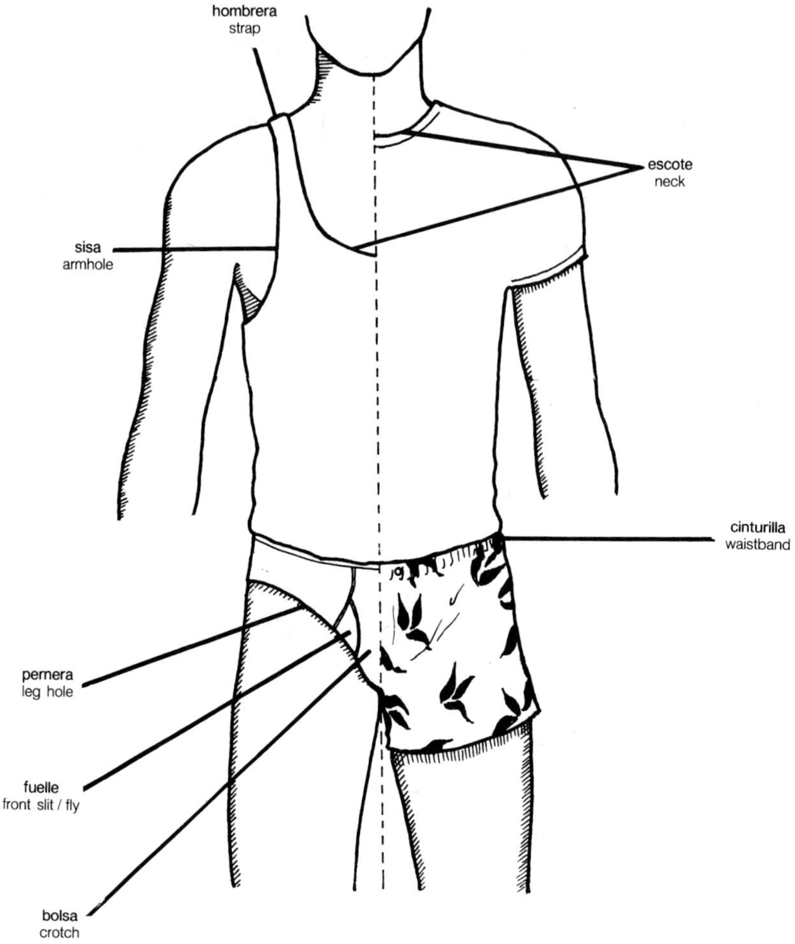
hombrera
strap
escote
neck
sisa
armhole
cinturilla
waistband
pernera
leg hole
fuelle
front slit / fly
bolsa
crotch

Slip deportivo
Athletic Supporter / Jock

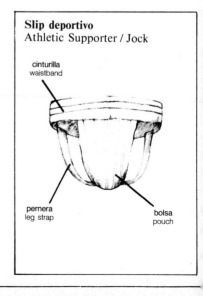

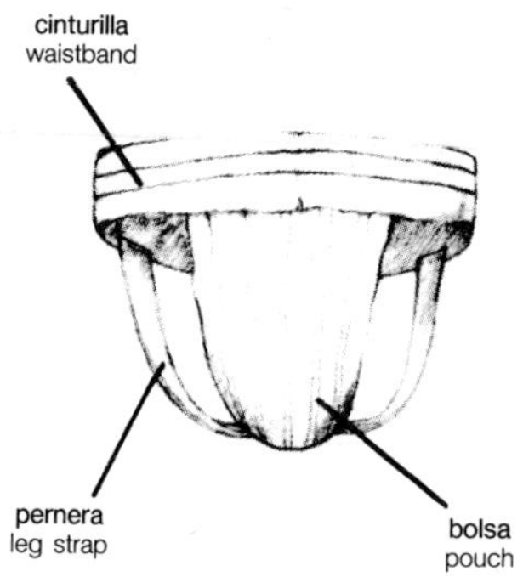
cinturilla
waistband
pernera
leg strap
bolsa
pouch

Underwear

A *T-shirt* has short sleeves rather than shoulder straps. Loose-fitting *boxer shorts* have short, trouserlike legs rather than leg openings. Some athletic supporters, or *jockstraps*, have pockets in the pouch to accommodate rubber-lined *protective cups*.

Prendas interiores

Casi todos los modelos de sujetadores se cierran con *corchetes* fijados a la parte posterior o delantera de la prenda. Los hay con *copas armadas*, con *refuerzos de alambre* y con *ballenas*. También llevan ballenas algunas fajas. Los *corsés* son similares a las fajas.

Foundation Garments

Most *bras* are secured with *hook-and-eye closures* either on a *back-strap* or in the front of the garment. Many have *underwiring* and / or *sidebones* for added support. *Cup padding* is another optional element. Girdles are sometimes stiffened with *spiral bones* or *stays*. *Corsets* are similar to girdles.

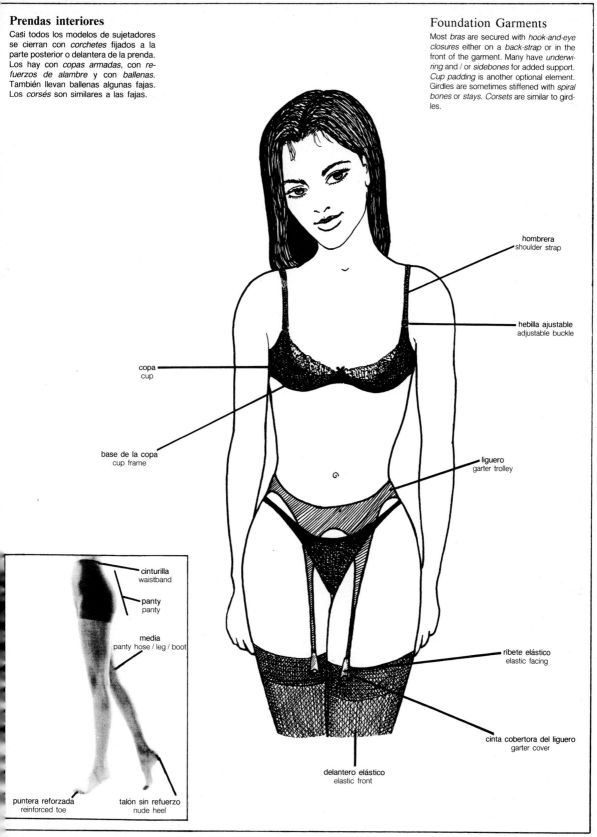

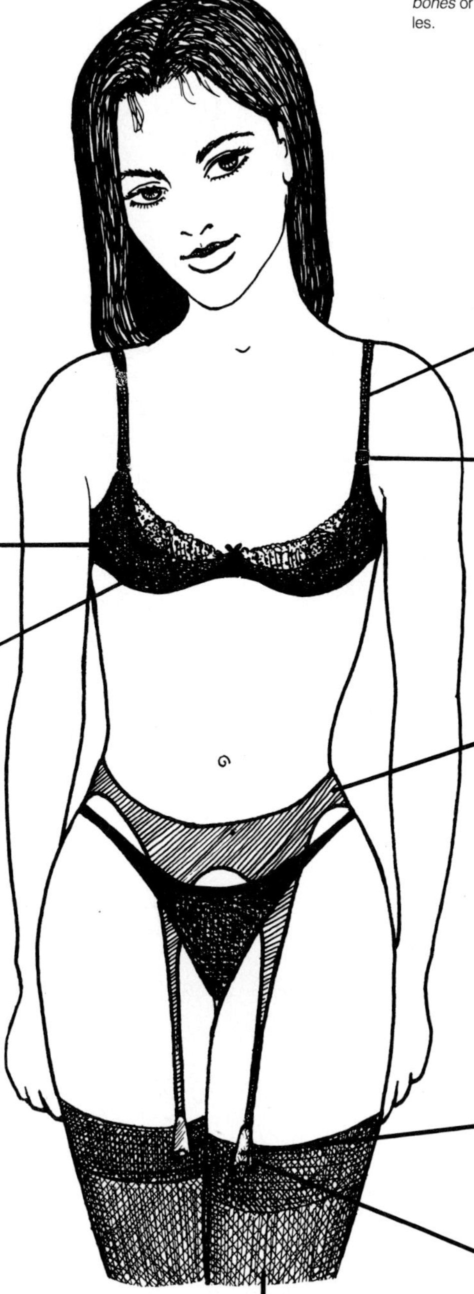
hombrera
shoulder strap
hebilla ajustable
adjustable buckle
copa
cup
base de la copa
cup frame
liguero
garter trolley
ribete elástico
elastic facing
cinta cobertora del liguero
garter cover
delantero elástico
elastic front

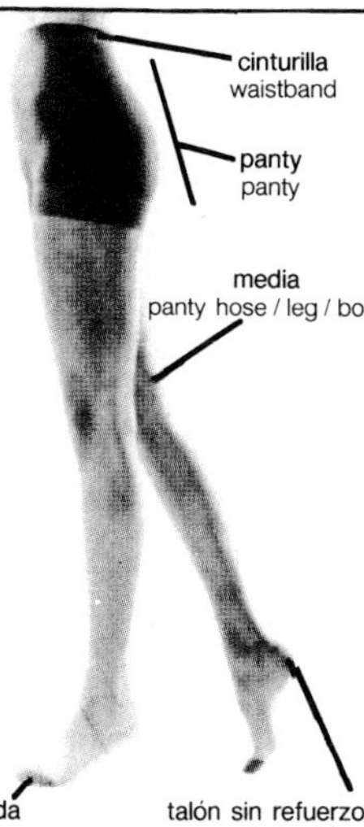
cinturilla
waistband
panty
panty
media
panty hose / leg / boot
puntera reforzada
reinforced toe
talón sin refuerzo
nude heel

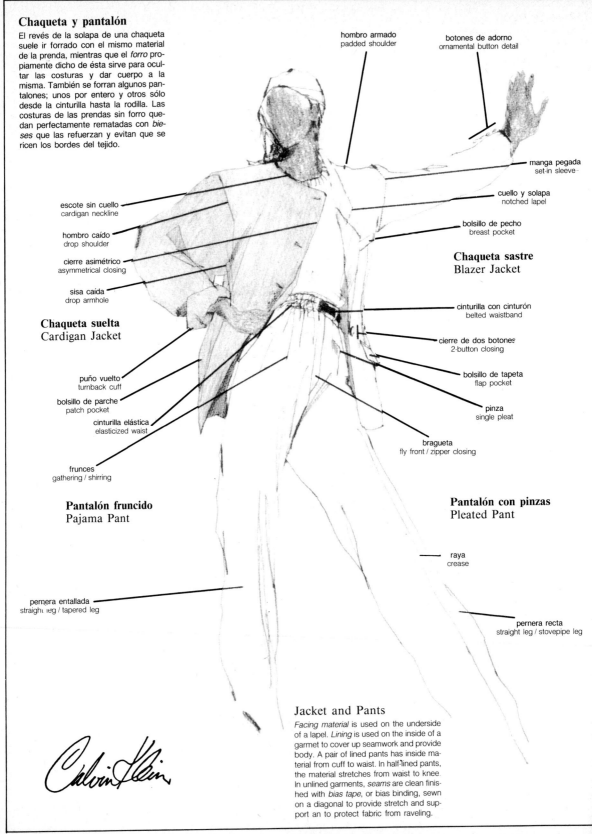

Chaqueta y pantalón

El revés de la solapa de una chaqueta suele ir forrado con el mismo material de la prenda, mientras que el *forro* propiamente dicho de ésta sirve para ocultar las costuras y dar cuerpo a la misma. También se forran algunos pantalones; unos por entero y otros sólo desde la cinturilla hasta la rodilla. Las costuras de las prendas sin forro quedan perfectamente rematadas con *bieses* que las refuerzan y evitan que se ricen los bordes del tejido.

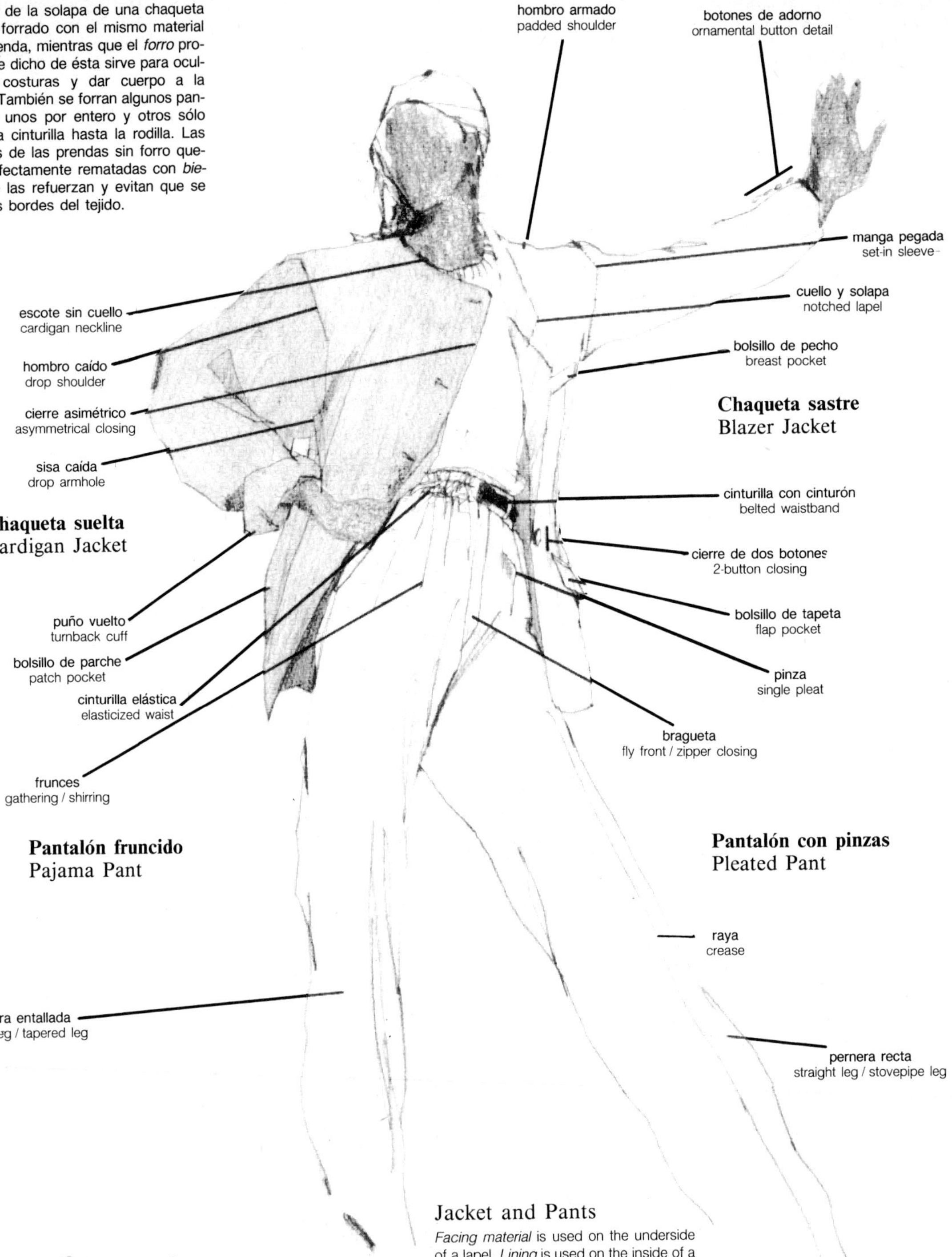

hombro armado
padded shoulder
botones de adorno
ornamental button detail
manga pegada
set-in sleeve
cuello y solapa
notched lapel
bolsillo de pecho
breast pocket
Chaqueta sastre
Blazer Jacket
escote sin cuello
cardigan neckline
hombro caído
drop shoulder
cierre asimétrico
asymmetrical closing
sisa caída
drop armhole
Chaqueta suelta
Cardigan Jacket
cinturilla con cinturón
belted waistband
cierre de dos botones
2-button closing
bolsillo de tapeta
flap pocket
pinza
single pleat
puño vuelto
turnback cuff
bolsillo de parche
patch pocket
cinturilla elástica
elasticized waist
bragueta
fly front / zipper closing
frunces
gathering / shirring
Pantalón fruncido
Pajama Pant
Pantalón con pinzas
Pleated Pant
raya
crease
pernera entallada
straight leg / tapered leg
pernera recta
straight leg / stovepipe leg

Jacket and Pants

Facing material is used on the underside of a lapel. *Lining* is used on the inside of a garmet to cover up seamwork and provide body. A pair of lined pants has inside material from cuff to waist. In half-lined pants, the material stretches from waist to knee. In unlined garments, *seams* are clean finished with *bias tape*, or bias binding, sewn on a diagonal to provide stretch and support an to protect fabric from raveling.

Blusa y falda

La ilustración muestra dos conjuntos diferentes de falda y blusa. Las faldas se sujetan a la cintura con *cinturones*, *lazadas*, *cremalleras*, *corchetes* o *botones*.

Blouse and Skirt

The blouse and the skirt shown here are composites. Skirts can be secured at the waist with a *belt*, *tie*, *zipper*, *hook* and *eye*. or *buttons*.

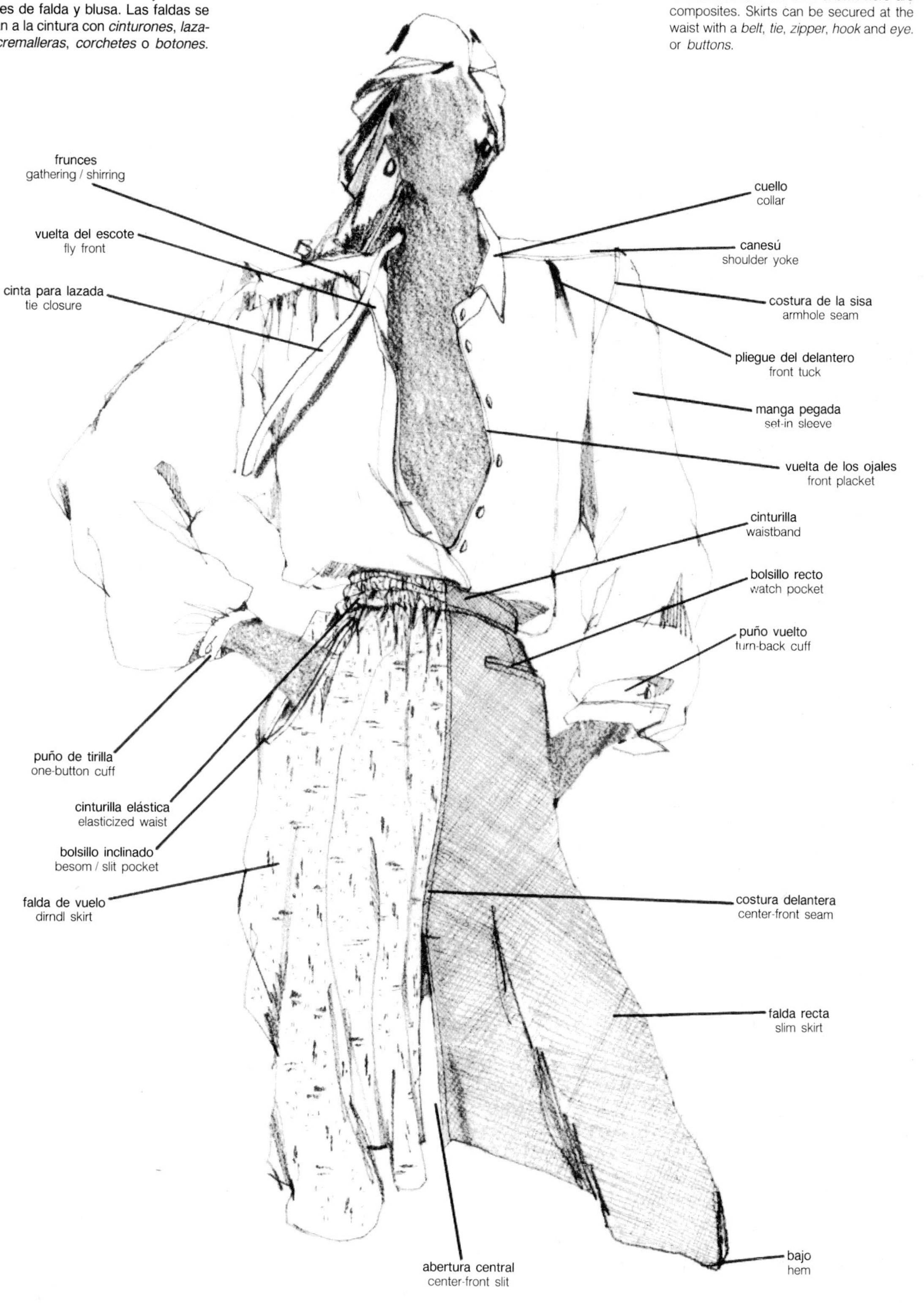

frunces
gathering / shirring
vuelta del escote
fly front
cinta para lazada
tie closure
puño de tirilla
one-button cuff
cinturilla elástica
elasticized waist
bolsillo inclinado
besom / slit pocket
falda de vuelo
dirndl skirt
abertura central
center-front slit
cuello
collar
canesú
shoulder yoke
costura de la sisa
armhole seam
pliegue del delantero
front tuck
manga pegada
set-in sleeve
vuelta de los ojales
front placket
cinturilla
waistband
bolsillo recto
watch pocket
puño vuelto
turn-back cuff
costura delantera
center-front seam
falda recta
slim skirt
bajo
hem

Vestido

El cuerpo de este vestido compuesto es de hechura *torera*. Se llama *vestido recto* al que no tiene costuras en la cintura o en el talle, es decir, al que carece de canesú. Éste, en los vestidos que lo llevan, puede terminar a la altura de las clavículas, a ras de las sisas, debajo del busto, en la cintura o incluso en la parte superiror de las caderas.

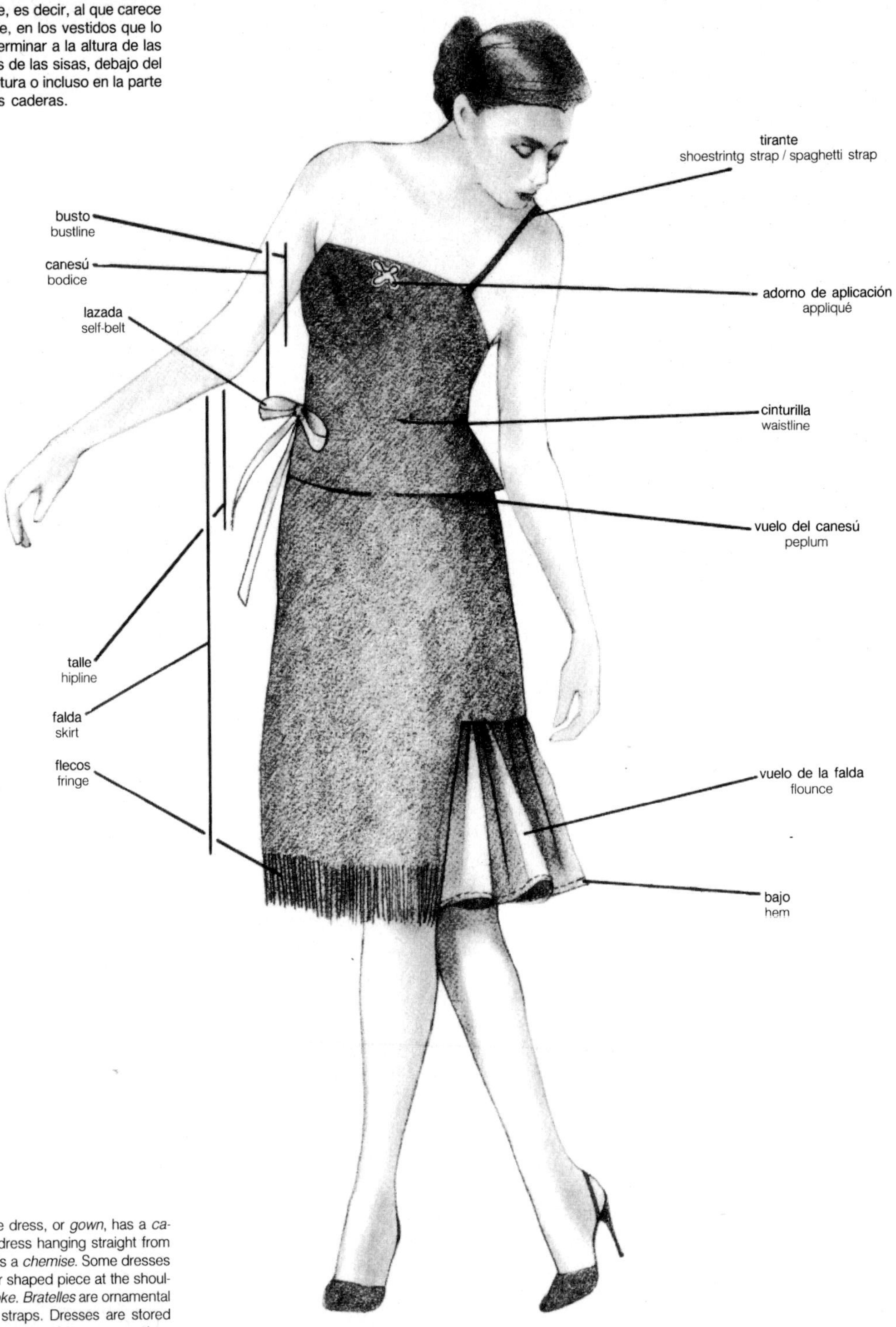

tirante
shoestrintg strap / spaghetti strap
busto
bustline
canesú
bodice
adorno de aplicación
appliqué
lazada
self-belt
cinturilla
waistline
vuelo del canesú
peplum
talle
hipline
falda
skirt
flecos
fringe
vuelo de la falda
flounce
bajo
hem

Dress

This composite dress, or *gown*, has a *camisole top*. A dress hanging straight from the shoulders is a *chemise*. Some dresses have a fitted or shaped piece at the shoulder called a *yoke*. *Bratelles* are ornamental suspenderlike straps. Dresses are stored on hangers by means of *keepers*, *carriers*, *riders*, *loops*, or *hangers*.

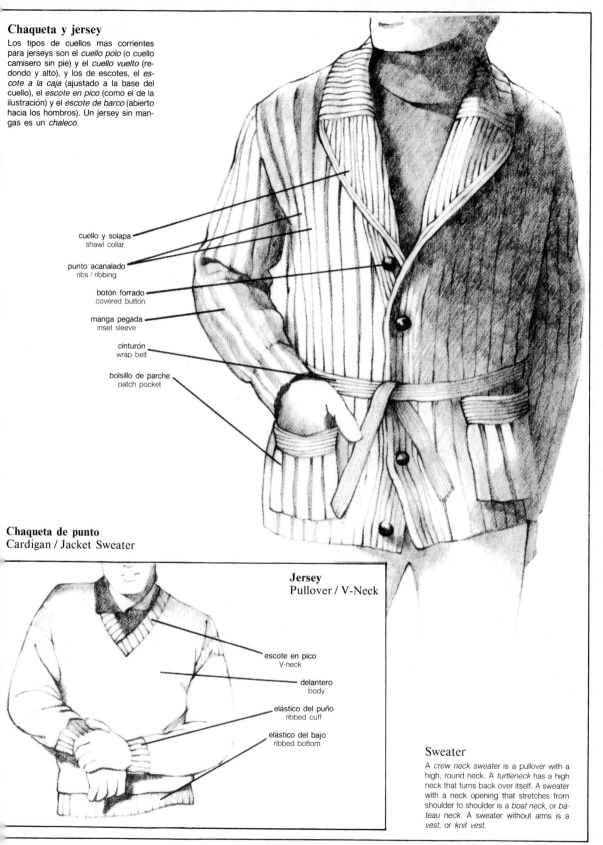

Chaqueta y jersey

Los tipos de cuellos más corrientes para jerseys son el *cuello polo* (o cuello camisero sin pie) y el *cuello vuelto* (redondo y alto), y los de escotes, el *escote a la caja* (ajustado a la base del cuello), el *escote en pico* (como el de la ilustración) y el *escote de barco* (abierto hacia los hombros). Un jersey sin mangas es un *chaleco*.

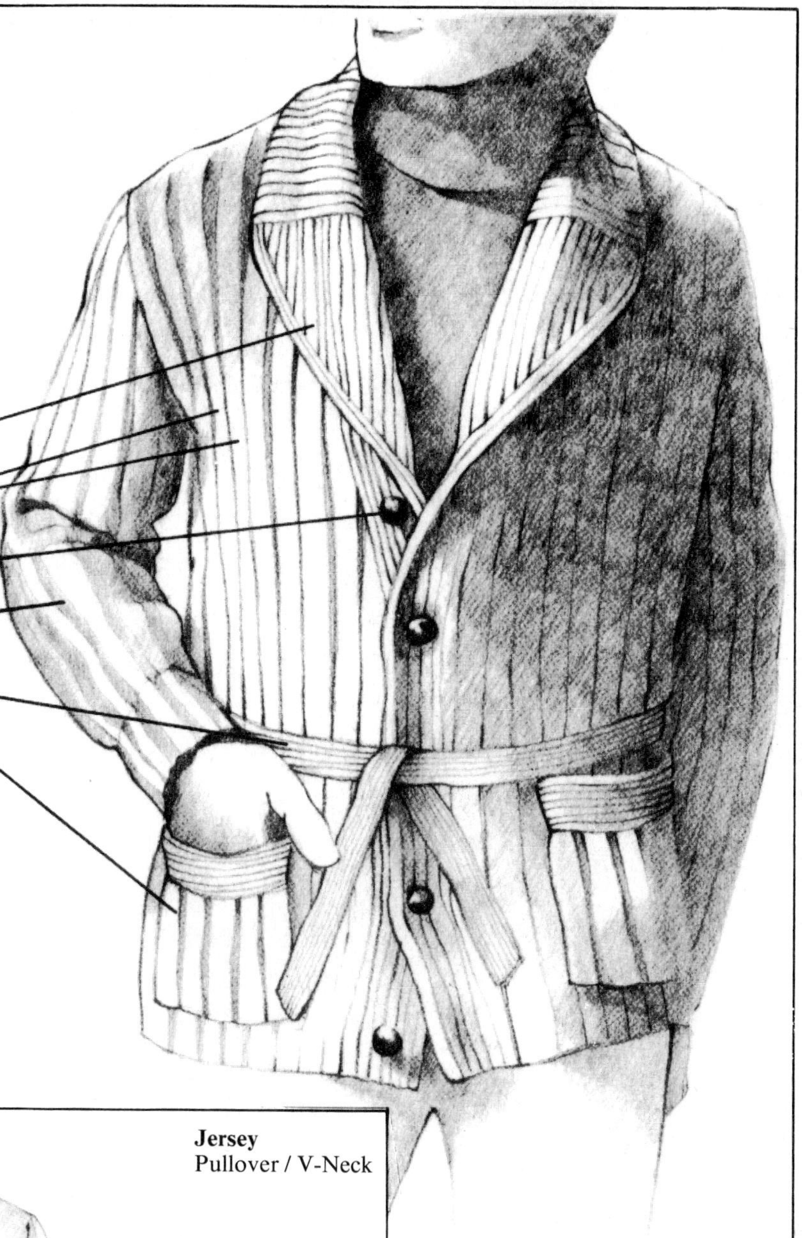

cuello y solapa
shawl collar
punto acanalado
ribs / ribbing
botón forrado
covered button
manga pegada
inset sleeve
cinturón
wrap belt
bolsillo de parche
patch pocket

Chaqueta de punto
Cardigan / Jacket Sweater

Jersey
Pullover / V-Neck

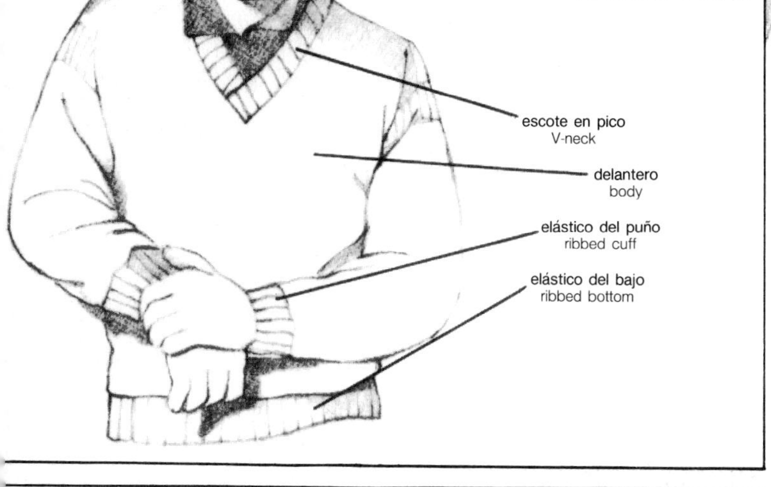

escote en pico
V-neck
delantero
body
elástico del puño
ribbed cuff
elástico del bajo
ribbed bottom

Sweater

A *crew neck sweater* is a pullover with a high, round neck. A *turtleneck* has a high neck that turns back over itself. A sweater with a neck opening that stretches from shoulder to shoulder is a *boat neck*, or *bateau neck*. A sweater without arms is a *vest*, or *knit vest*.

Prendas de abrigo

Una trinchera como la de la ilustración es una combinación de *abrigo* y *gabardina*, siendo el abrigo el forro de material cálido que normalmente se desmonta a base de cremalleras o botones. El canesú suelto de la gabardina suele continuar por la espalda de la prenda y estar rematado en su parte inferior con un par de anillas metálicas de adorno en forma de «D». Algunos modelos llevan además una cinta cosida al pie del cuello que permite cerrar éste en tiempo frío.

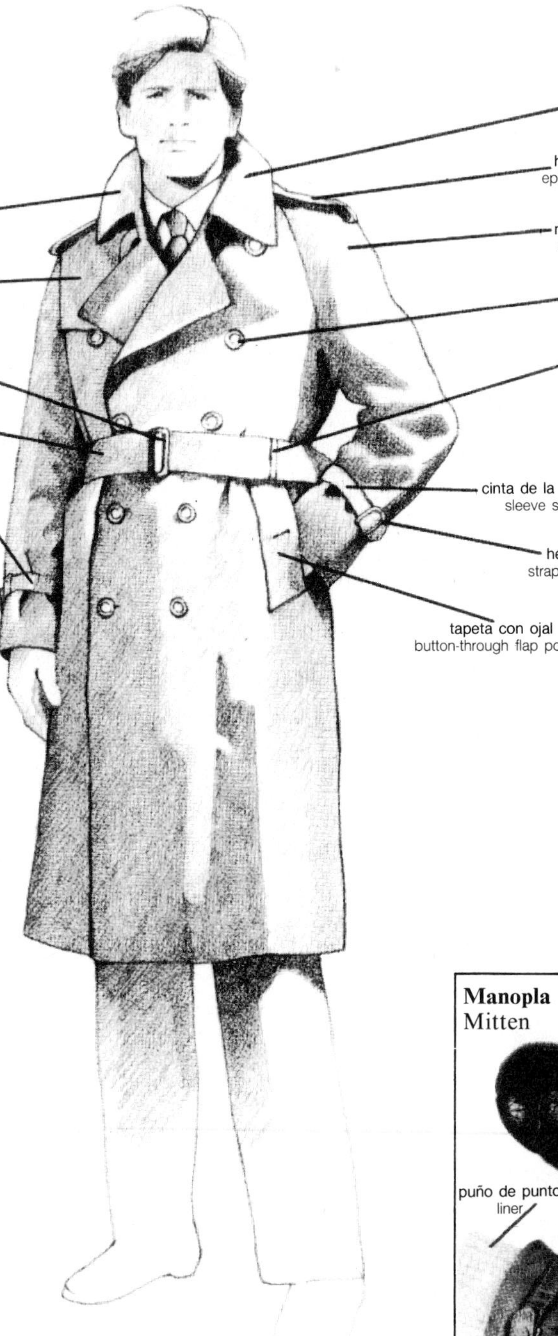

cuello
collar
hombrera
epaulet / strap
manga raglán
raglan sleeve
botón
button
pasador
belt loop
cinta de la manga
sleeve strap
hebilla
strap buckle
tapeta con ojal
button-through flap pocket
cuello de piel desmontable
button-off wool collar
canesú suelto
storm patch
hebilla del cinturón
belt buckle
cinturón
belt
pasador de la cinta
sleeve strap loop

Trinchera
Trench Coat

Outerwear

The type of combination *overcoat* and *raincoat* shown here usually has a *button-out* or *zip-out robe lining* which provides warmth in cold weather. It also has a *storm shield* on the back, ornamental "*D*" *rings* hanging from the back of the belt and sometimes a *throat latch* strap around the collar.

Manopla
Mitten

elástico
elastic
forro
lining
puño de punto
liner
anilla y clip
hook & ring
correa
glove strap
cuña
fourchette

Guante
Glove

Prendas de abrigo

Las pieles que se utilizan para la confección de prendas de sport son sometidas en la curtiduría a los procesos de lavado, raspado, tensado y curtido. Se llama *flor* al derecho del cuero y *carnaza* al revés.

Outerwear

Fur pelts used in apparel by *furriers* are first *dressed*, or cleaned, then fleshed, stretched and tanned. The furry parts of a pelts's facial hair are called *gills*.

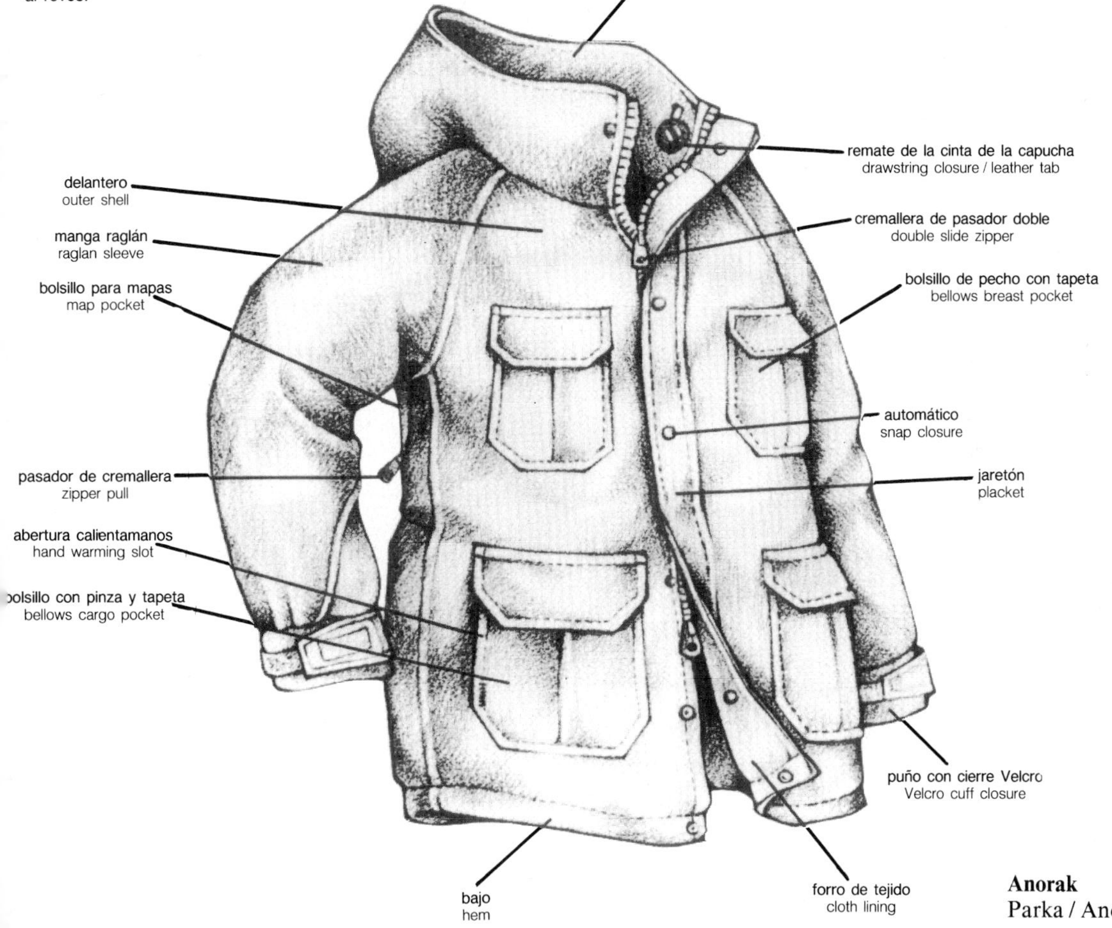

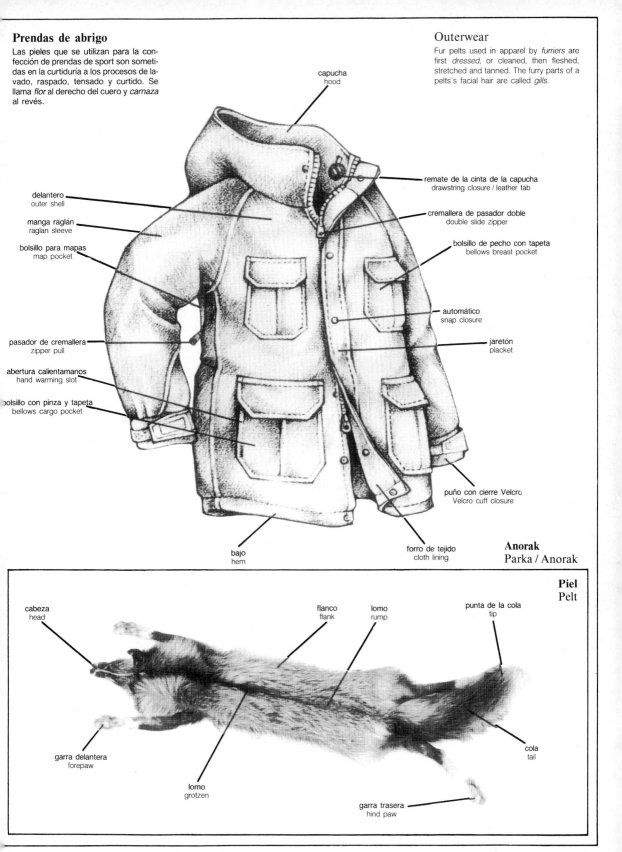

capucha
hood
remate de la cinta de la capucha
drawstring closure / leather tab
delantero
outer shell
cremallera de pasador doble
double slide zipper
manga raglán
raglan sleeve
bolsillo de pecho con tapeta
bellows breast pocket
bolsillo para mapas
map pocket
automático
snap closure
pasador de cremallera
zipper pull
jaretón
placket
abertura calientamanos
hand warming slot
bolsillo con pinza y tapeta
bellows cargo pocket
puño con cierre Velcro
Velcro cuff closure
bajo
hem
forro de tejido
cloth lining

Anorak
Parka / Anorak

Piel
Pelt

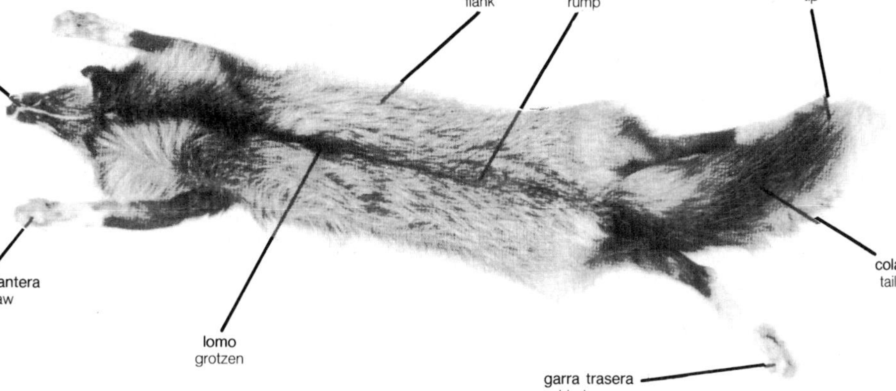

cabeza
head
flanco
flank
lomo
rump
punta de la cola
tip
cola
tail
garra delantera
forepaw
lomo
grotzen
garra trasera
hind paw

Sombreros masculinos

Se llama sombrerero a la persona que hace o vende sombreros. Los sombreros de copa redonda son los que no tienen abolladura. Algunos sombreros llevan forros de plástico.

Men's Hats

Hat are *styled* or *blocked* by a *hatmaker* or *hatter*. Hats that have not been creased have an *open crown*. Some hats have *plastic linings*.

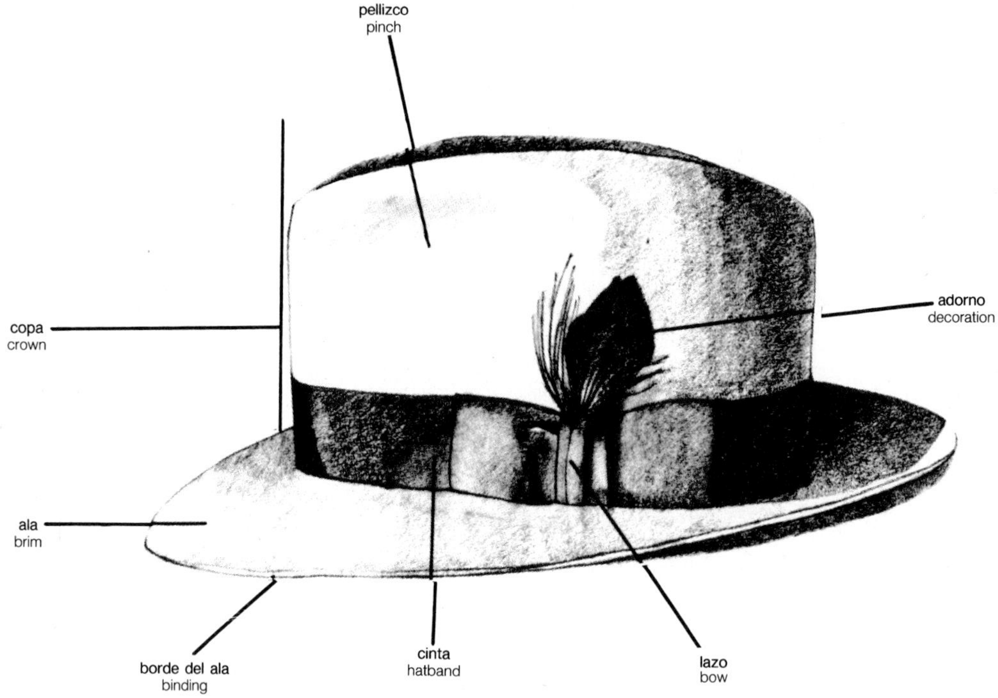

pellizco
pinch
adorno
decoration
copa
crown
ala
brim
borde del ala
binding
cinta
hatband
lazo
bow

Sombrero de vaquero
Cowboy Hat / Ten-Gallon Hat

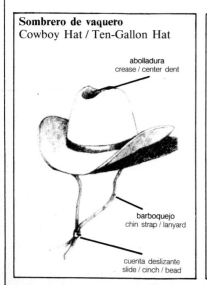

abolladura
crease / center dent
barboquejo
chin strap / lanyard
cuenta deslizante
slide / cinch / bead

Boina
Beret

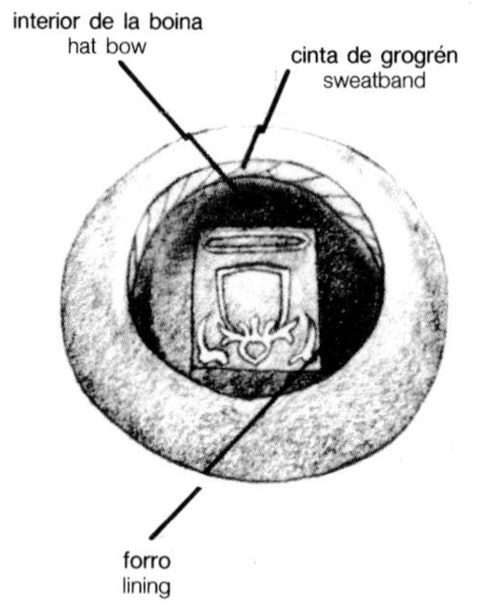

interior de la boina
hat bow
cinta de grogrén
sweatband
forro
lining

Gorra
Cap

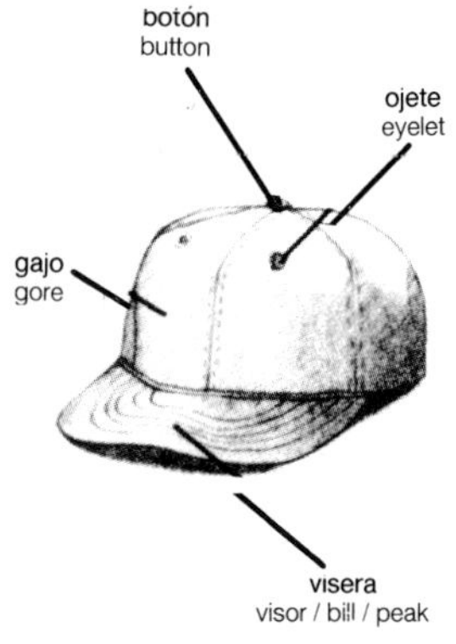

botón
button
ojete
eyelet
gajo
gore
visera
visor / bill / peak

Sombreros femeninos

Para adornar los sombreros de señora se utilizan *hebillas*, *lentejuelas*, *frutas de plástico*, *flores de tela*, *botones*, *borlas* y *galones*. Entre los tocados femeninos sin ala pueden citarse las *boinas*, los *cascos*, las *barretinas* y los *turbantes*. Las pamelas son sombreros de ala ancha y flexible, frecuentemente adornados. Se denomina *sombrero de viuda* al que, como el de la ilustración, lleva un velo que oculta el rostro.

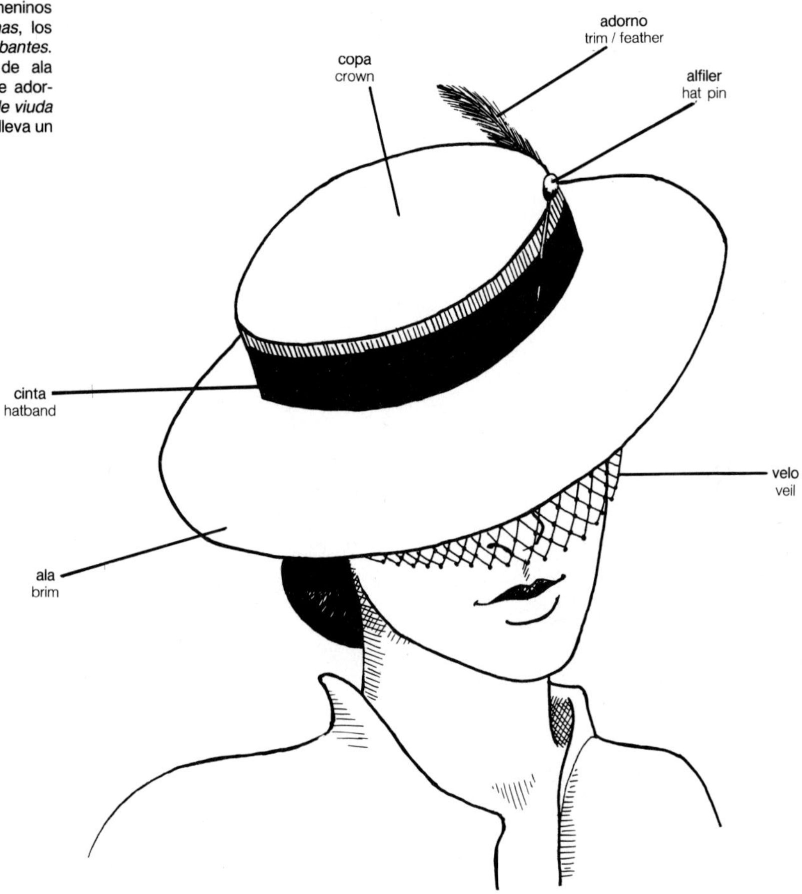

adorno
trim / feather
copa
crown
alfiler
hat pin
cinta
hatband
velo
veil
ala
brim

Cofia
Bonnet

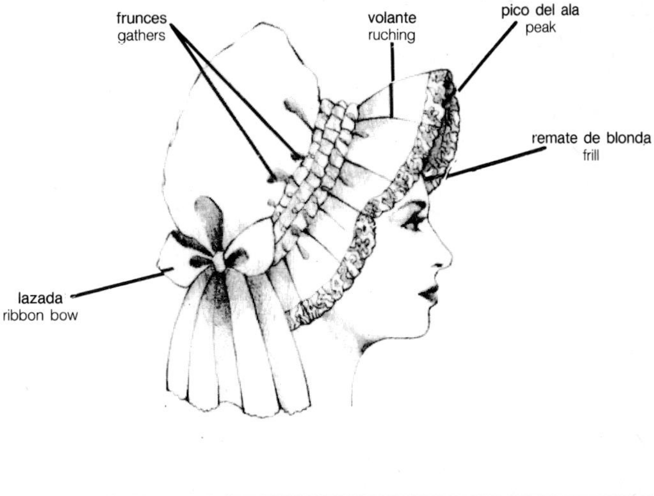

frunces
gathers
volante
ruching
pico del ala
peak
remate de blonda
frill
lazada
ribbon bow

Women's Hats

Women's hats are designed, made and sold by *milliners*. *Malines*, or stiff fine *netting*, is often used as a veil. *Buckles*, *sequins*, *plastic fruit*, *fabric flowers*, *buttons*, *tassels*, and *braids*, are among the many items used as decorative *trimming*. Brimless, closefitting hats include a *toque*, a *cloche*, and a *turban*. A *picture hat* has a broad flexible brim and is often decorated with trimming. A shallow, round hat with vertical sides is a *pillbox*. A netlike hat or part of a hat or the fabric that holds or covers the back of a woman's hair is a *snood*.

Zapato de caballero

Cualquier zapato consta de dos partes, la *suela* y *cuerpo* o *corte*. La suela se divide en suela propiamente dicha y *contrasuela* o *palmilla*, que es la parte que une a aquélla con el cuerpo del zapato. Los zapatos de caballero similares al de la ilustración tienen cordones para cerrar el *escote* o abertura del zapato. Hay otros muchos modelos de calzado sin cordones, o con la suela lisa, como los *mocasines*.

Man's Shoe

A shoe consists of a *bottom*, or heel and sole, an *inner sole*, or *insole*, and an *upper*. Shoes like the one shown here, in which the flaps fold over the tongue or vamp, are *bluchers*. Shoes without this construction are *barrels*. A step-in shoe without laces is a *loafer*, whereas a *moccasin* has neither laces nor a heel. The fringed leather decoration on some shoes that covers the laces is the *kiltie*.

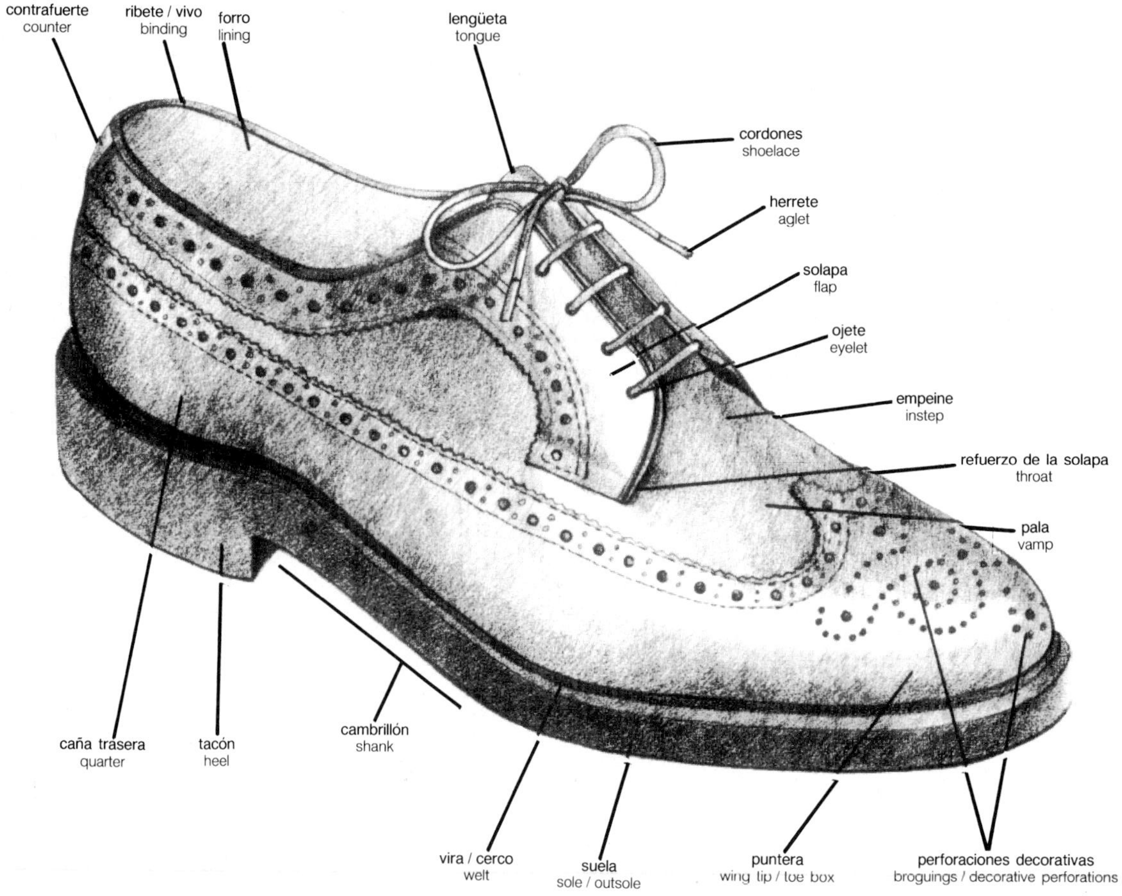
contrafuerte
counter
ribete / vivo
binding
forro
lining
lengüeta
tongue
cordones
shoelace
herrete
aglet
solapa
flap
ojete
eyelet
empeine
instep
refuerzo de la solapa
throat
pala
vamp
caña trasera
quarter
tacón
heel
cambrillón
shank
vira / cerco
welt
suela
sole / outsole
puntera
wing tip / toe box
perforaciones decorativas
broguings / decorative perforations

Zapato de señora

Cualquier zapato como el del dibujo, abierto por delante, recibe el nombre de *zapato abierto.* Algunos zapatos tienen un tacón alto y fino, que se llama de *aguja.* Las *chancletas* son una clase de *zapatillas* sin tacón, abiertas por detrás, que se usan para estar en casa. Las *alpargatas* tienen la suela de *cáñamo* o *esparto* y el cuerpo de *lona*, adornado a veces con bordados, y se atan a la garganta del pie con *cintas.*

Woman's Shoe

A shoe with an open front is an *opentoed shoe*, whereas a shoe with an open back, held on by a strap, is a *slingback*, or *sling shoe.* The *high-heel shoe* seen here is similar to a *pump* in that it grips both the toe and the heel. A high, thin heel is a *spiked*, or *stiletto, heel.* A shoe with a thick layer between the *inner sole* and the outsole is a *platform.*

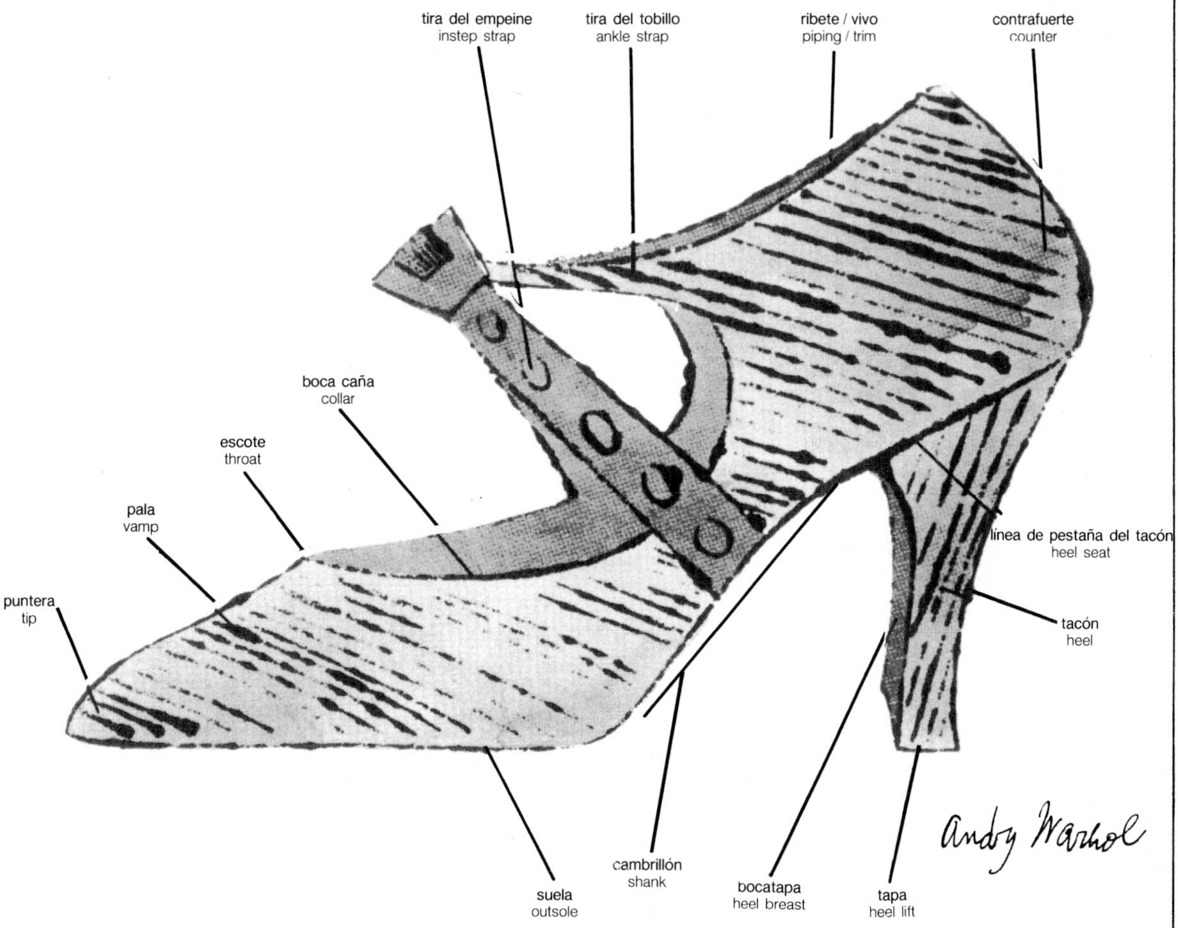
tira del empeine
instep strap
tira del tobillo
ankle strap
ribete / vivo
piping / trim
contrafuerte
counter
boca caña
collar
escote
throat
pala
vamp
puntera
tip
línea de pestaña del tacón
heel seat
tacón
heel
cambrillón
shank
suela
outsole
bocatapa
heel breast
tapa
heel lift
Andy Warhol

Bota y sandalia

La parte alta de una bota se llama *caña* y puede ir desde el tobillo hasta la rodilla en el caso de las botas altas. La parte baja de una bota recibe el nombre de *pie*. Muchas botas van reforzadas con una plancha de metal insertada en el *cambrillón*, entre la *suela* y la *contrasuela*, siguiendo el arco inferior del pie.

Boot and Sandal

The upper section of a boot, called the *shaft*, may extend from ankle to knee. The lower section is called the *foot*. Many boots have a contoured steel *shank*, located between outsole and *insole*, to provide support for the arch area. A *thong* is a type of sandal in which the strap comes up between the big toe and the toe next to it.

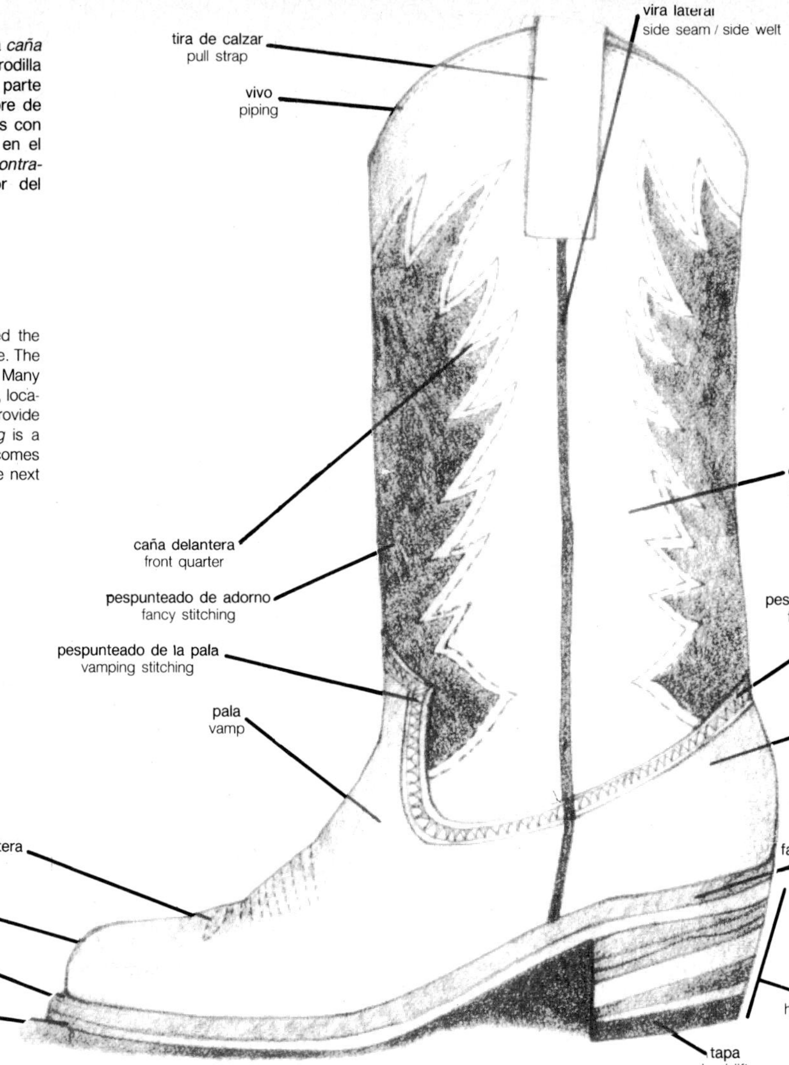

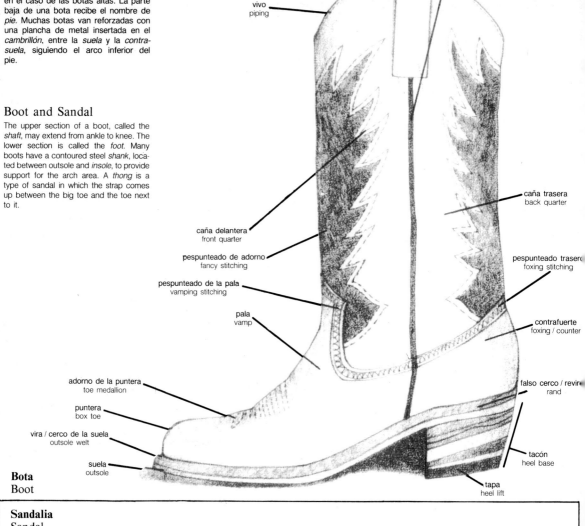

vira lateral
side seam / side welt
tira de calzar
pull strap
vivo
piping
caña trasera
back quarter
caña delantera
front quarter
pespunteado de adorno
fancy stitching
pespunteado traser
foxing stitching
pespunteado de la pala
vamping stitching
pala
vamp
contrafuerte
foxing / counter
adorno de la puntera
toe medallion
falso cerco / revir
rand
puntera
box toe
vira / cerco de la suela
outsole welt
tacón
heel base
suela
outsole
tapa
heel lift

Bota
Boot

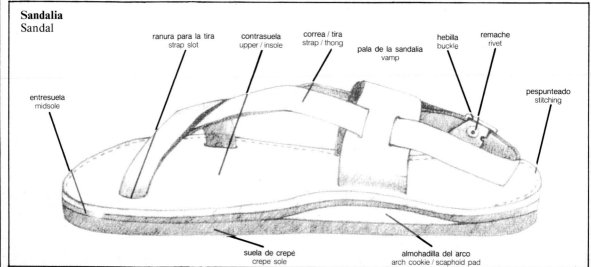

Sandalia
Sandal

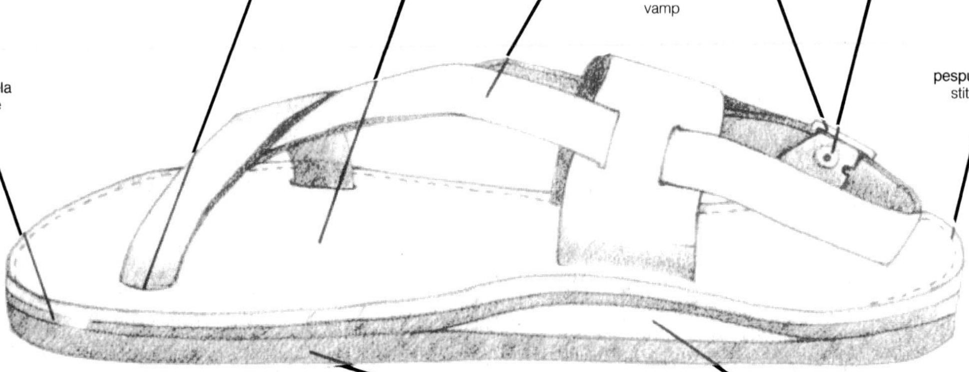

ranura para la tira
strap slot
contrasuela
upper / insole
correa / tira
strap / thong
pala de la sandalia
vamp
hebilla
buckle
remache
rivet
entresuela
midsole
pespunteado
stitching
suela de crepé
crepe sole
almohadilla del arco
arch cookie / scaphoid pad

Accesorios del calzado

En tiempo de lluvia se pueden proteger los zapatos con *chanclos* o *galochas* de goma. El mismo destino tienen los *zuecos*, *madreñas* o *almadreñas*, que suelen ser de madera. Hay *calcetines altos*, que cubren hasta por debajo de la rodilla, *calcetines bajos* que solo llegan hasta por encima del tobillo. Las *medias* femeninas suelen llegar a la parte superior del muslo y se sujetan con *ligas* o *ligueros*. Para quitarse las botas se usan *sacabotas*, tablillas con una muesca en la que se inserta el tacón para tirar.

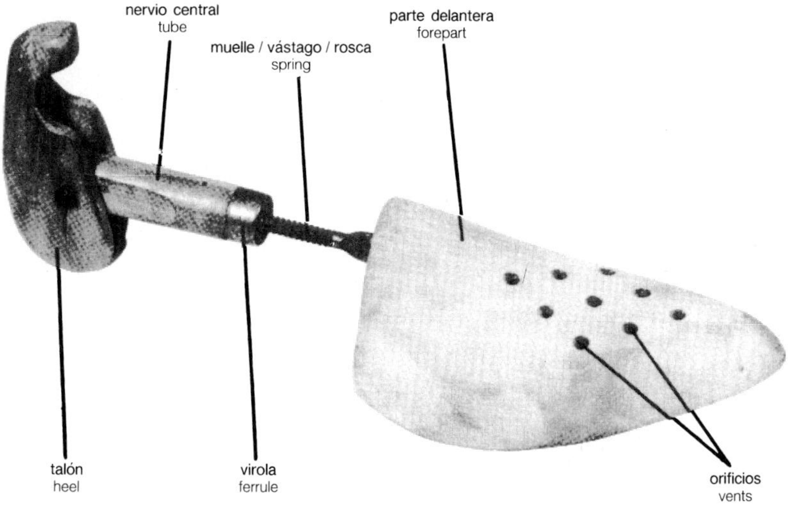
nervio central
tube
parte delantera
forepart
muelle / vástago / rosca
spring
talón
heel
virola
ferrule
orificios
vents

Pernito
Shoe Tree

Shoe Accessories

Shoes can be protected in wet weather by *rubbers*, *rain boots* or *galoshes*. Socks, or *hose*, which extend to the ankle are *ankle socks*, whereas *knee socks* reach to the knee. *Support* hose have a higher *denier*, or mesh count, than regular hose, which provides additional support for the foot and leg. *Peds* are liners that cover the toes, sole and heel. *Boot hooks*, which fit into *boot loops*, help pull boots on, while V-shaped *bootjacks* hold the boot heel for easier removal. *Athletic socks*, or *sweat socks*, absorb perspiration. Shapeless *tube socks* mold to any foot shape.

Calzador
Shoe Horn

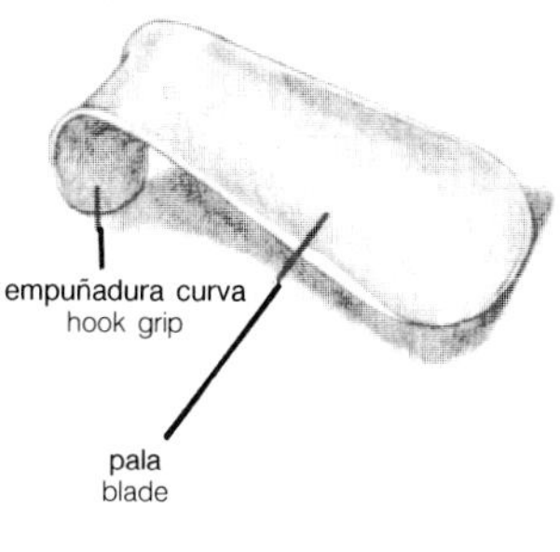
empuñadura curva
hook grip
pala
blade

Calcetín
Sock

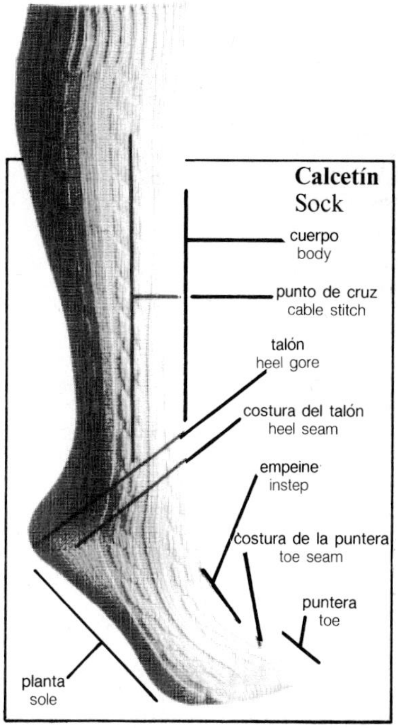
cuerpo
body
punto de cruz
cable stitch
talón
heel gore
costura del talón
heel seam
empeine
instep
costura de la puntera
toe seam
puntera
toe
planta
sole

Cierres de mercería

Entre los sistemas de cierre de confección destacan las *presillas*, que se utilizan en combinación con botones, las cintas con *ojales* y los *frunces de hilo elástico*.

Fasteners

Heavy-duty hook-and-eye closures are called *hook and bars*. In a *cinch fastener*, a *strap* is pulled through two *rings* then back through the second ring to fasten. A *frog consists* of an intricately knotted *cord loop* through which a button is hooked.

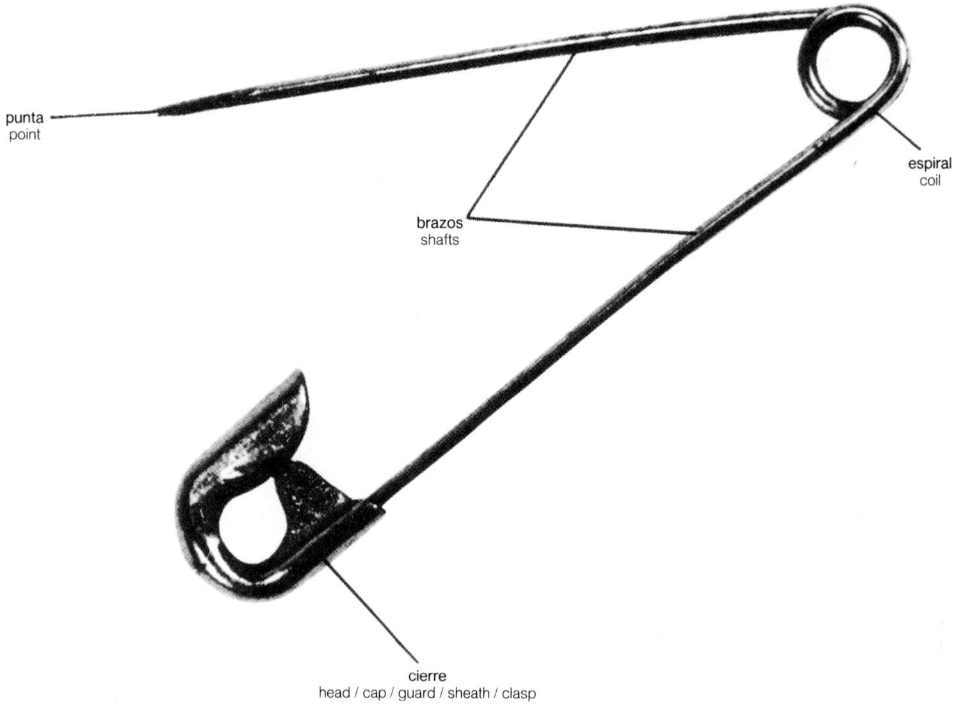
punta
point
brazos
shafts
espiral
coil
cierre
head / cap / guard / sheath / clasp

Imperdible
Safety Pin

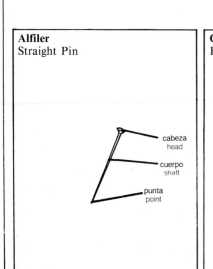

Alfiler
Straight Pin

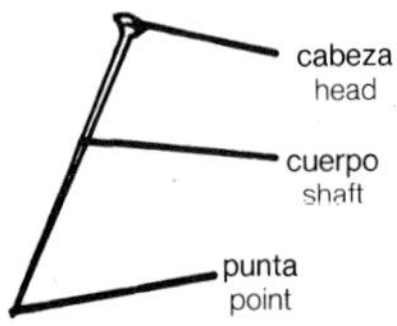
cabeza
head
cuerpo
shaft
punta
point

Corchetes
Hook and Eye

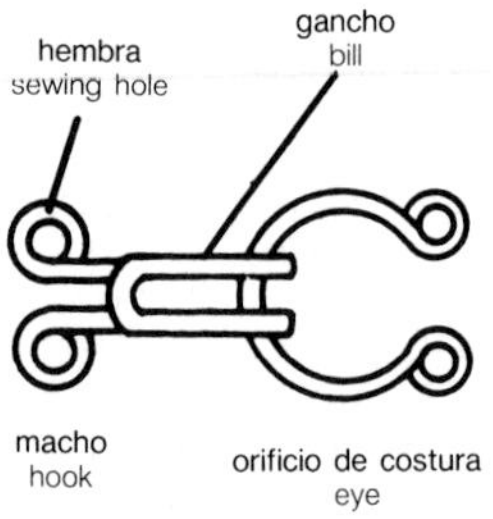
hembra
sewing hole
gancho
bill
macho
hook
orificio de costura
eye

Automáticos
Snap

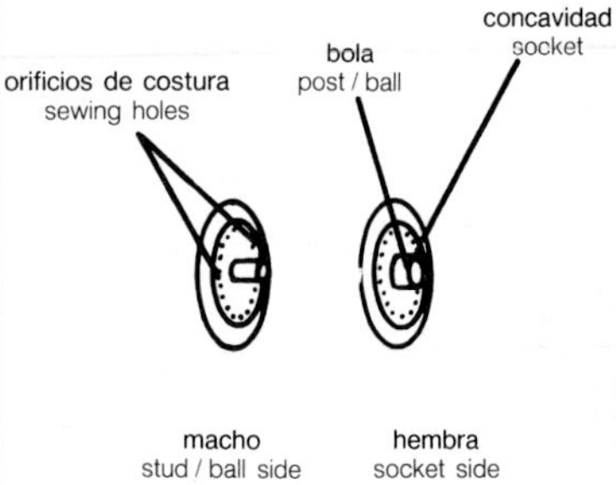
orificios de costura
sewing holes
bola
post / ball
concavidad
socket
macho
stud / ball side
hembra
socket side

Cierres

En el interior del pasador, una barra divisoria separa los dientes al desplazar aquél hacia abajo. Algunas cremalleras llevan en cada cinta una espiral de nylón en sustitución de los dientes. Se denomina *cremallera reversible* la que se sube y baja accionándola por ambas caras. Cualquier cremallera puede coserse a una prenda de forma invisible si se oculta entre dos pestañas formadas en el tejido; el efecto es parecido al de una costura.

Closures

A *divider* within the zipper slide separates teeth when it is moved downward. Some zippers have a *synthetic coil* rather than teeth. A *pull ring* is occasionally attached to the slide for decorative purposes. A *twoway zipper* can be opened from either end, while an *invisible zipper* is concealed when closed and appears to be a *seam*.

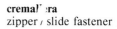

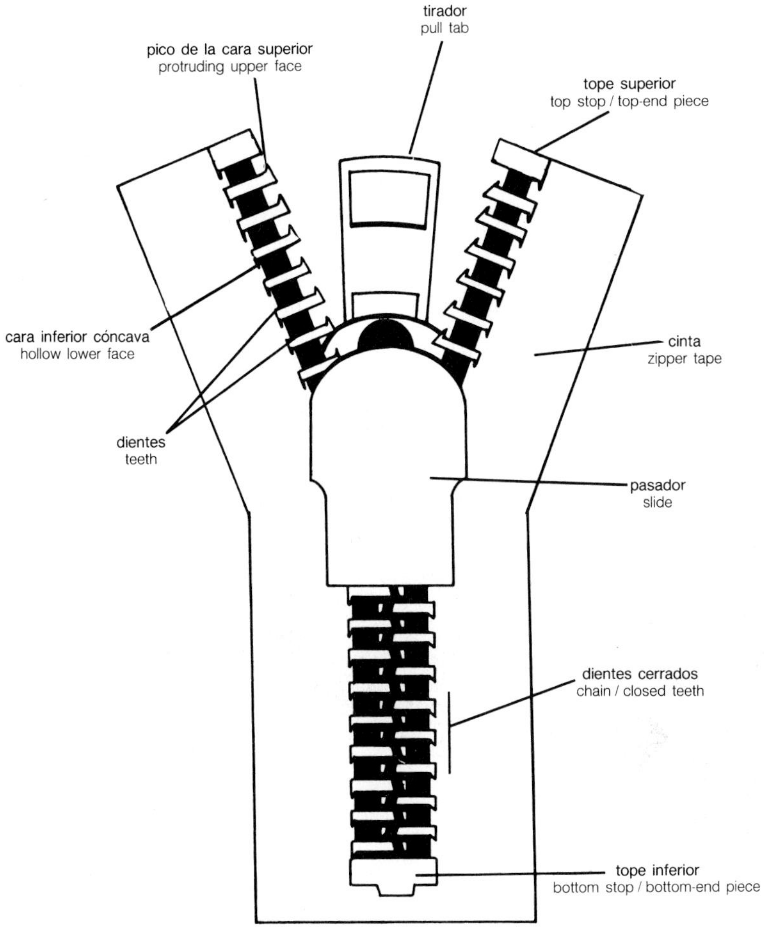

tirador
pull tab
pico de la cara superior
protruding upper face
tope superior
top stop / top-end piece
cara inferior cóncava
hollow lower face
cinta
zipper tape
dientes
teeth
pasador
slide
dientes cerrados
chain / closed teeth
tope inferior
bottom stop / bottom-end piece

cremallera
zipper / slide fastener

Velcro
Velcro

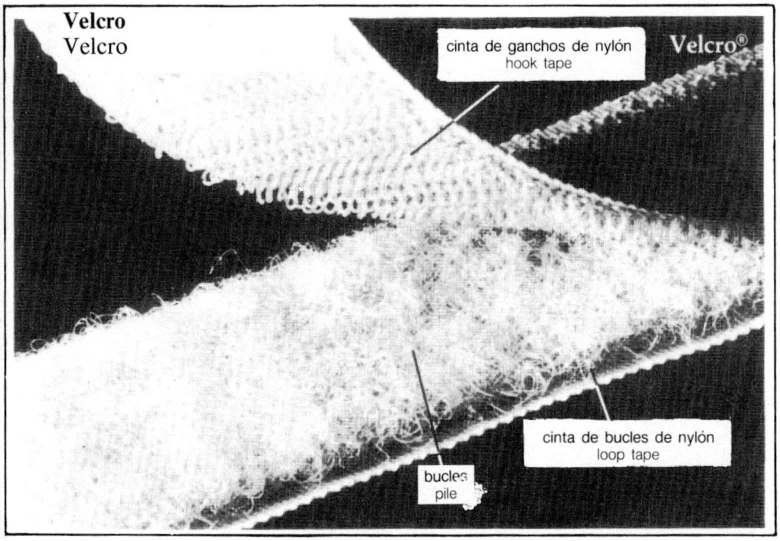

cinta de ganchos de nylón
hook tape
Velcro®
cinta de bucles de nylón
loop tape
bucles
pile

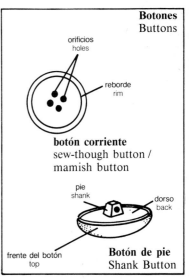

Botones
Buttons

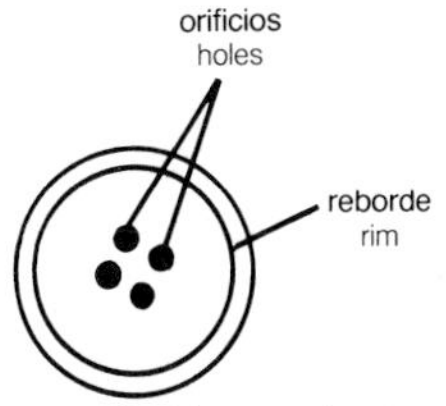

orificios
holes
reborde
rim

botón corriente
sew-though button / mamish button

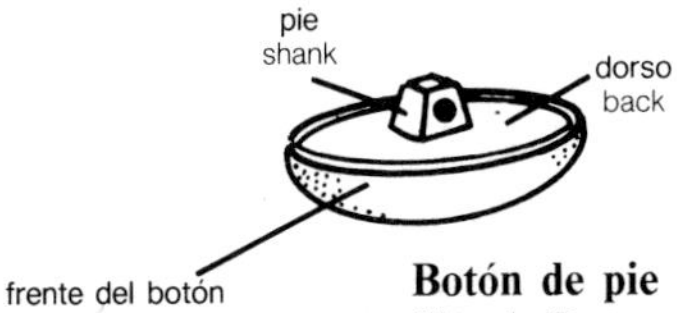

pie
shank
dorso
back
frente del botón
top

Botón de pie
Shank Button

Maquinillas de afeitar

La *navaja de afeitar* tiene una sola hoja larga que se cierra sobre el mango. Se afila contra una correa de cuero denominada *suavizador*. Otros utensilios antiguos de barbero son la *bacía* y la *brocha de afeitar*. La maquinilla que se utiliza con hojas, como la de la ilustración, sujeta éstas entre dos chapas por medio de un tornillo cuya cabeza está situada en la base del mango. Las pequeñas hemorragias producidas por cortes en el afeitado se detienen con un *lápiz hemostático*.

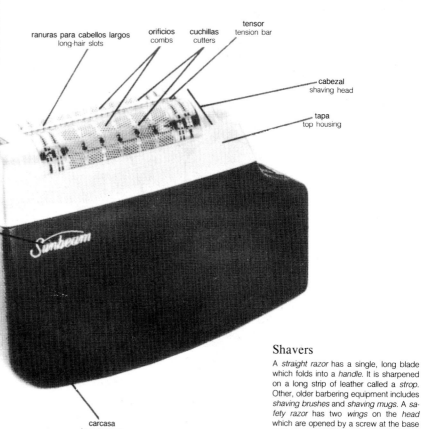

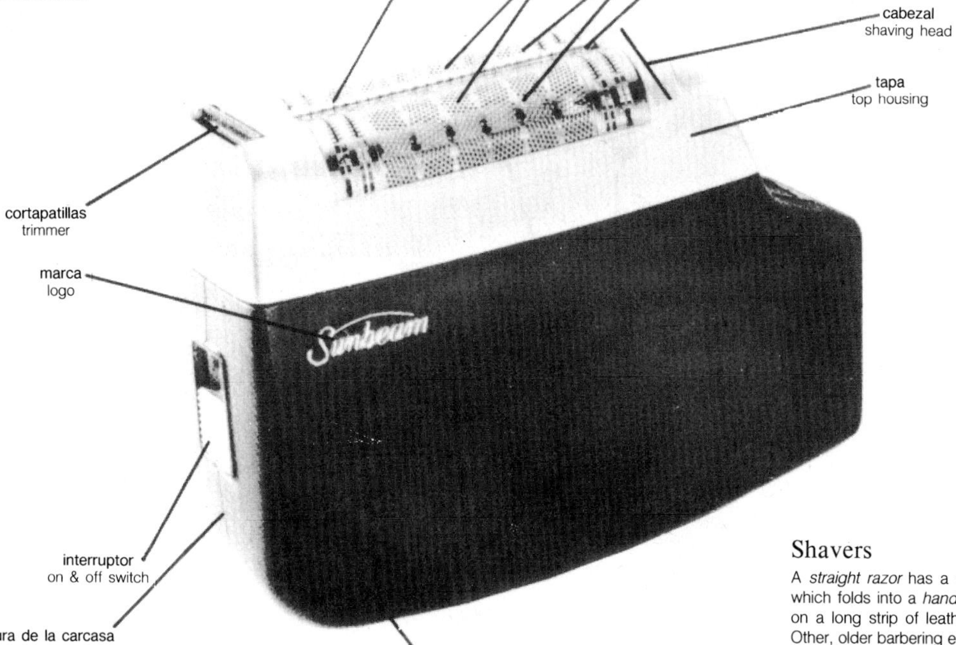
ranuras para cabellos largos
long-hair slots
orificios
combs
cuchillas
cutters
tensor
tension bar
cabezal
shaving head
tapa
top housing
cortapatillas
trimmer
marca
logo
Sunbeam
interruptor
on & off switch
juntura de la carcasa
rear housing
carcasa
front housing

Maquinilla eléctrica
Electric Razor

Shavers

A *straight razor* has a single, long blade which folds into a *handle*. It is sharpened on a long strip of leather called a *strop*. Other, older barbering equipment includes *shaving brushes* and *shaving mugs*. A *safety razor* has two *wings* on the *head* which are opened by a screw at the base of the handle. Bleeding from shaving cuts or nicks can be stopped with a *styptic pencil*.

Hoja de afeitar
Razor Blade / Double-Edged Blade

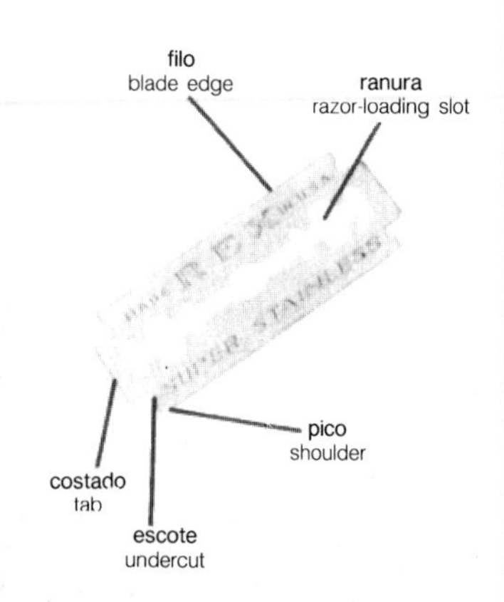
filo
blade edge
ranura
razor-loading slot
SUPER STAINLESS
pico
shoulder
costado
tab
escote
undercut

Inyector de cuchillas
Blade Injector

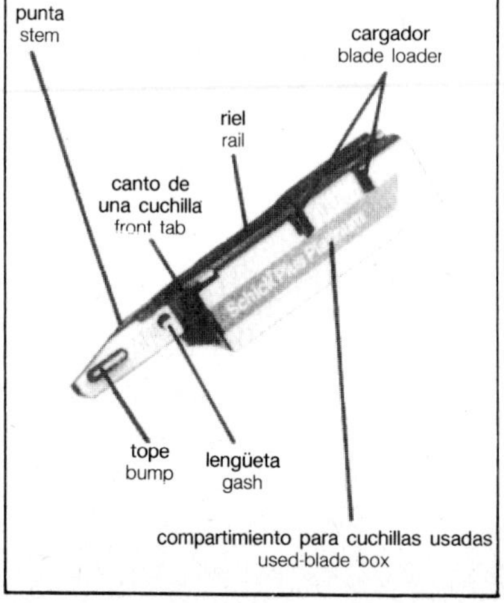
punta
stem
cargador
blade loader
riel
rail
canto de una cuchilla
front tab
tope
bump
lengüeta
gash
compartimiento para cuchillas usadas
used-blade box

Maquinilla desechable
Disposable Razor

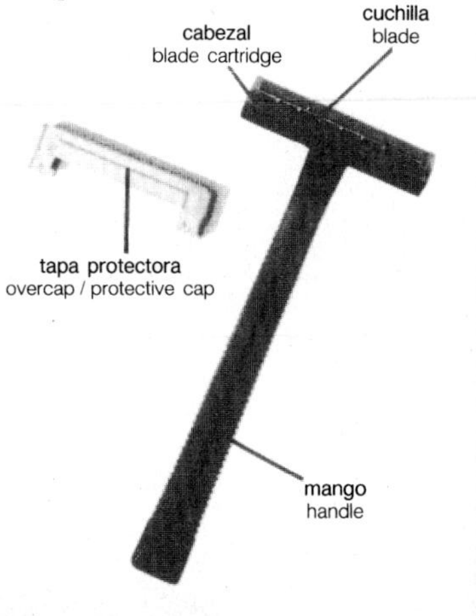
cuchilla
blade
cabezal
blade cartridge
tapa protectora
overcap / protective cap
mango
handle

Cabello masculino

Se llama *cabellera* al conjunto de los cabellos de la cabeza. Una *calva* es una porción de cuero cabelludo desprovista de cabello. Las calvas se disimulan o corrigen con *pelucas*, *peluquines*, *postizos* y *entretejidos de cabellos*. Una *barba rala* es la que está poco poblada; la que cubre exclusivamente el mentón se denomina *perilla*, y una pequeña porción de cabello entre el labio inferior y el mentón, *mosca*. *Barba corrida* es la que cubre la parte inferior del rostro, de patilla a patilla.

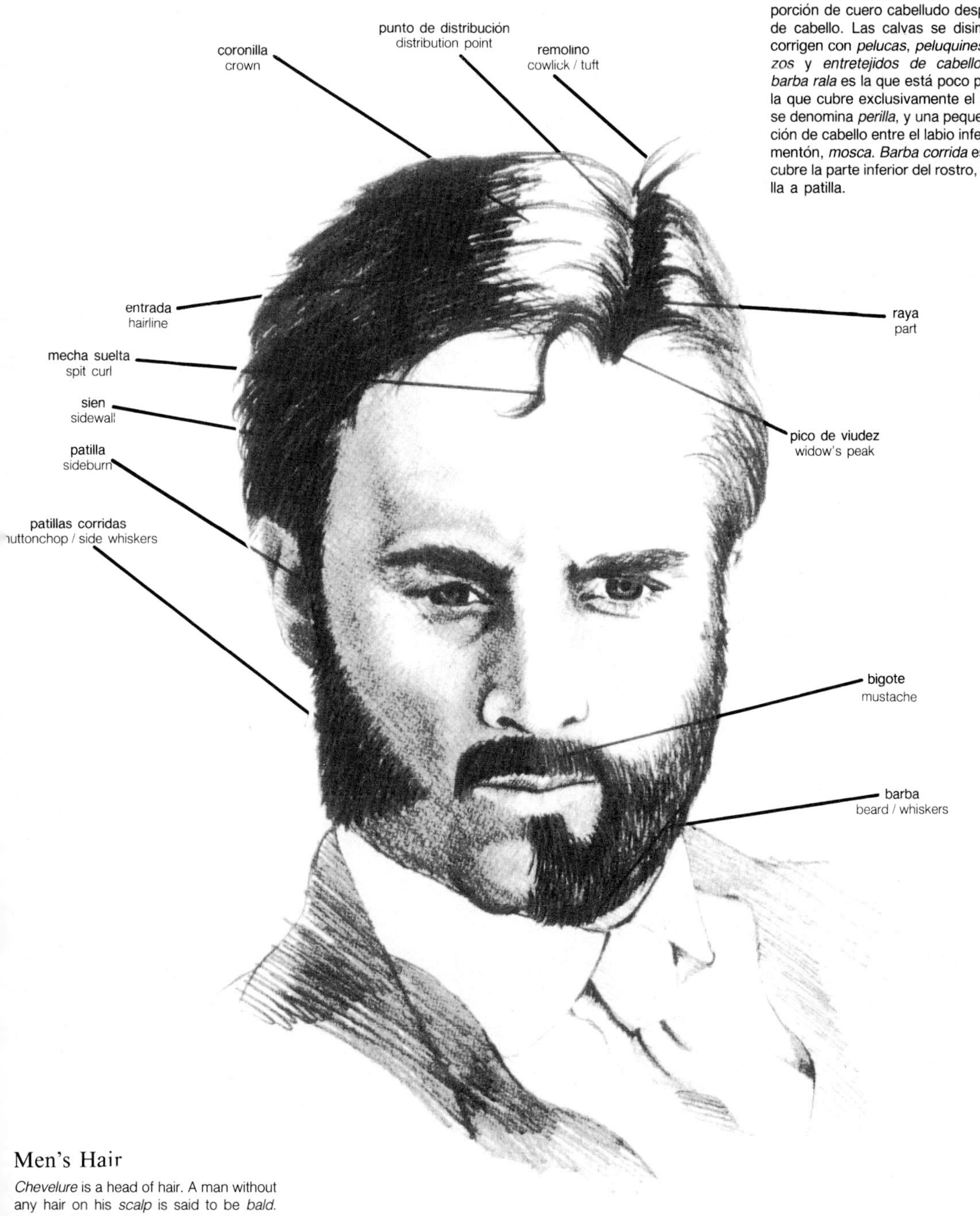

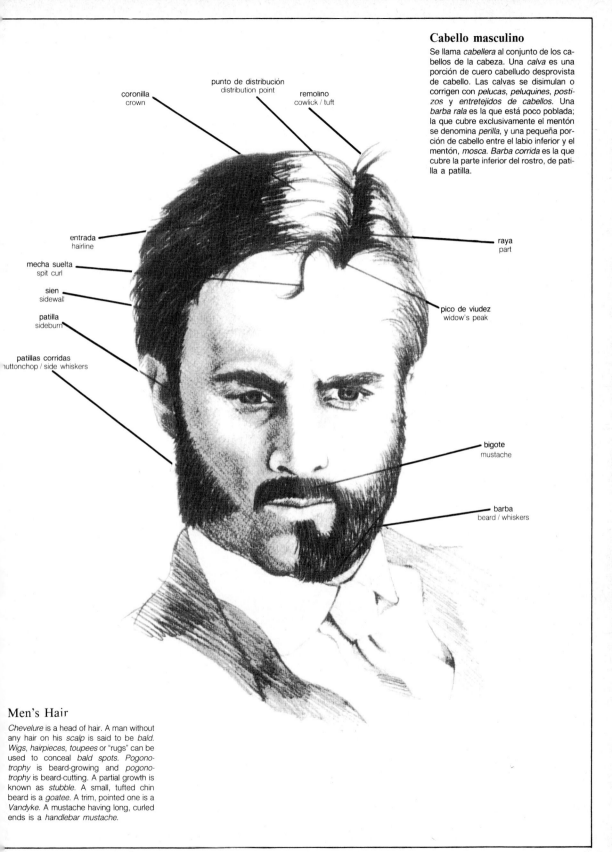

punto de distribución
distribution point
coronilla
crown
remolino
cowlick / tuft
entrada
hairline
raya
part
mecha suelta
spit curl
sien
sidewall
pico de viudez
widow's peak
patilla
sideburn
patillas corridas
muttonchop / side whiskers
bigote
mustache
barba
beard / whiskers

Men's Hair

Chevelure is a head of hair. A man without any hair on his *scalp* is said to be *bald*. *Wigs*, *hairpieces*, *toupees* or "rugs" can be used to conceal *bald spots*. *Pogonotrophy* is beard-growing and *pogonotrophy* is beard-cutting. A partial growth is known as *stubble*. A small, tufted chin beard is a *goatee*. A trim, pointed one is a *Vandyke*. A mustache having long, curled ends is a *handlebar mustache*.

Utensilios para el cuidado del cabello

Los secadores para el cabello suelen llevar diversos accesorios adaptables al extremo del cañón, como peines y cepillos moldeadores y boquillas de reducción del flujo de aire.

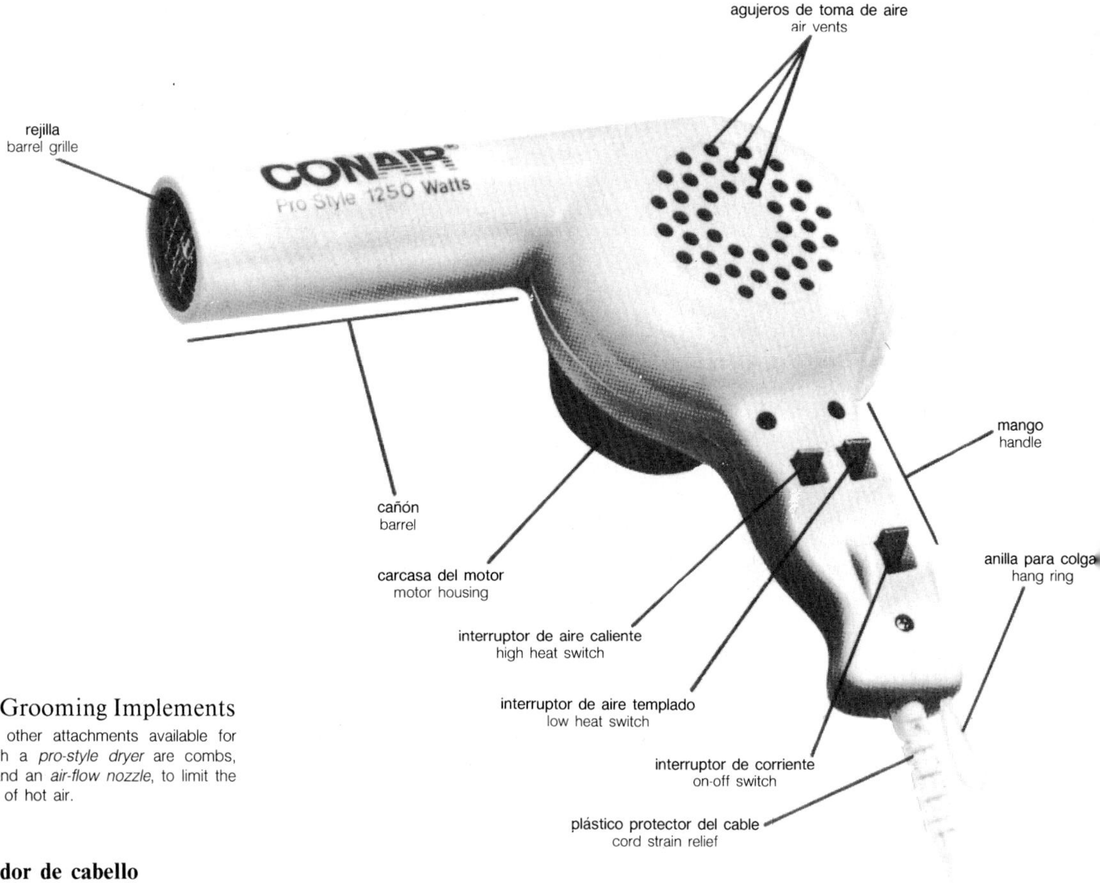

CONAIR
Pro Style 1250 Watts
agujeros de toma de aire
air vents
rejilla
barrel grille
mango
handle
cañón
barrel
carcasa del motor
motor housing
anilla para colgar
hang ring
interruptor de aire caliente
high heat switch
interruptor de aire templado
low heat switch
interruptor de corriente
on-off switch
plástico protector del cable
cord strain relief

Hair Grooming Implements

Among other attachments available for use with a *pro-style dryer* are combs, brush and an *air-flow nozzle*, to limit the amount of hot air.

Secador de cabello
Hair Dryer

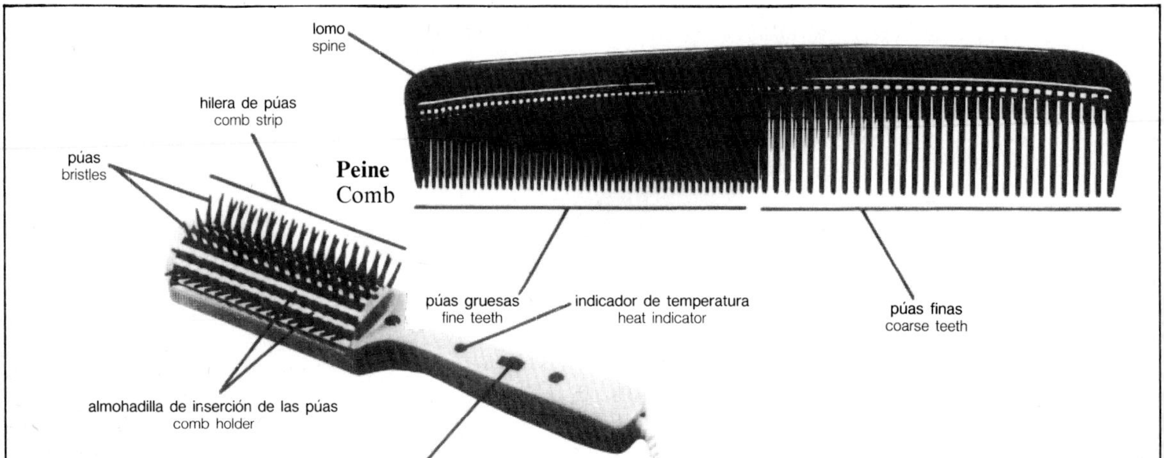

lomo
spine
hilera de púas
comb strip
púas
bristles
púas gruesas
fine teeth
indicador de temperatura
heat indicator
púas finas
coarse teeth
almohadilla de inserción de las púas
comb holder
interruptor
on-off switch

Peine
Comb

Cepillo-moldeador eléctrico
Electric Brush

Cabello femenino

La *cola de caballo* es una coleta que recoge todo el cabello en la parte posterior de la cabeza. *Peinado hueco* es el separado del cuero cabelludo mediante un *cardado*. Un *postizo* es una porción de cabello natural o artificial que se emplea para que parezca más abundante la cabellera natural. Se llama *melena* al cabello que cuelga junto al rostro o sobre la parte posterior del cuello.

moño
knot / bun / beehive / chignon
coleta
ponytail
rizo
kiss curl
flequillo
bangs
ceja
eyebrow
pestañas
eyelashes
trenza
braid / plait / tress
onda
flip
bucle
tendril / ringlet
echón lacio
rand / wisp
tirabuzón
curl

Women's Hair

A small portion of nair in a woman's *hairdo*, or *coiffure*, is a *lock*. *Bouffant* is a puffed-out hairdo. *Teased*, or *backcombed, hair* is achieved by taking hold of a strand and pushing the short hairs toward the scalp with a comb. A braid on the back of the head is a *pigtail*. Hair that turns inward at the end, rather than outward, is a *pageboy*. A long piece of store-bought clipped to real hair is a *fall*.

Utensilios para el peinado

El rizador puede usarse para *rizar* un mechón de pelo o para alisarlo. Las pinzas y las horquillas tienen una longitud variable y se usan para sujetar los peinados sencillos o para fijar al cabello los rulos y *bigudíes*, mientras se está haciendo un peinado, aunque algunos, como el que se ve aquí, pueden sujetarse solos. Los *peines*, *peinetas*, *alfileres*, *cintas*, *lazos* y *bandas*, sirven para sujetar el pelo o para adornarlo. Los *peluqueros profesionales* utilizan *secadores de campana*, *secadores manuales*, *rizadores*, *papeles* y *varillas* y *bigudíes* para hacer la *permanente*. También usan *champús* y *colonias* especiales, aplicadas directamente o por medio de *aerosoles*, *lociones rizadoras* o *desrizadoras*, *lacas* y *fijadores*.

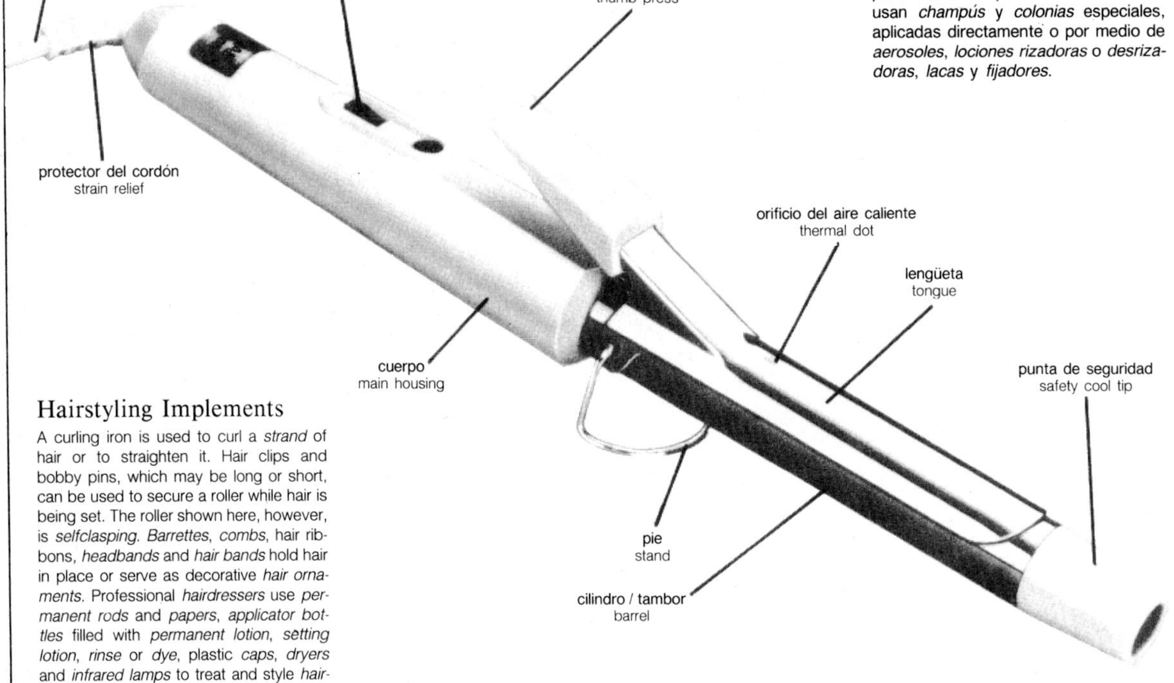
cordón
power cord
interruptor
on-off switch
pulsador
thumb press
protector del cordón
strain relief
orificio del aire caliente
thermal dot
lengüeta
tongue
cuerpo
main housing
punta de seguridad
safety cool tip
pie
stand
cilindro / tambor
barrel

Hairstyling Implements

A curling iron is used to curl a *strand* of hair or to straighten it. Hair clips and bobby pins, which may be long or short, can be used to secure a roller while hair is being set. The roller shown here, however, is *selfclasping*. *Barrettes*, *combs*, hair ribbons, *headbands* and *hair bands* hold hair in place or serve as decorative *hair ornaments*. Professional *hairdressers* use *permanent rods* and *papers*, *applicator bottles* filled with *permanent lotion*, *setting lotion*, *rinse* or *dye*, plastic *caps*, *dryers* and *infrared lamps* to treat and style *hairdos*.

Rizador eléctrico
Curling Iron

Horquilla
Bobby Pin / Hairpin

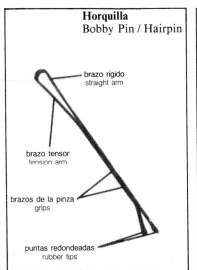

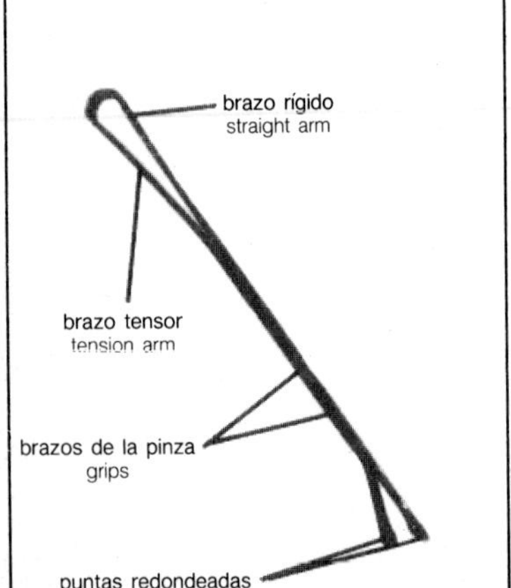
brazo rígido
straight arm
brazo tensor
tension arm
brazos de la pinza
grips
puntas redondeadas
rubber tips

Rulo
Hair Roller

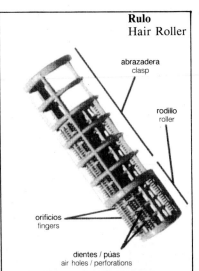

abrazadera
clasp
rodillo
roller
orificios
fingers
dientes / púas
air holes / perforations

Pinza de pelo
Hair Clip

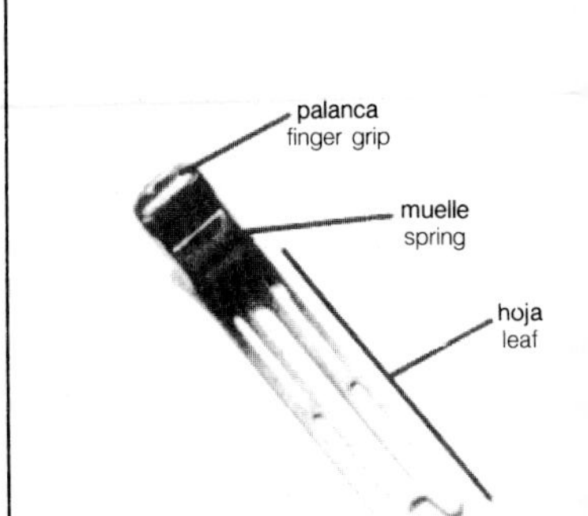
palanca
finger grip
muelle
spring
hoja
leaf

Cepillo de dientes

El escarbadientes, de plástico o de goma, se inserta en el orificio que hay en el extremo del mango del cepillo para colgarlo. También pueden limpiarse los dientes con *seda dental* y con pulverizadores de agua a presión. Las uñas también se cortan con tijerillas especiales de puntas curvas. Para suavizar los bordes cortados se las frota con una *lima*, de cartón o de metal.

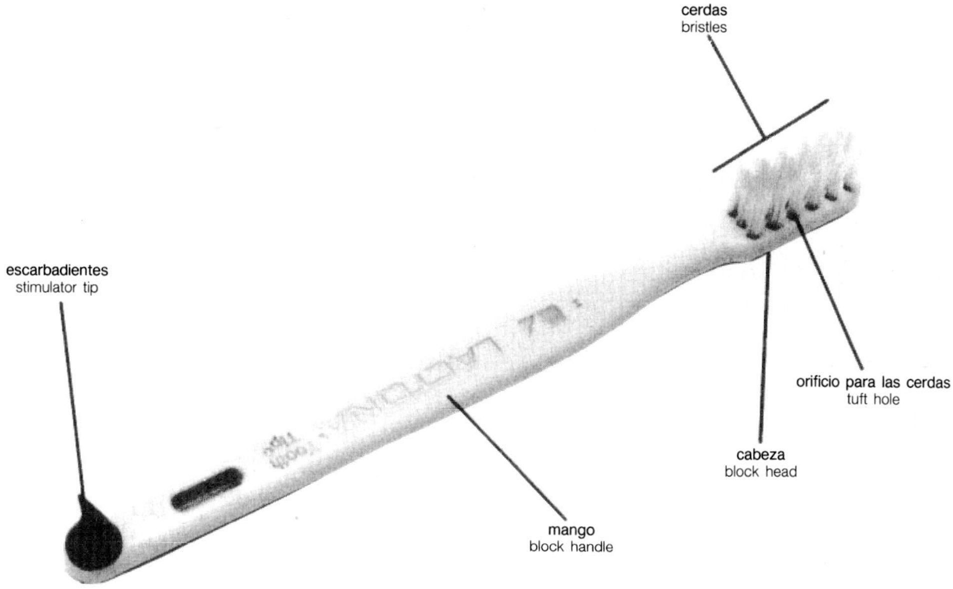
cerdas
bristles
escarbadientes
stimulator tip
orificio para las cerdas
tuft hole
cabeza
block head
mango
block handle

Cepillo de dientes
Toothbrush

Toothbrush

The stimulator tip on a toothbrush fits in what is called a *hang-up hole*. Teeth can also be cleaned with *dental floss*, a waxed string, and *high-pressure water-spray units*. Nails can be smoothed with an *emery board*, a cardboard strip covered with *powdered emery*, or a *nail file*.

Pinzas
Tweezers

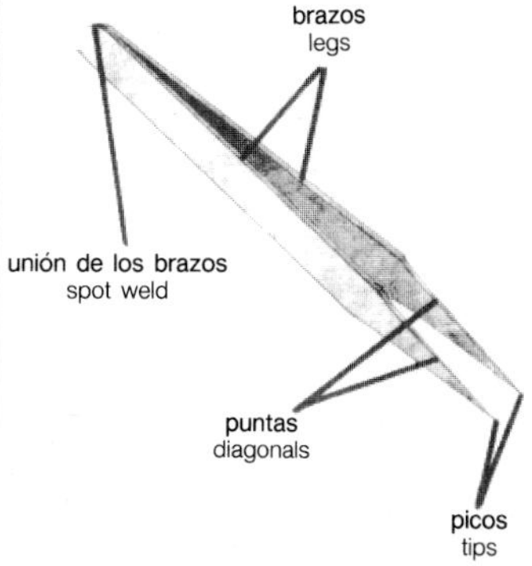
brazos
legs
unión de los brazos
spot weld
puntas
diagonals
picos
tips

Cortauñas
Nail Clippers

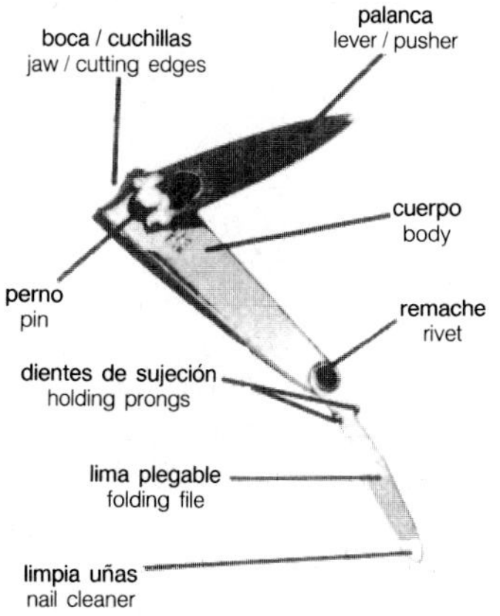
boca / cuchillas
jaw / cutting edges
palanca
lever / pusher
cuerpo
body
perno
pin
remache
rivet
dientes de sujeción
holding prongs
lima plegable
folding file
limpia uñas
nail cleaner

Maquillaje

El *corrector*, del color de la piel, se usa para tapar las imperfecciones y las ojeras. Actores y actrices utilizan unos polvos muy compactos como base de maquillaje. Éste se elimina con *cremas limpiadoras*.

Makeup

A skin-colored *concealer*, or *coverup*, can be used to cover blemishes or undesirable shadows under the eyes. *Pancake makeup* is a thick face powder used by actors and actresses as a foundation. Makeup can be removed with a *cleansing cream* or *cold cream*.

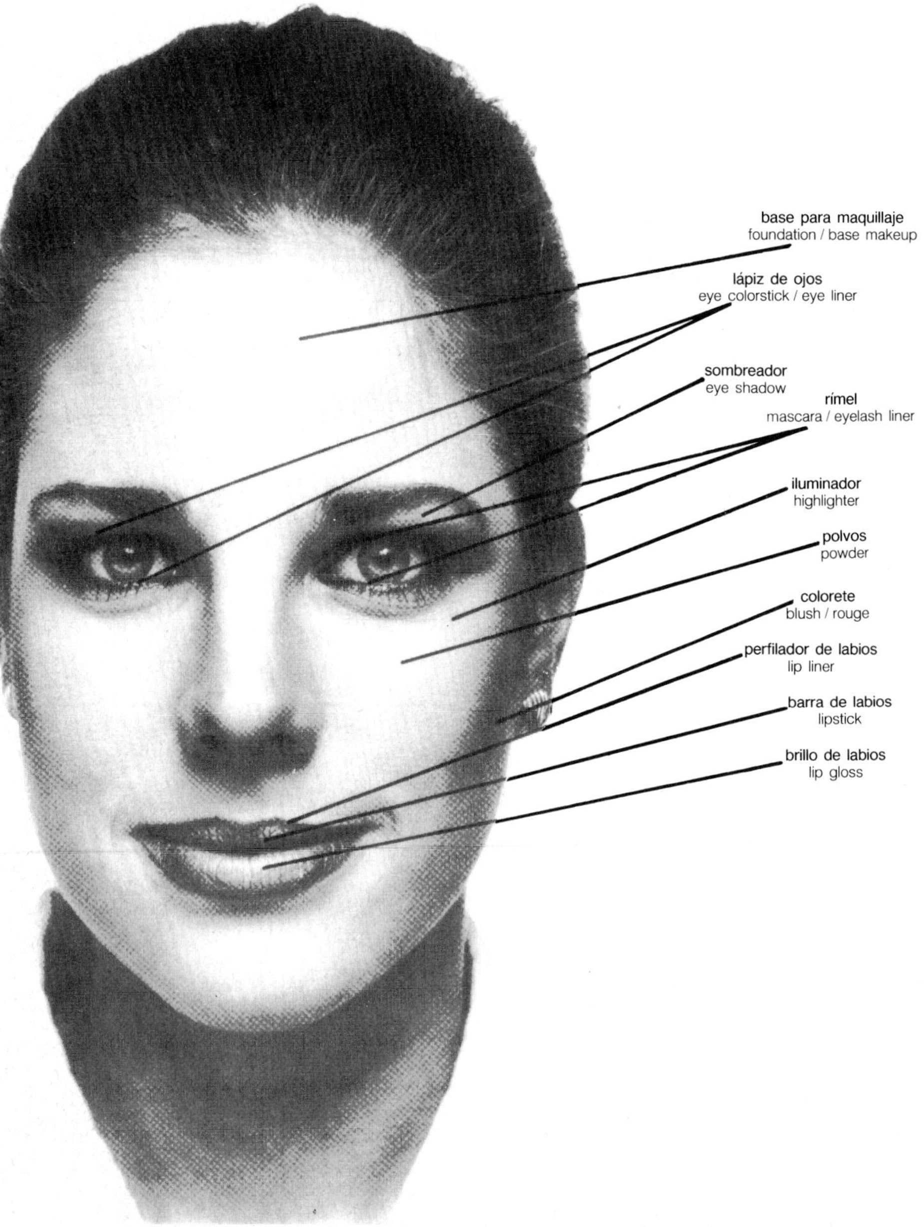

base para maquillaje
foundation / base makeup
lápiz de ojos
eye colorstick / eye liner
sombreador
eye shadow
rímel
mascara / eyelash liner
iluminador
highlighter
polvos
powder
colorete
blush / rouge
perfilador de labios
lip liner
barra de labios
lipstick
brillo de labios
lip gloss

Productos de belleza

Aparte de los que se ven aquí, existen muchos otros productos de belleza, como son las *lacas para uñas*, las *cremas*, *lociones* y *aceites cosméticos* y los *perfumes*. Los hombres utilizan principalmente *colonias* y *lociones para antes* y *después del afeitado*.

Beauty Products

Colored *nail polish* is often used to "paint" fingernails and toenails. In addition to those beauty products shown here, there are *scents*, such as *perfume*, applied by women to *pulse points*; *bath oils*; *body oils*; *moisturizers* and *lotions*. Men use *colognes* or *after-shave lotions*.

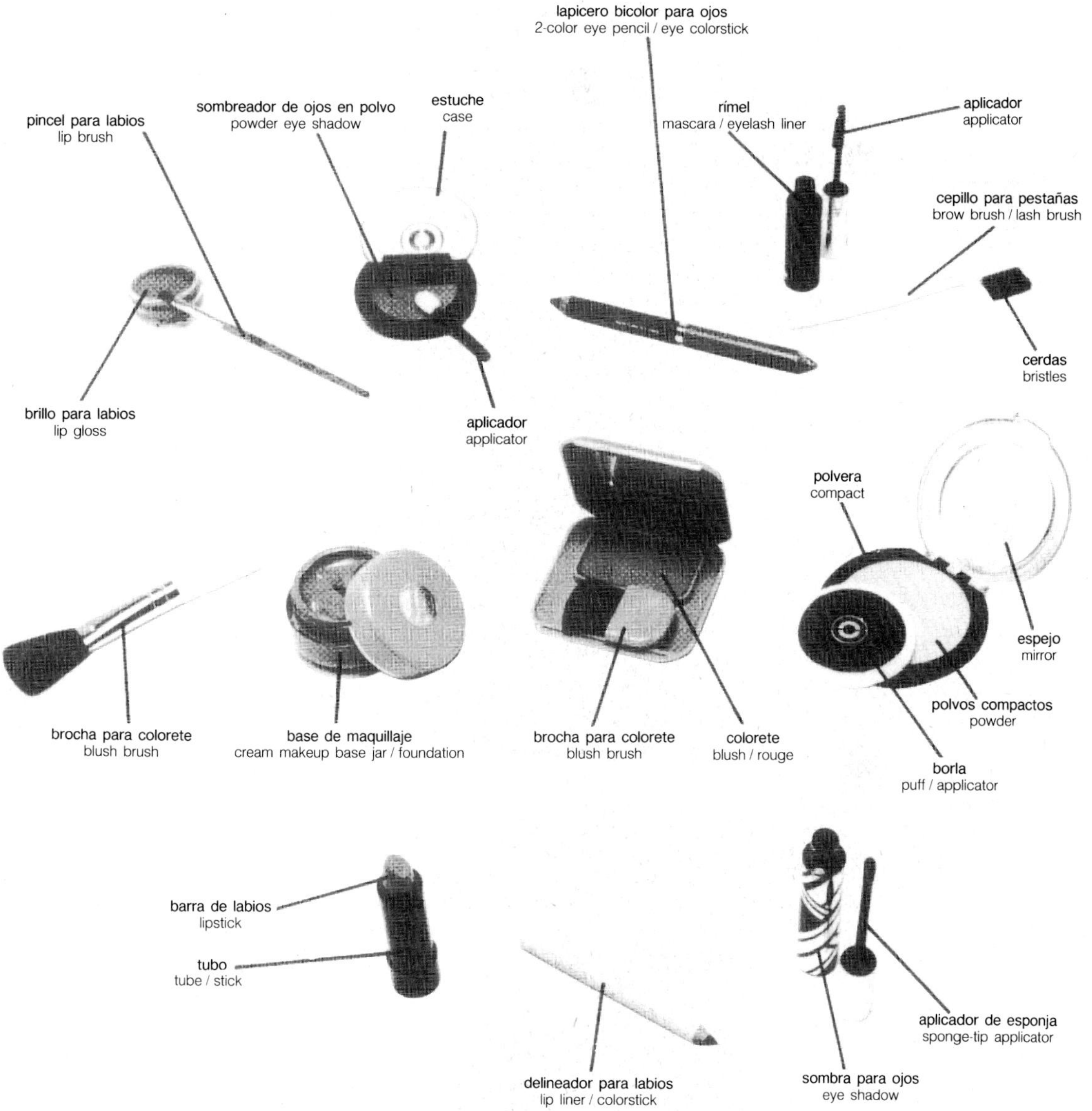
lapicero bicolor para ojos
2-color eye pencil / eye colorstick
pincel para labios
lip brush
sombreador de ojos en polvo
powder eye shadow
estuche
case
rímel
mascara / eyelash liner
aplicador
applicator
cepillo para pestañas
brow brush / lash brush
cerdas
bristles
brillo para labios
lip gloss
aplicador
applicator
polvera
compact
espejo
mirror
polvos compactos
powder
borla
puff / applicator
brocha para colorete
blush brush
base de maquillaje
cream makeup base jar / foundation
brocha para colorete
blush brush
colorete
blush / rouge
barra de labios
lipstick
tubo
tube / stick
aplicador de esponja
sponge-tip applicator
delineador para labios
lip liner / colorstick
sombra para ojos
eye shadow

Gema o piedra preciosa

El efecto que la luz produce al incidir sobre las *facetas* de una gema recibe el nombre de *brillo*, y el juego alternativo de luces y sombras que se forman al mover la gema, *destellos*. Un *aderezo* o *juego* de joyas suele incluir un *collar*, *pendientes* y un *broche*. Un *camafeo* es una gema sobre la que se ha tallado un relieve. Obras de *bisutería* son objetos de adorno confeccionados a imitación de las *joyas*, con materiales menos valiosos.

Gemstone

The shades of color a gemstone gives off are called *fire*. A matched set of jewelry, or *parure*, often includes a necklace, earrings and a *brooch*. A *cameo* is a gem on which a relief carving has been made. Nonprecious *costume jewelry* is made to simulate its precious counterparts. The end of a *cuff link* that is passed through the buttonhole and fastened is called a *wing-back*, or *airplane-back*.

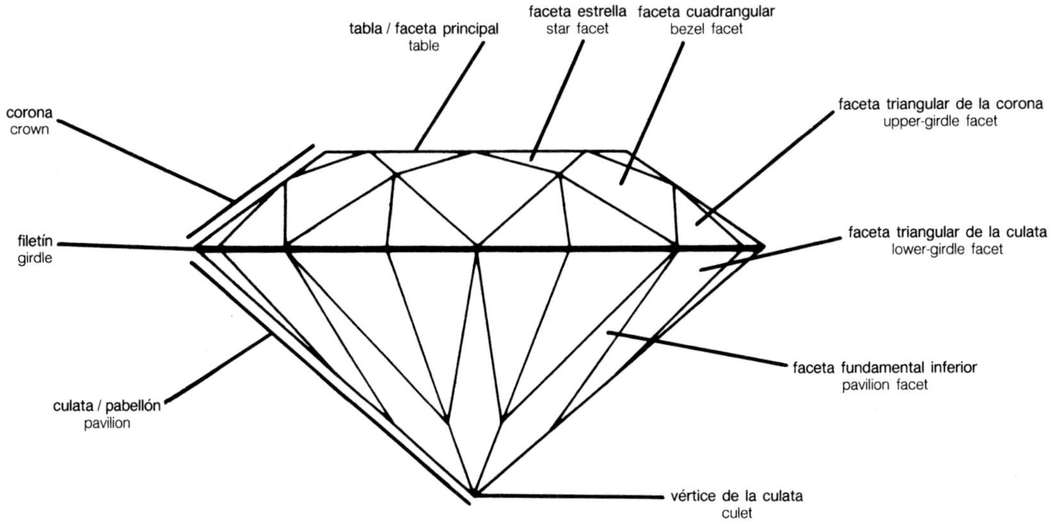

Piedra tallada
Cut Gemstone

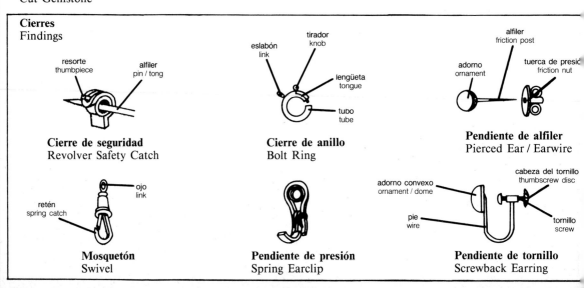

Cierres
Findings

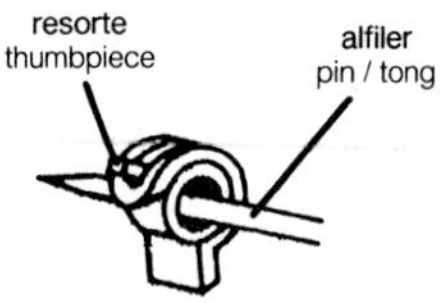

Cierre de seguridad
Revolver Safety Catch

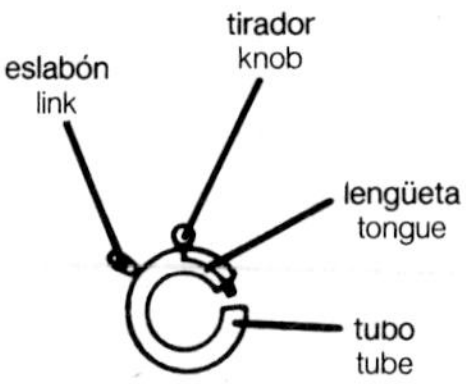

Cierre de anillo
Bolt Ring

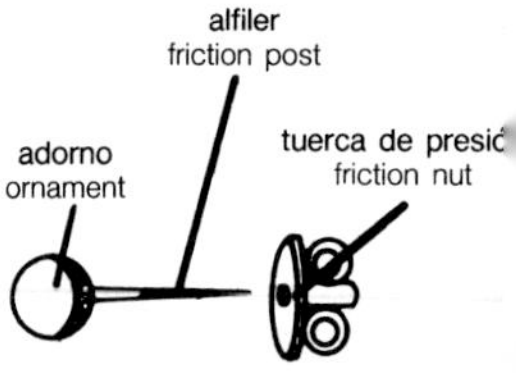

Pendiente de alfiler
Pierced Ear / Earwire

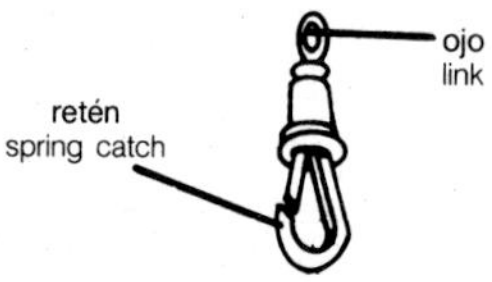

Mosquetón
Swivel

Pendiente de presión
Spring Earclip

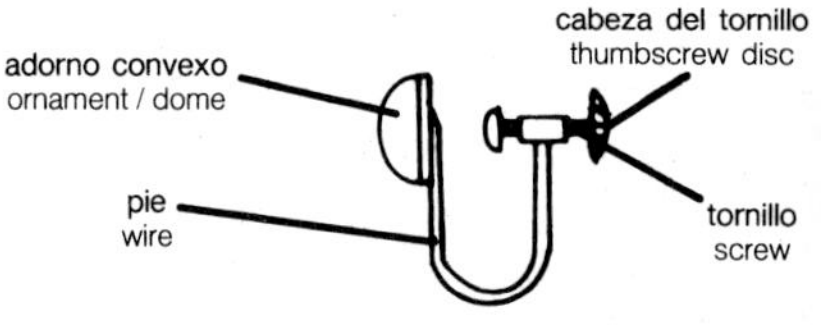

Pendiente de tornillo
Screwback Earring

Anillo

Una *sortija* es un anillo con piedras engarzadas. Los *colgantes* o *medallones* se cuelgan del cuello. Los *amuletos* y *relicarios* que penden de cadenas y pulseras tienen un significado especial, afectivo o simbólico. *Solitario* es el nombre que recibe un anillo en el que va engarzada una gema única. Las *lentejuelas* son pequeñas piezas de metal que adornan las prendas de vestir.

Ring

A *lavaliere* is a pendant worn on a chain as a necklace. A *charm* is a trinket worn on a bracelet or necklace, often having personal or symbolic meaning. An *ouch* is a brooch or a setting for a precious stone. *Spangles* are glittering pieces of metal used on clothing for decoration. A *riviere* is a multi-stringed necklace containing many precious stones.

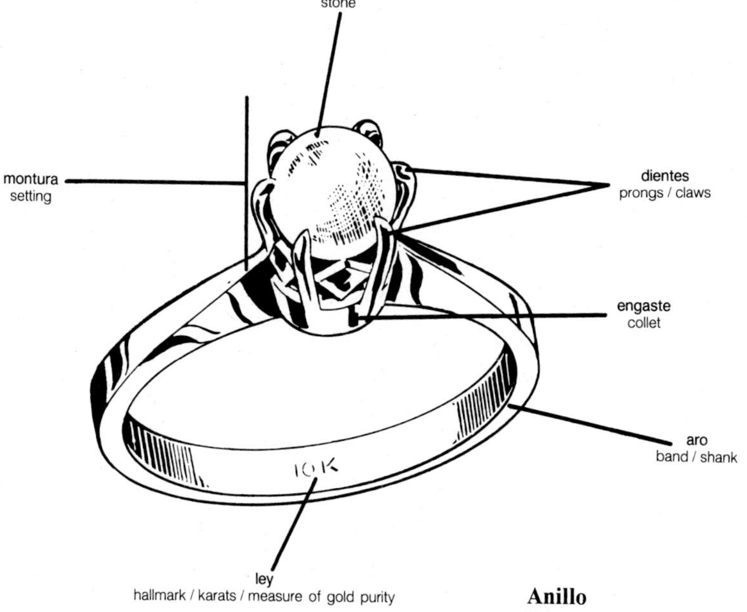
piedra preciosa / gema
stone
montura
setting
dientes
prongs / claws
engaste
collet
aro
band / shank
10K
ley
hallmark / karats / measure of gold purity

Anillo
Ring

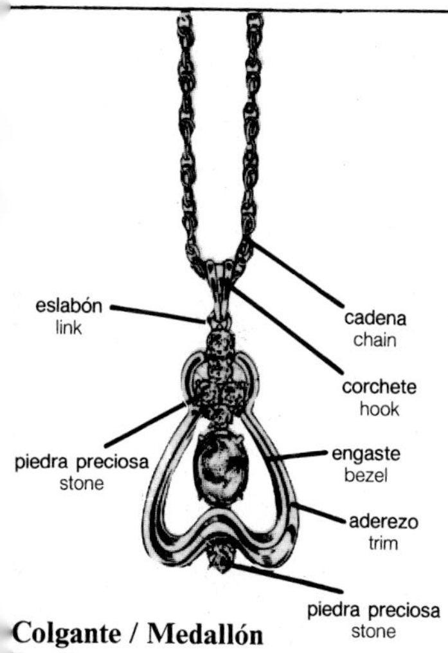
eslabón
link
cadena
chain
corchete
hook
piedra preciosa
stone
engaste
bezel
aderezo
trim
piedra preciosa
stone

Colgante / Medallón
Pendant

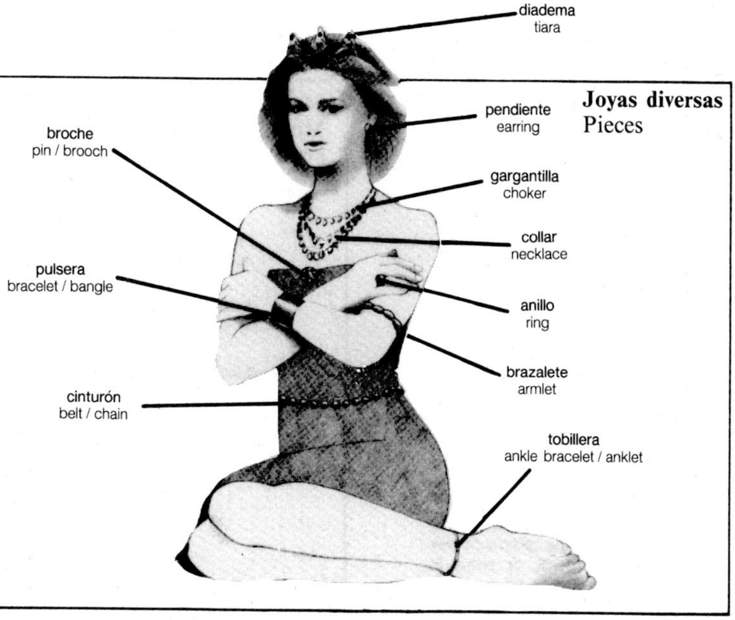
diadema
tiara
pendiente
earring
broche
pin / brooch
gargantilla
choker
collar
necklace
pulsera
bracelet / bangle
anillo
ring
brazalete
armlet
cinturón
belt / chain
tobillera
ankle bracelet / anklet

Joyas diversas
Pieces

Relojes de pulsera y bolsillo

La *pantalla digital* de este reloj cumple funciones de *calendario*, de *segundero* y de *cronómetro*, además de indicarnos la hora que es en cualquier otro lugar del globo. El cronómetro es un reloj capaz de medir pequeños períodos de tiempo con *exactitud* y *precisión*. La *pulsera* o *correa* va fija a la *caja* del reloj mediante puntas o varillas que encajan a presión.

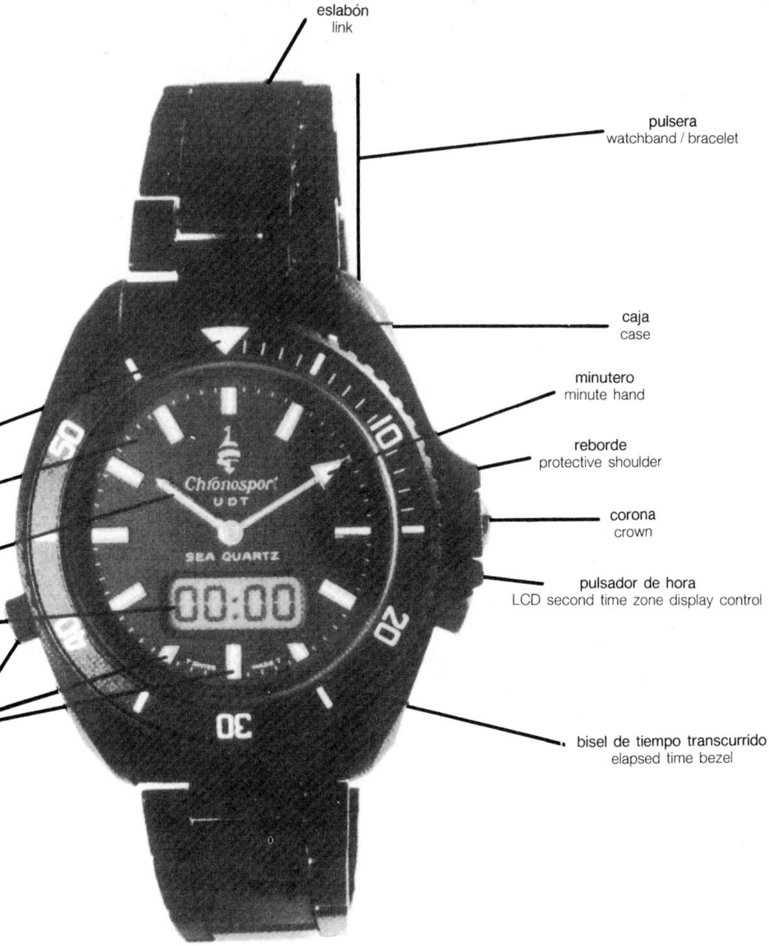

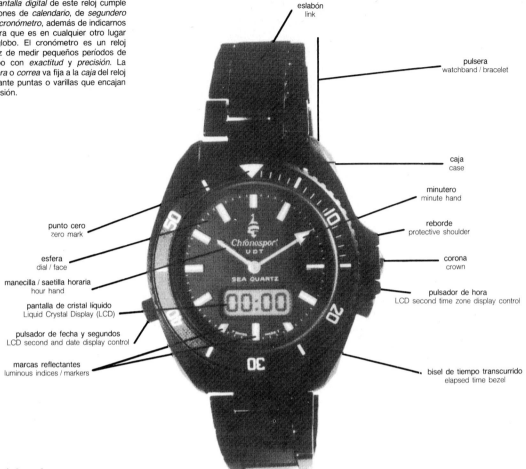

eslabón
link
pulsera
watchband / bracelet
caja
case
minutero
minute hand
reborde
protective shoulder
corona
crown
pulsador de hora
LCD second time zone display control
bisel de tiempo transcurrido
elapsed time bezel
punto cero
zero mark
esfera
dial / face
manecilla / saetilla horaria
hour hand
pantalla de cristal líquido
Liquid Crystal Display (LCD)
pulsador de fecha y segundos
LCD second and date display control
marcas reflectantes
luminous indices / markers
Chronosport
UDT
SEA QUARTZ
00:00
10
20
30
50

Reloj de pulsera
Wristwatch

Reloj de bolsillo
Pocket Watch

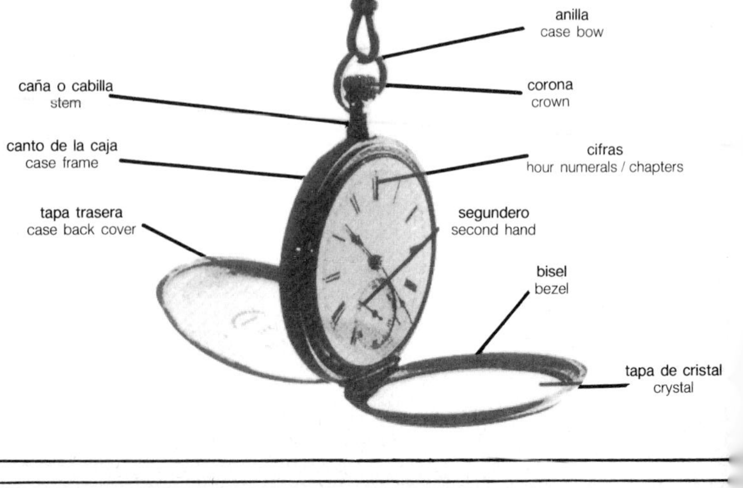

mosquetón
fob
anilla
case bow
corona
crown
caña o cabilla
stem
canto de la caja
case frame
cifras
hour numerals / chapters
tapa trasera
case back cover
segundero
second hand
bisel
bezel
tapa de cristal
crystal

Watches

The digital display on this watch can indicate date, seconds, time in a different time zone, and it can perform *stopwatch* functions. An extremely accurate timepiece is called a *chronometer*. A watchband, or *strap*, is attached to the case by *push-pins*, or *spring-bars*.

Gafas

Estas son unas gafas formadas por elementos de varios tipos y formas. La *montura* consta de una *porción frontal* y dos *patillas*. La porción frontal se compone de dos aros que alojan a los cristales y que están unidos mediante un *puente*.

Eyeglasses

This is a composite pair of eyeglasses, or *spectacles*. The *frame* consists of a *front* and two temples. The front is formed by two *eyewires* which hold the lenses and are connected by a bridge.

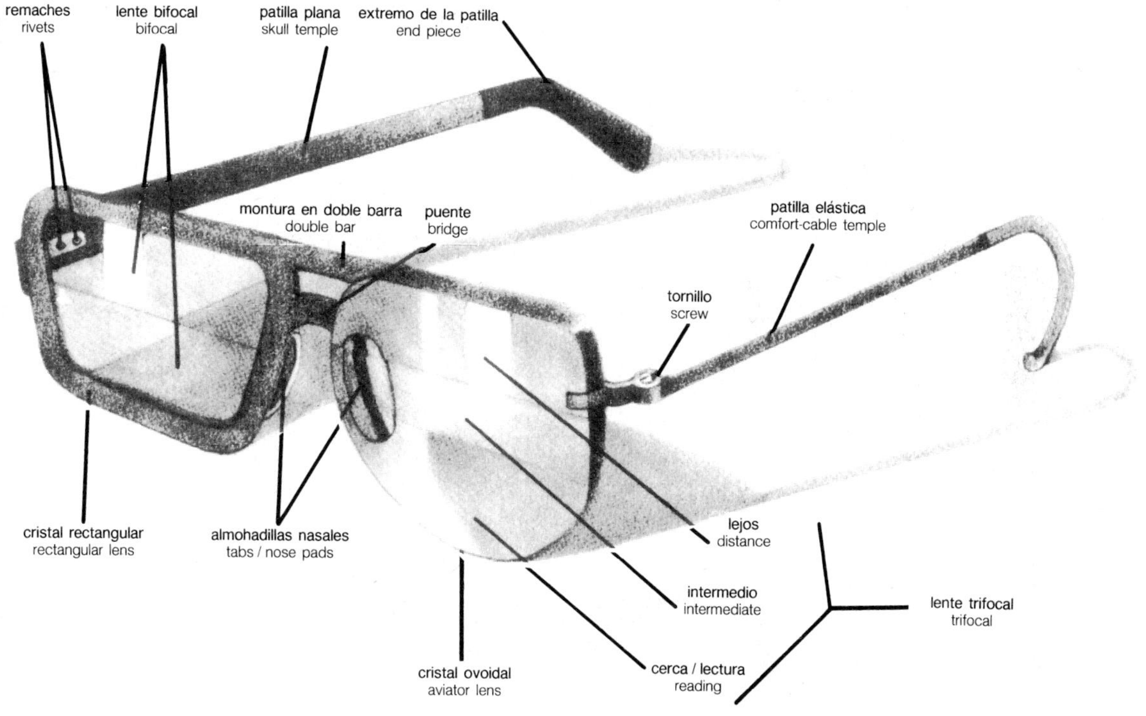
remaches
rivets
lente bifocal
bifocal
patilla plana
skull temple
extremo de la patilla
end piece
montura en doble barra
double bar
puente
bridge
patilla elástica
comfort-cable temple
tornillo
screw
cristal rectangular
rectangular lens
almohadillas nasales
tabs / nose pads
lejos
distance
intermedio
intermediate
lente trifocal
trifocal
cristal ovoidal
aviator lens
cerca / lectura
reading

Tipos de lentes
Lens Shapes

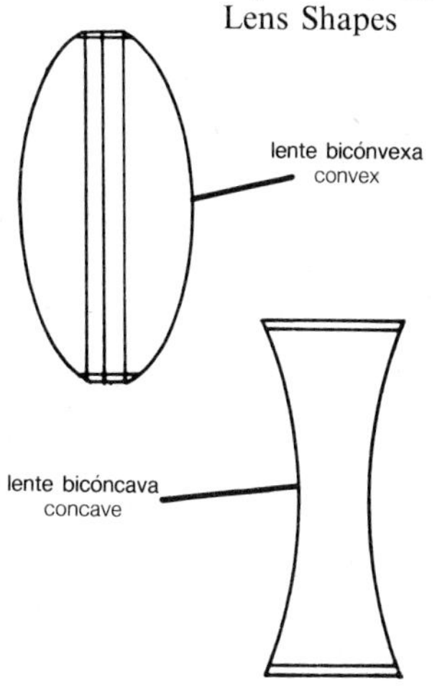
lente bicónvexa
convex
lente bicóncava
concave

Monóculo
Monocle

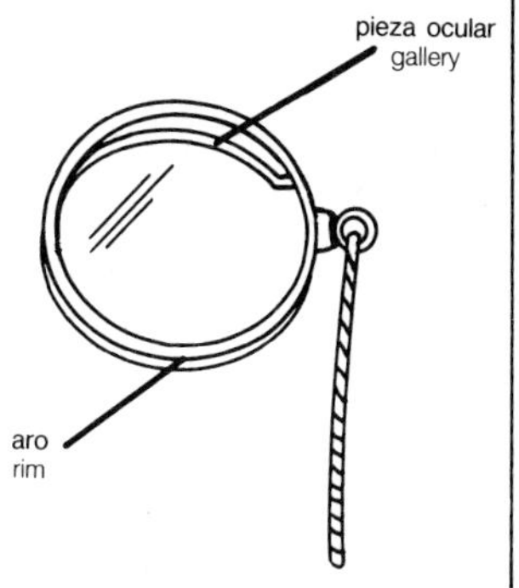
pieza ocular
gallery
aro
rim

Impertinentes
Lorgnette

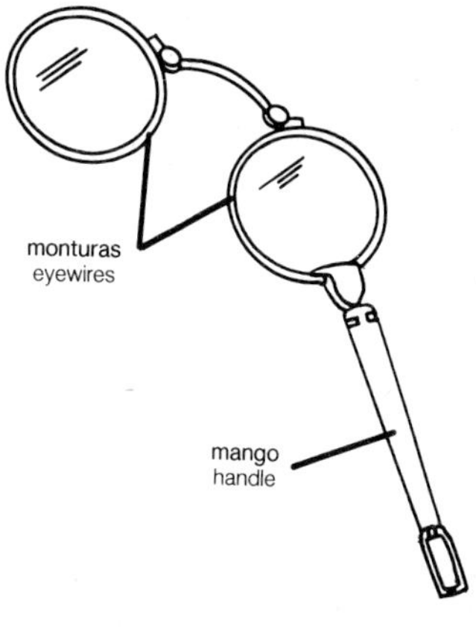
monturas
eyewires
mango
handle

Bolso de mano

Los bolsos suelen ser de cuero, aunque cada vez se usan más los de tela, paja y otros materiales. Por dentro suelen estar divididos en diferentes compartimentos en los que se lleva el *monedero*, la *cartera*, la *agenda*, algunos accesorios de belleza como la *polvera* y el *lápiz de labios*, pañuelos de tela o de papel y otros objetos de uso personal, como las *llaves*.

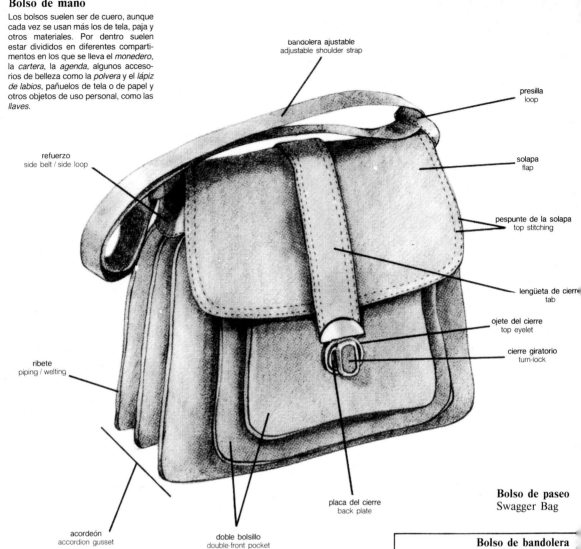

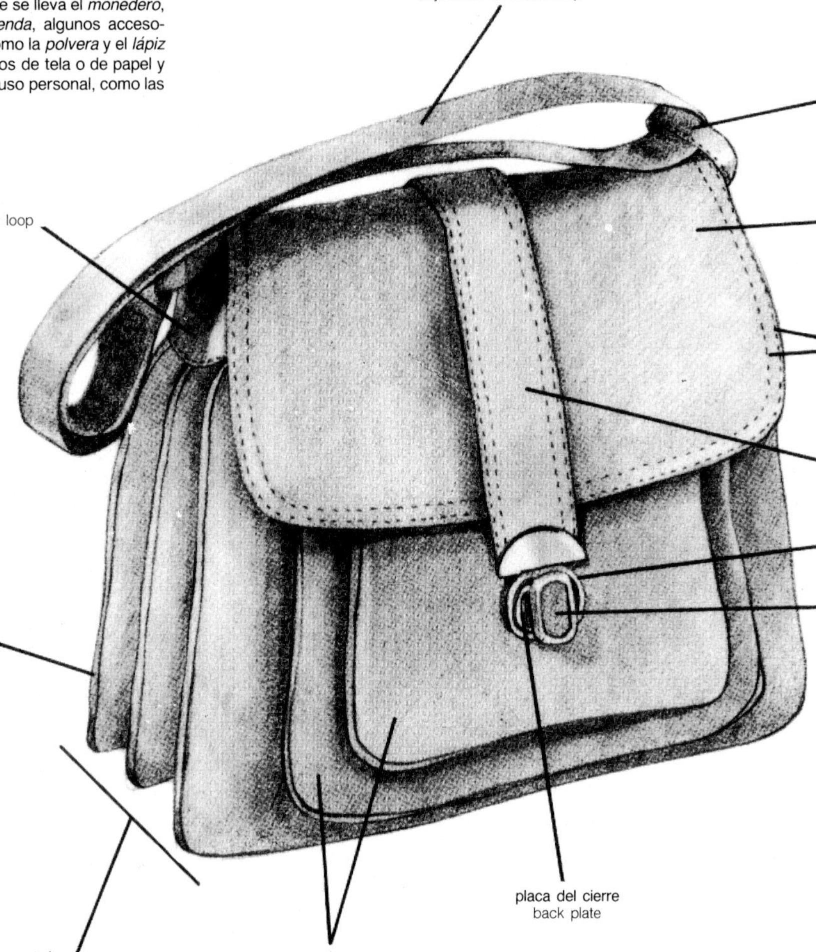
bandolera ajustable
adjustable shoulder strap
presilla
loop
refuerzo
side belt / side loop
solapa
flap
pespunte de la solapa
top stitching
lengüeta de cierr
tab
ojete del cierre
top eyelet
cierre giratorio
turn-lock
ribete
piping / welting
placa del cierre
back plate
acordeón
accordion gusset
doble bolsillo
double-front pocket

Bolso de paseo
Swagger Bag

Bolso de bandolera
Shoulder Bag

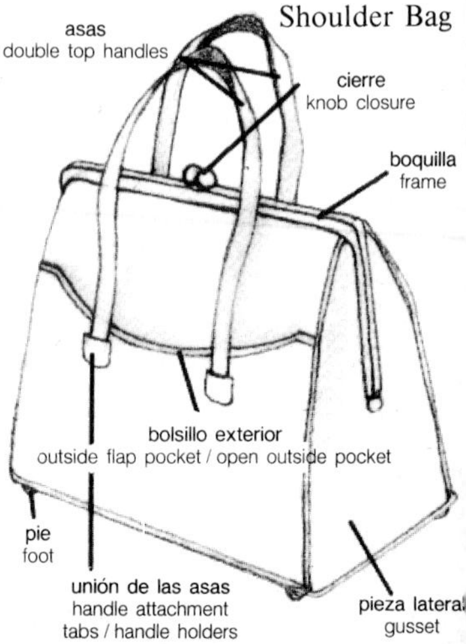
asas
double top handles
cierre
knob closure
boquilla
frame
bolsillo exterior
outside flap pocket / open outside pocket
pie
foot
unión de las asas
handle attachment
tabs / handle holders
pieza latera
gusset

Handbag

A handbag can also be referred to as a *pocketbook* or *purse*. A bag with no handles is a *clutch*. *East-west* describes a handbag which is wider than it is long. A *north-south* bag has a long, narrow shape. The metal ornaments and closures on bags are colectively called *hardware* or *fittings*.

Cartera / Billetero

Las carteras normales suelen tener cuatro *caras*, dos exteriores que se llaman *tapas* y dos interiores, donde están la mayoría de los *compartimentos* y el *forro*. Las carteras de señora suelen tener *monedero* con cierre de presión. Hay portafotos que se desenrollan en una tira muy larga y se llaman de *acordeón*.

Wallet / Billfold

A wallet's exterior covering is called the *cover*. Women's wallets often have a *coin purse* within and a *tab closing* on the outside. *Photo holders* that unfold and become a long strip are called *accordion windows*.

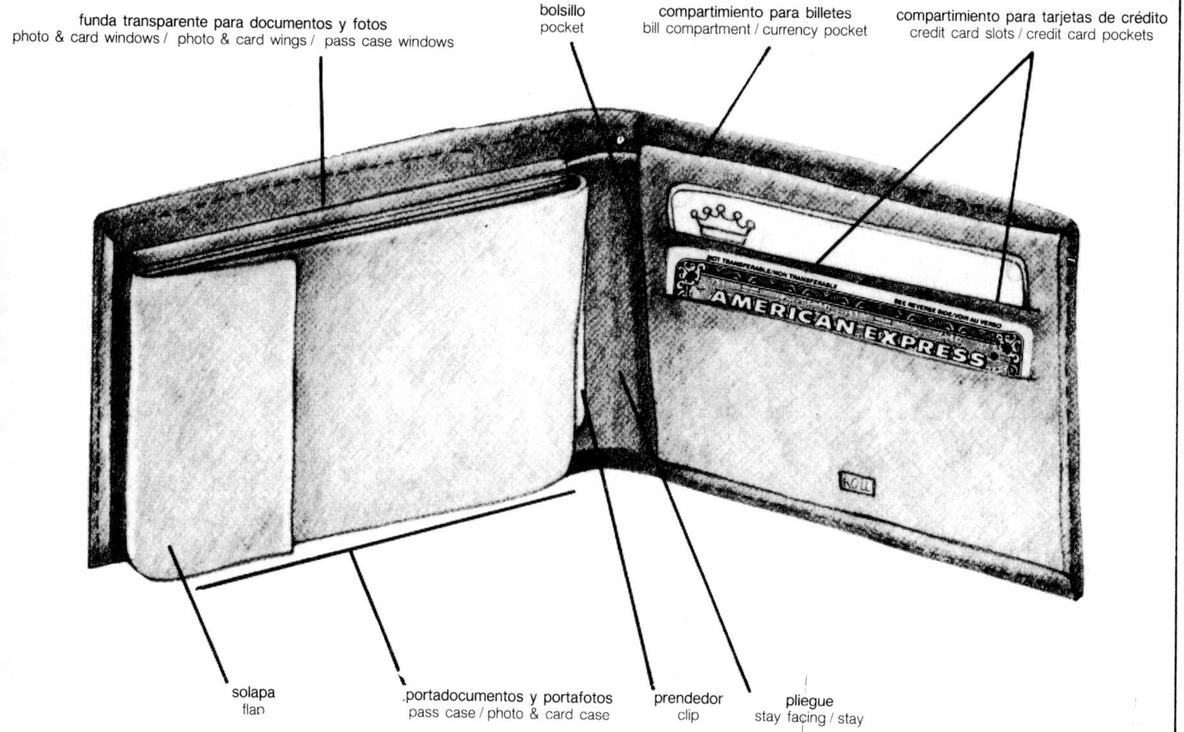

funda transparente para documentos y fotos
photo & card windows / photo & card wings / pass case windows
bolsillo
pocket
compartimiento para billetes
bill compartment / currency pocket
compartimiento para tarjetas de crédito
credit card slots / credit card pockets
AMERICAN EXPRESS
solapa
flap
portadocumentos y portafotos
pass case / photo & card case
prendedor
clip
pliegue
stay facing / stay

Cartera con chequera
Checkbook Clutch

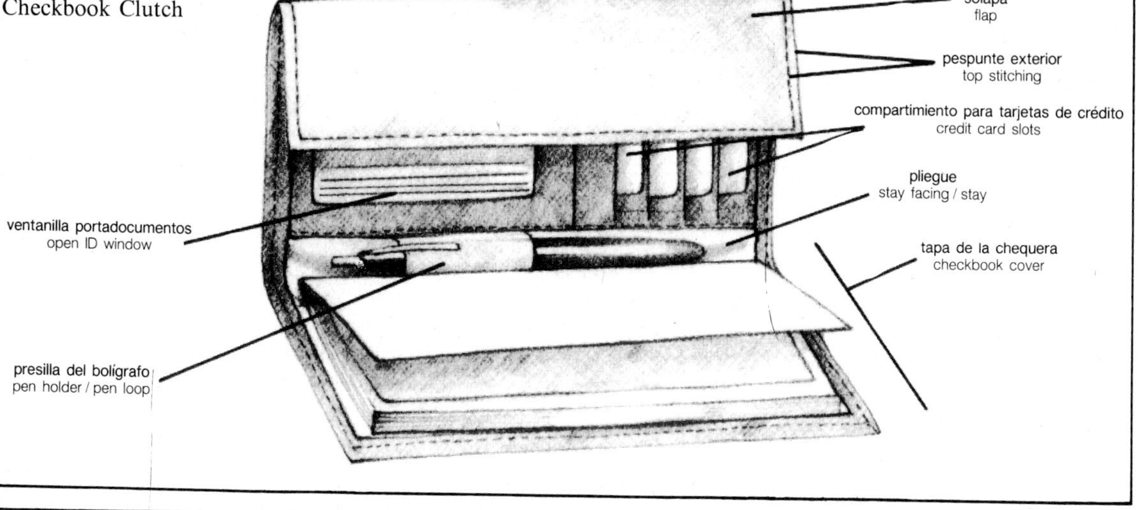

solapa
flap
pespunte exterior
top stitching
compartimiento para tarjetas de crédito
credit card slots
pliegue
stay facing / stay
ventanilla portadocumentos
open ID window
tapa de la chequera
checkbook cover
presilla del bolígrafo
pen holder / pen loop

Dinero

Existen en la actualidad tres tipos de papel moneda estadounidense en circulación: billetes de la *Reserva Federal*, o «verdes», billetes rojos de los *Estados Unidos* y *Certificados de Plata* azules. Los *billetes* se imprimen a partir de *planchas* sobre papel que contiene *fibras* de color. Los billetes dañados durante la impresión se marcan con un asterisco. El dinero impreso ilegalmente y que se hace pasar por *legal* se llama *moneda falsa*.

Money

There are three types of U.S. paper currency in circulation: green *Federal Reserve Notes*, or "*greenbacks*", red *United States notes*, and blue *Silver Certificates*. *Bills* are printed from *engraved plates* on paper containing colored *fibers*. Notes damaged during printing are replaced with *star notes*. Money printed illegally and passed off as *legal tender* is called *counterfeit money*.

valor facial
denomination / face value
tipo de billete
type of note
retrato
portratit
TWO DOLLARS
THIS NOTE IS LEGAL TENDER
FOR ALL DEBTS, PUBLIC AND PRIVATE
B 36016840 A
Treasurer of the United States.
letra de referencia del billete
note position letter
número de referencia del billete / letra de referencia
note position number / check letter
número del cuadrante
quadrant number
sello del Banco de la Reserva Federal
Federal Reserve Bank seal
banco emisor
issuing bank
letra de código del banco
bank code letter
leyenda
legend / inscription

Papel Moneda
Paper Money

Reverso
Reverse Side

THE UNITED STATES OF AMERICA
TWO DOLLARS
emblema
emblem
identificación del emblema
emblem identification
lema
inscription / motto
número de serie de la plancha del reverso
blackplate serial number

Dinero

Las monedas de uno y cinco centavos son *calderilla*. Las de diez, veinticinco y cincuenta centavos son *moneda fraccionaria*. Para imprimir el diseño de una moneda sobre una pieza en blanco, llamada *plancha*, se utiliza un *troquel* o *cuño* de *acero*. Las *monedas conmemorativas* son las que se emiten con ocasión de un acontecimiento o para homenajear a una personalidad destacada. Un *lingote* es oro o plata sin acuñar. Una persona que estudia y colecciona dinero es un *numismático*. Un *exonomista* colecciona *medallas*, *condecoraciones*, *títulos*, etc., así como dinero.

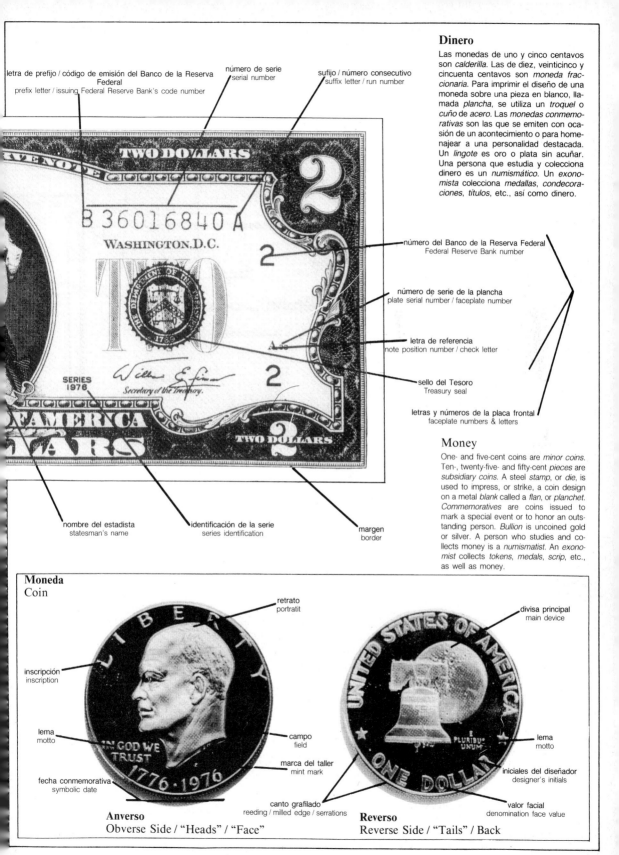

letra de prefijo / código de emisión del Banco de la Reserva Federal
prefix letter / issuing Federal Reserve Bank's code number
número de serie
serial number
sufijo / número consecutivo
suffix letter / run number
TWO DOLLARS
B 36016840 A
WASHINGTON, D.C.
SERIES 1976
Secretary of the Treasury.
número del Banco de la Reserva Federal
Federal Reserve Bank number
número de serie de la plancha
plate serial number / faceplate number
letra de referencia
note position number / check letter
sello del Tesoro
Treasury seal
letras y números de la placa frontal
faceplate numbers & letters
nombre del estadista
statesman's name
identificación de la serie
series identification
margen
border

Money

One- and five-cent coins are *minor coins*. Ten-, twenty-five- and fifty-cent *pieces* are *subsidiary coins*. A steel *stamp*, or *die*, is used to impress, or strike, a coin design on a metal *blank* called a *flan*, or *planchet*. *Commemoratives* are coins issued to mark a special event or to honor an outstanding person. *Bullion* is uncoined gold or silver. A person who studies and collects money is a *numismatist*. An *exonomist* collects *tokens*, *medals*, *scrip*, etc., as well as money.

Moneda
Coin

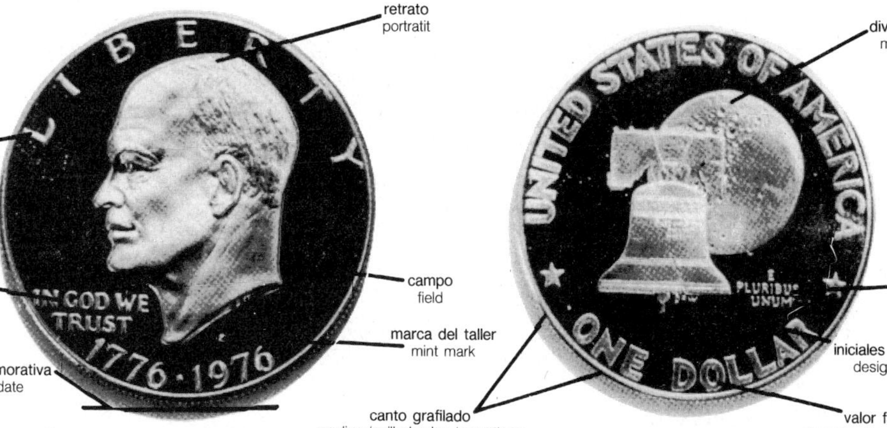
retrato
portratit
inscripción
inscription
lema
motto
campo
field
marca del taller
mint mark
fecha conmemorativa
symbolic date
LIBERTY
IN GOD WE TRUST
1776 · 1976
canto grafilado
reeding / milled edge / serrations
divisa principal
main device
UNITED STATES OF AMERICA
E PLURIBUS UNUM
ONE DOLLAR
lema
motto
iniciales del diseñador
designer's initials
valor facial
denomination face value

Anverso
Obverse Side / “Heads” / “Face”

Reverso
Reverse Side / “Tails” / Back

Cheque y tarjeta de crédito

Un cheque debe estar firmado por el portador o estar endosado por el dorso para ser válido. El dorso de la tarjeta de crédito contiene una tira para la *firma* y una *banda magnética* que contiene el número de cuenta, la fecha de validez, el nombre, la dirección, el número de identificación personal (DNI) y el *código de servicio*. Algunas tarjetas de crédito disponen de un *número* de *seguridad* de la tarjeta oculto en el plástico para prevenir el fraude.

Check and Credit Card

A check must be signed by the payee, or *endorsed*, on the back to be valid. The back of a credit card contains a *signature panel* and a *magnetic strip* which contains account number, expiration date, name, address, personal identification number and *service code*. Some credit cards have a *card security number* hidden within the plastic to help prevent fraud.

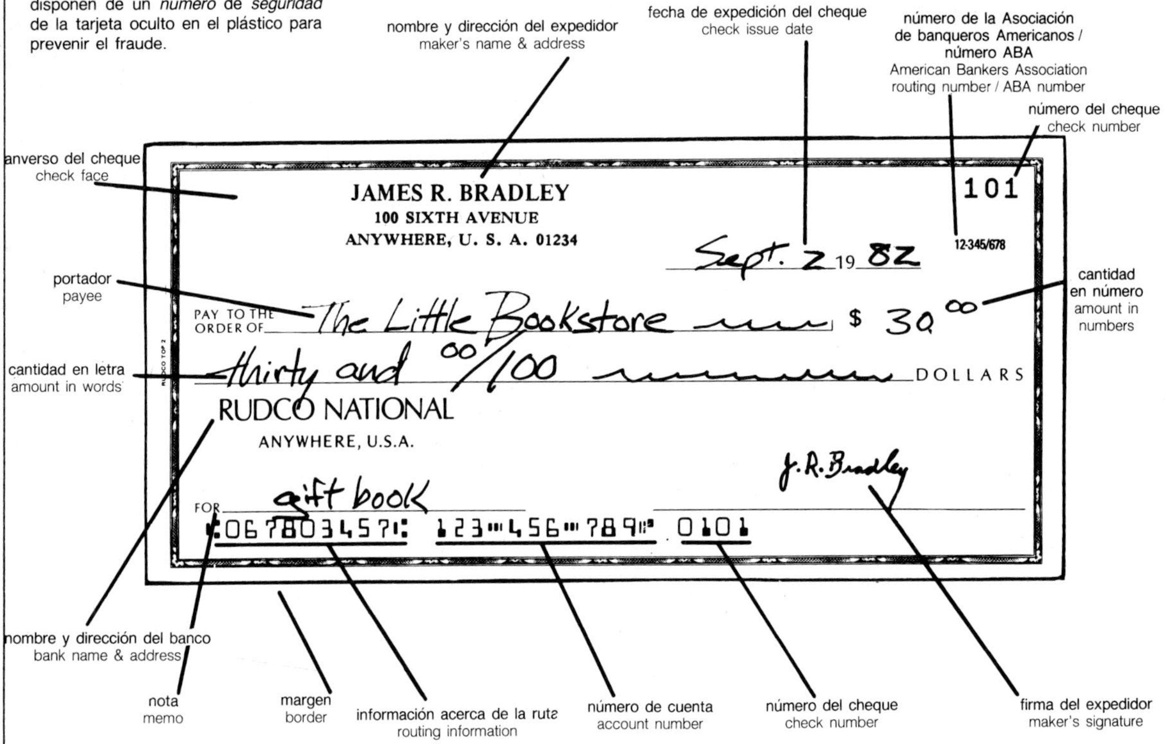
nombre y dirección del expedidor
maker's name & address
fecha de expedición del cheque
check issue date
número de la Asociación de banqueros Americanos / número ABA
American Bankers Association routing number / ABA number
número del cheque
check number
anverso del cheque
check face
JAMES R. BRADLEY
100 SIXTH AVENUE
ANYWHERE, U. S. A. 01234
101
Sept. 2 19 82
12-345/678
portador
payee
PAY TO THE ORDER OF
The Little Bookstore
$ 30 00
cantidad en número
amount in numbers
cantidad en letra
amount in words
thirty and 00/100
DOLLARS
RUDCO NATIONAL
ANYWHERE, U.S.A.
J. R. Bradley
FOR gift book
067803457 123456789 0101
nombre y dirección del banco
bank name & address
nota
memo
margen
border
información acerca de la ruta
routing information
número de cuenta
account number
número del cheque
check number
firma del expedidor
maker's signature

Cheque
Check

Tarjeta de crédito
Credit Card

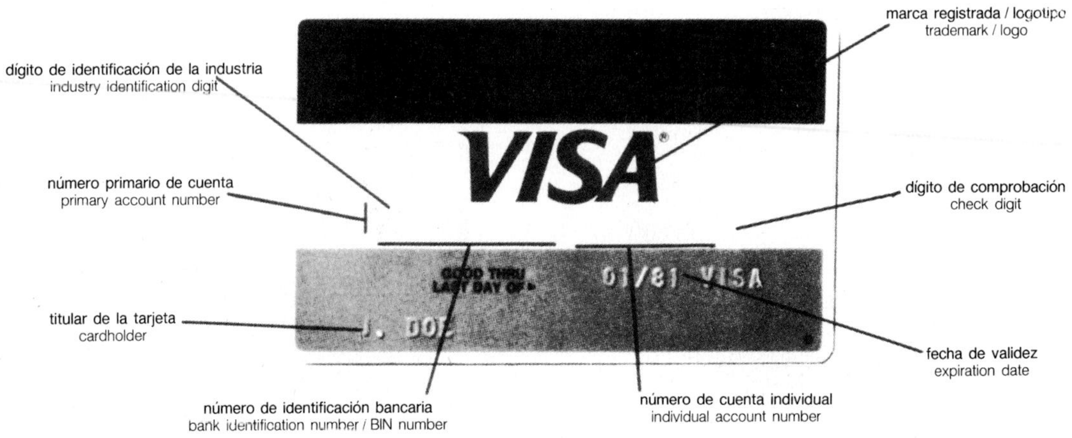
marca registrada / logotipo
trademark / logo
dígito de identificación de la industria
industry identification digit
VISA
número primario de cuenta
primary account number
dígito de comprobación
check digit
GOOD THRU LAST DAY OF
01/81 VISA
titular de la tarjeta
cardholder
J. DOE
fecha de validez
expiration date
número de identificación bancaria
bank identification number / BIN number
número de cuenta individual
individual account number

Giro postal y cheque de viajero

El giro postal tiene un lugar para el recibo del cliente y *justificante* del *departamento.* En el reverso del giro postal hay un bloque reservado al *endosado*, un informe de *validación* y una *advertencia* para la agencia que lo abona. Los giros postales telegráficos permiten a un individuo autorizar el pago de una cantidad a otra persona determinada y situada en un lugar distante sin que esta posea el documento original.

Money Order and Traveler's Check

A money order has a tear-off *customer's receipt* and *department voucher.* On the reverse side of the money order is an *endorsement block*, a *validation statement* and a *warning* to the cashing agency. Telegraph company money orders permit and individual to authorize payment to a specified individual at a distant location without the recipient having the original document.

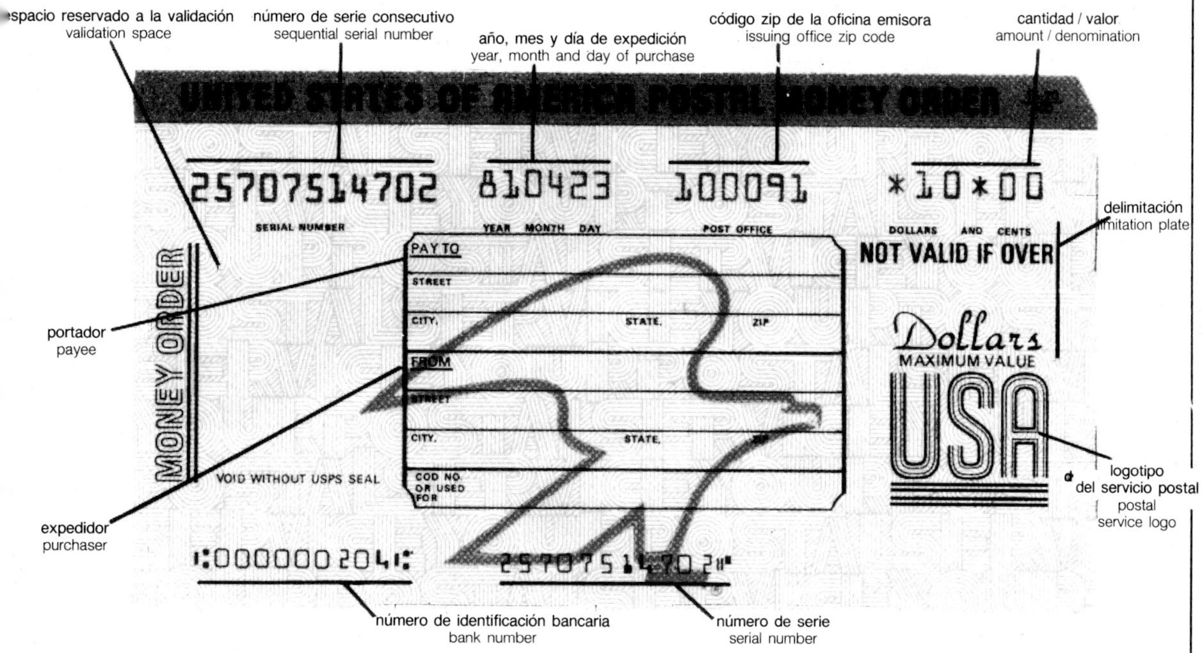

espacio reservado a la validación
validation space
número de serie consecutivo
sequential serial number
año, mes y día de expedición
year, month and day of purchase
código zip de la oficina emisora
issuing office zip code
cantidad / valor
amount / denomination
UNITED STATES OF AMERICA POSTAL MONEY ORDER
25707514702
SERIAL NUMBER
810423
YEAR MONTH DAY
100091
POST OFFICE
*10*00
DOLLARS AND CENTS
NOT VALID IF OVER
Dollars
MAXIMUM VALUE
USA
delimitación
limitation plate
MONEY ORDER
PAY TO
STREET
CITY, STATE, ZIP
FROM
STREET
CITY, STATE, ZIP
COD NO. OR USED FOR
VOID WITHOUT USPS SEAL
portador
payee
expedidor
purchaser
logotipo del servicio postal
postal service logo
número de identificación bancaria
bank number
número de serie
serial number

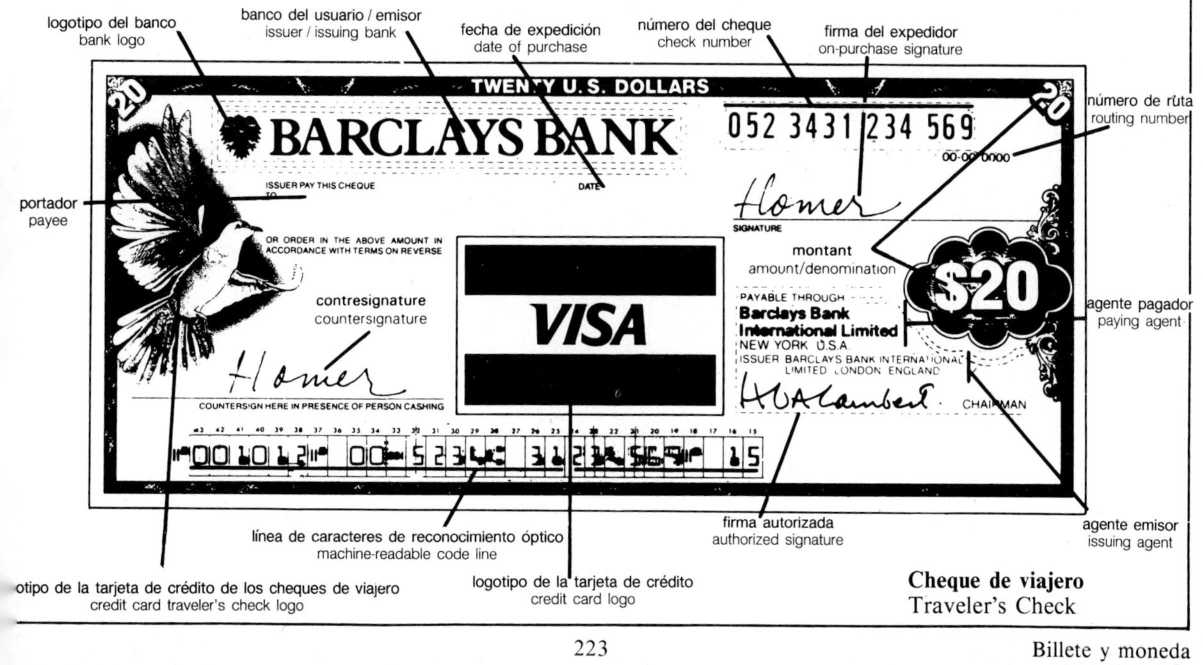

logotipo del banco
bank logo
banco del usuario / emisor
issuer / issuing bank
fecha de expedición
date of purchase
número del cheque
check number
firma del expedidor
on-purchase signature
número de ruta
routing number
TWENTY U.S. DOLLARS
BARCLAYS BANK
052 3431 234 569
00-00/0000
ISSUER PAY THIS CHEQUE TO
DATE
SIGNATURE
OR ORDER IN THE ABOVE AMOUNT IN ACCORDANCE WITH TERMS ON REVERSE
VISA
$20
PAYABLE THROUGH
Barclays Bank International Limited
NEW YORK U.S.A.
ISSUER BARCLAYS BANK INTERNATIONAL LIMITED LONDON ENGLAND
CHAIRMAN
COUNTERSIGN HERE IN PRESENCE OF PERSON CASHING
portador
payee
montant
amount/denomination
contresignature
countersignature
agente pagador
paying agent
línea de caracteres de reconocimiento óptico
machine-readable code line
firma autorizada
authorized signature
agente emisor
issuing agent
logotipo de la tarjeta de crédito de los cheques de viajero
credit card traveler's check logo
logotipo de la tarjeta de crédito
credit card logo

Cheque de viajero
Traveler's Check

Cigarro y cigarrillo

La capa que envuelve el cigarro, así como el *capillo* interior, es una *hoja* enrollada en espiral. Los cigarros, o *puros*, se conservan en *humidificadores* para mantener su frescor. El residuo del tabaco consumido es la *ceniza.* Lo que resta de un cigarro o cigarrillo ya fumado es la *colilla.* La superficie abrasiva o *raspador* cuyo frote enciende la cerilla está situada en la *tapa posterior* de una caja de cerillas.

Cigar and Cigarette

The cigar wrapper, as well as the interior *binder*, is a spirally-rolled *leaf.* Cigars, or "*stogies*" are stored in *humidors* to insure freshness. The residue of smoked tobacco is *ash.* The remains of a smoked cigar or cigarette is the *butt.* The abrasive striking surface or *friction strip* on which matches are struck is on the *back cover* of a matchbook.

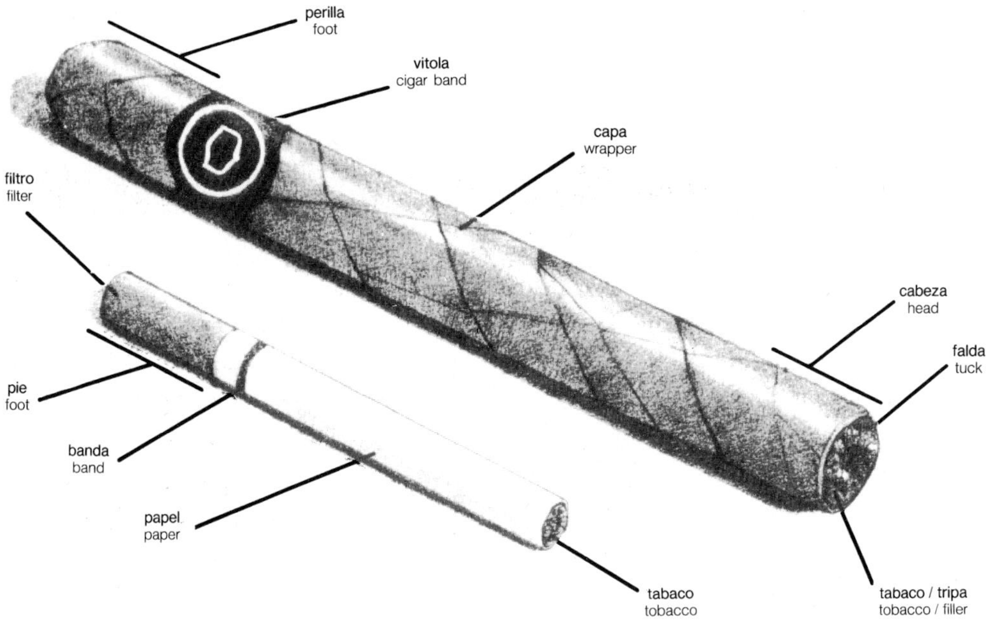
perilla
foot
vitola
cigar band
capa
wrapper
filtro
filter
pie
foot
banda
band
papel
paper
tabaco
tobacco
cabeza
head
falda
tuck
tabaco / tripa
tobacco / filler

Cigarrillo
Cigarrette

Cigarro
Cigar

Cortapuros
Cigar Cutter

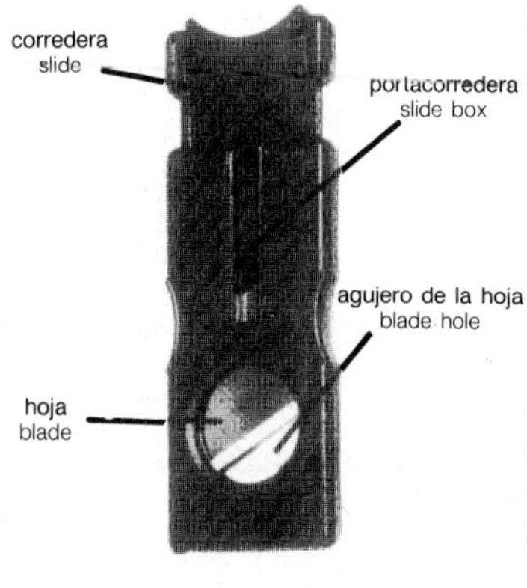
corredera
slide
portacorredera
slide box
agujero de la hoja
blade hole
hoja
blade

Caja de cerillas
Matchbox

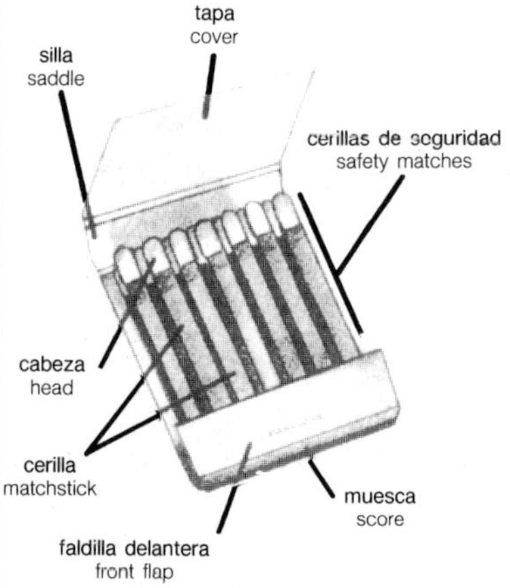
tapa
cover
silla
saddle
cerillas de seguridad
safety matches
cabeza
head
cerilla
matchstick
faldilla delantera
front flap
muesca
score

Encendedor de gas
Gas Lighter

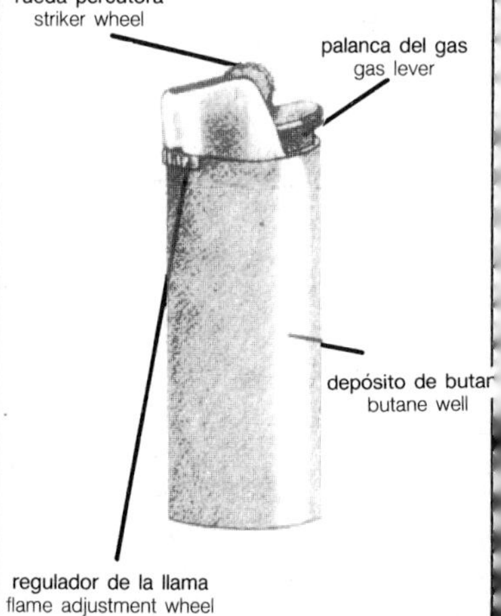
rueda percutora
striker wheel
palanca del gas
gas lever
depósito de butano
butane well
regulador de la llama
flame adjustment wheel

Pipa

Los restos de tabaco sin fumar que quedan en el fondo de la cazoleta se llaman *posos*. La varilla flexible cubierta de algodón que se emplea para limpiar el interior del vástago y tallo de la pipa se denomina *limpiapipas*. El tabaco de pipa se conserva en una *bolsa*. Algunas cazoletas están cubiertas por un *paraguas de pipa* o *tapa de cazoleta*. Una pipa oriental con un tubo largo y flexible por el que se aspira el humo a través de un recipiente de agua, para enfriarlo, recibe el nombre de *pipa de agua* o *narguilé*.

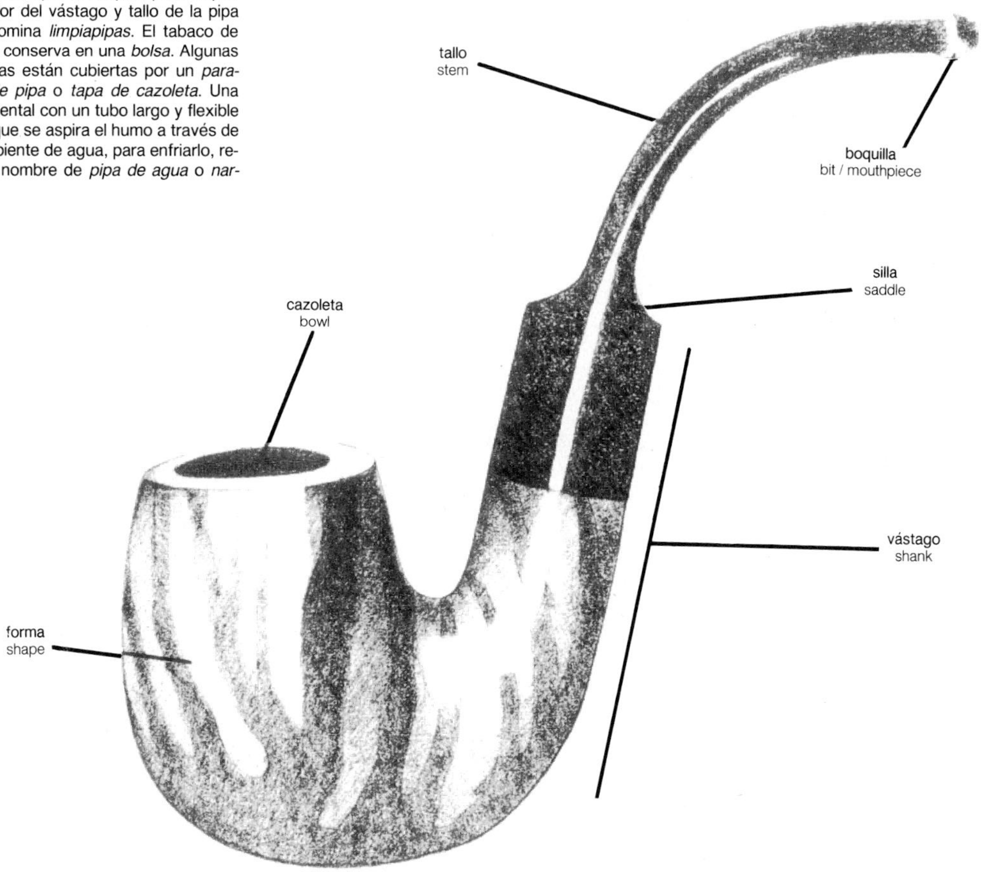
tallo
stem
boquilla
bit / mouthpiece
silla
saddle
cazoleta
bowl
vástago
shank
forma
shape

Pipe

Pipe smoke is also called *lunt*, and unsmoked tobacco in the bottom of the bowl after smoking is called *dottle*. The pliable, tufted rod used to clean the inside of a pipe's stem is a *pipe cleaner*. Pipe tobacco is kept in a *pouch*. Some bowls are covered with a *pipe umbrella* or *bowl lid*. An Eastern pipe with a long, flexible tube by which the smoke is drawn through a jar of water and thus cooled is a *water pipe*, *hookah*, or *hubble-bubble*.

Atacador
Pipe Tool

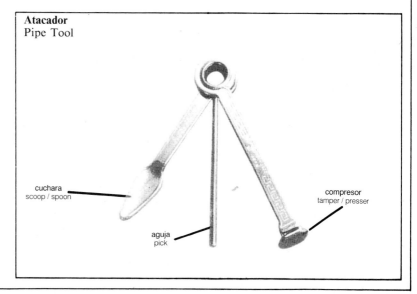

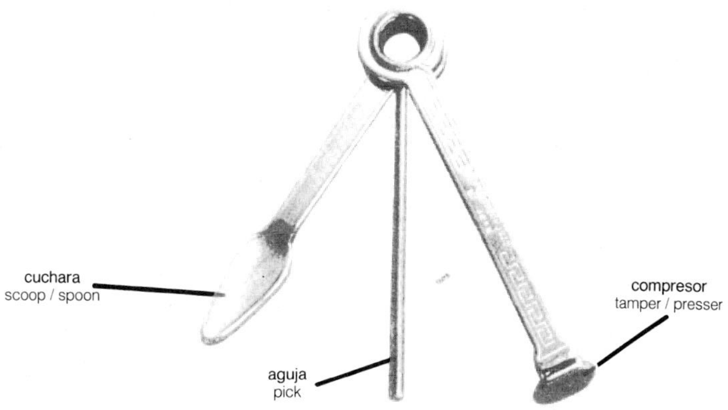
cuchara
scoop / spoon
compresor
tamper / presser
aguja
pick

Paraguas

Los elementos principales de una *paraguas* son la *tela impermeable* montada sobre el *varillaje* metálico, que se pliega y despliega a voluntad.

Umbrella

An umbrella's water-repellent *fabric* is attached to a *frame*, or *skeleton*. The specific points where the fabric is sewn to the skeleton are called *tacks*.

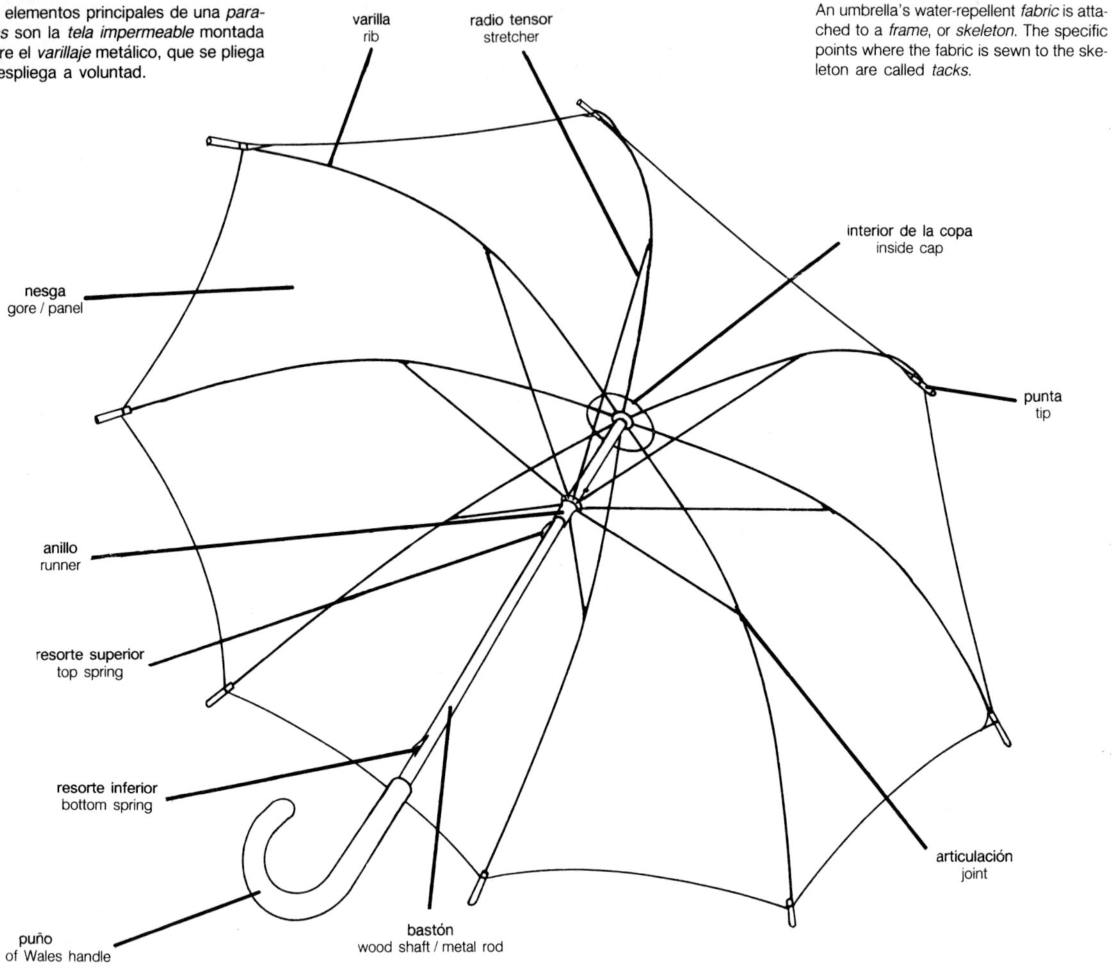

varilla
rib
radio tensor
stretcher
interior de la copa
inside cap
nesga
gore / panel
punta
tip
anillo
runner
resorte superior
top spring
resorte inferior
bottom spring
articulación
joint
puño
Prince of Wales handle
bastón
wood shaft / metal rod

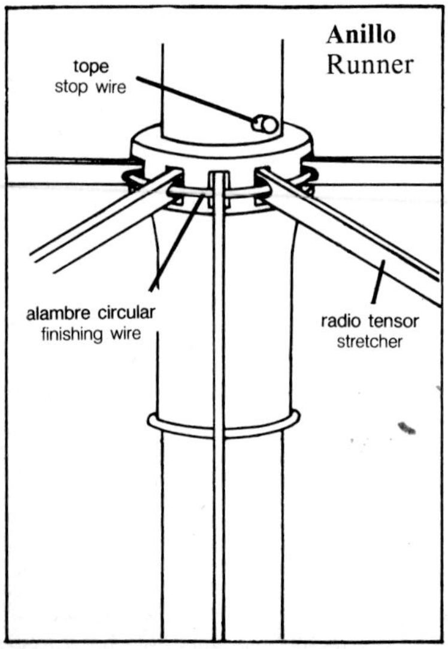

Anillo
Runner
tope
stop wire
alambre circular
finishing wire
radio tensor
stretcher

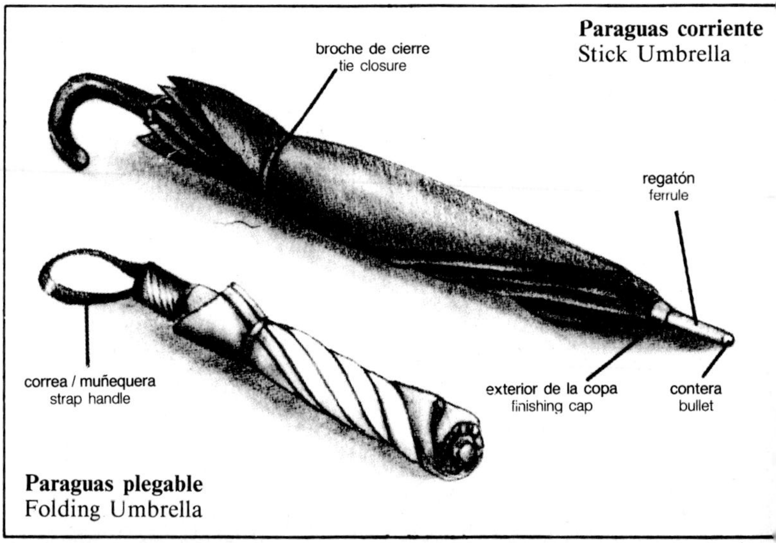

Paraguas corriente
Stick Umbrella
broche de cierre
tie closure
regatón
ferrule
correa / muñequera
strap handle
exterior de la copa
finishing cap
contera
bullet
Paraguas plegable
Folding Umbrella

La casa

Para facilitar la localización de cualquier artículo doméstico, los objetos de esta sección se han agrupado en función de los lugares en que suelen encontrarse: el salón, el comedor, la cocina, el dormitorio, el cuarto de baño, el cuarto de juegos, el cuarto de servicio y el jardín.
La subsección dedicada a la cocina, por ejemplo, incluye los instrumentos necesarios para preparar la comida y también los que sirven para hacer más fácil dicha tarea. Además se identifican las partes de las bolsas y cestas que se emplean para llevar los alimentos a la cocina, y se representan también todos los artículos que sirven para etiquetar y empaquetar la comida y los artículos de cocina. Saber como se llaman estos elementos seguramente modificará muchas de las ideas de los lectores sobre objetos de uso tan cotidiano.
Los términos empleados para designar los materiales de escritorio de uso doméstico se aplican también al mobiliario de oficina. Las siete partes de un clip sujetapapeles, por ejemplo, son las mismas en todos los sitios en donde se utilice este pequeños y peculiar instrumento.
Aunque no se ha dedicado ninguna subsección al cuarto de los niños, los objetos empleados por éstos (silla de ruedas, silla para coche, parques y columpios) se han incorporado en la subcategoría correspondiente a los accesorios de jardín.

Buzón / Buzón rural
Mailbox / Rural Mailbox

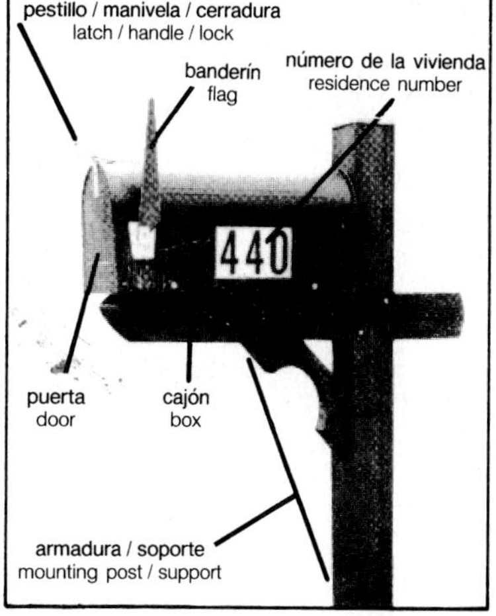

pestillo / manivela / cerradura
latch / handle / lock
banderín
flag
número de la vivienda
residence number
440
puerta
door
cajón
box
armadura / soporte
mounting post / support

Chimenea

La mayoría de las chimeneas tienen *pantallas protectoras* para evitar las pérdidas de calor e impedir que las chispas salten hacia afuera. En otras, el hogar está separado por un *guardafuegos* bajo de metal. La tapa metálica que se utiliza para cubrir un fuego en extinción se llama *apagador*. Los accesorios de chimenea más comunes son los *fuelles*, los cestos o recipientes para carbón y leña y los *morillos* que sirven para apoyar los leños. Un *tizón* es un tronco de madera a medio quemar.

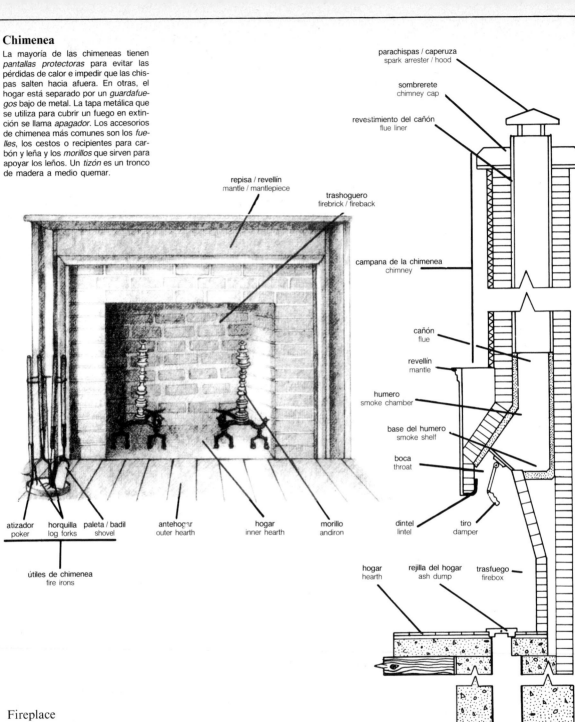

repisa / revellín
mantle / mantlepiece
trashoguero
firebrick / fireback
atizador
poker
horquilla
log forks
paleta / badil
shovel
antehogar
outer hearth
hogar
inner hearth
morillo
andiron
útiles de chimenea
fire irons

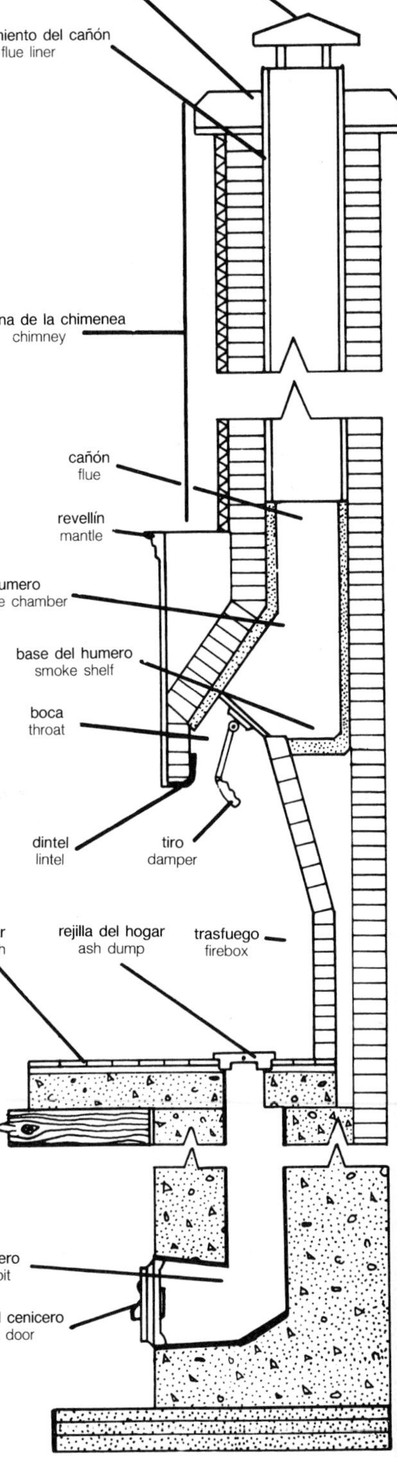
parachispas / caperuza
spark arrester / hood
sombrerete
chimney cap
revestimiento del cañón
flue liner
campana de la chimenea
chimney
cañón
flue
revellín
mantle
humero
smoke chamber
base del humero
smoke shelf
boca
throat
dintel
lintel
tiro
damper
hogar
hearth
rejilla del hogar
ash dump
trasfuego
firebox
cenicero
ashpit
puerta del cenicero
ashpit door

Fireplace

Many fireplaces have glass and metal *fire screens* to prevent heat loss and to keep sparks from flying into the room. Others have a low metal *fender* between the inner and outer hearth. A metal cover, used to shield a banked or dying fire, is called a *curfew*. Fireplace accessories include air-blowing *bellows*, *coal hods* and *wood carriers*, and *grates* or *heat exchangers* which can be used instead of andirons. A *firebrand* is a piece of burning wood.

Sección transversal de una chimenea
Fireplace Cross Section

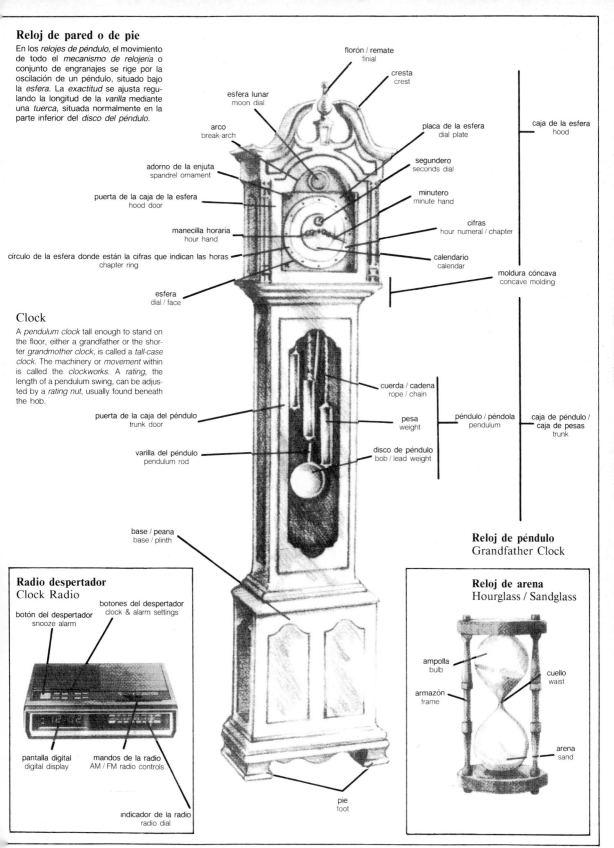

Reloj de pared o de pie

En los *relojes de péndulo*, el movimiento de todo el *mecanismo de relojería* o conjunto de engranajes se rige por la oscilación de un péndulo, situado bajo la *esfera*. La *exactitud* se ajusta regulando la longitud de la *varilla* mediante una *tuerca*, situada normalmente en la parte inferior del *disco del péndulo*.

Clock

A *pendulum clock* tall enough to stand on the floor, either a grandfather or the shorter *grandmother clock*, is called a *tall-case clock*. The machinery or *movement* within is called the *clockworks*. A *rating*, the length of a pendulum swing, can be adjusted by a *rating nut*, usually found beneath the bob.

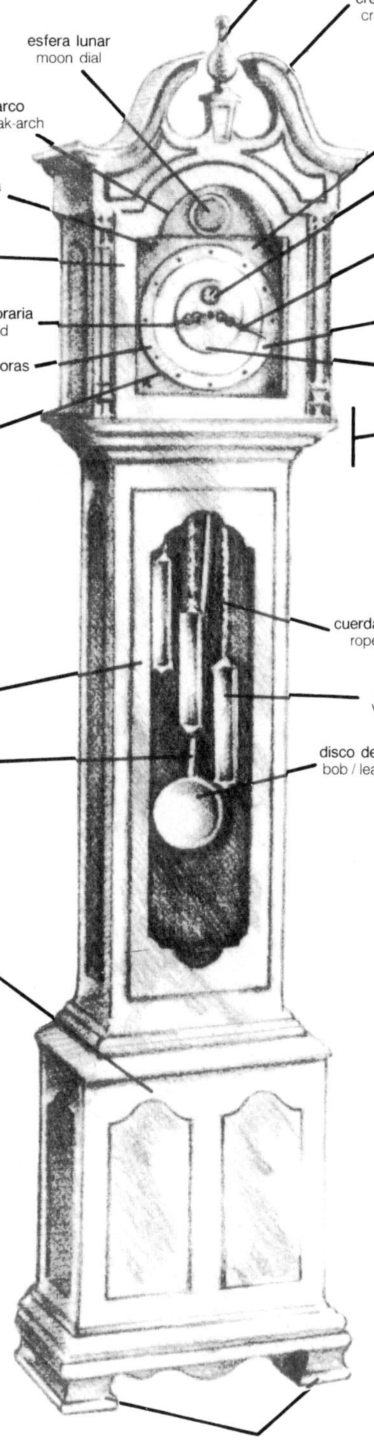

florón / remate
finial
cresta
crest
esfera lunar
moon dial
arco
break-arch
placa de la esfera
dial plate
caja de la esfera
hood
adorno de la enjuta
spandrel ornament
segundero
seconds dial
puerta de la caja de la esfera
hood door
minutero
minute hand
cifras
hour numeral / chapter
manecilla horaria
hour hand
círculo de la esfera donde están la cifras que indican las horas
chapter ring
calendario
calendar
moldura cóncava
concave molding
esfera
dial / face
cuerda / cadena
rope / chain
puerta de la caja del péndulo
trunk door
pesa
weight
péndulo / péndola
pendulum
caja de péndulo / caja de pesas
trunk
varilla del péndulo
pendulum rod
disco de péndulo
bob / lead weight
base / peana
base / plinth
pie
foot

Reloj de péndulo
Grandfather Clock

Radio despertador
Clock Radio

botones del despertador
clock & alarm settings
botón del despertador
snooze alarm
pantalla digital
digital display
mandos de la radio
AM / FM radio controls
indicador de la radio
radio dial

Reloj de arena
Hourglass / Sandglass

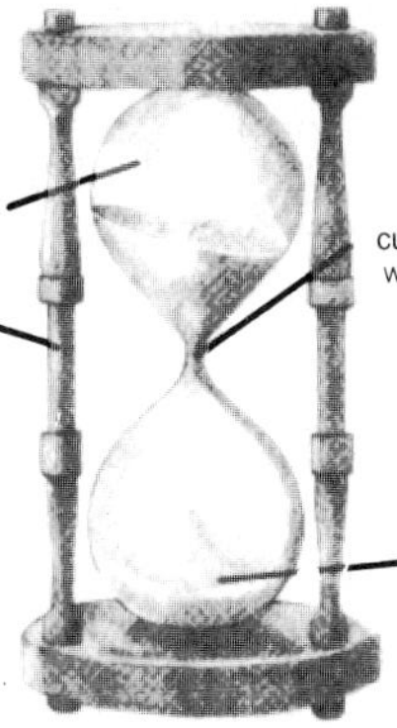

ampolla
bulb
cuello
waist
armazón
frame
arena
sand

Silla

Algunas sillas llevan en el centro del respaldo un *listón* vertical ancho en lugar de palos. Los elementos horizontales, de este tipo, se llaman *costillas*. En la parte posterior del asiento suelen fijarse unos *tirantes* de refuerzo que forman una «V». El borde superior del cabecero puede tener un perfil especial para utilizarlo como reposacabezas. Algunas sillas plegables reciben el nombre de *sillas de tijera* por la forma en que están articuladas.

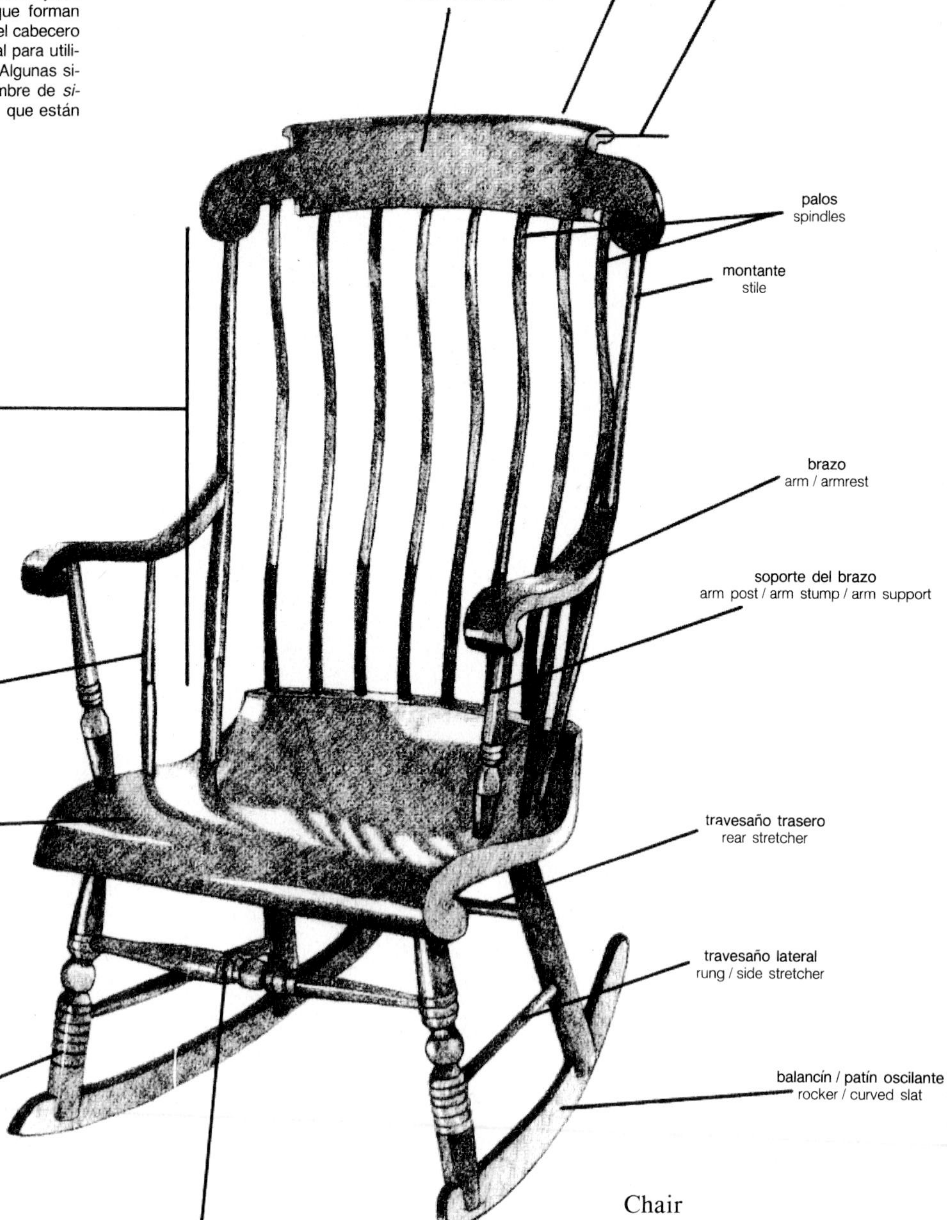

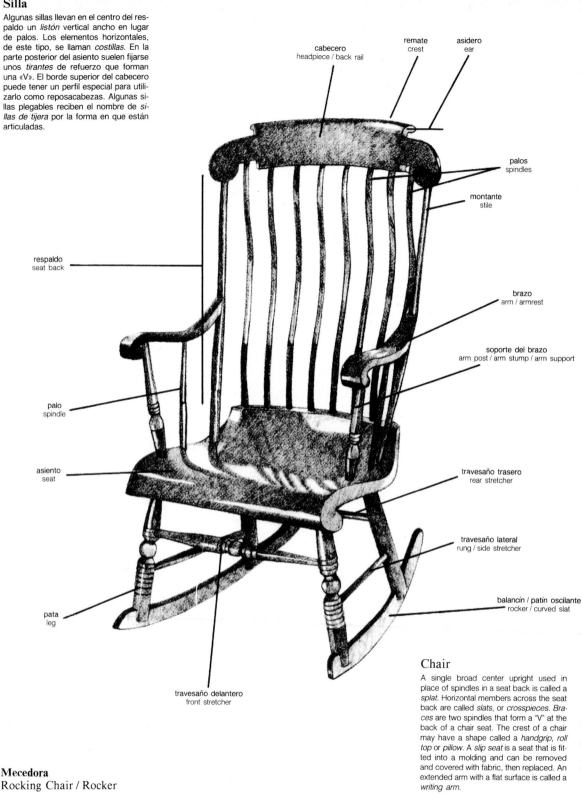

cabecero
headpiece / back rail
remate
crest
asidero
ear
palos
spindles
montante
stile
respaldo
seat back
brazo
arm / armrest
soporte del brazo
arm post / arm stump / arm support
palo
spindle
asiento
seat
travesaño trasero
rear stretcher
travesaño lateral
rung / side stretcher
balancín / patín oscilante
rocker / curved slat
pata
leg
travesaño delantero
front stretcher

Chair

A single broad center upright used in place of spindles in a seat back is called a *splat*. Horizontal members across the seat back are called *slats*, or *crosspieces*. *Braces* are two spindles that form a "V" at the back of a chair seat. The crest of a chair may have a shape called a *handgrip*, *roll top* or *pillow*. A *slip seat* is a seat that is fitted into a molding and can be removed and covered with fabric, then replaced. An extended arm with a flat surface is called a *writing arm*.

Mecedora
Rocking Chair / Rocker

Sillón reclinable

Cuando se inclina hacia atrás el respaldo de este sillón, el *reposapiés* se levanta hasta el nivel del asiento. Los taburetes cilíndricos rellenos, que también pueden hacer las veces de reposapiés, se denominan pufs.

Lounger

When the backrest of this *recliner*, or *Barcalounger*, is pushed back, the *footrest* rises to seat level. The term *ottoman*, or *pouf*, is often used to refer to an overstuffed *footstool*. An *arm pad* on an *easy chair* is also called a *manchette*.

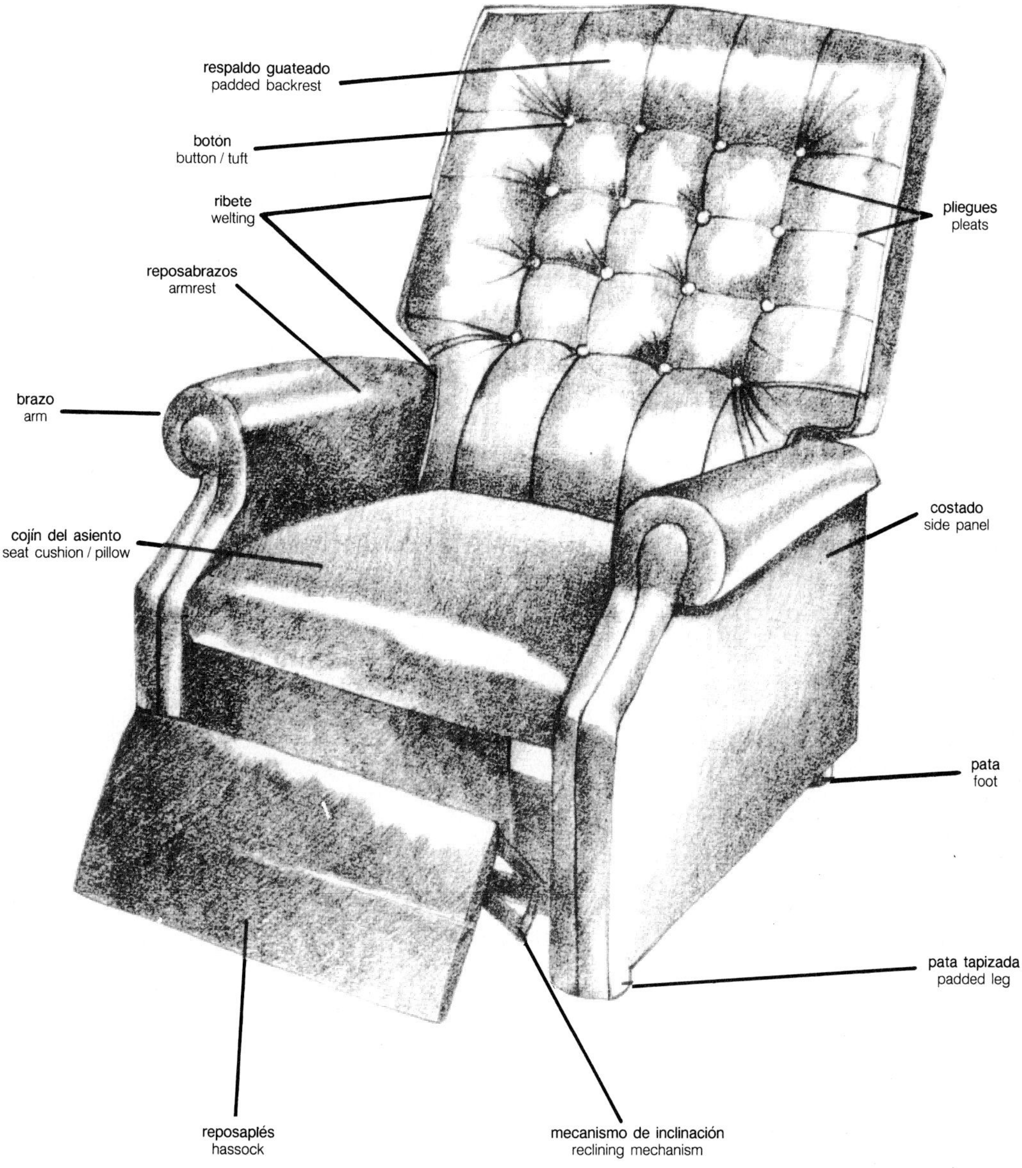

respaldo guateado
padded backrest
botón
button / tuft
ribete
welting
pliegues
pleats
reposabrazos
armrest
brazo
arm
cojín del asiento
seat cushion / pillow
costado
side panel
pata
foot
pata tapizada
padded leg
reposaplés
hassock
mecanismo de inclinación
reclining mechanism

Sofá

Un sofá es un diván tapizado, con respaldo y dos brazos en los extremos. Si está compuesto por varios módulos que pueden disponerse por separado o juntos en diversas configuraciones, es un sofá *modular*. Los *sofás-cama* o *convertibles* pueden transformarse en cama para uso nocturno. Un *diván* es un asiento alargado sin respaldo ni brazos, que también se emplea como cama. Estos muebles se complementan generalmente con *cojines*.

Sofa

A sofa is an upholstered *couch* with a back and two arms or raised ends. If it is composed of several independent sections that can be arranged individually or in various combinations, it is a *sectional*. A *davenport* or *convertible* can be converted into a bed for nighttime use, whereas a *divan* is a large couch without back or arms that is often used as a bed. A sofa for two is a *loveseat*, or *courting seat*. Cylindrical pillows, or *bolsters*, and *fitted* or *tailored pillows* or *cushions* are often used on sofas.

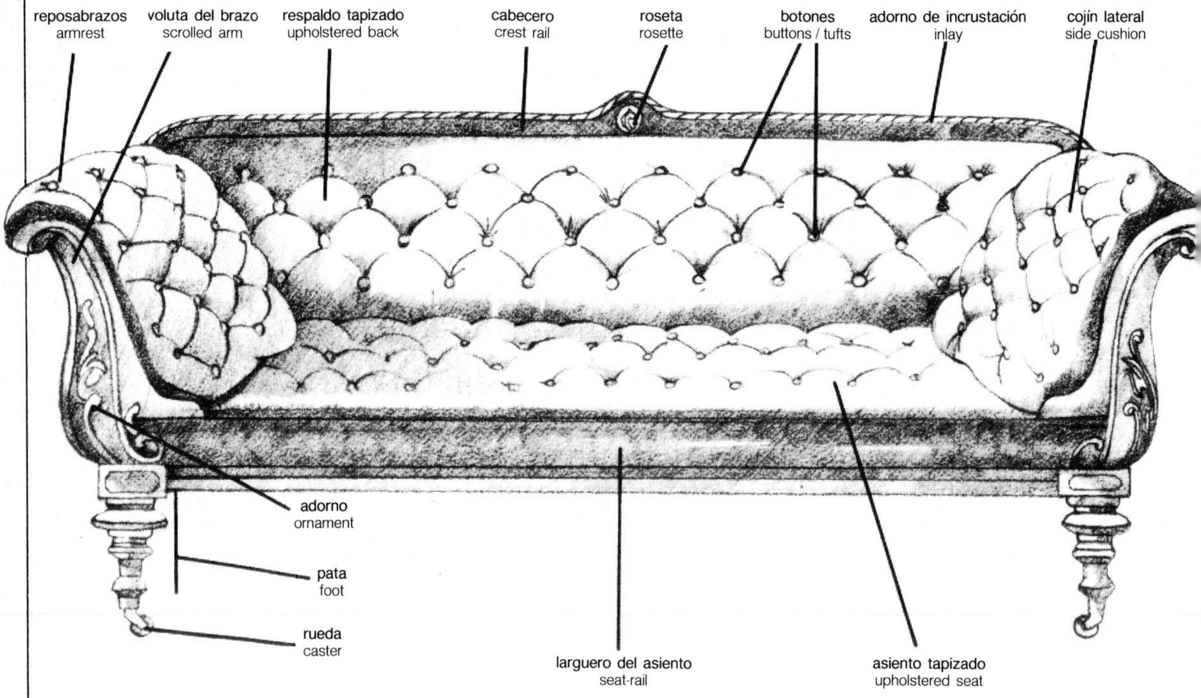

reposabrazos
armrest
voluta del brazo
scrolled arm
respaldo tapizado
upholstered back
cabecero
crest rail
roseta
rosette
botones
buttons / tufts
adorno de incrustación
inlay
cojín lateral
side cushion
adorno
ornament
pata
foot
rueda
caster
larguero del asiento
seat-rail
asiento tapizado
upholstered seat

Velas y candelabros

Son sinónimos de vela las palabras *bujía* y *candela*, y de mecha, *pabito* y *torcida*. Una vela grande es un *cirio*. La última porción de vela sin consumir se llama *cabo*. Las velas se fabrican con *cera*, *estearina*, *parafina* o *sebo*. El utensilio que sirve para mantener derecha una sola vela es el *candelero*, que, cuando es bajo, con pie y mango, recibe el nombre de *palmatoria*. Un *candelabro* no es, pues, más que un candelero de dos o más brazos.

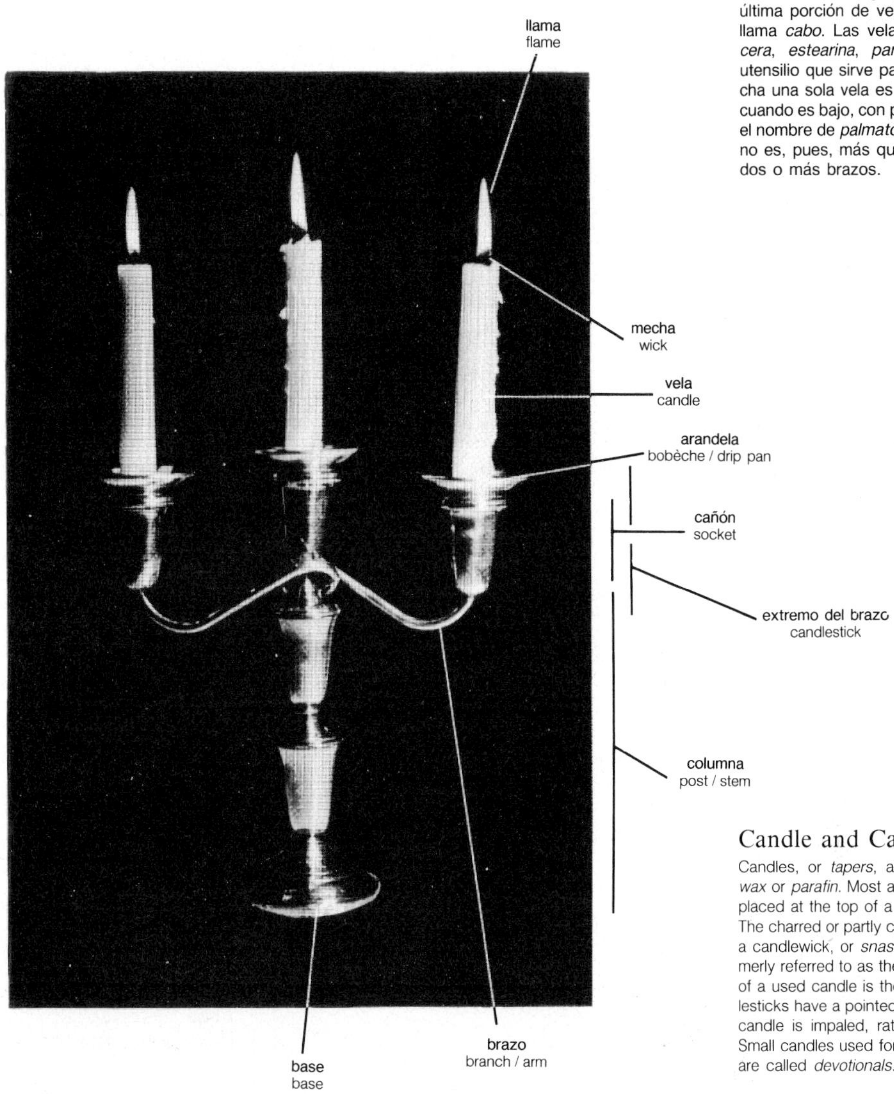
llama
flame
mecha
wick
vela
candle
arandela
bobèche / drip pan
cañón
socket
extremo del brazo
candlestick
columna
post / stem
base
base
brazo
branch / arm

Candle and Candelabrum

Candles, or *tapers*, are made of *tallow*, *wax* or *parafin*. Most are *dripless*. A collar placed at the top of a candle is a *burner*. The charred or partly consumed portion of a candlewick, or *snaste*, is the *snuff*, formerly referred to as the *snot*. The remains of a used candle is the *stub*. Many candlesticks have a pointed *pricket* on which a candle is impaled, rather than a socket. Small candles used for religious purposes are called *devotionals*.

Apagavelas
Candle Snuffer / Extinguisher

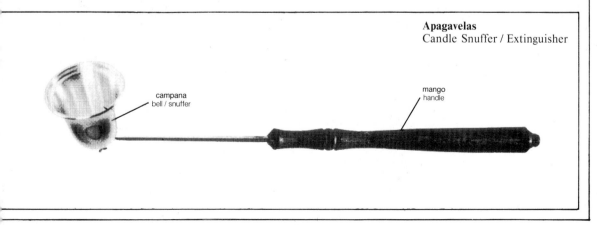

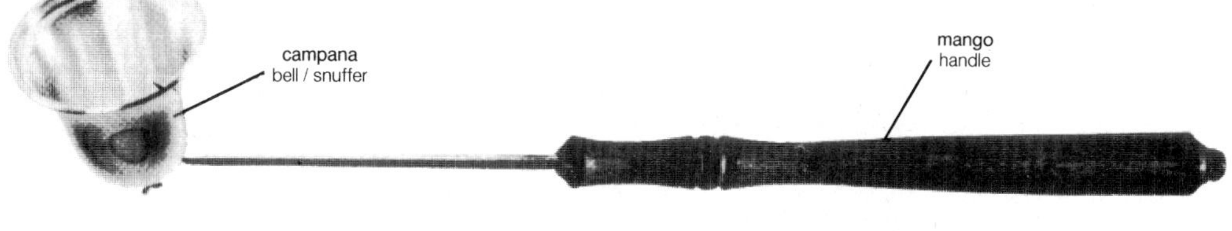
campana
bell / snuffer
mango
handle

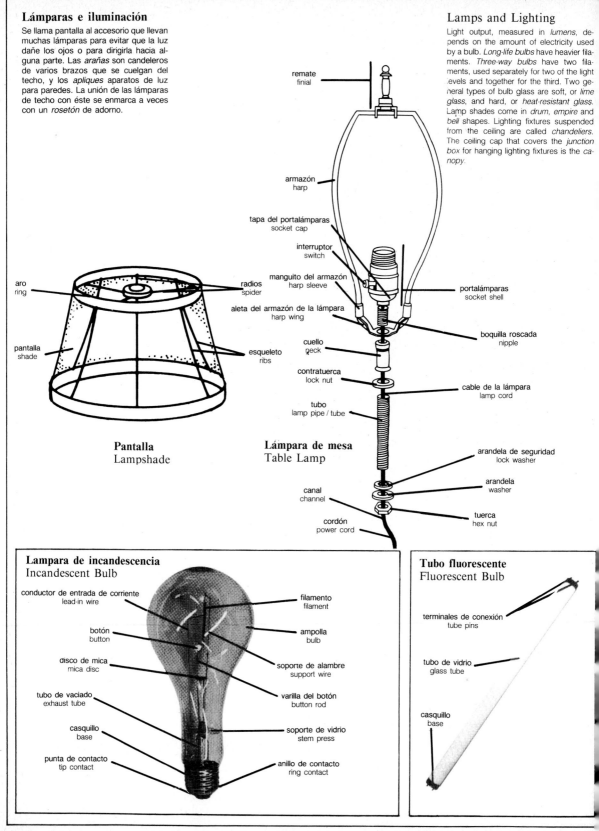

Lámparas e iluminación

Se llama pantalla al accesorio que llevan muchas lámparas para evitar que la luz dañe los ojos o para dirigirla hacia alguna parte. Las *arañas* son candeleros de varios brazos que se cuelgan del techo, y los *apliques* aparatos de luz para paredes. La unión de las lámparas de techo con éste se enmarca a veces con un *rosetón* de adorno.

Lamps and Lighting

Light output, measured in *lumens*, depends on the amount of electricity used by a bulb. *Long-life bulbs* have heavier filaments. *Three-way bulbs* have two filaments, used separately for two of the light levels and together for the third. Two general types of bulb glass are soft, or *lime glass*, and hard, or *heat-resistant glass*. Lamp shades come in *drum*, *empire* and *bell* shapes. Lighting fixtures suspended from the ceiling are called *chandeliers*. The ceiling cap that covers the *junction box* for hanging lighting fixtures is the *canopy*.

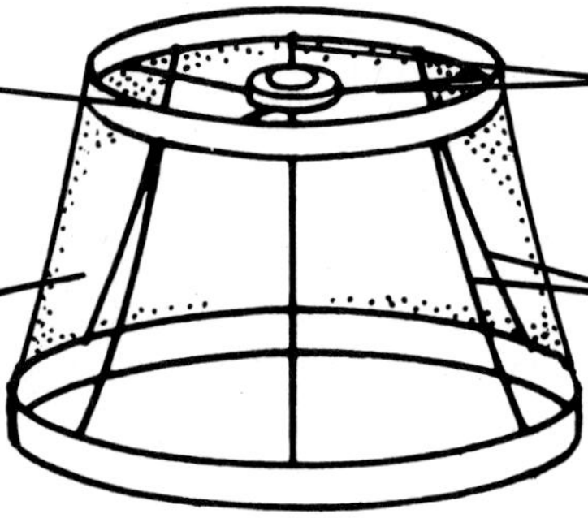

aro
ring
radios
spider
pantalla
shade
esqueleto
ribs

Pantalla
Lampshade

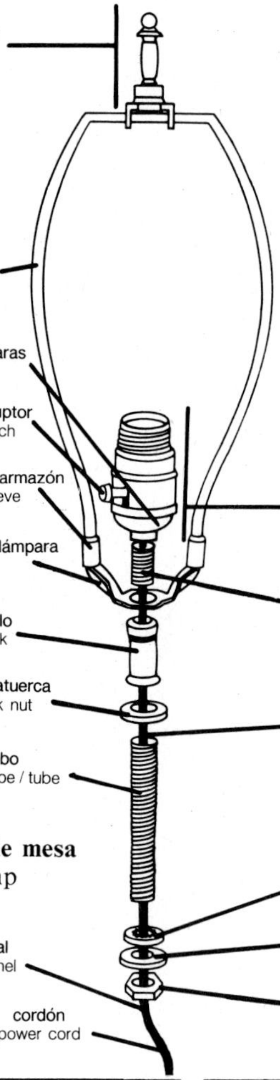

remate
finial
armazón
harp
tapa del portalámparas
socket cap
interruptor
switch
manguito del armazón
harp sleeve
portalámparas
socket shell
aleta del armazón de la lámpara
harp wing
boquilla roscada
nipple
cuello
neck
contratuerca
lock nut
cable de la lámpara
lamp cord
tubo
lamp pipe / tube
arandela de seguridad
lock washer
arandela
washer
canal
channel
tuerca
hex nut
cordón
power cord

Lámpara de mesa
Table Lamp

Lampara de incandescencia
Incandescent Bulb

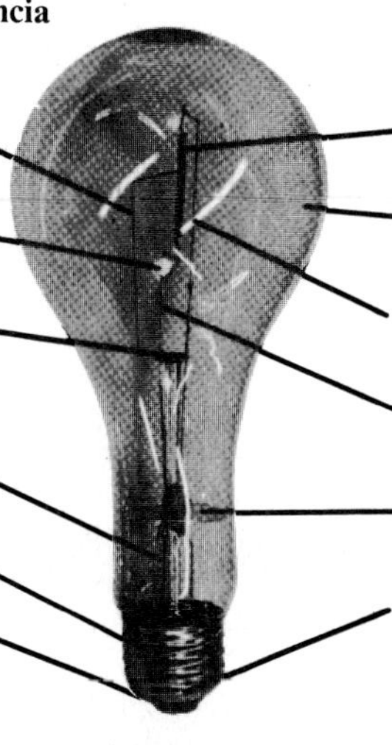

conductor de entrada de corriente
lead-in wire
filamento
filament
botón
button
ampolla
bulb
disco de mica
mica disc
soporte de alambre
support wire
tubo de vaciado
exhaust tube
varilla del botón
button rod
casquillo
base
soporte de vidrio
stem press
punta de contacto
tip contact
anillo de contacto
ring contact

Tubo fluorescente
Fluorescent Bulb

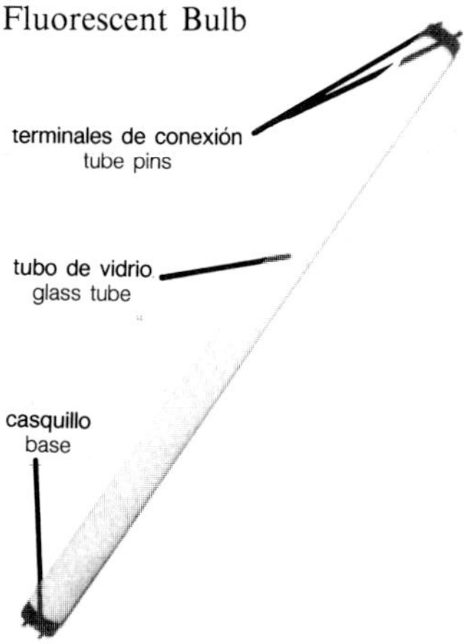

terminales de conexión
tube pins
tubo de vidrio
glass tube
casquillo
base

Lámparas e iluminación

La luz emitida por una lámpara se mide en *lúmenes* y depende de la cantidad de electricidad que aquélla consume. Las *lámparas de larga duración* tienen el filamento más resistente que las ordinarias. Las *lámparas trimodales* llevan dos filamentos que se utilizan por separado para obtener dos niveles luminosos distintos y simultáneamente para producir el tercer nivel. Los dos tipos de vidrio más utilizados en la fabricación de ampollas de lámparas son el *cálcico* y el *refractario*.

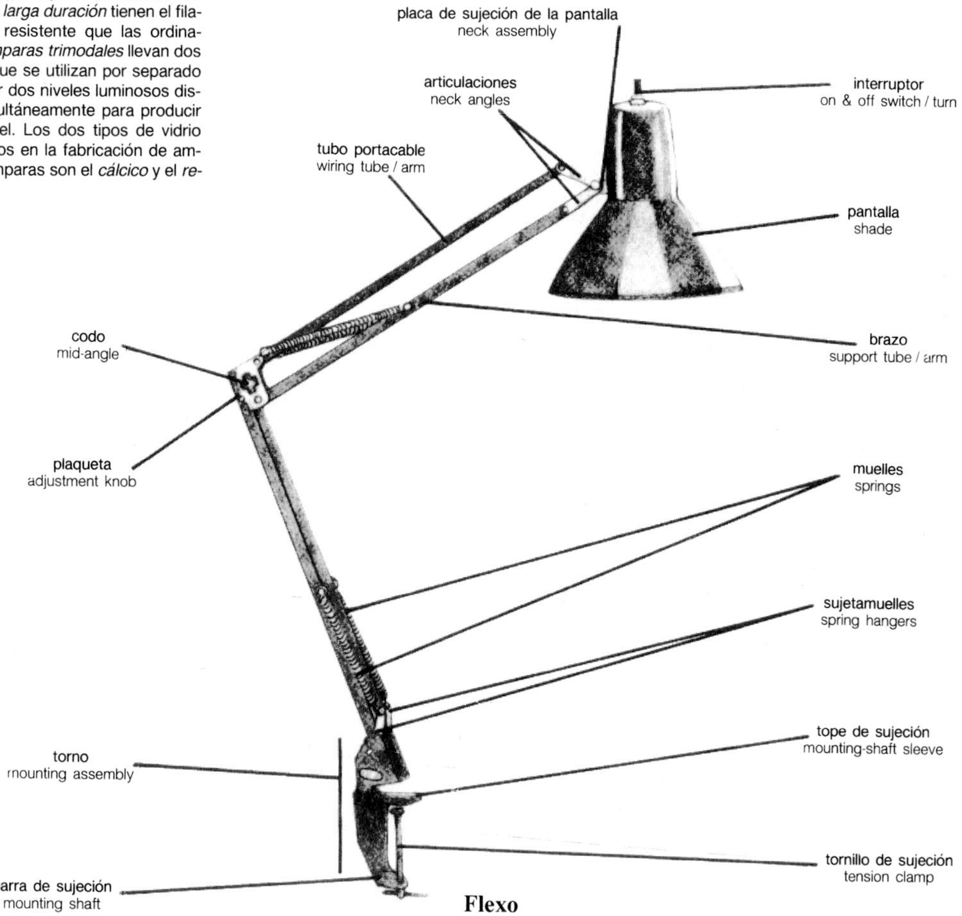
placa de sujeción de la pantalla
neck assembly
articulaciones
neck angles
interruptor
on & off switch / turn
tubo portacable
wiring tube / arm
pantalla
shade
codo
mid-angle
brazo
support tube / arm
plaqueta
adjustment knob
muelles
springs
sujetamuelles
spring hangers
torno
mounting assembly
tope de sujeción
mounting-shaft sleeve
tornillo de sujeción
tension clamp
barra de sujeción
mounting shaft

Flexo
Adjustable Lamp

Focos sobre riel
Track Lighting

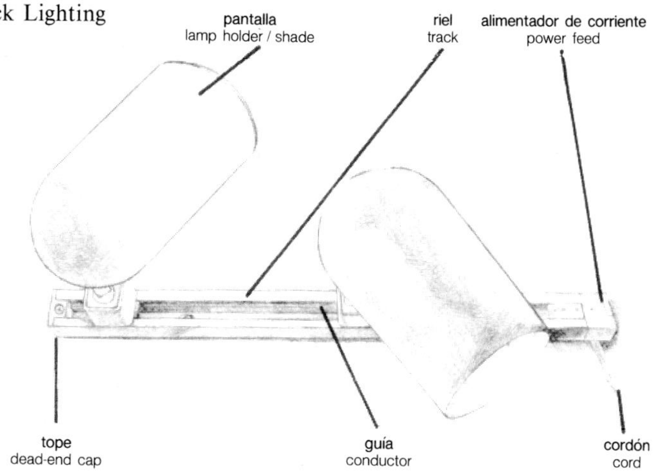
pantalla
lamp holder / shade
riel
track
alimentador de corriente
power feed
tope
dead-end cap
guía
conductor
cordón
cord

.amps and Lighting

.djustable lamps, such as the one seen .ere, have an *inner reflector* around the .ulb to help ventilate the shade. *Goose-.eck lamps* have flexible shafts which per-.it the shade to be turned in any direc-.on. *Highintensity* lamps produce a strong .eam of light that illuminates only a small .rea.

Lámparas e iluminación

Las bombillas más idóneas para flexos como el de la ilustración son las que llevan un *baño reflectante* que evita el excesivo calentamiento de la pantalla. Los *flexos de brazo helicoidal* permiten girar la pantalla en cualquier dirección. Se denominan *focos de alta intensidad* los que emiten un haz de luz muy intenso que ilumina sólo un área reducida.

Window Coverings

The gathering of material at the top of draperies, hidden by the valance in this illustration, is called the *heading.* A *curtain rod* is a simple metal or wooden rod on which curtains are hung and moved by hand, without aid of pulley mechanisms. A curtain *panel* is a vertical section of fabric. *Cafe curtains* are suspended from rings and cover only part of a window.

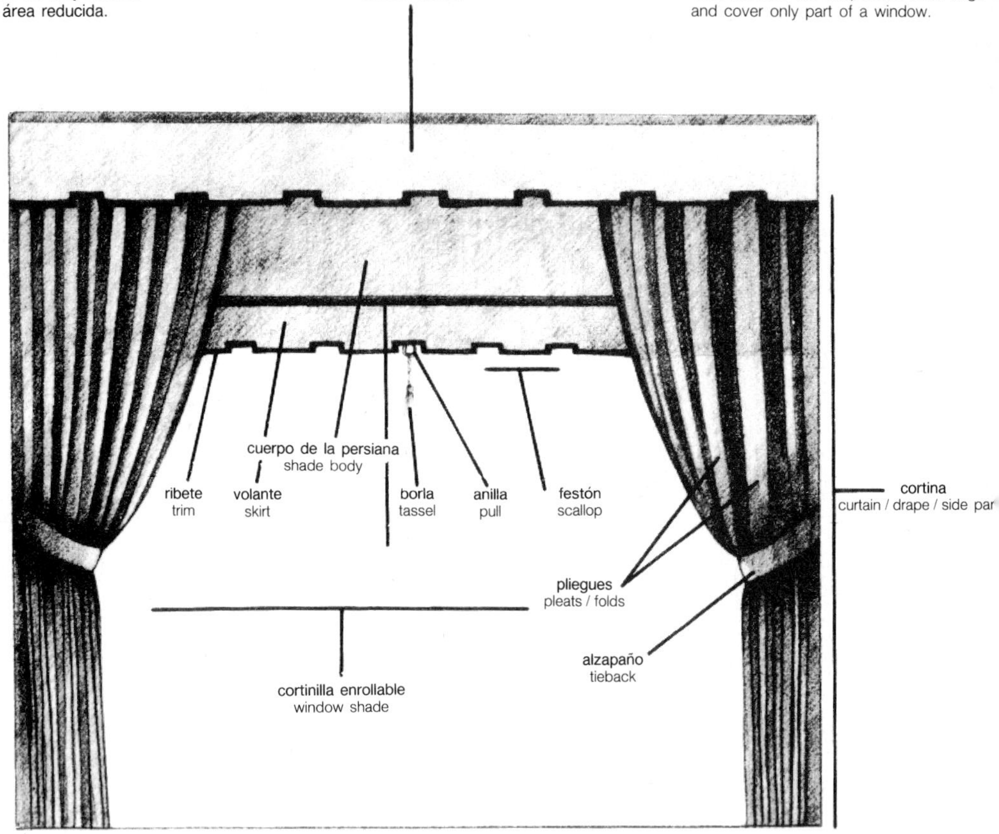
guardamalleta / cenefa
valance / cornice
cuerpo de la persiana
shade body
ribete
trim
volante
skirt
borla
tassel
anilla
pull
festón
scallop
cortina
curtain / drape / side par
pliegues
pleats / folds
alzapaño
tieback
cortinilla enrollable
window shade

Cortinas
Curtains / Draperies and Shade

Riel
Traverse Rod

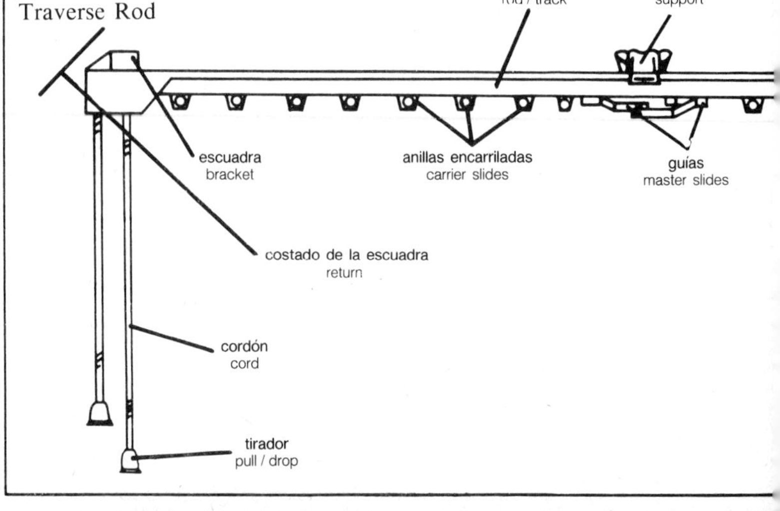
riel
rod / track
pieza central de sujeción
support
escuadra
bracket
anillas encarriladas
carrier slides
guías
master slides
costado de la escuadra
return
cordón
cord
tirador
pull / drop

Coberturas para ventanas

Los *cabezales de tapicería* para *visillos* y cortinas son cintas de frunces que permiten recoger el vuelo del tejido en *tablas*, *frunces* o *pliegues* regulares. Una *barra de cortina* es un simple listón cilíndrico de madera o metal donde van ensartadas una serie de anillas cosidas al tejido. Hay *visillos* suspendidos con anillas de una barra sujeta tansversalmente a media altura de la ventana, típicos en algunos establecimientos como los cafés.

Window Coverings

Braided ladders are used in place of ladder tapes on some venetian blinds, and tubular *wands* are sometimes used instead of tilt cords. In *roll-up blinds*, slat tilt cannot be adjusted. A shutter consists of *panels*, each one of which contains louvers within a frame.

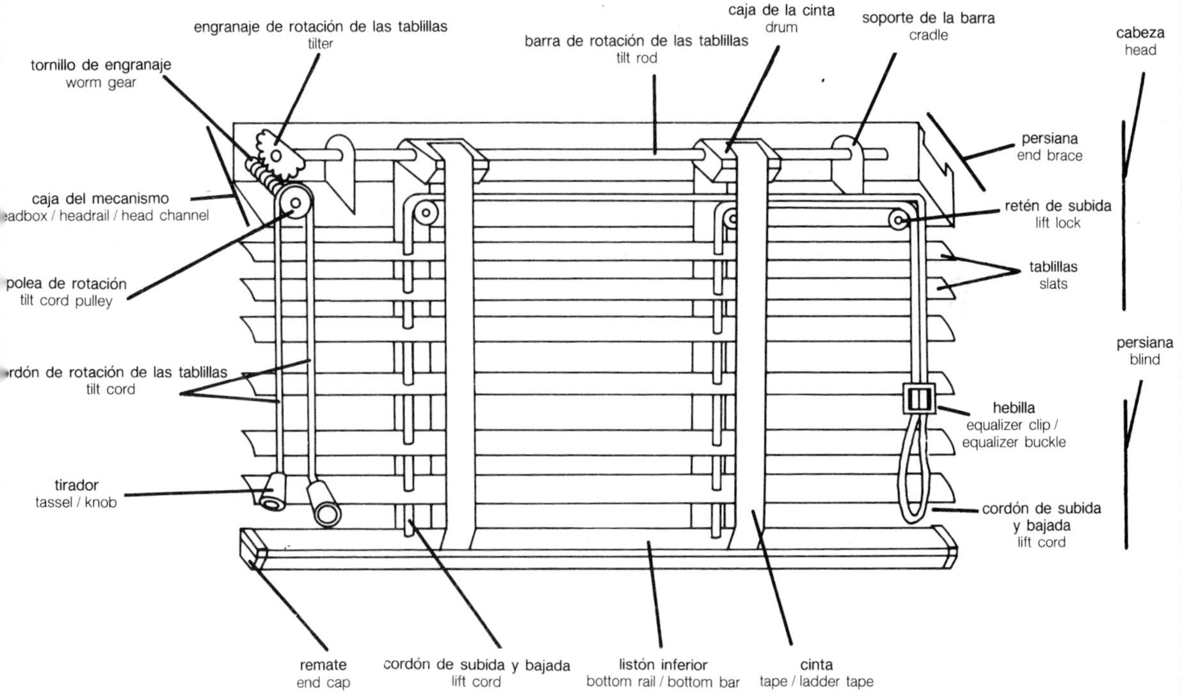

engranaje de rotación de las tablillas
tilter
tornillo de engranaje
worm gear
caja del mecanismo
eadbox / headrail / head channel
polea de rotación
tilt cord pulley
rdón de rotación de las tablillas
tilt cord
tirador
tassel / knob
barra de rotación de las tablillas
tilt rod
caja de la cinta
drum
soporte de la barra
cradle
cabeza
head
persiana
end brace
retén de subida
lift lock
tablillas
slats
persiana
blind
hebilla
equalizer clip / equalizer buckle
cordón de subida y bajada
lift cord
remate
end cap
cordón de subida y bajada
lift cord
listón inferior
bottom rail / bottom bar
cinta
tape / ladder tape

Persianas graduables
Venetian Blinds

Contraventanas
Shutters

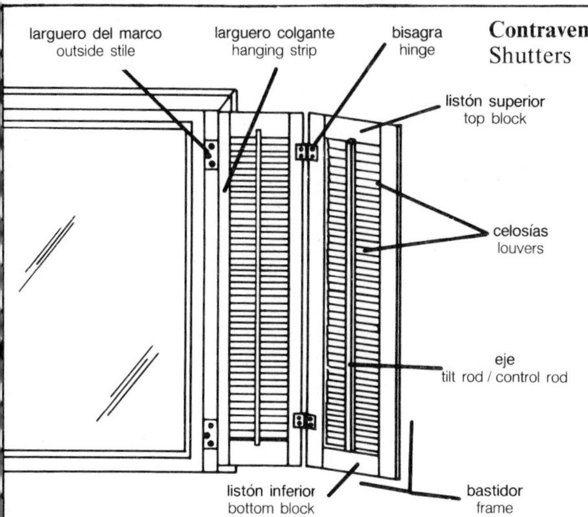

larguero del marco
outside stile
larguero colgante
hanging strip
bisagra
hinge
listón superior
top block
celosías
louvers
eje
tilt rod / control rod
listón inferior
bottom block
bastidor
frame

Persianas enrolladas
Shade Roller

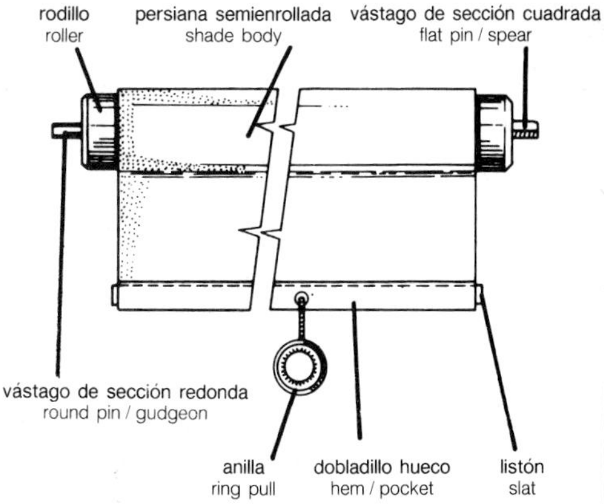

rodillo
roller
persiana semienrollada
shade body
vástago de sección cuadrada
flat pin / spear
vástago de sección redonda
round pin / gudgeon
anilla
ring pull
dobladillo hueco
hem / pocket
listón
slat

Mesa

Se llama mesa de hojas abatibles cualquier mesa con una o más alas u hojas que se doblan lateralmente hacia abajo, para ocupar menos espacio cuando no se utiliza. En algunas de estas mesas, las hojas se sostienen por medio de *palomillas* de madera. Las *mesas de pedestal* reposan sobre una base única en lugar de varias patas. Algunas mesas tienen un faldón, listón de madera que discurre a lo largo de los lados, bajo el *tablero* como refuerzo. Las *mesas de juego*, son mesas ligeras, portátiles, de *bastidor* plegable.

Table

A drop-leaf table is any table with a leaf that drops down to the side, such as a *gateleg* or a *butterfly table*. In a butterfly table, which has *splayed legs*, wooden wing-shaped *brackets* support the leaves. *Pedestal tables* rest on a single *base* rather than on legs. Some tables have an *apron*, wooden slats that run along the sides just beneath the top, to provide additional support. *Card tables*, or *bridge tables*, are lightweight, portable tables with folding *frames*.

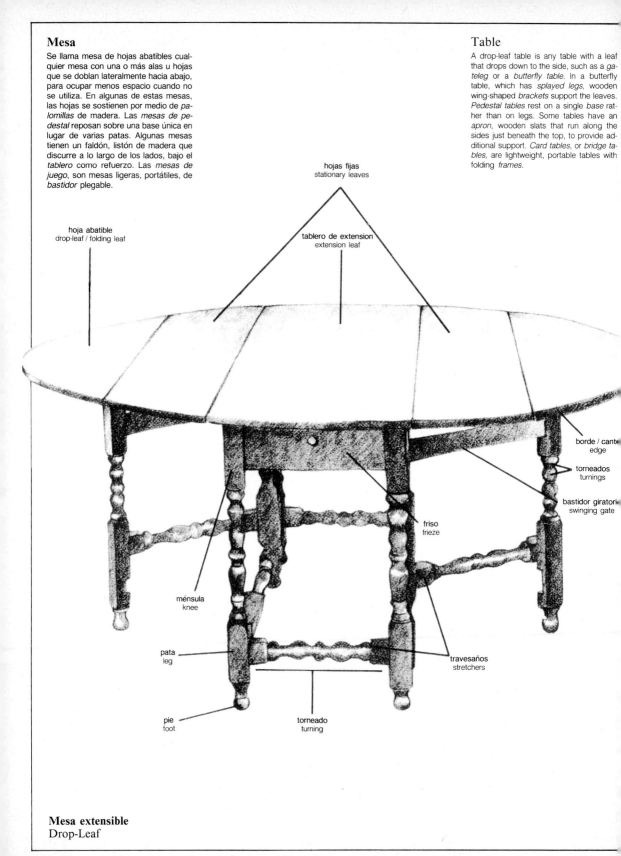

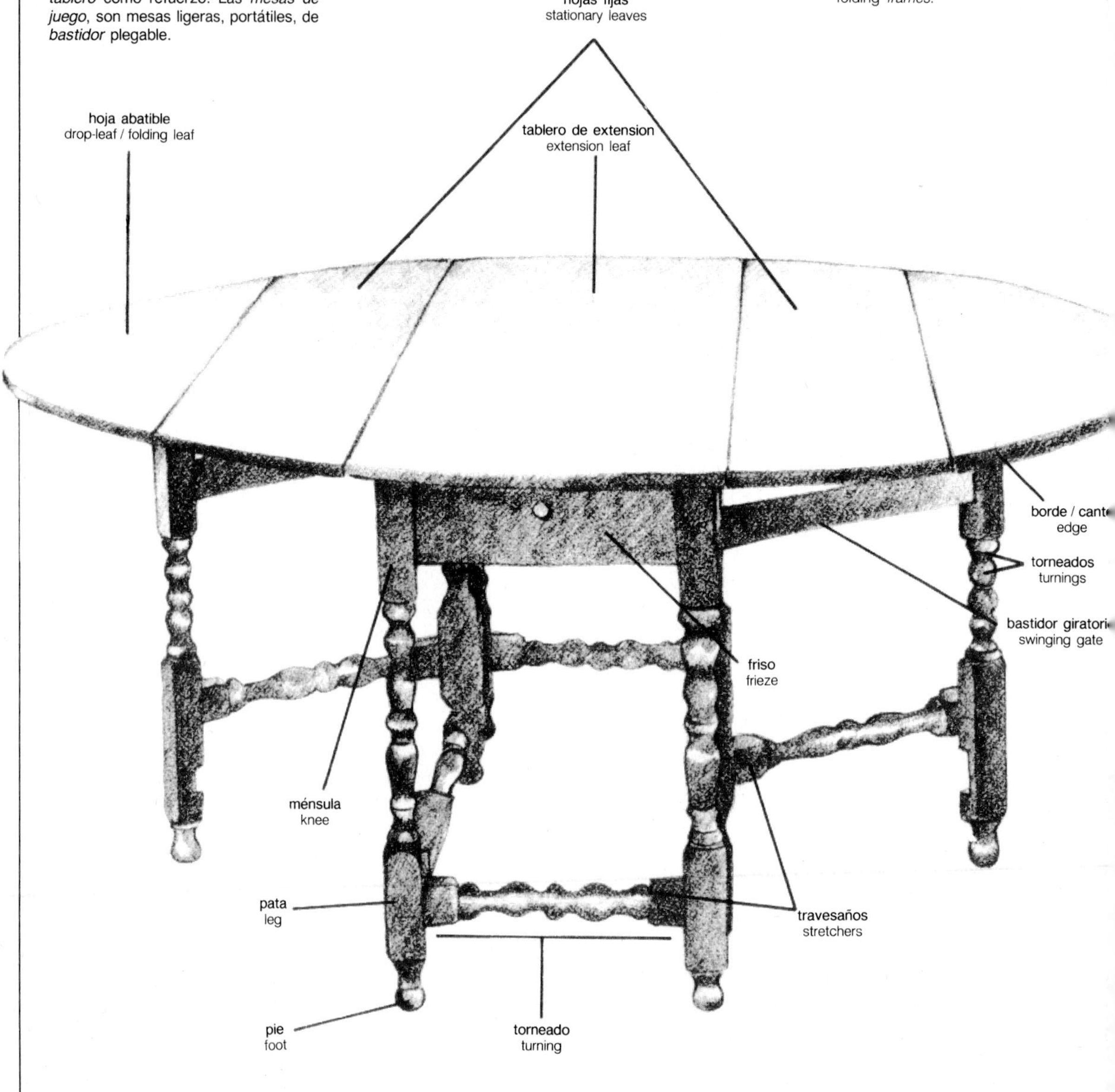
hojas fijas
stationary leaves
hoja abatible
drop-leaf / folding leaf
tablero de extension
extension leaf
borde / cant
edge
torneados
turnings
bastidor giratori
swinging gate
friso
frieze
ménsula
knee
pata
leg
travesaños
stretchers
pie
foot
torneado
turning

Mesa extensible
Drop-Leaf

Mobiliario de comedor

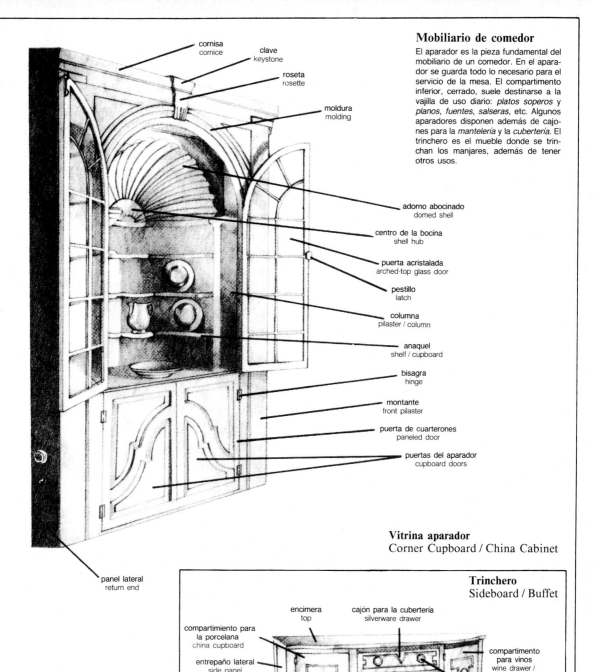

El aparador es la pieza fundamental del mobiliario de un comedor. En el aparador se guarda todo lo necesario para el servicio de la mesa. El compartimento inferior, cerrado, suele destinarse a la vajilla de uso diario: *platos soperos* y *planos*, *fuentes*, *salseras*, etc. Algunos aparadores disponen además de cajones para la *mantelería* y la *cubertería*. El trinchero es el mueble donde se trinchan los manjares, además de tener otros usos.

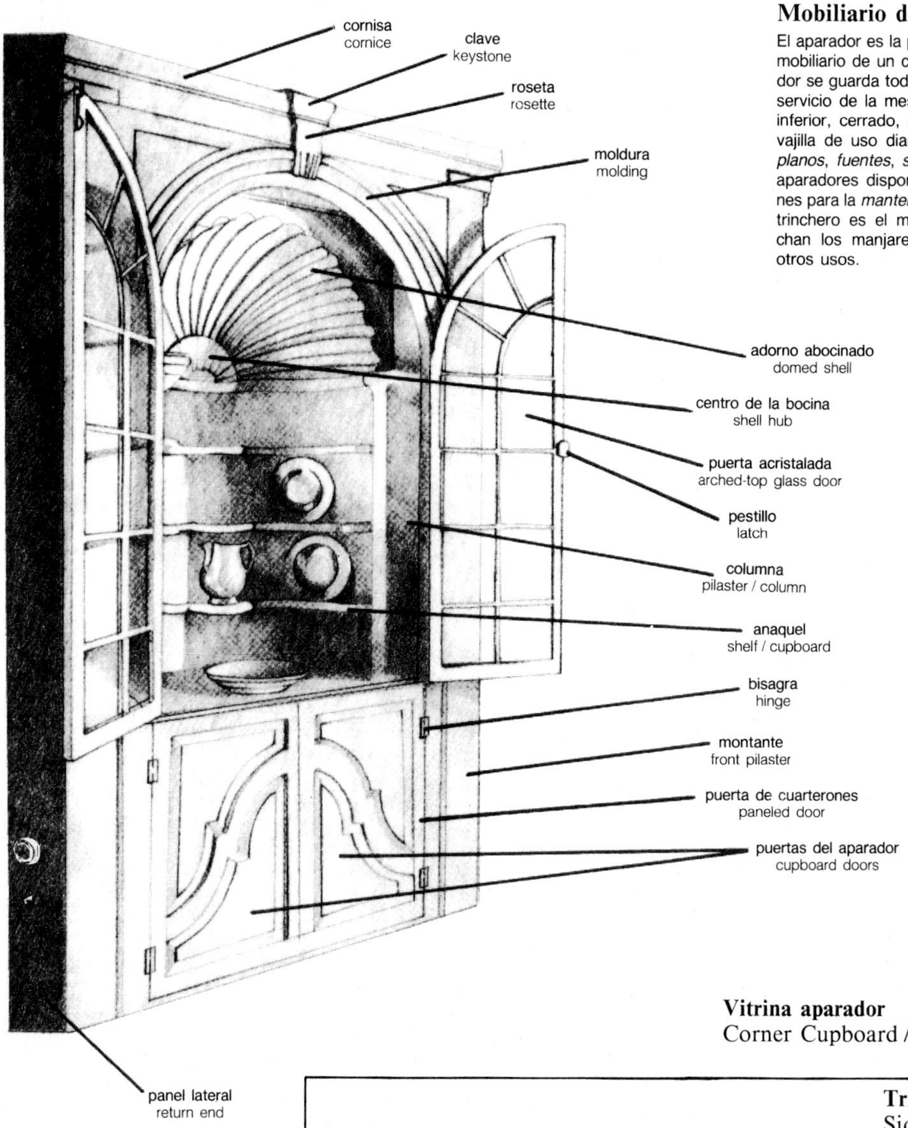
cornisa
cornice
clave
keystone
roseta
rosette
moldura
molding
adorno abocinado
domed shell
centro de la bocina
shell hub
puerta acristalada
arched-top glass door
pestillo
latch
columna
pilaster / column
anaquel
shelf / cupboard
bisagra
hinge
montante
front pilaster
puerta de cuarterones
paneled door
puertas del aparador
cupboard doors
panel lateral
return end

Vitrina aparador
Corner Cupboard / China Cabinet

Trinchero
Sideboard / Buffet

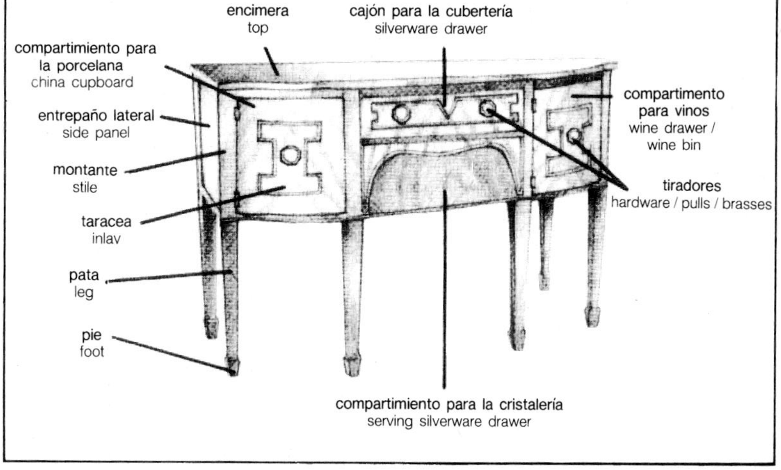
encimera
top
cajón para la cubertería
silverware drawer
compartimiento para la porcelana
china cupboard
compartimento para vinos
wine drawer / wine bin
entrepaño lateral
side panel
montante
stile
tiradores
hardware / pulls / brasses
taracea
inlay
pata
leg
pie
foot
compartimiento para la cristalería
serving silverware drawer

Side Pieces

Storage cabinets and receptacles are known as *casework furniture*. Some sideboards have *candle slides*, which are boards that slide out to support candlesticks. *Knife boxes*, or *knife cases*, sit atop the sideboard at either end. Other side pieces include *breakfronts*, *hutches* and *dry sinks*.

Servicio de mesa

Se denomina *cubierto* el *servicio completo* de mesa para cada *comensal*. *Los cubiertos* son los utensilios metálicos de que nos servimos para comer. *La vajilla* es el conjunto de platos, fuentes, tazas, etc. Los vasos y copas de cristal constituyen la *cristalería*. Para comer pescado, en lugar del cuchillo se utiliza la *pala*.

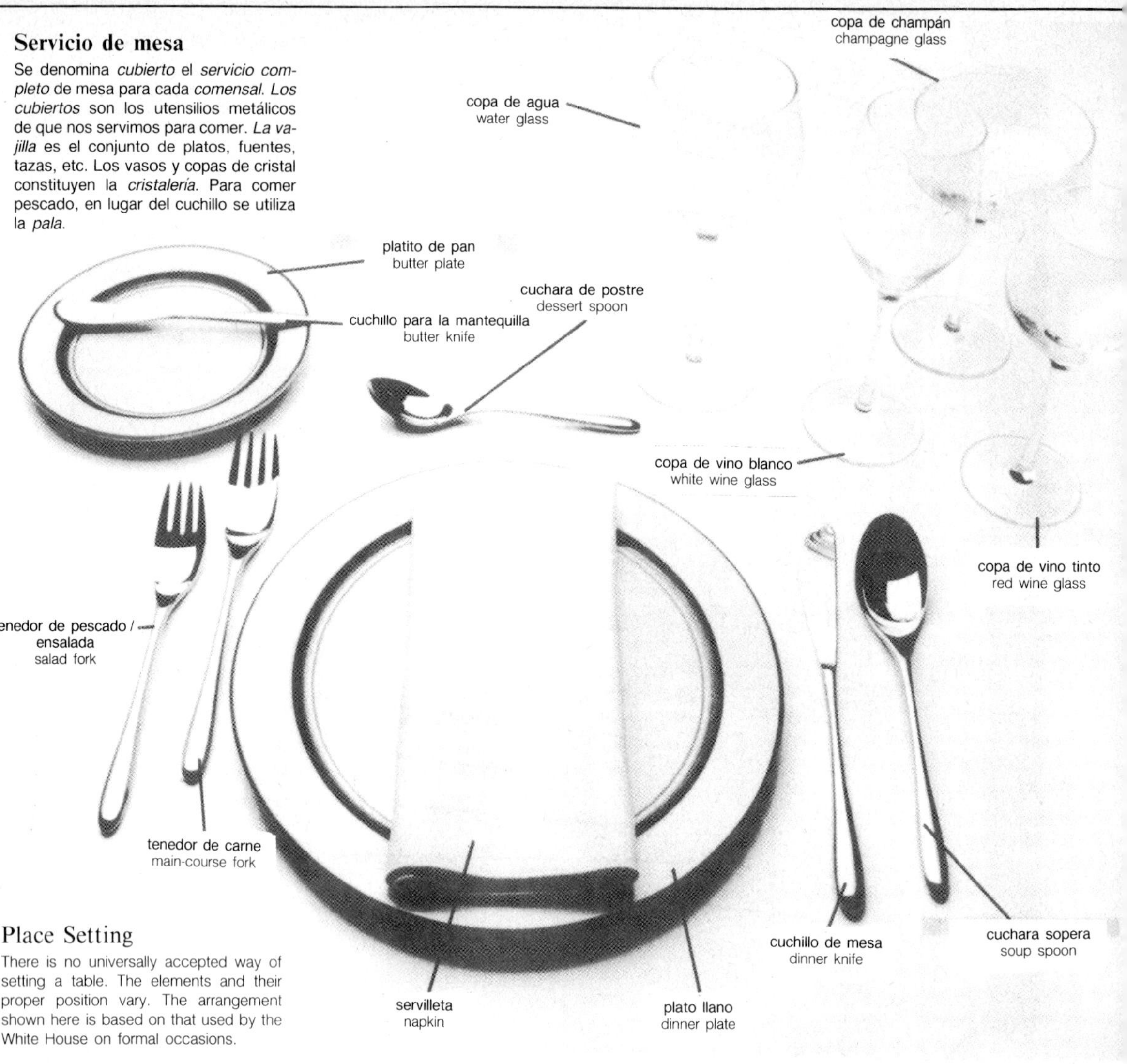
copa de champán
champagne glass
copa de agua
water glass
platito de pan
butter plate
cuchara de postre
dessert spoon
cuchillo para la mantequilla
butter knife
copa de vino blanco
white wine glass
copa de vino tinto
red wine glass
tenedor de pescado / ensalada
salad fork
tenedor de carne
main-course fork
cuchillo de mesa
dinner knife
cuchara sopera
soup spoon
servilleta
napkin
plato llano
dinner plate

Place Setting

There is no universally accepted way of setting a table. The elements and their proper position vary. The arrangement shown here is based on that used by the White House on formal occasions.

Cubiertos
Flatware / Silverware

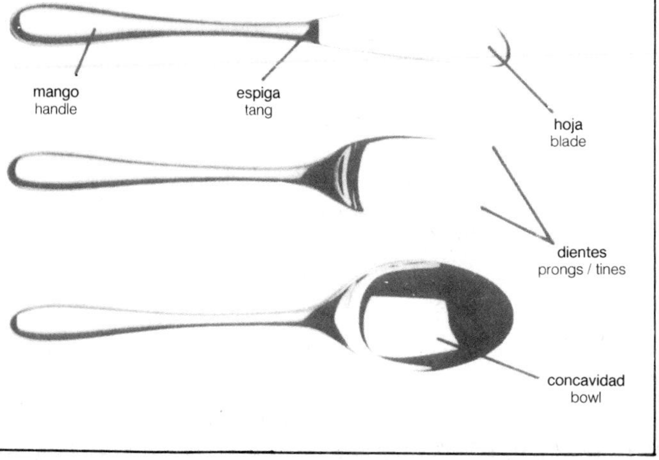
mango
handle
espiga
tang
hoja
blade
dientes
prongs / tines
concavidad
bowl

Cristalería
Stemware

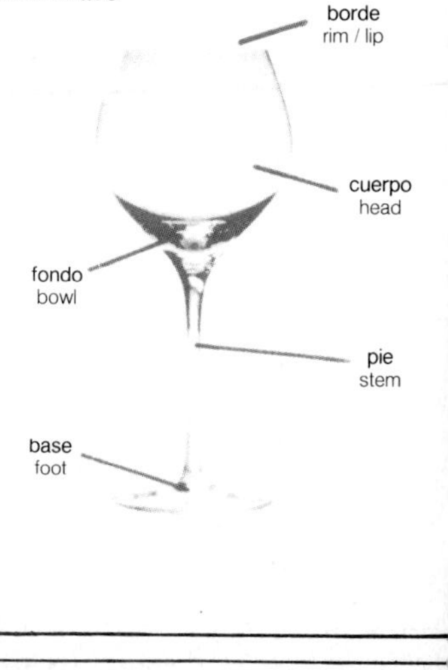
borde
rim / lip
cuerpo
head
fondo
bowl
pie
stem
base
foot

Servicio de postre

Otros recipientes usados para servir postres y dulces son las *fuentes* y *bandejas*, algunas de ellas compartimentadas, *fruteros* de varios pisos y en forma de cuencos, *compoteras*, etc. Las bebidas que se sirven después de la comida suelen presentarse en decorativos *botellones* o frascos de cristal tallado.

Dessert Setting

Among other plates used for serving dessert and sweets are multi-tiered *terrace servers*, *serving trays*, *cake plates*, *fruit bowls* called *centerpieces*, and *compotes*. After-dinner drinks are often poured from ornamental glass bottles called *decanters*.

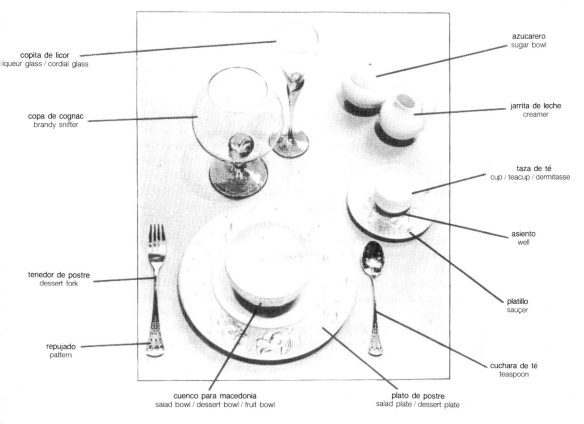

copita de licor
iqueur glass / cordial glass
copa de cognac
brandy snifter
tenedor de postre
dessert fork
repujado
pattern
azucarero
sugar bowl
jarrita de leche
creamer
taza de té
cup / teacup / dermitasse
asiento
well
platillo
sauçer
cuchara de té
teaspoon
cuenco para macedonia
salad bowl / dessert bowl / fruit bowl
plato de postre
salad plate / dessert plate

Recipiente para fondue
Chafing Dish

perol
chafing dish / pan
mango aislante
insulated handle
trébedes
stand
quemador
burner

Servicio de té
Tea Set / Tea Service and Kettle

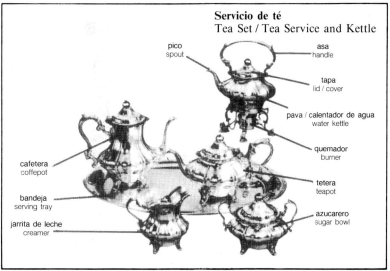

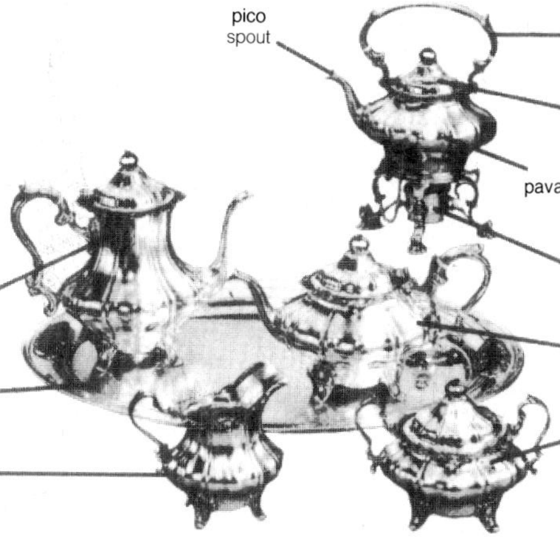
pico
spout
asa
handle
tapa
lid / cover
pava / calentador de agua
water kettle
quemador
burner
cafetera
coffepot
tetera
teapot
bandeja
serving tray
jarrita de leche
creamer
azucarero
sugar bowl

Alfombra

Las *moquetas* son alfombras sin rematar que normalmente se instalan de pared a pared. Otros tipos de alfombras son las *esteras*, de tejido grueso de esparto, juncos o palma, las *antecamas*, que se colocan a los lados de las camas, y los *petates*, o esterillas que se utilizan en algunos países para dormir encima. Casi todas las alfombras modernas se confeccionan cosiendo hebras de una hilatura gruesa a un soporte de *cañamazo* u otro tejido basto y poco tupido.

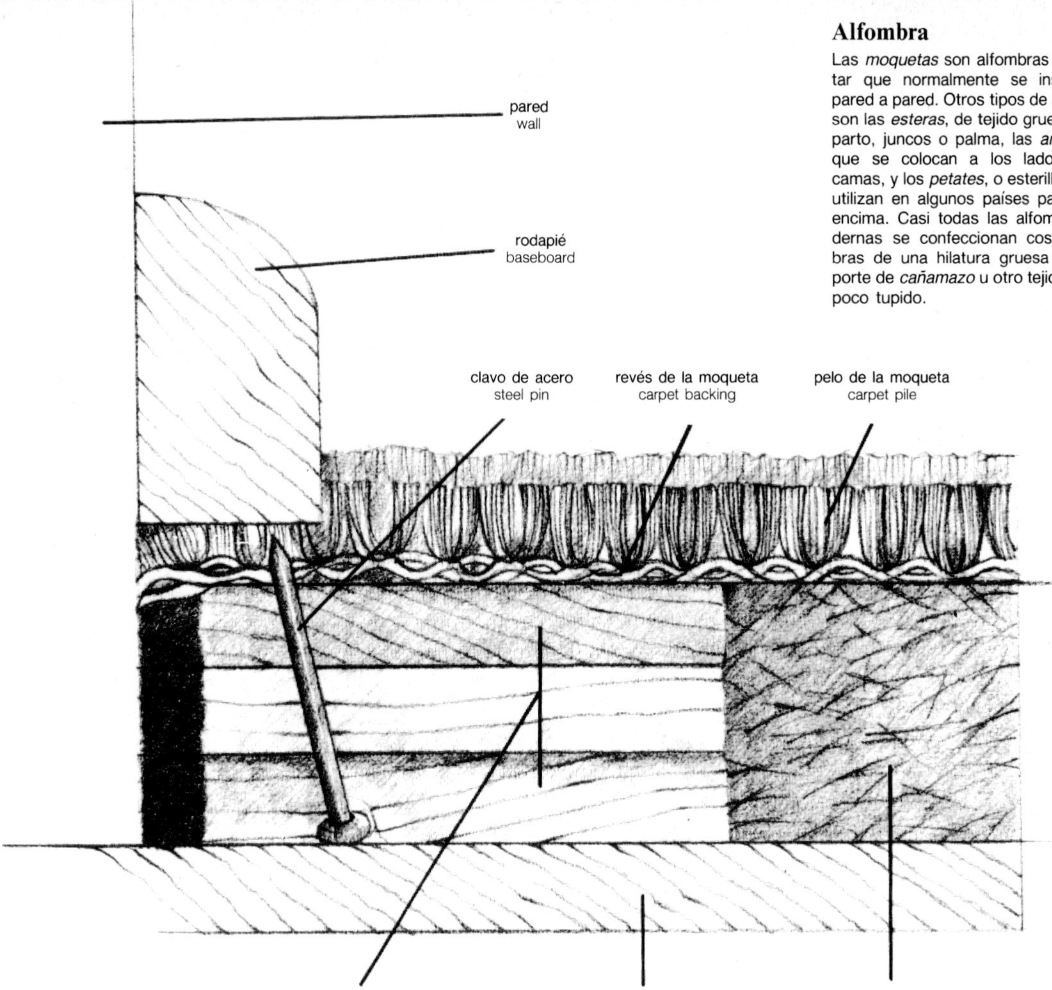

pared
wall
rodapié
baseboard
clavo de acero
steel pin
revés de la moqueta
carpet backing
pelo de la moqueta
carpet pile
listón de sujeción
tackless strip
suelo
floor
lámina de material mullido
carpet padding

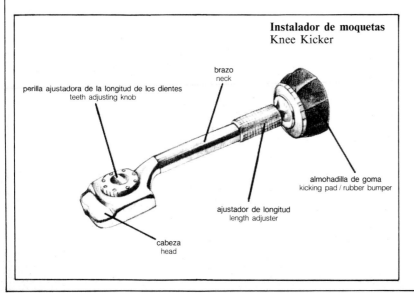

Instalador de moquetas
Knee Kicker

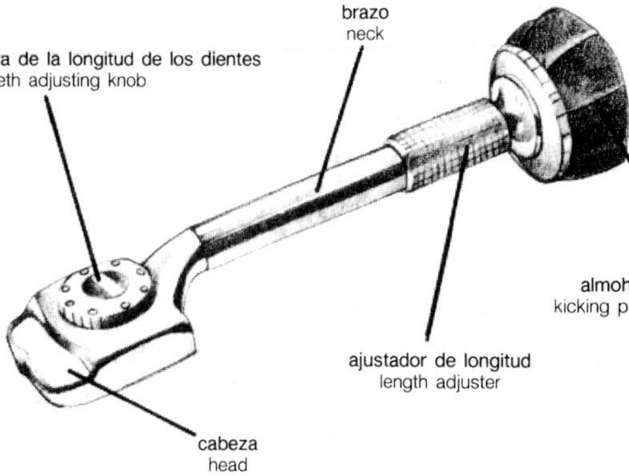

brazo
neck
perilla ajustadora de la longitud de los dientes
teeth adjusting knob
almohadilla de goma
kicking pad / rubber bumper
ajustador de longitud
length adjuster
cabeza
head

Carpet

Carpets, or *wall-to-wall carpets* cover the entire floor of a room, while *rugs*, *area rugs*, *throw rugs* and narrow *runners* cover only a part, are not tacked down, and often rest on *rug pads Tacks* are short nails with flat, broad heads. Much modern *carpeting* is tufted, made by stitching *yarn loops* into a *woven backing.*

Fregadero y compactador de basura

La ferretería de un fregadero, las llaves o *manetas* de los grifos y la propia *batería mezcladora* se denominan *accesorios*. Los desagües de los fregaderos suelen llevar *rejillas* que dejan pasar el agua y no los residuos que podrían causar un atasco. Algunos fregaderos llevan incorporado un *calentador instantáneo* con un *serpentín* que proporciona pequeñas cantidades de agua caliente cuando se necesita.

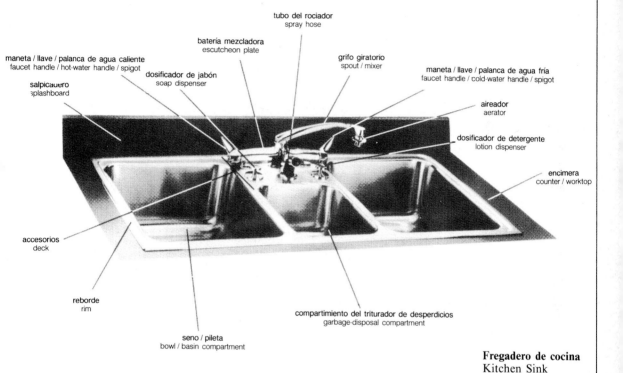

tubo del rociador
spray hose
batería mezcladora
escutcheon plate
maneta / llave / palanca de agua caliente
faucet handle / hot-water handle / spigot
dosificador de jabón
soap dispenser
salpicadero
splashboard
grifo giratorio
spout / mixer
maneta / llave / palanca de agua fría
faucet handle / cold-water handle / spigot
aireador
aerator
dosificador de detergente
lotion dispenser
encimera
counter / worktop
accesorios
deck
reborde
rim
compartimiento del triturador de desperdicios
garbage-disposal compartment
seno / pileta
bowl / basin compartment

Fregadero de cocina
Kitchen Sink

Compactador de basura
Garbage Disposal / Trash Compactor

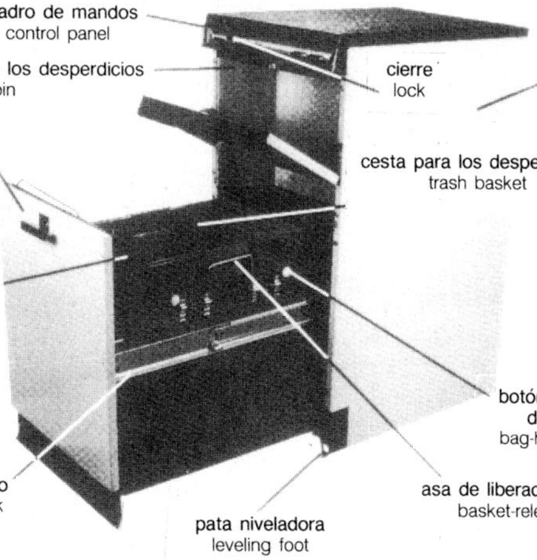

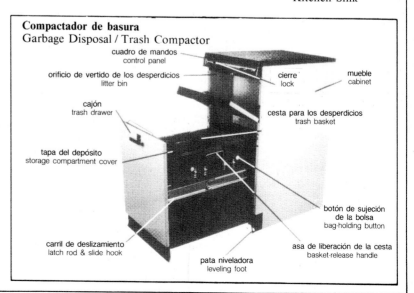

cuadro de mandos
control panel
orificio de vertido de los desperdicios
litter bin
cierre
lock
mueble
cabinet
cajón
trash drawer
cesta para los desperdicios
trash basket
tapa del depósito
storage compartment cover
botón de sujeción
de la bolsa
bag-holding button
carril de deslizamiento
latch rod & slide hook
asa de liberación de la cesta
basket-release handle
pata niveladora
leveling foot

Sink and Compactor

The hardware in a sink, the faucet handles and spout, are known as *fixtures*. Sink drains usually have perforated *drain baskets* which trap debris but allow water to pass through. Many baskets are two-piece units that form a watertight seal when the *inner basket* is twisted. *Instant hotwater devices* mounted on the spout of some sinks have a constantly heated coil that produces small amounts of hot water on demand.

Cocina

Las cocinas de gas modernas llevan un dispositivo de *encendido automático* que hace innecesario el uso de mecheros y cerillas para prender los quemadores. Los hornos que no precisan limpieza van recubiertos interiormente por un acabado de porcelana esmaltada resistente al calor.

Stove / Range

On an *electric range*, *heating elements* connected to *terminal blocks* are used in place of burner grates on a gas model. The permanent flame, used to ignite individual burners on a gas stove, is called a *pilot light*. Some models have an *electric pilot*. The walls of a *self-cleaning oven* are covered with a heat-sensitive porcelain enamel finish.

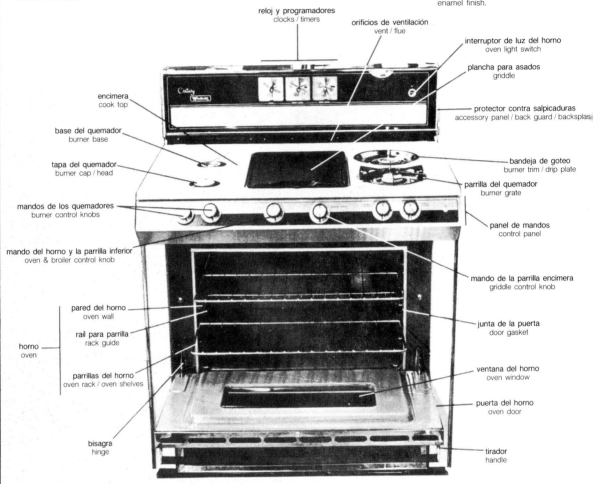

reloj y programadores
clocks / timers
orificios de ventilación
vent / flue
interruptor de luz del horno
oven light switch
plancha para asados
griddle
encimera
cook top
protector contra salpicaduras
accessory panel / back guard / backsplas
base del quemador
burner base
tapa del quemador
burner cap / head
bandeja de goteo
burner trim / drip plate
parrilla del quemador
burner grate
mandos de los quemadores
burner control knobs
panel de mandos
control panel
mando del horno y la parrilla inferior
oven & broiler control knob
mando de la parrilla encimera
griddle control knob
pared del horno
oven wall
junta de la puerta
door gasket
rail para parrilla
rack guide
horno
oven
parrillas del horno
oven rack / oven shelves
ventana del horno
oven window
puerta del horno
oven door
bisagra
hinge
tirador
handle

Cocina de gas
Gas Range

Compartimiento de parrilla
Broiler Compartment

bandeja de la parrilla
broiler pan
parrilla
grid
puerta del compartimiento
broiler door
tirador
handle

Refrigerador

En los refrigeradores que no llevan *dispensador de hielo* los cubitos se elaboran en bandejas especiales. Hay modelos que no forman escarcha y no precisan descongelación.

Refrigerator

Some refrigerators, or *iceboxes*, have an *ice dispenser* in the freezer section. Others have *ice trays*. A *frostfree*, or *no-frost*, model does not require defrosting.

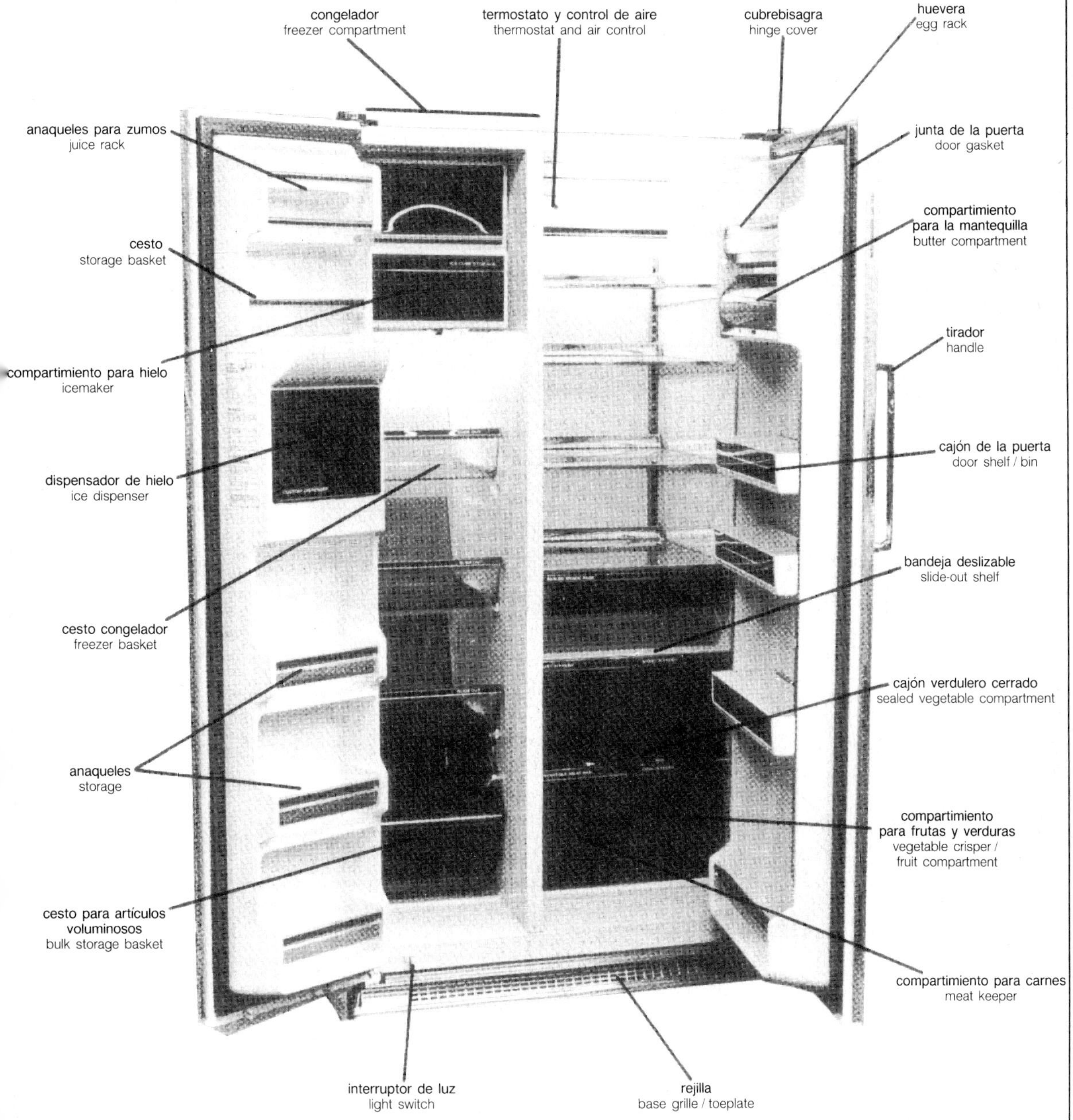
congelador
freezer compartment
termostato y control de aire
thermostat and air control
cubrebisagra
hinge cover
huevera
egg rack
anaqueles para zumos
juice rack
junta de la puerta
door gasket
compartimiento para la mantequilla
butter compartment
cesto
storage basket
tirador
handle
compartimiento para hielo
icemaker
cajón de la puerta
door shelf / bin
dispensador de hielo
ice dispenser
bandeja deslizable
slide-out shelf
cesto congelador
freezer basket
cajón verdulero cerrado
sealed vegetable compartment
anaqueles
storage
compartimiento para frutas y verduras
vegetable crisper / fruit compartment
cesto para artículos voluminosos
bulk storage basket
compartimiento para carnes
meat keeper
interruptor de luz
light switch
rejilla
base grille / toeplate

Lavavajillas

El modelo de la ilustración lleva el *selector de ciclos* y los *pulsadores de temperatura* en la parte externa de la puerta. Al abrir ésta se interrumpe automáticamente el funcionamiento de la máquina.

Dishwasher

The *cycle-selector control panel* and *timer* are located on the outside of the door of this built-in dishwasher. The machine will operate only when the *external door switch*, or latch, is engaged.

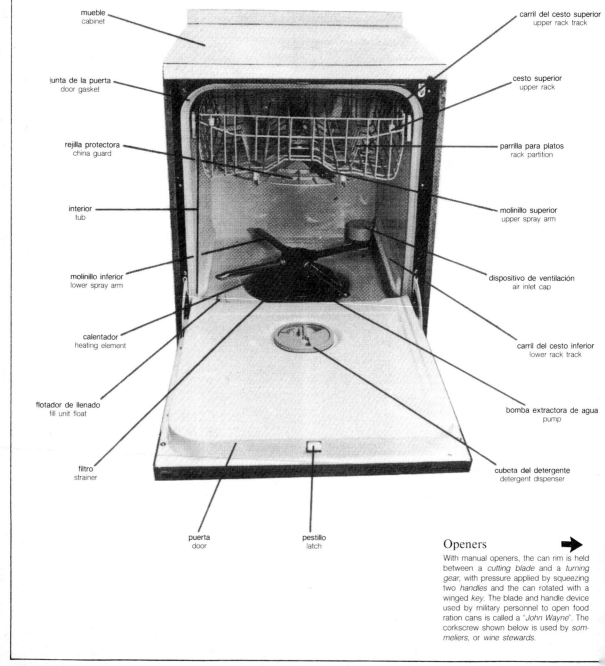

mueble
cabinet
junta de la puerta
door gasket
rejilla protectora
china guard
interior
tub
molinillo inferior
lower spray arm
calentador
heating element
flotador de llenado
fill unit float
filtro
strainer
puerta
door
pestillo
latch
carril del cesto superior
upper rack track
cesto superior
upper rack
parrilla para platos
rack partition
molinillo superior
upper spray arm
dispositivo de ventilación
air inlet cap
carril del cesto inferior
lower rack track
bomba extractora de agua
pump
cubeta del detergente
detergent dispenser

Openers

With manual openers, the can rim is held between a *cutting blade* and a *turning gear*, with pressure applied by squeezing two *handles* and the can rotated with a winged *key*. The blade and handle device used by military personnel to open food ration cans is called a "*John Wayne*". The corkscrew shown below is used by *sommeliers*, or *wine stewards*.

Abridores

El *abrelatas manual de tijera* perfora la lata al oprimirla presionando los dos mangos, y la corta al hacerla girar con una palomilla. Los abrelatas más sencillos son los denominados «*de excursionista*», que sólo constan de un mango y una cuchilla. Otro sistema de sacacorchos, aparte del de espiral, es el de *inyección de aire*.

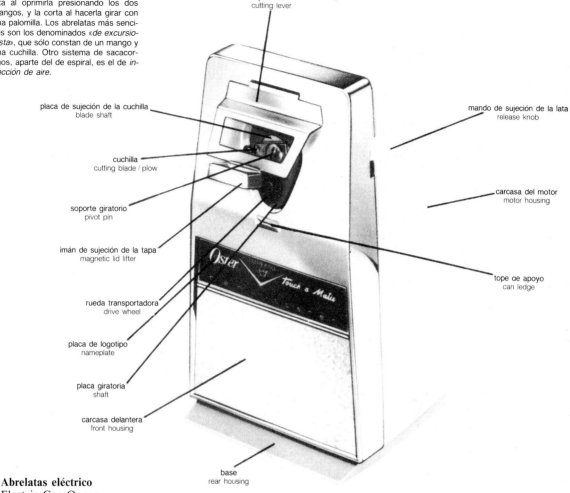

palanca
cutting lever
placa de sujeción de la cuchilla
blade shaft
mando de sujeción de la lata
release knob
cuchilla
cutting blade / plow
carcasa del motor
motor housing
soporte giratorio
pivot pin
imán de sujeción de la tapa
magnetic lid lifter
tope de apoyo
can ledge
rueda transportadora
drive wheel
placa de logotipo
nameplate
placa giratoria
shaft
carcasa delantera
front housing
base
rear housing
Oster
Touch a Matic

Abrelatas eléctrico
Electric Can Opener

Abridor de uso múltiple
Corkscrew

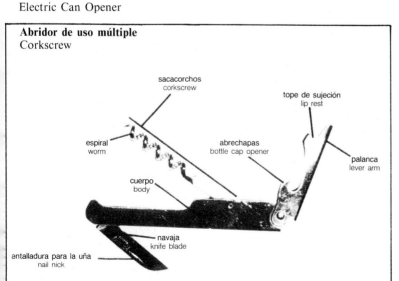

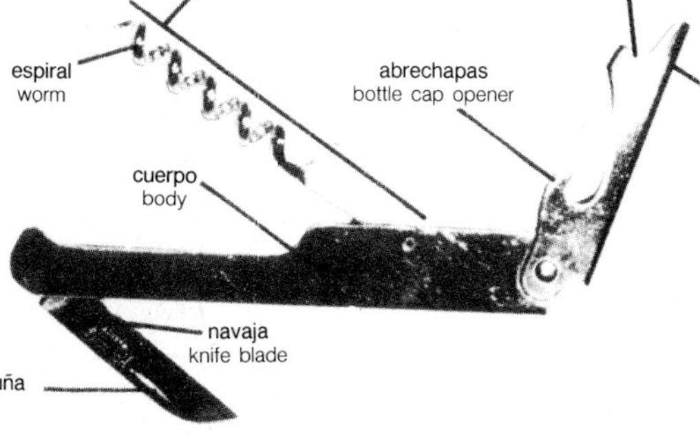
sacacorchos
corkscrew
tope de sujeción
lip rest
espiral
worm
abrechapas
bottle cap opener
palanca
lever arm
cuerpo
body
navaja
knife blade
entalladura para la uña
nail nick

Perforador y abrebotellas
"Church Key" / Can Piercer

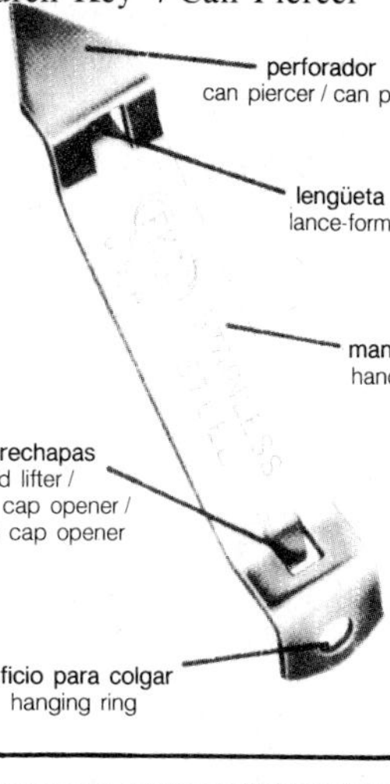
perforador
can piercer / can punch
lengüeta
lance-form
mango
handle
abrechapas
lid lifter /
crown cap opener /
bottle cap opener
orificio para colgar
hanging ring

Cafeteras

El café se prepara haciendo pasar agua hirviendo o vapor de agua a través de granos de café molidos. Se denomina *café exprés* al que se obtiene con vapor de agua, y *capuchino* a la mezcla de café exprés con leche calentada al vapor.

Coffee Makers

Coffee is *brewed* by passing boiling water through *ground coffee* beans. *Espresso* is brewed by forcing steam through roasted beans. *Cappuccino* consists of espresso and steamed milk.

selector de concentración
brew control
tapa del depósito
fill opening
compartimiento del filtro
filter basket
depósito de agua
water reservoir
tapa
lid
asa
handle
programador automático
brew starter / automatic timer
jarra
carafe / decanter
interruptor
on-off switch
placa calentadora
warming unit / hot plate
piloto
indicator light / signal light
número de tazas
cup level scale

Cafetera automática
Drip Coffe Maker

Cafetera exprés
Percolator

válvula
dome
vertedor
spout
tapa
lid
jarra
pot / body
enchufe
plug outlet
motor
brewing & warming element
mando graduador de la concentración
brew selector

Filtro de cafetera
Brewing Basket

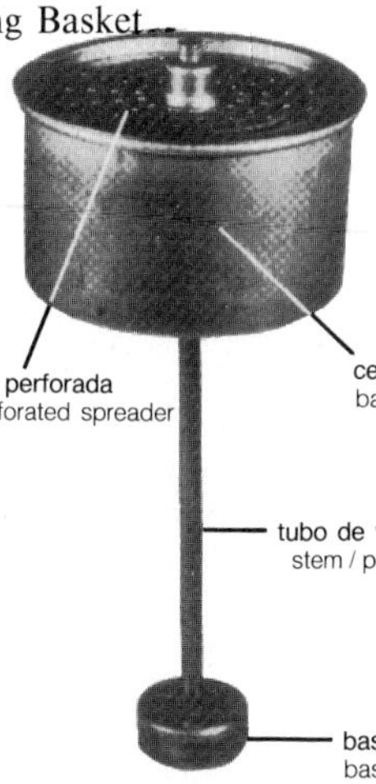

tapa perforada
cover / perforated spreader
cestillo
basket
tubo de vapor
stem / pump
base
base

Jarra para infusiones
Infusion Maker

asa
knob / plunger
vertedor
lip / spout
varilla
rod
soporte
frame
filtro
filter assembly
jarra
beaker / carafe / jug

Tostador de pan

Casi todos los modelos de tostadores de pan llevan una bandeja que recoge las migas que caen en el interior del aparato. Los elementos calefactores de estos electrodomésticos son resistencias planas de cromo. Un sencillo mecanismo de muelles hace salir las tostadas en cuanto están hechas. En los hornos tostadores de pan pueden dorarse también otros alimentos.

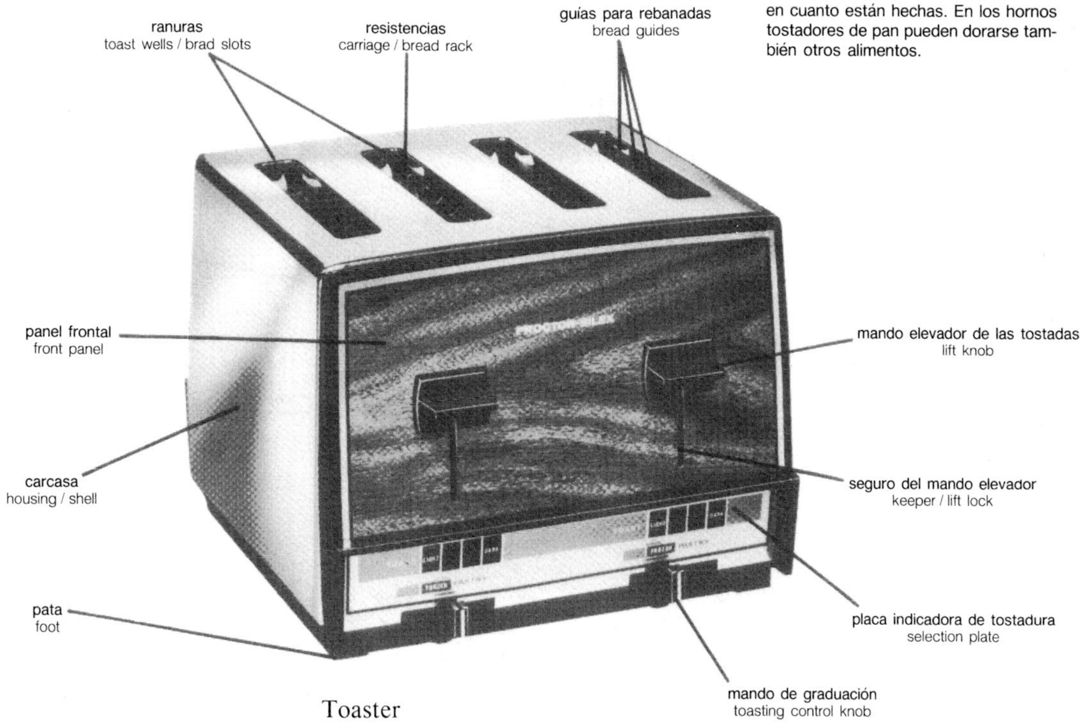
ranuras
toast wells / brad slots
resistencias
carriage / bread rack
guías para rebanadas
bread guides
panel frontal
front panel
mando elevador de las tostadas
lift knob
carcasa
housing / shell
seguro del mando elevador
keeper / lift lock
pata
foot
placa indicadora de tostadura
selection plate
mando de graduación
toasting control knob

Toaster

Many toasters have removable *crumb trays*. The heating elements in toasters are flat *nichrome wires*. Toasters have either a spring-and-cylinder *dash-pot* or a simple spring device to pop toast up once it is browned. Toaster ovens have removable *baking trays*.

Tostador de pan
Toaster

Horno tostador
Toaster Oven

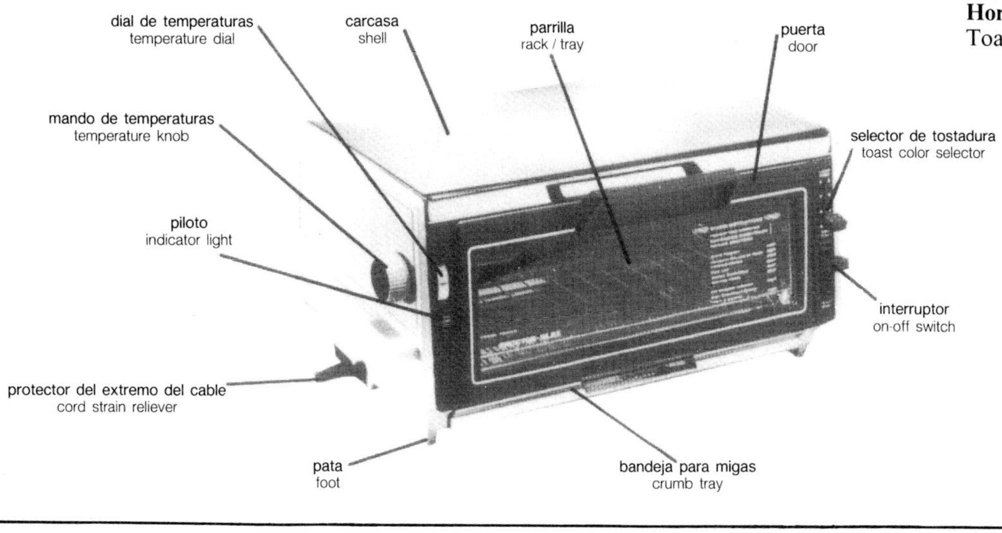
dial de temperaturas
temperature dial
carcasa
shell
parrilla
rack / tray
puerta
door
mando de temperaturas
temperature knob
selector de tostadura
toast color selector
piloto
indicator light
interruptor
on-off switch
protector del extremo del cable
cord strain reliever
pata
foot
bandeja para migas
crumb tray

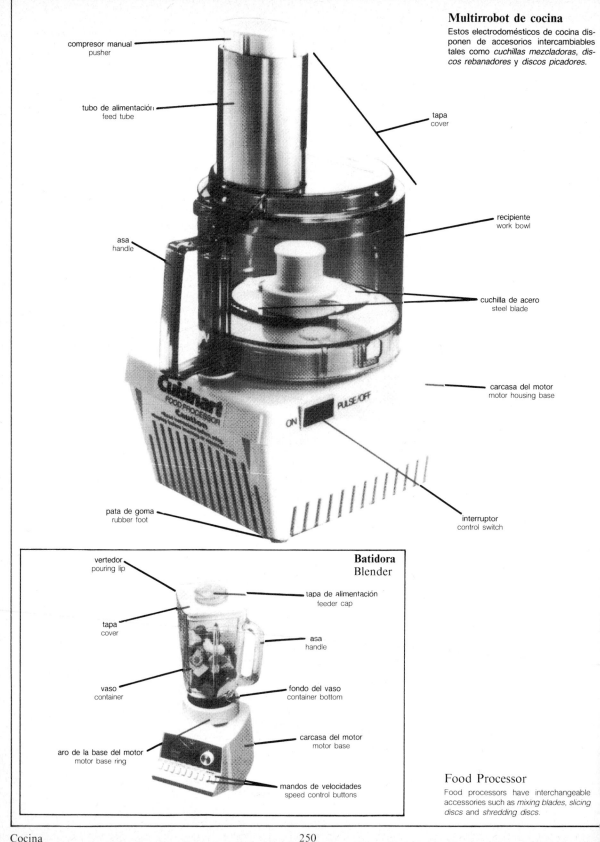

Multirrobot de cocina

Estos electrodomésticos de cocina disponen de accesorios intercambiables tales como *cuchillas mezcladoras*, *discos rebanadores* y *discos picadores*.

compresor manual
pusher
tubo de alimentación
feed tube
tapa
cover
recipiente
work bowl
asa
handle
cuchilla de acero
steel blade
carcasa del motor
motor housing base
Cuisinart
FOOD PROCESSOR
Caution
PULSE/OFF
ON
interruptor
control switch
pata de goma
rubber foot

Batidora
Blender

vertedor
pouring lip
tapa de alimentación
feeder cap
tapa
cover
asa
handle
vaso
container
fondo del vaso
container bottom
carcasa del motor
motor base
aro de la base del motor
motor base ring
mandos de velocidades
speed control buttons

Food Processor

Food processors have interchangeable accessories such as *mixing blades*, *slicing discs* and *shredding discs*.

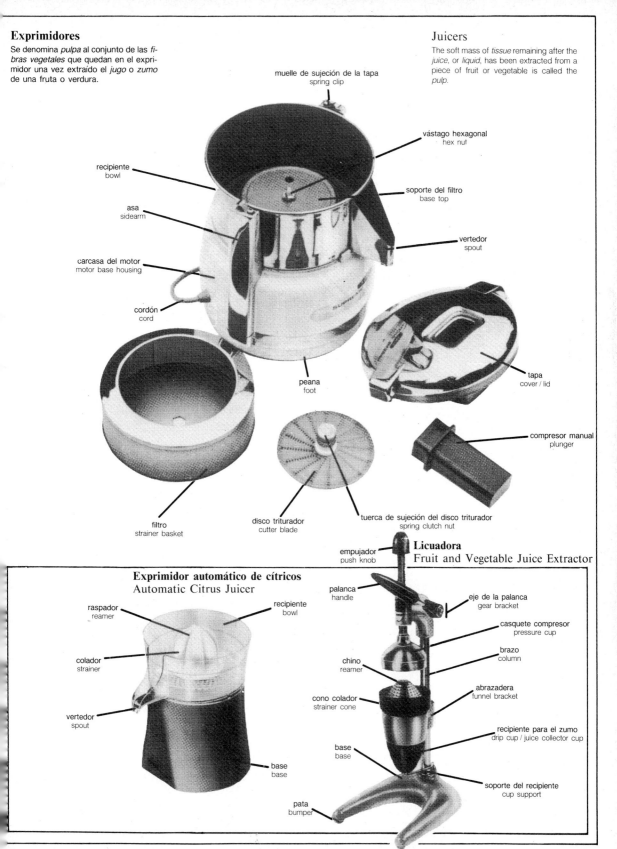

Exprimidores

Se denomina *pulpa* al conjunto de las *fibras vegetales* que quedan en el exprimidor una vez extraído el *jugo* o *zumo* de una fruta o verdura.

Juicers

The soft mass of *tissue* remaining after the *juice*, or *liquid*, has been extracted from a piece of fruit or vegetable is called the *pulp*.

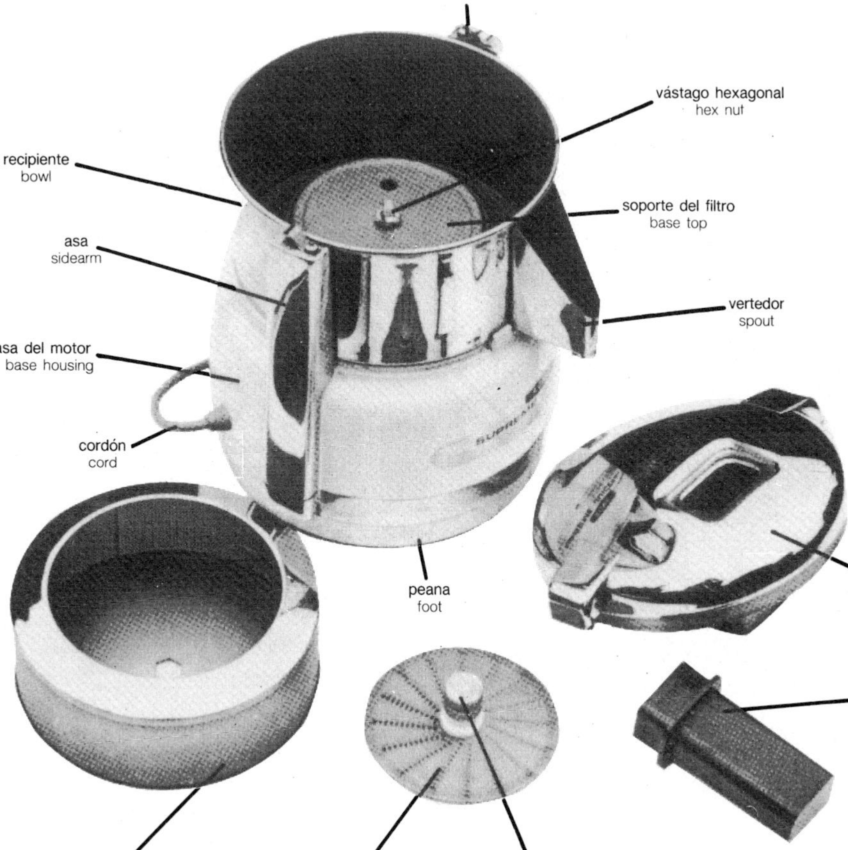

muelle de sujeción de la tapa
spring clip
vástago hexagonal
hex nut
recipiente
bowl
soporte del filtro
base top
asa
sidearm
vertedor
spout
carcasa del motor
motor base housing
cordón
cord
peana
foot
tapa
cover / lid
compresor manual
plunger
filtro
strainer basket
disco triturador
cutter blade
tuerca de sujeción del disco triturador
spring clutch nut

Exprimidor automático de cítricos
Automatic Citrus Juicer

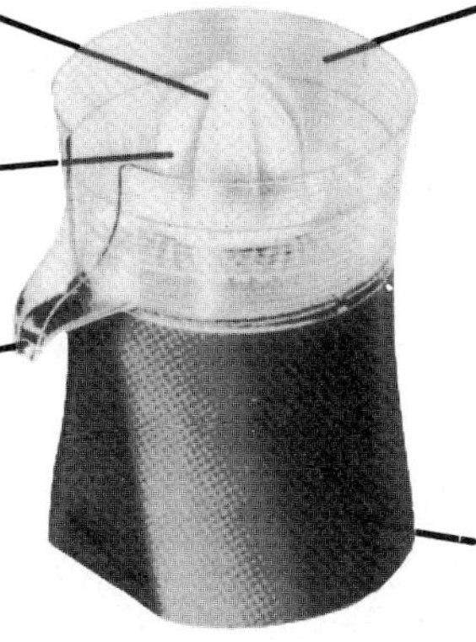

raspador
reamer
recipiente
bowl
colador
strainer
vertedor
spout
base
base

Licuadora
Fruit and Vegetable Juice Extractor

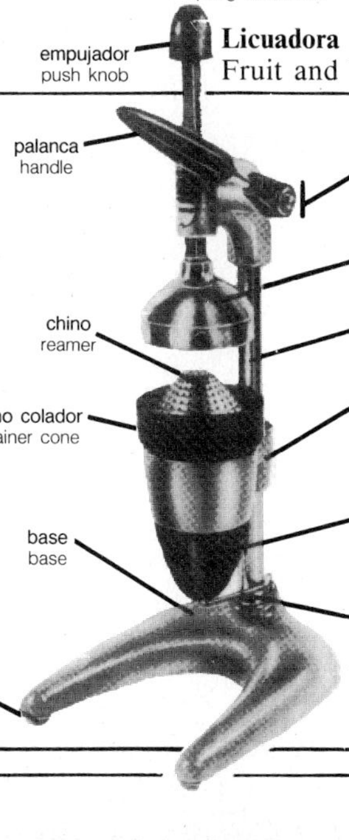

empujador
push knob
palanca
handle
eje de la palanca
gear bracket
casquete compresor
pressure cup
brazo
column
chino
reamer
abrazadera
funnel bracket
cono colador
strainer cone
recipiente para el zumo
drip cup / juice collector cup
base
base
soporte del recipiente
cup support
pata
bumper

Cuchillo

La hoja tiene una prolongación dentro del mango que se llama *espiga*. Las *cachas* son las dos partes del mango unidas mediante remaches. El filo puede ser *plano*, *biselado* o *cóncavo* según el uso del cuchillo.

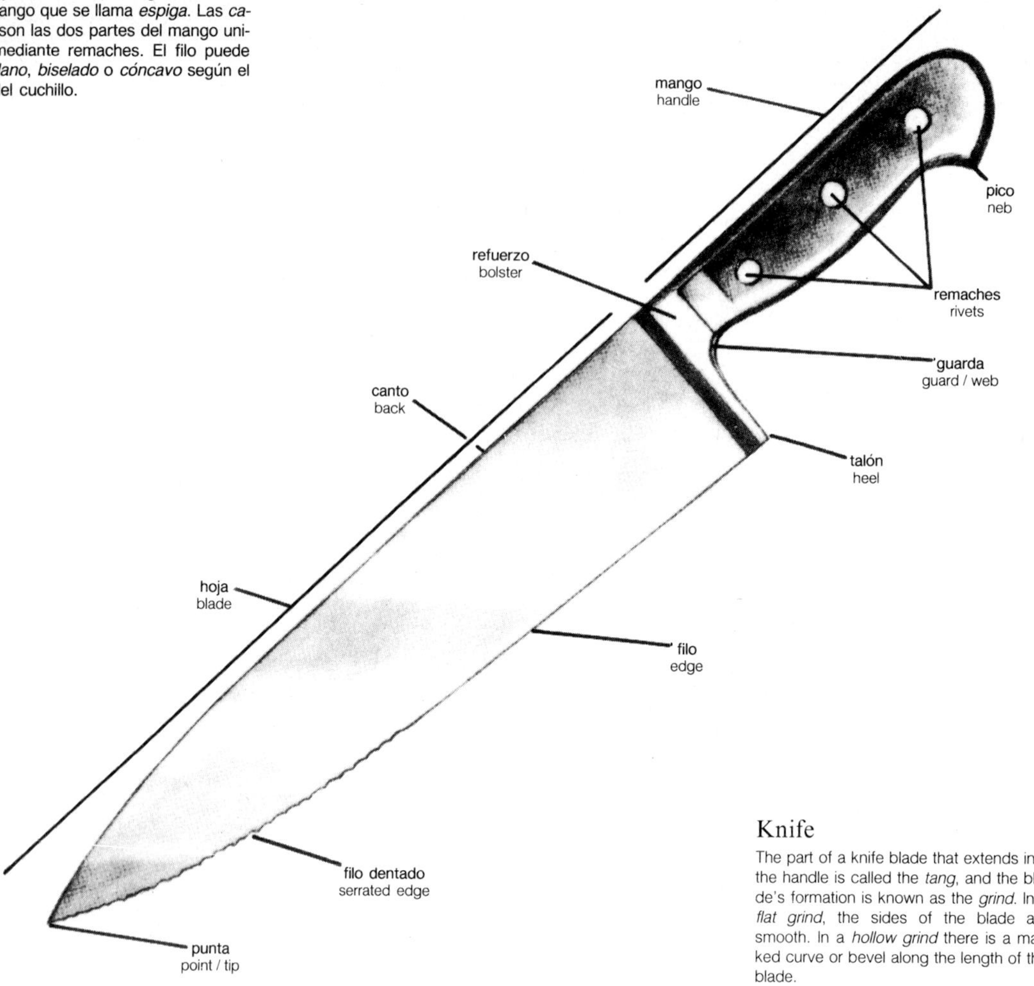
mango
handle
pico
neb
refuerzo
bolster
remaches
rivets
guarda
guard / web
canto
back
talón
heel
hoja
blade
filo
edge
filo dentado
serrated edge
punta
point / tip

Knife

The part of a knife blade that extends into the handle is called the *tang*, and the blade's formation is known as the *grind*. In a *flat grind*, the sides of the blade are smooth. In a *hollow grind* there is a marked curve or bevel along the length of the blade.

Pelapatatas
Peeler

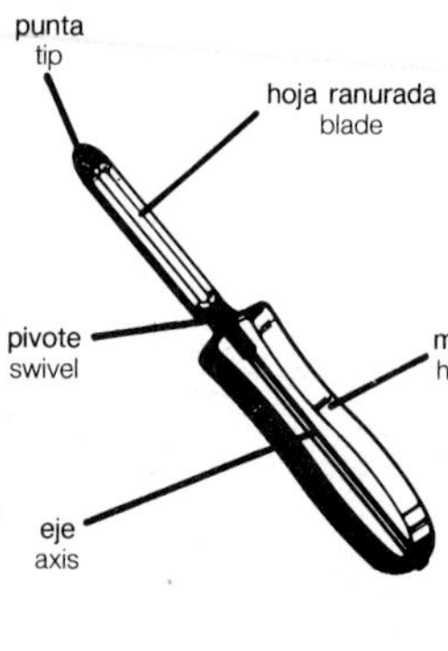
punta
tip
hoja ranurada
blade
pivote
swivel
mango
handle
eje
axis

Afilador
Sharpening Steel

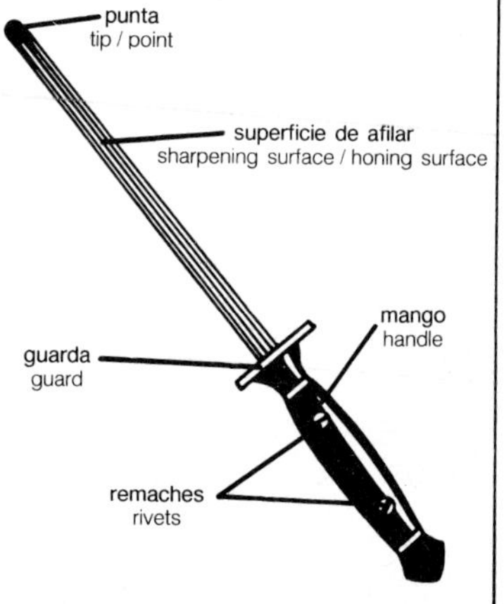
punta
tip / point
superficie de afilar
sharpening surface / honing surface
mango
handle
guarda
guard
remaches
rivets

Paleta cortadora de queso
Cheese Plane / Cheese Slicer

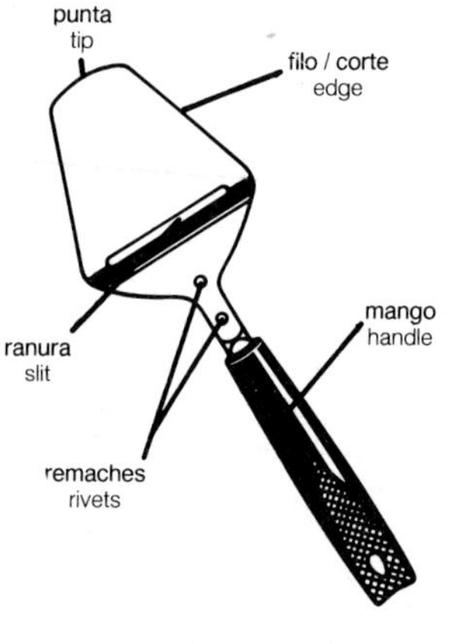
punta
tip
filo / corte
edge
mango
handle
ranura
slit
remaches
rivets

Batería de cocina

Se llama batería de cocina al conjunto de utensilios que sirven para guisar. Una *marmita* es una olla provista de tapa que ajuste bien. La *tartera* o *cazuela* tiene también dos asas, pero es más baja; solía ser de barro. La *cacerola*, como el cazo, es de metal o porcelana. Un *cacillo* es un cazo pequeño, de mango largo, que se utiliza para trasvasar líquidos.

Pots and Pans

Pots and pans are often described by their function –for example, a *boiler* or *steamer*. *Crockpots* are pots made of earthenware. *Casseroles* are earthenware, glass or cast-iron pots in which food can be both baked and served. A *pipkin* is a small saucepan with a long handle used to melt butter.

asidero
knob
tapadera / tapa
cover / lid
asa
handle

Olla
Stock Pot / Stew Pot

reborde
rim
pared
side

Cazo
Saucepan

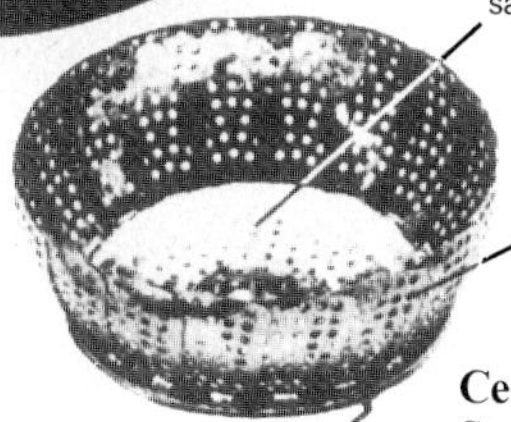
salida del vapor
lift-out stem
chapa perforada
perforated panel
pie
leg / foot

Cesta para vapor
Steamer Basket

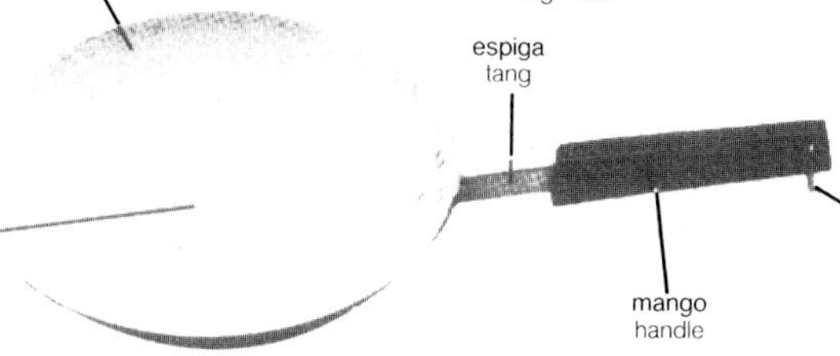
espiga
tang
fondo
bottom
colgador
hanging ring
mango
handle

Sartén
Skillet / Frying Pan

Freidora eléctrica
Electric Work

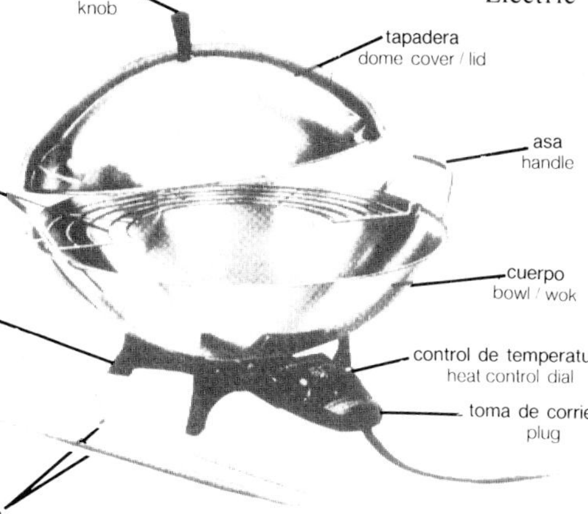
asidero
knob
tapadera
dome cover / lid
asa
handle
rejilla
tempura rack
cuerpo
bowl / wok
patas
feet
control de temperatura
heat control dial
toma de corriente
plug
palillos de cocina
cooking chopsticks

Olla a presión
Pressure Cooker

regulador de presión
pressure regulator
espita de vapor
vent pipe
válvula de seguridad
air vent / cover lock
seguro de sobrepresión
overpressure plug
mango de la olla
body handle
mango del asa
cover handle

Medidas y mezcladores

Además del *termómetro para carne*, o de *respuesta rápida*, las cocinas bien equipadas cuentan con *termómetros de horno* y *frigorífico*, y para regular el punto de *fritura*, así como una *balanza* y *embudos*.

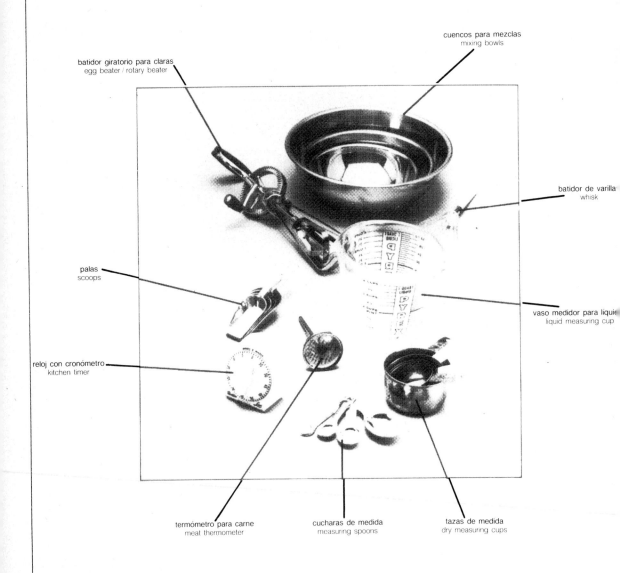

cuencos para mezclas
mixing bowls
batidor giratorio para claras
egg beater / rotary beater
batidor de varilla
whisk
palas
scoops
vaso medidor para líqui
liquid measuring cup
reloj con cronómetro
kitchen timer
termómetro para carne
meat thermometer
cucharas de medida
measuring spoons
tazas de medida
dry measuring cups

Mixing and Measuring Tools

In addition to the *meat*, or *rapid-response thermometer*, seen here, well-equipped kitchens have *oven* and *freezer thermometers*, *deep-frying thermometers*, *scales* and *funnels*.

Utensilios para preparaciones

Otros útiles para preparaciones culinarias son los *moldes* para dar forma a ciertos platos, las *cucharas* y *tenedores de madera* con mango largo para coger la pasta italiana, los *cacillos agujereados* para escurrir aceitunas, los *alambres* de repostería y las *agujas de mechar.*

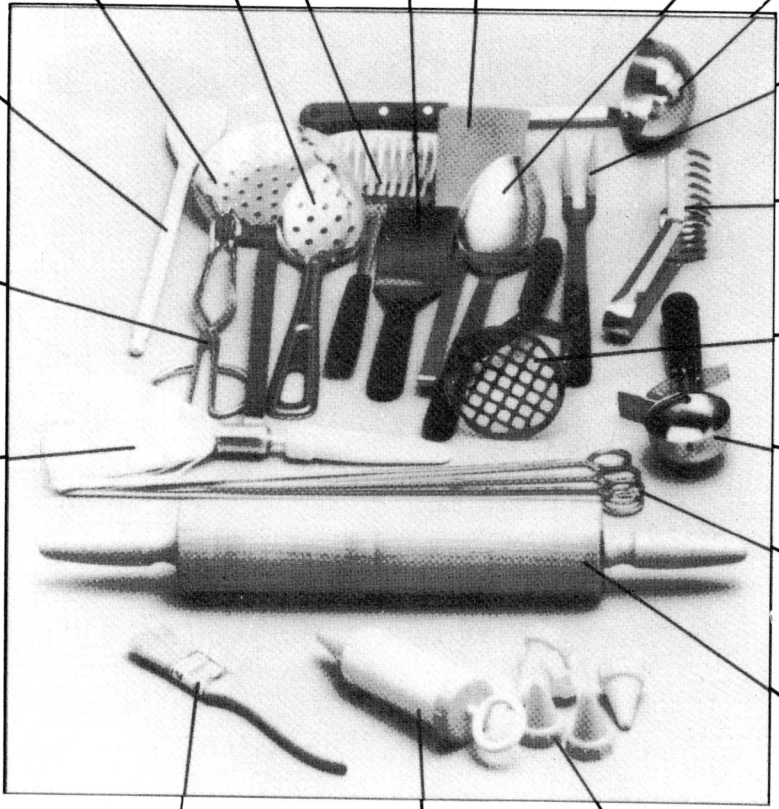

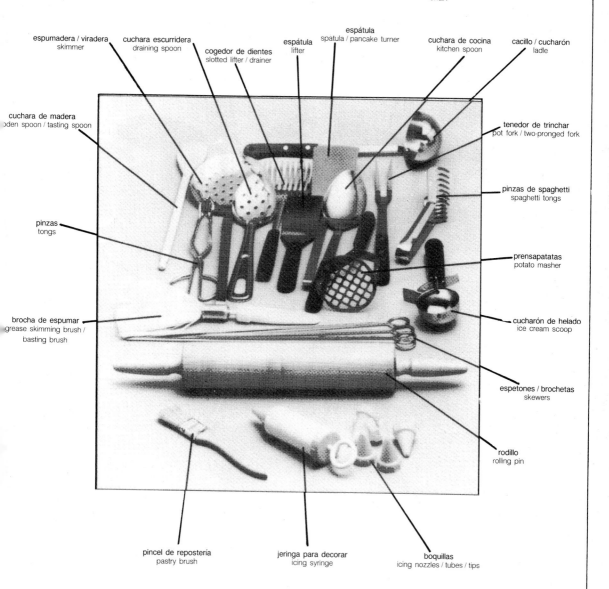

espumadera / viradera
skimmer
cuchara escurridera
draining spoon
cogedor de dientes
slotted lifter / drainer
espátula
lifter
espátula
spatula / pancake turner
cuchara de cocina
kitchen spoon
cacillo / cucharón
ladle
cuchara de madera
oden spoon / tasting spoon
tenedor de trinchar
pot fork / two-pronged fork
pinzas de spaghetti
spaghetti tongs
pinzas
tongs
prensapatatas
potato masher
brocha de espumar
grease skimming brush / basting brush
cucharón de helado
ice cream scoop
espetones / brochetas
skewers
rodillo
rolling pin
pincel de repostería
pastry brush
jeringa para decorar
icing syringe
boquillas
icing nozzles / tubes / tips

Preparation Utensils

Additional preparation implements include *molding scoops*, for soft foods, wooden *spaguetti spoons* with long *prongs* to wrap pasta and lift it from boiling water, *basting ladles* with an egg-shaped *bowl* for easy pouring, and cylindrical one-piece *pastry pins.*

Coladores y filtros

Los alimentos crudos, como ensaladas y frutas, se dejan escurrir sobre una *rejilla* o colador después de lavarlos. Otro tipo de rejilla se usa para enfriar bizcochos y tartas. El *tamiz* o *cedazo* es una tela metálica montada sobre un aro, y sirve para tamizar. El *pasapurés* es un pasador sobre el cual se presionan las patatas o verduras, mediante una *placa* unida a una *mango giratorio*. El *chino* es un colador de forma cónica y agujeros muy pequeños, por el que se hacen pasar las preparaciones mediante un brazo de madera.

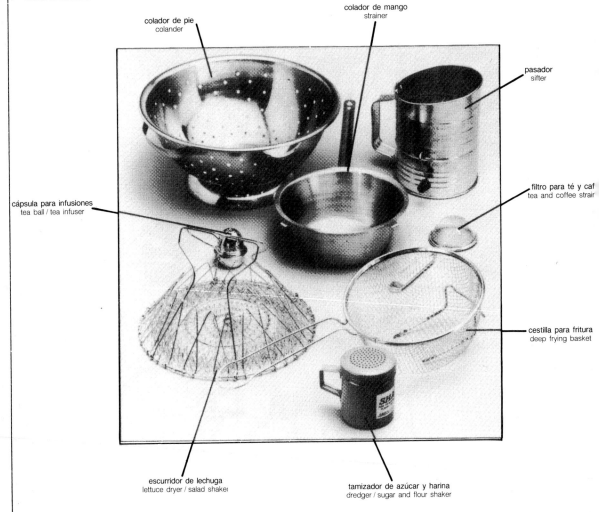

colador de pie
colander
colador de mango
strainer
pasador
sifter
filtro para té y caf
tea and coffee strair
cápsula para infusiones
tea ball / tea infuser
cestilla para fritura
deep frying basket
escurridor de lechuga
lettuce dryer / salad shaker
tamizador de azúcar y harina
dredger / sugar and flour shaker

Strainers and Drainers

Clean dishes, vegetables and fruits may be left on a *draining rack*, or *dish rack*, to dry. *Cooling racks* are used in conjunction with baked foods. A *sieve* has a mesh bottom for straining. A *food mill*, or *food foley*, is a heavy colander through which food is pressed by means of a flat *plate* attached to a *rotating handle*.

Ralladores y picadoras

El *pelador* de patatas lleva una cuchilla cóncava para seguir los contornos y un extremo afilado para vaciar. Las picadoras *de carne* y *verduras* tienen un manubrio giratorio. Existen cuchillos especiales para quitar la cáscara a las naranjas y los limones.

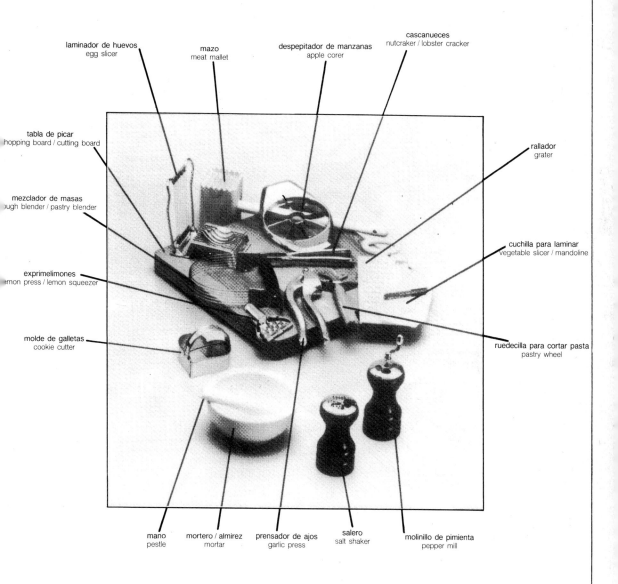

laminador de huevos
egg slicer
mazo
meat mallet
despepitador de manzanas
apple corer
cascanueces
nutcraker / lobster cracker
tabla de picar
hopping board / cutting board
rallador
grater
mezclador de masas
ough blender / pastry blender
cuchilla para laminar
vegetable slicer / mandoline
exprimelimones
mon press / lemon squeezer
molde de galletas
cookie cutter
ruedecilla para cortar pasta
pastry wheel
mano
pestle
mortero / almirez
mortar
prensador de ajos
garlic press
salero
salt shaker
molinillo de pimienta
pepper mill

Cutters, Grinders and Graters

A *potato peeler* has a swivel blade for following contours and a sharp tip for gouging. Hand-cranked *meat grinders* chop meats and other foods. A *zester* is a tool that shaves the thin surface off fruits.

Ingredientes crudos

En la *lechuga*, las hojas más blancas del centro forman el *cogollo*. Una *loncha*, *lonja* o *tajada* es una porción delgada de carne. El *pimiento* es un fruto. Los granos de *pimienta* son las bayas secas de otra planta distinta, el *pimentero*.

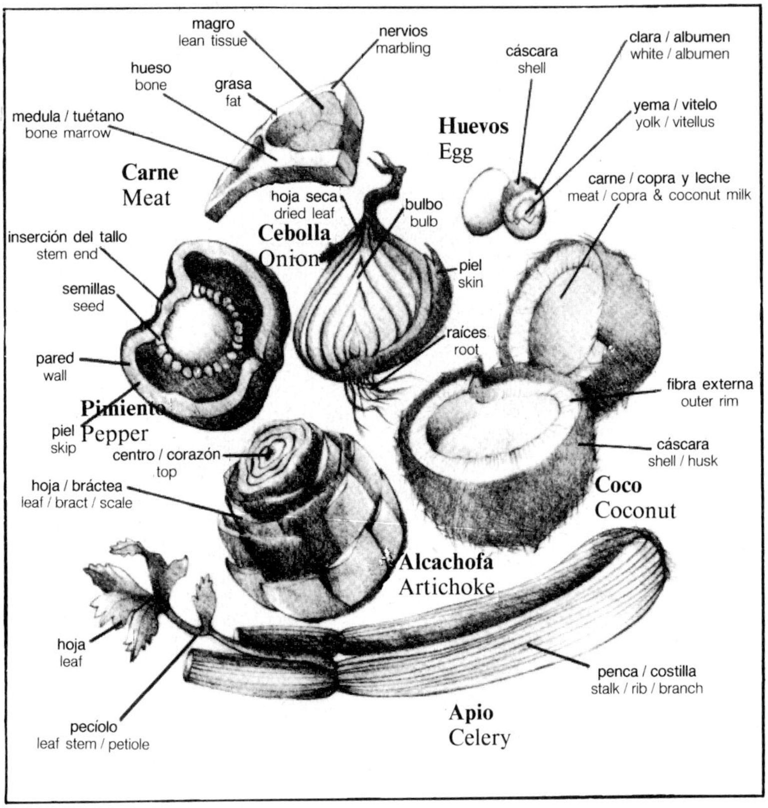

magro
lean tissue
nervios
marbling
hueso
bone
grasa
fat
medula / tuétano
bone marrow
Carne
Meat
cáscara
shell
clara / albumen
white / albumen
yema / vitelo
yolk / vitellus
Huevos
Egg
carne / copra y leche
meat / copra & coconut milk
hoja seca
dried leaf
bulbo
bulb
Cebolla
Onion
inserción del tallo
stem end
semillas
seed
piel
skin
raíces
root
pared
wall
Pimiento
Pepper
piel
skip
fibra externa
outer rim
centro / corazón
top
cáscara
shell / husk
hoja / bráctea
leaf / bract / scale
Coco
Coconut
Alcachofa
Artichoke
hoja
leaf
penca / costilla
stalk / rib / branch
peciolo
leaf stem / petiole
Apio
Celery

Raw Ingredients

On *lettuce*, the entire mass of leaves is called the *head*, while the center leaves are the *heart*. A small slice of meat is a *collop*. A *peppercorn* is a dried berry of black pepper.

Alimentos preparados

Los *entremeses* se sirven antes del primer *plato* o *entrada*. Los *condimentos*, *especias* y *hierbas aromáticas* se añaden a los platos para *sazonarlos*, enriqueciendo su sabor. Las ensaladas se *aliñan*. El queso se elabora separando el *cuajo*, parte sólida, del *suero*, parte líquida de la leche. Por *miga* se entiende la parte blanda del pan, pero también las diminutas porciones que se desprenden al cortarlo.

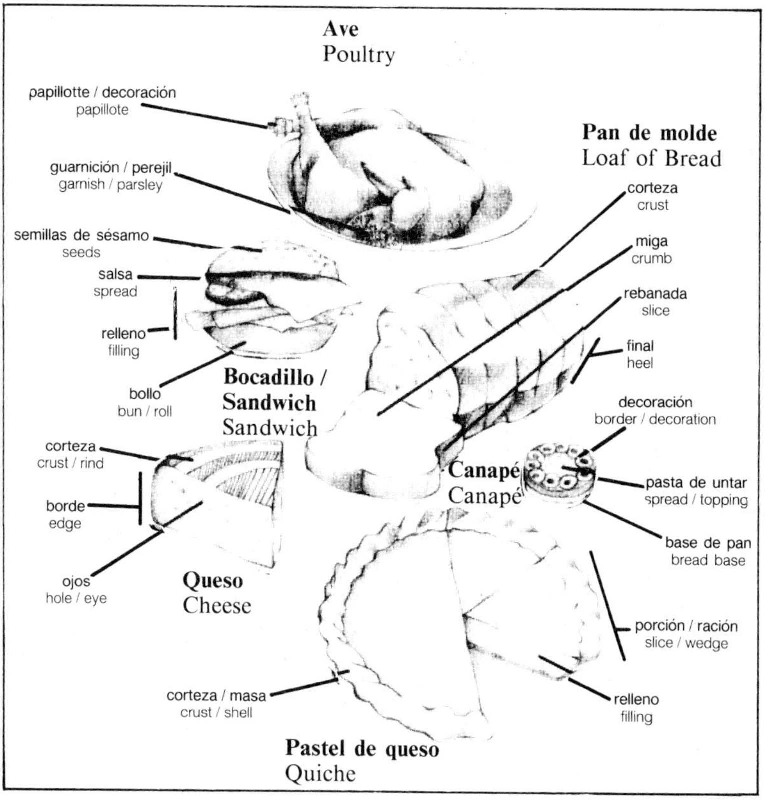

Ave
Poultry
papillotte / decoración
papillote
guarnición / perejil
garnish / parsley
semillas de sésamo
seeds
salsa
spread
relleno
filling
bollo
bun / roll
Bocadillo / Sandwich
Sandwich
corteza
crust / rind
borde
edge
ojos
hole / eye
Queso
Cheese
corteza / masa
crust / shell
Pastel de queso
Quiche
Pan de molde
Loaf of Bread
corteza
crust
miga
crumb
rebanada
slice
final
heel
decoración
border / decoration
Canapé
Canapé
pasta de untar
spread / topping
base de pan
bread base
porción / ración
slice / wedge
relleno
filling

Prepared Foods

Appetizers, or *hors d'oeuvres*, are served before the main *course*, or *entree*. An ingredient, such as a *condiment*, *spice* or *herb*, added to food for the savor it imparts, is *seasoning*. Cheese is made by separating the *curd*, milk solids, from the *whey*, milk liquids. *Crumb* refers to both the soft inner portion of bread and any tiny piece that flakes off the loaf or a slice.

Postres

Las *tartas*, *tarteletas*, *pasteles* y *bizcochos* son productos de *repostería*. Un *biscuit glacé* es un helado muy fino, que puede llevar trocitos de fruta.

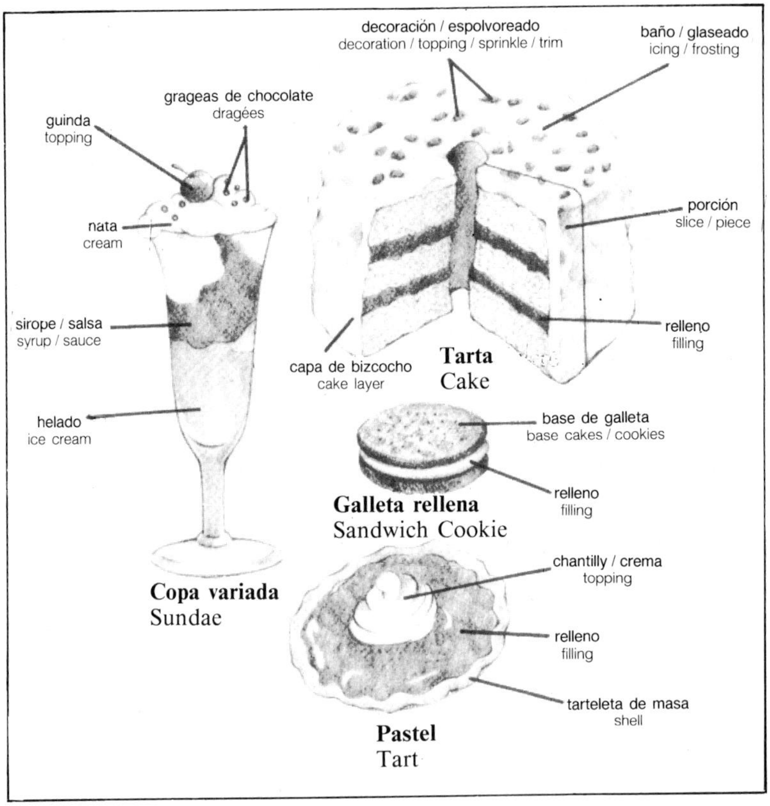

decoración / espolvoreado
decoration / topping / sprinkle / trim
baño / glaseado
icing / frosting
grageas de chocolate
dragées
guinda
topping
nata
cream
porción
slice / piece
sirope / salsa
syrup / sauce
relleno
filling
capa de bizcocho
cake layer
Tarta
Cake
helado
ice cream
base de galleta
base cakes / cookies
relleno
filling
Galleta rellena
Sandwich Cookie
chantilly / crema
topping
Copa variada
Sundae
relleno
filling
tarteleta de masa
shell
Pastel
Tart

Desserts

Baked desserts, or *sweet goods*, made of dough or having a crust made of enriched dough, such as *pies*, tarts and *turnovers* are *pastries*. A *parfait* is similar to a sundae but may have layers of fruit and be frozen.

Comida rápida

En los establecimientos de comida rápida, estilo americano, se venden perritos calientes y *hamburguesas*; éstas se sirven en panecillos redondos, y acompañadas de lechuga, tomate, cebolla, pepinillos, etc. La *pizza*, que es un plato de origen italiano, suele tener como base el tomate y el queso «mozzarella», a los que se añaden otros ingredientes, como anchoas, aceitunas, pimientos, cebolla, champiñón, etc. Los helados se pueden adquirir en *barquillo* o en *tarrina*, y los hay de múltiples gustos.

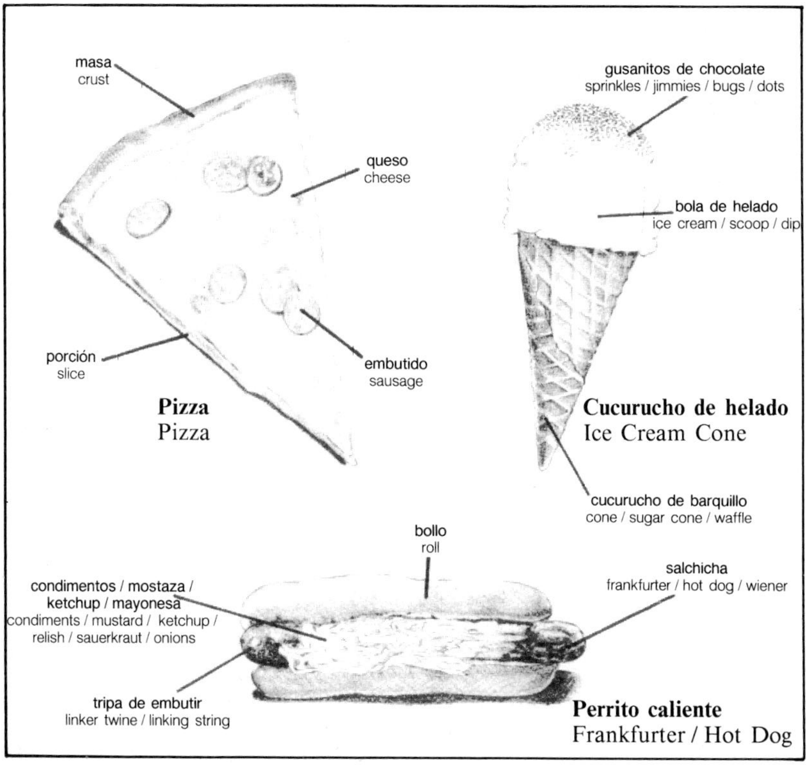

masa
crust
queso
cheese
porción
slice
embutido
sausage
Pizza
Pizza
gusanitos de chocolate
sprinkles / jimmies / bugs / dots
bola de helado
ice cream / scoop / dip
Cucurucho de helado
Ice Cream Cone
cucurucho de barquillo
cone / sugar cone / waffle
bollo
roll
condimentos / mostaza / ketchup / mayonesa
condiments / mustard / ketchup / relish / sauerkraut / onions
salchicha
frankfurter / hot dog / wiener
tripa de embutir
linker twine / linking string
Perrito caliente
Frankfurter / Hot Dog

Snack Foods

Ice cream scoops are also put in flatbottomed *wafer cones* and topped with other *fixings*, including *nuts* and *cherries*. When ice cream melts and drips down the cone, it forms *lickings*. The part of a hot dog roll that remains attached after the roll is sliced is the *hinge*. *Smoked sausages* are larger than franks and often include additional *seasonings*. Among other pizza toppings are *anchovies*, *extra cheese*, *pepperoni* and *onions*.

Bolsas y cestas

La confección de casi todas las cestas se empieza por el fondo, disponiendo las varillas de la urdimbre en forma de cruz. El *trenzado* puede hacerse por diversos procedimientos según se entrecrucen las varillas de la trama (*trenzado simple*, *enrejado*, o *cruzadillo*). Los materiales más utilizados son: *mimbre*, *junco*, *anea* y *virutas* de diversas maderas.

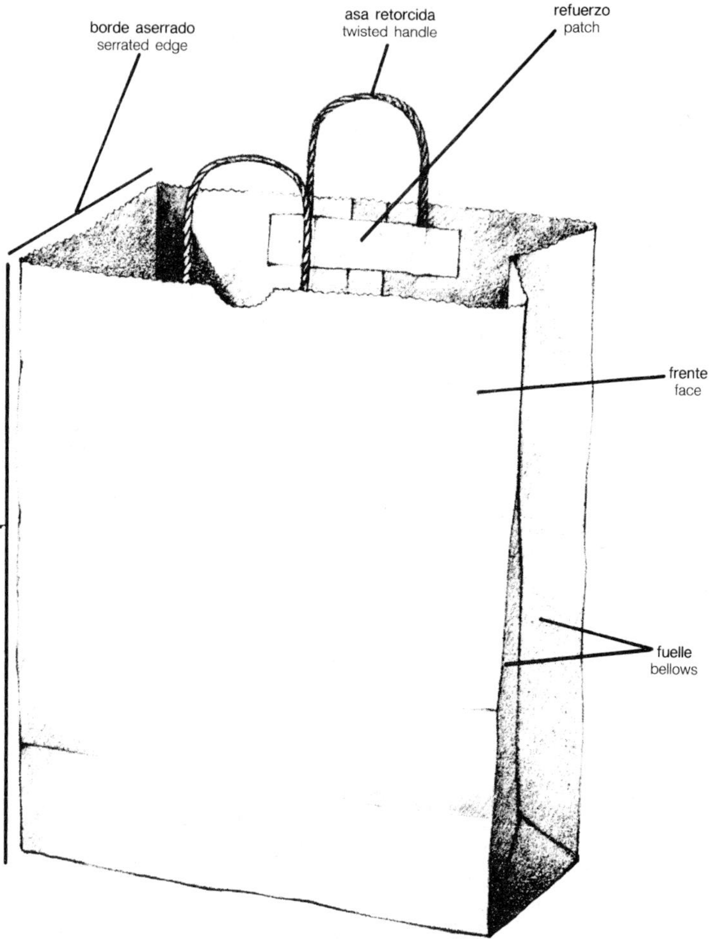

borde aserrado
serrated edge
asa retorcida
twisted handle
refuerzo
patch
frente
face
cuerpo
body
fuelle
bellows

Bolsa de papel
Paper Bag

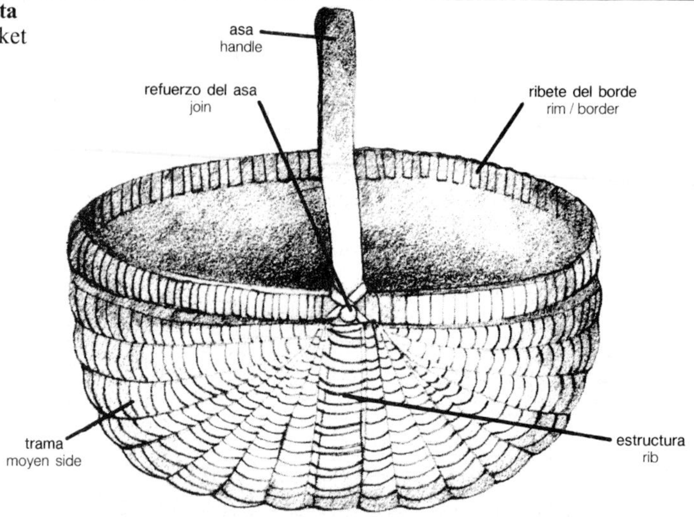

Cesta
Basket
asa
handle
refuerzo del asa
join
ribete del borde
rim / border
trama
moyen side
estructura
rib

Containers

Most baskets are made by weaving individual *strands* or *rods* in front of one *stake* of the *frame* and behind the next. Some baskets have a border, or *foot*, on the bottom, just above the *base*, as well as a *cover*, or *lid*, which often rests on an inside *ledge*. A small, oblong veneer basket with rounded ends, the kind used for mushrooms, is a *climax basket*, and a little wooden paillike container with one stave extending up for a handle is a *piggin*.

tapón de corcho
cork
boca
mouth
bozal de alambre
muzzle
labio
lip
cuello / gollete
neck
cápsula
capsule
hombro
shoulder
fondo
kick / punt

Botella
Bottle

Recipientes

El bozalillo de alambre suele usarse para sujetar mejor los tapones en las botellas de vino espumoso, por ejemplo, el champaña. Algunos toneles tienen en la tapa o en un lado un *canillero*, orificio en el que se adapta la *espita*. Otras clases de toneles, según su forma y su tamaño, son las *cubas*, las *barricas*, las *pipas* y los *bocoyes*. Un *combo* es un soporte para colocar un tonel.

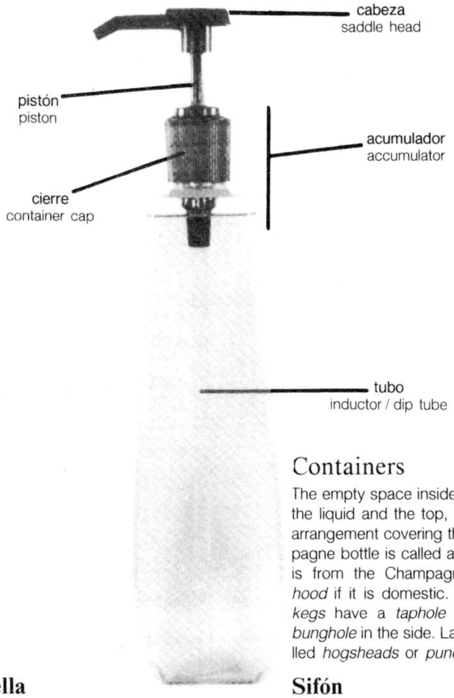
cabeza
saddle head
pistón
piston
acumulador
accumulator
cierre
container cap
tubo
inductor / dip tube

Containers

The empty space inside a bottle, between the liquid and the top, is *ullage*. The wire arrangement covering the cork of a champagne bottle is called a *coiffe* if the bottle is from the Champagne region, a *wire hood* if it is domestic. Some barrels and *kegs* have a *taphole* in the top and a *bunghole* in the side. Large barrels are called *hogsheads* or *puncheons*.

Sifón
Dispenser

Lata / Bote
Can

borde superior
double seam
tirador del tapón
retained cap
tapa
top end
cuerpo
body / sidewall

Barril / Tonel
Barrel / Cask

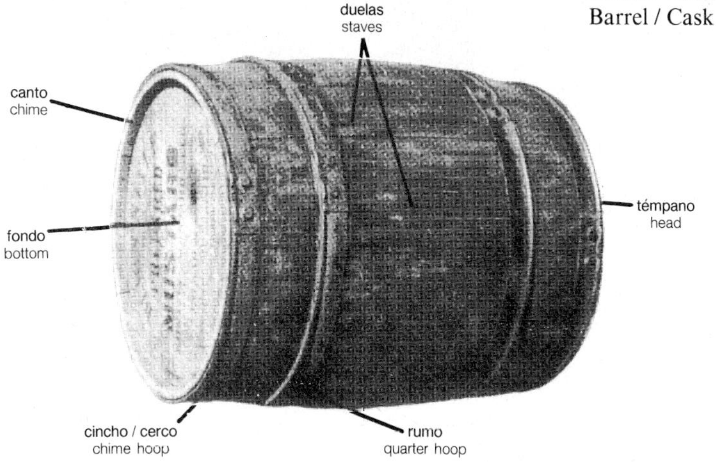
duelas
staves
canto
chime
témpano
head
fondo
bottom
cincho / cerco
chime hoop
rumo
quarter hoop

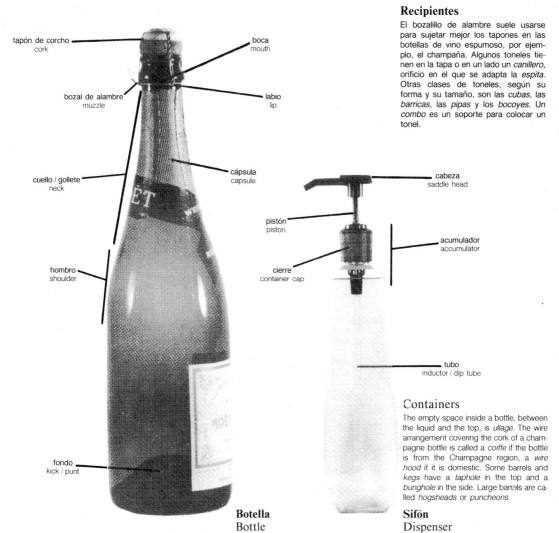

Tapón

Los diseños o imágenes que aparecen en sellos se llaman *viñetas*. Las letras y las viñetas se pueden imprimir resaltados, o en relieve, o bien hundidos. Un sello de plástico transparente que se adapta a la forma del producto es una *faja*. A veces se pega sobre la etiqueta normal otra autoadhesiva de *promoción*

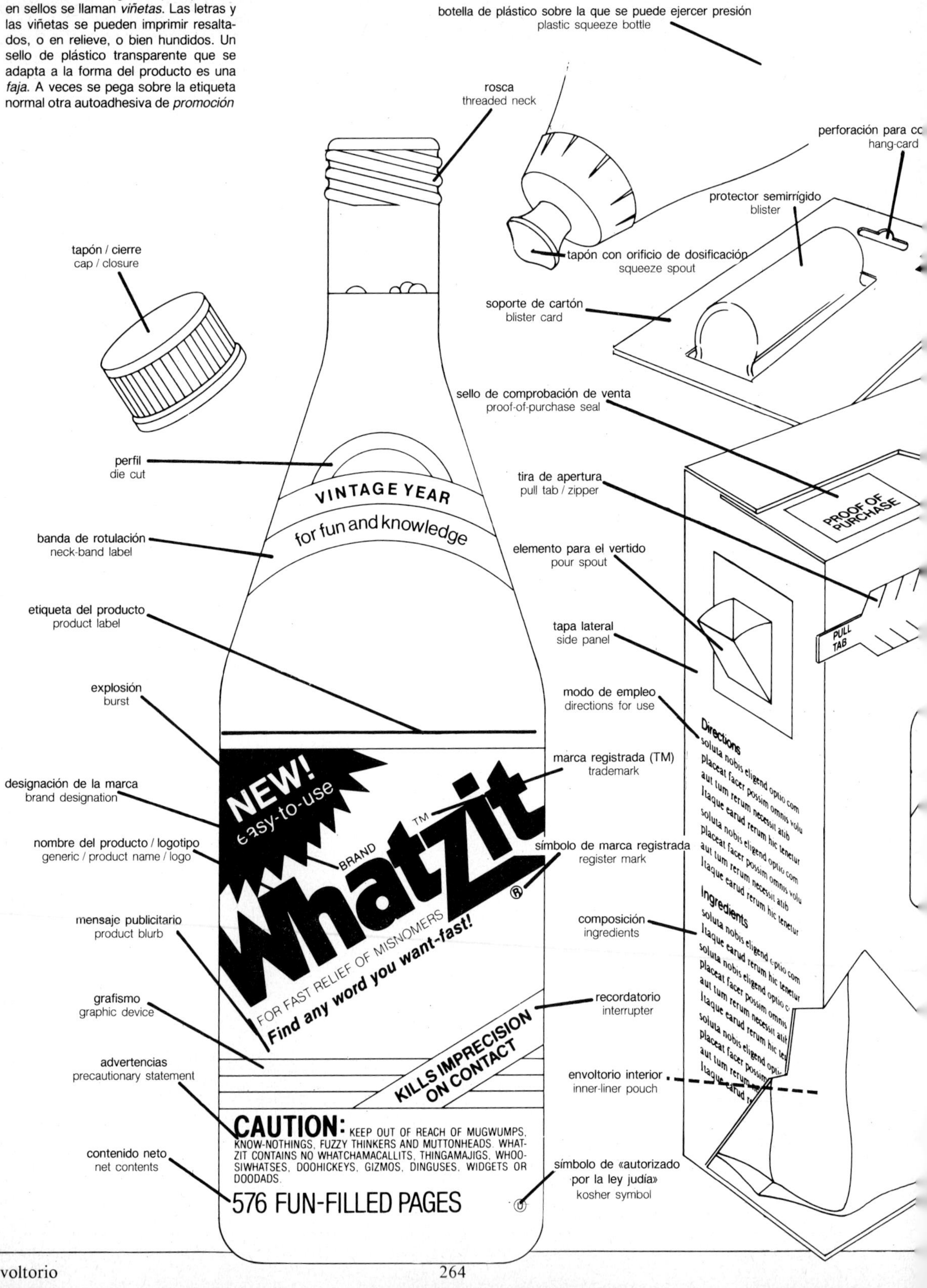

botella de plástico sobre la que se puede ejercer presión
plastic squeeze bottle
rosca
threaded neck
perforación para co
hang-card
protector semirrígido
blister
tapón / cierre
cap / closure
tapón con orificio de dosificación
squeeze spout
soporte de cartón
blister card
sello de comprobación de venta
proof-of-purchase seal
PROOF OF PURCHASE
perfil
die cut
tira de apertura
pull tab / zipper
VINTAGE YEAR
for fun and knowledge
banda de rotulación
neck-band label
elemento para el vertido
pour spout
etiqueta del producto
product label
tapa lateral
side panel
PULL TAB
explosión
burst
modo de empleo
directions for use
Directions
Ingredients
marca registrada (TM)
trademark
designación de la marca
brand designation
NEW!
easy-to-use
TM
BRAND
Whatzit
nombre del producto / logotipo
generic / product name / logo
símbolo de marca registrada
register mark
mensaje publicitario
product blurb
FOR FAST RELIEF OF MISNOMERS
Find any word you want-fast!
composición
ingredients
grafismo
graphic device
recordatorio
interrupter
KILLS IMPRECISION ON CONTACT
advertencias
precautionary statement
envoltorio interior
inner-liner pouch
CAUTION: KEEP OUT OF REACH OF MUGWUMPS, KNOW-NOTHINGS, FUZZY THINKERS AND MUTTONHEADS. WHATZIT CONTAINS NO WHATCHAMACALLITS, THINGAMAJIGS, WHOOSIWHATSES, DOOHICKEYS, GIZMOS, DINGUSES, WIDGETS OR DOODADS.
contenido neto
net contents
576 FUN-FILLED PAGES
símbolo de «autorizado por la ley judía»
kosher symbol

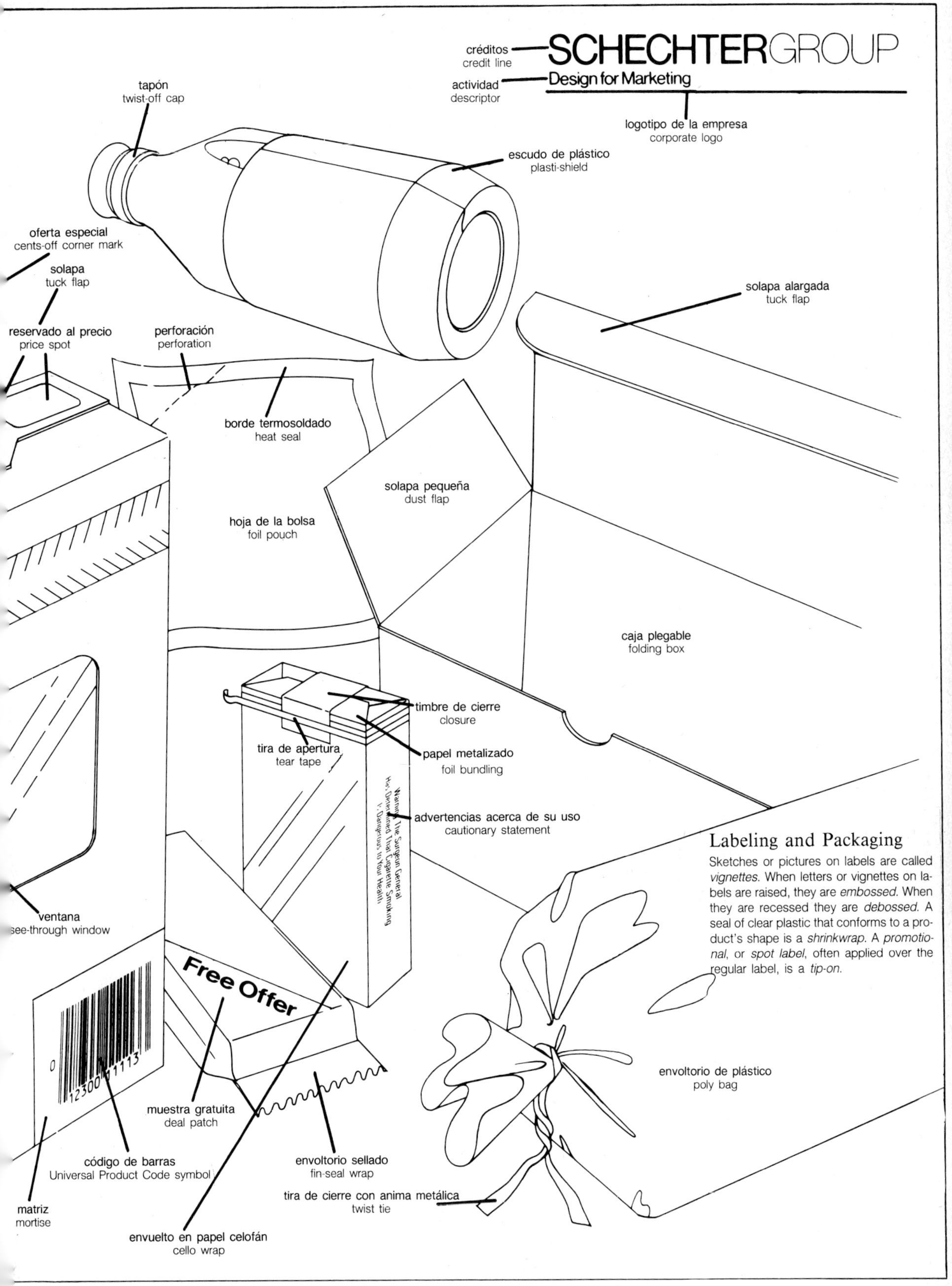
créditos
credit line
SCHECHTERGROUP
Design for Marketing
actividad
descriptor
logotipo de la empresa
corporate logo
tapón
twist-off cap
escudo de plástico
plasti-shield
oferta especial
cents-off corner mark
solapa
tuck flap
solapa alargada
tuck flap
reservado al precio
price spot
perforación
perforation
borde termosoldado
heat seal
solapa pequeña
dust flap
hoja de la bolsa
foil pouch
caja plegable
folding box
timbre de cierre
closure
papel metalizado
foil bundling
tira de apertura
tear tape
advertencias acerca de su uso
cautionary statement
Warning: The Surgeon General Has Determined That Cigarette Smoking Is Dangerous to Your Health
ventana
see-through window
Free Offer
envoltorio de plástico
poly bag
muestra gratuita
deal patch
código de barras
Universal Product Code symbol
envoltorio sellado
fin-seal wrap
tira de cierre con anima metálica
twist tie
matriz
mortise
envuelto en papel celofán
cello wrap

Labeling and Packaging

Sketches or pictures on labels are called *vignettes*. When letters or vignettes on labels are raised, they are *embossed*. When they are recessed they are *debossed*. A seal of clear plastic that conforms to a product's shape is a *shrinkwrap*. A *promotional*, or *spot label*, often applied over the regular label, is a *tip-on*.

Cama y accesorios

La estructura de una cama consta de dos largueros laterales que unen el cabecero a los pies. Se llama *cama camera* a la cama sencilla y *cama de matrimonio* a la que tiene tamaño suficiente para que puedan dormir en ella dos adultos. La *colcha edredón* es una colcha guatada.

Bed and Bedding

A bedstead or *bed frame* consists of *side rails*, or *bedrails*, which connect the headboard to the *footboard*. A *twin bed* is a single bed, or one of a matching pair or beds, while a *double bed* is large enough to sleep two adults. A *comforter* is a small, thick quilt, while a *throw* is a bedspread with a short *side drop* rather than long *skirts*.

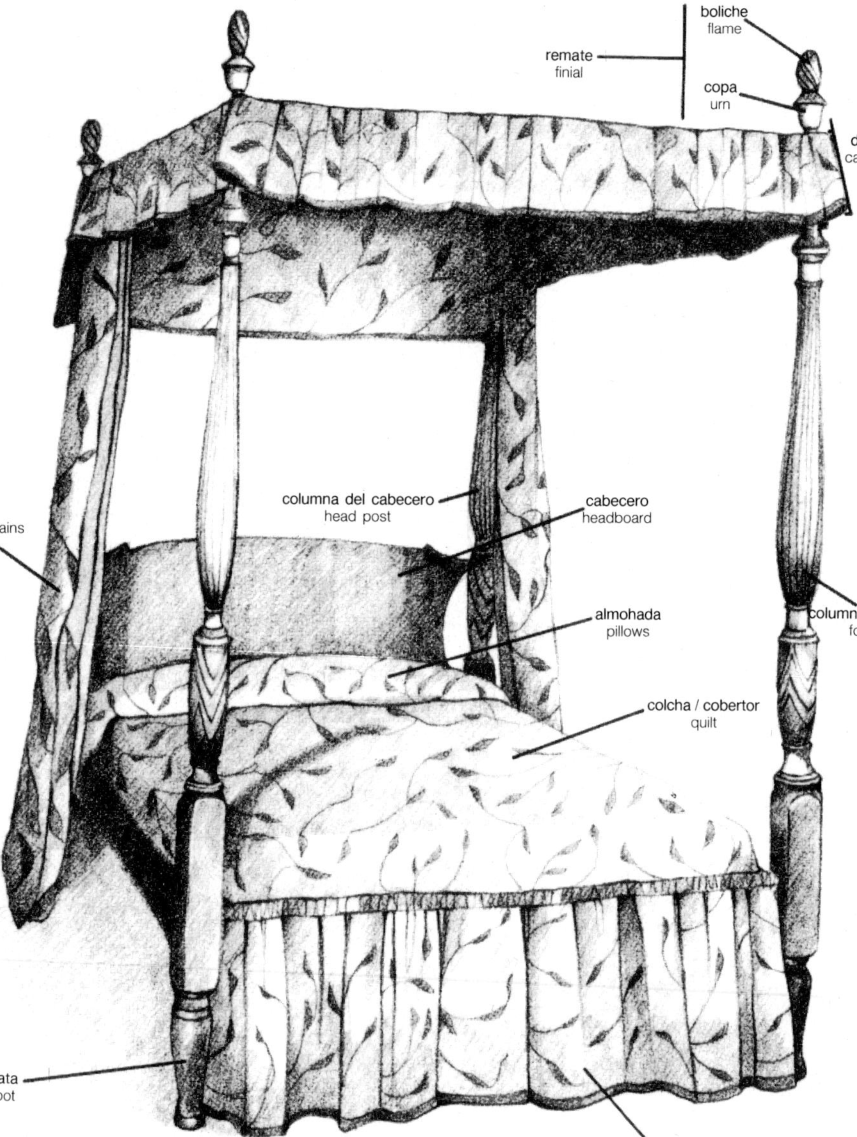

boliche
flame
remate
finial
copa
urn
dosel
canopy
cortinajes
draperies / side curtains
columna del cabecero
head post
cabecero
headboard
almohada
pillows
columna de los p
foot post
colcha / cobertor
quilt
pata
foot
volante
dust ruffle

Cama con dosel
Four-Poster / Canopy Bed

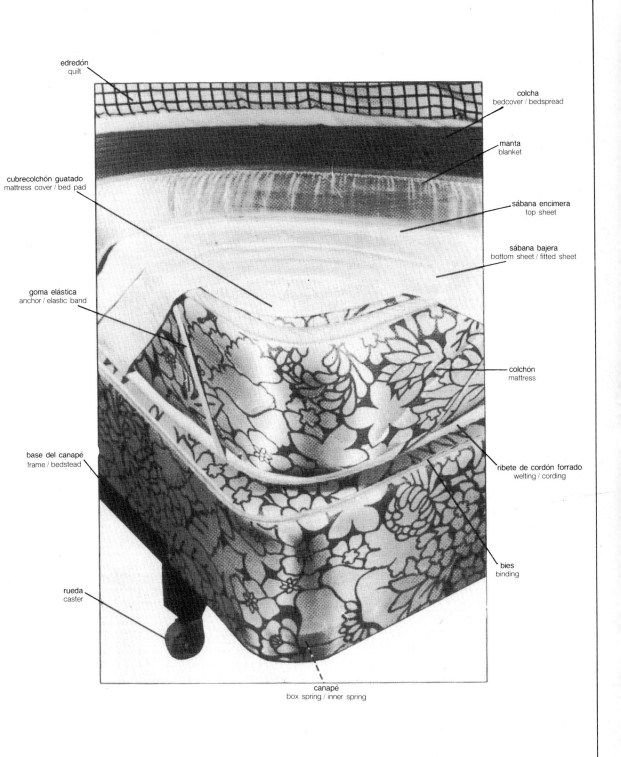

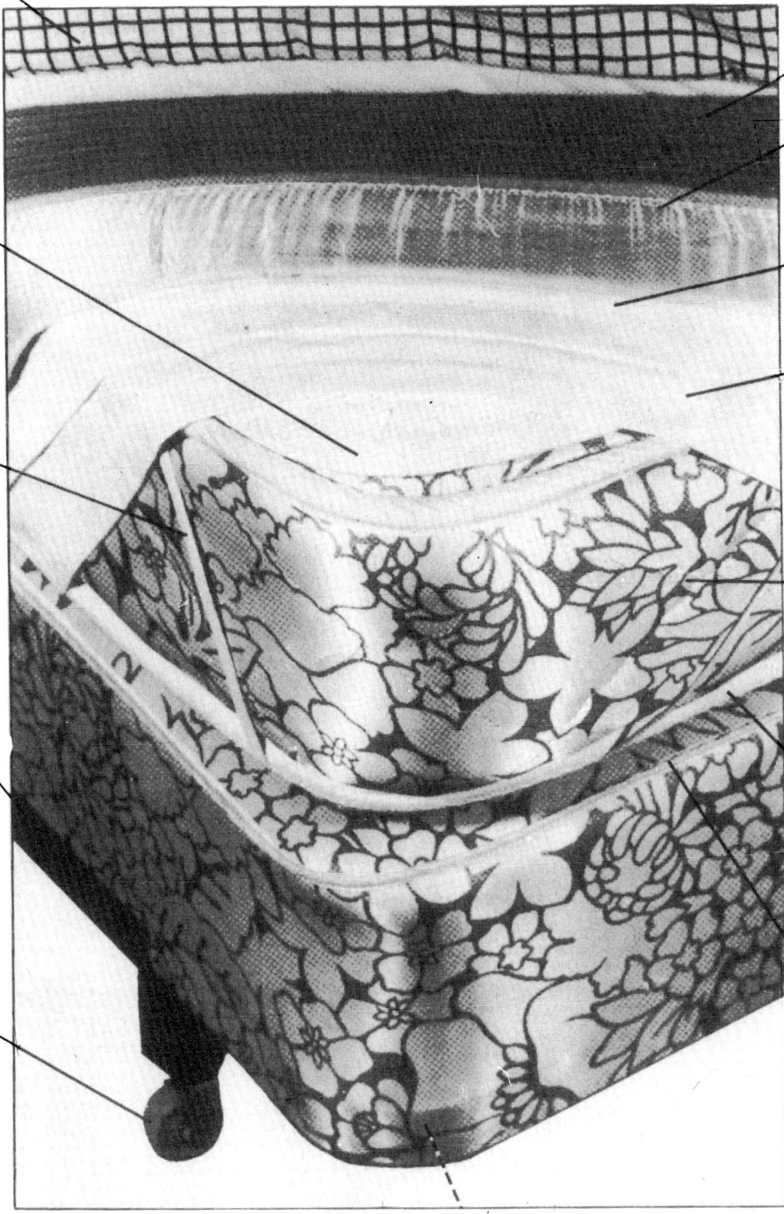
edredón
quilt
colcha
bedcover / bedspread
manta
blanket
cubrecolchón guatado
mattress cover / bed pad
sábana encimera
top sheet
sábana bajera
bottom sheet / fitted sheet
goma elástica
anchor / elastic band
colchón
mattress
base del canapé
frame / bedstead
ribete de cordón forrado
welting / cording
bies
binding
rueda
caster
canapé
box spring / inner spring

Mobiliario de dormitorio

Se llama *chiffonier* a una cómoda alta y estrecha. Los armarios de dormitorio llevan normalmente dos o más *cuerpos*; los que tienen las puertas revestidas de espejo se denominan *armarios de luna*. Las *mesillas de noche* se colocan a uno o ambos lados de la cama.

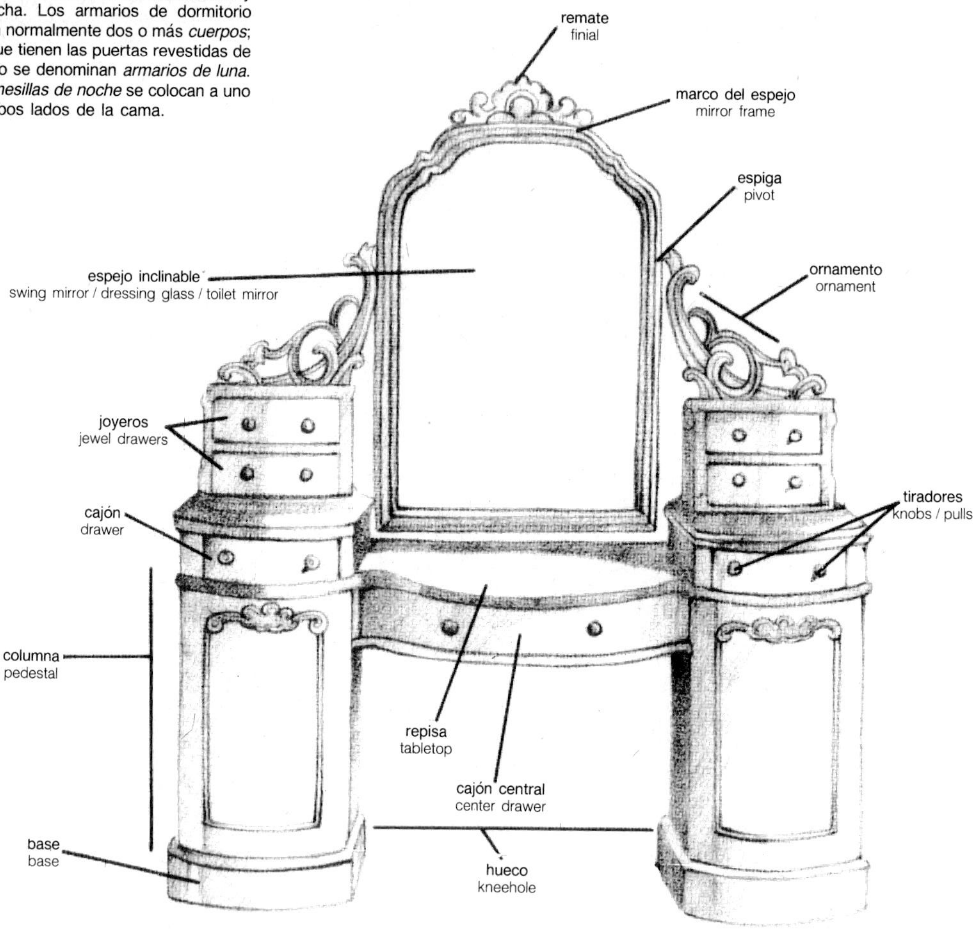
remate
finial
marco del espejo
mirror frame
espiga
pivot
espejo inclinable
swing mirror / dressing glass / toilet mirror
ornamento
ornament
joyeros
jewel drawers
cajón
drawer
tiradores
knobs / pulls
columna
pedestal
repisa
tabletop
cajón central
center drawer
base
base
hueco
kneehole

Tocador
Dressing Table / Vanity

Cómoda
Bureau / Chest of Drawers

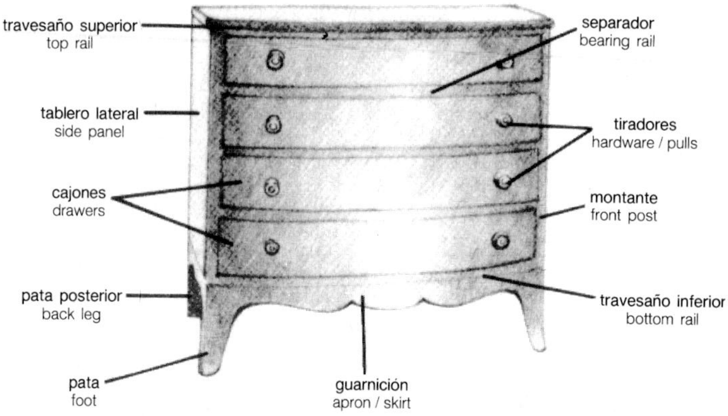
travesaño superior
top rail
separador
bearing rail
tablero lateral
side panel
tiradores
hardware / pulls
cajones
drawers
montante
front post
pata posterior
back leg
travesaño inferior
bottom rail
pata
foot
guarnición
apron / skirt

Dressers

A dresser without the drawers in it is callec the *main body*, or *carcass*. The thin plywood sheets between drawers, to keep *drawer cases* rigid, are *dust panels*. An *armoire*, or *wardrobe*, is a tall, movable closet in which to hang clothes. A *chiffonier* is a high, narrow chest of drawers.

Grifo y Lavabo

Los lavabos tienen un *tapón de goma* sujeto con una cadena o bien activado con una palanca para cerrar el desagüe, y uno o varios orificios de rebose (rebosadero) para impedir que se derrame el agua, si por descuido, se deja el grifo abierto.

Faucet and Sink

Some basins have *rubber plug* and *chain stoppers* to hold water, and *splash rims* or *lips* to prevent water from overflowing.

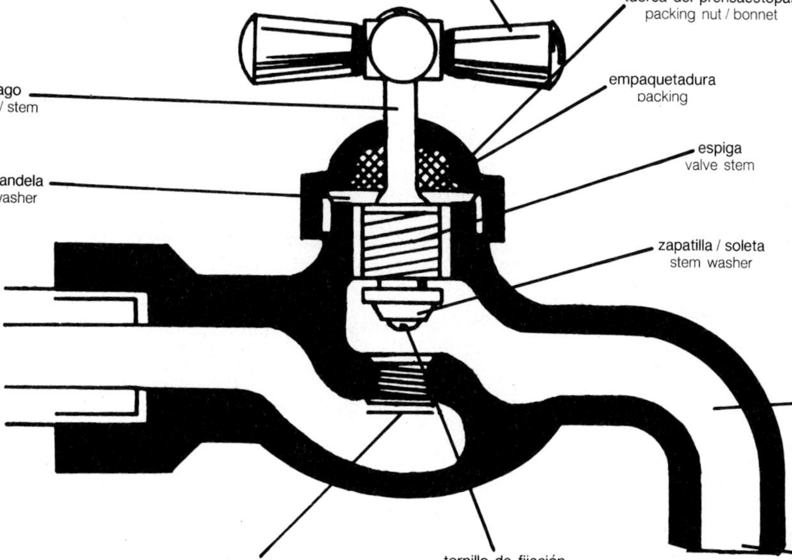

llave / maneta
handle
tuerca del prensaestopas
packing nut / bonnet
empaquetadura
packing
vástago
spindle / stem
espiga
valve stem
arandela
washer
zapatilla / soleta
stem washer
caño
faucet body
asiento
valve seat
tornillo de fijación
set screw
boca
spout / nozzle

Grifo / Grifo de plata
Faucet / Spigot / Tap / Bibicock

Desagüe
Sink Drain

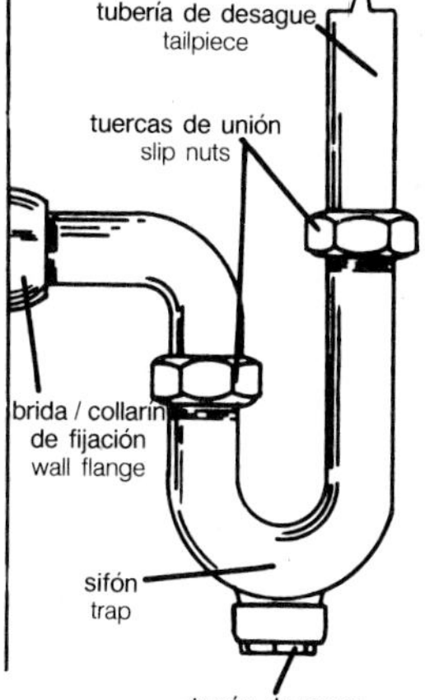

tubería de desague
tailpiece
tuercas de unión
slip nuts
brida / collarín de fijación
wall flange
sifón
trap
tapón de purga
cleanout plug / trap plug

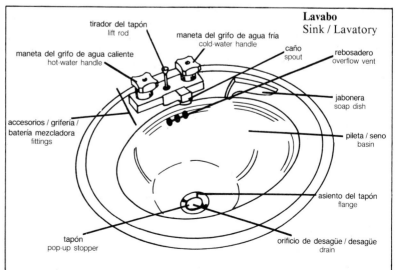

Lavabo
Sink / Lavatory

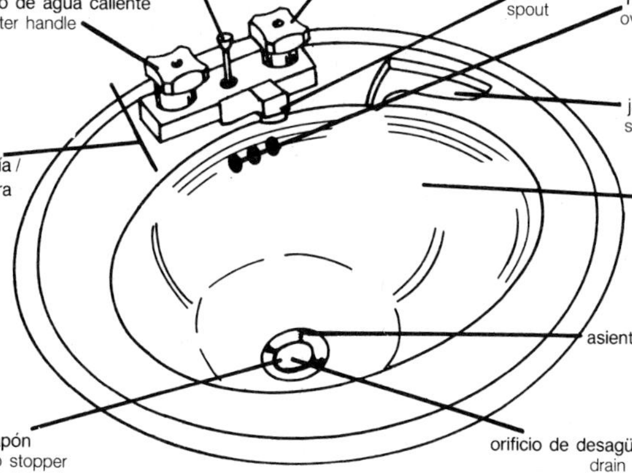

tirador del tapón
lift rod
maneta del grifo de agua fría
cold-water handle
caño
spout
rebosadero
overflow vent
maneta del grifo de agua caliente
hot-water handle
jabonera
soap dish
accesorios / grifería / batería mezcladora
fittings
pileta / seno
basin
asiento del tapón
flange
tapón
pop-up stopper
orificio de desagüe / desagüe
drain

Baño y ducha

En los baños con ducha y en los *platos de ducha*, más pequeños, se colocan *cortinas impermeables* o *puertas correderas* de vidrio para evitar salpicaduras. Las *duchas de teléfono*, con tubería flexible, permiten aplicar el chorro de agua directamente a la parte del cuerpo que se desee. Algunas bañeras y platos de ducha tienen en el fondo un relieve *antideslizante* para evitar caídas.

Bath and Shower

Waterproof *shower curtains* or sliding *glass doors* enclose baths and showers and smaller *shower stalls*. Hand-held shower heads, *massagers*, or *spray heads* are popular shower accessories. Some *tubs* have *whirlpool jets* to circulate water. Floors of tubs and showers may have *non-skid*, or *non-slip*, *strips*.

Ducha
Shower

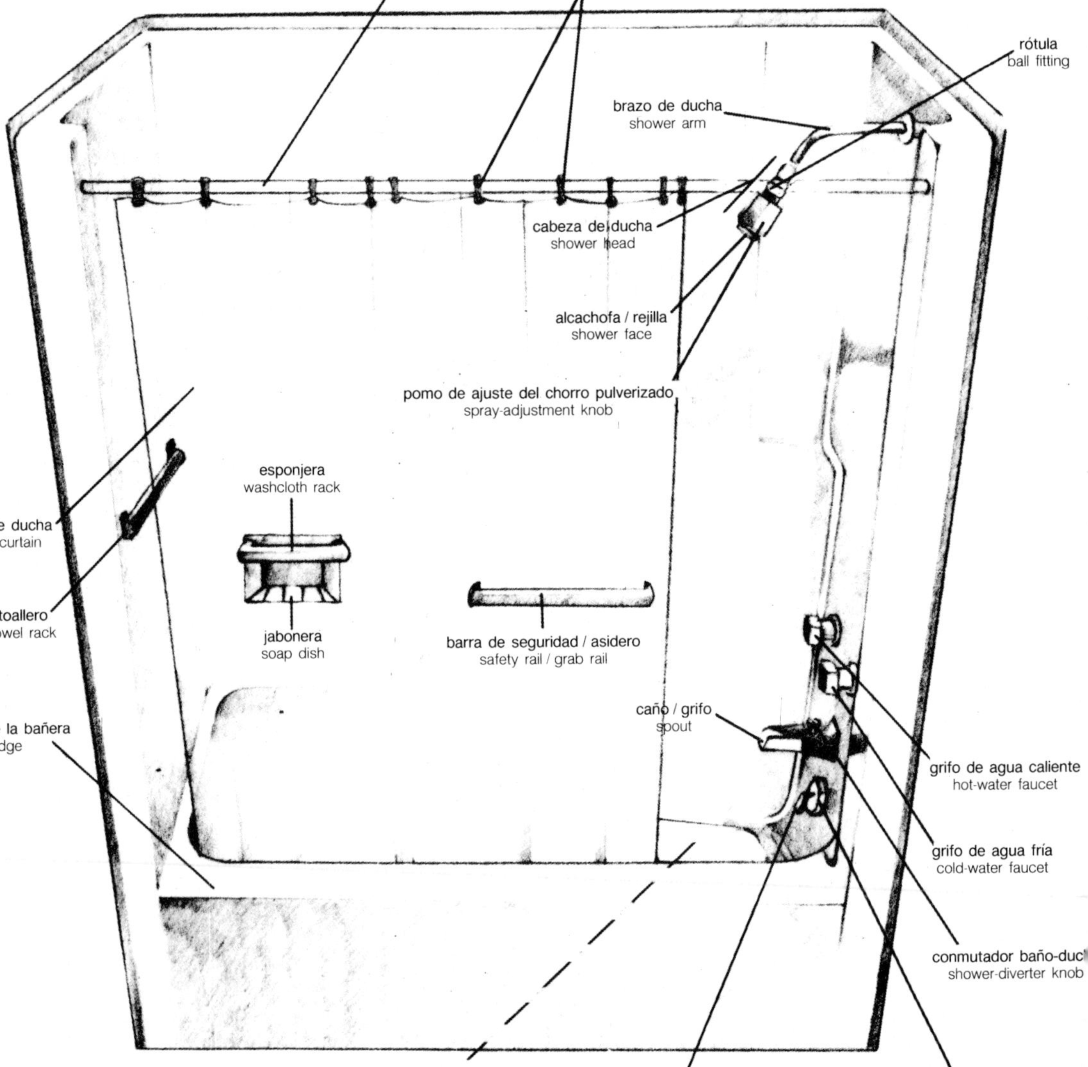

barra para la cortina
shower rod
ganchos
curtain hooks
rótula
ball fitting
brazo de ducha
shower arm
cabeza de ducha
shower head
alcachofa / rejilla
shower face
pomo de ajuste del chorro pulverizado
spray-adjustment knob
esponjera
washcloth rack
cortina de ducha
shower curtain
toallero
towel rack
jabonera
soap dish
barra de seguridad / asidero
safety rail / grab rail
caño / grifo
spout
borde de la bañera
ledge
grifo de agua caliente
hot-water faucet
grifo de agua fría
cold-water faucet
conmutador baño-duc
shower-diverter knob
tapón y desagüe de la bañera
tub drain & stopper
palanca de control de desagüe
drain-control lever
placa del rebosadero
overflow plate

Bañera
Bathtub

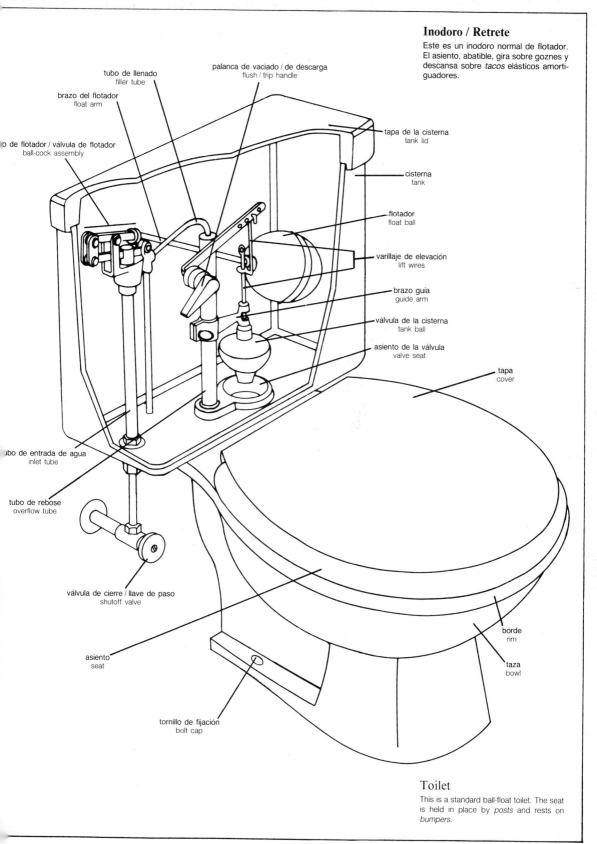

Inodoro / Retrete

Este es un inodoro normal de flotador. El asiento, abatible, gira sobre goznes y descansa sobre *tacos* elásticos amortiguadores.

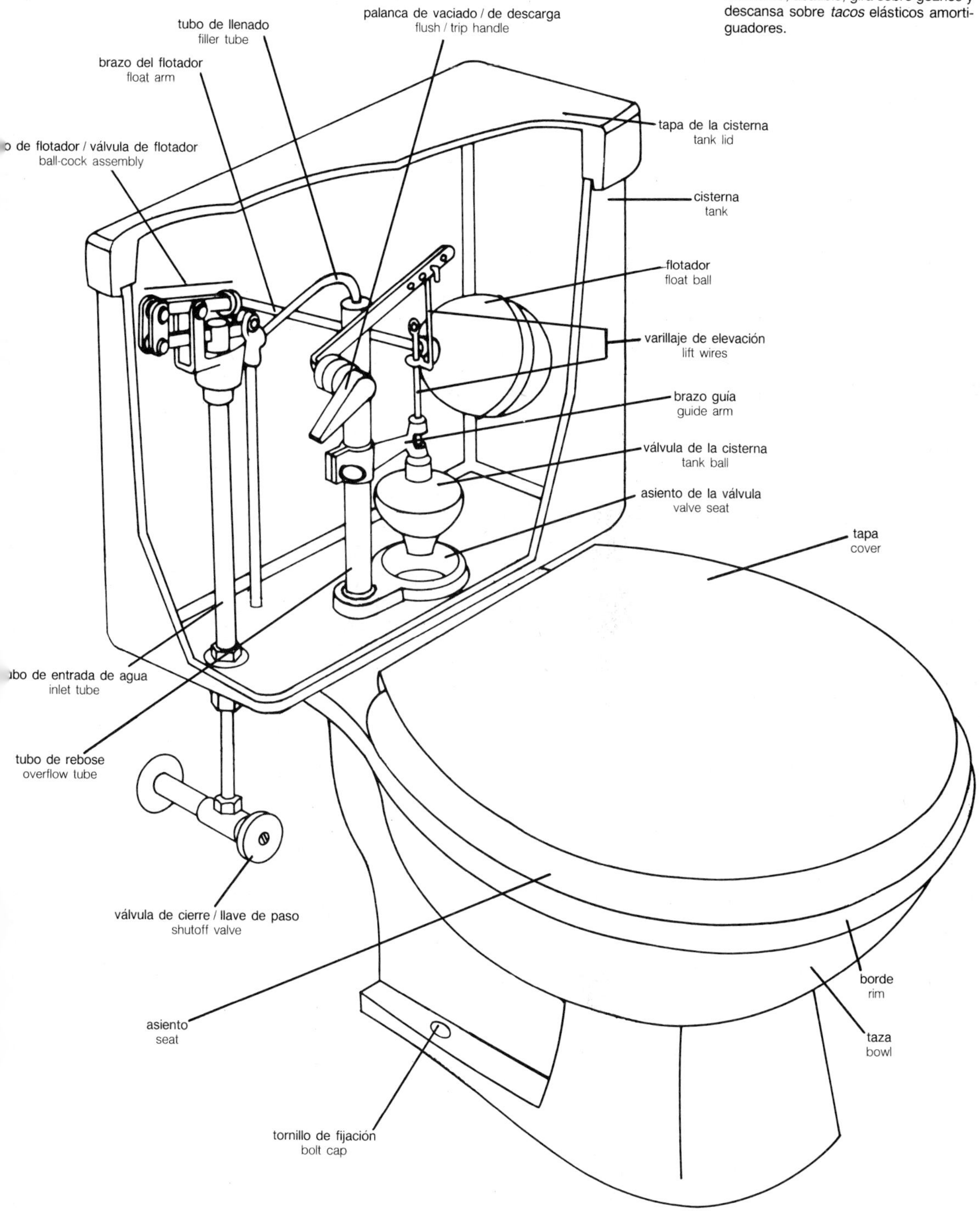

palanca de vaciado / de descarga
flush / trip handle
tubo de llenado
filler tube
brazo del flotador
float arm
o de flotador / válvula de flotador
ball-cock assembly
tapa de la cisterna
tank lid
cisterna
tank
flotador
float ball
varillaje de elevación
lift wires
brazo guía
guide arm
válvula de la cisterna
tank ball
asiento de la válvula
valve seat
tapa
cover
bo de entrada de agua
inlet tube
tubo de rebose
overflow tube
válvula de cierre / llave de paso
shutoff valve
borde
rim
taza
bowl
asiento
seat
tornillo de fijación
bolt cap

Toilet

This is a standard ball-float toilet. The seat is held in place by *posts* and rests on *bumpers*.

Escritorio

Un *escritorio de cierre enrollable* tiene una *cubierta* o *persiana* que tapa el *área de trabajo*, cuando no se utiliza. En algunas *mesas de escritorio de tablero inclinado*, éste se apoya sobre dos *soportes* deslizantes. Algunos escritorios modernos tienen tableros *escamoteables*, que se levantan y fijan para sostener una máquina de escribir, y al bajarlos quedan ocultos detrás de una puerta del mueble.

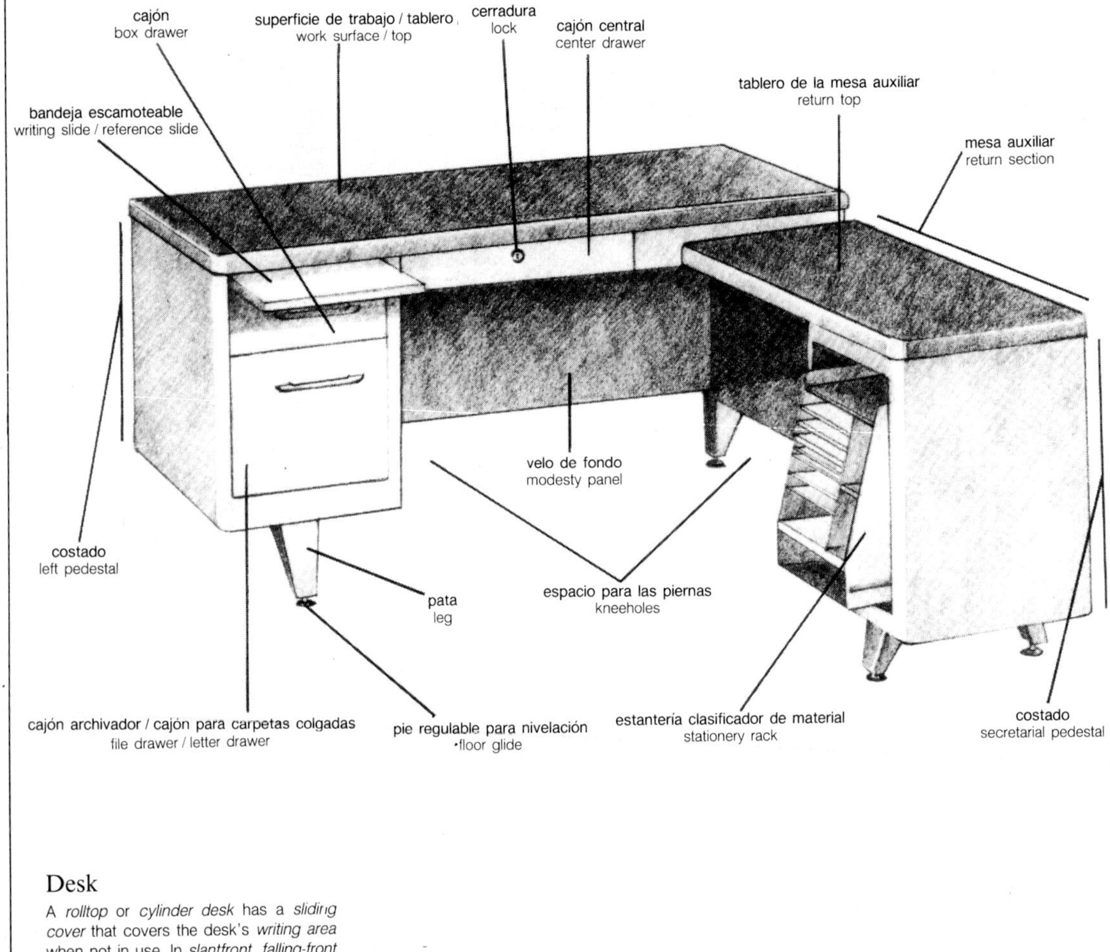

cajón
box drawer
superficie de trabajo / tablero
work surface / top
cerradura
lock
cajón central
center drawer
tablero de la mesa auxiliar
return top
bandeja escamoteable
writing slide / reference slide
mesa auxiliar
return section
velo de fondo
modesty panel
costado
left pedestal
pata
leg
espacio para las piernas
kneeholes
cajón archivador / cajón para carpetas colgadas
file drawer / letter drawer
pie regulable para nivelación
floor glide
estantería clasificador de material
stationery rack
costado
secretarial pedestal

Desk

A *rolltop* or *cylinder desk* has a *sliding cover* that covers the desk's *writing area* when not in use. In *slantfront, falling-front* or *drop-lid desks*, the *front* flips down to offer a writing area which is supported by two *slide-out supports*. Some modern office desks have *elevator platforms* that can be raised and locked in place to hold a business machine, or lowered and closed behind a *cabinet door*.

Material de escritorio

Las *tiras* de grapas, se introducen en el *cargador* de la grapadora. Los lápices se afilan en un *afilalápices* que tiene dos cilindros provistos de *cuchillas*. Un *clip* es una pinza de alambre curvada en tres puntos.

Desktop Equipment

Strips of staples are loaded into a stapler's *channel*. Pencils are sharpened in a *carrier* which holds two grooved cylinders called *cutters*. A paper clip is a piece of bessemer stock wire given three *twists*.

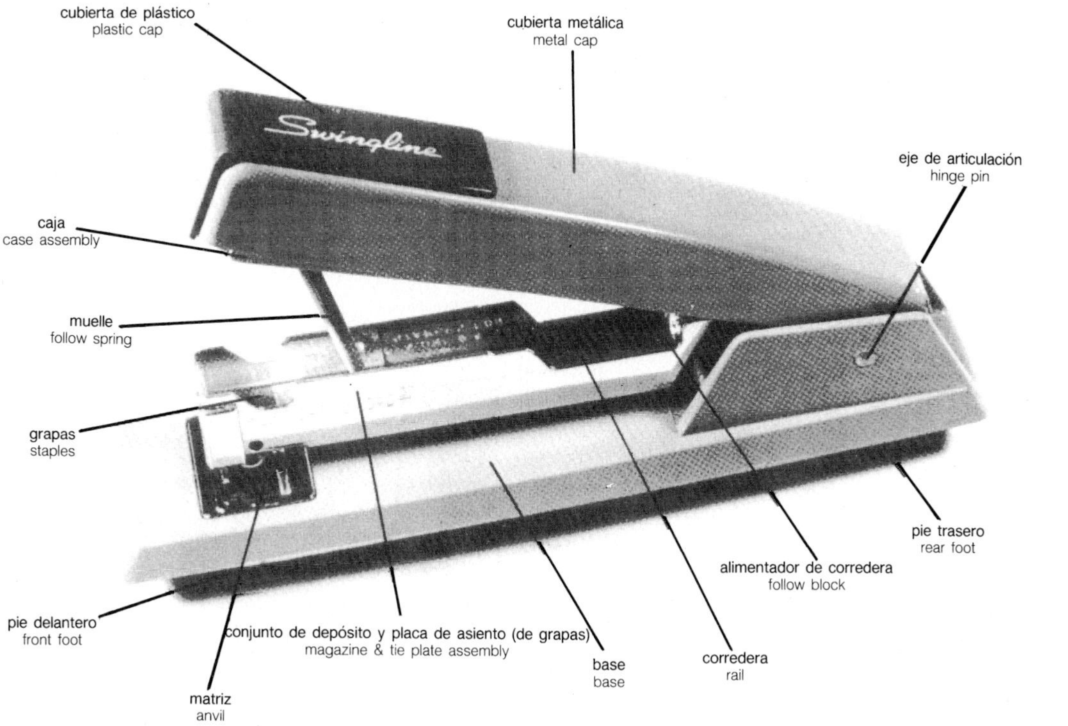

cubierta de plástico
plastic cap
cubierta metálica
metal cap
eje de articulación
hinge pin
caja
case assembly
muelle
follow spring
grapas
staples
pie trasero
rear foot
alimentador de corredera
follow block
pie delantero
front foot
conjunto de depósito y placa de asiento (de grapas)
magazine & tie plate assembly
base
base
corredera
rail
matriz
anvil

Grapadora
Stapler

Clip
Paper Clip / Gem Clip

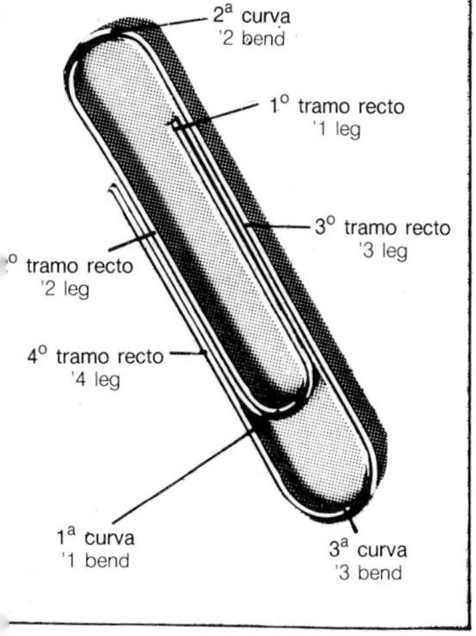

2ª curva
'2 bend
1º tramo recto
'1 leg
3º tramo recto
'3 leg
º tramo recto
'2 leg
4º tramo recto
'4 leg
1ª curva
'1 bend
3ª curva
'3 bend

resorte de la guía
guide spring
manivela
crank / handle
pomo
knob
orificio
aperture
disco / guía revólver
guide
cuerpo
receptacle
pomo de la palanca de actuación
actuating lever knob
depósito de virutas
stand
palanca de actuación
actuating lever
base / tapa de vaciado
base / vacuum mount

Afilalápices
Pencil Sharpener

Máquina de coser

La pata de coser corriente puede ser sustituida por otros accesorios especiales como la *pata de ojales*, la de *botones*, la de *cremalleras* o la de *cordones*. Junto a la placa de la aguja, algunos modelos de máquinas de coser llevan otra *placa corrediza* que da acceso al canillero.

Sewing Machine

The standard presser foot can be replaced by a variety of special attachments, including a *zipper foot*, *hemmer foot* and *roller foot*. Some machines have a *slide plate* as well as a needle plate that opens to provide access to the bobbin case.

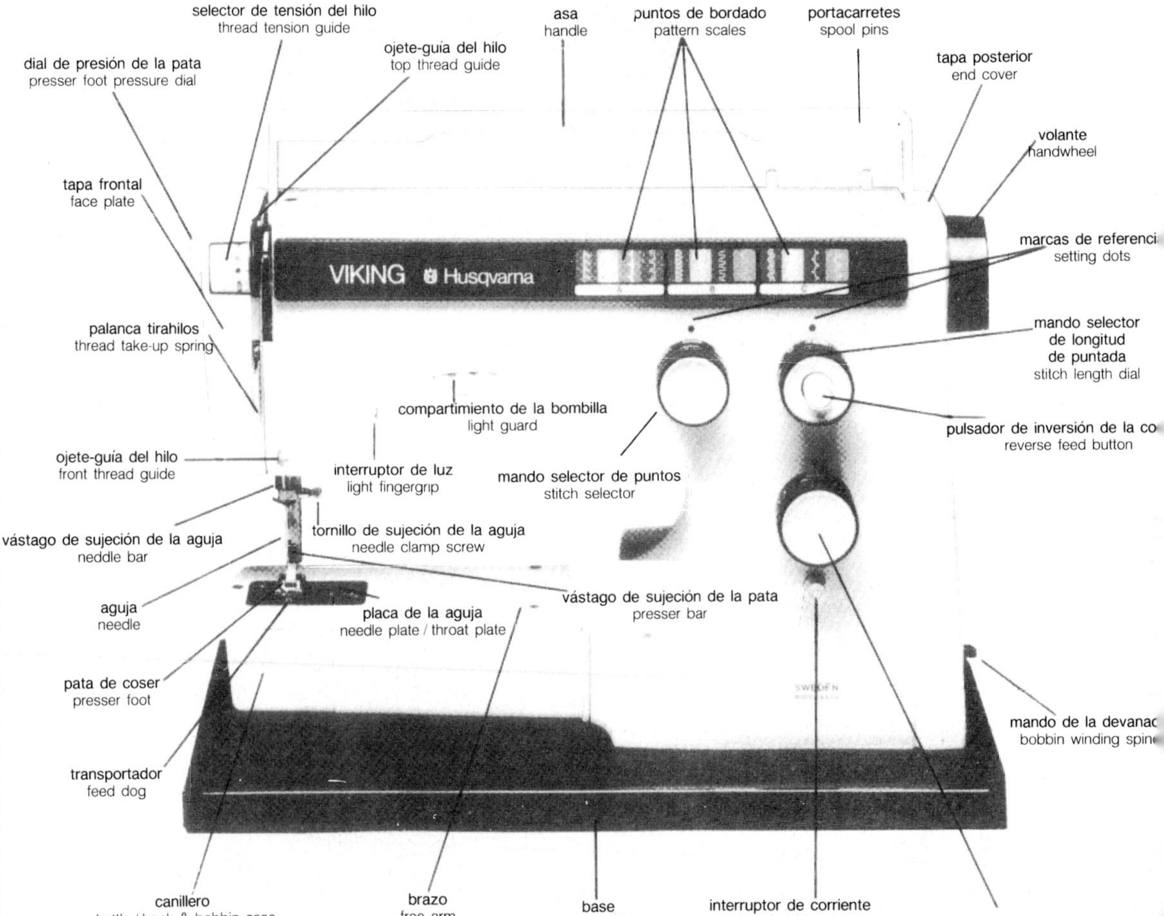

selector de tensión del hilo
thread tension guide
asa
handle
puntos de bordado
pattern scales
portacarretes
spool pins
ojete-guía del hilo
top thread guide
dial de presión de la pata
presser foot pressure dial
tapa posterior
end cover
volante
handwheel
tapa frontal
face plate
VIKING Husqvarna
marcas de referenci
setting dots
palanca tirahilos
thread take-up spring
mando selector de longitud de puntada
stitch length dial
compartimiento de la bombilla
light guard
pulsador de inversión de la co
reverse feed button
ojete-guía del hilo
front thread guide
interruptor de luz
light fingergrip
mando selector de puntos
stitch selector
tornillo de sujeción de la aguja
needle clamp screw
vástago de sujeción de la aguja
neddle bar
vástago de sujeción de la pata
presser bar
aguja
needle
placa de la aguja
needle plate / throat plate
pata de coser
presser foot
mando de la devanac
bobbin winding spin
transportador
feed dog
canillero
shuttle / hook & bobbin case
brazo
free arm
base
base plate
interruptor de corriente
drop feed button
mando selector de la anchura de puntada
stitch width dial

Plancha

Las *planchas de vapor*, como la de la fotografía, van provistas de *orificios humidificadores* en la zapata. Algunos modelos llevan también una *boquilla pulverizadora* en el frente.

Iron

The *steam-and-dry iron*, or *flatiron*, shown here has *steam vents*, or *steam ports*, in the soleplate. Some irons have *front spray nozzles* as well.

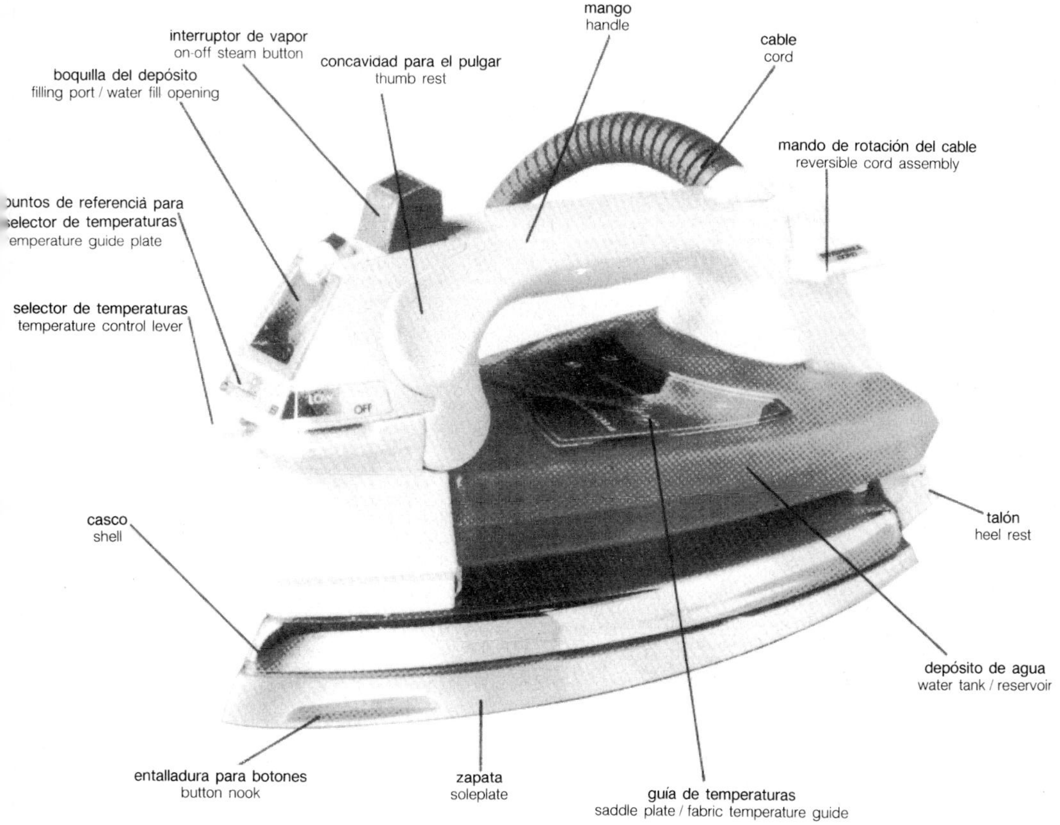

mango
handle
interruptor de vapor
on-off steam button
concavidad para el pulgar
thumb rest
cable
cord
boquilla del depósito
filling port / water fill opening
mando de rotación del cable
reversible cord assembly
puntos de referencia para
selector de temperaturas
temperature guide plate
selector de temperaturas
temperature control lever
casco
shell
talón
heel rest
depósito de agua
water tank / reservoir
entalladura para botones
button nook
zapata
soleplate
guía de temperaturas
saddle plate / fabric temperature guide

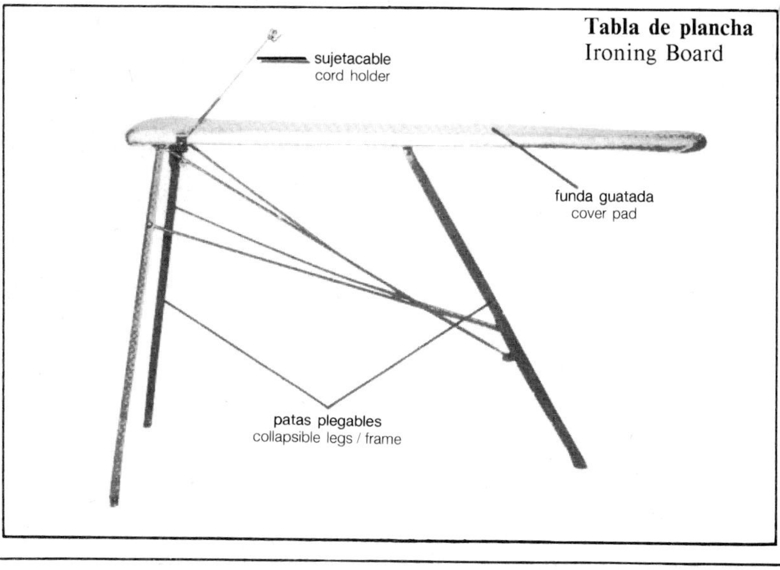

Tabla de plancha
Ironing Board
sujetacable
cord holder
funda guatada
cover pad
patas plegables
collapsible legs / frame

Lavado y secado

El antiguo sistema de lavado a mano con *tabla* y *barreño* ha sido desbancado por las modernas *lavadoras automáticas*. Éstas pueden ser de *carga frontal* y de *carga superior*; en ambos casos, la ropa se introduce en el *tambor*, o cesto provisto de orificios de desagüe. Las secadoras automáticas ahorran el trabajo de tender la ropa. Ambas máquinas pueden llevar un *ojo de buey* en la puerta y una bombilla para iluminar el tambor.

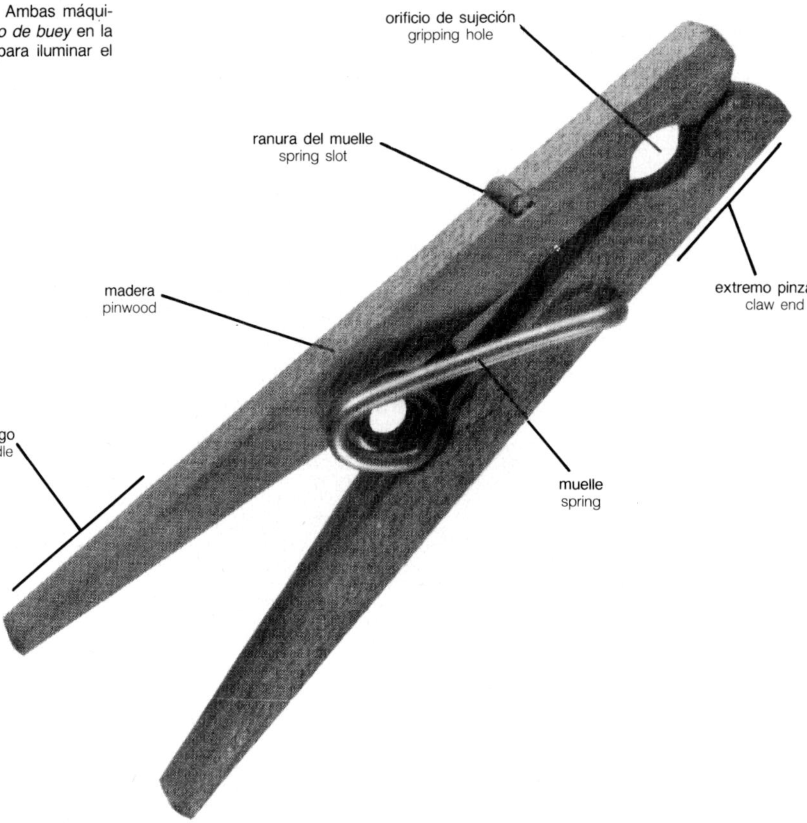
orificio de sujeción
gripping hole
ranura del muelle
spring slot
extremo pinzante
claw end
madera
pinwood
mango
handle
muelle
spring

Pinza de la ropa
Clothespin

Washing and Drying

Formerly, clothes were washed in a *washtub* with a *scrubboard* and *wringer* before being hung out to dry on *clotheslines*, or *washlines*, with clothespins. Wash-and-wear shirts are still air-dried on hangers. In automatic *top-loading washing machines* and *front-loading washers*, the basket, which has *drain holes* inside it, is contained within a metal *tub*. Some washers and dryers have a *window* in the *door* and a *tub light*.

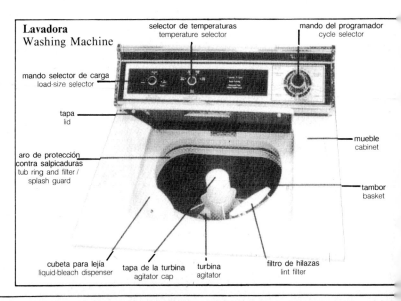

Lavadora
Washing Machine

selector de temperaturas
temperature selector
mando del programador
cycle selector
mando selector de carga
load-size selector
tapa
lid
mueble
cabinet
aro de protección contra salpicaduras
tub ring and filter / splash guard
tambor
basket
cubeta para lejía
liquid-bleach dispenser
tapa de la turbina
agitator cap
turbina
agitator
filtro de hilazas
lint filter

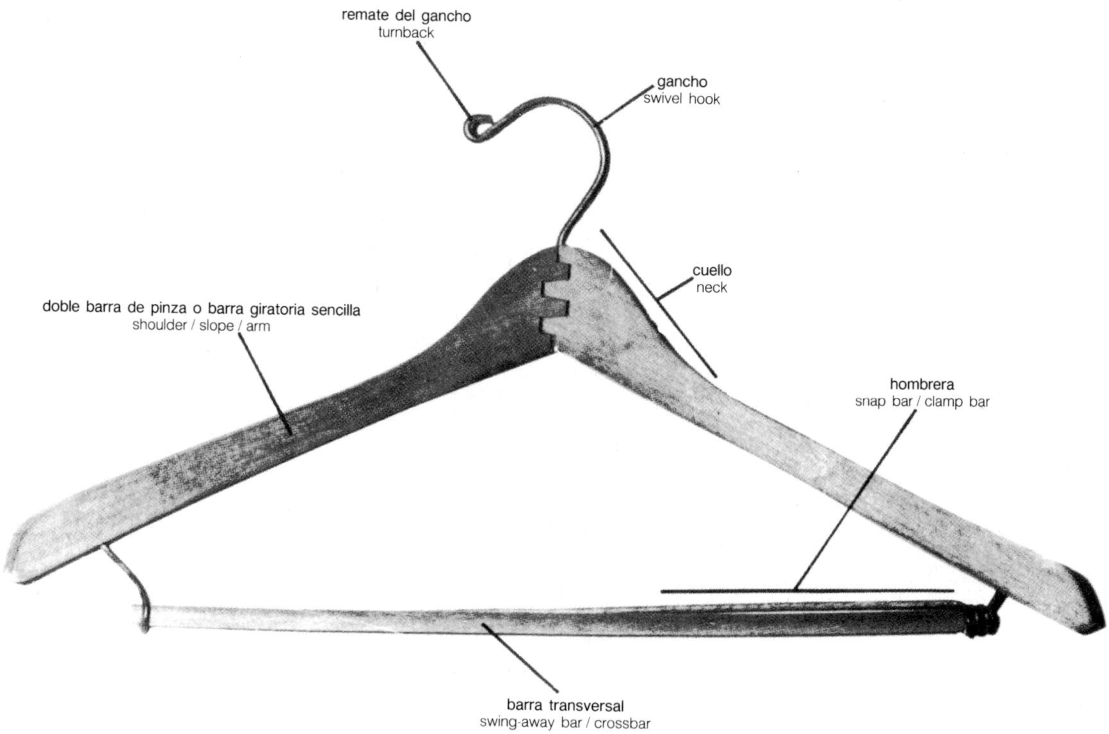
remate del gancho
turnback
gancho
swivel hook
cuello
neck
doble barra de pinza o barra giratoria sencilla
shoulder / slope / arm
hombrera
snap bar / clamp bar
barra transversal
swing-away bar / crossbar

Percha
Suit Hanger

Secadora
Dryer

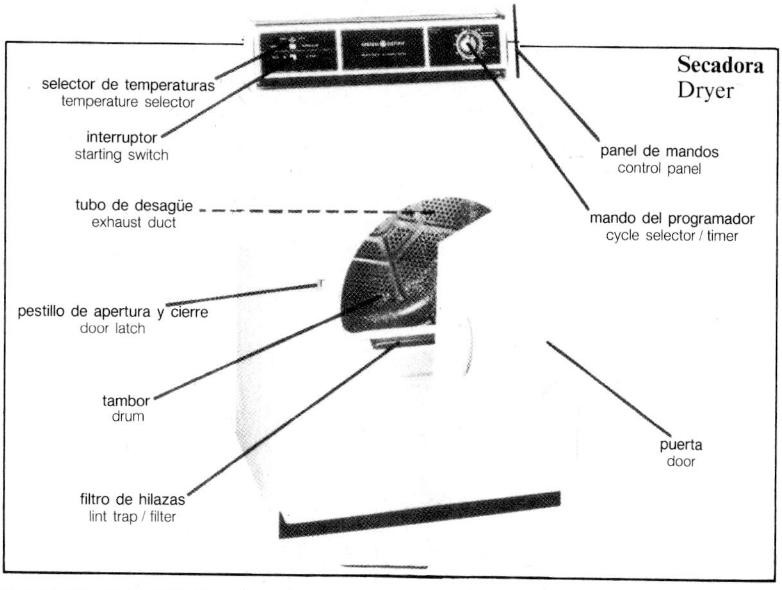
selector de temperaturas
temperature selector
interruptor
starting switch
tubo de desagüe
exhaust duct
pestillo de apertura y cierre
door latch
tambor
drum
filtro de hilazas
lint trap / filter
panel de mandos
control panel
mando del programador
cycle selector / timer
puerta
door

Utensilios de limpieza doméstica

El tipo de fregona más corriente es la que lleva *flecos* de una hilatura muy gruesa y absorbente en lugar de una esponja. *La escoba aspiradora* o *escoba eléctrica* es un pequeño aspirador con un mango. El *limpiamoquetas* consta de dos cepillos giratorios situados en una caja que se empuja con un mango.

Household Cleaning Equipment

A conventional mop has absorbent *strands* rather than a sponge. An *electric broom* is a lightweigh vacuum cleaner on a handle. A *carpet sweeper* contains two revolving brushes in a box at the end of a pushing handle.

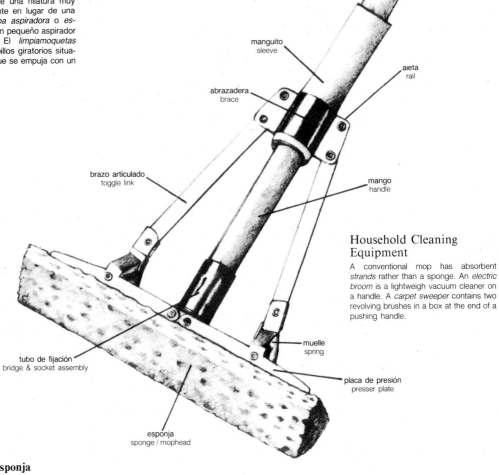

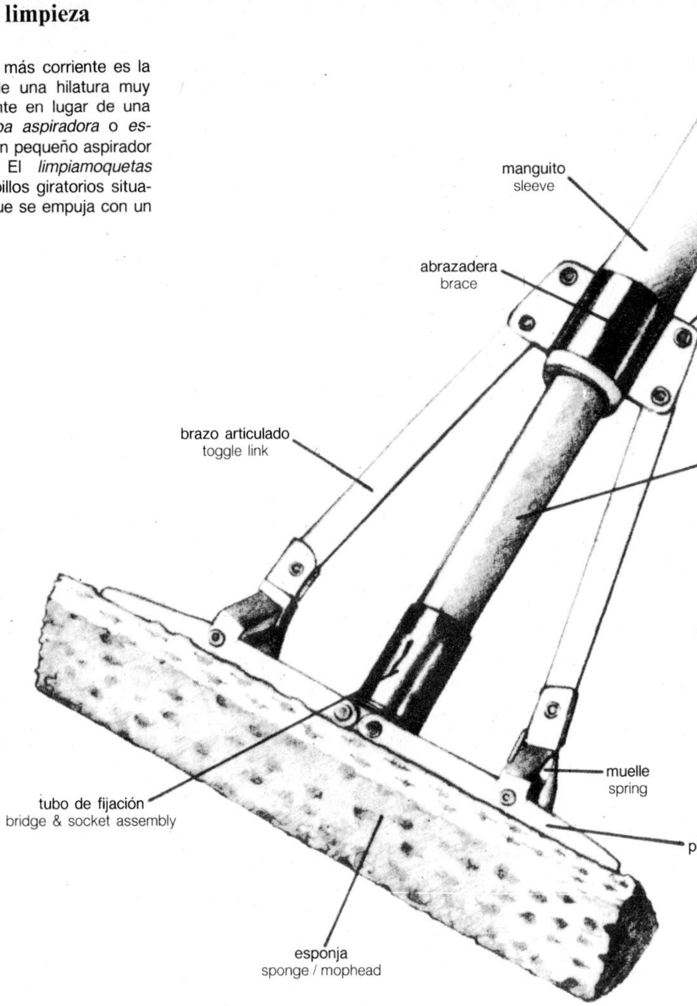
manguito
sleeve
aleta
rail
abrazadera
brace
brazo articulado
toggle link
mango
handle
muelle
spring
tubo de fijación
bridge & socket assembly
placa de presión
presser plate
esponja
sponge / mophead

Fregona de esponja
Sponge Mop

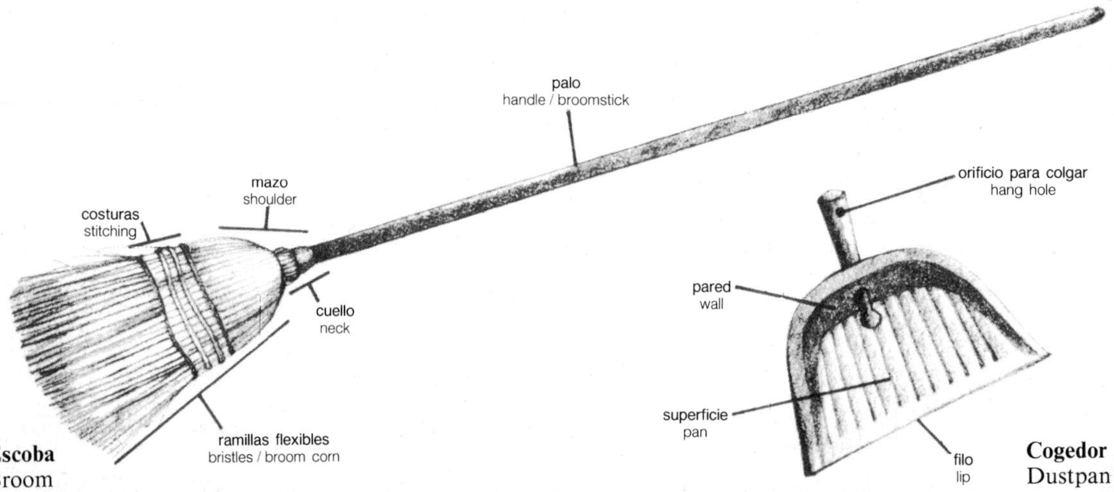
palo
handle / broomstick
mazo
shoulder
costuras
stitching
cuello
neck
ramillas flexibles
bristles / broom corn
orificio para colgar
hang hole
pared
wall
superficie
pan
filo
lip

Escoba
Broom

Cogedor
Dustpan

Aspiradora

Las *aspiradoras de mango* van provistas de un *cepillo en espiral* y varias *barras golpeadoras* que remueven el polvo y la suciedad, con objeto de facilitar su absorción y almacenamiento en la *bolsa desechable*. En las *aspiradoras de carro*, los accesorios se montan horizontalmente, y el polvo pasa directamente del tubo a la bolsa de papel.

Vacuum Cleaner

In an *upright vacuum cleaner*, shown here, *spiral brushes* under the hood and *beater bars* stir up dust and dirt. A *fan* blows these into a *disposable bag*. In a *cylinder model*, all the cleaning components are mounted horizontally. Dirt is sucked directly from the *intake tube* into a *vacuum bag*, or *dust bag*.

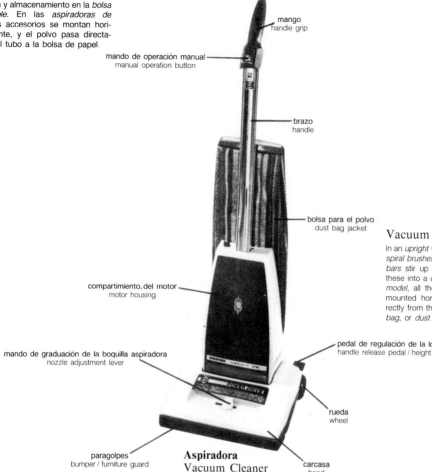

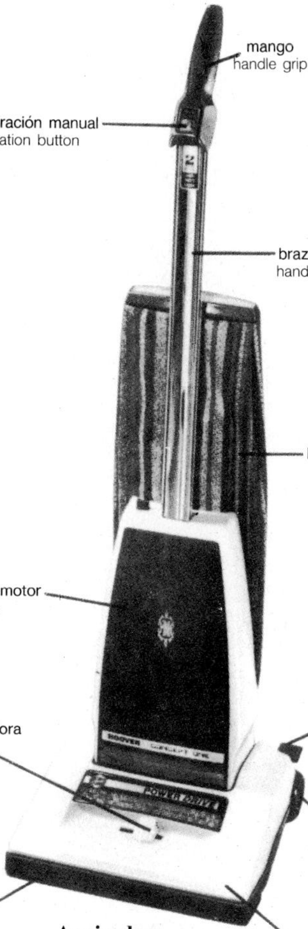
mango
handle grip
mando de operación manual
manual operation button
brazo
handle
bolsa para el polvo
dust bag jacket
compartimiento. del motor
motor housing
pedal de regulación de la longitud del brazo
handle release pedal / height adjustment pedal
mando de graduación de la boquilla aspiradora
nozzle adjustment lever
rueda
wheel
paragolpes
bumper / furniture guard
carcasa
hood

Aspiradora
Vacuum Cleaner

Accesorios
Attachments

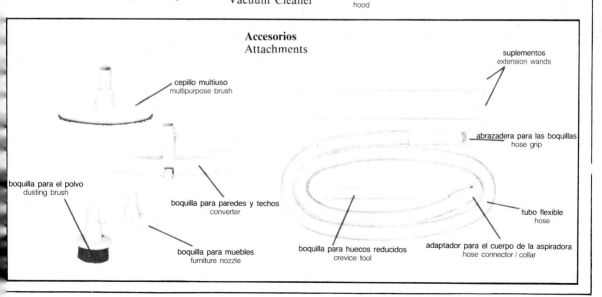

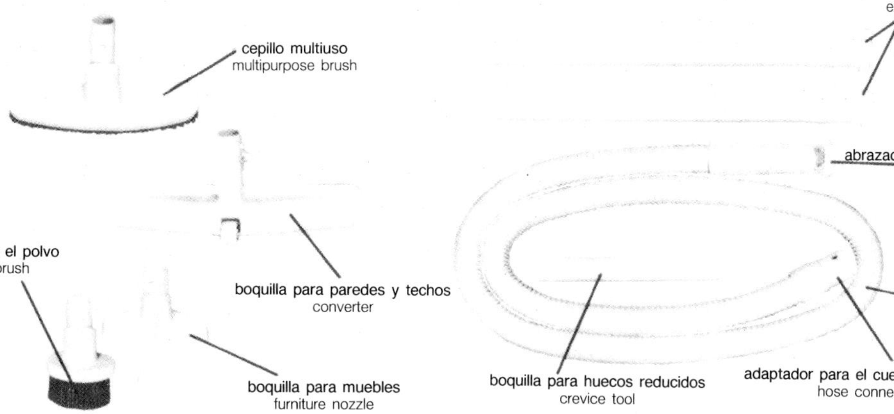
suplementos
extension wands
cepillo multiuso
multipurpose brush
abrazadera para las boquillas
hose grip
boquilla para el polvo
dusting brush
boquilla para paredes y techos
converter
tubo flexible
hose
boquilla para muebles
furniture nozzle
boquilla para huecos reducidos
crevice tool
adaptador para el cuerpo de la aspiradora
hose connector / collar

Medios de lucha contra incendios

Los extintores de polvo contienen productos químicos y gas a presión. Se utilizan apretando o girando la empuñadura. *Los extintores de espuma* deben invertirse primero, con el fin de mezclar los ingredientes que contienen (sosa y ácido). Éstos producen una *espuma* que tiene la propiedad de sofocar el fuego.

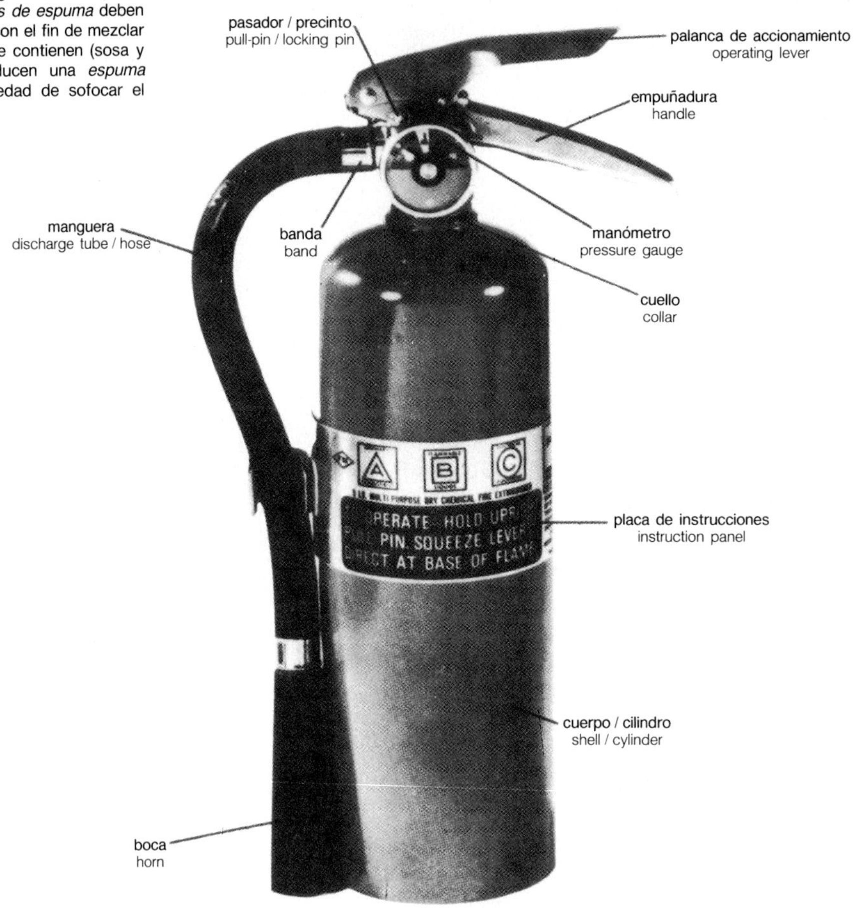
pasador / precinto
pull-pin / locking pin
palanca de accionamiento
operating lever
empuñadura
handle
manguera
discharge tube / hose
banda
band
manómetro
pressure gauge
cuello
collar
OPERATE HOLD UPRI
PIN. SQUEEZE LEVE
ECT AT BASE OF FLA
placa de instrucciones
instruction panel
cuerpo / cilindro
shell / cylinder
boca
horn

Extintor
Fire Extinguisher

Detector / Alarma de humo
Smoke Alarm / Smoke Detector

tapa
cover
pulsador de prueba
test button
botón para soltar la tapa
cover release

Firefighting Devices

Dry chemical extinguishers, containing chemicals and gas under pressure, are activated by squeezing or twisting the handle. *Soda-acid extinguishers,* inverted to mix the contents, produce a smothering *foam.*

Cubo
Pail / Bucket

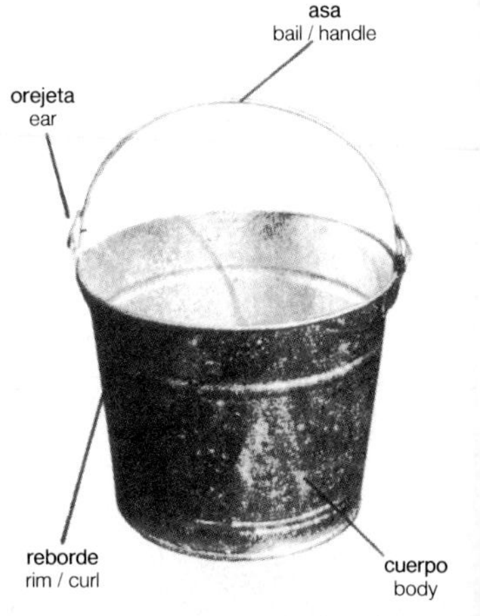
asa
bail / handle
orejeta
ear
reborde
rim / curl
cuerpo
body

Equipaje

Por fuera, una *maleta* es igual que la *cartera* que se ve en la ilustración, si bien de mayor tamaño. Las carteras de ejecutivo o *portafolios* incluyen varios *compartimientos*, que se cierran por medio de una *solapa* o *cremallera*.

Luggage

The exterior parts of a *suitcase* or *bag* are identical to those of an attaché case. A suitcase that unfolds to be hung up is called a *garment bag*. Briefcases sometimes have zippered *file folders* or *portfolios* as well as paper storage *pockets*.

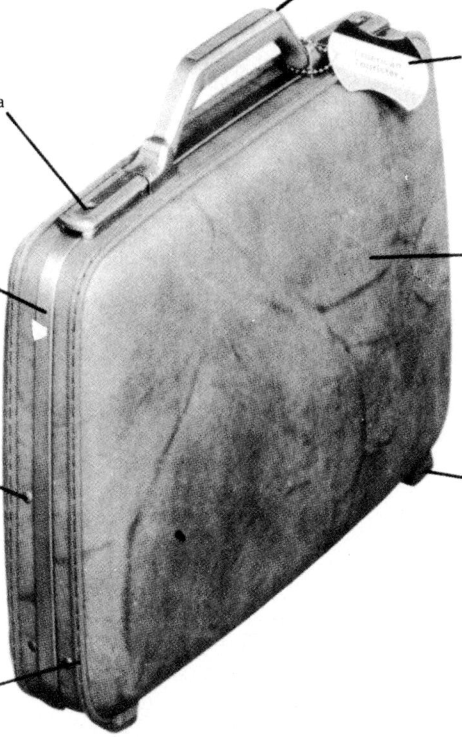

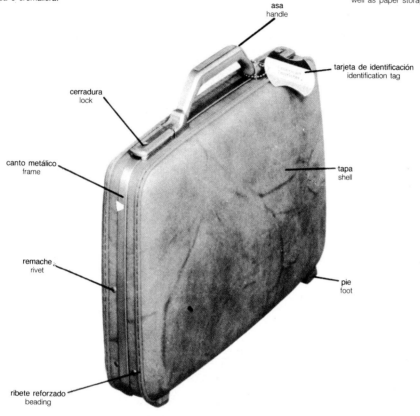

asa
handle
tarjeta de identificación
identification tag
cerradura
lock
canto metálico
frame
tapa
shell
remache
rivet
pie
foot
ribete reforzado
beading

Cartera / Portafolio
Attaché Case / Briefcase

Fin de semana
Overnight Bag

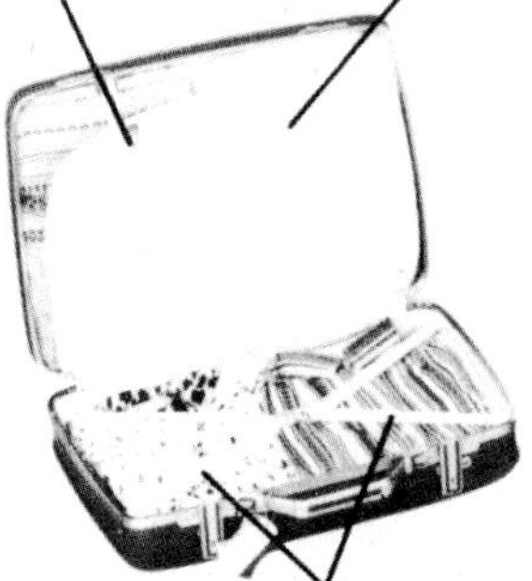

separador
curtain
sujetadores del separador
curtain fasteners
cintas elásticas
cross straps

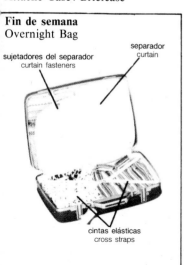

Neceser
Cosmetic Case

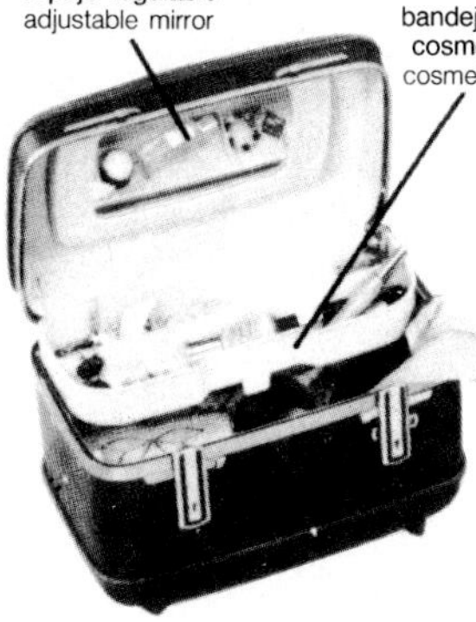

espejo regulable
adjustable mirror
bandeja para cosméticos
cosmetic tray

Maletín
Two-Suiter

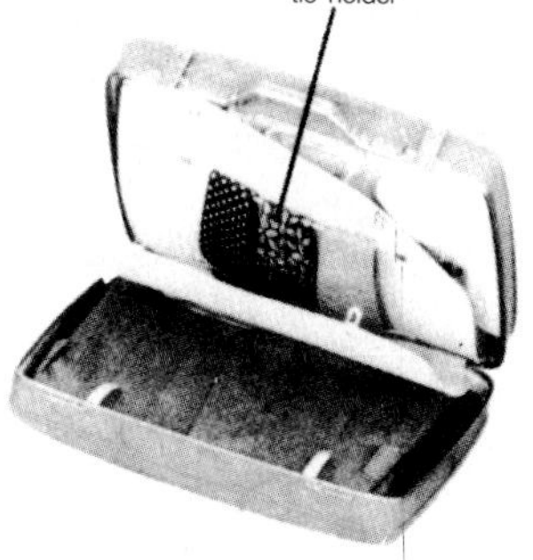

compartimiento para corbatas
tie holder

Accesorios para bebés

Las modernas *sillas de ruedas*, casi todas plegables, han sustituido a los *cochecitos* de bebé, menos funcionales. Un *capazo* es un cesto forrado de tela y provisto de asas. Si tiene patas o alguna estructura de soporte, recibe el nombre de *moisés*. Las *sillas de brazo* tienen patas altas, un reposapiés y una bandeja frontal.

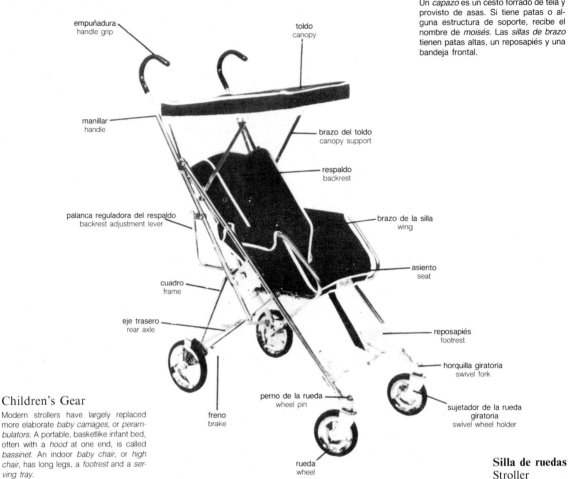

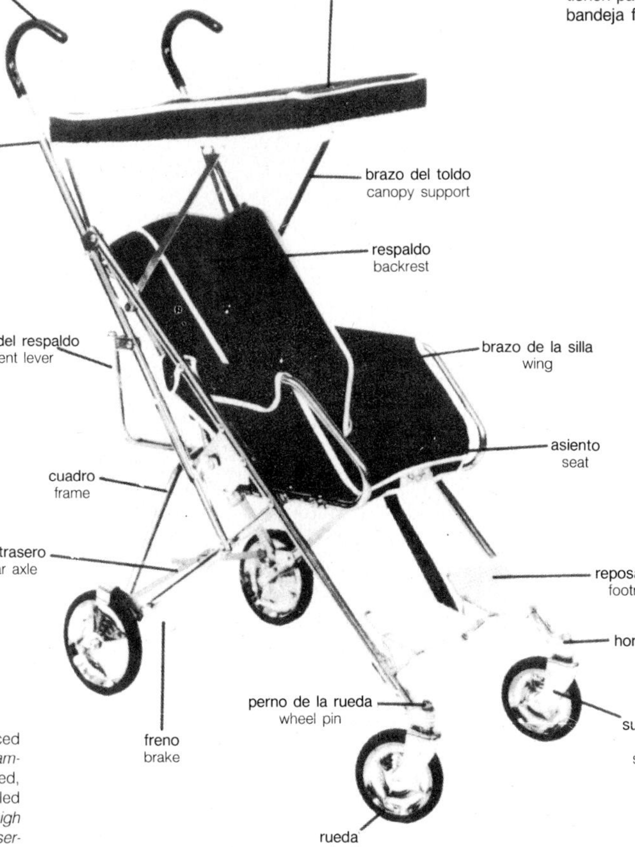
empuñadura
handle grip
toldo
canopy
manillar
handle
brazo del toldo
canopy support
respaldo
backrest
palanca reguladora del respaldo
backrest adjustment lever
brazo de la silla
wing
asiento
seat
cuadro
frame
eje trasero
rear axle
reposapiés
footrest
horquilla giratoria
swivel fork
perno de la rueda
wheel pin
sujetador de la rueda giratoria
swivel wheel holder
freno
brake
rueda
wheel

Children's Gear

Modern strollers have largely replaced more elaborate *baby carriages*, or *perambulators*. A portable, basketlike infant bed, often with a *hood* at one end, is called *bassinet*. An indoor *baby chair*, or *high chair*, has long legs, a *footrest* and a *serving tray*.

Silla de ruedas
Stroller

Silla para coche
Car Seat

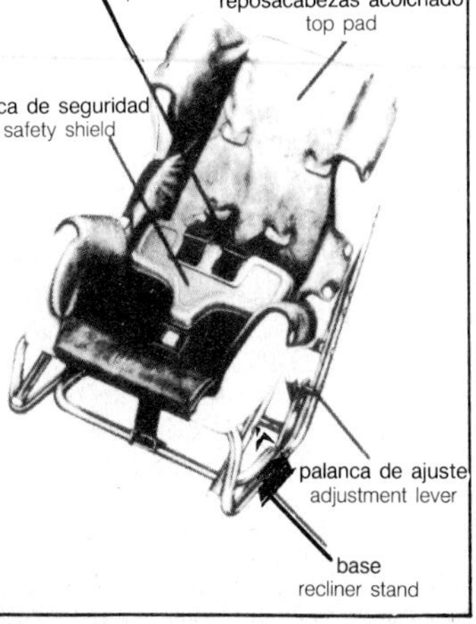
hombrera
shoulder strap
reposacabezas acolchado
top pad
placa de seguridad
safety shield
palanca de ajuste
adjustment lever
base
recliner stand

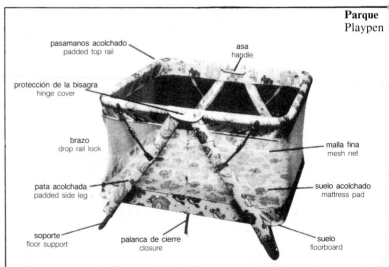

Parque
Playpen

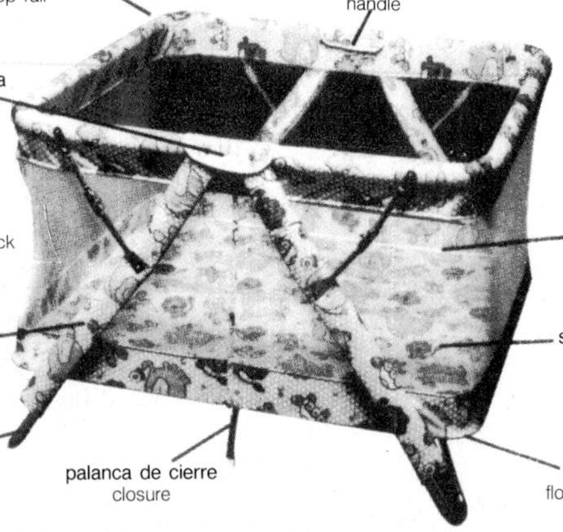
pasamanos acolchado
padded top rail
asa
handle
protección de la bisagra
hinge cover
brazo
drop rail lock
malla fina
mesh net
pata acolchada
padded side leg
suelo acolchado
mattress pad
soporte
floor support
palanca de cierre
closure
suelo
floorboard

Accesorios de jardín

Además de los objetos y juegos que se ven aquí, en algunos jardines hay *estructuras metálicas* para que trepen los niños, *escaleras sin fin*, y grandes *fosos con arena*, donde se puede jugar como en una pequeña playa, haciendo *flanes* o *castillos*.

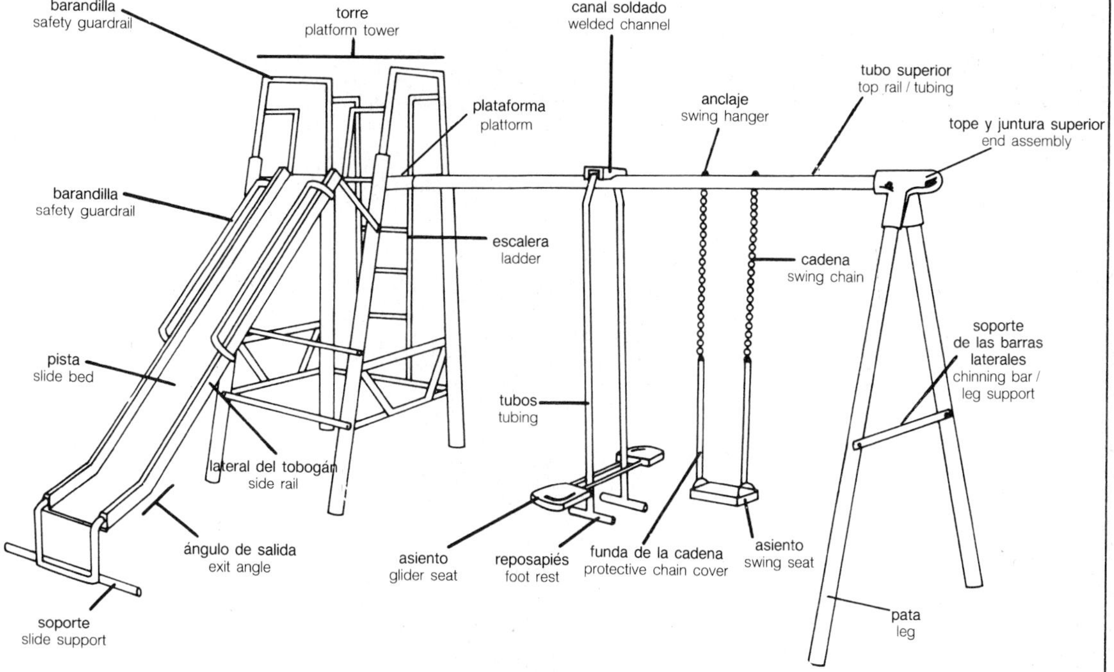

barandilla
safety guardrail
torre
platform tower
canal soldado
welded channel
tubo superior
top rail / tubing
plataforma
platform
anclaje
swing hanger
tope y juntura superior
end assembly
barandilla
safety guardrail
escalera
ladder
cadena
swing chain
soporte
de las barras
laterales
chinning bar /
leg support
pista
slide bed
tubos
tubing
lateral del tobogán
side rail
ángulo de salida
exit angle
asiento
glider seat
reposapiés
foot rest
funda de la cadena
protective chain cover
asiento
swing seat
pata
leg
soporte
slide support

Tobogán
Slide / Sliding Pond

Balancín
Glider

Columpio
Swing

Carrito
Wagon

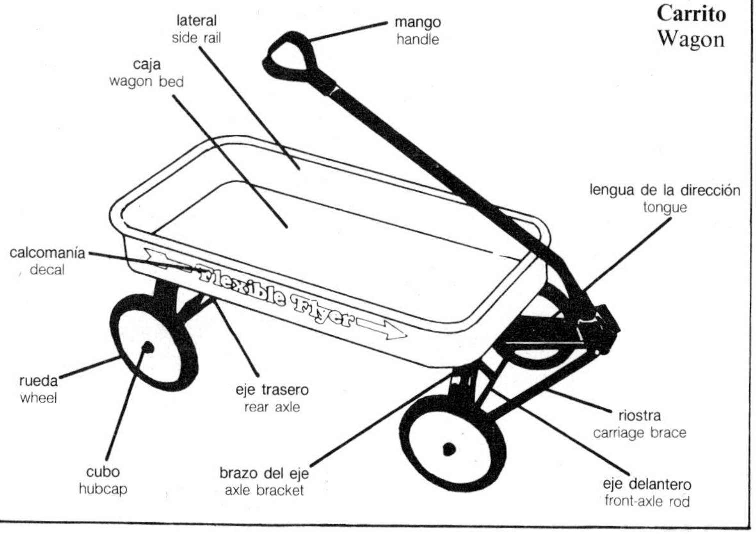

lateral
side rail
mango
handle
caja
wagon bed
lengua de la dirección
tongue
calcomanía
decal
Flexible Flyer
rueda
wheel
eje trasero
rear axle
riostra
carriage brace
cubo
hubcap
brazo del eje
axle bracket
eje delantero
front-axle rod

Backyard Equipment

Other popular backyard and *playground* equipment includes *seesaws*, or *teeter-totters*; *jungle gyms*, or *monkey bars*; *climbing nets*; *overhead ladders* and *sandboxes*.

Accesorios de jardín

Existen diferentes tipos de *barbacoas*; las más corrientes son las móviles de metal y las fijas de ladrillo, en las que los alimentos se asan con *carbón vegetal*, previamente prendido con *tabletas combustibles especiales*. En los modelos eléctricos y de gas, el carbón se sustituye por *roca volcánica*. Las *barbacoas cerradas* y las denominadas *Hibachi* suelen ir provistas de *humidificadores*, *parrillas ajustables* y *recipientes para cenizas*.

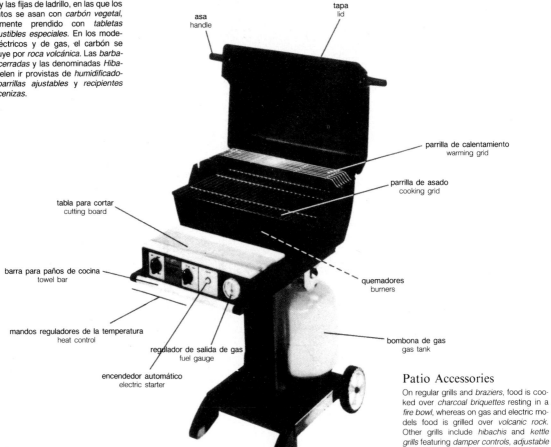

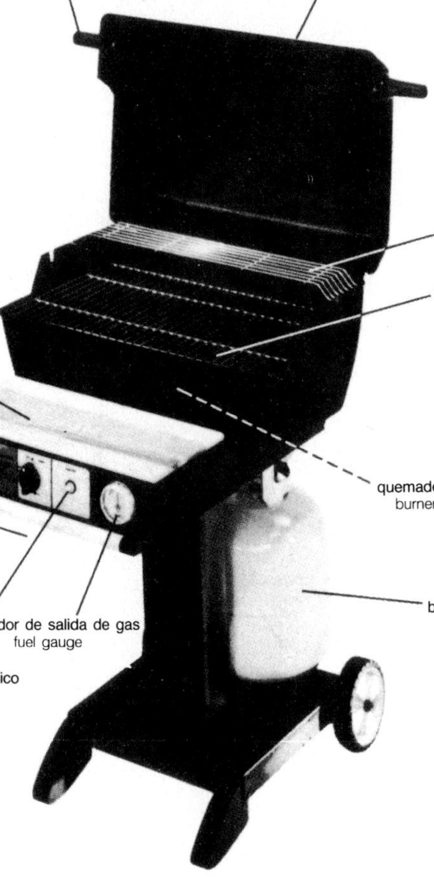
tapa
lid
asa
handle
parrilla de calentamiento
warming grid
parrilla de asado
cooking grid
tabla para cortar
cutting board
barra para paños de cocina
towel bar
quemadores
burners
mandos reguladores de la temperatura
heat control
bombona de gas
gas tank
regulador de salida de gas
fuel gauge
encendedor automático
electric starter

Barbacoa de gas
Barbecue Grill / Gas Barbecue

Patio Accessories

On regular grills and *braziers*, food is cooked over *charcoal briquettes* resting in a *fire bowl*, whereas on gas and electric models food is grilled over *volcanic rock*. Other grills include *hibachis* and *kettle grills* featuring *damper controls*, *adjustable grills*, and *ash catchers*. On some outdoor lounges and *settees*, small springs, or *helicals*, connect the frame to metal supporting straps.

Tumbona
Chaise Lounge

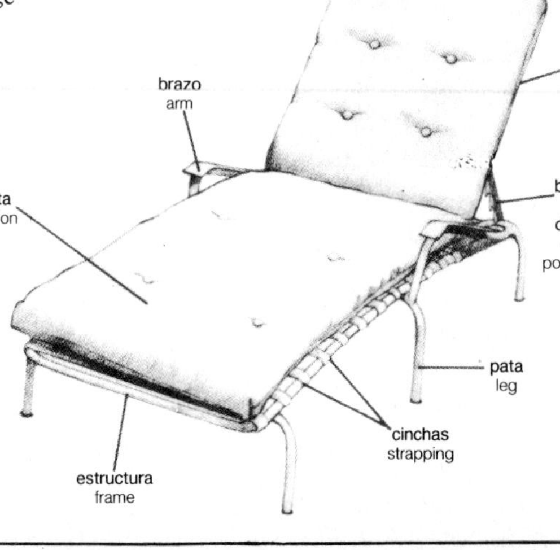
respaldo
back
brazo
arm
colchoneta
pad / cushion
barra dentada
reguladora
de la posición
del respaldo
positioning ratchet
pata
leg
cinchas
strapping
estructura
frame

Hamaca
Hammock

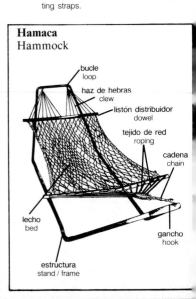

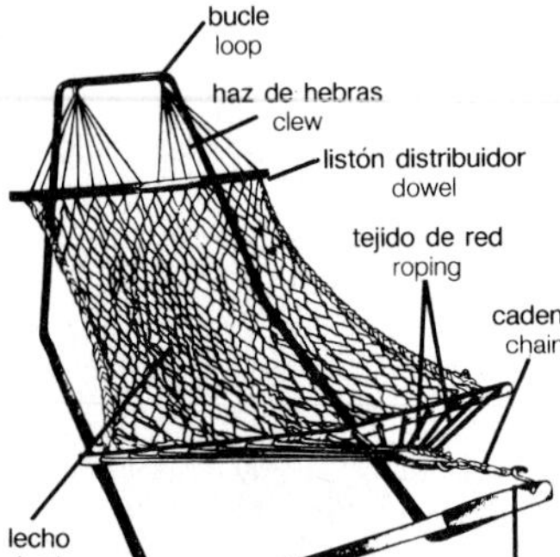
bucle
loop
haz de hebras
clew
listón distribuidor
dowel
tejido de red
roping
cadena
chain
lecho
bed
gancho
hook
estructura
stand / frame

Deportes y actividades recreativas

En la presente sección se ha dado preferencia a los principales deportes y actividades recreativas que requieren la utilización de equipos e instrumentos. En cambio, se han omitido los juegos de palabras y dibujos, por considerar que su terminología es muy limitada.
Con el fin de facilitar al lector la búsqueda de los objetos concretos que desee encontrar, las actividades recreativas se han agrupado en los siguientes apartados: deportes de equipo, de competición, individuales, deportes hípicos, carreras de automóviles, deportes al aire libre, cultura física, juegos de tablero y juegos de azar.
Dado que los terrenos de juego de los deportes en equipo y de competición constituyen una parte esencial de tales actividades, los campos, canchas y pistas se han representado identificando todas sus áreas, líneas y demarcaciones fundamentales.
Para ilustrar las partes de la indumentaria y del equipo empleados por los jugadores, no se han reproducido fotografías de modelos, sino de auténticos atletas: el bateador Rod Carew, el jugador de fútbol americano Bruce Harper, el defensa de baloncesto Micke Glenn y los jugadores de hockey Ken Morrow (defensa) y Billy Smith (guardameta).

Trofeo
Trophy

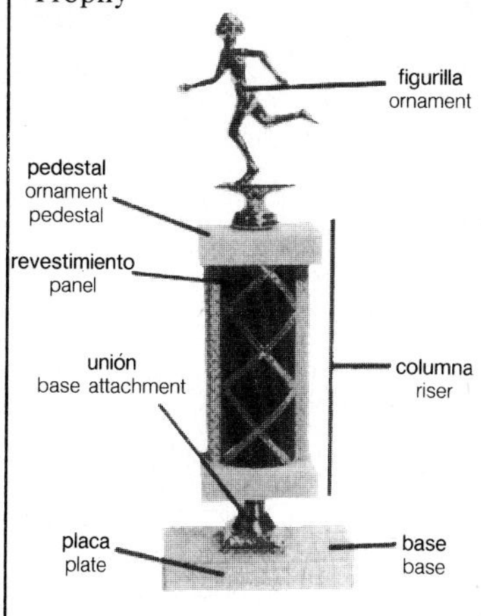
figurilla
ornament
pedestal
ornament pedestal
revestimiento
panel
unión
base attachment
columna
riser
placa
plate
base
base

Béisbol

Todos los jugadores llevan números en el dorso de los uniformes. Muchos cascos de bateador tienen *orejeras* protectoras. Para mayor protección de la zona de las ingles, los receptores usan cazoletas protectoras. Los gorros de fieltro utilizados por los jugadores en el campo, suelen tener gafas de sol. Las zapatillas de los lanzadores están reforzadas con placas protectoras de metal y cuero para evitar un excesivo desgaste.

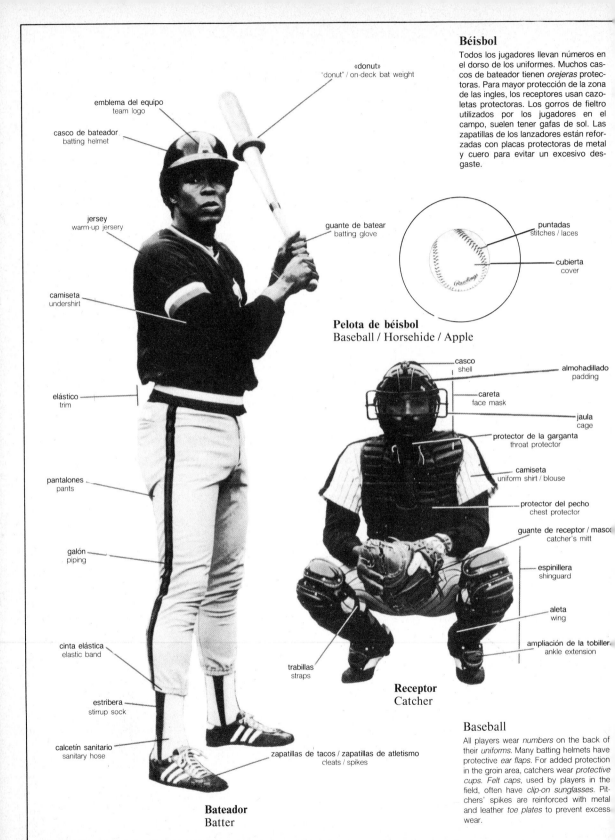

«donut»
"donut" / on-deck bat weight
emblema del equipo
team logo
casco de bateador
batting helmet
jersey
warm-up jersery
guante de batear
batting glove
camiseta
undershirt
elástico
trim
pantalones
pants
galón
piping
cinta elástica
elastic band
estribera
stirrup sock
calcetín sanitario
sanitary hose
zapatillas de tacos / zapatillas de atletismo
cleats / spikes

Bateador
Batter

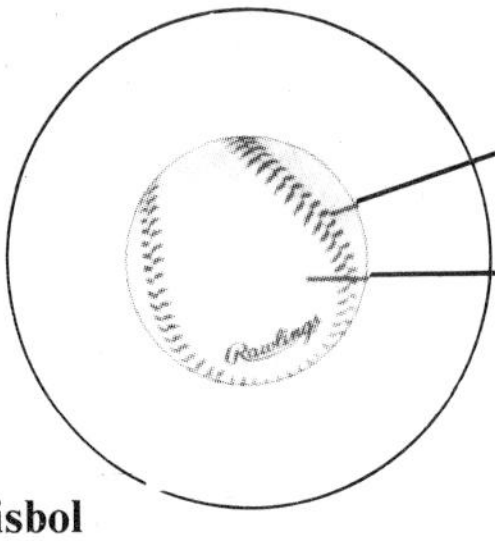
puntadas
stitches / laces
cubierta
cover
Rawlings

Pelota de béisbol
Baseball / Horsehide / Apple

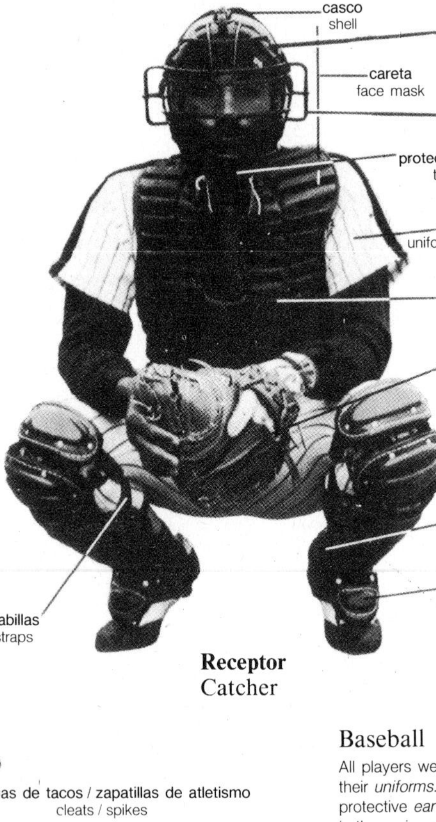
casco
shell
almohadillado
padding
careta
face mask
jaula
cage
protector de la garganta
throat protector
camiseta
uniform shirt / blouse
protector del pecho
chest protector
guante de receptor / masc
catcher's mitt
espinillera
shinguard
aleta
wing
ampliación de la tobiller
ankle extension
trabillas
straps

Receptor
Catcher

Baseball

All players wear *numbers* on the back of their *uniforms.* Many batting helmets have protective *ear flaps.* For added protection in the groin area, catchers wear *protective cups. Felt caps,* used by players in the field, often have *clip-on sunglasses.* Pitchers' spikes are reinforced with metal and leather *toe plates* to prevent excess wear.

Béisbol

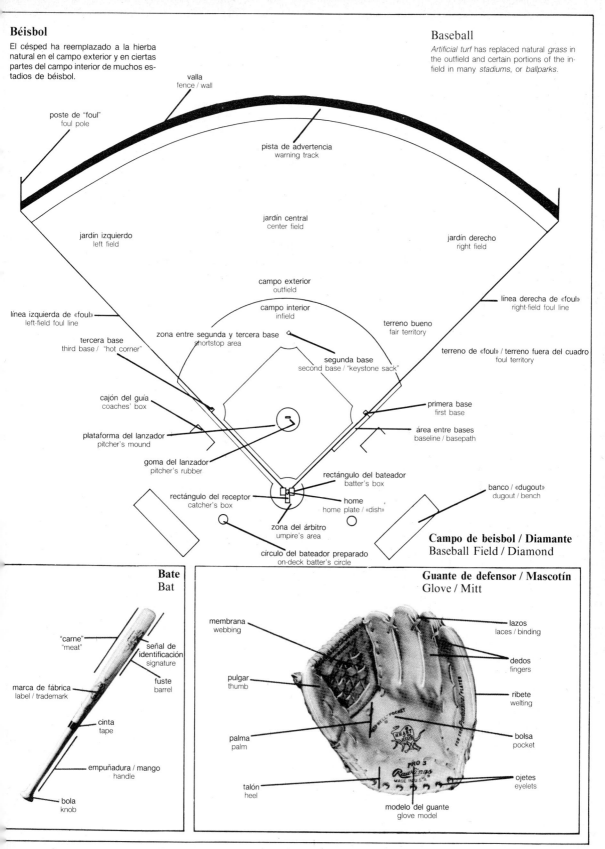

El césped ha reemplazado a la hierba natural en el campo exterior y en ciertas partes del campo interior de muchos estadios de béisbol.

Baseball

Artificial turf has replaced natural *grass* in the outfield and certain portions of the infield in many *stadiums*, or *ballparks*.

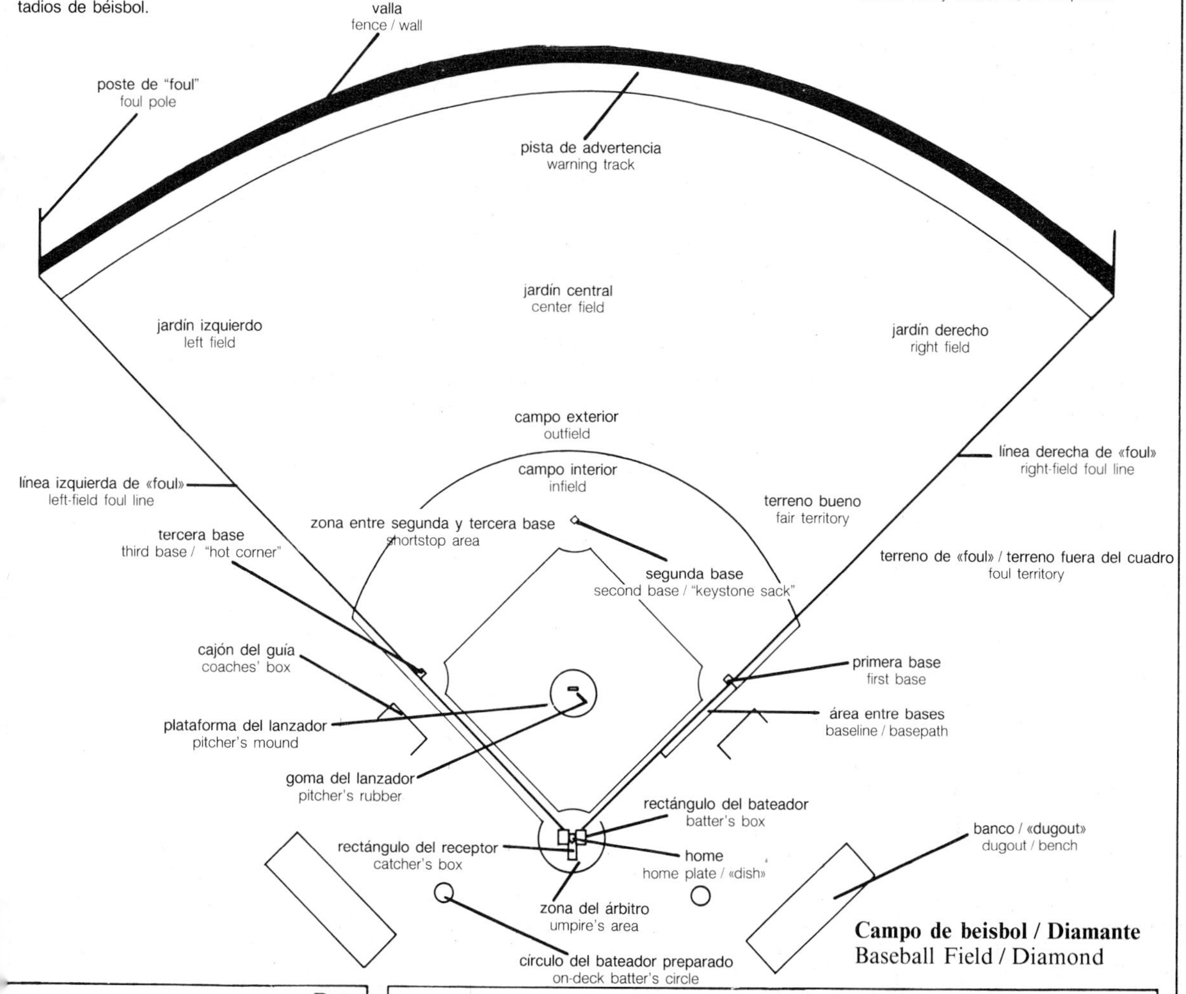
valla
fence / wall
poste de "foul"
foul pole
pista de advertencia
warning track
jardín central
center field
jardín izquierdo
left field
jardín derecho
right field
campo exterior
outfield
campo interior
infield
línea derecha de «foul»
right-field foul line
línea izquierda de «foul»
left-field foul line
terreno bueno
fair territory
zona entre segunda y tercera base
shortstop area
tercera base
third base / "hot corner"
terreno de «foul» / terreno fuera del cuadro
foul territory
segunda base
second base / "keystone sack"
cajón del guía
coaches' box
primera base
first base
área entre bases
baseline / basepath
plataforma del lanzador
pitcher's mound
goma del lanzador
pitcher's rubber
rectángulo del bateador
batter's box
banco / «dugout»
dugout / bench
rectángulo del receptor
catcher's box
home
home plate / «dish»
zona del árbitro
umpire's area
circulo del bateador preparado
on-deck batter's circle

Campo de beisbol / Diamante
Baseball Field / Diamond

Bate
Bat

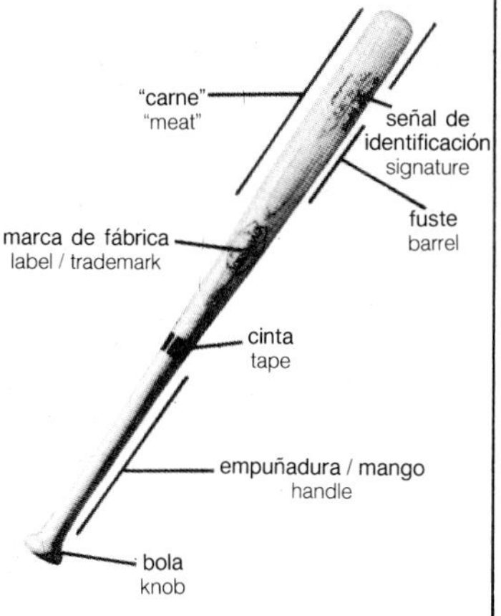
"carne"
"meat"
señal de identificación
signature
fuste
barrel
marca de fábrica
label / trademark
cinta
tape
empuñadura / mango
handle
bola
knob

Guante de defensor / Mascotín
Glove / Mitt

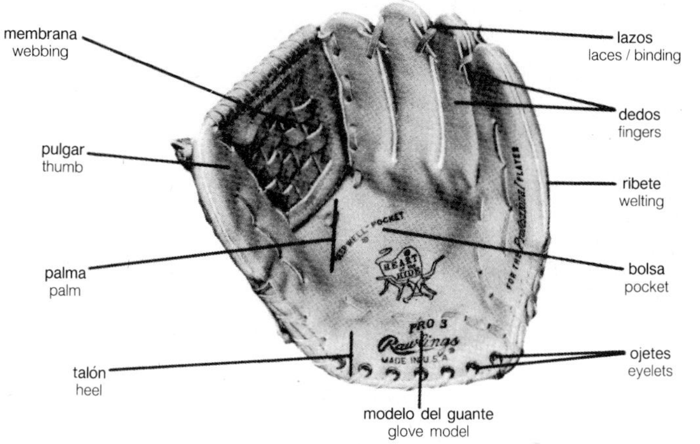
membrana
webbing
lazos
laces / binding
dedos
fingers
pulgar
thumb
ribete
welting
palma
palm
bolsa
pocket
talón
heel
ojetes
eyelets
modelo del guante
glove model

Fútbol americano

El equipo protector que se lleva en la parte superior del cuerpo se cubre con una camiseta numerada. La camiseta desgarrable está ligeramente cosida con el fin de que se desprenda cuando la agarre un contrario. Los cascos se fabrican con diferentes sistemas de suspensión, algunos de los cuales estàn inflados con aire. Las cubiertas de los balones tienen un acabado áspero (abollonado) y una cámara que retiene aire y que se llena insertando una aguja de insuflación en la válvula.

Football

Protective equipment worn on the upper body is covered with a *numbered jersey*. A *tear-away jersey* is loosely sewn and meant to rip apart when grabbed by an opponent. Helmets are manufactured with different *suspension systems*, some of which are air-inflated. Football covers have a rough *pebble finish* and an air-retaining *bladder* which is filled by inserting an *inflation needle* in the valve.

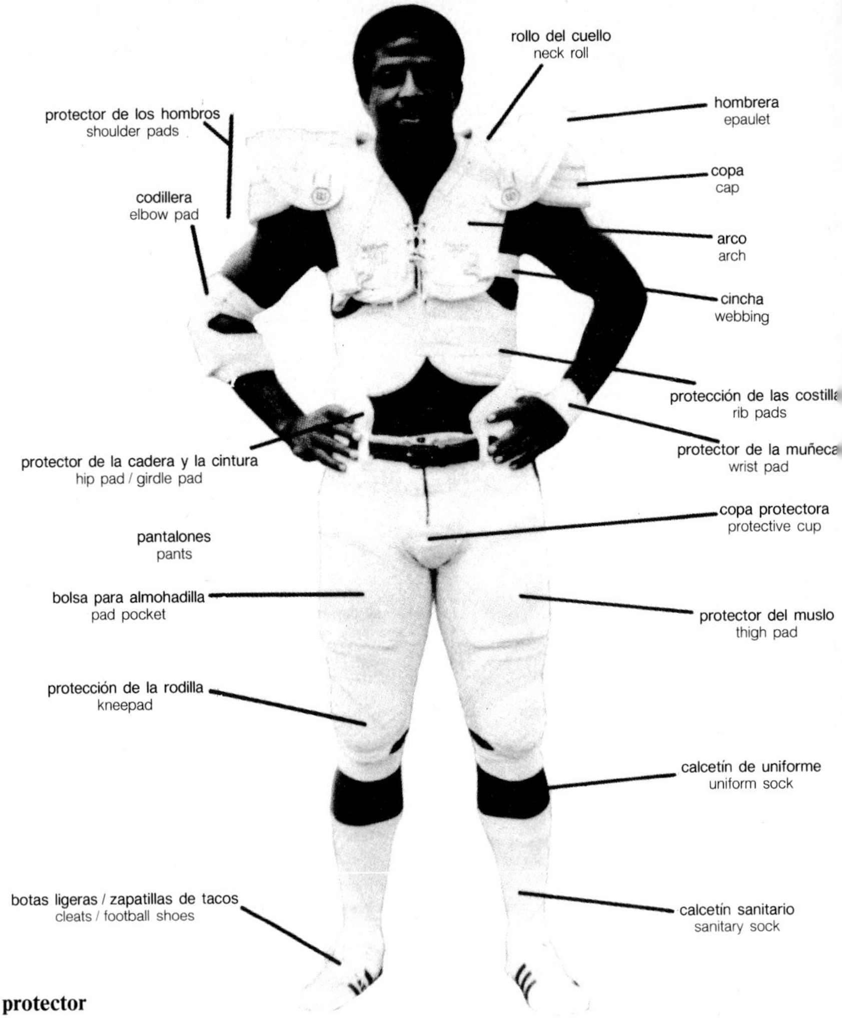
rollo del cuello
neck roll
protector de los hombros
shoulder pads
hombrera
epaulet
copa
cap
codillera
elbow pad
arco
arch
cincha
webbing
protección de las costill
rib pads
protector de la muñec
wrist pad
protector de la cadera y la cintura
hip pad / girdle pad
copa protectora
protective cup
pantalones
pants
bolsa para almohadilla
pad pocket
protector del muslo
thigh pad
protección de la rodilla
kneepad
calcetín de uniforme
uniform sock
botas ligeras / zapatillas de tacos
cleats / football shoes
calcetín sanitario
sanitary sock

Uniforme y almohadillamiento protector
Uniform and Protective Padding

Balón
Football

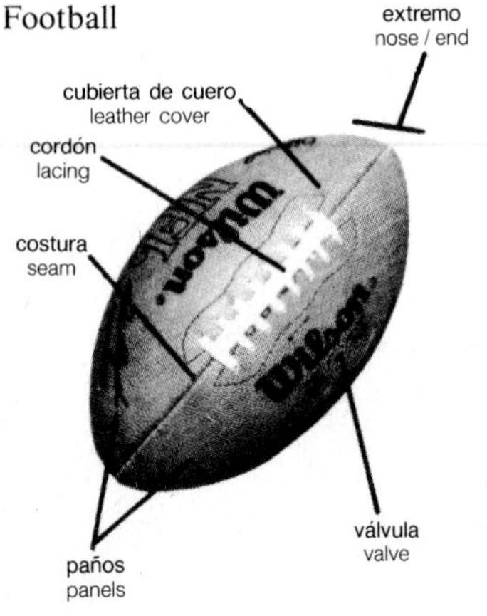
extremo
nose / end
cubierta de cuero
leather cover
cordón
lacing
costura
seam
válvula
valve
paños
panels

Casco
Helmet

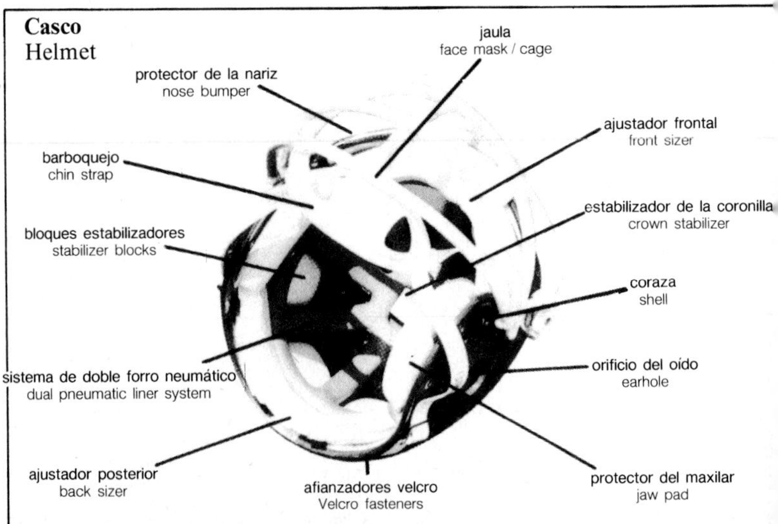
jaula
face mask / cage
protector de la nariz
nose bumper
ajustador frontal
front sizer
barboquejo
chin strap
estabilizador de la coronilla
crown stabilizer
bloques estabilizadores
stabilizer blocks
coraza
shell
sistema de doble forro neumático
dual pneumatic liner system
orificio del oído
earhole
ajustador posterior
back sizer
afianzadores velcro
Velcro fasteners
protector del maxilar
jaw pad

Fútbol americano

Se usa un marcador de downs para señalar el lugar exacto del balón en el campo entre downs. El cuadro indicador de la parte superior del marcador de downs tiene paneles abatibles para indicar cuál es el down que va a jugarse. En el fútbol universitario el poste tiene dos soportes en lugar del cuello de cisne que se utiliza en los encuentros profesionales. Se colocan banderines en la intersección de la línea del gol con la línea lateral para señalar los límites internos. A lo largo de las líneas laterales, y a intervalos de 5 yardas se colocan indicadores de yardas pequeños y en forma de V invertida.

Football

A *down marker* is used to mark the exact location of the ball on the field between downs. The *flip chart* at the top of the down marker has *flip panels* to indicate what down is about to be played. The goalpost in college football has two support *standards* instead of a gooseneck, used in professional games. *Flags* are located at the junction of the goal line and sideline to mark in bounds. Small, rubber inverted V- shaped *yard markers* are placed at five-yard intervals along the sidelines.

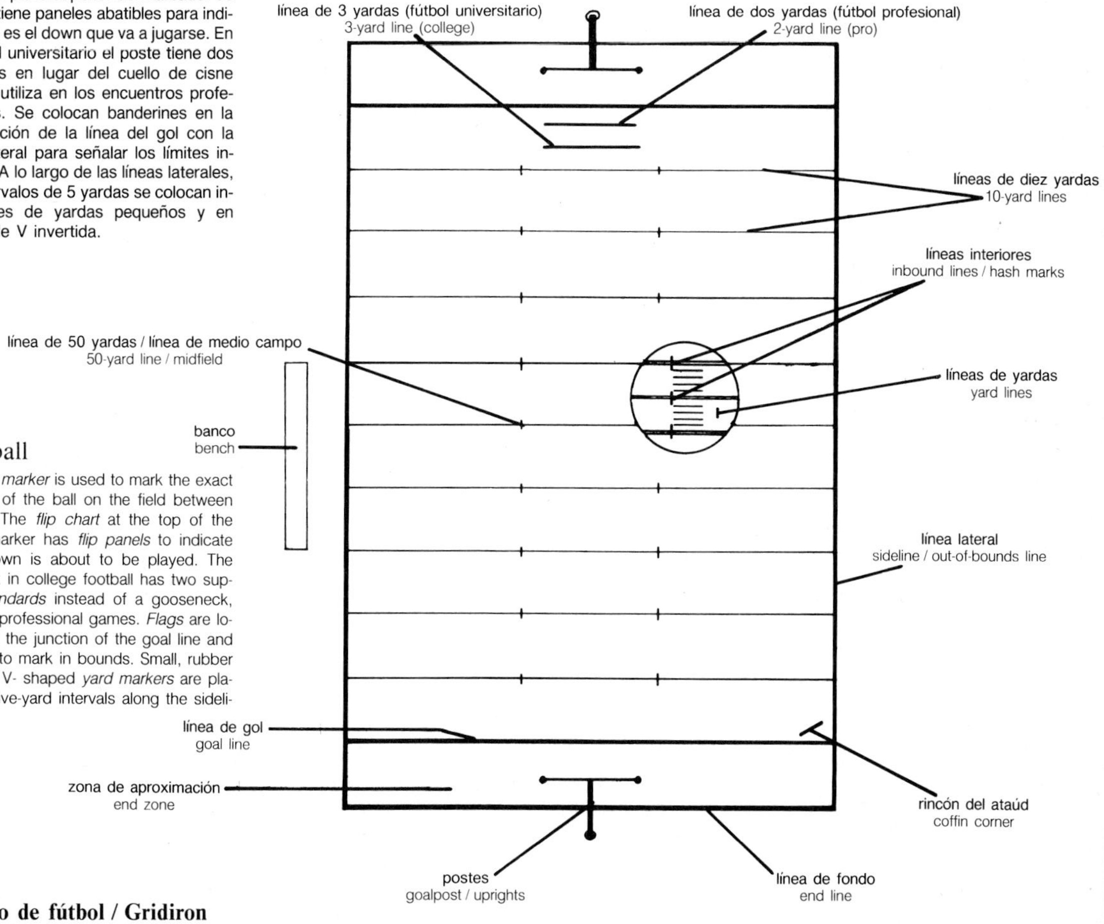
línea de 3 yardas (fútbol universitario)
3-yard line (college)
línea de dos yardas (fútbol profesional)
2-yard line (pro)
líneas de diez yardas
10-yard lines
líneas interiores
inbound lines / hash marks
línea de 50 yardas / línea de medio campo
50-yard line / midfield
líneas de yardas
yard lines
banco
bench
línea lateral
sideline / out-of-bounds line
línea de gol
goal line
zona de aproximación
end zone
rincón del ataúd
coffin corner
postes
goalpost / uprights
línea de fondo
end line

Campo de fútbol / Gridiron
Football Field / Gridiron

Raqueta
Lacrosse / Stick / Crosse

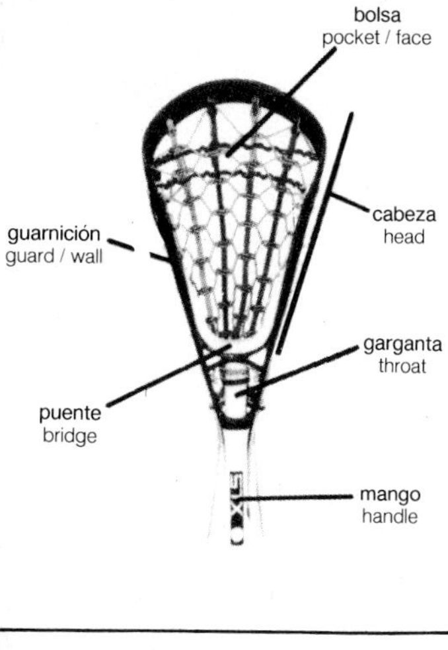
bolsa
pocket / face
cabeza
head
guarnición
guard / wall
garganta
throat
puente
bridge
mango
handle

Campo de lacrosse
Lacrosse Field

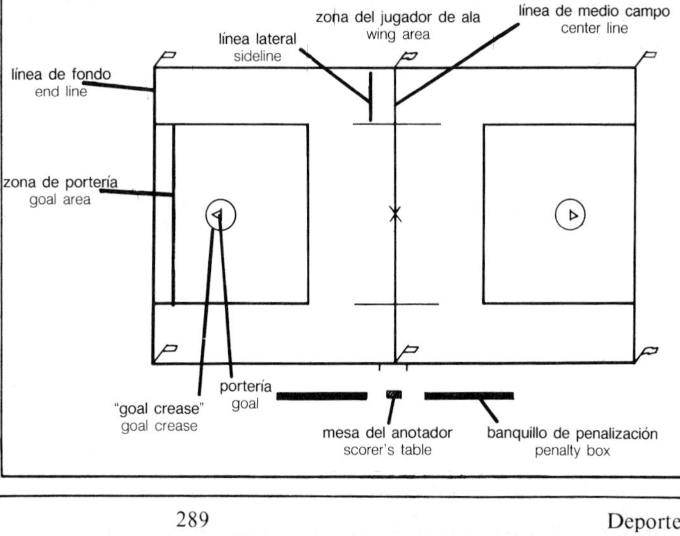
zona del jugador de ala
wing area
línea de medio campo
center line
línea lateral
sideline
línea de fondo
end line
zona de portería
goal area
portería
goal
"goal crease"
goal crease
mesa del anotador
scorer's table
banquillo de penalización
penalty box

Hockey sobre hielo

Los pantalones de los jugadores de hockey se sujetan con tirantes. Los calcetines, mediante un liguero. El paño o stick se compone de mango y parte plana o pala. Se juega con un disco de caucho vulcanizado, negro, denominado «puck». Una luz roja centelleante situada encima del cajón del juez de meta indica cuándo se ha producido un gol. El «goal crease» es una zona rectangular, marcada delante de la portería, donde no pueden entrar los jugadores.

Ice Hockey

Hockey players'pants are held up by *suspenders*. Socks are attached to a *garter belt*. The angle between the saft of a hockey stick and the blade is called the *lie*. The game is played with a black vulcanized rubber *puck*. A blinking *red light* atop the goal judge's box indicates a goal.

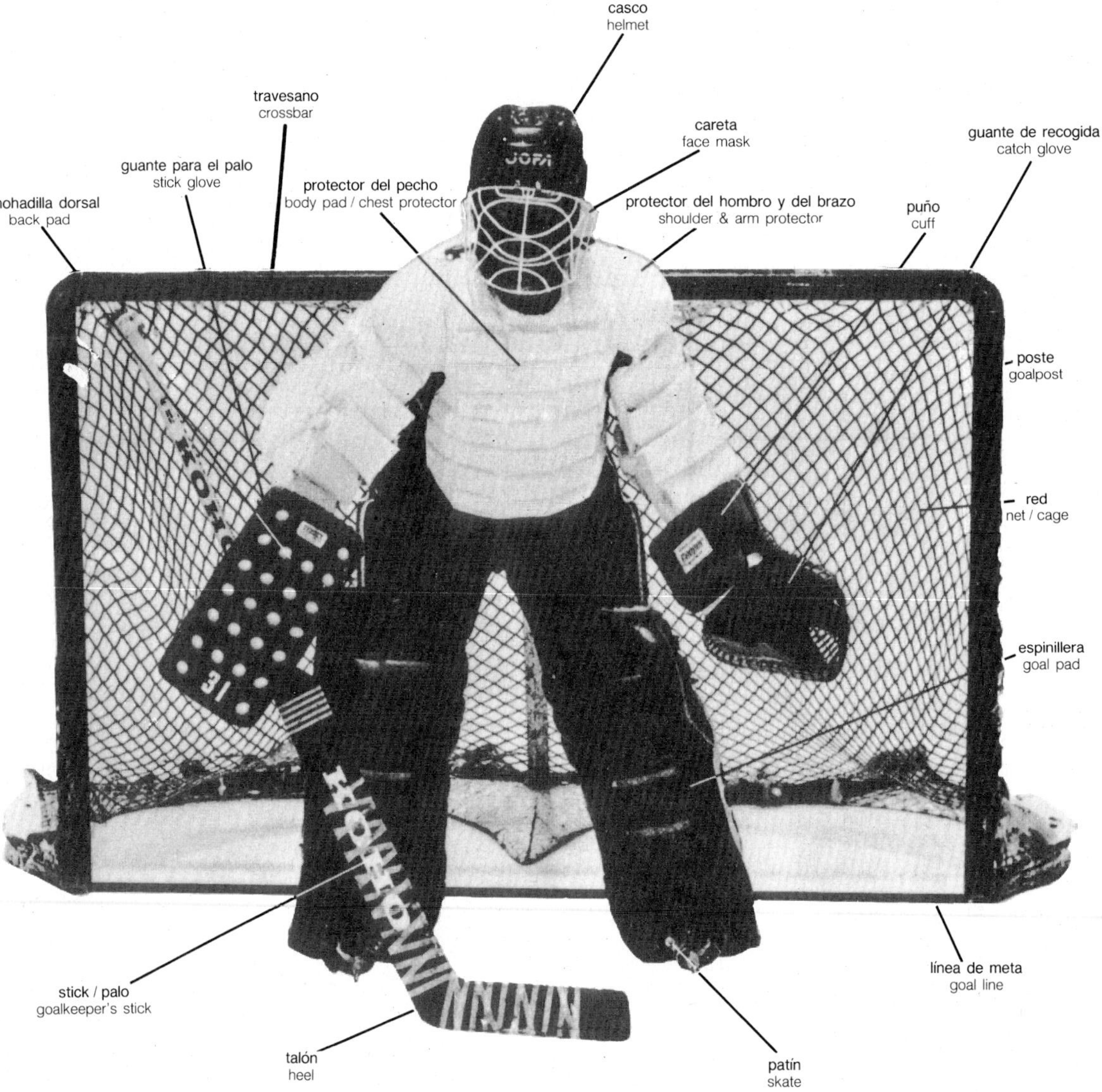
casco
helmet
travesano
crossbar
careta
face mask
guante de recogida
catch glove
guante para el palo
stick glove
protector del pecho
body pad / chest protector
almohadilla dorsal
back pad
protector del hombro y del brazo
shoulder & arm protector
puño
cuff
poste
goalpost
red
net / cage
espinillera
goal pad
línea de meta
goal line
stick / palo
goalkeeper's stick
talón
heel
patín
skate

Portero
Goal and Goalie / Goalkeeper / Goaler

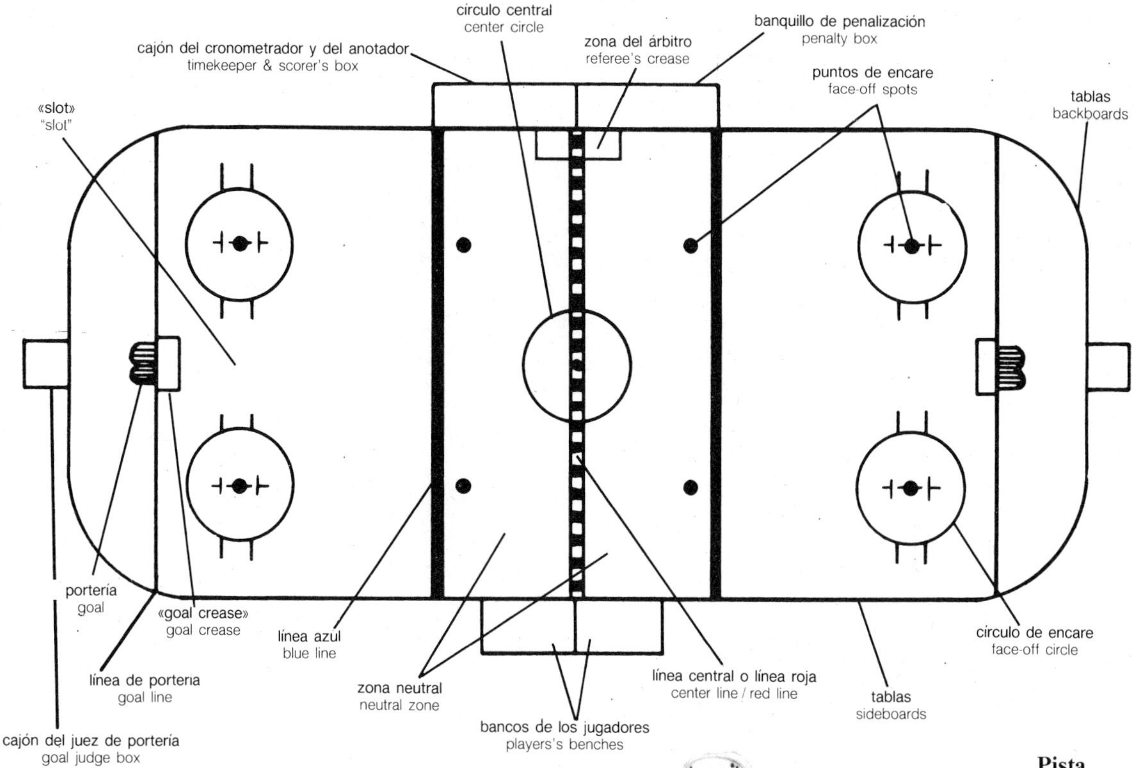
círculo central
center circle
cajón del cronometrador y del anotador
timekeeper & scorer's box
zona del árbitro
referee's crease
banquillo de penalización
penalty box
puntos de encare
face-off spots
«slot»
"slot"
tablas
backboards
portería
goal
«goal crease»
goal crease
línea azul
blue line
línea de portería
goal line
zona neutral
neutral zone
bancos de los jugadores
players's benches
línea central o línea roja
center line / red line
tablas
sideboards
círculo de encare
face-off circle
cajón del juez de portería
goal judge box

Pista
Rink

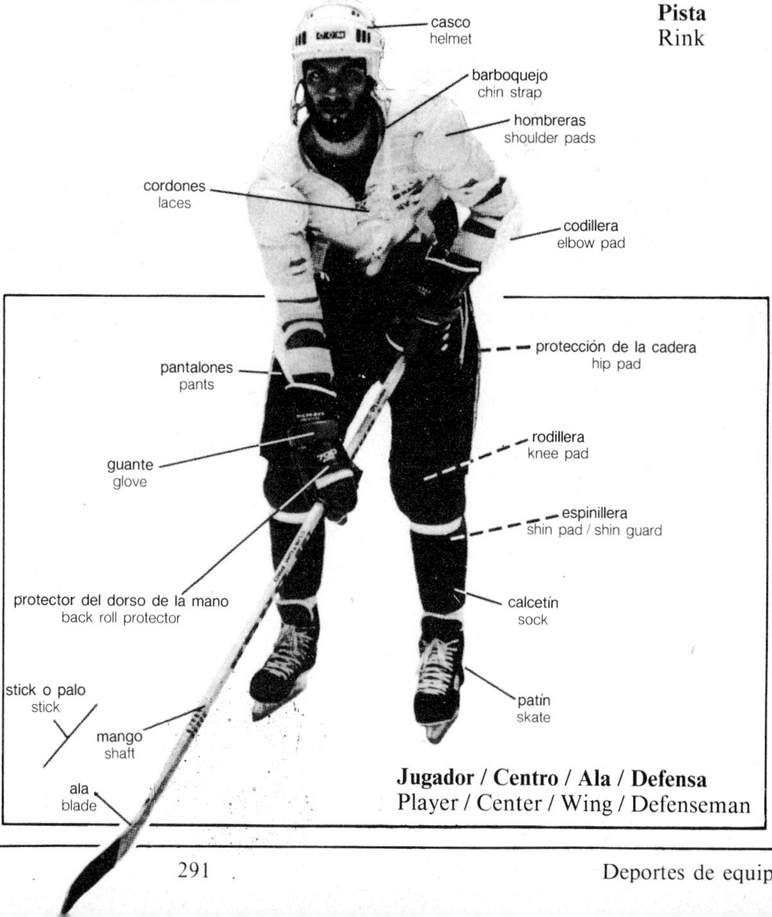
casco
helmet
barboquejo
chin strap
hombreras
shoulder pads
cordones
laces
codillera
elbow pad
protección de la cadera
hip pad
pantalones
pants
rodillera
knee pad
guante
glove
espinillera
shin pad / shin guard
protector del dorso de la mano
back roll protector
calcetín
sock
stick o palo
stick
mango
shaft
patín
skate
ala
blade

Jugador / Centro / Ala / Defensa
Player / Center / Wing / Defenseman

Baloncesto

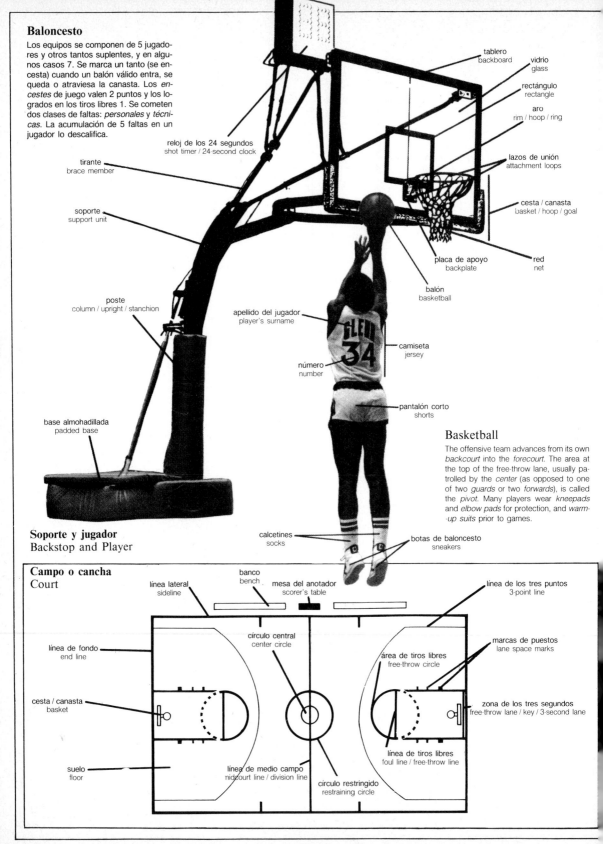

Los equipos se componen de 5 jugadores y otros tantos suplentes, y en algunos casos 7. Se marca un tanto (se encesta) cuando un balón válido entra, se queda o atraviesa la canasta. Los *encestes* de juego valen 2 puntos y los logrados en los tiros libres 1. Se cometen dos clases de faltas: *personales* y *técnicas*. La acumulación de 5 faltas en un jugador lo descalifica.

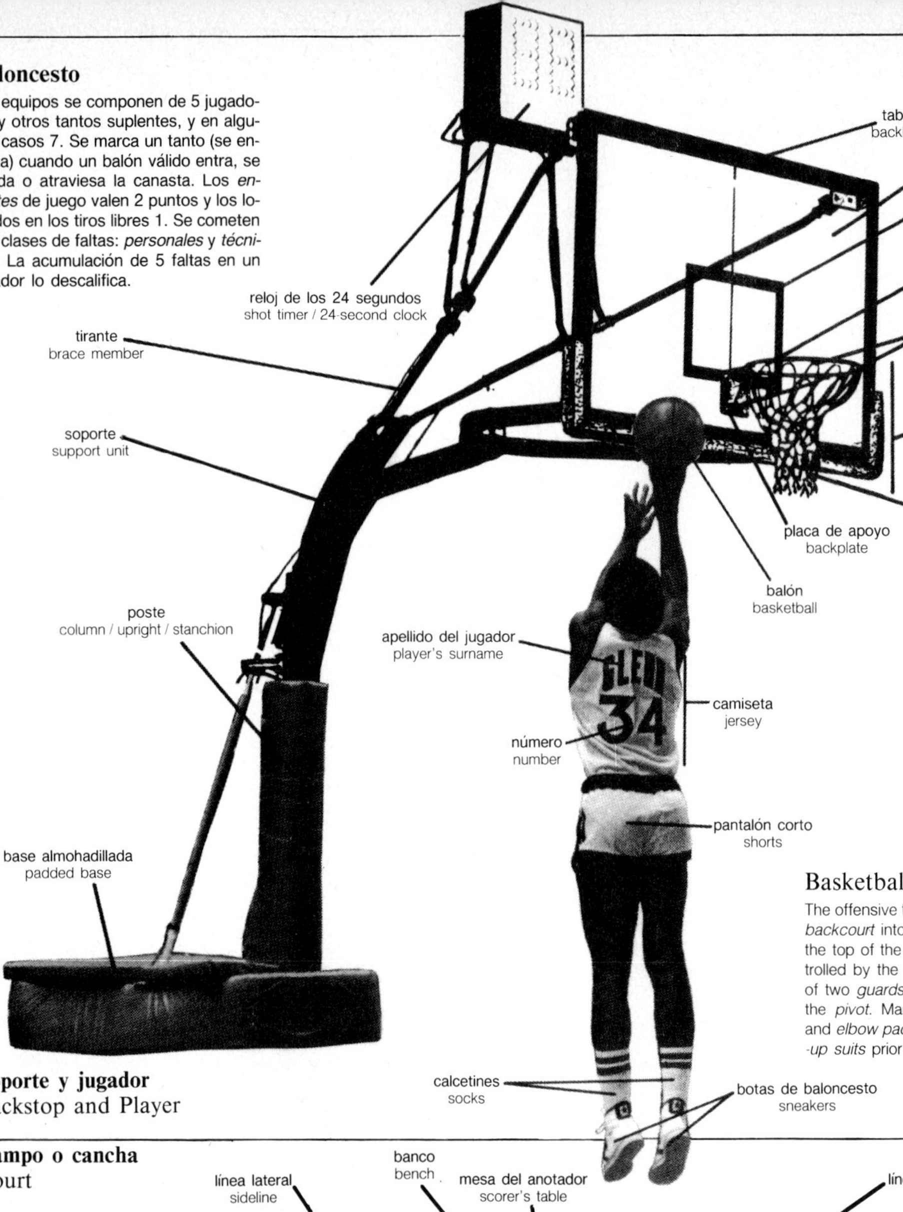

tablero
backboard
vidrio
glass
rectángulo
rectangle
aro
rim / hoop / ring
reloj de los 24 segundos
shot timer / 24-second clock
lazos de unión
attachment loops
tirante
brace member
soporte
support unit
cesta / canasta
basket / hoop / goal
placa de apoyo
backplate
red
net
balón
basketball
poste
column / upright / stanchion
apellido del jugador
player's surname
camiseta
jersey
número
number
pantalón corto
shorts
base almohadillada
padded base
calcetines
socks
botas de baloncesto
sneakers

Basketball

The offensive team advances from its own *backcourt* into the *forecourt*. The area at the top of the free-throw lane, usually patrolled by the *center* (as opposed to one of two *guards* or two *forwards*), is called the *pivot*. Many players wear *kneepads* and *elbow pads* for protection, and *warm-up suits* prior to games.

Soporte y jugador
Backstop and Player

Campo o cancha
Court

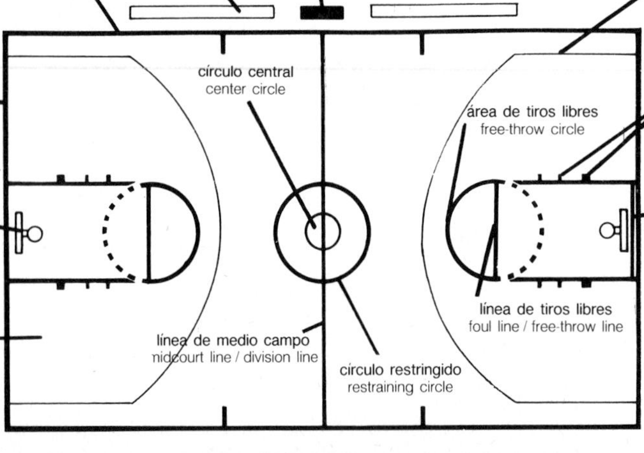

línea lateral
sideline
banco
bench
mesa del anotador
scorer's table
línea de los tres puntos
3-point line
círculo central
center circle
marcas de puestos
lane space marks
línea de fondo
end line
área de tiros libres
free-throw circle
cesta / canasta
basket
zona de los tres segundos
free-throw lane / key / 3-second lane
línea de tiros libres
foul line / free-throw line
suelo
floor
línea de medio campo
midcourt line / division line
círculo restringido
restraining circle

Fútbol y lacrosse

En el fútbol, los jugadores se protegen las piernas con espinilleras. En el lacrosse, usan cascos y caretas para protegerse. En este último deporte, se denomina «goal crease» la zona donde no pueden entrar los jugadores.

Soccer and Lacrosse

In soccer, or *association football*, players protect their legs with *shinguards*. In lacrosse, players wear *helmets* and *face masks* for protection.

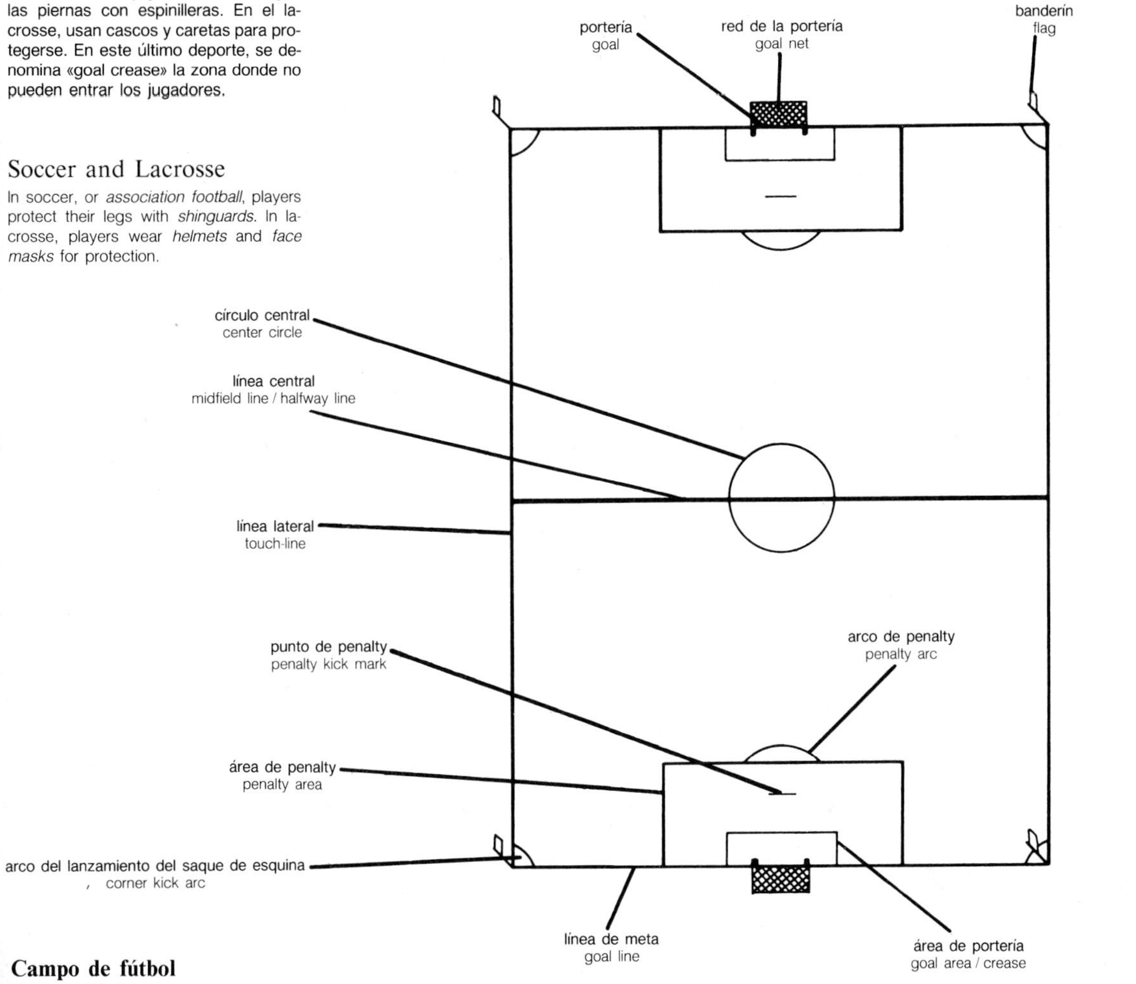

portería
goal
red de la portería
goal net
banderín
flag
círculo central
center circle
línea central
midfield line / halfway line
línea lateral
touch-line
punto de penalty
penalty kick mark
arco de penalty
penalty arc
área de penalty
penalty area
arco del lanzamiento del saque de esquina
corner kick arc
línea de meta
goal line
área de portería
goal area / crease

Campo de fútbol
Soccer Field

Material de campo
Fiel Equipment

postes
goalpost / uprights

Indicador de yardas / Cadenas laterales
Yards marker / Sideline chains

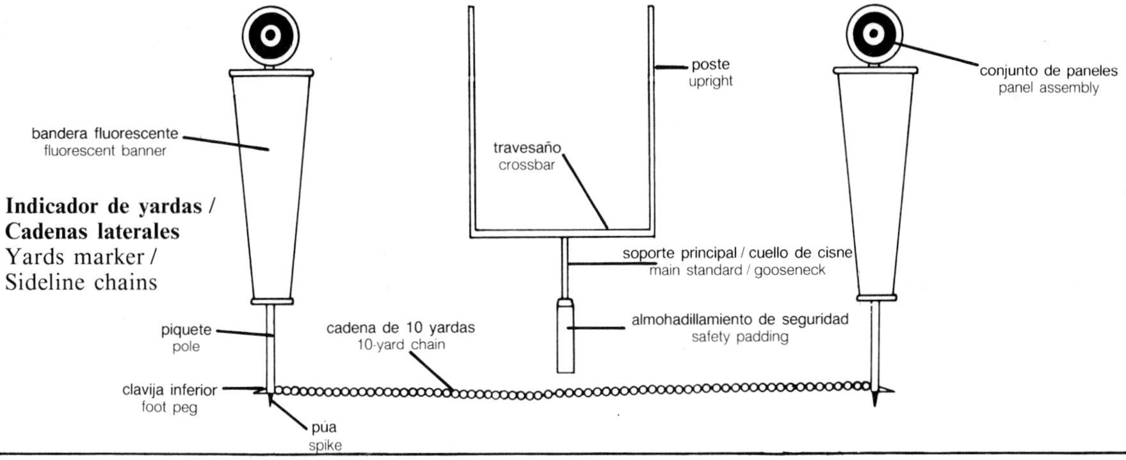

poste
upright
conjunto de paneles
panel assembly
bandera fluorescente
fluorescent banner
travesaño
crossbar
soporte principal / cuello de cisne
main standard / gooseneck
almohadillamiento de seguridad
safety padding
piquete
pole
cadena de 10 yardas
10-yard chain
clavija inferior
foot peg
púa
spike

Atletismo

El atletismo se practica en unas *pistas* destinadas a *carreras* y en un *campo* central destinado a *lanzamientos* y *saltos*. Las carreras que se realizan son de *velocidad*, *medio fondo*, *fondo*, *vallas*, *obstáculos*, *relevos*, *marcha* y *maratón*. Los lanzamientos comprenden: *disco*, *martillo*, *peso* y *jabalina*. Los saltos: *longitud*, *altura*, *pértiga* y *triple salto*. El *decatlón* consta de diez pruebas y el *pentatlón*, de cinco.

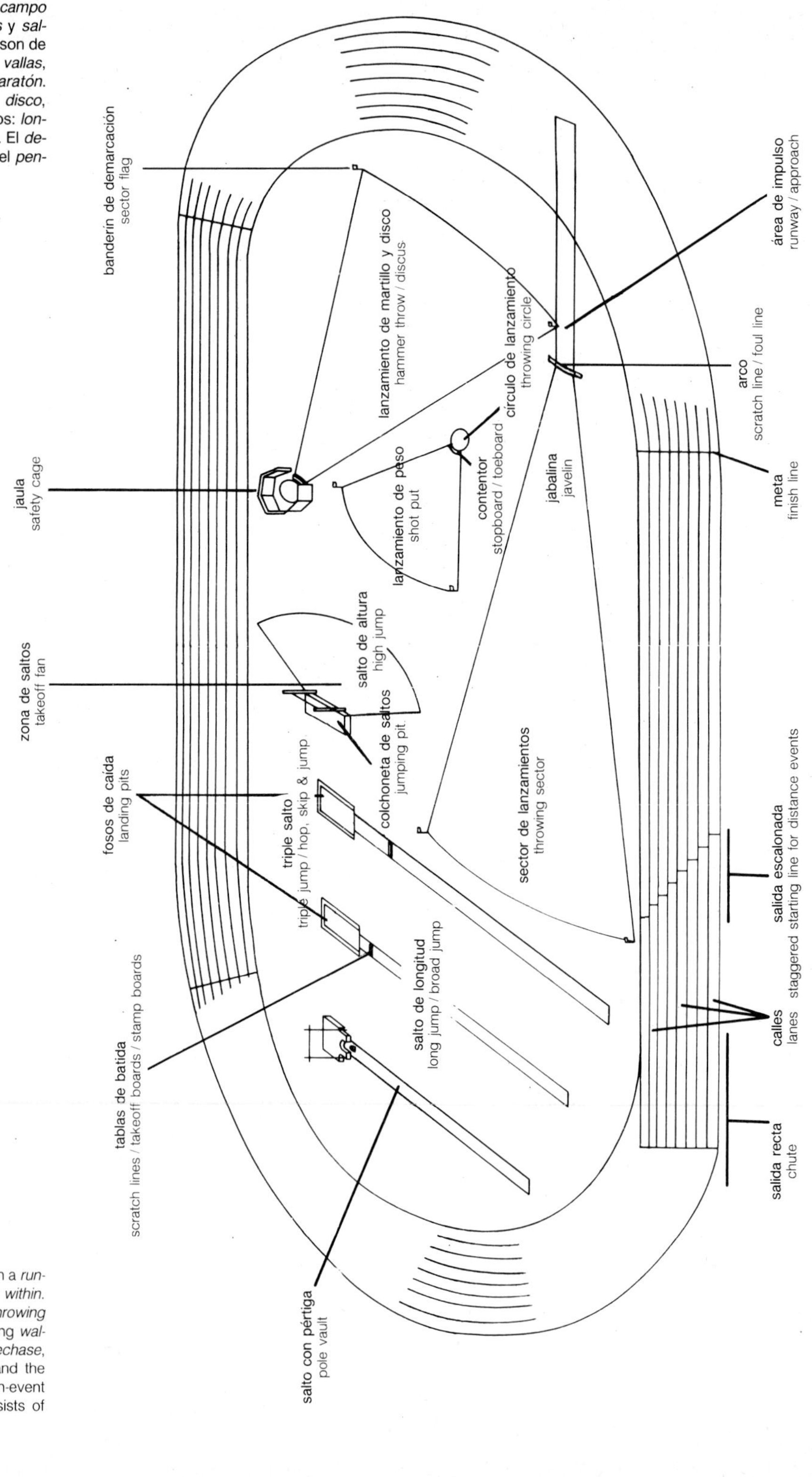

banderín de demarcación
sector flag
lanzamiento de martillo y disco
hammer throw / discus
círculo de lanzamiento
throwing circle
área de impulso
runway / approach
arco
scratch line / foul line
jaula
safety cage
lanzamiento de peso
shot put
contentor
stopboard / toeboard
jabalina
javelin
meta
finish line
salto de altura
high jump
zona de saltos
takeoff fan
colchoneta de saltos
jumping pit
sector de lanzamientos
throwing sector
fosos de caída
landing pits
triple salto
triple jump / hop, skip & jump
salida escalonada
staggered starting line for distance events
salto de longitud
long jump / broad jump
tablas de batida
scratch lines / takeoff boards / stamp boards
calles
lanes
salida recta
chute
salto con pértiga
pole vault

Track and Field

Track-and-field events take place on a *running track* and the enclosed *field within*. Besides *jumping events* and *throwing events*, there are *footraces*, including *walking races*, *hurdle races*, *steeplechase*, *relay races*, *medley relays*, *runs* and the *marathon*. The *decathlon* is a ten-event contest, while the *pentathlon* consists of five events.

Rugby

El rugby nació en 1823, cuando William Webbs Ellis, alumno del colegio de rugby (Warwickshire), en el transcurso de un partido de fútbol, agarró el balón con ambas manos y corrió con él hasta la portería contraria. El juego se practica con un balón oval, cuyos botes son imprevisibles, y en él se enfrentan dos equipos de quince jugadores. Un jugador se encuentra fuera de juego cuando se halla por delante del jugador de su propio equipo que está en posesión del balón. Ciertas faltas como, por ejemplo, el pase hacia adelante, se sancionan con una *mêlée;* en esta jugada los delanteros de cada equipo, apoyándose entre sí, hacen presión sobre los del bando contrario tocándose con los hombros, e intentan apoderarse del balón lanzado al suelo por el medio de *mêlée.* Si este jugador recupera el balón gracias al empuje de los delanteros de su equipo, los pasa con las manos o los pies a su medio de apertura, y entonces éste puede lanzar hacia adelante a sus tres cuartos. Los contrarios tienen el derecho (y la obligación) de placar al portador del balón. Los puntos se obtienen mediante el ensayo, que vale 4, y su transformación, que si tiene éxito vale dos puntos más, así como por medio de un tiro con el pie que pasa por entre los dos postes de la portería *(drop-goal)* o de un tiro de penalización, que valen 3 puntos. El partido, dirigido por un árbitro auxiliado por dos jueces de línea, se juega en dos tiempos de 40 minutos.

Rugby

The game of rugby was invented by william Weebs Ellis, a pupil of Rugby College in Warwickshire, England. Ellis, during a football match, grabbed the ball with both hands and ran and scored in the opponents'goal. Played with an oval ball which bouces awkwardly, the game is disputed by two teams of fifteen players with each player having to stay behind the person holding the ball or be called offside. Certain fouls like a forward pass are penalized by an organized scrum during which the forwards of each side bend down shoulder to shoulder and try and win the ball thrown into the scrum along by the scrum half. If the scrum half recovers the ball thanks to pushing of his forwards, he passes it to his stand-off half with his hands or feet and his stand-off half can then send out his centres and wingers. The opponentes have the right (and must) tackle the player possessing the ball. Points are obtained by scoring a try (worth four points), a try conversion and additional two points and a drop goal or penalty kick awarded for a foul (worth three pioints). The match is umpired by an umpire assisted by two line judges ans is divided into two halves, each half forty minutes long.

(1) (2) (3)	delanteros, primera línea front line forwards
(4) (5)	delanteros, segunda línea second line forwards
(6) (7) (8)	delanteros, tercera línea third line forwards
(9)	medio mêlée scrum hall
(10)	medio de apertura stand-off half
(11)	tres cuartos izquierda three quarters, left wing
(12) (13)	tres cuartos centro three quarters, centre
(14)	tres cuartos derecha three quarters, right wing
(15)	zaguero back

Campo de rugby
Rugby field

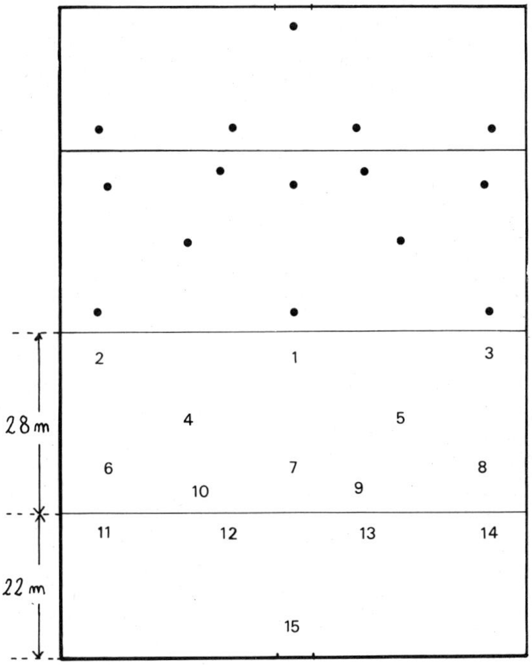
2
1
3
28 m
4
5
6
7
8
10
9
11
12
13
14
22 m
15

Jugador de rugby
Rugby player

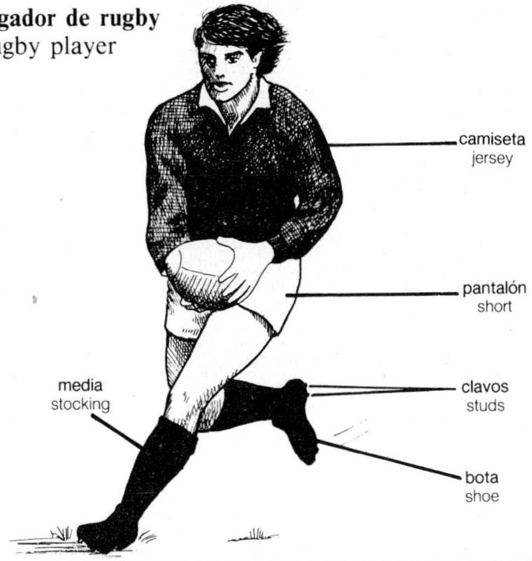
camiseta
jersey
pantalón
short
media
stocking
clavos
studs
bota
shoe

Balón oval
Oval ball

Portería
Goal

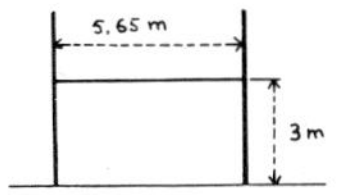
5.65 m
3 m

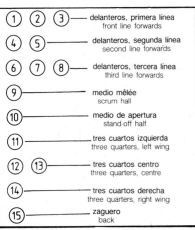

Zapatilla deportiva

Estas *zapatillas de entrenamiento* son más duraderas que las utilizadas en *carreras de fondo*; estas últimas son más ligeras de peso. En muchas pruebas de atletismo se emplean *zapatillas de clavos*.

Running Shoe

These *training shoes*, or *trainers*, are more durable than lighter-weight *racing flats*. Lightweight running shoes are worn by *joggers* or *distance runners* in long races such as *marathons*. *Track shoes*, shoes with *spikes*, are used for most track-and-field events.

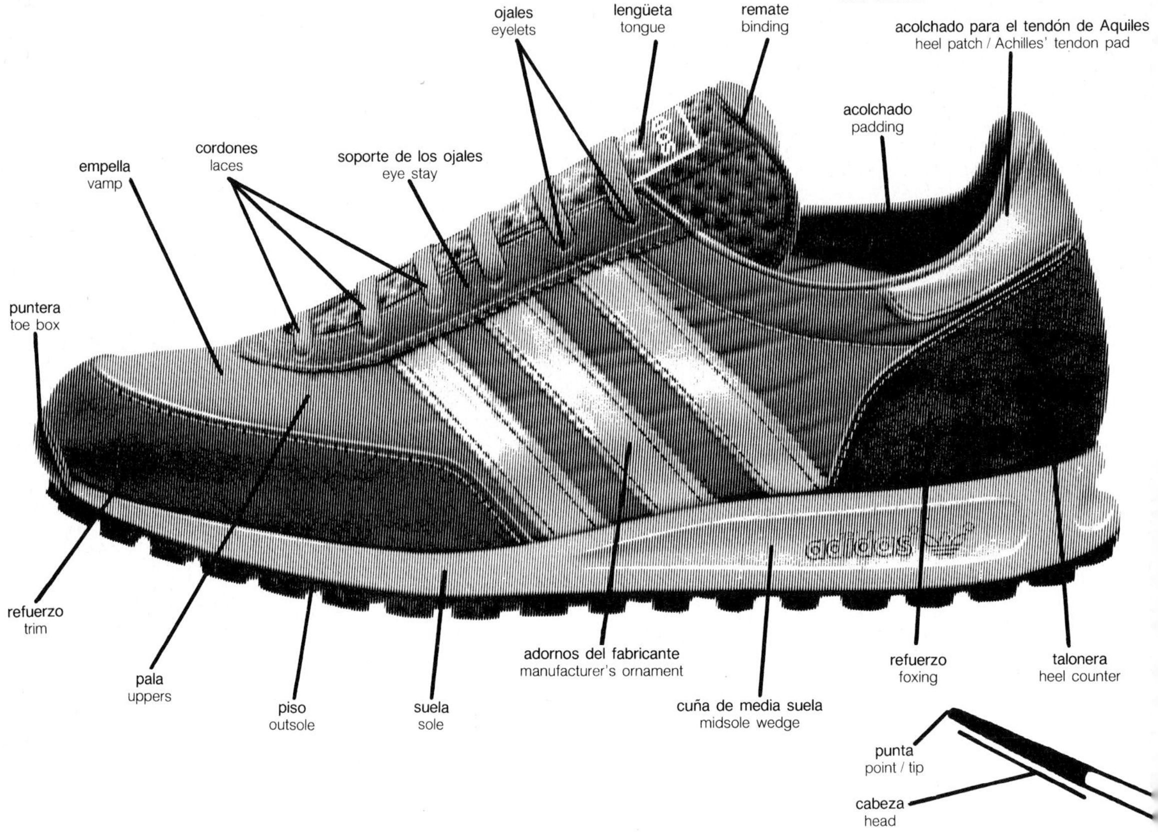

ojales
eyelets
lengüeta
tongue
remate
binding
acolchado para el tendón de Aquiles
heel patch / Achilles' tendon pad
acolchado
padding
cordones
laces
soporte de los ojales
eye stay
empella
vamp
puntera
toe box
refuerzo
trim
pala
uppers
piso
outsole
suela
sole
adornos del fabricante
manufacturer's ornament
cuña de media suela
midsole wedge
refuerzo
foxing
talonera
heel counter
punta
point / tip
cabeza
head

Suela
Tread

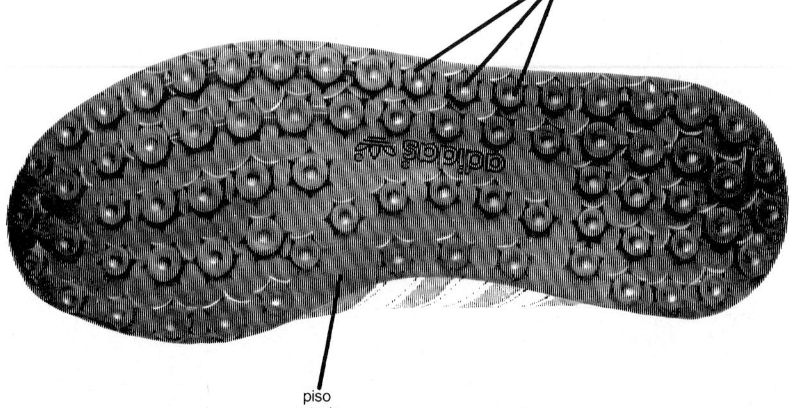

tacos
studs
piso
outsole

Instrumentos para pruebas en pista

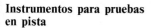

En las pruebas de atletismo en pista, además de los instrumentos que se ven aquí, se utiliza una bola de metal llamada *peso*. Los lanzadores de martillo suelen llevar *guantes* con las palmas reforzadas.

Field Events Equipment

In addition to the equipment shown here, a round metal ball called a *shot put*, or *shot*, is also used in field events. Hammer throwers often wear *gloves* with padded palms.

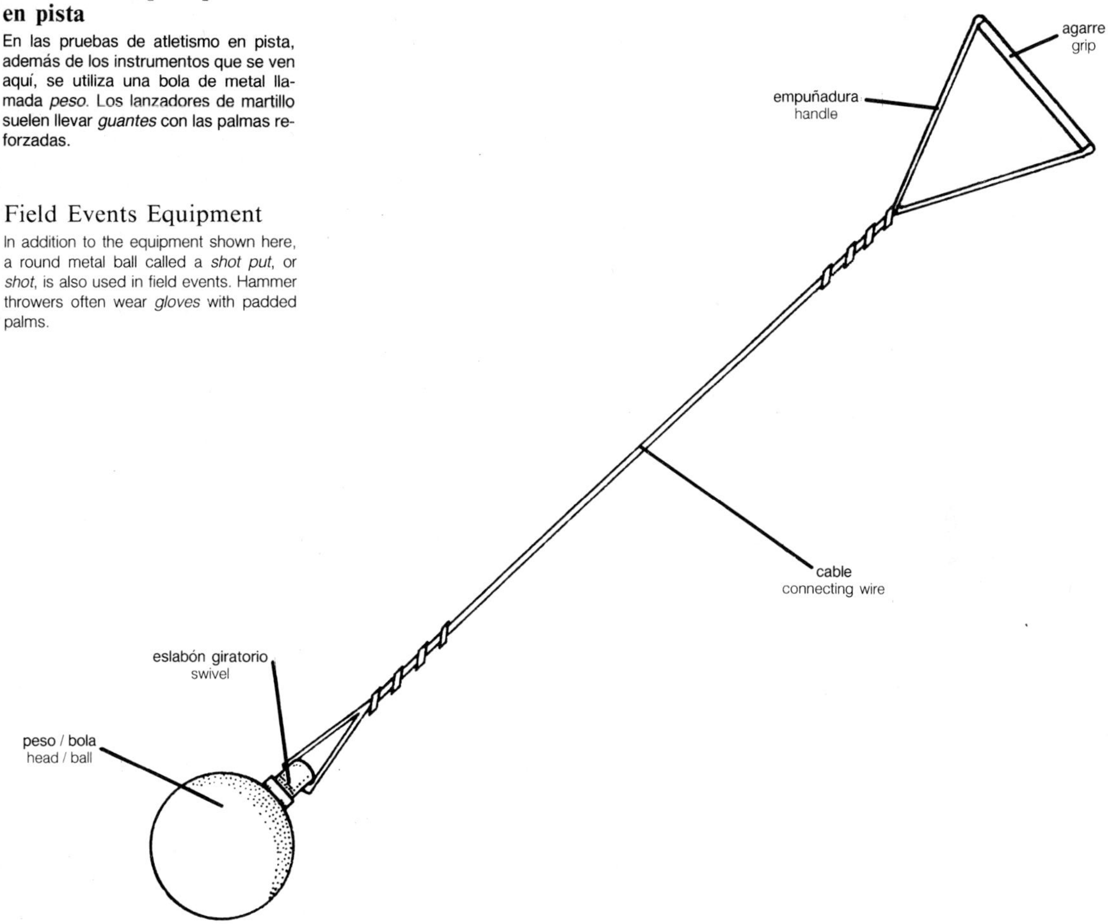
agarre
grip
empuñadura
handle
cable
connecting wire
eslabón giratorio
swivel
peso / bola
head / ball

Martillo
Hammer

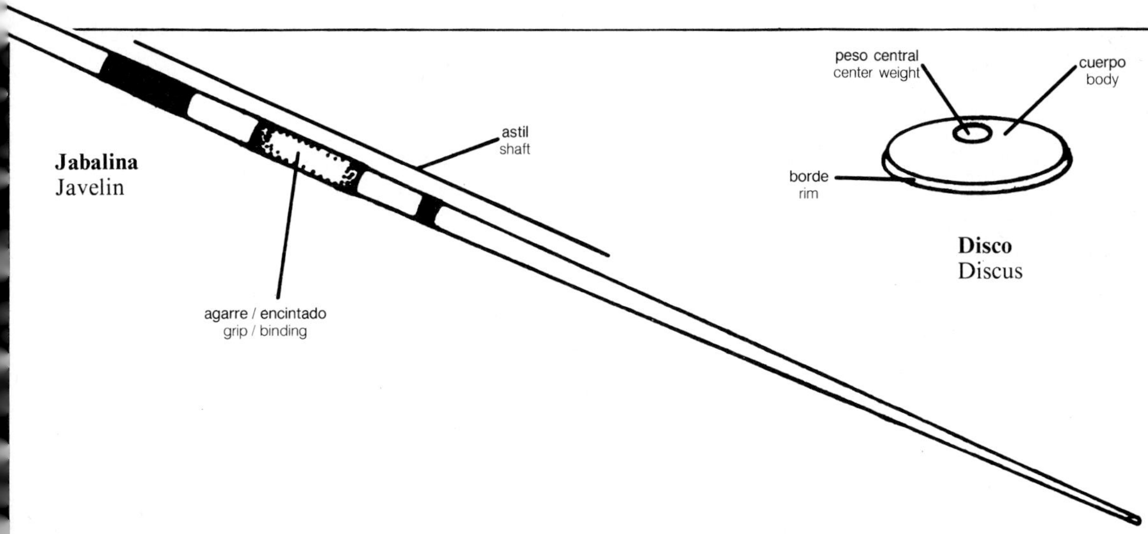
astil
shaft
agarre / encintado
grip / binding
peso central
center weight
cuerpo
body
borde
rim

Jabalina
Javelin

Disco
Discus

Valla

Es posible ajustar la altura de las vallas para pruebas de *vallas altas*, *intermedias* o *bajas*. El contrapeso de la base también puede ajustarse hacia delante o hacia atrás para que el obstáculo caiga más o menos fácilmente. En las *carreras de obstáculos* y en las pruebas que incluyen *ría* se utilizan *vallas fijas*. Existe una *llave* que permite a los corredores ajustar la inclinación de los tacos de salida y una *palanca* o *ajustador* para ajustar la separación entre tacos.

Hurdle

The height of hurdles can be adjusted for use in *high*, *intermediate* and *low hurdle* events. Base weights can also be adjusted to provide the proper *pullover*, or *flipover*, the force required to knock them over. *Fixed hurdles* are used in a *steeplechase race*, an event that includes *water hazards*. Roller, or notched *lever locks* permit runners to adjust the slant on starting blocks, and a *plunger snap lock* allows them to position the blocks individually on the rail.

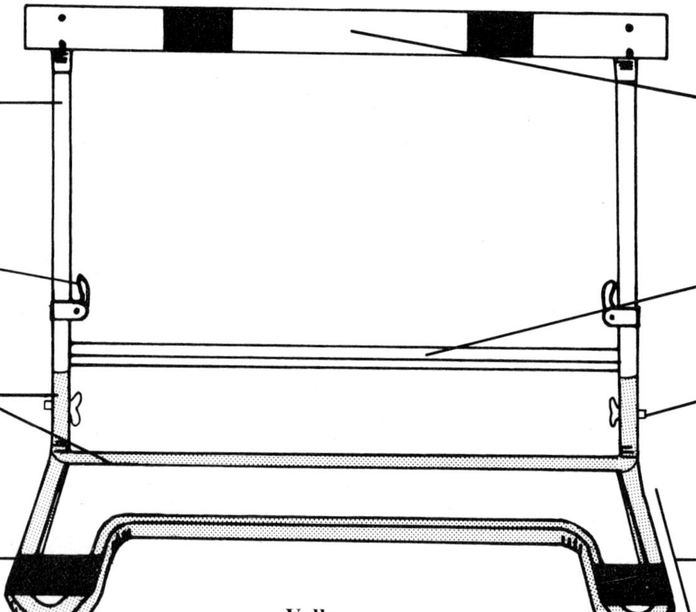

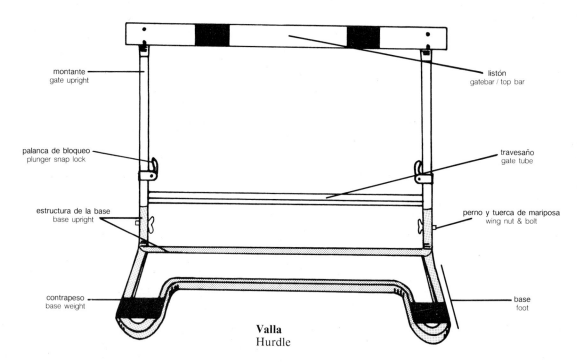

montante
gate upright
listón
gatebar / top bar
palanca de bloqueo
plunger snap lock
travesaño
gate tube
estructura de la base
base upright
perno y tuerca de mariposa
wing nut & bolt
contrapeso
base weight
base
foot

Valla
Hurdle

Cronómetro
Stopwatch

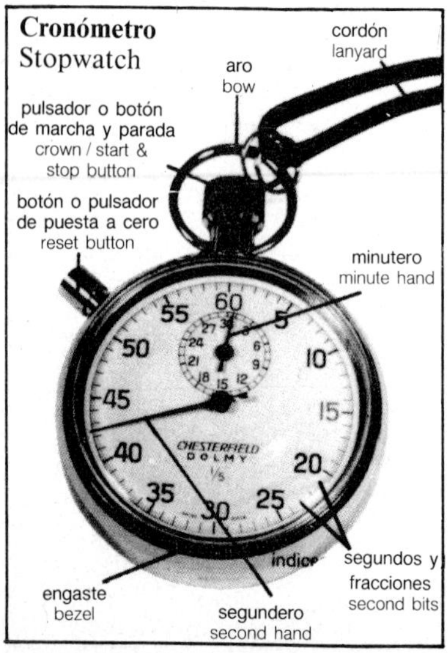

cordón
lanyard
aro
bow
pulsador o botón de marcha y parada
crown / start & stop button
botón o pulsador de puesta a cero
reset button
minutero
minute hand
segundos y fracciones
second bits
engaste
bezel
segundero
second hand
indice
CHESTERFIELD
DOLMY

Tacos de salida
Starting Block / Blocks

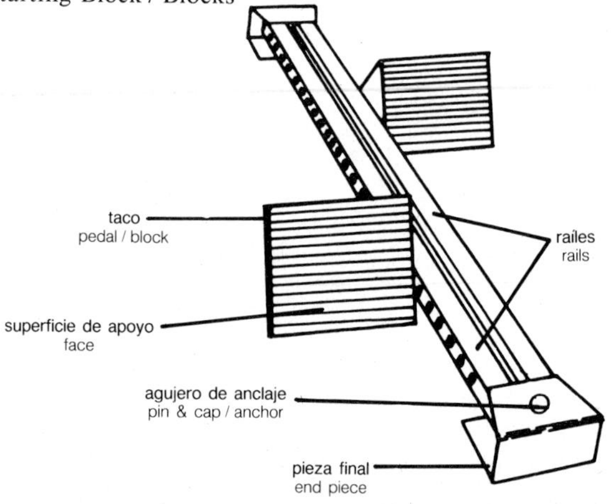

taco
pedal / block
railes
rails
superficie de apoyo
face
agujero de anclaje
pin & cap / anchor
pieza final
end piece

Salto de pértiga

La *pértiga de fibra de vidrio*, que sustituye a las tradicionales de *bambú* y *metal*, permite al *saltador* lanzarse por encima del listón. El *foso de caída del salto de altura* es parecido al del salto con pértiga, pero el listón es bastante más bajo y no hay *cajetín* en la *zona de batida*.

Pole Vault

The *fiberglass pole*, which replaced traditional *bamboo* and *metal poles*, enables a *vaulter* to catapult over the *bar*. A *high-jump pit* is similar to the pole vault, but the crossbar is considerably lower and there is no *box* in the *take-off area*.

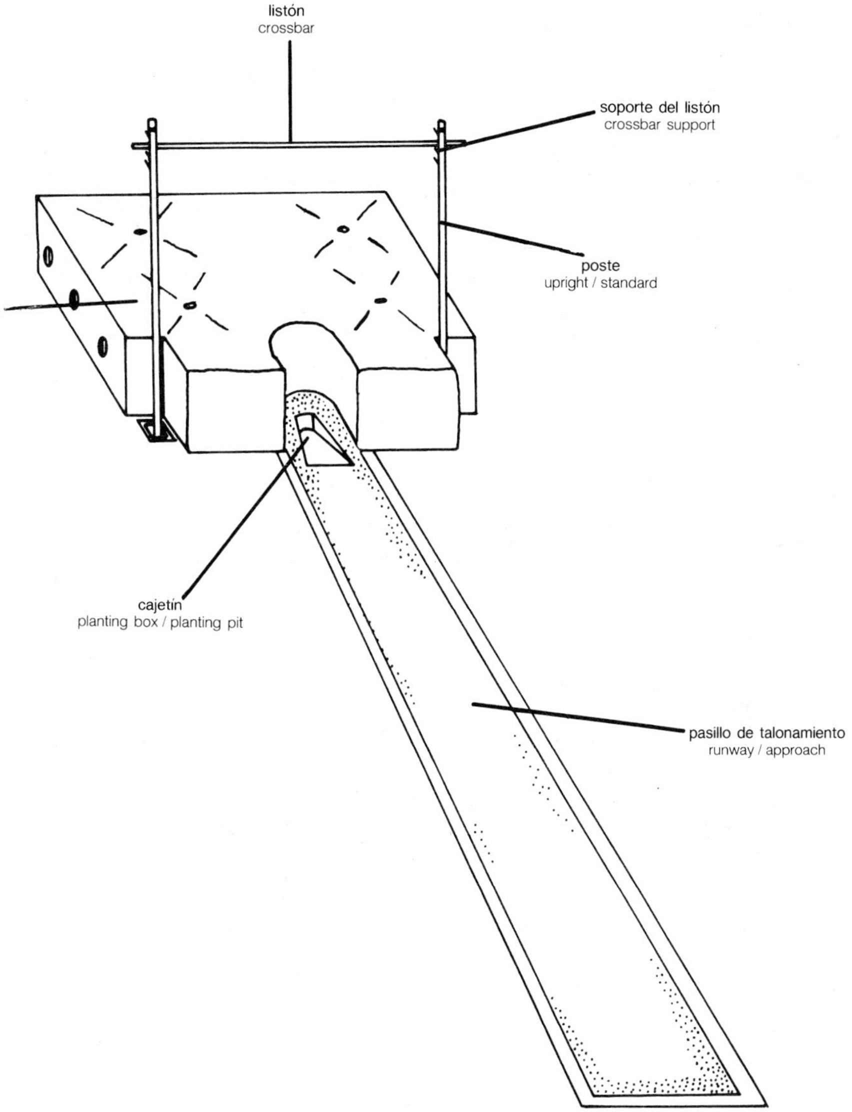
listón
crossbar
soporte del listón
crossbar support
poste
upright / standard
colchoneta de caída
pit / landing area
cajetín
planting box / planting pit
pasillo de talonamiento
runway / approach

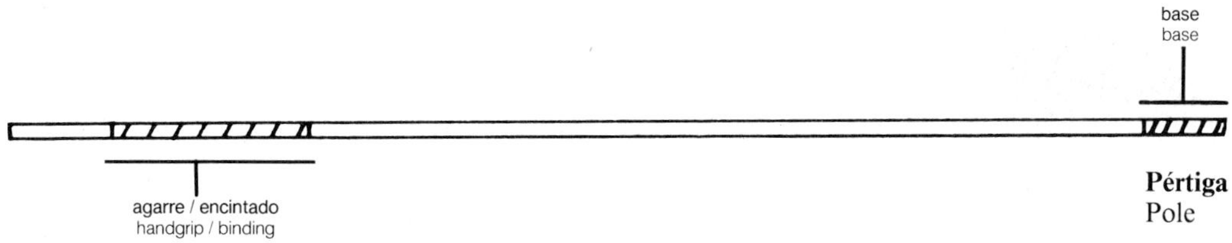
base
base
agarre / encintado
handgrip / binding

Pértiga
Pole

Gimnasia

Se suelen colocar *colchonetas protectoras* alrededor de cada aparato de gimnasia. Además, durante las sesiones prácticas, los *vigilantes* ayudan al *gimnasta* para que no caiga mal en un salto. Los llamados *ejercicios de suelo* tienen lugar en *colchonetas para ejercicios de suelo.*

Gymnastics

Protective *landing mats* are placed around each piece of gymnastic equipment when it is in use. In addition, during practice sessions, assistants called *spotters* stand by to aid the *gymnast*. Gymnastic competition called *floor exercises takes place on lined floor exercise* mats.

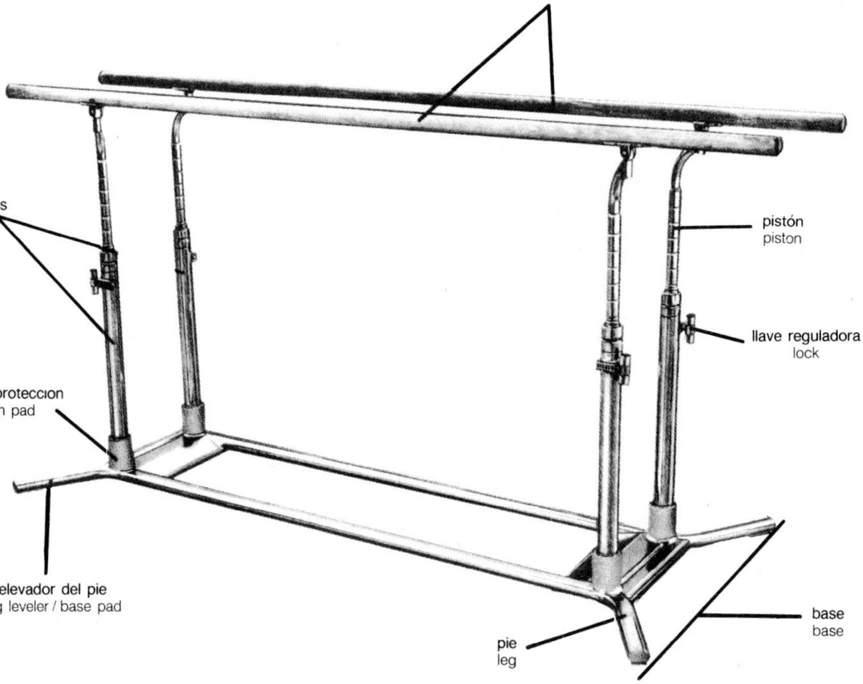
barras
bars
pies derechos
uprights
pistón
piston
llave reguladora
lock
cojinete de proteccion
protection pad
elevador del pie
leg leveler / base pad
base
base
pie
leg

Paralelas
Parallel Bars

Barra fija
Horizontal Bar / High Bar

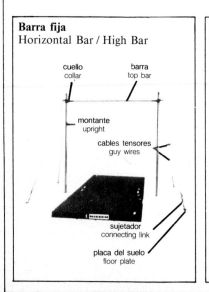

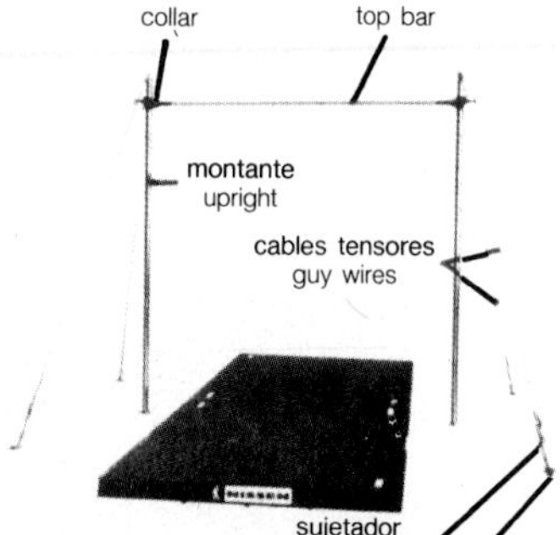
cuello
collar
barra
top bar
montante
upright
cables tensores
guy wires
sujetador
connecting link
placa del suelo
floor plate

Paralelas asimétricas
Uneven Parallel Bars

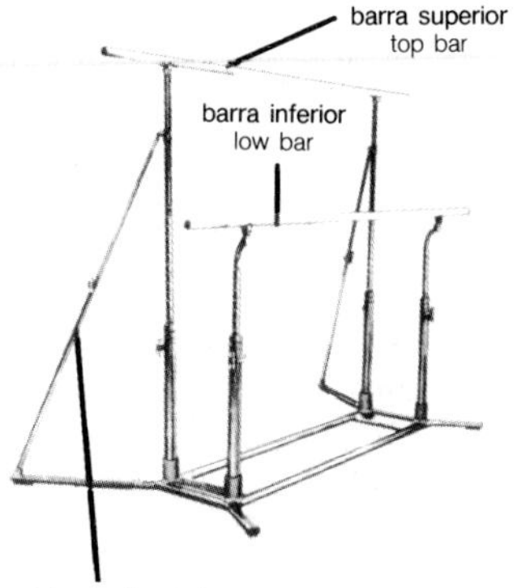
barra superior
top bar
barra inferior
low bar
cable en diagonal
guy brace

Barra de equilibrio
Balance Beam

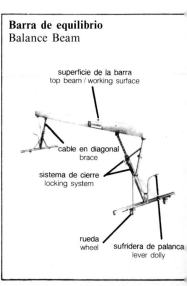

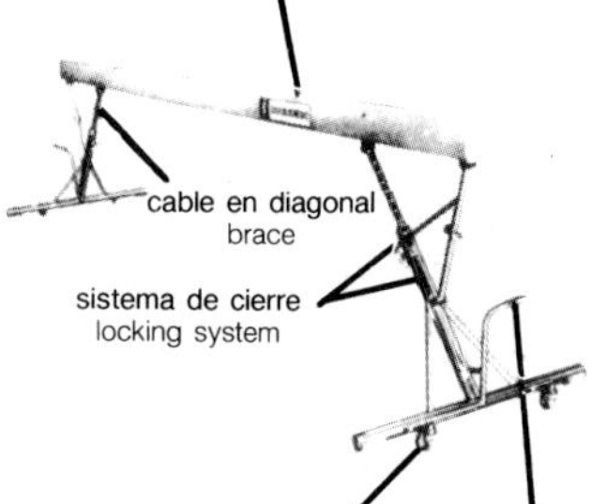
superficie de la barra
top beam / working surface
cable en diagonal
brace
sistema de cierre
locking system
rueda
wheel
sufridera de palanca
lever dolly

Gimnasia

Algunos *potros con aros* pueden convertirse en *potros de saltos* quitando los aros y rellenando los agujeros en los que éstos están encajados. Los *saltadores* suelen utilizar *trampolines* para ganar altura al saltar el aparato.

Gymnastics

Some pommel horses, or *side horses*, can be converted into *vaulting*, or *long, horses* by removing the pommels and plugging the holes they fit in. *Vaulting boards*, or *springboards*, are used by *vaulters* to gain height when mounting the apparatus.

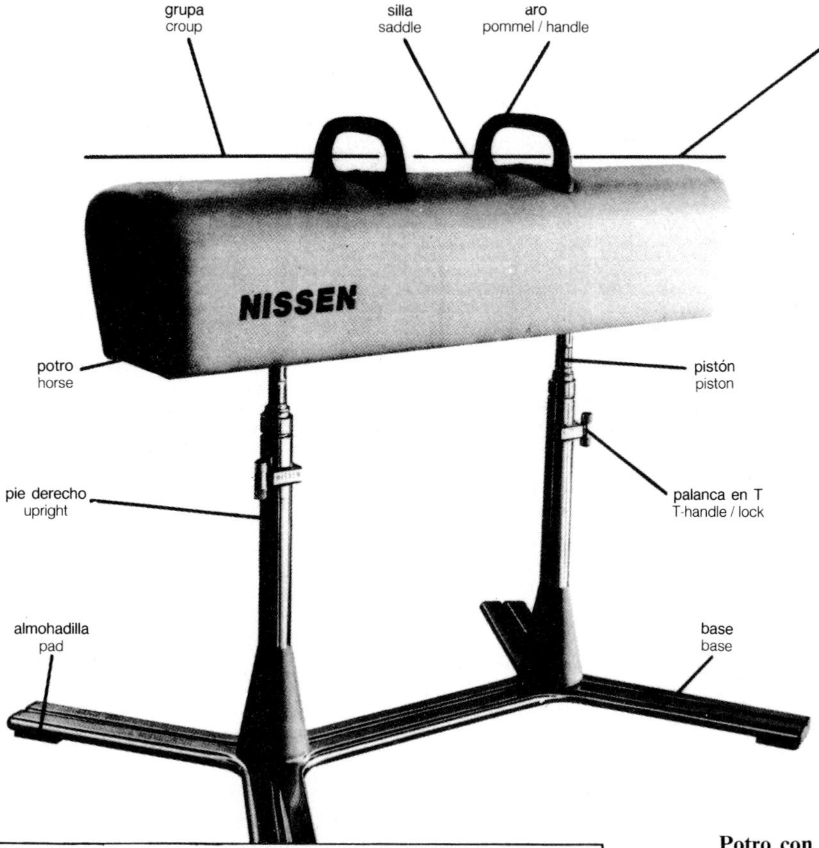
grupa
croup
silla
saddle
aro
pommel / handle
cuello
neck
NISSEN
potro
horse
pistón
piston
pie derecho
upright
palanca en T
T-handle / lock
almohadilla
pad
base
base

Potro con aros
Pommel Horse

Anillas
Stationary Rings

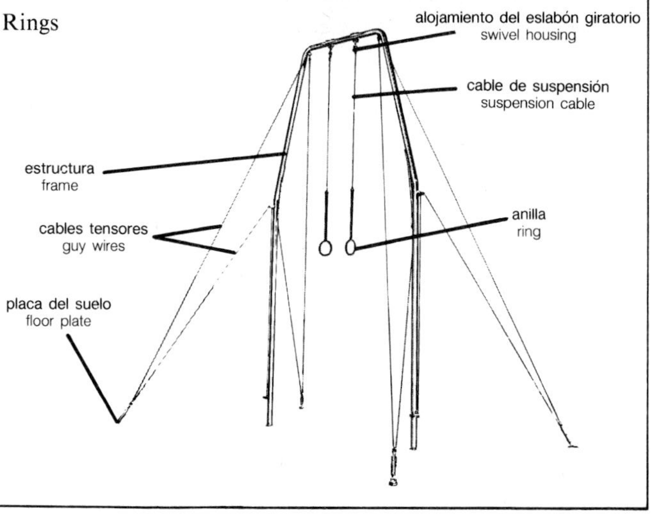
alojamiento del eslabón giratorio
swivel housing
cable de suspensión
suspension cable
estructura
frame
cables tensores
guy wires
anilla
ring
placa del suelo
floor plate

Cama elástica

En la cama elástica se realizan ejercicios de *salto* y *caída* en diferentes posiciones. A veces se utilizan pequeños trampolines elásticos para los saltos de aparatos.

Trampoline

Trampolining, trampoline tumbling, or *rebound tumbling* is performed on the canvas or elastic-webbing bed. Smaller *trampolets* are often used as *springboards* for mounting gymnastic apparatus.

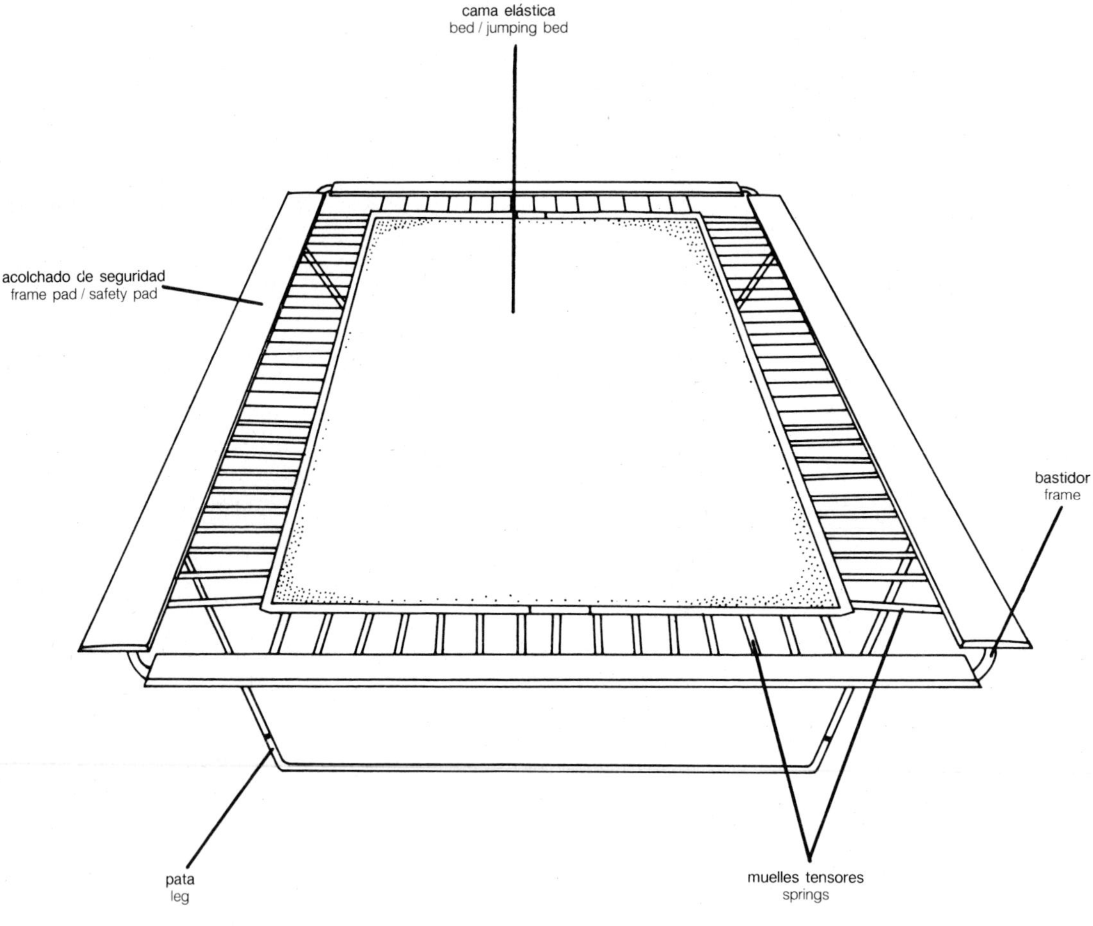

cama elástica
bed / jumping bed
acolchado de seguridad
frame pad / safety pad
bastidor
frame
pata
leg
muelles tensores
springs

Boxeo

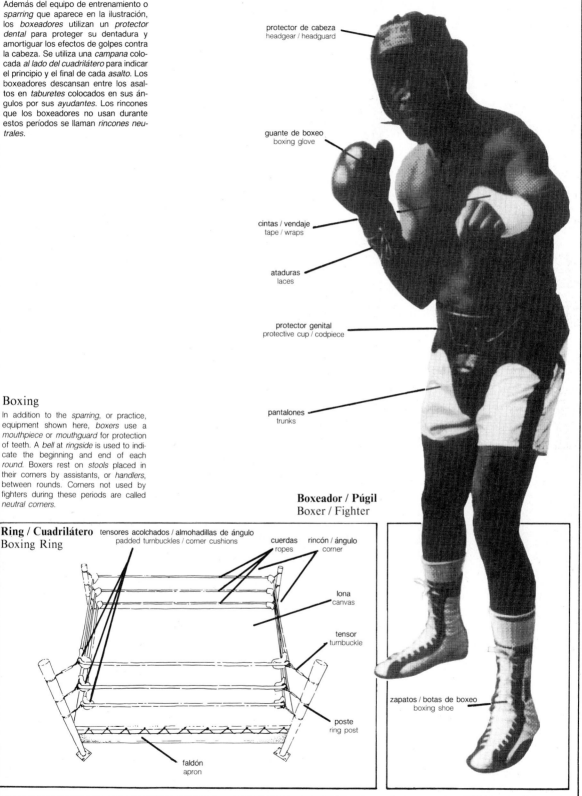

Además del equipo de entrenamiento o *sparring* que aparece en la ilustración, los *boxeadores* utilizan un *protector dental* para proteger su dentadura y amortiguar los efectos de golpes contra la cabeza. Se utiliza una *campana* colocada *al lado del cuadrilátero* para indicar el principio y el final de cada *asalto*. Los boxeadores descansan entre los asaltos en *taburetes* colocados en sus ángulos por sus *ayudantes*. Los rincones que los boxeadores no usan durante estos períodos se llaman *rincones neutrales*.

Boxing

In addition to the *sparring*, or practice, equipment shown here, *boxers* use a *mouthpiece* or *mouthguard* for protection of teeth. A *bell* at *ringside* is used to indicate the beginning and end of each *round*. Boxers rest on *stools* placed in their corners by assistants, or *handlers*, between rounds. Corners not used by fighters during these periods are called *neutral corners*.

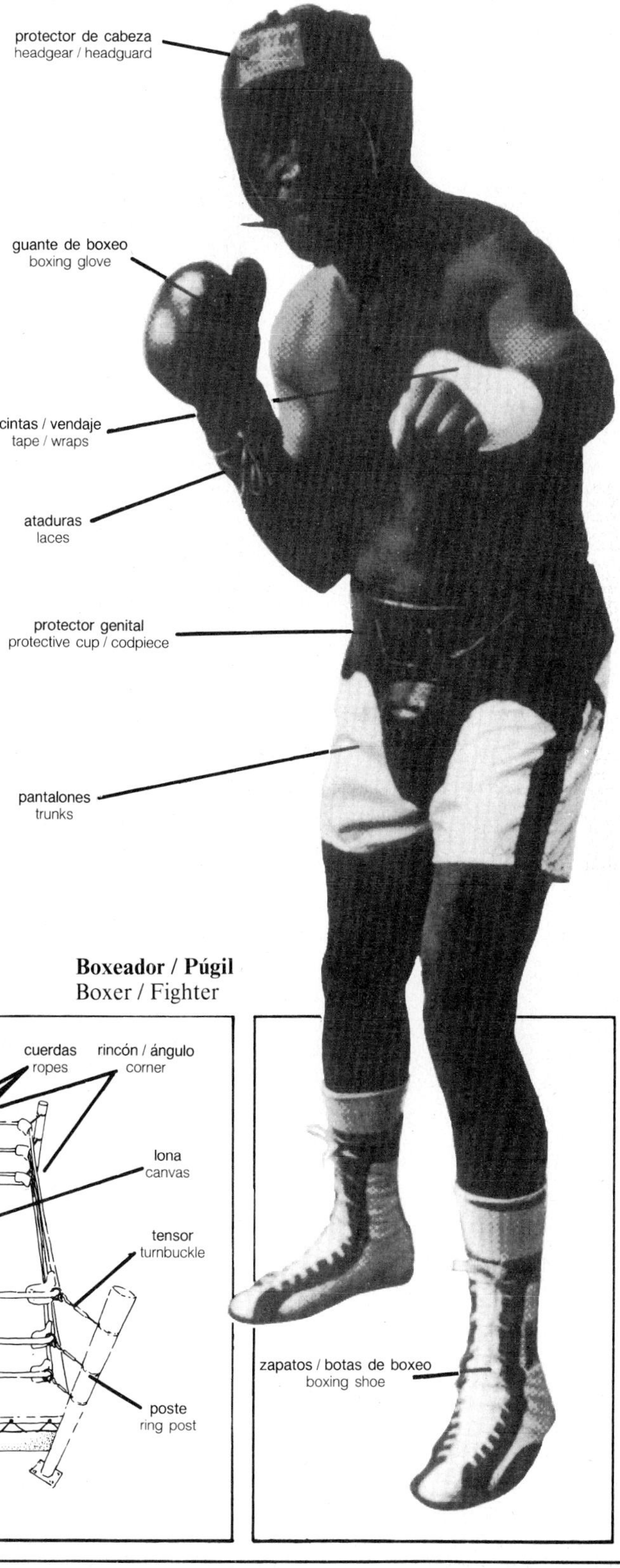
protector de cabeza
headgear / headguard
guante de boxeo
boxing glove
cintas / vendaje
tape / wraps
ataduras
laces
protector genital
protective cup / codpiece
pantalones
trunks
zapatos / botas de boxeo
boxing shoe

Boxeador / Púgil
Boxer / Fighter

Ring / Cuadrilátero
Boxing Ring

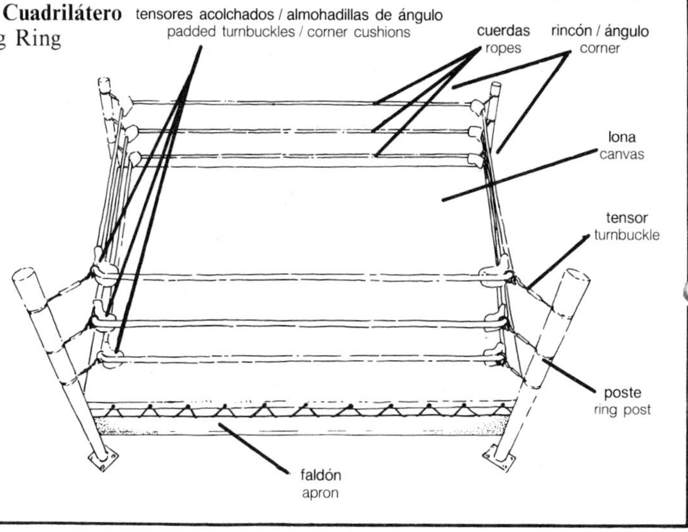
tensores acolchados / almohadillas de ángulo
padded turnbuckles / corner cushions
cuerdas
ropes
rincón / ángulo
corner
lona
canvas
tensor
turnbuckle
poste
ring post
faldón
apron

Golf

Los *palos*, que pueden ser de madera o metal, se clasifican según un sistema de *números* que indican el ángulo que forma la cara (superficie que golpea la pelota) con la varilla. En los palos de madera, la numeración va del 1 al 5, y en los de metal, del 2 al 9, El putter se emplea para jugadas cortas y de precisión. El *caddy* es el muchacho que lleva la bolsa del jugador con los catorce palos reglamentarios.

Golf

Clubs are numbered in order of increasing *loft*, the angle of the clubface from the vertical, with woods numbered from one to five and the irons numbered tow through nine. A *golfer* may also carry a *pitching wedge*, a *sand wedge* and a putter. The spot where the ball lands after being hit is called the *lie*.

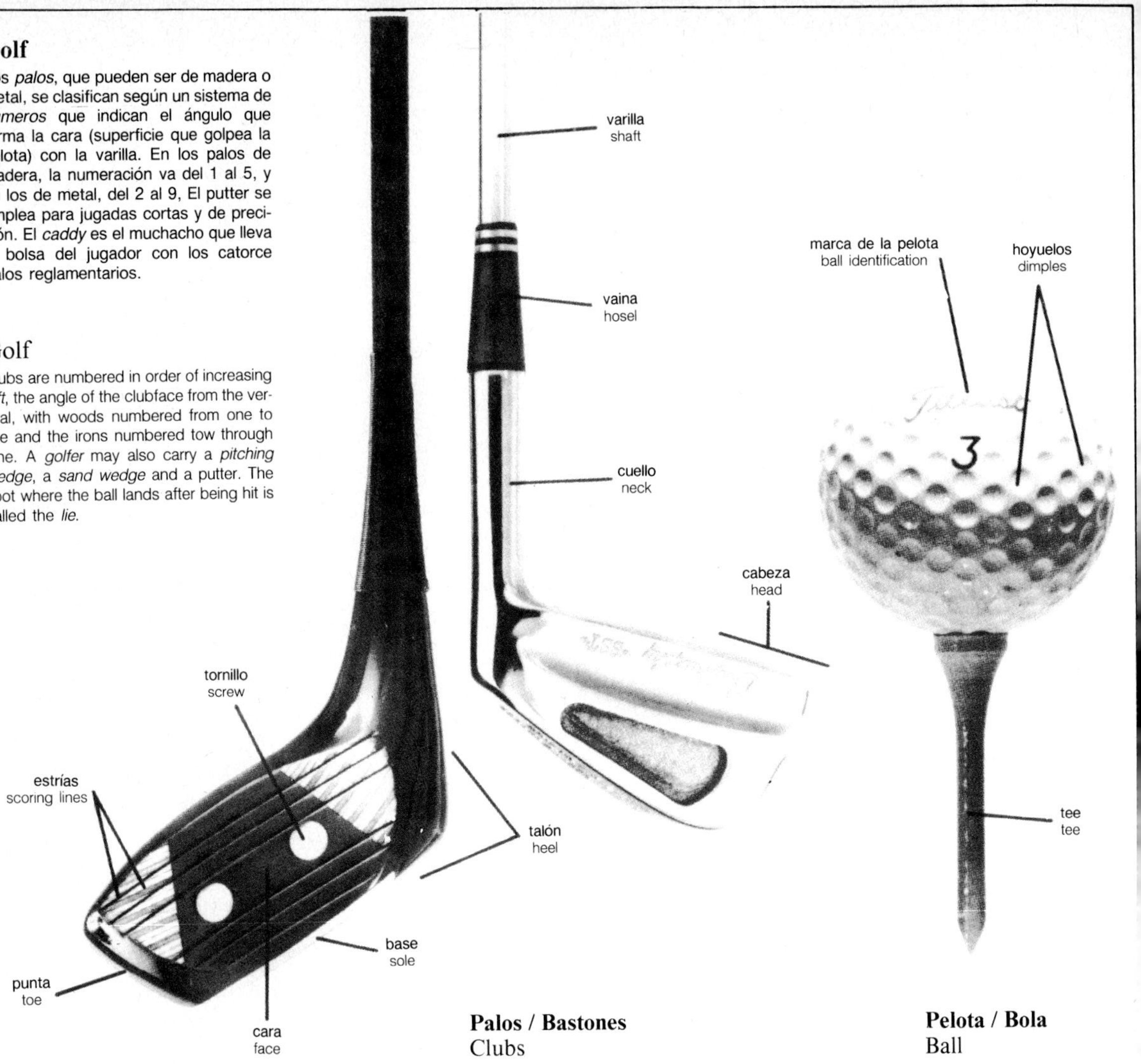

varilla
shaft
vaina
hosel
cuello
neck
cabeza
head
tornillo
screw
estrías
scoring lines
talón
heel
base
sole
punta
toe
cara
face
marca de la pelota
ball identification
hoyuelos
dimples
3
tee
tee

Palos / Bastones
Clubs

Pelota / Bola
Ball

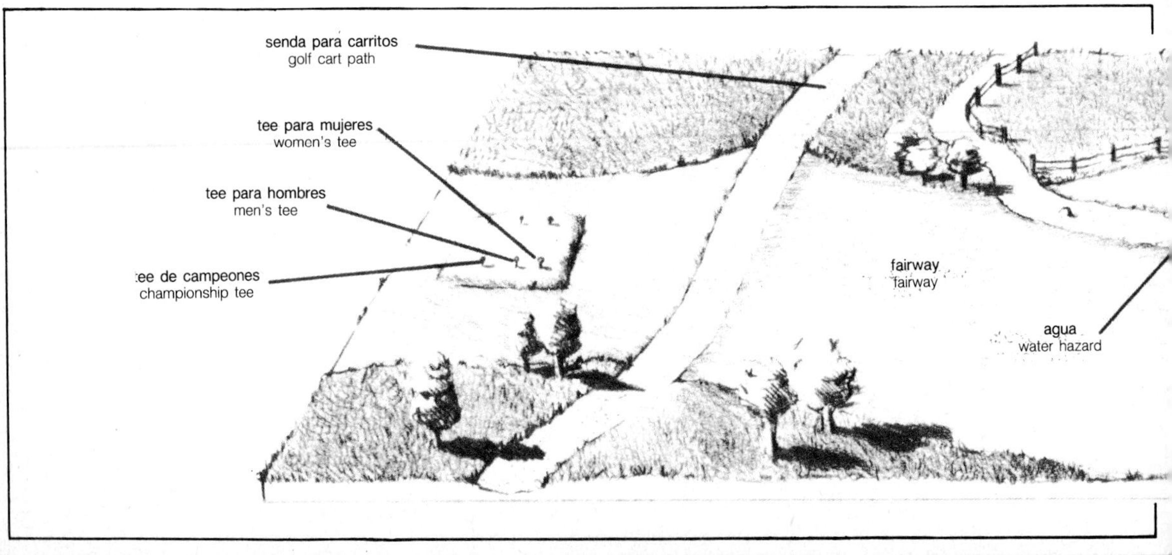

senda para carritos
golf cart path
tee para mujeres
women's tee
tee para hombres
men's tee
tee de campeones
championship tee
fairway
fairway
agua
water hazard

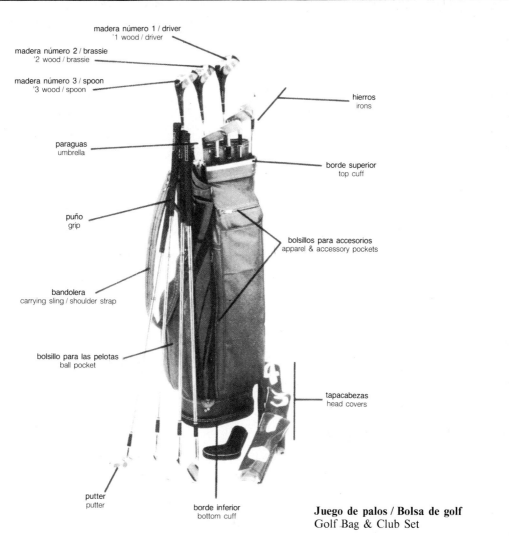

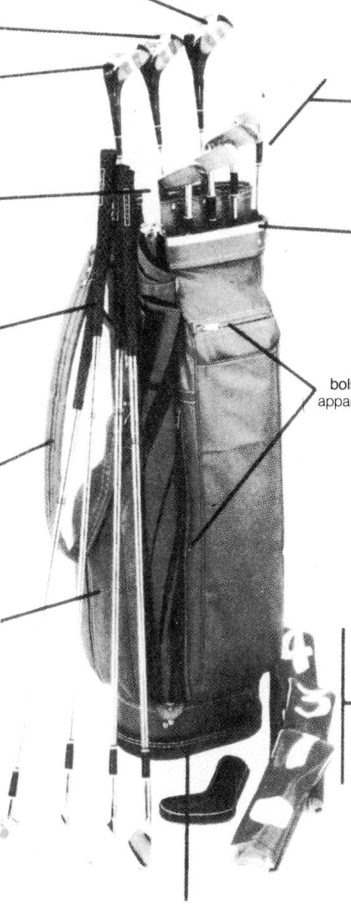
madera número 1 / driver
'1 wood / driver
madera número 2 / brassie
'2 wood / brassie
madera número 3 / spoon
'3 wood / spoon
hierros
irons
paraguas
umbrella
borde superior
top cuff
puño
grip
bolsillos para accesorios
apparel & accessory pockets
bandolera
carrying sling / shoulder strap
bolsillo para las pelotas
ball pocket
tapacabezas
head covers
putter
putter
borde inferior
bottom cuff

Juego de palos / Bolsa de golf
Golf Bag & Club Set

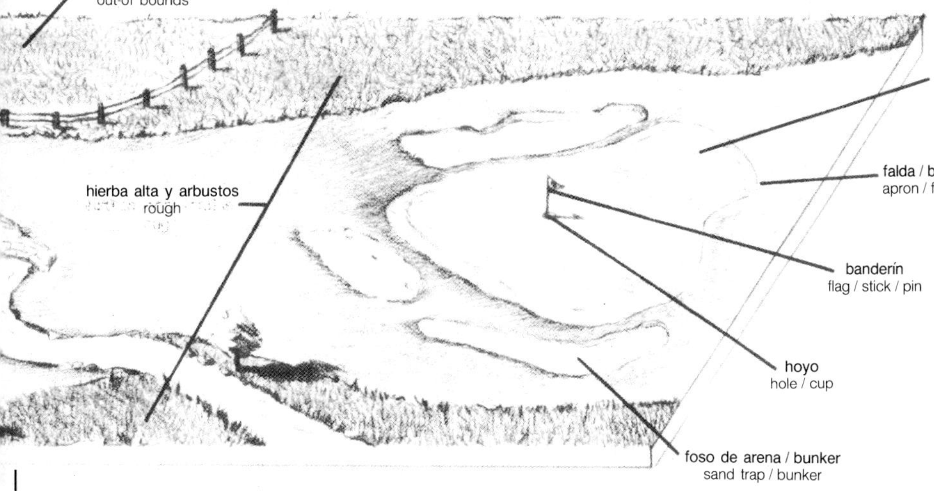
fuera de límites
out-of bounds
green
putting green
hierba alta y arbustos
rough
falda / borde
apron / fringe
banderín
flag / stick / pin
hoyo
hole / cup
foso de arena / bunker
sand trap / bunker

Campo de golf
Course

Tenis

La *raqueta* de tenis consta esencialmente de un *marco* ovalado y un *mango*. De borde a borde del marco se tienden las *cuerdas* que forman la malla con la que se golpea la *pelota*. Esta es de caucho forrada de una tela especial.

Tennis

Some rackets have an interchangeable *handle*, or *pallet*, and a replaceable *throat-piece*, or *yoke*. The "*sweet spot*" is the prime hitting area of a racket *face*.

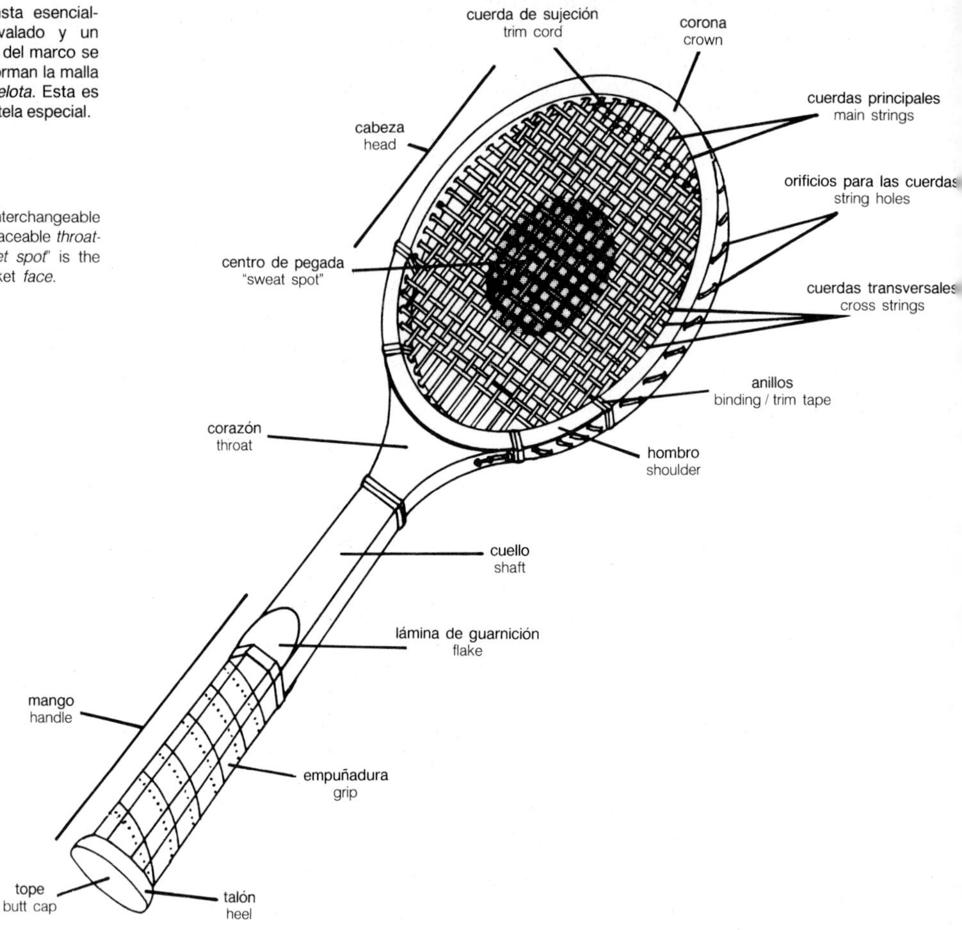

cuerda de sujeción
trim cord
corona
crown
cabeza
head
cuerdas principales
main strings
orificios para las cuerdas
string holes
centro de pegada
"sweat spot"
cuerdas transversales
cross strings
anillos
binding / trim tape
corazón
throat
hombro
shoulder
cuello
shaft
lámina de guarnición
flake
mango
handle
empuñadura
grip
tope
butt cap
talón
heel

Raqueta
Racket

Pista
Court

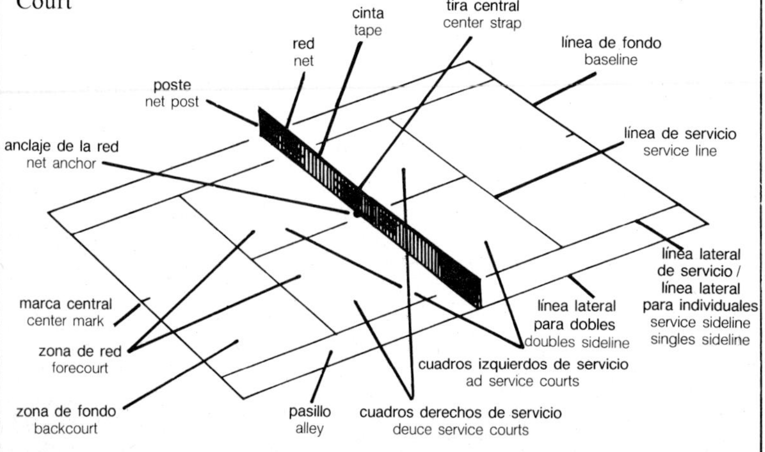

cinta
tape
tira central
center strap
red
net
línea de fondo
baseline
poste
net post
línea de servicio
service line
anclaje de la red
net anchor
línea lateral
de servicio /
línea lateral
para individuales
service sideline
singles sideline
marca central
center mark
línea lateral
para dobles
doubles sideline
zona de red
forecourt
cuadros izquierdos de servicio
ad service courts
zona de fondo
backcourt
pasillo
alley
cuadros derechos de servicio
deuce service courts

Pelota
Ball

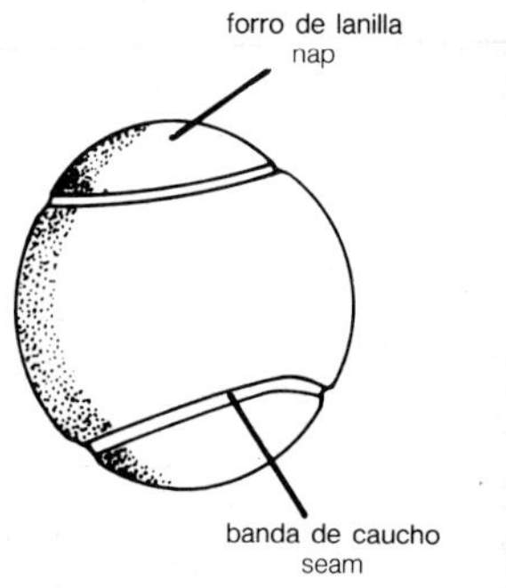

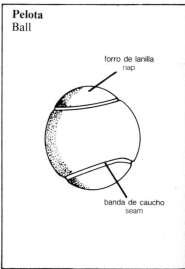

forro de lanilla
nap
banda de caucho
seam

Canchas de frontón o pelota–mano, squash

La *cancha* o *frontón* que se ve aquí contiene las marcas necesarias para las dos modalidades de juego. En la pelota mano, los jugadores impulsan con la mano una pequeña y durísima pelota. En el *squash*, se sirven de una *raqueta* para impulsar una pelota similar a la de tenis, pero más pesada. La entrada a la cancha se realiza por una puerta situada en la pared trasera o *rebote*.

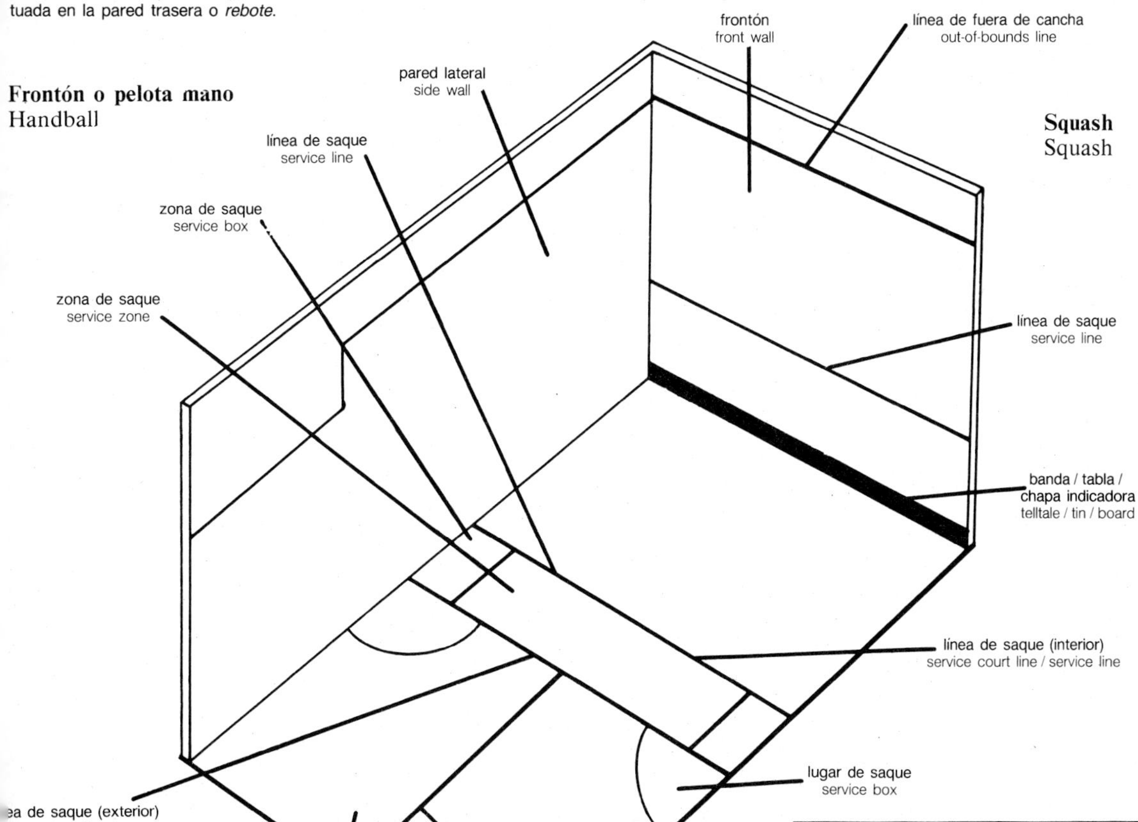

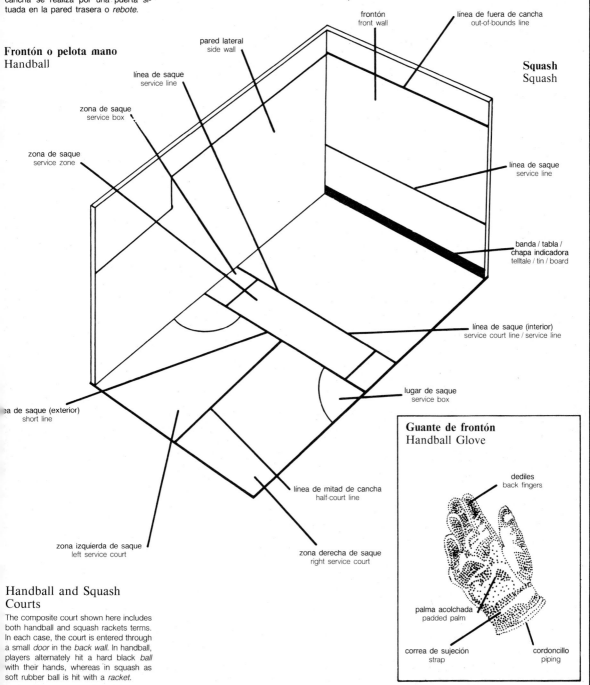

Frontón o pelota mano
Handball
Squash
Squash
frontón
front wall
línea de fuera de cancha
out-of-bounds line
pared lateral
side wall
línea de saque
service line
zona de saque
service box
zona de saque
service zone
línea de saque
service line
banda / tabla / chapa indicadora
telltale / tin / board
línea de saque (interior)
service court line / service line
lugar de saque
service box
ea de saque (exterior)
short line
línea de mitad de cancha
half-court line
zona izquierda de saque
left service court
zona derecha de saque
right service court

Guante de frontón
Handball Glove

dediles
back fingers
palma acolchada
padded palm
correa de sujeción
strap
cordoncillo
piping

Handball and Squash Courts

The composite court shown here includes both handball and squash rackets terms. In each case, the court is entered through a small *door* in the *back wall*. In handball, players alternately hit a hard black *ball* with their hands, whereas in squash as soft rubber ball is hit with a *racket*.

Jai Alai, pelota vasca o cesta punta

Además de la pista de juego o *cancha*, el *frontón* tiene graderíos para que el público siga los partidos y haga sus *apuestas*. Entre la zona reservada al público y la de juego hay una red de alambre fino como protección. Los *pelotaris* recogen la pelota con la *cesta* y la lanzan con fuerza contra la pared del frontón.

Jai Alai / Pelota

Jai alai is played in a *fronton*, an auditorium that includes the court, a tiered spectator seating area, and *parimutuel betting* facilities. A clearvision mesh *screen* separates the spectators from the playing area.

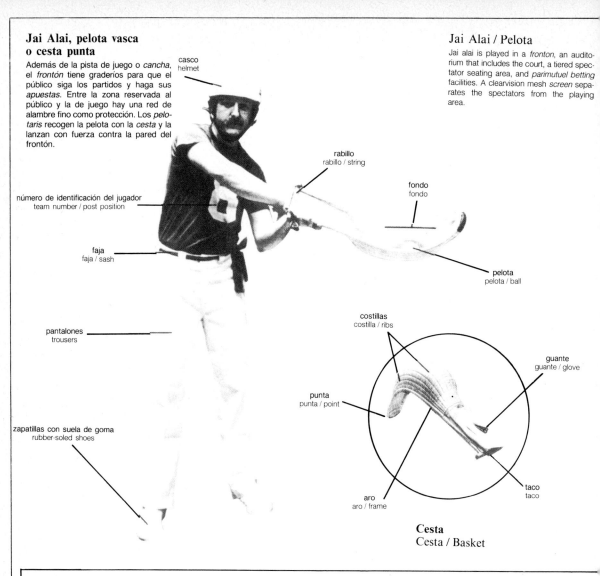

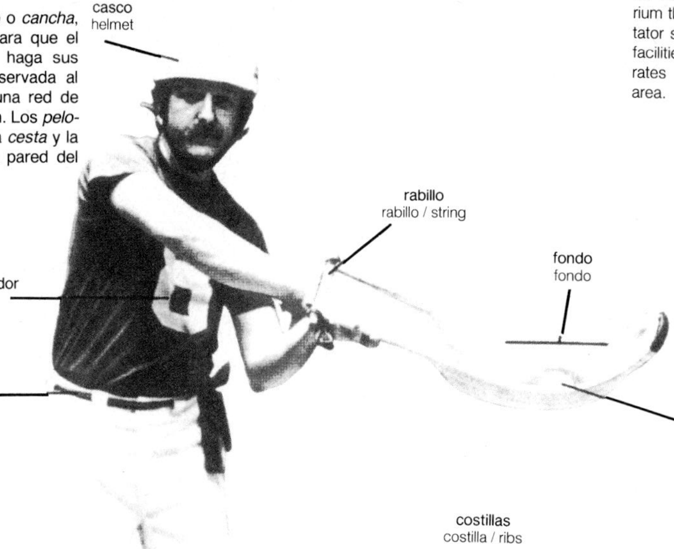
casco
helmet
rabillo
rabillo / string
fondo
fondo
número de identificación del jugador
team number / post position
faja
faja / sash
pelota
pelota / ball

pantalones
trousers
zapatillas con suela de goma
rubber-soled shoes

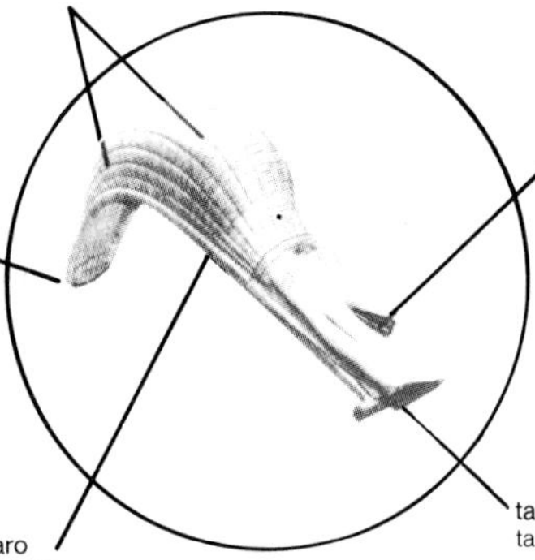
costillas
costilla / ribs
guante
guante / glove
punta
punta / point
taco
taco
aro
aro / frame

Cesta
Cesta / Basket

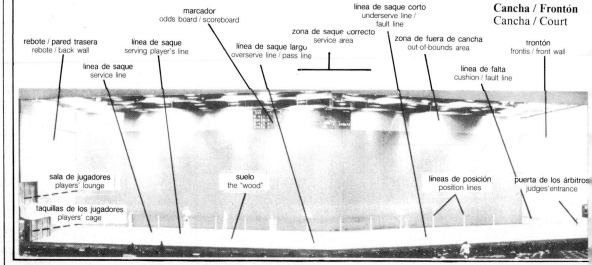

Cancha / Frontón
Cancha / Court

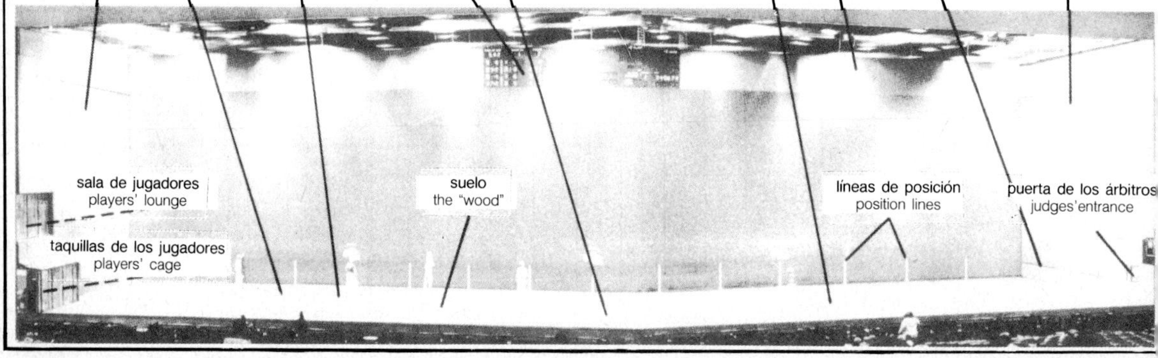
marcador
odds board / scoreboard
línea de saque corto
underserve line / fault line
zona de saque correcto
service area
rebote / pared trasera
rebote / back wall
línea de saque
serving player's line
línea de saque largo
overserve line / pass line
zona de fuera de cancha
out-of-bounds area
frontón
frontis / front wall
linea de saque
service line
línea de falta
cushion / fault line
sala de jugadores
players' lounge
suelo
the "wood"
líneas de posición
position lines
puerta de los árbitros
judges'entrance
taquillas de los jugadores
players' cage

Esgrima

En los *encuentros* o *asaltos* de esgrima se emplean *floretes*, *sables* o *espadas*, que difieren ligeramente en su peso y su forma. Cada *esgrimista* o *tirador* debe llevar bajo su chaquetilla un *plastrón* que le protege el pecho, y las mujeres deben llevar además *protectores pectorales*. En los asaltos *sin dispositivos eléctricos* actúan como árbitros cuatro *jueces de pista* y un *juez principal* o *presidente*.

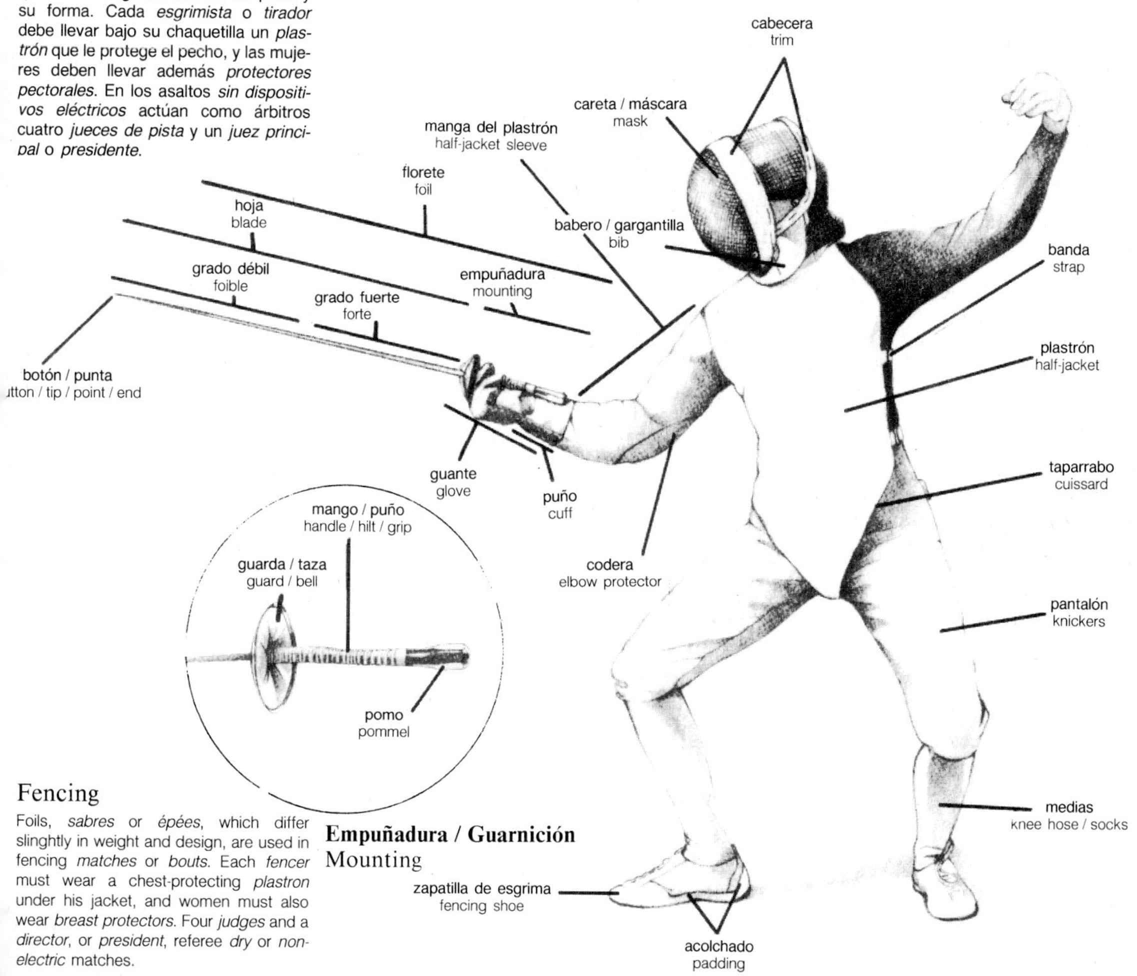

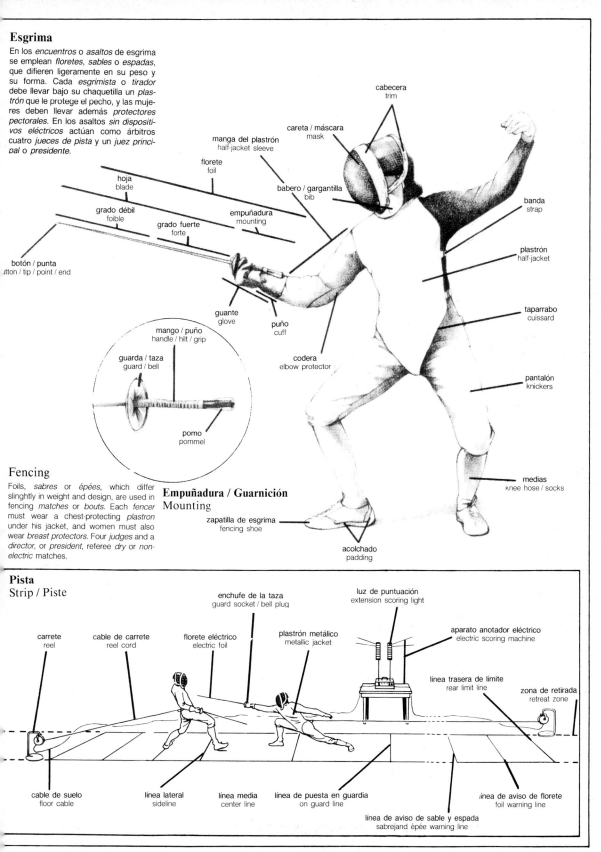

cabecera
trim
careta / máscara
mask
manga del plastrón
half-jacket sleeve
florete
foil
hoja
blade
babero / gargantilla
bib
banda
strap
grado débil
foible
empuñadura
mounting
grado fuerte
forte
plastrón
half-jacket
botón / punta
utton / tip / point / end
guante
glove
puño
cuff
taparrabo
cuissard
mango / puño
handle / hilt / grip
guarda / taza
guard / bell
codera
elbow protector
pantalón
knickers
pomo
pommel
medias
knee hose / socks
Empuñadura / Guarnición
Mounting
zapatilla de esgrima
fencing shoe
acolchado
padding

Fencing

Foils, *sabres* or *épées*, which differ slinghtly in weight and design, are used in fencing *matches* or *bouts*. Each *fencer* must wear a chest-protecting *plastron* under his jacket, and women must also wear *breast protectors*. Four *judges* and a *director*, or *president*, referee *dry* or *non-electric* matches.

Pista
Strip / Piste

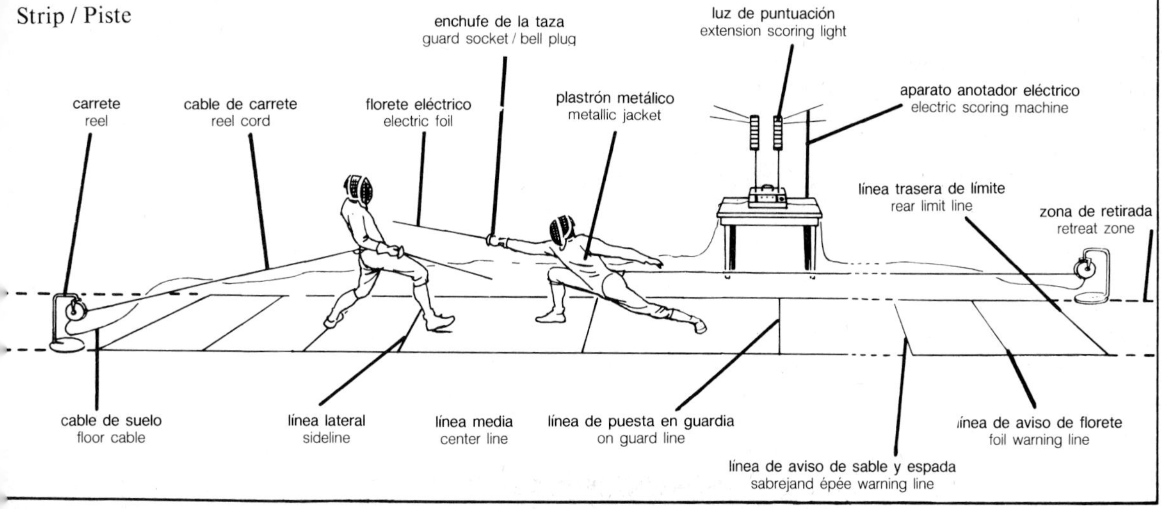

enchufe de la taza
guard socket / bell plug
luz de puntuación
extension scoring light
carrete
reel
cable de carrete
reel cord
florete eléctrico
electric foil
plastrón metálico
metallic jacket
aparato anotador eléctrico
electric scoring machine
línea trasera de límite
rear limit line
zona de retirada
retreat zone
cable de suelo
floor cable
línea lateral
sideline
línea media
center line
línea de puesta en guardia
on guard line
línea de aviso de florete
foil warning line
línea de aviso de sable y espada
sabrejand épée warning line

Natación y saltos de trampolín

En natación, los nadadores compiten en pruebas *individuales* o por *equipos* según diversos estilos: *libre*, *braza*, *espalda* y *mariposa*, además del *mixto*, en el que se combinan los otros cuatro. En estilo espalda, para la salida los nadadores se colocan dentro del agua, asidos al bordillo o al bloque de salida. Las tablas de los trampolines y los bloques de salida están cubiertos con material antideslizante.

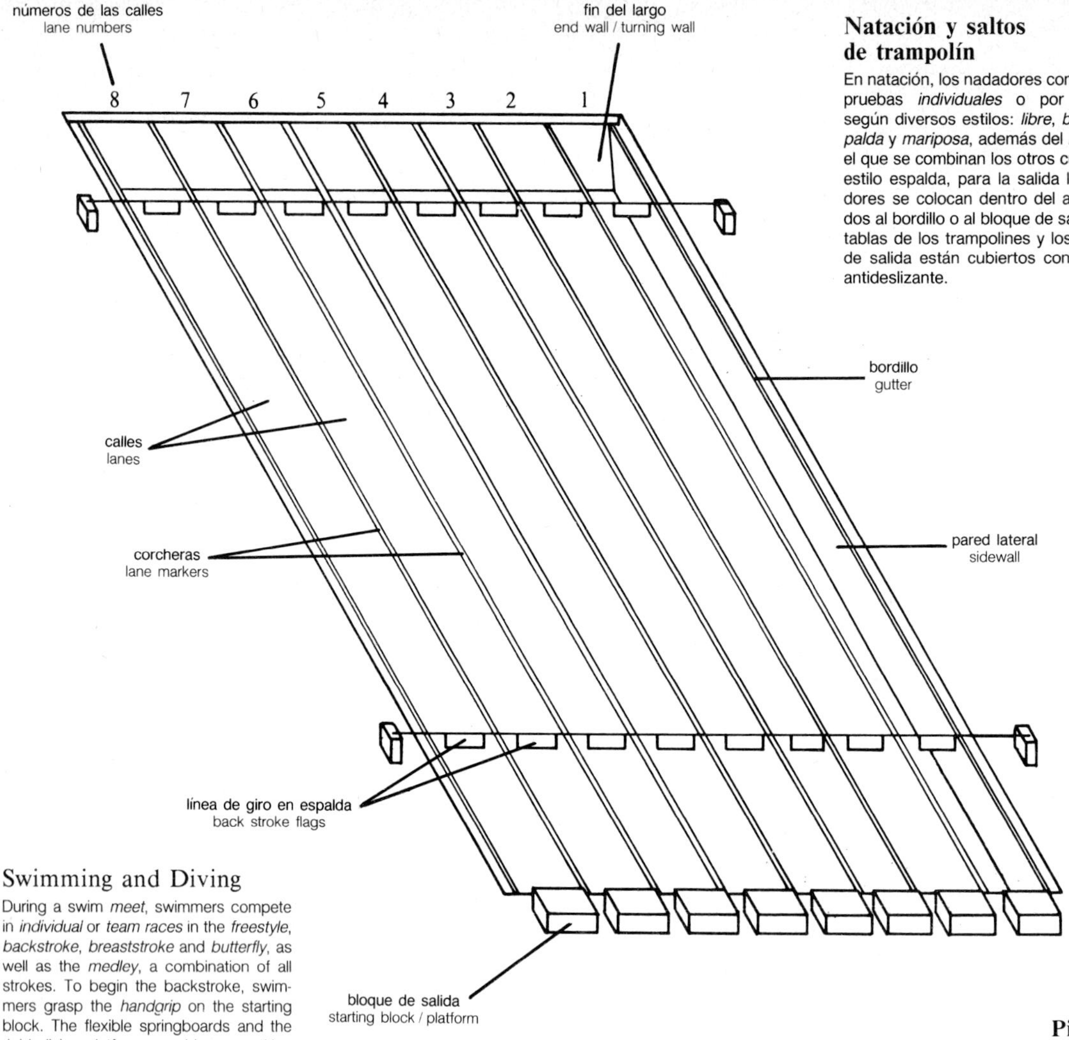
números de las calles
lane numbers
8 7 6 5 4 3 2 1
fin del largo
end wall / turning wall
bordillo
gutter
calles
lanes
corcheras
lane markers
pared lateral
sidewall
línea de giro en espalda
back stroke flags
bloque de salida
starting block / platform

Swimming and Diving

During a swim *meet*, swimmers compete in *individual* or *team races* in the *freestyle*, *backstroke*, *breaststroke* and *butterfly*, as well as the *medley*, a combination of all strokes. To begin the backstroke, swimmers grasp the *handgrip* on the starting block. The flexible springboards and the rigid *diving platforms* used in competition are covered with *non-skid surfaces.*

Piscina
Pool

Trampolín
Diving Board / Springboard

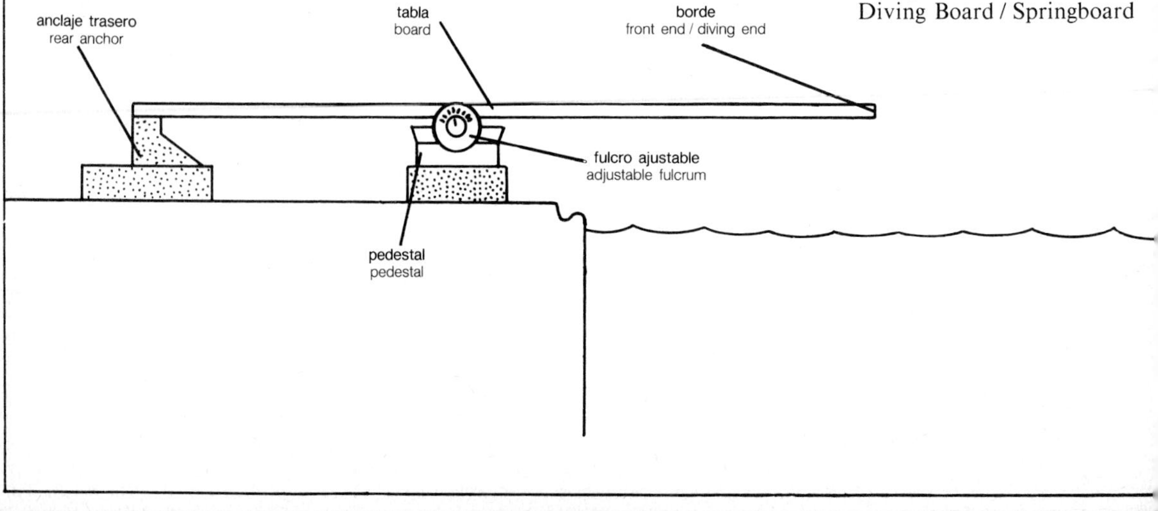
anclaje trasero
rear anchor
tabla
board
borde
front end / diving end
fulcro ajustable
adjustable fulcrum
pedestal
pedestal

Bolos

Hay muchísimas modalidades de juegos de bolos, aunque todos consisten en lanzar una *bola* para que derribe a una serie de *bolos* colocados ordenadamente formando *filas* e *hileras* en la zona que comúnmente se llama arco o *triángulo*. El espacio a través del cual se lanza la bola es el *callejón*. Con cada modalidad de juego varían las distancias desde donde se lanza la bola, el peso de ésta, el material con el que están fabricadas, el número, diseño y tamaño de los bolos y las reglas de la *partida*.

Bowling

The strike pocket opposite to the hand delivering the ball is called the *Brooklyn pocket* or *Jersey pocket*. Pins are reset by a mechanical *pinsetter* or *pinspotter*. *Duckpins* and *candlepins* are forms of bowling in which differently shaped pins and lighter, smaller balls are used.

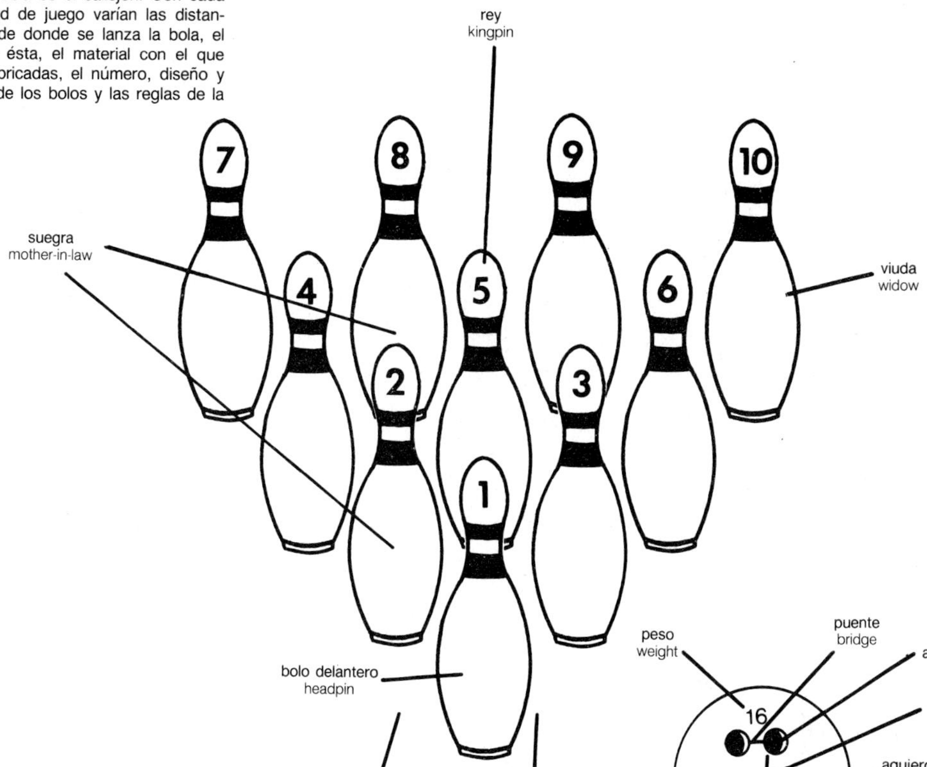

rey
kingpin
7
8
9
10
suegra
mother-in-law
4
5
6
viuda
widow
2
3
1
bolo delantero
headpin
hilera central izquierda
left-handed strike pocket
hilera central derecha
right-handed strike pocket

Bolos
Pins / Tenpins

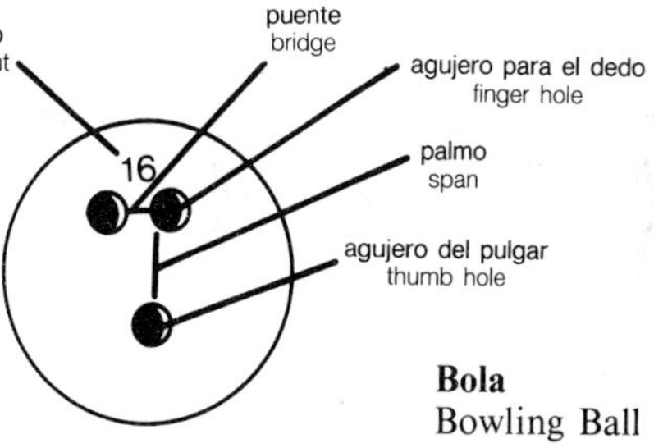

peso
weight
puente
bridge
agujero para el dedo
finger hole
16
palmo
span
agujero del pulgar
thumb hole

Bola
Bowling Ball

Pista
Lane / Alley

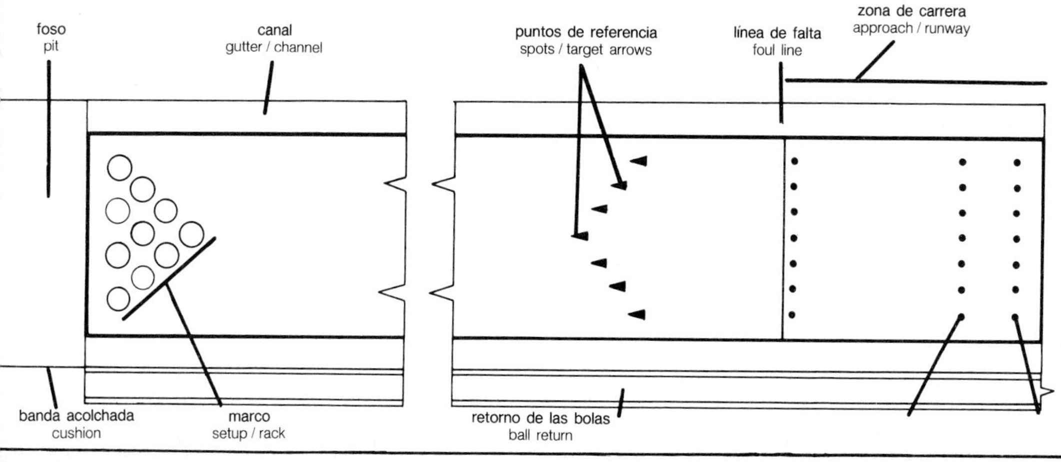

foso
pit
canal
gutter / channel
puntos de referencia
spots / target arrows
línea de falta
foul line
zona de carrera
approach / runway
banda acolchada
cushion
marco
setup / rack
retorno de las bolas
ball return

Juego de tejo y croquet

El juego de tejo puede comenzar desde cualquier extremo de la *pista* o *cancha*. La línea de salida se denomina *pie*, y el extremo opuesto o meta, *cabeza*. En el croquet, los jugadores parten de la *estaca de salida* o *casa*, a la que deben regresar después de pasar por los arcos y rodear la *estaca de vuelta*.

Shuffleboard and Croquet

A shuffleboard game may begin at either end of a *court*. That end is designated the *head*. The opposite end is the *foot*. In croquet, *strikers* start at the *home stake* and return to it after going through wickets and hitting the *turning stake*.

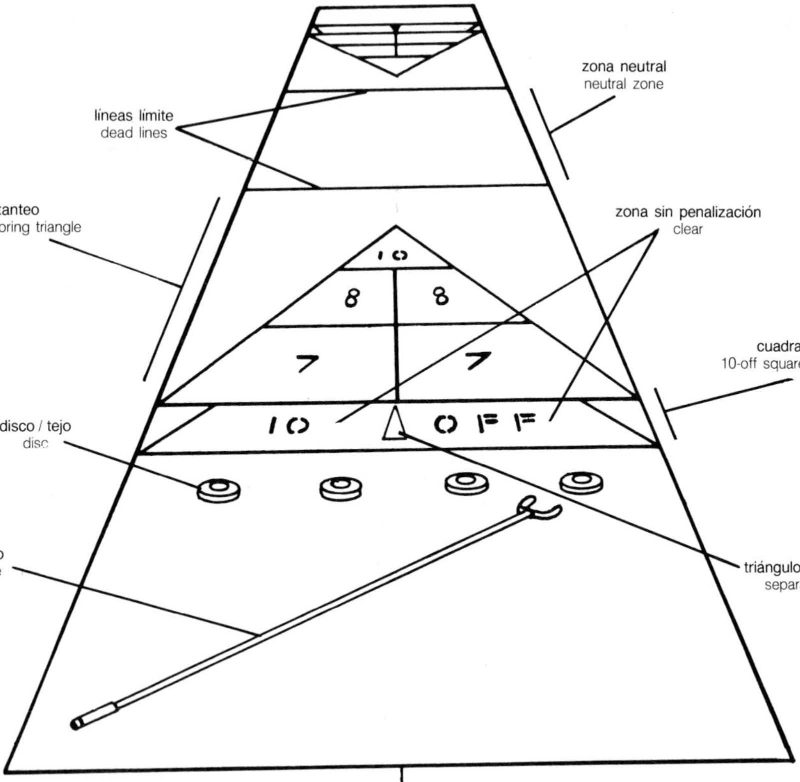

zona neutral
neutral zone
líneas límite
dead lines
triángulo de tanteo
scoring diagram / scoring triangle
zona sin penalización
clear
10
8
8
7
7
cuadrado menor
10-off square / minus square
10 OFF
disco / tejo
disc
palo
cue
triángulo de separación
separation triangle
línea de tirada
base line

Tejo
Shuffleboard

Croquet
Croquet

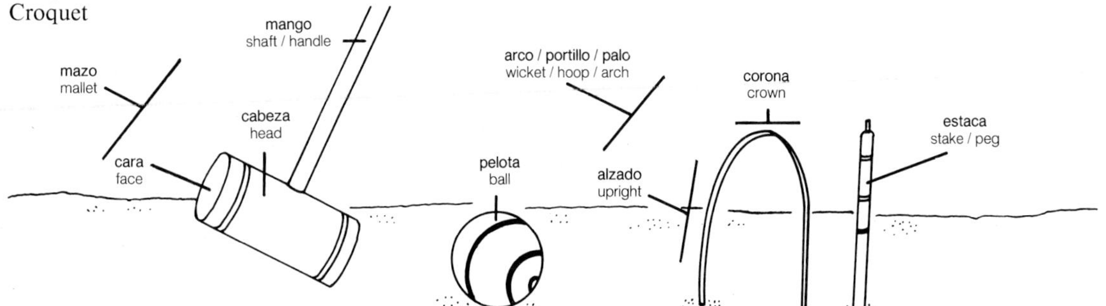

mango
shaft / handle
mazo
mallet
cabeza
head
cara
face
arco / portillo / palo
wicket / hoop / arch
corona
crown
estaca
stake / peg
pelota
ball
alzado
upright

Balonvolea y badminton

El balonvolea se juega entre dos equipos de seis jugadores y consiste en lanzar un *balón* por encima de la red que separa ambos campos sin que toque el suelo. En el badminton, el *volante* se golpea con una *raqueta*. El penacho de plumas se sustituye en ocasiones por varillas de nylón.

Volleyball and Badminton

In volleyball, an inflated ball hit sharply is called a *spike* or *kill*. Badminton is played with a *racket* or *bat* whose parts are similar to those of a tennis racket. Some badminton shuttles have nylon *skirts* rather than feathers.

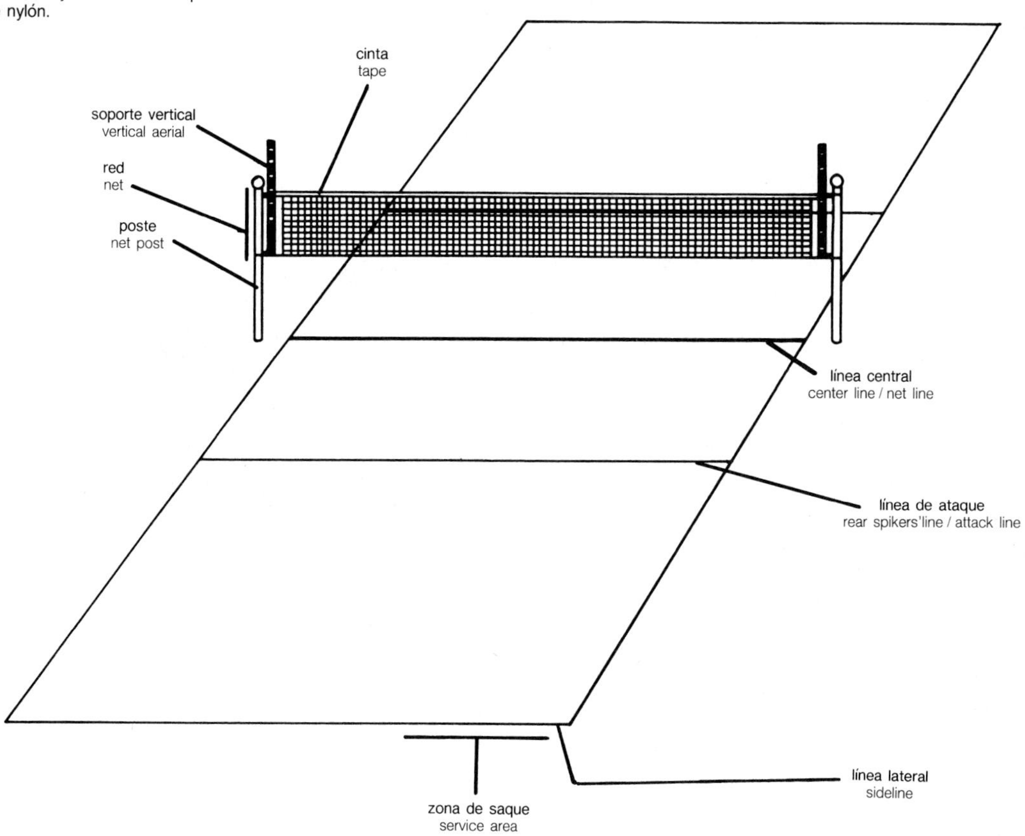
cinta
tape
soporte vertical
vertical aerial
red
net
poste
net post
línea central
center line / net line
línea de ataque
rear spikers'line / attack line
zona de saque
service area
línea lateral
sideline

Terreno de juego para balonvolea
Volleyball Court

Pista para badminton
Badminton Court

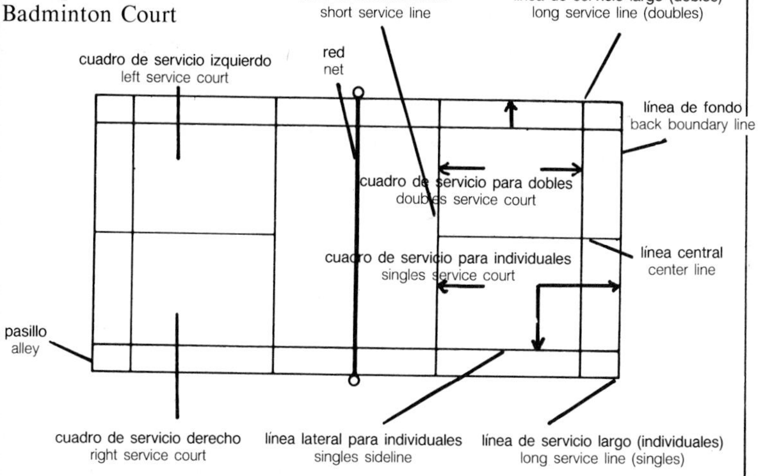
línea de servicio corto
short service line
línea de servicio largo (dobles)
long service line (doubles)
cuadro de servicio izquierdo
left service court
red
net
línea de fondo
back boundary line
cuadro de servicio para dobles
doubles service court
cuadro de servicio para individuales
singles service court
línea central
center line
pasillo
alley
cuadro de servicio derecho
right service court
línea lateral para individuales
singles sideline
línea de servicio largo (individuales)
long service line (singles)

Volante
Shuttlecock / Bird / Shuttle

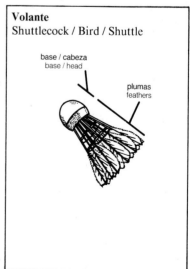

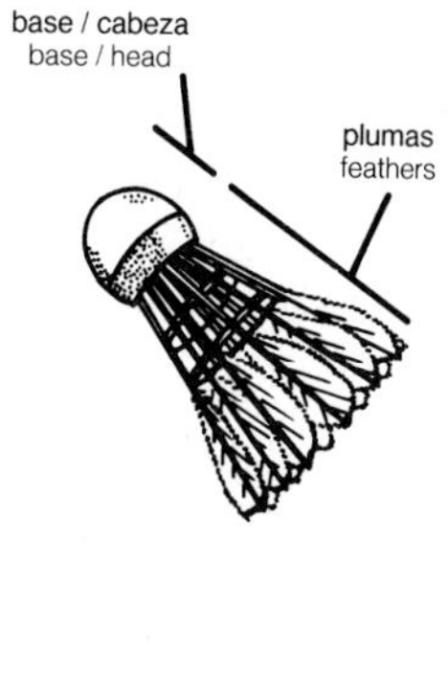
base / cabeza
base / head
plumas
feathers

Billar

Las mesas de billar, como las empleadas para otros juegos de habilidad o azar, suelen estar revestidas de *fieltro* o *paño* grueso, de color verde oscuro. Antes de golpear la bola, los jugadores untan de *tiza* la punta del taco. Cuando la bola impulsada por el taco golpea a las otras de forma reglamentaria, el jugador hace *carambola* y obtiene un tanto.

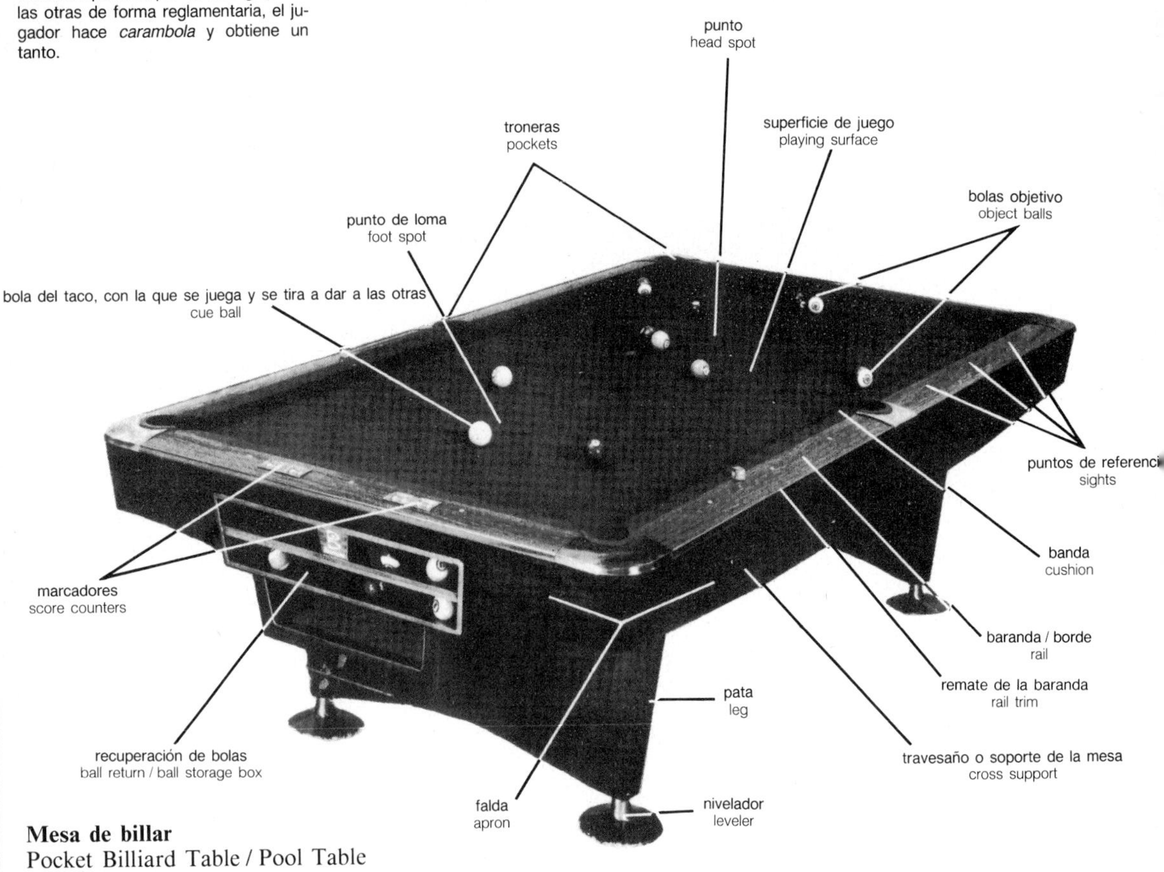

punto
head spot
troneras
pockets
superficie de juego
playing surface
bolas objetivo
object balls
punto de loma
foot spot
bola del taco, con la que se juega y se tira a dar a las otras
cue ball
puntos de referenci
sights
banda
cushion
marcadores
score counters
baranda / borde
rail
remate de la baranda
rail trim
pata
leg
recuperación de bolas
ball return / ball storage box
travesaño o soporte de la mesa
cross support
falda
apron
nivelador
leveler

Mesa de billar
Pocket Billiard Table / Pool Table

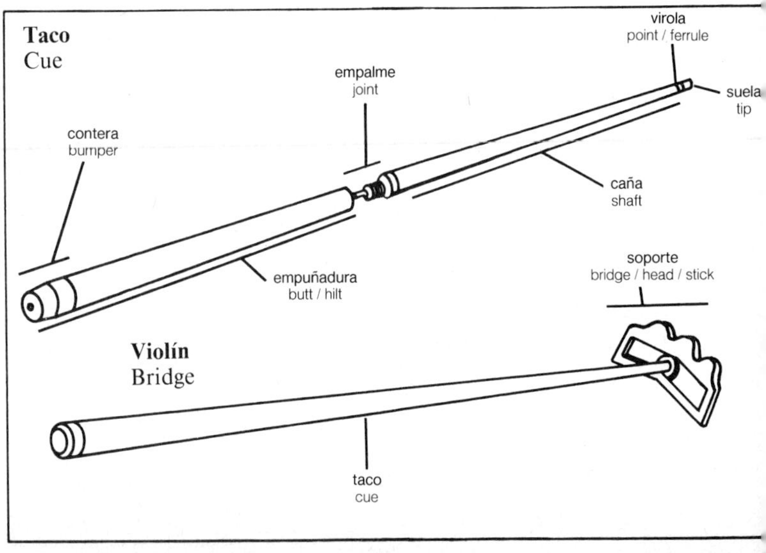

Taco
Cue
virola
point / ferrule
empalme
joint
suela
tip
contera
bumper
caña
shaft
empuñadura
butt / hilt
soporte
bridge / head / stick
Violín
Bridge
taco
cue

Billiards an Pool

Billiard and pool tables are usually covered with a dark green cloth called *felt*, or *bed cloth*. A triangular *rack* is used to position object balls at the beginning of a pool or *snooker* game. *Chalk* is used on cue tips. A point scored in billiards is called a *carom*.

Tenis de mesa / ping-pong

Las *palas* que se utilizan en el tenis de mesa suelen ser de madera recubiertas de *corcho* o *goma*. La *pelota* es redonda, de celuloide blanco mate.

Ping-Pong / Table Tennis

Paddles have two types of grips, *shake-hands grips* and *penhold grips*, and two types of faces, *rubber* and *sponge*. The game is played with a ping-pong *ball*.

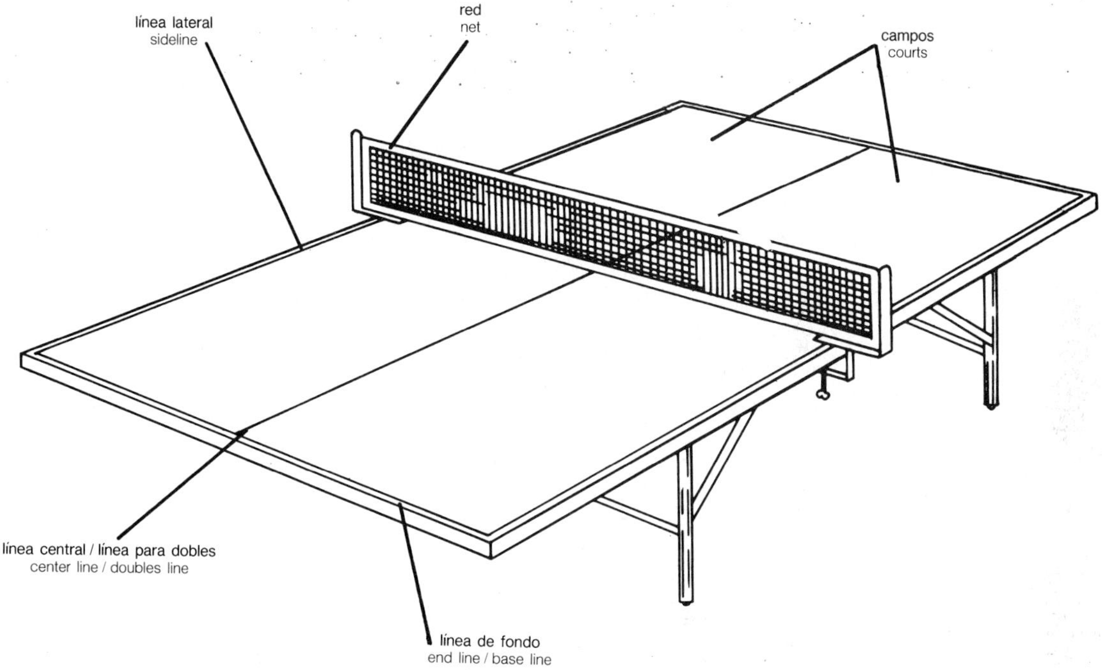

línea lateral
sideline
red
net
campos
courts
línea central / línea para dobles
center line / doubles line
línea de fondo
end line / base line

Mesa de ping-pong
Ping-Pong Table

Raqueta / Pala
Racket / Paddle / Bat

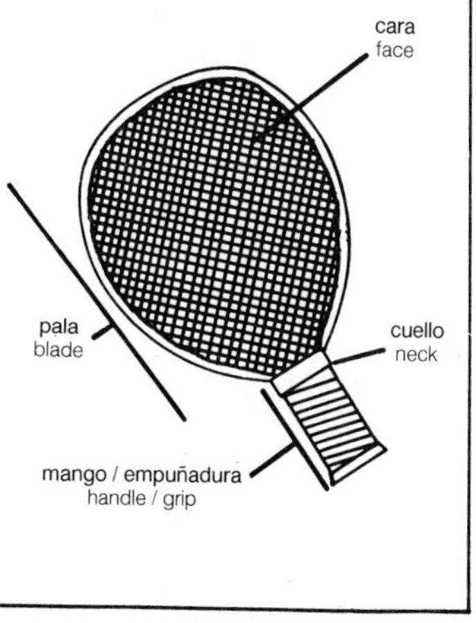

cara
face
pala
blade
cuello
neck
mango / empuñadura
handle / grip

Red
Net

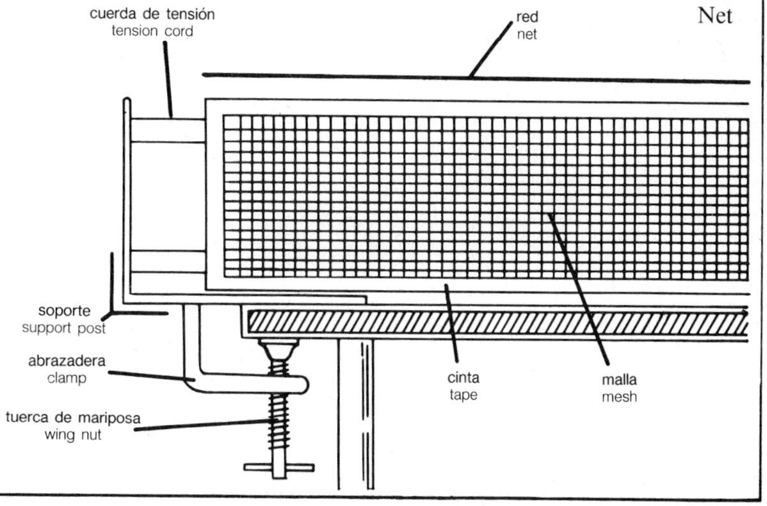

cuerda de tensión
tension cord
red
net
soporte
support post
abrazadera
clamp
tuerca de mariposa
wing nut
cinta
tape
malla
mesh

Dardos

Este juego se puede practicar individualmente o en *equipos* de dos a ocho jugadores. Se distinguen muchas modalidades, según la puntuación de la *dianas* o los objetivos que se planteen los jugadores: lograr una, dos o un número determinado de dianas, un número preestablecido de tantos, ir recorriendo por orden todos los números de la diana o sólo los que terminen en 5, etc.

Darts

Darts, or *darting*, is played by two *dartists* or teams of from two to eight. Darts are scored on *point of entry* on the board *face*. Of the *clock-face games*, *tournament darts* is the most popular. Other games include *round-the-clock*, *all-fives*, *baseball*, *high score*, *cricket*, *51-in-5's*, *14-stop*, *killer*, *Mulligan*, *301*, *sudden death*, and *Shanghai*.

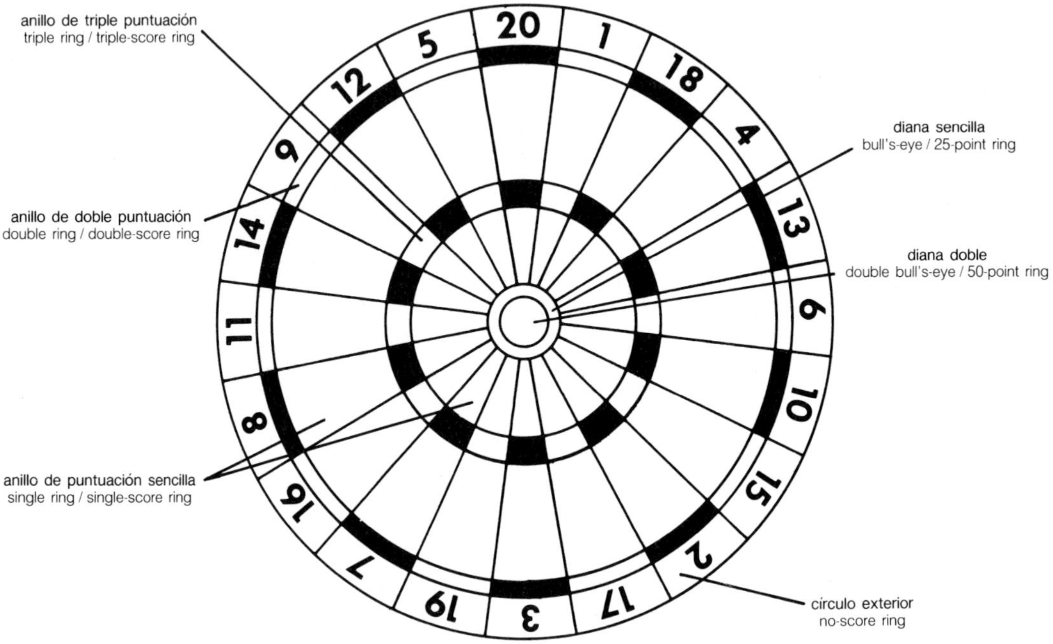

anillo de triple puntuación
triple ring / triple-score ring
diana sencilla
bull's-eye / 25-point ring
anillo de doble puntuación
double ring / double-score ring
diana doble
double bull's-eye / 50-point ring
anillo de puntuación sencilla
single ring / single-score ring
círculo exterior
no-score ring
20 1 18 4 13 6 10 15 2 17 3 19 7 16 8 11 14 9 12 5

Diana
Dard Board / English Clock

Dardo
Dart

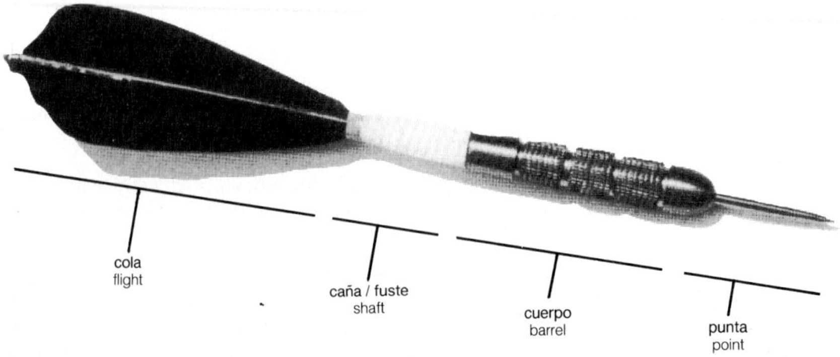

cola
flight
caña / fuste
shaft
cuerpo
barrel
punta
point

Cometas

Se distinguen seis categorías principales de cometas: *planas* o lisas, de uno o dos *palos*, en forma de *arco*, en forma de *caja*, *combinadas* o *mixtas*, *semiflexibles* y *flexibles*. Hay cometas de *juego* y de *competición*, distinguiéndose estas últimas por su mayor solidez y por tener doble hilo de manejo, lo que les permite mayor variedad de movimientos.

Kites

Bridle lines are attached to the spine through holes in the front cover. They are shown here on the rear of the kite only for illustrative purposes. Among the limitless varieties of kites, there are six major categories: flat, *piane*, or *two-stick kites*; *bowed kites*, sometimes known by their classic example, the *Eddy*; box, or *cellular*, kites; *compound kites*, represented by the *Conyne kite*; *semiflexible kites*, such as *delta-keels*; and *Rogallos*, or *flexible*, kites. *Fighting kites* have two flying lines.

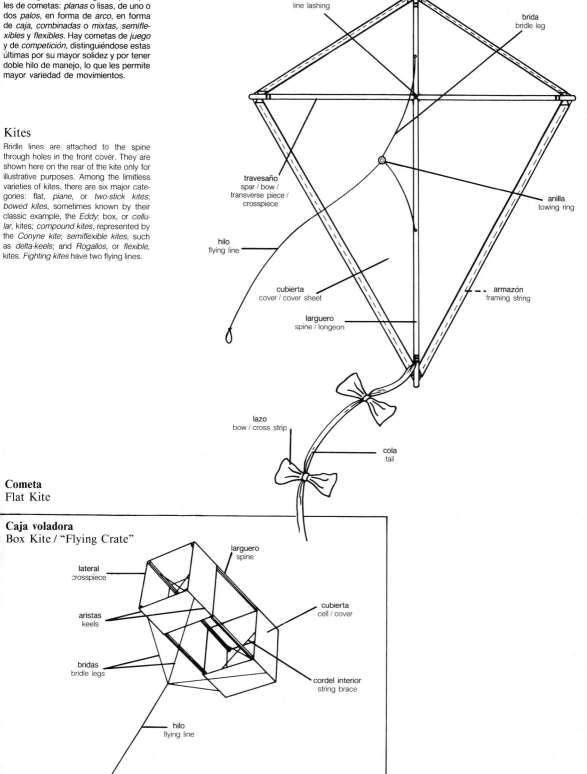

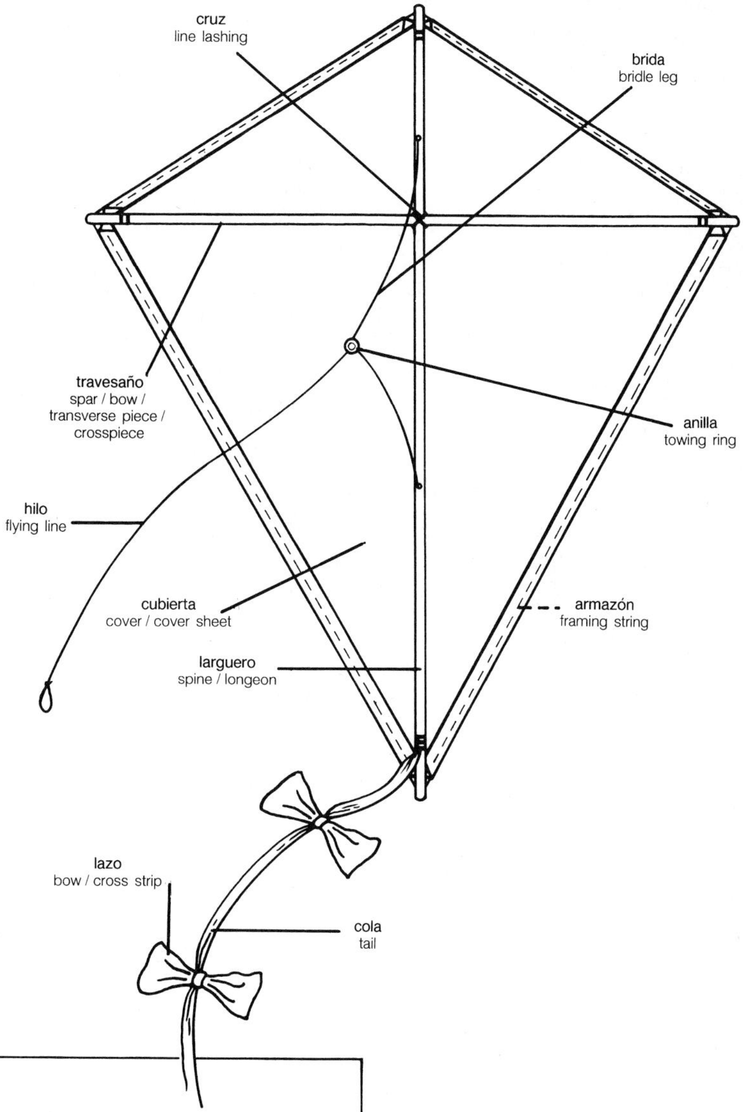
cruz
line lashing
brida
bridle leg
travesaño
spar / bow /
transverse piece /
crosspiece
anilla
towing ring
hilo
flying line
cubierta
cover / cover sheet
armazón
framing string
larguero
spine / longeon
lazo
bow / cross strip
cola
tail

Cometa
Flat Kite

Caja voladora
Box Kite / "Flying Crate"

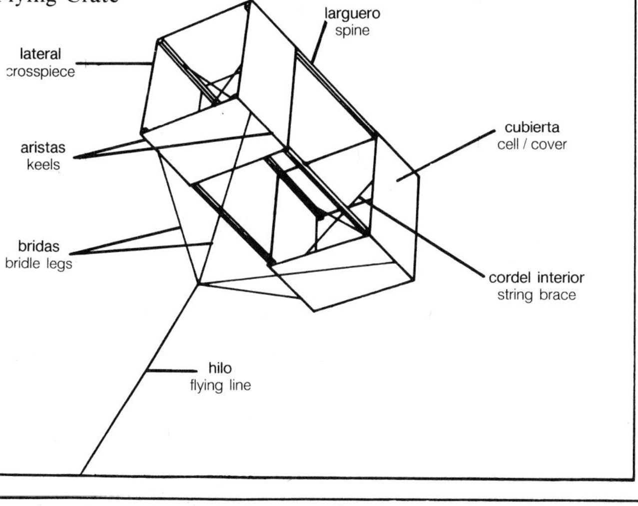
larguero
spine
lateral
crosspiece
aristas
keels
cubierta
cell / cover
bridas
bridle legs
cordel interior
string brace
hilo
flying line

Patinaje sobre ruedas

El *punto de inflexión*, flexibilidad o combamiento lateral del monopatín es variable, y el patinador se sirve de él para efectuar los giros. En este tipo de deporte se utilizan accesorios protectores, tales como *coderas*, *rodilleras* y *cascos*.

Roller Skating and Skateboarding

On the skateboard seen here, the raised tail is called a *kicktail*. The degree to which a board bends is its *flex*. Auxiliary roller sports equipment includes *helmet*, *kneepads* and *elbow pads*.

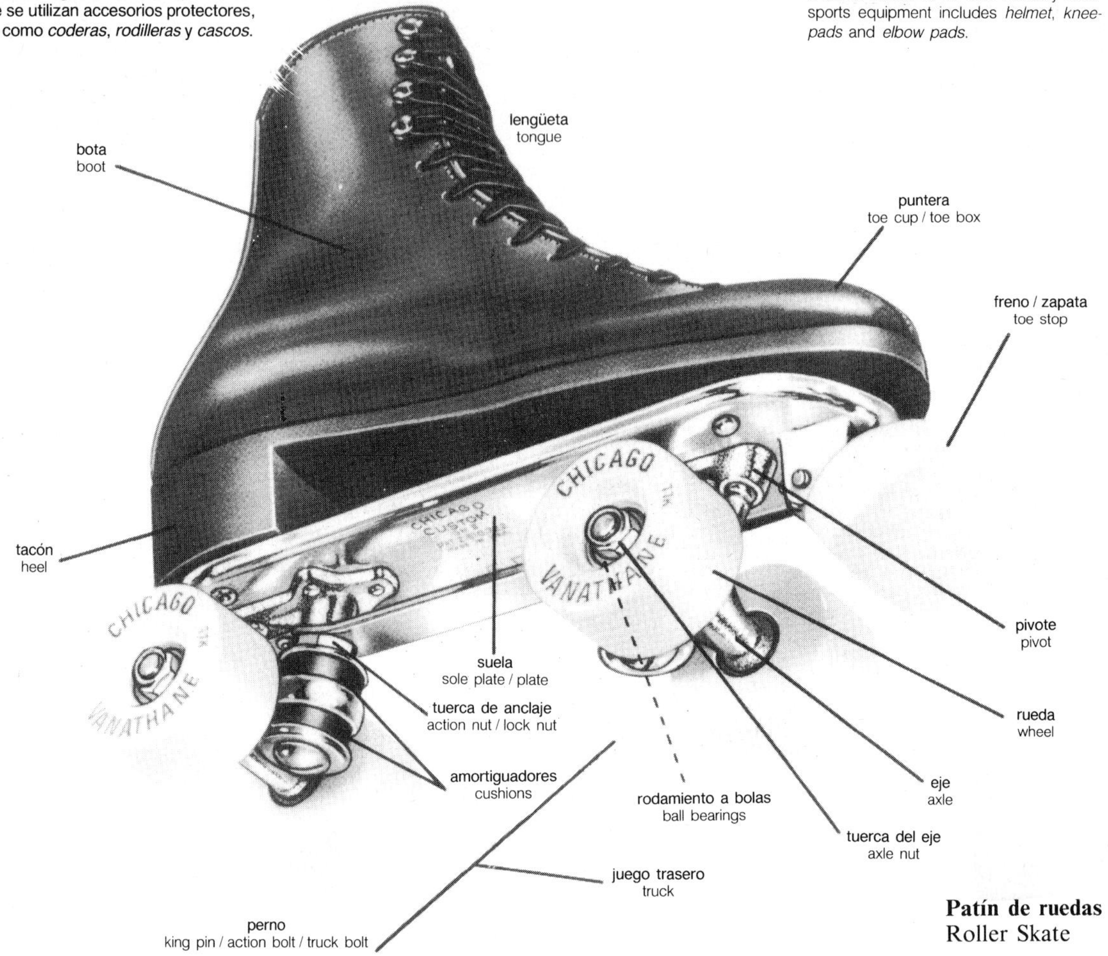

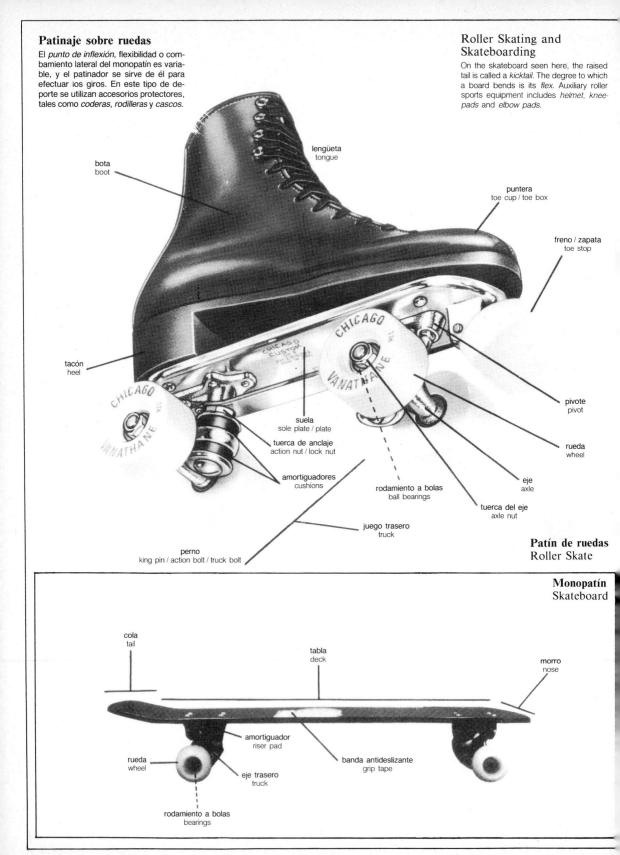

bota
boot
lengüeta
tongue
puntera
toe cup / toe box
freno / zapata
toe stop
tacón
heel
CHICAGO
VANATHANE
CHICAGO
VANATHANE
pivote
pivot
suela
sole plate / plate
tuerca de anclaje
action nut / lock nut
rueda
wheel
amortiguadores
cushions
rodamiento a bolas
ball bearings
eje
axle
tuerca del eje
axle nut
juego trasero
truck
perno
king pin / action bolt / truck bolt

Patín de ruedas
Roller Skate

Monopatín
Skateboard

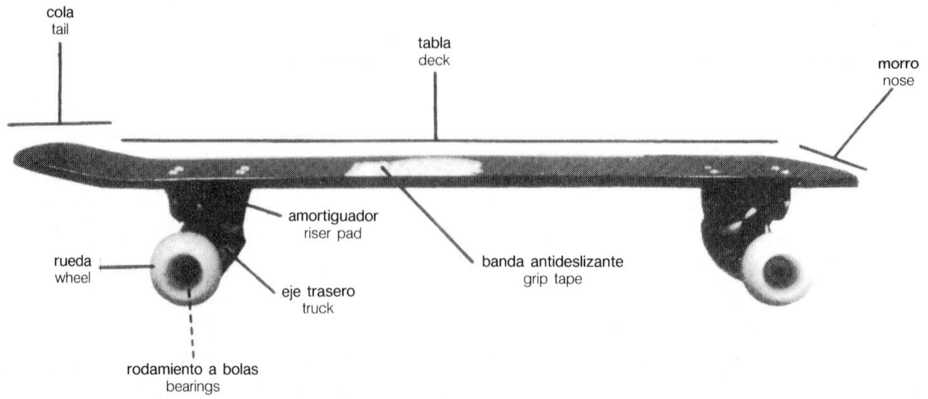

cola
tail
tabla
deck
morro
nose
amortiguador
riser pad
banda antideslizante
grip tape
rueda
wheel
eje trasero
truck
rodamiento a bolas
bearings

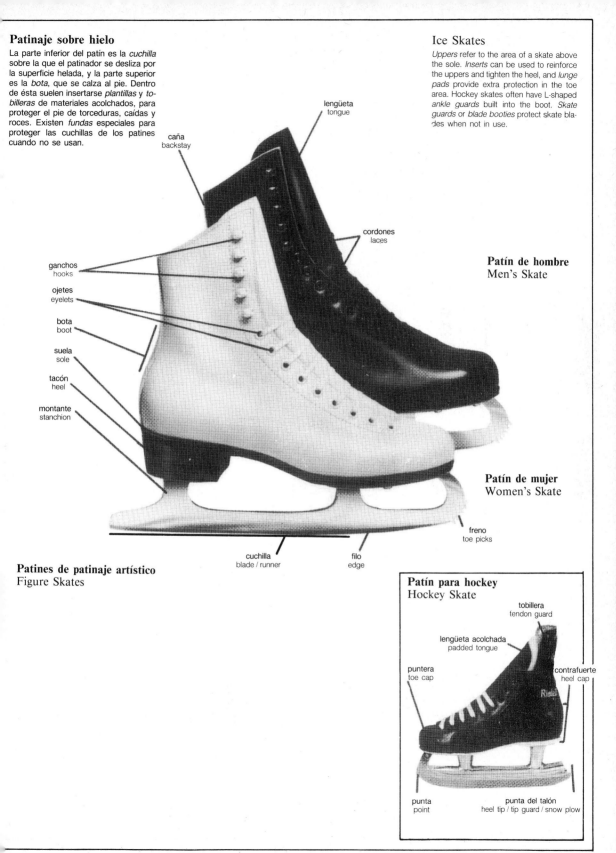

Patinaje sobre hielo

La parte inferior del patín es la *cuchilla* sobre la que el patinador se desliza por la superficie helada, y la parte superior es la *bota*, que se calza al pie. Dentro de ésta suelen insertarse *plantillas* y *tobilleras* de materiales acolchados, para proteger el pie de torceduras, caídas y roces. Existen *fundas* especiales para proteger las cuchillas de los patines cuando no se usan.

Ice Skates

Uppers refer to the area of a skate above the sole. *Inserts* can be used to reinforce the uppers and tighten the heel, and *lunge pads* provide extra protection in the toe area. Hockey skates often have L-shaped *ankle guards* built into the boot. *Skate guards* or *blade booties* protect skate blades when not in use.

lengüeta
tongue
caña
backstay
cordones
laces
ganchos
hooks
ojetes
eyelets
bota
boot
suela
sole
tacón
heel
montante
stanchion
freno
toe picks
cuchilla
blade / runner
filo
edge

Patín de hombre
Men's Skate

Patín de mujer
Women's Skate

Patines de patinaje artístico
Figure Skates

Patín para hockey
Hockey Skate

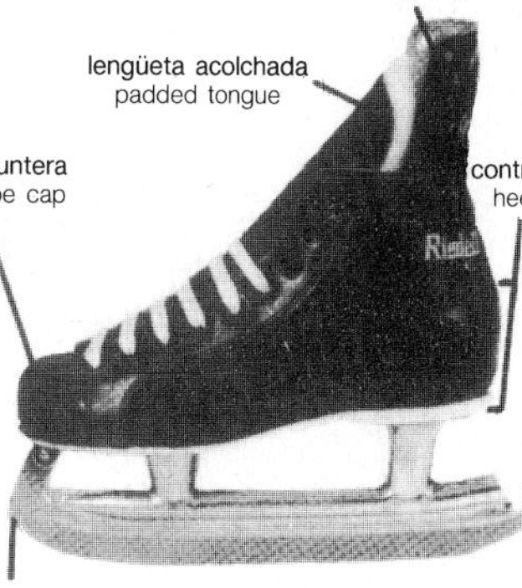
tobillera
tendon guard
lengüeta acolchada
padded tongue
puntera
toe cap
contrafuerte
heel cap
punta
point
punta del talón
heel tip / tip guard / snow plow

Esquí alpino / Descenso

El *surco* o ranura que recorre a lo largo la superficie del esquí que toca la nieve facilita el deslizamiento en línea recta. Los actuales *sistemas de fijación* del esquí a la bota son seguros y fáciles de desprender en caso de emergencia. El *esquí alpino* incluye las especialidades de *descenso* y *slalom*, o descenso con obstáculos. El *esquí nórdico* incluye la modalidad *de fondo* y los saltos.

Alpine Skiing / Downhill Skiing

A shallow *groove* along the bottom of a ski helps the *skier* track in a straight line. *Ski retention devices* include ski brakes, or *ski stops*, and *leashes*. There are four main events in skiing: *jumping*, downhill, *slalom* and cross country. Older bindings include *beartrap* and *safety bindings*.

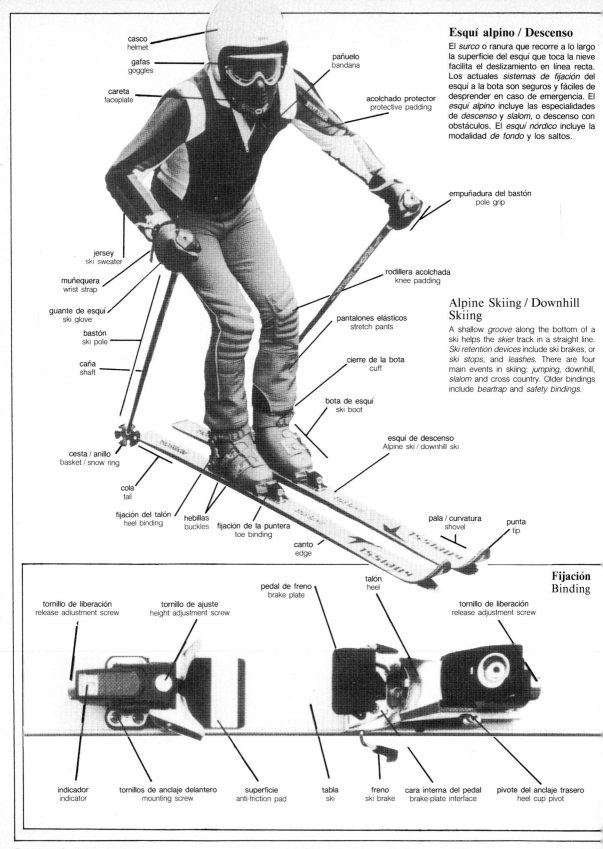

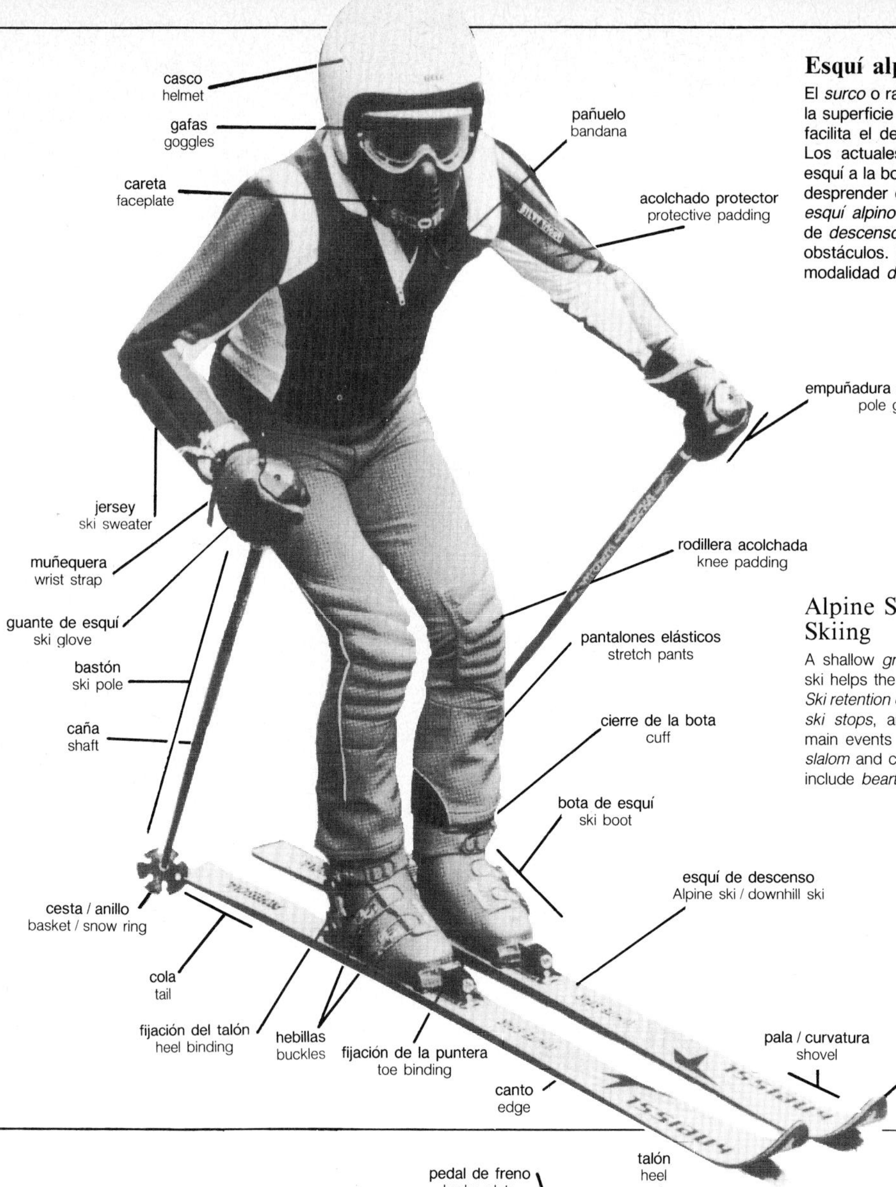
casco
helmet
gafas
goggles
careta
faceplate
pañuelo
bandana
acolchado protector
protective padding
empuñadura del bastón
pole grip
jersey
ski sweater
muñequera
wrist strap
rodillera acolchada
knee padding
guante de esquí
ski glove
bastón
ski pole
pantalones elásticos
stretch pants
caña
shaft
cierre de la bota
cuff
bota de esquí
ski boot
esquí de descenso
Alpine ski / downhill ski
cesta / anillo
basket / snow ring
cola
tail
fijación del talón
heel binding
hebillas
buckles
fijación de la puntera
toe binding
pala / curvatura
shovel
punta
tip
canto
edge

Fijación
Binding

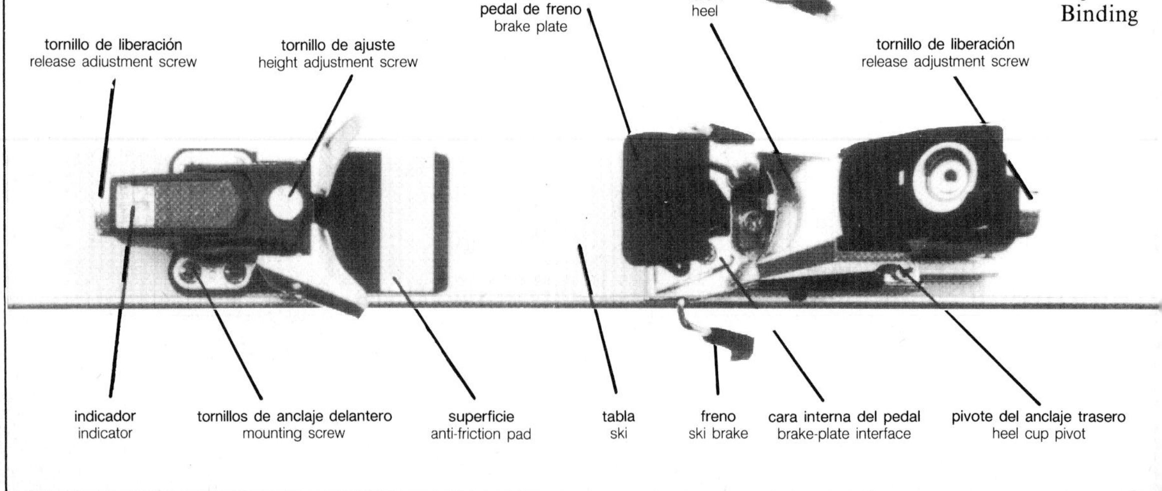
tornillo de liberación
release adjustment screw
tornillo de ajuste
height adjustment screw
pedal de freno
brake plate
talón
heel
tornillo de liberación
release adjustment screw
indicador
indicator
tornillos de anclaje delantero
mounting screw
superficie
anti-friction pad
tabla
ski
freno
ski brake
cara interna del pedal
brake-plate interface
pivote del anclaje trasero
heel cup pivot

Esquí de fondo

Dado que el esquí de fondo obliga a subir cuestas, además de deslizarse en la bajada, los practicantes de este deporte llevan los esquís equipados con *grapas* o *uñas*. Las *raquetas*, que permiten caminar sobre la nieve sin hundirse en ella, son de muy diversos tipos y tamaños.

Cross-Country Skiing / Ski Touring

Since cross-country skiing includes climbing slopes as well as sliding down them, *ski tourers* apply *climbing waxes* to their skis. Snowshoes are made in two basic styles: the long *trail shoe*, seen here, and the broader *bearpaw shoe*, which usually has a rounded back.

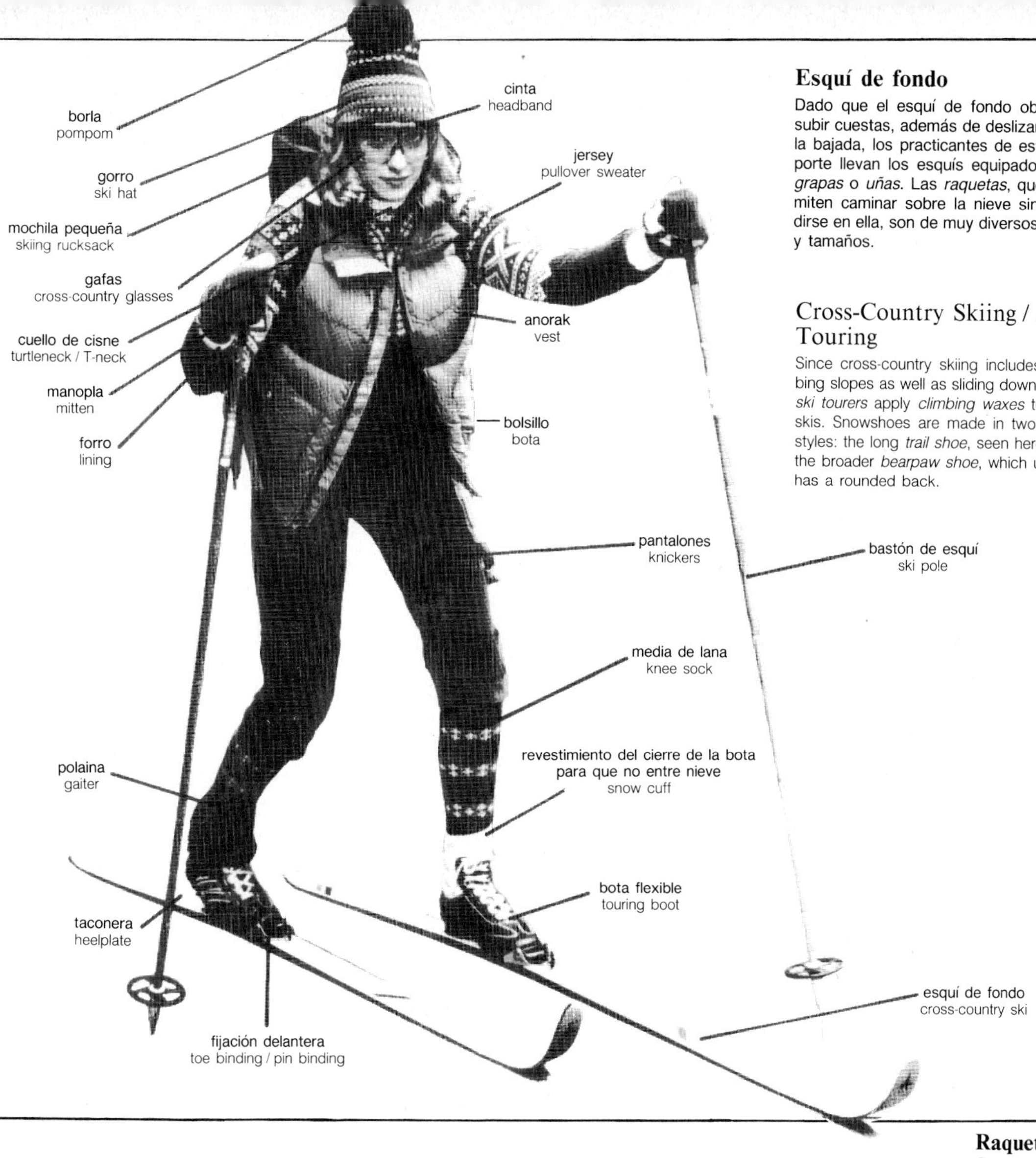
borla
pompom
cinta
headband
gorro
ski hat
jersey
pullover sweater
mochila pequeña
skiing rucksack
gafas
cross-country glasses
anorak
vest
cuello de cisne
turtleneck / T-neck
manopla
mitten
forro
lining
bolsillo
bota
pantalones
knickers
bastón de esquí
ski pole
media de lana
knee sock
polaina
gaiter
revestimiento del cierre de la bota para que no entre nieve
snow cuff
bota flexible
touring boot
taconera
heelplate
esquí de fondo
cross-country ski
fijación delantera
toe binding / pin binding

Raqueta
Snowshoe

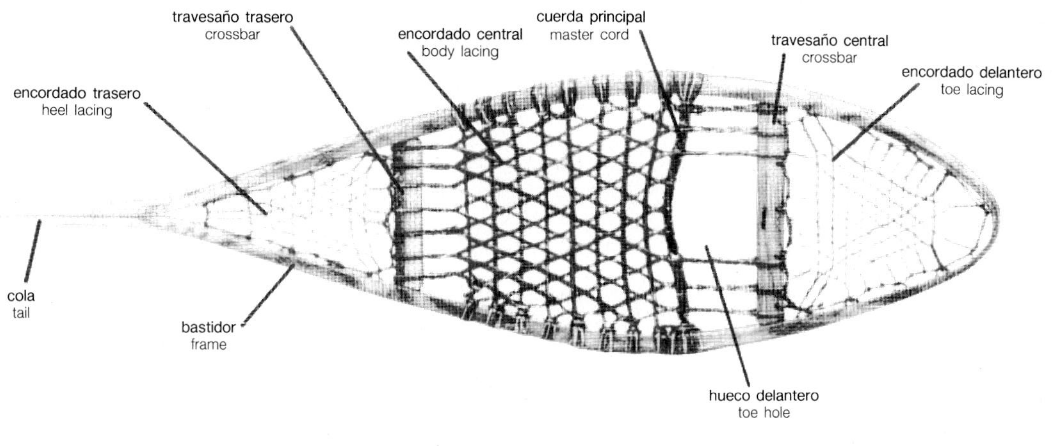
travesaño trasero
crossbar
cuerda principal
master cord
encordado central
body lacing
travesaño central
crossbar
encordado delantero
toe lacing
encordado trasero
heel lacing
cola
tail
bastidor
frame
hueco delantero
toe hole

Trineo y deslizador

Los *bobsleds*, deslizadores especiales de competición, son tripulados por equipos de dos o cuatro personas. Los pequeños trineos de competición son dirigidos por sus ocupantes mediante los pies y cuerdas de mano.

Sledding and Tobogganing

Bobsleds, driven by two-or four-man crews, have a racing *cowl* and toothed metal *brake*. Small racing sleds called *luges* are controlled by reclining drivers using their feet and *hand ropes*.

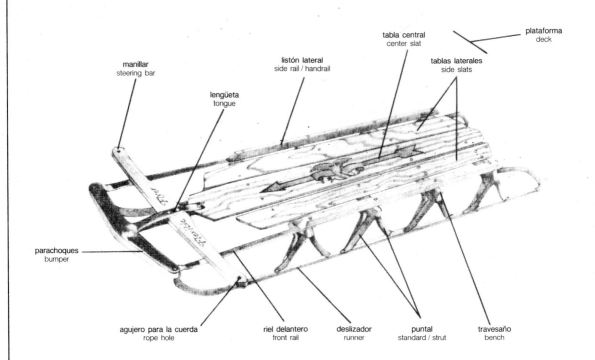

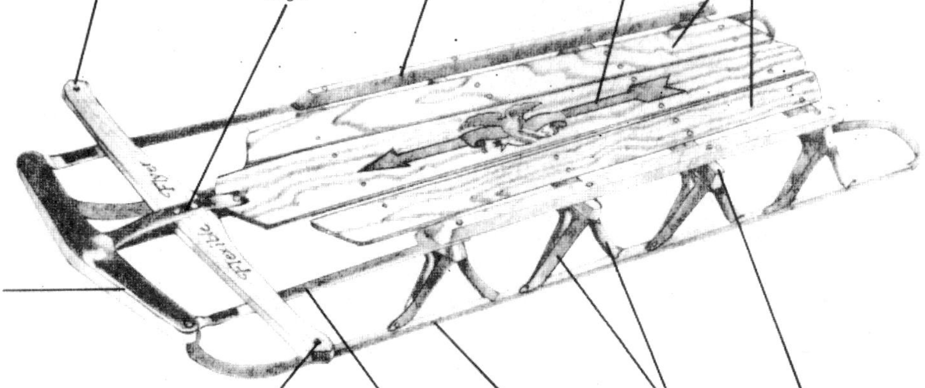
tabla central
center slat
plataforma
deck
manillar
steering bar
listón lateral
side rail / handrail
tablas laterales
side slats
lengüeta
tongue
parachoques
bumper
agujero para la cuerda
rope hole
riel delantero
front rail
deslizador
runner
puntal
standard / strut
travesaño
bench

Trineo
Sled

Deslizador
Toboggan

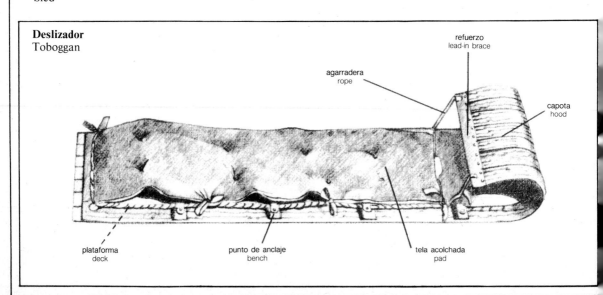

refuerzo
lead-in brace
agarradera
rope
capota
hood
plataforma
deck
punto de anclaje
bench
tela acolchada
pad

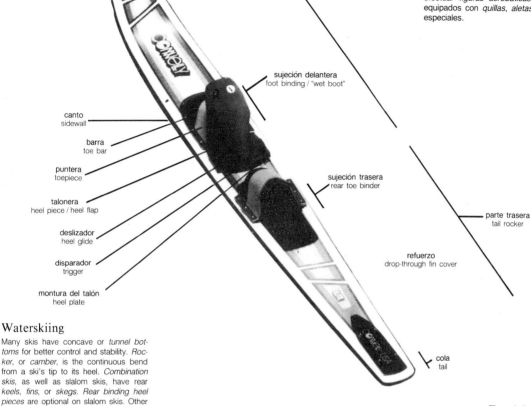

Esquí acuático

Muchos esquís llevan un pequeño *surco* o ranura en la parte inferior, que contribuye al equilibrio y a la estabilidad, incluso al efectuar *giros* y *cruces* a altas velocidades. Los esquís de *slalom* pueden llevar o no la chancleta de fijación del pie trasero, y los que se usan para efectuar *figuras acrobáticas* suelen ir equipados con *quillas*, *aletas* y *surcos* especiales.

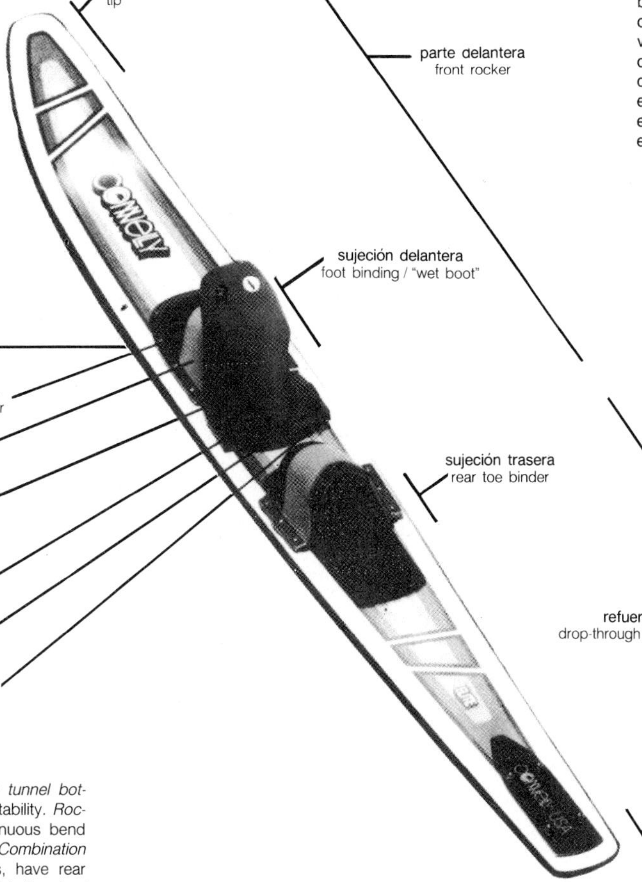

punta
tip
parte delantera
front rocker
sujeción delantera
foot binding / "wet boot"
canto
sidewall
barra
toe bar
puntera
toepiece
talonera
heel piece / heel flap
deslizador
heel glide
disparador
trigger
montura del talón
heel plate
sujeción trasera
rear toe binder
parte trasera
tail rocker
refuerzo
drop-through fin cover
cola
tail

Waterskiing

Many skis have concave or *tunnel bottoms* for better control and stability. *Rocker*, or *camber*, is the continuous bend from a ski's tip to its heel. *Combination skis*, as well as slalom skis, have rear *keels*, *fins*, or *skegs*. *Rear binding heel pieces* are optional on slalom skis. Other ski types include *jumpers* and freestyle *trick skis*

Esquí de slalom
Slalom Ski

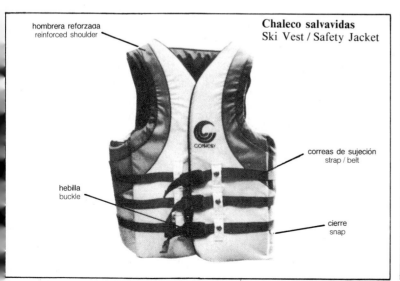

Chaleco salvavidas
Ski Vest / Safety Jacket

hombrera reforzada
reinforced shoulder
correas de sujeción
strap / belt
hebilla
buckle
cierre
snap

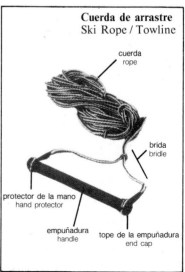

Cuerda de arrastre
Ski Rope / Towline

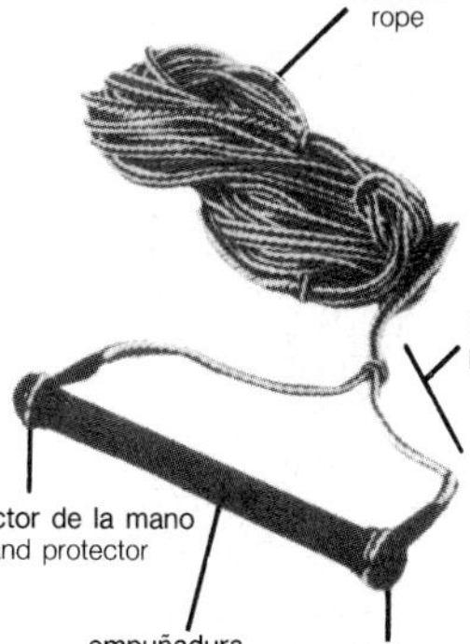

cuerda
rope
brida
bridle
protector de la mano
hand protector
empuñadura
handle
tope de la empuñadura
end cap

Surf

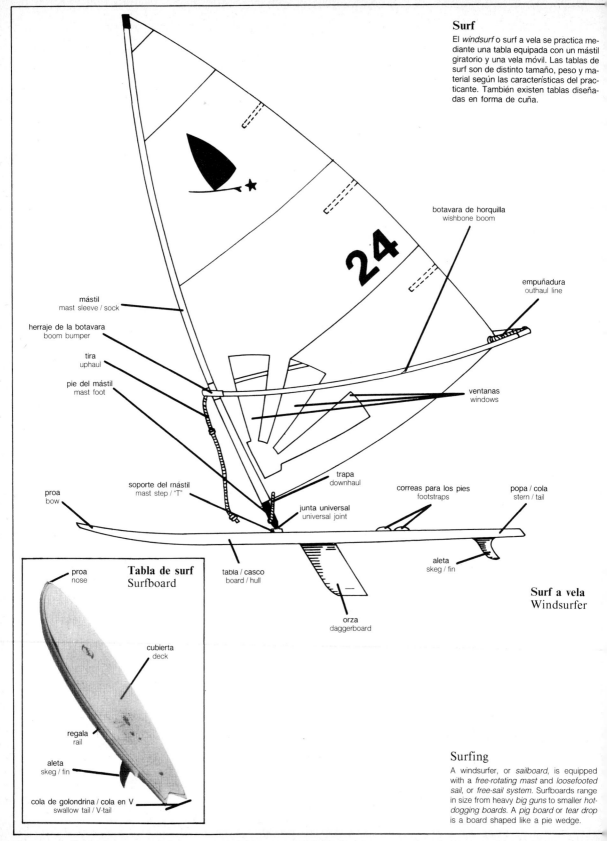

El *windsurf* o surf a vela se practica mediante una tabla equipada con un mástil giratorio y una vela móvil. Las tablas de surf son de distinto tamaño, peso y material según las características del practicante. También existen tablas diseñadas en forma de cuña.

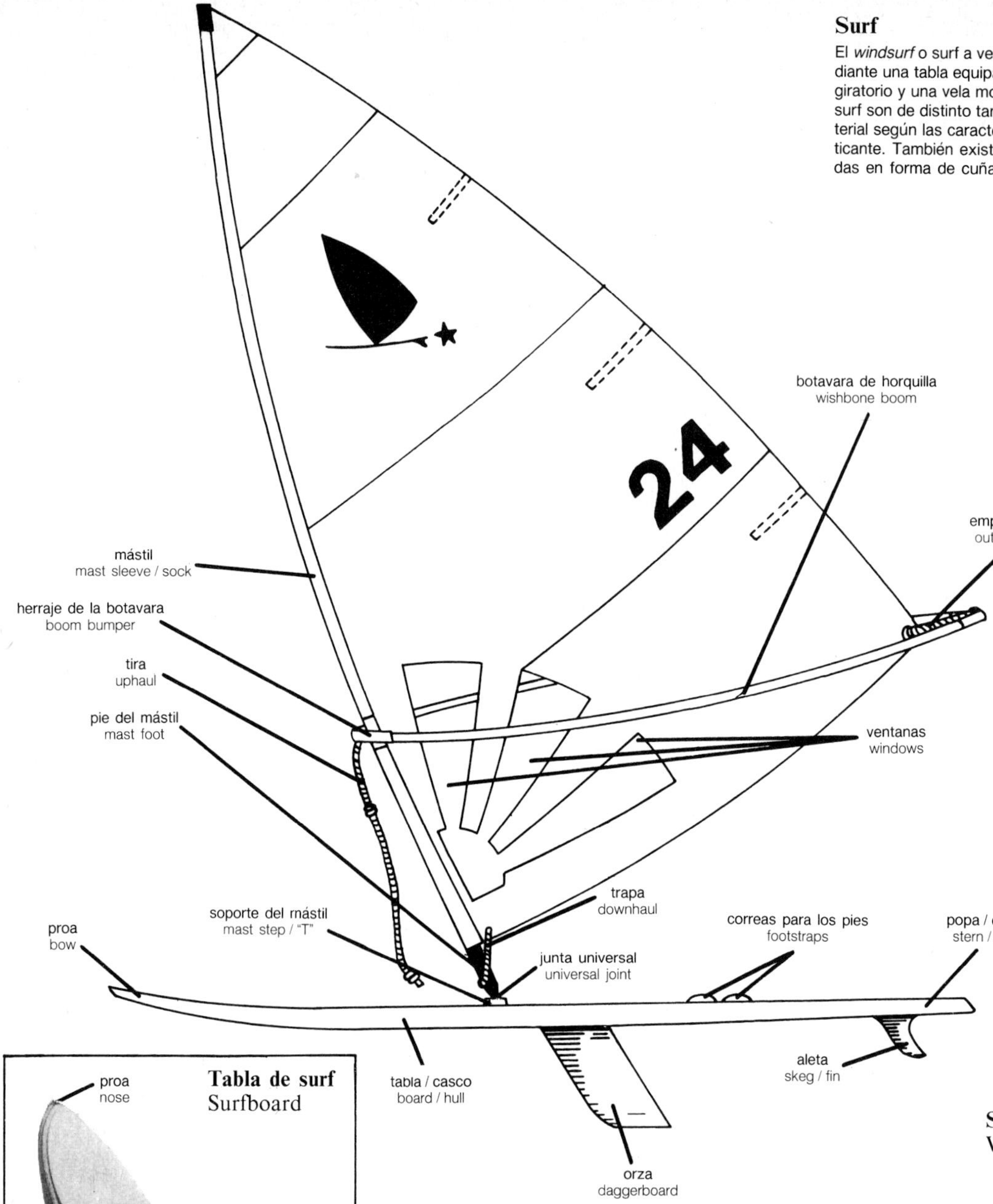
24
botavara de horquilla
wishbone boom
empuñadura
outhaul line
mástil
mast sleeve / sock
herraje de la botavara
boom bumper
tira
uphaul
pie del mástil
mast foot
ventanas
windows
trapa
downhaul
soporte del mástil
mast step / "T"
proa
bow
junta universal
universal joint
correas para los pies
footstraps
popa / cola
stern / tail
tabla / casco
board / hull
aleta
skeg / fin
orza
daggerboard

Surf a vela
Windsurfer

Tabla de surf
Surfboard

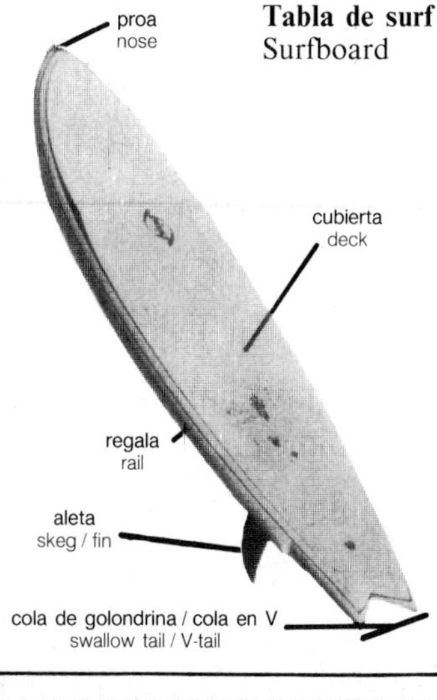
proa
nose
cubierta
deck
regala
rail
aleta
skeg / fin
cola de golondrina / cola en V
swallow tail / V-tail

Surfing

A windsurfer, or *sailboard*, is equipped with a *free-rotating mast* and *loosefooted sail*, or *free-sail system.* Surfboards range in size from heavy *big guns* to smaller *hot-dogging boards.* A *pig board* or *tear drop* is a board shaped like a pie wedge.

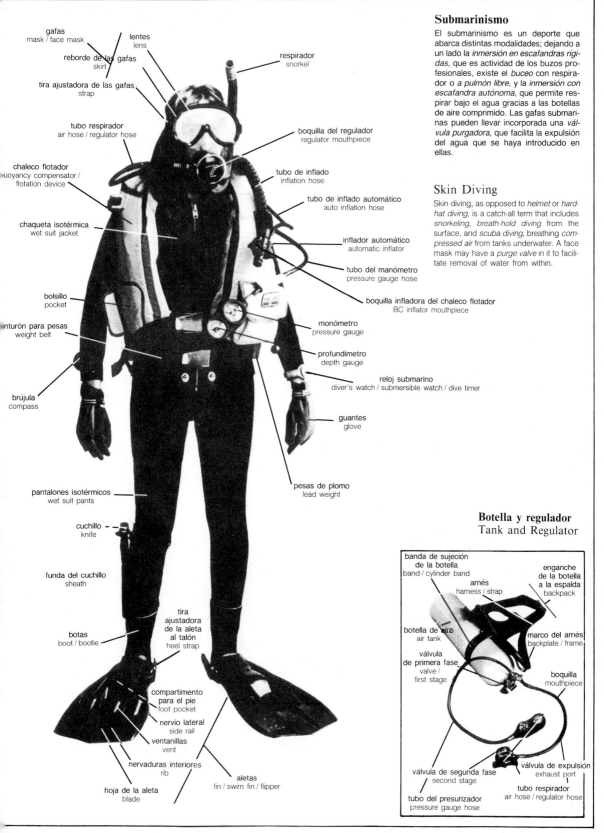

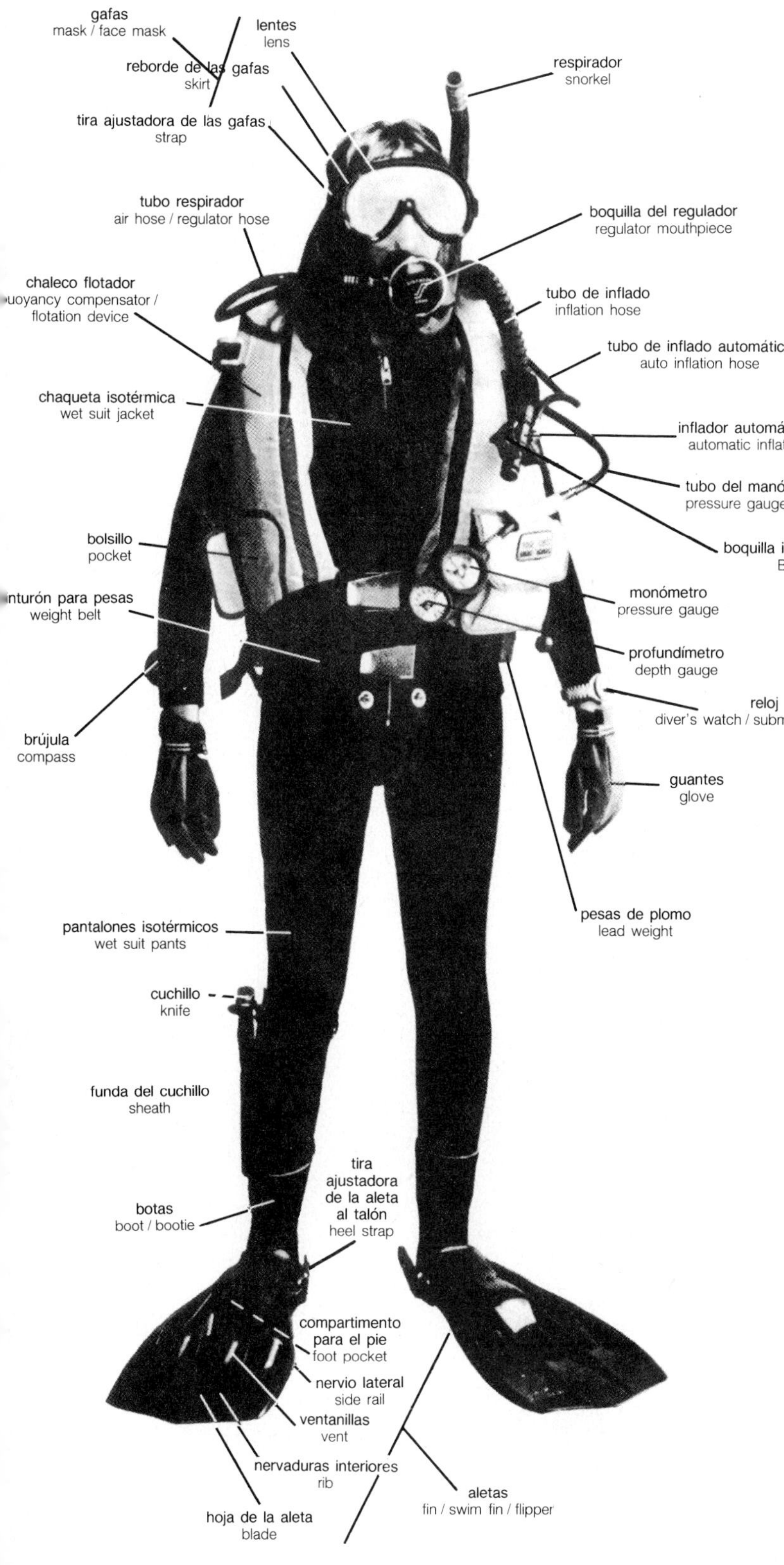
gafas
mask / face mask
lentes
lens
reborde de las gafas
skirt
tira ajustadora de las gafas
strap
respirador
snorkel
tubo respirador
air hose / regulator hose
boquilla del regulador
regulator mouthpiece
chaleco flotador
uoyancy compensator / flotation device
tubo de inflado
inflation hose
tubo de inflado automático
auto inflation hose
chaqueta isotérmica
wet suit jacket
inflador automático
automatic inflator
tubo del manómetro
pressure gauge hose
bolsillo
pocket
boquilla infladora del chaleco flotador
BC inflator mouthpiece
inturón para pesas
weight belt
monómetro
pressure gauge
profundímetro
depth gauge
reloj submarino
diver's watch / submersible watch / dive timer
brújula
compass
guantes
glove
pesas de plomo
lead weight
pantalones isotérmicos
wet suit pants
cuchillo
knife
funda del cuchillo
sheath
tira ajustadora de la aleta al talón
heel strap
botas
boot / bootie
compartimento para el pie
foot pocket
nervio lateral
side rail
ventanillas
vent
nervaduras interiores
rib
aletas
fin / swim fin / flipper
hoja de la aleta
blade

Submarinismo

El submarinismo es un deporte que abarca distintas modalidades; dejando a un lado la *inmersión en escafandras rígidas*, que es actividad de los buzos profesionales, existe el *buceo* con respirador o *a pulmón libre*, y la *inmersión con escafandra autónoma*, que permite respirar bajo el agua gracias a las botellas de aire comprimido. Las gafas submarinas pueden llevar incorporada una *válvula purgadora*, que facilita la expulsión del agua que se haya introducido en ellas.

Skin Diving

Skin diving, as opposed to *helmet* or *hard-hat diving*, is a catch-all term that includes *snorkeling*, *breath-hold diving* from the surface, and *scuba diving*, breathing *compressed air* from tanks underwater. A face mask may have a *purge valve* in it to facilitate removal of water from within.

Botella y regulador
Tank and Regulator

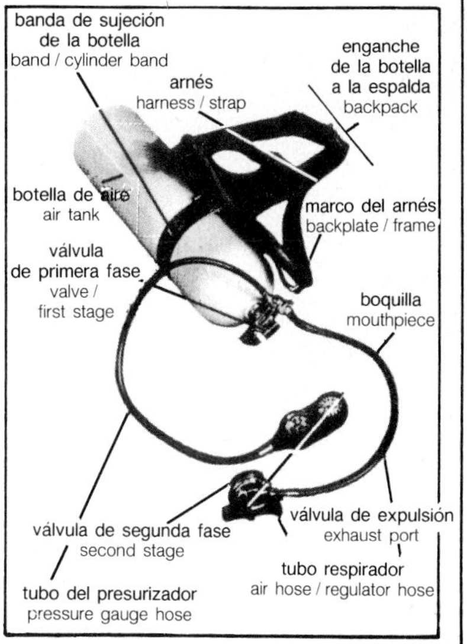
banda de sujeción de la botella
band / cylinder band
arnés
harness / strap
enganche de la botella a la espalda
backpack
botella de aire
air tank
marco del arnés
backplate / frame
válvula de primera fase
valve / first stage
boquilla
mouthpiece
válvula de segunda fase
second stage
válvula de expulsión
exhaust port
tubo respirador
air hose / regulator hose
tubo del presurizador
pressure gauge hose

Globo aerostático

El globo se eleva cuando se arroja el *lastre* que suele consistir en sacos de arena. De la parte inferior de la barquilla pende la *cuerda freno* que proporciona estabilidad durante el vuelo y amortigua el aterrizaje. Para desinflar el globo rápidamente se tira de una cuerda que abre la *banda de desgarre* de la cubierta.

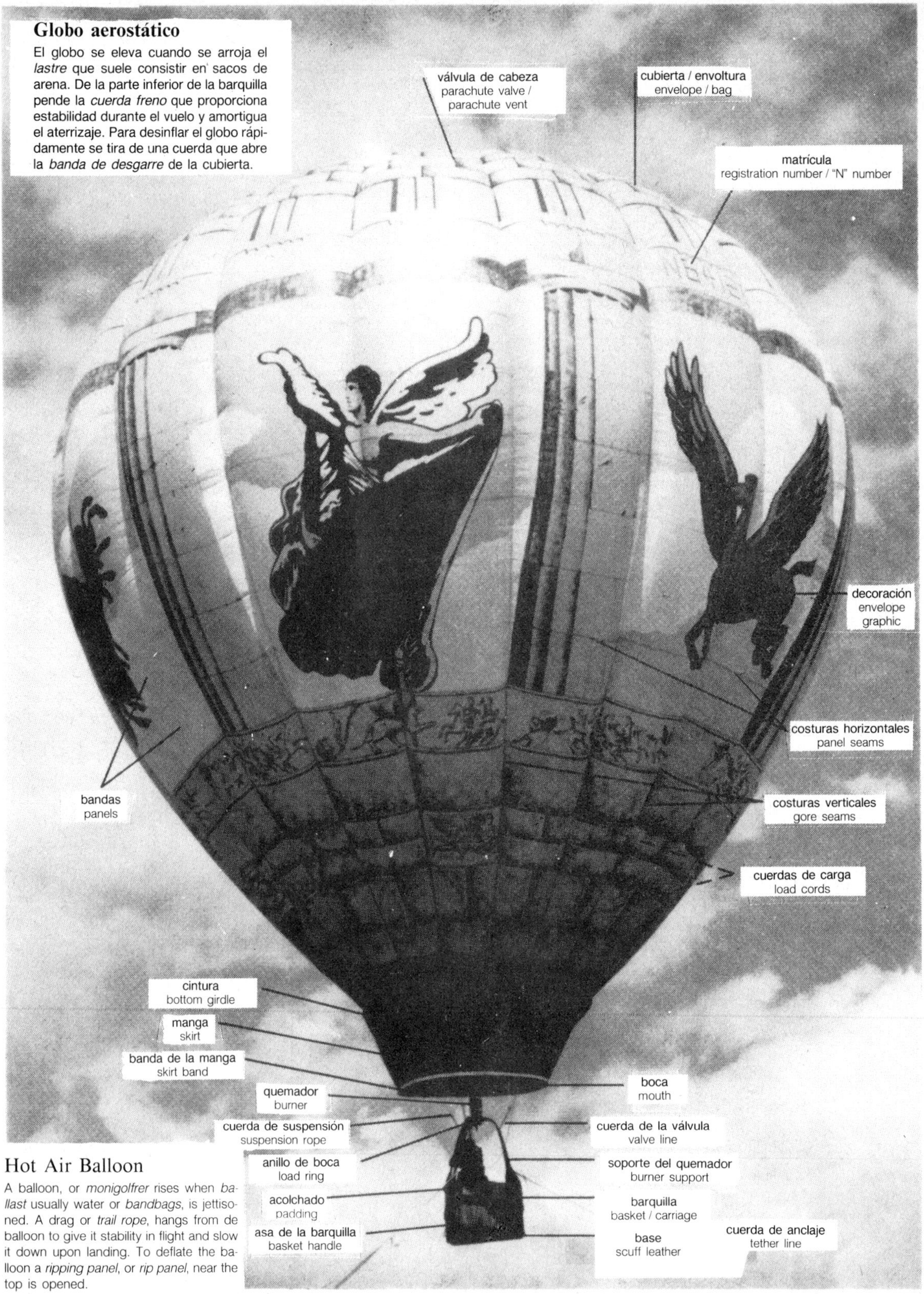
válvula de cabeza
parachute valve / parachute vent
cubierta / envoltura
envelope / bag
matrícula
registration number / "N" number
decoración
envelope graphic
costuras horizontales
panel seams
bandas
panels
costuras verticales
gore seams
cuerdas de carga
load cords
cintura
bottom girdle
manga
skirt
banda de la manga
skirt band
quemador
burner
boca
mouth
cuerda de suspensión
suspension rope
cuerda de la válvula
valve line
anillo de boca
load ring
soporte del quemador
burner support
acolchado
padding
barquilla
basket / carriage
asa de la barquilla
basket handle
base
scuff leather
cuerda de anclaje
tether line

Hot Air Balloon

A balloon, or *monigolfrer* rises when *ballast* usually water or *bandbags*, is jettisoned. A drag or *trail rope*, hangs from de balloon to give it stability in flight and slow it down upon landing. To deflate the balloon a *ripping panel*, or *rip panel*, near the top is opened.

Paracaídas y planeador

A menos que el paracaídas sea de apertura automática, el *paracaidista* puede bajar en *caída libre* hasta que decida tirar del *cordón de apertura*; éste pone en funcionamiento el mecanismo que despliega el casquete de tela del paracaídas.

Parachuting and Hang Gliding

Unless attached to a *static line*, which automatically opens a *chute* once a *jumper* has cleared the *jump plane*, a *sky diver* can *free-fall* before pulling his *rip cord*.

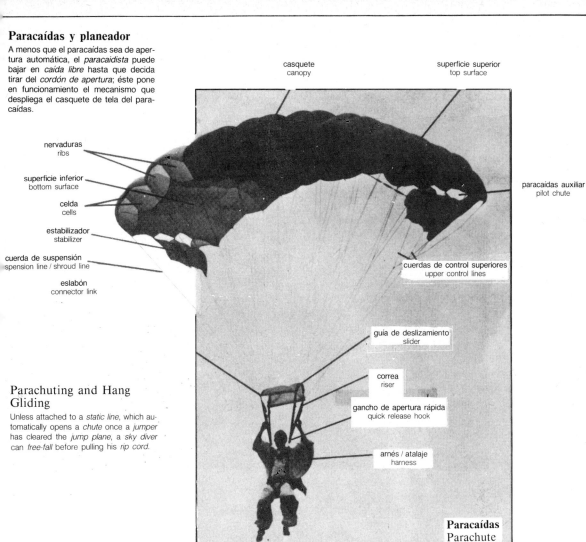

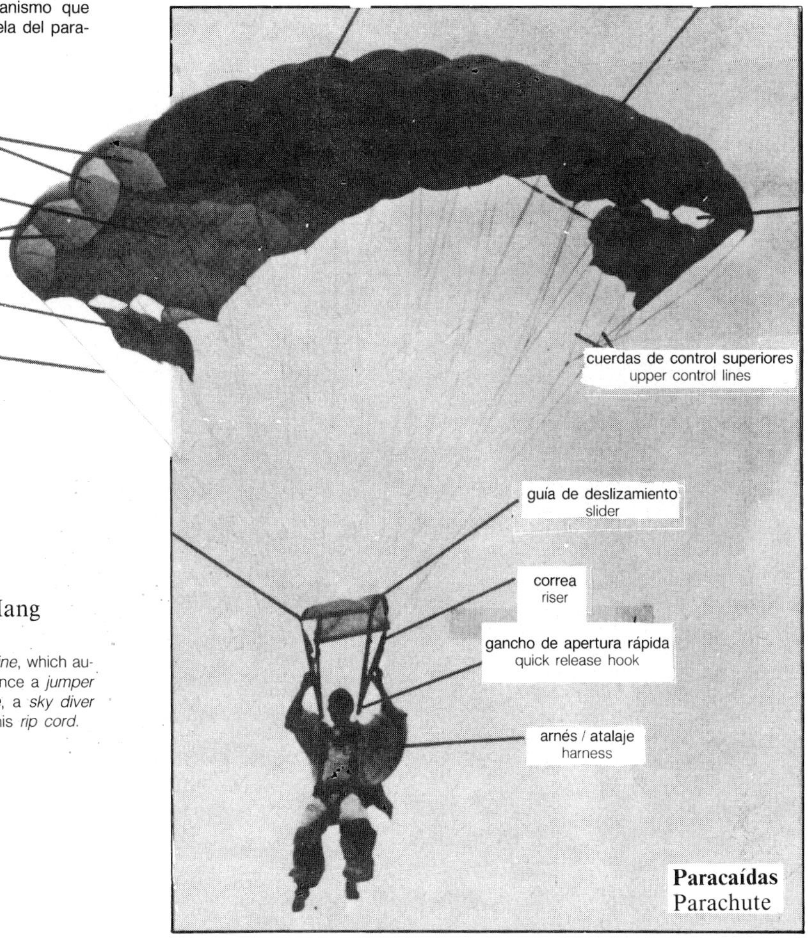
casquete
canopy
superficie superior
top surface
nervaduras
ribs
superficie inferior
bottom surface
celda
cells
estabilizador
stabilizer
cuerda de suspensión
spension line / shroud line
eslabón
connector link
paracaídas auxiliar
pilot chute
cuerdas de control superiores
upper control lines
guía de deslizamiento
slider
correa
riser
gancho de apertura rápida
quick release hook
arnés / atalaje
harness

Paracaídas
Parachute

Ala delta
Hang Glider

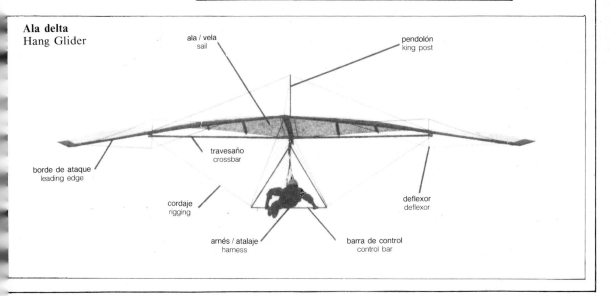

ala / vela
sail
pendolón
king post
travesaño
crossbar
borde de ataque
leading edge
cordaje
rigging
deflexor
deflexor
arnés / atalaje
harness
barra de control
control bar

Alpinismo

Los montañeros y alpinistas usan banderolas, cinchas y cinturones de nylón en sus arneses. Los mosquetones, ovales o semicirculares, tienen dispositivos de resorte para enganchar las diversas piezas del equipo de escalada. Al revés de las clavijas, que se introducen a martillazos en las grietas de las rocas, las tuercas hacen cuña y se extraen con facilidad. Hay tornillos para el hielo, que se introducen a rosca y tienen un anillo en la cabeza.

Mountain Climbing

Mountaineers use nylon webbing for *shoulder slings* and *swami belts*. Carabiners, either oval-or D-shaped, have spring-loaded *gates* for connecting various pieces of climbing equipment. Unlike *pitons*, which are hammered into cracks, nuts are wedged into cracks and easily removed. *Icescrews*, ring-topped threaded tubes, are actually screwed into the ice for protection.

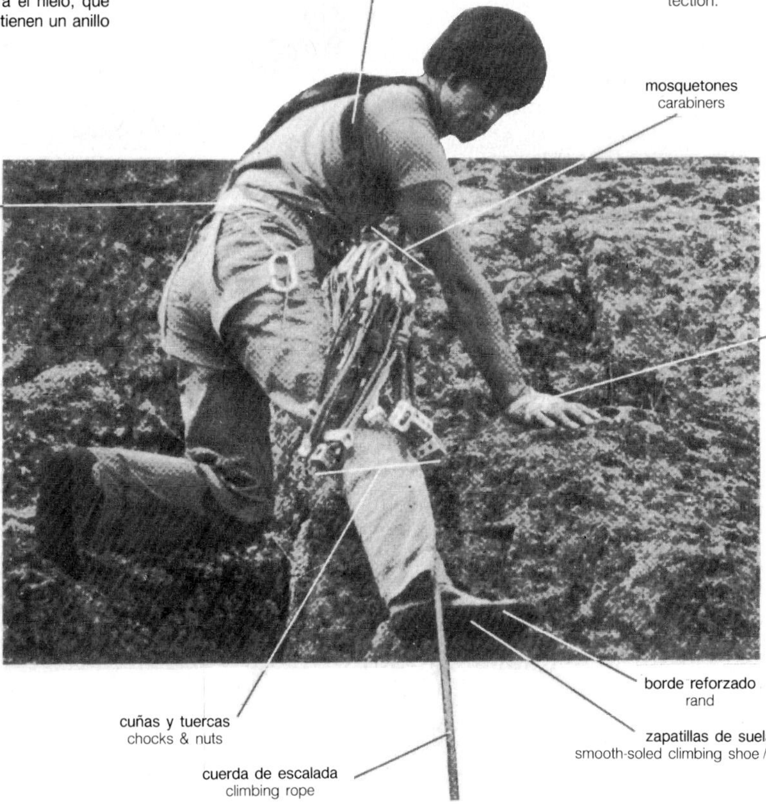
bandolera
hardware sling
mosquetones
carabiners
arnés de escalada
climbing harness
esparadrapo
tape
borde reforzado
rand
zapatillas de suela lisa
smooth-soled climbing shoe / klettershoe / PA
cuñas y tuercas
chocks & nuts
cuerda de escalada
climbing rope

Bota para hielo
Ice Climbing Boot

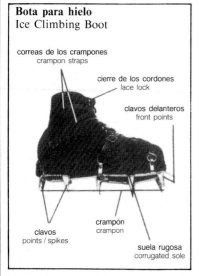

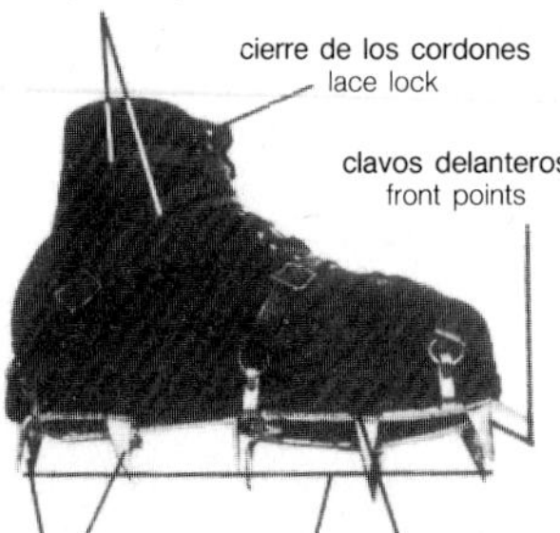
correas de los crampones
crampon straps
cierre de los cordones
lace lock
clavos delanteros
front points
clavos
points / spikes
crampón
crampon
suela rugosa
corrugated sole

Equipo de escalada
Ice Tools

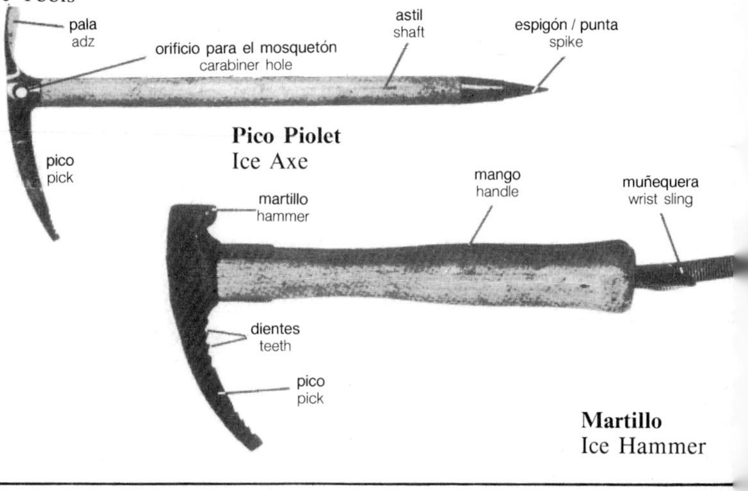
pala
adz
orificio para el mosquetón
carabiner hole
astil
shaft
espigón / punta
spike
Pico Piolet
Ice Axe
pico
pick
mango
handle
muñequera
wrist sling
martillo
hammer
dientes
teeth
pico
pick
Martillo
Ice Hammer

Equipo de montar

La silla de montar se construye sobre un armazón rígido, el *fuste*; entre la silla y la *cabalgadura* se colocan los *bastes*, llamados también *mantilla*, *avío* o *carona*. Del arzón penden las bolsas o *cantinas*.

Riding Equipment

A saddle is built on a frame called a *saddle tree*. A *saddle blanket* or *saddle pad* is placed between horse and saddle. Metal stirrups, or *stirrup irons*, are attached to the saddle by *stirrup leathers*. *Saddlebags* fit over the back of the saddle.

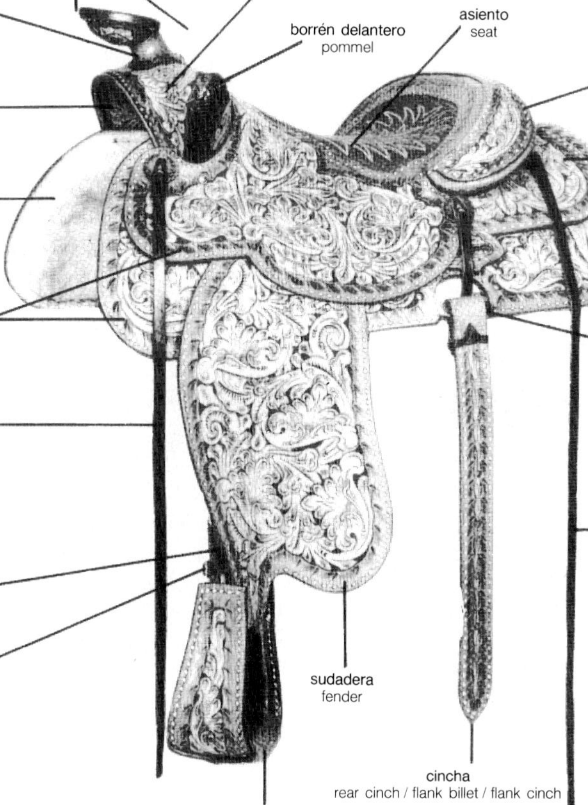

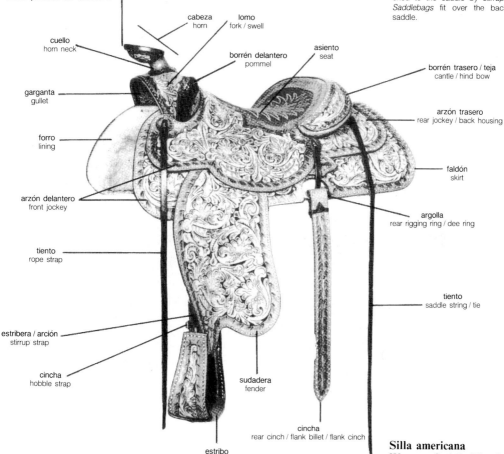

perilla
horn cap
cabeza
horn
lomo
fork / swell
cuello
horn neck
borrén delantero
pommel
asiento
seat
borrén trasero / teja
cantle / hind bow
garganta
gullet
arzón trasero
rear jockey / back housing
forro
lining
faldón
skirt
arzón delantero
front jockey
argolla
rear rigging ring / dee ring
tiento
rope strap
tiento
saddle string / tie
estribera / arción
stirrup strap
cincha
hobble strap
sudadera
fender
cincha
rear cinch / flank billet / flank cinch
estribo
stirrup

Silla americana
Western Saddle / Stock Saddle

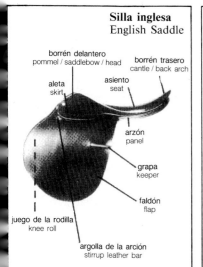

Silla inglesa
English Saddle

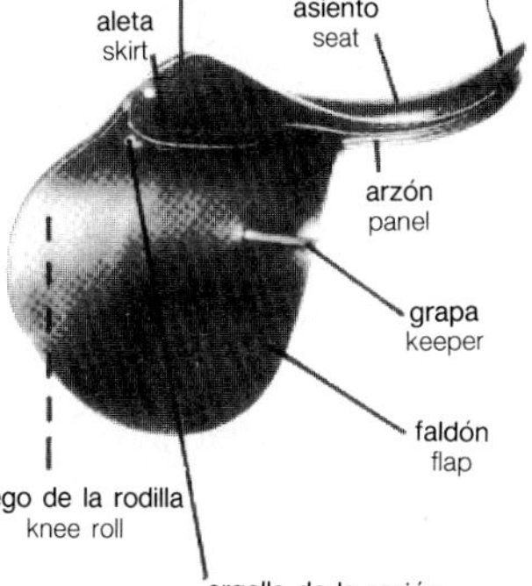

borrén delantero
pommel / saddlebow / head
borrén trasero
cantle / back arch
asiento
seat
aleta
skirt
arzón
panel
grapa
keeper
faldón
flap
juego de la rodilla
knee roll
argolla de la arción
stirrup leather bar

Estribo
Stirrup

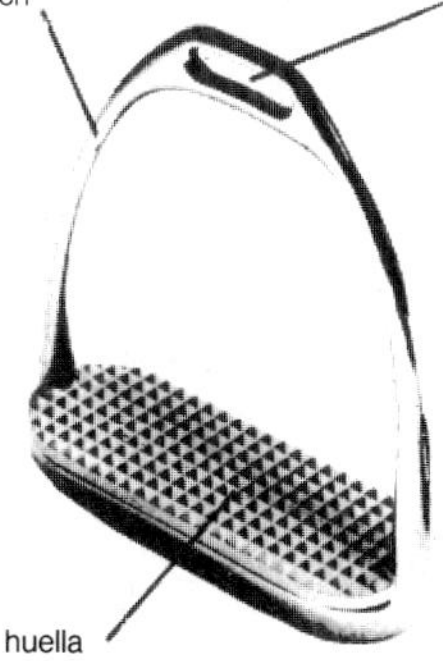

rama
branch
ojo
eye
huella
tread / pad

Espuela
Spur

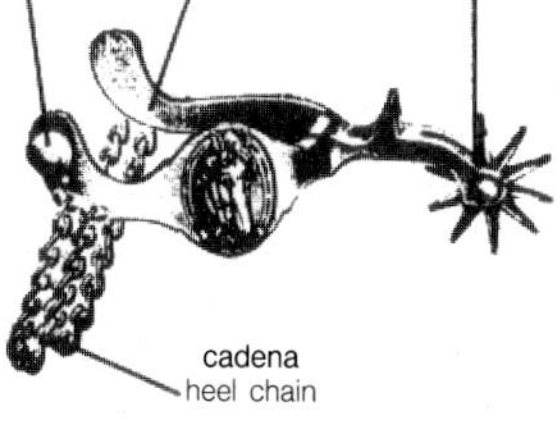

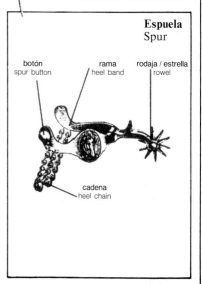

botón
spur button
rama
heel band
rodaja / estrella
rowel
cadena
heel chain

Las carreras

Los elementos que se emplean para montar un caballo de carreras se llaman equipo de *monta*. Los *pura sangre* parten desde una *salida fija* mientras que los trotones parten de una *puerta móvil*. La posición más codificada en la salida de una carrera es la salida número uno, la más próxima a la *barandilla*. Los apostantes escogen los caballos para que acaben primero, segundo o tercero o *ganen*, se coloquen o muestren. Acertar las tres posiciones de honor en su orden correcto recibe el nombre de *triple*.

Flat Racing

The equipment used on a racehorse is called the *tack*. *Thoroughbreds* start from a fixed *starting gate*, while harness racers start from a carpulled *moving gate*. The most desirable *post position* in a race is gate number one, the *pole position* closest to the *rail*. Bettors pick horses to finish first, second and third, or *win*, *place* and *show*. Picking all three finishers in the right order is called a *trifecta*.

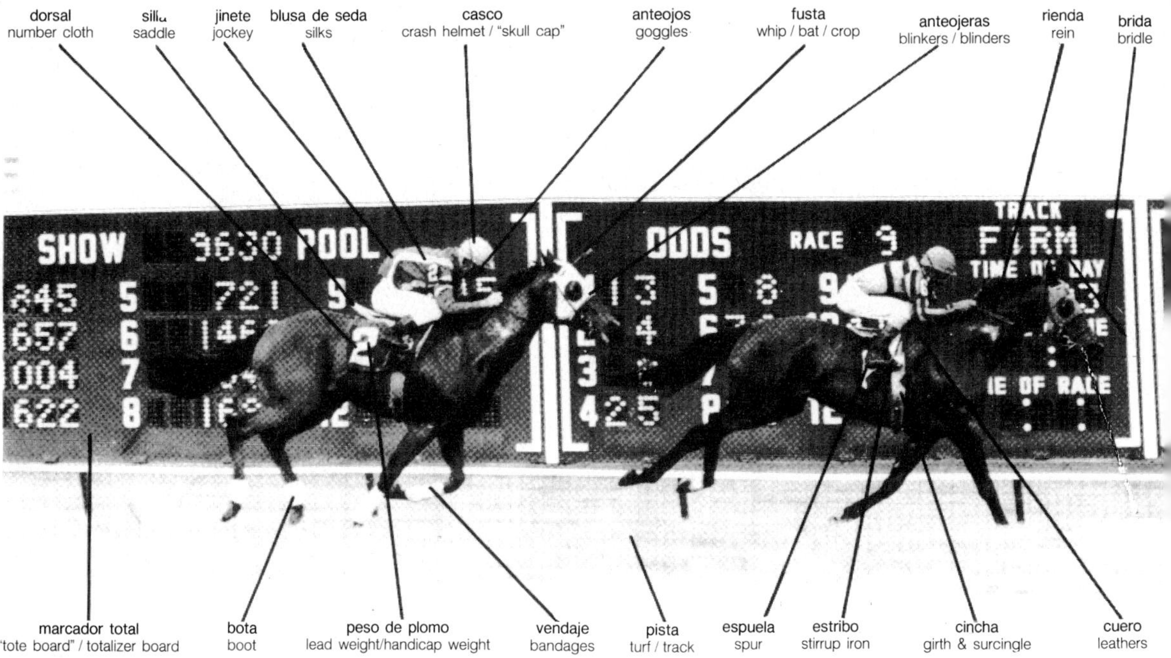

dorsal
number cloth
silla
saddle
jinete
jockey
blusa de seda
silks
casco
crash helmet / "skull cap"
anteojos
goggles
fusta
whip / bat / crop
anteojeras
blinkers / blinders
rienda
rein
brida
bridle
SHOW 9630 POOL
ODDS RACE 9
TRACK FARM
marcador total
"tote board" / totalizer board
bota
boot
peso de plomo
lead weight/handicap weight
vendaje
bandages
pista
turf / track
espuela
spur
estribo
stirrup iron
cincha
girth & surcingle
cuero
leathers

Entrada de las carreras
Racing Program Entry

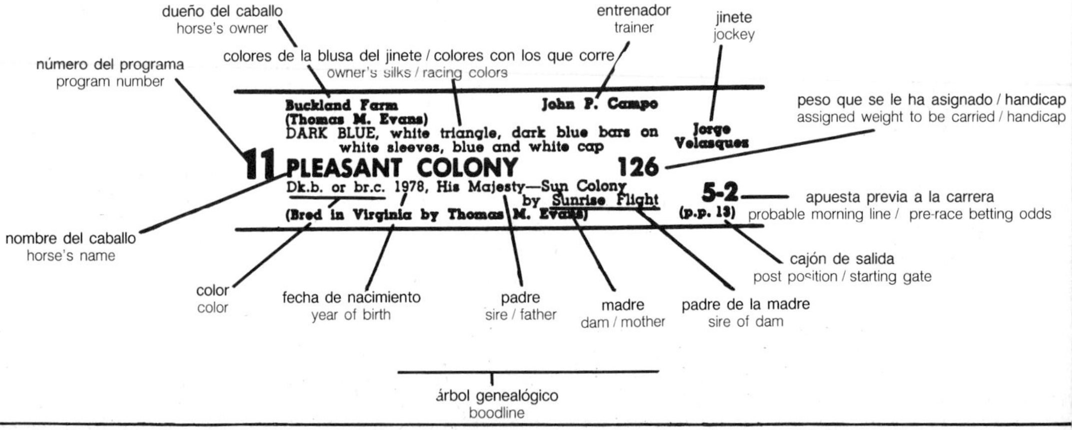

dueño del caballo
horse's owner
entrenador
trainer
jinete
jockey
número del programa
program number
colores de la blusa del jinete / colores con los que corre
owner's silks / racing colors
Buckland Farm
(Thomas M. Evans)
DARK BLUE, white triangle, dark blue bars on white sleeves, blue and white cap
John P. Campo
Jorge Velasquez
11 PLEASANT COLONY 126
Dk.b. or br.c. 1978, His Majesty—Sun Colony by Sunrise Flight
(Bred in Virginia by Thomas M. Evans)
5-2
(p.p. 13)
peso que se le ha asignado / handicap
assigned weight to be carried / handicap
apuesta previa a la carrera
probable morning line / pre-race betting odds
nombre del caballo
horse's name
cajón de salida
post position / starting gate
color
color
fecha de nacimiento
year of birth
padre
sire / father
madre
dam / mother
padre de la madre
sire of dam
árbol genealógico
boodline

Carreras de calesines

En este tipo de carreras los caballos, *atalajados* con *arnés*, pueden ir al *trote* (mueven al unísono la pata delantera de un lado y la trasera del lado opuesto) o al *paso* (mueven simultáneamente las patas delantera y trasera de un mismo lado). Los équidos son *ensillados* y *enjaezados* en una zona próxima a las *tribunas* del *hipódromo*.

Harness Racing

Trotters and pacers race in *harness*. Trotters move front and opposing rear legs in unison, *laterally gaited*, while pacers move front and rear legs on the same side in unison, *diagonally gaited*. Horses are assembled, saddled and paraded in the *paddock area*

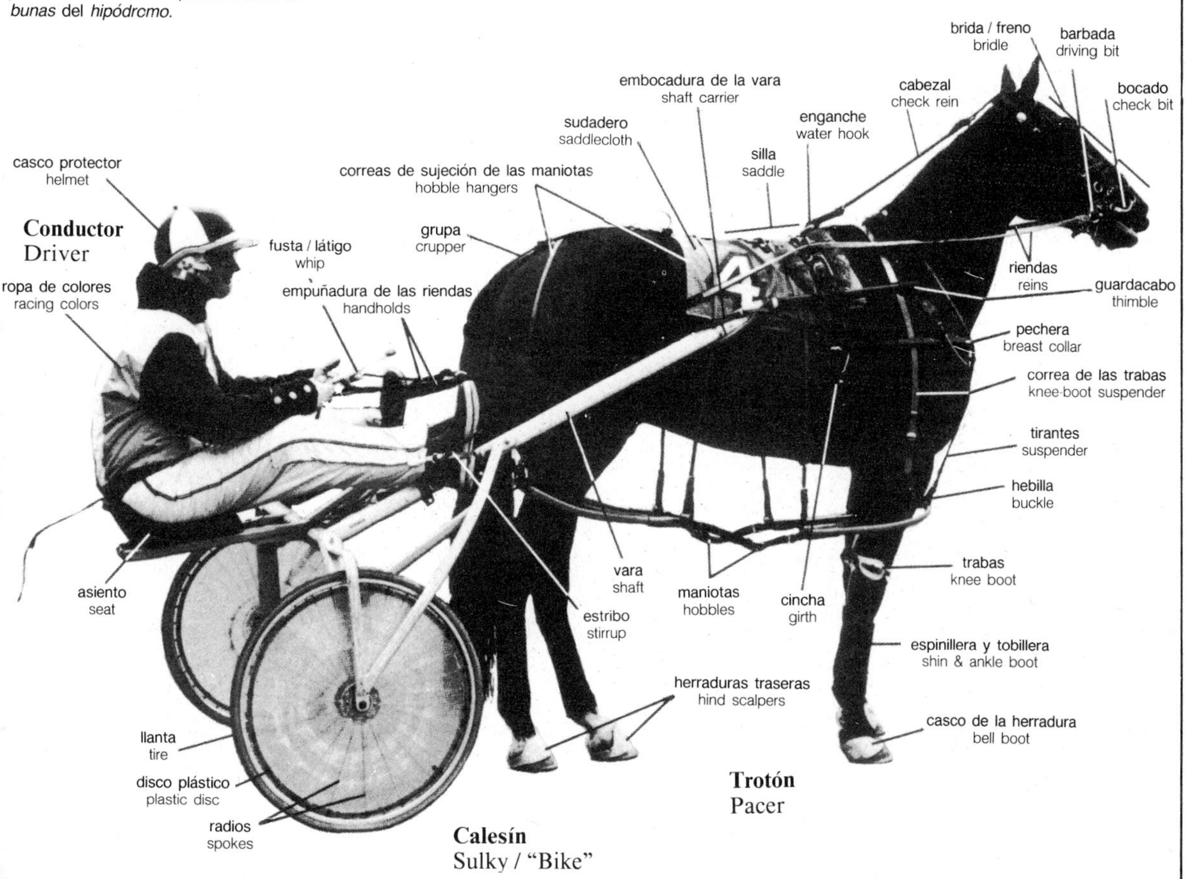

brida / freno
bridle
barbada
driving bit
embocadura de la vara
shaft carrier
cabezal
check rein
bocado
check bit
sudadero
saddlecloth
enganche
water hook
silla
saddle
casco protector
helmet
correas de sujeción de las maniotas
hobble hangers
Conductor
Driver
grupa
crupper
fusta / látigo
whip
riendas
reins
ropa de colores
racing colors
empuñadura de las riendas
handholds
guardacabo
thimble
pechera
breast collar
correa de las trabas
knee-boot suspender
tirantes
suspender
hebilla
buckle
trabas
knee boot
asiento
seat
vara
shaft
maniotas
hobbles
cincha
girth
estribo
stirrup
espinillera y tobillera
shin & ankle boot
herraduras traseras
hind scalpers
llanta
tire
casco de la herradura
bell boot
disco plástico
plastic disc
Trotón
Pacer
radios
spokes
Calesín
Sulky / "Bike"

Hipódromo
Racetrack / Mile Track

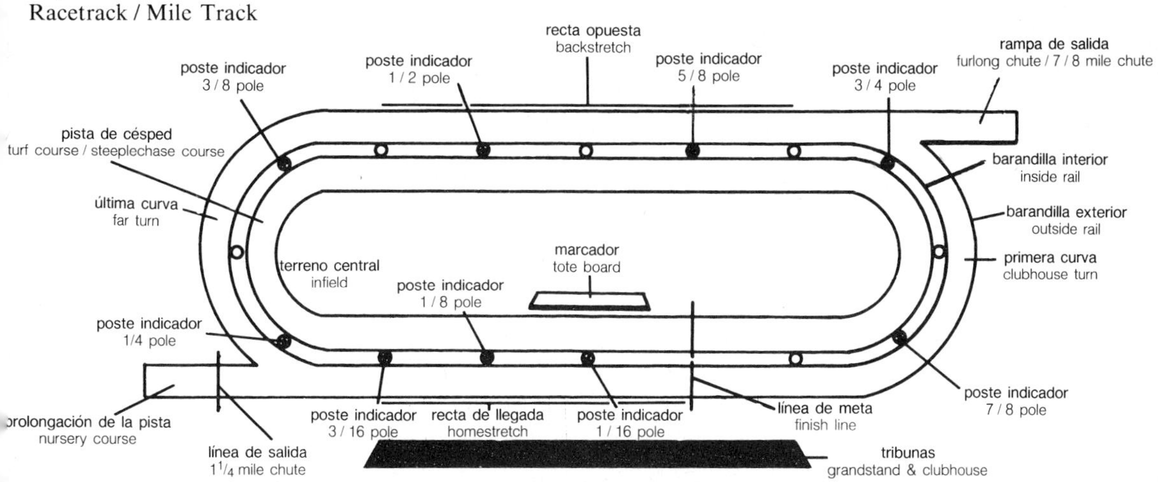

recta opuesta
backstretch
poste indicador
3 / 8 pole
poste indicador
1 / 2 pole
poste indicador
5 / 8 pole
poste indicador
3 / 4 pole
rampa de salida
furlong chute / 7 / 8 mile chute
pista de césped
turf course / steeplechase course
barandilla interior
inside rail
última curva
far turn
barandilla exterior
outside rail
terreno central
infield
marcador
tote board
primera curva
clubhouse turn
poste indicador
1 / 8 pole
poste indicador
1/4 pole
poste indicador
7 / 8 pole
prolongación de la pista
nursery course
poste indicador
3 / 16 pole
recta de llegada
homestretch
poste indicador
1 / 16 pole
línea de meta
finish line
línea de salida
1¼ mile chute
tribunas
grandstand & clubhouse

Los Grandes Premios automovilísticos

Ciertas formas de *competición automovilística* se desarrollan en *circuitos cerrados.* Estos circuitos adoptan a veces forma ovalada con curvas peraltadas (los *speedway* americanos). Las distintas *Fórmulas* de competición tienen reglamentos que determinan las características que han de tener los vehículos, especialmente en cuanto a cilindrada y peso máximo. Estas Fórmulas van desde la *Super Vee* inglesa (fórmula de promoción de la marca Volkswagen) hasta la *Fórmula I* internacional.

Carreras de dragsters

Las carreras de *dragsters* son en realidad *pruebas de aceleración* y adoptan la forma de eliminatorias en serie. En cada eliminatoria se enfrentan dos vehículos. En estas competiciones, toman parte, además de los *dragsters* clásicos (véase ilustración), los llamados *funny cars*, que van provistos de las más originales y variadas carrocerías, de aire muchas veces cómico (de ahí su nombre). El semáforo de arrancada se sitúa en la línea divisoria que separa los dos carriles de la pista (*drag strip*), que es rectilínea y suele medir 400 m de longitud. En las líneas de salida y llegada hay sendas células fotoeléctricas que permiten cronometrar automáticamente el tiempo que invierte cada vehículo en recorrer la distancia que las separa. Cuando uno de los vehículos arranca antes de tiempo, se enciende la luz roja de aviso de falta.

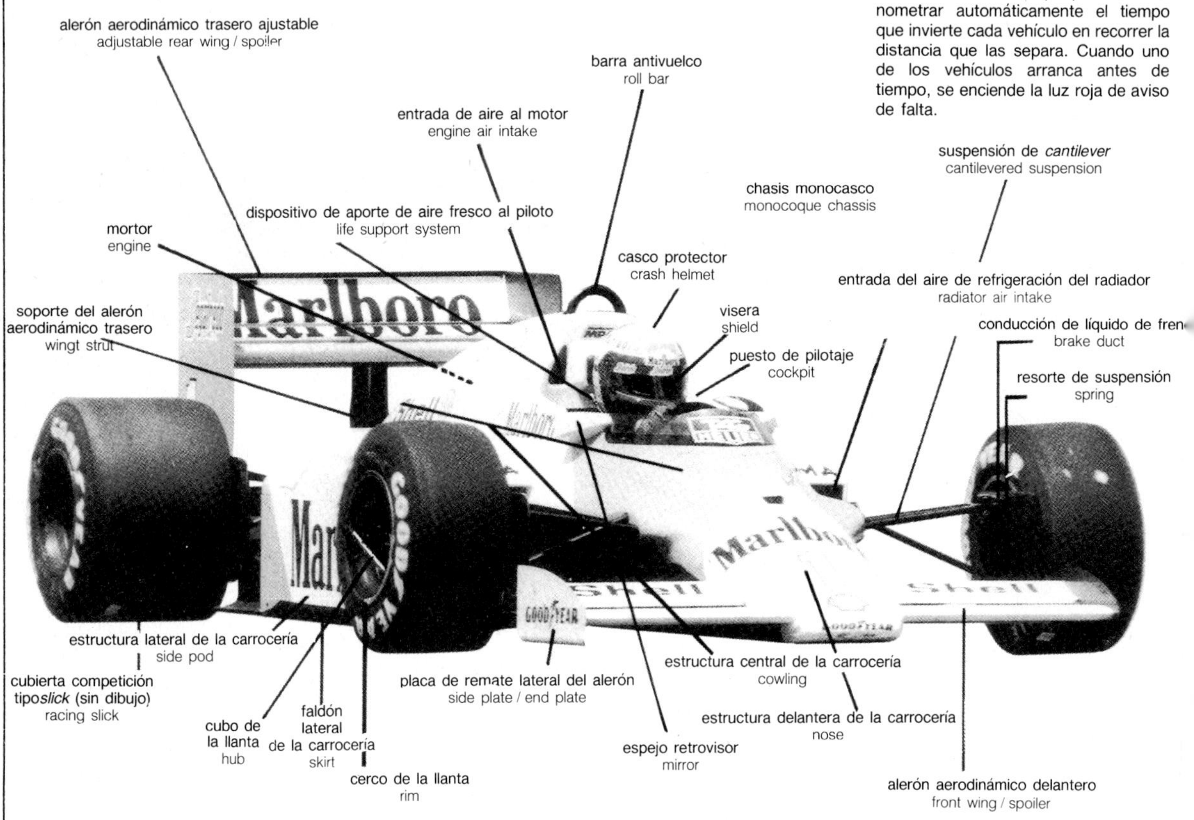

alerón aerodinámico trasero ajustable
adjustable rear wing / spoiler
barra antivuelco
roll bar
entrada de aire al motor
engine air intake
suspensión de *cantilever*
cantilevered suspension
chasis monocasco
monocoque chassis
dispositivo de aporte de aire fresco al piloto
life support system
mortor
engine
casco protector
crash helmet
entrada del aire de refrigeración del radiador
radiator air intake
soporte del alerón aerodinámico trasero
wingt strut
visera
shield
conducción de líquido de fren
brake duct
puesto de pilotaje
cockpit
resorte de suspensión
spring
estructura lateral de la carrocería
side pod
cubierta competición tipo*slick* (sin dibujo)
racing slick
placa de remate lateral del alerón
side plate / end plate
estructura central de la carrocería
cowling
cubo de la llanta
hub
faldón lateral de la carrocería
skirt
estructura delantera de la carrocería
nose
espejo retrovisor
mirror
cerco de la llanta
rim
alerón aerodinámico delantero
front wing / spoiler

Vehículo de competición de Fórmula I
Formula One Racing Car

Grand Prix Racing

International *road racing* takes place on *closed-circuit tracks* laid out through the countryside, as opposed to *speedway racing*, which takes place on banked, oval-shaped *race tracks. Formulas* primarily limit engine size and car weight, and range from *Super-Vee* to *Formula One*, used in Grand Prix racing.

Drag Racing

Each drag racing *event*, or *acceleration contest*, involves two-car *heats*, the winner of which is deemed the *eliminator*. Vehicles include *slingshot dragsters* and *funny cars* whose mismatched bodies, or "*hulls*", and *chassis* give them an unusual appearance. The Christmas Tree is situated in the middle of a divided, two-lane *straight-line course*, *drag strip* or *dragway*. *Elapsed time*, or "*ET*", is computed from the moment a car breaks a *light beam* at the *starting line* until it breaks a similar beam at the *finish*. A car leaving the starting line prematurely, in either *handicap* or *headsup racing*, is said to be "*red-lighting*".

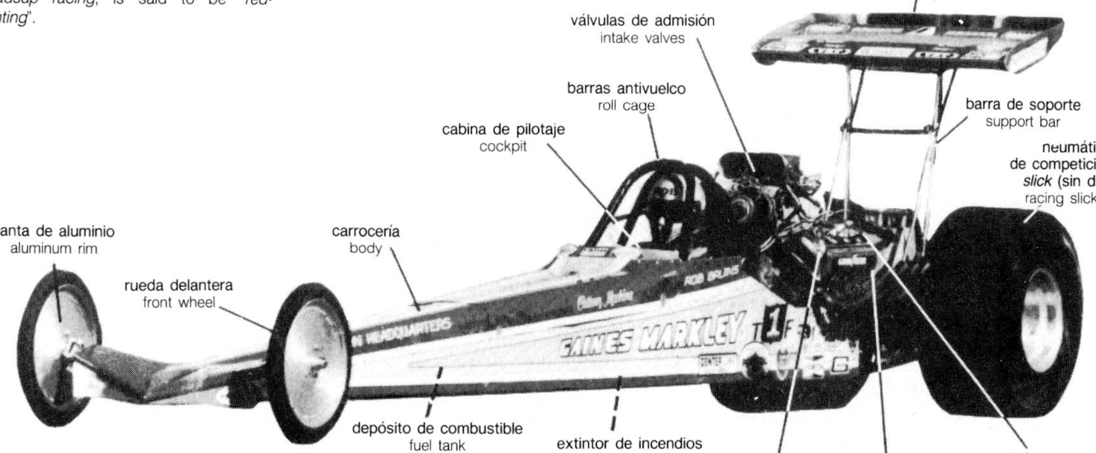

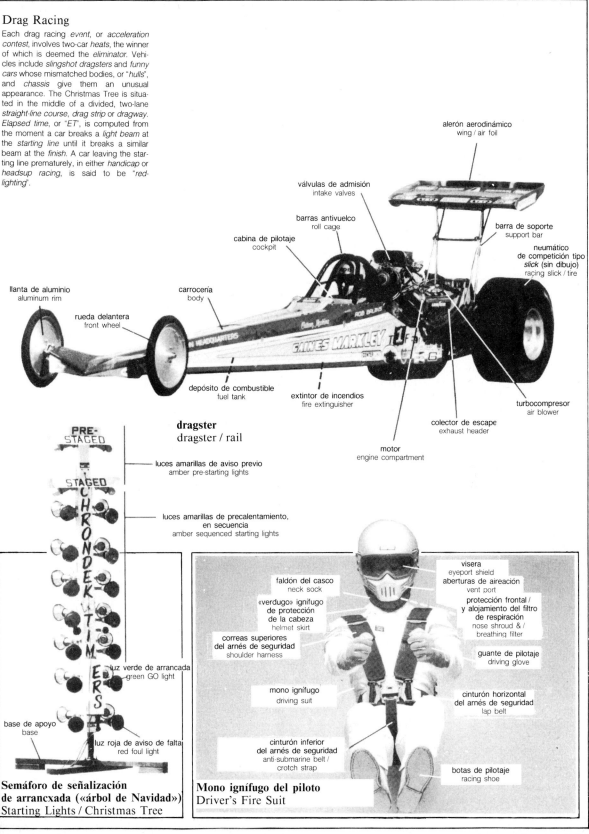

alerón aerodinámico
wing / air foil
válvulas de admisión
intake valves
barras antivuelco
roll cage
barra de soporte
support bar
cabina de pilotaje
cockpit
neumático de competición tipo *slick* (sin dibujo)
racing slick / tire
llanta de aluminio
aluminum rim
carrocería
body
rueda delantera
front wheel
depósito de combustible
fuel tank
extintor de incendios
fire extinguisher
turbocompresor
air blower
colector de escape
exhaust header
motor
engine compartment

dragster
dragster / rail

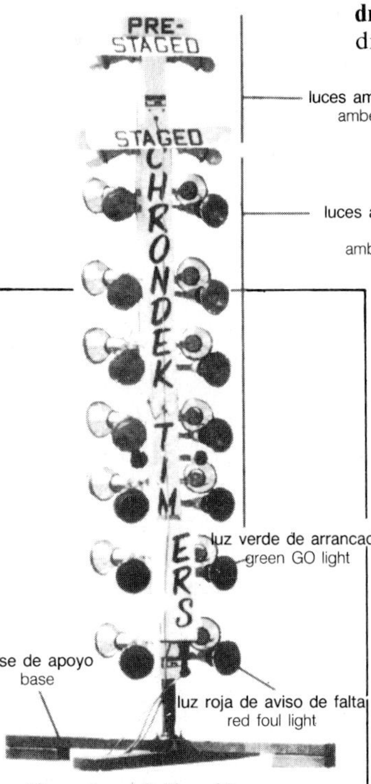

PRE-STAGED
STAGED
luces amarillas de aviso previo
amber pre-starting lights
luces amarillas de precalentamiento, en secuencia
amber sequenced starting lights
luz verde de arrancada
green GO light
base de apoyo
base
luz roja de aviso de falta
red foul light

Semáforo de señalización de arrancxada («árbol de Navidad»)
Starting Lights / Christmas Tree

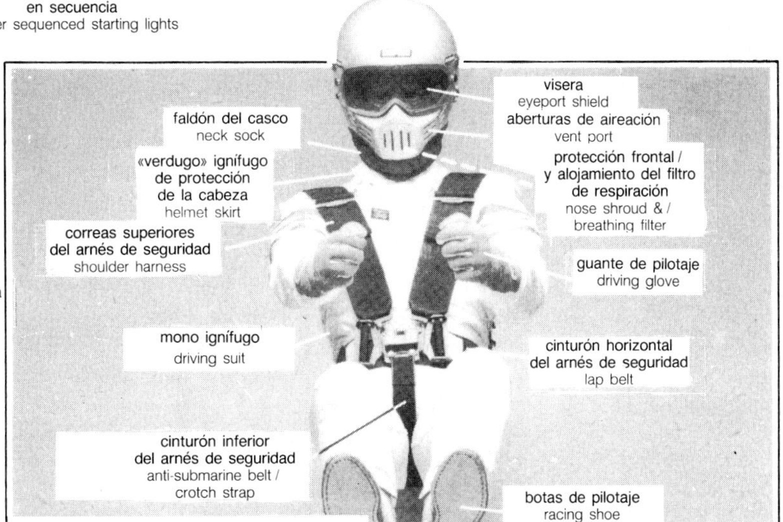

visera
eyeport shield
faldón del casco
neck sock
aberturas de aireación
vent port
«verdugo» ignífugo de protección de la cabeza
helmet skirt
protección frontal / y alojamiento del filtro de respiración
nose shroud & / breathing filter
correas superiores del arnés de seguridad
shoulder harness
guante de pilotaje
driving glove
mono ignífugo
driving suit
cinturón horizontal del arnés de seguridad
lap belt
cinturón inferior del arnés de seguridad
anti-submarine belt / crotch strap
botas de pilotaje
racing shoe

Mono ignífugo del piloto
Driver's Fire Suit

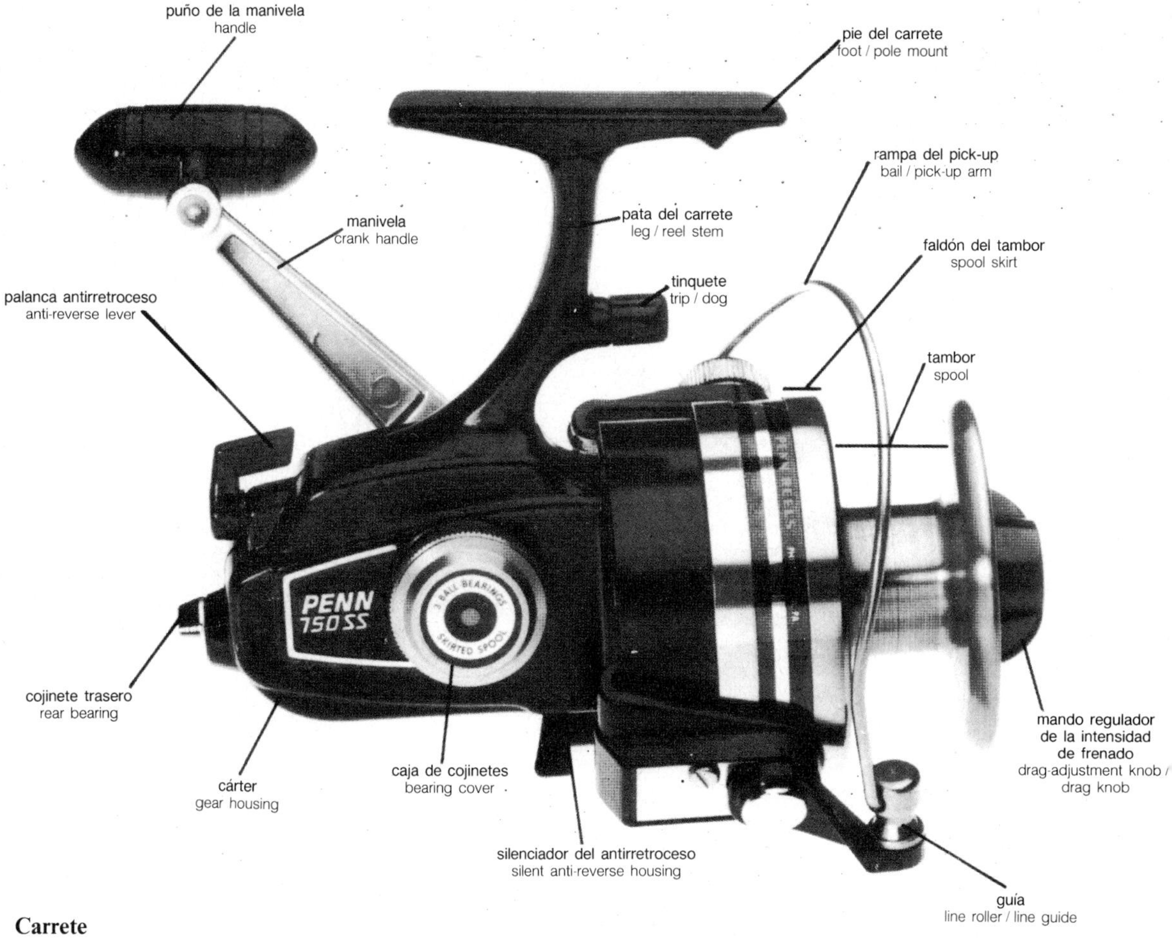
puño de la manivela
handle
pie del carrete
foot / pole mount
rampa del pick-up
bail / pick-up arm
manivela
crank handle
pata del carrete
leg / reel stem
faldón del tambor
spool skirt
tinquete
trip / dog
palanca antirretroceso
anti-reverse lever
tambor
spool
PENN
750SS
3 BALL BEARINGS
SKIRTED SPOOL
cojinete trasero
rear bearing
mando regulador
de la intensidad
de frenado
drag-adjustment knob /
drag knob
cárter
gear housing
caja de cojinetes
bearing cover
silenciador del antirretroceso
silent anti-reverse housing
guía
line roller / line guide

Carrete
Reel / Spinning Reel

Caña
Rod / Spiming Rod

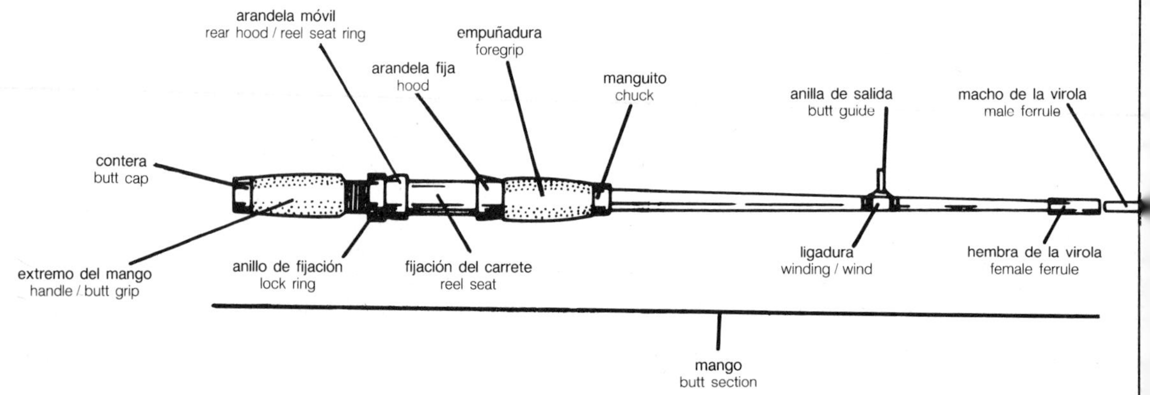
arandela móvil
rear hood / reel seat ring
empuñadura
foregrip
arandela fija
hood
manguito
chuck
anilla de salida
butt guide
macho de la virola
male ferrule
contera
butt cap
extremo del mango
handle / butt grip
anillo de fijación
lock ring
fijación del carrete
reel seat
ligadura
winding / wind
hembra de la virola
female ferrule
mango
butt section

Pesca

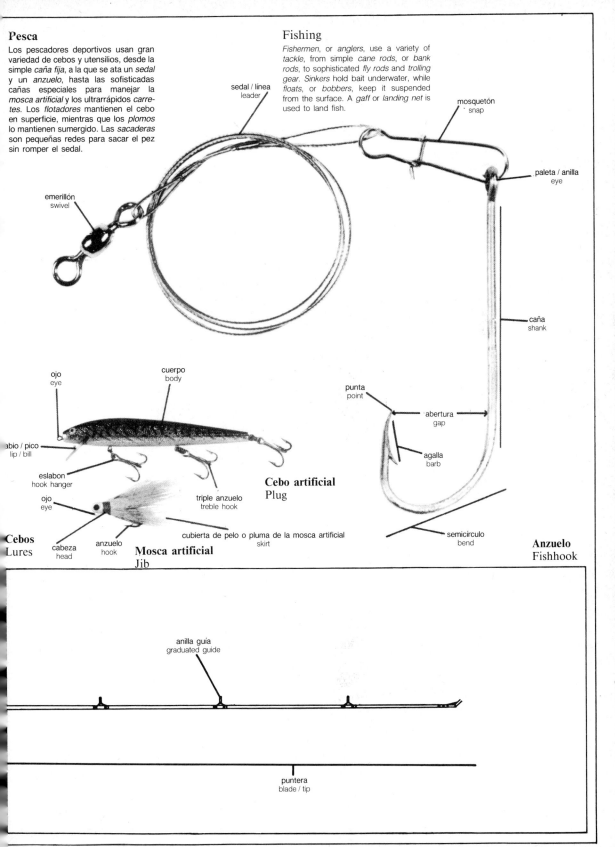

Los pescadores deportivos usan gran variedad de cebos y utensilios, desde la simple *caña fija*, a la que se ata un *sedal* y un *anzuelo*, hasta las sofisticadas cañas especiales para manejar la *mosca artificial* y los ultrarrápidos *carretes*. Los *flotadores* mantienen el cebo en superficie, mientras que los *plomos* lo mantienen sumergido. Las *sacaderas* son pequeñas redes para sacar el pez sin romper el sedal.

Fishing

Fishermen, or *anglers*, use a variety of *tackle*, from simple *cane rods*, or *bank rods*, to sophisticated *fly rods* and *trolling gear*. *Sinkers* hold bait underwater, while *floats*, or *bobbers*, keep it suspended from the surface. A *gaff* or *landing net* is used to land fish.

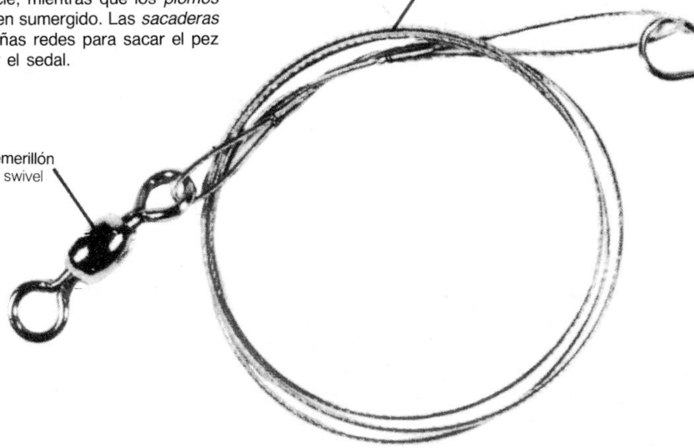

sedal / línea
leader
emerillón
swivel

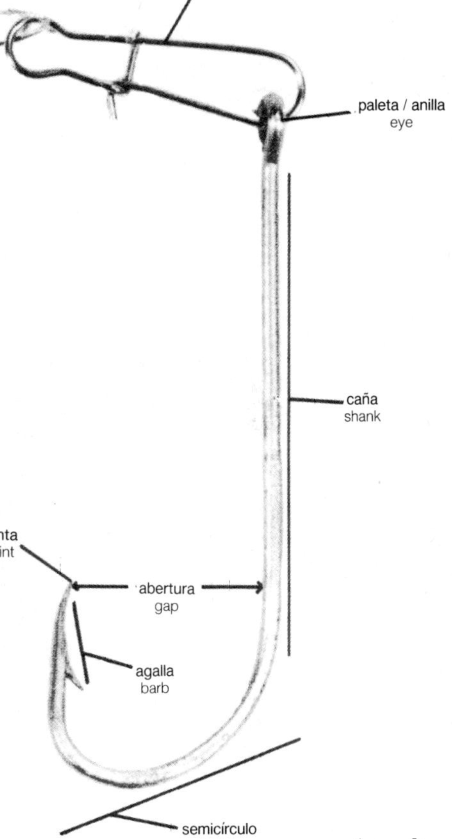

mosquetón
snap
paleta / anilla
eye
caña
shank
punta
point
abertura
gap
agalla
barb
semicírculo
bend

Anzuelo
Fishhook

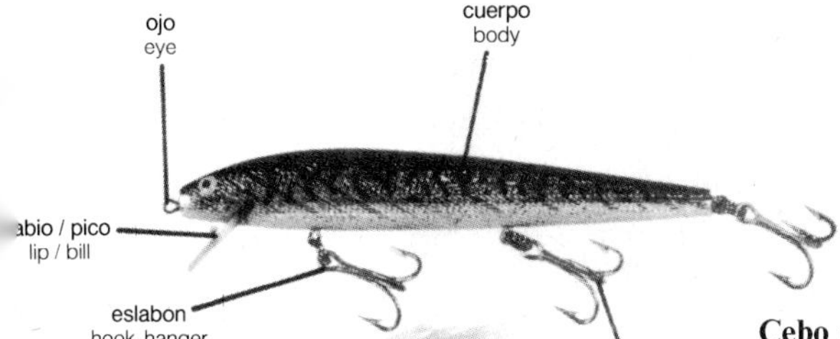

ojo
eye
cuerpo
body
labio / pico
lip / bill
eslabon
hook hanger
triple anzuelo
treble hook

Cebo artificial
Plug

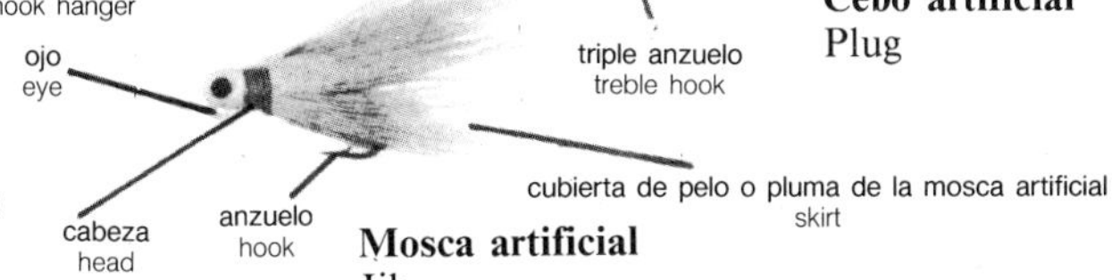

ojo
eye
cabeza
head
anzuelo
hook
cubierta de pelo o pluma de la mosca artificial
skirt

Mosca artificial
Jib

Cebos
Lures

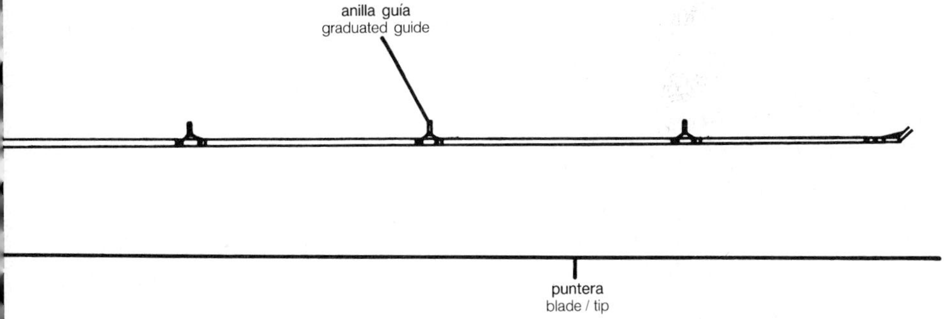

anilla guía
graduated guide
puntera
blade / tip

Camping / Acampada

Existen tiendas con un solo techo, y otras con *doble* o *triple* techo; algunas tienen *suelo* y otras no. El sistema de palos y lonas se sujeta por medio de *tensores* y *vientos*, que se fijan a una serie de *clavijas* o *piquetes* afianzados en el suelo. También hay tiendas *hinchables*.

Camping

Wall tents and *pup tents* are held up by tent poles. Many modern tents have *exterior frame* construction. Features in all the above-mentioned tents include *lap-felled* or *French seams*, which provide four layers for keeping out water, webbed-tape *backing* and pressed-on *grommets* or sewn-in *rings* for *ropes* secured to the ground with *pegs* or *stakes*, and sewn-in *flooring*, A lantern is primed by pumping the *pump valve* and lit by a match placed in the *lighting hole*,

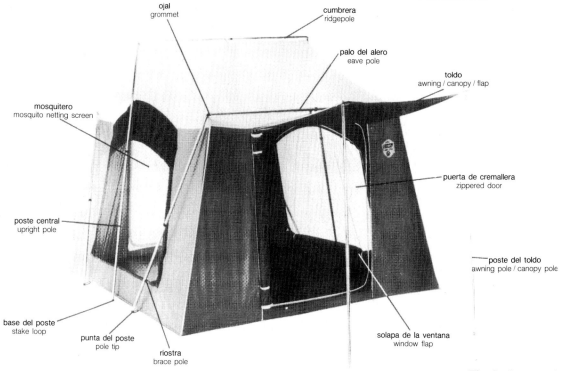

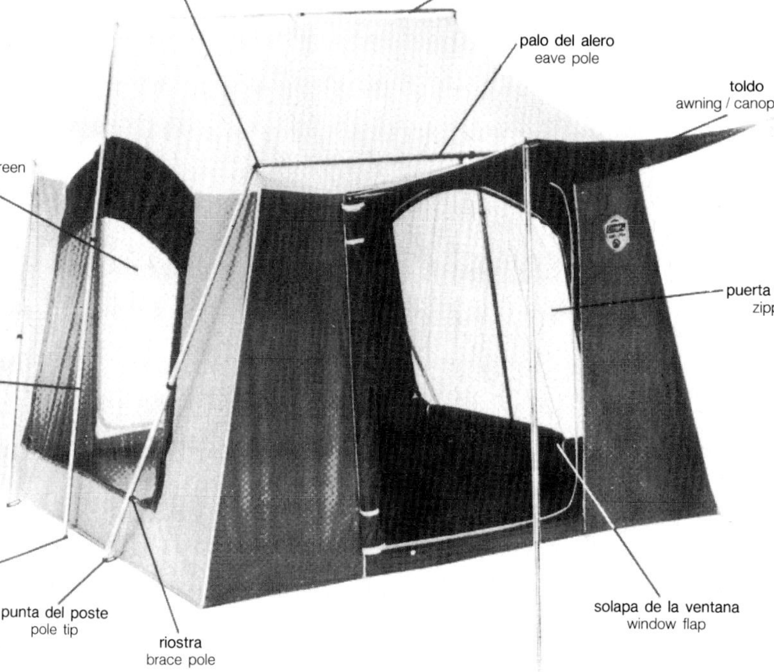
ojal
grommet
cumbrera
ridgepole
palo del alero
eave pole
toldo
awning / canopy / flap
mosquitero
mosquito netting screen
puerta de cremallera
zippered door
poste central
upright pole
poste del toldo
awning pole / canopy pole
base del poste
stake loop
punta del poste
pole tip
riostra
brace pole
solapa de la ventana
window flap

Tienda de campaña
Tent

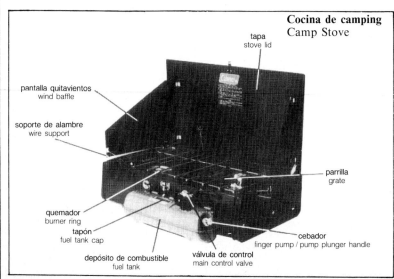

Cocina de camping
Camp Stove

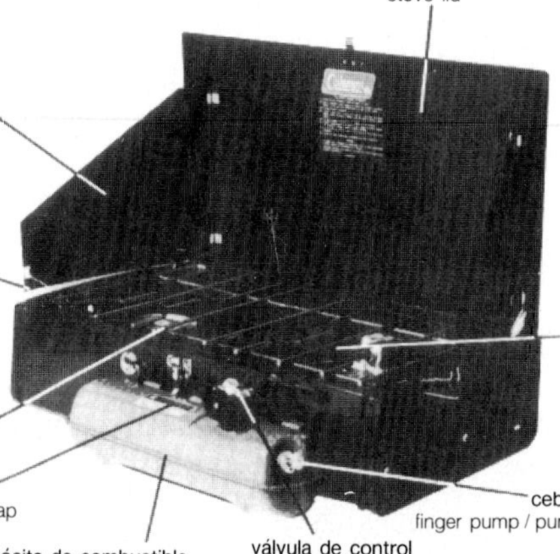
tapa
stove lid
pantalla quitavientos
wind baffle
soporte de alambre
wire support
parrilla
grate
quemador
burner ring
tapón
fuel tank cap
cebador
finger pump / pump plunger handle
depósito de combustible
fuel tank
válvula de control
main control valve

Farol
Lantern

tapa superior
ventilator
arco
bail
capuchón incandescente
mantle
tulipa
globe
chapa aislante
heat shield
base del aparat
base rest
válvula
fuel valve
depósito de combustible
tank / fount
tapón
fuel cap

Saco de dormir y mochila

Los sacos se cierran con una cremallera o mediante cordones, como los de tipo *momia*, que sólo dejan la cara al descubierto. Los hay *individuales* y de *pareja*. Los mejores sacos son los de *plumas* que, al no ser *edredonados*, reducen las «zonas de frío». Un *macuto* es una mochila alargada, como las de soldado.

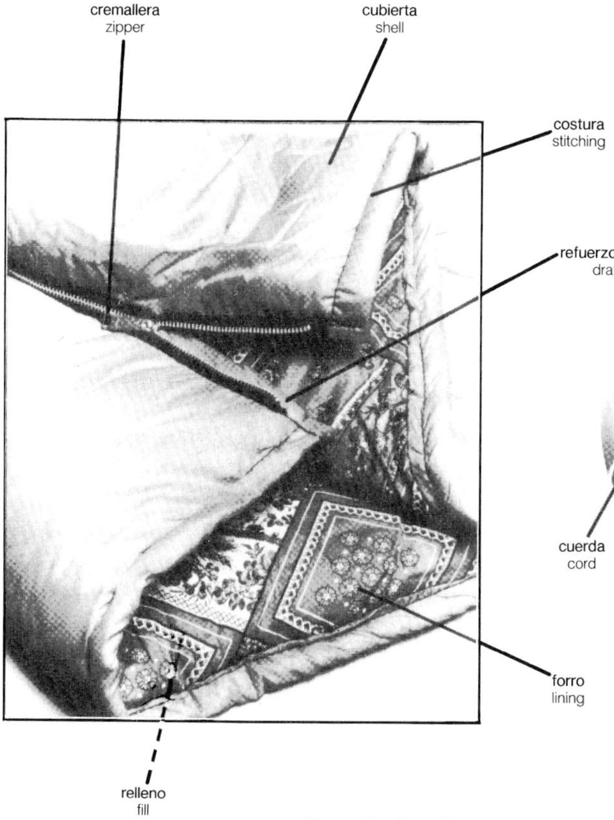
cremallera
zipper
cubierta
shell
costura
stitching
refuerzo del borde
draft tube
forro
lining
relleno
fill

Saco de dormir
Sleeping Bag

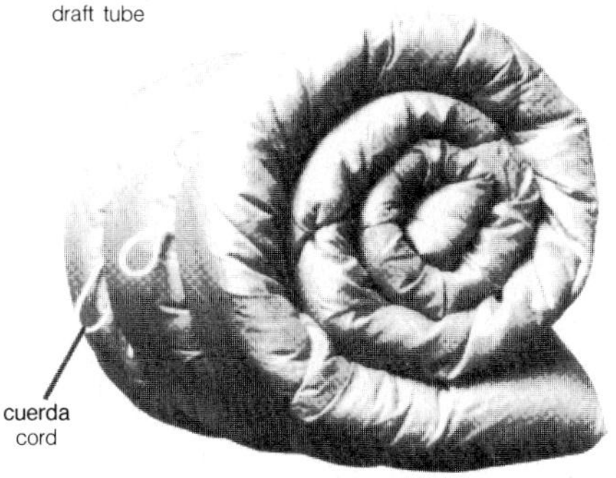
cuerda
cord

Saco de dormir enrollable
Bedroll

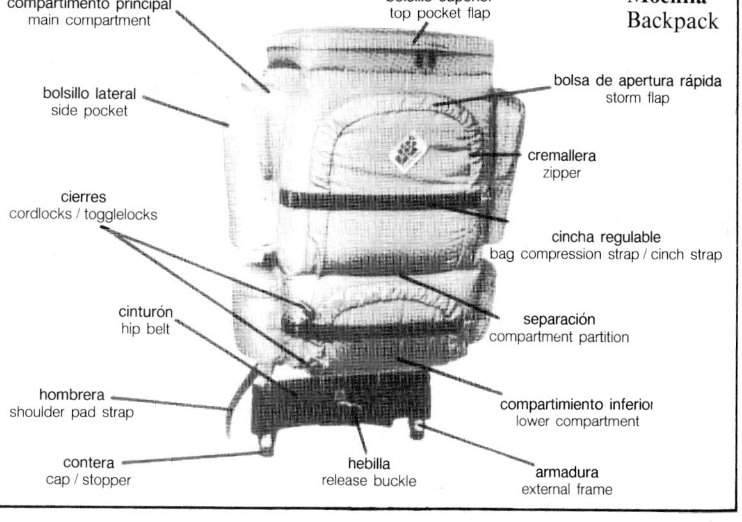
compartimento principal
main compartment
bolsillo superior
top pocket flap
bolsillo lateral
side pocket
bolsa de apertura rápida
storm flap
cremallera
zipper
cierres
cordlocks / togglelocks
cincha regulable
bag compression strap / cinch strap
cinturón
hip belt
separación
compartment partition
hombrera
shoulder pad strap
compartimiento inferioı
lower compartment
contera
cap / stopper
hebilla
release buckle
armadura
external frame

Mochila
Backpack

Backpacking

Loft is the trade term for fluffiness in sleeping bags. *Bonded insulation filling* eliminates the need for *quilting* and reduces "cold spots". The various pockets of backpacks, *knapsacks* or *rucksacks*, are called *local organizers*. Small camping items are packed in *stuffsacks*, which are then put inside a hiker's *pack*.

Educación física

Entre las diferentes *estaciones* del gimnasio general destinadas a desarrollar los músculos por medio de ejercicios *isotónicos*, se encuentran la *polea baja* y el aparato de *elevación de peso libre*. Los equipos de ejercitación de los músculos y de tonificación incluyen *pesas*, *extensores* o *flexores de manos*, *tijeras*, *ruedas*, *bicicletas*, *aparatos para desarrollar el cuello*, *pesas para tobillo y muñeca*, *aparatos para ejercitar los tríceps* y *para reducir la cintura*.

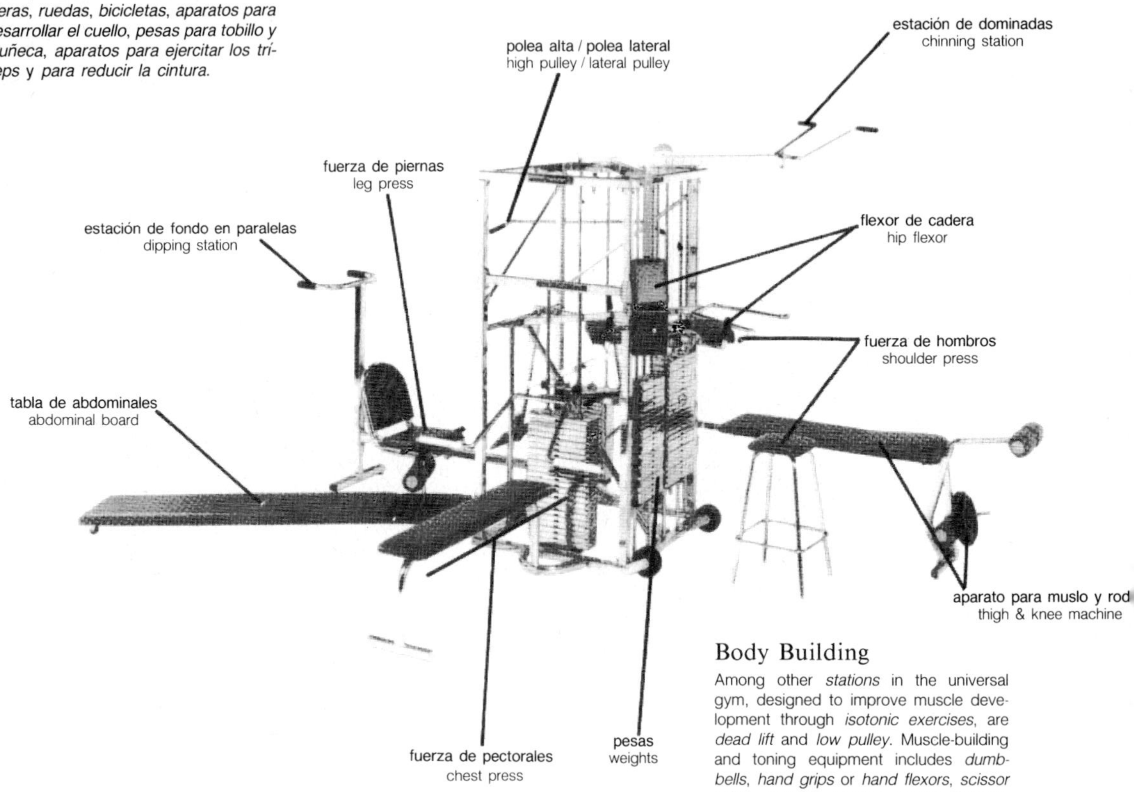

estación de dominadas
chinning station
polea alta / polea lateral
high pulley / lateral pulley
fuerza de piernas
leg press
estación de fondo en paralelas
dipping station
flexor de cadera
hip flexor
fuerza de hombros
shoulder press
tabla de abdominales
abdominal board
aparato para muslo y rod
thigh & knee machine
pesas
weights
fuerza de pectorales
chest press

Body Building

Among other *stations* in the universal gym, designed to improve muscle development through *isotonic exercises*, are *dead lift* and *low pulley*. Muscle-building and toning equipment includes *dumbbells*, *hand grips* or *hand flexors*, *scissor grips*, *tone-up wheels*, *power twisters*, exercise bikes, neck developers, *ankle* and *wrist weights*, *triceps exercisers* and *waist trimmers*.

Gimnasio General (Multipower)
Universal Gym

Comba
Jump Rope / Skip Rope

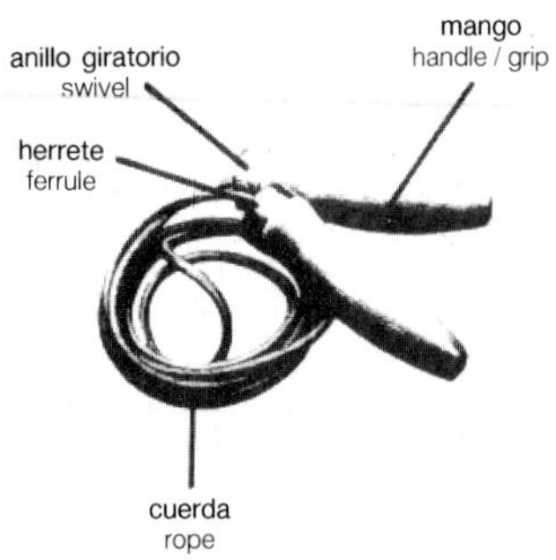

mango
handle / grip
anillo giratorio
swivel
herrete
ferrule
cuerda
rope

Extensor
Chest Pull

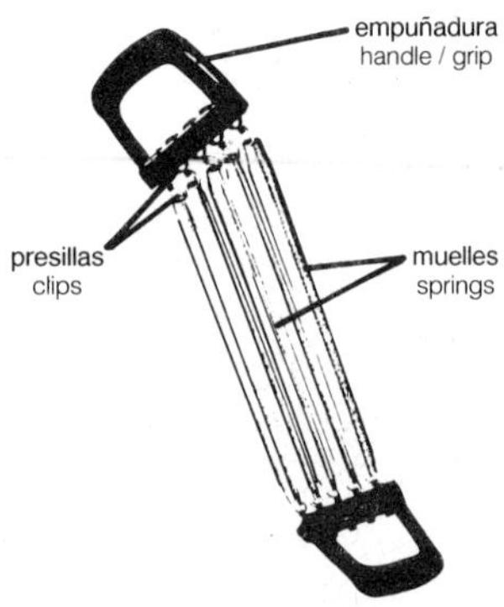

empuñadura
handle / grip
presillas
clips
muelles
springs

Halteras
Barbell

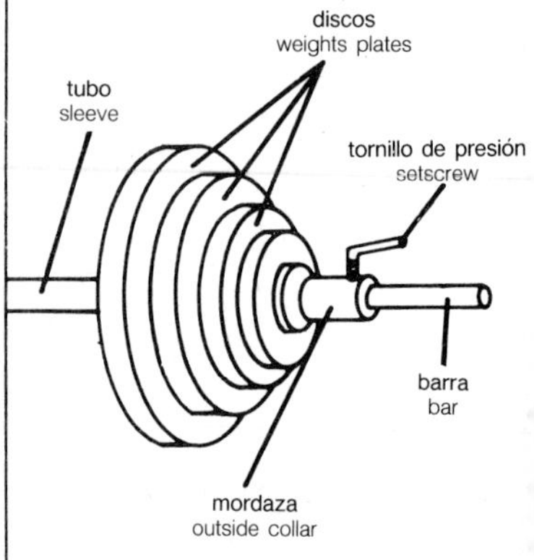

discos
weights plates
tubo
sleeve
tornillo de presión
setscrew
barra
bar
mordaza
outside collar

Ajedrez, damas, backgammon y juegos de fichas

Para el juego de ajedrez y para el de damas se utiliza un tablero cuadriculado, de ocho *filas* por ocho *columnas*. La casilla blanca del ángulo debe quedar a la derecha del jugador. El backgammon se juega en un tablero especial. Para el dominó y el mah-jong sólo son necesarias las fichas.

Chess, Checkers, Backgammon and Tile Games

When chessmen and checkers are arranged at the start of a game, they are positioned in a *setup*. A chessboard's horizontal rows are called *ranks*. Vertical rows are *files*. In backgammon, a player increases the stakes by turning a dicelike *doubling cube*. A single backgammon piece on a point is called a blot. Two or more on a point make a *block*. In dominos, pieces with identical numbers on both ends are called *doubles* or *spinners*. Dominos that have been played form a *layout*. In mahjongg, tiles are arranged in a *wall* to begin a game.

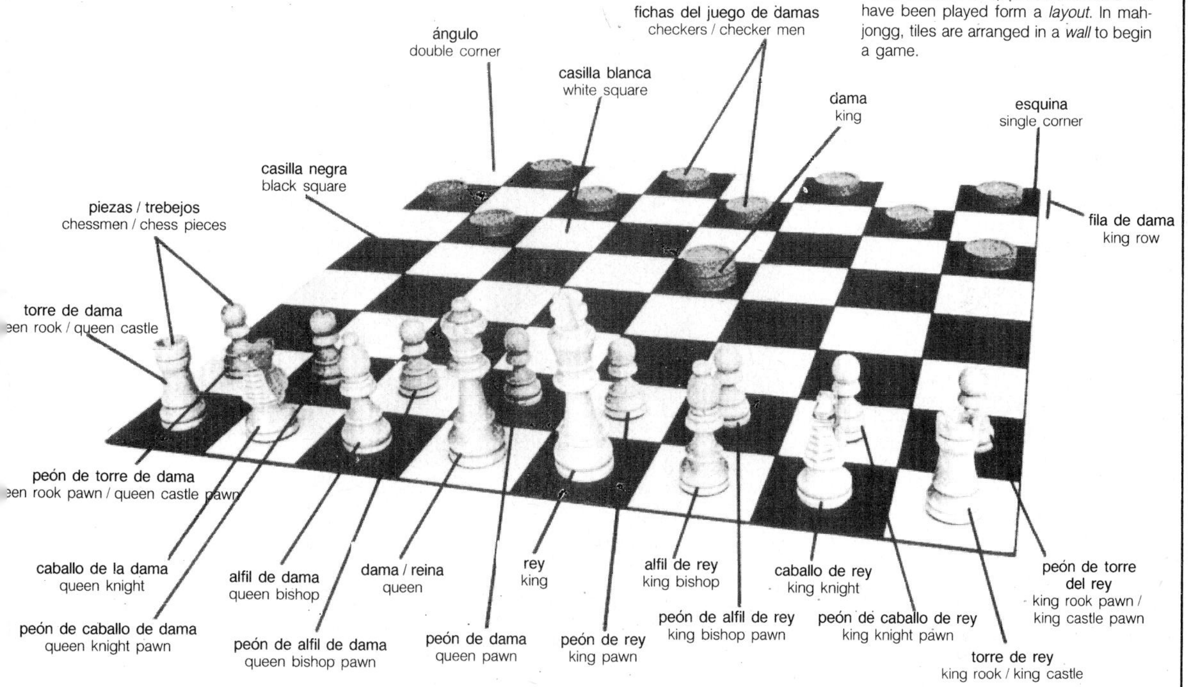

fichas del juego de damas
checkers / checker men
ángulo
double corner
casilla blanca
white square
dama
king
esquina
single corner
casilla negra
black square
piezas / trebejos
chessmen / chess pieces
fila de dama
king row
torre de dama
queen rook / queen castle
peón de torre de dama
queen rook pawn / queen castle pawn
caballo de la dama
queen knight
peón de caballo de dama
queen knight pawn
alfil de dama
queen bishop
peón de alfil de dama
queen bishop pawn
dama / reina
queen
peón de dama
queen pawn
rey
king
peón de rey
king pawn
alfil de rey
king bishop
peón de alfil de rey
king bishop pawn
caballo de rey
king knight
peón de caballo de rey
king knight pawn
peón de torre del rey
king rook pawn / king castle pawn
torre de rey
king rook / king castle

Damas / Ajedrez
Chessboard / Checkerboard

Backgammon
Backgammon Board

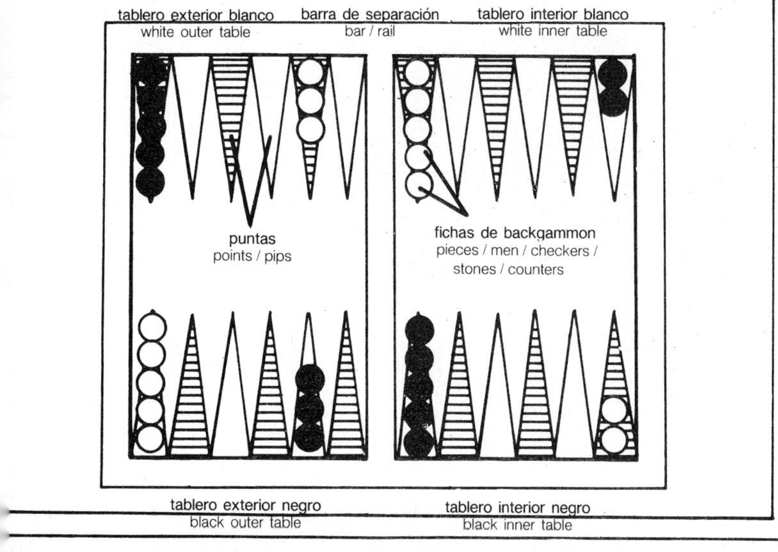

tablero exterior blanco
white outer table
barra de separación
bar / rail
tablero interior blanco
white inner table
puntas
points / pips
fichas de backgammon
pieces / men / checkers / stones / counters
tablero exterior negro
black outer table
tablero interior negro
black inner table

Juegos de fichas
Tile Games

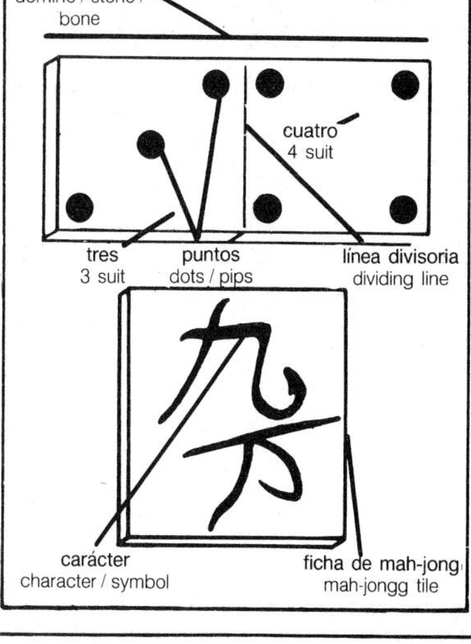

dominó
domino / stone / bone
cuatro
4 suit
tres
3 suit
puntos
dots / pips
línea divisoria
dividing line
carácter
character / symbol
ficha de mah-jong
mah-jongg tile

Equipo de juego

La ruleta la maneja un *croupier*. Las apuestas se encuentran depositadas sobre una mesa. Las casillas están divididas en *rojos* y *negros* a efectos de realización de las apuestas. Los jugadores de dados apuestan o bien con la persona que lanza los dados, *tirador*, o con el *casino*. En el blackjack la mano deposita el dinero ganado por la casa en una caja situada bajo la mesa de juego. Otros juegos de casino son el *baccarat*, el *chemin de fer*, el *wheel of fortune* y el *chuk-a-luck*, un juego que se juega con tres dados.

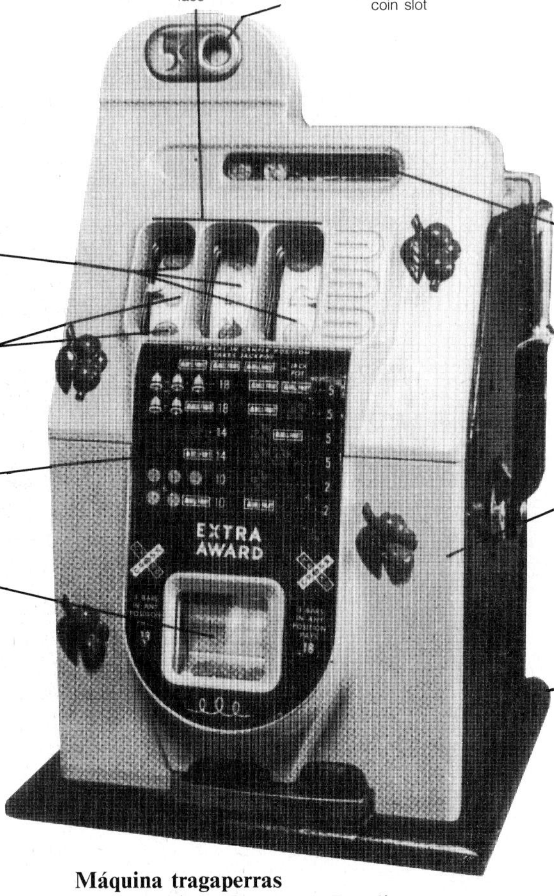

frontal
face
ranura de entrada de monedas
coin slot
ruedas
wheels
barras, campanas y frutos
bars, bells & fruit
tabla de premios
payoff chart
salida de los premios / devolución de monedas
payoff return / coin return
ventana para ver las monedas
coin viewer / window
palanca
arm
armazón
casing / frame
base
stand
EXTRA
AWARD

Gambling Equipment

A roulette wheel is operated by a *croupier*. Bets are placed on a *layout*. Slots are divided into *red* and *black* for betting purposes. Dice players bet either with the person rolling the dice, the *shooter*, or with the casino, or *house*. The blackjack dealer pushes money won by the house into a double-locked *drop box* below the betting table. Other casino games include *baccarat*, *chemin de fer*, *wheel of fortune*, and *chuck-a-luck*, a game played with three dice.

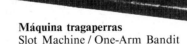

Máquina tragaperras
Slot Machine / One-Arm Bandit

Ruleta
Roulette Wheel

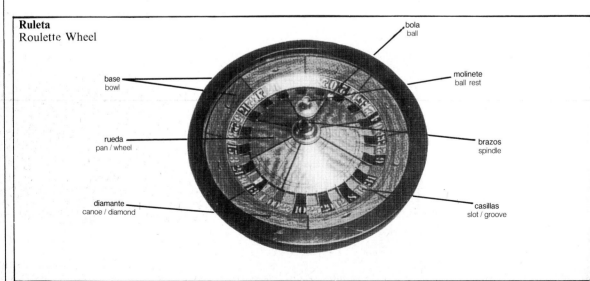

bola
ball
base
bowl
molinete
ball rest
rueda
pan / wheel
brazos
spindle
diamante
canoe / diamond
casillas
slot / groove

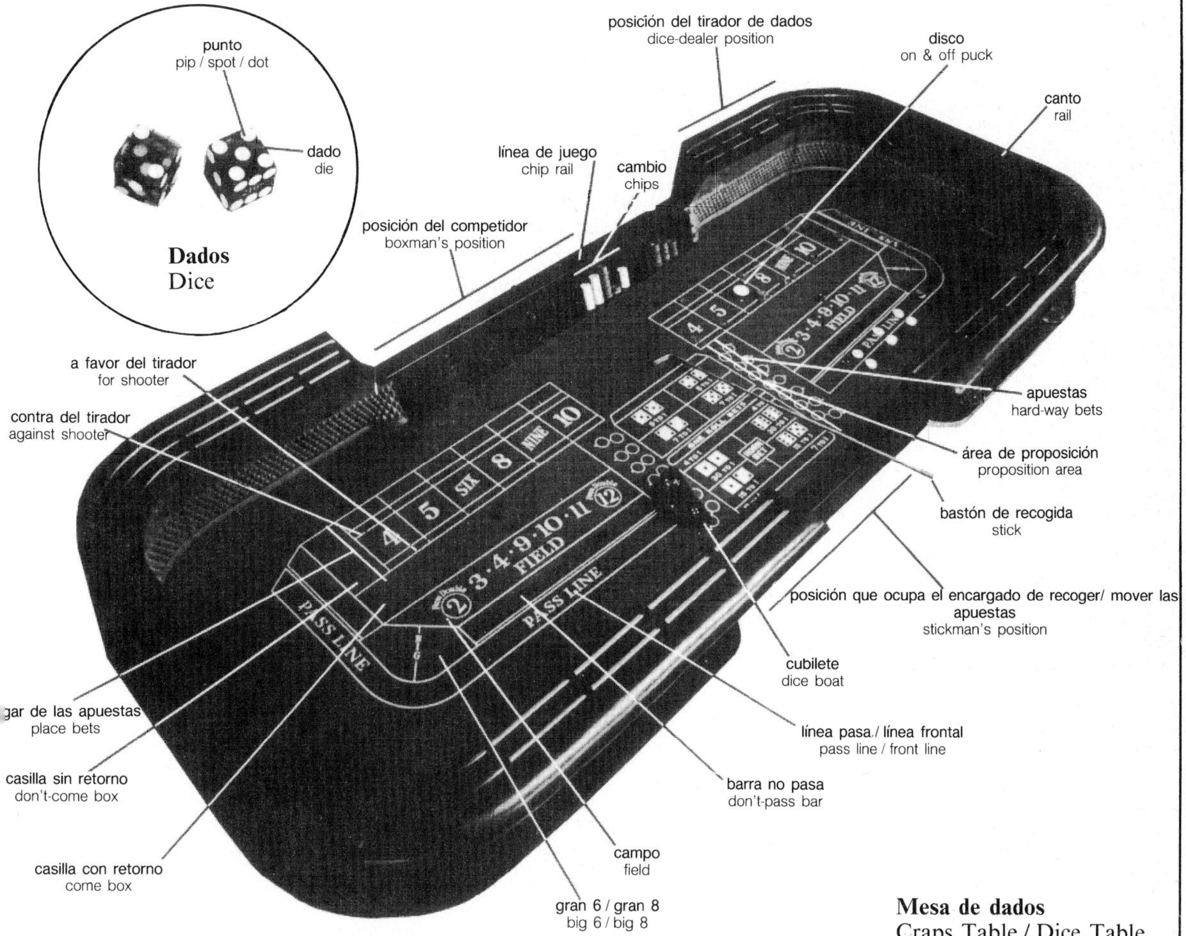
punto
pip / spot / dot
dado
die

Dados
Dice

posición del tirador de dados
dice-dealer position
disco
on & off puck
canto
rail
línea de juego
chip rail
cambio
chips
posición del competidor
boxman's position
a favor del tirador
for shooter
contra del tirador
against shooter
apuestas
hard-way bets
área de proposición
proposition area
bastón de recogida
stick
posición que ocupa el encargado de recoger/ mover las apuestas
stickman's position
cubilete
dice boat
ɡar de las apuestas
place bets
línea pasa / línea frontal
pass line / front line
casilla sin retorno
don't-come box
barra no pasa
don't-pass bar
casilla con retorno
come box
campo
field
gran 6 / gran 8
big 6 / big 8

Mesa de dados
Craps Table / Dice Table

Blackjack
Blackjack / 21 Layout

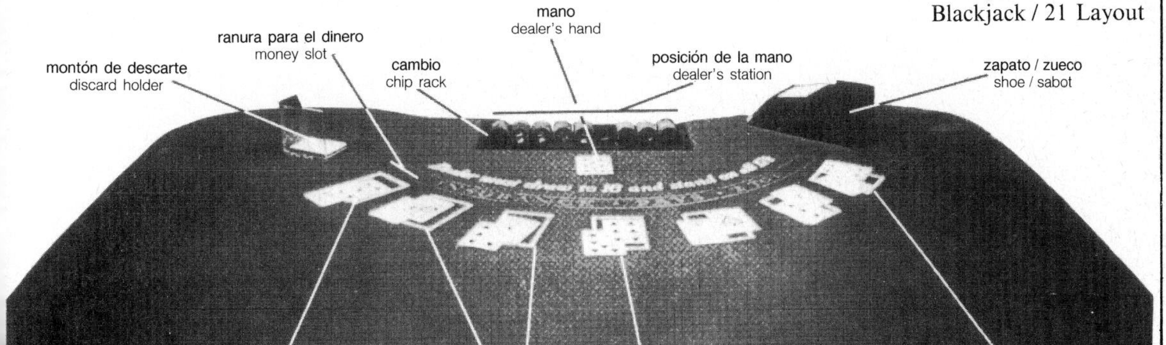
mano
dealer's hand
ranura para el dinero
money slot
posición de la mano
dealer's station
montón de descarte
discard holder
cambio
chip rack
zapato / zueco
shoe / sabot
mano
hand
banca
home plate / anchor spot
posiciones
spots
primera base
first base

Juego de cartas

Hay 52 cartas o *naipes* en un mazo de *baraja* francesa: los cuatro ases, 36 cartas numeradas del 2 al 10, cuatro valets (J), cuatro damas (Q) y cuatro reyes (K). En algunos juegos se utilizan una o más cartas adicionales, los *comodines*, que no pertenecen a ningún palo y no están numeradas. Se dice que las cartas están *marcadas* cuando han sido alteradas sutilmente de modo que uno de los jugadores las reconozca aun cuando estén boca abajo.

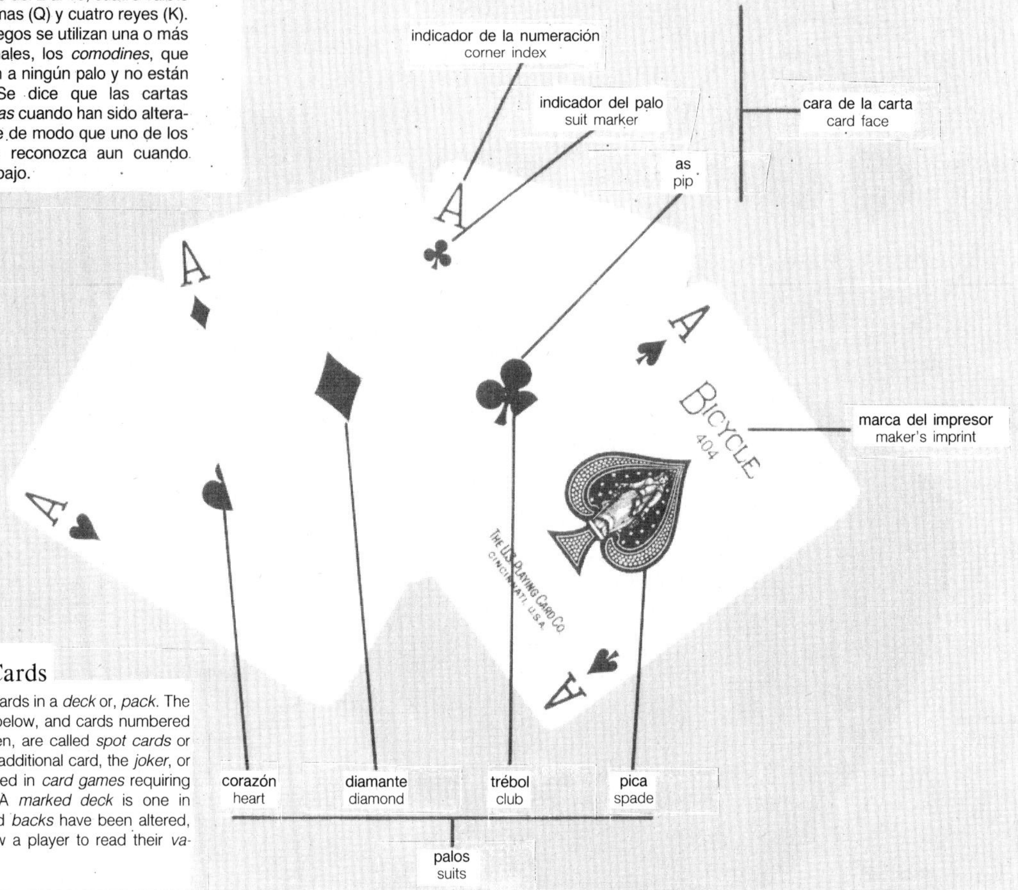

indicador de la numeración
corner index
indicador del palo
suit marker
cara de la carta
card face
as
pip
marca del impresor
maker's imprint
BICYCLE
404
THE U.S. PLAYING CARD CO
CINCINNATI, U.S.A.
corazón
heart
diamante
diamond
trébol
club
pica
spade
palos
suits

Playing Cards

There are 52 cards in a *deck* or, *pack*. The *aces*, shown below, and cards numbered two through ten, are called *spot cards* or *pip cards*. An additional card, the *joker*, or *mistigris*, is used in *card games* requiring a *wild card*. A *marked deck* is one in which the card *backs* have been altered, slighty to allow a player to read their *values* illegally.

Figuras de la baraja
Picture Cards / Court Cards / Face Cards

Valet
Jack / Knave

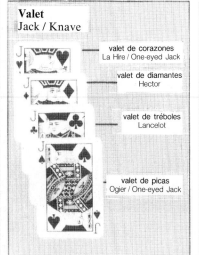

valet de corazones
La Hire / One-eyed Jack
valet de diamantes
Hector
valet de tréboles
Lancelot
valet de picas
Ogier / One-eyed Jack

Dama
Queen

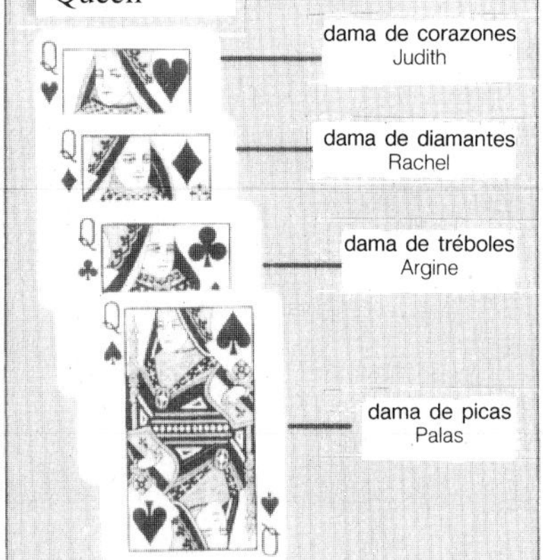

dama de corazones
Judith
dama de diamantes
Rachel
dama de tréboles
Argine
dama de picas
Palas

Rey
King

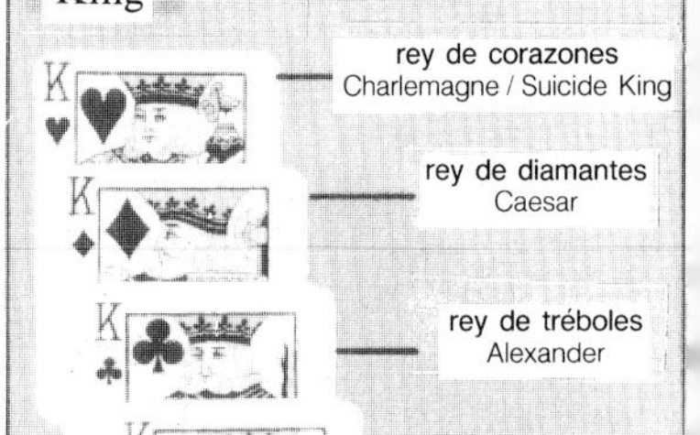

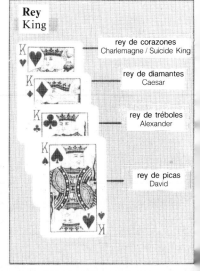

rey de corazones
Charlemagne / Suicide King
rey de diamantes
Caesar
rey de tréboles
Alexander
rey de picas
David

Artes y labores manuales

Los principales apartados de esta sección comprenden los escenarios en los que se representan los espectáculos artísticos, así como los términos referidos al ámbito de la música (desde los signos de la escritura musical a las partes de diversos instrumentos) y de las demás artes y técnicas artísticas. En la subsección dedicada a las bellas artes se ha hecho un esfuerzo por identificar los elementos técnicos, en lugar de describirse los distintos estilos. El instrumental utilizado en cada arte, desde la pintura y la escultura hasta las técnicas de modelado, cincelado y emplomado de vidrieras, también se ha ilustrado señalando cada uno de sus componentes. La subsección dedicada a las labores manuales comprende la costura, el bordado y el punto, e incluye asimismo los términos empleados para identificar las partes de un patrón de corte y confección.

Entrada / Localidad
Ticket / "Ducat"

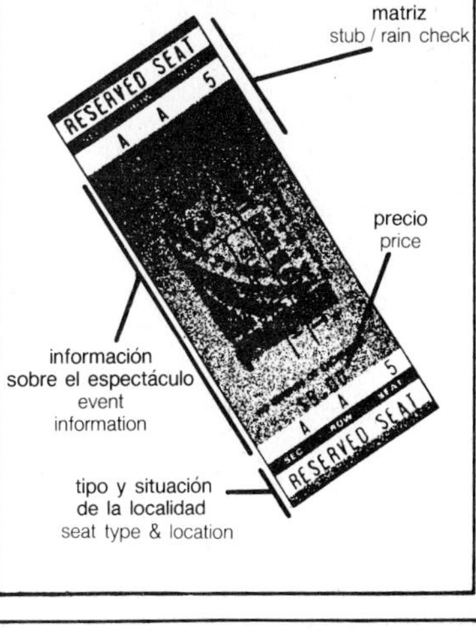
matriz
stub / rain check
RESERVED SEAT
precio
price
información
sobre el espectáculo
event
information
tipo y situación
de la localidad
seat type & location

Escenario

En un escenario clásico suele haber varios telones de *fondo*, *cuadro* o *escena*, que encuadran cada una de éstas, así como un *escotillón* o *trampilla* en el suelo y un pequeño *ascensor* o *elevador*. El conjunto de los *accesorios teatrales* constituye la *tramoya*. La disposición de todos los elementos de la *tramoya*, los *decorados* y la *iluminación* se denomina genéricamente *decorado*. En el proscenio de algunos teatros existe una *concha* para el *apuntador*.

Stage

Also found on many stages are *tormentors*, or *legs*, which frame the stage to narrow the acting area, a *trapdoor*, or *scruto*, an *elevator*, and a fabric backdrop, or *scrim*. Everything used on stages, or *boards*, are *props*, or *properties*. The arrangement of *scenery*, properties and lighting is called a *set*.

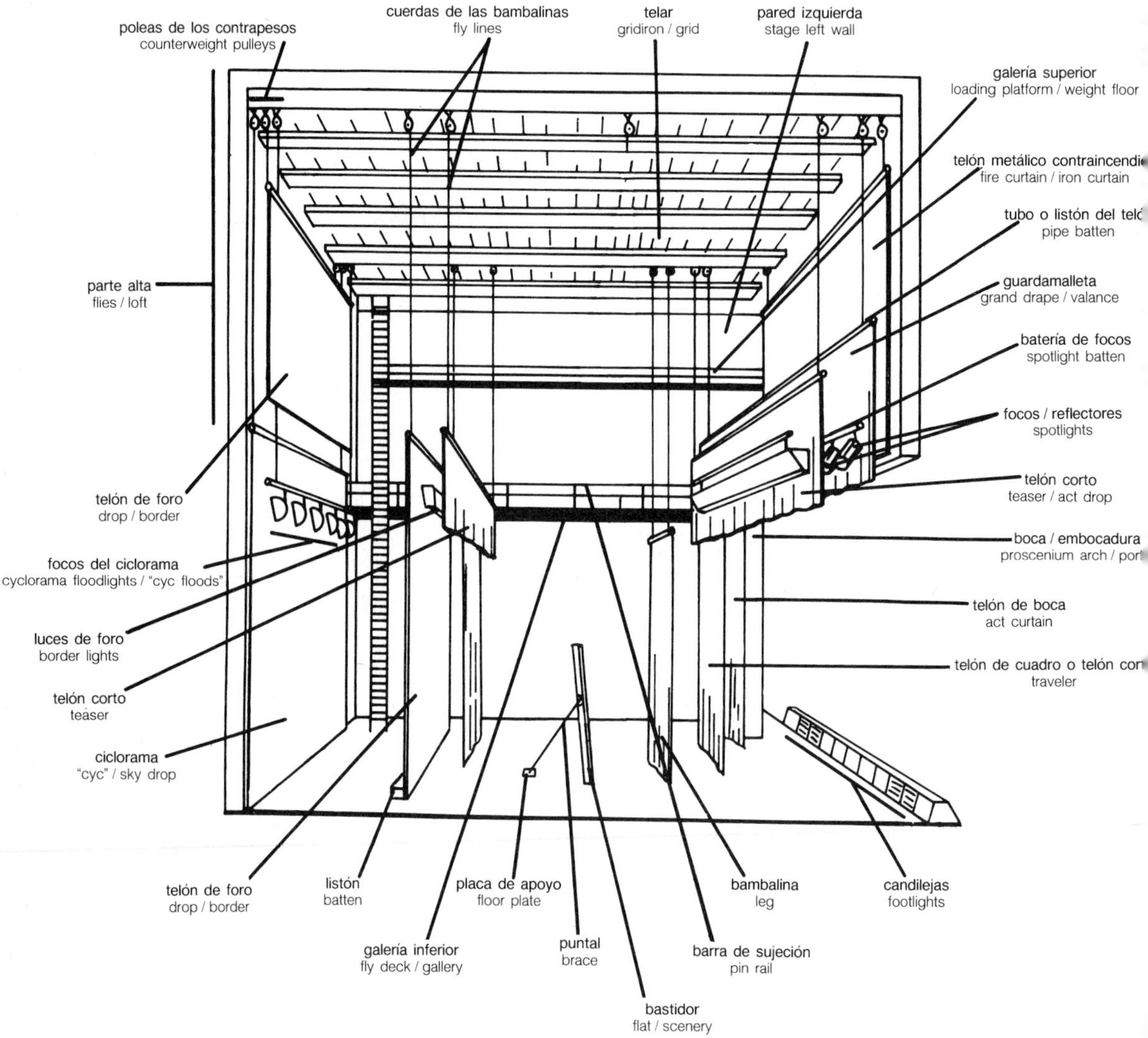

poleas de los contrapesos
counterweight pulleys
cuerdas de las bambalinas
fly lines
telar
gridiron / grid
pared izquierda
stage left wall
galería superior
loading platform / weight floor
telón metálico contraincendi
fire curtain / iron curtain
tubo o listón del telc
pipe batten
guardamalleta
grand drape / valance
batería de focos
spotlight batten
focos / reflectores
spotlights
telón corto
teaser / act drop
boca / embocadura
proscenium arch / por
telón de boca
act curtain
telón de cuadro o telón cor
traveler
parte alta
flies / loft
telón de foro
drop / border
focos del ciclorama
cyclorama floodlights / "cyc floods"
luces de foro
border lights
telón corto
teaser
ciclorama
"cyc" / sky drop
telón de foro
drop / border
listón
batten
placa de apoyo
floor plate
bambalina
leg
candilejas
footlights
galería inferior
fly deck / gallery
puntal
brace
barra de sujeción
pin rail
bastidor
flat / scenery

Sección transversal
Cross Section

Teatro

La zona por donde se mueven los *actores* es el *escenario* y está separada de la zona donde se sienta el *público* por una depresión o *foso* que recibe el nombre de *orquesta*, ya que allí se sientan los *músicos*. A veces, el escenario se prolonga por medio de una *rampa* hasta el *pasillo central* del patio de butacas. En algunos espectáculos se instala una *pasarela* alrededor del foso de la orquesta. Se llaman *plateas* los palcos situados en la planta baja.

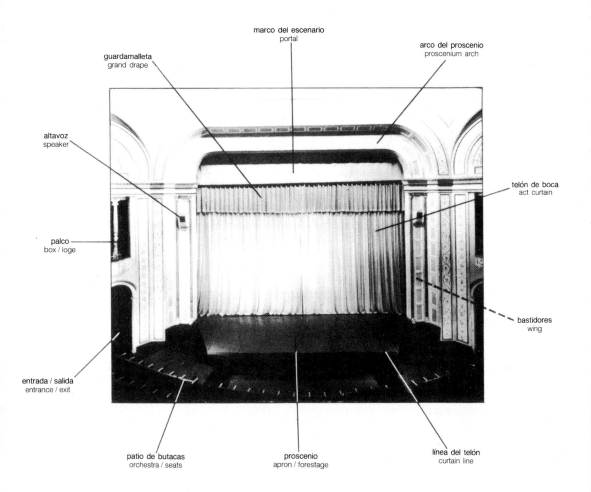

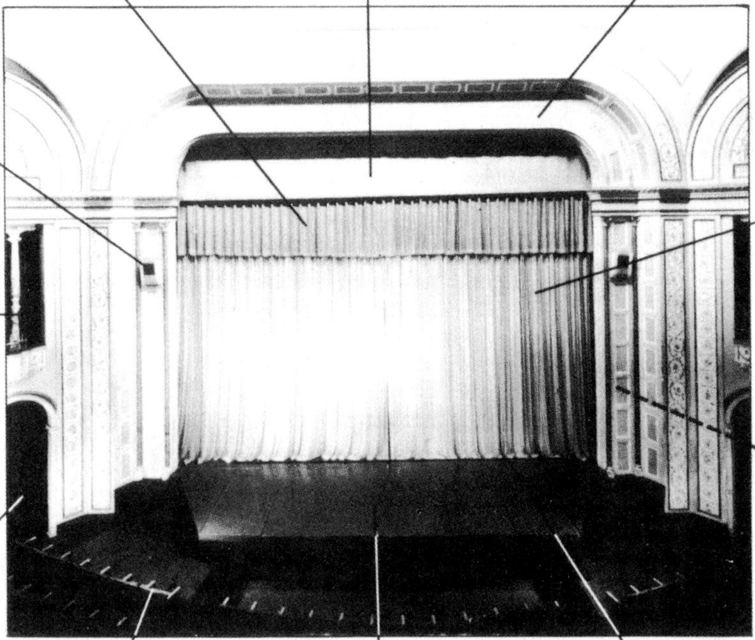
marco del escenario
portal
guardamalleta
grand drape
arco del proscenio
proscenium arch
altavoz
speaker
telón de boca
act curtain
palco
box / loge
bastidores
wing
entrada / salida
entrance / exit
patio de butacas
orchestra / seats
proscenio
apron / forestage
línea del telón
curtain line

Theater

In a *performance hall*, the orchestra sits in a sunken *orchestra pit* between the audience and the stage. For some shows a *runway*, or *ramp*, extends from the stage into the *center aisle*. The seating area above the orchestra is the *balcony*. In theaters with more than one balcony, the lowest one is the *mezzanine*, the front section of which is the *loge*.

Partitura

La parte vocal, o *letra*, se escribe debajo del pentagrama correspondiente. El signo ' es una indicación de *pausa* o *respiración*. Una combinación de sonidos que produce un efecto armonioso es un *acorde*. Las *alteraciones* son los signos de bemol, sostenido y becuadro que aparecen antes de cada nota. Una *garrapatea* es la mitad de una semifusa, es decir, la 128ª parte de una redonda.

Sheet Music Notations

Words to be sung, or *lyrics*, appear below the staff on sheet music. The notation ' is a *breath mark* indicating that the singer or musician should briefly pause. A combination of tones that blend harmoniously is a *chord*. Sharps, flats and naturals appearing directly in front of specific notes are called *accidentals*. A *quasihemidemisemiquaver* is a 128th note.

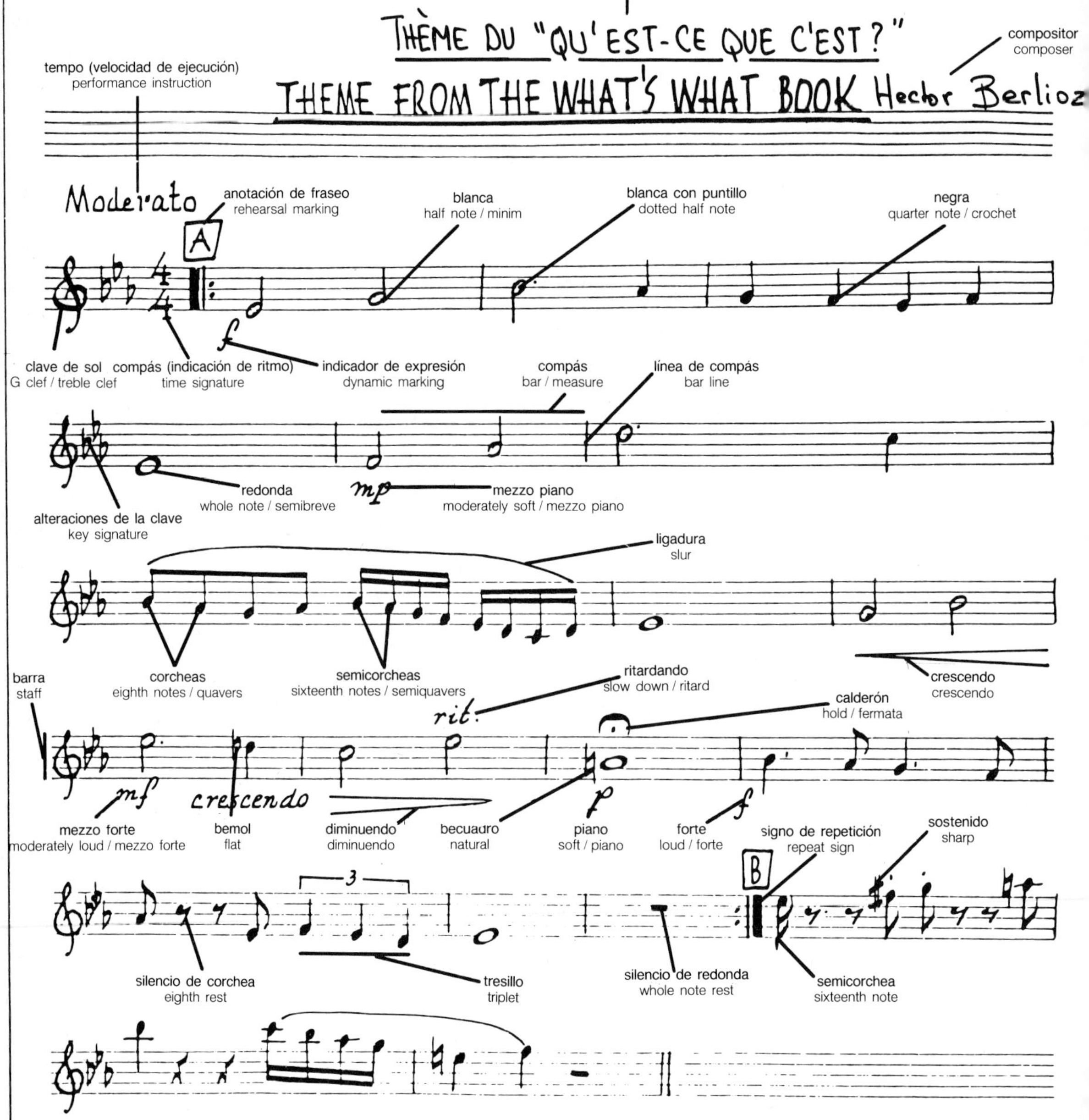

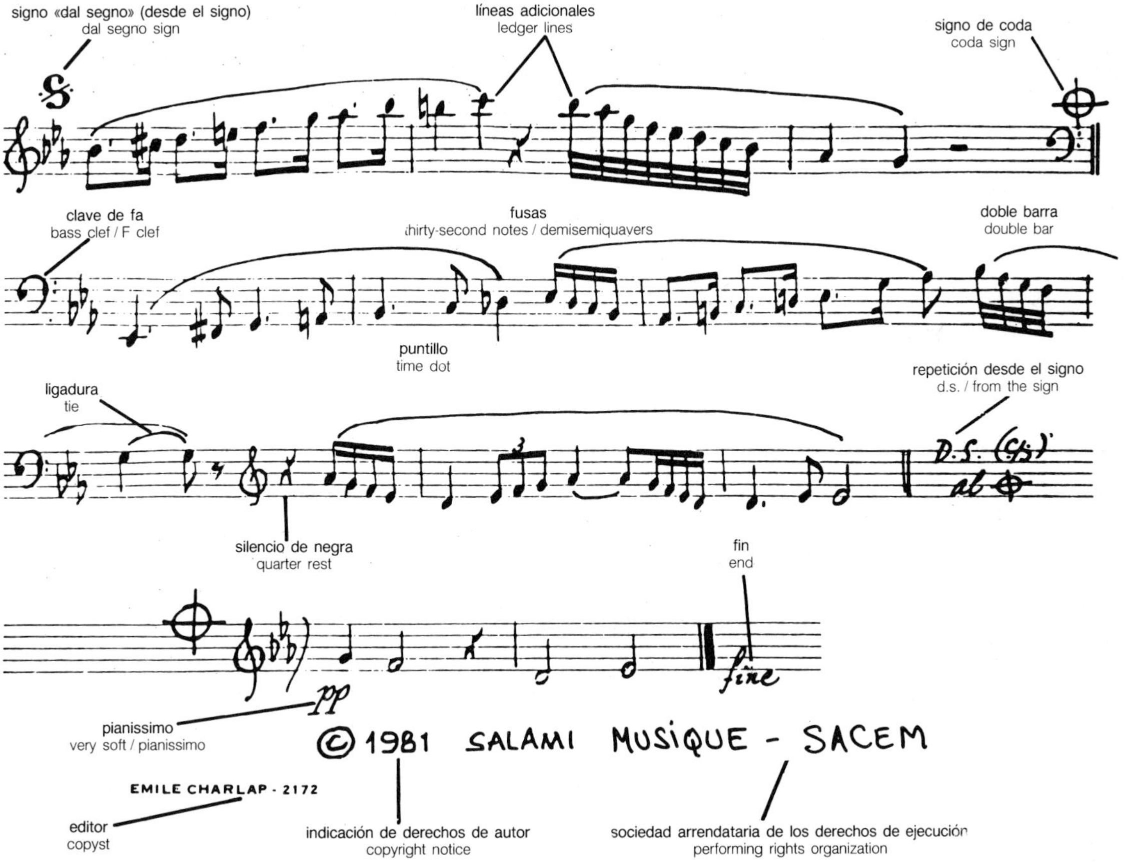
signo «dal segno» (desde el signo)
dal segno sign
líneas adicionales
ledger lines
signo de coda
coda sign
clave de fa
bass clef / F clef
fusas
thirty-second notes / demisemiquavers
doble barra
double bar
puntillo
time dot
ligadura
tie
repetición desde el signo
d.s. / from the sign
D.S. al
silencio de negra
quarter rest
fin
end
fine
pp
pianissimo
very soft / pianissimo
© 1981 SALAMI MUSIQUE - SACEM
EMILE CHARLAP - 2172
editor
copyst
indicación de derechos de autor
copyright notice
sociedad arrendataria de los derechos de ejecución
performing rights organization

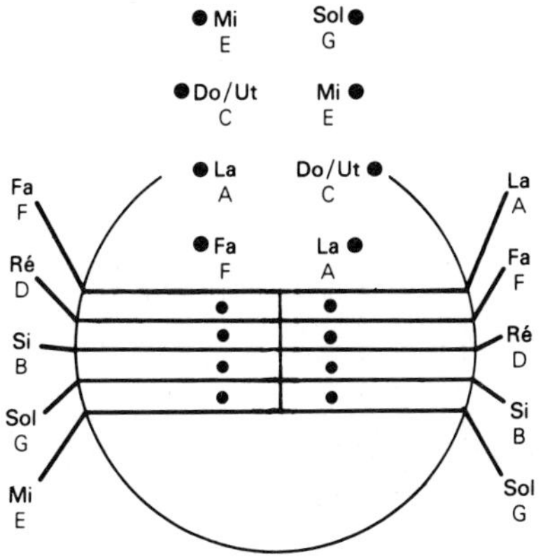
Mi
E
Do/Ut
C
La
A
Fa
F
Sol
G
Mi
E
Do/Ut
C
La
A
Fa
F
Ré
D
Si
B
Sol
G
Mi
E
La
A
Fa
F
Ré
D
Si
B
Sol
G

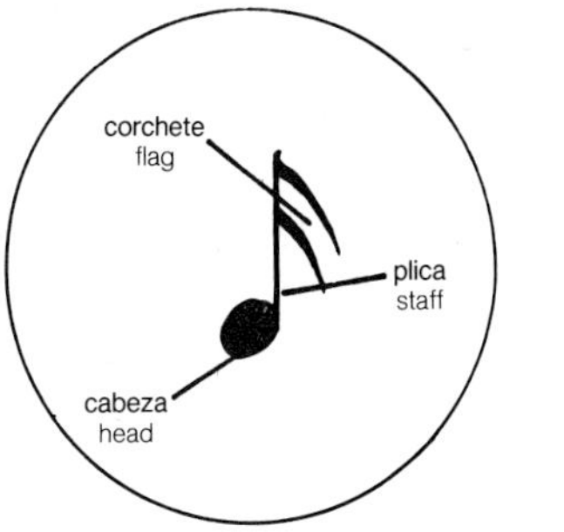
corchete
flag
plica
staff
cabeza
head

Líneas y espacios / Pentagrama
Lines and Spaces / Staff Degrees

Clave de sol
Treble Clef

Clave de fa
Bass Clef

Nota
Note

Orquesta

En las orquestas sinfónicas, las secciones de cuerda, viento y metal son ejecutadas por varios *músicos*, mientras que en los *conjuntos de música de cámara* cada sección corre a cargo de un solo *instrumentista*. Según el carácter de cada grupo se suprimirán o incluirán ciertos instrumentos: así, en las *bandas* y *charangas* no existen instrumentos de cuerda; en las *bandas militares* tampoco hay ni oboes ni fagots y las flautas se suelen sustituir por pícolos y *pífanos*. Los *grupos de jazz* y los de *música ligera* no suelen atenerse a una composición predeterminada.

Orchestra

In symphony orchestras, string, woodwind and brass parts are performed by many *musicians*. In *chamber music ensembles*, each part is usually played by a single *player*. *Bands* do not normally include stringed instruments. *Marching bands* generally use no oboes or bassoons, and flutes are replaced with piccolos or *fifes*. *Dance bands* and *jazz bands* are loosely structured.

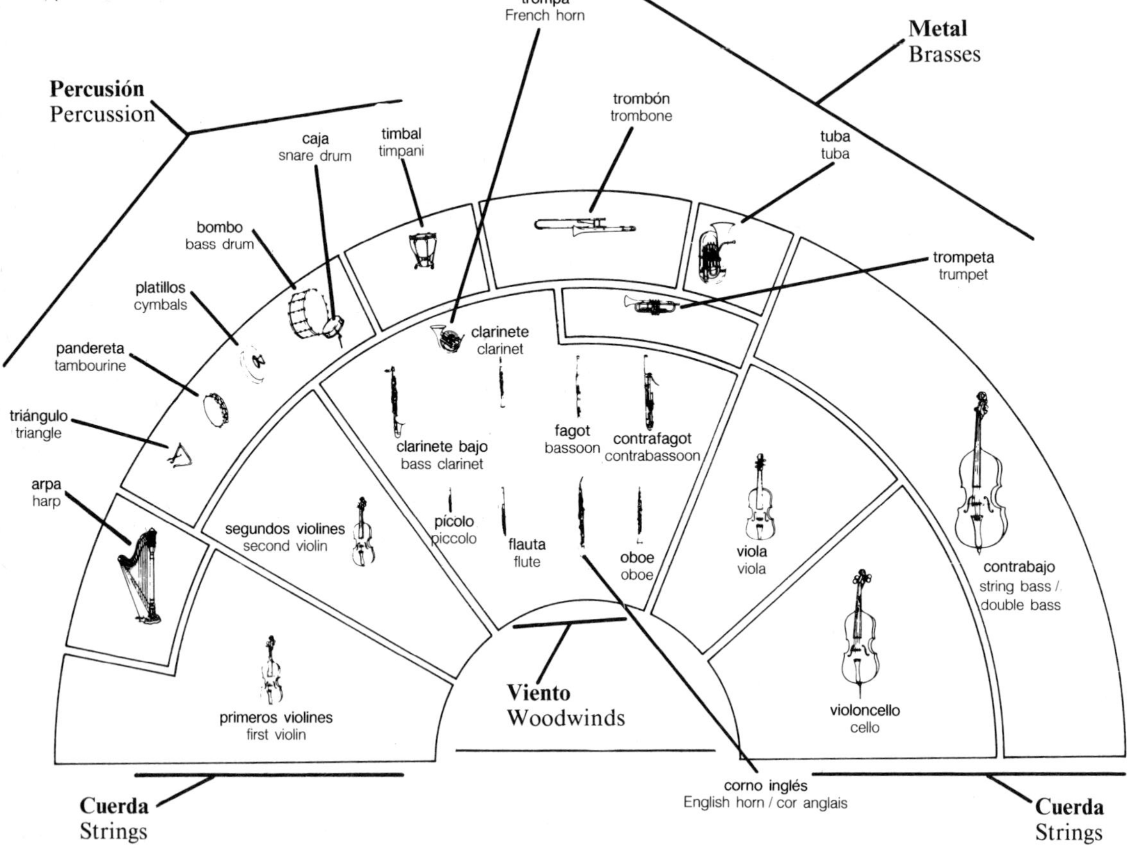

trompa
French horn
Metal
Brasses
Percusión
Percussion
trombón
trombone
caja
snare drum
timbal
timpani
tuba
tuba
bombo
bass drum
trompeta
trumpet
platillos
cymbals
clarinete
clarinet
pandereta
tambourine
triángulo
triangle
clarinete bajo
bass clarinet
fagot
bassoon
contrafagot
contrabassoon
arpa
harp
segundos violines
second violin
pícolo
piccolo
flauta
flute
oboe
oboe
viola
viola
contrabajo
string bass / double bass
primeros violines
first violin
Viento
Woodwinds
violoncello
cello
corno inglés
English horn / cor anglais
Cuerda
Strings
Cuerda
Strings

Orquesta sinfónica
Symphony Orchestra

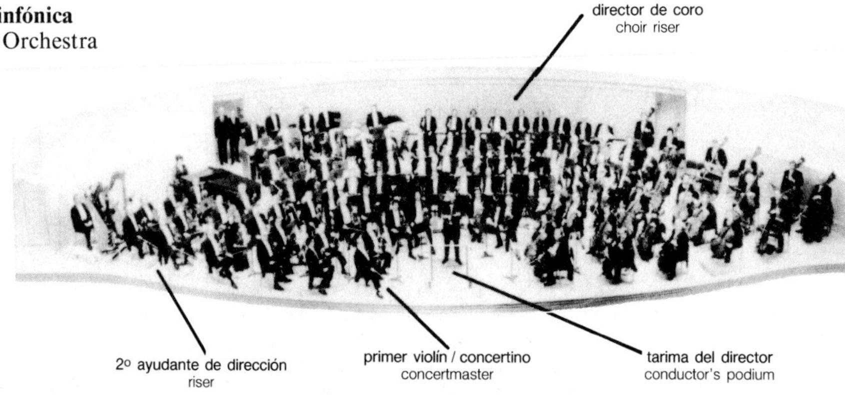

director de coro
choir riser
2º ayudante de dirección
riser
primer violín / concertino
concertmaster
tarima del director
conductor's podium

Violín

Los *instrumentos de cuerda* producen sonido cuando se luden las cuerdas con el *arco* o cuando se las pulsa con el dedo (*pizzicato*). La vibración por simpatía que se produce en la *caja de resonancia* da *volumen* al sonido.

Violin

Stringed instruments produce tones when a bow is drawn across the strings (*arco*) or they are fingerplucked (*pizzicato*). The sympathetic vibration produced between the instrument's belly and *back* adds *resonance* and *volume* to the sound.

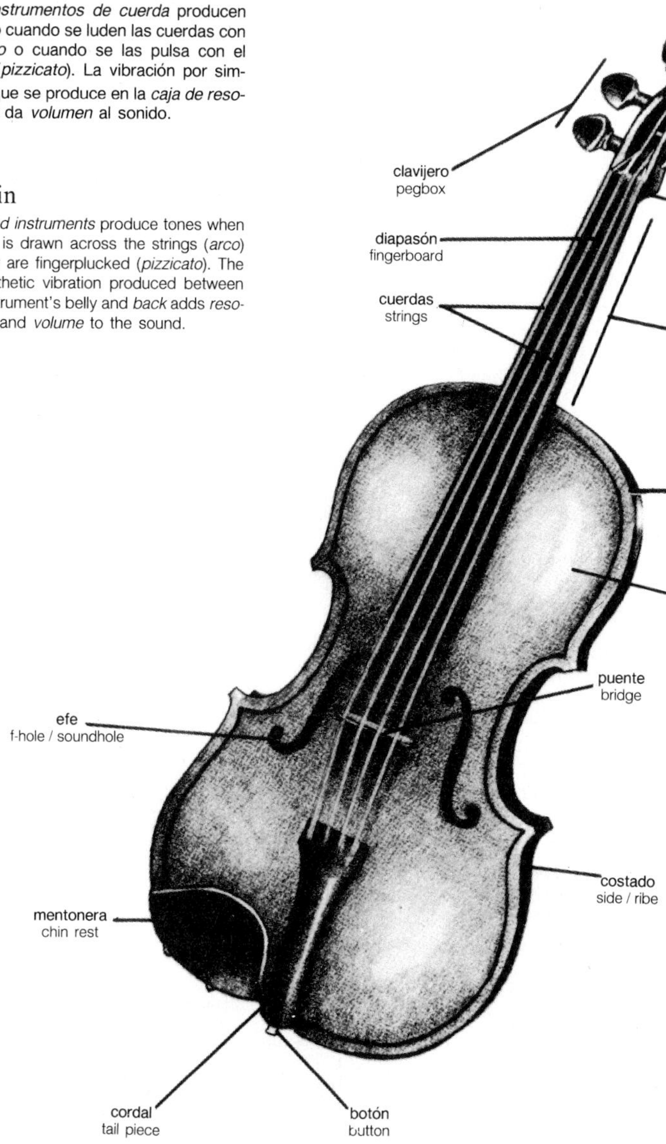

rizo
scroll
clavija
peg / screw
clavijero
pegbox
cejilla
nut
diapasón
fingerboard
cuerdas
strings
mástil
neck
orla
purfling
tapa superior
belly / table / top / soundboard
puente
bridge
efe
f-hole / soundhole
costado
side / ribe
mentonera
chin rest
cordal
tail piece
botón
button

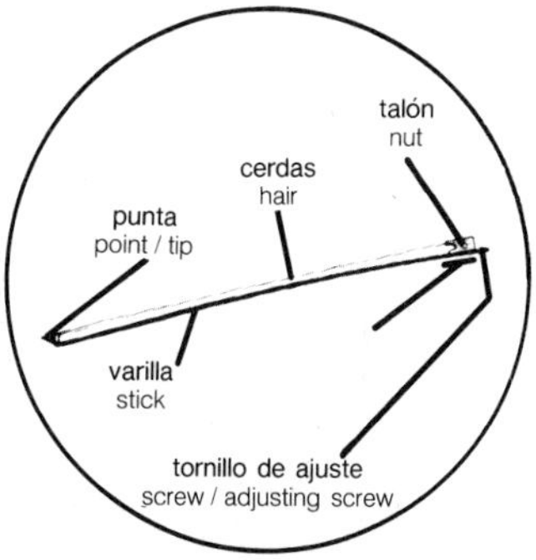

talón
nut
cerdas
hair
punta
point / tip
varilla
stick
tornillo de ajuste
screw / adjusting screw

Arco
Bow

Viola
Viola

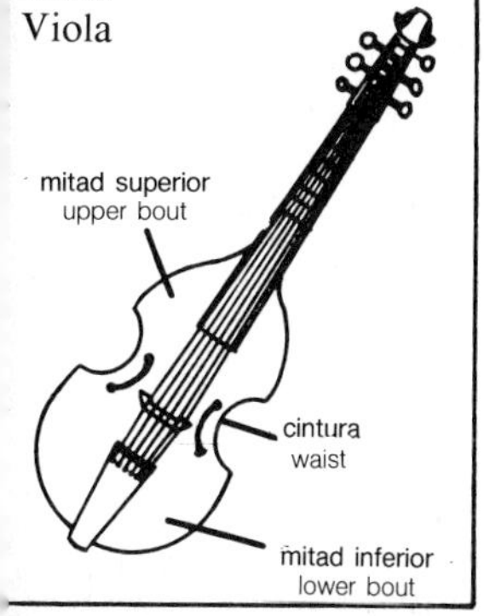

mitad superior
upper bout
cintura
waist
mitad inferior
lower bout

Violoncello
Cello / Violoncello

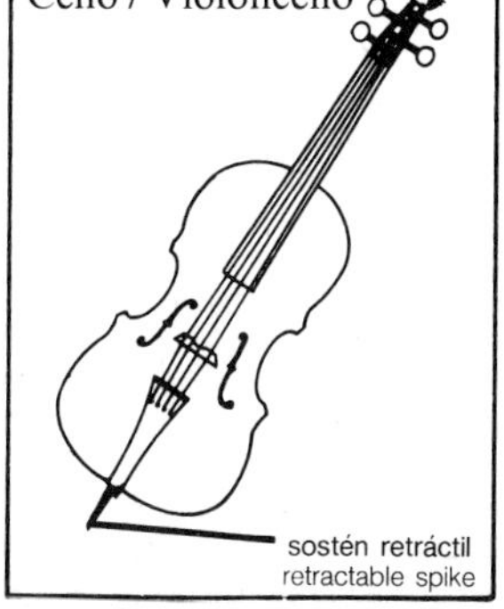

sostén retráctil
retractable spike

Lira
Lyre

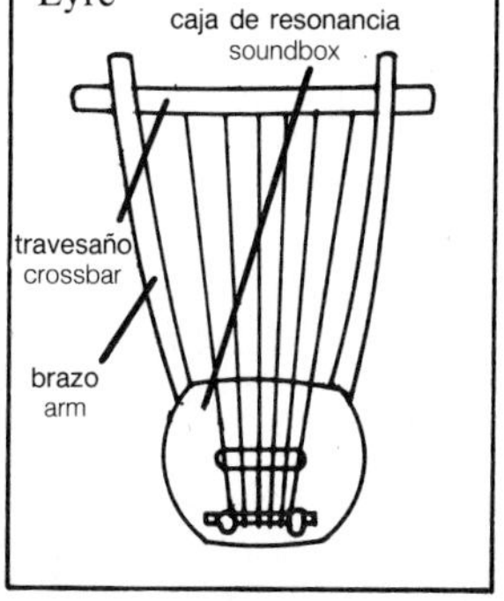

caja de resonancia
soundbox
travesaño
crossbar
brazo
arm

Contrabajo
Bass Fiddle

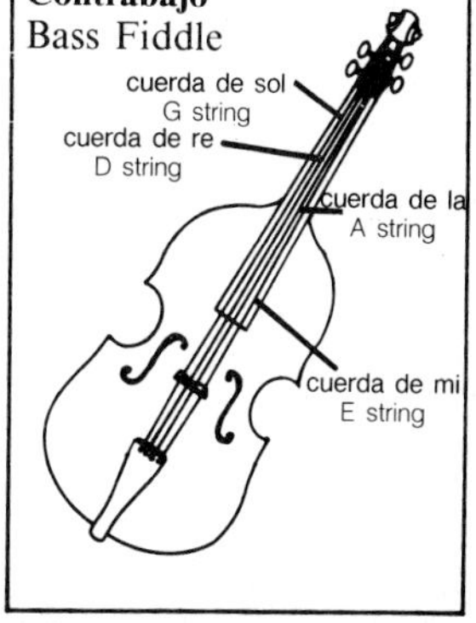

cuerda de sol
G string
cuerda de re
D string
cuerda de la
A string
cuerda de mi
E string

Madera

Los instrumentos de viento de madera producen el sonido gracias a la vibración de una o dos lengüetas de caña flexibles situadas en la embocadura o mediante el paso del aire que se sopla directamente por un orificio.

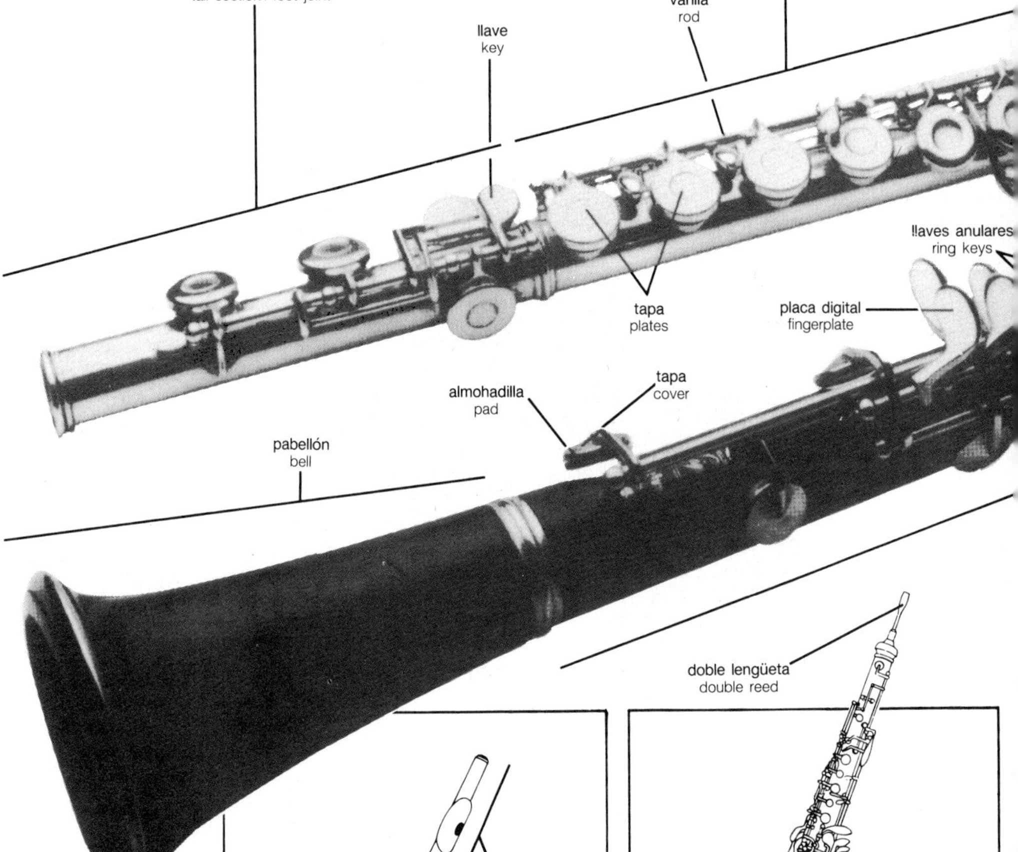

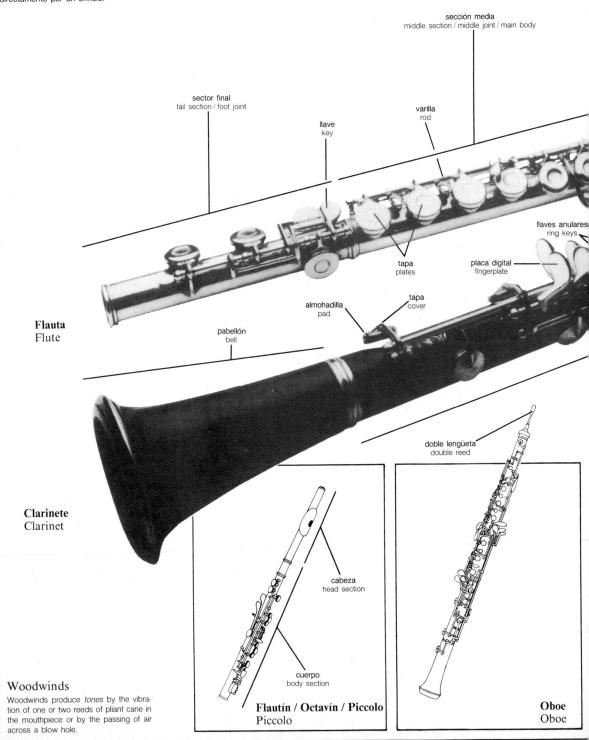

sección media
middle section / middle joint / main body
sector final
tail section / foot joint
varilla
rod
llave
key
llaves anulares
ring keys
tapa
plates
placa digital
fingerplate
almohadilla
pad
tapa
cover
pabellón
bell

Flauta
Flute

Clarinete
Clarinet

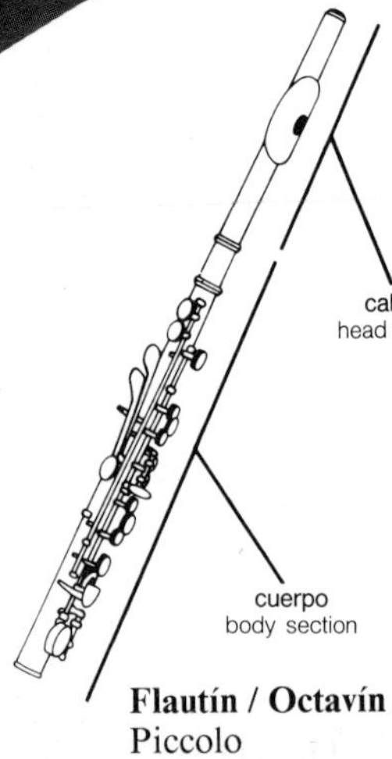

cabeza
head section
cuerpo
body section

Flautín / Octavín / Piccolo
Piccolo

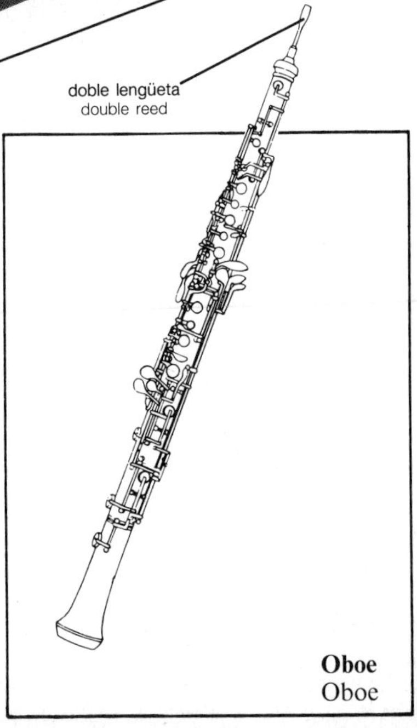

doble lengüeta
double reed

Oboe
Oboe

Woodwinds

Woodwinds produce *tones* by the vibration of one or two reeds of pliant cane in the mouthpiece or by the passing of air across a blow hole.

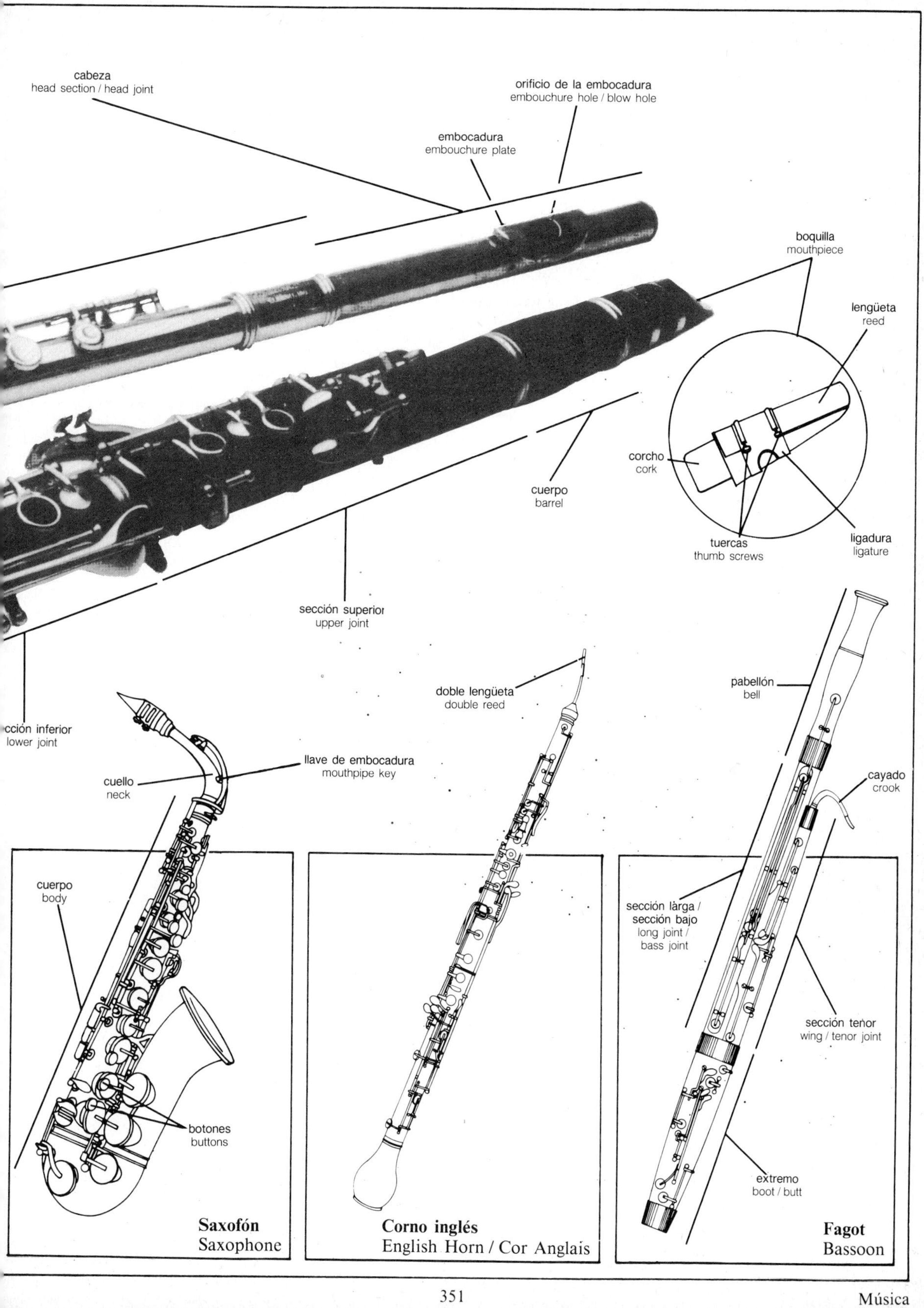
cabeza
head section / head joint
orificio de la embocadura
embouchure hole / blow hole
embocadura
embouchure plate
boquilla
mouthpiece
lengüeta
reed
corcho
cork
cuerpo
barrel
tuercas
thumb screws
ligadura
ligature
sección superior
upper joint
cción inferior
lower joint
doble lengüeta
double reed
pabellón
bell
llave de embocadura
mouthpipe key
cuello
neck
cayado
crook
cuerpo
body
sección larga /
sección bajo
long joint /
bass joint
sección tenor
wing / tenor joint
botones
buttons
extremo
boot / butt

Saxofón
Saxophone

Corno inglés
English Horn / Cor Anglais

Fagot
Bassoon

Metal

En los *instrumentos de viento* de metal se produce el *sonido* soplando con los labios apretados a la boquilla. La gama de sonidos que abarcan es muy vasta y su afinación depende de la distancia que recorre el aire: más baja cuando el tubo es muy largo (tuba, trombón, barítono y bajo) y más alta cuando el tubo es más corto (trompeta, corneta, clarín). Suelen estar hechos de latón.

Brasses

Brasses are *wind instruments* that produce *tones* when lips are buzzed against the mouthpiece. The range of brass instruments is increased by added lengths of tubin called *crooks* or *shanks*.

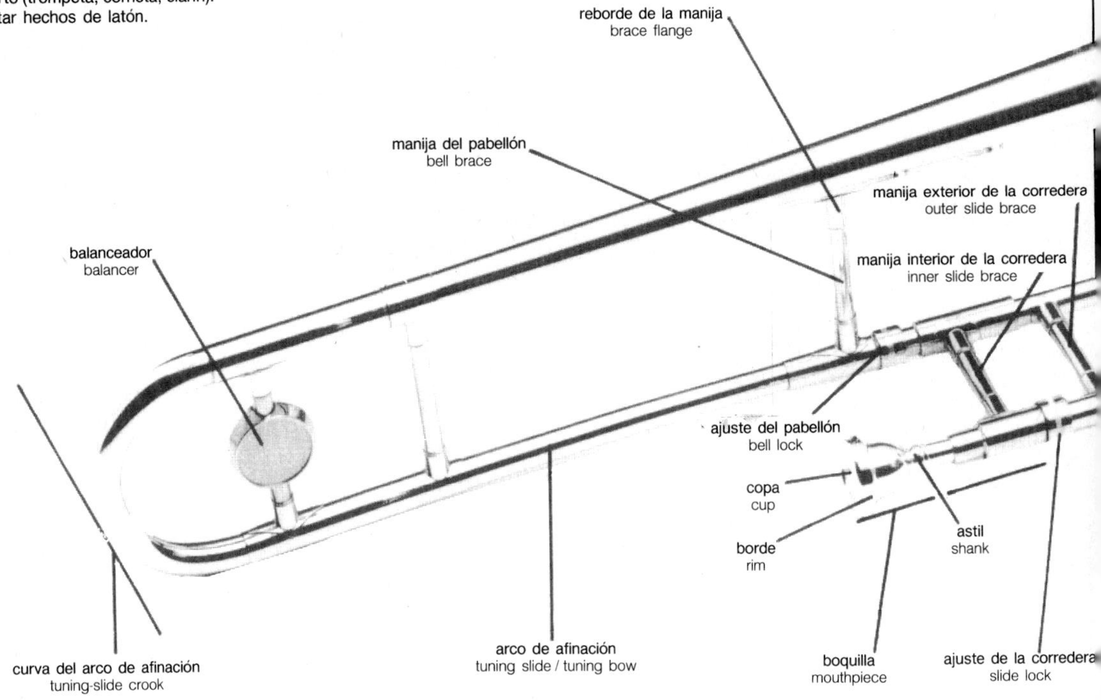

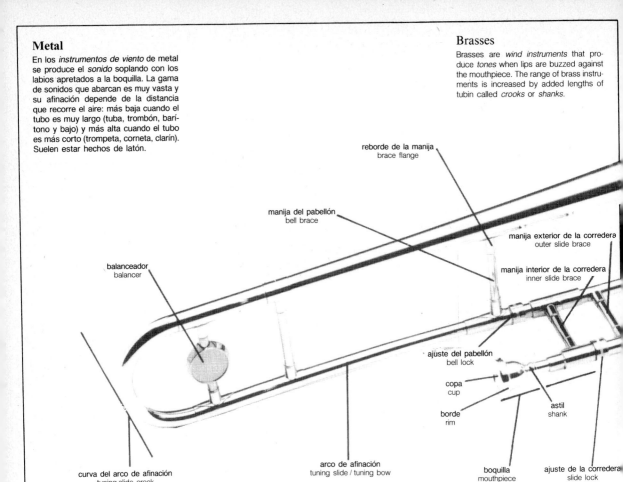

reborde de la manija
brace flange
manija del pabellón
bell brace
manija exterior de la corredera
outer slide brace
balanceador
balancer
manija interior de la corredera
inner slide brace
ajuste del pabellón
bell lock
copa
cup
borde
rim
astil
shank
curva del arco de afinación
tuning-slide crook
arco de afinación
tuning slide / tuning bow
boquilla
mouthpiece
ajuste de la corredera
slide lock

Trombón
Trombone

Sousafón
Sousaphone

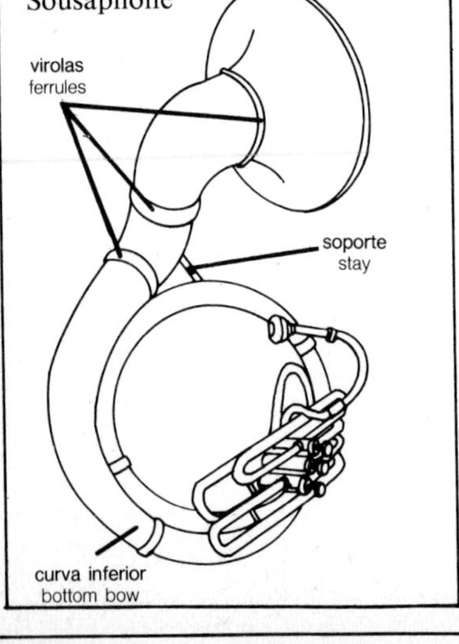

virolas
ferrules
soporte
stay
curva inferior
bottom bow

Tuba
Tuba

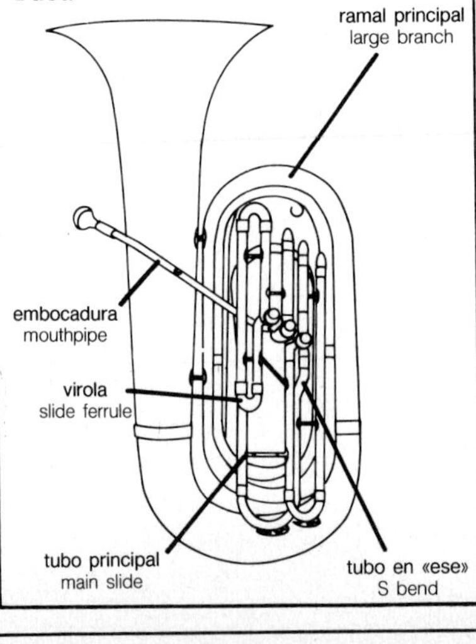

ramal principal
large branch
embocadura
mouthpipe
virola
slide ferrule
tubo principal
main slide
tubo en «ese»
S bend

Trompa
French Horn

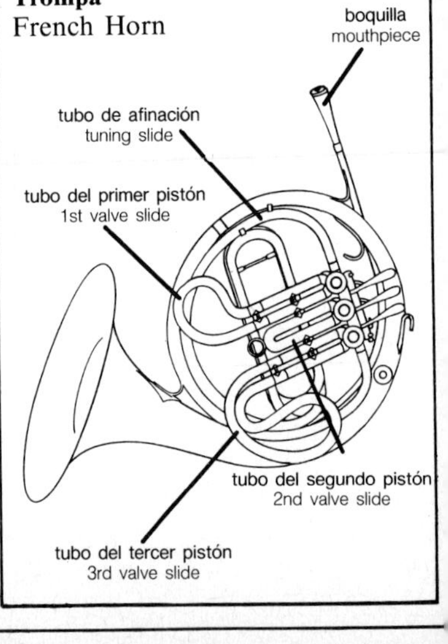

boquilla
mouthpiece
tubo de afinación
tuning slide
tubo del primer pistón
1st valve slide
tubo del segundo pistón
2nd valve slide
tubo del tercer pistón
3rd valve slide

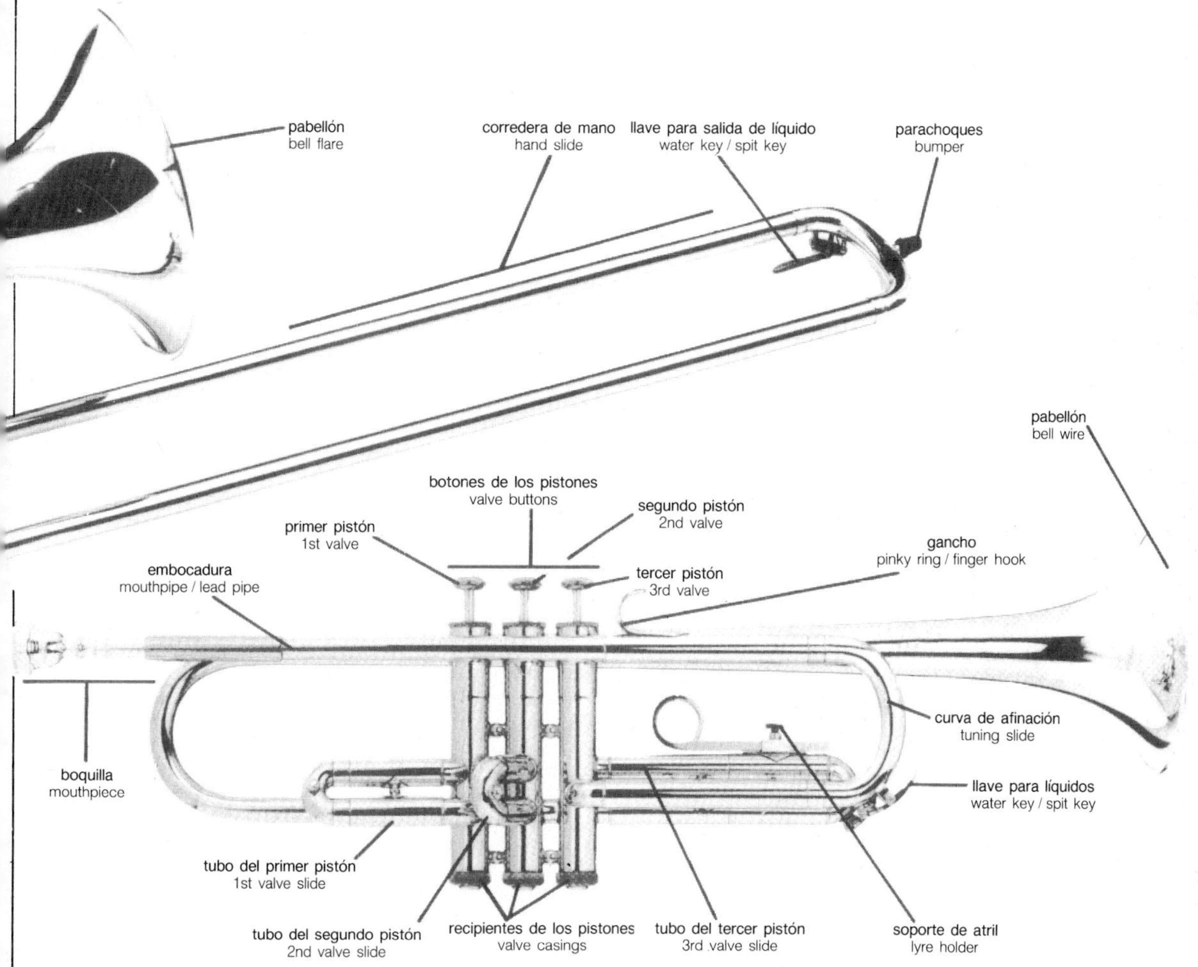

pabellón
bell flare
corredera de mano
hand slide
llave para salida de líquido
water key / spit key
parachoques
bumper
pabellón
bell wire
botones de los pistones
valve buttons
segundo pistón
2nd valve
primer pistón
1st valve
gancho
pinky ring / finger hook
embocadura
mouthpipe / lead pipe
tercer pistón
3rd valve
curva de afinación
tuning slide
boquilla
mouthpiece
llave para líquidos
water key / spit key
tubo del primer pistón
1st valve slide
tubo del segundo pistón
2nd valve slide
recipientes de los pistones
valve casings
tubo del tercer pistón
3rd valve slide
soporte de atril
lyre holder

Trompeta
Trumpet

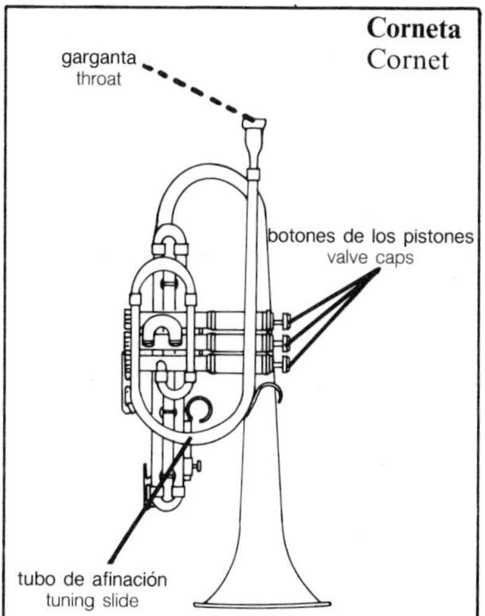

garganta
throat
botones de los pistones
valve caps
tubo de afinación
tuning slide

Corneta
Cornet

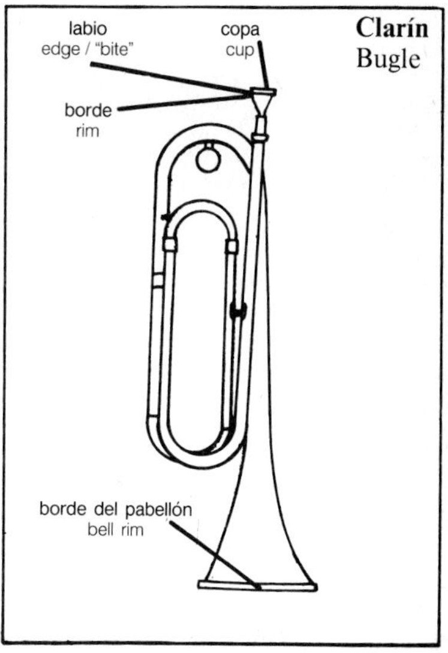

labio
edge / "bite"
copa
cup
borde
rim
borde del pabellón
bell rim

Clarín
Bugle

Órgano

Las *teclas, pedales* y *tubos* de un órgano de tubos como el que aparece en la ilustración, se hallan acoplados a la caja o *consola* del instrumento. La música se produce cuando el aire, impulsado desde un fuelle interior hacia un *depósito*, se dirige a uno de los tubos del órgano. El *órgano eléctrico* produce los sonidos de forma mecánica, mientras que el *órgano electrónico* lo hace mediante *transistores* y *válvulas electrónicas.*

Organ

The keyboards, or *manuals*, pedal board and *pipes* of a pipe organ, such as the one shown here, are contained in the body, or *console*. Music is produced when air, sent into a *wind chest* from an internal *bellows*, is directed into one of the organ's pipes. An *electric organ* produces tones mechanically. An *electronic organ* uses *transistors* and *tubes* to make sounds.

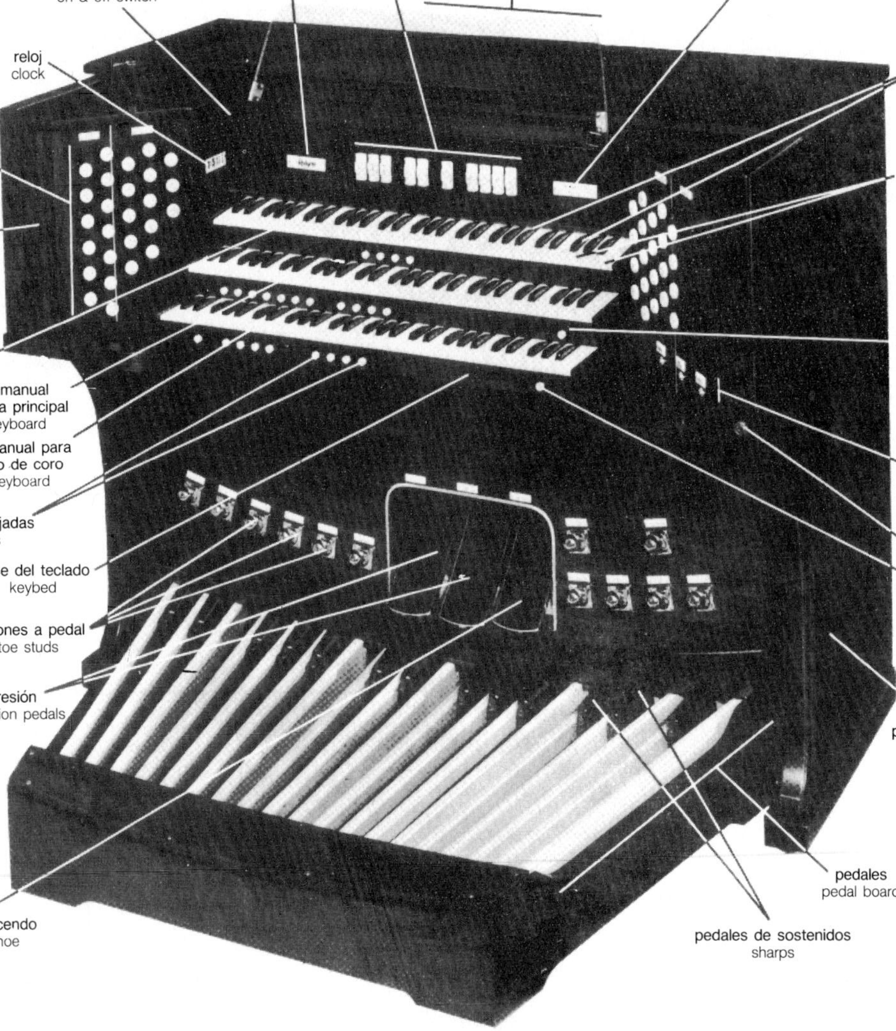

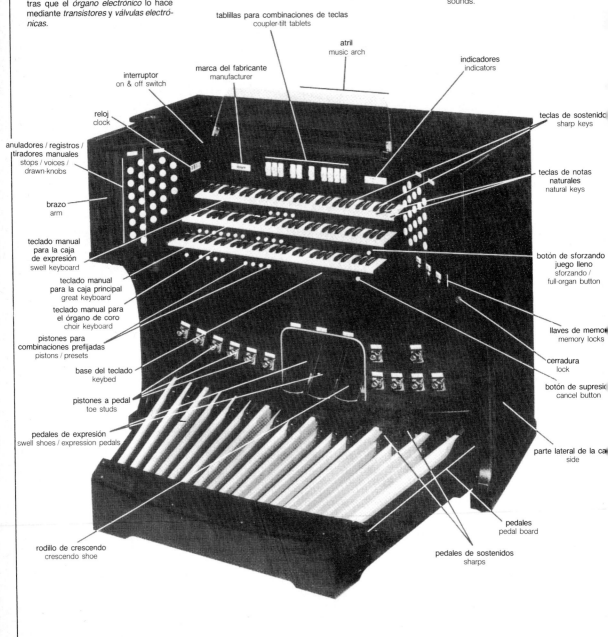

tablillas para combinaciones de teclas
coupler-tilt tablets
atril
music arch
indicadores
indicators
marca del fabricante
manufacturer
interruptor
on & off switch
reloj
clock
teclas de sostenido
sharp keys
anuladores / registros / tiradores manuales
stops / voices / drawn-knobs
teclas de notas naturales
natural keys
brazo
arm
teclado manual para la caja de expresión
swell keyboard
botón de sforzando juego lleno
sforzando / full-organ button
teclado manual para la caja principal
great keyboard
teclado manual para el órgano de coro
choir keyboard
llaves de memo
memory locks
pistones para combinaciones prefijadas
pistons / presets
cerradura
lock
base del teclado
keybed
botón de supresi
cancel button
pistones a pedal
toe studs
pedales de expresión
swell shoes / expression pedals
parte lateral de la ca
side
pedales
pedal board
rodillo de crescendo
crescendo shoe
pedales de sostenidos
sharps

Piano

El piano cormprende una *parte estructural*, una *parte tonal* y una *parte mecánica*. Al tocar cada tecla, se pone en movimiento un mecanismo que hace que los *martillos* cubiertos de fieltro golpeen en las *cuerdas* contenidas en la *caja*. El *teclado silencioso* (*digitorium*) es un teclado de piano sin el resto de los mecanismos, para practicar digitación.

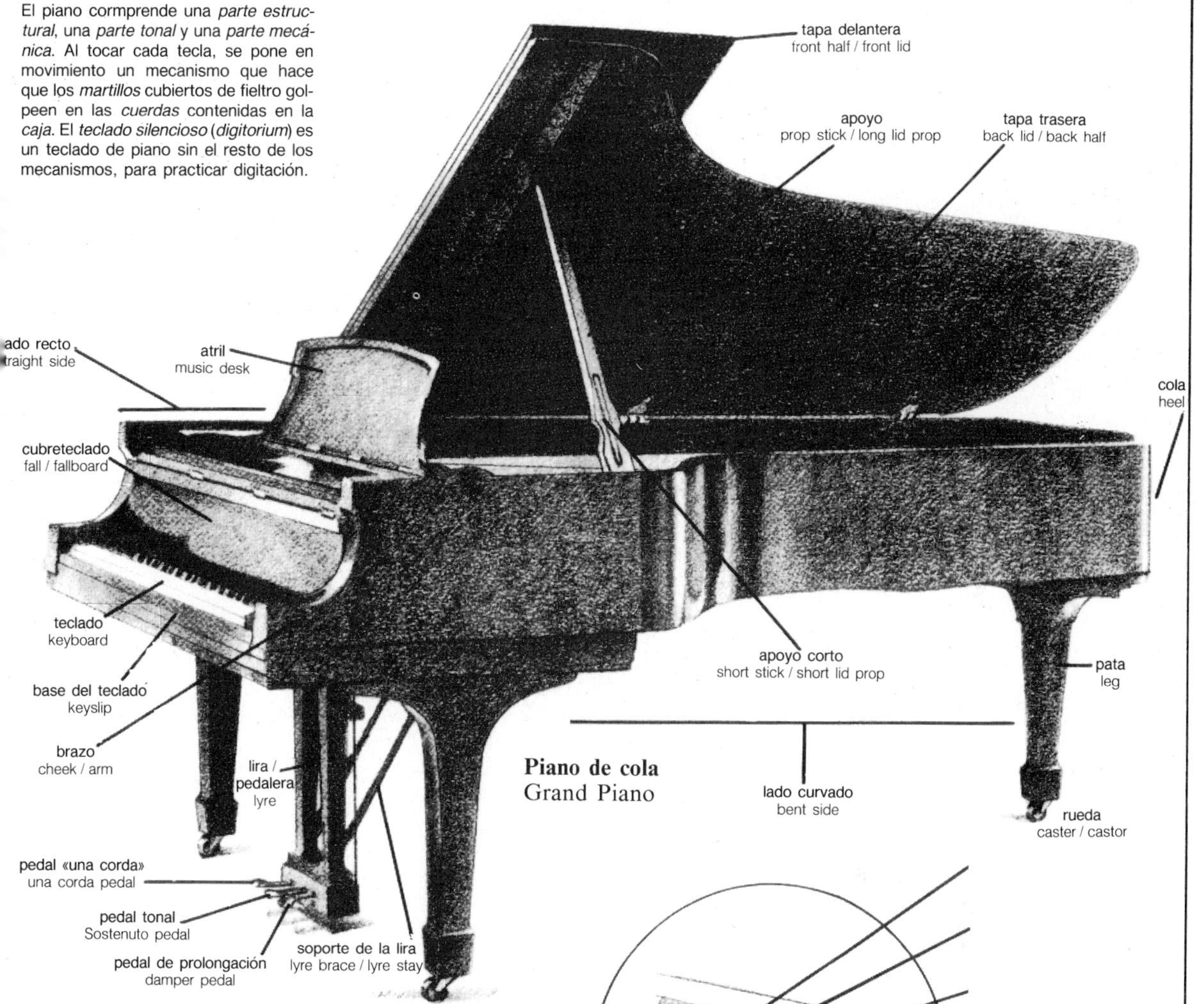

tapa delantera
front half / front lid
apoyo
prop stick / long lid prop
tapa trasera
back lid / back half
ado recto
traight side
atril
music desk
cola
heel
cubreteclado
fall / fallboard
teclado
keyboard
base del teclado
keyslip
brazo
cheek / arm
apoyo corto
short stick / short lid prop
pata
leg
lira / pedalera
lyre
lado curvado
bent side
rueda
caster / castor
pedal «una corda»
una corda pedal
pedal tonal
Sostenuto pedal
pedal de prolongación
damper pedal
soporte de la lira
lyre brace / lyre stay

Piano de cola
Grand Piano

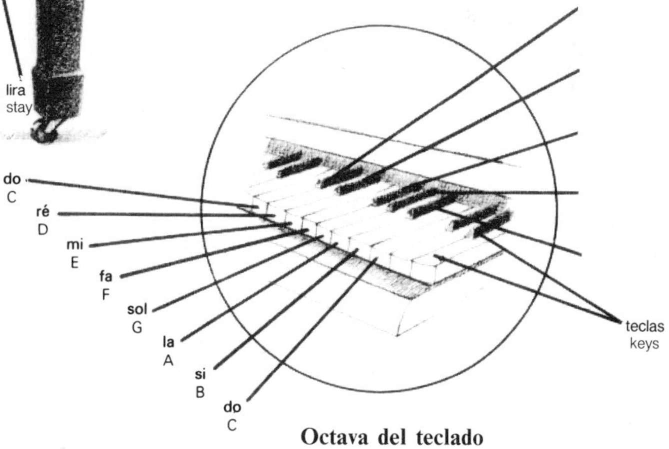

do
C
ré
D
mi
E
fa
F
sol
G
la
A
si
B
do
C
teclas
keys

Octava del teclado
Keyboard Octave

Piano vertical
Upright Piano

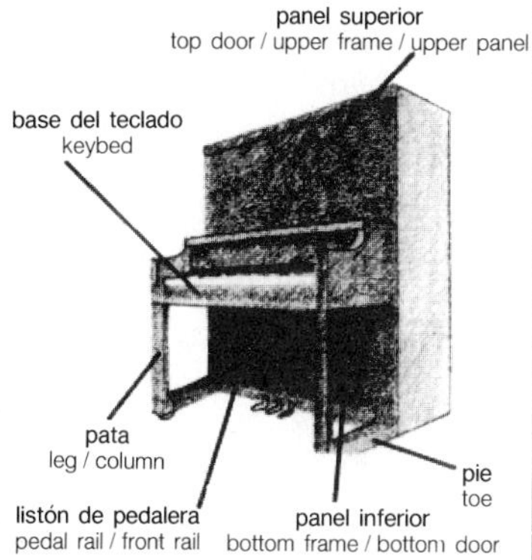

panel superior
top door / upper frame / upper panel
base del teclado
keybed
pata
leg / column
pie
toe
listón de pedalera
pedal rail / front rail
panel inferior
bottom frame / bottom door

Piano

A piano is made up of a *structural unit*, a *tone unit* and a *mechanical unit*. The keys activate a mechanism that throws felt-covered *hammers* against the strings in the piano case. A *digitorium* is a silent machine for piano practice.

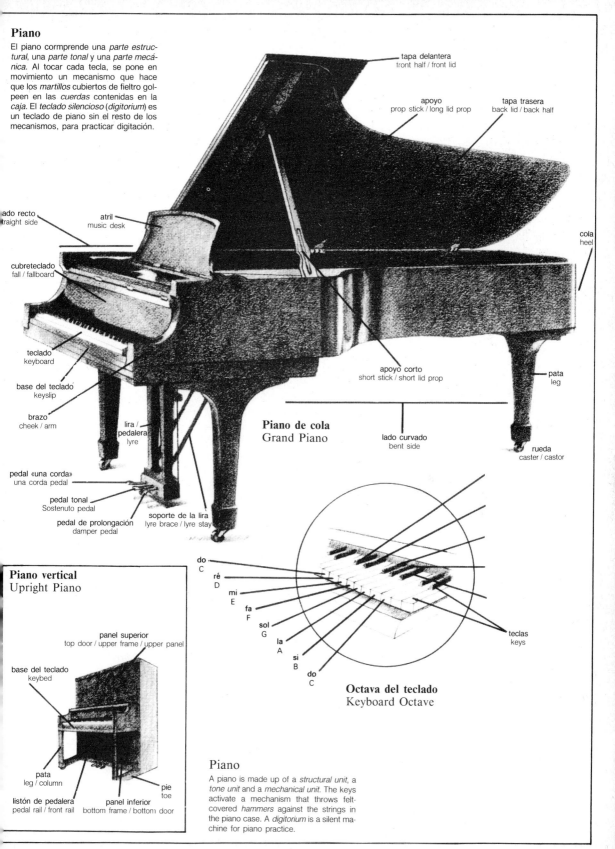

Guitarra

Estos *instrumentos de cuerda* forman parte de la familia del laúd. Se tocan pulsando o rasgueando las cuerdas, con los dedos o con un *plectro* o *púa*. Existe un aparato de metal forrado de fieltro y con un tornillo de ajuste por detrás, el *capo* o *transporte*, que se mueve libremente por el mástil, para cambiar la afinación de todo el encordado. El sitar indio tiene *cuerdas simpáticas* por dentro del mástil hueco, que vibran según las cuerdas, melódicas o de acompañamiento, que se pulsen.

Guitar

These *chordophones*, or *stringed instruments*, are members of the lute family. They are played by plucking or strumming the strings with the fingers or with a stiff *plectrum* or *pick*. A movable device attached to a guitar neck, used to raise the pitch of the strings, is a *capo*. There are *sympathetic strings* inside the hollow neck of a sitar that vibrate in response to the drone or melody strings.

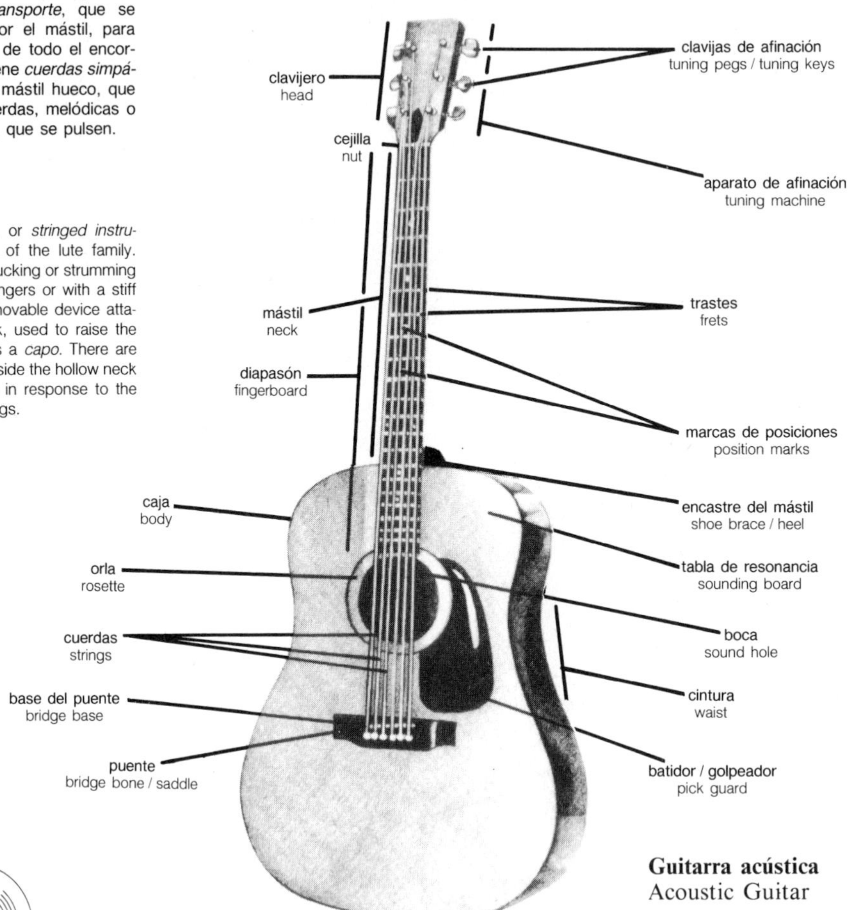

clavijas de afinación
tuning pegs / tuning keys
clavijero
head
cejilla
nut
aparato de afinación
tuning machine
mástil
neck
trastes
frets
diapasón
fingerboard
marcas de posiciones
position marks
caja
body
encastre del mástil
shoe brace / heel
orla
rosette
tabla de resonancia
sounding board
cuerdas
strings
boca
sound hole
base del puente
bridge base
cintura
waist
puente
bridge bone / saddle
batidor / golpeador
pick guard

Guitarra acústica
Acoustic Guitar

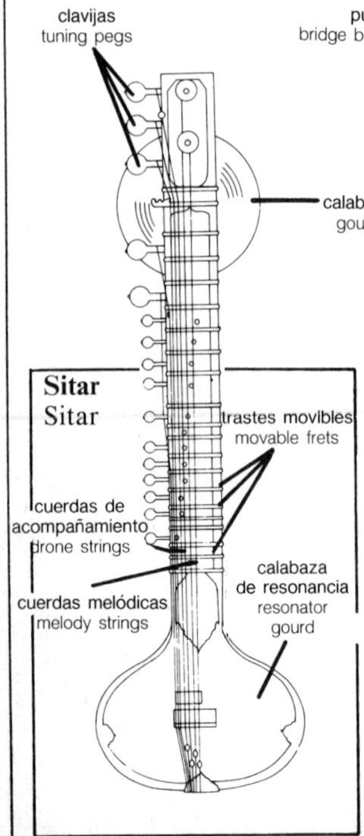

clavijas
tuning pegs
calabaza
gourd
trastes movibles
movable frets
cuerdas de acompañamiento
drone strings
calabaza de resonancia
resonator gourd
cuerdas melódicas
melody strings

Sitar
Sitar

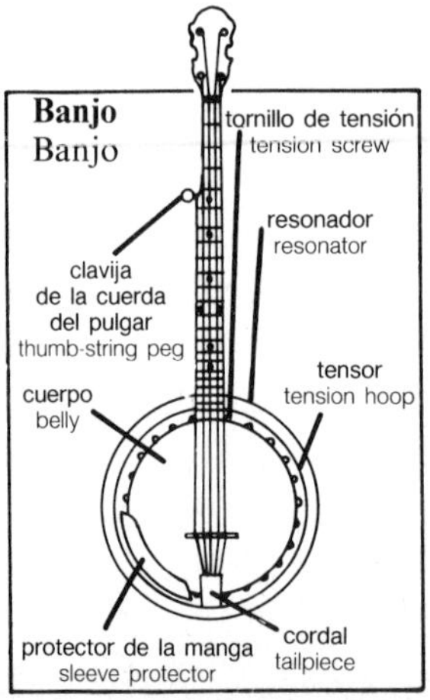

tornillo de tensión
tension screw
resonador
resonator
clavija de la cuerda del pulgar
thumb-string peg
tensor
tension hoop
cuerpo
belly
protector de la manga
sleeve protector
cordal
tailpiece

Banjo
Banjo

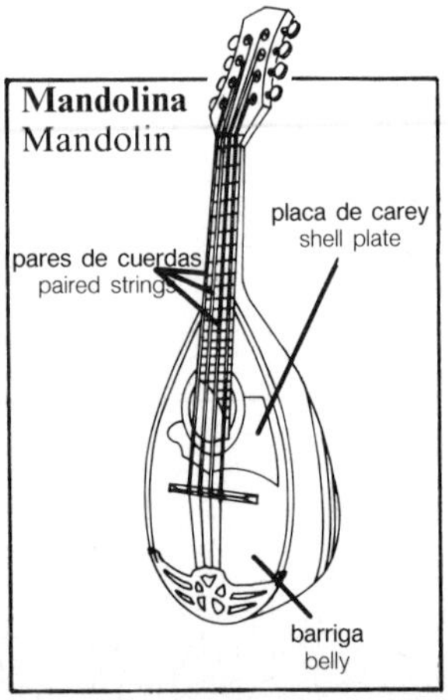

placa de carey
shell plate
pares de cuerdas
paired strings
barriga
belly

Mandolina
Mandolin

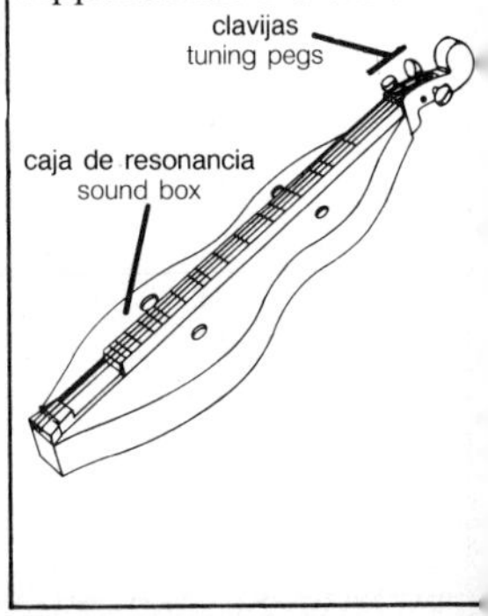

clavijas
tuning pegs
caja de resonancia
sound box

Dulcémele de pulsar
Appalachian Dulcimer

Guitarra eléctrica

La guitarra eléctrica tiene una *caja maciza*, en lugar de la *caja hueca* o *semihueca* de las guitarras acústicas. Los pedales para *efectos especiales*, entre los que se encuentran el *fuzz*, el *alternador de fuzz*, el *wah-wah* y el *distorsionador*, se conectan al amplificador. Los *preamplificadores*, que sirven para aumentar las señales débiles, también pueden enchufarse al amplificador.

Electric Guitar

The electric guitar has a *solid body* rather than the *hollow* or *semi-hollow body* of an acoustic guitar. *Special-effects pedals*, among them *fuzz*, *fuzz-phaser*, *wah-wah* and *distortion*, can be linked to the amplifier. *Preamplifiers*, which serve to magnify weak signals, can also be hooked up to the amplifier.

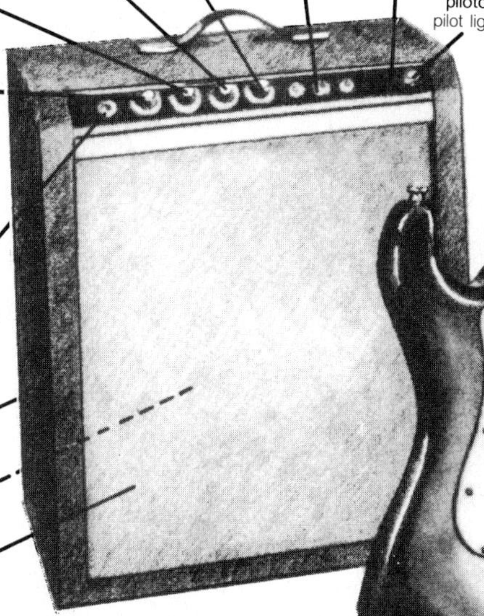

entrada del instrumento
instrument input
control de tonos
tone control
control de volumen
volume control
interruptor
on & off switch
control de frecuencia
rate control
piloto
pilot light
control de gravedad de sonido
depth control
entrada del interruptor de pie
foot-switch input
caja
cabinet
altavoces
speakers
tela protectora
grille

Amplificador
Amplifier / Amp

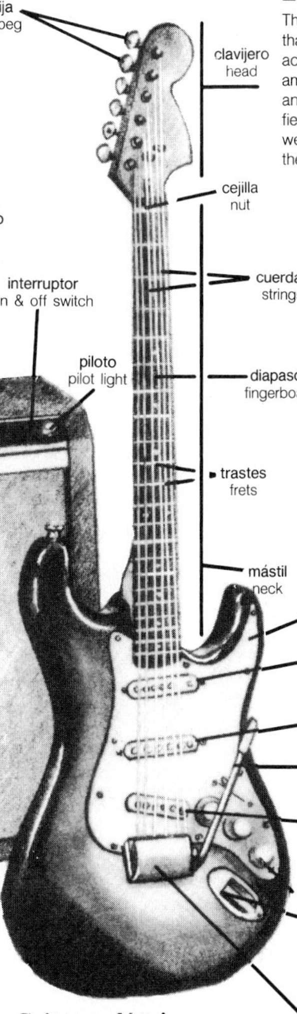

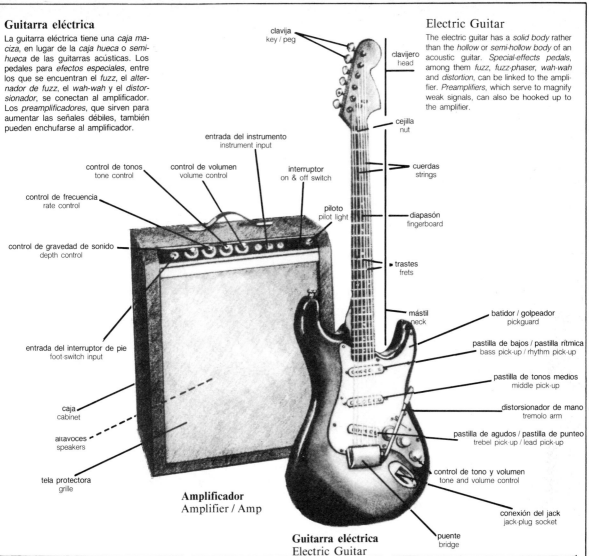

clavija
key / peg
clavijero
head
cejilla
nut
cuerdas
strings
diapasón
fingerboard
trastes
frets
mástil
neck
batidor / golpeador
pickguard
pastilla de bajos / pastilla rítmica
bass pick-up / rhythm pick-up
pastilla de tonos medios
middle pick-up
distorsionador de mano
tremolo arm
pastilla de agudos / pastilla de punteo
trebel pick-up / lead pick-up
control de tono y volumen
tone and volume control
conexión del jack
jack-plug socket
puente
bridge

Guitarra eléctrica
Electric Guitar

Guitarra de doble mástil
Double-Neck Bass and Guitar

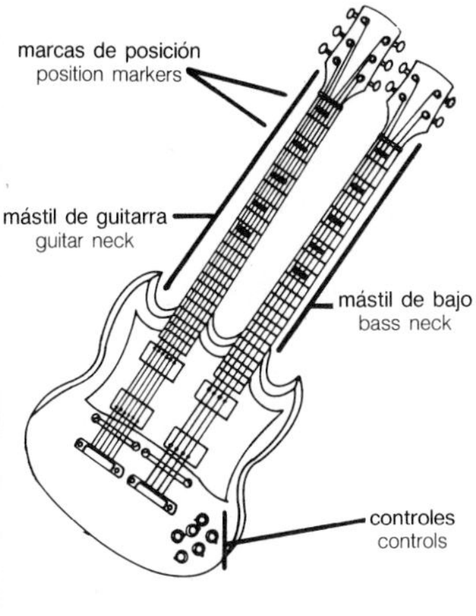

marcas de posición
position markers
mástil de guitarra
guitar neck
mástil de bajo
bass neck
controles
controls

Sintetizador
Synthesizer

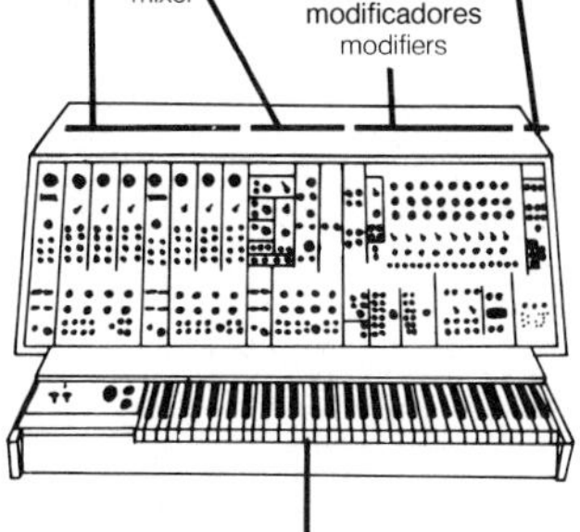

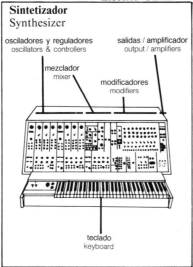

osciladores y reguladores
oscillators & controllers
salidas / amplificador
output / amplifiers
mezclador
mixer
modificadores
modifiers
teclado
keyboard

Guitarra hawaiana de pedales
Pedal Steel Guitar

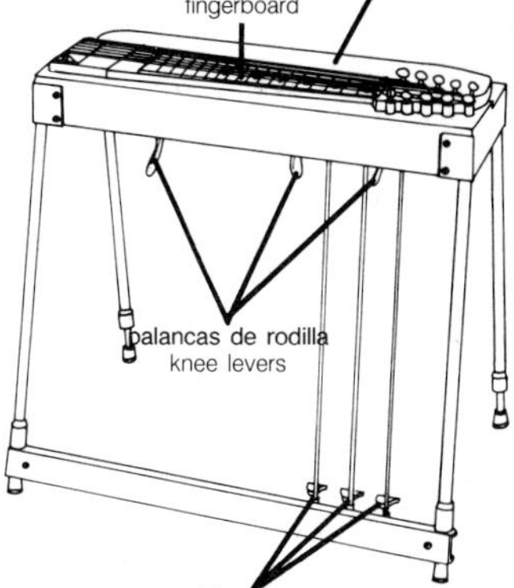

mástil
neck
diapasón
fingerboard
palancas de rodilla
knee levers
pedales
floor pedals

Batería

Una batería como la que se ve aquí se compone básicamente de instrumentos de *percusión* a los que se hace sonar por medio de mazos, palillos de madera o escobillas metálicas. La *caja clara* lleva tensados sobre su parche inferior cuerdas de metal, de nylón o de tripa. El tono del timbal se ajusta mediante las llaves que regulan la tensión del parche.

Drums

Drums, or *membranophones*, in a *drum set* such as the one shown here, are played with *drumsticks*, *mallets* or *brushes*. A gong is struck with a *beater*. Adjustable metal, nylon or gut strings, called *snares*, are stretched across the bottom head, or *snare head*, of a snare drum. Timpani can be adjusted by screws or pedals to produce sounds of different pitches.

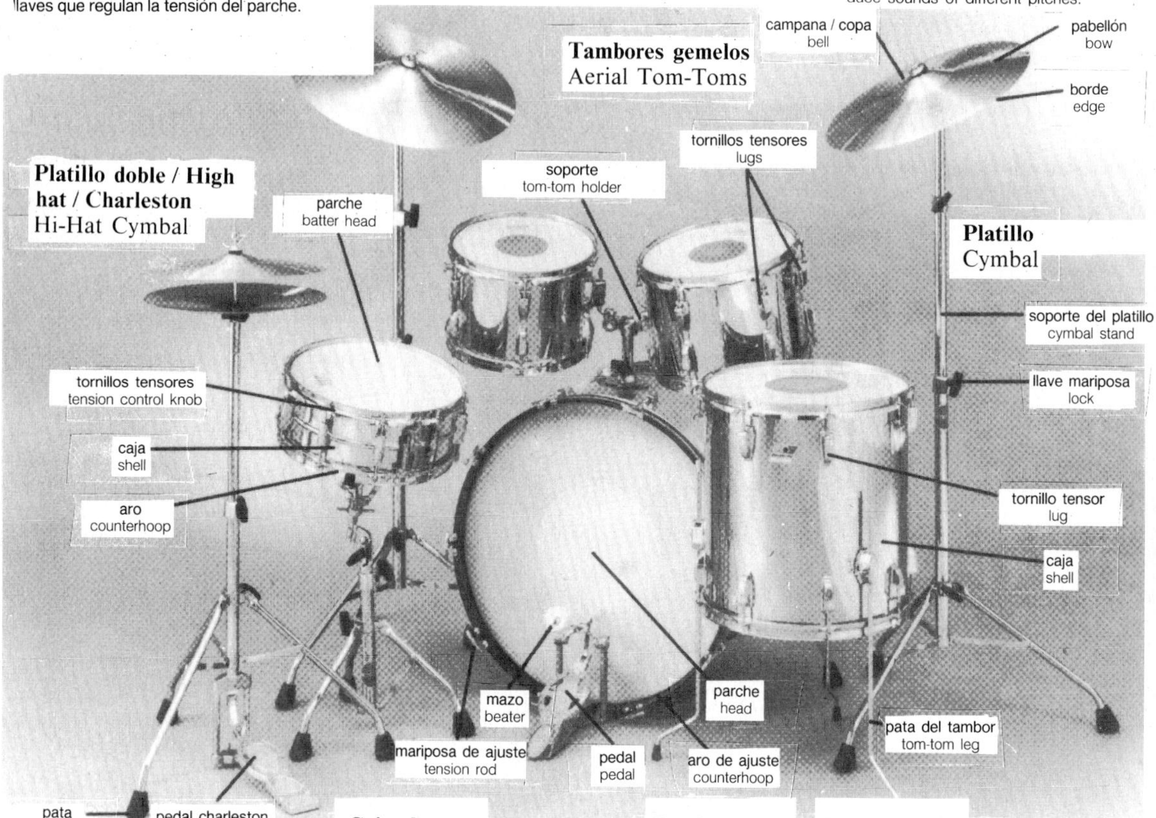
campana / copa
bell
pabellón
bow
borde
edge
Tambores gemelos
Aerial Tom-Toms
tornillos tensores
lugs
soporte
tom-tom holder
Platillo doble / High hat / Charleston
Hi-Hat Cymbal
parche
batter head
Platillo
Cymbal
soporte del platillo
cymbal stand
llave mariposa
lock
tornillos tensores
tension control knob
caja
shell
aro
counterhoop
tornillo tensor
lug
caja
shell
mazo
beater
parche
head
pata del tambor
tom-tom leg
mariposa de ajuste
tension rod
pedal
pedal
aro de ajuste
counterhoop
pata
foot
pedal charleston
foot pedal

Caja clara
Snare Drum / Side Drum

Bombo
Bass Drum

Tambor / Tom
Floor Tom-Tom / Tenor Drum

Bongos
Bongos

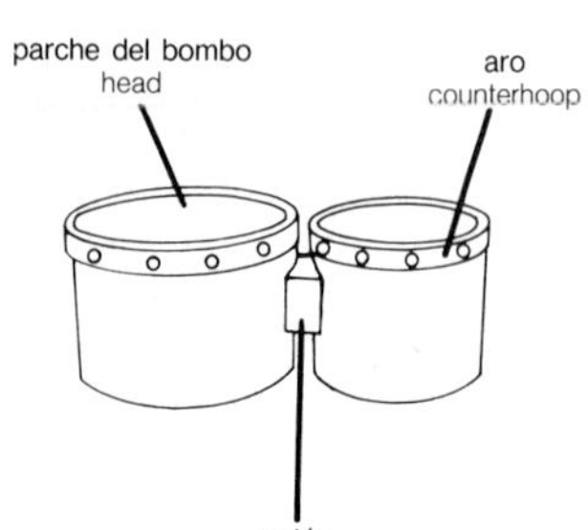
parche del bombo
head
aro
counterhoop
unión
block

Pandero / Pandereta
Tambourine

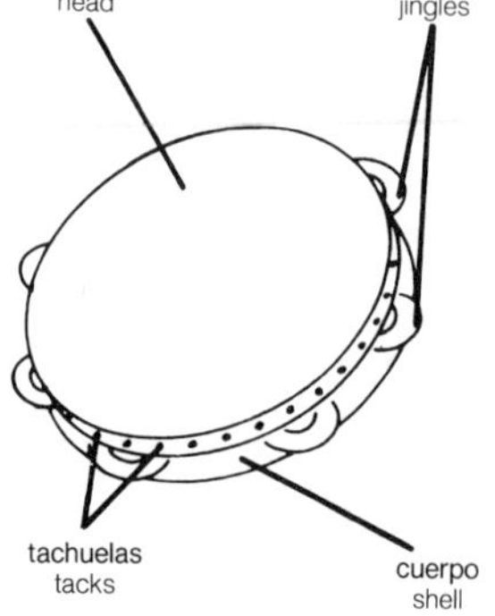
parche
head
sonajas
jingles
tachuelas
tacks
cuerpo
shell

Timbal / Atabal / Tímpano
Kettledrum / Timpano

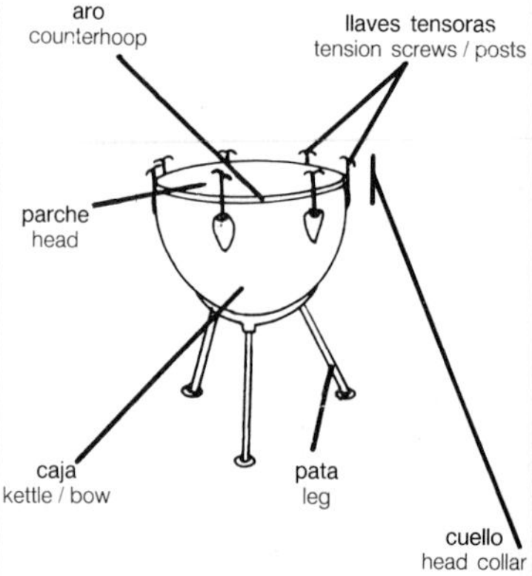
aro
counterhoop
llaves tensoras
tension screws / posts
parche
head
caja
kettle / bow
pata
leg
cuello
head collar

Gaita

El son de la gaita se produce cuando el aire contenido en el *odre* o *fuelle* pasa por los tubos, uno de los cuales, el *puntero*, está provisto de agujeros que pulsa el tañedor para crear la melodía. El *fuelle* se llena de aire cuando el gaitero sopla por el *soplete*. Además la gaita tiene tres *bordones* (dos tenores y uno bajo o *roncón*) que emiten las correspondientes notas continuas que sirven de fondo a la melodía.

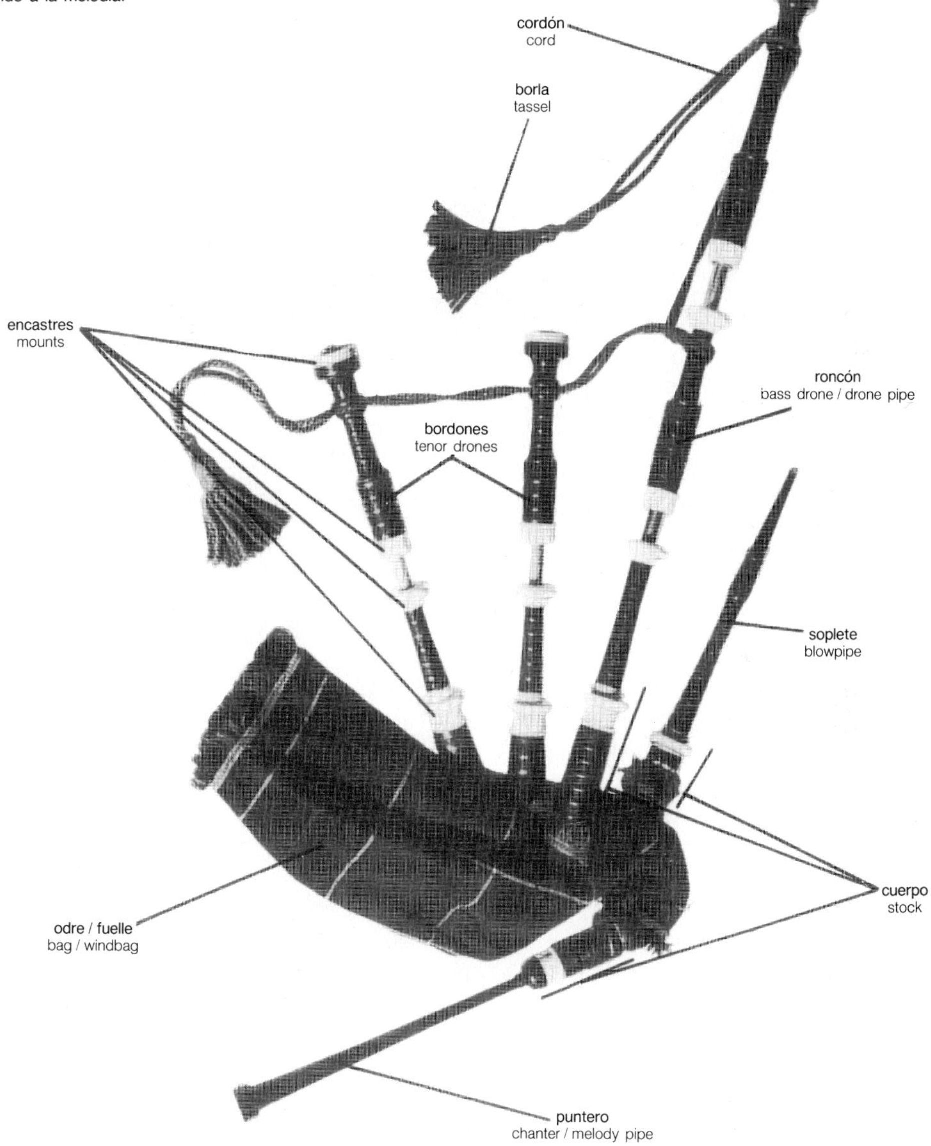

cordón
cord
borla
tassel
encastres
mounts
roncón
bass drone / drone pipe
bordones
tenor drones
soplete
blowpipe
cuerpo
stock
odre / fuelle
bag / windbag
puntero
chanter / melody pipe

Bagpipe

A *drone reed*, or *double-reed*, held inside the chanter by a *tenon*, creates music when air is blown into the *pipes* by a *bagpiper* or by pumping *bellows* strapped to the *piper's* body. The melody is played on the *open holes* in the chanter. The *leather bag* is usually covered with a decorative *bag cover*.

Instrumentos populares

Al igual que la armónica, el acordeón es un instrumento de viento con *lengüeta*. Muchos acordeones cuentan con teclas para el cambio de registros.

Folk Instruments

Like the harmonica, the accordion, or *piano-accordion*, is a *free-reed instrument*. Many accordions have *treble* and *bass register buttons* which allow the *accordionist* to change the tone of the instrument.

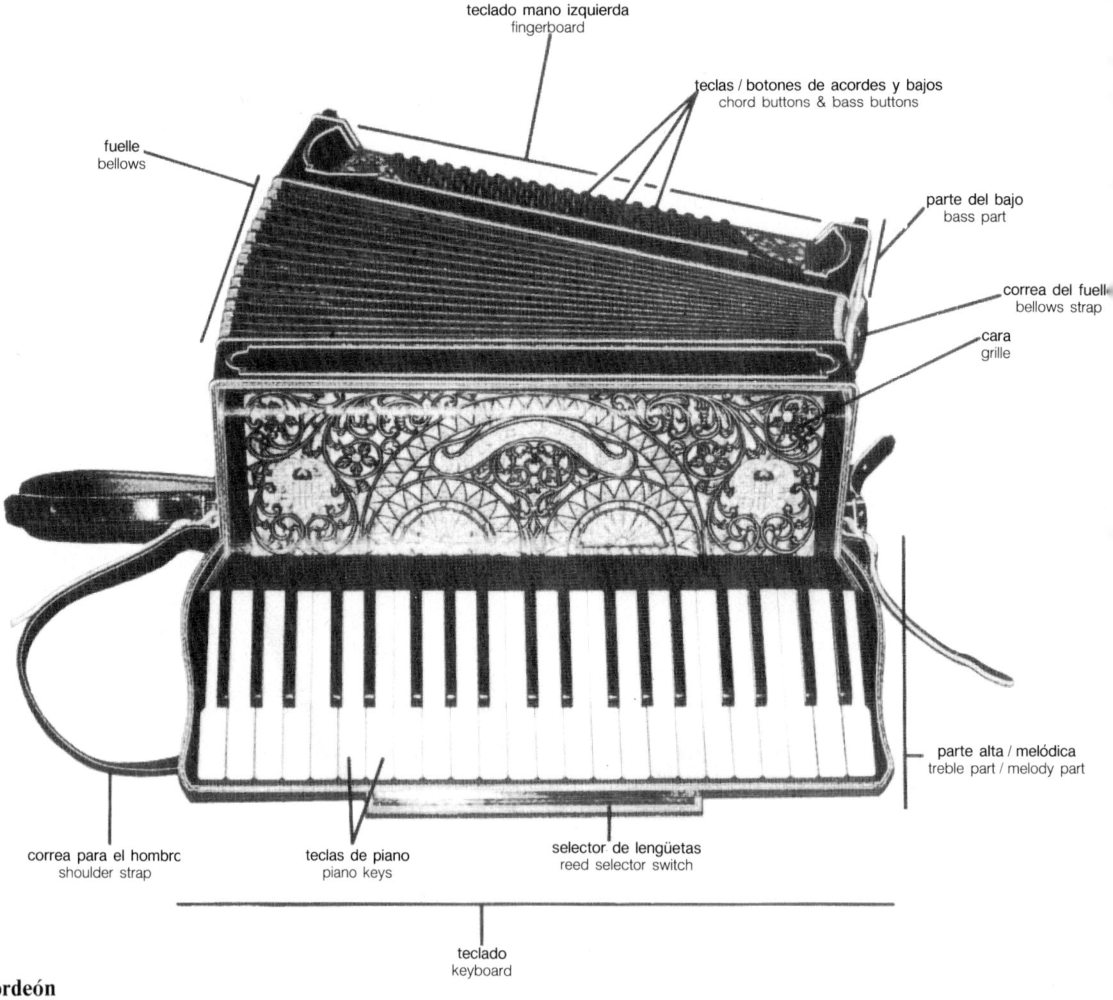
teclado mano izquierda
fingerboard
teclas / botones de acordes y bajos
chord buttons & bass buttons
fuelle
bellows
parte del bajo
bass part
correa del fuell
bellows strap
cara
grille
parte alta / melódica
treble part / melody part
correa para el hombrc
shoulder strap
teclas de piano
piano keys
selector de lengüetas
reed selector switch
teclado
keyboard

Acordeón
Accordion

Viola de tina
Tub Fiddle

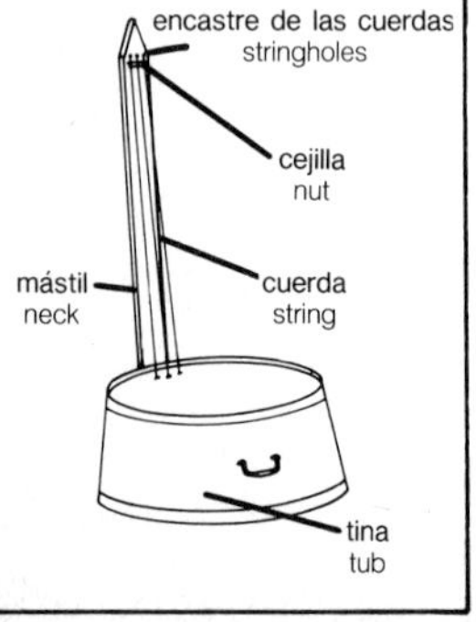
encastre de las cuerdas
stringholes
cejilla
nut
mástil
neck
cuerda
string
tina
tub

Mirlitón
Kazoo / Mirliton

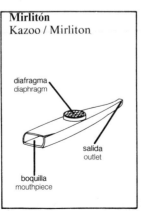

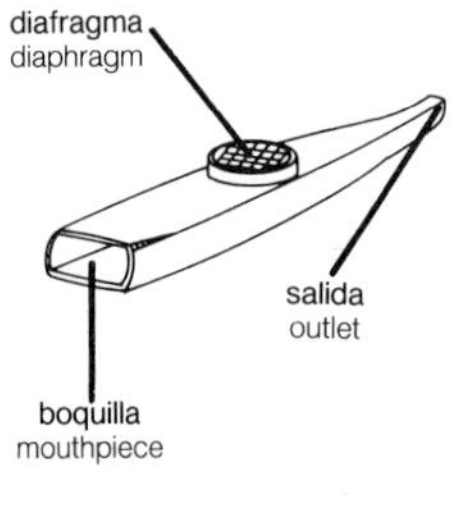
diafragma
diaphragm
salida
outlet
boquilla
mouthpiece

Armónica
Harmonica / Mouth Organ

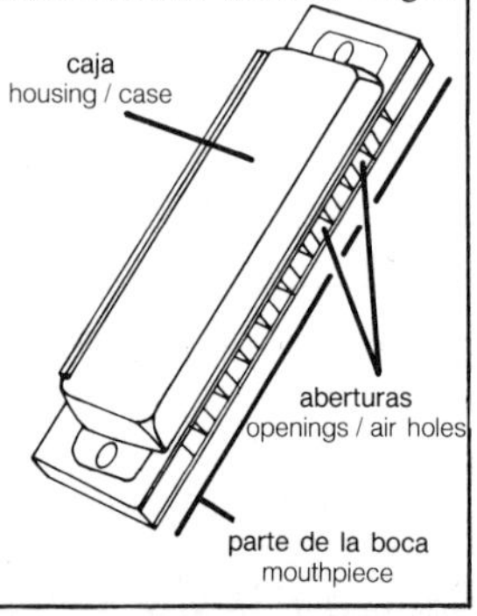
caja
housing / case
aberturas
openings / air holes
parte de la boca
mouthpiece

Birimbao
Jew's Harp

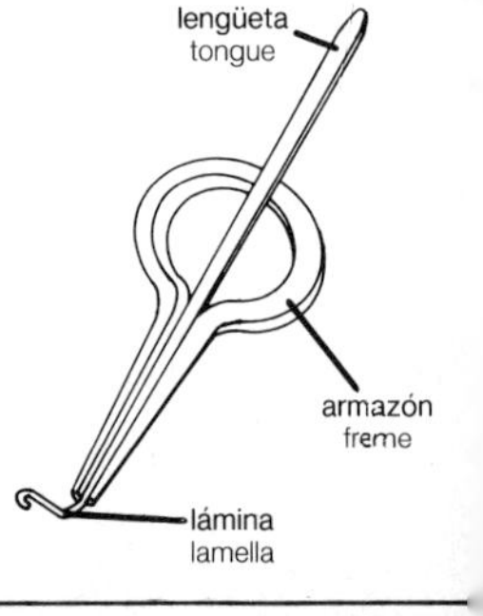
lengüeta
tongue
armazón
freme
lámina
lamella

Accesorios musicales

Para indicar el ritmo a que debe tocarse determinada pieza se usa el metrónomo, que puede ser de cuerda o eléctrico, y que marca una cantidad variable de golpes de péndulo por minuto. El diapasón da un *tono* puro (generalmente el de *la* de 880 vibraciones por segundo) cuando se le hace vibrar; se le puede adosar a una *caja de resonancia* para incrementar el volumen de emisión. Hay también diapasones *de viento*, en los que el tono se obtiene soplando.

Musical Accessories

A metronome, used to find the correct speed for music in beats per minute, can be spring wound or electric. A tuning fork is constructed and tempered so as to give a pure *tone* when caused to vibrate. It can be used in conjunction with a *resonance box* to amplify its sound.

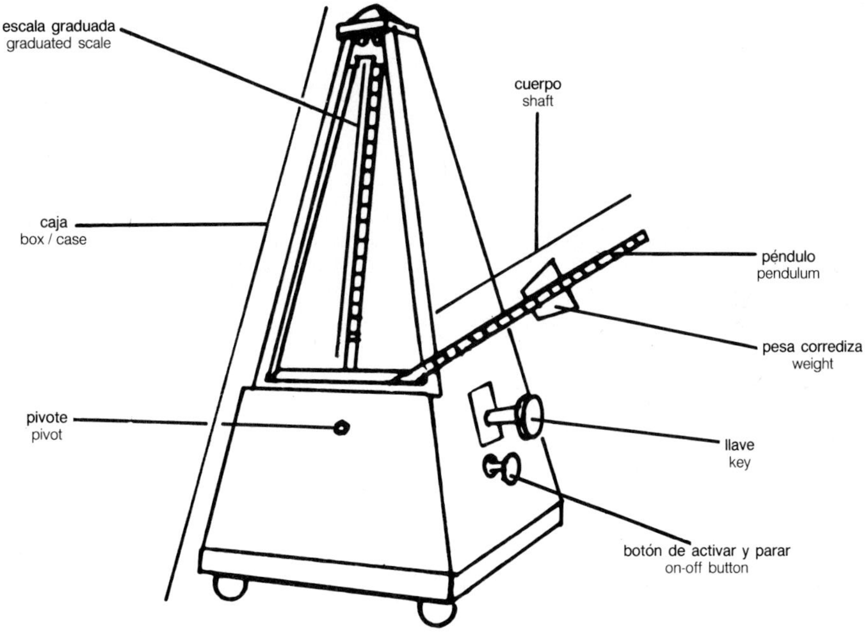
escala graduada
graduated scale
cuerpo
shaft
caja
box / case
péndulo
pendulum
pesa corrediza
weight
pivote
pivot
llave
key
botón de activar y parar
on-off button

Metrónomo
Metronome

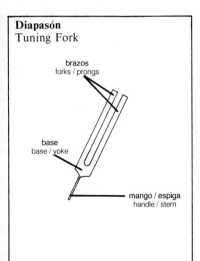

Diapasón
Tuning Fork

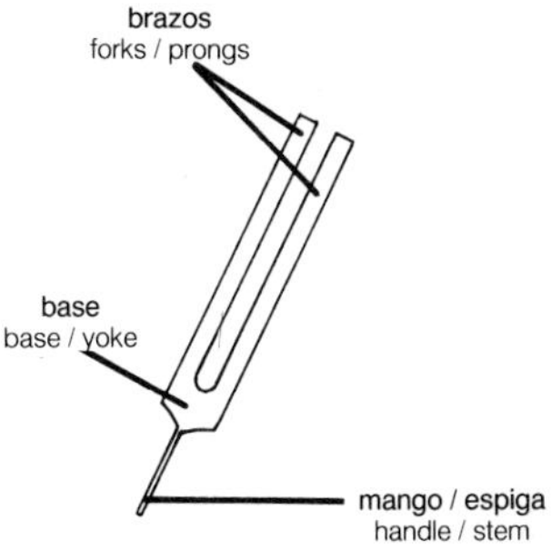
brazos
forks / prongs
base
base / yoke
mango / espiga
handle / stem

Diapasón de viento
Pitch Pipe

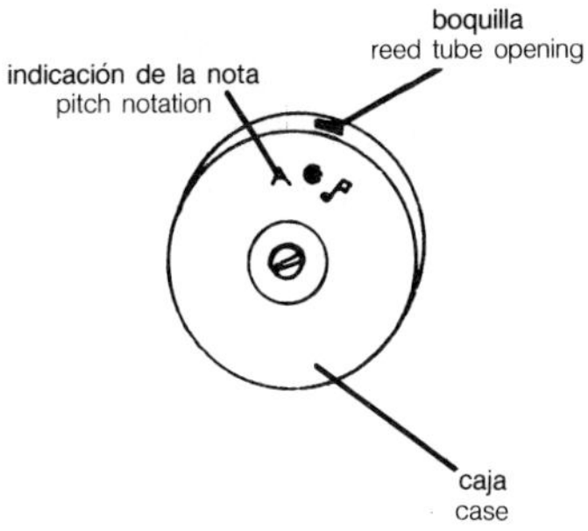
boquilla
reed tube opening
indicación de la nota
pitch notation
caja
case

Atril
Music Stand

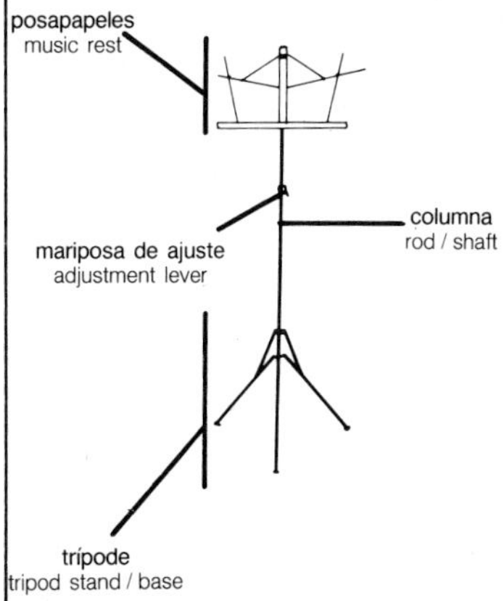
posapapeles
music rest
columna
rod / shaft
mariposa de ajuste
adjustment lever
trípode
tripod stand / base

Elementos de la composición

Se denomina *perspectiva* al arte de representar los objetos en tres dimensiones sobre una superficie plana, teniendo en cuenta los efectos de su alejamiento y su posición en el espacio con respecto al observador. El *tema* o *motivo* de una obra de arte es el principal elemento de interés de la misma. El *estilo* es el modo de expresión peculiar de un artista y puede clasificarse básicamente en *figurativo* o *abstracto*.

Elements of Composition

The forms of *linear perspective* illustrated here allow an artist or illustrator to show *dimension* - height, width *and* depth- on a flat surface. The central focus of a work of art is the *subject*. The way an artist renders a subject, which ranges from *literal rendition* to forms of *abstraction*, is called style.

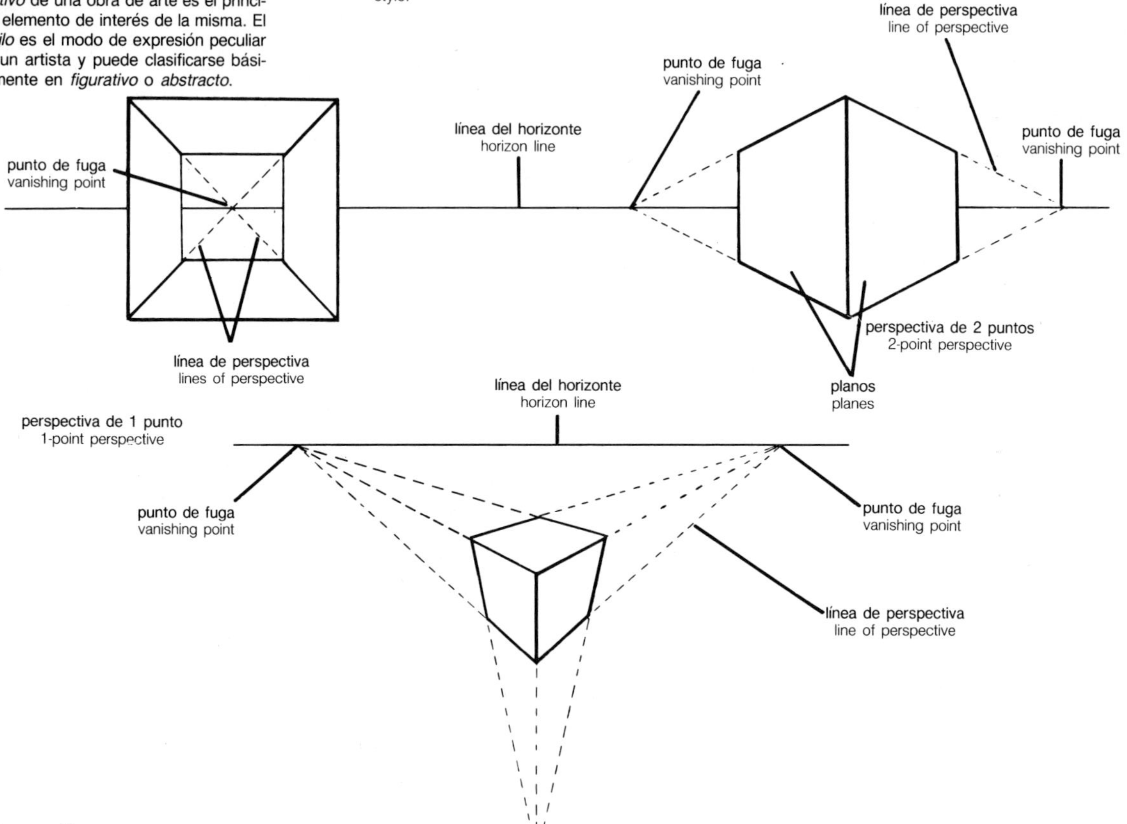

línea de perspectiva
line of perspective
punto de fuga
vanishing point
línea del horizonte
horizon line
punto de fuga
vanishing point
punto de fuga
vanishing point
perspectiva de 2 puntos
2-point perspective
línea de perspectiva
lines of perspective
línea del horizonte
horizon line
planos
planes
perspectiva de 1 punto
1-point perspective
punto de fuga
vanishing point
punto de fuga
vanishing point
línea de perspectiva
line of perspective
perspectiva de 3 puntos
1-and 2-point / 3-point perspective
punto de fuga
vanishing point

Perspectiva
Perspective

Iluminación
Lighting

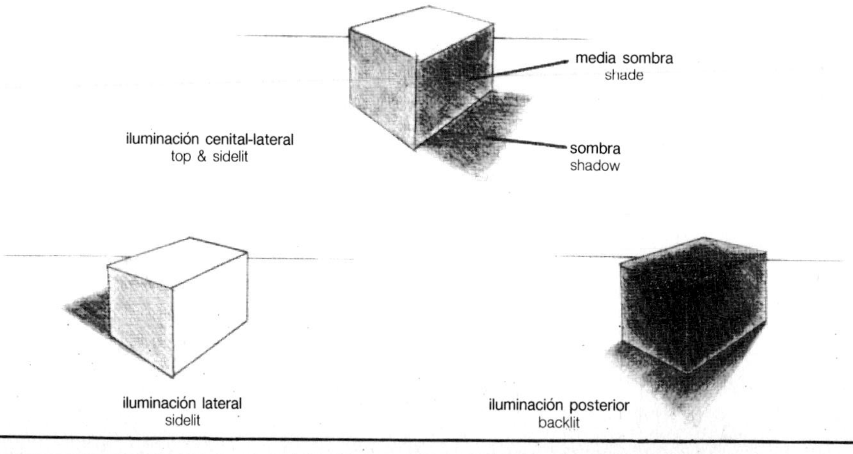

media sombra
shade
iluminación cenital-lateral
top & sidelit
sombra
shadow
iluminación lateral
sidelit
iluminación posterior
backlit

Composición
Composition

fondo
background
punto focal
focal point
fuente de luz
light source
medio campo
midground
primer plano
foreground

Textura
Texture

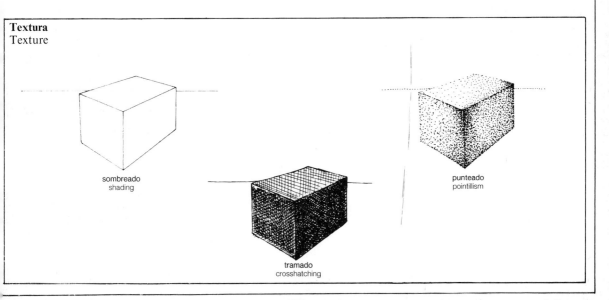

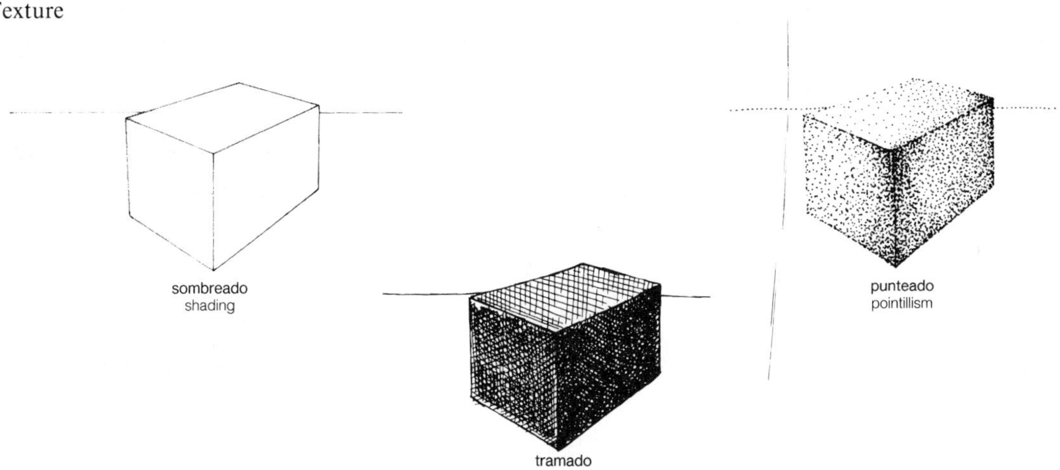
sombreado
shading
punteado
pointillism
tramado
crosshatching

Pintura

Antes de empezar a pintar sobre un *lienzo*, éste debe tensarse en un *bastidor*, y prepararse con una *imprimación*, generalmente de *yeso mate*. Los *medios*, o tipos de pintura, que más emplean los pintores son: la *acuarela*, el *gouache*, el *óleo* y el *acrílico*. La espátula se utiliza para mezclar los colores en la paleta y en ocasiones también para aplicarlos sobre el lienzo.

Painting

Before paint is applied to a *canvas* it must be drawn taut on a *stretcher* and the surface coated with *pimer*, usually a substance called gesso. The *artist*, or *painter*, chooses a type of paint, or medium, in which to work, the most common of which are *tempera*, *acrylic* and *oil*. A thin blade set in a handle, used for mixing colors or applying them to a canvas, is a palette knife.

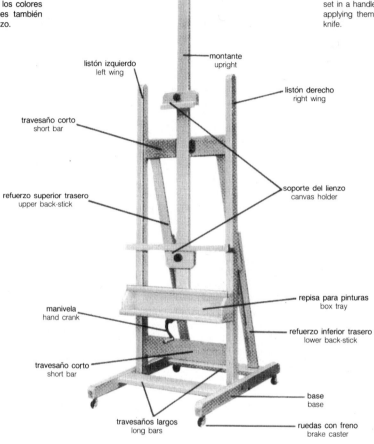

montante
upright
listón izquierdo
left wing
listón derecho
right wing
travesaño corto
short bar
soporte del lienzo
canvas holder
refuerzo superior trasero
upper back-stick
repisa para pinturas
box tray
manivela
hand crank
refuerzo inferior trasero
lower back-stick
travesaño corto
short bar
base
base
travesaños largos
long bars
ruedas con freno
brake caster

Caballete
Easel

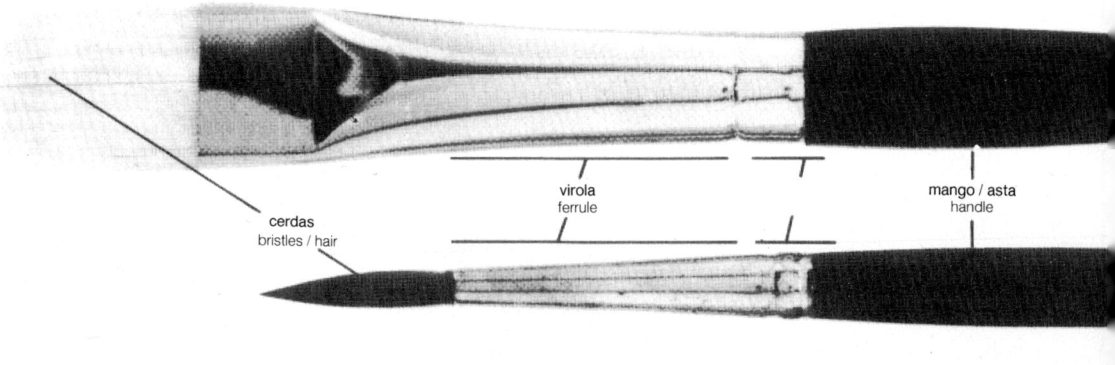
virola
ferrule
mango / asta
handle
cerdas
bristles / hair

Pinceles
Brushes

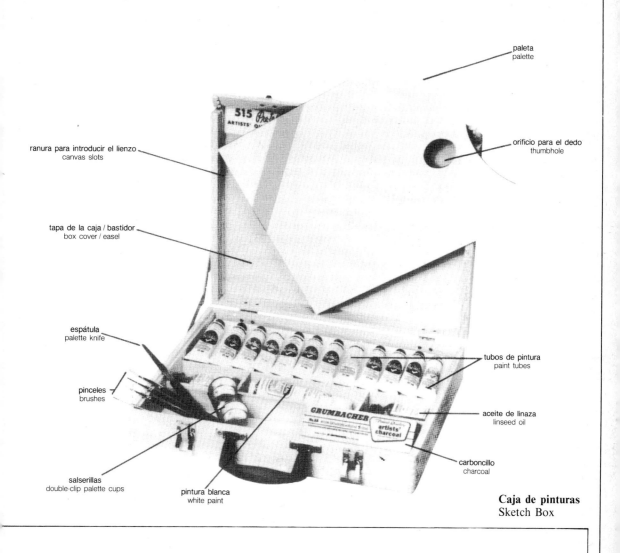

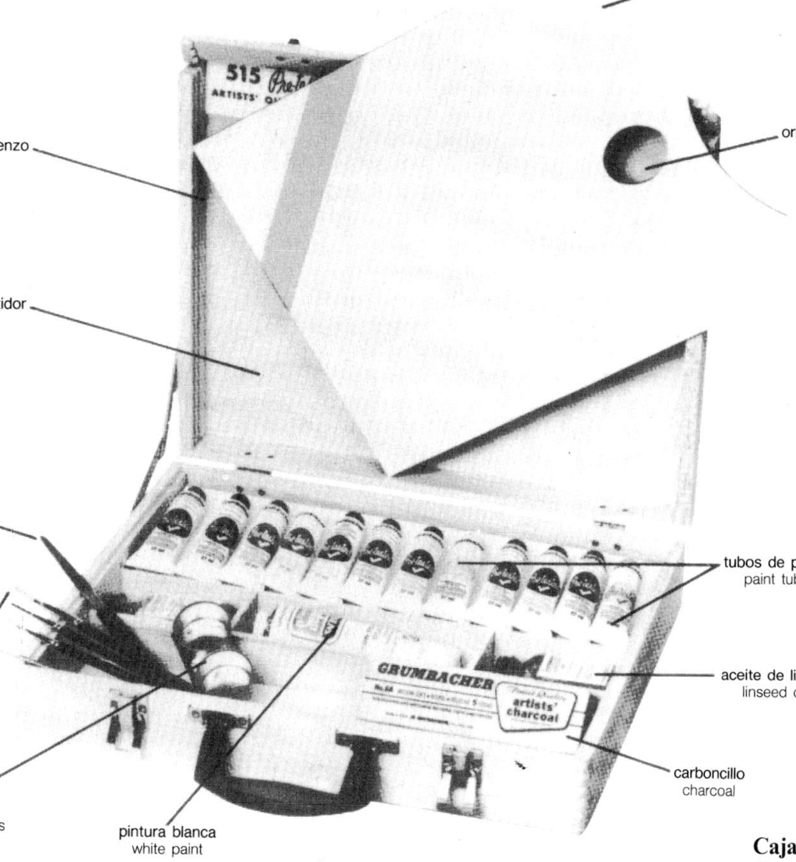
paleta
palette
orificio para el dedo
thumbhole
ranura para introducir el lienzo
canvas slots
tapa de la caja / bastidor
box cover / easel
espátula
palette knife
tubos de pintura
paint tubes
pinceles
brushes
aceite de linaza
linseed oil
carboncillo
charcoal
salserillas
double-clip palette cups
pintura blanca
white paint
515
GRUMBACHER
artists' charcoal

Caja de pinturas
Sketch Box

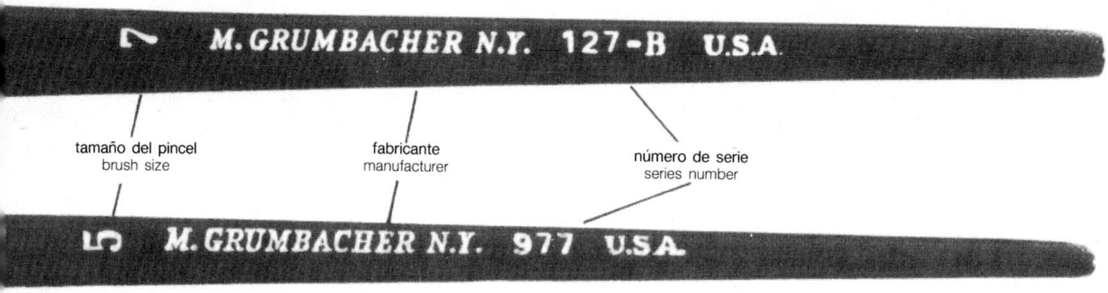
7 M. GRUMBACHER N.Y. 127-B U.S.A.
tamaño del pincel
brush size
fabricante
manufacturer
número de serie
series number
5 M. GRUMBACHER N.Y. 977 U.S.A.

Herramientas de escultor

La escultura en piedra es un proceso sustractivo consistente en crear formas u objetos en tres dimensiones o en relieve. Una escultura puede ser *tallada* o *modelada* en un material flexible. Determinados materiales blandos se modelan sobre un esqueleto o armadura. La cocción y la fundición son procesos destinados a prolongar la duración de las esculturas.

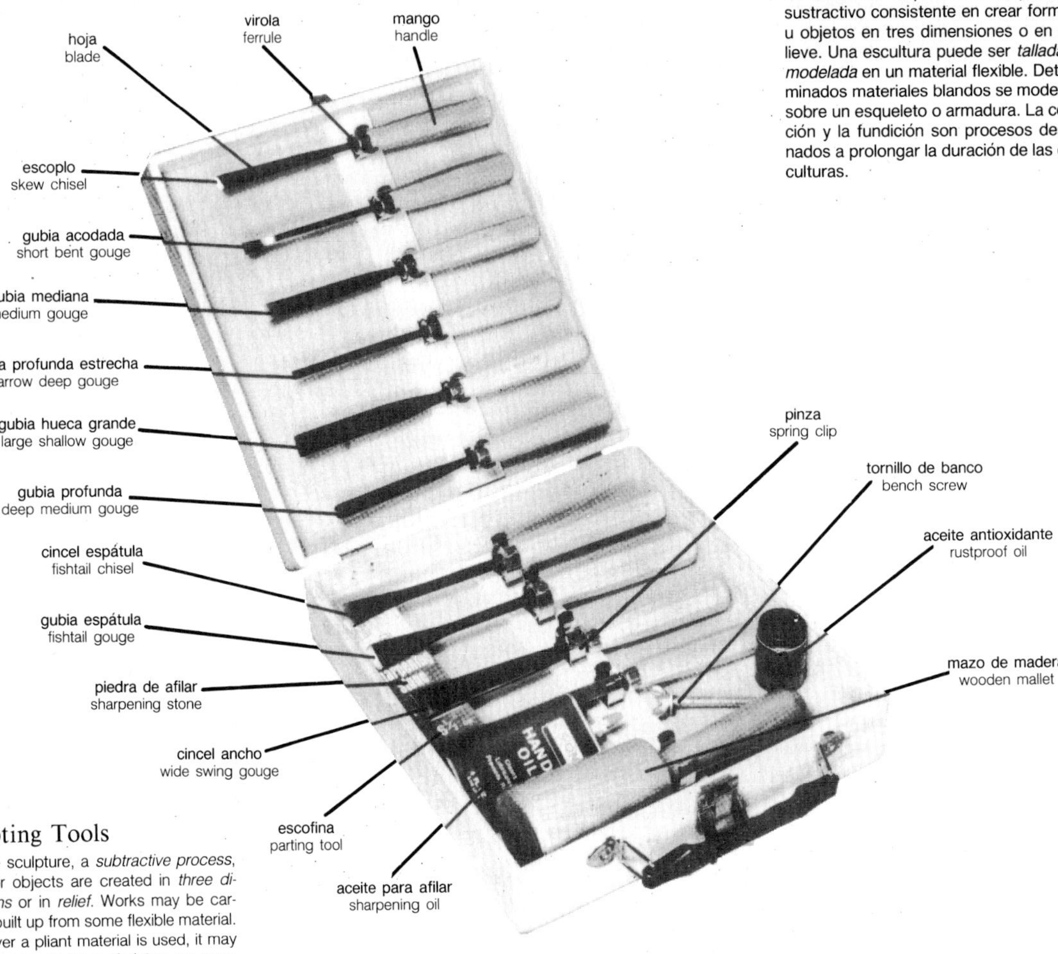

hoja
blade
virola
ferrule
mango
handle
escoplo
skew chisel
gubia acodada
short bent gouge
gubia mediana
medium gouge
gubia profunda estrecha
narrow deep gouge
gubia hueca grande
large shallow gouge
gubia profunda
deep medium gouge
cincel espátula
fishtail chisel
gubia espátula
fishtail gouge
piedra de afilar
sharpening stone
cincel ancho
wide swing gouge
escofina
parting tool
aceite para afilar
sharpening oil
pinza
spring clip
tornillo de banco
bench screw
aceite antioxidante
rustproof oil
mazo de madera
wooden mallet

Sculpting Tools

In stone sculpture, a *subtractive process*, forms or objects are created in *three dimensions* or in *relief*. Works may be carved or built up from some flexible material. Whenever a pliant material is used, it may be laid upon an inner skeleton, or *armature*. To make the finished product more durable, it may be fired or cast.

Herramientas para talla en madera
Woodcarving Tools

Herramientas para modelar arcilla
Clay Modeling Tools

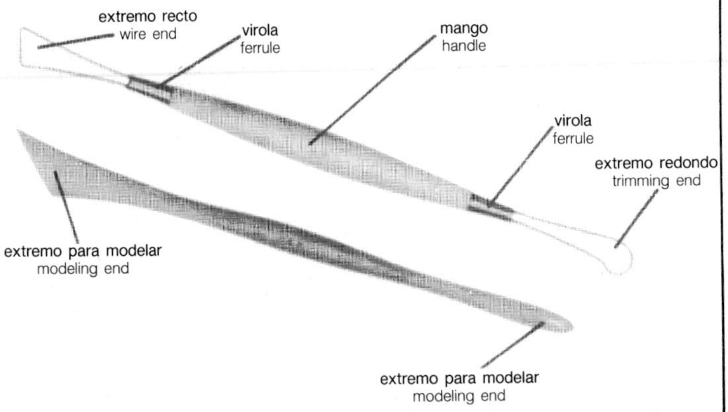

extremo recto
wire end
virola
ferrule
mango
handle
virola
ferrule
extremo redondo
trimming end
extremo para modelar
modeling end
extremo para modelar
modeling end

Herramientas de cincelado
Stonecutting Tools

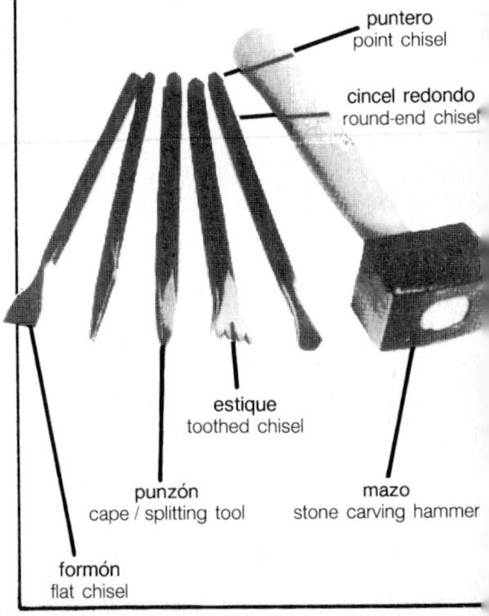

puntero
point chisel
cincel redondo
round-end chisel
estique
toothed chisel
punzón
cape / splitting tool
mazo
stone carving hammer
formón
flat chisel

Alfarería

Se llama *objeto torneado* al que ha sido modelado en un torno de alfarero. Una vez torneado se lleva al horno para ser sometido al proceso de cocción con objeto de que se endurezca, aunque es frecuente tratarlo antes con un *barniz de vitrificado*. La *espátula de modelado* es una herramienta de madera con forma de cuchillo que se utiliza para cortar la arcilla fresca y darle forma. El *torno mecánico* funciona accionado por una rueda movida por un pedal.

Potting

An object made on a potter's wheel is *thrown*. The object is then put in a kiln where it is *fired*, or hardened. Its surface is usually covered with a glasslike coating, or *glaze*. A knifelike *fettling tool* is used to cut and shape soft clay, as is a wooden strip called a *paddle*. A manually operated potter's wheel is called a *kick-wheel*.

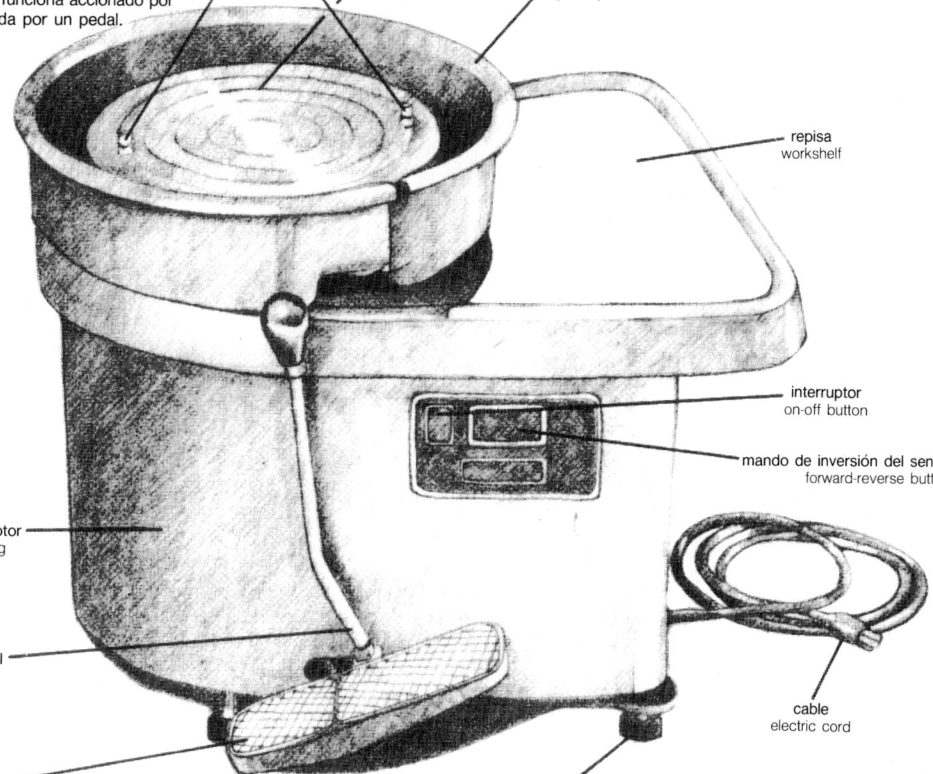
mandriles
bat pins
rueda
wheel head
recipiente
splash pan
repisa
workshelf
interruptor
on-off button
mando de inversión del sentido de giro
forward-reverse button
carcasa del motor
motor housing
palanca manual
hand lever
cable
electric cord
pedal
foot pedal
pata ajustable
adjustable foot

Torno eléctrico
Electric Potter's Wheel

Vasija torneada
Electric Kiln

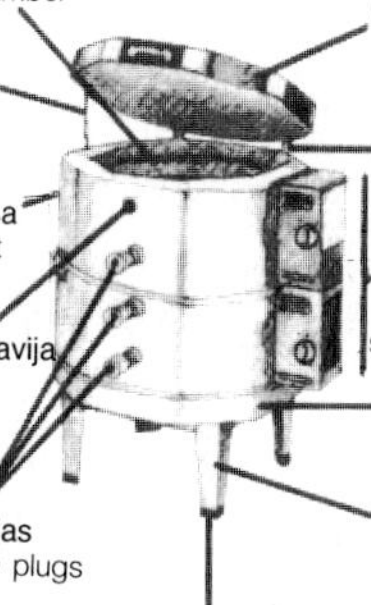
cámara
firing chamber
tapa
lid
varilla
de sujeción
de la tapa
lid brace
bisagra
hinge
carcasa
jacket
cajas de
conexiones
switch boxes
oma para clavija
peephole
base
floor
clavijas
peephole plugs
pata
leg / stand
almohadilla de la pata
foot pad

Conos de Seger
Pyrometric Cones / Witness Cones

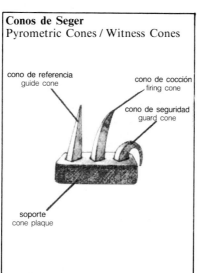

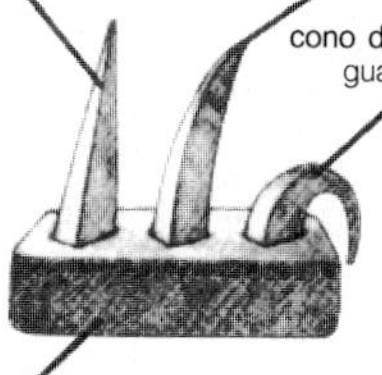
cono de referencia
guide cone
cono de cocción
firing cone
cono de seguridad
guard cone
soporte
cone plaque

Horno eléctrico
Pot

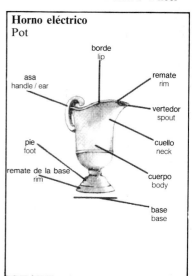

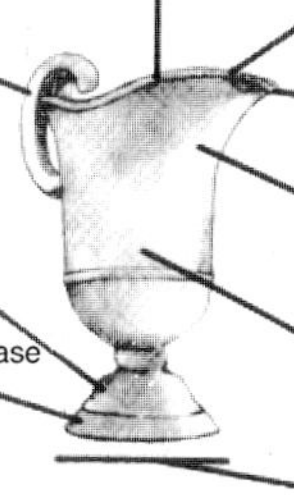
borde
lip
asa
handle / ear
remate
rim
vertedor
spout
pie
foot
cuello
neck
remate de la base
rim
cuerpo
body
base
base

Xilografía

Por xilografía se entiende tanto el arte de grabar la madera como el de imprimir con los grabados obtenidos de ese modo. Para grabar la *plancha* de madera se emplean *gubias* de diferentes formas.

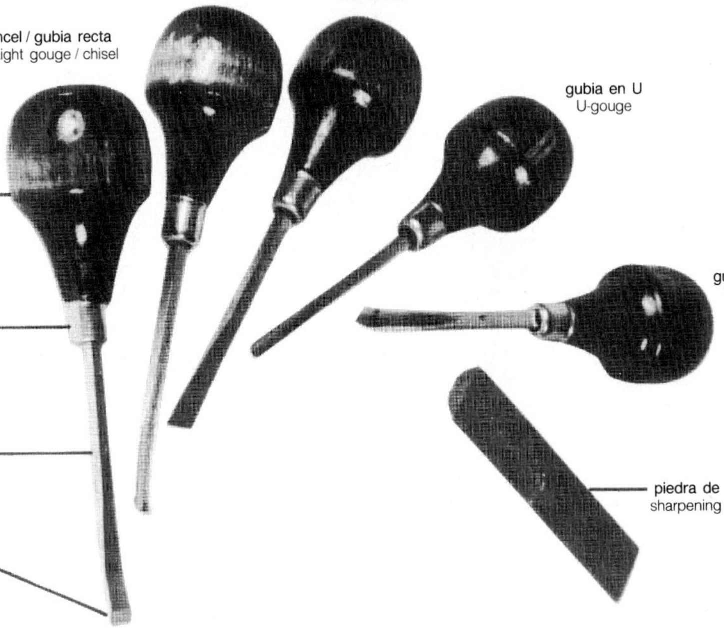
gubia en U
U-gouge
buril
liner / slant
cincel / gubia recta
straight gouge / chisel
gubia en U
U-gouge
mango
handle
gubia en V
V-gouge
virola
ferrule
varilla
shank
piedra de afilar
sharpening stone
corte
blade

Woodcut Printing

The art of making *engravings* with wooden blocks is *xylography*, and the tools used to create the designs are called *gravers*.

Gubias
Gouges

Plancha de madera
Wood Block

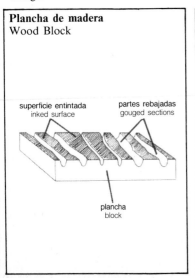

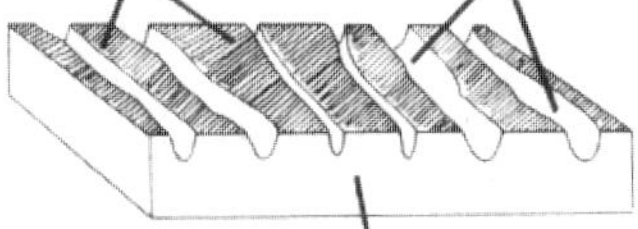
superficie entintada
inked surface
partes rebajadas
gouged sections
plancha
block

Rodillo
Brayer / Roller

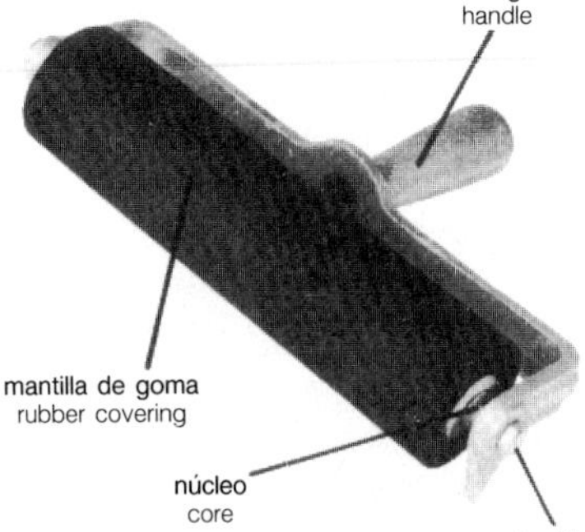
mango
handle
mantilla de goma
rubber covering
núcleo
core
tornillo
screw

Tampón
Baren

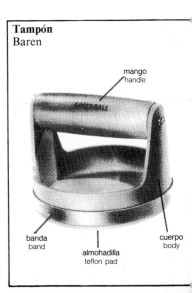

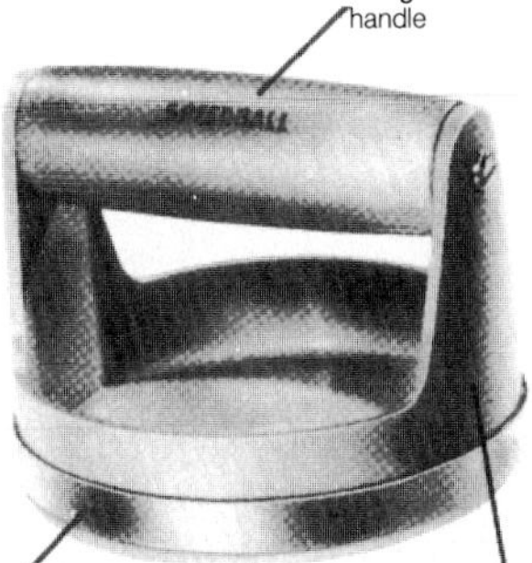
mango
handle
banda
band
almohadilla
teflon pad
cuerpo
body

Serigrafía y huesos tallados

Se denomina serigrafía al proceso de impresión que se efectúa mediante una pantalla de seda. El *barniz de reserva* es el producto que se emplea para obturar la trama de la pantalla de seda en las zonas a través de las cuales no se desea que pase la *tinta de impresión*. Para la talla se utilizan materiales tales como marfil, huesos de ballena o caparazones de moluscos.

Silk Screen and Scrimshaw

The *silk-screen printmaking process* is called *serigraphy*. A *stopping medium*, called a *resist*, blocks out or *masks* an area of the screen. Ink or paint passes through the unprotected areas of the screen to become the print. A person who does *decorative engravings* or *carvings* in *ivory* or *whalebone* is called a *scrimshander*.

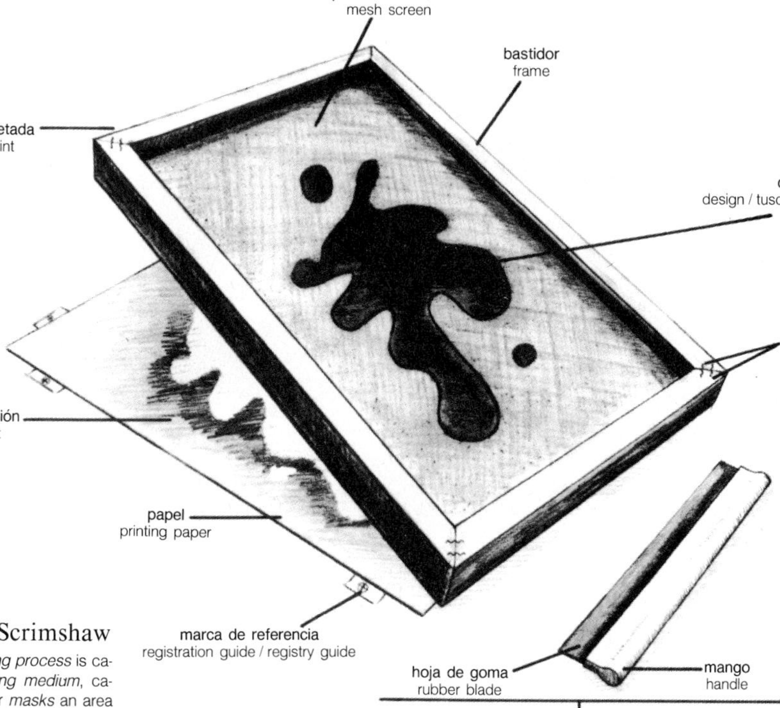

pantalla de seda
mesh screen
bastidor
frame
esquina ingletada
mitered joint
diseño
design / tusche stencil / stencil
grapas onduladas
corrugated staples
impresión
print
papel
printing paper
marca de referencia
registration guide / registry guide
hoja de goma
rubber blade
mango
handle
rasqueta
squeegee

Serigrafía
Silk Screen

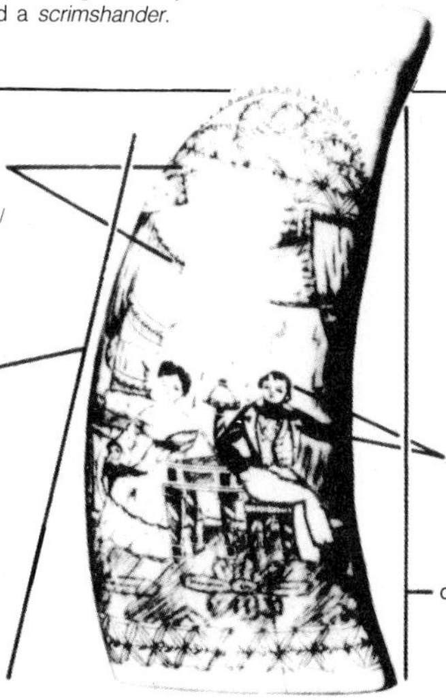

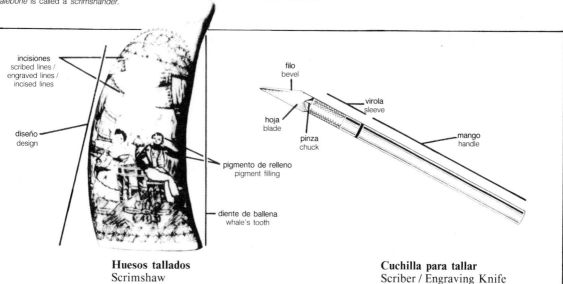

incisiones
scribed lines / engraved lines / incised lines
diseño
design
pigmento de relleno
pigment filling
diente de ballena
whale's tooth

Huesos tallados
Scrimshaw

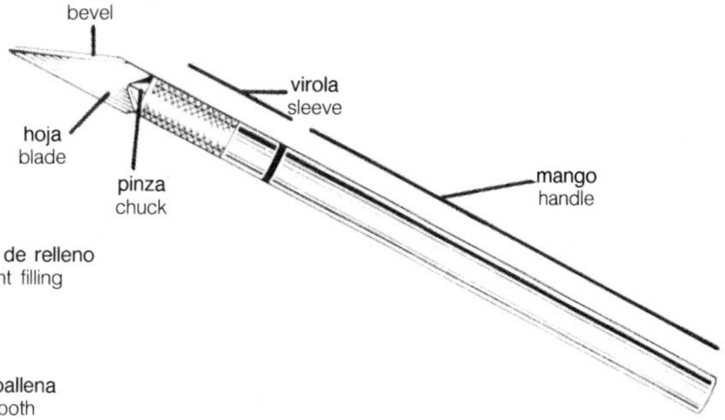

filo
bevel
virola
sleeve
hoja
blade
pinza
chuck
mango
handle

Cuchilla para tallar
Scriber / Engraving Knife

Litografía

La litografía es una forma de impresión *planográfica.* Con un lápiz graso o un pincel con tinta grasa se traza el dibujo sobre la *piedra*, previamente preparada o *graneada* haciendo girar la pulidora sobre su superficie. Después, haciendo pasar la piedra entintada, con una hoja de papel encima, por debajo de la *cuchilla* de la prensa, se obtiene la impresión litográfica.

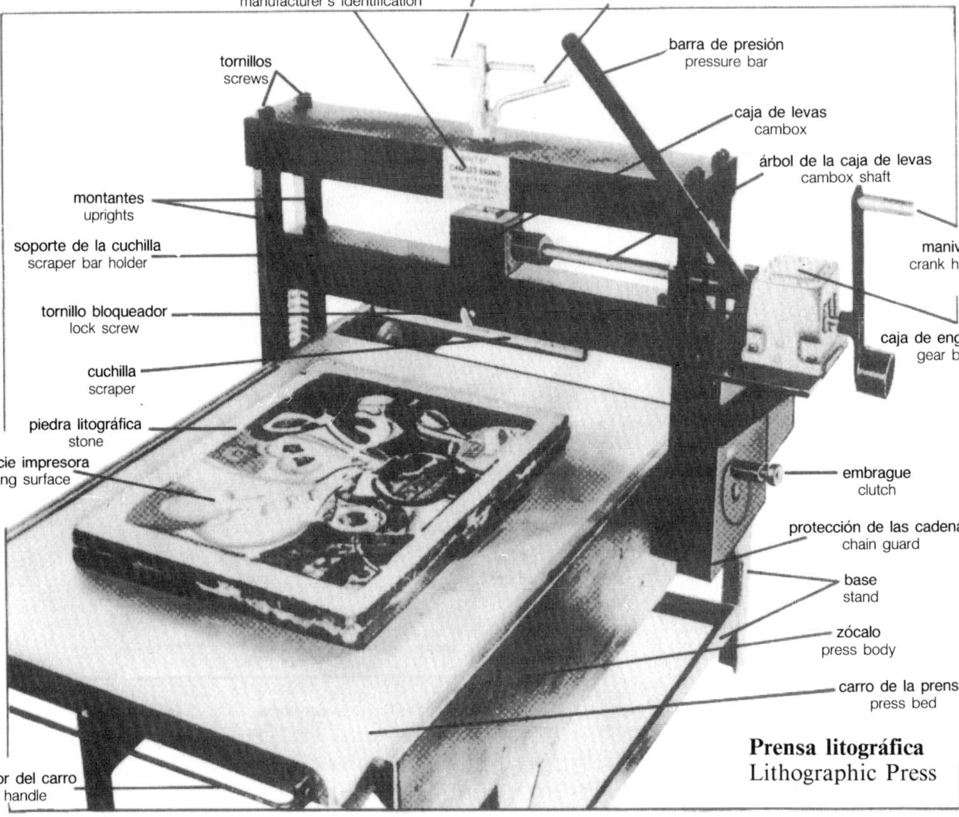
tornillo de ajuste
adjustment screw
nombre del fabricante
manufacturer's identification
tuerca bloqueadora
locknut
tornillos
screws
barra de presión
pressure bar
caja de levas
cambox
árbol de la caja de levas
cambox shaft
montantes
uprights
manivela
crank handle
soporte de la cuchilla
scraper bar holder
tornillo bloqueador
lock screw
caja de engranajes
gear box
cuchilla
scraper
piedra litográfica
stone
superficie impresora
printing surface
embrague
clutch
protección de las cadenas
chain guard
base
stand
zócalo
press body
carro de la prensa
press bed
agarrador del carro
bed handle

Prensa litográfica
Lithographic Press

Pulidora
Levigator

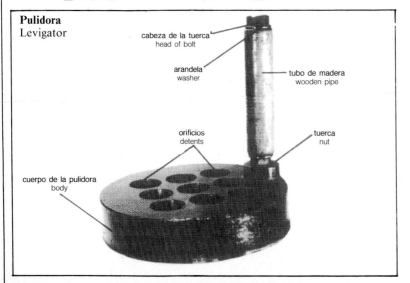

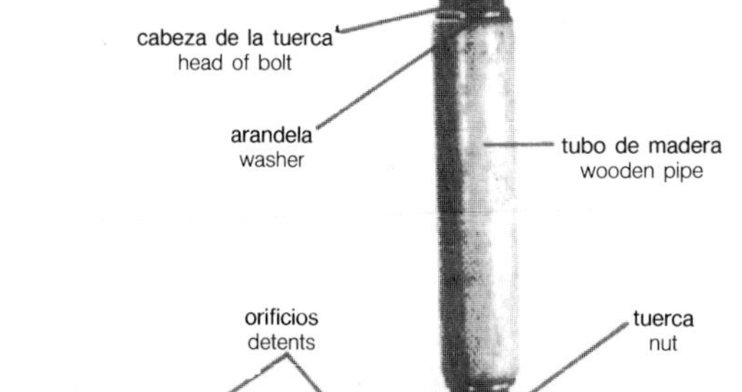
cabeza de la tuerca
head of bolt
arandela
washer
tubo de madera
wooden pipe
orificios
detents
tuerca
nut
cuerpo de la pulidora
body

Lithography

Lithography is a form of *planographic prir ting.* The design is made on stone, prepa red, or "grained", by spinning the levigatc over its surface, or on a metal *plate* with *lithographic crayon, lithographic penc rubbing ink* or *asphaltum.*

Calcografía

La calcografía es un procedimiento artesanal de impresión. Se graba un dibujo sobre una *plancha* de cobre empleando para ello técnicas muy variadas, como el *aguafuerte*, la *aguatinta* o la *punta seca*. La plancha grabada se introduce en el *tórculo*, donde, después de haberla entintado con un *tampón*, se la oprime contra la hoja de papel.

Intaglio and Etching

Intaglio, or *incised printing*, is a type of *printmaking* in which a design is cut into a *plate* by techniques such as etching, *engraving*, *soft ground*, or *aquatint*. A person who engraves metal is called a *chaser*.

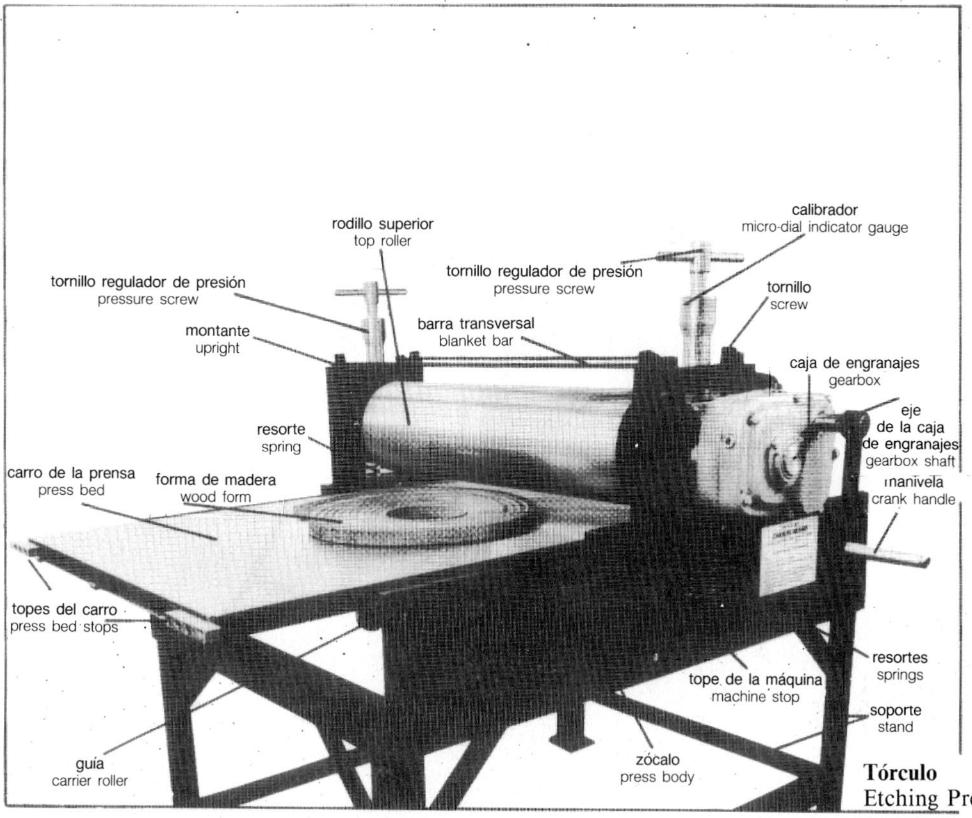

rodillo superior
top roller
calibrador
micro-dial indicator gauge
tornillo regulador de presión
pressure screw
tornillo regulador de presión
pressure screw
tornillo
screw
montante
upright
barra transversal
blanket bar
caja de engranajes
gearbox
eje de la caja de engranajes
gearbox shaft
resorte
spring
carro de la prensa
press bed
forma de madera
wood form
manivela
crank handle
topes del carro
press bed stops
resortes
springs
tope de la máquina
machine stop
soporte
stand
guía
carrier roller
zócalo
press body

Tórculo
Etching Press

Tampón
Dabber

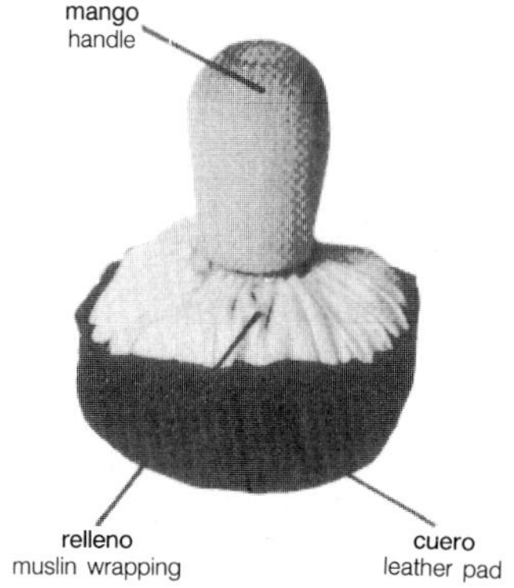

mango
handle
relleno
muslin wrapping
cuero
leather pad

Bruñidor
Burnisher

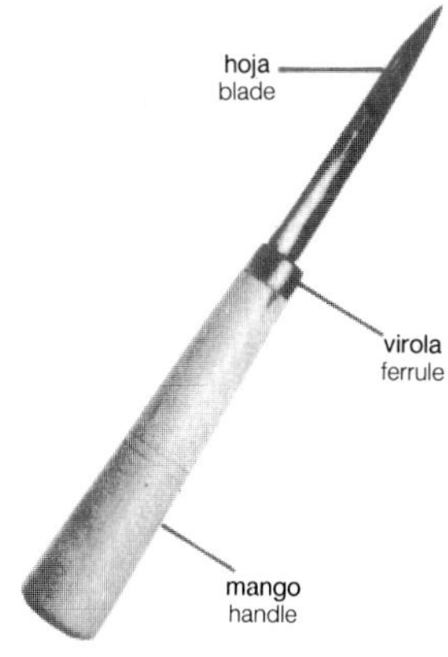

hoja
blade
virola
ferrule
mango
handle

Aguja de grabar
Etching Needle

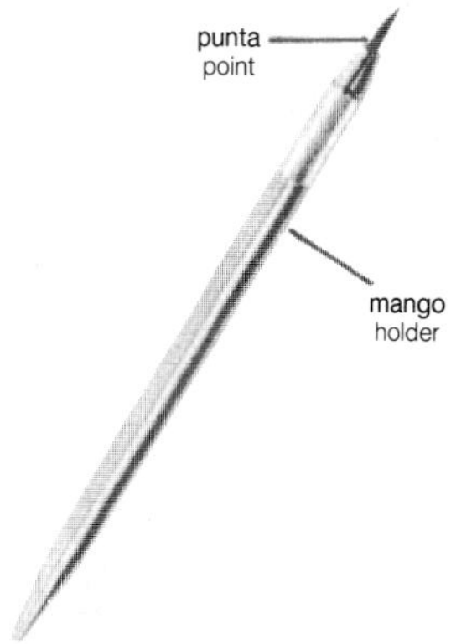

punta
point
mango
holder

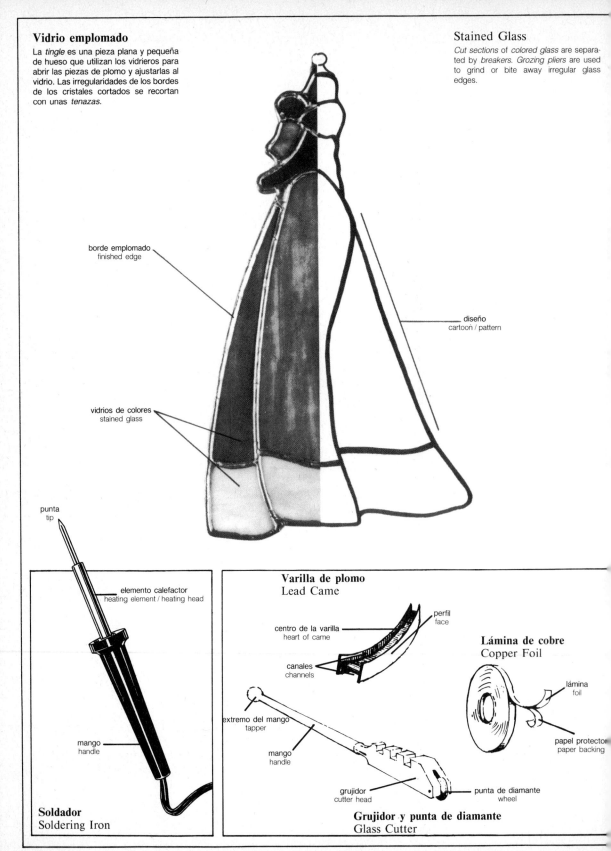

Vidrio emplomado

La *tingle* es una pieza plana y pequeña de hueso que utilizan los vidrieros para abrir las piezas de plomo y ajustarlas al vidrio. Las irregularidades de los bordes de los cristales cortados se recortan con unas *tenazas*.

Stained Glass

Cut sections of *colored glass* are separated by *breakers*. *Grozing pliers* are used to grind or bite away irregular glass edges.

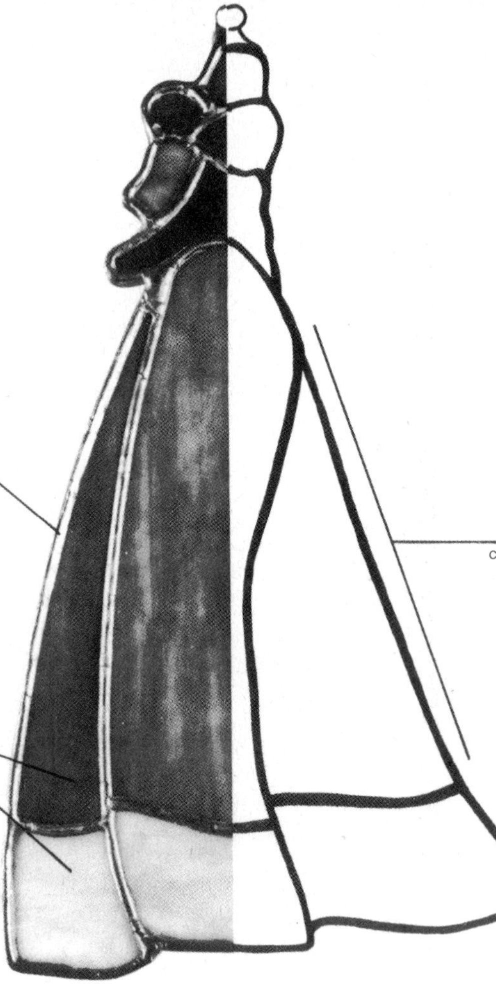

borde emplomado
finished edge
diseño
cartoon / pattern
vidrios de colores
stained glass

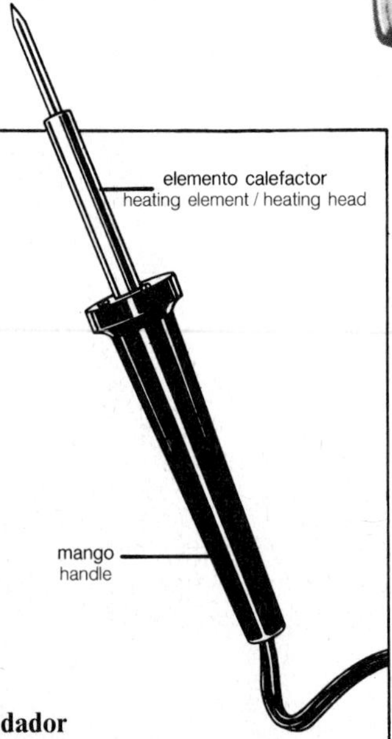

punta
tip
elemento calefactor
heating element / heating head
mango
handle

Soldador
Soldering Iron

Varilla de plomo
Lead Came

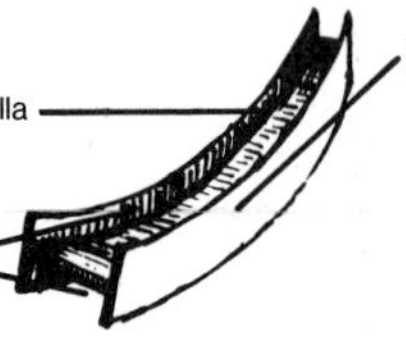

perfil
face
centro de la varilla
heart of came
canales
channels

Lámina de cobre
Copper Foil

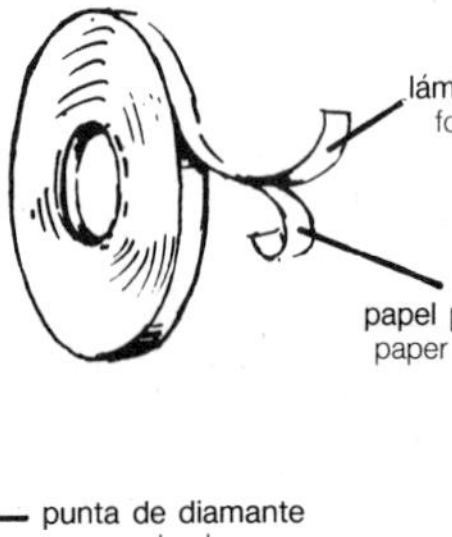

lámina
foil
papel protector
paper backing

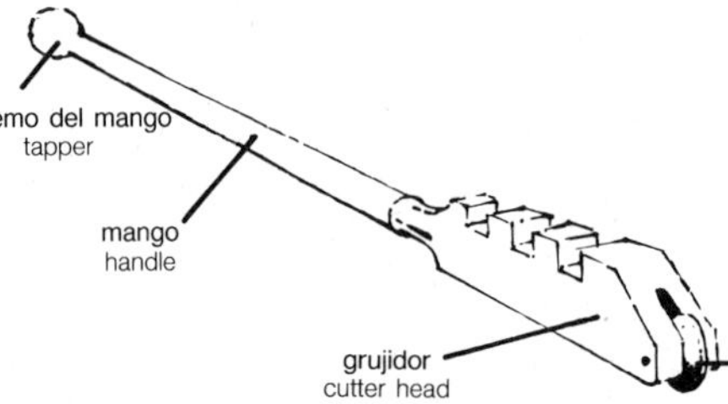

extremo del mango
tapper
mango
handle
grujidor
cutter head
punta de diamante
wheel

Grujidor y punta de diamante
Glass Cutter

Marco para cuadro

El sistema de enmarcado que aparece en la ilustración es uno de los más duraderos. La cartulina delantera recortada en forma de ventana se denomina *paspartú*, y su borde interior suele rematarse en bisel. El alambre puede ir sujeto a la pared con *escarpias, clavos* o *hembrillas.* Otra forma de exhibir cuadros consiste en colocarlos sobre *caballetes* o *atriles.* Para evitar que penetre el polvo por entre los diversos elementos de un cuadro enmarcado se sellan conjuntamente los bordes del cristal, el paspartú, la lámina y los soportes con tiras de tejido o papel engomado.

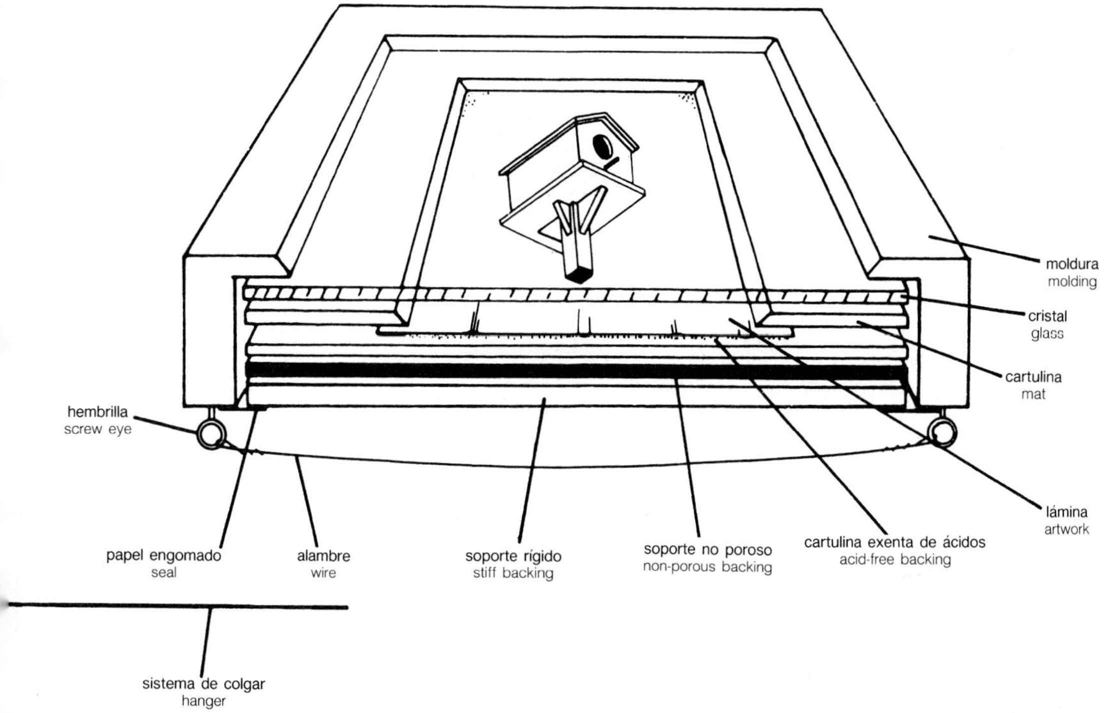
moldura
molding
cristal
glass
cartulina
mat
hembrilla
screw eye
lámina
artwork
papel engomado
seal
alambre
wire
soporte rígido
stiff backing
soporte no poroso
non-porous backing
cartulina exenta de ácidos
acid-free backing
sistema de colgar
hanger

Frame

The frame shown here is a long-lasting *archival frame.* The area cut out of the mat to reveal the artwork is the *mat window.* A wire hanger can be attached to L-shaped *shoulder hooks, picture hooks* or *nails* as well as to screw eyes. The process of permanently affixing artwork to a backing is called *mounting.* A *free-standing easel-back* or *piano frame* consists of an easel, backing and an angled support *stand.* In *passe-partout*, the framing elements are held together by strips of cloth or paper pasted over the edges.

Dibujo de historietas

En muchos de los dibujos con una sola imagen se emplean pies o *letreros*, situados bajo la imagen, que recogen el diálogo o explican la acción. Los que aparecen en la página que ocupa el editorial de un diario reciben el nombre de viñeta de *editorial* o *política* y por lo general ofrecen un retrato exagerado, o *caricatura*, de un personaje muy conocido, como característica principal. Los *comics*, o los *libros* de *comics*, emplean el dibujo de historietas de un modo total. El dibujante de historietas emplea un círculo completo para representar el desplazamiento completo de un objeto, ya sea una pelota de golf u otra persona.

Cartooning

Many one-panel cartoons use *captions* or *labels* below the *illustration* for dialogue or explanation. Those appearing on the editorial pages of newspapers are called *editorial* or *political cartoons* and usually feature an exaggerated likeness, or *caricature*, of some well-known figure, as the main *character*. *Comics*, or *comic books*, use cartooning throughout. A complete *sphericasia*, or *swalloop*, is used by a *cartoonist* to depict a complete swing at an object, be it a golf ball or another person.

símbolos para representar ladrillos
brick symbolia
globo de duda
thought balloon
?
agitación
agitrons
onomatopeya
onomatopoeia
RONR!
marcas
dites
reflejo
lucaflect
titubeo
staggeration
nube / polvo
briffit
pisada
vites
trama
cross-hatching

Tira cómica
Comic Strip

nombre de la historieta
strip title
beetle bailey
autor
cartoonist
by mort walker
DOES ANYONE KNOW WHERE I LEFT MY...MY, UH...
panel de la historieta / marco
cartoon panel / frame
margen
border
...WHERE I LEFT MY, UH...
globo de conversación
speech balloon
...THINGAMAJIG?

mareo
spurl
globo de idea
idea balloon
símbolos
symbolia
ZZZAT!!!
burbujas
squean
ojos cerrados
oculama
choque
jarns
¿?
quimp
globo de maldiciones
maladicta balloon
alcohol / bebida
boozex
garabatos
grawlix
gotas de sudor
plewds
golpes
nittles
rayos del Sol
solrads
dedos
digiton
ráfaga de olor
waftarom
contornos de movimiento
blurgits

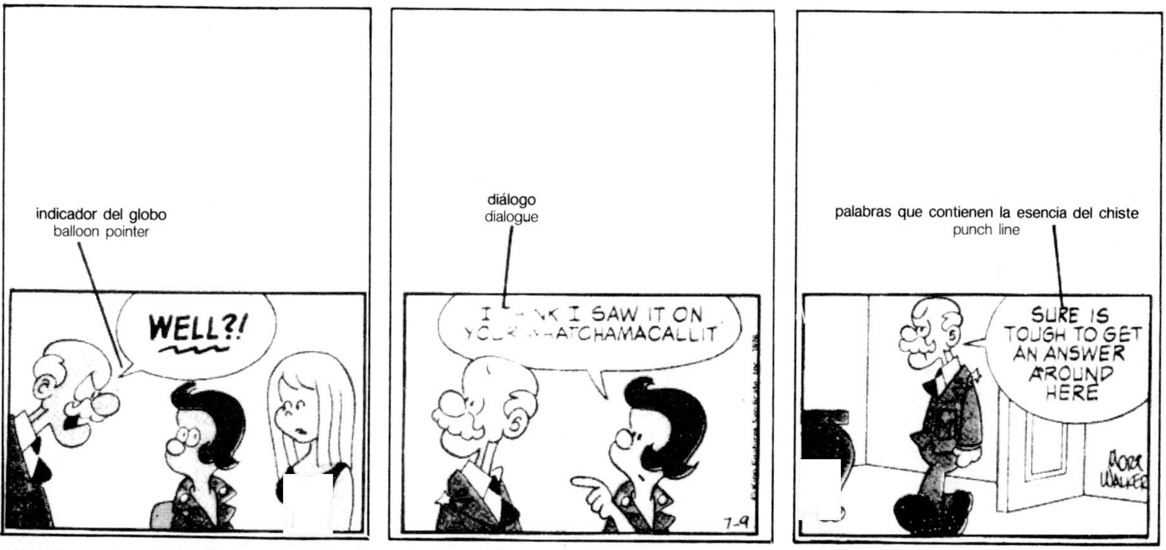
indicador del globo
balloon pointer
WELL?!
diálogo
dialogue
I THINK I SAW IT ON YOUR WHATCHAMACALLIT
palabras que contienen la esencia del chiste
punch line
SURE IS TOUGH TO GET AN ANSWER AROUND HERE
MORT WALKER

Costura

Cada pasada de la aguja del derecho al revés del tejido y viceversa produce una *puntada*. Además de las tijeras corrientes, las modistas y los sastres utilizan *tijeras de picos* para rematar los bordes de determinados tejidos. Un *acerico* es una almohadilla donde se clavan los alfileres y las agujas que más se utilizan, mientras las demás se guardan en un *alfiletero*.

Sewing

Each in-and-out movement of a threaded needle produces a *stitch*. A scissor's *bite* is the distance it cuts into a fabric on a single stroke. A small cushion into which pins or most-used needles are stuck until needed is called a *pincushion*.

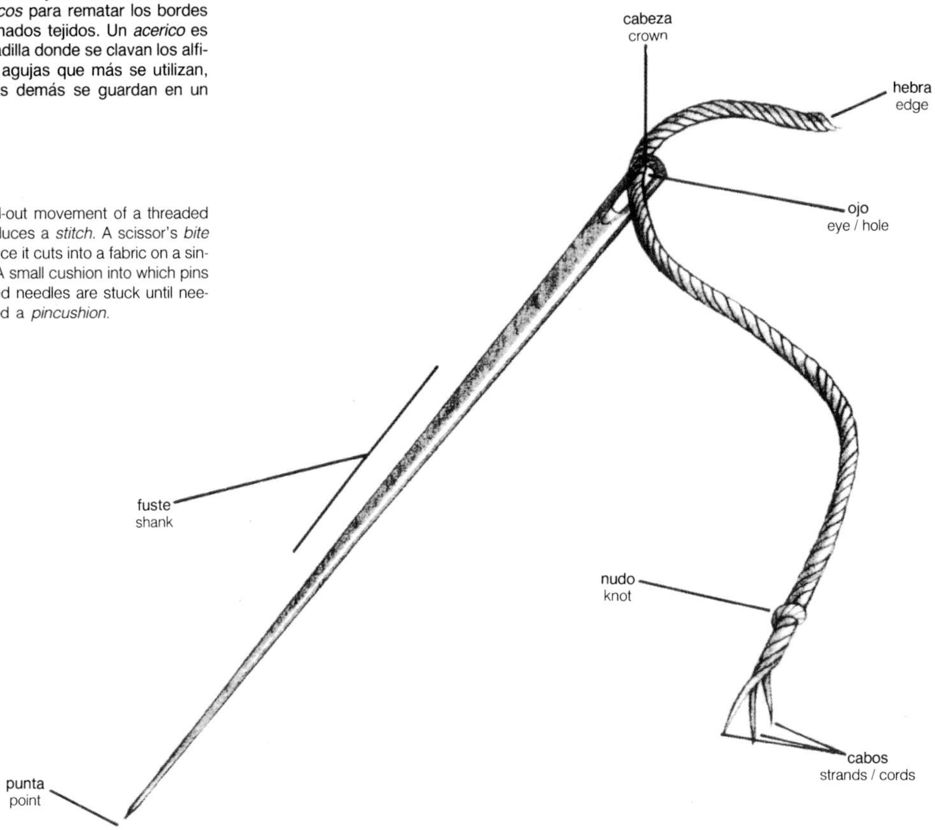

cabeza
crown
hebra
edge
ojo
eye / hole
fuste
shank
nudo
knot
cabos
strands / cords
punta
point

Aguja e hilo
Needle and Thread

Tijeras
Scissors / Shears

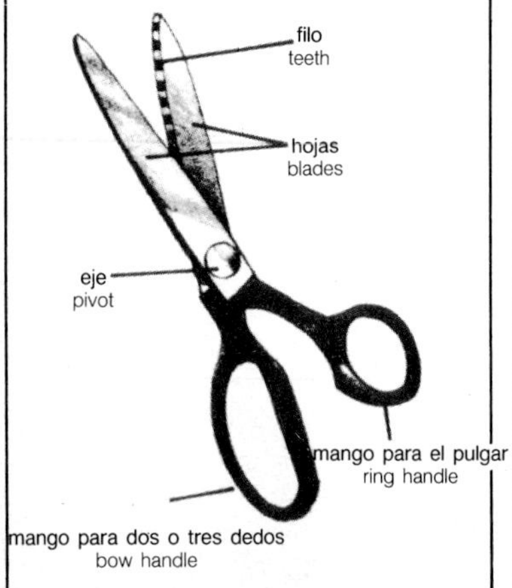

filo
teeth
hojas
blades
eje
pivot
mango para el pulgar
ring handle
mango para dos o tres dedos
bow handle

Dedal
Thimble

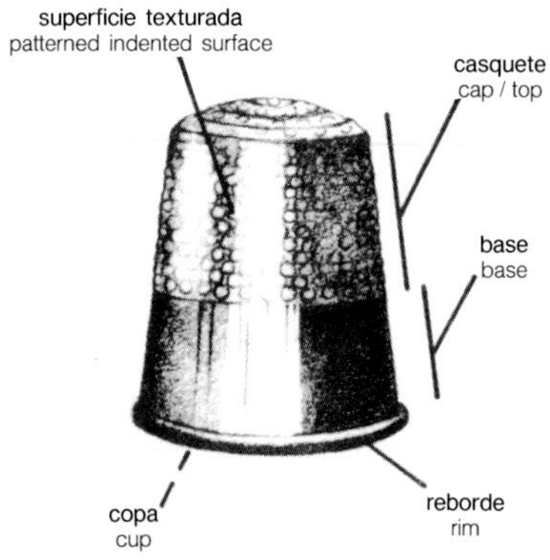

superficie texturada
patterned indented surface
casquete
cap / top
base
base
copa
cup
reborde
rim

Carrete de hilo
Spool / Reel

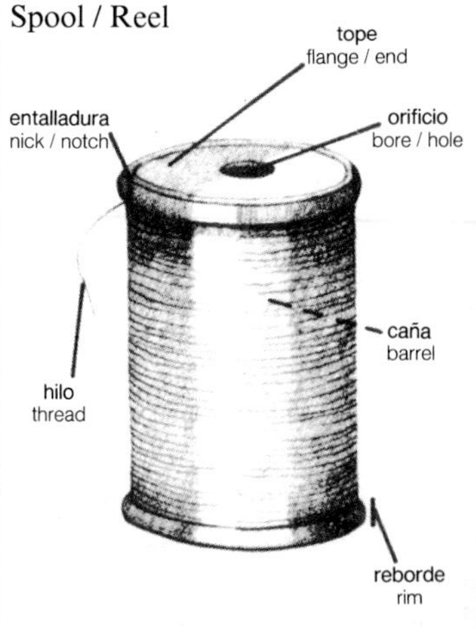

tope
flange / end
entalladura
nick / notch
orificio
bore / hole
caña
barrel
hilo
thread
reborde
rim

Costura decorativa

El arte de decorar tejidos con hilo y aguja comprende muy diversas técnicas, en las que están incluidos: el *bordado sencillo*, el *bordado de tapicería*, el *bordado de reserva*, el *encaje de aguja*, el *filtiré* y el *realce*. En otras técnicas es la tela el elemento principal de la decoración y la costura solamente un medio; tales son el acolchado, las *aplicaciones* (o recortes cosidos a un fondo), el *patchwork* (o empalme de recortes) y el *trapunto* (o guateado de motivos delimitados con pespuntes).

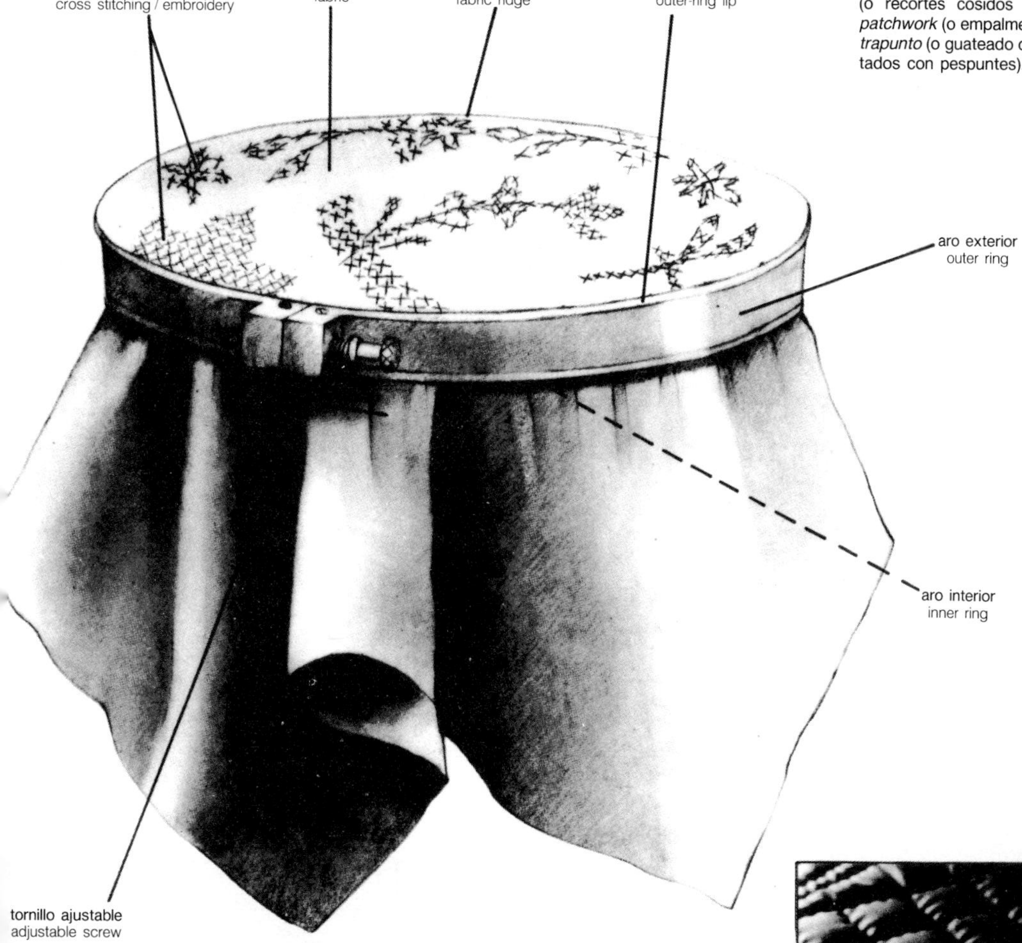
bordado a punto de cruz
cross stitching / embroidery
tela
fabric
borde de la sección a bordar
fabric ridge
remate del aro exterior
outer-ring lip
aro exterior
outer ring
aro interior
inner ring
tornillo ajustable
adjustable screw

Bordado
Embroidery

Acolchado
Quilting

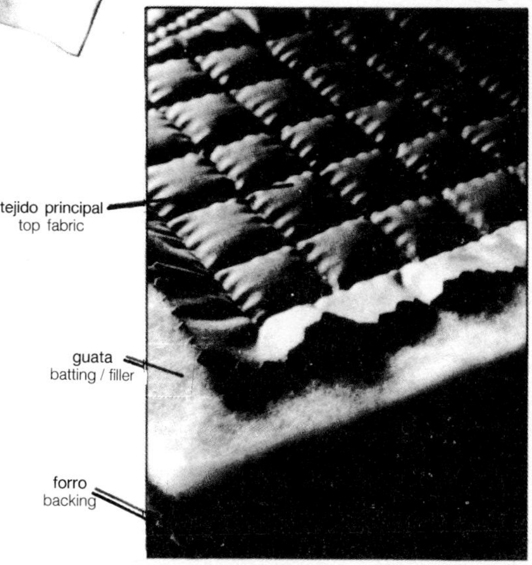
tejido principal
top fabric
guata
batting / filler
forro
backing

Decorative Stitching

Stitchery, the art of decorating fabric with thread, includes embroidery, *crewel*, *needlepoint*, *petitpoint*, *grospoint* and *bargello*. Among quilting techniques are *appliqué*, sewing pieces of material to a background; *patchwork*, combining small geometric pieces of fabric; and *trapunto*, filling a small area with batting for a raised effect.

Punto

El tejido de punto se forma entrelazando bucles de una hilatura. Las dos técnicas principales se denominan *punto al derecho* y *punto al revés*. El *ganchillo* es otro sistema de fabricación manual de tejidos y se hace formando *cadenetas* y *puntos* con una aguja especial llamada también *ganchillo*. El *macramé* se trabaja a base de nudos, y el *encaje de frivolité* haciendo nudos y presillas con una hilatura de algodón y una lanzadera pequeña.

Knitting

Knitting is the interlacing of *loops*. The main stitches are the *knit stitch*, or *stitch*, and the *purl stitch*, or *purl*. *Crocheting* is a form of *needlework* done by looping thread with a *crochet needle*. *Macrame* is *knotting*, and *tatting* is done by looping and knotting with a single cotton thread and a small shuttle.

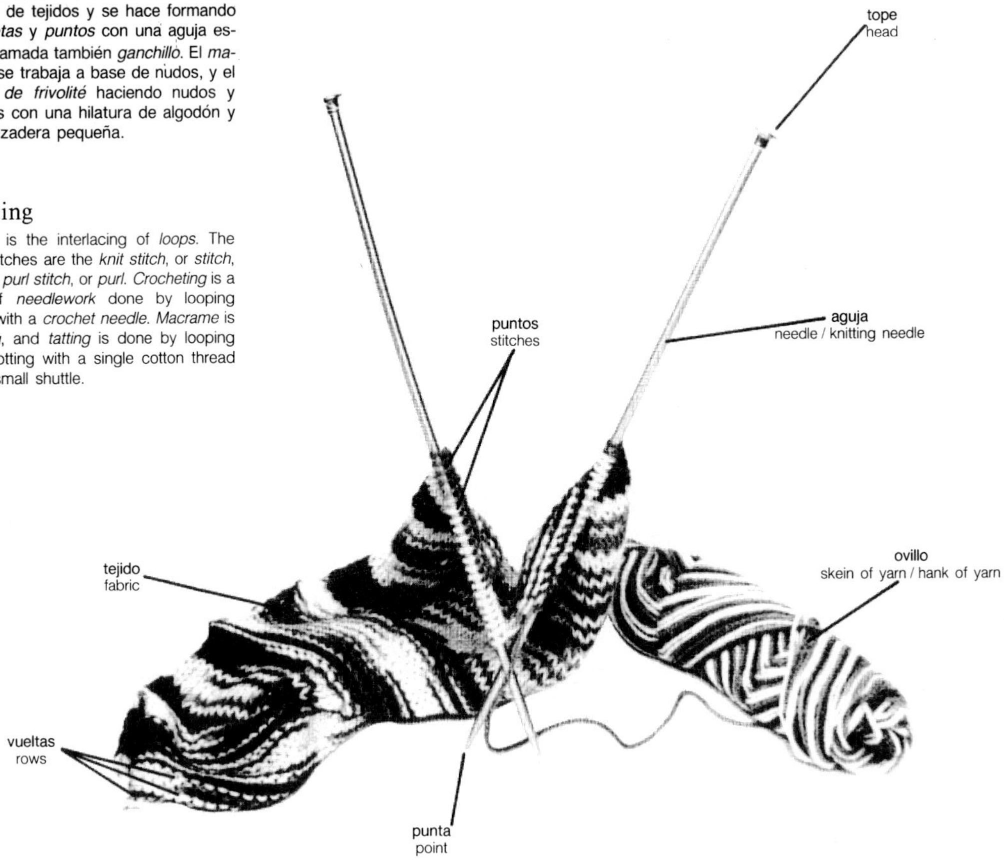
tope
head
aguja
needle / knitting needle
puntos
stitches
ovillo
skein of yarn / hank of yarn
tejido
fabric
vueltas
rows
punta
point

Punto a mano
Hand Knitting

Agujas de tricotosa
Machine Knitting Needles

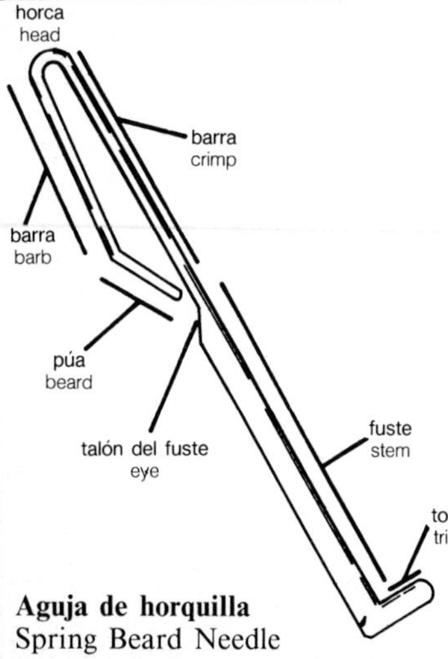
horca
head
barra
crimp
barra
barb
púa
beard
talón del fuste
eye
fuste
stem
tope
trick

Aguja de horquilla
Spring Beard Needle

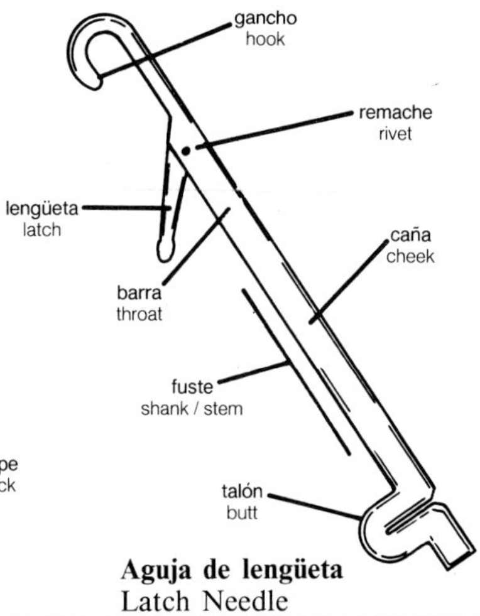
gancho
hook
remache
rivet
lengüeta
latch
caña
cheek
barra
throat
fuste
shank / stem
talón
butt

Aguja de lengüeta
Latch Needle

Lanzadera de frivolité
Tatting Shuttle

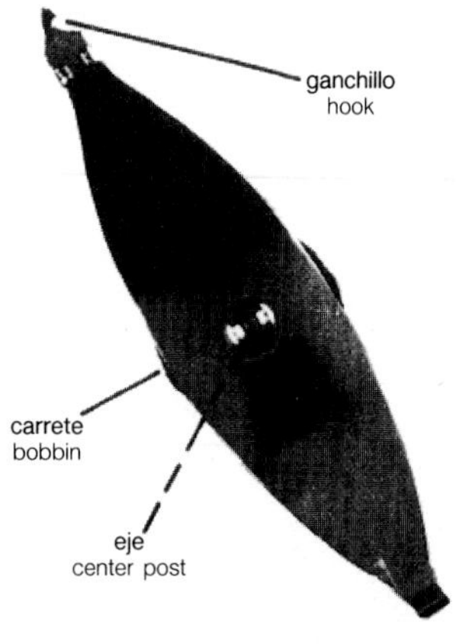
ganchillo
hook
carrete
bobbin
eje
center post

Tejido

Se llama *urdimbre* del tejido al conjunto de los hilos montados longitudinalmente (de atrás a delante) en el telar. El conjunto de los hilos que cruzan la urdimbre constituye la *trama*. Los *orillos* del tejido se forman al tramar dos o más hilos de los lados de la urdimbre.

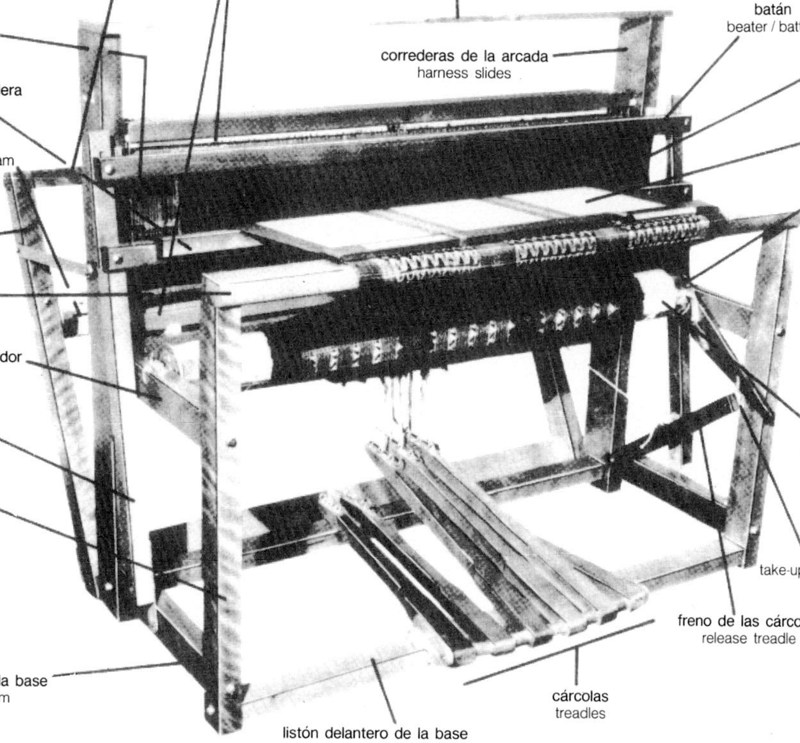

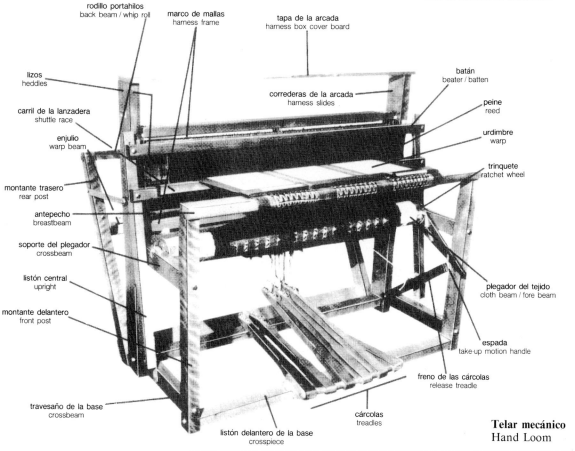

rodillo portahilos
back beam / whip roll
marco de mallas
harness frame
tapa de la arcada
harness box cover board
lizos
heddles
correderas de la arcada
harness slides
batán
beater / batten
carril de la lanzadera
shuttle race
peine
reed
enjulio
warp beam
urdimbre
warp
trinquete
ratchet wheel
montante trasero
rear post
antepecho
breastbeam
soporte del plegador
crossbeam
listón central
upright
plegador del tejido
cloth beam / fore beam
montante delantero
front post
espada
take-up motion handle
freno de las cárcolas
release treadle
travesaño de la base
crossbeam
cárcolas
treadles
listón delantero de la base
crosspiece

Telar mecánico
Hand Loom

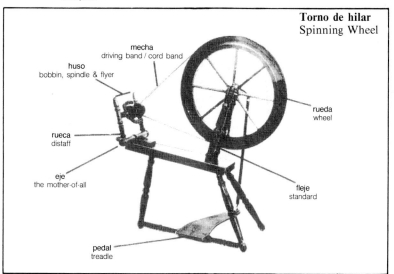

Torno de hilar
Spinning Wheel

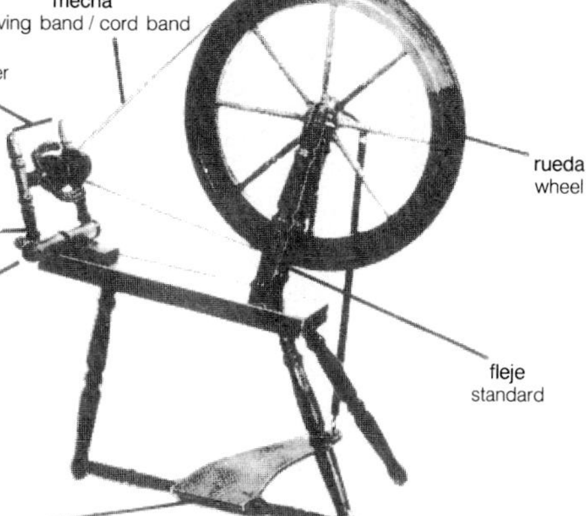

mecha
driving band / cord band
huso
bobbin, spindle & flyer
rueda
wheel
rueca
distaff
eje
the mother-of-all
fleje
standard
pedal
treadle

Weaving

The lengthwise (front to back) *yarn* or *threads* on a loom are called the warp. Threads taken together which run form side to side, or from *selvage* to selvage, are called the *weft*. The weft is also often called the *woof*, although more correctly, the woof is the same as the *web*, or finished *fabric*.

Patrón de corte y confección

Se denomina *pieza* a la porción de tela que se fabrica de una vez. Las piezas de tejido que se venden en el comercio suelen tener una anchura y un largo específicos.

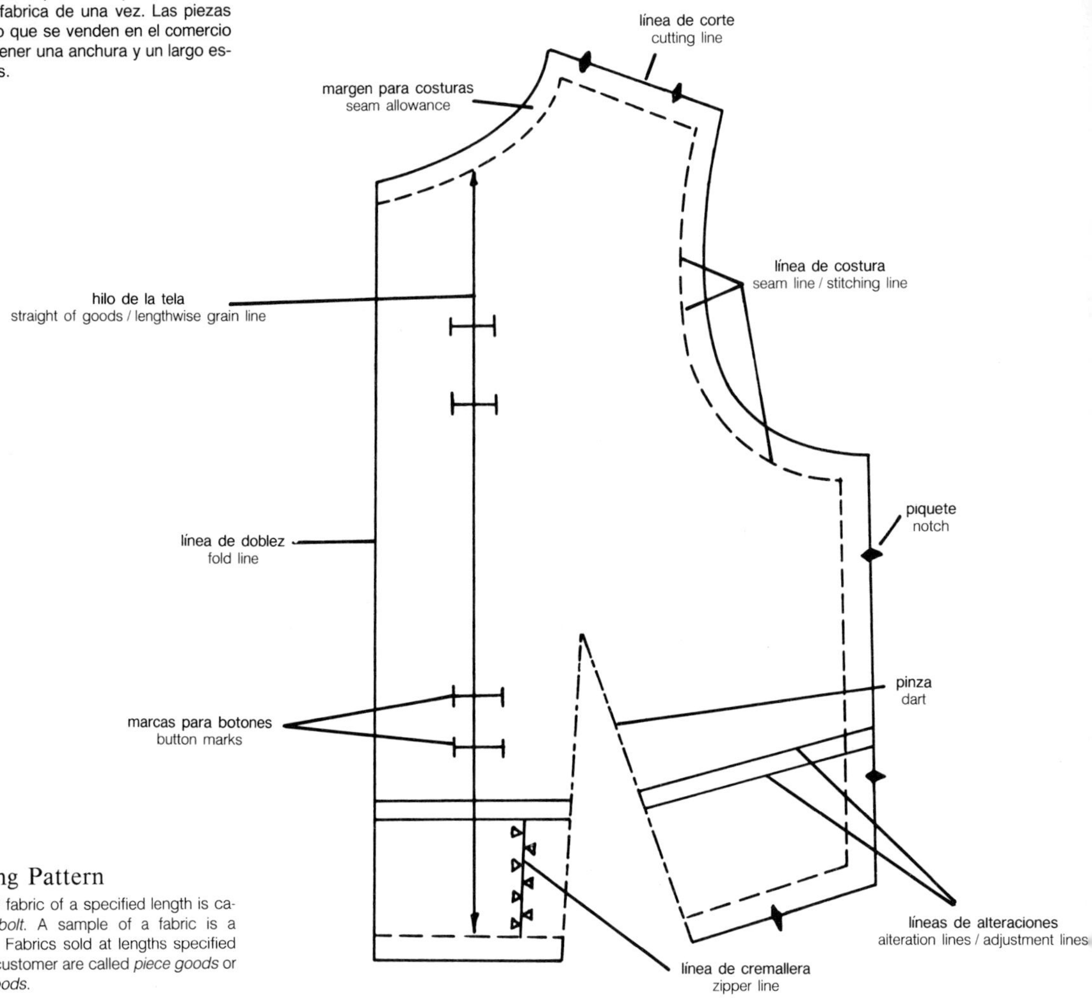

línea de corte
cutting line
margen para costuras
seam allowance
línea de costura
seam line / stitching line
hilo de la tela
straight of goods / lengthwise grain line
piquete
notch
línea de doblez
fold line
pinza
dart
marcas para botones
button marks
líneas de alteraciones
alteration lines / adjustment lines
línea de cremallera
zipper line

Sewing Pattern

A roll of fabric of a specified length is called a *bolt.* A sample of a fabric is a *swatch.* Fabrics sold at lengths specified by the customer are called *piece goods* or *yard goods.*

Tejido
Fabric

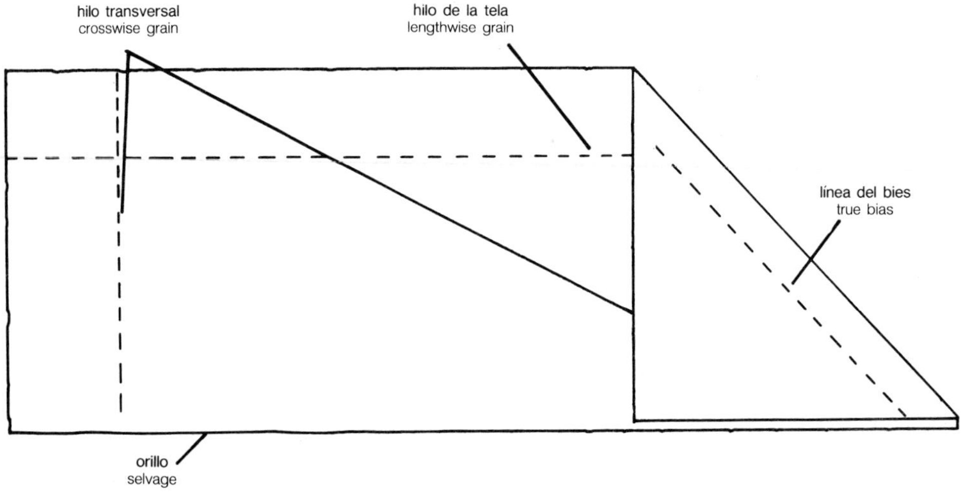

hilo transversal
crosswise grain
hilo de la tela
lengthwise grain
línea del bies
true bias
orillo
selvage

Máquinas, instrumentos y armas

Exceptuando los materiales de oficina y las herramientas y máquinas industriales, cuya descripción excedería los objetivos del presente libro, esta sección comprende todos los instrumentos humanos que pueden encontrarse en la vida cotidiana, al leer un periódico o al estudiar cualquier materia. Se representan los sistemás básicos de generación y transmisión de energía, incluyendo desde un reactor nuclear hasta un enchufe eléctrico, y también los aparatos que sirven para controlar la temperatura de una casa y los componentes de varios tipos de motores.

Se ha dedicado un espacio considerable a la representación detallada de las herramientas domésticas y de jardinería, sin olvidar por ello los útiles básicos de la ganadería, la caza, la agricultura, las ciencias, y la medicina. Se ha incluido además la descripción de los aparatos empleados para la ejecución de la pena capital.

En la subsección dedicada a las armas se señalan los nombres y partes de los objetos que se han empleado en la guerra desde la época medieval hasta nuestros días. De esta forma, un estudiante que lea algo sobre el rey Arturo podrá identificar las partes de una espada con la misma facilidad con que el lector de un periódico sabrá diferenciar los componentes de un moderno misil.

Reloj de sol
Sundial

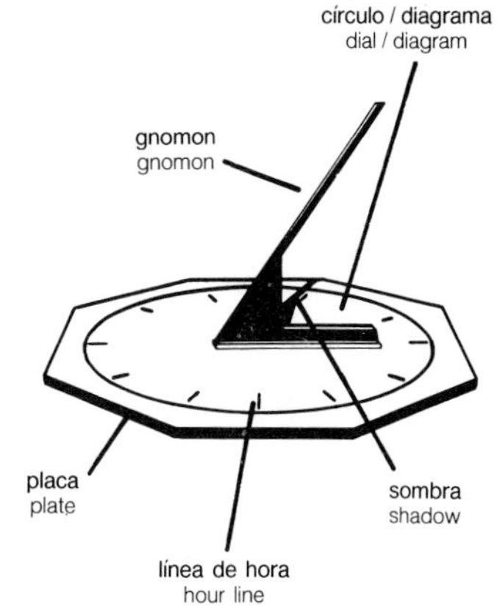
círculo / diagrama
dial / diagram
gnomon
gnomon
placa
plate
sombra
shadow
línea de hora
hour line

Energía eólica

La fuerza del viento se ha utilizado desde muy antiguo como fuente de energía. Al girar, las aspas del molino mueven un sistema de cilindros múltiples, que sustituyen a las viejas *muelas* de piedra. Los cilindros trituran y ciernen el grano, aunque los molinos de viento tienen también otras muchas aplicaciones.

aspa
sail / sweep / rotor / blade
cable
cord / line
tela del aspa
cloth sail
borde principal
leader board
listón del borde
heel
persiana
sail bars
alma
stock
borde inferior
helmath
borde posterior
whip / sail back
árbol
windshaft / axle
casquete
cap
cabeza de aspa
cannister / poll end
timón
fantail / fly tackle
torre
tower

Molino de viento
Windmill

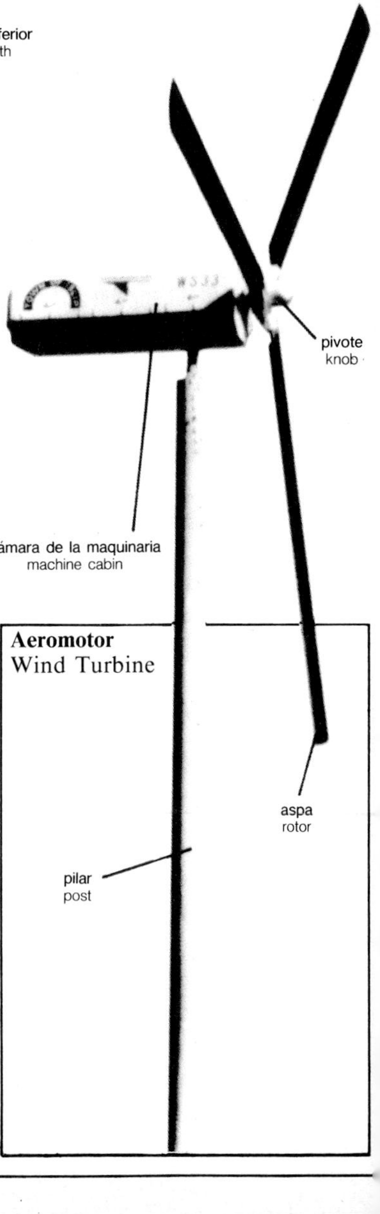

pivote
knob
cámara de la maquinaria
machine cabin
aspa
rotor
pilar
post

Aeromotor
Wind Turbine

Wind Systems

The cloth sail on this *smock mill* is in a *first reef*, or *curled*, position, as opposed to *sword point*, *dagger point* or *full sail*, Sails or *shutters* on a fantail are called *vanes*. Some mills have *petticoats*, or vertical boards, below the cap, to provide protection where cap and tower meet, and *beards*, or decorated boards, behind the cannister.

Sistema de energía solar

La energía solar puede captarse por medio de sistemas colectores como el del esquema que funciona de forma inversa a los *radiadores*, para producir agua caliente. La energía solar también puede convertirse directamente en *energía eléctrica*, por medio de *células solares* o bien captarse mediante *lentes* o *espejos* que concentran los rayos sobre un colector y producen temperaturas muy altas. El calor así obtenido se transforma finalmente en energía eléctrica.

Sistema de calefacción solar
Solar Heating System

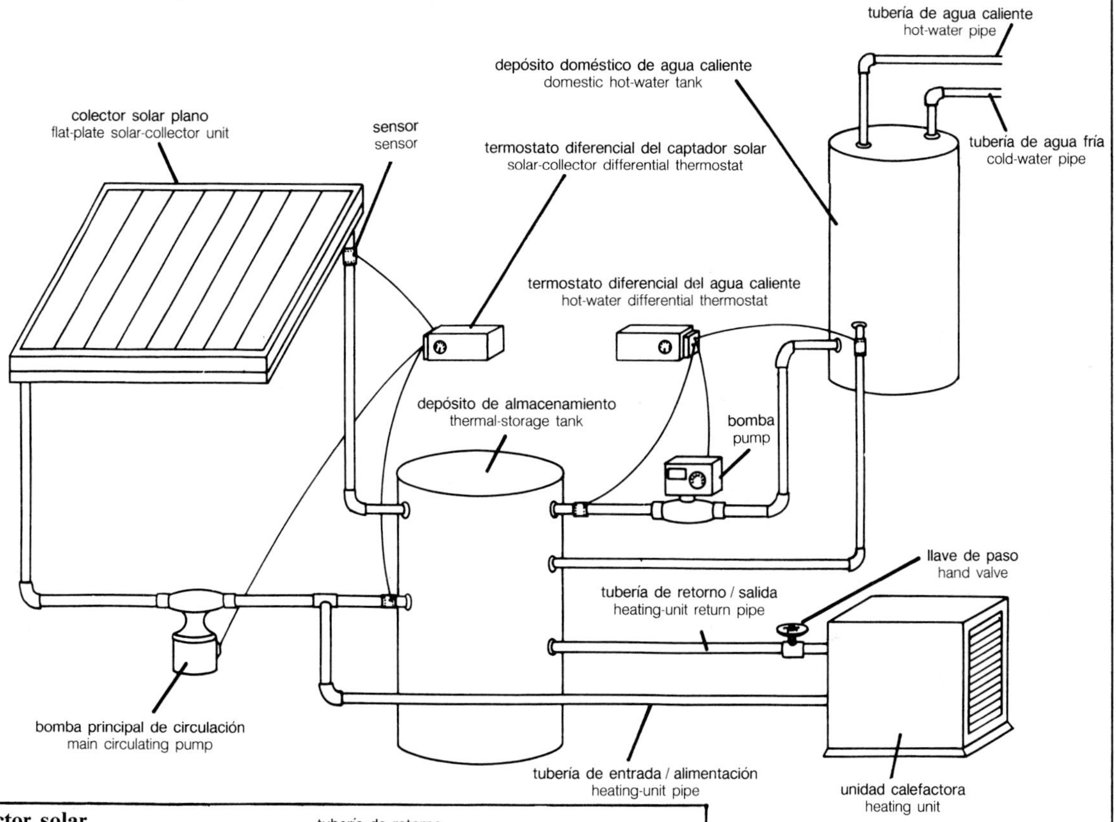

tubería de agua caliente
hot-water pipe
depósito doméstico de agua caliente
domestic hot-water tank
tubería de agua fría
cold-water pipe
colector solar plano
flat-plate solar-collector unit
sensor
sensor
termostato diferencial del captador solar
solar-collector differential thermostat
termostato diferencial del agua caliente
hot-water differential thermostat
depósito de almacenamiento
thermal-storage tank
bomba
pump
llave de paso
hand valve
tubería de retorno / salida
heating-unit return pipe
bomba principal de circulación
main circulating pump
tubería de entrada / alimentación
heating-unit pipe
unidad calefactora
heating unit

Colector solar
Collector Panel

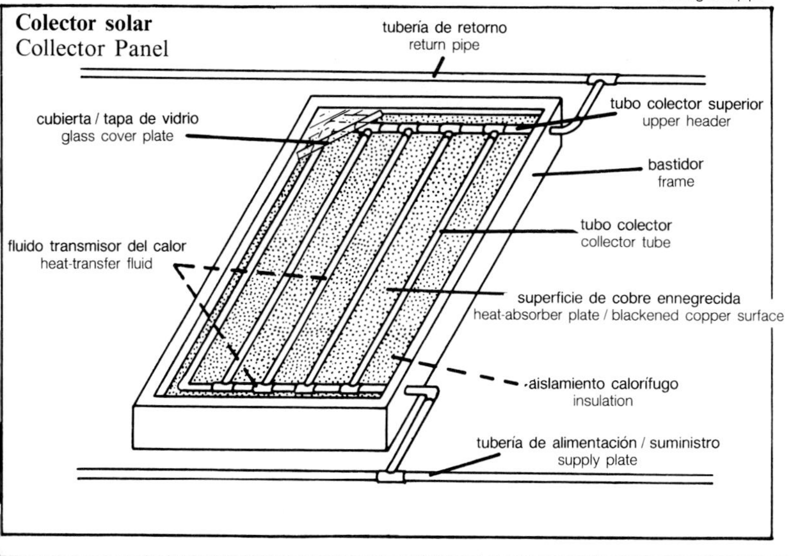

tubería de retorno
return pipe
cubierta / tapa de vidrio
glass cover plate
tubo colector superior
upper header
bastidor
frame
tubo colector
collector tube
fluido transmisor del calor
heat-transfer fluid
superficie de cobre ennegrecida
heat-absorber plate / blackened copper surface
aislamiento calorífugo
insulation
tubería de alimentación / suministro
supply plate

Solar Power System

Solar energy can be collected by systems such as the one shown here, which operate like *radiators* working in reverse to produce hot water. The sun's energy can also be converted directly into *electricity* by solar *cells. Concentrating solar collectors* use *lenses* or *reflecting surfaces* to direct sunlight on a trough-type collector to produce large amounts of heat which can be converted into electricity.

Reactor nuclear

Para generar electricidad a partir del calor que produce la *fisión*, es necesario frenar y controlar la *reacción en cadena*. La velocidad de la reacción dentro del reactor se regula introduciento o sacando, según sea necesario, unas *barras* hechas de un material que absorbe neutrones. Se llama *masa crítica* a la cantidad mínima de *material fisible* capaz de mantener por sí mismo la fisión. Los denominados *reactores autorregenerables* o *breeders* generan más material fisible del que consumen.

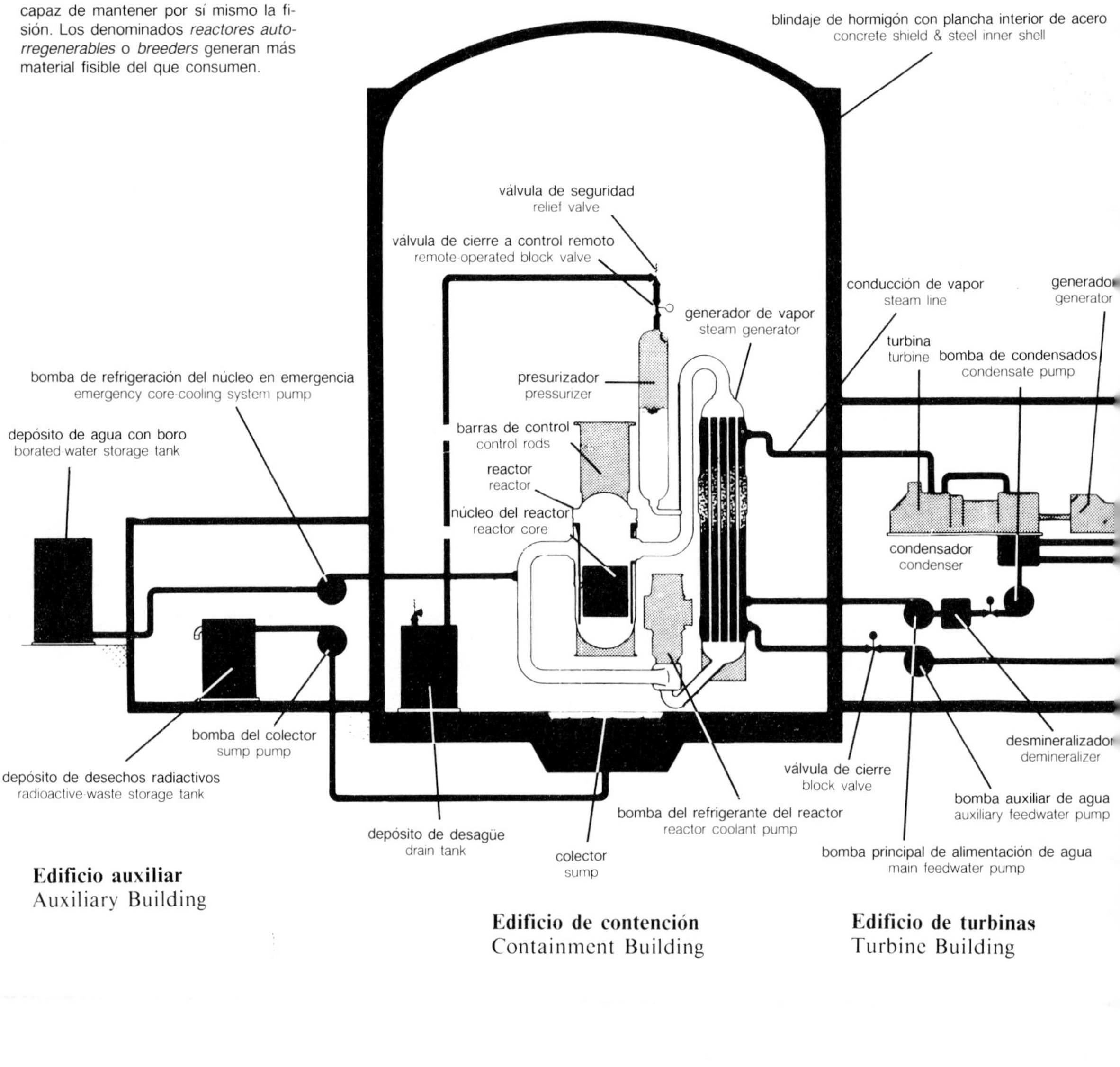

blindaje de hormigón con plancha interior de acero
concrete shield & steel inner shell
válvula de seguridad
relief valve
válvula de cierre a control remoto
remote-operated block valve
conducción de vapor
steam line
generador de vapor
steam generator
turbina
turbine
bomba de condensados
condensate pump
bomba de refrigeración del núcleo en emergencia
emergency core-cooling system pump
presurizador
pressurizer
depósito de agua con boro
borated-water storage tank
barras de control
control rods
reactor
reactor
núcleo del reactor
reactor core
condensador
condenser
bomba del colector
sump pump
depósito de desechos radiactivos
radioactive-waste storage tank
válvula de cierre
block valve
desmineralizador
demineralizer
bomba auxiliar de agua
auxiliary feedwater pump
bomba del refrigerante del reactor
reactor coolant pump
depósito de desagüe
drain tank
colector
sump
bomba principal de alimentación de agua
main feedwater pump
Edificio auxiliar
Auxiliary Building
Edificio de contención
Containment Building
Edificio de turbinas
Turbine Building

Nuclear Power Reactor

In order to generate *electricity* by using the heat produced by *fission*, the *chain reaction* must be slowed down and controlled. To control the reaction rate in a reactor, or *pile*, *rods* of neutron-absorbing material are moved in and out as required. The smallest amount of *fissionable material* in which fission is self-sustaining is called the *critical mass*. If more fissionable material is produced than consumed, the reactor is called a *breeder reactor*.

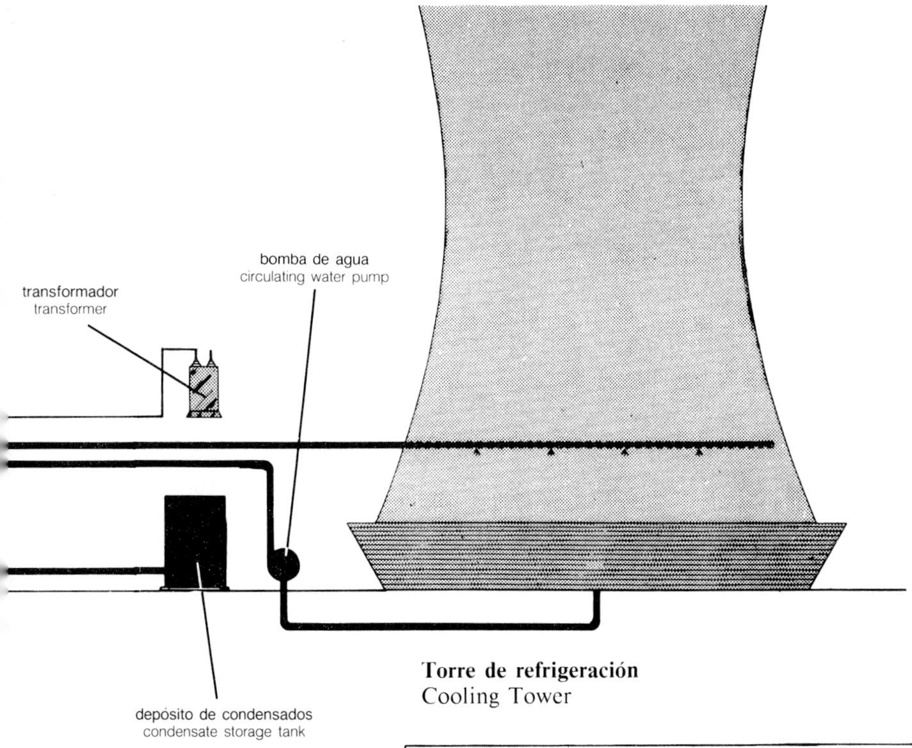
bomba de agua
circulating water pump
transformador
transformer
depósito de condensados
condensate storage tank

Torre de refrigeración
Cooling Tower

Corte longitudinal del reactor
Reactor Cross Section

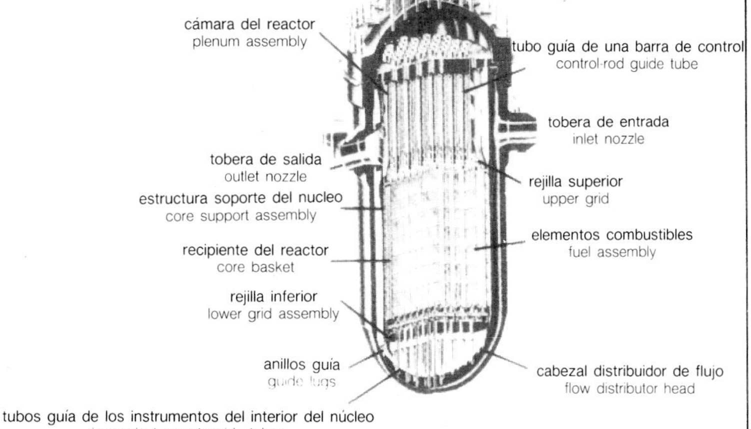
cámara del reactor
plenum assembly
tubo guía de una barra de control
control-rod guide tube
tobera de entrada
inlet nozzle
tobera de salida
outlet nozzle
rejilla superior
upper grid
estructura soporte del nucleo
core support assembly
elementos combustibles
fuel assembly
recipiente del reactor
core basket
rejilla inferior
lower grid assembly
anillos guía
cabezal distribuidor de flujo
flow distributor head
tubos guía de los instrumentos del interior del núcleo
incore-instrument guide tubes

Línea de alta tensión, válvula electrónica y transistor

Para el transporte de la energía eléctrica desde la central a los distintos puntos de la *red de distribución*, se utilizan *líneas aéreas* formadas por conductores de *alta tensión* que sostienen unas torres metálicas de celosía, o *castilletes*. Un transistor consiste en un pequeño trozo de material *semiconductor* con tres electrodos.

Power Line, Vacuum Tube and Transistor

An *overhead line support*, *lattice work tower* or *double-circuit tower* transmits high-voltage electrical power from *generating plants* to various parts of a *power network*. A transistor consists of a small block of a *semiconductor* with at least three *electrodes*.

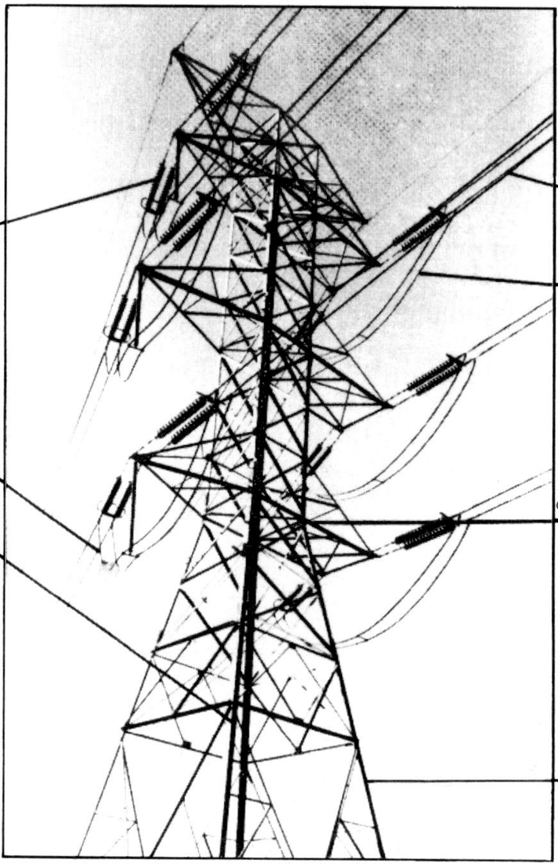

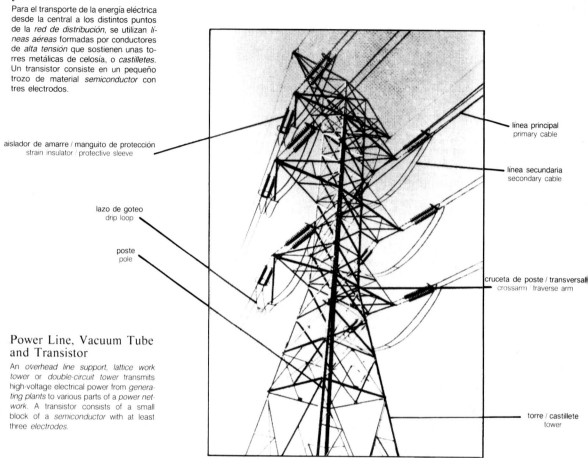

aislador de amarre / manguito de protección
strain insulator / protective sleeve
lazo de goteo
drip loop
poste
pole
línea principal
primary cable
línea secundaria
secondary cable
cruceta de poste / transversal
crossarm / traverse arm
torre / castillete
tower

Línea aérea de alta tensión
Overhead Power Line

Chip de un transistor
Transistor Chip

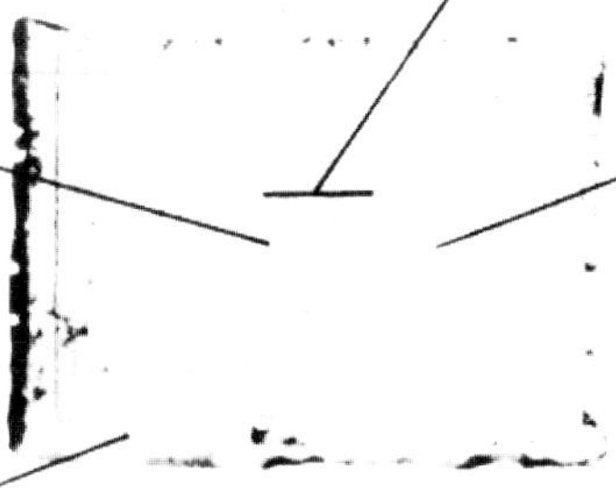

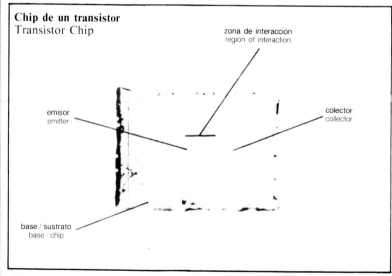

zona de interacción
region of interaction
emisor
emitter
colector
collector
base / sustrato
base / chip

Válvula electrónica / Tubo de vacío
Vacuum Tube / Electron Tube

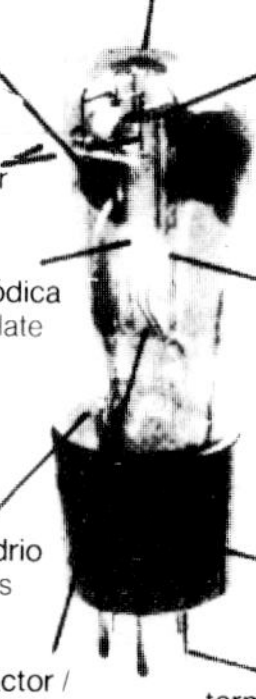

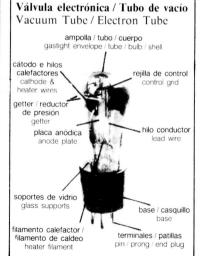

ampolla / tubo / cuerpo
gastight envelope / tube / bulb / shell
cátodo e hilos calefactores
cathode & heater wires
rejilla de control
control grid
getter / reductor de presión
getter
placa anódica
anode plate
hilo conductor
lead wire
soportes de vidrio
glass supports
base / casquillo
base
filamento calefactor / filamento de caldeo
heater filament
terminales / patillas
pin / prong / end plug

Batería

Las baterías llevan marcada la *polaridad* con el símbolo + para el *terminal positivo* y – para el *negativo*. Las pilas *secundarias o acumuladores* pueden ser recargadas, no así las *primarias*.

Battery

Batteries are marked with *polarity symbols*, + identifying the positive terminal, - the negative. *Secondary cells* can be recharged, while *primary cells* cannot.

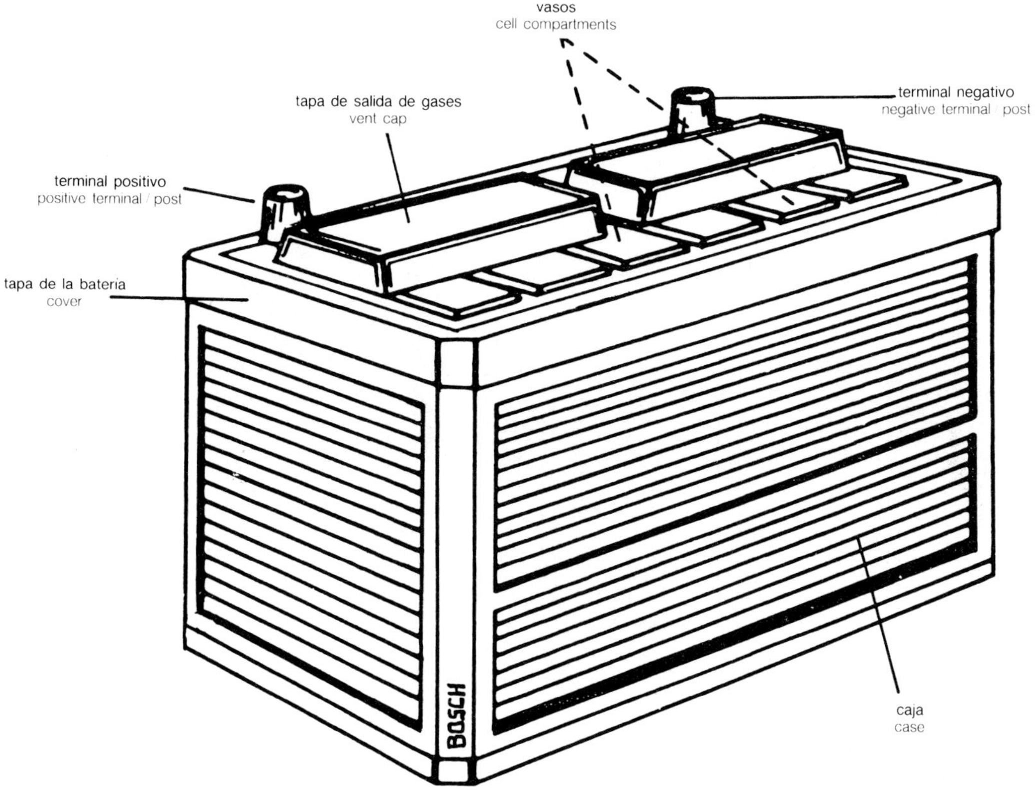

vasos
cell compartments
tapa de salida de gases
vent cap
terminal negativo
negative terminal / post
terminal positivo
positive terminal / post
tapa de la batería
cover
BOSCH
caja
case

Acumulador de plomo
Lead Acid Battery

Pila de mercurio
Mercury Battery

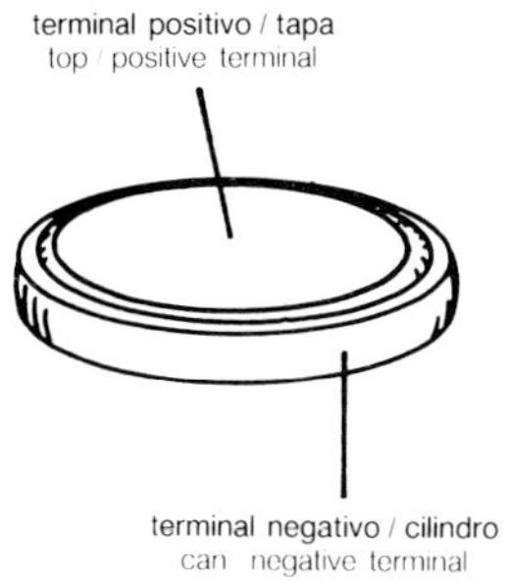

terminal positivo / tapa
top / positive terminal
terminal negativo / cilindro
can / negative terminal

Pila de carbón-cinc
Zinc Carbon Cell / Battery

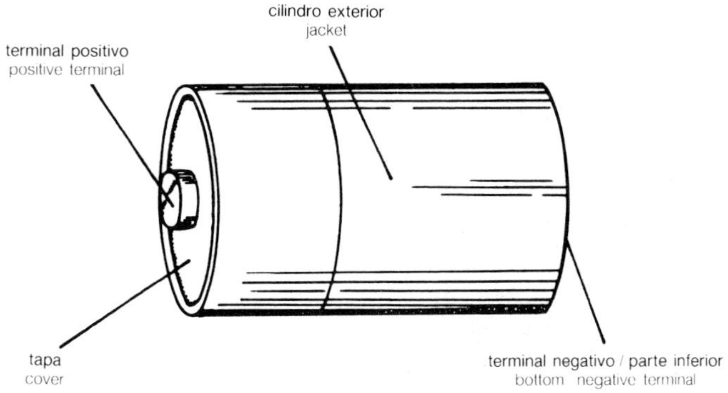

cilindro exterior
jacket
terminal positivo
positive terminal
tapa
cover
terminal negativo / parte inferior
bottom / negative terminal

Interruptor, enchufe y clavija

Un interruptor de pared sólo permite el paso de la *corriente eléctrica* cuando está en la posición superior o de *encendido*, opuesta a la posición inferior o de *apagado*. Los *cables de tierra* están situados en el interior de la caja de conexiones. Los *enchufes macho* o *clavijas de conexión*, como el que se ve aquí, no presentan elementos conductores visibles a excepción de los *terminales* o patillas. El *enchufe macho* se acopla a un *enchufe hembra*.

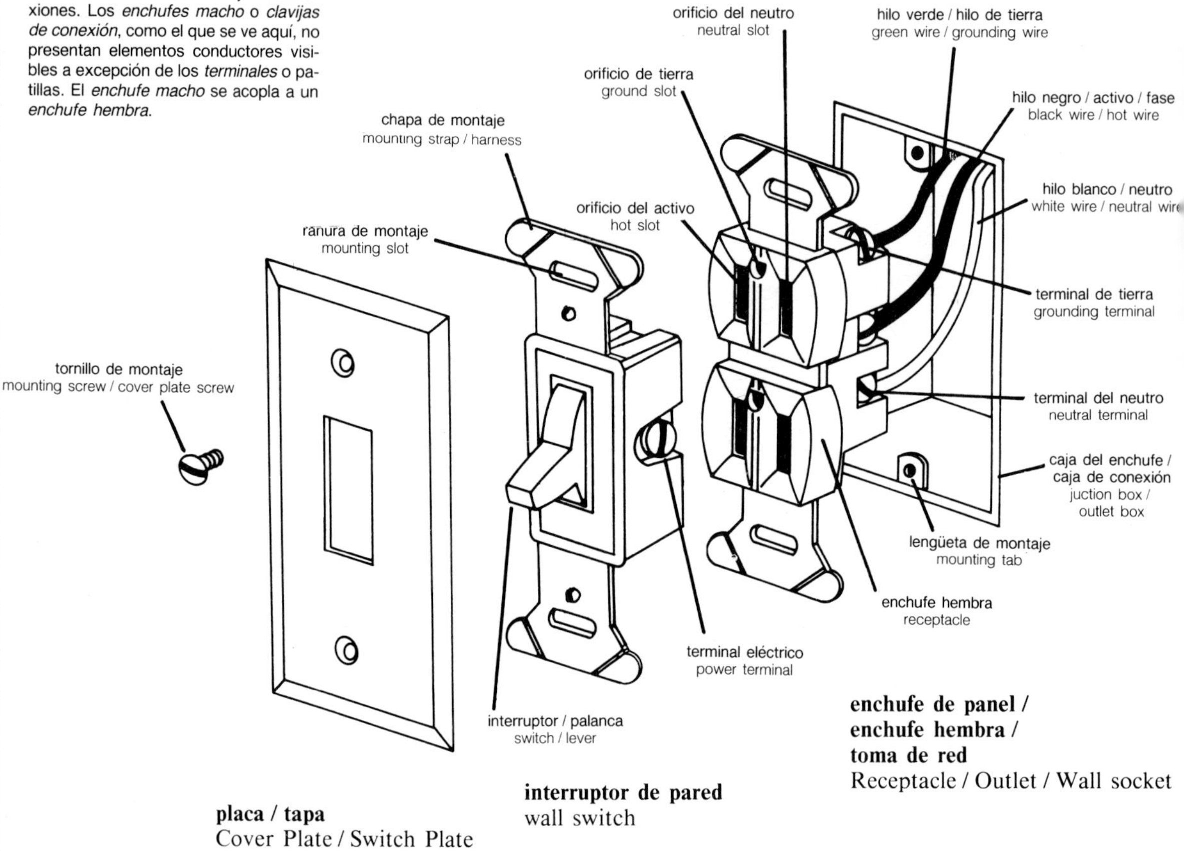
orificio del neutro
neutral slot
hilo verde / hilo de tierra
green wire / grounding wire
orificio de tierra
ground slot
hilo negro / activo / fase
black wire / hot wire
chapa de montaje
mounting strap / harness
hilo blanco / neutro
white wire / neutral wire
orificio del activo
hot slot
ranura de montaje
mounting slot
terminal de tierra
grounding terminal
tornillo de montaje
mounting screw / cover plate screw
terminal del neutro
neutral terminal
caja del enchufe / caja de conexión
juction box / outlet box
lengüeta de montaje
mounting tab
enchufe hembra
receptacle
terminal eléctrico
power terminal
interruptor / palanca
switch / lever
enchufe de panel / enchufe hembra / toma de red
Receptacle / Outlet / Wall socket
interruptor de pared
wall switch
placa / tapa
Cover Plate / Switch Plate

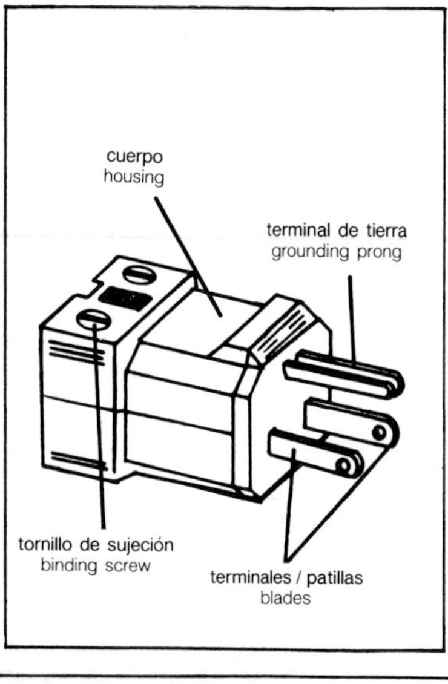
cuerpo
housing
terminal de tierra
grounding prong
tornillo de sujeción
binding screw
terminales / patillas
blades

Switch, Receptacle and Plug

A wall switch conducts *electrical current* only when it is in the up, or *on position*, as opposed to the down or *off position*. *Ground wires* are located inside the junction box. *Attachment plugs*, or "*dead front*" *plugs*, such as the one shown here, have no exposed current-carrying parts except prongs, blades or *pins*, A *male plug* is fitted into a *female receptacle*.

Contador de corriente eléctrica y caja de fusibles

Los fusibles *«se funden»* y los interruptores *«saltan»* cuando se produce un exceso de calor en los cables de un *circuito* particular. El fusible y el interruptor automático actúan como un sistema de seguridad para evitar que se produzca fuego a causa del excesivo calor, debido a una sobrecarga o como consecuencia de un *cortocircuito*

Meter and Fuse Box

Fuses "blow" and circuit breakers "trip" when there is too much heat in the wires of a particular *circuit*. The fuse or circuit breaker acts as a safety device to keep fire from starting by heat caused by an *overload* or by a *short circuit*.

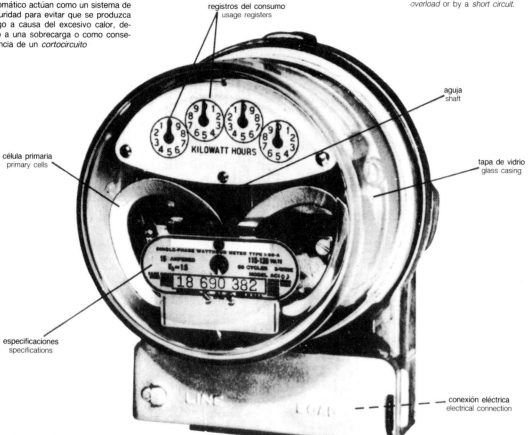

registros del consumo
usage registers
aguja
shaft
célula primaria
primary cells
tapa de vidrio
glass casing
especificaciones
specifications
conexión eléctrica
electrical connection
KILOWATT HOURS
18 690 382
LINE
LOAD

Contador de electricidad
Electric Meter

Fusible de tapón
Plug Fuse

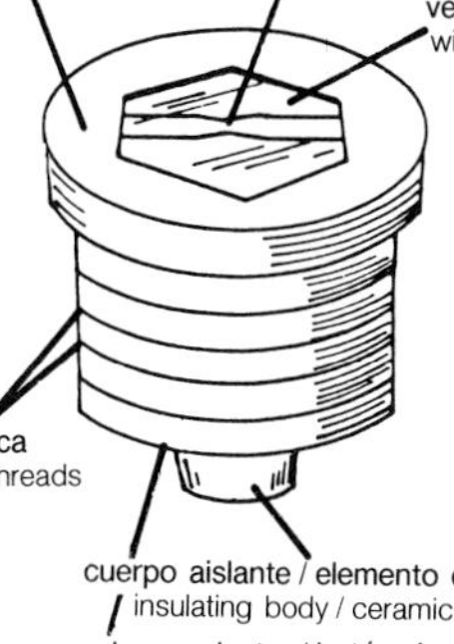

elemento / conductor fusible
fusible element / wire
caperuza metálica
metal cap
ventana
window
rosca
screw threads
cuerpo aislante / elemento cerámico
insulating body / ceramic shell
remache conductor / botón de contacto
conducting rivet / contact button

Fusible de cartucho
Cartridge Fuse

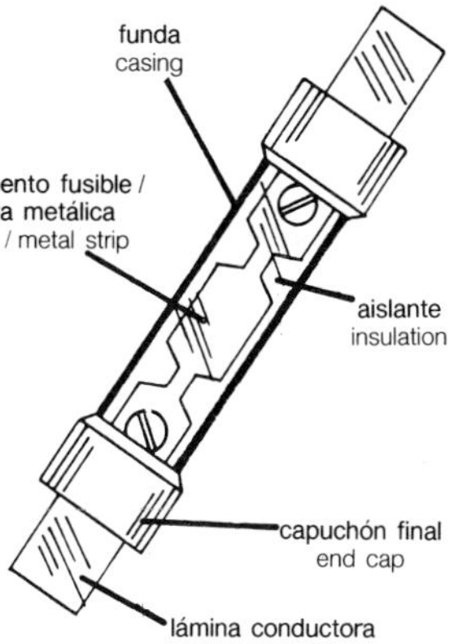

funda
casing
elemento fusible / tira metálica
link / metal strip
aislante
insulation
capuchón final
end cap
lámina conductora
conducting blade

Caja del interruptor automático
Circuit Breaker Box

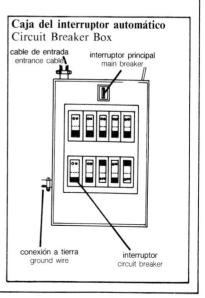

cable de entrada
entrance cable
interruptor principal
main breaker
conexión a tierra
ground wire
interruptor
circuit breaker

Caldera

La caldera representada en este esquema suministra vapor a los *radiadores* situados en diversas partes del edificio.

Furnace

The furnace shown in this schematic illustration provides *steam heat* to radiators located in various parts of a building.

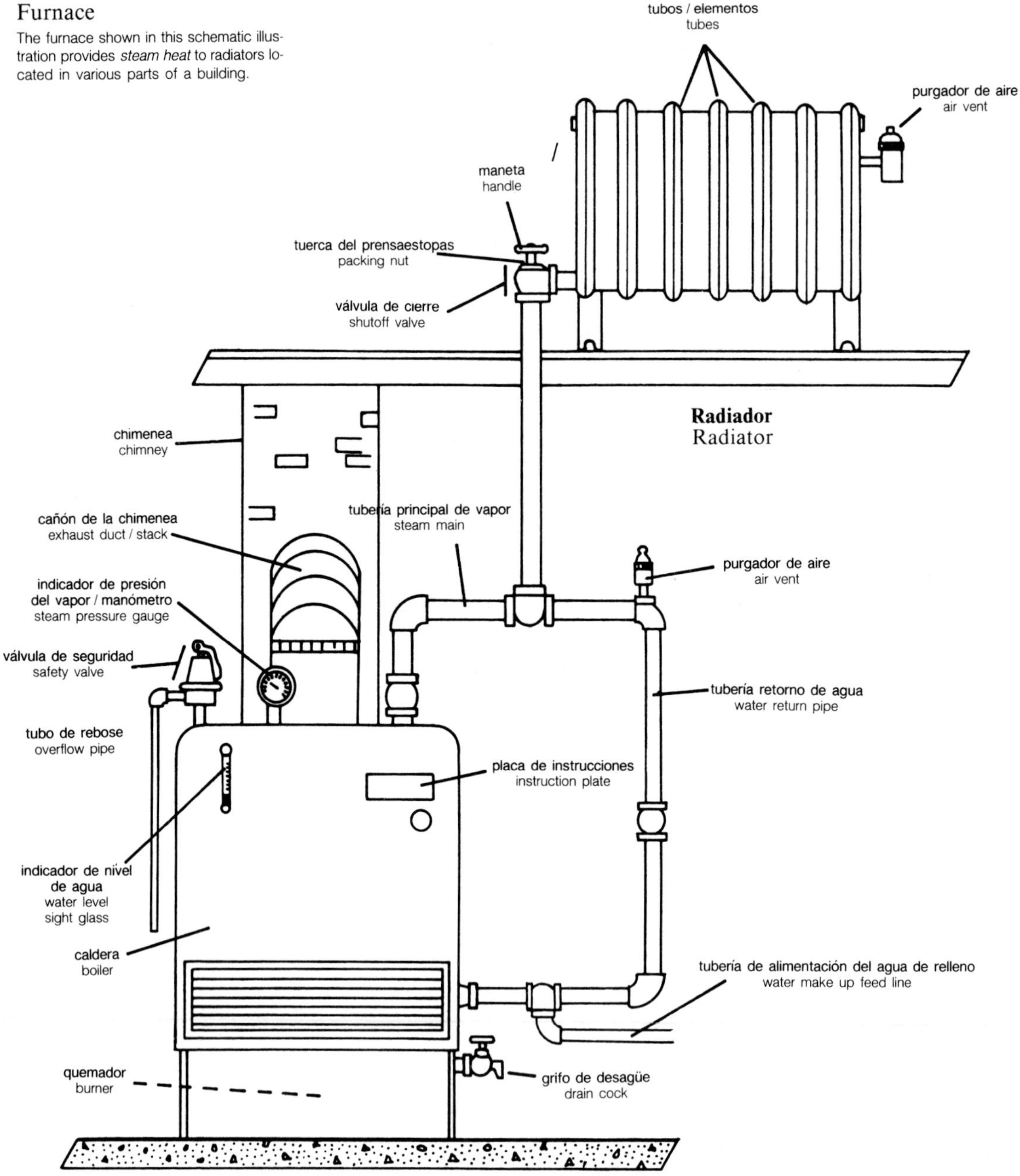

tubos / elementos
tubes
purgador de aire
air vent
maneta
handle
tuerca del prensaestopas
packing nut
válvula de cierre
shutoff valve
chimenea
chimney
cañón de la chimenea
exhaust duct / stack
indicador de presión del vapor / manómetro
steam pressure gauge
válvula de seguridad
safety valve
tubo de rebose
overflow pipe
indicador de nivel de agua
water level sight glass
caldera
boiler
quemador
burner
tubería principal de vapor
steam main
purgador de aire
air vent
tubería retorno de agua
water return pipe
placa de instrucciones
instruction plate
tubería de alimentación del agua de relleno
water make up feed line
grifo de desagüe
drain cock

Radiador
Radiator

Caldera de calefacción
Furnace

Calentador de agua

El modelo representado aquí, funciona con gas. Hay también calentadores *eléctricos* y con *quemador de gas-oil.*

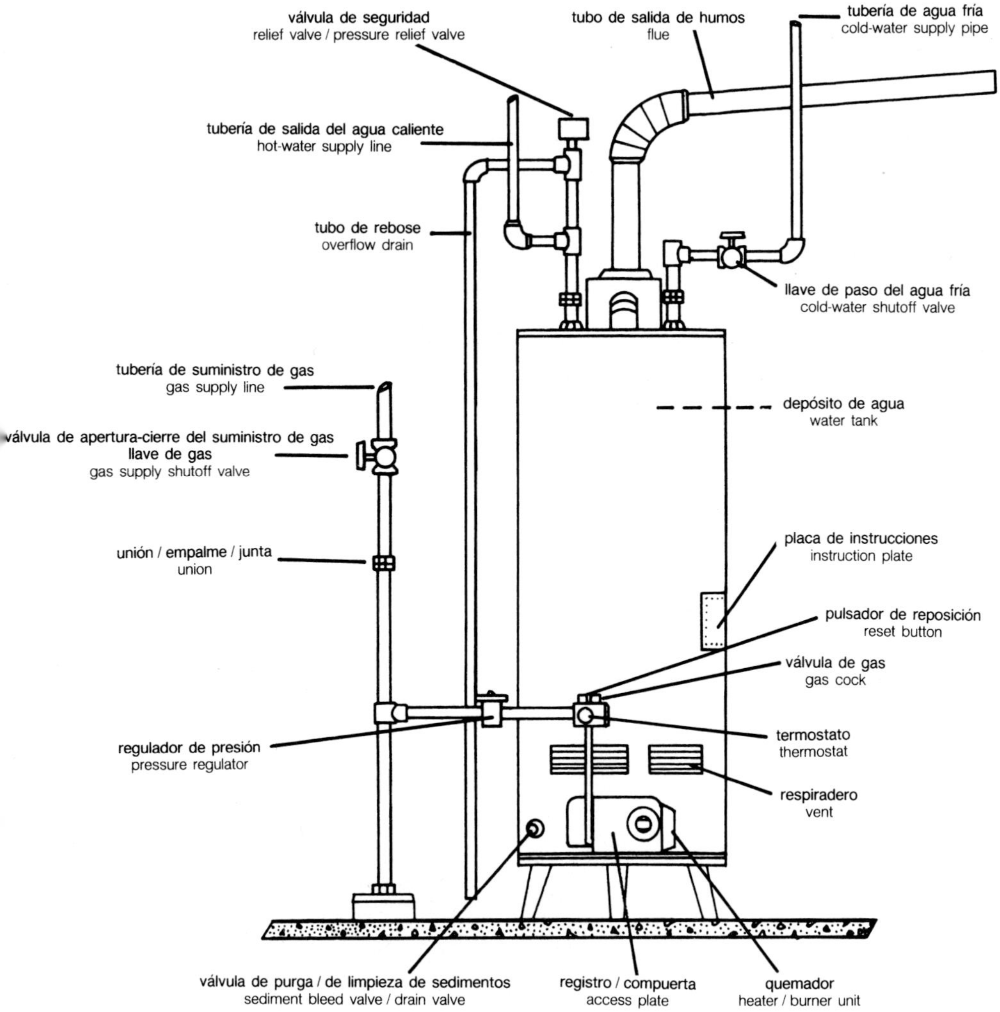

válvula de seguridad
relief valve / pressure relief valve
tubo de salida de humos
flue
tubería de agua fría
cold-water supply pipe
tubería de salida del agua caliente
hot-water supply line
tubo de rebose
overflow drain
llave de paso del agua fría
cold-water shutoff valve
tubería de suministro de gas
gas supply line
depósito de agua
water tank
válvula de apertura-cierre del suministro de gas
llave de gas
gas supply shutoff valve
unión / empalme / junta
union
placa de instrucciones
instruction plate
pulsador de reposición
reset button
válvula de gas
gas cock
regulador de presión
pressure regulator
termostato
thermostat
respiradero
vent
válvula de purga / de limpieza de sedimentos
sediment bleed valve / drain valve
registro / compuerta
access plate
quemador
heater / burner unit

Hot Water Heater

The unit shown here is *gas-fired.* Other models include *electric water heaters* and *oil waters heaters.*

Acondicionamiento de aire

La *rejilla frontal* de un acondicionador de aire tiene una *persiana* de láminas orientables que permite dirigir el aire frío a cualquier parte de la habitación. *El serpentín del condensador*, situado en la parte trasera del aparato, disipa el calor al exterior. Un *ventilador*, al contrario que un acondicionador, sólo hace circular el aire sin enfriarlo realmente. Los *deshumidificadores* o *deshumectadores* se utilizan para eliminar humedad del aire; y los *humectadores* para añadirla al mismo.

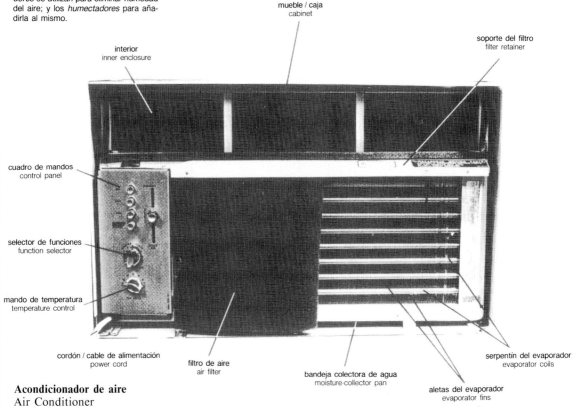

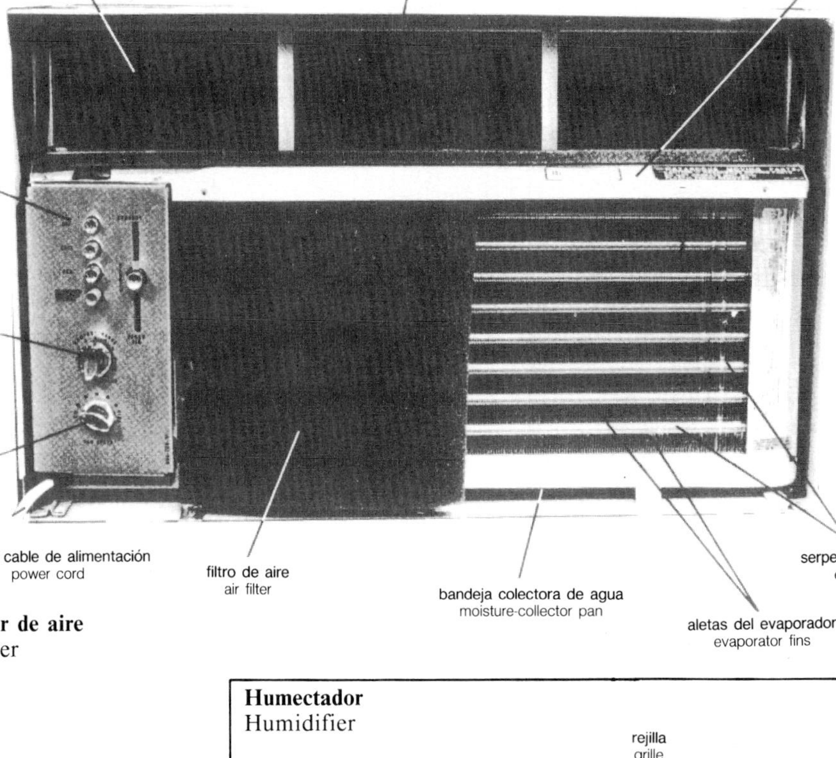

mueble / caja
cabinet
interior
inner enclosure
soporte del filtro
filter retainer
cuadro de mandos
control panel
selector de funciones
function selector
mando de temperatura
temperature control
cordón / cable de alimentación
power cord
filtro de aire
air filter
bandeja colectora de agua
moisture-collector pan
serpentín del evaporador
evaporator coils
aletas del evaporador
evaporator fins

Acondicionador de aire
Air Conditioner

Humectador
Humidifier

rejilla
grille
cuadro de mandos
control panel
cubeta
trough
soplante
drum / blower wheel
mueble / caja
cabinet

Air Conditioning

An air conditioner's *front grille* has *louvers* which allow cooled air to be directed to any part of a room. *Condenser coils* in the rear of the unit discharge heat outdoors. Hand-held *folding fans*, *overhead fans* and *rotary fans* circulate air without actually cooling it. A *dehumidifier* removes moisture from the air, whereas a humidifier adds moisture to it.

Intercambiador de calor

El esquema muestra los elementos básicos utilizados para refrigerar el interior en verano y caldearlo en invierno, absorbiendo o cediendo calor, según el caso. Una *bomba de calor* se compone de dos intercambiadores y compresor o *condensador*. El fluido de *refrigeración / calefacción* se comprime en un intercambiador o en el otro, según la estación.

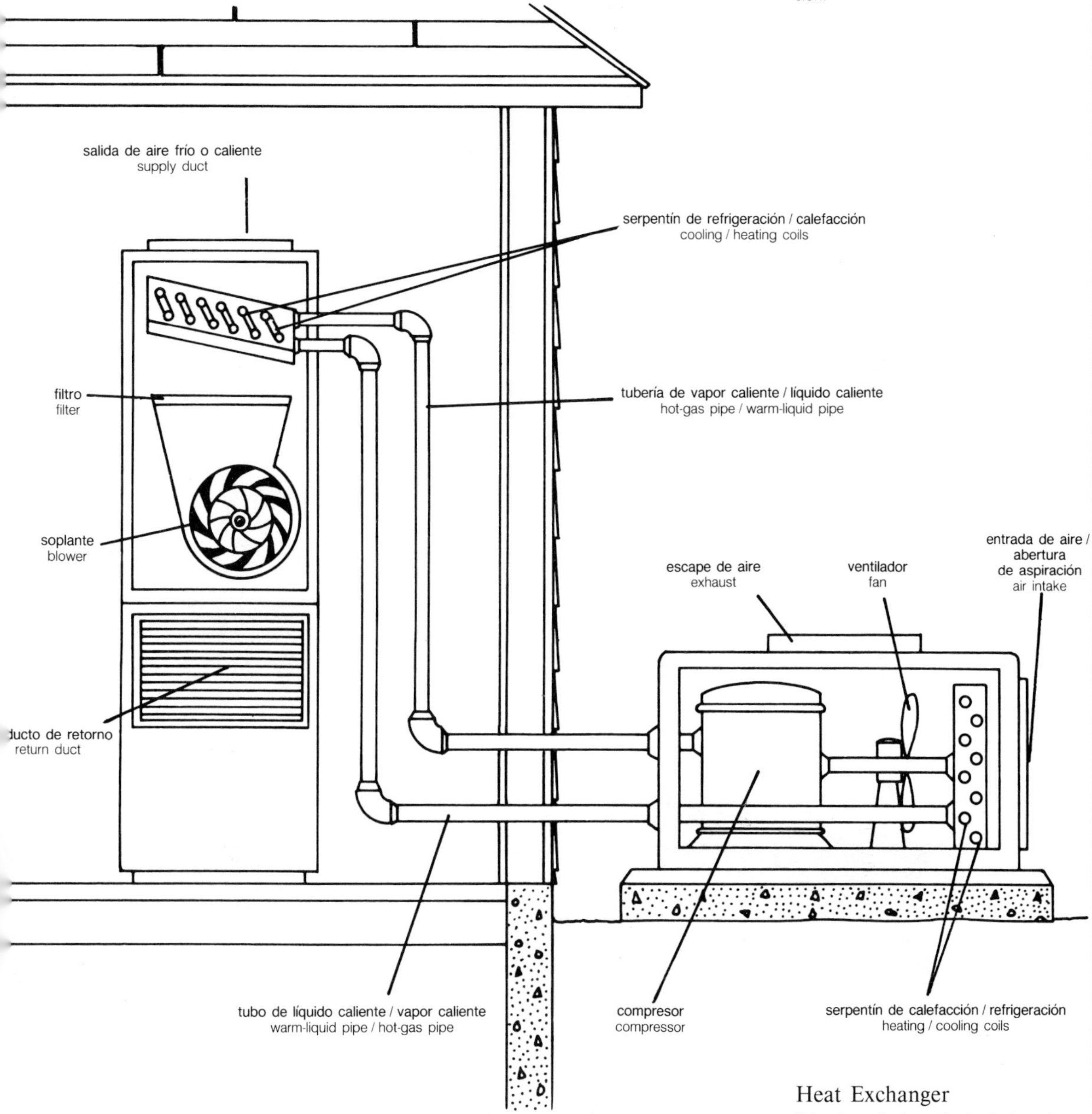
salida de aire frío o caliente
supply duct
serpentín de refrigeración / calefacción
cooling / heating coils
filtro
filter
tubería de vapor caliente / líquido caliente
hot-gas pipe / warm-liquid pipe
soplante
blower
escape de aire
exhaust
ventilador
fan
entrada de aire / abertura de aspiración
air intake
ducto de retorno
return duct
tubo de líquido caliente / vapor caliente
warm-liquid pipe / hot-gas pipe
compresor
compressor
serpentín de calefacción / refrigeración
heating / cooling coils

Heat Exchanger

This schematic shows the basic elements used to extract cold from outside air in summer and heat from outside air in winter. A *heat pump* consists of two echangers and a compressor, or *condenser*. *Cooling / heating fluid* is compressed in one exchanger or the other, depending on the season.

Estufa de leña

Cuando se cierra el regulador de tiro, unos deflectores interiores dirigen el aire hacia la *cámara de combustión secundaria* y después hacia la *salida de humos*. El *tubo de humos* de la estufa atraviesa la pared y desemboca en el exterior. Las estufas de leña y de carbón pertenecen al grupo de las estufas de combustibles sólidos. También las hay de combustibles líquidos, como las de fuel-oil y de gas ciudad, propano o butano.

Woodburning Stove

When the *stove damper* is closed, interior *baffles* direct air into the *secondary combustion chamber*, then through the *smoke path* until it exits through the flue collar. A stovepipe led through a wall is attached to a *thimble*. The original *Franklin stove* was built into the wall, but three sides extended into the room to radiate heat.

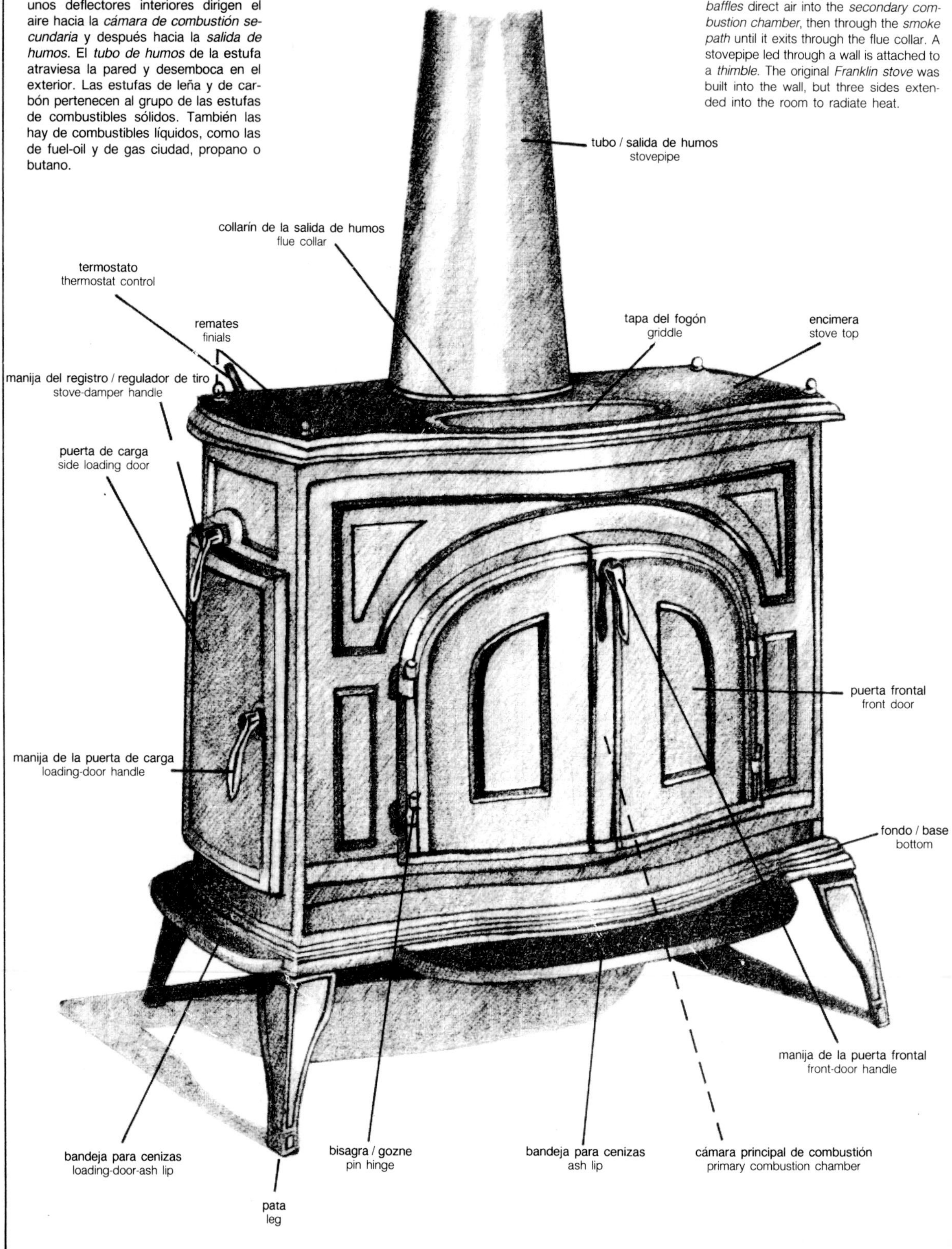
tubo / salida de humos
stovepipe
collarín de la salida de humos
flue collar
termostato
thermostat control
remates
finials
tapa del fogón
griddle
encimera
stove top
manija del registro / regulador de tiro
stove-damper handle
puerta de carga
side loading door
puerta frontal
front door
manija de la puerta de carga
loading-door handle
fondo / base
bottom
manija de la puerta frontal
front-door handle
bandeja para cenizas
loading-door-ash lip
bisagra / gozne
pin hinge
bandeja para cenizas
ash lip
cámara principal de combustión
primary combustion chamber
pata
leg

Máquina de vapor

La máquina de vapor se utilizó para transformar la *energía térmica* en *energía mecánica*. El vapor a *alta presión*, desplazaba un *pistón*, situado en el interior del *cilindro*. El pistón accionaba la *manivela* y transformaba el movimiento alternativo en *giratorio*.

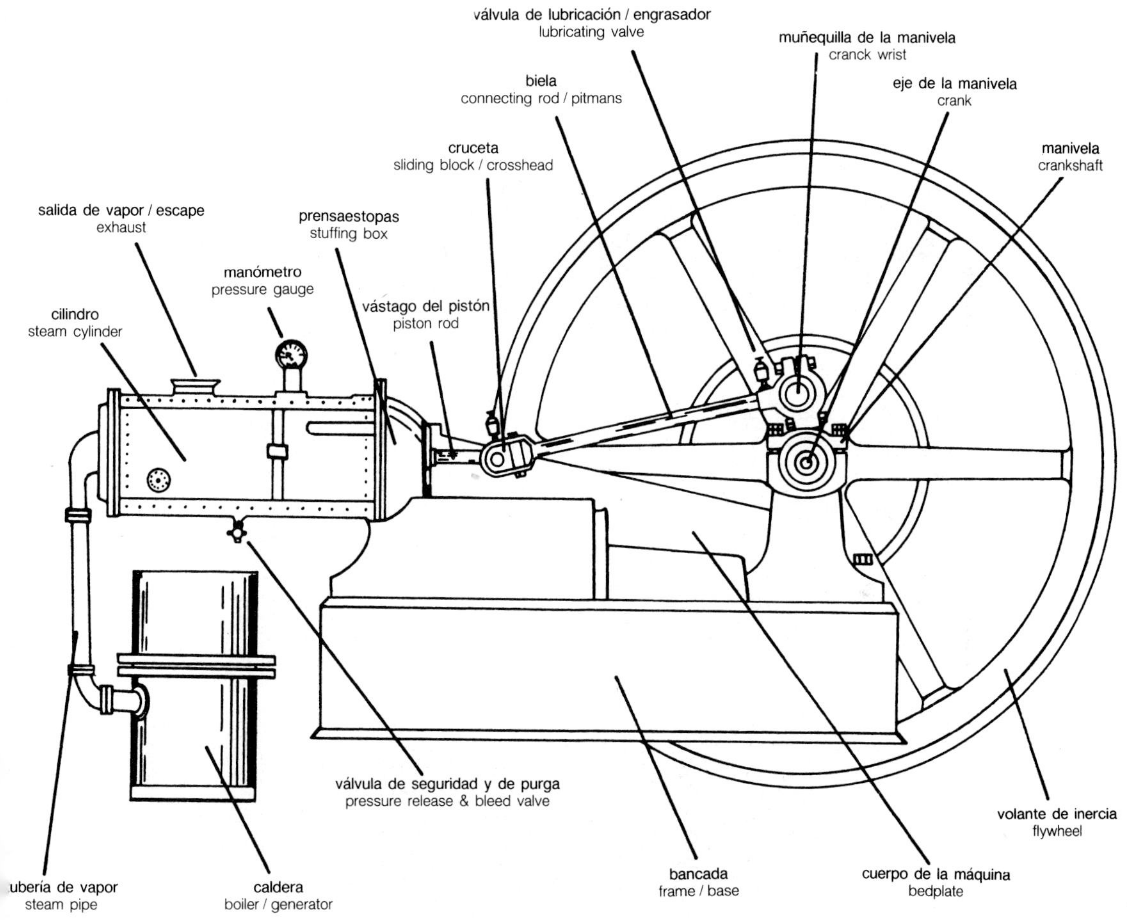

válvula de lubricación / engrasador
lubricating valve
muñequilla de la manivela
cranck wrist
biela
connecting rod / pitmans
eje de la manivela
crank
cruceta
sliding block / crosshead
manivela
crankshaft
salida de vapor / escape
exhaust
prensaestopas
stuffing box
manómetro
pressure gauge
cilindro
steam cylinder
vástago del pistón
piston rod
válvula de seguridad y de purga
pressure release & bleed valve
volante de inercia
flywheel
ubería de vapor
steam pipe
caldera
boiler / generator
bancada
frame / base
cuerpo de la máquina
bedplate

Steam Engine

The steam engine was used to generate *mechanical power* from *thermal energy*. A *piston* inside the steam cylinder, or *engine cylinder*, was driven by *high-pressure steam*. It moved the crankshaft to provide *rotational motion*.

Motor de combustión interna

En el motor de combustión interna, el combustible arde en el interior del *cilindro*. La potencia resultante se mide en *caballos de vapor*. Estos motores pueden ser de *dos* o de *cuatro tiempos* de gasolina o de gas-oil y refrigerados por aire o por agua.

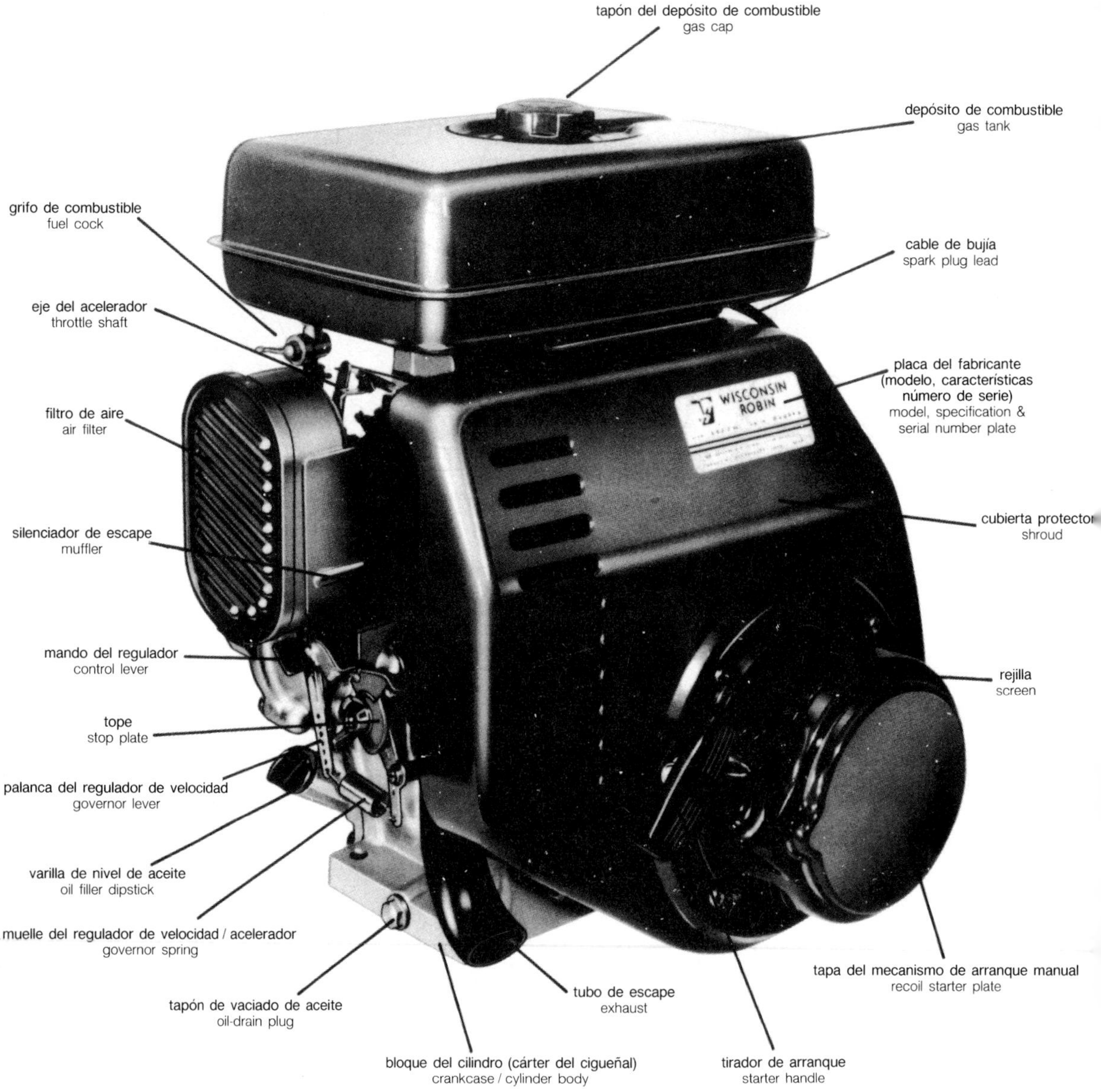
tapón del depósito de combustible
gas cap
depósito de combustible
gas tank
grifo de combustible
fuel cock
cable de bujía
spark plug lead
eje del acelerador
throttle shaft
placa del fabricante (modelo, características número de serie)
model, specification & serial number plate
filtro de aire
air filter
WISCONSIN ROBIN
cubierta protector
shroud
silenciador de escape
muffler
mando del regulador
control lever
rejilla
screen
tope
stop plate
palanca del regulador de velocidad
governor lever
varilla de nivel de aceite
oil filler dipstick
muelle del regulador de velocidad / acelerador
governor spring
tapa del mecanismo de arranque manual
recoil starter plate
tubo de escape
exhaust
tapón de vaciado de aceite
oil-drain plug
bloque del cilindro (cárter del cigueñal)
crankcase / cylinder body
tirador de arranque
starter handle

Internal Combustion Engine

The internal combustion engine is one in which combustion of fuel takes place within the *cylinder*, the product of which is measured in *horsepower*. Engines are *two-cycle*, *four-cycle*, or *Otto cycle*; *gas-or diesel-fueled*; *air-cooled* or *liquid-cooled*.

Motores a reacción

Un motor *turbohélice* es similar a un motor reactor de combustión o *turboventilador*, excepto en que el eje de la turbina va unido a un *cigüeñal* que hace girar una *hélice*. A diferencia de un cohete, o un *estatorreactor*, combina la acción del aire de entrada comprimido con la inyección e ignición de combustible para la propulsión.

Jet Engines

A *turboprop engine* is like a combustion jet engine or *turbofan jet*, except that its turbine wheel is attached to a *crankshaft* that turns a *propeller*. Unlike a rocket, a *ramjet*, or *flying stovepipe*, combines compressed incoming air with fuel injection and ignition for propulsion.

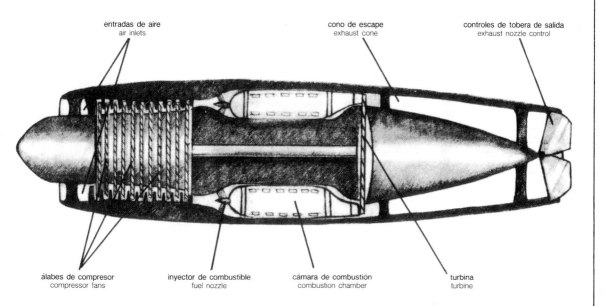

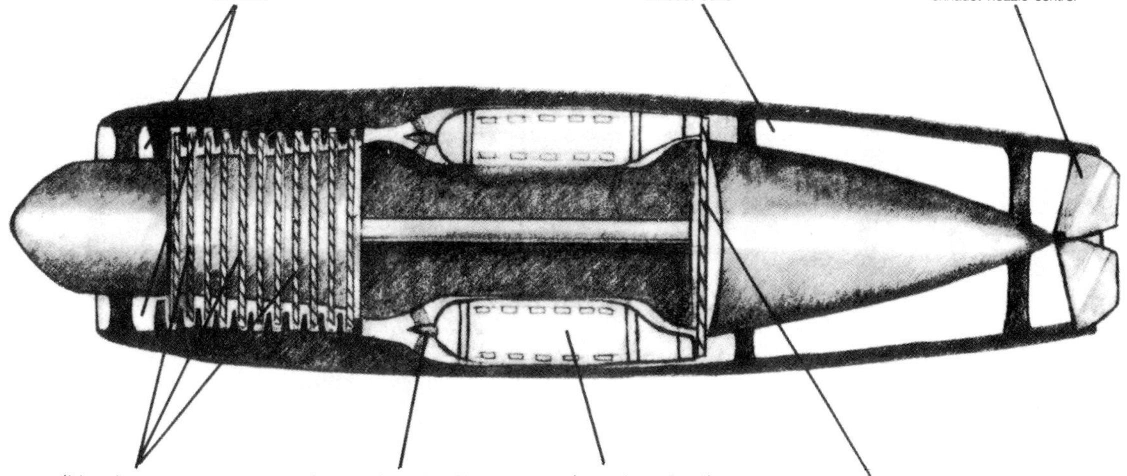
entradas de aire
air inlets
cono de escape
exhaust cone
controles de tobera de salida
exhaust nozzle control
álabes de compresor
compressor fans
inyector de combustible
fuel nozzle
cámara de combustión
combustion chamber
turbina
turbine

Motor a reacción
Combustion Jet Engine

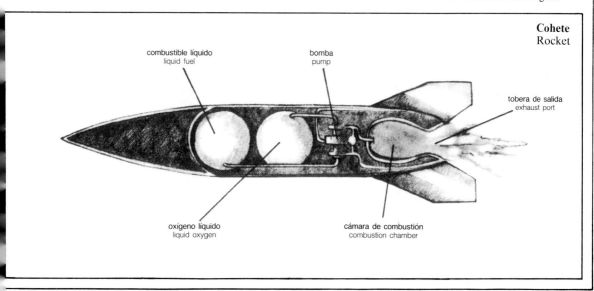

Cohete
Rocket

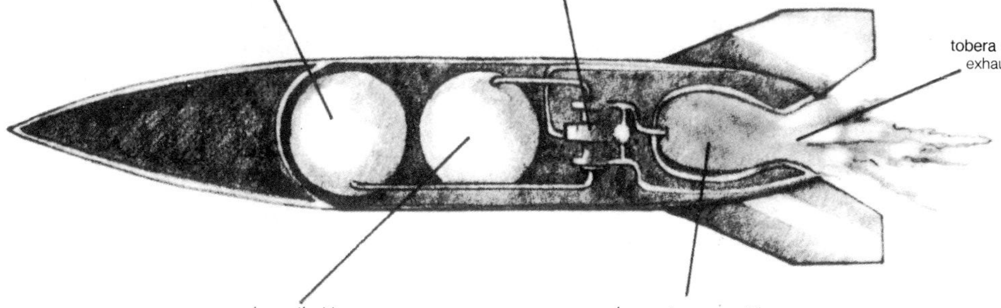
combustible líquido
liquid fuel
bomba
pump
tobera de salida
exhaust port
oxígeno líquido
liquid oxygen
cámara de combustión
combustion chamber

Banco de trabajo

Un *tornillo de banco* tiene dos mordazas paralelas que pueden separarse formando una amplia *boca* para permitir el mayor espacio de trabajo posible. Algunos llevan una espiga de acero escamoteable para sujetar piezas entre ésta y los topes del banco. Los bancos de carpintero se construyen de madera dura, como la de fresno. Actualmente se fabrican también bancos metálicos plegables para trabajos de bricolaje.

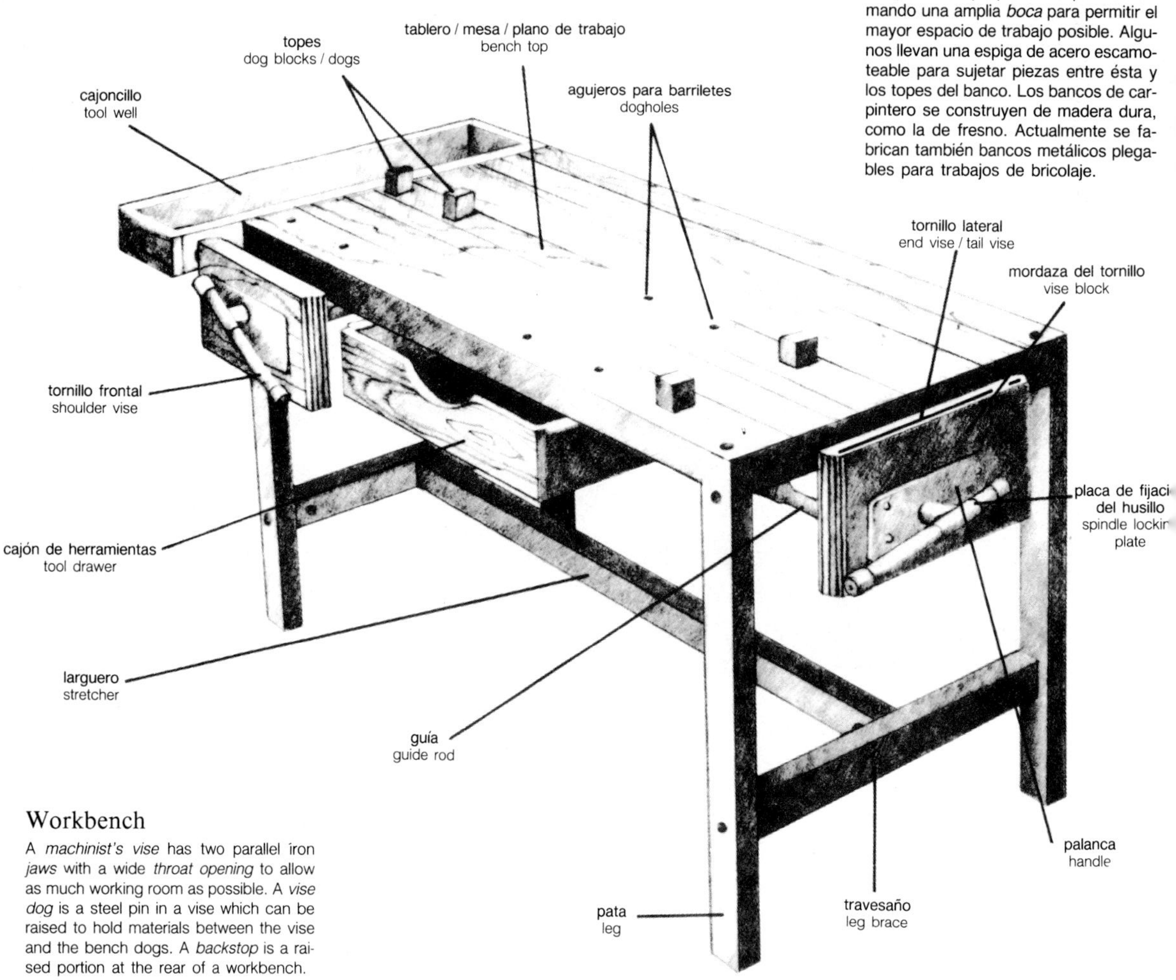

topes
dog blocks / dogs
tablero / mesa / plano de trabajo
bench top
cajoncillo
tool well
agujeros para barriletes
dogholes
tornillo lateral
end vise / tail vise
mordaza del tornillo
vise block
tornillo frontal
shoulder vise
placa de fijaci
del husillo
spindle lockir
plate
cajón de herramientas
tool drawer
larguero
stretcher
guía
guide rod
palanca
handle
travesaño
leg brace
pata
leg

Workbench

A *machinist's vise* has two parallel iron *jaws* with a wide *throat opening* to allow as much working room as possible. A *vise dog* is a steel pin in a vise which can be raised to hold materials between the vise and the bench dogs. A *backstop* is a raised portion at the rear of a workbench.

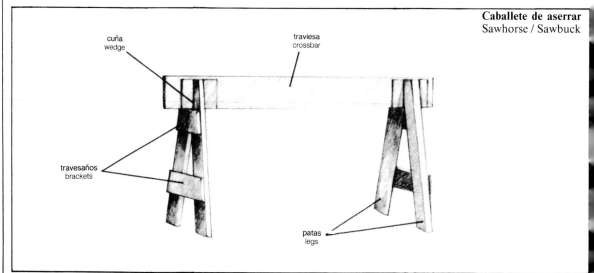

Caballete de aserrar
Sawhorse / Sawbuck

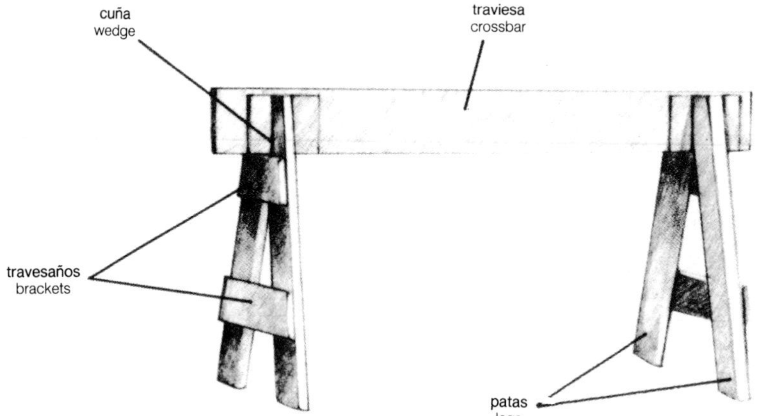

cuña
wedge
traviesa
crossbar
travesaños
brackets
patas
legs

Tornillos de sujeción

Además de las *herramientas de sujeción* aquí representadas existen otros tipos de tornillos de mano, tales como las *entenallas* y también tornillos especiales para tubos. El *tornillo de carpintero* es semejante al *tornillo de banco*, pero tiene las mordazas más blandas, a fin de sujetar la madera sin deteriorarla. Hay asimismo *tornillos de banco giratorios* que permiten fijar las piezas en la posición de trabajo deseada. Los *tornillos de mano de bocas achaflanadas* son muy útiles para la sujeción de piezas pequeñas de forma especial.

Clamps

In addition to the *holding tools* shown here, there are *hand screws*, *bar clamps*, *miter clamps*, *band clamps* and *spring clamps*. A *woodworking vise* is similar to a *metalworking vise* except that its jaws are padded in order to hold lumber without marring it. In wood clamps, the steel screws operate through *pivots* so that the jaws can be set at any required angle. *Adjustable C-clamps*, also known as *short bar clamps*, have an adjustable jaw that slides along a flat metal bar to the desired position.

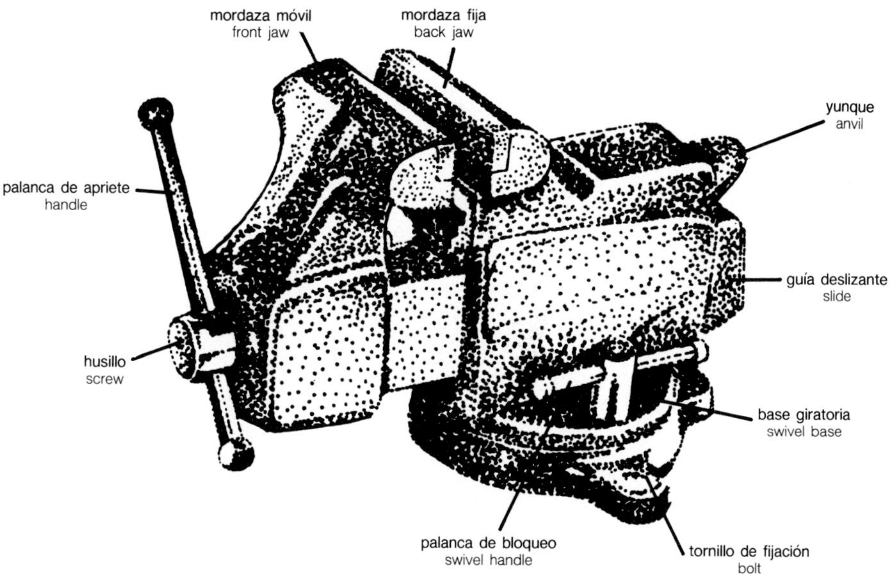
mordaza móvil
front jaw
mordaza fija
back jaw
yunque
anvil
palanca de apriete
handle
guía deslizante
slide
husillo
screw
base giratoria
swivel base
palanca de bloqueo
swivel handle
tornillo de fijación
bolt

Tornillo de banco
Vise / Bench Vise

Gato de carpintero / Cárcel
Hand-Screw Clamp / Wood Clamp

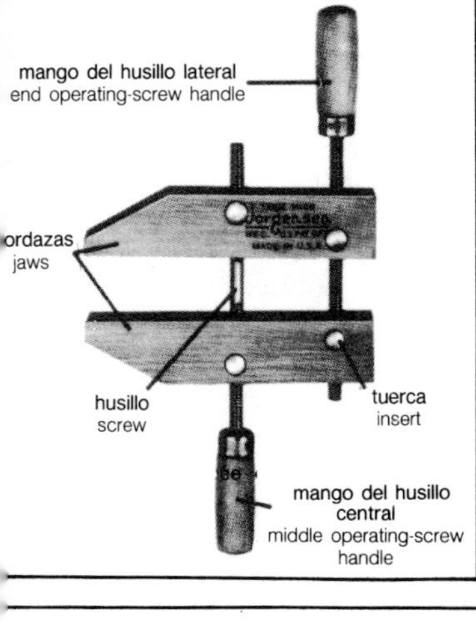
mango del husillo lateral
end operating-screw handle
ordazas
jaws
husillo
screw
tuerca
insert
mango del husillo central
middle operating-screw handle

Tornillo de mano
C-Clamp

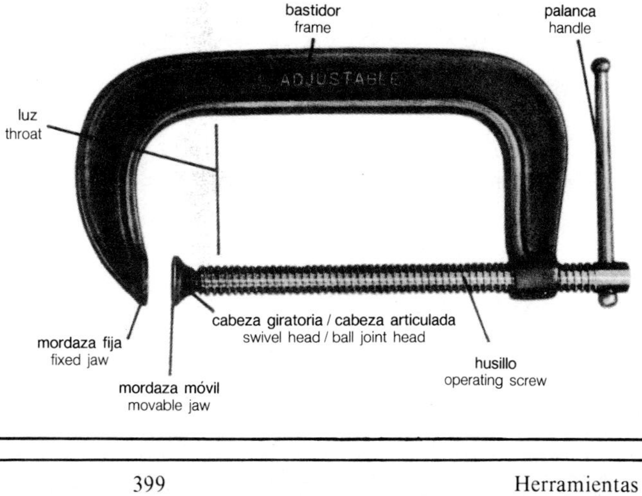
bastidor
frame
palanca
handle
ADJUSTABLE
luz
throat
mordaza fija
fixed jaw
cabeza giratoria / cabeza articulada
swivel head / ball joint head
husillo
operating screw
mordaza móvil
movable jaw

Clavos y tornillos

Los clavos se miden por su diámetro llamado *calibre* o *galga*. Las *puntas de cabeza perdida* son clavos finos utilizados principalmente en ebanistería. El pequeño *taladro* que se practica en la pieza antes de introducir un tornillo, se llama *agujero guía*.

Nails and Screws

A nail is measured in *penny sizes*. A *brad* is a thin *finishing nail* with a tiny *nailhead* used mainly in cabinetwork. *Spikes* are large, heavy nails. The small hole drilled prior to driving a screw is called a *pilot hole*.

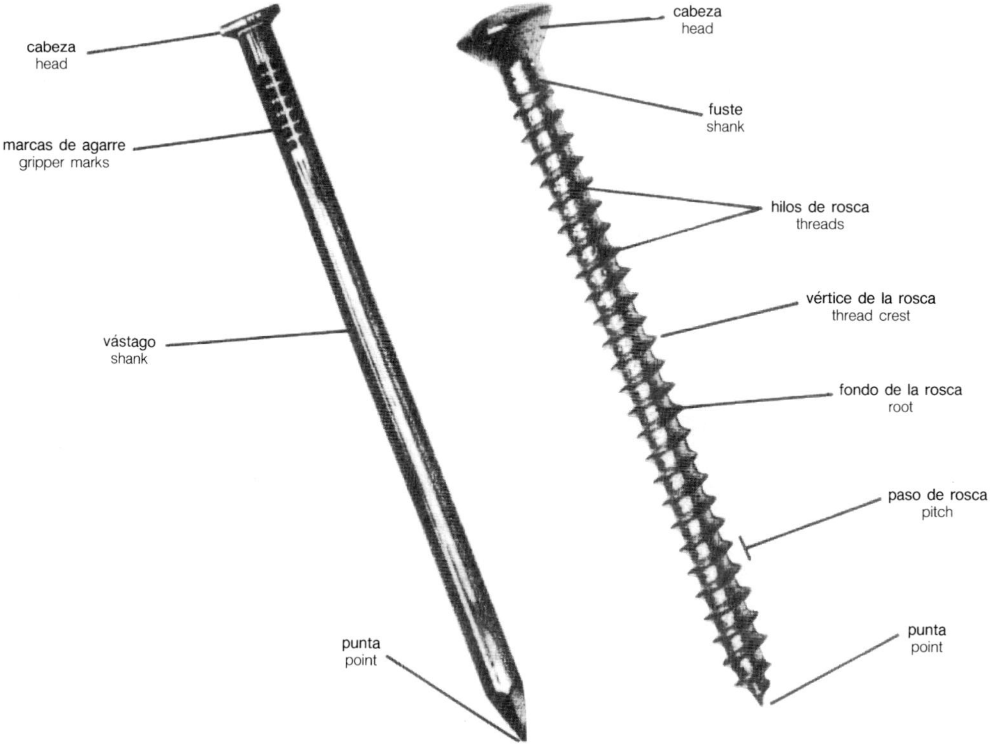
cabeza
head
marcas de agarre
gripper marks
vástago
shank
punta
point
cabeza
head
fuste
shank
hilos de rosca
threads
vértice de la rosca
thread crest
fondo de la rosca
root
paso de rosca
pitch
punta
point

Clavo
Nail

Tornillo
Screw

Elementos de fijación
Fasteners

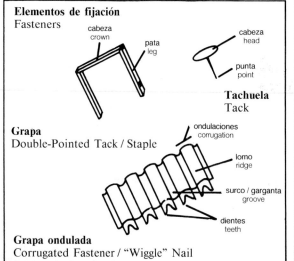

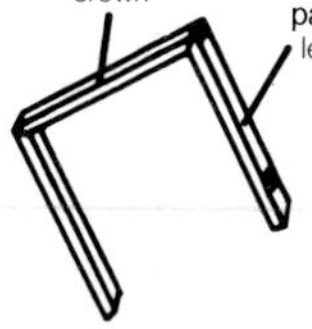
cabeza
crown
pata
leg

cabeza
head
punta
point

Tachuela
Tack

Grapa
Double-Pointed Tack / Staple

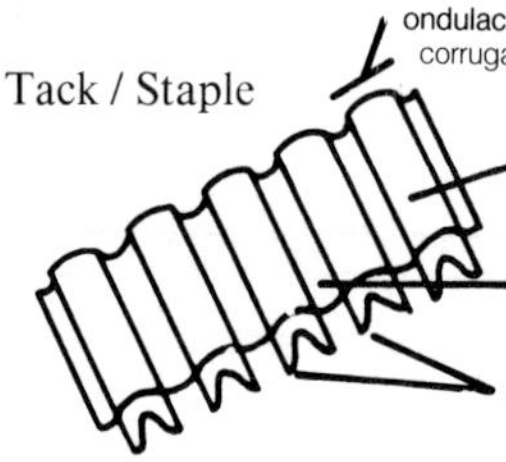
ondulaciones
corrugation
lomo
ridge
surco / garganta
groove
dientes
teeth

Grapa ondulada
Corrugated Fastener / "Wiggle" Nail

Cabezas de tornillo
Screw Heads

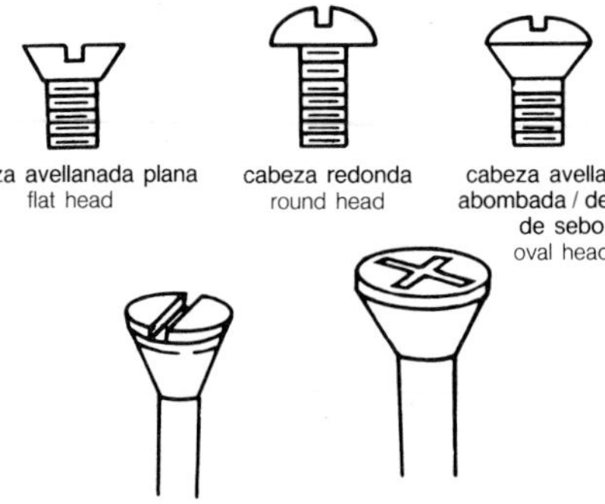
cabeza avellanada plana
flat head
cabeza redonda
round head
cabeza avellanada abombada / de gota de sebo
oval head
cabeza ranurada
slotted head
cabeza cruciforme
Philips head

Tuercas, pernos y tornillos

Algunos pernos y tornillos tienen un *collar* bajo la cabeza para impedir que giren sobre la pieza de madera que sujetan. Las *arandelas*, discos planos con un agujero en el centro, se utilizan para impedir que las tuercas o las cabezas de los tornillos penetren en las superficies de madera al apretarlas. Los *cáncamos* y *armellas* (hembrillas) tienen la cabeza en forma de anillo para introducir por ella cordeles o cables, escarpias, etc.

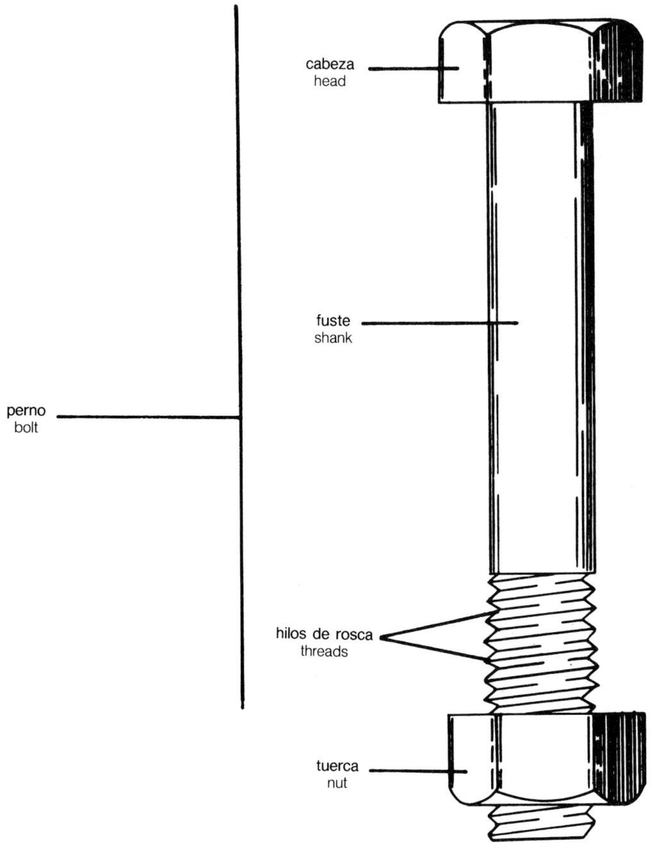

cabeza
head
fuste
shank
perno
bolt
hilos de rosca
threads
tuerca
nut

Nuts and Bolts

Some bolts have small *collars* below the head to prevent them from turning in a piece of wood. *Washers*, flat discs with a hole in the center, are used to prevent nut-heads or bolts from digging into wooden surfaces. *Eyebolts* have rounded tops that enable them to anchor string or rope.

Tuercas
Nuts

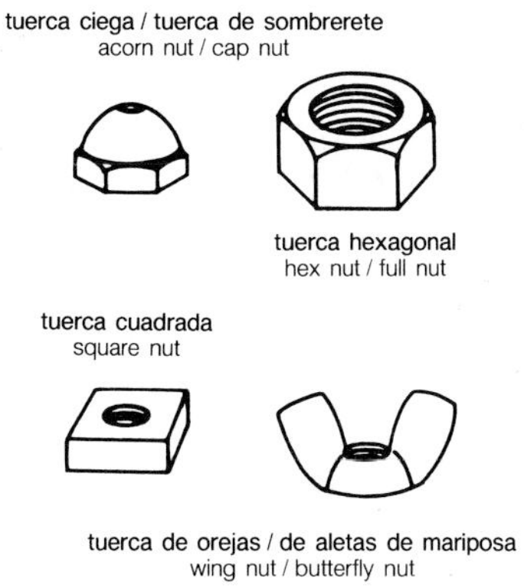

tuerca ciega / tuerca de sombrerete
acorn nut / cap nut
tuerca hexagonal
hex nut / full nut
tuerca cuadrada
square nut
tuerca de orejas / de aletas de mariposa
wing nut / butterfly nut

Tornillo, chinchetas expansibles
Toggle Bolt

Tornillos para fijaciones especiales
Bolts

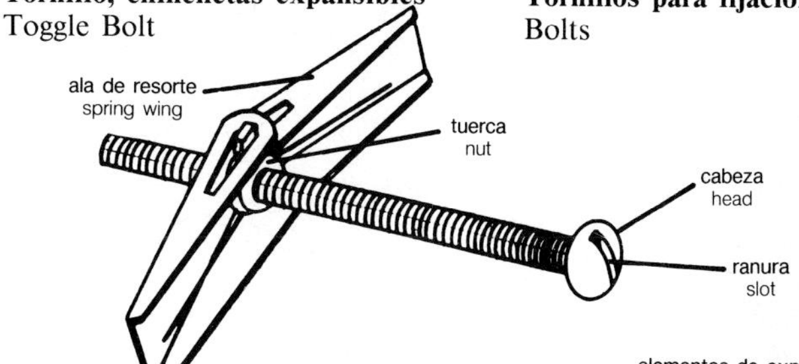

ala de resorte
spring wing
tuerca
nut
cabeza
head
ranura
slot

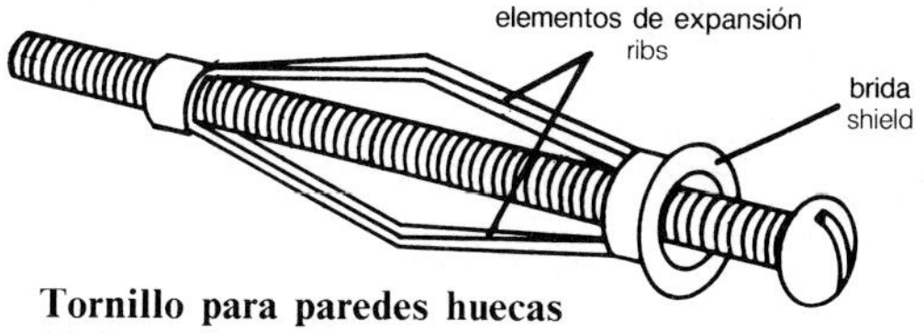

elementos de expansión
ribs
brida
shield

Tornillo para paredes huecas
Hollow Wall Fastener

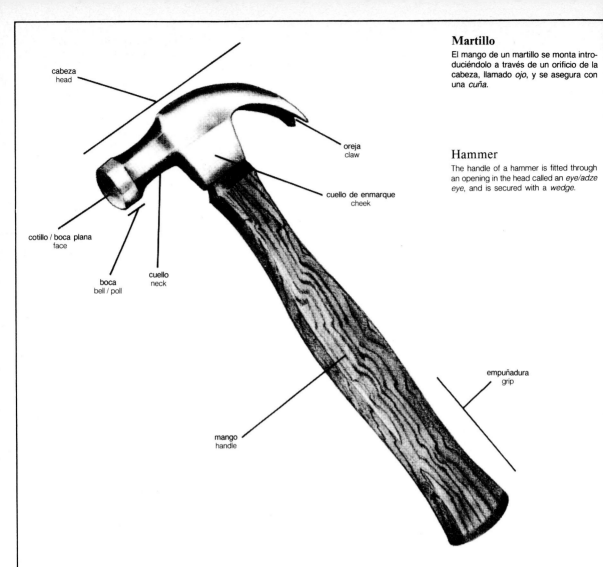

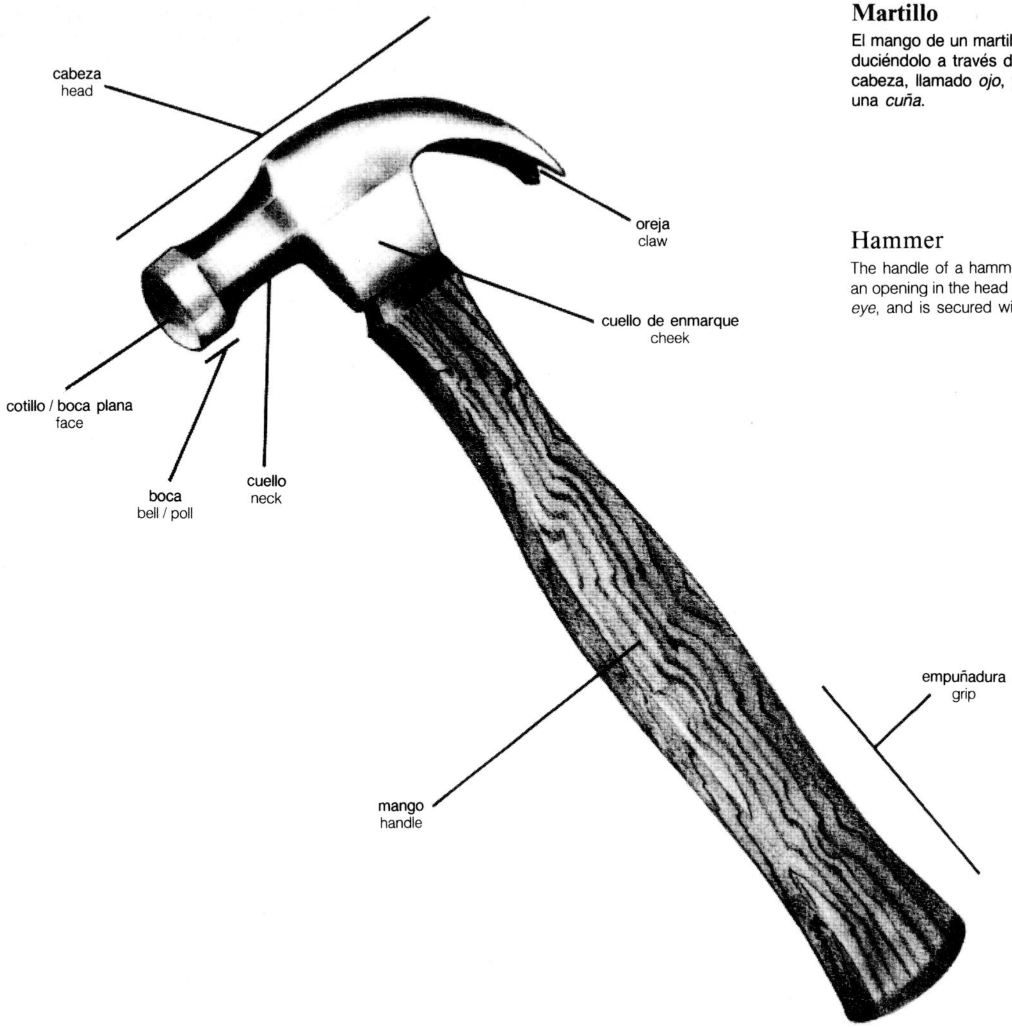
cabeza
head
oreja
claw
cuello de enmarque
cheek
cotillo / boca plana
face
boca
bell / poll
cuello
neck
empuñadura
grip
mango
handle

Martillo

El mango de un martillo se monta introduciéndolo a través de un orificio de la cabeza, llamado *ojo*, y se asegura con una *cuña*.

Hammer

The handle of a hammer is fitted through an opening in the head called an *eye/adze eye*, and is secured with a *wedge*.

Hacha
Hatchet

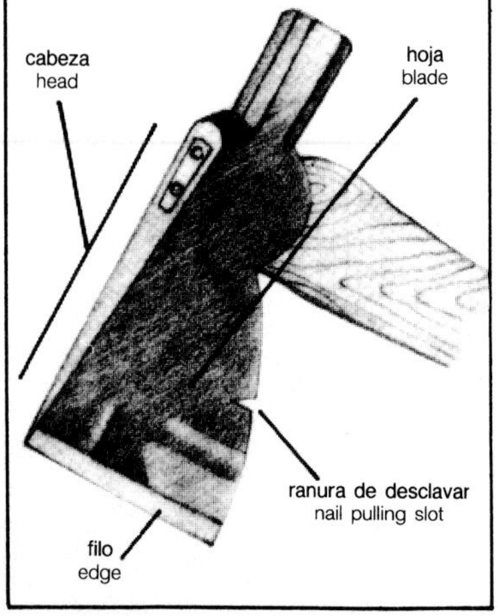
cabeza
head
hoja
blade
ranura de desclavar
nail pulling slot
filo
edge

Martillo de bola / Martillo de mecánico
Ball-Peen Hammer

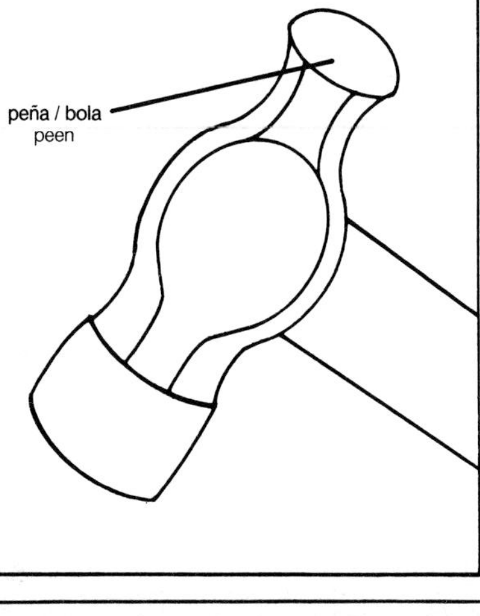
peña / bola
peen

Mazo
Mallet / Gavel

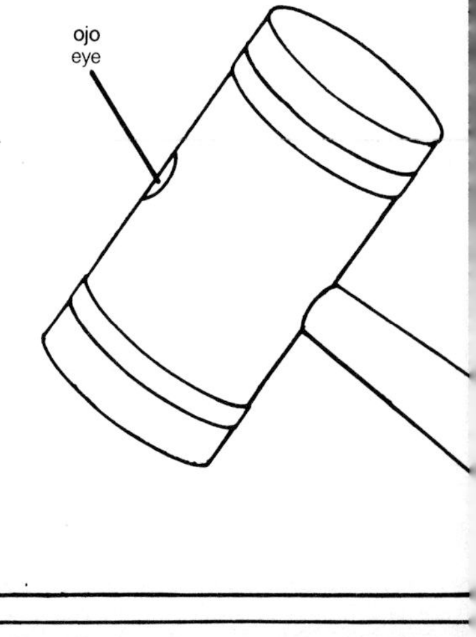
ojo
eye

Destornillador

Los destornilladores se clasifican por la longitud de la hoja y la anchura de la boca. Algunos llevan un *casquillo* en la unión del mango con la hoja. Los *destornilladores de mango acodado* (*destornilladores angulares*) se emplean cuando no se pueden utilizar los convencionales debido a la disposición de la zona de trabajo. El *destornillador de carraca* fue el precursor del moderno destornillador de *berbiquí*, que transforma el movimiento de la mano al empujar la herramienta en movimiento circular, *a derecha* o *a izquierda*, en la boca de ésta.

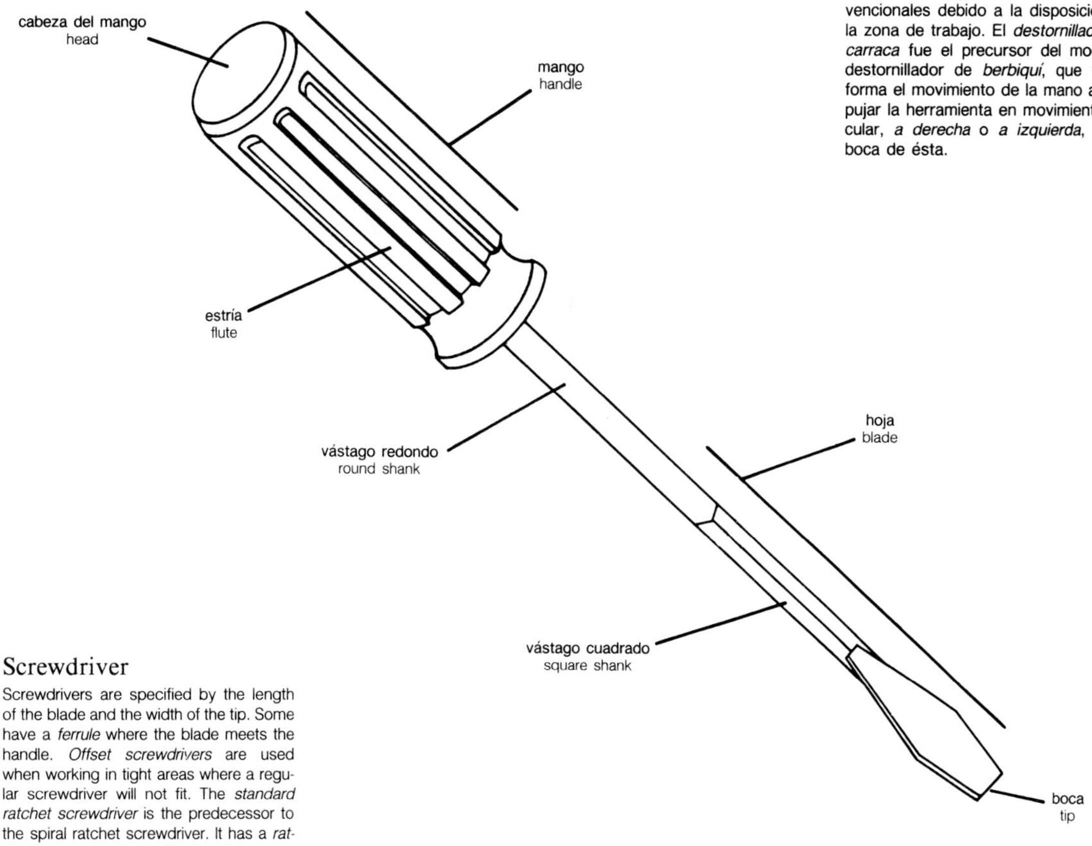
cabeza del mango
head
mango
handle
estría
flute
vástago redondo
round shank
hoja
blade
vástago cuadrado
square shank
boca
tip

Screwdriver

Screwdrivers are specified by the length of the blade and the width of the tip. Some have a *ferrule* where the blade meets the handle. *Offset screwdrivers* are used when working in tight areas where a regular screwdriver will not fit. The *standard ratchet screwdriver* is the predecessor to the spiral ratchet screwdriver. It has a *ratcheting mechanism* in the handle.

Destornillador berbiquí
Spiral Ratchet Screwdriver

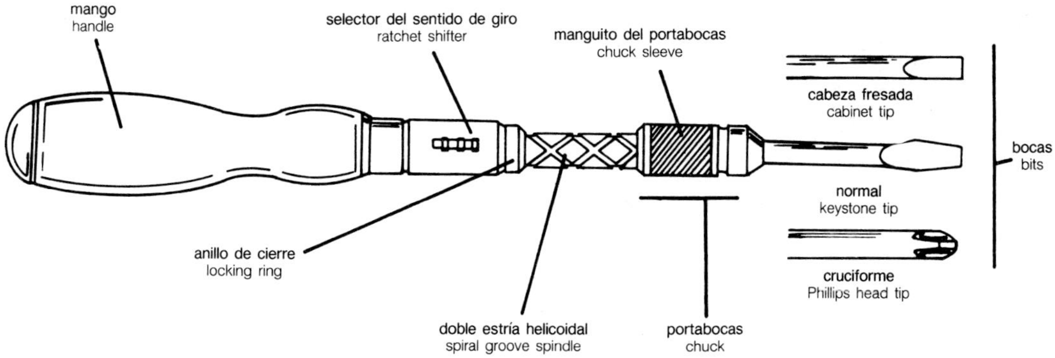
mango
handle
selector del sentido de giro
ratchet shifter
manguito del portabocas
chuck sleeve
cabeza fresada
cabinet tip
bocas
bits
normal
keystone tip
cruciforme
Phillips head tip
anillo de cierre
locking ring
doble estría helicoidal
spiral groove spindle
portabocas
chuck

Alicates

Además de los tipos de alicates que se ven aquí, existen otros, *alicates universales* (para múltiples usos), *alicates cortapernos* y *alicates de puntas redondas*. Estos últimos se utilizan con frecuencia para trabajos de electricidad. Hay, además, *alicates especiales para cuerdas de piano*; *alicates de «pico de pato»*, utilizados principalmente por los instaladores de teléfonos y los tejedores, etc.

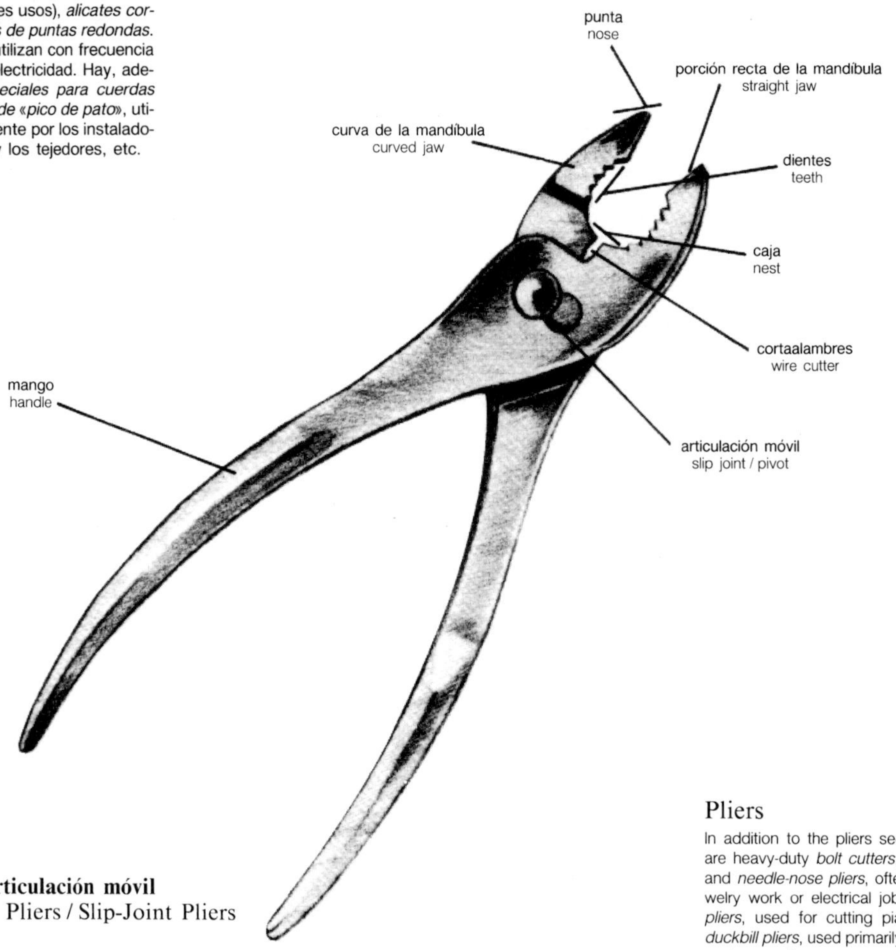

punta
nose
porción recta de la mandíbula
straight jaw
curva de la mandíbula
curved jaw
dientes
teeth
caja
nest
cortaalambres
wire cutter
mango
handle
articulación móvil
slip joint / pivot

Alicates de articulación móvil
Combination Pliers / Slip-Joint Pliers

Pliers

In addition to the pliers seen here, there are heavy-duty *bolt cutters*; *midget pliers* and *needle-nose pliers*, often used for jewelry work or electrical jobs; *music wire pliers*, used for cutting piano wire; and *duckbill pliers*, used primarily by telephone workers and weavers.

Alicates ajustables
Tongue-and-Groove Pliers

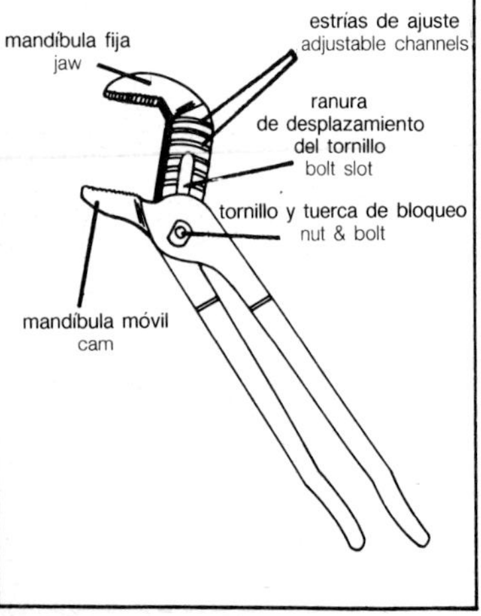

mandíbula fija
jaw
estrías de ajuste
adjustable channels
ranura
de desplazamiento
del tornillo
bolt slot
tornillo y tuerca de bloqueo
nut & bolt
mandíbula móvil
cam

Alicates de electricista
Lineman's Pliers / Electrician's Pliers

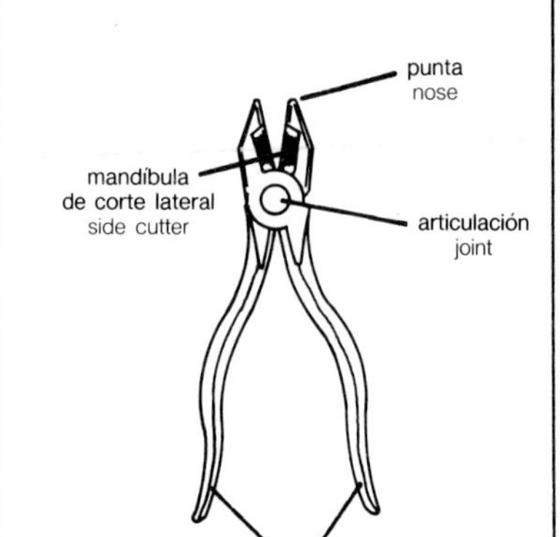

punta
nose
mandíbula
de corte lateral
side cutter
articulación
joint
mango aislado
insulated handle

Alicates bloqueables
Locking Pliers / Lever-Wrench Plie

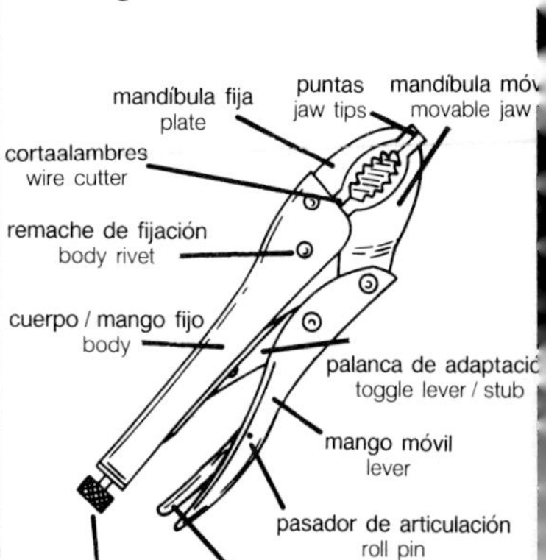

mandíbula fija
plate
puntas
jaw tips
movable jaw
cortaalambres
wire cutter
remache de fijación
body rivet
cuerpo / mango fijo
body
toggle lever / stub
mango móvil
lever
pasador de articulación
roll pin
palanca de desbloqueo
release lever
tornillo de ajuste
adjusting screw

Llave

Las *llaves ajustables* pueden ser de dos tipos, *inglesa* o *francesa*. En muchas llaves se puede acoplar al mango una prolongación que aumenta el brazo de palanca y, por tanto, la fuerza ejercida. Algunas tienen el *mango acodado*, para salvar los posibles obstáculos. A este tipo pertenecen las *llaves de cubo*, cuyo mango dispone en uno de sus extremos de un *trinquete* que permite acoplarlo a cabezas de llave (*cubos* intercambiables en este caso) de distintas dimensiones. Muchas llaves de cubo llevan también un *mecanismo de carraca* en el mango que permite hacerlas girar en ambos sentidos sin separarlas de la cabeza del perno o de la tuerca (se aprieta en un solo sentido).

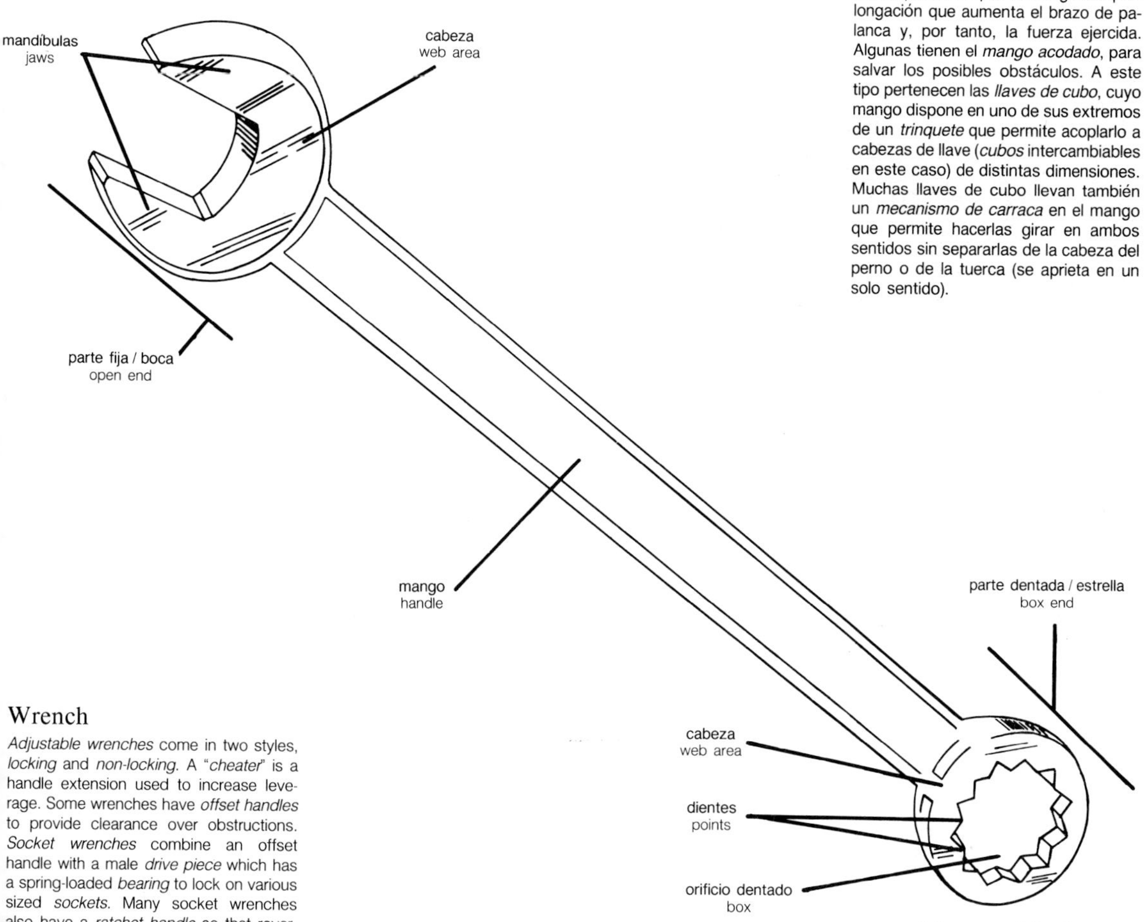
mandíbulas
jaws
cabeza
web area
parte fija / boca
open end
mango
handle
parte dentada / estrella
box end
cabeza
web area
dientes
points
orificio dentado
box

Wrench

Adjustable wrenches come in two styles, *locking* and *non-locking*. A "*cheater*" is a handle extension used to increase leverage. Some wrenches have *offset handles* to provide clearance over obstructions. *Socket wrenches* combine an offset handle with a male *drive piece* which has a spring-loaded *bearing* to lock on various sized *sockets*. Many socket wrenches also have a *ratchet handle* so that reversing is possible.

Llave combinada
Combination Wrench

Llave ajustable francesa
Monkey Wrench

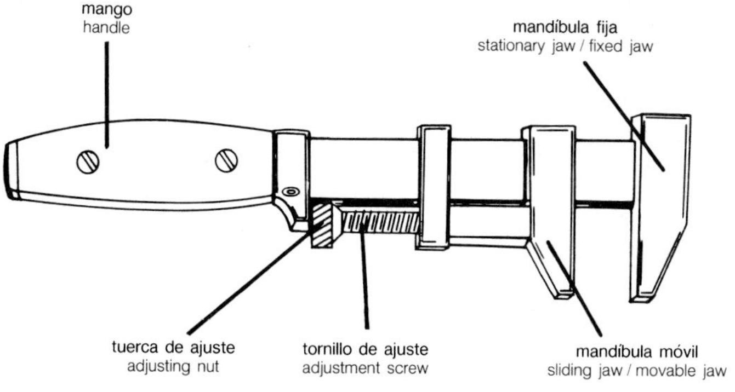
mango
handle
mandíbula fija
stationary jaw / fixed jaw
tuerca de ajuste
adjusting nut
tornillo de ajuste
adjustment screw
mandíbula móvil
sliding jaw / movable jaw

Llave Allen
Allen Wrench / Hex Wrench

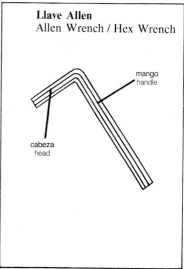

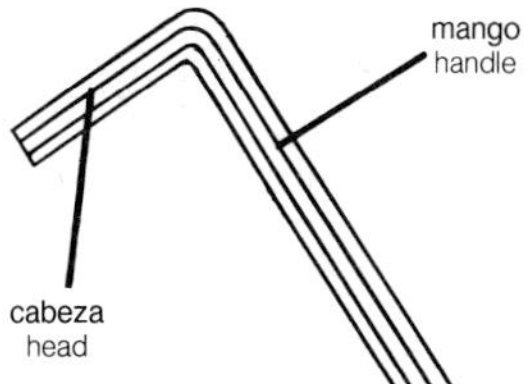
mango
handle
cabeza
head

Sierras de mano

La incisión que hace una sierra se llama *corte*. La que se ve en el dibujo, tiene la forma típica de las sierras de *hender*, (cortar al hilo, es decir, a lo largo de la fibra) o las de *través*. En la sierra de calar, la distancia desde el *pelo* (la hoja muy fuerte) al bastidor, o *arco* recibe el nombre de *luz*. En general, la sierra se diferencia del serrucho en que éste no lleva la hoja sujeta a un bastidor, sino a un mango o empuñadura, aunque en la práctica, ambos tipos suelen designarse con el nombre de sierra.

Handsaws

The cut or incision made by a saw blade is the *kerf*. The carpenter's saw, seen here, is similar to a *ripsaw* or *crosscut saw*. A *skewback handsaw* has an inwardly curved back. On a coping saw, the distance from the blade to the frame is the *throat*, or *throat clearance*. A coping saw with a particularly long throat is called a *deep throat*.

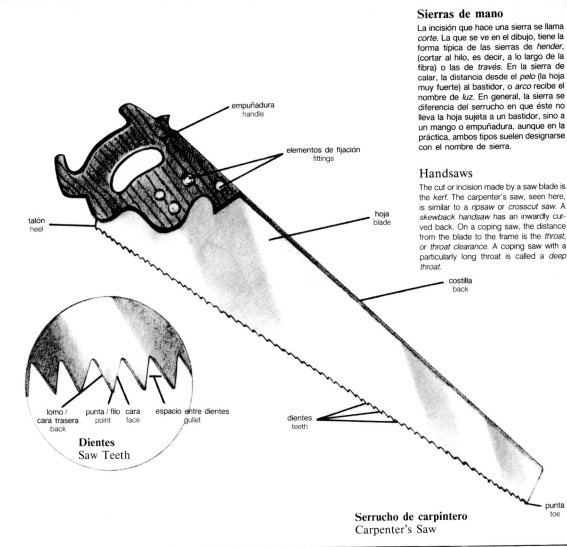

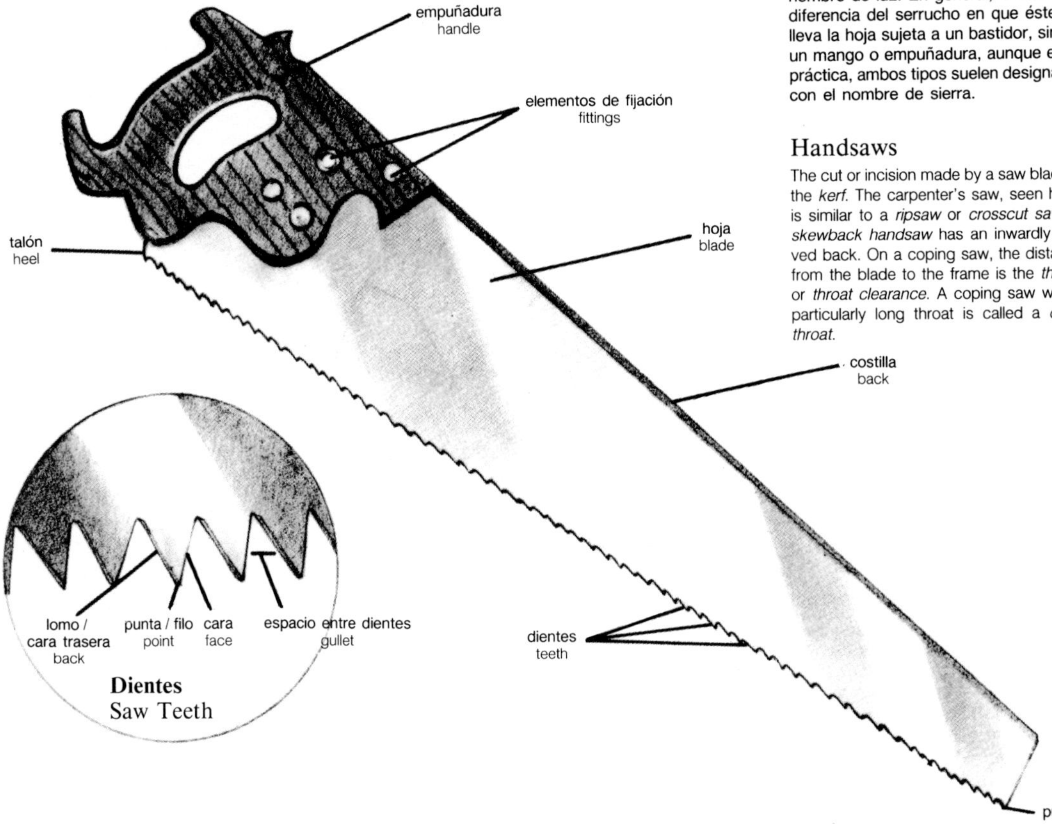
empuñadura
handle
elementos de fijación
fittings
talón
heel
hoja
blade
costilla
back
lomo / cara trasera
back
punta / filo
point
cara
face
espacio entre dientes
gullet
Dientes
Saw Teeth
dientes
teeth
punta
toe

Serrucho de carpintero
Carpenter's Saw

Sierra de calar
Coping Saw

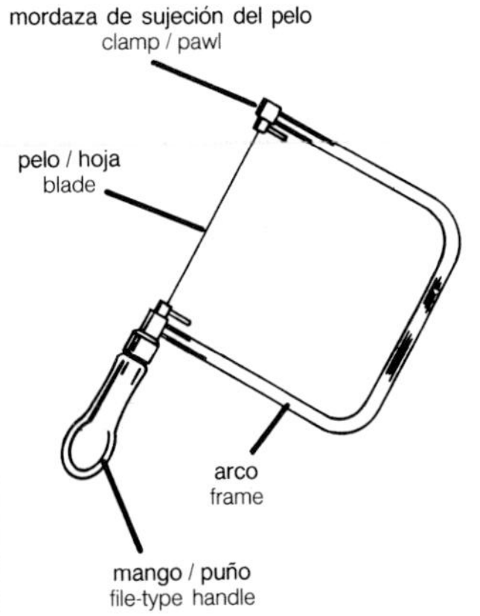
mordaza de sujeción del pelo
clamp / pawl
pelo / hoja
blade
arco
frame
mango / puño
file-type handle

Sierra para metales
Hacksaw

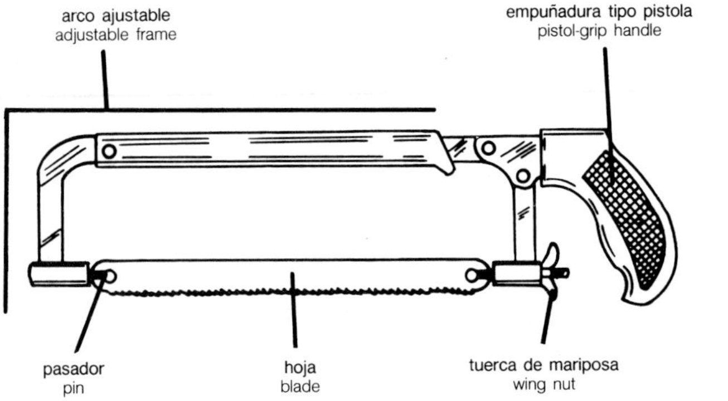
arco ajustable
adjustable frame
empuñadura tipo pistola
pistol-grip handle
pasador
pin
hoja
blade
tuerca de mariposa
wing nut

Sierra mecánica

Al igual que sucede con las sierras de mano, en las de mesa y en las circulares portátiles se utilizan dos tipos distintos de discos para serrar *a la fibra* (al hilo) o *a contrafibra* (*de través*). Las sierras circulares pueden equiparse con una *guía de serrar* y con un *expulsor* de serrín que dirige éste hacia la parte posterior o hacia un lado de la máquina. Las sierras de vaivén tienen *mandos de variación de velocidad*. La hoja de la *sierra de cinta* es una banda metálica que se desplaza de forma continua entre dos ruedas.

Power Saw

The round blades used in table and circular saws have either *crosscut teeth* or *rip teeth*. Circular saws can be equipped with a *rip guide* and an *ejector chute*, which routes sawdust to the rear or side. Saber units include *variable-speed controls* and a *roller support* behind the blade. The *band saw* derives its name from the fact that its blade is a continuous band revolving on two wheels.

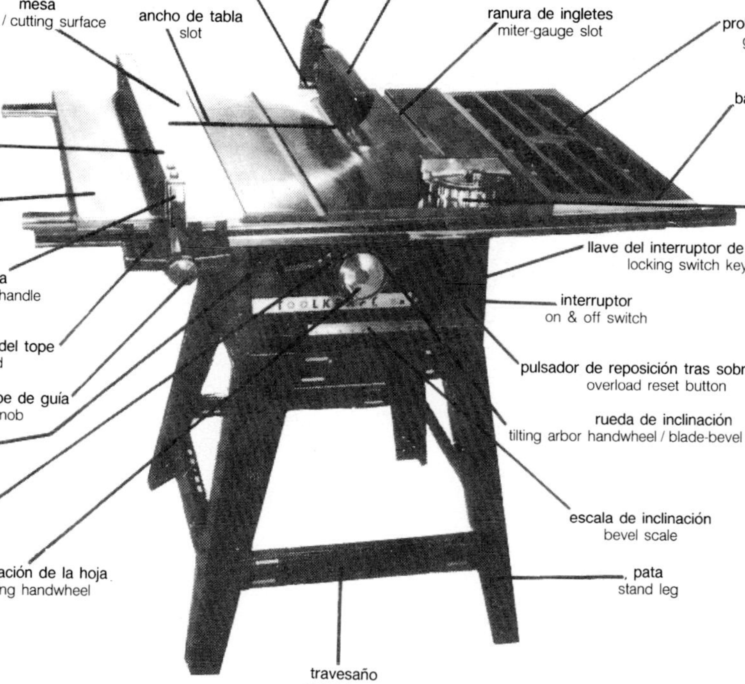

seguro antirretroceso
anti-kickback pawl
placa abridora
splitter / spreader
guarda de la hoja
blade guard
mesa
table / cutting surface
ancho de tabla
slot
ranura de ingletes
miter-gauge slot
prolongación de la mesa
grid table extension
barra de la escuadra de guía
fence guide bar
tope-guía para serrar al hilo
rip fence
prolongación ajustable
adjustable table extension
guía de ingletes
miter gauge
llave del interruptor de cierre
locking switch key
cabeza
fence lock handle
interruptor
on & off switch
palanca de bloqueo del tope
rip fence head
pulsador de reposición tras sobrecarga
overload reset button
pomo de ajuste del tope de guía
fence adjusting knob
rueda de inclinación
tilting arbor handwheel / blade-bevel handwheel
orte de la sierra / base
saw base
loqueo del eje de inclinación
arbor lock / tilt lock
escala de inclinación
bevel scale
rueda de elevación de la hoja
blade-elevating handwheel
pata
stand leg
travesaño
stand brace

Sierra de mesa
Table Saw / Bench Saw / Contractor's Saw

Sierra circular
Circular Saw

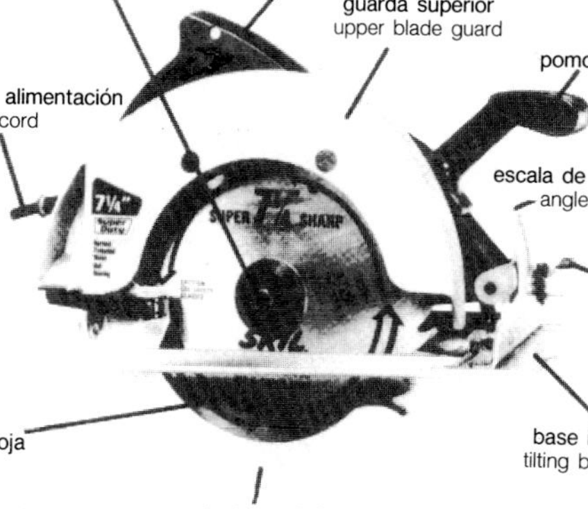

empuñadura
handle
tornillo de fijación del disco
retaining bolt
guarda superior
upper blade guard
pomo de guiado
knob
able de alimentación
cord
escala de inclinación
angle scale
palanca y bloqueo de inclinación
tilt lock knob
isco / hoja
blade
base inclinable
tilting base / shoe
protector retirable
retractable blade guard

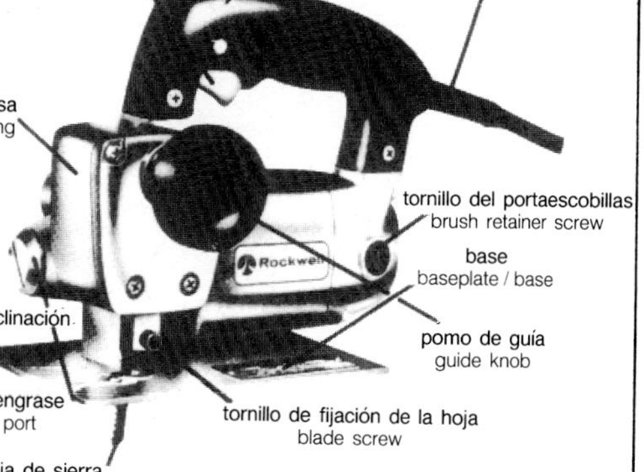

empuñadura
handle
interruptor de puesta en marcha y parada
on & off switch
manguito protector del cable
cord-strain reliever
carcasa
housing
tornillo del portaescobillas
brush retainer screw
base
baseplate / base
pomo de guía
guide knob
orificio de engrase
lubricant port
tornillo de fijación de la hoja
blade screw
hoja de sierra
blade

Sierra de vaivén
Saber Saw / Jigsaw / Bayonet Saw / Scroll Saw

Taladradora de mano

Con este instrumento se emplean distintos tipos de herramientas de taladrar y también para otros usos, tales como *brocas planas* y *helicoidales*, *brocas de avellanar*, *barrenas*, *escariadores* y *puntas de destornillador*.

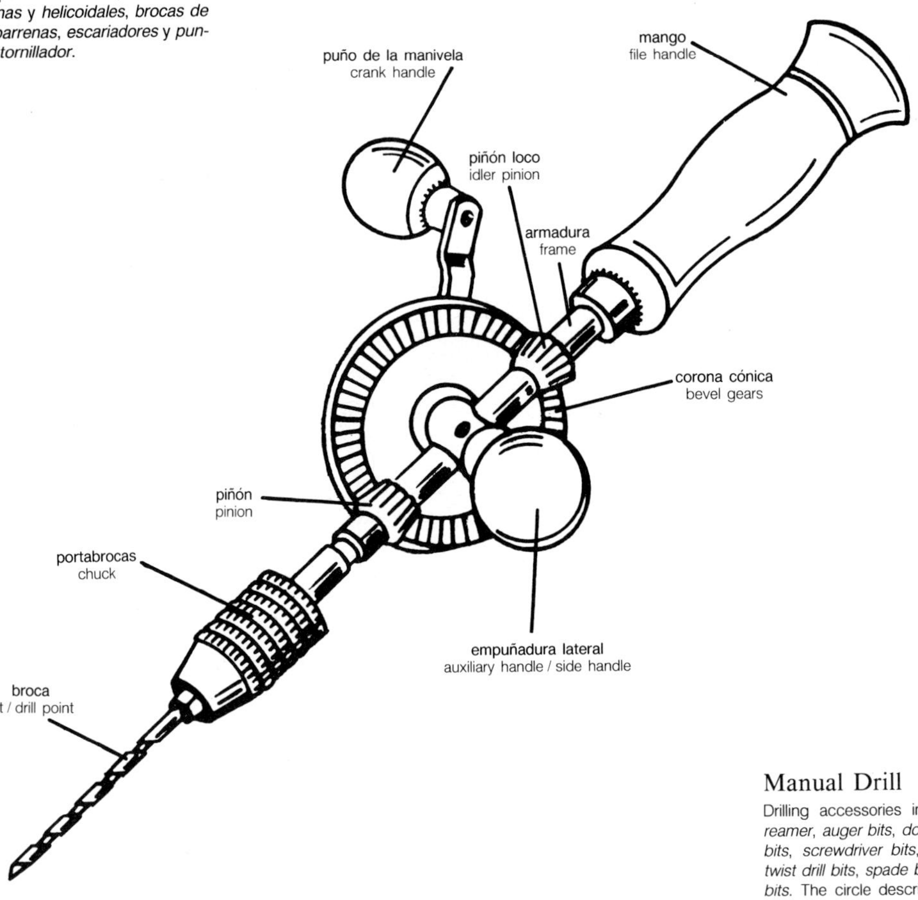

mango
file handle
puño de la manivela
crank handle
piñón loco
idler pinion
armadura
frame
corona cónica
bevel gears
piñón
pinion
portabrocas
chuck
empuñadura lateral
auxiliary handle / side handle
broca
bit / drill point

Manual Drill

Drilling accessories include a *bit gage*, *reamer*, *auger bits*, *dowel bits*, *expanding bits*, *screwdriver bits*, *counters ink bits*, *twist drill bits*, *spade bits* and *power bore bits*. The circle described by turning the handle of a brace is called the *sweep*.

Taladradora de mano
Hand Drill

Berbiquí
Brace / Hand Brace

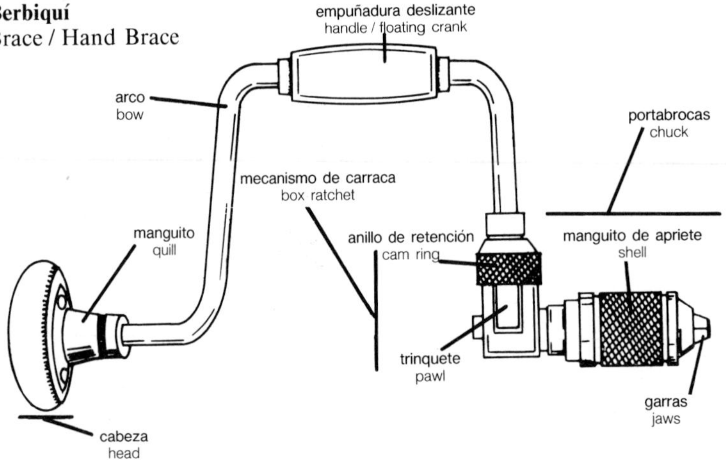

empuñadura deslizante
handle / floating crank
arco
bow
portabrocas
chuck
mecanismo de carraca
box ratchet
manguito
quill
anillo de retención
cam ring
manguito de apriete
shell
trinquete
pawl
garras
jaws
cabeza
head

Barrena de mano
Gimlet

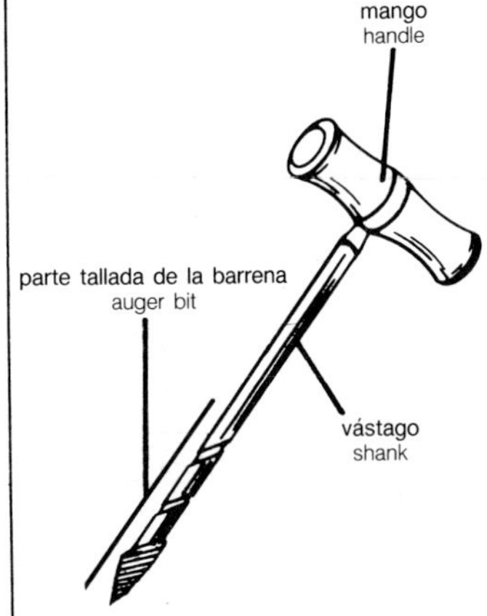

mango
handle
parte tallada de la barrena
auger bit
vástago
shank

Taladradora eléctrica

Las secciones de que se compone una *broca* corriente son: *punta*, *cuerpo* y *mango*. El cuerpo lleva una parte tallada, generalmente en espiral. El mango o *espiga* se llama *cono* de inserción cuando tiene forma troncocónica. Si el portabrocas de la taladradora es del tipo *dentado*, la herramienta (broca, etc.) se aprieta con una *llave*. La profundidad de los taladros puede fijarse de antemano con precisión, montando en el mango de la broca o barrena un *tope de profundidad*. El tamaño de una taladradora se expresa por medio del mayor diámetro de herramienta que admite el portabrocas. Algunas taladradoras tienen *motor reversible*, es decir, con *inversión de giro*.

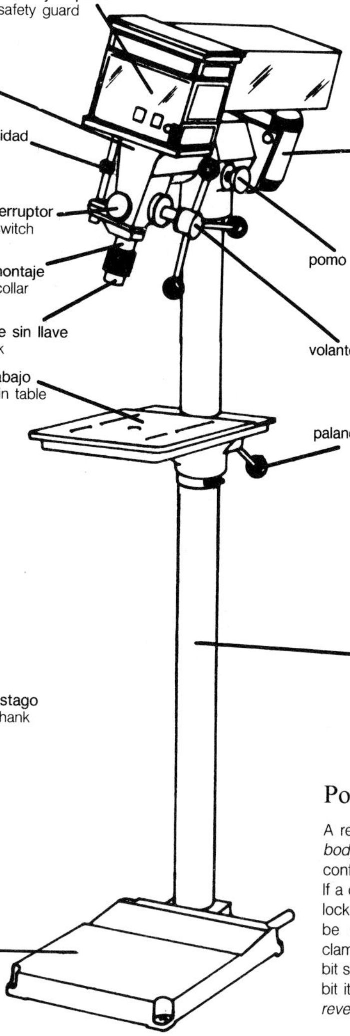

protección de la correa y la polea
belt & pulley safety guard
cabezal
head
tope de profundidad
depth stop
pulsador del interruptor
push-button switch
collarín de montaje
mounting collar
portabrocas de apriete sin llave
keyless chuck
mesa de trabajo
rigid table / main table
carcasa del motor
motor housing
pomo del tensor de la correa
belt-tension knob
volante / palanca de avance
pilot-wheel feed
palanca de fijación de la mesa
table-locking clamp
columna
column
base
lower table / base

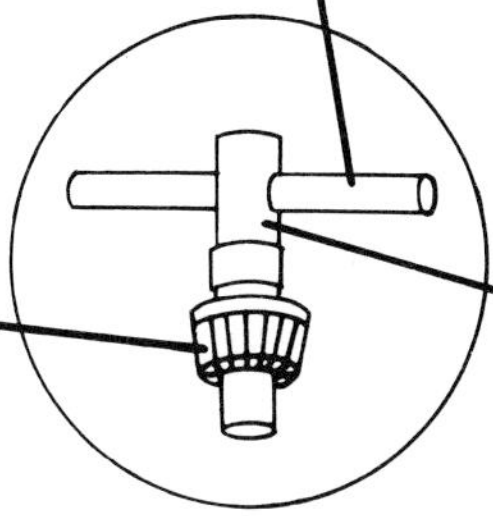

palanca
handle
portabrocas
chuck
vástago
shank

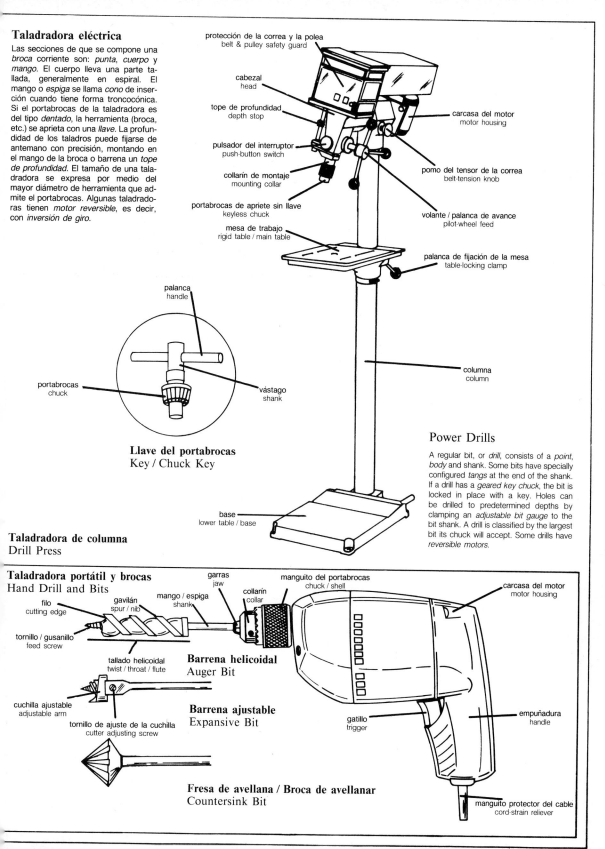

Llave del portabrocas
Key / Chuck Key

Power Drills

A regular bit, or *drill*, consists of a *point*, *body* and shank. Some bits have specially configured *tangs* at the end of the shank. If a drill has a *geared key chuck*, the bit is locked in place with a key. Holes can be drilled to predetermined depths by clamping an *adjustable bit gauge* to the bit shank. A drill is classified by the largest bit its chuck will accept. Some drills have *reversible motors*.

Taladradora de columna
Drill Press

Taladradora portátil y brocas
Hand Drill and Bits

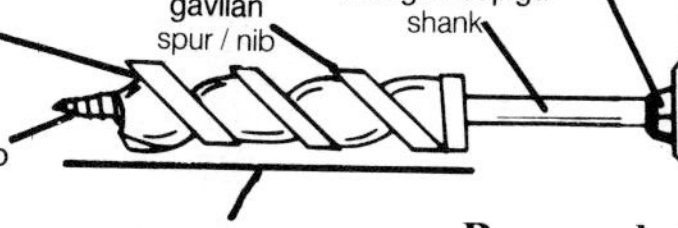

filo
cutting edge
gavilán
spur / nib
mango / espiga
shank
tornillo / gusanillo
feed screw
tallado helicoidal
twist / throat / flute

Barrena helicoidal
Auger Bit

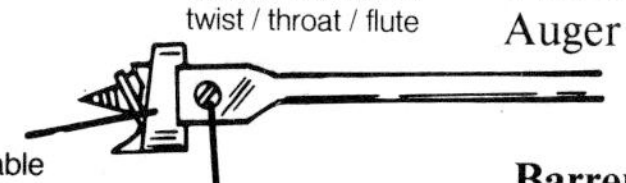

cuchilla ajustable
adjustable arm
tornillo de ajuste de la cuchilla
cutter adjusting screw

Barrena ajustable
Expansive Bit

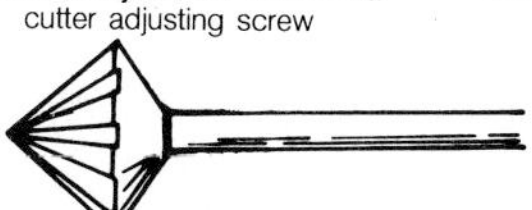

Fresa de avellana / Broca de avellanar
Countersink Bit

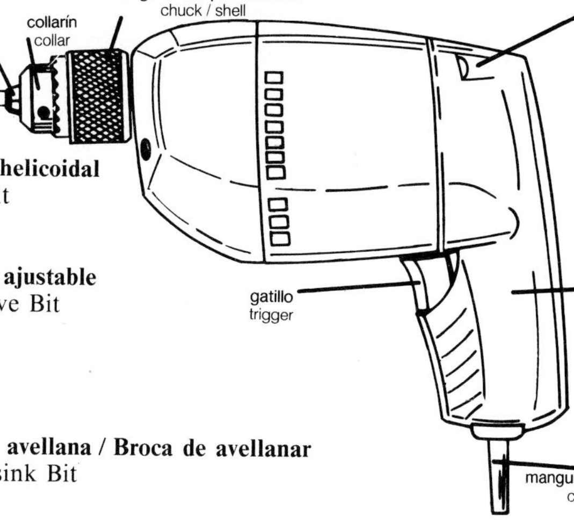

garras
jaw
collarín
collar
manguito del portabrocas
chuck / shell
carcasa del motor
motor housing
gatillo
trigger
empuñadura
handle
manguito protector del cable
cord-strain reliever

Herramientas de cepillar y dar forma

El cuerpo de un cepillo de carpintero es la *caja*. Hay distintos tipos de cepillos, *metálicos*, de *vuelta*, de *molduras*, *garlopas*, etc. La cara plana de un formón es la trasera. Los *cortafríos* están concebidos especialmente para cortar metales y no tienen mango. Las *gubias* pueden tener la base del bisel en el lado convexo del corte (*gubia exterior*) o en el cóncavo. Hay también gubias triangulares, llamadas «*pico de cabra*». Las limas se limpian con una *carpas*

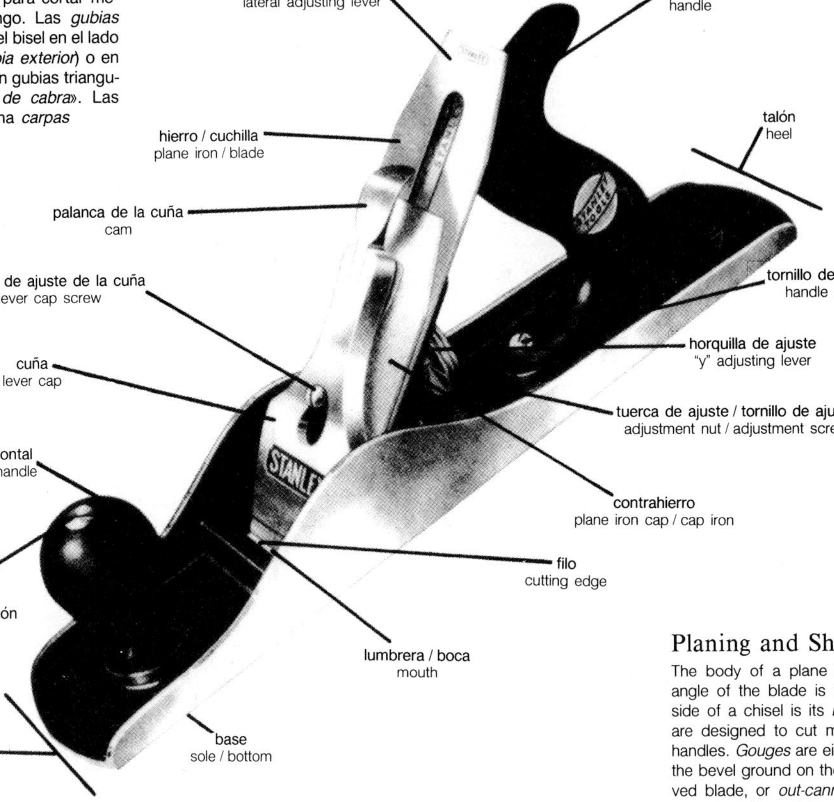

palanca de ajuste lateral
lateral adjusting lever
empuñadura
handle
hierro / cuchilla
plane iron / blade
talón
heel
palanca de la cuña
cam
tornillo de ajuste de la cuña
lever cap screw
tornillo del mango
handle screw
horquilla de ajuste
"y" adjusting lever
cuña
lever cap
tuerca de ajuste / tornillo de ajuste
adjustment nut / adjustment screw
empuñadura frontal
knob / auxiliary handle
contrahierro
plane iron cap / cap iron
filo
cutting edge
tornillo y tuerca de fijación
knob nut and bolt
lumbrera / boca
mouth
frente
toe
base
sole / bottom

Cepillo de carpintero
Plane

Planing and Shaping Tools

The body of a plane is the *frame*. The angle of the blade is the *pitch*. The flat side of a chisel is its *back*. *Cold chisels* are designed to cut metal and have no handles. *Gouges* are either *in-cannel*, with the bevel ground on the inside of the curved blade, or *out-cannel*, with the bevel ground on the outside. The rough side of a rasp or file is the *face*. The smooth side is called the "*safe*" side.

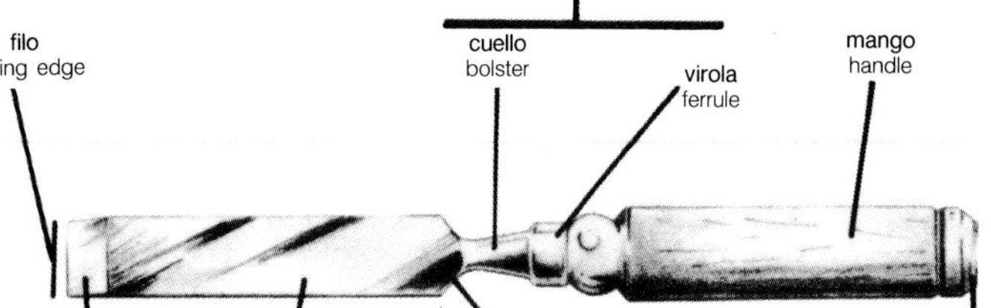

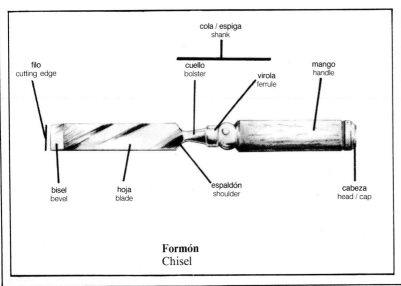

cola / espiga
shank
filo
cutting edge
cuello
bolster
virola
ferrule
mango
handle
bisel
bevel
hoja
blade
espaldón
shoulder
cabeza
head / cap

Formón
Chisel

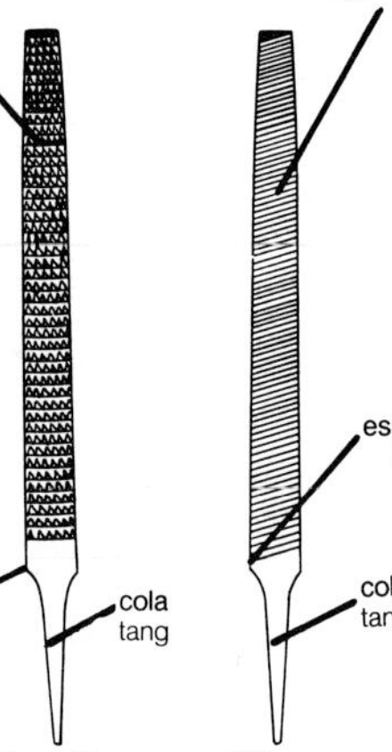

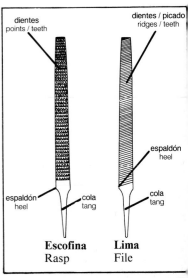

dientes
points / teeth
dientes / picado
ridges / teeth
espaldón
heel
espaldón
heel
cola
tang
cola
tang

Escofina
Rasp

Lima
File

Lijadora portátil

En una lijadora de *movimiento rectilíneo* el plato lijador se desplaza alternativamente hacia delante y hacia atrás, mientras que en una *lijadora orbital* lo hace describiendo una pequeña órbita. En las *lijadoras de cinta* se utiliza una *banda* sin fin de material abrasivo, natural o artificial. Las hay con o sin *bolsa para captación del polvo o serrín*. El poder abrasivo del papel de lija viene determinado por el tamaño del grano.

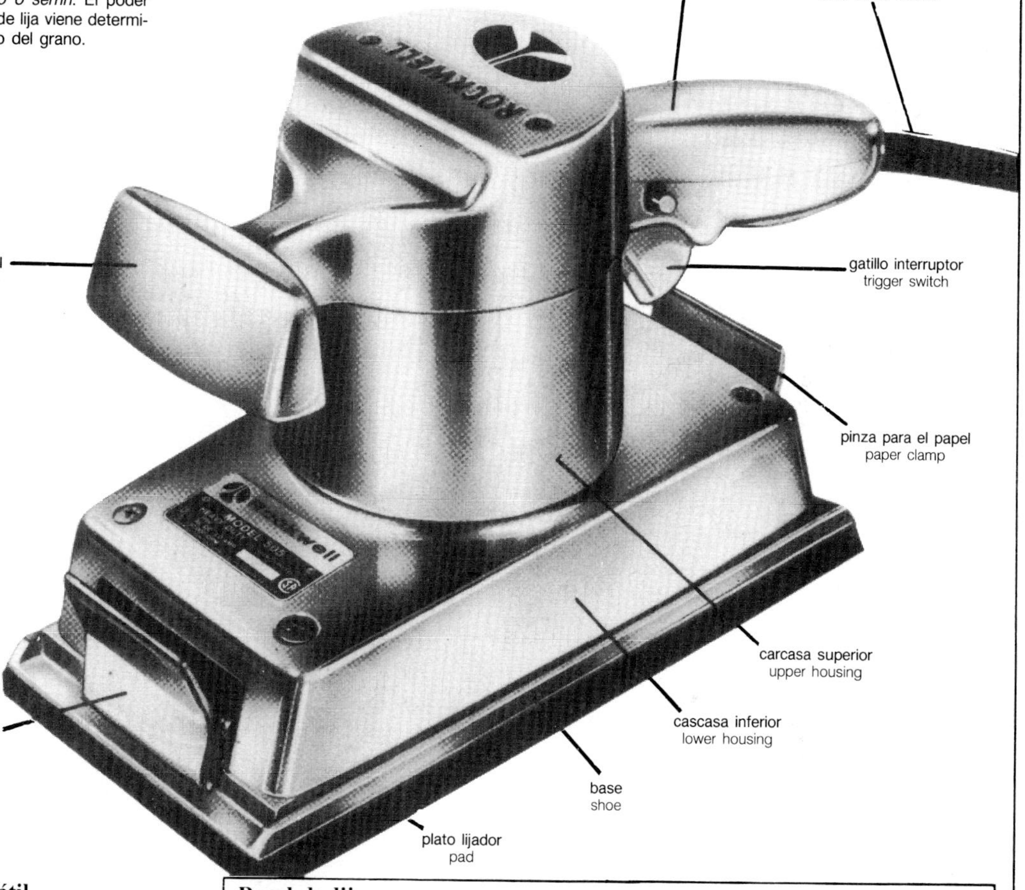

empuñadura
handle
protección del cable
cord strain reliever
puño frontal
front handle
gatillo interruptor
trigger switch
pinza para el papel
paper clamp
carcasa superior
upper housing
cascasa inferior
lower housing
pinza para el papel
paper clamp
base
shoe
plato lijador
pad
ROCKWELL
MODEL 505

Lijadora portátil
Finishing Sander

Papel de lija
Sandpaper

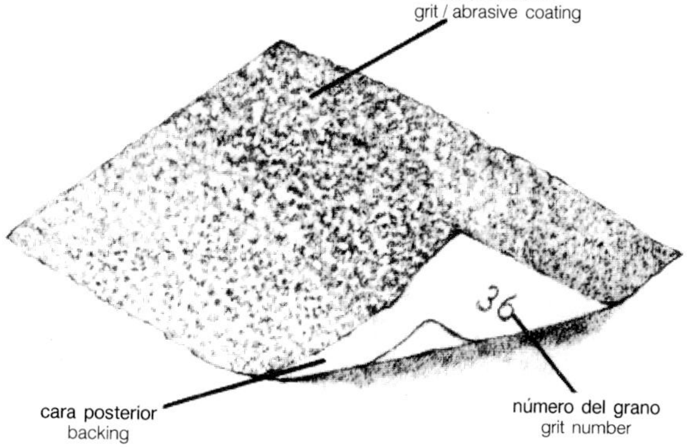

cara abrasiva
grit / abrasive coating
36
cara posterior
backing
número del grano
grit number

Sander

In a finishing, or *straight-line*, sander, the pad moves back and forth, whereas in the similar-looking *orbital sander*, the pad moves in a small orbital pattern. *Belt sanders* use a continuous *belt* of either *natural* or *artificial abrasive material*, and are available with or without *dust bags*. Sandpaper has either an *open* or *closed coat*, depending on spacing between *grains*.

Útiles de fontanería

Además de los utensilios básicos de fontanería que se ven aquí, hay *cortadoras de tubos*, algunas de ellas con útiles incorporadas, tales como *pulidoras*, *escariadores* para quitar las *rebabas* interiores del tubo y *abocardadores* para ensanchar los extremos con objeto de acoplar *accesorios*. Para la *soldadura con estaño* se emplea *fundente* y *aleación para soldar*. Cuando se trabaja con *tubería roscada*, se utilizan *roscadores de tubos* (compuestos por un *portaterrajas*, una *terraja* y las *palancas*) y *cinta selladora* o un compuesto *tapajuntas*. Otras herramientas básicas de fontanería son las *sierras para metales* y las *llaves para tubos*, como las de *cadena* y las llaves *grifos*.

Plumbing Tools

In addition to the basic plumbing tools shown here, there are *tubing*, or *pipe cutters*, some of which have built-in *polishers*; *reamers* for removing *burrs* inside cut *pipe*; and *flaring tools*, used to spread the ends of copper *tubing* for *flare fittings*. In *sweat soldering*, *flux* and *solder* are used. When working with *threaded pipe*, a *pipe threader* (which consists of a *die*, *diestock* and *handles*) and *joint-sealing tape* or *compound* are used. Other basic plumbing tools are *hacksaws* and *pipe wrenches*.

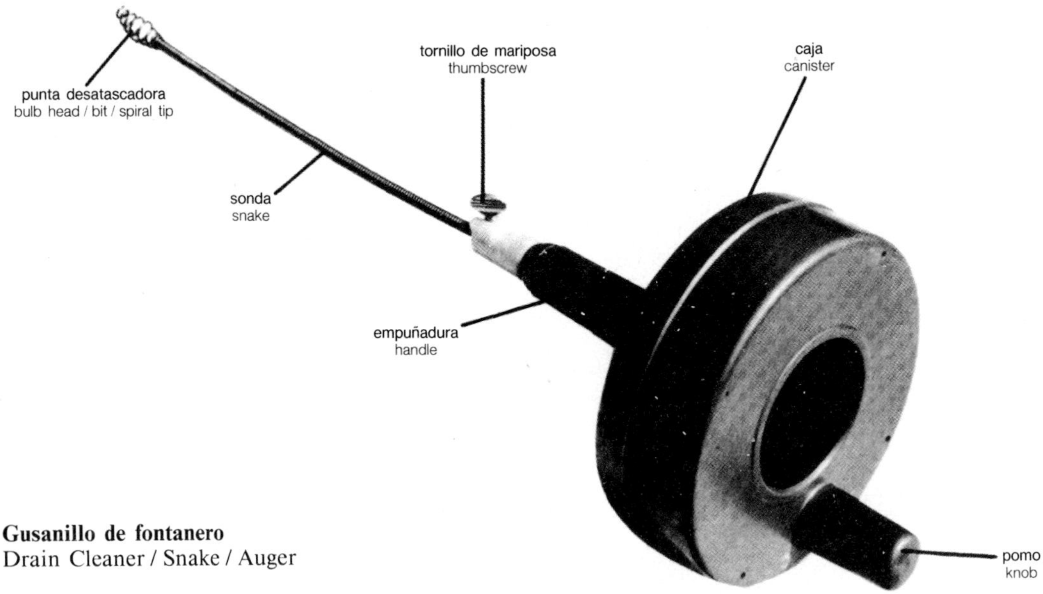

punta desatascadora
bulb head / bit / spiral tip
tornillo de mariposa
thumbscrew
caja
canister
sonda
snake
empuñadura
handle
pomo
knob

Gusanillo de fontanero
Drain Cleaner / Snake / Auger

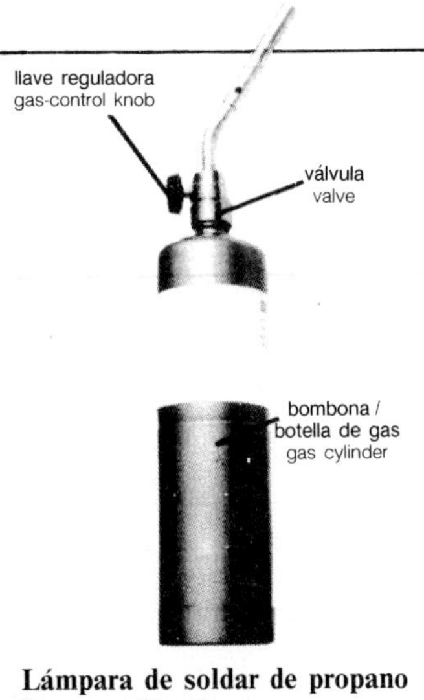

llave reguladora
gas-control knob
válvula
valve
bombona /
botella de gas
gas cylinder

Lámpara de soldar de propano
Propane Torch

Desatascador
Plunger / "Plumber's Friend"

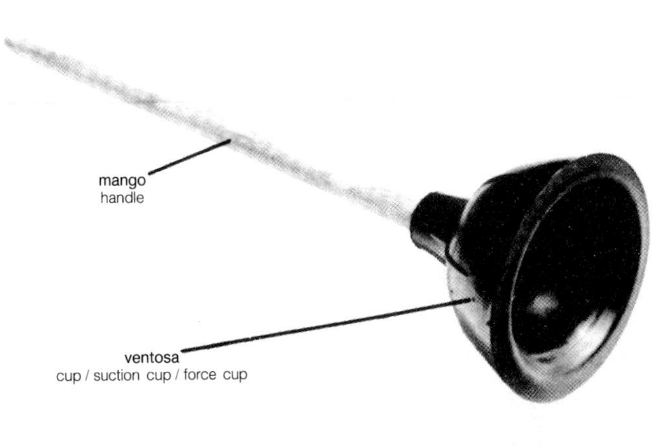

mango
handle
ventosa
cup / suction cup / force cup

Instrumentos eléctricos

El *multímetro* se utiliza con unos cables terminados en *puntas de prueba* o *cocodrilos* conectados al mismo. Las marcas de la cubierta de los cables indican el *calibre del hilo*, número de *conductores*, existencia de un *hilo de tierra* y tipo de cable.

Electrician's Tools

A volt-ohm meter, also known as a *multimeter* or *volt-ohm-milliammeter*, is used with test *leads* and *jacks* attached to needle-type *probes* or *alligator clips*. The markings on the sheath of a wire describe *wire size*, number of *conductors*, the existence of a ground wire and cable type.

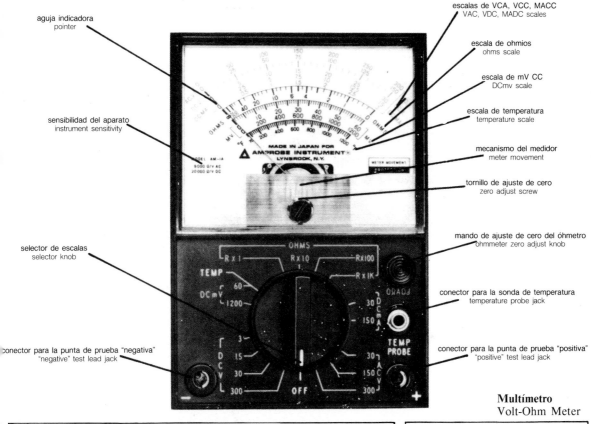

aguja indicadora
pointer
sensibilidad del aparato
instrument sensitivity
selector de escalas
selector knob
conector para la punta de prueba "negativa"
"negative" test lead jack
escalas de VCA, VCC, MACC
VAC, VDC, MADC scales
escala de ohmios
ohms scale
escala de mV CC
DCmv scale
escala de temperatura
temperature scale
mecanismo del medidor
meter movement
tornillo de ajuste de cero
zero adjust screw
mando de ajuste de cero del óhmetro
ohmmeter zero adjust knob
conector para la sonda de temperatura
temperature probe jack
conector para la punta de prueba "positiva"
"positive" test lead jack
MADE IN JAPAN FOR
AMPROBE INSTRUMENT
LYNBROOK, N.Y.
OHMS
TEMP
DCmV
OFF
TEMP PROBE

Multímetro
Volt-Ohm Meter

Herramienta multifunción / Pelacables y alicates de engaste
Wire Stripper and Crimper / Multipurpose Tool

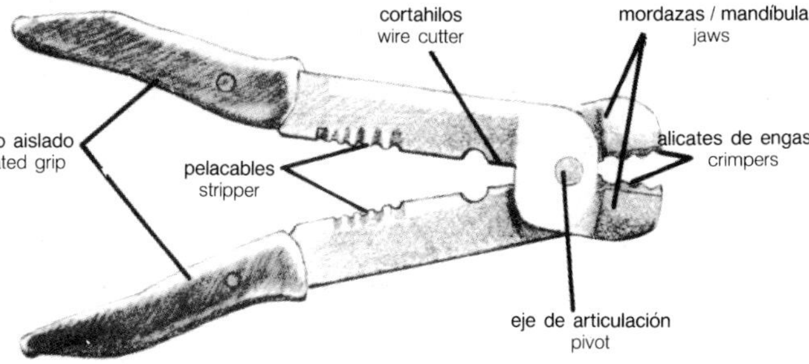

cortahilos
wire cutter
mordazas / mandíbulas
jaws
mango aislado
insulated grip
pelacables
stripper
alicates de engaste
crimpers
eje de articulación
pivot

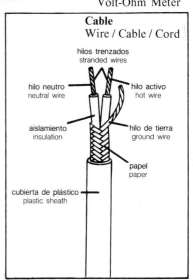

Cable
Wire / Cable / Cord

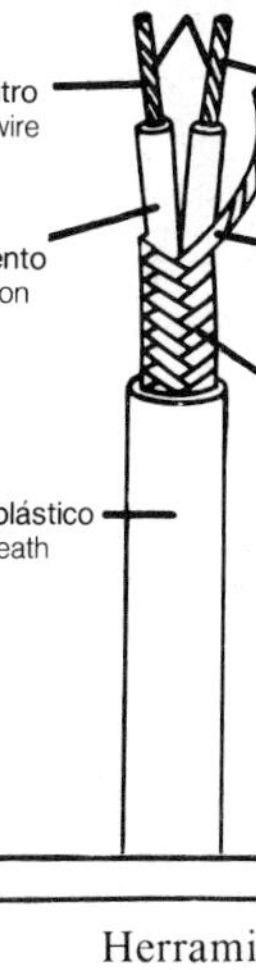

hilos trenzados
stranded wires
hilo neutro
neutral wire
hilo activo
hot wire
aislamiento
insulation
hilo de tierra
ground wire
papel
paper
cubierta de plástico
plastic sheath

Útiles de medida

El instrumento básico para medir es la *regla* graduada. Las cintas métricas vienen en *carretes* que se pueden rebobinar manual o automáticamente. La *escuadra de talón* tiene dos piezas dispuestas en ángulo recto: una de ellas es el *talón*; la otra, generalmente graduada, se llama *hoja*. Una escuadra de combinaciones múltiples sirve también como *escuadra de ingletes*, *calibre de prufundidad* y *gramil*. Cuando la *burbuja de aire* del nivel se detiene entre las *marcas*, la superficie que se está verificando se encuentra en el *plano* deseado.

Measuring Tools

The basic measuring tool is the onepiece *bench rule*, or *ruler*. Tape measures also come in *reels* which can be manually rewound. An *L-shaped square* has two *arms* set at right angles. The longer arm is the *blade*, the shorter one is the *tongue*. They meet at the *heel*. A *combination square* substitutes for *try squares*, *depth gauges* and *marking gauges*. When the *air bubble* in a monovial stops between *marks*, the level is on the desired *plane*.

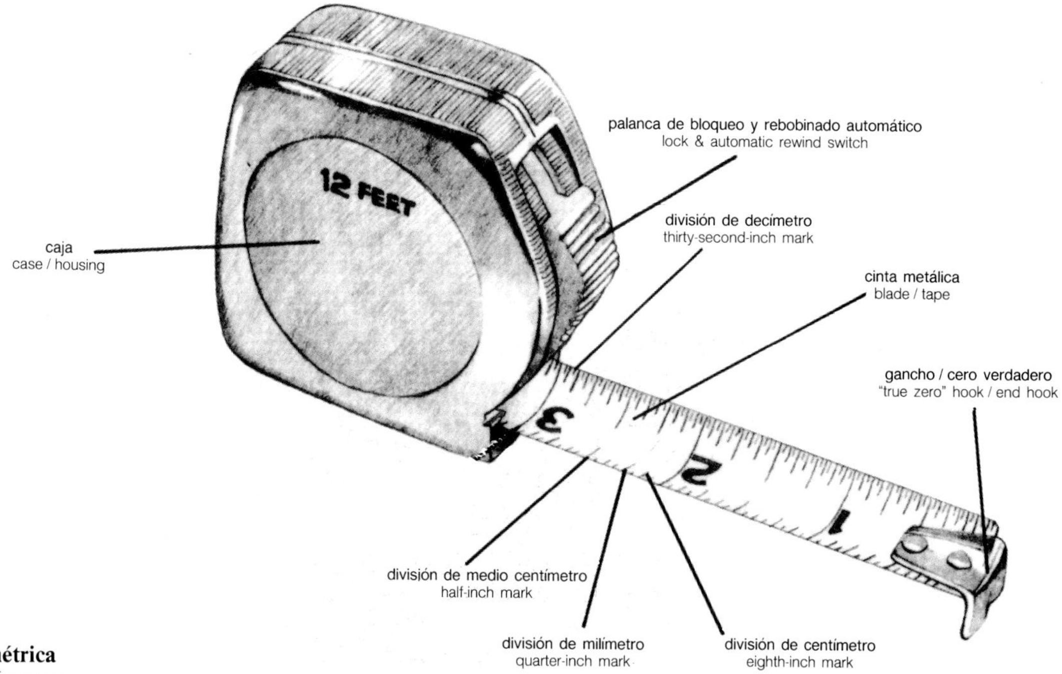

12 FEET
palanca de bloqueo y rebobinado automático
lock & automatic rewind switch
división de decímetro
thirty-second-inch mark
cinta metálica
blade / tape
gancho / cero verdadero
"true zero" hook / end hook
caja
case / housing
división de medio centímetro
half-inch mark
división de milímetro
quarter-inch mark
división de centímetro
eighth-inch mark

Cinta métrica
Tape Measure

Escuadra de combinaciones
Combination Square

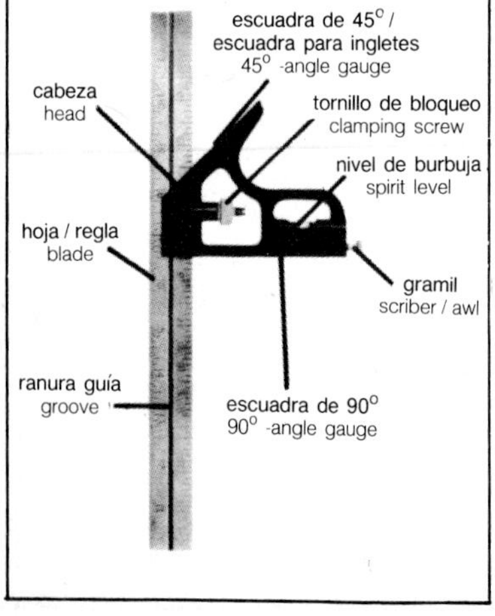

escuadra de 45° / escuadra para ingletes
45° -angle gauge
cabeza
head
tornillo de bloqueo
clamping screw
nivel de burbuja
spirit level
hoja / regla
blade
gramil
scriber / awl
ranura guía
groove
escuadra de 90°
90° -angle gauge

Metro plegable
Folding Rule / Zigzag Rule

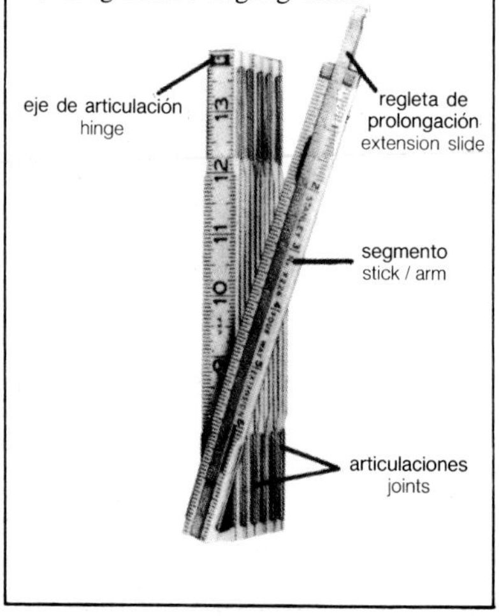

eje de articulación
hinge
regleta de prolongación
extension slide
segmento
stick / arm
articulaciones
joints

Nivel de carpintero
Carpenter's Level

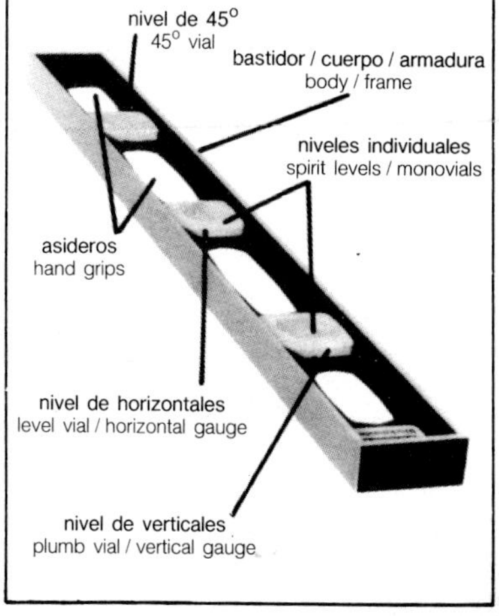

nivel de 45°
45° vial
bastidor / cuerpo / armadura
body / frame
niveles individuales
spirit levels / monovials
asideros
hand grips
nivel de horizontales
level vial / horizontal gauge
nivel de verticales
plumb vial / vertical gauge

Útiles de pintura

La brocha corriente de pintar, redonda, está formada por fibras animales naturales (*cerdas*) o artificiales, sujetas a un mango mediante una *abrazadera* o *virola* metálica. Otros instrumentos el son *cepillo de fondear*, la *paletina* (brocha pequeña y plana) y el *pincel*. Los mangos de los rodillos de pintar suelen llevar un dispositivo para acoplar un *palo alargador*. Las superficie o *soporte*, debe prepararse y limpiarse antes, mediante *decapado*, *emplastecido*, *lijado*, *desempolvado*, etc, según el caso.

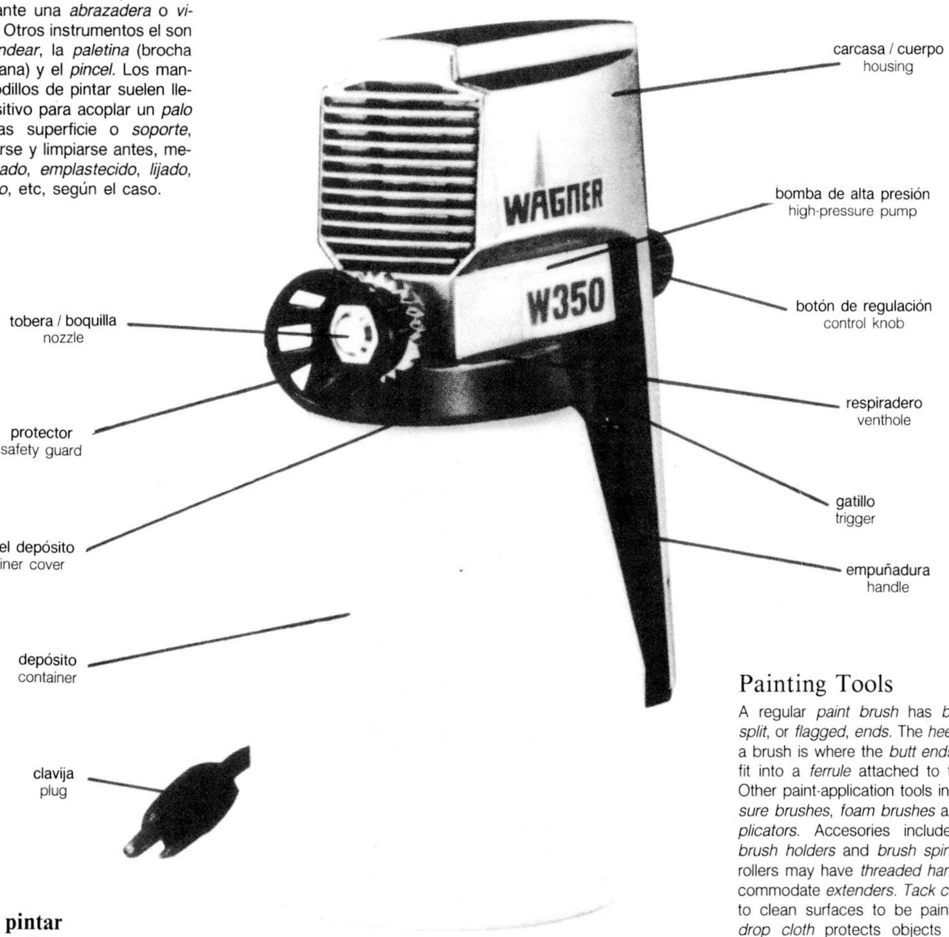
WAGNER
W350
carcasa / cuerpo
housing
bomba de alta presión
high-pressure pump
botón de regulación
control knob
respiradero
venthole
gatillo
trigger
empuñadura
handle
tobera / boquilla
nozzle
protector
safety guard
tapa del depósito
container cover
depósito
container
clavija
plug

Pistola de pintar
Paint Spray Gun

Painting Tools

A regular *paint brush* has *bristles* with *split*, or *flagged*, *ends*. The *heel* section of a brush is where the *butt ends* of bristles fit into a *ferrule* attached to the handle. Other paint-application tools include *pressure brushes*, *foam brushes* and *pad applicators*. Accesories include *pot* and *brush holders* and *brush spinners*. Paint rollers may have *threaded handles* to accommodate *extenders*. *Tack cloth* is used to clean surfaces to be painted, and a *drop cloth* protects objects and areas against paint spills.

Bandeja y rodillo
Tray and Roller

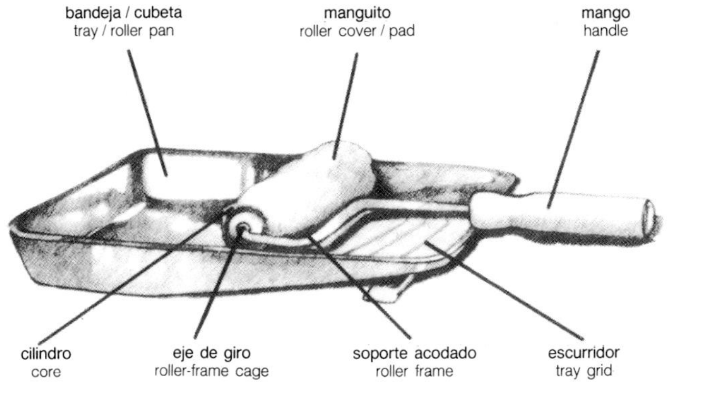
bandeja / cubeta
tray / roller pan
manguito
roller cover / pad
mango
handle
cilindro
core
eje de giro
roller-frame cage
soporte acodado
roller frame
escurridor
tray grid

Escalera de mano
Ladder / Stepladder

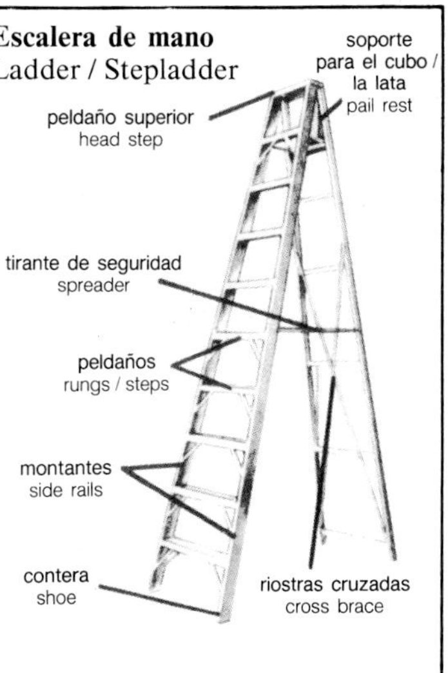
soporte
para el cubo /
la lata
pail rest
peldaño superior
head step
tirante de seguridad
spreader
peldaños
rungs / steps
montantes
side rails
contera
shoe
riostras cruzadas
cross brace

Navaja múltiple

Los *separadores* del interior del *mango* tabican los *compartimientos* que contienen las diversas *hojas* o *herramientas*.

Swiss Army Knife

The *dividers* in the *handle* of a *jack-knife*, pocketknife or *camping knife* keep each blade or *tool* separate.

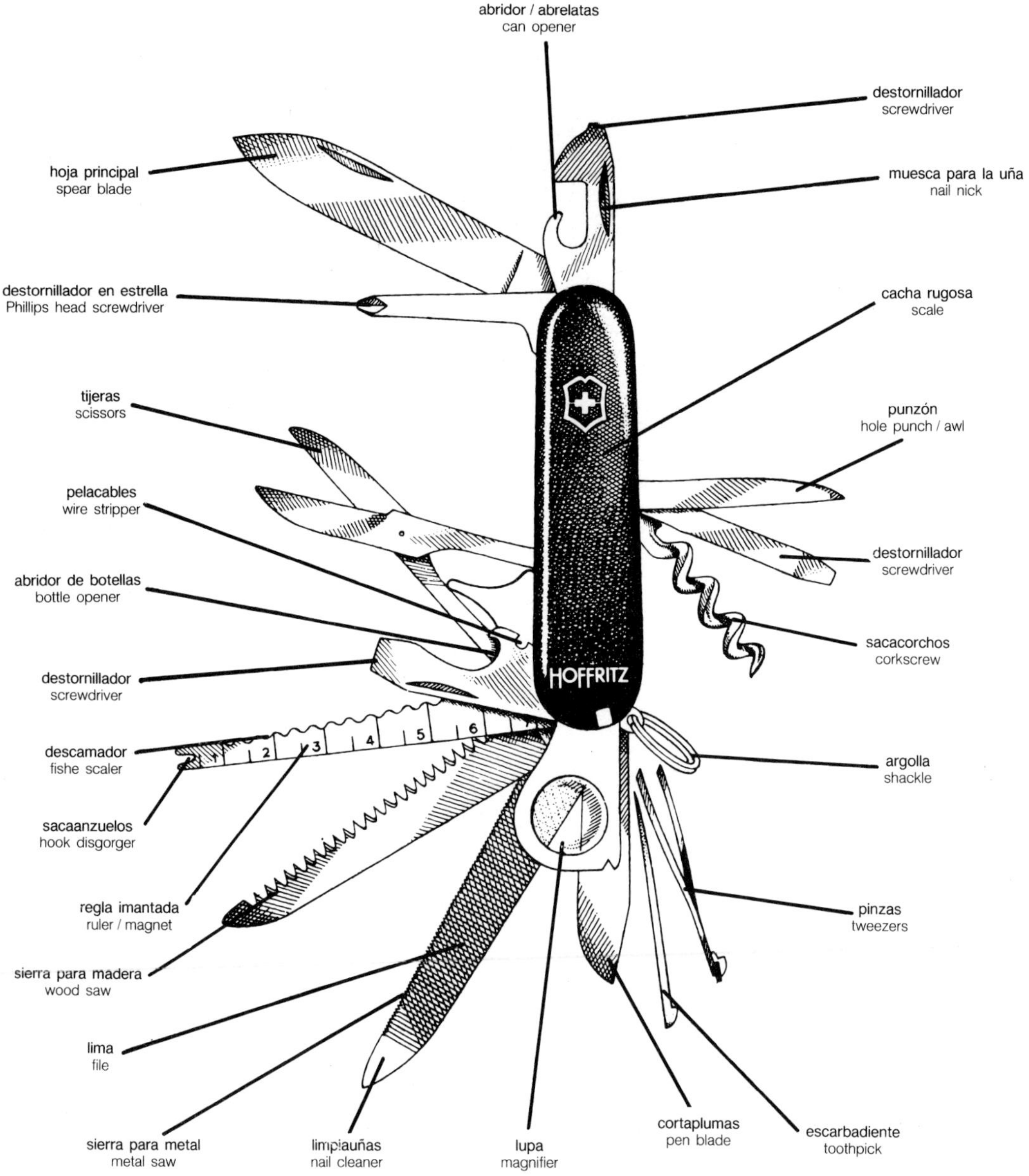

abridor / abrelatas
can opener
destornillador
screwdriver
hoja principal
spear blade
muesca para la uña
nail nick
destornillador en estrella
Phillips head screwdriver
cacha rugosa
scale
tijeras
scissors
punzón
hole punch / awl
pelacables
wire stripper
destornillador
screwdriver
abridor de botellas
bottle opener
sacacorchos
corkscrew
destornillador
screwdriver
HOFFRITZ
descamador
fishe scaler
argolla
shackle
sacaanzuelos
hook disgorger
regla imantada
ruler / magnet
pinzas
tweezers
sierra para madera
wood saw
lima
file
sierra para metal
metal saw
limpiauñas
nail cleaner
lupa
magnifier
cortaplumas
pen blade
escarbadiente
toothpick

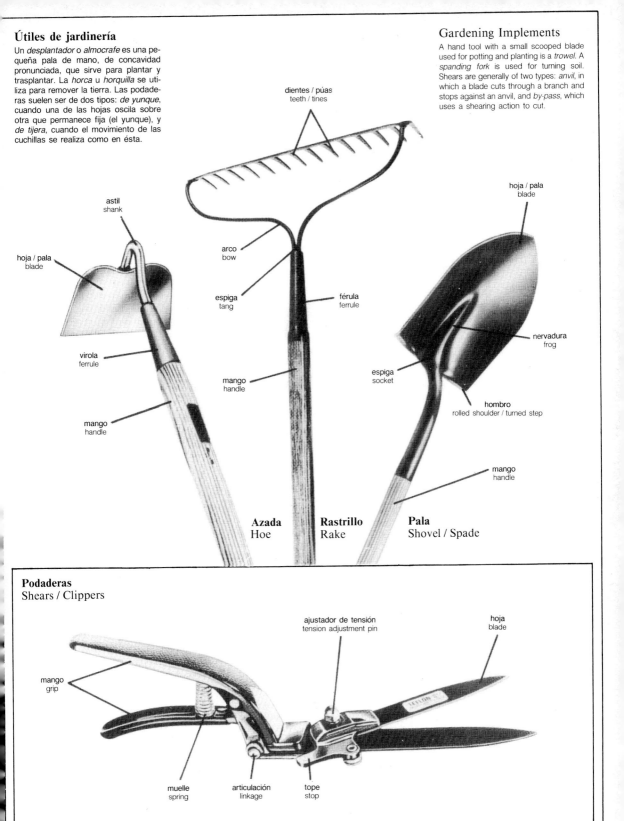

Útiles de jardinería

Un *desplantador* o *almocrafe* es una pequeña pala de mano, de concavidad pronunciada, que sirve para plantar y trasplantar. La *horca* u *horquilla* se utiliza para remover la tierra. Las podaderas suelen ser de dos tipos: *de yunque*, cuando una de las hojas oscila sobre otra que permanece fija (el yunque), y *de tijera*, cuando el movimiento de las cuchillas se realiza como en ésta.

Gardening Implements

A hand tool with a small scooped blade used for potting and planting is a *trowel*. A *spanding fork* is used for turning soil. Shears are generally of two types: *anvil*, in which a blade cuts through a branch and stops against an anvil, and *by-pass*, which uses a shearing action to cut.

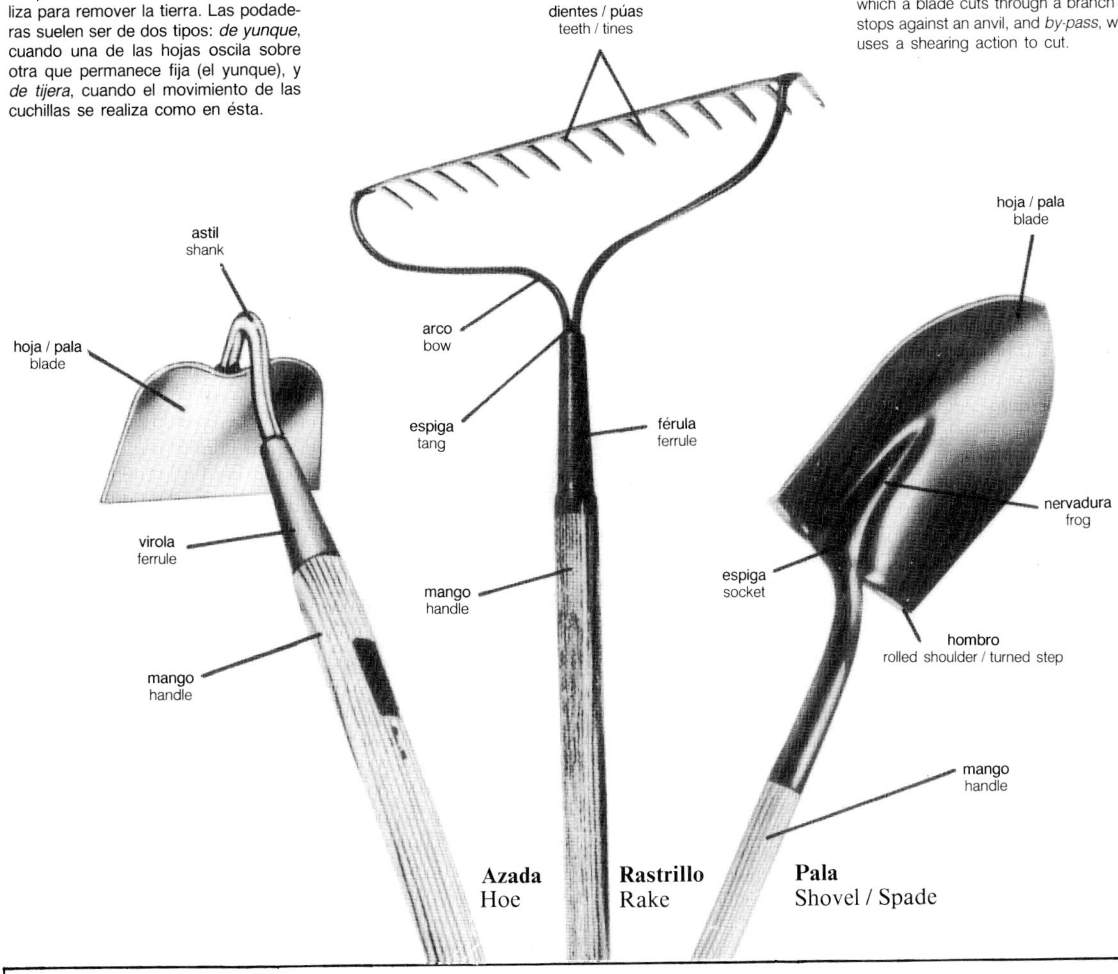
dientes / púas
teeth / tines
astil
shank
hoja / pala
blade
arco
bow
espiga
tang
férula
ferrule
virola
ferrule
mango
handle
mango
handle
hoja / pala
blade
nervadura
frog
espiga
socket
hombro
rolled shoulder / turned step
mango
handle
Azada
Hoe
Rastrillo
Rake
Pala
Shovel / Spade

Podaderas
Shears / Clippers

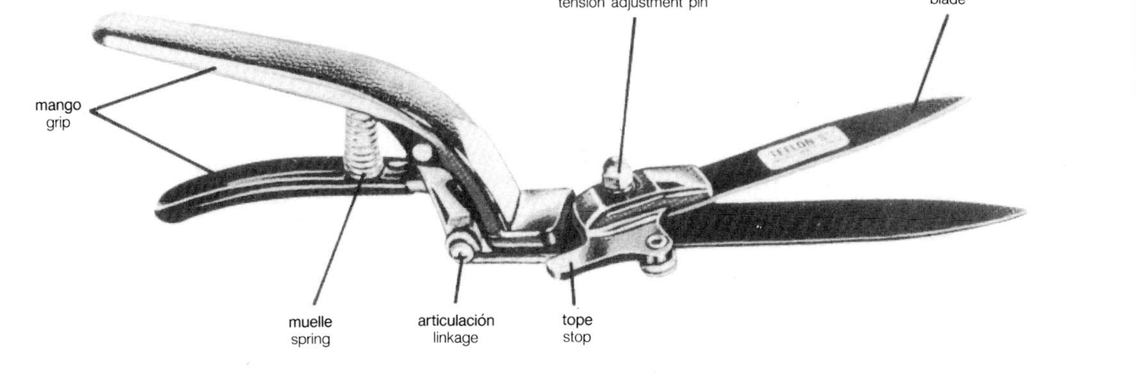
ajustador de tensión
tension adjustment pin
hoja
blade
mango
grip
muelle
spring
articulación
linkage
tope
stop

Aspersores y boquillas

Los *aspersores giratorios* van provistos de brazos que giran y pulverizan agua a través de sus correspondientes boquillas. Una *conexión en Y* permite empalmar dos mangas a una sola *toma* o *grifo*. En toda conexión, la *pieza macho* se encaja dentro de la *pieza hembra*, y se hace girar hasta que ajusta. Las *arandelas* impiden las pérdidas de agua por las junturas.

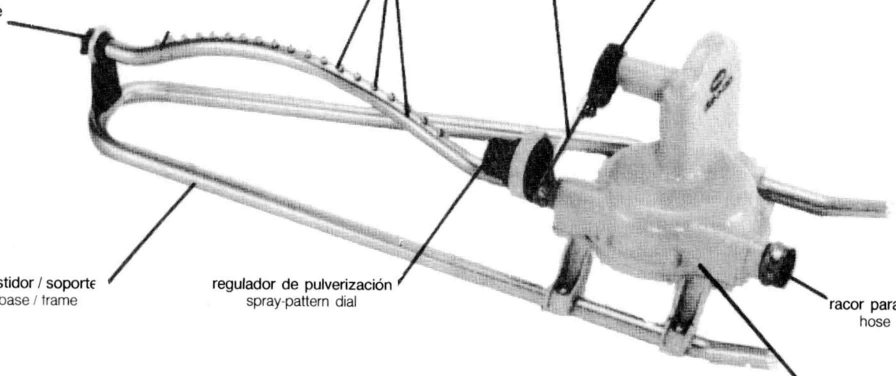

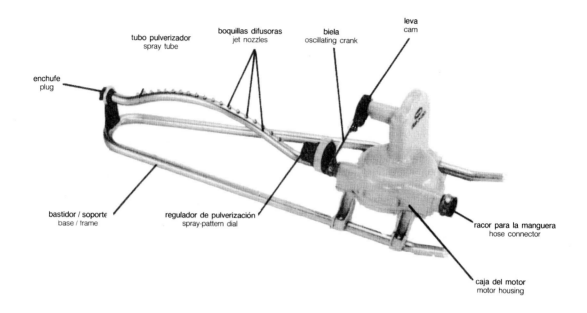

leva
cam
boquillas difusoras
jet nozzles
biela
oscillating crank
tubo pulverizador
spray tube
enchufe
plug
bastidor / soporte
base / frame
regulador de pulverización
spray-pattern dial
racor para la manguera
hose connector
caja del motor
motor housing

Aspersor oscilante para césped
Oscillating Lawn Sprinkler

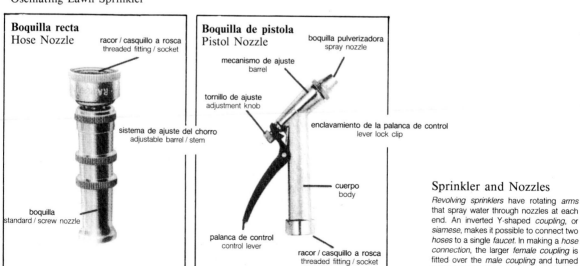

Boquilla recta
Hose Nozzle

racor / casquillo a rosca
threaded fitting / socket
sistema de ajuste del chorro
adjustable barrel / stem
boquilla
standard / screw nozzle

Boquilla de pistola
Pistol Nozzle

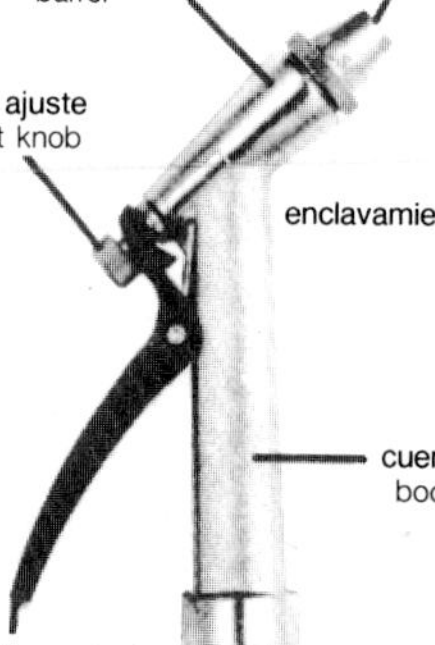

boquilla pulverizadora
spray nozzle
mecanismo de ajuste
barrel
tornillo de ajuste
adjustment knob
enclavamiento de la palanca de control
lever lock clip
cuerpo
body
palanca de control
control lever
racor / casquillo a rosca
threaded fitting / socket

Sprinkler and Nozzles

Revolving sprinklers have rotating *arms* that spray water through nozzles at each end. An inverted Y-shaped *coupling*, or *siamese*, makes it possible to connect two *hoses* to a single *faucet*. In making a *hose connection*, the larger *female coupling* is fitted over the *male coupling* and turned until the connection is made fast. *Washers* inside couplings make seals watertight.

Cortacésped

Los cortacéspedes o segadoras *aguadañadoras*, como la que se ve aquí, llevan una sola *cuchilla* para cortar la hierba, al igual que una *guadaña*. Las *segadoras de rodillo* tienen un cilindro de múltiples cuchillas (rodillo), que empuja la hierba hacia los *peines cortadores*. La hierba cortada se recoge en un *colector*. En el caso de la segadora de *acolchado*, el colector es innecesario. Una barredora de césped se mueve por una acción de barrido para recoger recortes de hierba y hojas. Las *perfiladoras* de césped se utilizan para cortar la hierba en zonas inaccesibles a las segadoras.

Lawn Mower

Rotary mowers, such as the one shown here, use a single *blade* to slice off grass, as does a *scythe*. *Reel mowers*, such as the *sickle-bar mower*, use multiple blades, called a *reel*, to push grass against a stationary *bed knife* at the base of the mower. Cut grass is contained in a bag called a *grass-catcher*. With a *mulching mower*, *bagging* is unnecessary. A *lawn sweeper* uses a rotating sweeping action to pick up cuttings and leaves. *Lawn edgers* and *trimmers* are used to cut grass in areas where mowers cannot.

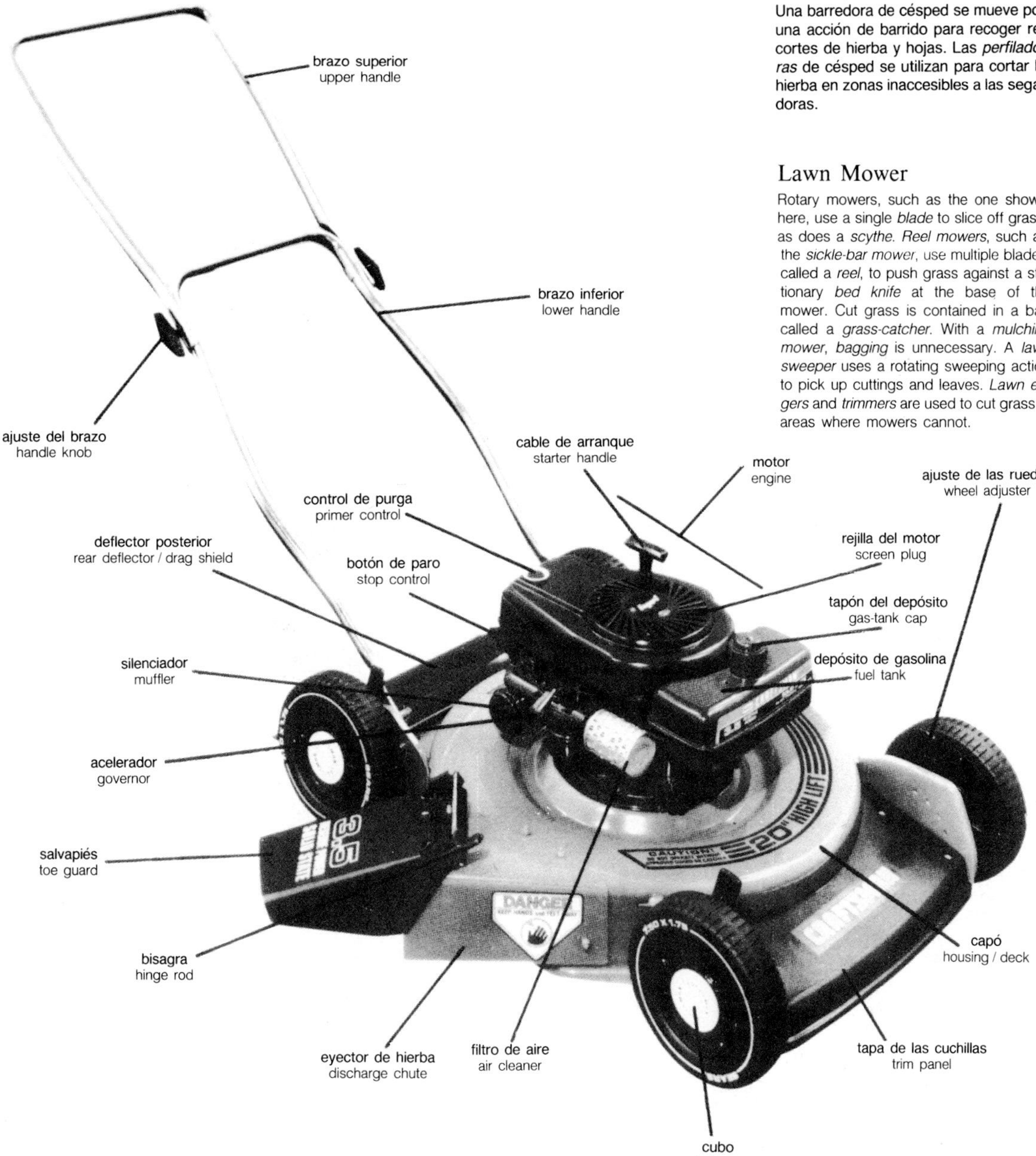

brazo superior
upper handle
brazo inferior
lower handle
ajuste del brazo
handle knob
cable de arranque
starter handle
motor
engine
ajuste de las ruedas
wheel adjuster
control de purga
primer control
deflector posterior
rear deflector / drag shield
botón de paro
stop control
rejilla del motor
screen plug
tapón del depósito
gas-tank cap
depósito de gasolina
fuel tank
silenciador
muffler
acelerador
governor
salvapiés
toe guard
DANGER
CAUTION
20" HIGH LIFT
3.5
capó
housing / deck
bisagra
hinge rod
eyector de hierba
discharge chute
filtro de aire
air cleaner
tapa de las cuchillas
trim panel
cubo
hubcap

Cortacésped mecánico
Power Mower

Carretilla y sembradora

Las *carretillas de jardín* se utilizan fundamentalmente para trabajos ligeros. Para labores más pesadas, se recurre a las *carretillas de obra*, de mucha más capacidad. Las *distribuidoras giratorias* se destinan a extensiones mayores de terreno. En áreas reducidas, las *distribuidoras rectangulares* dispersan las *semillas* o el *abono* accionadas por una *palanca de mano*. La mayoría de las distribuidoras están provistas de *agitadores* intercambiables.

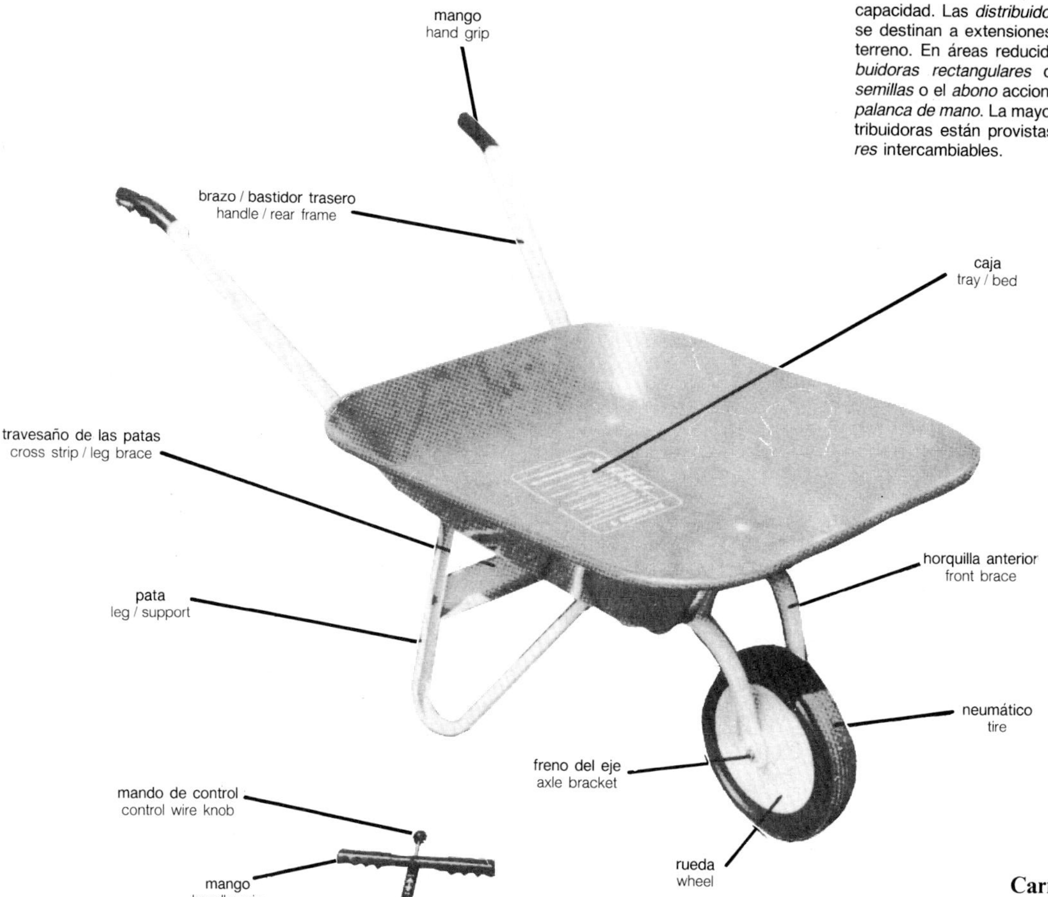
mango
hand grip
brazo / bastidor trasero
handle / rear frame
caja
tray / bed
travesaño de las patas
cross strip / leg brace
horquilla anterior
front brace
pata
leg / support
neumático
tire
freno del eje
axle bracket
rueda
wheel

Carretilla
Wheelbarrow

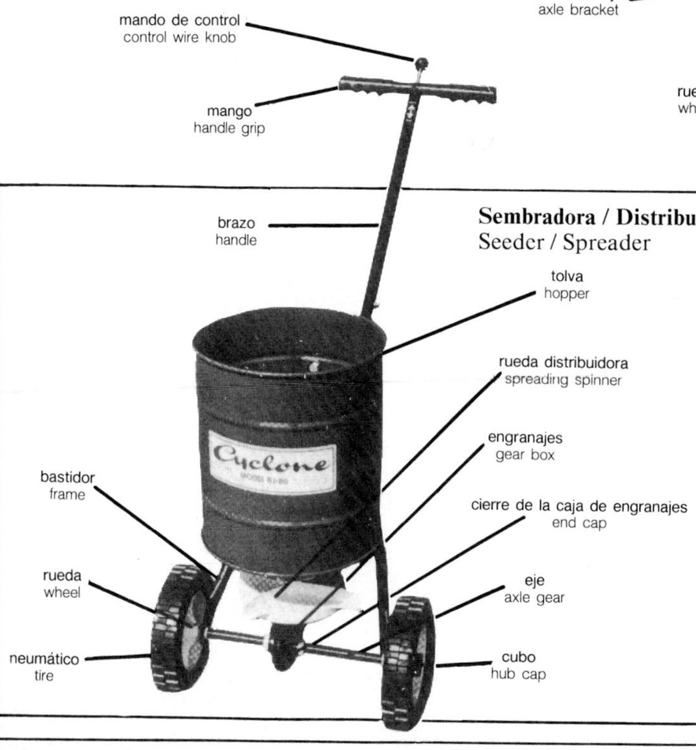
mando de control
control wire knob
mango
handle grip
brazo
handle
tolva
hopper
rueda distribuidora
spreading spinner
engranajes
gear box
bastidor
frame
cierre de la caja de engranajes
end cap
rueda
wheel
eje
axle gear
neumático
tire
cubo
hub cap
Cyclone

Sembradora / Distribuidora
Seeder / Spreader

Wheelbarrow and Seeder

Lawn carts are used primarily for light work. For heavier yard work there are contractor's-type wheelbarrows, which have larger tray capacity. *Rotary spreaders* are designed for larger areas. For small areas, *rectangular spreaders* disperse *seed* or *fertilizer* with the pull of a *hand lever*. Most spreaders have removable *agitators*.

Sierra de cadena

Las sierras de cadena son accionadas por motor de gasolina o eléctrico. La capacidad se expresa, no en caballos de potencia, sino por medio de la *cilindrada* y del volumen, en cm^3, *barrido por el pistón en el cilindro*. La *transmisión* puede ser *directa* o *por engranajes*. Entre los dispositivos de seguridad están un *freno de cadena*, para parar ésta si la sierra empieza a retroceder, *gatillo de seguridad* para impedir aceleraciones accidentales, una defensa o *guarda* en el escape y dispositivos para proteger al operario en caso de rotura de la cadena.

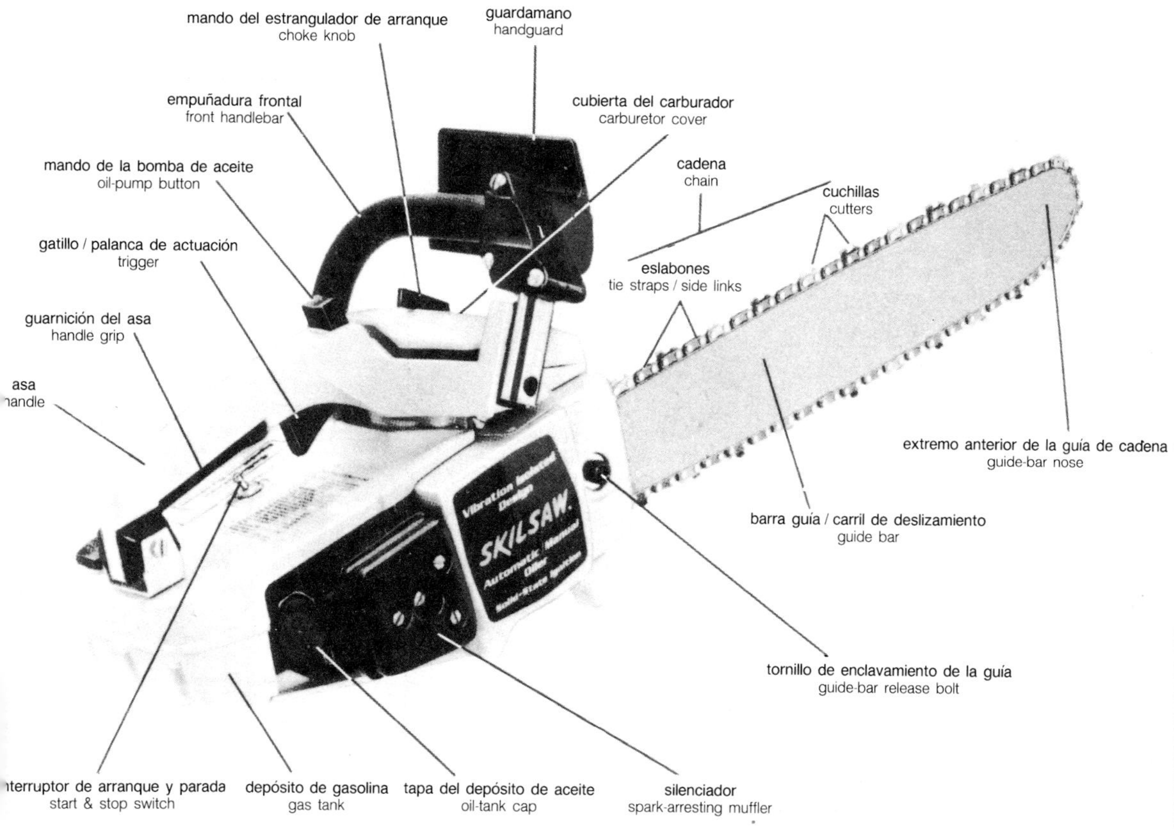

mando del estrangulador de arranque
choke knob
guardamano
handguard
empuñadura frontal
front handlebar
cubierta del carburador
carburetor cover
mando de la bomba de aceite
oil-pump button
cadena
chain
cuchillas
cutters
gatillo / palanca de actuación
trigger
eslabones
tie straps / side links
guarnición del asa
handle grip
asa
handle
extremo anterior de la guía de cadena
guide-bar nose
barra guía / carril de deslizamiento
guide bar
tornillo de enclavamiento de la guía
guide-bar release bolt
interruptor de arranque y parada
start & stop switch
depósito de gasolina
gas tank
tapa del depósito de aceite
oil-tank cap
silenciador
spark-arresting muffler
Vibration Isolated Design
SKILSAW
Automatic Manual Oiler

Chain Saw

Chain saws are either gasoline-or electric-powered. Power output is measured in cubic inches of *piston displacement* in the *power head* rather than in horsepower. The *cutting head* may be *direct drive* or *gear drive* A *sprocket-tip cutting bar* increases cutting speed because it eliminates most of the friction around the *bar tip*. Safety devices include a *chain brake* intended to stop the moving chain when the saw begins to kick back, *throttle latches* for safer starting, *safety triggers* to prevent accidental acceleration, *muffler shields*, and *chain catchers* designed to protect the operator from a broken or slipped chain.

Equipo de ganadero

Los *gauchos*, los *charros* y los *cowboys* todavía capturan las reses a *lazo*, trabándoles la cabeza y las patas. Ya inmovilizadas, son *marcadas* con un *hierro* al rojo y, al mismo tiempo, en algunos casos se les practica además una *marca* en la oreja. Otro instrumento utilizado especialmente por los gauchos eran las *boleadoras*.

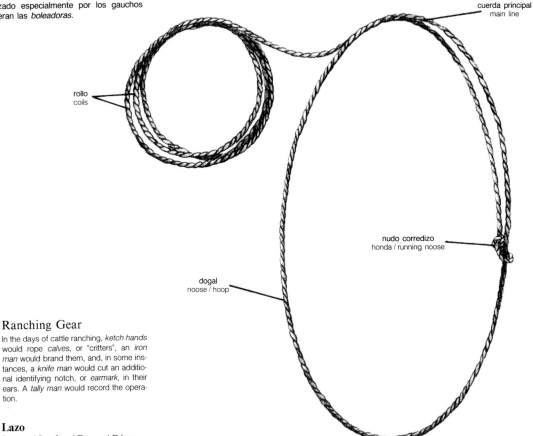

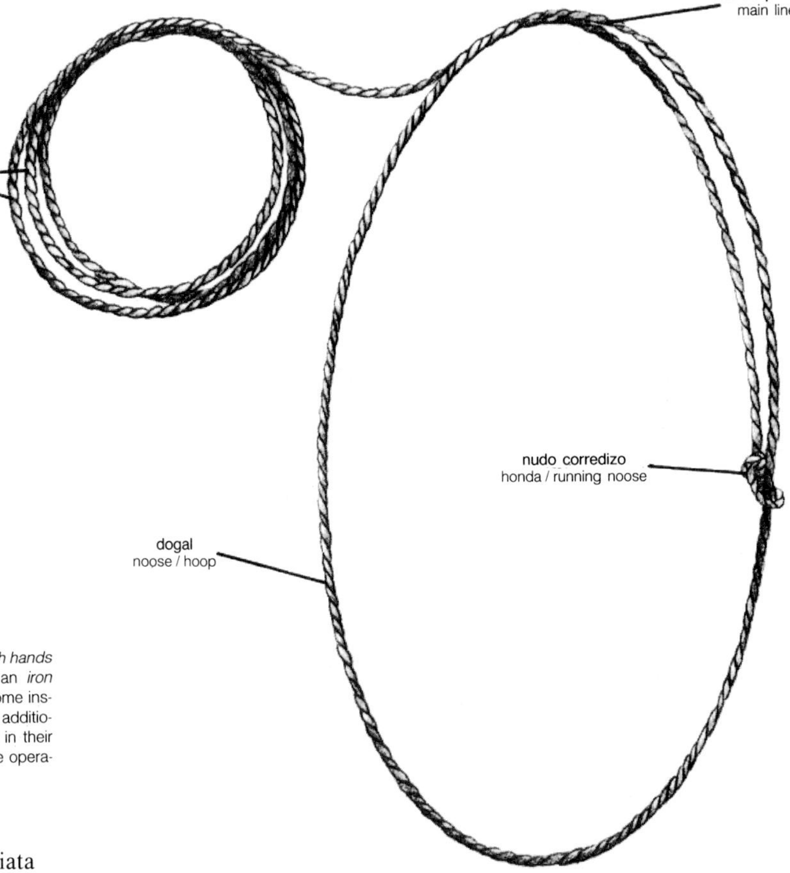
cuerda principal
main line
rollo
coils
nudo corredizo
honda / running noose
dogal
noose / hoop

Ranching Gear

In the days of cattle ranching, *ketch hands* would rope *calves*, or "critters", an *iron man* would brand them, and, in some instances, a *knife man* would cut an additional identifying notch, or *earmark*, in their ears. A *tally man* would record the operation.

Lazo
Lasso / Lariat / Rope / Riata

Alambre de espino
Barbed Wire

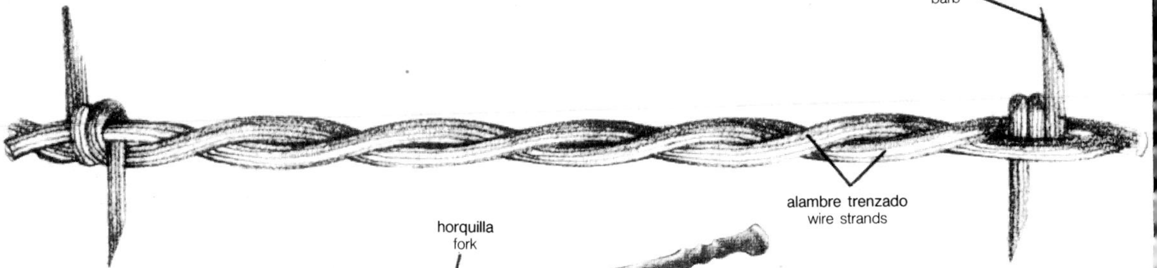
púa
barb
alambre trenzado
wire strands

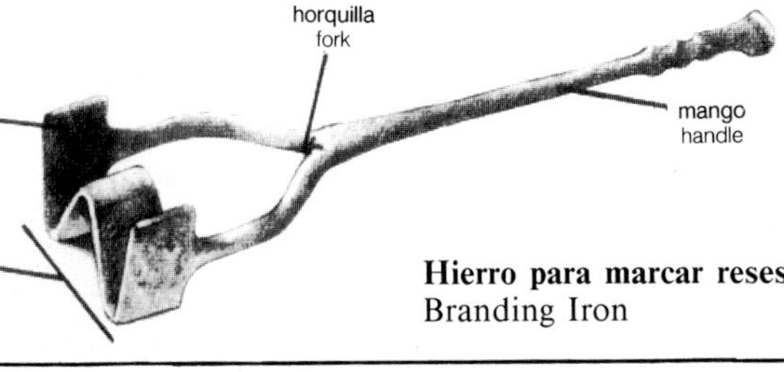
horquilla
fork
placa
ironplate
mango
handle
marca
brand

Hierro para marcar reses
Branding Iron

Trampas

Las trampas de *jaula* capturan al animal sin causarle ningún daño físico. Los *cepos* lo atrapan atenazándole alguna parte del cuerpo. Las *ratoneras* son trampas de *resorte* que matan al animal.

Traps

Enclosing traps catch animals without hurting them. *Arresting traps*, such as the bear trap shown here, catch and hold animals in their teeth. *Killing traps* destroy animals and rodents.

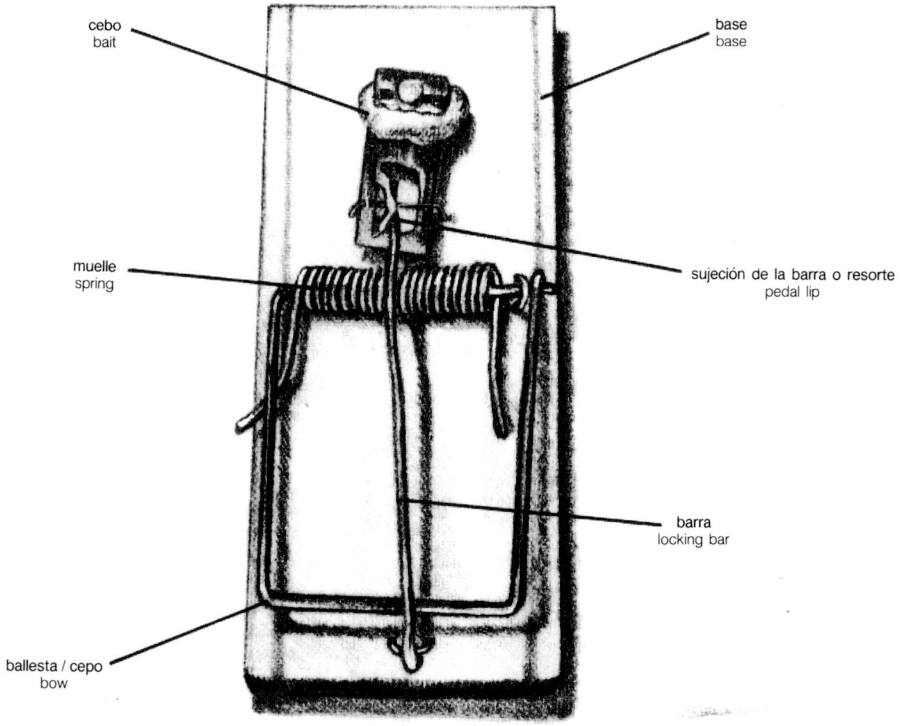

cebo
bait
base
base
muelle
spring
sujeción de la barra o resorte
pedal lip
barra
locking bar
ballesta / cepo
bow

Ratonera
Mousetrap

Cepo para osos
Bear Trap

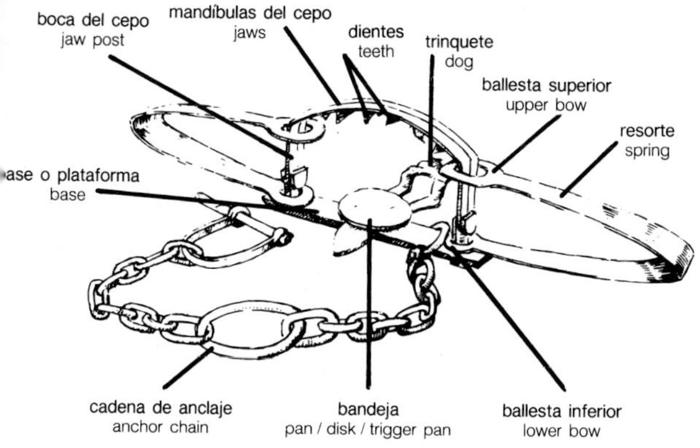

boca del cepo
jaw post
mandíbulas del cepo
jaws
dientes
teeth
trinquete
dog
ballesta superior
upper bow
resorte
spring
ase o plataforma
base
cadena de anclaje
anchor chain
bandeja
pan / disk / trigger pan
ballesta inferior
lower bow

Nasa / Langostera
Lobster Pot

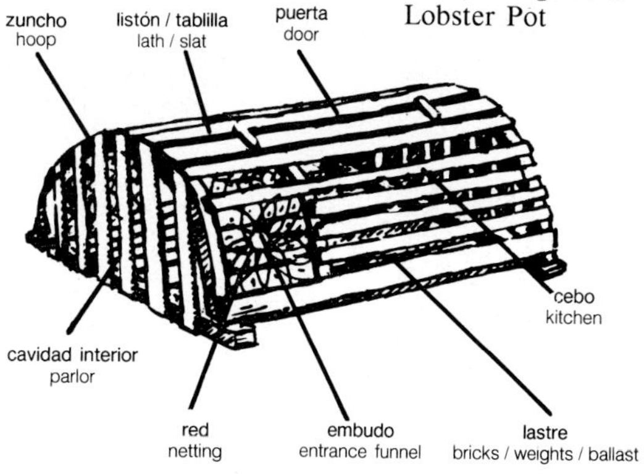

zuncho
hoop
listón / tablilla
lath / slat
puerta
door
cebo
kitchen
cavidad interior
parlor
red
netting
embudo
entrance funnel
lastre
bricks / weights / ballast

Tractor

Los *arados mecánicos*, *segadoras*, *cultivadoras* y otras máquinas y *aperos* agrícolas, como la *grada* que vemos en la ilustración, han de acoplarse a un tractor para que puedan realizar su trabajo. La velocidad de funcionamiento de estas máquinas se controla por medio de una toma de fuerza que les transmite la potencia del motor. Para mejorar la adherencia al terreno y con ello la capacidad de arrastre del tractor, se le añaden *contrapesos* en la parte frontal.

Tractor

Plows, *reapers*, *cultivators*, like the harrow seen here, and various *planting machines* are coupled to a tractor to work the land. The operating speed of attachments is controlled by a *power takeoff*. Optional *outboard planetaries* with *adjustable wheel treads* and *add-on segment weights* help boost traction.

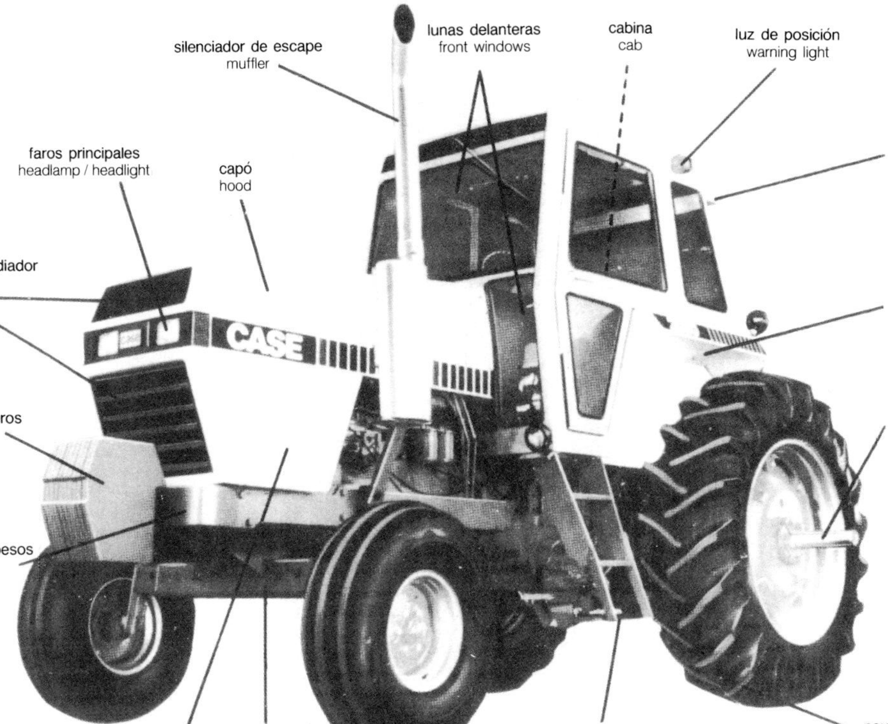
silenciador de escape
muffler
lunas delanteras
front windows
cabina
cab
luz de posición
warning light
filtro de aire
air filter
faros principales
headlamp / headlight
capó
hood
rejilla / parrilla del radiador
grille
guardabarros
fender
contrapesos delanteros
front-end weights
eje trasero
rear axle
soporte para los contrapesos
adapter plate
panel lateral
side panel
chasis / bastidor
frame
escalerilla
steps
neumático ancho esp
wide tire

Enganche y grada
Hitch and Harrow

soporte de estacionamiento
parking stand
placa distintiva (vehículo lento)
SMV (slow-moving vehicle) symbol
brazo superior del enganche
top link
brazo de elevación
lift link
junta universal
universal drive joint
brazos inferiores
del enganche
lower links
volante de inercia
flywheel
horquilla y balancín
drive yoke and rocker
barras portadientes
tine bars
dientes
tines
rodillos desmenuzadores
crumble roller
tornillo de ajuste de profundidad
depth adjusting screw

Bulldozer

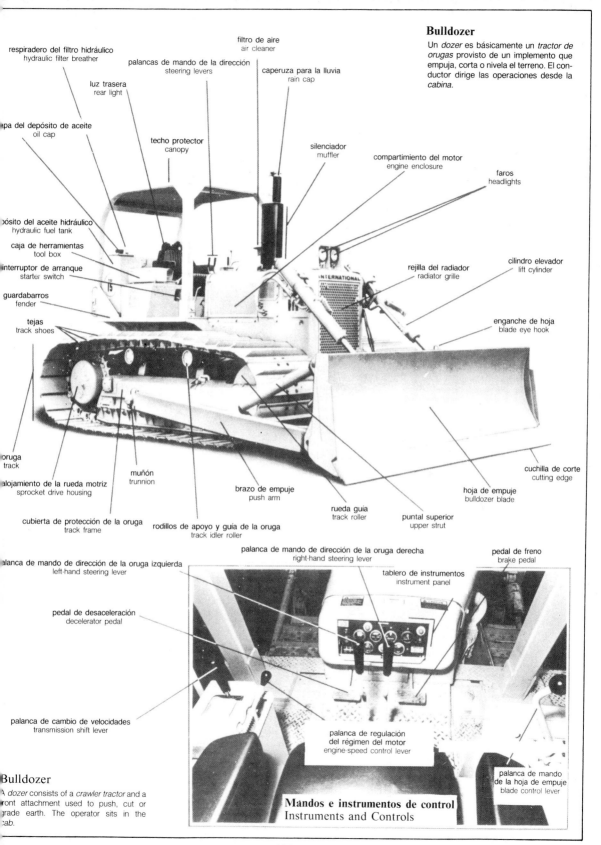

Un *dozer* es básicamente un *tractor de orugas* provisto de un implemento que empuja, corta o nivela el terreno. El conductor dirige las operaciones desde la *cabina*.

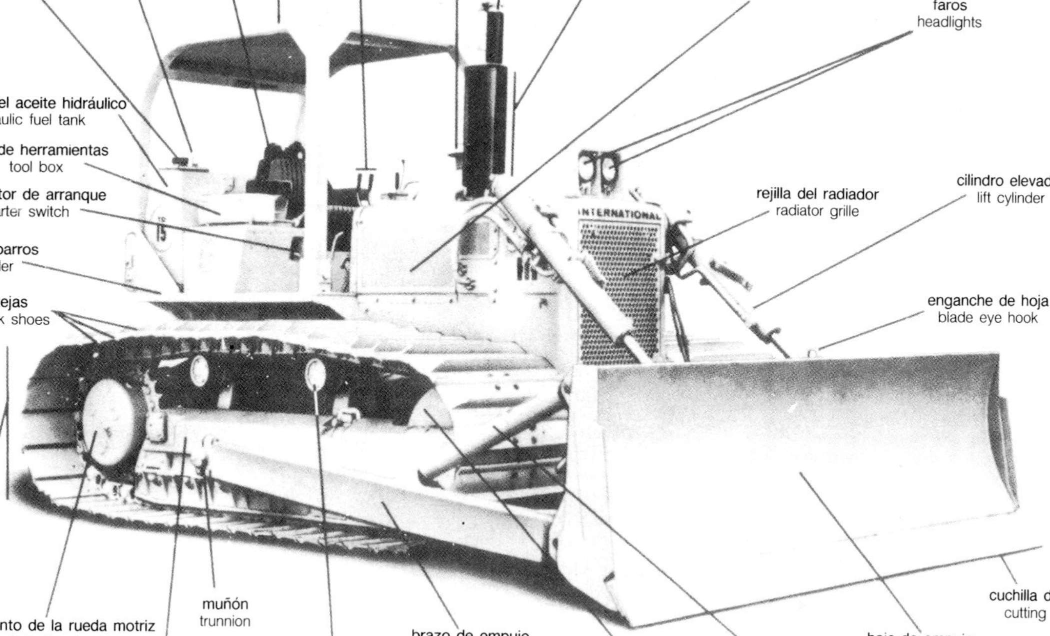

respiradero del filtro hidráulico
hydraulic filter breather
filtro de aire
air cleaner
palancas de mando de la dirección
steering levers
caperuza para la lluvia
rain cap
luz trasera
rear light
pa del depósito de aceite
oil cap
techo protector
canopy
silenciador
muffler
compartimiento del motor
engine enclosure
faros
headlights
ósito del aceite hidráulico
hydraulic fuel tank
caja de herramientas
tool box
interruptor de arranque
starter switch
rejilla del radiador
radiator grille
cilindro elevador
lift cylinder
guardabarros
fender
tejas
track shoes
enganche de hoja
blade eye hook
oruga
track
muñón
trunnion
alojamiento de la rueda motriz
sprocket drive housing
brazo de empuje
push arm
cuchilla de corte
cutting edge
hoja de empuje
bulldozer blade
rueda guía
track roller
puntal superior
upper strut
cubierta de protección de la oruga
track frame
rodillos de apoyo y guía de la oruga
track idler roller

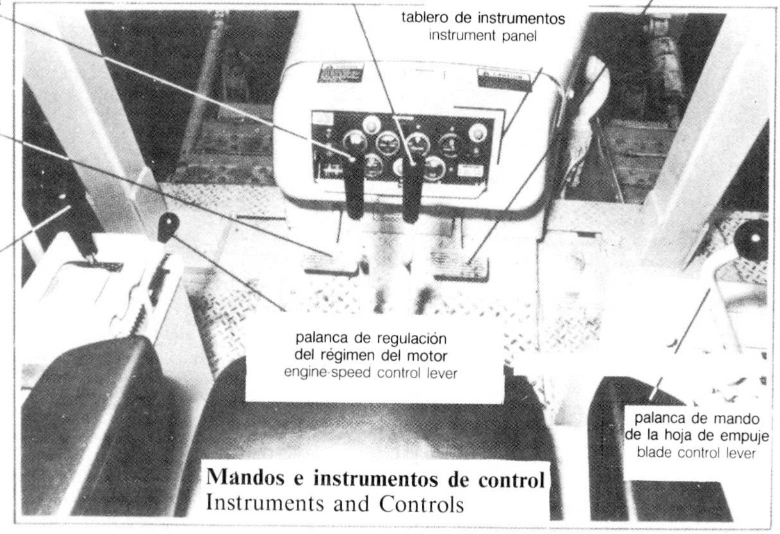

palanca de mando de dirección de la oruga derecha
right-hand steering lever
pedal de freno
brake pedal
alanca de mando de dirección de la oruga izquierda
left-hand steering lever
tablero de instrumentos
instrument panel
pedal de desaceleración
decelerator pedal
palanca de cambio de velocidades
transmission shift lever
palanca de regulación
del régimen del motor
engine-speed control lever
palanca de mando
de la hoja de empuje
blade control lever

Mandos e instrumentos de control
Instruments and Controls

Bulldozer

A *dozer* consists of a *crawler tractor* and a front attachment used to push, cut or grade earth. The operator sits in the *cab*.

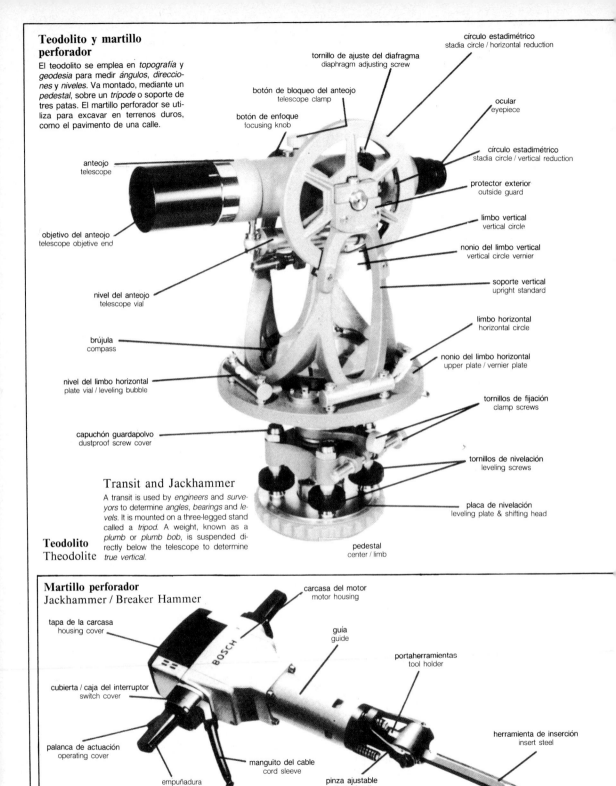

Teodolito y martillo perforador

El teodolito se emplea en *topografía* y *geodesia* para medir *ángulos*, *direcciones* y *niveles*. Va montado, mediante un *pedestal*, sobre un *trípode* o soporte de tres patas. El martillo perforador se utiliza para excavar en terrenos duros, como el pavimento de una calle.

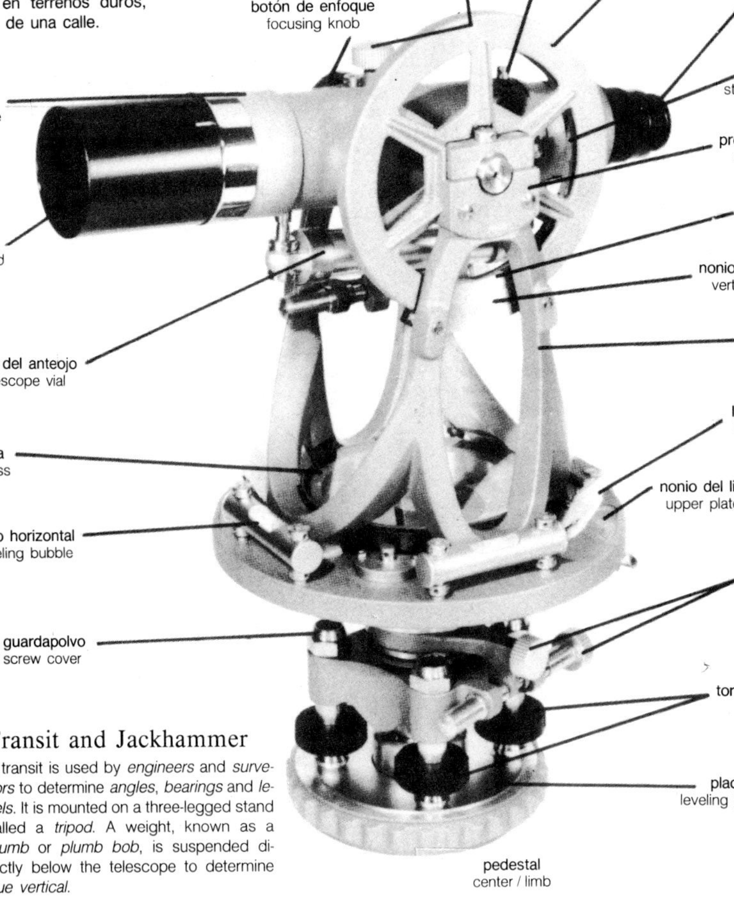
círculo estadimétrico
stadia circle / horizontal reduction
tornillo de ajuste del diafragma
diaphragm adjusting screw
botón de bloqueo del anteojo
telescope clamp
ocular
eyepiece
botón de enfoque
focusing knob
círculo estadimétrico
stadia circle / vertical reduction
anteojo
telescope
protector exterior
outside guard
limbo vertical
vertical circle
objetivo del anteojo
telescope objetive end
nonio del limbo vertical
vertical circle vernier
soporte vertical
upright standard
nivel del anteojo
telescope vial
limbo horizontal
horizontal circle
brújula
compass
nonio del limbo horizontal
upper plate / vernier plate
nivel del limbo horizontal
plate vial / leveling bubble
tornillos de fijación
clamp screws
capuchón guardapolvo
dustproof screw cover
tornillos de nivelación
leveling screws
placa de nivelación
leveling plate & shifting head
pedestal
center / limb

Transit and Jackhammer

A transit is used by *engineers* and *surveyors* to determine *angles*, *bearings* and *levels*. It is mounted on a three-legged stand called a *tripod*. A weight, known as a *plumb* or *plumb bob*, is suspended directly below the telescope to determine *true vertical*.

Teodolito
Theodolite

Martillo perforador
Jackhammer / Breaker Hammer

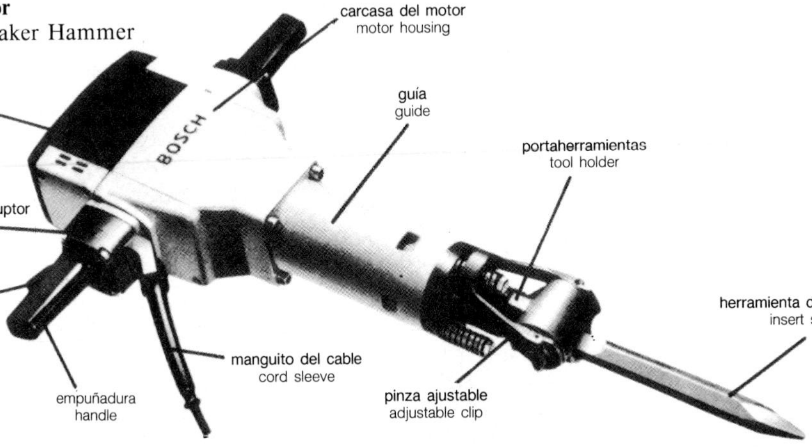
carcasa del motor
motor housing
tapa de la carcasa
housing cover
guía
guide
BOSCH
portaherramientas
tool holder
cubierta / caja del interruptor
switch cover
herramienta de inserción
insert steel
palanca de actuación
operating cover
manguito del cable
cord sleeve
pinza ajustable
adjustable clip
empuñadura
handle

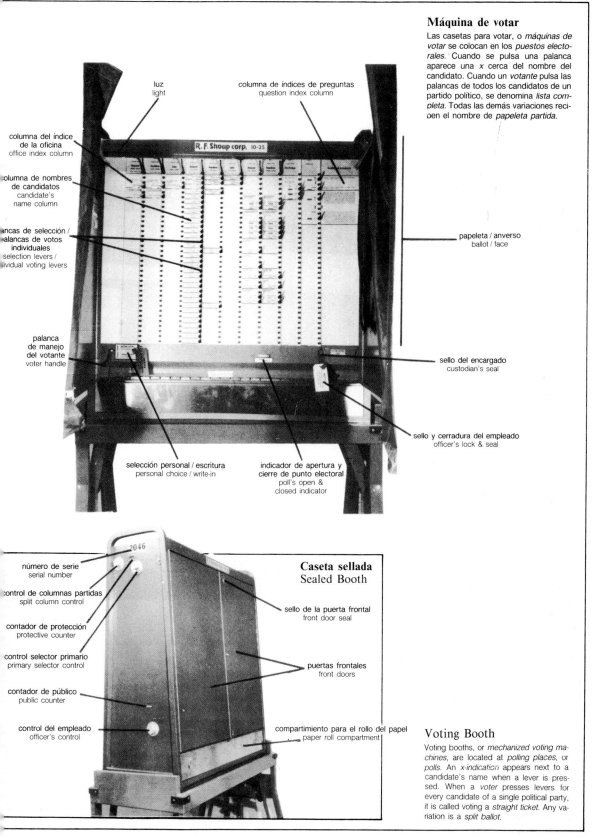

Máquina de votar

Las casetas para votar, o *máquinas de votar* se colocan en los *puestos electorales*. Cuando se pulsa una palanca aparece una *x* cerca del nombre del candidato. Cuando un *votante* pulsa las palancas de todos los candidatos de un partido político, se denomina *lista completa*. Todas las demás variaciones reciben el nombre de *papeleta partida*.

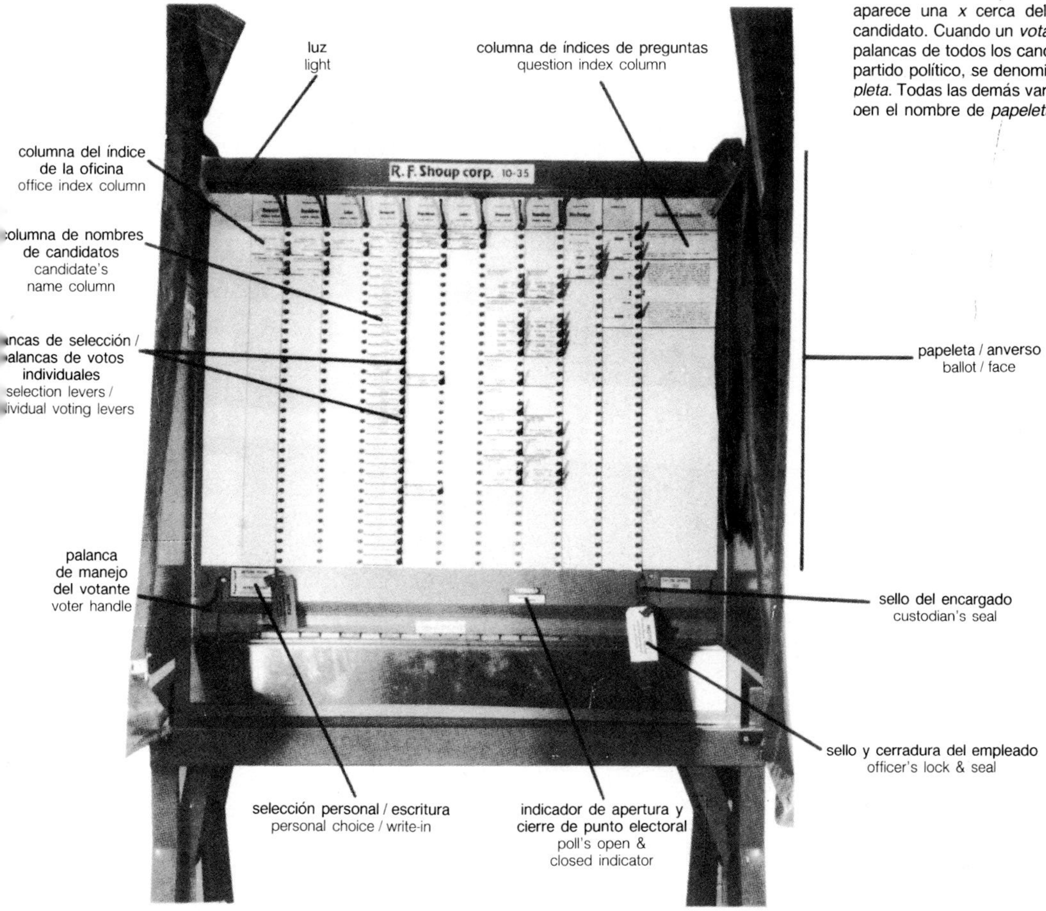

luz
light
columna de índices de preguntas
question index column
R. F. Shoup corp. 10-35
columna del índice de la oficina
office index column
olumna de nombres de candidatos
candidate's name column
ncas de selección / alancas de votos individuales
selection levers / ividual voting levers
papeleta / anverso
ballot / face
palanca de manejo del votante
voter handle
sello del encargado
custodian's seal
sello y cerradura del empleado
officer's lock & seal
selección personal / escritura
personal choice / write-in
indicador de apertura y cierre de punto electoral
poll's open & closed indicator

Caseta sellada
Sealed Booth
2046
número de serie
serial number
ontrol de columnas partidas
split column control
contador de protección
protective counter
control selector primario
primary selector control
contador de público
public counter
control del empleado
officer's control
sello de la puerta frontal
front door seal
puertas frontales
front doors
compartimiento para el rollo del papel
paper roll compartment

Voting Booth

Voting booths, or *mechanized voting machines*, are located at *polling places*, or *polls*. An *x-indication* appears next to a candidate's name when a lever is pressed. When a *voter* presses levers for every candidate of a single political party, it is called voting a *straight ticket*. Any variation is a *split ballot*.

Perforadora de fichas

La *perforadora de fichas* codifica los datos perforando agujeros en fichas o *tarjetas* de cartulina, siguiendo la secuencia de instrucciones establecida por el *programador.*

Key Punch

A key punch or *card punch* codes data by punching holes in cards in a sequence of instructions designed by a *programmer*

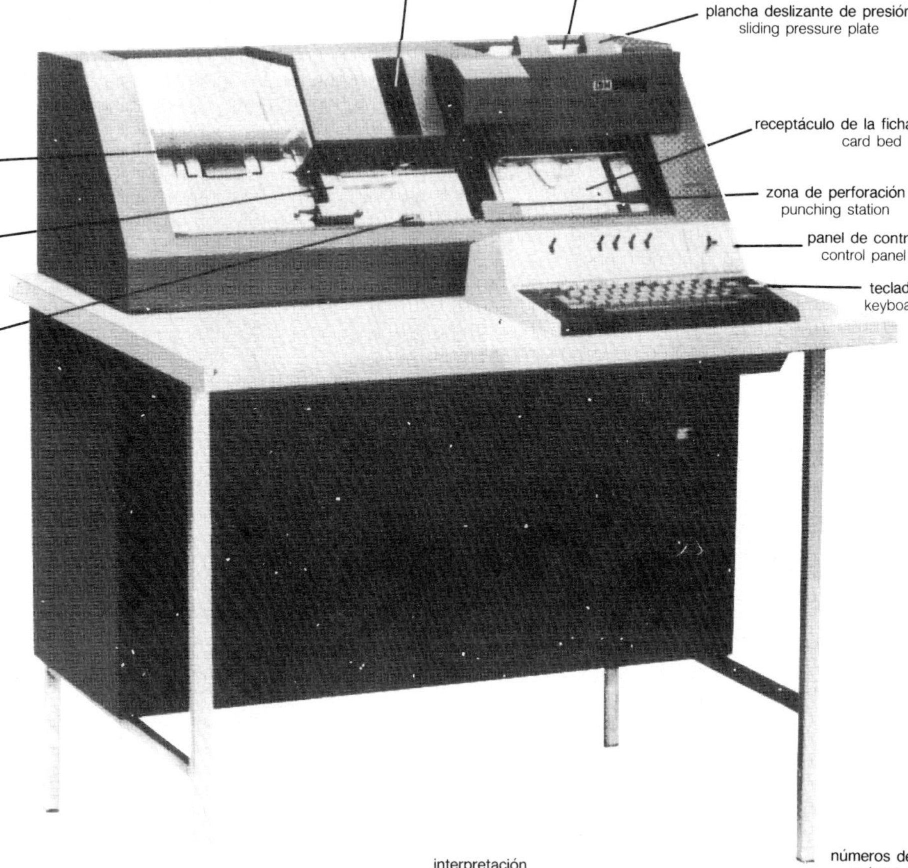

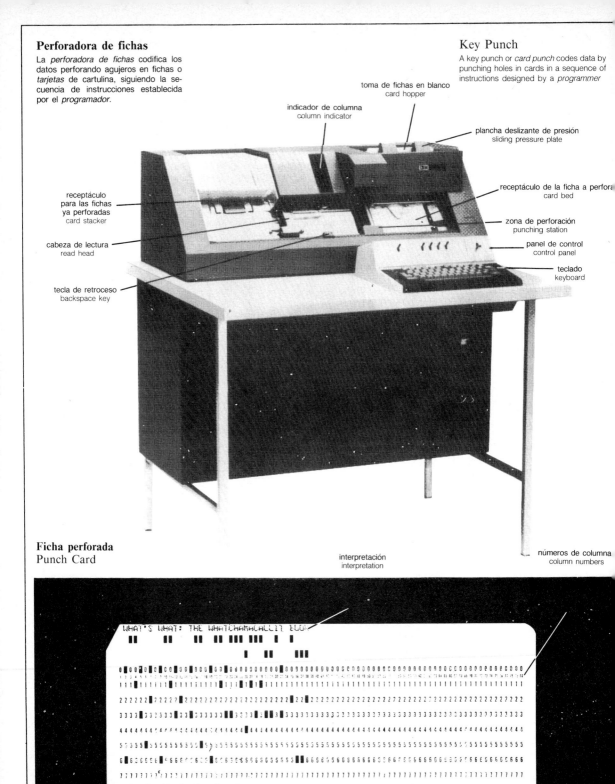

toma de fichas en blanco
card hopper
indicador de columna
column indicator
plancha deslizante de presión
sliding pressure plate
receptáculo para las fichas ya perforadas
card stacker
receptáculo de la ficha a perfora
card bed
zona de perforación
punching station
cabeza de lectura
read head
panel de control
control panel
teclado
keyboard
tecla de retroceso
backspace key

Ficha perforada
Punch Card

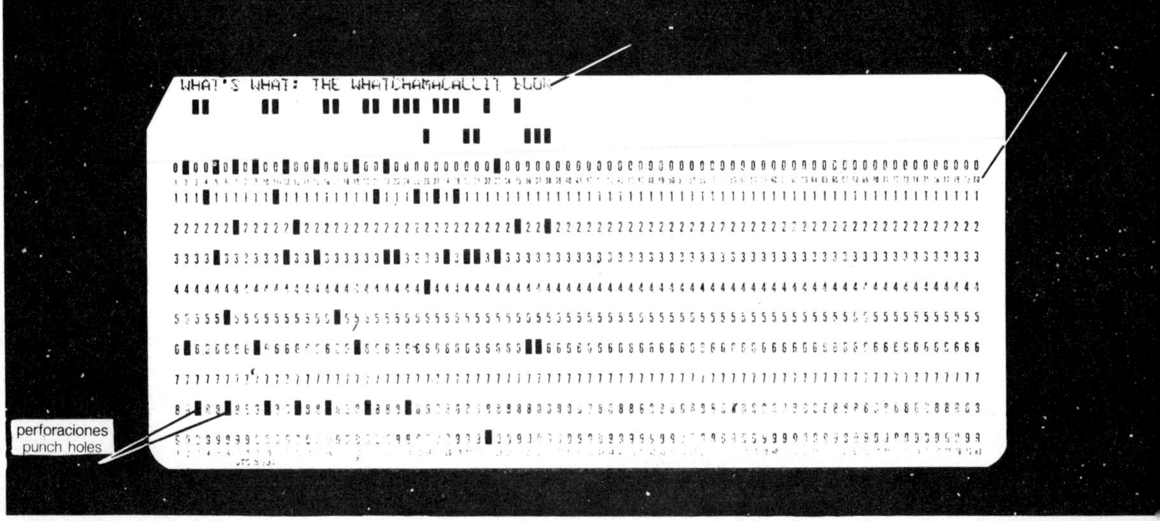

interpretación
interpretation
números de columna
column numbers
WHAT'S WHAT: THE WHATCHAMACALLIT
perforaciones
punch holes

Ordenador

El núcleo del *hardware* de ordenador es una *unidad de proceso*, la cual comprende una *unidad aritmética y lógica* y una unidad de *memoria*. El *software* está compuesto por los *procedimientos* y *programas* y por la información almacenada en *cinta* o *disco magnético*, *tambores*, *fichas*, *celdas de datos* o *fotodiscos*.

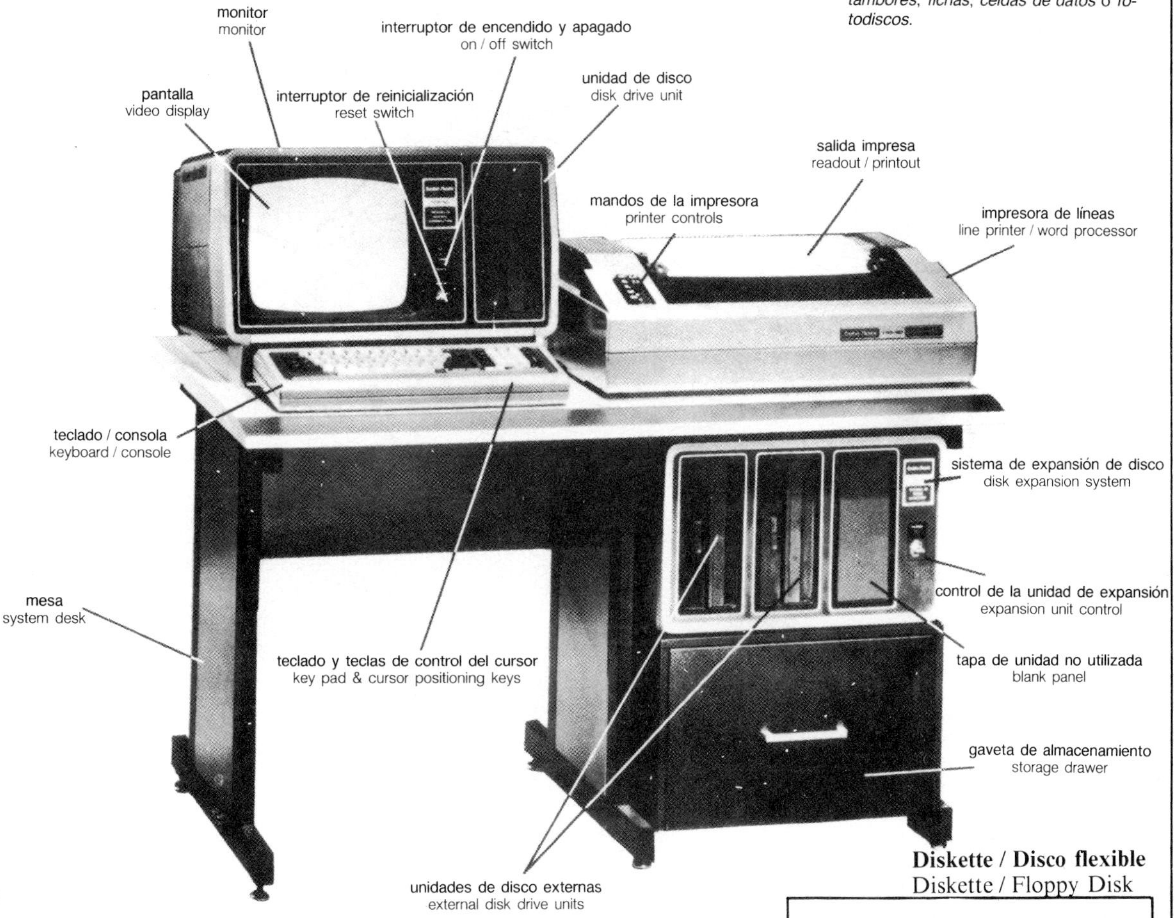
monitor
monitor
interruptor de encendido y apagado
on / off switch
pantalla
video display
interruptor de reinicialización
reset switch
unidad de disco
disk drive unit
salida impresa
readout / printout
mandos de la impresora
printer controls
impresora de líneas
line printer / word processor
teclado / consola
keyboard / console
sistema de expansión de disco
disk expansion system
control de la unidad de expansión
expansion unit control
mesa
system desk
teclado y teclas de control del cursor
key pad & cursor positioning keys
tapa de unidad no utilizada
blank panel
gaveta de almacenamiento
storage drawer
unidades de disco externas
external disk drive units

Ordenador doméstico / Procesador de textos
Home Computer / Word Processor

Diskette / Disco flexible
Diskette / Floppy Disk

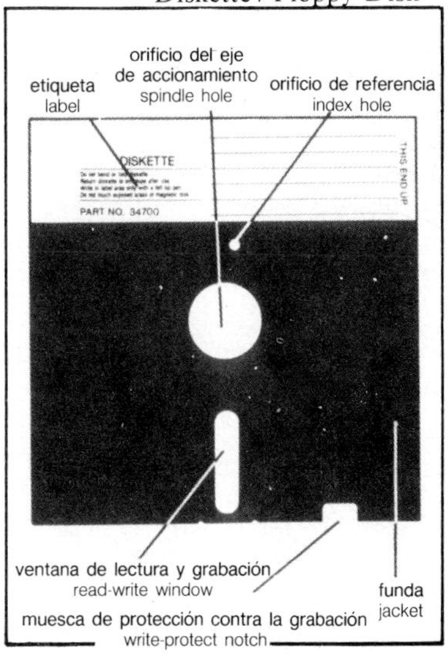
etiqueta
label
orificio del eje de accionamiento
spindle hole
orificio de referencia
index hole
DISKETTE
PART NO. 34700
THIS END UP
ventana de lectura y grabación
read-write window
funda
jacket
muesca de protección contra la grabación
write-protect notch

Computer

The heart of computer *hardware* is a *processing unit* containing an *arithmetic and logic unit* and a *memory unit*. *Software* consists of *procedures* or *programs* and information contained on *magnetic tape* or *disks drums*, *cards*, *data cells* or *photodisks*.

Caja registradora

El lugar donde se deposita el dinero en una caja registradora es el *cajón* o *gavela*. Las monedas se empaquetan con papel formando *cartuchos*. Una caja electrónica, como la que aparece en la ilustración, suele estar equipada con un lector óptico que traslada la información del *código de barras* a un *recibo* o a una *tira*. Este aparato también puede suministrar datos a una *unidad central de control de existencias*.

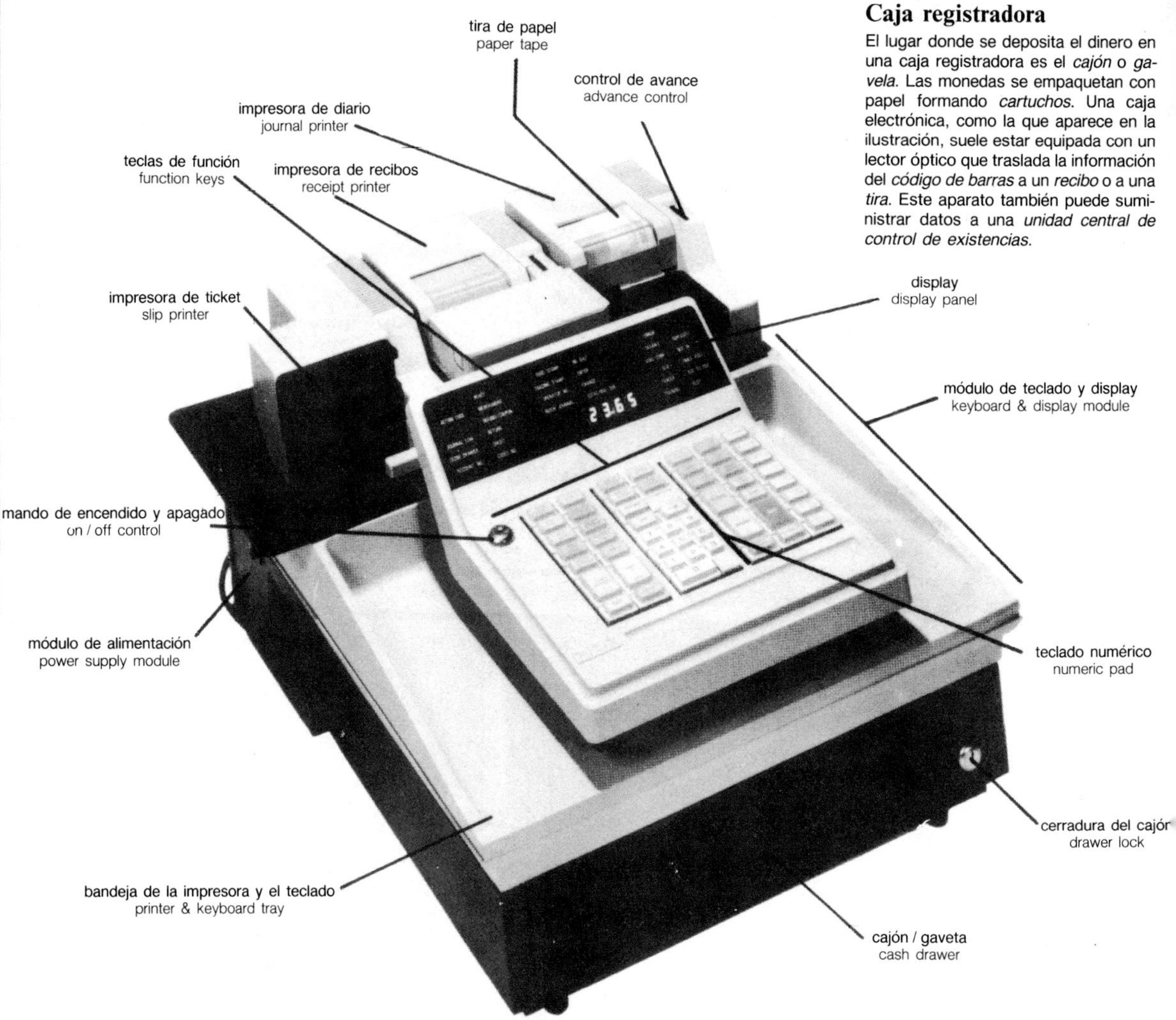

tira de papel
paper tape
control de avance
advance control
impresora de diario
journal printer
teclas de función
function keys
impresora de recibos
receipt printer
impresora de ticket
slip printer
display
display panel
módulo de teclado y display
keyboard & display module
mando de encendido y apagado
on / off control
módulo de alimentación
power supply module
teclado numérico
numeric pad
cerradura del cajón
drawer lock
bandeja de la impresora y el teclado
printer & keyboard tray
cajón / gaveta
cash drawer

Código universal de productos
Universal Product Code

barra de control
check bar
barras de código binario
binary code bars
barras de protección
guard bars
barras de protección
guard bars
0
categoría general del producto
general product category
27100 06012
código de fabricante
manufacturer code
código específico de producto
specific product code

Cash Register

The money drawer of a cash register is the *cash box*, or *till*. A roll of coins put up in paper is a *rouleau*. A *checkout center*, such as the one shown here, is sometimes equipped with a penlike optical *scanner* that translates information on the Universal Product Code, or *UPC label*, into a *cash register receipt* or *item-by-item tape*. It can also feed data to a *central inventory control unit*.

Calculadoras

La calculadora electrónica ha sustituido en la actualidad a las antiguas *máquinas sumadoras*. La regla de cálculo lineal, como la que aparece en la ilustración, suele tener escalas por sus dos lados. La *regla de cálculo circular* está constituida por una serie de escalas largas enrolladas alrededor de un cilindro de forma helicoidal. El *ábaco* es un antiguo instrumento de cálculo utilizado para resolver problemas de *suma* y *resta* mediante el movimiento de unas bolas.

Calculators

The electronic calculator has generally replaced the *adding machine* today. The linear slide rule seen here often has scales on both sides. A *cylindrical slide rule* can only be used for *multiplication* and *division*. A *circular slide rule* is a series of long scales wound around a cylinder like a screw thread. The abacus is an ancient calculator used for solving problems of *addition* and *subtraction* by the movement of beads. Other early devices include *counting rods*, or "*bones*".

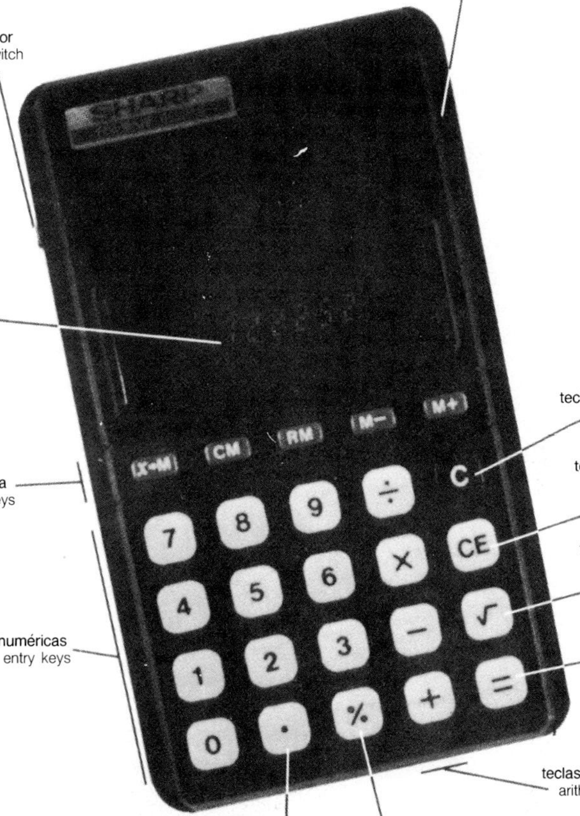

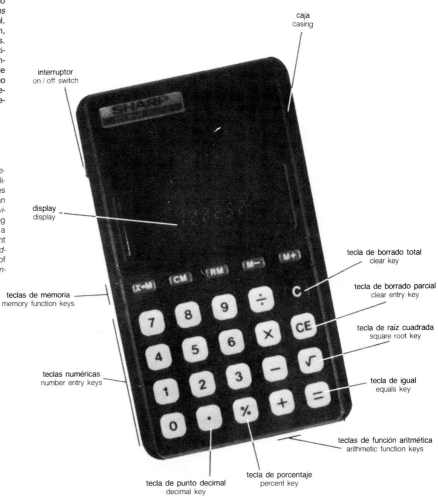

caja
casing
interruptor
on / off switch
display
display
tecla de borrado total
clear key
tecla de borrado parcial
clear entry key
teclas de memoria
memory function keys
tecla de raíz cuadrada
square root key
teclas numéricas
number entry keys
tecla de igual
equals key
teclas de función aritmética
arithmetic function keys
tecla de porcentaje
percent key
tecla de punto decimal
decimal key

Calculadora electrónica
Electronic Calculator

Regla de cálculo
Linear Slide Rule

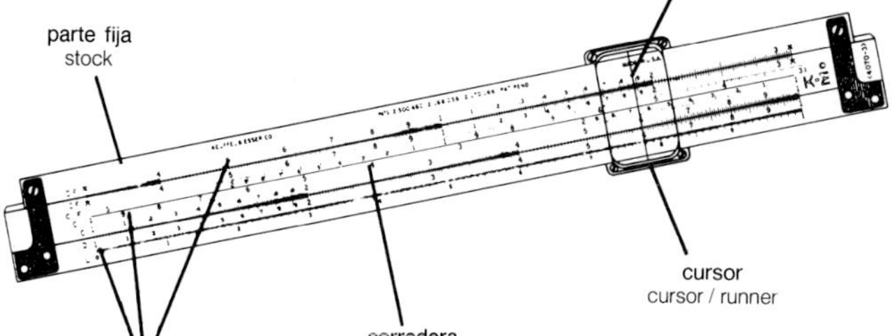

línea de referencia
hairline
parte fija
stock
cursor
cursor / runner
corredera
slide
escalas
scales

Abaco
Abacus

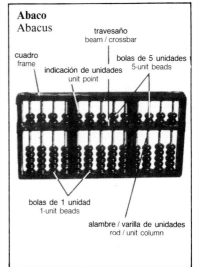

travesaño
beam / crossbar
cuadro
frame
bolas de 5 unidades
5-unit beads
indicación de unidades
unit point
bolas de 1 unidad
1-unit beads
alambre / varilla de unidades
rod / unit column

Microscopio

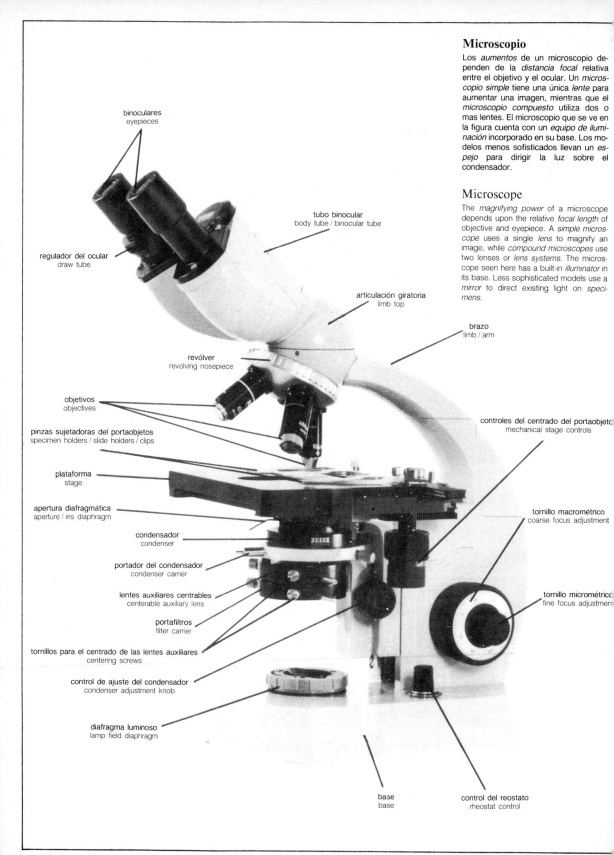

Los *aumentos* de un microscopio dependen de la *distancia focal* relativa entre el objetivo y el ocular. Un *microscopio simple* tiene una única *lente* para aumentar una imagen, mientras que el *microscopio compuesto* utiliza dos o mas lentes. El microscopio que se ve en la figura cuenta con un *equipo de iluminación* incorporado en su base. Los modelos menos sofisticados llevan un *espejo* para dirigir la luz sobre el condensador.

Microscope

The *magnifying power* of a microscope depends upon the relative *focal length* of objective and eyepiece. A *simple microscope* uses a single *lens* to magnify an image, while *compound microscopes* use two lenses or *lens systems*. The microscope seen here has a built-in *illuminator* in its base. Less sophisticated models use a *mirror* to direct existing light on *specimens*.

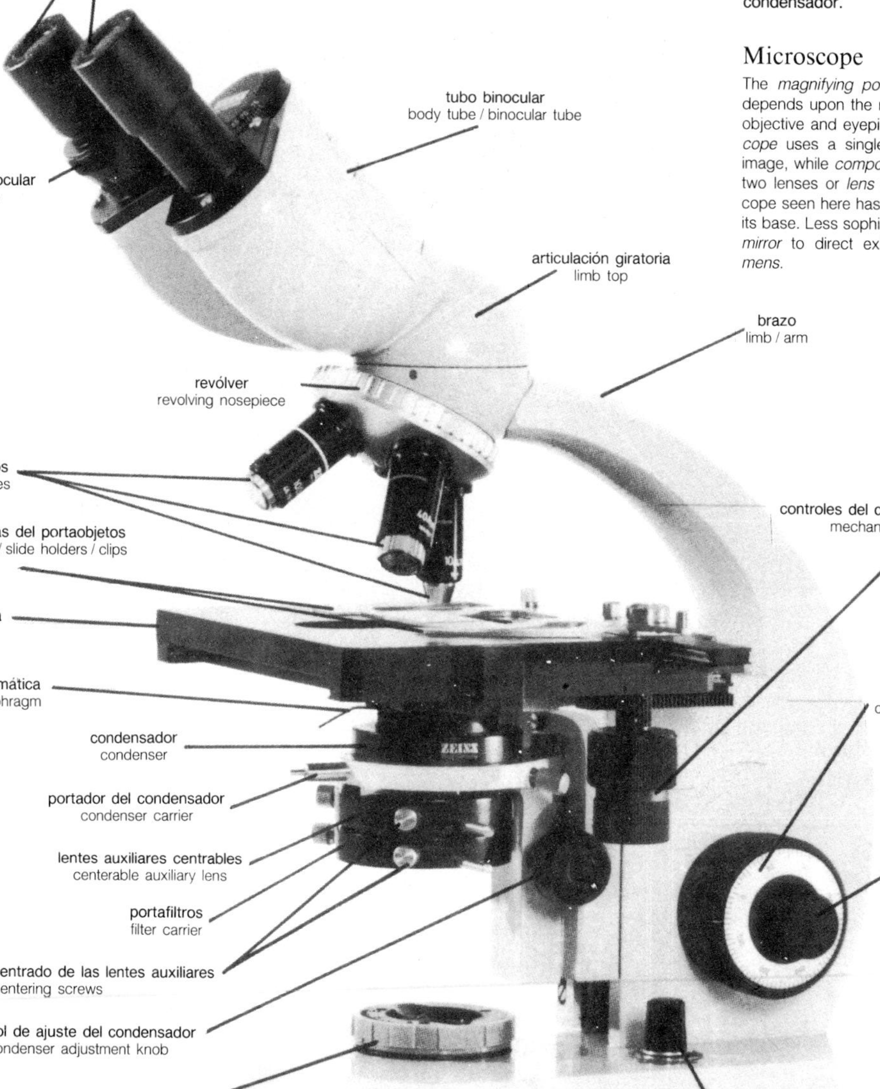

binoculares
eyepieces
tubo binocular
body tube / binocular tube
regulador del ocular
draw tube
articulación giratoria
limb top
brazo
limb / arm
revólver
revolving nosepiece
objetivos
objectives
controles del centrado del portaobjetc
mechanical stage controls
pinzas sujetadoras del portaobjetos
specimen holders / slide holders / clips
plataforma
stage
apertura diafragmática
aperture / iris diaphragm
tornillo macrométrico
coarse focus adjustment
condensador
condenser
portador del condensador
condenser carrier
lentes auxiliares centrables
centerable auxiliary lens
tornillo micrométricc
fine focus adjustmen
portafiltros
filter carrier
tornillos para el centrado de las lentes auxiliares
centering screws
control de ajuste del condensador
condenser adjustment knob
diafragma luminoso
lamp field diaphragm
base
base
control del reostato
rheostat control

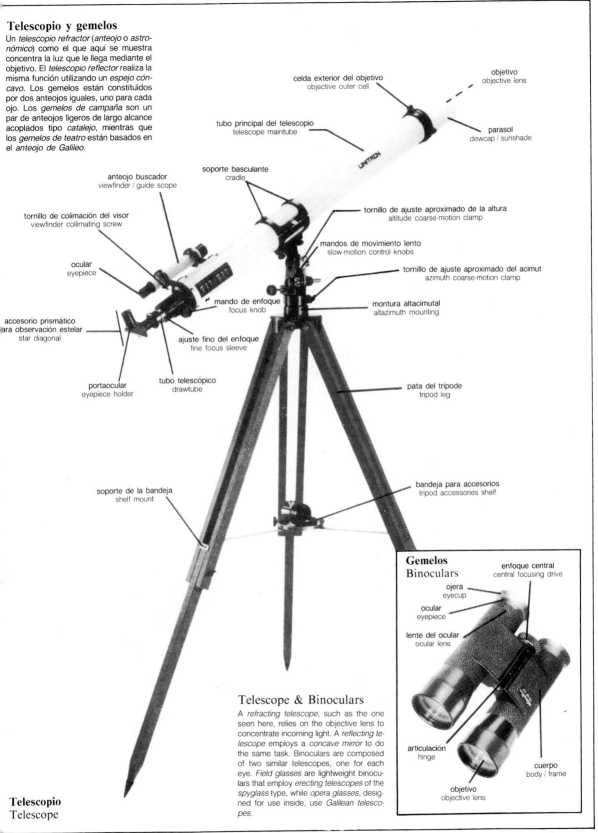

Telescopio y gemelos

Un *telescopio refractor* (*anteojo* o *astronómico*) como el que aquí se muestra concentra la luz que le llega mediante el objetivo. El *telescopio reflector* realiza la misma función utilizando un *espejo cóncavo.* Los gemelos están constituidos por dos anteojos iguales, uno para cada ojo. Los *gemelos de campaña* son un par de anteojos ligeros de largo alcance acoplados tipo *catalejo*, mientras que los *gemelos de teatro* están basados en el *anteojo de Galileo*.

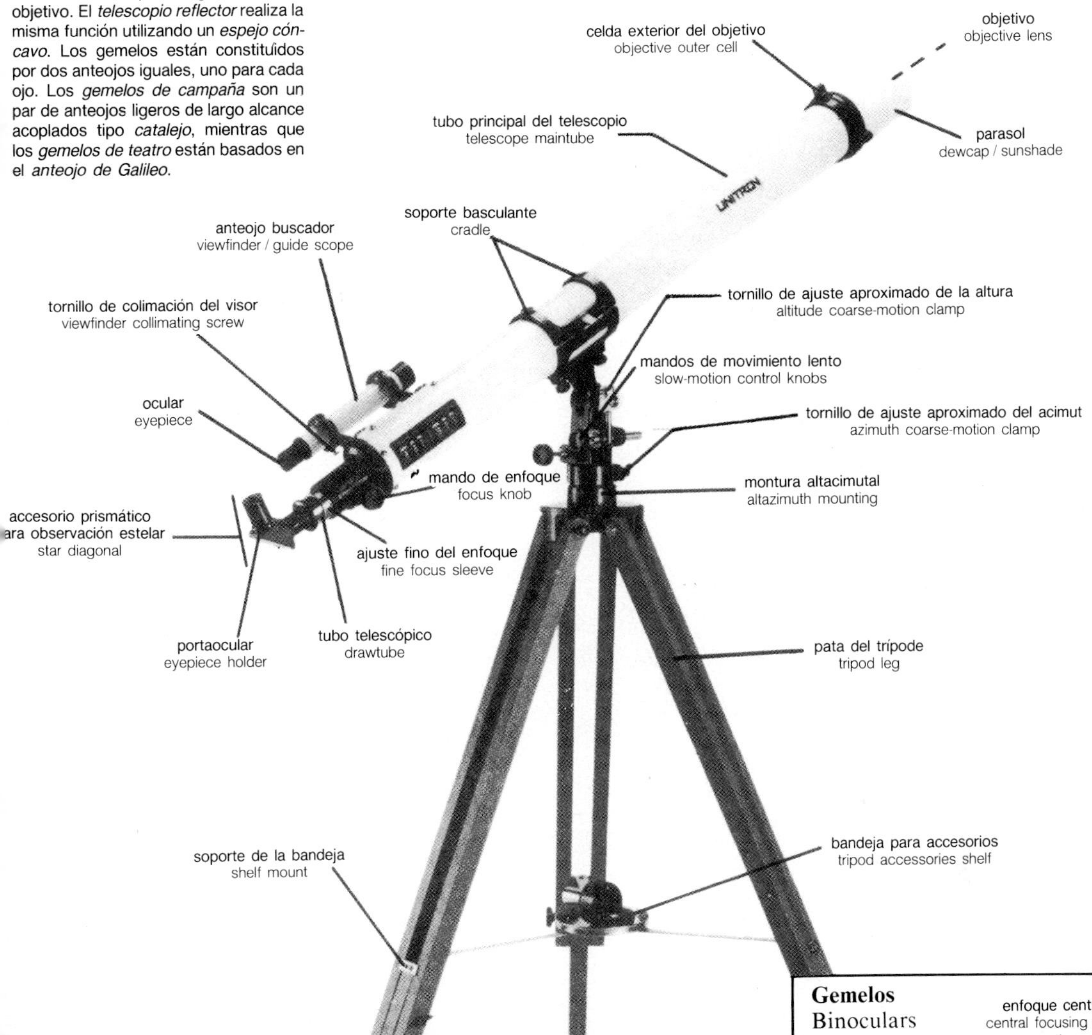

objetivo
objective lens
celda exterior del objetivo
objective outer cell
parasol
dewcap / sunshade
tubo principal del telescopio
telescope maintube
UNITRON
soporte basculante
cradle
anteojo buscador
viewfinder / guide scope
tornillo de colimación del visor
viewfinder collimating screw
tornillo de ajuste aproximado de la altura
altitude coarse-motion clamp
mandos de movimiento lento
slow-motion control knobs
ocular
eyepiece
tornillo de ajuste aproximado del acimut
azimuth coarse-motion clamp
mando de enfoque
focus knob
montura altacimutal
altazimuth mounting
accesorio prismático
ara observación estelar
star diagonal
ajuste fino del enfoque
fine focus sleeve
portaocular
eyepiece holder
tubo telescópico
drawtube
pata del trípode
tripod leg
soporte de la bandeja
shelf mount
bandeja para accesorios
tripod accessories shelf

Telescopio
Telescope

Gemelos
Binoculars

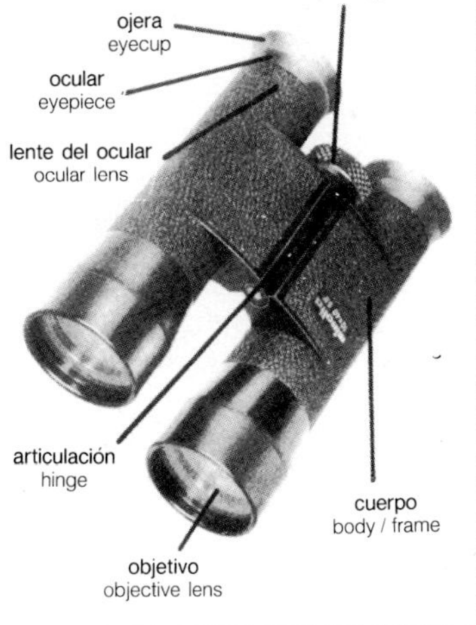

enfoque central
central focusing drive
ojera
eyecup
ocular
eyepiece
lente del ocular
ocular lens
articulación
hinge
cuerpo
body / frame
objetivo
objective lens

Telescope & Binoculars

A *refracting telescope*, such as the one seen here, relies on the objective lens to concentrate incoming light. A *reflecting telescope* employs a *concave mirror* to do the same task. Binoculars are composed of two similar telescopes, one for each eye. *Field glasses* are lightweight binoculars that employ *erecting telescopes* of the *spyglass* type, while *opera glasses*, designed for use inside, use *Galilean telescopes*.

Radar y sonar

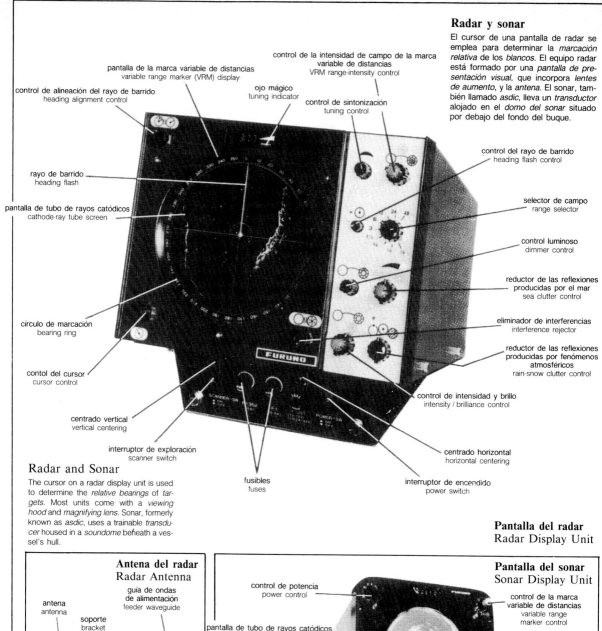

El cursor de una pantalla de radar se emplea para determinar la *marcación relativa* de los *blancos*. El equipo radar está formado por una *pantalla de presentación visual*, que incorpora *lentes de aumento*, y la *antena*. El sonar, también llamado *asdic*, lleva un *transductor* alojado en el *domo del sonar* situado por debajo del fondo del buque.

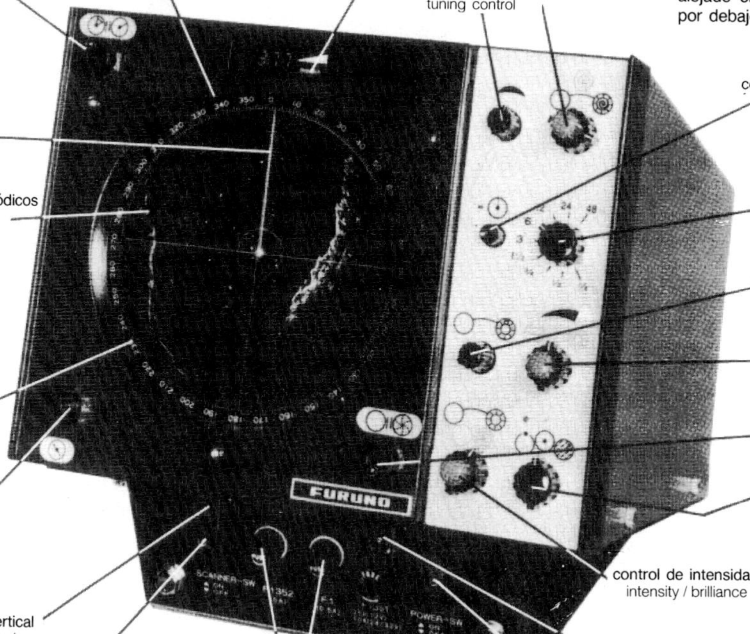

control de la intensidad de campo de la marca variable de distancias
VRM range-intensity control
pantalla de la marca variable de distancias
variable range marker (VRM) display
ojo mágico
tuning indicator
control de sintonización
tuning control
control de alineación del rayo de barrido
heading alignment control
control del rayo de barrido
heading flash control
rayo de barrido
heading flash
selector de campo
range selector
pantalla de tubo de rayos catódicos
cathode-ray tube screen
control luminoso
dimmer control
reductor de las reflexiones producidas por el mar
sea clutter control
círculo de marcación
bearing ring
eliminador de interferencias
interference rejector
reductor de las reflexiones producidas por fenómenos atmosféricos
rain-snow clutter control
contol del cursor
cursor control
control de intensidad y brillo
intensity / brilliance control
centrado vertical
vertical centering
interruptor de exploración
scanner switch
centrado horizontal
horizontal centering
fusibles
fuses
interruptor de encendido
power switch
FURUNO

Radar and Sonar

The cursor on a radar display unit is used to determine the *relative bearings* of *targets*. Most units come with a *viewing hood* and *magnifying lens*. Sonar, formerly known as *asdic*, uses a trainable *transducer* housed in a *soundome* beneath a vessel's hull.

Pantalla del radar
Radar Display Unit

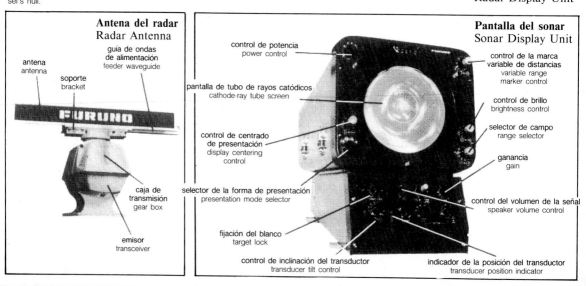

Antena del radar
Radar Antenna

guía de ondas de alimentación
feeder waveguide
antena
antenna
soporte
bracket
FURUNO
caja de transmisión
gear box
emisor
transceiver

Pantalla del sonar
Sonar Display Unit

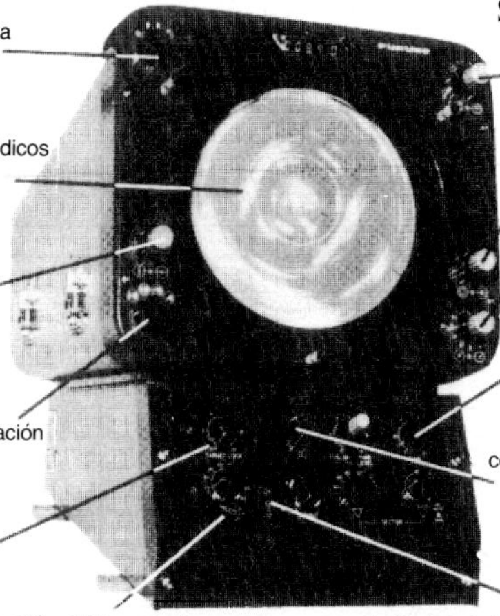

control de potencia
power control
control de la marca variable de distancias
variable range marker control
pantalla de tubo de rayos catódicos
cathode-ray tube screen
control de brillo
brightness control
selector de campo
range selector
control de centrado de presentación
display centering control
ganancia
gain
selector de la forma de presentación
presentation mode selector
control del volumen de la señal
speaker volume control
fijación del blanco
target lock
control de inclinación del transductor
transducer tilt control
indicador de la posición del transductor
transducer position indicator

Detectores

Básicamente un *detector de metales* funciona restando la frecuencia producida por un *oscilador* de la frecuencia de referencia producida por un circuito interno. Cuando *la bobina detectora* está en las proximidades de un objeto metálico, el aparato genera una frecuencia de audio que puede escucharse por el altavoz o mediante auriculares.

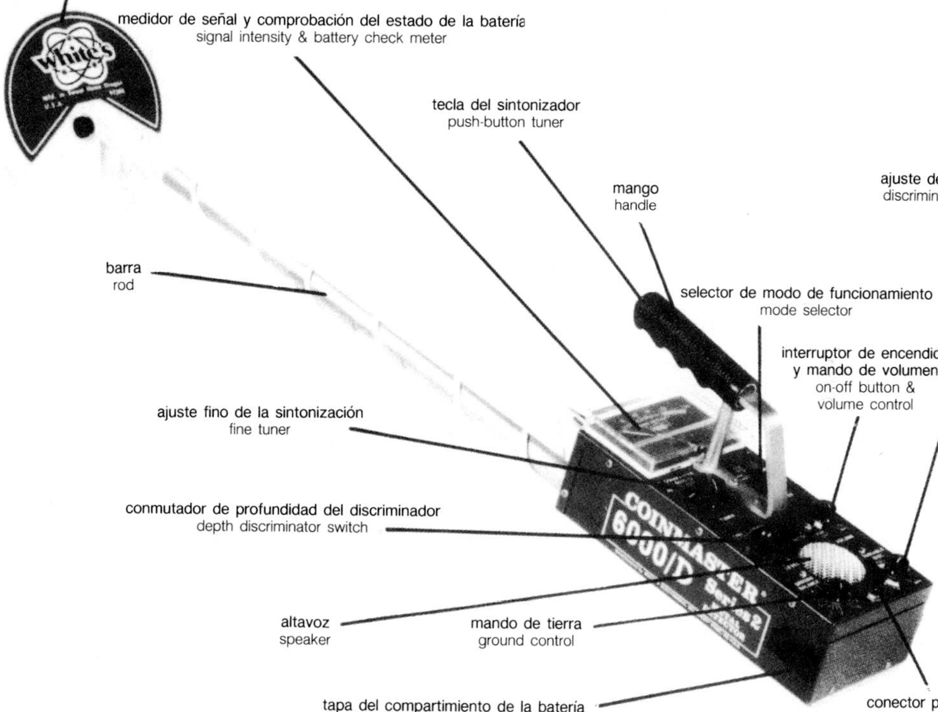

cabeza detectora / bobina / circuito detector
search loop / coil / detection head
medidor de señal y comprobación del estado de la batería
signal intensity & battery check meter
tecla del sintonizador
push-button tuner
mango
handle
ajuste del discriminador
discriminator adjustment
barra
rod
selector de modo de funcionamiento
mode selector
interruptor de encendido y mando de volumen
on-off button & volume control
ajuste fino de la sintonización
fine tuner
conmutador de profundidad del discriminador
depth discriminator switch
altavoz
speaker
mando de tierra
ground control
tapa del compartimiento de la batería
battery door
conector para auriculares
headphone jack
COINMASTER 6000/D Series 2

Detector de metales
Metal and Mineral Detector

Contador Geiger / Espectrómetro / Contador de centelleo
Geiger Counter / Spectrometer / Scintillometer

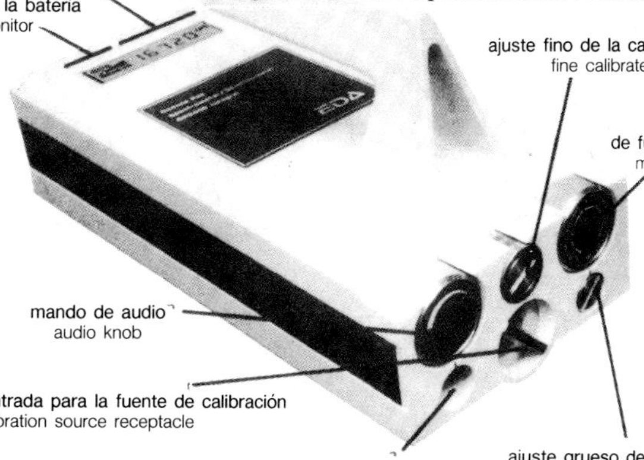

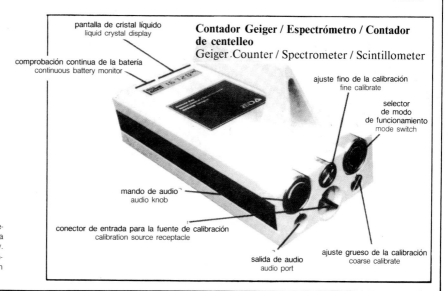

pantalla de cristal líquido
liquid crystal display
comprobación continua de la batería
continuous battery monitor
ajuste fino de la calibración
fine calibrate
selector de modo de funcionamiento
mode switch
mando de audio
audio knob
conector de entrada para la fuente de calibración
calibration source receptacle
salida de audio
audio port
ajuste grueso de la calibración
coarse calibrate

Detectors

A *metal locator* works by subtracting a frequency produced by an *oscillator* from a frequency produced by internal circuitry. When the *search coil* is near a metal object, this produces an audio frequency in the speaker or headphones.

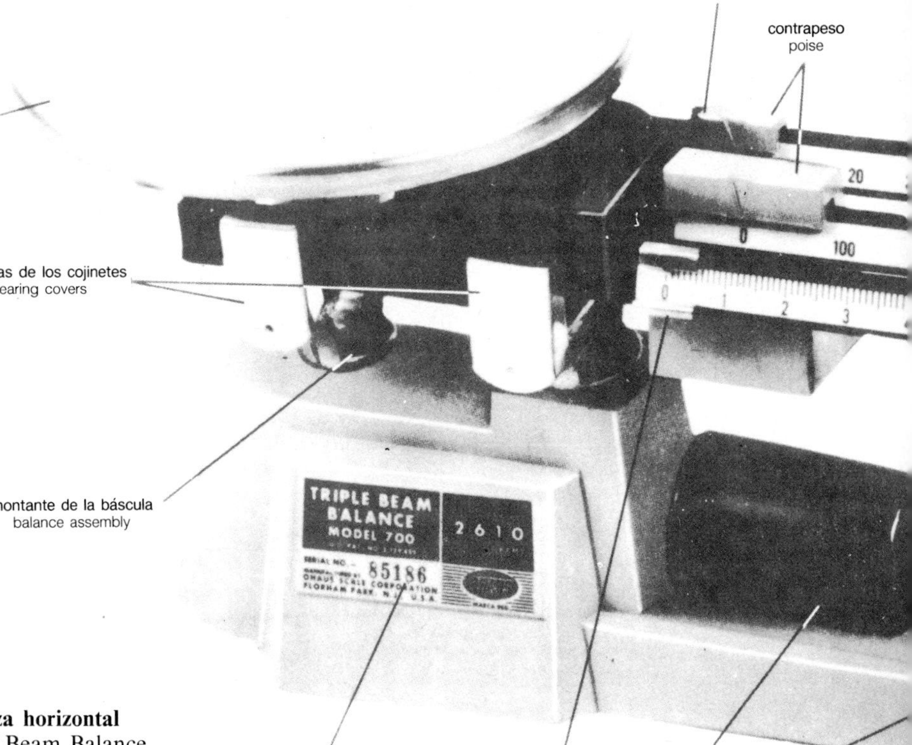
tope del contrapeso
tare poise
contrapeso
poise
platillo
scale plate
cubiertas de los cojinetes
bearing covers
montante de la báscula
balance assembly
TRIPLE BEAM
BALANCE
MODEL 700
85186
2610
número de serie
serial number
indicador de las pesas
indicator point
pesas
attachment weight set / hanging weights

Balanza horizontal
Scale / Beam Balance

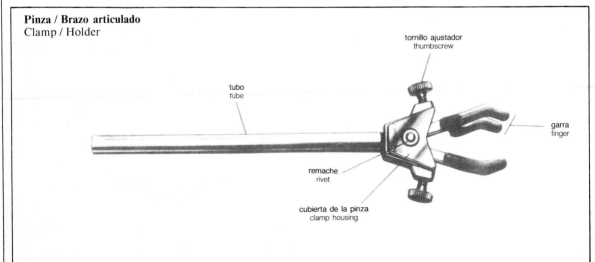

Pinza / Brazo articulado
Clamp / Holder

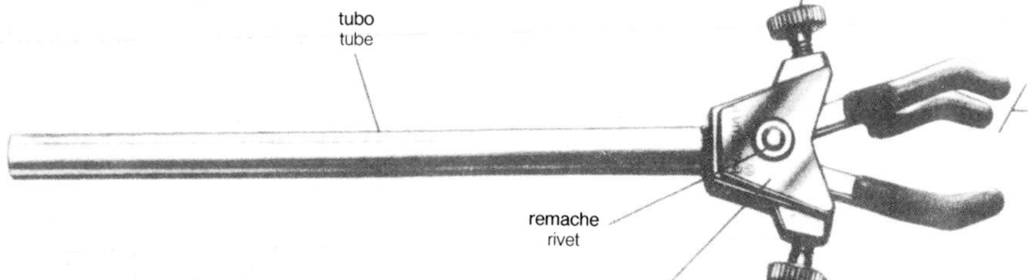
tornillo ajustador
thumbscrew
tubo
tube
garra
finger
remache
rivet
cubierta de la pinza
clamp housing

Material de laboratorio

Otros instrumentos de laboratorio son las *rejillas con trípodes* para mecheros, los *matraces*, los *termómetros de laboratorio*, las *buretas* y *pipetas*, que miden volúmenes de líquido, los *hidrómetros*, las *bombas de vacío*, los *microscopios*, los *soportes ajustables* y el *equipo de destilación*.

Laboratory Equipment

Other laboratory equipment includes *ring stands*, to hold various cylinders, *flasks*, *laboratory thermometers*, *burettes*, for measuring the volume of liquids, *hydrometers*, *vacuum jars*, *microscopes* and *slides*, *adjustable stands* and *distilling equipment*.

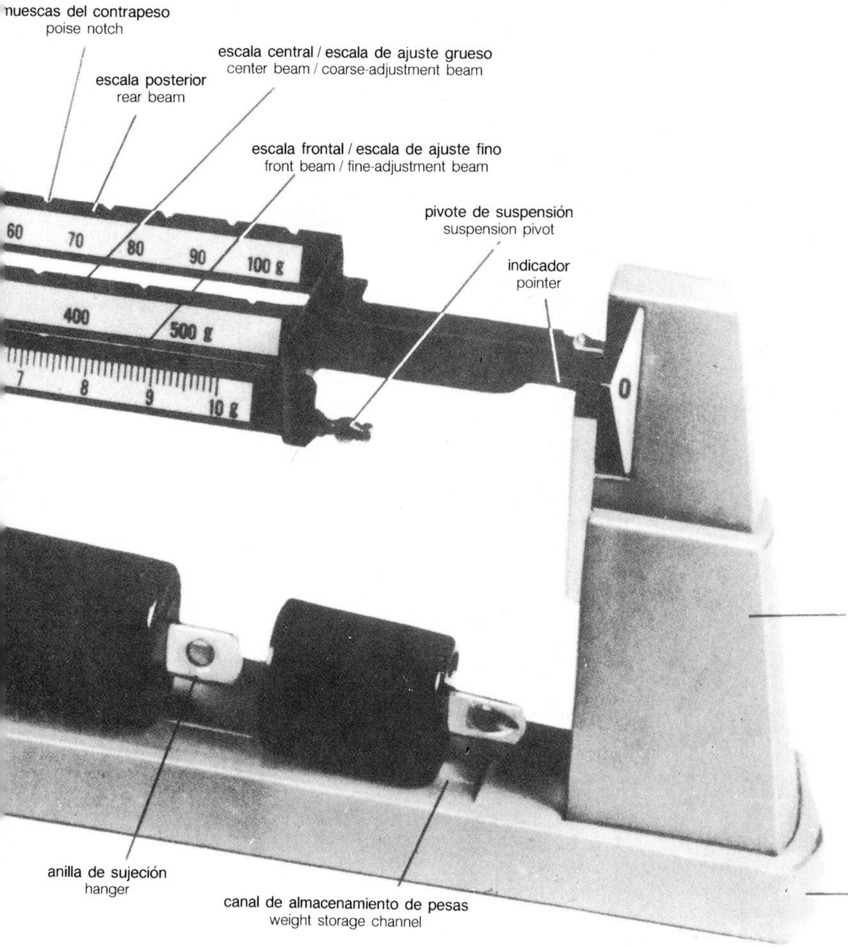

muescas del contrapeso
poise notch
escala posterior
rear beam
escala central / escala de ajuste grueso
center beam / coarse-adjustment beam
escala frontal / escala de ajuste fino
front beam / fine-adjustment beam
pivote de suspensión
suspension pivot
indicador
pointer
60 70 80 90 100 g
400 500 g
7 8 9 10 g
0
poste de equilibrado
trig-loop post
anilla de sujeción
hanger
canal de almacenamiento de pesas
weight storage channel
base
base

Mechero de gas
Burner

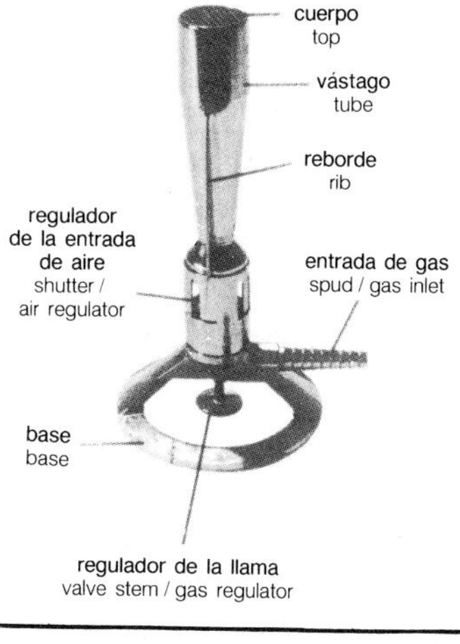

cuerpo
top
vástago
tube
reborde
rib
regulador de la entrada de aire
shutter / air regulator
entrada de gas
spud / gas inlet
base
base
regulador de la llama
valve stem / gas regulator

Tubo de ensayo / Tubo de cultivo
Test Tube / Culture Tube

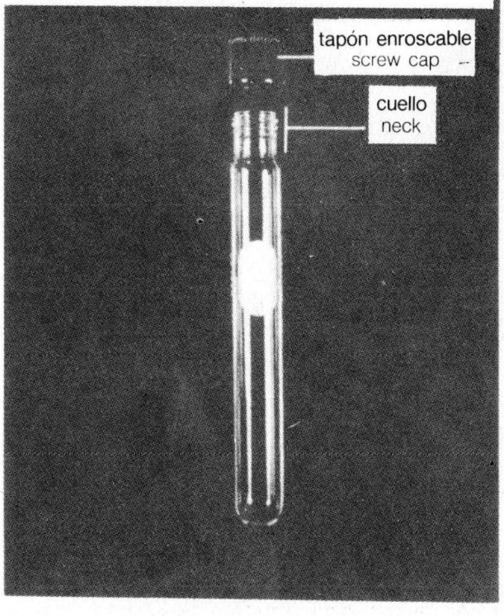

tapón enroscable
screw cap
cuello
neck

Vaso de precipitados
Beaker

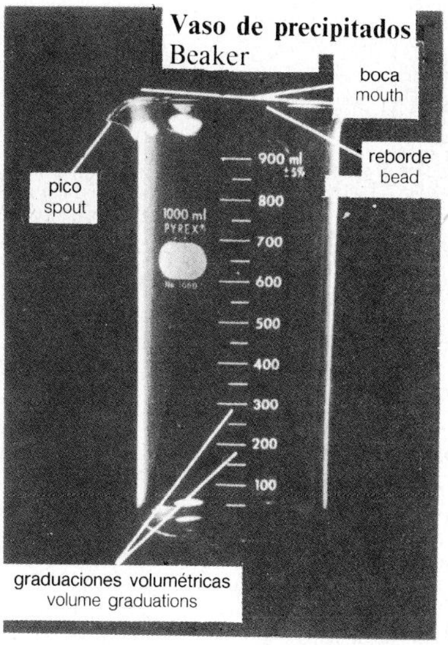

boca
mouth
reborde
bead
pico
spout
900 ml ±5%
800
700
600
500
400
300
200
100
1000 ml
PYREX
graduaciones volumétricas
volume graduations

Equipo de exploración

Los escopios aquí representados los usan los *oftalmólogos* y los *otorrinolaringólogos*. Los *ginecólogos* y *tocólogos* utilizan el espéculo. Las *lámparas frontales* permiten a los médicos observar con mayor claridad la zona explorada.

Examination Equipment

The scopes seen below are used by *Eye, Ear, Nose* and *Throat Doctors*, or *EENT specialists*. The speculum is used by *gynecologists* and *obstetricians*. *Headlights* mounted on headbands provide a light source for doctors.

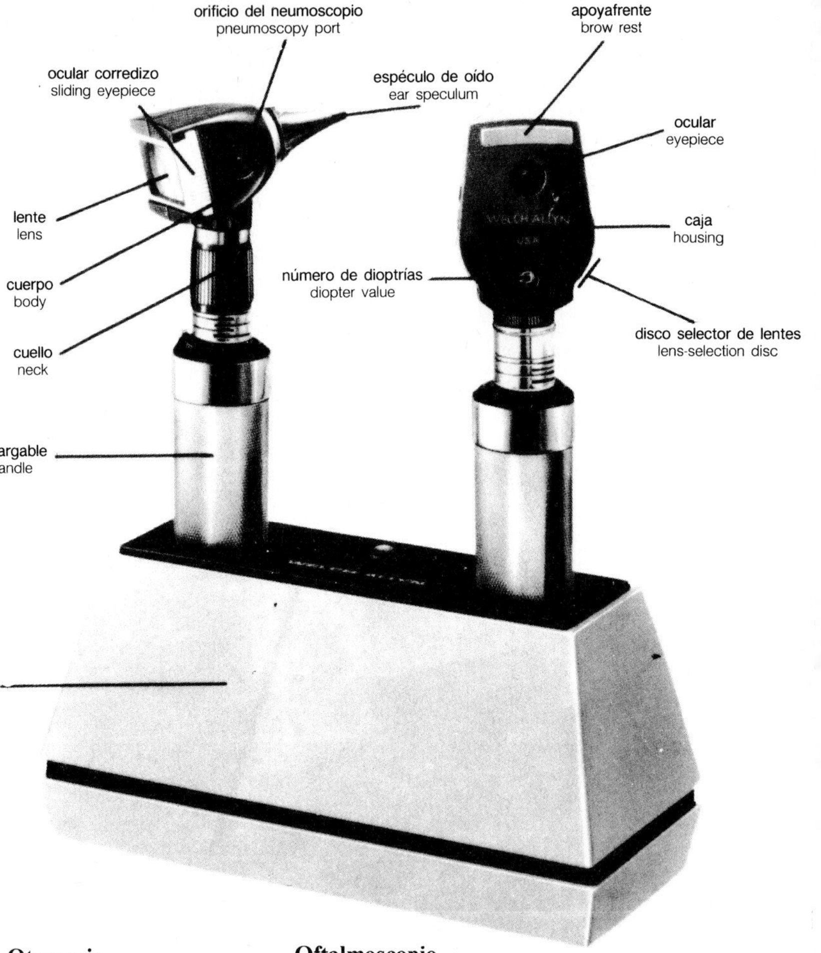
orificio del neumoscopio
pneumoscopy port
apoyafrente
brow rest
ocular corredizo
sliding eyepiece
espéculo de oído
ear speculum
ocular
eyepiece
lente
lens
caja
housing
cuerpo
body
número de dioptrías
diopter value
disco selector de lentes
lens-selection disc
cuello
neck
mango con batería recargable
rechargeable power handle
cargador de baterías
battery charger

Otoscopio
Ear Scope / Otoscope

Oftalmoscopio
Eye Scope / Ophthalmoscope

Espéculo
Speculum

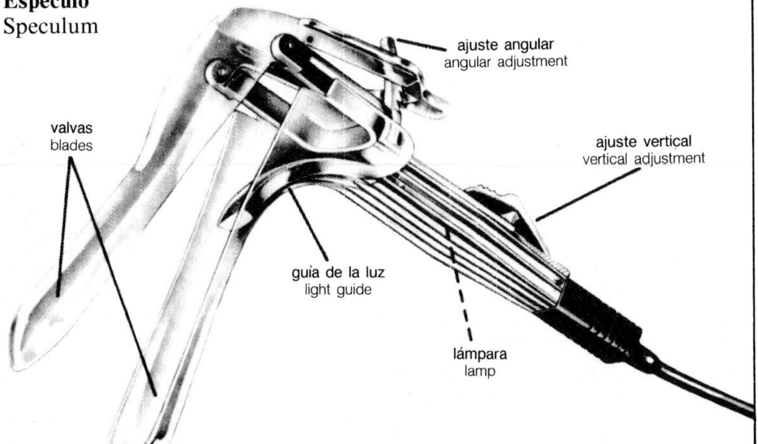
ajuste angular
angular adjustment
valvas
blades
ajuste vertical
vertical adjustment
guía de la luz
light guide
lámpara
lamp

Espejo frontal
Physician's Mirror

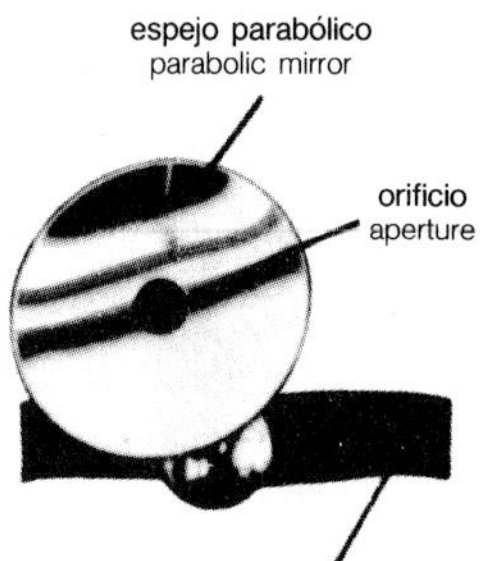
espejo parabólico
parabolic mirror
orificio
aperture
cinta
headband

Material de exploración física

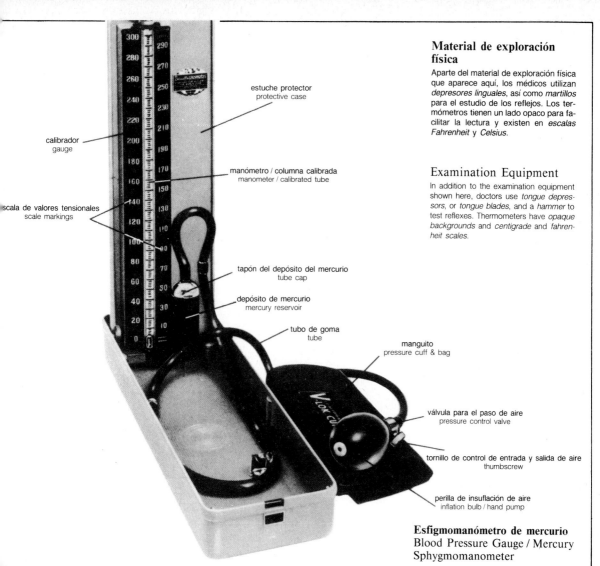

Aparte del material de exploración física que aparece aquí, los médicos utilizan *depresores linguales*, así como *martillos* para el estudio de los reflejos. Los termómetros tienen un lado opaco para facilitar la lectura y existen en *escalas Fahrenheit* y *Celsius*.

Examination Equipment

In addition to the examination equipment shown here, doctors use *tongue depressors*, or *tongue blades*, and a *hammer* to test reflexes. Thermometers have *opaque backgrounds* and *centigrade* and *fahrenheit scales*.

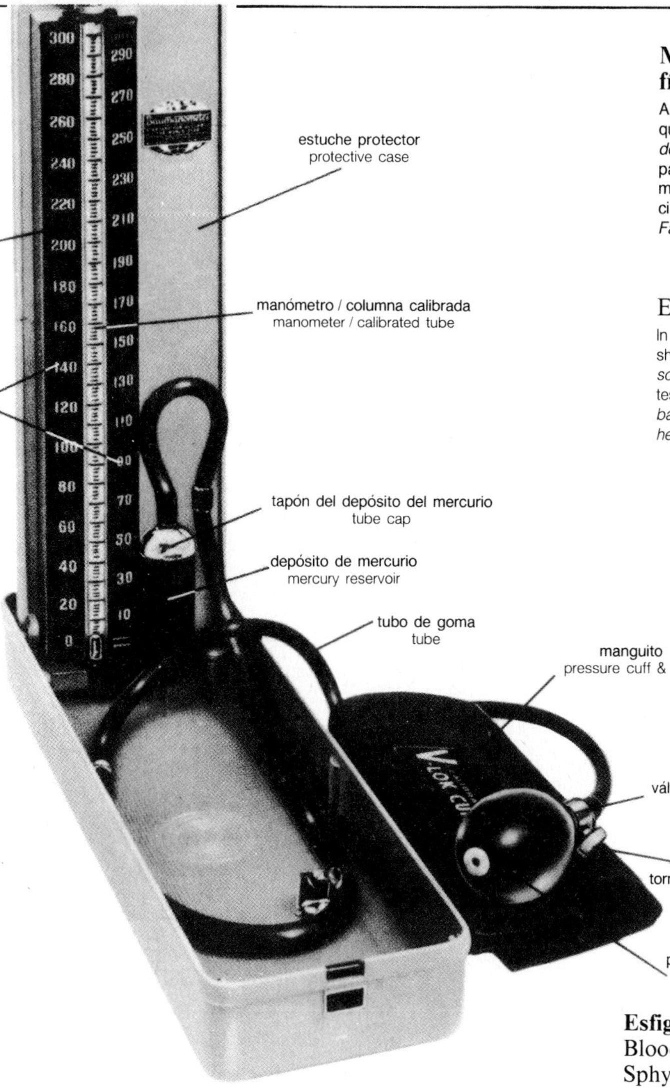
estuche protector
protective case
calibrador
gauge
manómetro / columna calibrada
manometer / calibrated tube
scala de valores tensionales
scale markings
tapón del depósito del mercurio
tube cap
depósito de mercurio
mercury reservoir
tubo de goma
tube
manguito
pressure cuff & bag
válvula para el paso de aire
pressure control valve
tornillo de control de entrada y salida de aire
thumbscrew
perilla de insuflación de aire
inflation bulb / hand pump

Esfigmomanómetro de mercurio
Blood Pressure Gauge / Mercury Sphygmomanometer

Termómetro
Thermometer

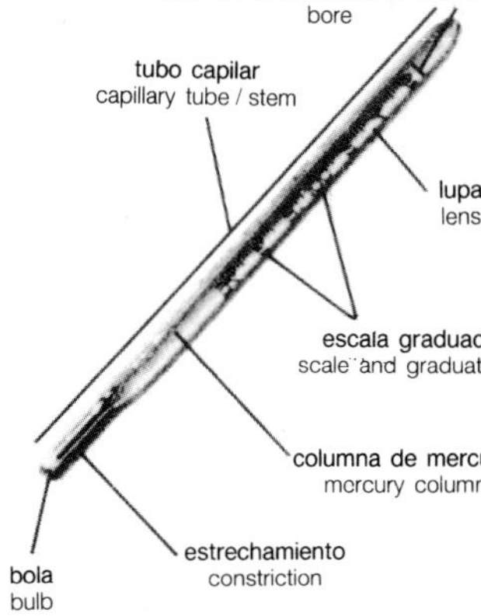
techo de la columna de mercurio
bore
tubo capilar
capillary tube / stem
lupa
lens
escala graduada
scale and graduations
columna de mercurio
mercury column
estrechamiento
constriction
bola
bulb

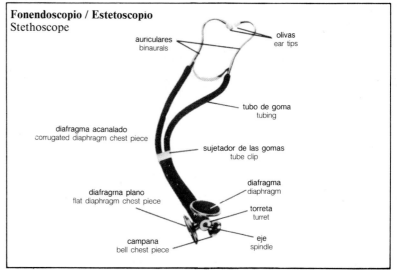

Fonendoscopio / Estetoscopio
Stethoscope

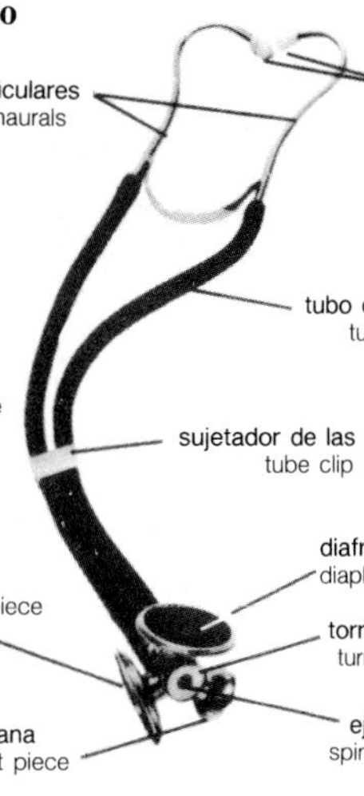
auriculares
binaurals
olivas
ear tips
tubo de goma
tubing
diafragma acanalado
corrugated diaphragm chest piece
sujetador de las gomas
tube clip
diafragma
diaphragm
diafragma plano
flat diaphragm chest piece
torreta
turret
eje
spindle
campana
bell chest piece

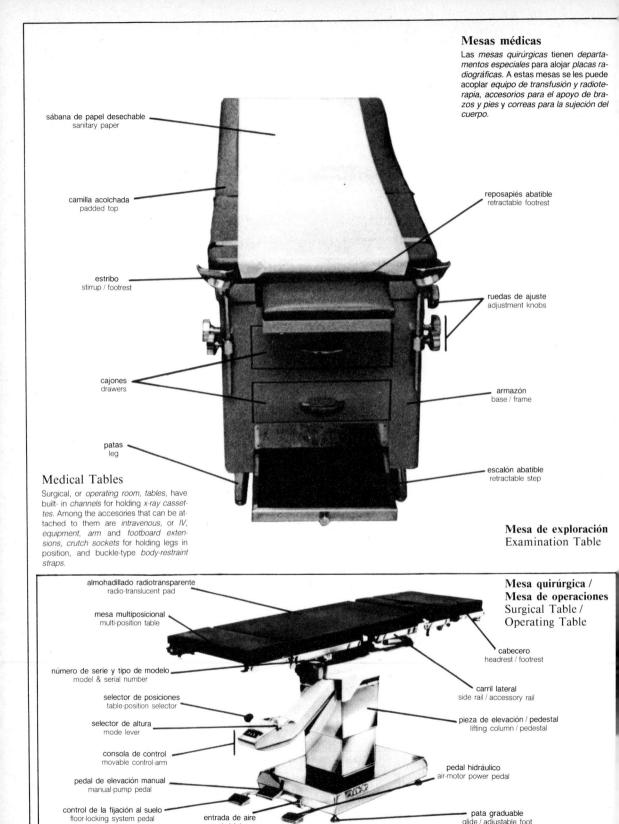

Mesas médicas

Las *mesas quirúrgicas* tienen *departamentos especiales* para alojar *placas radiográficas.* A estas mesas se les puede acoplar *equipo de transfusión y radioterapia, accesorios para el apoyo de brazos y pies* y *correas para la sujeción del cuerpo.*

Medical Tables

Surgical, or *operating room, tables*, have built- in *channels* for holding *x-ray cassettes.* Among the accesories that can be attached to them are *intravenous*, or *IV*, *equipment*, *arm* and *footboard extensions*, *crutch sockets* for holding legs in position, and buckle-type *body-restraint straps.*

sábana de papel desechable
sanitary paper
camilla acolchada
padded top
estribo
stirrup / footrest
cajones
drawers
patas
leg
reposapiés abatible
retractable footrest
ruedas de ajuste
adjustment knobs
armazón
base / frame
escalón abatible
retractable step

Mesa de exploración
Examination Table

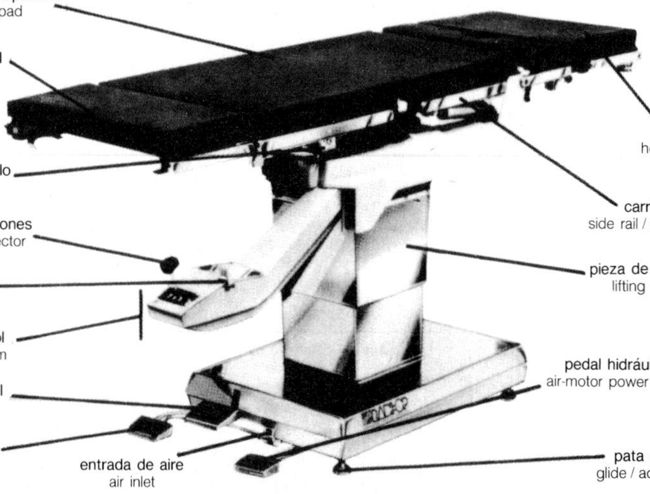
almohadillado radiotransparente
radio-translucent pad
mesa multiposicional
multi-position table
número de serie y tipo de modelo
model & serial number
selector de posiciones
table-position selector
selector de altura
mode lever
consola de control
movable control-arm
pedal de elevación manual
manual-pump pedal
control de la fijación al suelo
floor-locking system pedal
entrada de aire
air inlet
cabecero
headrest / footrest
carril lateral
side rail / accessory rail
pieza de elevación / pedestal
lifting column / pedestal
pedal hidráulico
air-motor power pedal
pata graduable
glide / adjustable foot

Mesa quirúrgica / Mesa de operaciones
Surgical Table / Operating Table

Medios terapéuticos

Las agujas de inyecciones están protegidas por una *funda* cuando no se usan. También se pueden administrar *inyecciones* indoloras por un método de spray en chorro llamado *hypospray*. Una *venda* es generalmente una tira de tela que se usa par ceñir una herida o para mantener en su lugar un *apósito* o *compresa*. Una *férula* es una pieza alargada de cualquier material rígido que se usa, junto con un *vendaje*, para mantener en posición fija un hueso o una extremidad.

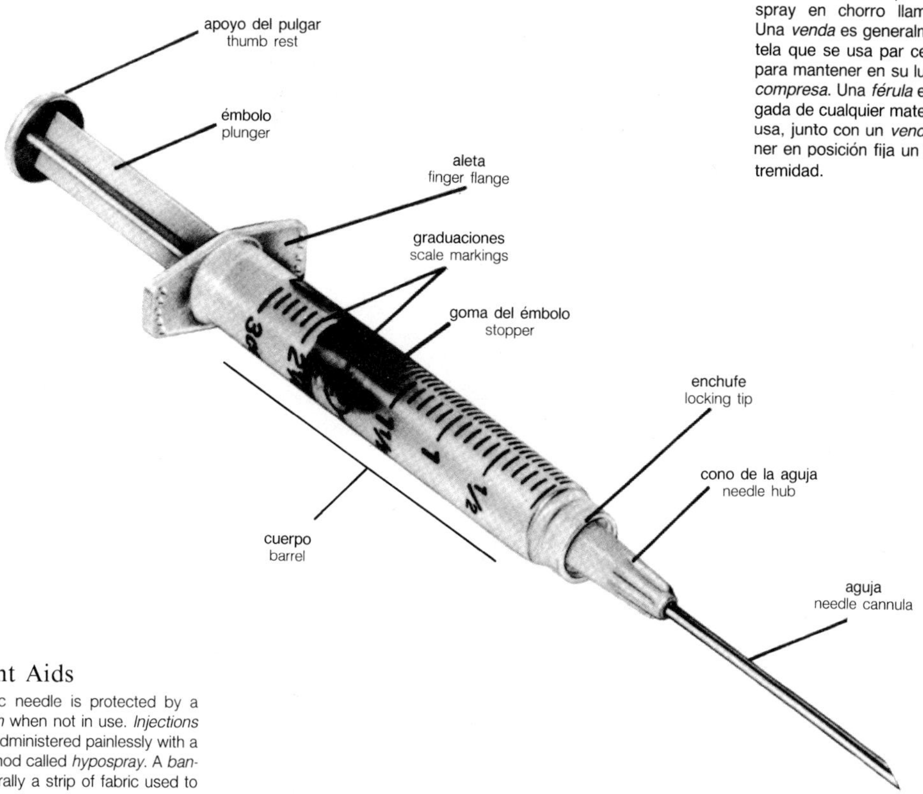

apoyo del pulgar
thumb rest
émbolo
plunger
aleta
finger flange
graduaciones
scale markings
goma del émbolo
stopper
enchufe
locking tip
cono de la aguja
needle hub
cuerpo
barrel
aguja
needle cannula

Treatment Aids

A hypodermic needle is protected by a *needle sheath* when not in use. *Injections* can also be administered painlessly with a jet-spray method called *hypospray*. A *bandage* is generally a strip of fabric used to bind up a wound or to keep a *dressing* or *compress* in place. A *splint* is any rigid material used in conjunction with *adhesive tape* to hold a bone or limb in a fixed position.

Jeringa / Aguja de inyecciones
Hypodermic Syringe / Needle

Tirita
Band-Aid® / Adhesive Bandage

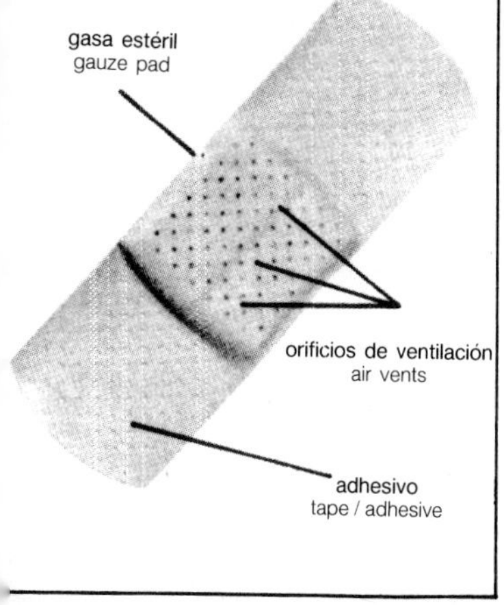

gasa estéril
gauze pad
orificios de ventilación
air vents
adhesivo
tape / adhesive

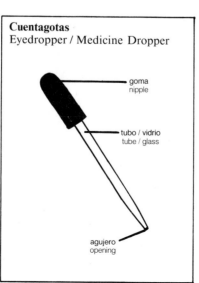

Cuentagotas
Eyedropper / Medicine Dropper

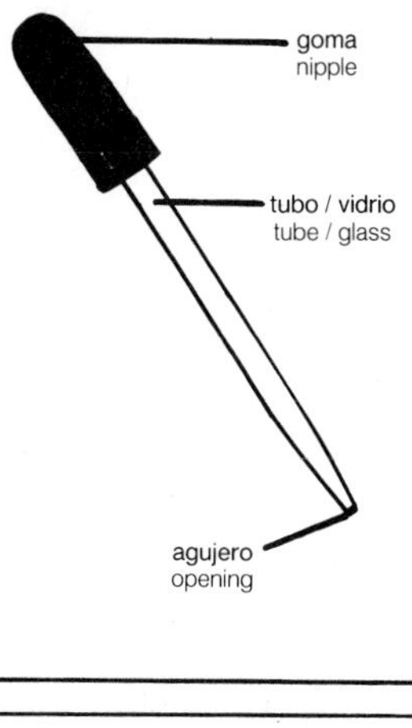

goma
nipple
tubo / vidrio
tube / glass
agujero
opening

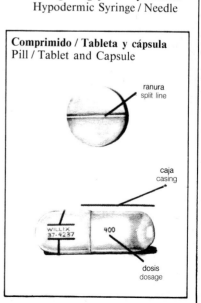

Comprimido / Tableta y cápsula
Pill / Tablet and Capsule

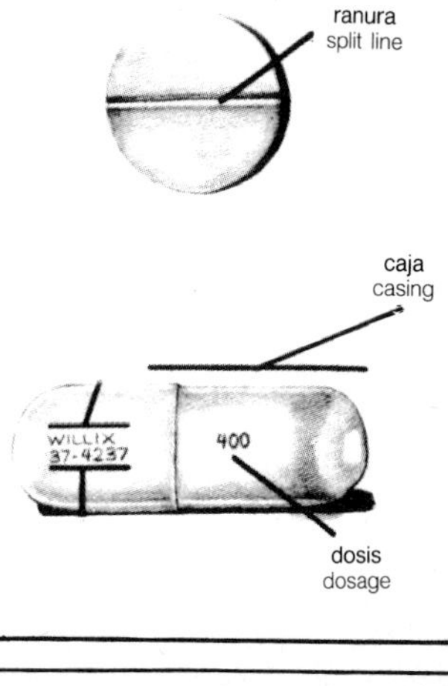

ranura
split line
caja
casing
WILLIX
37-4237
400
dosis
dosage

Aparatos ortopédicos

Las *sillas eléctricas* alimentadas por batería proporcionan movilidad a personas totalmente incapacitadas. Para lesiones menores de la pierna y el pie se usa un *bastón*. Otros aparatos de ayuda al tratamiento son los *riñones artificiales*, *pulmones de acero*, *tiendas de oxígeno* y *cámaras de descompresión*.

Supportive Devices

Battery-powered *electric chairs* provide mobility for totally handicapped people. For minor leg and foot injuries, a *cane*, or *walking stick*, is used. Other supportive devices include *dialysis machines*, *iron lungs*, *oxygen tents*, *decompression chambers*, and *braces* of various kinds.

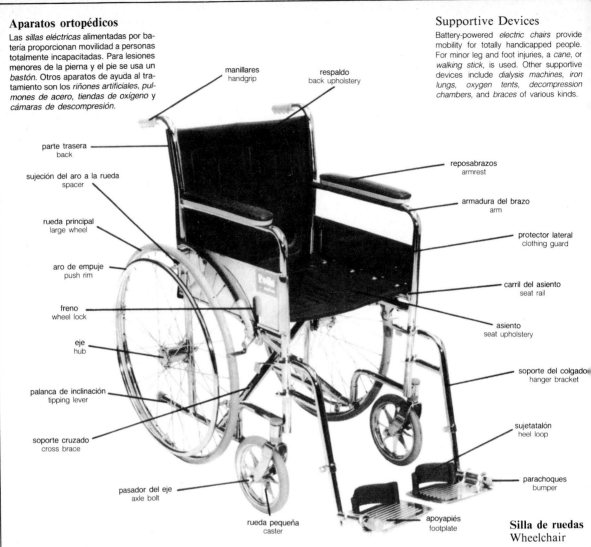

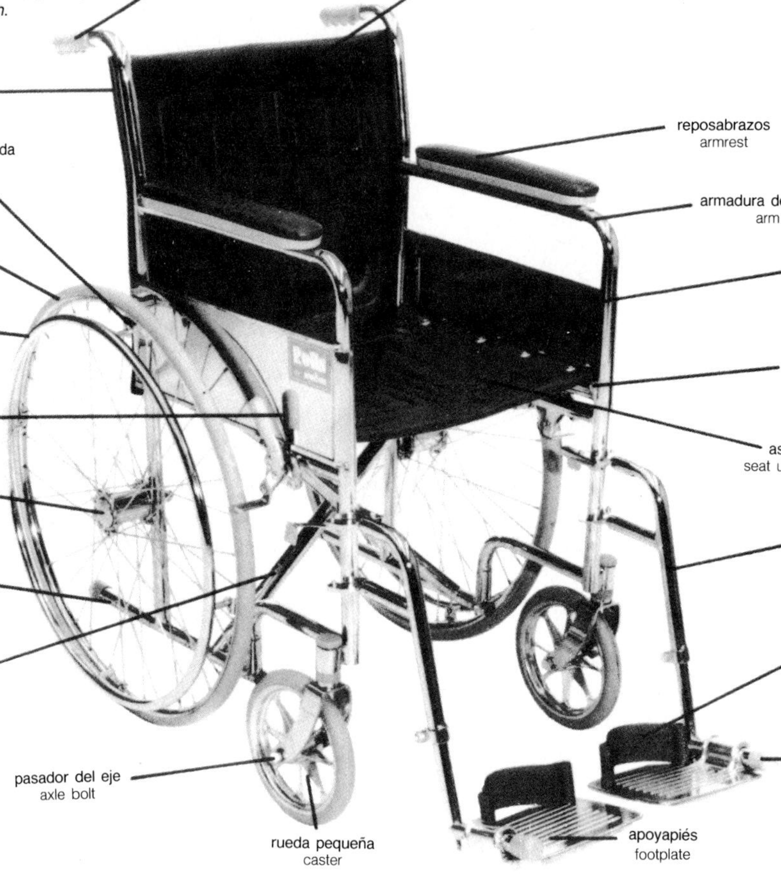
manillares
handgrip
respaldo
back upholstery
parte trasera
back
sujeción del aro a la rueda
spacer
rueda principal
large wheel
aro de empuje
push rim
freno
wheel lock
eje
hub
palanca de inclinación
tipping lever
soporte cruzado
cross brace
pasador del eje
axle bolt
rueda pequeña
caster
reposabrazos
armrest
armadura del brazo
arm
protector lateral
clothing guard
carril del asiento
seat rail
asiento
seat upholstery
soporte del colgado
hanger bracket
sujetatalón
heel loop
parachoques
bumper
apoyapiés
footplate

Silla de ruedas
Wheelchair

Muleta
Crutch

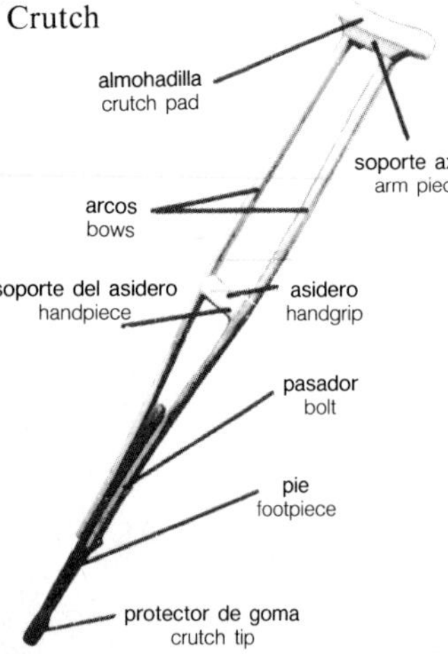
almohadilla
crutch pad
soporte axilar
arm piece
arcos
bows
soporte del asidero
handpiece
asidero
handgrip
pasador
bolt
pie
footpiece
protector de goma
crutch tip

Marcapasos
Pacemaker

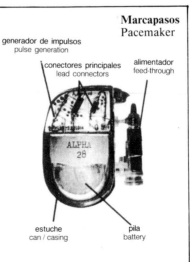

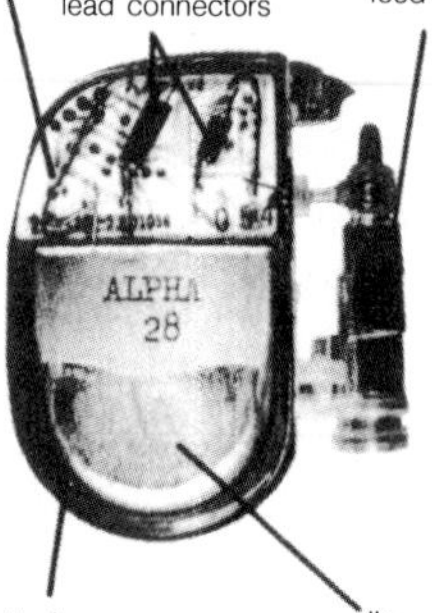
generador de impulsos
pulse generation
conectores principales
lead connectors
alimentador
feed-through
ALPHA
28
estuche
can / casing
pila
battery

Aparato para sordos / Audífono
Hearing Aid

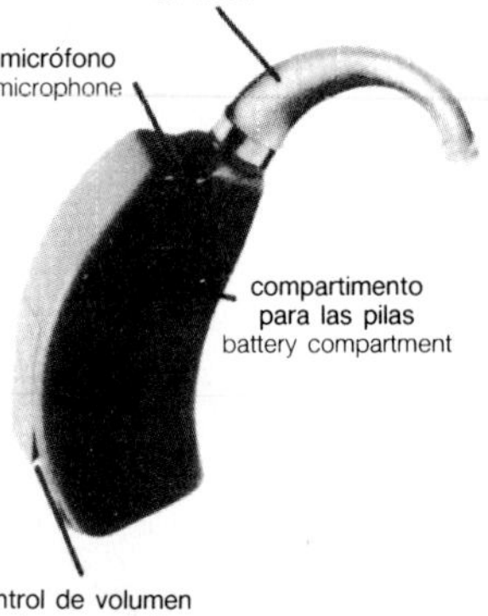
gancho auricular
ear hook
micrófono
microphone
compartimento
para las pilas
battery compartment
control de volumen
volume control

Prótesis y correctores dentales

Un *puente* se compone de uno o más dientes falsos fijados entre dientes de anclaje. La porción del puente que reemplaza realmente al diente o dientes que faltan es el *póntico*. Una *corona* o *funda de corona* cubre la parte del diente normalmente protegida por el esmalte. En *ortodoncia*, o corrección de la posición de los dientes, se inserta en la muesca del soporte una *banda* o un *hilo* y se mantiene en posición mediante *bandas de goma* engarzadas en los tirantes laterales.

Dental Corrective Devices

A *bridge* consists of one or more false teeth anchored between abutment teeth. The portion of the bridge that actually replaces the missing tooth or teeth is the *pontic*. A *crown* or *jacket crown* covers that part of the tooth normally protected by enamel. In *orthodontia*, the correction of the position of teeth, a *band* or *wire* is inserted in the slot and held in place by *rubber bands* looped over the tie wings.

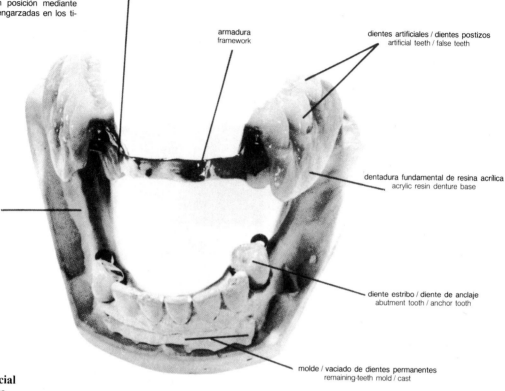

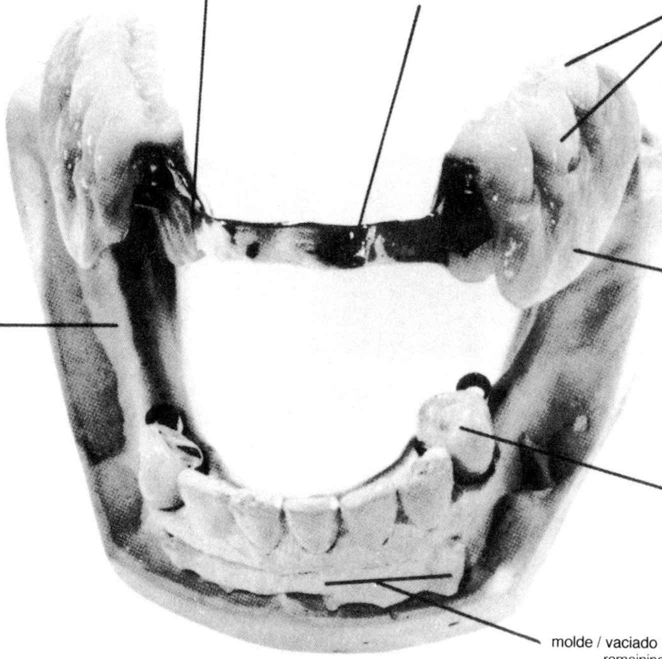
broche / inserción definitiva
clasp / precision attachment
armadura
framework
dientes artificiales / dientes postizos
artificial teeth / false teeth
dentadura fundamental de resina acrílica
acrylic resin denture base
encía / tejido blando
gum / soft tissue
diente estribo / diente de anclaje
abutment tooth / anchor tooth
molde / vaciado de dientes permanentes
remaining-teeth mold / cast

Dentadura parcial
Partial Denture

Dentadura completa
Full Denture

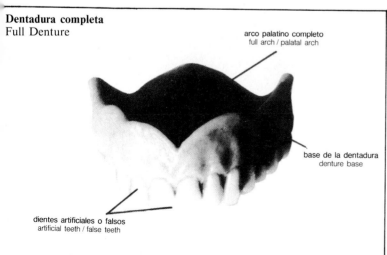

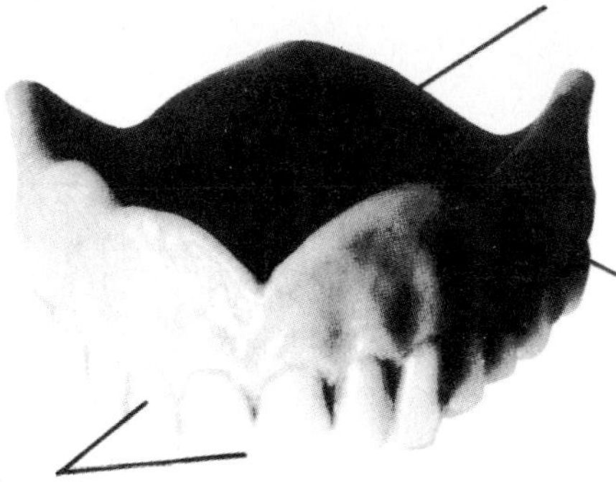
arco palatino completo
full arch / palatal arch
base de la dentadura
denture base
dientes artificiales o falsos
artificial teeth / false teeth

Tirantes / Soporte ortodóncico
Braces / Orthodontic Bracket

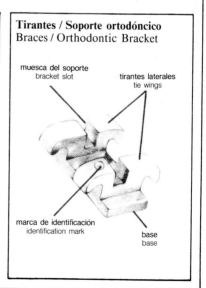

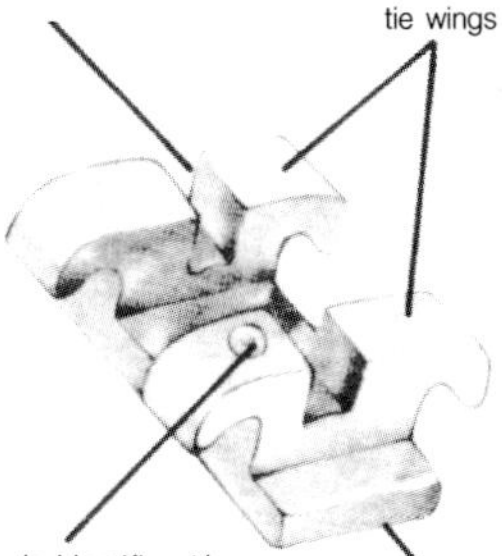
muesca del soporte
bracket slot
tirantes laterales
tie wings
marca de identificación
identification mark
base
base

Unidad dentaria

Por lo general, una *unidad* o *isla dentaria*, está provista de iluminación de gran intensidad. La bandeja del instrumental puede estar inserta en un *brazo flotante*, como el que aparece en la figura, o en un *brazo fijo*.

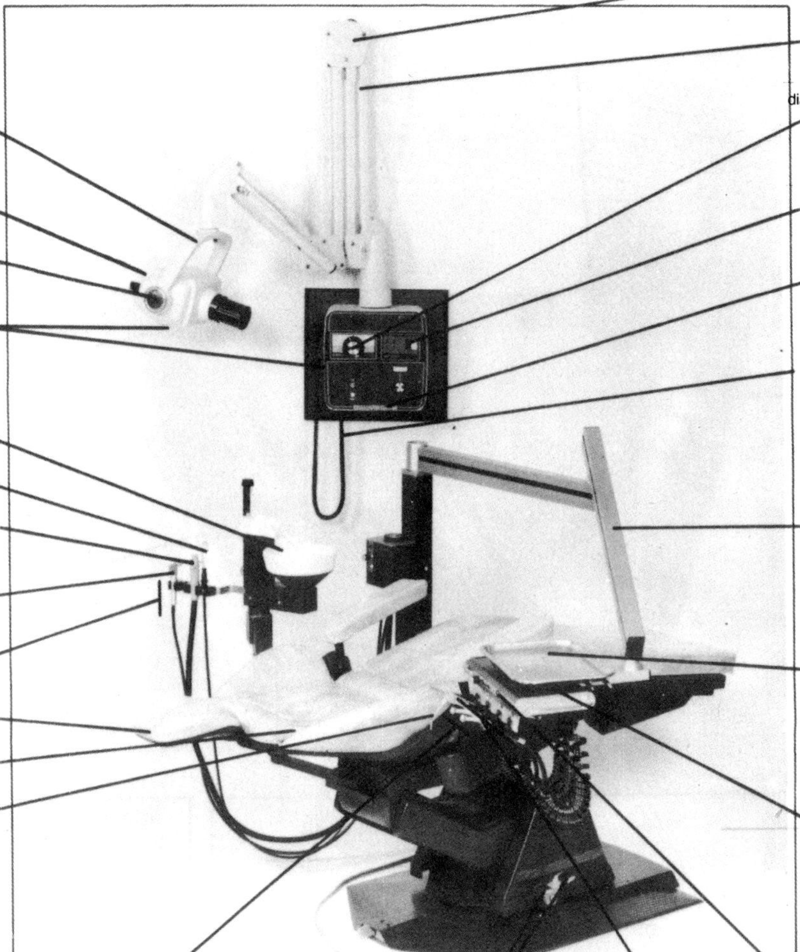

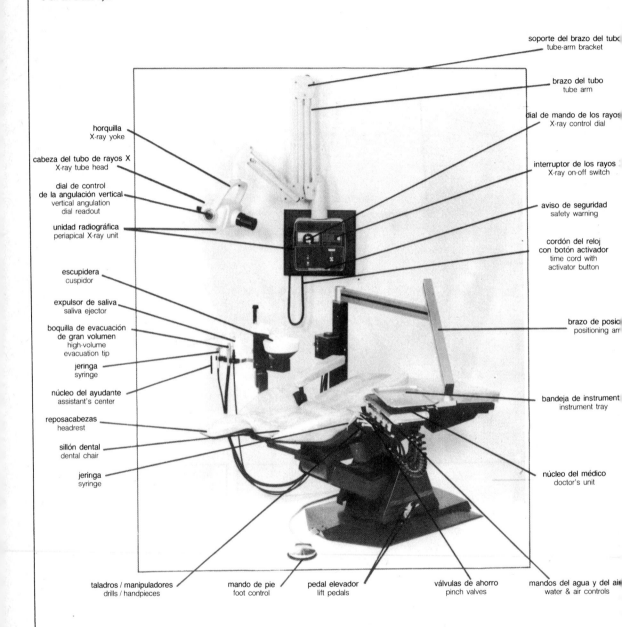

soporte del brazo del tubo
tube-arm bracket
brazo del tubo
tube arm
dial de mando de los rayos
X-ray control dial
interruptor de los rayos
X-ray on-off switch
aviso de seguridad
safety warning
cordón del reloj con botón activador
time cord with activator button
brazo de posic
positioning ar
bandeja de instrument
instrument tray
núcleo del médico
doctor's unit
horquilla
X-ray yoke
cabeza del tubo de rayos X
X-ray tube head
dial de control de la angulación vertical
vertical angulation dial readout
unidad radiográfica
periapical X-ray unit
escupidera
cuspidor
expulsor de saliva
saliva ejector
boquilla de evacuación de gran volumen
high-volume evacuation tip
jeringa
syringe
núcleo del ayudante
assistant's center
reposacabezas
headrest
sillón dental
dental chair
jeringa
syringe
taladros / manipuladores
drills / handpieces
mando de pie
foot control
pedal elevador
lift pedals
válvulas de ahorro
pinch valves
mandos del agua y del ai
water & air controls

Dental Unit

A high-intensity *dental light* is usually attached to a dental unit, or *dental island*. Instrument trays may be attached to a *drift-free arm*, such as the one shown here, or to a *postmounted arm*.

Equipo dental

Para rellenar *cavidades* o caries, se utilizan *empastes* de *amalgama de plata* u *obturaciones*, *fundas de oro*, *porcelana sintética* y *resinas acrílicas*. Los dientes también pueden encajarse con *coronas* o *capuchones*.

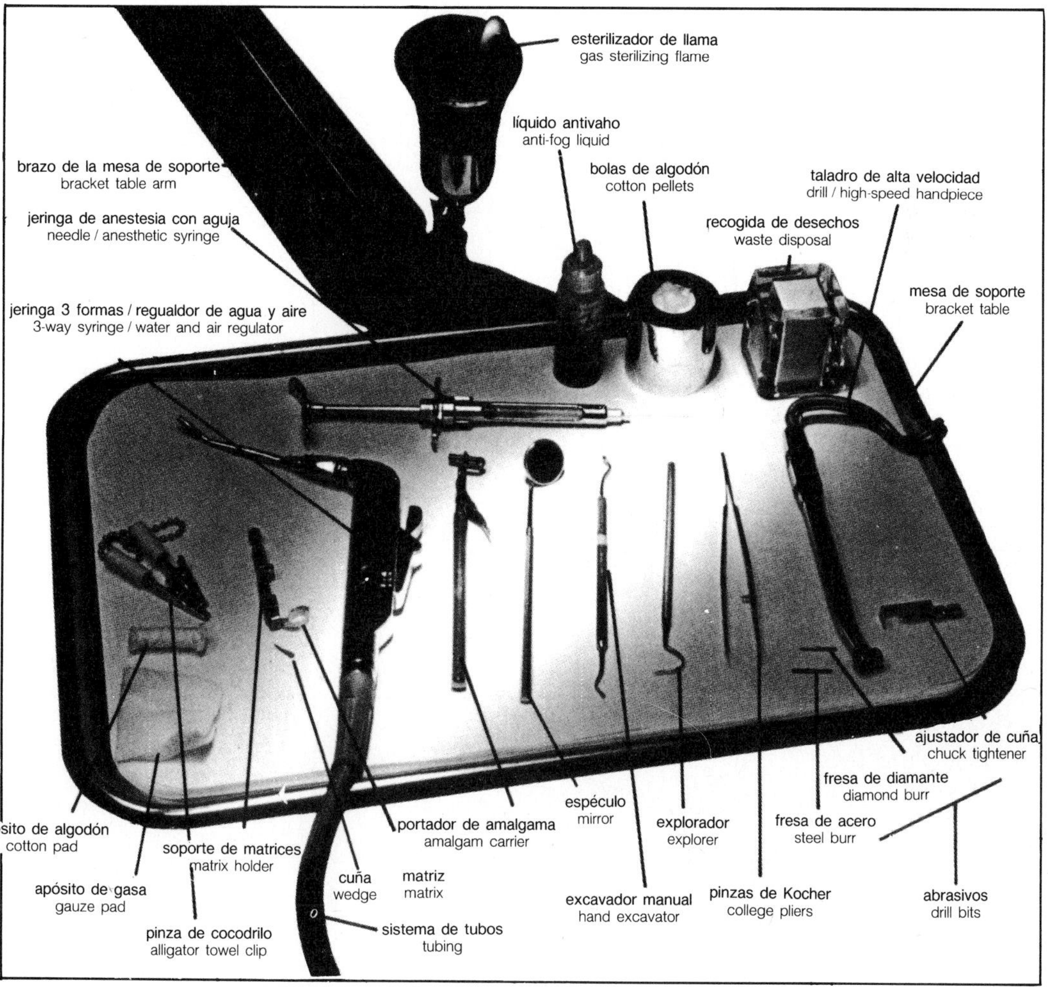

esterilizador de llama
gas sterilizing flame
líquido antivaho
anti-fog liquid
brazo de la mesa de soporte
bracket table arm
bolas de algodón
cotton pellets
taladro de alta velocidad
drill / high-speed handpiece
jeringa de anestesia con aguja
needle / anesthetic syringe
recogida de desechos
waste disposal
mesa de soporte
bracket table
jeringa 3 formas / regualdor de agua y aire
3-way syringe / water and air regulator
ajustador de cuña
chuck tightener
fresa de diamante
diamond burr
espéculo
mirror
fresa de acero
steel burr
apósito de algodón
cotton pad
portador de amalgama
amalgam carrier
explorador
explorer
soporte de matrices
matrix holder
cuña
wedge
matriz
matrix
excavador manual
hand excavator
pinzas de Kocher
college pliers
abrasivos
drill bits
apósito de gasa
gauze pad
pinza de cocodrilo
alligator towel clip
sistema de tubos
tubing

Dental Equipment

Fillings of *silver amalgam* or *inlays*, *cast restorations* of *gold*, *synthetic porcelain* or *acrylic resins*, are used to fill *cavities*. Teeth can also be fitted with *crowns* or *caps*.

Dientes

Cada diente tiene uno o dos *vecinos* en el mismo maxilar y un *antagonista* en el otro maxilar. Los dientes están encajados en los *alvéolos*. La primera serie de dientes la constituyen los *dientes de la infancia* o *dientes de leche*, reemplazados con el tiempo por la dentadura permanente.

Teeth

Each tooth has one or two *neighbors* and a biting *partner* in the opposite jaw. Teeth fit into *sockets*. The first set of teeth are *baby teeth*, or *milk teeth*, replaced in time by permanent teeth. A person with a fondness for sugary edibles is said to have a *sweet tooth*.

Dientes superiores
Upper Teeth

Dientes inferiores
Lower Teeth

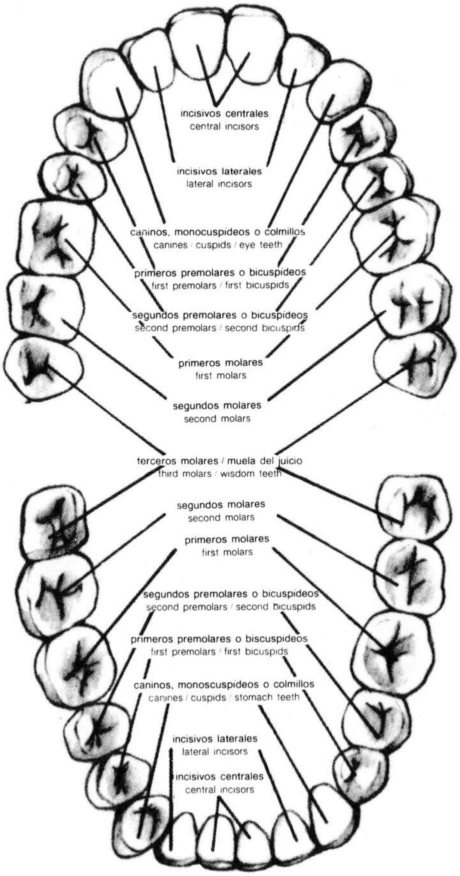

incisivos centrales
central incisors
incisivos laterales
lateral incisors
caninos, monocuspideos o colmillos
canines / cuspids / eye teeth
primeros premolares o bicuspideos
first premolars / first bicuspids
segundos premolares o bicuspideos
second premolars / second bicuspids
primeros molares
first molars
segundos molares
second molars
terceros molares / muela del juicio
third molars / wisdom teeth
segundos molares
second molars
primeros molares
first molars
segundos premolares o bicuspideos
second premolars / second bicuspids
primeros premolares o biscuspideos
first premolars / first bicuspids
caninos, monoscuspideos o colmillos
canines / cuspids / stomach teeth
incisivos laterales
lateral incisors
incisivos centrales
central incisors

Dientes permanentes
Permanent Teeth

Diente (vista lateral)
Tooth (side view)

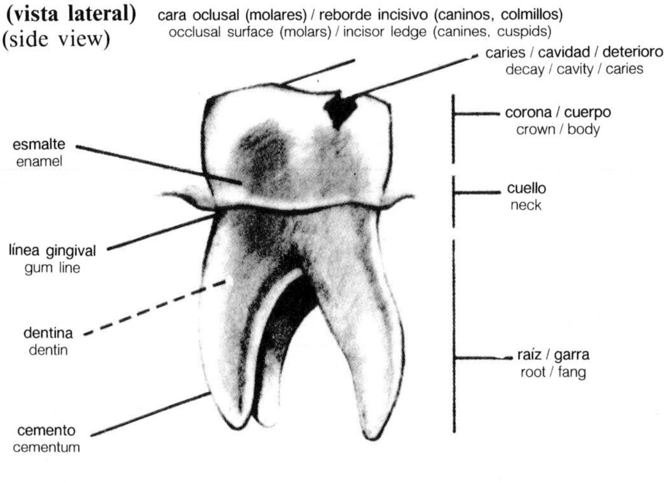

cara oclusal (molares) / reborde incisivo (caninos, colmillos)
occlusal surface (molars) / incisor ledge (canines, cuspids)
caries / cavidad / deterioro
decay / cavity / caries
corona / cuerpo
crown / body
esmalte
enamel
cuello
neck
línea gingival
gum line
dentina
dentin
raíz / garra
root / fang
cemento
cementum

Diente (vista coronal)
Tooth (top view)

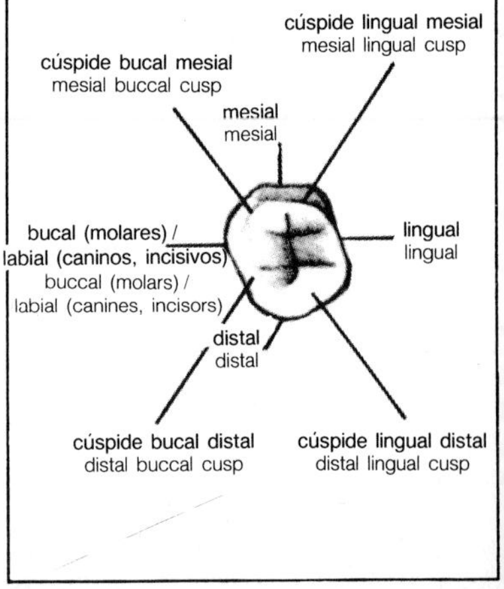

cúspide lingual mesial
mesial lingual cusp
cúspide bucal mesial
mesial buccal cusp
mesial
mesial
bucal (molares) /
labial (caninos, incisivos)
buccal (molars) /
labial (canines, incisors)
lingual
lingual
distal
distal
cúspide bucal distal
distal buccal cusp
cúspide lingual distal
distal lingual cusp

Cámara acorazada y caja fuerte

Las cámaras acorazadas tienen instalados *sistemas de alarma* con timbres y alarmas silenciosas. Los *dispositivos de apertura retardada* solo permiten abrir las cámaras y cajas fuertes a una hora predeterminada. Una *caja de caudales* es una caja fuerte o cofre de gran robustez para guardar objetos valiosos. La mayoría de las cajas fuertes están aisladas contra el fuego. Las *huchas* o *alcancías* se abren por el fondo o rompiéndolas si son de barro.

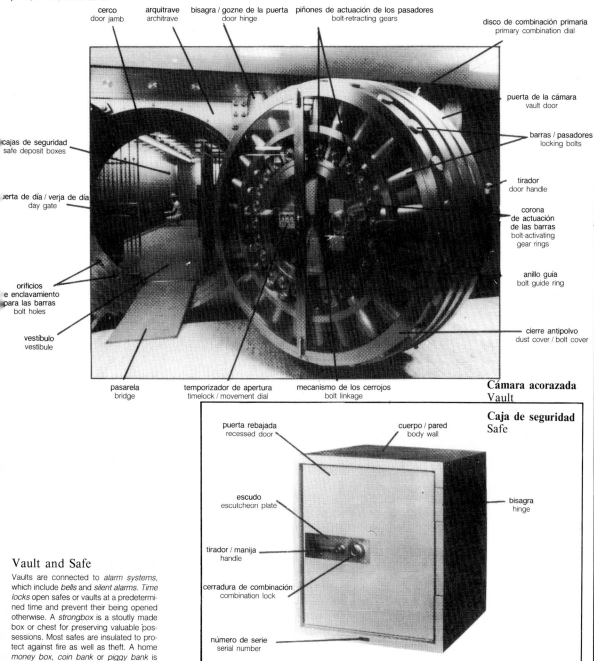

cerco
door jamb
arquitrave
architrave
bisagra / gozne de la puerta
door hinge
piñones de actuación de los pasadores
bolt-retracting gears
disco de combinación primaria
primary combination dial
puerta de la cámara
vault door
barras / pasadores
locking bolts
tirador
door handle
corona de actuación de las barras
bolt-activating gear rings
anillo guía
bolt guide ring
cierre antipolvo
dust cover / bolt cover
cajas de seguridad
safe deposit boxes
uerta de día / verja de día
day gate
orificios
e enclavamiento
para las barras
bolt holes
vestíbulo
vestibule
pasarela
bridge
temporizador de apertura
timelock / movement dial
mecanismo de los cerrojos
bolt linkage

Cámara acorazada
Vault

puerta rebajada
recessed door
cuerpo / pared
body wall
escudo
escutcheon plate
bisagra
hinge
tirador / manija
handle
cerradura de combinación
combination lock
número de serie
serial number

Caja de seguridad
Safe

Vault and Safe

Vaults are connected to *alarm systems*, which include *bells* and *silent alarms. Time locks* open safes or vaults at a predetermined time and prevent their being opened otherwise. A *strongbox* is a stoutly made box or chest for preserving valuable possessions. Most safes are insulated to protect against fire as well as theft. A home *money box*, *coin bank* or *piggy bank* is opened at the bottom or with a hammer.

Cerraduras de puerta

Muchas cerraduras embutidas tienen *botones* debajo del resbalón para bloquear o desbloquear el *pomo exterior*. Los pestillos entran en los orificios en una placa o *cerradero* empotrado en el marco de la puerta. Un *resbalón* es un dispositivo que mantiene la puerta cerrada pero no se puede bloquear. Los *pestillos* sirven para mantener cerradas puertas ligeras, como las de los armarios.

Door Locks

Many mortise locks have two *buttons* below the latch bolt which allow the *outside knob* to be independently locked or unlocked. Bolts fit into a *striker plate*, attached to the door frame. A *latch* is a device which holds a door closed, but cannot be locked. A *catch* holds lightweight doors, such as cabinet doors, closed. A *lockset* has the features of a lock and a catch.

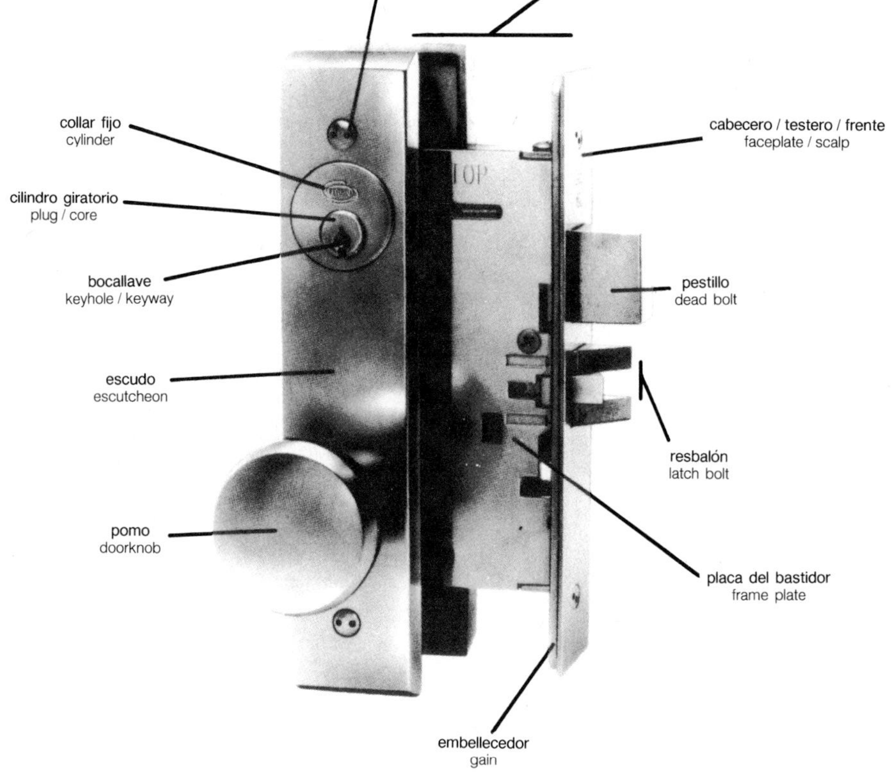

mecanismo de cierre
latch assembly
tornillo de seguridad
spanner screw
collar fijo
cylinder
cabecero / testero / frente
faceplate / scalp
cilindro giratorio
plug / core
bocallave
keyhole / keyway
pestillo
dead bolt
escudo
escutcheon
resbalón
latch bolt
pomo
doorknob
placa del bastidor
frame plate
embellecedor
gain

Cadena de seguridad
Chain Lock / Door Bolt

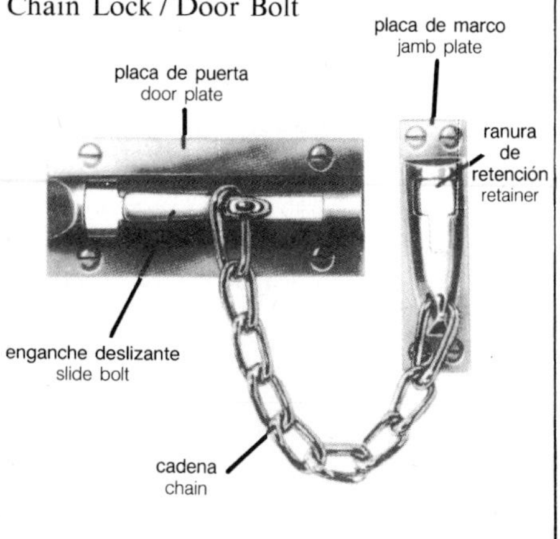

placa de marco
jamb plate
placa de puerta
door plate
ranura de retención
retainer
enganche deslizante
slide bolt
cadena
chain

Cerradura entrecruzada
Inter-grip Rim Lock

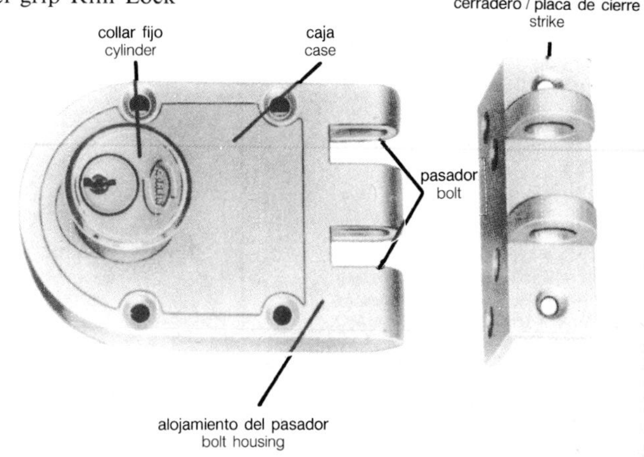

cerradero / placa de cierre
strike
collar fijo
cylinder
caja
case
pasador
bolt
alojamiento del pasador
bolt housing

Llave y candado

La llave se introduce en la cerradura por la bocallave. Los dientes tallados en la tija de una llave corresponden a los diferentes *pasadores de enclavamiento*, o clavijas, de distintas longitudes, situados dentro del cilindro de la cerradura. Una llave sin tallar es una *llave en bruto*. Las que sirven para abrir varias cerraduras se llaman llaves *maestras*.

Key and Padlock

A key is inserted into a lock's cylinder via a *keyway*. The angled serrations, or *cuts*, on a key blade correspond to different sized *pin-tumblers*, or *pins*, within the lock cylinder. A key that has not yet been configured to any particular lock is a *blank*. A key used to open many common locks is a *skeleton key*.

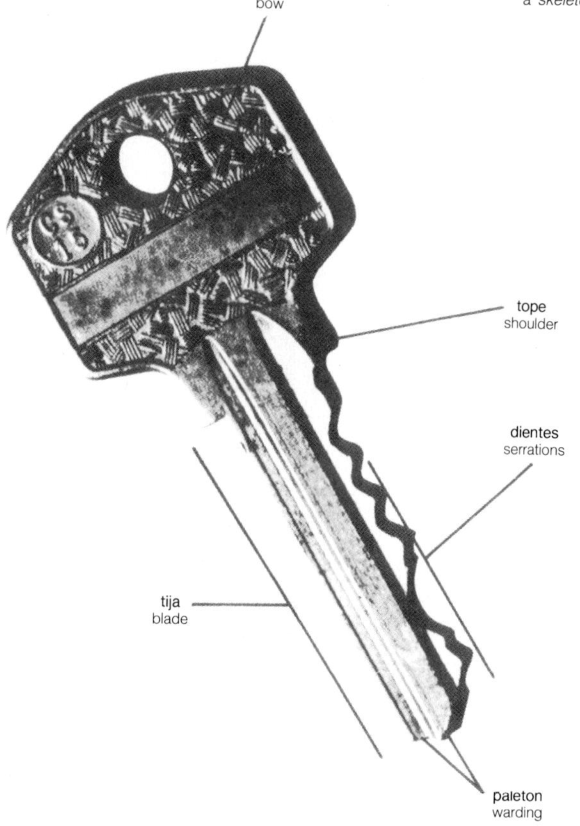
ojo
bow
tope
shoulder
dientes
serrations
tija
blade
paleton
warding

Candado
Padlock
armella
shackle
cilindro
cylinder / plug
cuerpo
case / body

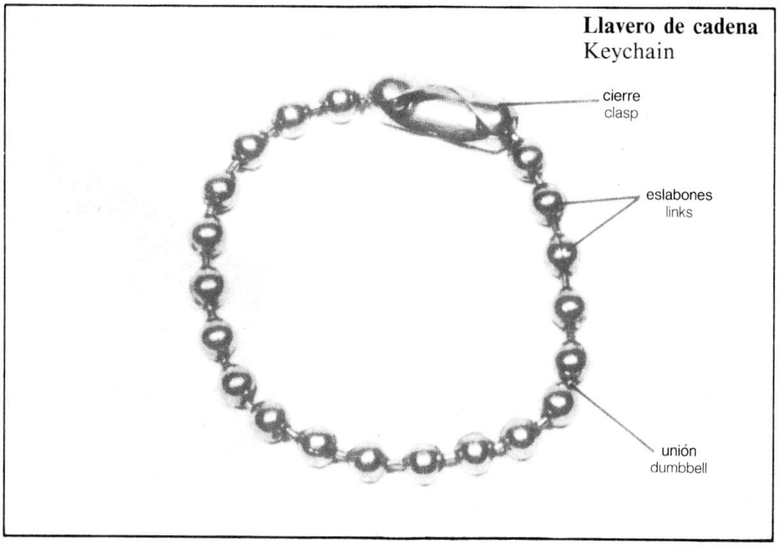
Llavero de cadena
Keychain
cierre
clasp
eslabones
links
unión
dumbbell

Bisagra y aldabilla

Además de la *bisagra plana*, o *a tope*, que se ve en el dibujo, hay *bisagras de doble efecto para puertas batientes*, *bisagras de muelle*, *bisagras de piano* y otras muchas. Según los casos las bisagras reciben también el nombre de charnelas. Los pasadores de bisagra se fabrican con una gran variedad de *cabezas* de adorno, como la esférica de la ilustración. Las aldabillas se aseguran con un candado o un pasador.

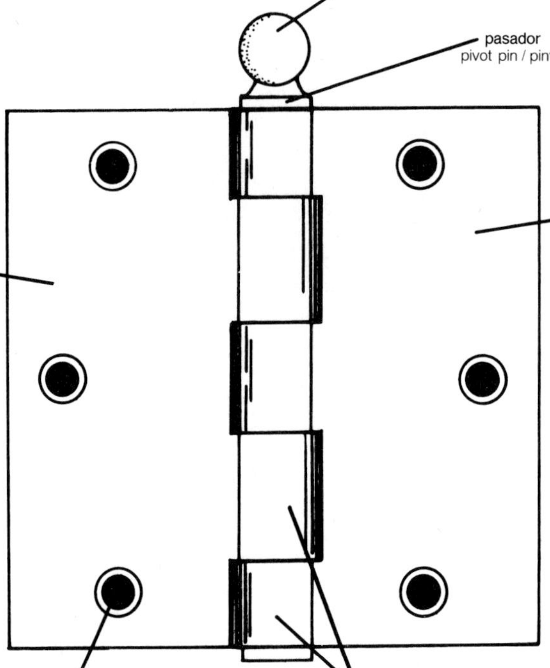

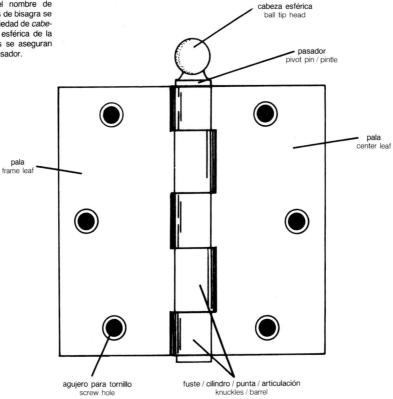

cabeza esférica
ball tip head
pasador
pivot pin / pintle
pala
center leaf
pala
frame leaf
agujero para tornillo
screw hole
fuste / cilindro / punta / articulación
knuckles / barrel

Bisagra
Hinge

Aldabilla
Hasp

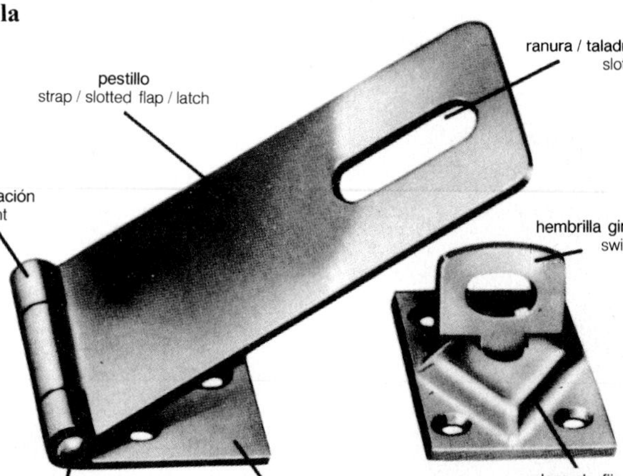

ranura / taladro rasgado
slot
pestillo
strap / slotted flap / latch
articulación
joint
hembrilla giratoria / aldabilla
swivel eye
placa de fijación
swivel plate / staple
pasador / eje
pin
bisagra / charnela
hinge portion

Hinge and Hasp

In addition to the *butt hinge*, seen here, there are *pivot hinges*, *full-surface hinges*, *half-surface hinges*, *spring hinges*, *strap hinges* and *continuous hinges*. Hinge pivot pins or *fixed pins*, used on smaller hinges, are available in a variety of ornamental *heads*, or *caps*, such as the ball tip seen here. A *safety hasp* is secured with a padlock or pin.

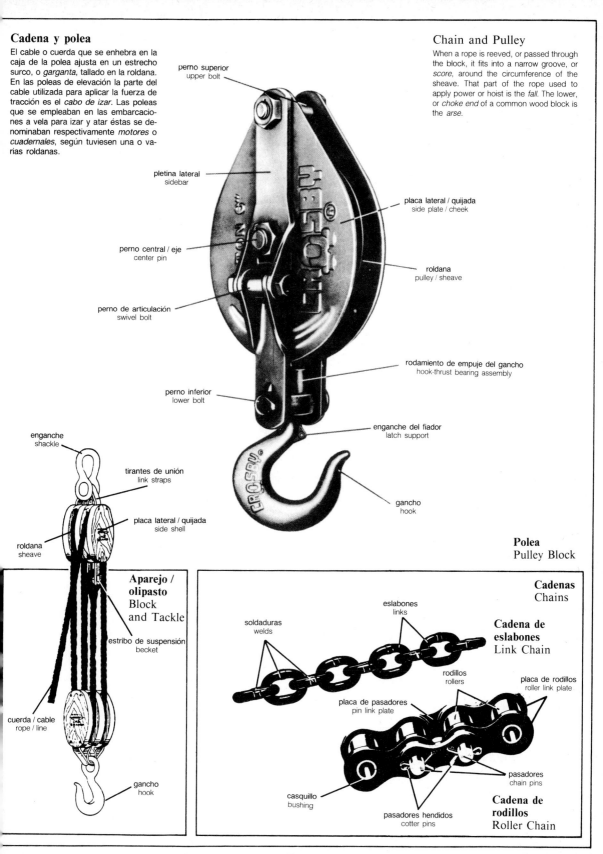

Cadena y polea

El cable o cuerda que se enhebra en la caja de la polea ajusta en un estrecho surco, o *garganta*, tallado en la roldana. En las poleas de elevación la parte del cable utilizada para aplicar la fuerza de tracción es el *cabo de izar*. Las poleas que se empleaban en las embarcaciones a vela para izar y atar éstas se denominaban respectivamente *motores* o *cuadernales*, según tuviesen una o varias roldanas.

Chain and Pulley

When a rope is reeved, or passed through the block, it fits into a narrow groove, or *score*, around the circumference of the sheave. That part of the rope used to apply power or hoist is the *fall*. The lower, or *choke end* of a common wood block is the *arse*.

perno superior
upper bolt
pletina lateral
sidebar
placa lateral / quijada
side plate / cheek
perno central / eje
center pin
roldana
pulley / sheave
perno de articulación
swivel bolt
rodamiento de empuje del gancho
hook-thrust bearing assembly
perno inferior
lower bolt
enganche del fiador
latch support
gancho
hook
CROSBY

Polea
Pulley Block

enganche
shackle
tirantes de unión
link straps
placa lateral / quijada
side shell
roldana
sheave
estribo de suspensión
becket
cuerda / cable
rope / line
gancho
hook

Aparejo / olipasto
Block and Tackle

Cadenas
Chains

eslabones
links
soldaduras
welds

Cadena de eslabones
Link Chain

rodillos
rollers
placa de rodillos
roller link plate
placa de pasadores
pin link plate
pasadores
chain pins
casquillo
bushing
pasadores hendidos
cotter pins

Cadena de rodillos
Roller Chain

Instrumentos de ejecución

La hoja de la guillotina cae cuando se tira de una *cuerda* o se oprime un *botón disparador*. La *mannaia* italiana y la *maiden* escocesa eran variaciones de la guillotina francesa. La *horca* puede ser un simple árbol o una viga, sin necesidad de instalar un patíbulo. En la *silla eléctrica*, se fijan electrodos a la cabeza y la piernas del prisionero. Los *reos* eran trasladados al lugar de ejecución en un *carretón*.

Execution Devices

The blade on the guillotine is released by a *release cord* or *release button*. The Italian *mannaia* and the Scottish *maiden* were variations of the French guillotine. A *gibbet*, similar to a gallows, has a single, horizontal arm from which the noose was hung. On an electric chair, electrodes are attached to the prisioner's head and leg to complete the circuit. A *tumbrel* is any vehicle used to bring condemned people to the place of execution.

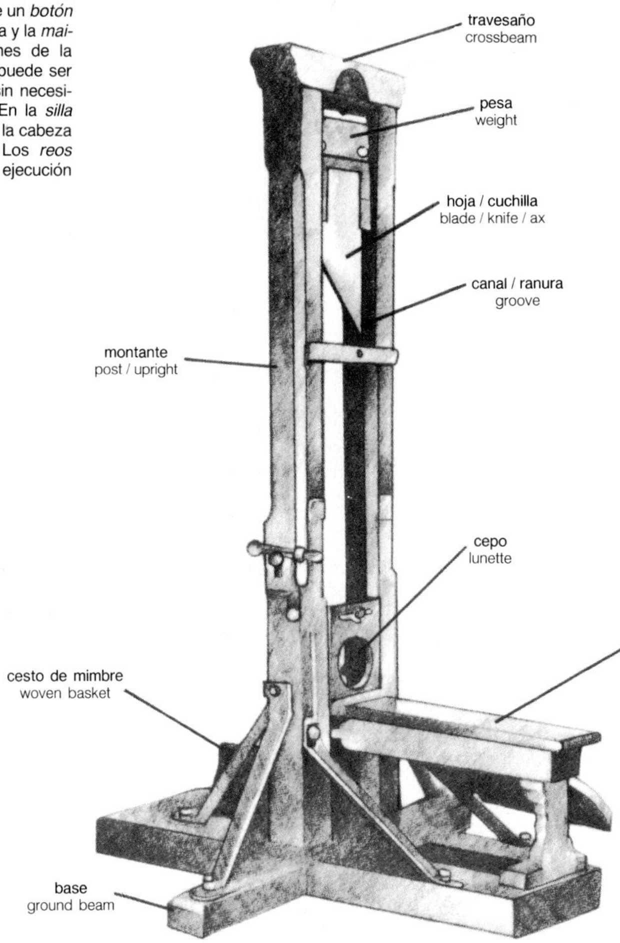

travesaño
crossbeam
pesa
weight
hoja / cuchilla
blade / knife / ax
canal / ranura
groove
montante
post / upright
cepo
lunette
caballete
trestle
cesto de mimbre
woven basket
base
ground beam

Guillotina
Guillotine

Patíbulo con horca
Gallows

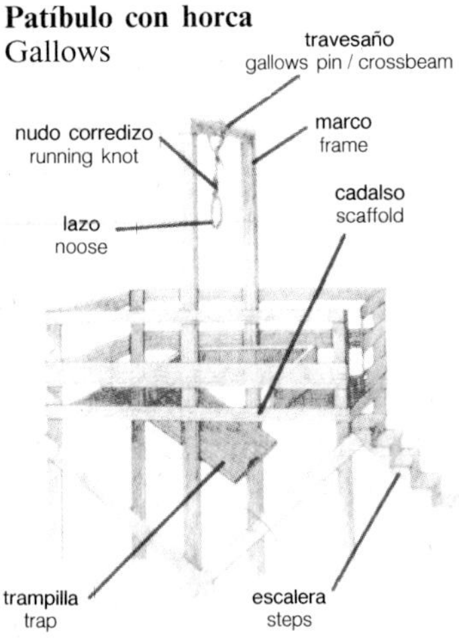

travesaño
gallows pin / crossbeam
nudo corredizo
running knot
marco
frame
cadalso
scaffold
lazo
noose
trampilla
trap
escalera
steps

Silla eléctrica
Electric Chair

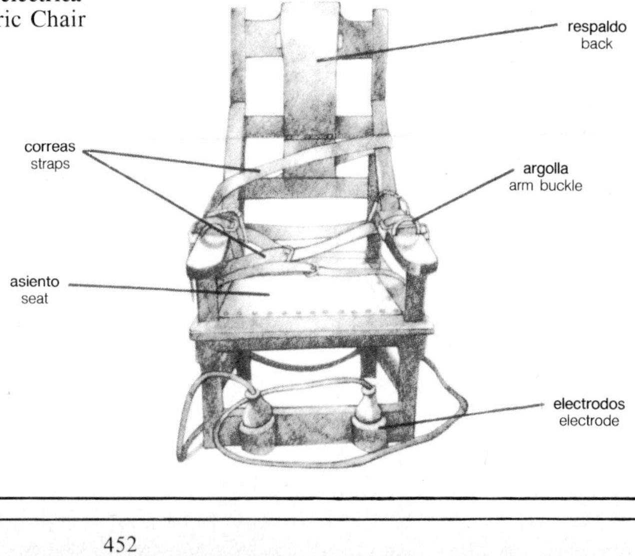

respaldo
back
correas
straps
argolla
arm buckle
asiento
seat
electrodos
electrode

Armas blancas

Un cuchillo, puñal, daga, espada o sable se guarda en una *vaina*. La hoja se conecta al mango o empuñadura por medio de la *espiga*.

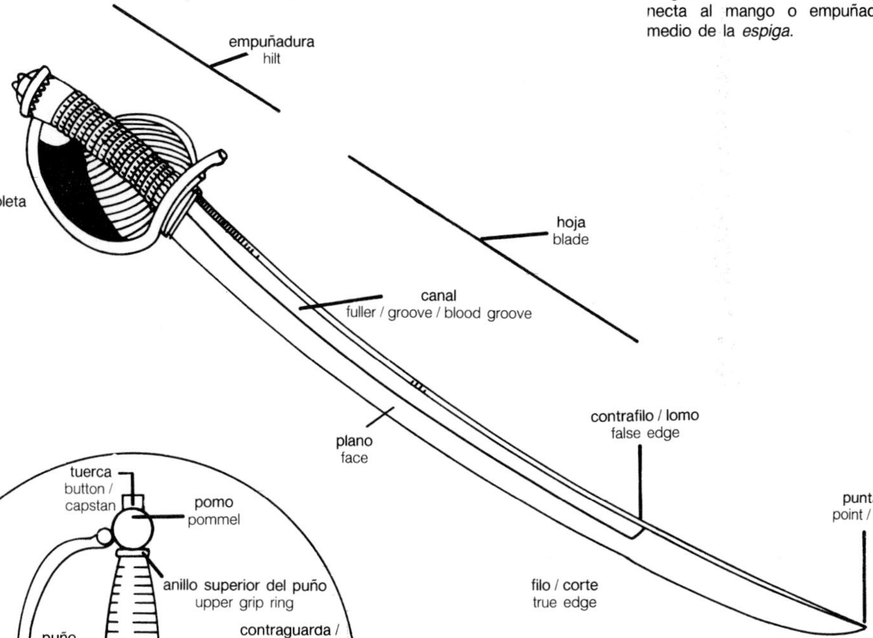

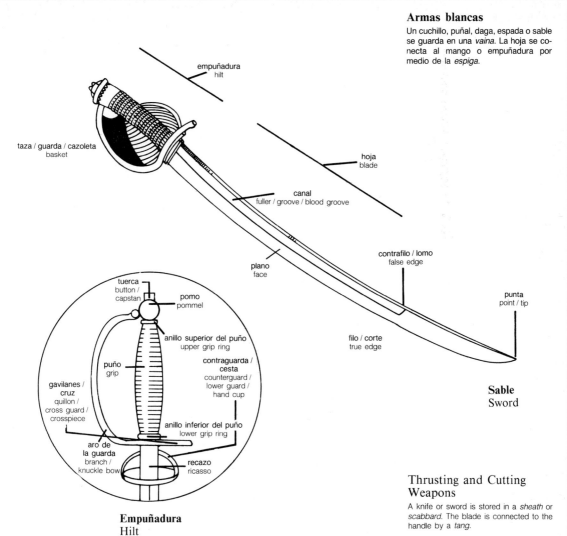

empuñadura
hilt
taza / guarda / cazoleta
basket
hoja
blade
canal
fuller / groove / blood groove
plano
face
contrafilo / lomo
false edge
punta
point / tip
filo / corte
true edge

Sable
Sword

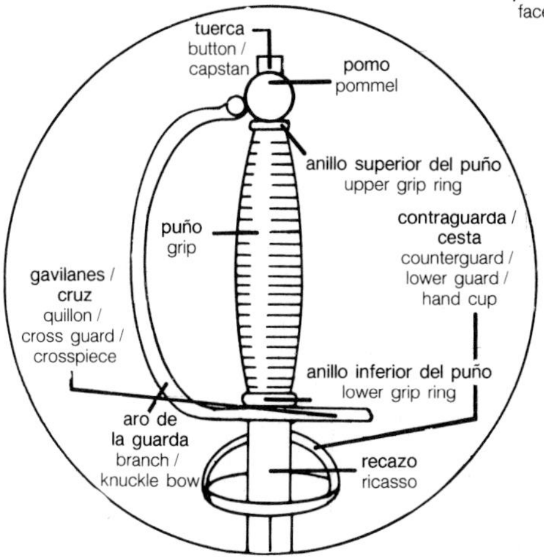

tuerca
button / capstan
pomo
pommel
anillo superior del puño
upper grip ring
puño
grip
contraguarda / cesta
counterguard / lower guard / hand cup
gavilanes / cruz
quillon / cross guard / crosspiece
anillo inferior del puño
lower grip ring
aro de la guarda
branch / knuckle bow
recazo
ricasso

Empuñadura
Hilt

Thrusting and Cutting Weapons

A knife or sword is stored in a *sheath* or *scabbard*. The blade is connected to the handle by a *tang*.

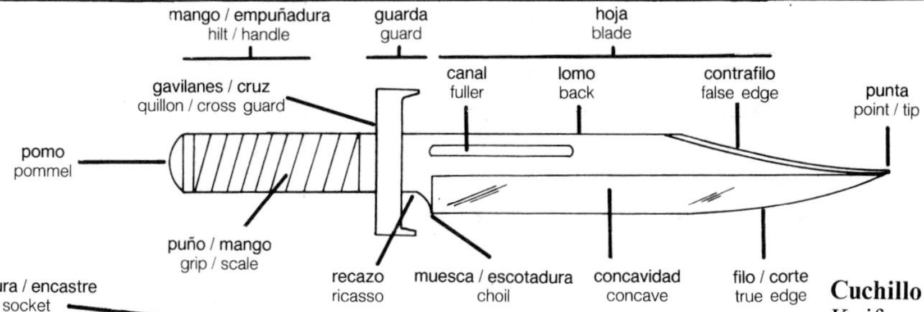

mango / empuñadura
hilt / handle
guarda
guard
hoja
blade
gavilanes / cruz
quillon / cross guard
canal
fuller
lomo
back
contrafilo
false edge
punta
point / tip
pomo
pommel
puño / mango
grip / scale
recazo
ricasso
muesca / escotadura
choil
concavidad
concave
filo / corte
true edge

Cuchillo
Knife

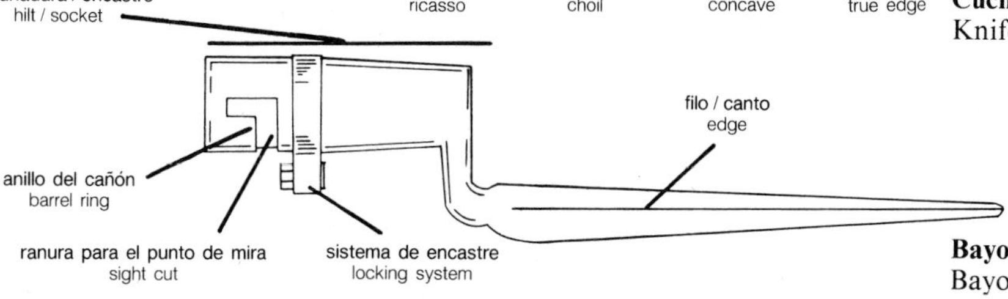

empuñadura / encastre
hilt / socket
filo / canto
edge
anillo del cañón
barrel ring
ranura para el punto de mira
sight cut
sistema de encastre
locking system

Bayoneta
Bayonet

Armas de la Edad Media

El escudo propiamente dicho era grande y se sujetaba por medio del asa o embrazadura. El redondo y pequeño, fijo al brazo izquierdo del jinete, se denominaba *rodela*. La *adarga* tenía forma ovalada o de corazón. Los *paveses* cubrían todo el cuerpo del guerrero. Los *venablos* o *jabalinas* eran lanzas pequeñas o de asta corta que se lanzaban al enemigo. Las *lanzas* de asta larga servían para arremeter desde el caballo.

Medieval Arms

A round shield held at arm's length is called a *buckler*, while a shield held across the body by straps or handles called *enarmes* is a *target*. A shield offering protection during a siege is a *pavise*. Cutouts on the sides of a shield for holding spears to be thrown are called *bouches*. A shafted weapon having a *spear blade* and a pair of *curved lobes* at he base of the *spearhead* is a *partisan*.

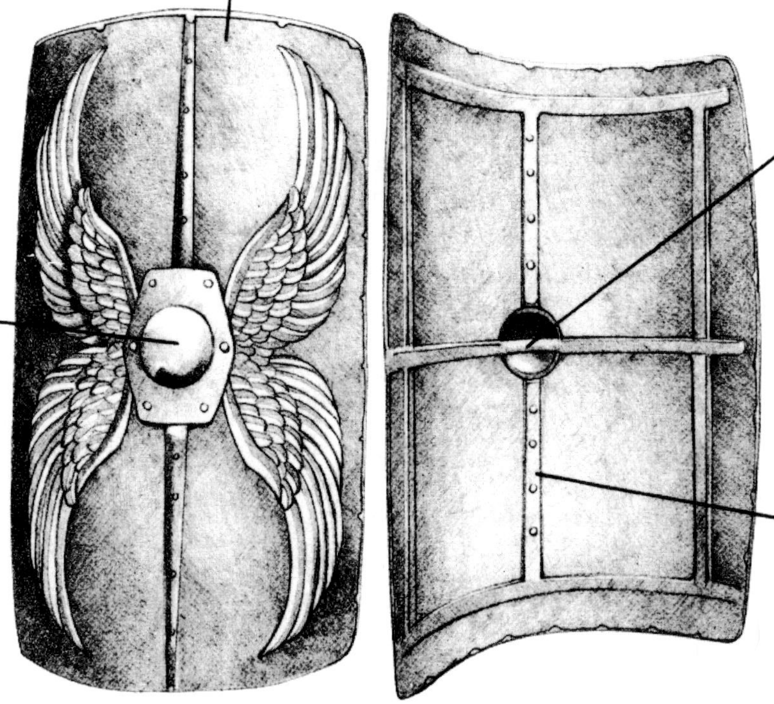

orla
orle
asa / brazal / embrazadura
antia
tachón / cazoleta
boss / umbo
nervio
rib

Escudo
Shield

Armas para golpear
Striking Weapons

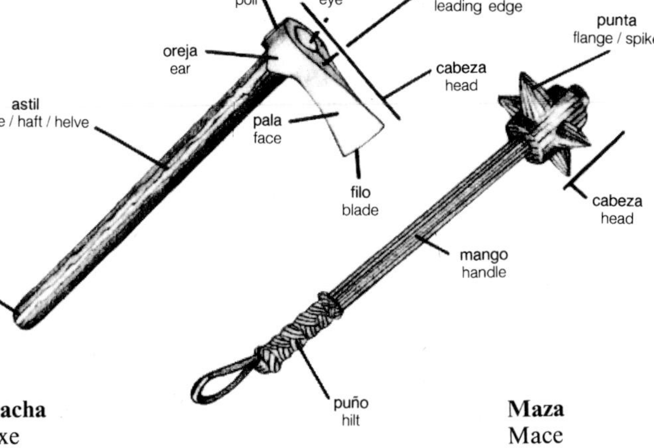

peto
poll
ojo
eye
borde superior
leading edge
oreja
ear
punta
flange / spike
cabeza
head
astil
handle / haft / helve
pala
face
filo
blade
cabeza
head
contera
butt
mango
handle
puño
hilt

Hacha
Axe

Maza
Mace

Armas con asta
Pole Arms

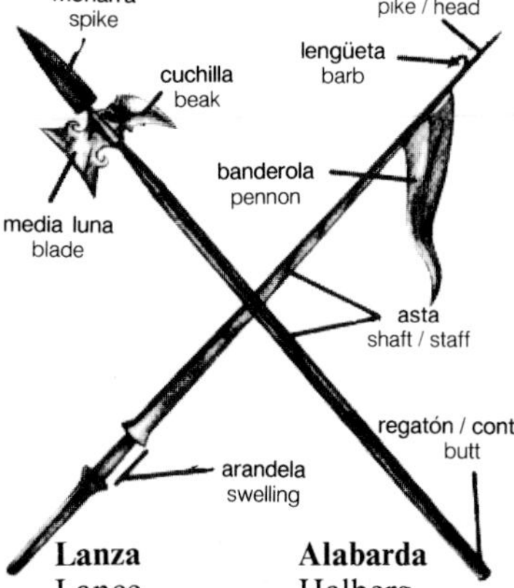

moharra
spike
punta
pike / head
lengüeta
barb
cuchilla
beak
banderola
pennon
media luna
blade
asta
shaft / staff
regatón / conter
butt
arandela
swelling

Lanza
Lance

Alabarda
Halberg

Armadura

Las piezas de la armadura del cuerpo y de la cabeza solían estar hechas de hierro o de cuero grueso y a menudo estaban adornadas con *repujados* o *incrustaciones*.

Armor

Body armor *protective clothing* and *headgear* was usually made of iron or thick leather. It was often adorned with *decorative inlays*.

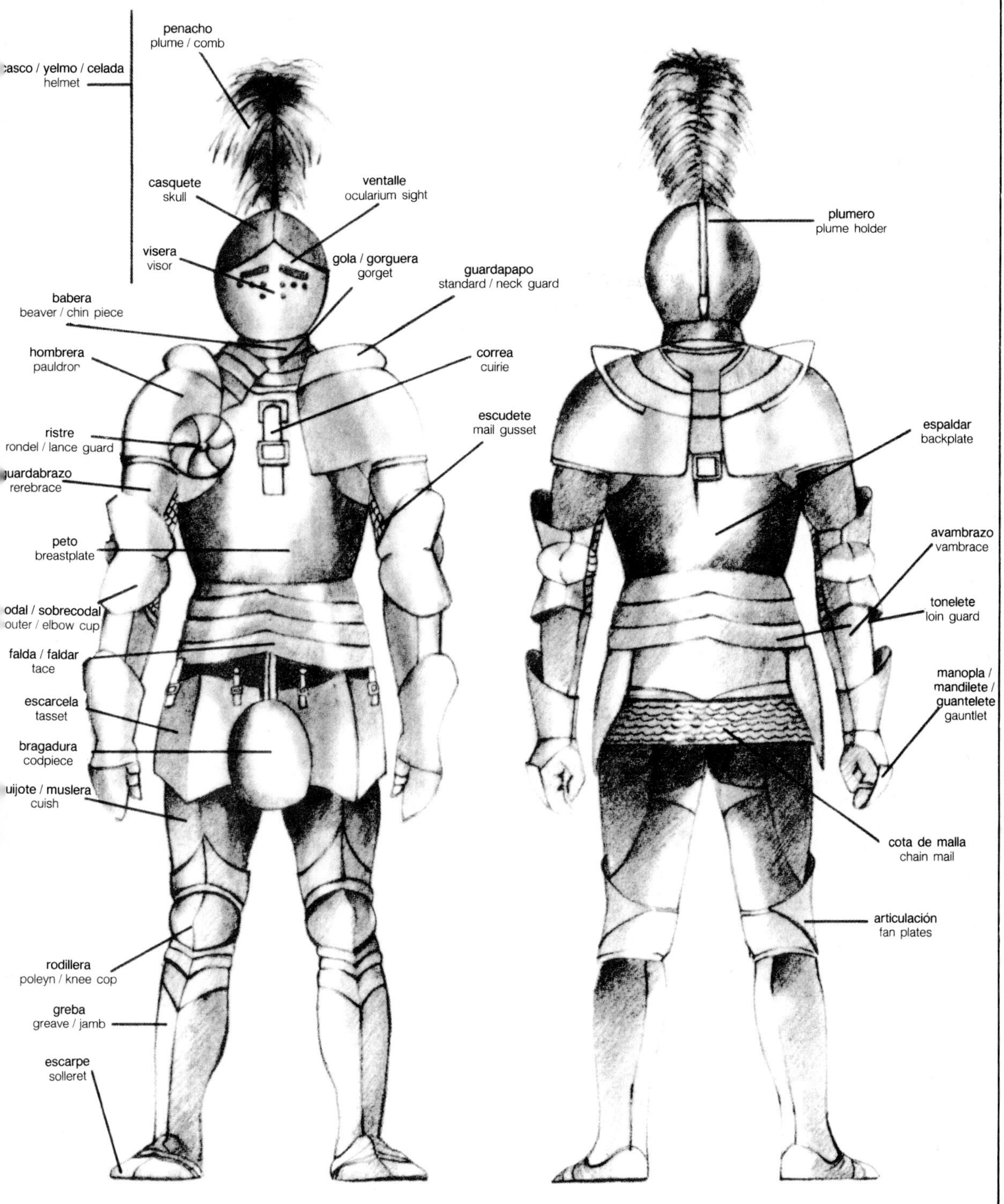

penacho
plume / comb
casco / yelmo / celada
helmet
casquete
skull
ventalle
ocularium sight
visera
visor
gola / gorguera
gorget
guardapapo
standard / neck guard
babera
beaver / chin piece
hombrera
pauldron
correa
cuirie
escudete
mail gusset
ristre
rondel / lance guard
guardabrazo
rerebrace
peto
breastplate
codal / sobrecodal
couter / elbow cup
falda / faldar
tace
escarcela
tasset
bragadura
codpiece
quijote / muslera
cuish
rodillera
poleyn / knee cop
greba
greave / jamb
escarpe
solleret
plumero
plume holder
espaldar
backplate
avambrazo
vambrace
tonelete
loin guard
manopla / mandilete / guantelete
gauntlet
cota de malla
chain mail
articulación
fan plates

Arco y flechas

Durante la Edad Media los *arqueros* iban provistos de un arco que lanzaba *flechas* o *saetas* o de una *ballesta* que disparaba *lances*, es decir, *bodoques* y *saetas*. Las flechas se llevaban en un *carcaj* o *aljaba*.

Bow and Arrow

In medieval times. *bowmen* carried either a *longbow*, which fired a *shaft* or arrow, or a crossbow, which fired a *bolt* or *quarrel*. Arrows were carried in a *quiver*.

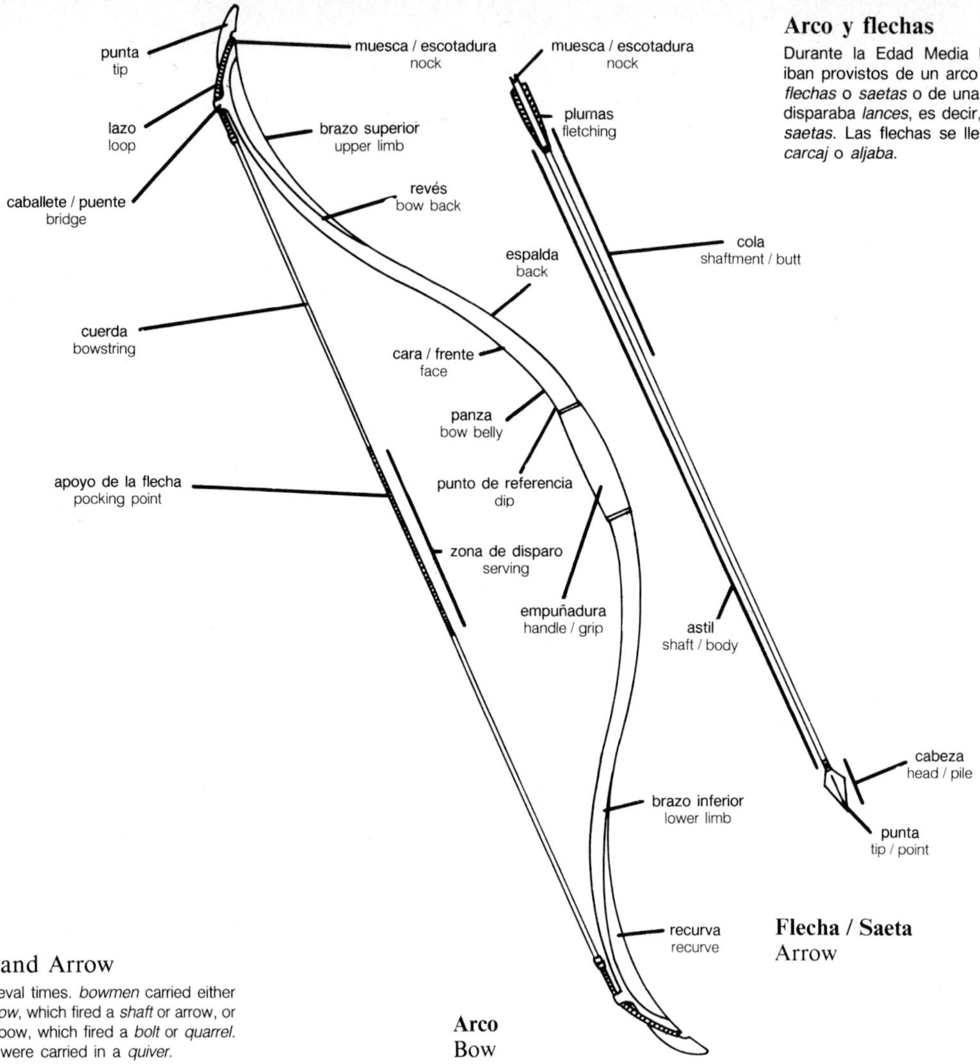

punta
tip
lazo
loop
caballete / puente
bridge
muesca / escotadura
nock
brazo superior
upper limb
revés
bow back
espalda
back
cuerda
bowstring
cara / frente
face
panza
bow belly
punto de referencia
dip
apoyo de la flecha
pocking point
zona de disparo
serving
empuñadura
handle / grip
brazo inferior
lower limb
recurva
recurve
muesca / escotadura
nock
plumas
fletching
cola
shaftment / butt
astil
shaft / body
cabeza
head / pile
punta
tip / point

Arco
Bow

Flecha / Saeta
Arrow

Ballesta
Crossbow

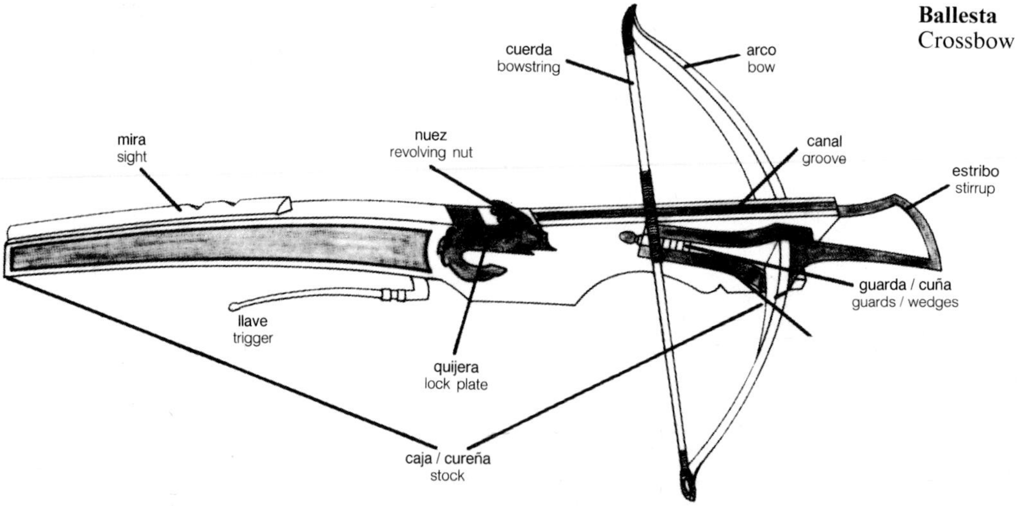

cuerda
bowstring
arco
bow
mira
sight
nuez
revolving nut
canal
groove
estribo
stirrup
guarda / cuña
guards / wedges
llave
trigger
quijera
lock plate
caja / cureña
stock

Cañón y catapulta

Las *balas del cañón*, que se *cargaban* por la boca, se transportaban en *carros de municiones* y se apilaban en bandejas. Los cargadores empleaban un *estropajo* o una *esponja* para quitar los residuos, un *alambre* para eliminar las obstrucciones, y un *atacador* para ajustar el *proyectil* en el interior de la *boca* del cañón. Las catapultas se empleaban para lanzar venablos a distancias superiores a 400 metros. Las balistas tenían el mismo sistema de disparo y se utilizaban para lanzar piedras grandes a cortas distancias.

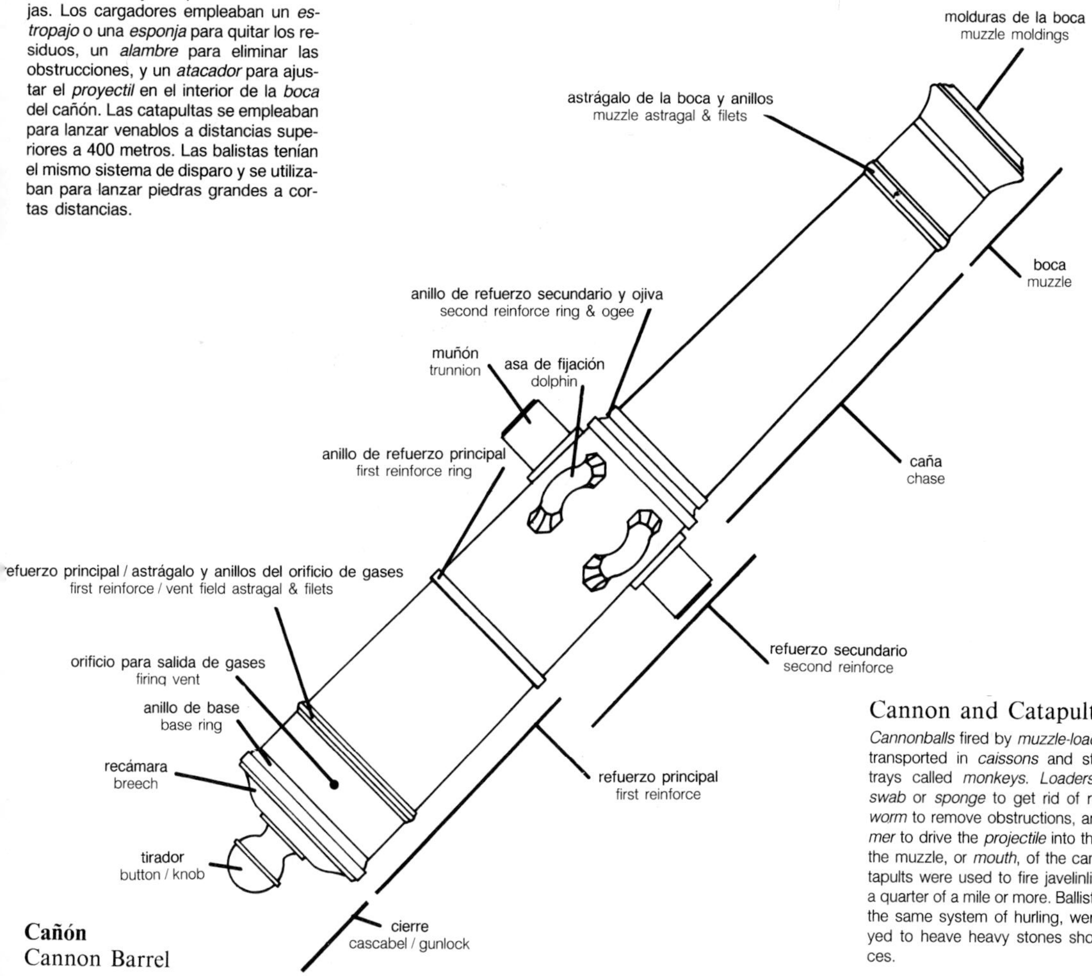

molduras de la boca
muzzle moldings
astrágalo de la boca y anillos
muzzle astragal & filets
boca
muzzle
anillo de refuerzo secundario y ojiva
second reinforce ring & ogee
muñón
trunnion
asa de fijación
dolphin
anillo de refuerzo principal
first reinforce ring
caña
chase
efuerzo principal / astrágalo y anillos del orificio de gases
first reinforce / vent field astragal & filets
refuerzo secundario
second reinforce
orificio para salida de gases
firing vent
anillo de base
base ring
recámara
breech
refuerzo principal
first reinforce
tirador
button / knob
cierre
cascabel / gunlock

Cannon and Catapult

Cannonballs fired by *muzzle-loaders* were transported in *caissons* and stacked in trays called *monkeys*. *Loaders* used a *swab* or *sponge* to get rid of residue, a *worm* to remove obstructions, and a *rammer* to drive the *projectile* into the *bore* at the muzzle, or *mouth*, of the cannon. Catapults were used to fire javelinlike shafts a quarter of a mile or more. Ballistas, using the same system of hurling, were employed to heave heavy stones short distances.

Cañón
Cannon Barrel

Cureña
Carriage

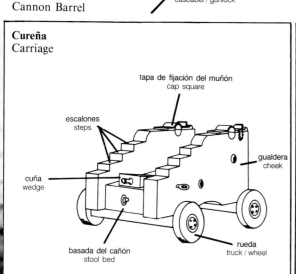

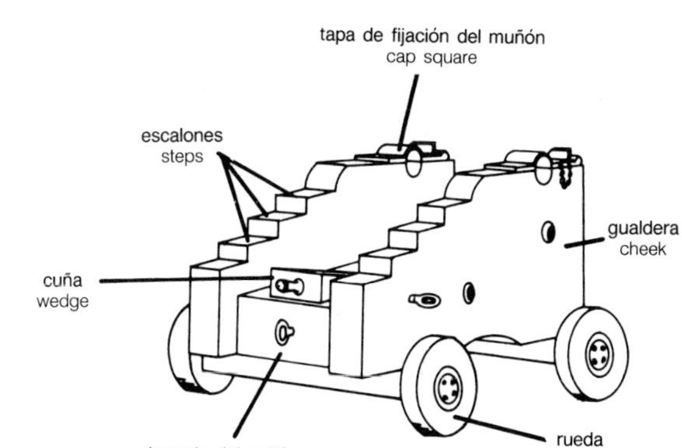

tapa de fijación del muñón
cap square
escalones
steps
gualdera
cheek
cuña
wedge
basada del cañón
stool bed
rueda
truck / wheel

Catapulta
Ballista

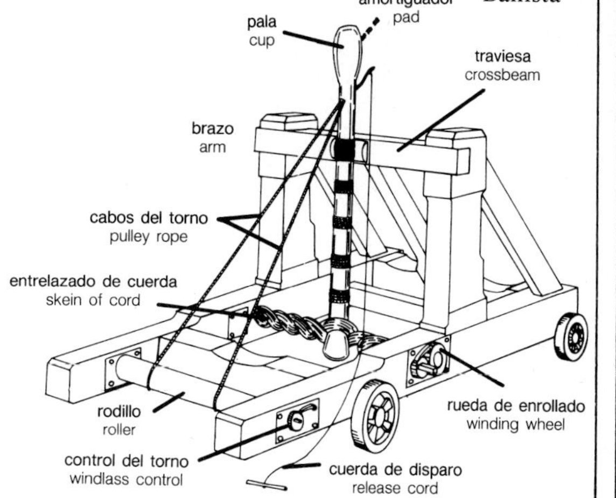

amortiguador
pad
pala
cup
traviesa
crossbeam
brazo
arm
cabos del torno
pulley rope
entrelazado de cuerda
skein of cord
rodillo
roller
rueda de enrollado
winding wheel
control del torno
windlass control
cuerda de disparo
release cord

Escopeta y fusil

La escopeta dispara *perdigones* y tiene el *ánima lisa*, mientras que el fusil dispara *balas* y tiene el *cañón rayado*. Los cañones de las escopetas se van haciendo ligeramente más angostos hacia la boca para conseguir la *agrupación de impactos*. Los fusiles se llevan colgados al hombro mediante una correa, la *bandolera* o *portafusil*, sujeta al arma con unas *anillas* y que se puede ajustar con *ganchos*.

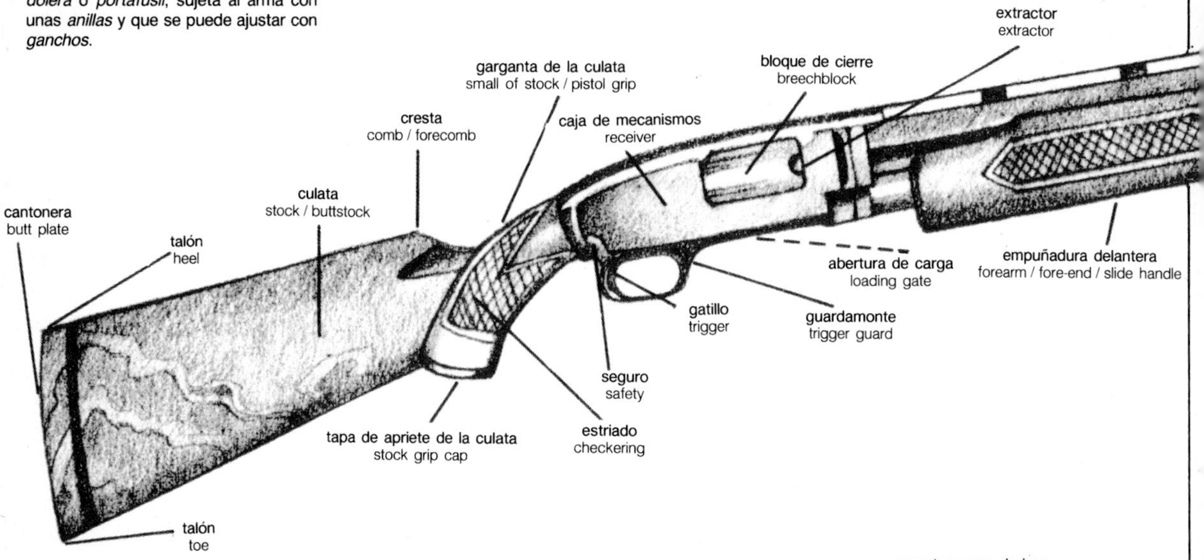
extractor
extractor
garganta de la culata
small of stock / pistol grip
bloque de cierre
breechblock
cresta
comb / forecomb
caja de mecanismos
receiver
culata
stock / buttstock
cantonera
butt plate
talón
heel
abertura de carga
loading gate
empuñadura delantera
forearm / fore-end / slide handle
gatillo
trigger
guardamonte
trigger guard
seguro
safety
estriado
checkering
tapa de apriete de la culata
stock grip cap
talón
toe

Escopeta
Shotgun

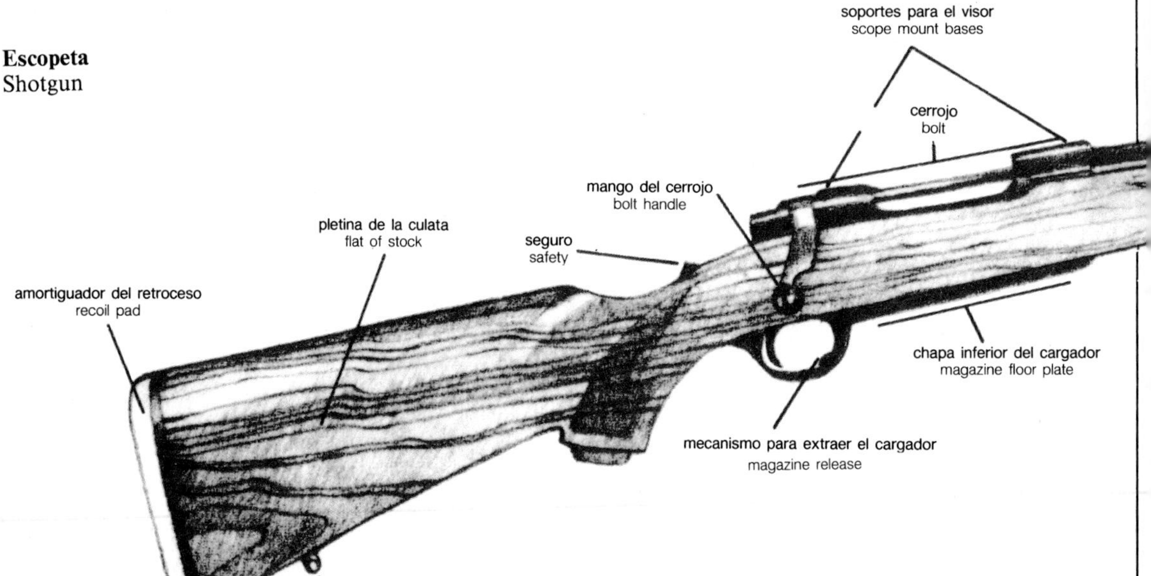
soportes para el visor
scope mount bases
cerrojo
bolt
mango del cerrojo
bolt handle
pletina de la culata
flat of stock
seguro
safety
amortiguador del retroceso
recoil pad
chapa inferior del cargador
magazine floor plate
mecanismo para extraer el cargador
magazine release
pasador de anilla
swivel pin

Fusil
Rifle

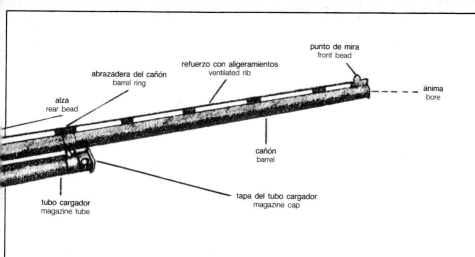

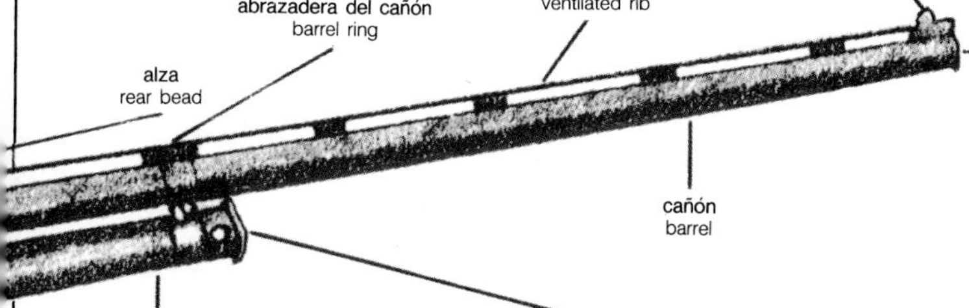
punto de mira
front bead
refuerzo con aligeramientos
ventilated rib
abrazadera del cañón
barrel ring
ánima
bore
alza
rear bead
cañón
barrel
tapa del tubo cargador
magazine cap
tubo cargador
magazine tube

punto de mira
front sight
alza de ranura
open rear sight
pasador de anilla
swivel pin

Shotgun and Rifle

A shotgun fires small *pellets* through a *smooth bore*, while a rifle fires *bullets* through a *rifled barrel*. Shotgun barrels are usually tapered, or *choked*, to constrict the *shot pattern*. Rifles may be carried across the shoulder on a beltlike *sling* connected to the weapon by *sling swivels* and adjusted with bucklelike *claws*.

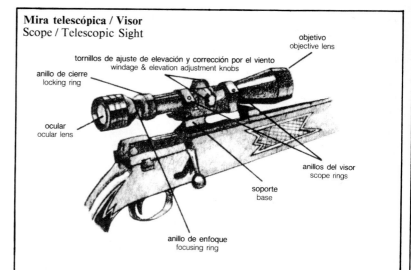

Mira telescópica / Visor
Scope / Telescopic Sight

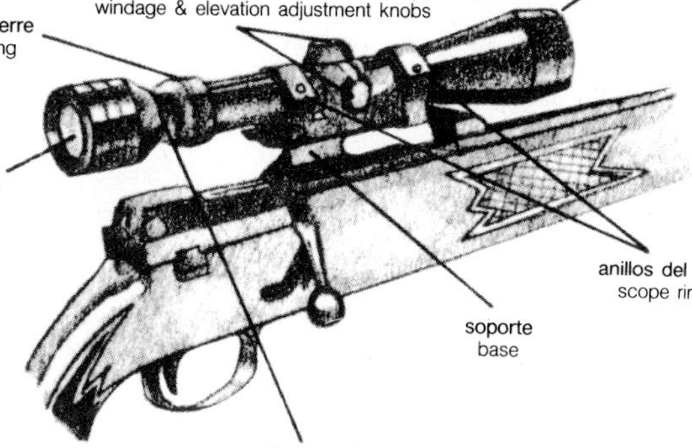
objetivo
objective lens
tornillos de ajuste de elevación y corrección por el viento
windage & elevation adjustment knobs
anillo de cierre
locking ring
ocular
ocular lens
anillos del visor
scope rings
soporte
base
anillo de enfoque
focusing ring

Armas cortas

Una *pistola* se *dispara* cuando, al apretar el *gatillo*, el *percutor* golpea el detonador del cartucho. El *silenciador* sirve para atenuar el sonido del disparo. Las estrías existentes en el interior del cañón, que reciben el nombre de *rayado*, imprimen al proyectil un movimiento giratorio que aumenta su estabilidad. Los cartuchos se miden por *calibres*, que es su diámetro interior expresado en centésimas o milésimas de pulgada o en *milímetros*. Las pistolas se llevan en fundas llamadas *pistoleras*.

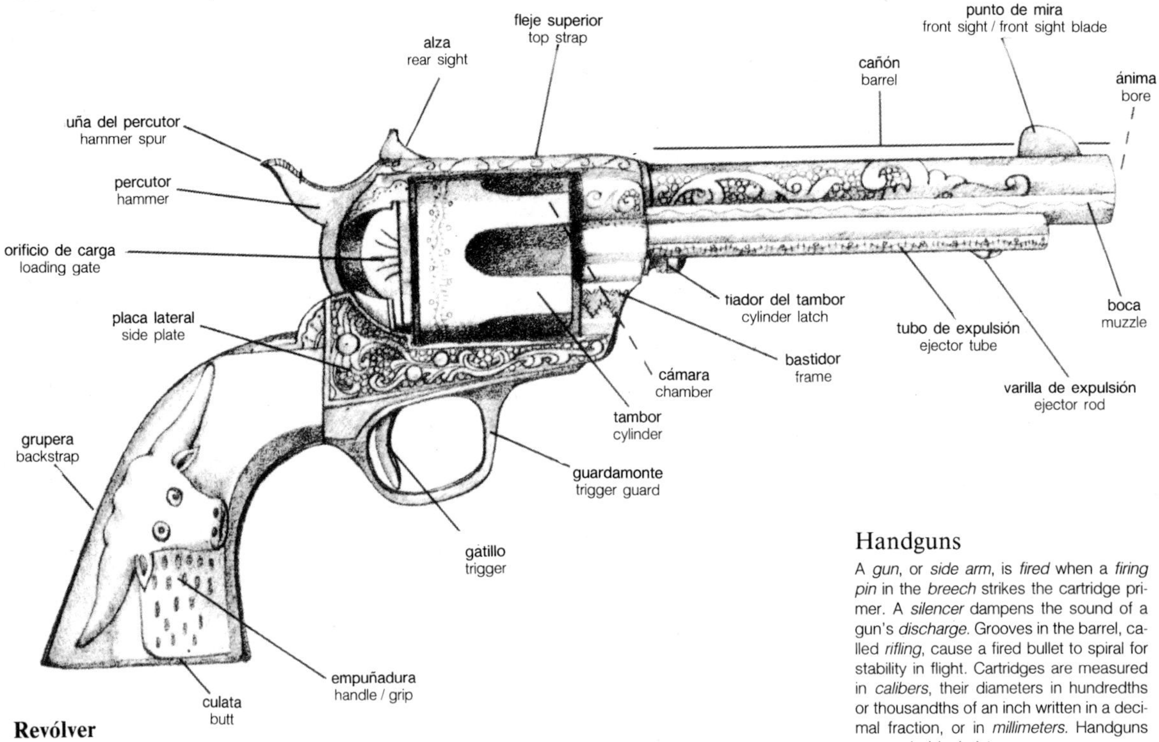

fleje superior
top strap
alza
rear sight
punto de mira
front sight / front sight blade
cañón
barrel
ánima
bore
uña del percutor
hammer spur
percutor
hammer
orificio de carga
loading gate
placa lateral
side plate
grupera
backstrap
tiador del tambor
cylinder latch
boca
muzzle
tubo de expulsión
ejector tube
bastidor
frame
cámara
chamber
varilla de expulsión
ejector rod
tambor
cylinder
guardamonte
trigger guard
gatillo
trigger
empuñadura
handle / grip
culata
butt

Revólver
Revolver

Handguns

A *gun*, or *side arm*, is *fired* when a *firing pin* in the *breech* strikes the cartridge primer. A *silencer* dampens the sound of a gun's *discharge*. Grooves in the barrel, called *rifling*, cause a fired bullet to spiral for stability in flight. Cartridges are measured in *calibers*, their diameters in hundredths or thousandths of an inch written in a decimal fraction, or in *millimeters*. Handguns are carried in *holsters*.

Cartucho
Cartridge

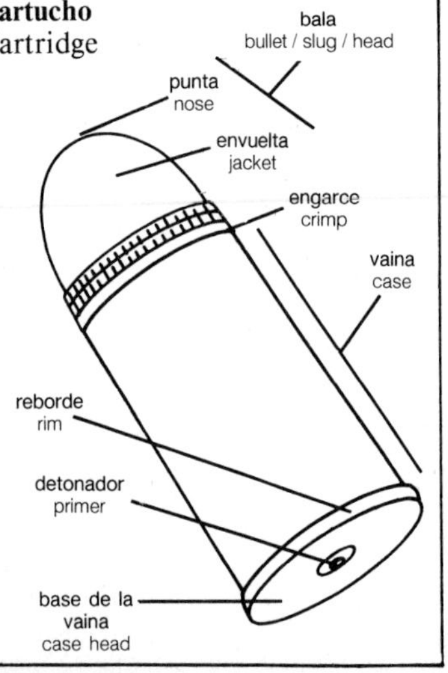

bala
bullet / slug / head
punta
nose
envuelta
jacket
engarce
crimp
vaina
case
reborde
rim
detonador
primer
base de la vaina
case head

Pistola automática
Automatic Pistol

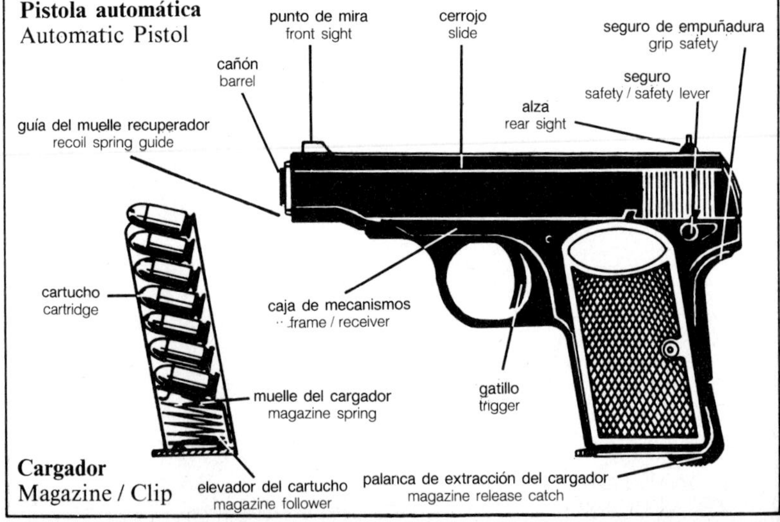

punto de mira
front sight
cerrojo
slide
seguro de empuñadura
grip safety
cañón
barrel
seguro
safety / safety lever
alza
rear sight
guía del muelle recuperador
recoil spring guide
cartucho
cartridge
caja de mecanismos
frame / receiver
gatillo
trigger
muelle del cargador
magazine spring
elevador del cartucho
magazine follower
palanca de extracción del cargador
magazine release catch

Cargador
Magazine / Clip

Armas automáticas

Las armas automáticas de gran capacidad de disparo se clasifican por su peso: ligeras, medias y pesadas. La ametralladora de peso medio *refrigerada por aire*, de la figura, la puede manejar un solo hombre en tierra, o sobre un vehículo instalada en un *montaje de pivotes*. El fusil ametrallador ligero dispara rápidas ráfagas de tiros mientras se mantiene apretado el gatillo. Recibe la *munición* en *cargadores* o *peines de cartuchos*.

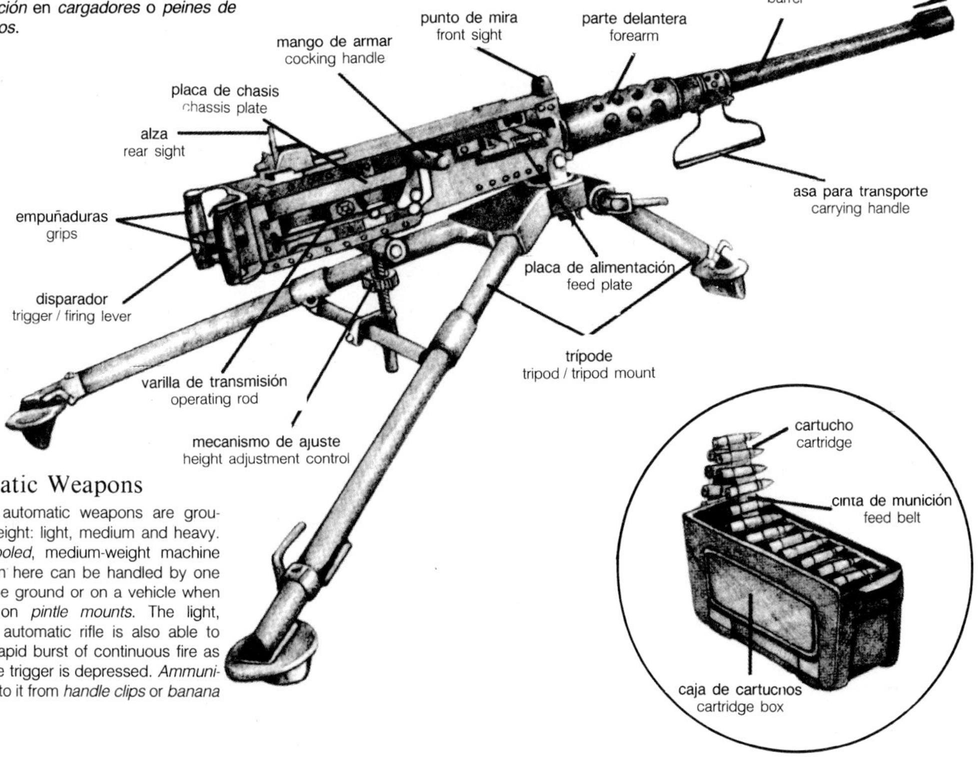

apagallamas
flash suppressor
cañón
barrel
punto de mira
front sight
parte delantera
forearm
mango de armar
cocking handle
placa de chasis
chassis plate
alza
rear sight
asa para transporte
carrying handle
empuñaduras
grips
placa de alimentación
feed plate
disparador
trigger / firing lever
trípode
tripod / tripod mount
varilla de transmisión
operating rod
mecanismo de ajuste
height adjustment control
cartucho
cartridge
cinta de munición
feed belt
caja de cartuchos
cartridge box

Automatic Weapons

Multi-shot automatic weapons are grouped by weight: light, medium and heavy. The *air-cooled*, medium-weight machine gun shown here can be handled by one man on the ground or on a vehicle when mounted on *pintle mounts*. The light, hand-held automatic rifle is also able to deliver a rapid burst of continuous fire as long as the trigger is depressed. *Ammunition* is fed to it from *handle clips* or *banana clips*.

Ametralladora
Machine Gun

Caja de munición
Ammunition Can

Fusil ametrallador
Automatic Rifle

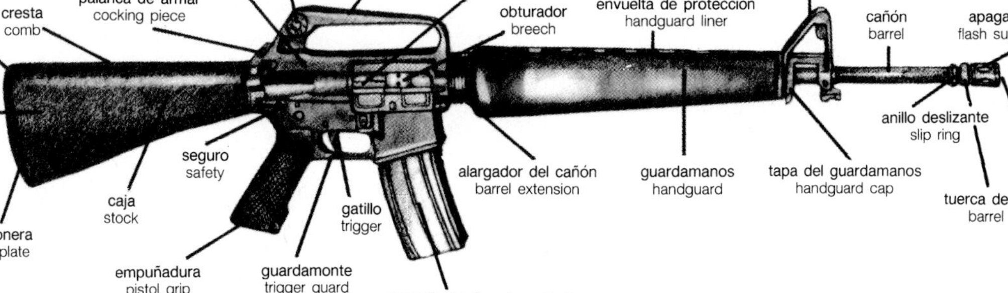

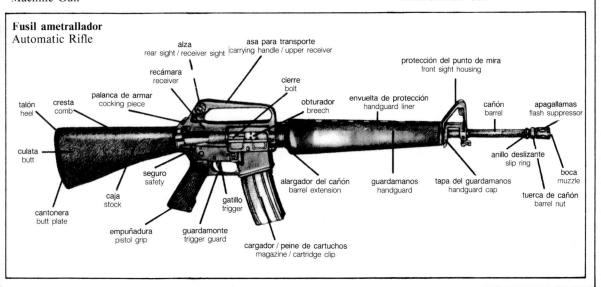

alza
rear sight / receiver sight
asa para transporte
carrying handle / upper receiver
protección del punto de mira
front sight housing
recámara
receiver
cierre
bolt
palanca de armar
cocking piece
obturador
breech
envuelta de protección
handguard liner
talón
heel
cresta
comb
cañón
barrel
apagallamas
flash suppressor
culata
butt
anillo deslizante
slip ring
boca
muzzle
seguro
safety
alargador del cañón
barrel extension
guardamanos
handguard
tapa del guardamanos
handguard cap
caja
stock
tuerca de cañón
barrel nut
gatillo
trigger
cantonera
butt plate
empuñadura
pistol grip
guardamonte
trigger guard
cargador / peine de cartuchos
magazine / cartridge clip

Mortero y bazooka

Un mortero es un cañón de *carga por la boca* que se emplea para lanzar, con ángulos de disparo elevados, proyectiles provisto de *aletas*. Un bazooka es un arma lanzagranadas que se lleva al hombro y que está formada por un *tubo de ánima lisa y recámara abierta* que dispara diferentes tipos de *proyectiles*.

Mortar and Bazooka

A mortar is a *muzzle-loading cannon*, or *midget howitzer*, used to throw *finned projectiles* at high angles. A bazooka is a portable shoulder weapon with an *open-breech smoothbore firing tube* that fires several types of *rockets*.

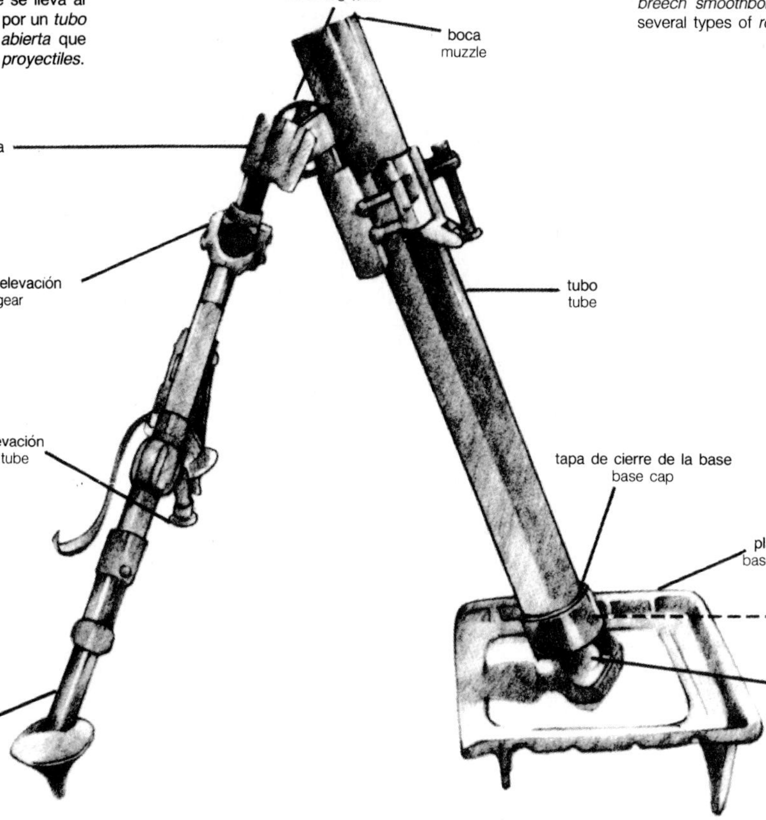
engranaje de movimiento lateral
traversing gear
boca
muzzle
soporte para la mira
sight bracket
mecanismo de elevación
elevating gear
tubo
tube
tubo de elevación
elevating tube
tapa de cierre de la base
base cap
placa de apoyo
baseplate / bedplate
percutor
firing pin
rótula
swivel / pivot
bípode
bipod leg

Mortero
Mortar

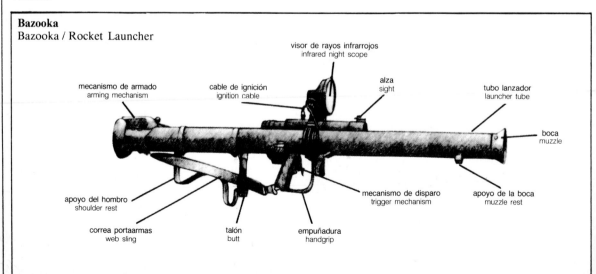

Bazooka
Bazooka / Rocket Launcher

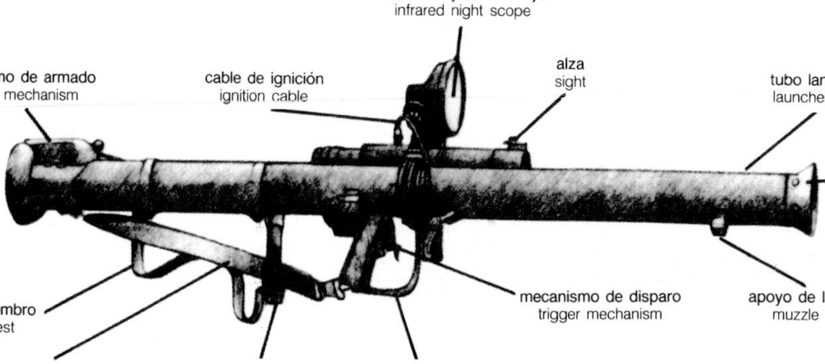
visor de rayos infrarrojos
infrared night scope
mecanismo de armado
arming mechanism
cable de ignición
ignition cable
alza
sight
tubo lanzador
launcher tube
boca
muzzle
apoyo del hombro
shoulder rest
mecanismo de disparo
trigger mechanism
apoyo de la boca
muzzle rest
correa portaarmas
web sling
talón
butt
empuñadura
handgrip

Granada y mina

Al estallar una granada como la de la figura, se divide en numerosos fragmentos metálicos llamados *metralla*. Existen también las *granadas de humo* y las *granadas de choque*. Las *granadas de fusil* de *forma aerodinámica* tienen aletas que facilitan su estabilidad en vuelo. El «*cóctel Molotov*» es una granada casera que se lanza contra tanques y que está formada por una botella de gasolina con una *mecha* encendida en su parte superior.

Grenade and Mine

When the type of grenade shown here is detonated, it bursts into numerous metal fragments called *shrapnel*. Other types of grenades include *smoke grenades* and *concussion grenades*. Streamlined *rifle grenades* have rear *fins* to provide stability in flight. A "*Molotov cocktail*", a crude grenade often thrown at tanks to set them on fire, consists of a gasoline-filled bottle with a lighted *wick* at the top.

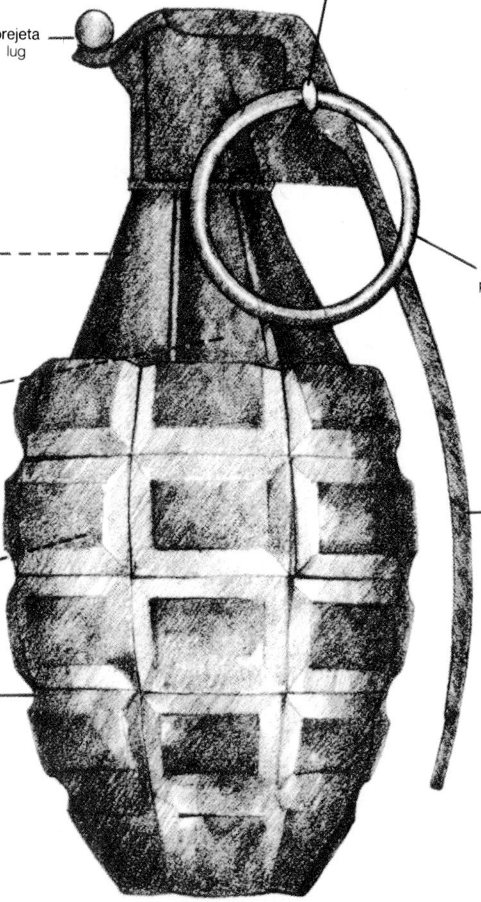
pasador de seguridad
safety pin
orejeta
lug
estopín
primer
anilla
pull ring
espoleta
fuse
palanca de seguridad
safety lever / spoon
explosivo (TNT)
TNT
envuelta estriada de hierro fundido
cast-iron casing / serrated body

Granada de mano
Hand Grenade / "Pineapple" Fragmentation Grenade

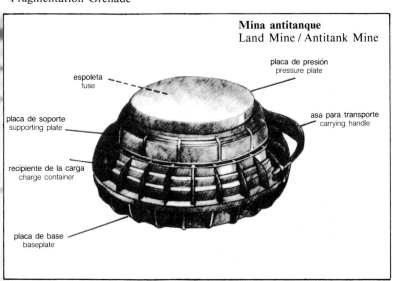

Mina antitanque
Land Mine / Antitank Mine

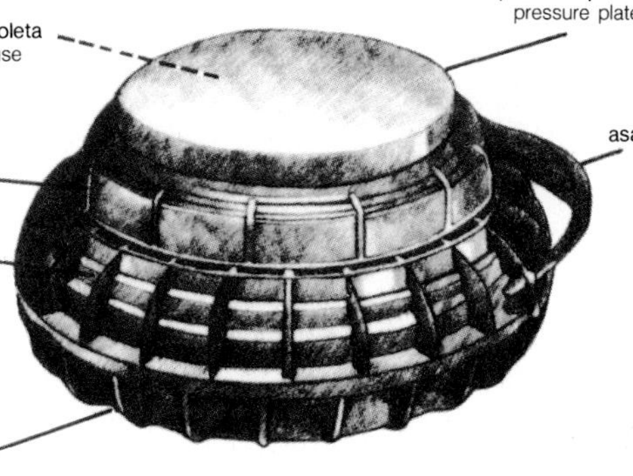
placa de presión
pressure plate
espoleta
fuse
asa para transporte
carrying handle
placa de soporte
supporting plate
recipiente de la carga
charge container
placa de base
baseplate

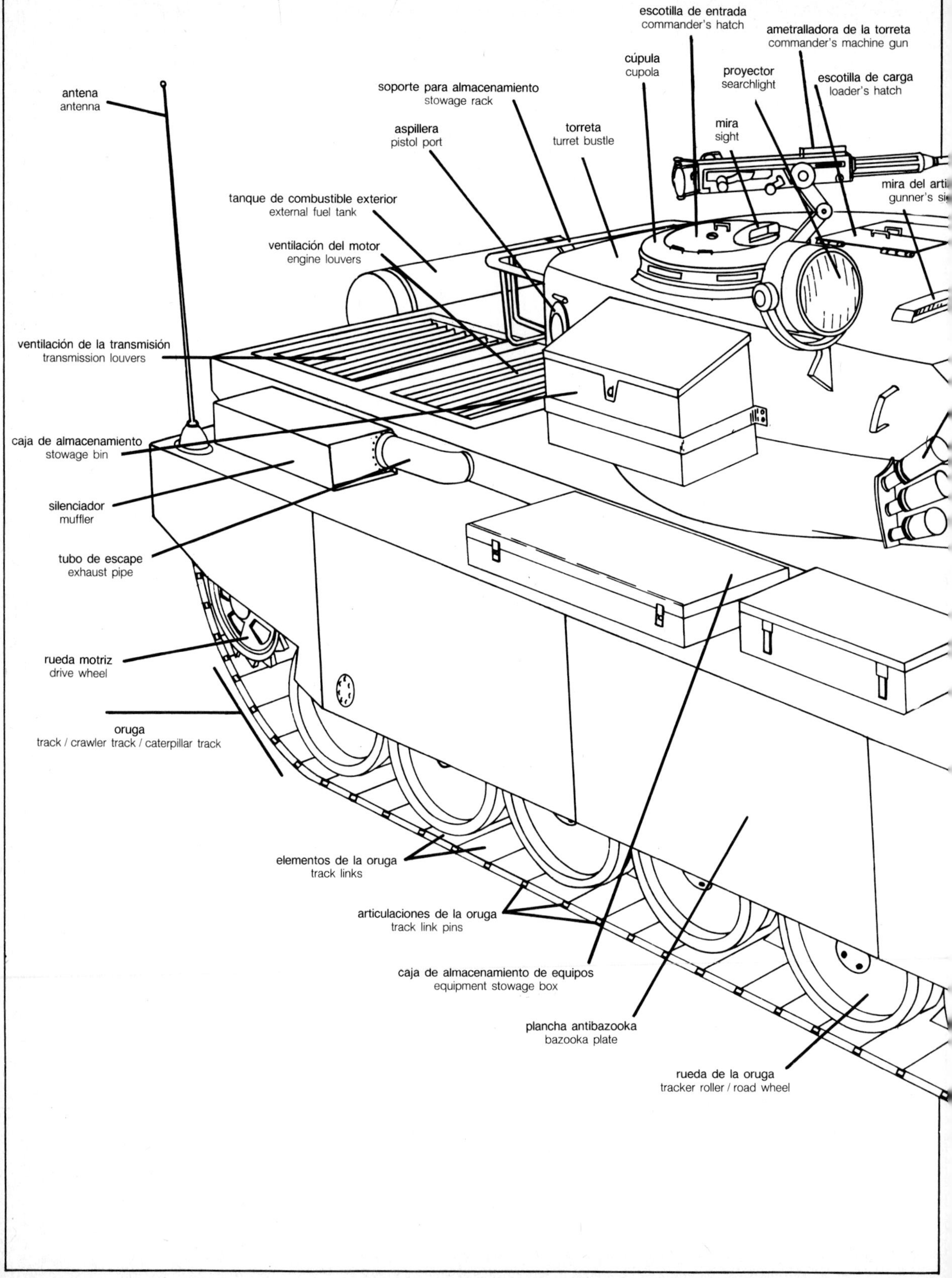

escotilla de entrada
commander's hatch
ametralladora de la torreta
commander's machine gun
cúpula
cupola
proyector
searchlight
escotilla de carga
loader's hatch
antena
antenna
soporte para almacenamiento
stowage rack
aspillera
pistol port
torreta
turret bustle
mira
sight
mira del arti
gunner's si
tanque de combustible exterior
external fuel tank
ventilación del motor
engine louvers
ventilación de la transmisión
transmission louvers
caja de almacenamiento
stowage bin
silenciador
muffler
tubo de escape
exhaust pipe
rueda motriz
drive wheel
oruga
track / crawler track / caterpillar track
elementos de la oruga
track links
articulaciones de la oruga
track link pins
caja de almacenamiento de equipos
equipment stowage box
plancha antibazooka
bazooka plate
rueda de la oruga
tracker roller / road wheel

Carro de combate

Un carro de combate es un vehículo *blindado* formado por una *torreta* giratoria montada sobre un casco con *orugas*. Las articulaciones de las orugas suelen ir recubiertas con soportes *elásticos* de goma vulcanizada.

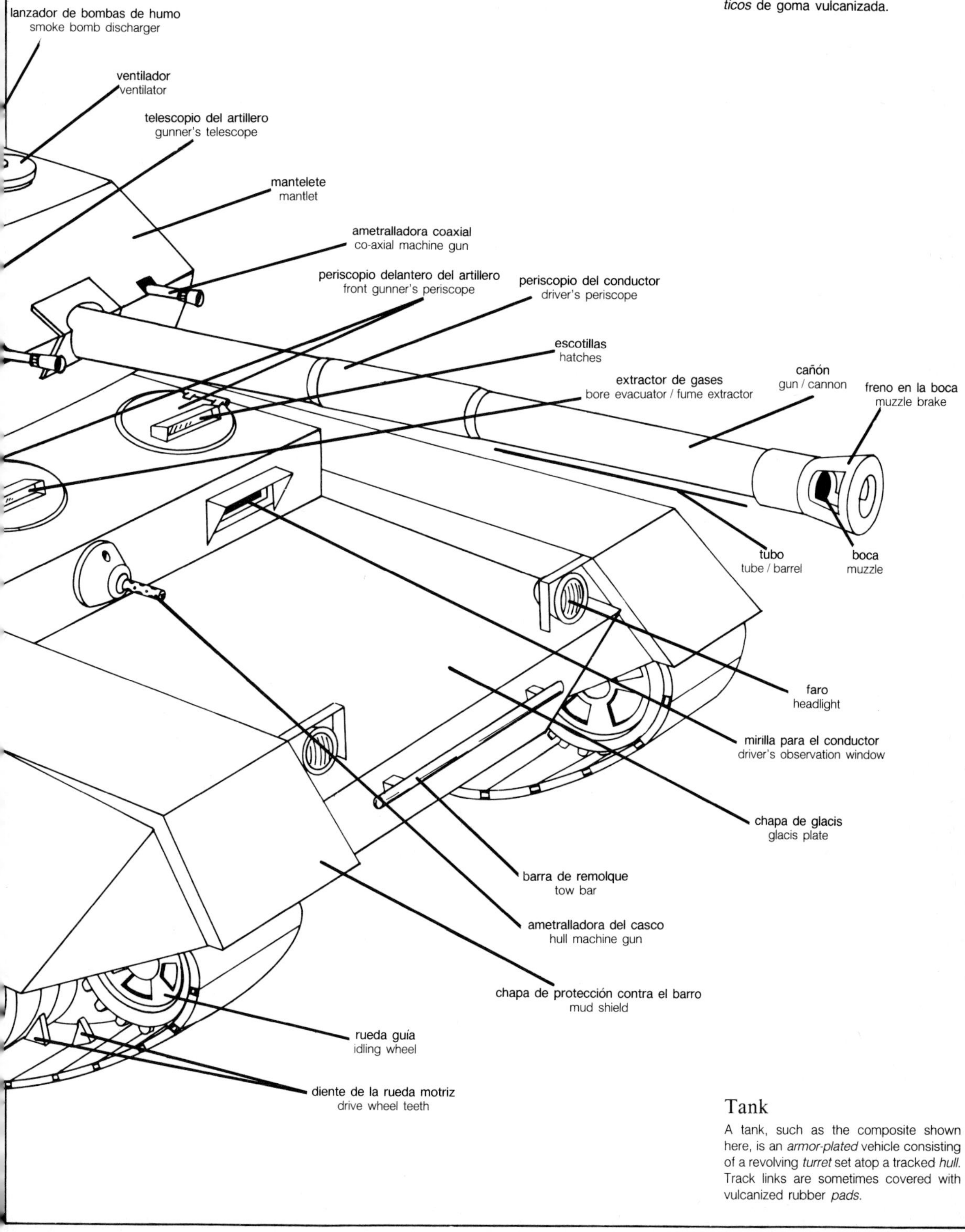

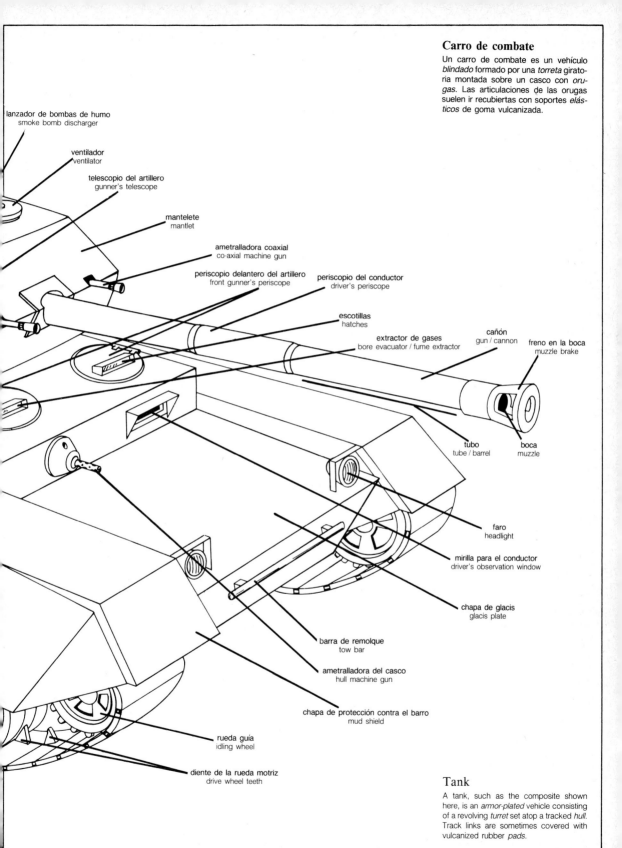

lanzador de bombas de humo
smoke bomb discharger
ventilador
ventilator
telescopio del artillero
gunner's telescope
mantelete
mantlet
ametralladora coaxial
co-axial machine gun
periscopio delantero del artillero
front gunner's periscope
periscopio del conductor
driver's periscope
escotillas
hatches
extractor de gases
bore evacuator / fume extractor
cañón
gun / cannon
freno en la boca
muzzle brake
tubo
tube / barrel
boca
muzzle
faro
headlight
mirilla para el conductor
driver's observation window
chapa de glacis
glacis plate
barra de remolque
tow bar
ametralladora del casco
hull machine gun
chapa de protección contra el barro
mud shield
rueda guía
idling wheel
diente de la rueda motriz
drive wheel teeth

Tank

A tank, such as the composite shown here, is an *armor-plated* vehicle consisting of a revolving *turret* set atop a tracked *hull*. Track links are sometimes covered with vulcanized rubber *pads*.

Misil y torpedo

A diferencia del *misil antibalístico* (*ABM*) propulsado por cohete que se ve aquí, los *misiles balísticos intercontinentales* (*ICBM*) vuelan por el exterior de la atmósfera terrestre y no tienen aletas estabilizadoras. *Los misiles de reentrada a la atmósfera y objetivos múltiples independientes* (*MIRV*) llevan varias cabezas explosivas que se dispersan cuando el misil se acerca al objetivo. Los torpedos modernos, disparados desde *tubos lanzatorpedos* situados en el interior de los submarinos, siguen acústicamente al blanco o son teleguiados por cable.

Missile and Torpedo

Unlike the rocket-propelled *antiballistic missile*, or *ABM*, seen here, *intercontinental ballistic missiles*, or *ICBMs* fly outside earth's atmosphere and have no stabilizing fins. *Multiple independently targeted reentry vehicles*, or *MIRVs*, have several warheads which disperse as the missile nears the target. Modern torpedoes, fired from *torpedo tubes* inside submarines, home in on targets acoustically or are guided by wire.

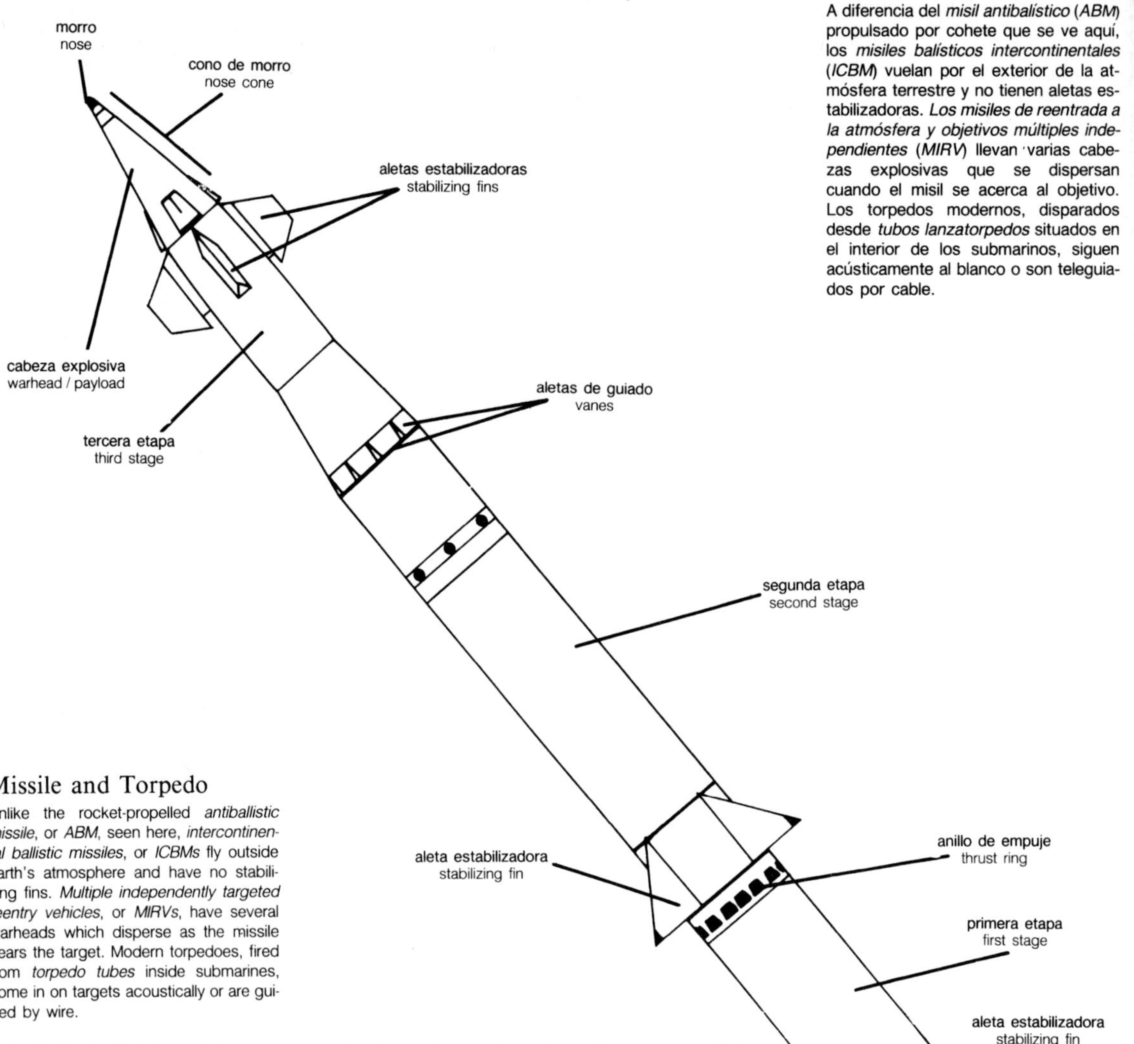
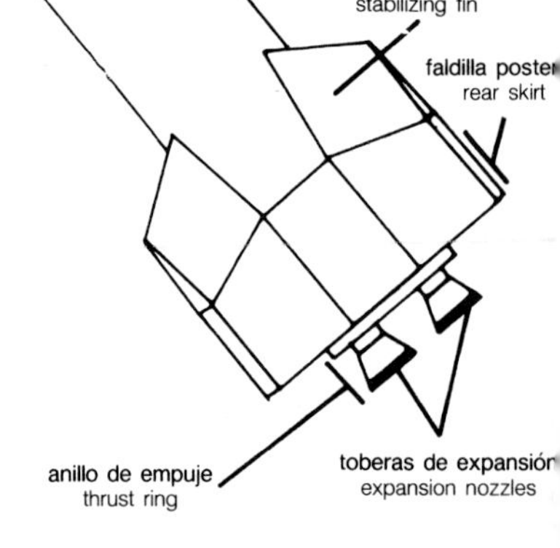

morro
nose
cono de morro
nose cone
aletas estabilizadoras
stabilizing fins
cabeza explosiva
warhead / payload
tercera etapa
third stage
aletas de guiado
vanes
segunda etapa
second stage
aleta estabilizadora
stabilizing fin
anillo de empuje
thrust ring
primera etapa
first stage
aleta estabilizadora
stabilizing fin
faldilla poster
rear skirt
anillo de empuje
thrust ring
toberas de expansión
expansion nozzles

Misil
Missile

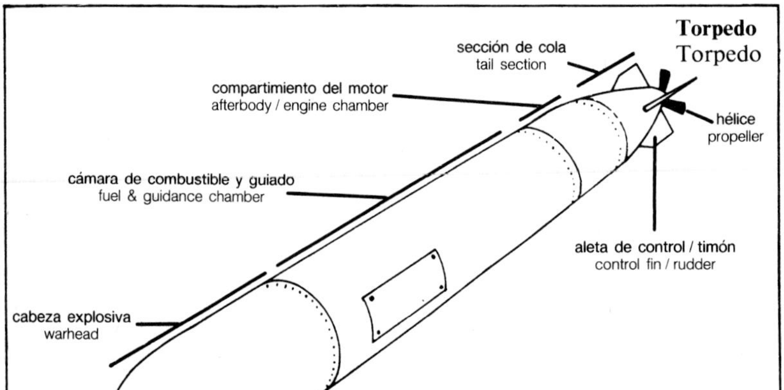

Torpedo
Torpedo
sección de cola
tail section
compartimiento del motor
afterbody / engine chamber
hélice
propeller
cámara de combustible y guiado
fuel & guidance chamber
aleta de control / timón
control fin / rudder
cabeza explosiva
warhead
percutor / pistón de disparo
firing pin / plunger

Uniformes, trajes y vestimentas ceremoniales

Las indumentarias que se presentan en esta sección comprenden desde los trajes y vestimentas propios de ocasiones especiales hasta los atavíos de estilo o diseño característico que visten los miembros de algunas agrupaciones específicas. Las partes de un uniforme por ejemplo, no sólo sirven para identificar el servicio de quien lo lleva, sino también para conocer su rango y categoría.

Las vestimentas pueden ser muy estilizadas o muy informales. Los vestidos de la corte Manchú, por ejemplo, sólo se llevaban en ocasiones muy solemnes, mientras que la indumentaria de los vaqueros era la ropa de trabajo exigida por su actividad.

Además de los atuendos típicos de diversos personajes históricos y tradicionales (el general, el pirata, el usurero, el mago), en esta sección figuran también los trajes empleados por artistas tales como payasos, bailarinas de ballet y majorettes.

Guardián de la torre de Londres
Beefeater / Yeoman Warder

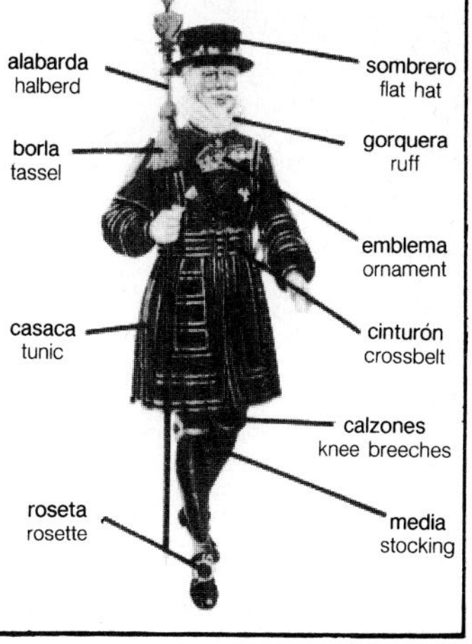

alabarda
halberd
sombrero
flat hat
borla
tassel
gorquera
ruff
emblema
ornament
casaca
tunic
cinturón
crossbelt
calzones
knee breeches
roseta
rosette
media
stocking

Galas reales

El rey completa su indumentaria en las ceremonias de coronación e investidura con su *espada de gala*. Entre la ropa interior de la reina destacan la *enagua*, el *corsé*, la *camisa* y los *calzones*.

Royal Regalia

In coronations and investitures, a king wears a blunted sword called a *curtein* on his sash. Among a queen's foundation garments, or *underpinnings*, are a *corset*, *corselet*, *chemise* and *pantaloons*.

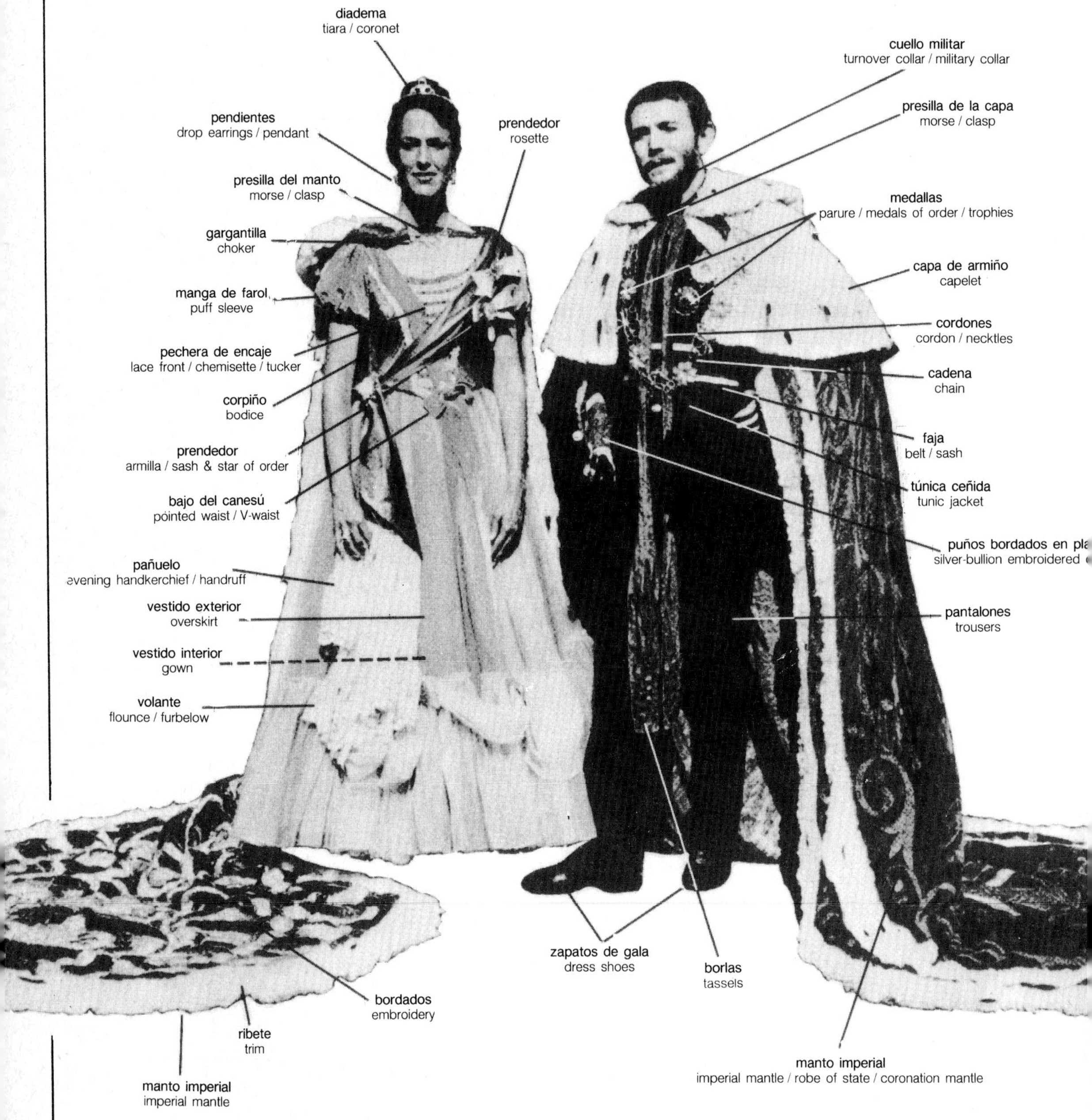

diadema
tiara / coronet
pendientes
drop earrings / pendant
presilla del manto
morse / clasp
gargantilla
choker
manga de farol
puff sleeve
pechera de encaje
lace front / chemisette / tucker
corpiño
bodice
prendedor
armilla / sash & star of order
bajo del canesú
pointed waist / V-waist
pañuelo
evening handkerchief / handruff
vestido exterior
overskirt
vestido interior
gown
volante
flounce / furbelow
prendedor
rosette
cuello militar
turnover collar / military collar
presilla de la capa
morse / clasp
medallas
parure / medals of order / trophies
capa de armiño
capelet
cordones
cordon / neckties
cadena
chain
faja
belt / sash
túnica ceñida
tunic jacket
puños bordados en pl
silver-bullion embroidered
pantalones
trousers
zapatos de gala
dress shoes
borlas
tassels
bordados
embroidery
ribete
trim
manto imperial
imperial mantle
manto imperial
imperial mantle / robe of state / coronation mantle

Reina
Queen

Rey
King

Atributos reales

Una *diadema* es una banda metálica con adornos que se coloca en la parte frontal superior de la cabeza. La corona de varios pisos que usa el Papa recibe el nombre de *tiara*. *Guirnalda* es un círculo trenzado de hojas, flores o ambas cosas, que se usa como corona o collar.

Royal Regalia

A *coronet* is a small crown worn by royalty ranking below the reigning monarch. A *tiara* is a royal headpiece, usually consisting of a *diadem*, or band, tied around the forehead, supporting several tiers of ornaments. A wreath, or circlet of leaves, worn as a crown or collar is a *garland*.

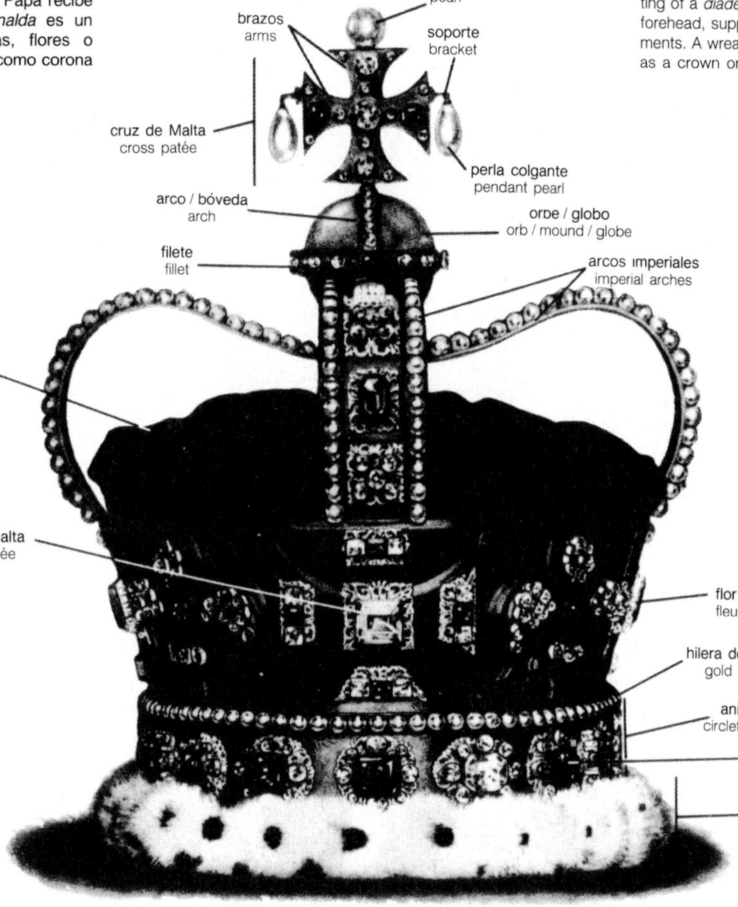

perla
pearl
brazos
arms
soporte
bracket
cruz de Malta
cross patée
perla colgante
pendant pearl
arco / bóveda
arch
orbe / globo
orb / mound / globe
filete
fillet
arcos imperiales
imperial arches
gorro de terciopelo
velvet cap
cruz de Malta
cross patée
flor de lis
fleur-de-lis
hilera de bolas de oro
gold balls of rank
anillo
circlet / rim
roseta
rosette
armiño
miniver

Corona
Crown

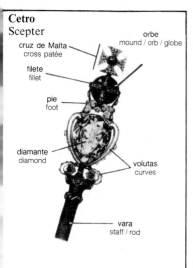

Cetro
Scepter

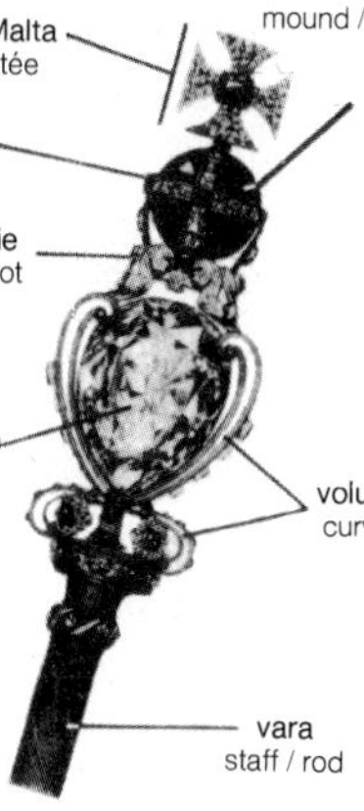

orbe
mound / orb / globe
cruz de Malta
cross patée
filete
fillet
pie
foot
diamante
diamond
volutas
curves
vara
staff / rod

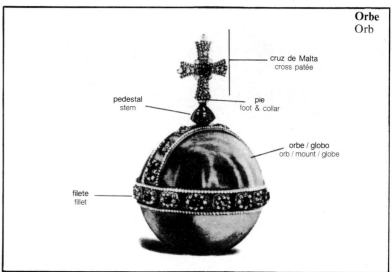

Orbe
Orb

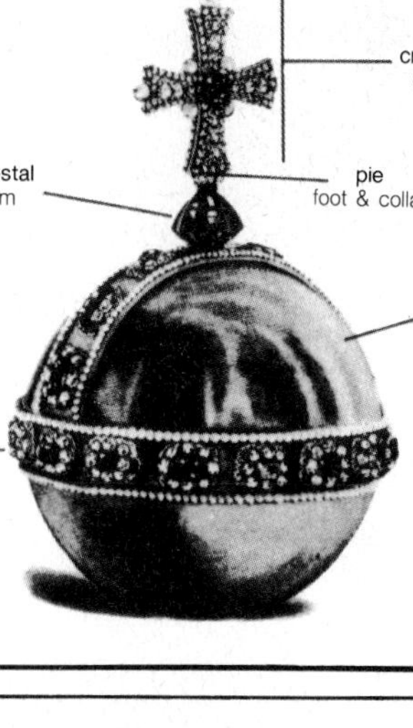

cruz de Malta
cross patée
pedestal
stem
pie
foot & collar
orbe / globo
orb / mount / globe
filete
fillet

Elementos del ritual judío

Durante la celebración de los servicios religiosos en un *templo* o *sinagoga*, el *rabino* lee extractos y es asistido en la dirección del servicio religioso por el *cantor* que canta la liturgia. Sus atuendos son los mismos que los del resto de la congregación. Durante los rezos matutinos se lleva a la frente una *shel rosh*, similar al tefillin. Algunos judíos cuelgan de la jamba de las puertas de sus hogares un *mezuzah*, una caja decorativa que contiene pasajes del torah.

Jewish Ritual Items

During regular service in a *Temple*, or *Synagogue*, excerpts are read by the *Rabbi*, who is assisted in leading the service by a *Cantor*, who sings the liturgy. Their vestments are the same as the rest of the congregation. During morning prayer, a *shel rosh*, similar to the tefillin, is worn on the forehead. Some Jews hang a *mezuzah*, a decorative box containing passages from the Torah, on the doorpost of their homes.

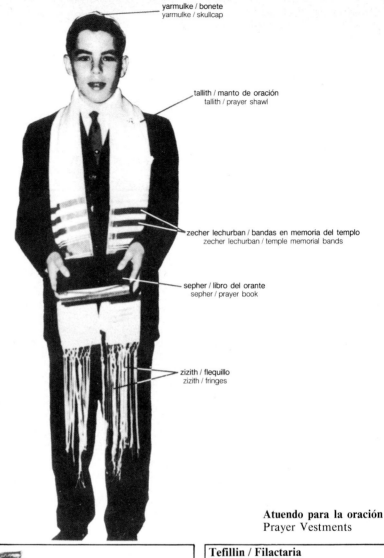

yarmulke / bonete
yarmulke / skullcap
tallith / manto de oración
tallith / prayer shawl
zecher lechurban / bandas en memoria del templo
zecher lechurban / temple memorial bands
sepher / libro del orante
sepher / prayer book
zizith / flequillo
zizith / fringes

Atuendo para la oración
Prayer Vestments

Torah
Torah

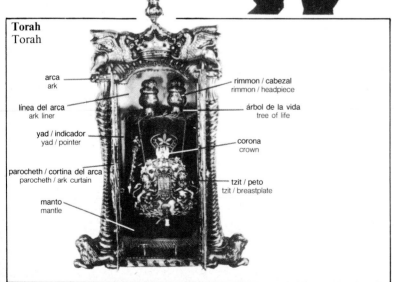

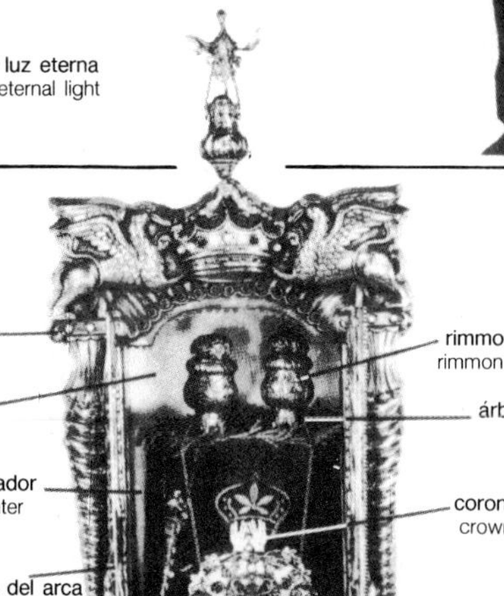
Ner Tamid / luz eterna
Ner Tamid / eternal light
arca
ark
línea del arca
ark liner
yad / indicador
yad / pointer
parocheth / cortina del arca
parocheth / ark curtain
manto
mantle
rimmon / cabezal
rimmon / headpiece
árbol de la vida
tree of life
corona
crown
tzit / peto
tzit / breastplate

Tefillin / Filactaria o tira de oraciones
Tefillin / Phylacteries

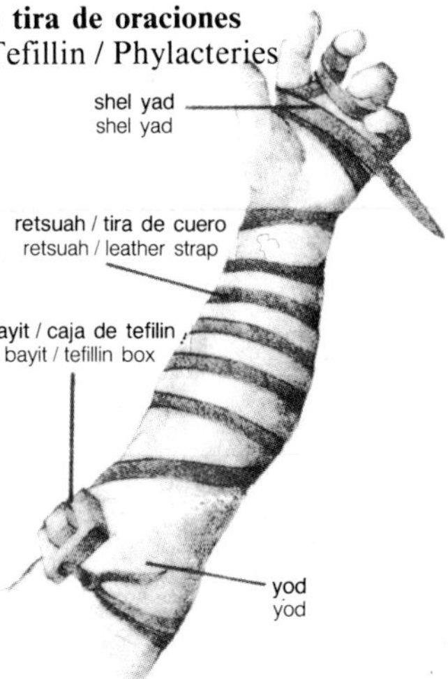
shel yad
shel yad
retsuah / tira de cuero
retsuah / leather strap
bayit / caja de tefilin
bayit / tefillin box
yod
yod

Ornamentos religiosos

El pequeño gorro cuadrado de cuatro picos que usan los sacerdotes de la Iglesia Católica es el *bonete*. El *birrete* es prismático y va rematado en una *borla*. Los cordones, cinturones y cintas con que ciñen los clérigos sus vestiduras se llaman *cíngulos*. La *toca* es el cerco blanco que sujeta el velo de las monjas. El *peto* o *babero* es una pieza blanca que cubre el pecho en algunas órdenes. El anillo que lleva el Papa en su mano derecha se llama *anillo del Pescador*.

Religious Vestments

The small square cap with three corners worn by Roman Catholic clergy is a *biretta*. Ropes, belts or sashes used to keep vestments closed are *cinctures*. Traditionally, the white band worn by nuns to encircle their faces is a *wimple*, while the wide cloth worn below it to cover their necks and shoulders is a *guimpe*. The ring worn by the Pope is the *Ring* of the *Fisherman*.

mitra sencilla
simple miter
mitra ornada
precious miter
ínfulas
lappet
amito
Roman collar
báculo
crosier / pastoral staff
cruz pectoral
pectoral cross
dalmática
dalmatic
estola
stole
anillo episcopal
Episcopal ring
capa pluvial
cope
casulla
chasuble
ribete
cope piping
alba
alb
roquete
rochet
sotana
cassock
sotana
cassock

Obispo
Bishop

Cardenal
Cardinal

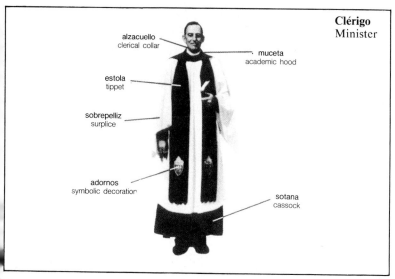

Clérigo
Minister

alzacuello
clerical collar
muceta
academic hood
estola
tippet
sobrepelliz
surplice
adornos
symbolic decoration
sotana
cassock

Monja
Nun

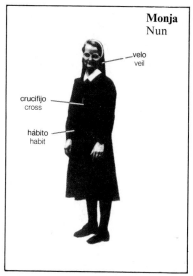

velo
veil
crucifijo
cross
hábito
habit

Novia y novio

La novia, vestida de blanco que significa pureza y con el rostro cubierto por un velo como símbolo de recato, lleva un abanico en lugar del tradicional *ramo de novia*. El atuendo del novio puede consistir también en un traje de etiqueta de noche, una camisa de vestir de fantasía, con *pechera plisada* o con *chorreras* por ejemplo, y una *pajarita*.

Bride and Groom

The bride, wearing white to symbolize purity, and a veil, symbol of modesty, is carrying a fan rather than the more traditional *wedding*, or *bridal*, *bouquet*, or *nosegay*. Some grooms wear semiformal evening dress at weddings: *tuxedos*, or *tuxes*, which are worn with *cummerbunds*, broad *waistbands*, *pleated* or *ruffled shirts* with *studs*, and *bow ties*.

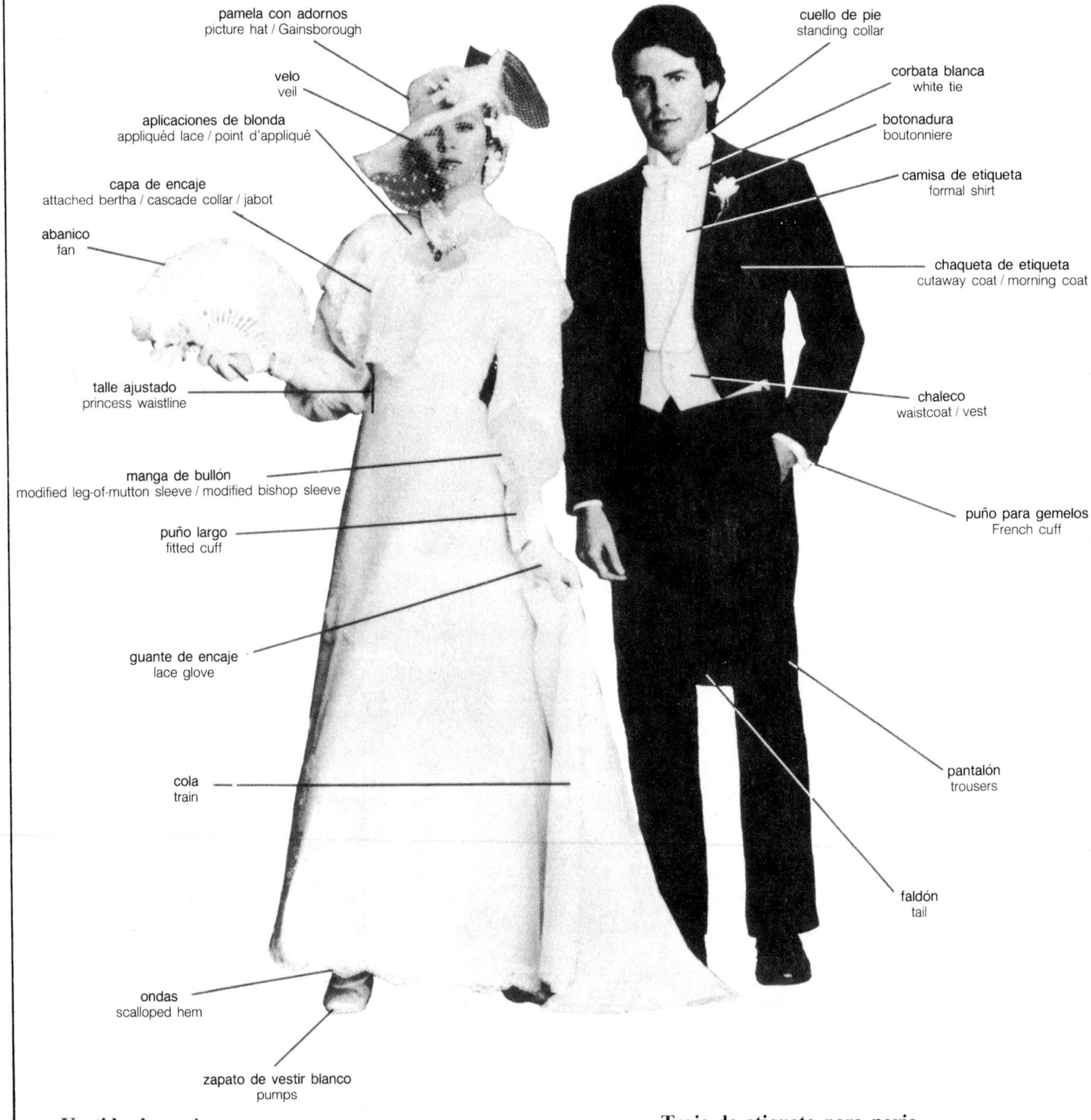
pamela con adornos
picture hat / Gainsborough
velo
veil
aplicaciones de blonda
appliquéd lace / point d'appliqué
capa de encaje
attached bertha / cascade collar / jabot
abanico
fan
talle ajustado
princess waistline
manga de bullón
modified leg-of-mutton sleeve / modified bishop sleeve
puño largo
fitted cuff
guante de encaje
lace glove
cola
train
ondas
scalloped hem
zapato de vestir blanco
pumps
cuello de pie
standing collar
corbata blanca
white tie
botonadura
boutonniere
camisa de etiqueta
formal shirt
chaqueta de etiqueta
cutaway coat / morning coat
chaleco
waistcoat / vest
puño para gemelos
French cuff
pantalón
trousers
faldón
tail

Vestido de novia
Bridal Dress / Gown

Traje de etiqueta para novio
Men's Formal Attire

Mayordomo y doncella

La indumentaria que vestían los miembros varones de la servidumbre se llamaba *librea*, aunque en la actualidad sus trajes se parecen más a los normales de etiqueta. Las criadas suelen llevar un uniforme, con delantal y cofia.

Maid and Butler

Attire worn by male servants is called *livery*. Maids often wear a *bib*, an inverted triangular piece of white linen attached at the neck and descending to just above the waist, as well as a knee-length or ankle-length *apron*.

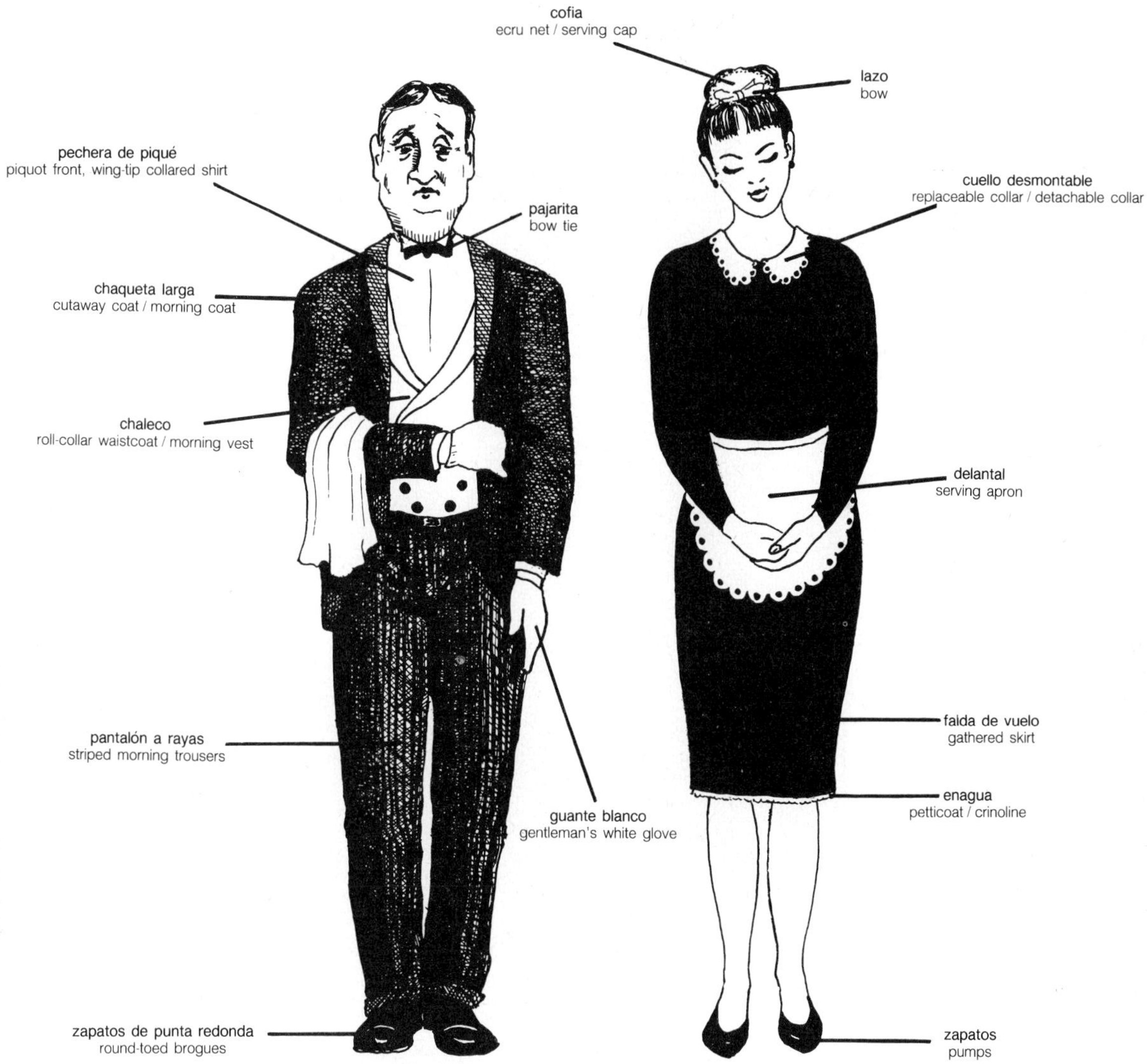

cofia
ecru net / serving cap
lazo
bow
pechera de piqué
piquot front, wing-tip collared shirt
pajarita
bow tie
cuello desmontable
replaceable collar / detachable collar
chaqueta larga
cutaway coat / morning coat
chaleco
roll-collar waistcoat / morning vest
delantal
serving apron
faida de vuelo
gathered skirt
pantalón a rayas
striped morning trousers
enagua
petticoat / crinoline
guante blanco
gentleman's white glove
zapatos de punta redonda
round-toed brogues
zapatos
pumps

Mayordomo
Butler

Doncella
Maid

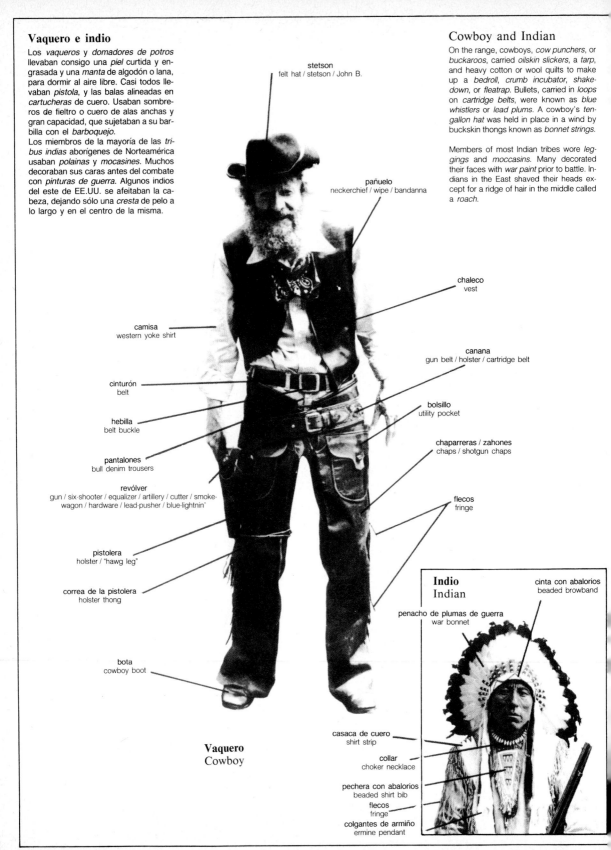

Vaquero e indio

Los *vaqueros* y *domadores de potros* llevaban consigo una *piel* curtida y engrasada y una *manta* de algodón o lana, para dormir al aire libre. Casi todos llevaban *pistola*, y las balas alineadas en *cartucheras* de cuero. Usaban sombreros de fieltro o cuero de alas anchas y gran capacidad, que sujetaban a su barbilla con el *barboquejo*.
Los miembros de la mayoría de las *tribus indias* aborígenes de Norteamérica usaban *polainas* y *mocasines*. Muchos decoraban sus caras antes del combate con *pinturas de guerra*. Algunos indios del este de EE.UU. se afeitaban la cabeza, dejando sólo una *cresta* de pelo a lo largo y en el centro de la misma.

Cowboy and Indian

On the range, cowboys, *cow punchers*, or *buckaroos*, carried *oilskin slickers*, a *tarp*, and heavy cotton or wool quilts to make up a *bedroll*, *crumb incubator*, *shakedown*, or *fleatrap*. Bullets, carried in *loops* on *cartridge belts*, were known as *blue whistlers* or *lead plums*. A cowboy's *ten-gallon hat* was held in place in a wind by buckskin thongs known as *bonnet strings*.

Members of most Indian tribes wore *leggings* and *moccasins*. Many decorated their faces with *war paint* prior to battle. Indians in the East shaved their heads except for a ridge of hair in the middle called a *roach*.

stetson
felt hat / stetson / John B.
pañuelo
neckerchief / wipe / bandanna
chaleco
vest
camisa
western yoke shirt
canana
gun belt / holster / cartridge belt
cinturón
belt
bolsillo
utility pocket
hebilla
belt buckle
chaparreras / zahones
chaps / shotgun chaps
pantalones
bull denim trousers
revólver
gun / six-shooter / equalizer / artillery / cutter / smoke-wagon / hardware / lead-pusher / blue-lightnin'
flecos
fringe
pistolera
holster / "hawg leg"
correa de la pistolera
holster thong
bota
cowboy boot

Vaquero
Cowboy

Indio
Indian

cinta con abalorios
beaded browband
penacho de plumas de guerra
war bonnet
casaca de cuero
shirt strip
collar
choker necklace
pechera con abalorios
beaded shirt bib
flecos
fringe
colgantes de armiño
ermine pendant

Vestimenta local

Los romanos de la antigüedad clásica vestían largas túnicas sueltas, *togas*. Las mujeres indias usan el *sari*, túnica ligera de vivos colores. Los hombres de Oriente Medio se cubren con el *caftán*, de largas mangas y ceñido a la cintura con una *faja*. La túnica sin mangas, más amplia, que visten los árabes se llama *chilaba*.

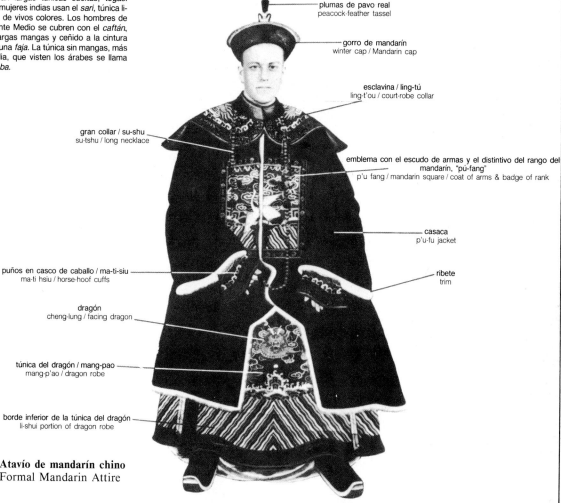

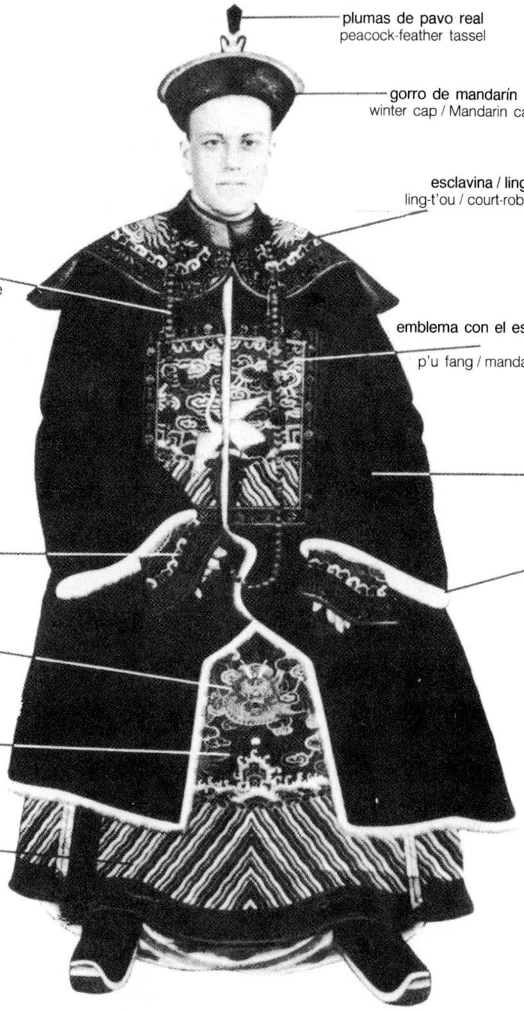
plumas de pavo real
peacock-feather tassel
gorro de mandarín
winter cap / Mandarin cap
esclavina / ling-tú
ling-t'ou / court-robe collar
gran collar / su-shu
su-tshu / long necklace
emblema con el escudo de armas y el distintivo del rango del mandarín, "pú-fang"
p'u fang / mandarin square / coat of arms & badge of rank
casaca
p'u-fu jacket
puños en casco de caballo / ma-ti-siu
ma-ti hsiu / horse-hoof cuffs
ribete
trim
dragón
cheng-lung / facing dragon
túnica del dragón / mang-pao
mang-p'ao / dragon robe
borde inferior de la túnica del dragón
li-shui portion of dragon robe

Atavío de mandarín chino
Formal Mandarin Attire

Traje árabe
Arab Dress

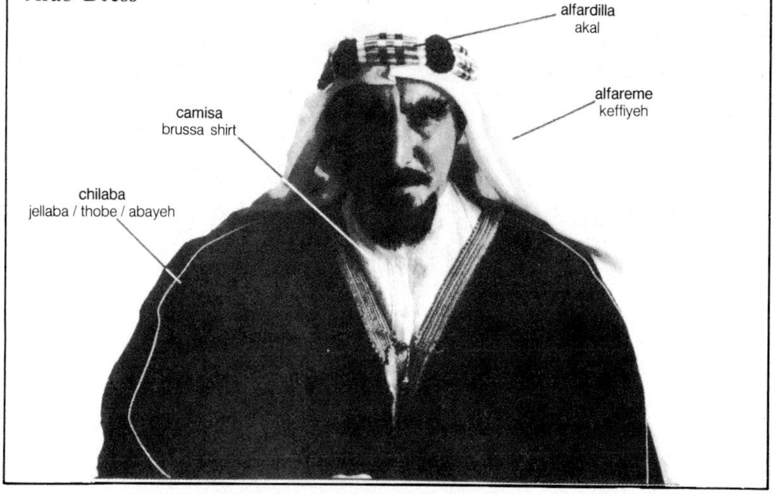
alfardilla
akal
alfareme
keffiyeh
camisa
brussa shirt
chilaba
jellaba / thobe / abayeh

Native Dress

Romans wore full-length, loose-fitting robes called *togas*. East Indian women wear *sarongs*, but Indian (Hindu) women wear *saris*. An ankle-length Middle East garment with long sleeves and a waist sash is called a *caftan*. The loose-fitting, sleeveless robes worn by Arabs are called *abas*.

Trajes de época

Muchos personajes de la Historia o la leyenda se han hecho famosos y se recuerdan asociados a la *indumentaria* que vistieron. Otras prendas usadas por los militares de otros tiempos eran las *capas*, las *casacas* y los pesados *gabanes*, *sobretodos* y *chambergos*.

Historical Costumes

Many characters in popular lore and history have become identified or associated with the clothing they wear. Other military attire worn by *Revolutionary* officers included a tunic, a plain jacket with a stiff collar, and a particularly heavy overcoat called a *greatcoat*.

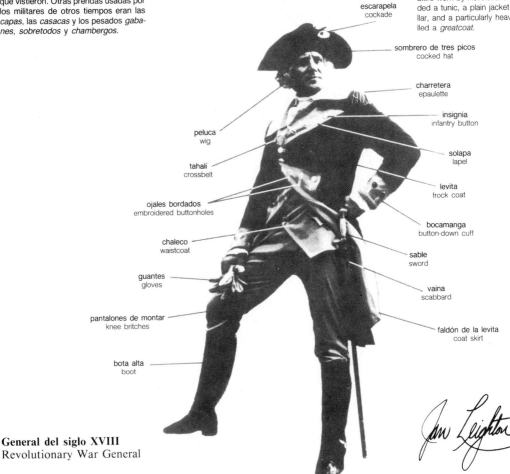

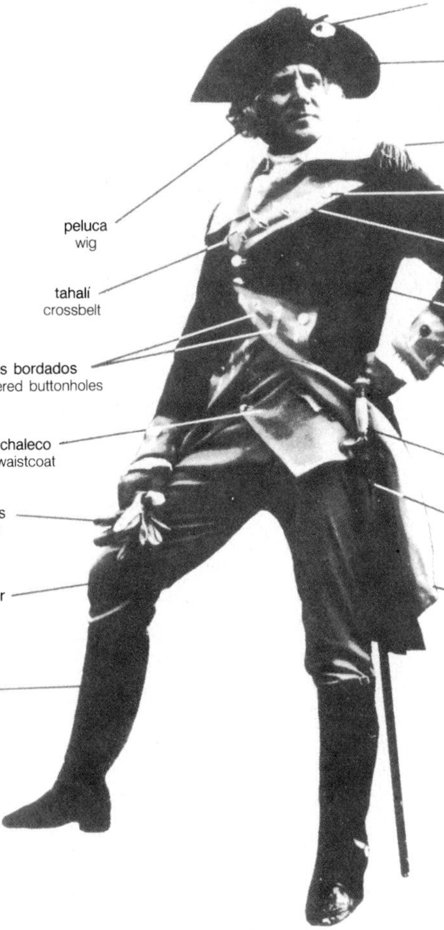
escarapela
cockade
sombrero de tres picos
cocked hat
charretera
epaulette
insignia
infantry button
peluca
wig
solapa
lapel
tahalí
crossbelt
levita
frock coat
ojales bordados
embroidered buttonholes
bocamanga
button-down cuff
chaleco
waistcoat
sable
sword
guantes
gloves
vaina
scabbard
pantalones de montar
knee britches
faldón de la levita
coat skirt
bota alta
boot
Jan Leighton

General del siglo XVIII
Revolutionary War General

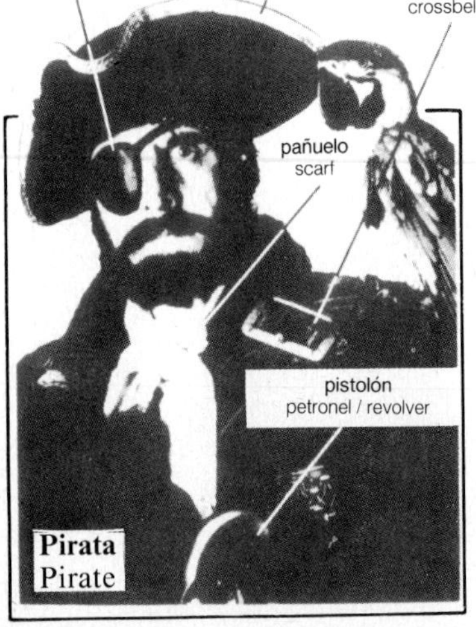
parche
eyepatch
tricornio
tricorne
correa en bandolera
crossbelt
pañuelo
scarf
pistolón
petronel / revolver

Pirata
Pirate

chistera
top hat
anteojos
Franklin glasses
bufanda
muffler
mitón
fingerless glove
monedero
purse

Usurero
Miser

capirote
steeple-crowned hat
varita mágica
magic wand
túnica
robe

Mago / Brujo
Wizard

Payaso

Todo rostro de payaso es una variación de tres tipos principales: el clásico *pierrot* o *arlequín*, con la cara pintada de blanco; *augusto*, el personaje más cómico y con rasgos más exagerados; y el *hermano sensato*, cuyo maquillaje recuerda a las facciones de un hombre corriente. Muchos payasos de circo se *pasean* por la pista en los descansos entre actuaciones, con pausas en las que representan *números cortos*.

Globo
Balloon

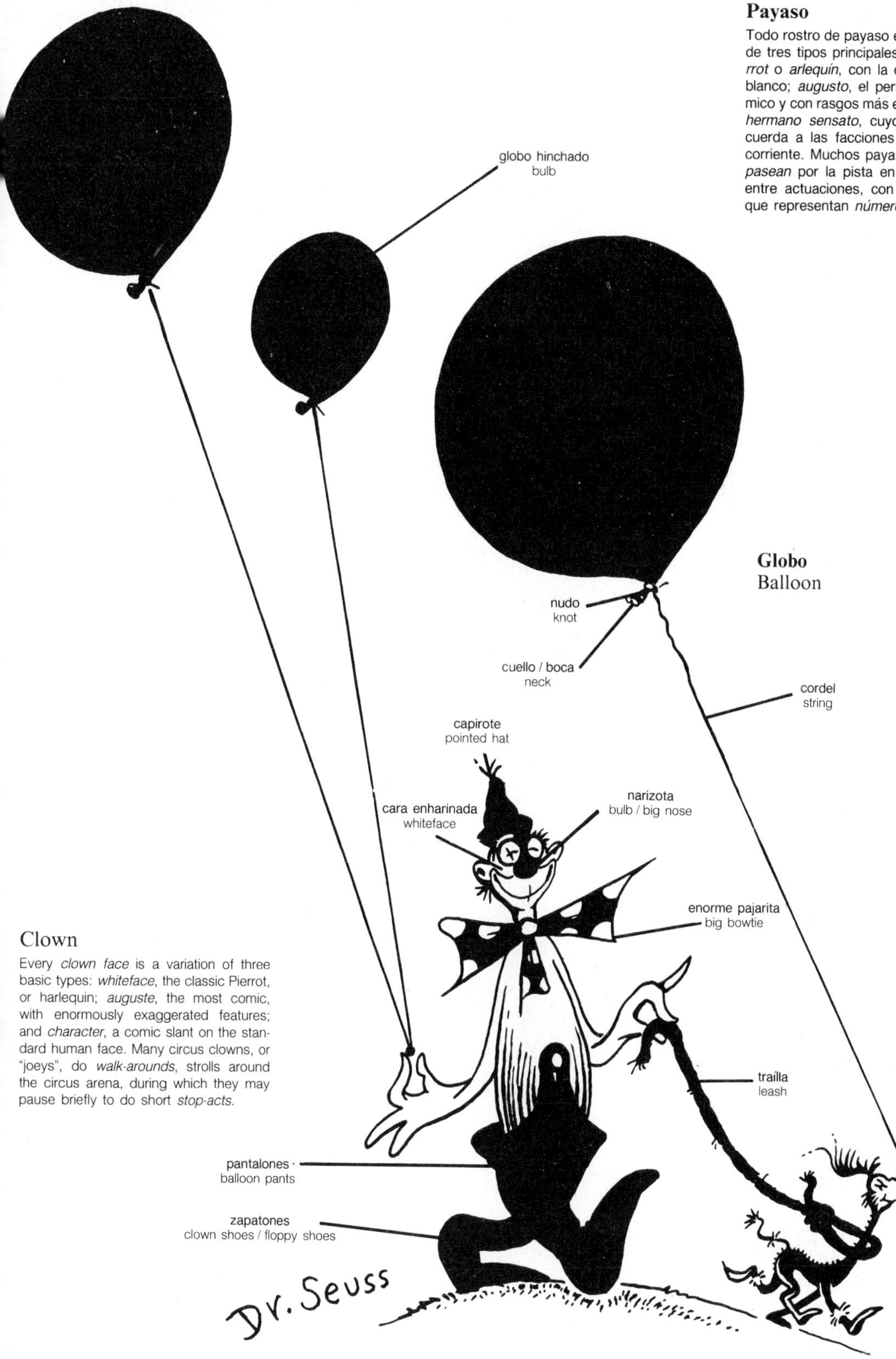

globo hinchado
bulb
nudo
knot
cuello / boca
neck
cordel
string
capirote
pointed hat
cara enharinada
whiteface
narizota
bulb / big nose
enorme pajarita
big bowtie
traílla
leash
pantalones
balloon pants
zapatones
clown shoes / floppy shoes
Dr. Seuss

Clown

Every *clown face* is a variation of three basic types: *whiteface*, the classic Pierrot, or harlequin; *auguste*, the most comic, with enormously exaggerated features; and *character*, a comic slant on the standard human face. Many circus clowns, or "joeys", do *walk-arounds*, strolls around the circus arena, during which they may pause briefly to do short *stop-acts*.

Ballet

Las zapatillas de punta que lleva esta *bailarina de ballet* o *ballerina* tienen una puntera gruesa de madera, cubierta de piel. Una prenda frecuentre entre las profesionales del *ballet* es el *tutú*, faldilla de varias capas de tul plegadas, ceñida a la cintura.

Ballet Dancer

The toeshoes worn by this *ballerina* have thick, leather-covered wooden box toes. A short skirt of layered net often worn by female dancers is called a *tutu.*

maillot
leotard
mallas
tights
zapatillas de punta
toeshoes

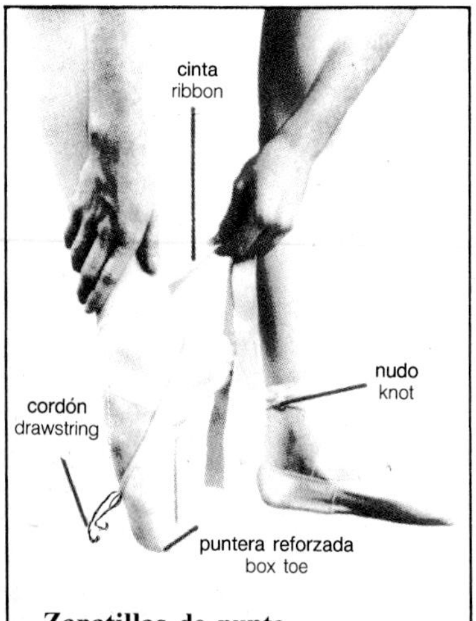
cinta
ribbon
nudo
knot
cordón
drawstring
puntera reforzada
box toe

Zapatillas de punta
Toeshoes

Zapatillas de media punta
Slippers

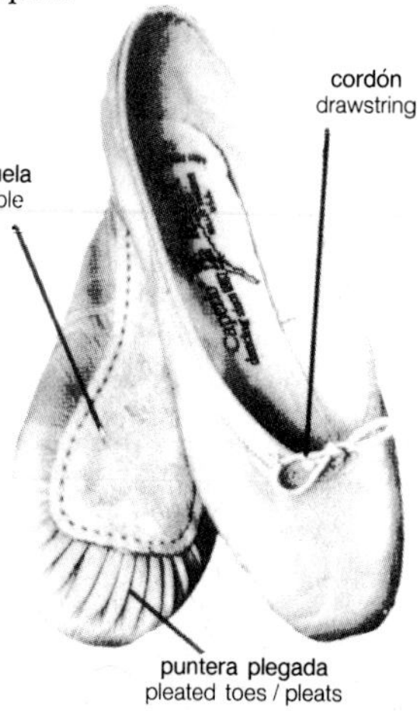
cordón
drawstring
suela
sole
puntera plegada
pleated toes / pleats

Jefe de majorettes

Los músicos integrantes de *bandas*, que desfilan mientras tocan, pueden ir tocados con gorros de piel, *chisteras* o *gorras de plato* y visera. Otros accesorios del uniforme son los *guanteletes*, que cubren la muñeca y el antebrazo, y las *polainas*, que visten la parte inferior de la pierna, y pueden ser de tela o plástico. De los *fajines* y *bandas* dispuestas *en bandolera*, penden *borlas*, *flámulas* y *gallardetes*.

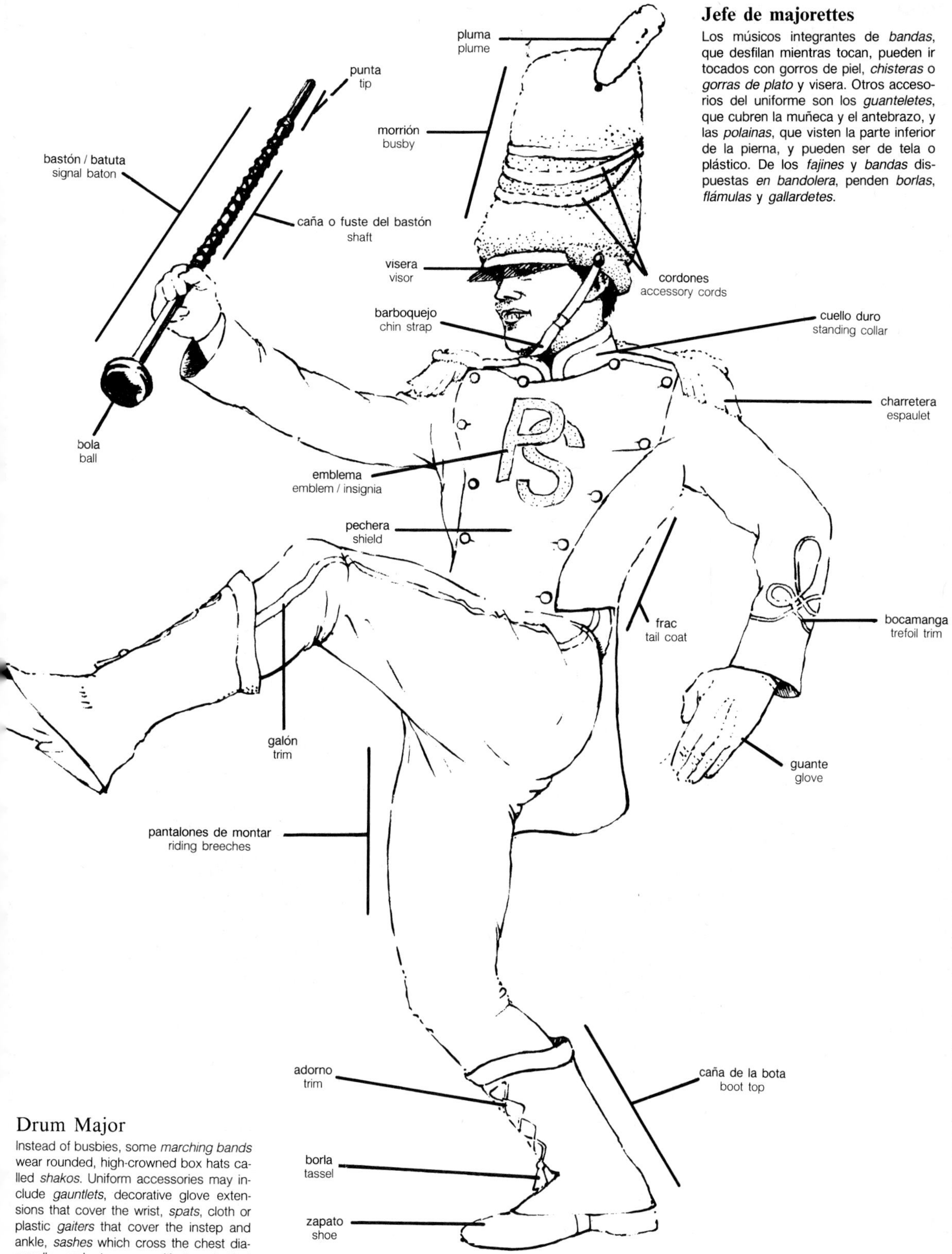

pluma
plume
punta
tip
morrión
busby
bastón / batuta
signal baton
caña o fuste del bastón
shaft
visera
visor
cordones
accessory cords
barboquejo
chin strap
cuello duro
standing collar
charretera
espaulet
bola
ball
emblema
emblem / insignia
pechera
shield
frac
tail coat
bocamanga
trefoil trim
galón
trim
guante
glove
pantalones de montar
riding breeches
adorno
trim
caña de la bota
boot top
borla
tassel
zapato
shoe

Drum Major

Instead of busbies, some *marching bands* wear rounded, high-crowned box hats called *shakos*. Uniform accessories may include *gauntlets*, decorative glove extensions that cover the wrist, *spats*, cloth or plastic *gaiters* that cover the instep and ankle, *sashes* which cross the chest diagonally, and *streamers* with tassels that hang form waist *sashes* or *cummerbunds*.

Uniformes militares

El *uniforme* puede variar en función de la estación del año, el día o la ocasión. La banda, colocada sobre el brazo por encima del codo, como la que luce la *policía militar* o *PM*, recibe el nombre de *brazalete*. El uniforme de gala incluye un cinturón de cuero. Las condecoraciones se llevan en una barra. En el ejército de EE.UU la única condecoración que les está permitido lucir a los militares es la *medalla del honor*.

Military Uniforms

The *uniform of the day* is worn for the season, day or occasion. A cloth band worn around the arm above the elbow, such as the one worn by *Military Police*, or *MPs*, is a *brassard*. A leather belt for a dress uniform is a *Sam Browne*, or *garrison, belt*. Service ribbons are worn on a *ribbon bar*. The only *neck decoration* awarded to members of the armed services is the *Medal of Honor*.

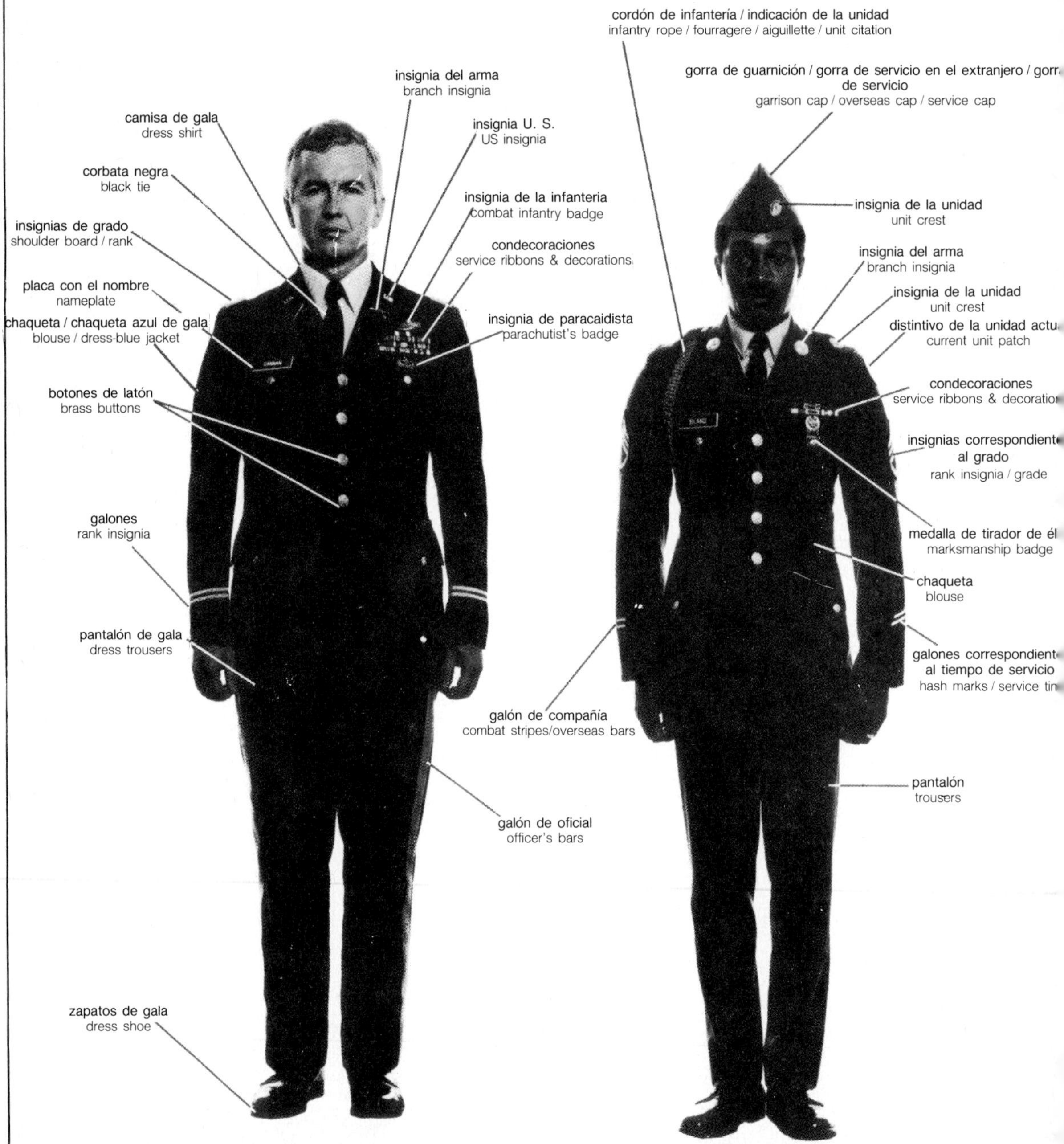

cordón de infantería / indicación de la unidad
infantry rope / fourragere / aiguillette / unit citation
gorra de guarnición / gorra de servicio en el extranjero / gorr
de servicio
garrison cap / overseas cap / service cap
insignia del arma
branch insignia
camisa de gala
dress shirt
insignia U. S.
US insignia
corbata negra
black tie
insignia de la infanteria
combat infantry badge
insignias de grado
shoulder board / rank
condecoraciones
service ribbons & decorations
placa con el nombre
nameplate
chaqueta / chaqueta azul de gala
blouse / dress-blue jacket
insignia de paracaidista
parachutist's badge
botones de latón
brass buttons
galones
rank insignia
pantalón de gala
dress trousers
galón de compañía
combat stripes/overseas bars
galón de oficial
officer's bars
zapatos de gala
dress shoe
insignia de la unidad
unit crest
insignia del arma
branch insignia
insignia de la unidad
unit crest
distintivo de la unidad actu
current unit patch
condecoraciones
service ribbons & decoratio
insignias correspondient
al grado
rank insignia / grade
medalla de tirador de él
marksmanship badge
chaqueta
blouse
galones correspondient
al tiempo de servicio
hash marks / service ti
pantalón
trousers

Uniforme de gala
Dress Uniform

Uniforme que llevan los hombres alistados
Enlisted Man's Uniform

Uniformes militares

El *soldado* de *infantería* o «grunt» lleva un *poncho* contra la lluvia en su cinturón de munición. El marinero, «swab» o «gob» puede usar una *gorra* de *vigía*, *pantalones* y un *jersey* en lugar de un blusón. Los marineros embarcados guardan sus ropas en los *petates*.

Military Uniforms

An *infantryman* or "grunt", carries a *rain poncho* on his ammunition belt. A sailor, "swab", or "gob", may wear a *watch cap*, leggings and a *jersey* instead of a jumper. Sailors aboard ship keep their clothing in *seabags*.

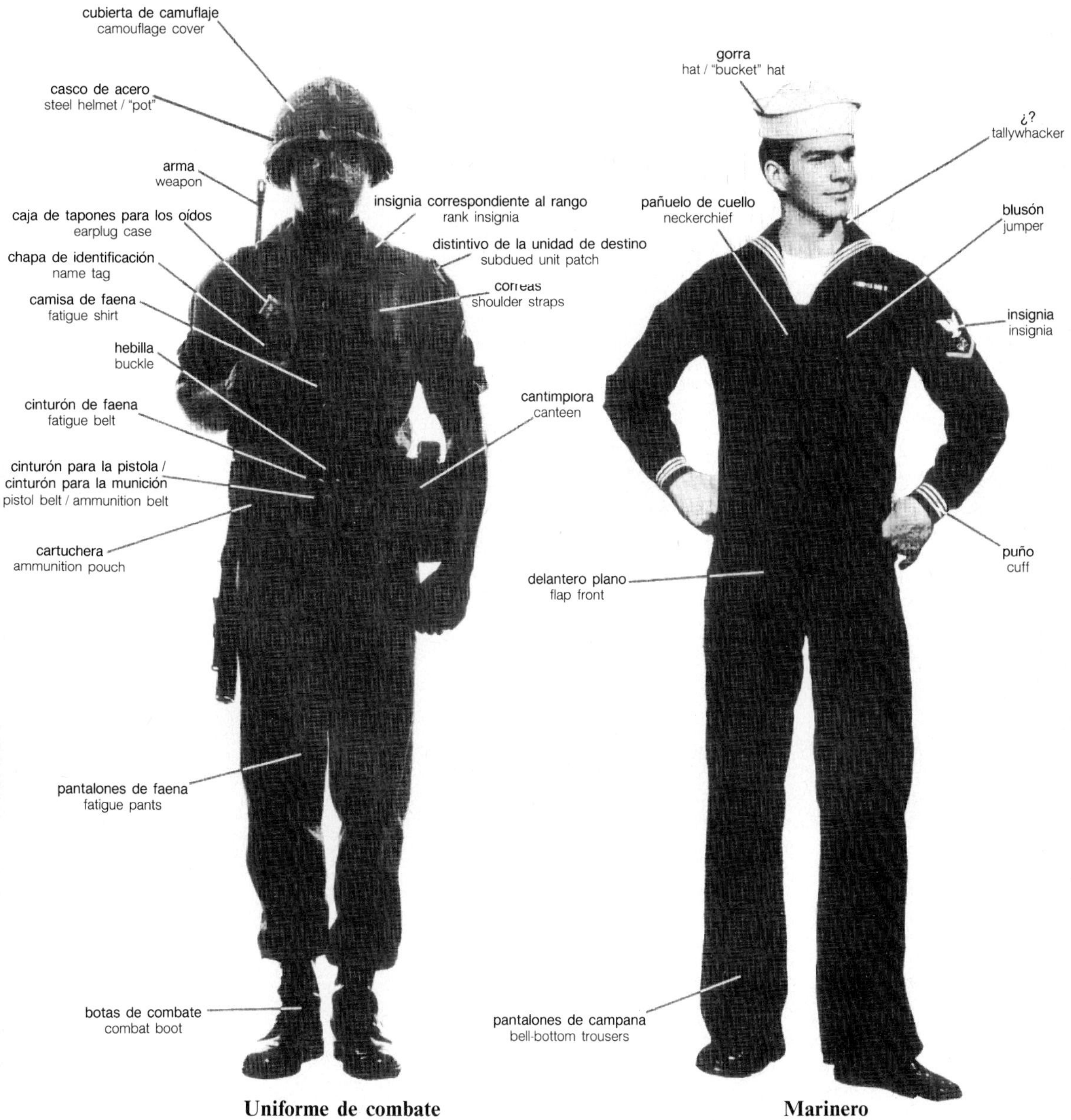

cubierta de camuflaje
camouflage cover
casco de acero
steel helmet / "pot"
arma
weapon
caja de tapones para los oídos
earplug case
chapa de identificación
name tag
camisa de faena
fatigue shirt
hebilla
buckle
cinturón de faena
fatigue belt
cinturón para la pistola / cinturón para la munición
pistol belt / ammunition belt
cartuchera
ammunition pouch
pantalones de faena
fatigue pants
botas de combate
combat boot
insignia correspondiente al rango
rank insignia
distintivo de la unidad de destino
subdued unit patch
correas
shoulder straps
cantimplora
canteen
gorra
hat / "bucket" hat
¿?
tallywhacker
pañuelo de cuello
neckerchief
blusón
jumper
insignia
insignia
puño
cuff
delantero plano
flap front
pantalones de campana
bell-bottom trousers

Uniforme de combate
Combat Soldier

Marinero
Sailor

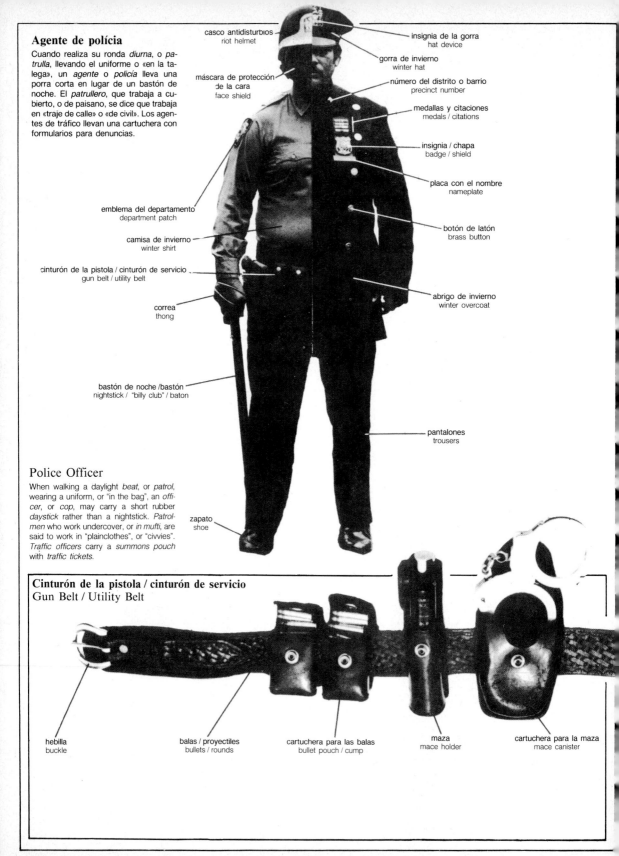

Agente de polícia

Cuando realiza su ronda *diurna*, o *patrulla*, llevando el uniforme o «en la talega», un *agente* o *policía* lleva una porra corta en lugar de un bastón de noche. El *patrullero*, que trabaja a cubierto, o de paisano, se dice que trabaja en «traje de calle» o «de civil». Los agentes de tráfico llevan una cartuchera con formularios para denuncias.

casco antidisturbios
riot helmet
insignia de la gorra
hat device
gorra de invierno
winter hat
máscara de protección de la cara
face shield
número del distrito o barrio
precinct number
medallas y citaciones
medals / citations
insignia / chapa
badge / shield
placa con el nombre
nameplate
emblema del departamento
department patch
botón de latón
brass button
camisa de invierno
winter shirt
cinturón de la pistola / cinturón de servicio
gun belt / utility belt
abrigo de invierno
winter overcoat
correa
thong
bastón de noche /bastón
nightstick / "billy club" / baton
pantalones
trousers
zapato
shoe

Police Officer

When walking a daylight *beat*, or *patrol*, wearing a uniform, or "in the bag", an *officer*, or *cop*, may carry a short rubber *daystick* rather than a nightstick. *Patrolmen* who work undercover, or *in mufti*, are said to work in "plainclothes", or "civvies". *Traffic officers* carry a *summons pouch* with *traffic tickets*.

Cinturón de la pistola / cinturón de servicio
Gun Belt / Utility Belt

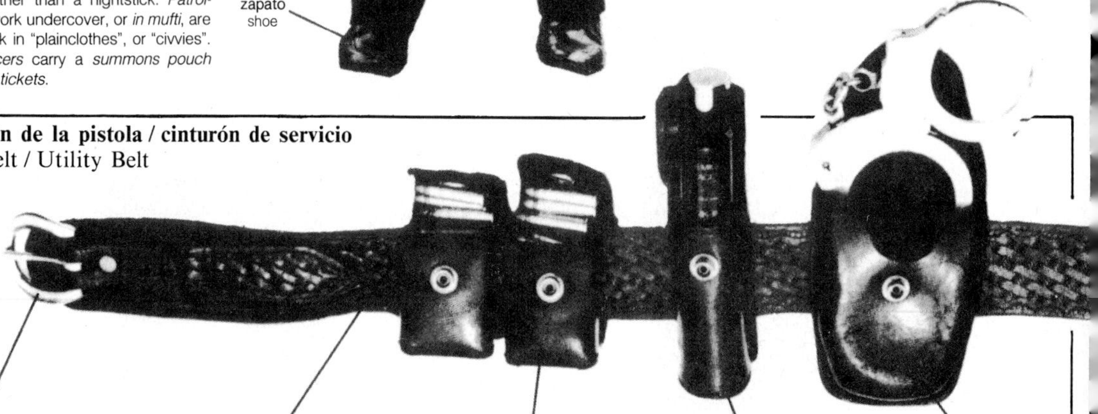

hebilla
buckle
balas / proyectiles
bullets / rounds
cartuchera para las balas
bullet pouch / cump
maza
mace holder
cartuchera para la maza
mace canister

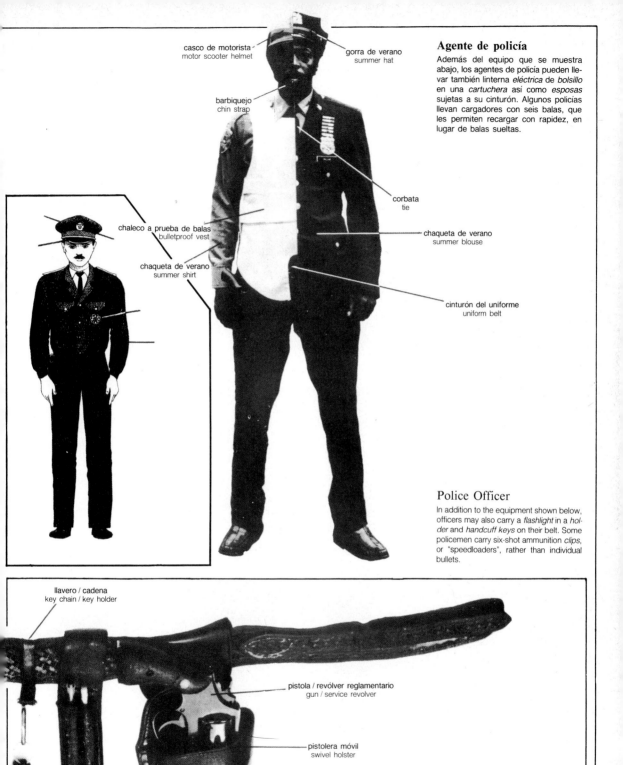

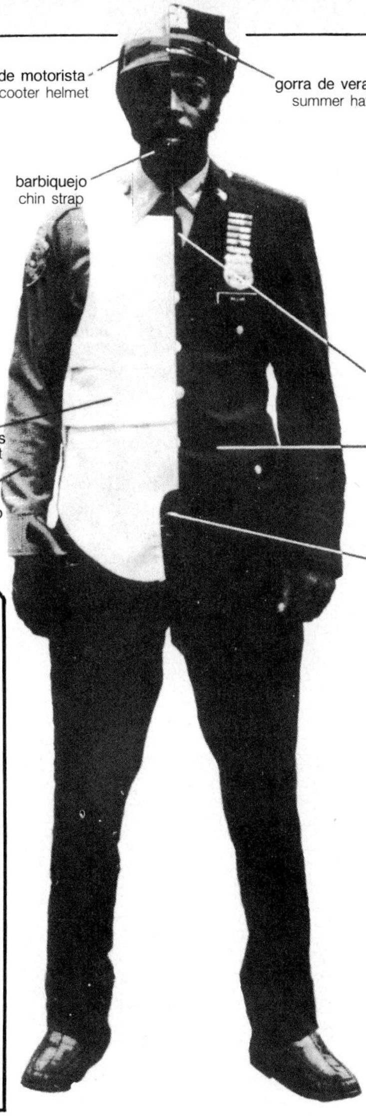
casco de motorista
motor scooter helmet
gorra de verano
summer hat
barbiquejo
chin strap
corbata
tie
chaleco a prueba de balas
bulletproof vest
chaqueta de verano
summer blouse
chaqueta de verano
summer shirt
cinturón del uniforme
uniform belt

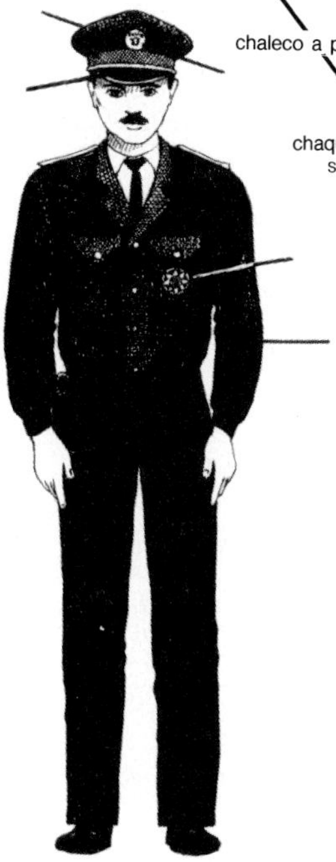

Agente de policía

Además del equipo que se muestra abajo, los agentes de policía pueden llevar también linterna *eléctrica* de *bolsillo* en una *cartuchera* así como *esposas* sujetas a su cinturón. Algunos policías llevan cargadores con seis balas, que les permiten recargar con rapidez, en lugar de balas sueltas.

Police Officer

In addition to the equipment shown below, officers may also carry a *flashlight* in a *holder* and *handcuff keys* on their belt. Some policemen carry six-shot ammunition *clips*, or "speedloaders", rather than individual bullets.

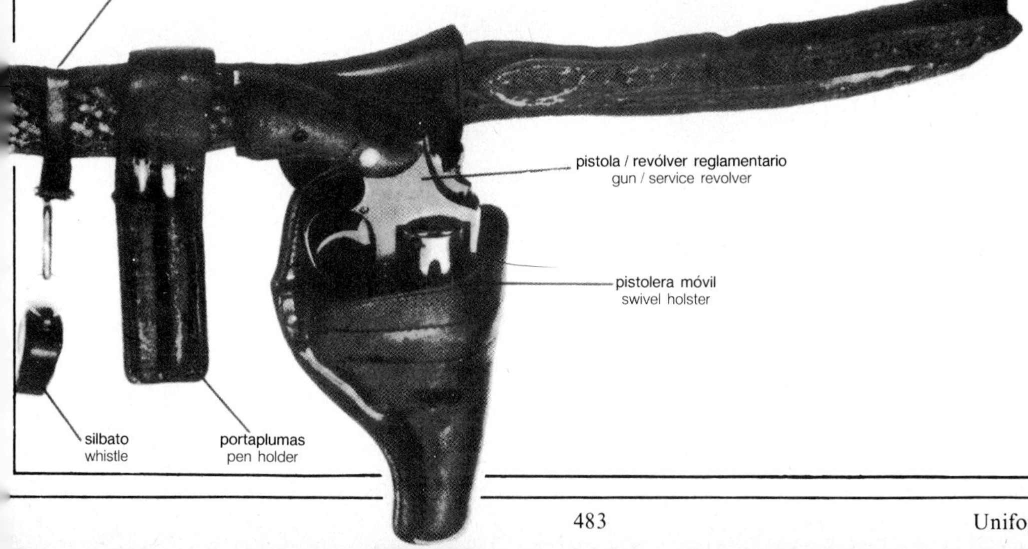
llavero / cadena
key chain / key holder
pistola / revólver reglamentario
gun / service revolver
pistolera móvil
swivel holster
silbato
whistle
portaplumas
pen holder

Bombero

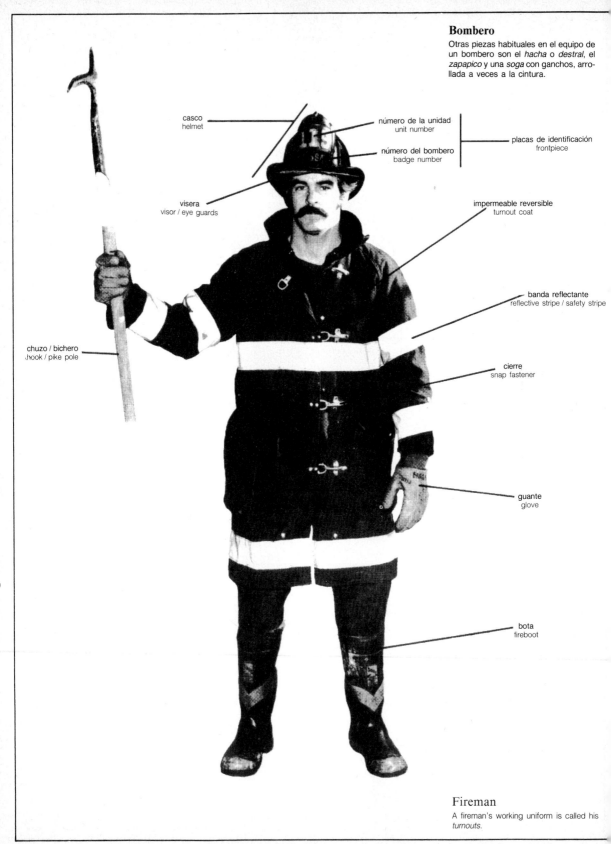

Otras piezas habituales en el equipo de un bombero son el *hacha* o *destral*, el *zapapico* y una *soga* con ganchos, arrollada a veces a la cintura.

casco
helmet
número de la unidad
unit number
número del bombero
badge number
placas de identificación
frontpiece
visera
visor / eye guards
impermeable reversible
turnout coat
banda reflectante
reflective stripe / safety stripe
chuzo / bichero
hook / pike pole
cierre
snap fastener
guante
glove
bota
fireboot

Fireman

A fireman's working uniform is called his *turnouts*.

Signos y símbolos

Aunque los signos y símbolos se emplean para sustituir el lenguaje o para expresar significados mediante indicaciones, analogías o asociaciones de ideas, algunas de sus partes tienen denominaciones concretas. Una bandera, por ejemplo, se utiliza como signo de una nación o como símbolo de patriotismo, pero tiene algunos componentes característicos que pueden identificarse.

El lenguaje gestual, está constituido por una serie de señales que se emplean para sustituir las palabras o las letras. Por su parte, en los mundos de la ciencia y de los negocios existen los correspondientes signos convencionales, cuyo significado tiene consecuencias legales y preceptivas, mientras que el mundo del transporte se halla ampliamente controlado por las señales de tráfico.

Medalla
Medal

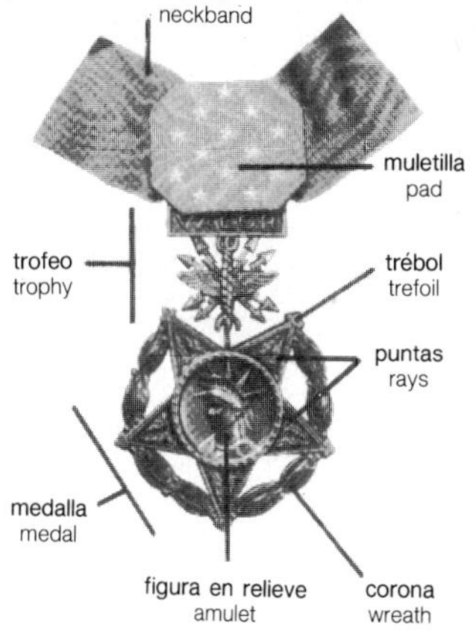
cinta
neckband
muletilla
pad
trofeo
trophy
trébol
trefoil
puntas
rays
medalla
medal
figura en relieve
amulet
corona
wreath

Banderas

Cuando la bandera cuelga de un travesaño suspendido de un asta recibe el nombre de *confalón* o *gonfalón*. Las banderas suelen estar divididas en *franjas* verticales u horizontales de distintos colores y algunas tienen un *cantón* o rectángulo en la esquina superior junto al asta. El *escudo* o *emblema* que poseen algunas banderas suele estar situado en el centro o en el ángulo del cantón. La *corbata* es la cinta o banda que se ata al asta en su parte superior para denotar alguna distinción especial.

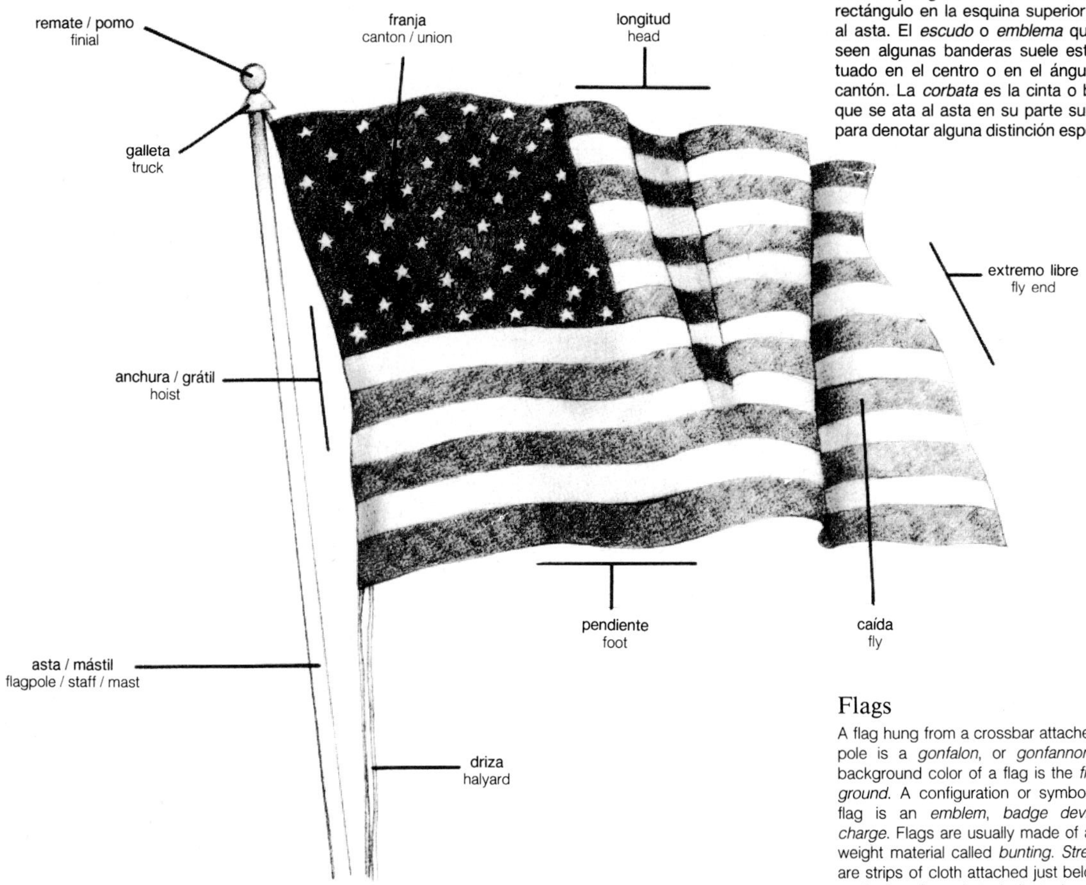

remate / pomo
finial
franja
canton / union
longitud
head
galleta
truck
extremo libre
fly end
anchura / grátil
hoist
pendiente
foot
caída
fly
asta / mástil
flagpole / staff / mast
driza
halyard

Flags

A flag hung from a crossbar attached to a pole is a *gonfalon*, or *gonfannon*. The background color of a flag is the *field*, or *ground*. A configuration or symbol on a flag is an *emblem*, *badge device* or *charge*. Flags are usually made of a lightweight material called *bunting*. *Streamers* are strips of cloth attached just below the truck on a flagpole to indicate honors.

Formas de banderas
Flag Shapes

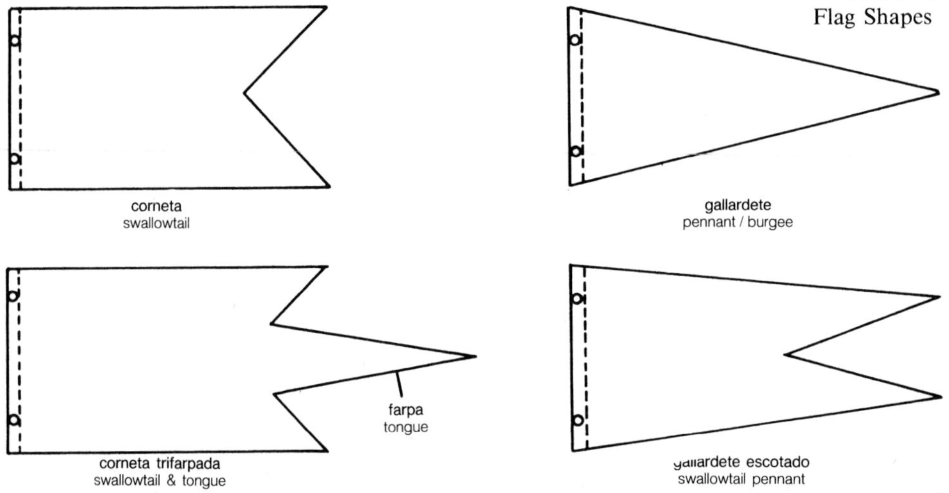

corneta
swallowtail
gallardete
pennant / burgee
farpa
tongue
corneta trifarpada
swallowtail & tongue
gallardete escotado
swallowtail pennant

Escudo de armas

La superficie del escudo recibe el nombre de *campo* y sobre ella se pintan los *blasones*. El escudo suele dividirse en varios *cuarteles*, cuyos nombres se refieren a la posición que ocupan con respecto al portador. Así, el *flanco diestro* está a la izquierda del observador. La *heráldica* explica el significado de los diferentes blasones.

Coat of Arms

Technically, a coat of arms, or *achievement of arms*, consists only of a shield, the surface of which is called the *field*. Everything surrounding a shield is *exterior decoration*. The entire grouping is known as *armorial achievement*. To the wearer's left but the viewer's right is the *sinister side*. The opposite side is the *dexter side*.

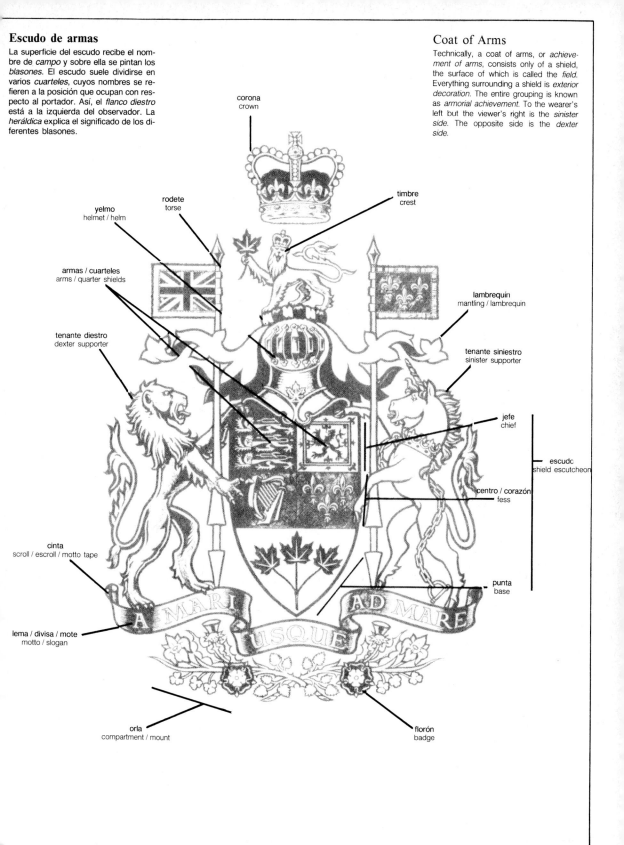

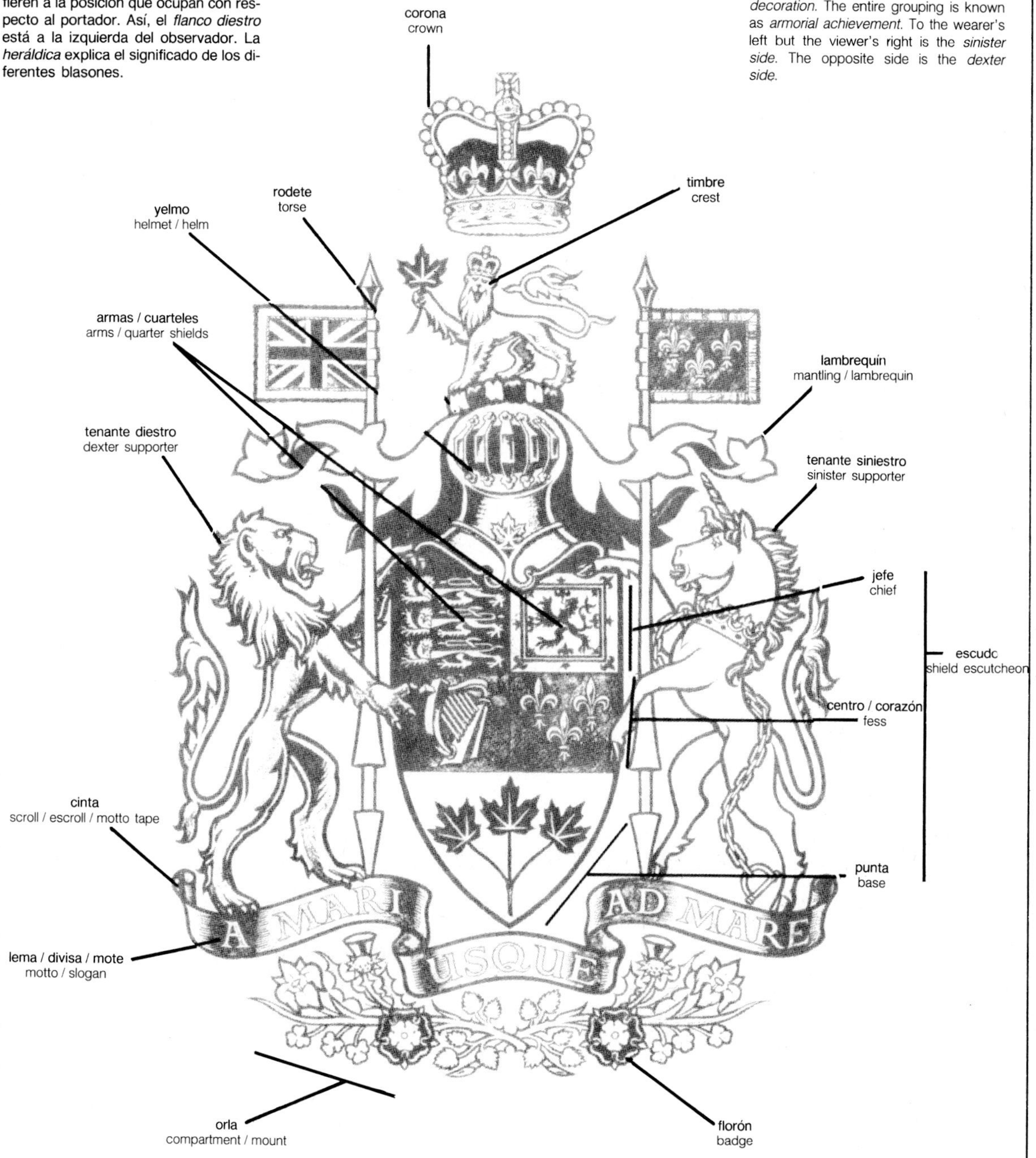

corona
crown
timbre
crest
rodete
torse
yelmo
helmet / helm
armas / cuarteles
arms / quarter shields
lambrequin
mantling / lambrequin
tenante diestro
dexter supporter
tenante siniestro
sinister supporter
jefe
chief
escudo
shield escutcheon
centro / corazón
fess
cinta
scroll / escroll / motto tape
punta
base
A MARI USQUE AD MARE
lema / divisa / mote
motto / slogan
orla
compartment / mount
florón
badge

stop
stop

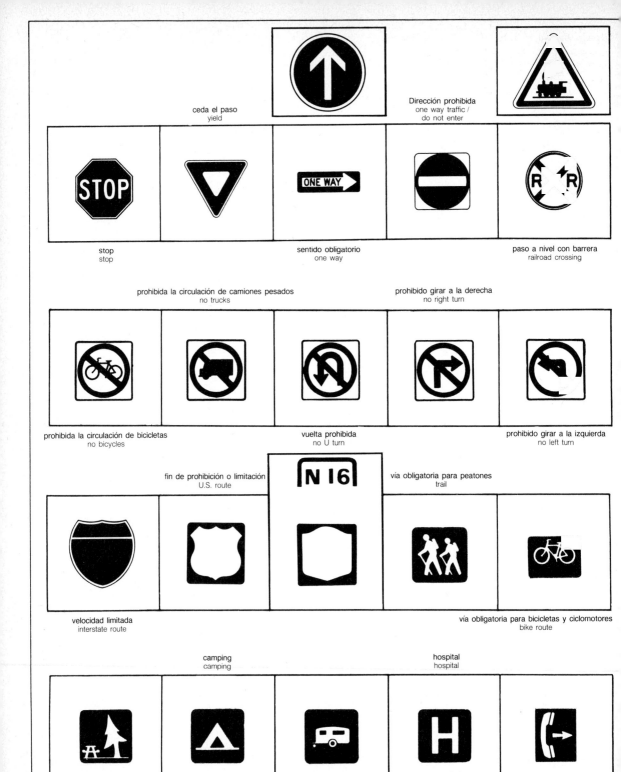

ceda el paso
yield

sentido obligatorio
one way

Dirección prohibida
one way traffic /
do not enter

paso a nivel con barrera
railroad crossing

prohibida la circulación de bicicletas
no bicycles

prohibida la circulación de camiones pesados
no trucks

vuelta prohibida
no U turn

prohibido girar a la derecha
no right turn

prohibido girar a la izquierda
no left turn

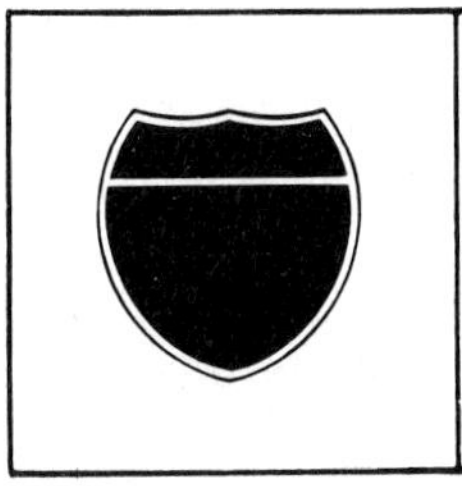

velocidad limitada
interstate route

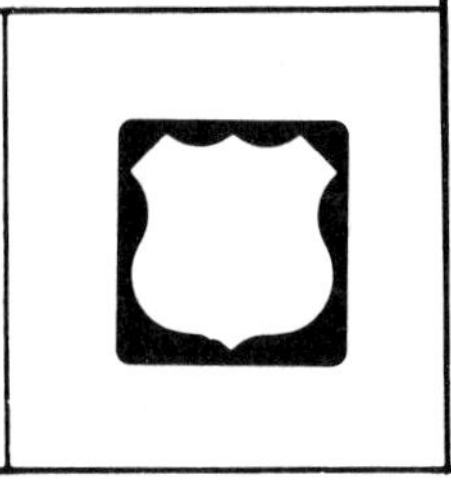

fin de prohibición o limitación
U.S. route

vía obligatoria para peatones
trail

vía obligatoria para bicicletas y ciclomotores
bike route

surtidor de gasolina
picnic area

camping
camping

remolques vivienda
camping

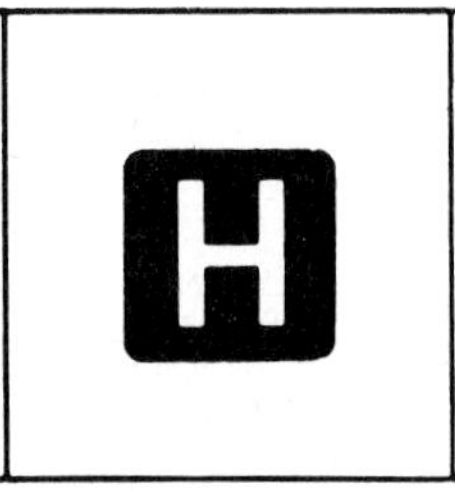

hospital
hospital

teléfono
telephone

Señales de tráfico

Las señales de tráfico o de *circulación* tienen distintas formas y colores según la función que desempeñan en la vía pública. Las *señales de peligro* son triangulares con orla roja, fondo blanco o amarillento y símbolo o letras en negro o azul oscuro. Las señales de prohibición son redondas con orla roja y símbolos y letras negras sobre fondo blanco. Las señales informativas tienen forma cuadrada o rectangular y fondo azul. La forma oblonga se usa solo para la señal de «STOP».

Road Signs

With the exception of *route signs*, which are different shapes and colors, road signs are color-coded: red signs are *prohibit movement signs*; yellow are *warning signs*; white are *regulatory signs*; orange are *construction signs*; blue are *service signs*; green are *guide signs*. Octagonal red signs are used *exclusively* for *stop signs*. Rectangular signs with white letters on a green background are *destination signs*.

fin de autopista
divided highway ends

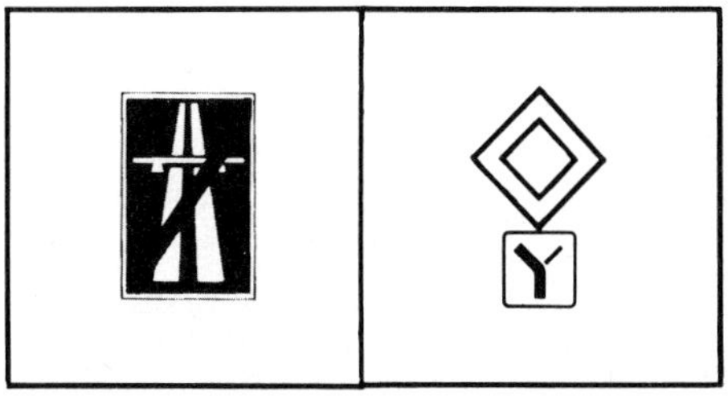

autopista
two-way traffic

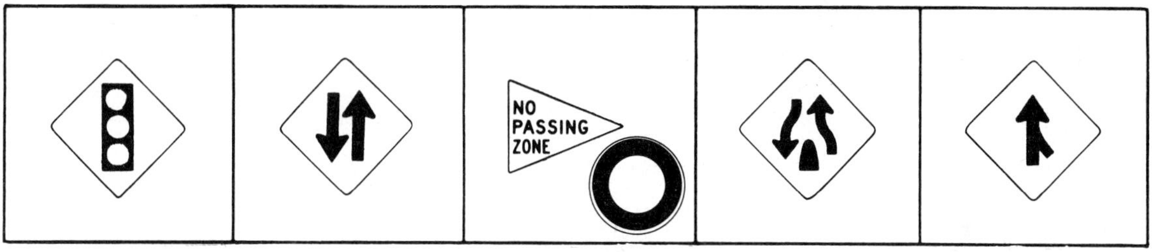

cruce regulado por semáforo
signal ahead

atención: carretera preferente
no-passing zone

cruce con prioridad
merge

curva derecha-izquierda
winding road

descenso peligroso
hill

empalme: incorporación por la derecha
merge left

piso deslizante
slippery when wet

niños
school crossing

cruce
bicycle crossing

paso de ganado
cattle crossing

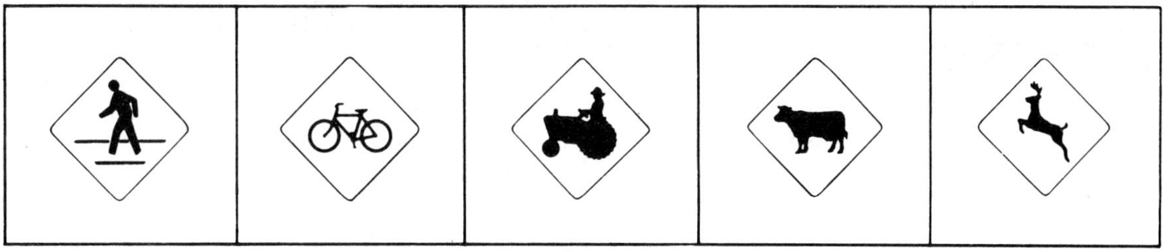

peatones
pedestrian crossing

obras
farm machinery

animales sueltos
deer crossing

Señales públicas

La *escritura fonética* consiste en la representación del sonido de las palabras. La representación de un sonido o grupo de sonidos determinados recibe el nombre de *fonograma*. La escritura que no representa palabras sino objetos o ideas recibe el nombre de *pictográfica* o *ideográfica*. Así, mediante un *pictograma* se reproduce un objeto en lugar de su nombre y un *ideograma* es el signo que representa una idea.

Public Signs

Pasigraphy is a universal written language that uses signs and symbols rather than words, whereas *pictographs* can represent an object as well as a thought. A symbol or character that represents a word, syllable or phoneme is a *phonogram*. A symbolic representation of an idea rather than a word is an *ideogram* or *ideograph*.

tienda de regalos
gift shop

información sobre hoteles
hotel information

restaurante
restaurant

correo
mail

primeros auxilios
first aid

consigna de equipajes
baggage lockers

aseo de caballeros
men's toilets

aseo de señoras
women's toilets

guardería infantil
nursery

información
information

parada de taxis
taxi stand

estación de autobuses
bus transportation

aeropuerto
air transportation

alquiler de automóviles
car rental

estación de ferrocarril
rail transportation

cafetería
coffee shop

bar
bar

prohibido fumar
no smoking

prohibido aparcar
no parking

aparcamiento autorizado
parking

facturación de equipajes
baggage check-in

recogida de equipajes
baggage claim

aduana
customs

objetos perdidos
lost and found

cambio de divisas / moneda
currency exchange

desprendimientos de tierras
falling rocks

agua potable
drinking water

taller mecánico
mechanic

minusválidos
handicapped

estación de servicio
gas station

paisaje de interés
viewing area

permitido encender hogueras
campfires

terreno para picnic
picnic area

puerto deportivo
launching ramp

pista para caballerías
horse trail

pista para bicicletas
bicycle trail

pista para excursionistas
hiking trail

terreno de juegos
playground

prohibida la entrada
no entry

ascensor
elevator

Símbolos religiosos

Los símbolos representados proceden de mitologías y religiones tan diversas como el cristianismo, el judaísmo, el islam, el sintoísmo y la filosofía china. El *ankh* es un antiguo símbolo egipcio que representaba la *vida*. La *cruz gamada* o *esvástica* es de origen muy antiguo; procede de Oriente y la India, donde representaba la *buena suerte*.

cruz latina
Latin cross

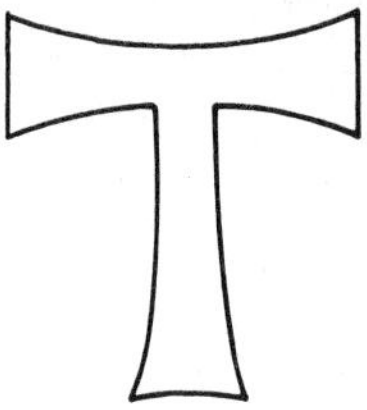
Cruz de San Antonio
o cruz en forma de letra «T»
St. Anthony's cross / tau cross

cruz céltica
Celtic cross

cruz patriarcal / cruz de Lorena
Patriarchal cross

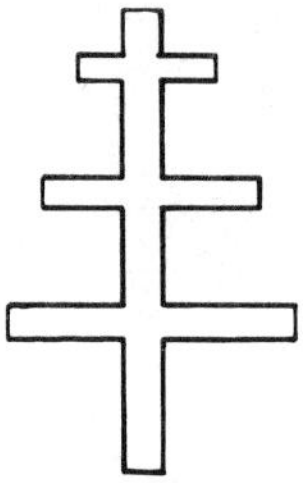
cruz papal
Papal cross

cruz rusa
Russian cross

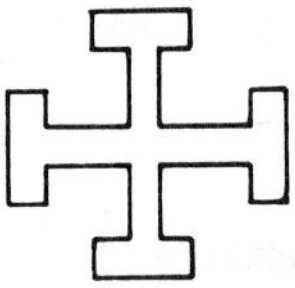
cruz potenzada / cruz de Jerusalén
Jerusalem cross

cruz de Malta
Maltese cross

cruz flordelisada
botonée

cruz ancorada
moline

cruz griega
Greek cross

tori
torii

media luna y estrella
crescent and star

estrella de David
Star of David / Magen David /
Shield of David

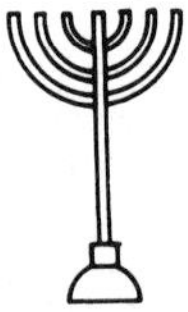
candelabro de siete brazos
menorah

ankh
ankh

Ying-Yang / femenino-masculino
Yin-Yang / female-male

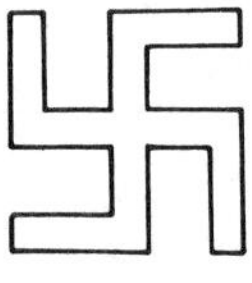
cruz gamada o esvástica
gammadion / swastika

Religious Symbols

The symbols shown here represent beliefs and religions such as Christianity, Judaism, Islam, Shinto, as well as Chinese philosophy. The ankh was an ancient Egyptian *symbol of life*, and the gammadion was an eon-old Oriental and Indian *good luck symbol*.

←

Signs of the Zodiac

The *zodiac* is an imaginary belt in the heavens divided into twelve parts named for constellations., called *houses*. A *horoscope*, drawn by an *astrologer*, foretells the influence of these heavenly bodies on human affairs.

Signos de Zodiaco

El *Zodiaco* es un cinturón celeste imaginario tomado del entorno que rodea el planeta Tierra y dividido en doce partes llamadas *casas*, cada una de las cuales toma el nombre de alguna *constelación* del *firmamento*. El *horóscopo*, deducido por el *astrólogo*, predice la influencia de estos cuerpos celestes sobre los asuntos humanos.

Signos de primavera
Spring Signs

Aries
Aries
el carnero
The Ram
Tauro
Taurus
el toro
The Bull
Géminis
Gemini
los gemelos
The Twins

Signos de verano
Summer Signs

Cáncer
Cancer
el cangrejo
The Crab
Leo
Leo
el león
The Lion
Virgo
Virgo
la virgen
The Virgin

Signos de otoño
Autumn Signs

Libra
Libra
la balanza
The Balance
Scorpio
Scorpio
el escorpión
The Scorpion
Sagitario
Sagittarius
el arquero
The Archer

Signos de invierno
Winter Signs

Capricornio
Capricorn
la cabra
The Goat
Acuario
Aquarius
el aguador
The Water Bearer
Piscis
Pisces
los peces
The Fish

Signos científicos y comerciales

Los signos y símbolos aquí representados son predominantemente *científicos* y abarcan los campos de la *medicina*, la *farmacia*, la *química*, la *ingeniería*, la *electrónica*, y las *matemáticas*. También se incluyen otros relacionados con el *comercio*, los mercados de cambio de divisas y las actividades bancarias y financieras. Finalmente se añaden algunos más, relacionados con otras facetas de la actividad humana.

Symbols of Science, Business and Commerce

The symbols shown here are used in the medical and pharmaceutical fields, in chemistry, engineering and electronics, in mathematics and business, and by currency- exchange centers and banks. Also included are miscellaneous symbols used in other walks of life.

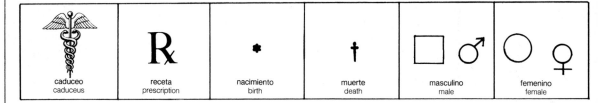

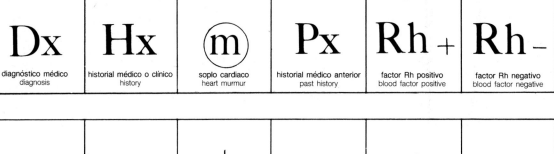

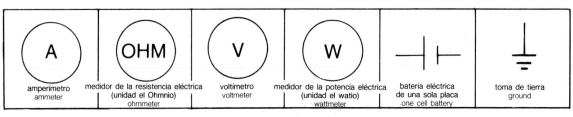

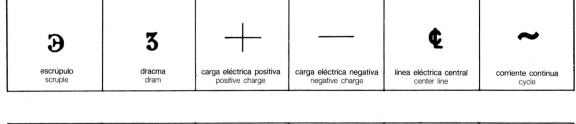

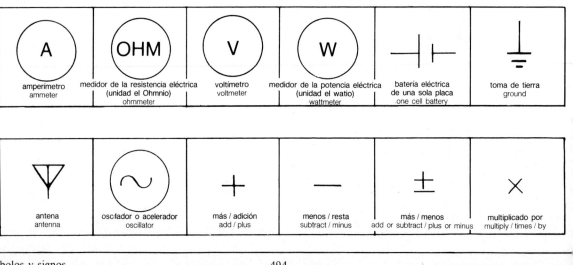

	℞	*	†	□ ♂	○ ♀
caduceo caduceus	receta prescription	nacimiento birth	muerte death	masculino male	femenino female
Dx	Hx	Ⓜ	Px	Rh +	Rh −
diagnóstico médico diagnosis	historial médico o clínico history	soplo cardiaco heart murmur	historial médico anterior past history	factor Rh positivo blood factor positive	factor Rh negativo blood factor negative
℈	ʒ	+	—	℄	~
escrúpulo scruple	dracma dram	carga eléctrica positiva positive charge	carga eléctrica negativa negative charge	línea eléctrica central center line	corriente continua cycle
Ⓐ	(OHM)	Ⓥ	Ⓦ	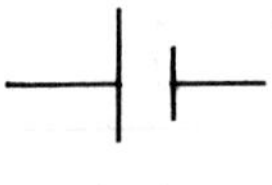	⏚
amperímetro ammeter	medidor de la resistencia eléctrica (unidad el Ohmnio) ohmmeter	voltímetro voltmeter	medidor de la potencia eléctrica (unidad el watio) wattmeter	batería eléctrica de una sola placa one cell battery	toma de tierra ground
	(∿)	+	—	±	×
antena antenna	oscilador o acelerador oscillator	más / adición add / plus	menos / resta subtract / minus	más / menos add or subtract / plus or minus	multiplicado por multiply / times / by

÷ dividido por divided by	: dividido por equal / ratio	= igual a equals / is equal to	≠ no igual a is not equal to	≈ aproximadamente igual a approximately equal to	> mayor que greater than
< menor que less than	≦ igual o menor que equal or less	≧ igual o mayor que equal or greater	✓ raíz cuadrada square root	∞ infinito infinity	∴ por tanto therefore / hence
∵ a causa de since / because	m medido por measured by	π pi / 3.1416 pi / 3.1416	° grados de ángulo o arco degrees of arc	′ minutos de ángulo o arco minutes of arc	″ segundos de ángulo o arco seconds of arc
@ precio de venta a at / per / priced at	# número number	% tanto por ciento percent / per hundred	‰ tanto por mil per thousand / per mill	$ dólar / peso dollar	¢ centavo cents
£ libra esterlina pound	F franco franc	DM marco alemán deutsche mark	L lira lira	R rublo ruble	R̶ rupia rupee
Y yen yen	 veneno / peligro / no tocar poison	© derechos de autor / propiedad literaria copyright	® marca registrada registered	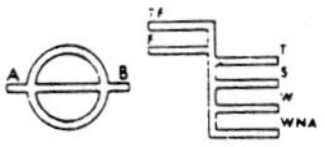 línea de carga máxima y línea de flotación Plimsoll mark and load line	 paz peace

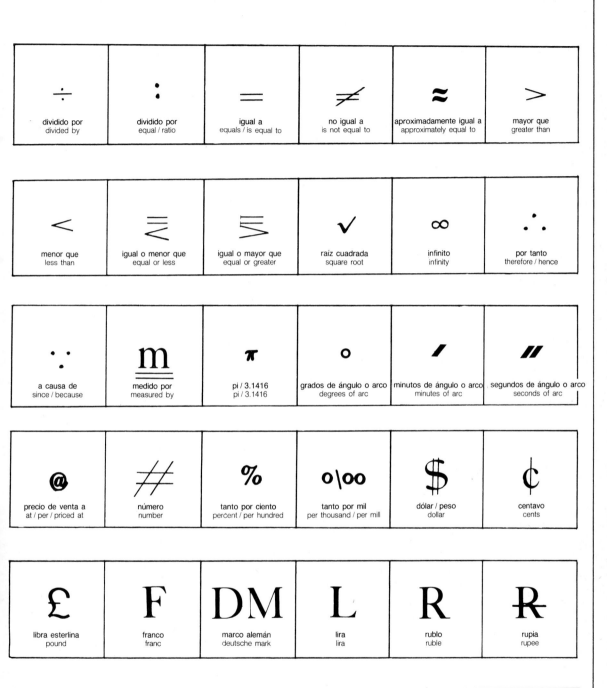

Lenguaje simbólico

El sistema de signos utilizado por los sordomudos, sustituye las palabras habladas por *gestos*. Los ciegos se sirven del *sistema Braille*, a base de puntos en relieve, para leer mediante el tacto de los dedos. Los *semáforos* son señales luminosas que representan también un lenguaje simbólico. Los marinos se comunican mediante un sistema de señalización por *banderas*.

Symbolic Language

Sign language, used by deaf-mutes, substitutes *gestures* for spoken words. Embossed *dots* are used by blind people to read by touch. *Semaphore* and *wigwag* are systems of signalling by hand-held flags.

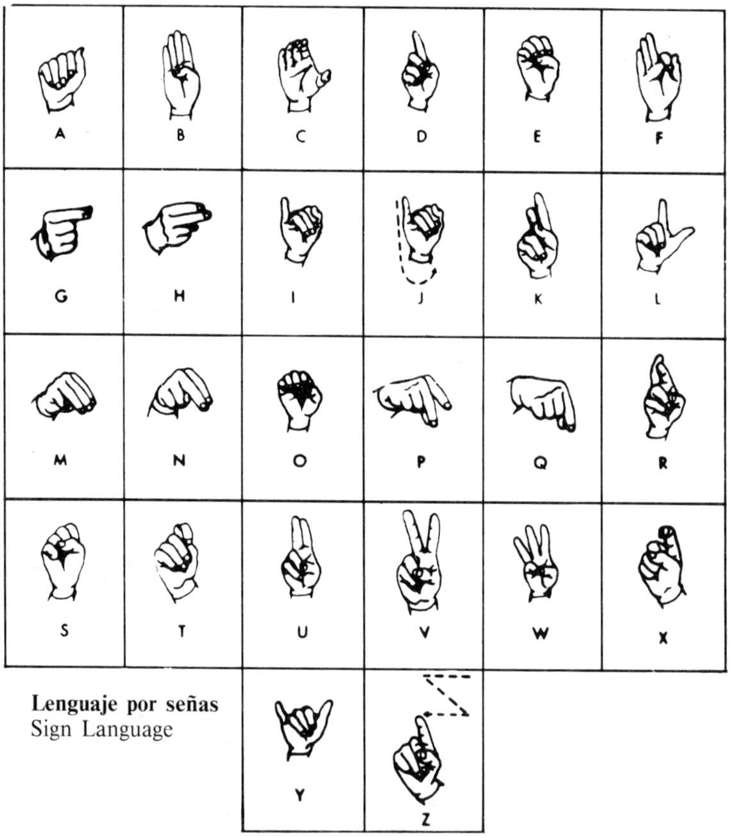
A B C D E F
G H I J K L
M N O P Q R
S T U V W X
Y Z

Lenguaje por señas
Sign Language

Alfabeto Braille
Braille

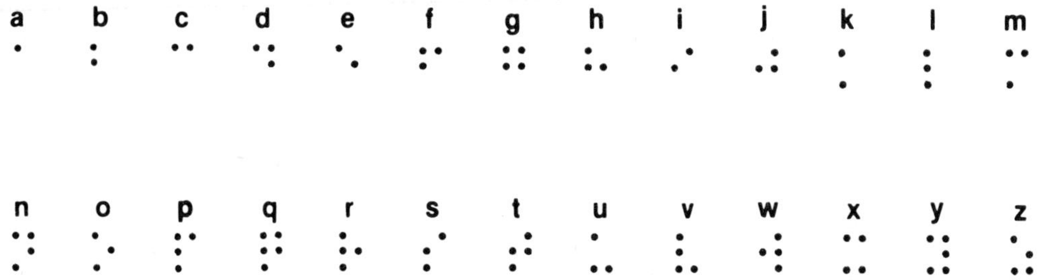
a b c d e f g h i j k l m
n o p q r s t u v w x y z

Signos ortográficos

Llamamos signos ortográficos al conjunto de *signos de puntuación* y *signos diacríticos*, representados en este cuadro, más los *signos fonéticos*, las *abreviaturas* y las *contracciones*.

Grammatical Symbols

In addition to these *punctuation*, *diacritic* and *pronunciation symbols*, there are *phonetic symbols*, *abbreviations* and *contractions*.

‘a’ comilla simple single quotation marks	**“a”** comillas quotation marks	**′** pie (longitud) / minuto foot / minute / prime	**″** pulgada / segundo (tiempo) inch / second / double prime	**a’** apóstrofe apostrophe
(a) paréntesis parentheses	**[a]** corchetes brackets / crotchets	**a-a** guión hyphen	**a—a** raya / guión largo dash	
a/a barra virgule / slant / slash	**,** coma comma	**;** punto y coma semicolon	**:** dos puntos colon	**&** y / etcétera ampersand
***** asterisco asterisk	**.** punto period / full point	**. . .** puntos suspensivos ellipsis / marks of omission	**!** admiración exclamation point / bang / ecphoneme	**?** interrogación question mark / eroteme
a̲ subrayado underline / underscore	***ff*** politipo ligature	**é** acento agudo acute accent	**à** acento grave grave accent	**â** acento circunflejo circumflex accent / doghouse
ñ tilde tilde	**ç** cedilla cedilla	**ā** vocal larga macron	**ă** vocal breve breve	**äï** diéresis dieresis / umlaut

Signos de corrección de imprenta

Los signos ilustrados abajo se emplean con el objeto de estandarizar la transmisión de las correcciones y dudas entre los *editores* y / o los *correctores* de *pruebas* y *tipógrafos* y / o *impresores*. Cuando se «pica» la copia corregida se dice que está corregida o revisada, y entonces lleva signos adicionales escritos sobre las galeradas. La primera *impresión* de las galeradas corregidas recibe el nombre de *prueba* en *páginas*.

Proofreader's Marks

The marks illustrated below are used for the purpose of standardizing the transmittal of corrections and queries between *editors* and / or *proofreaders* and *typesetters* and / or *printers*. When the corrected *copy* is set in *type* it is *proved*, or *proofed*, and additional marks are then made on the *galley proofs*. The first *impressions* of the corrected galleys are called *page proofs*.

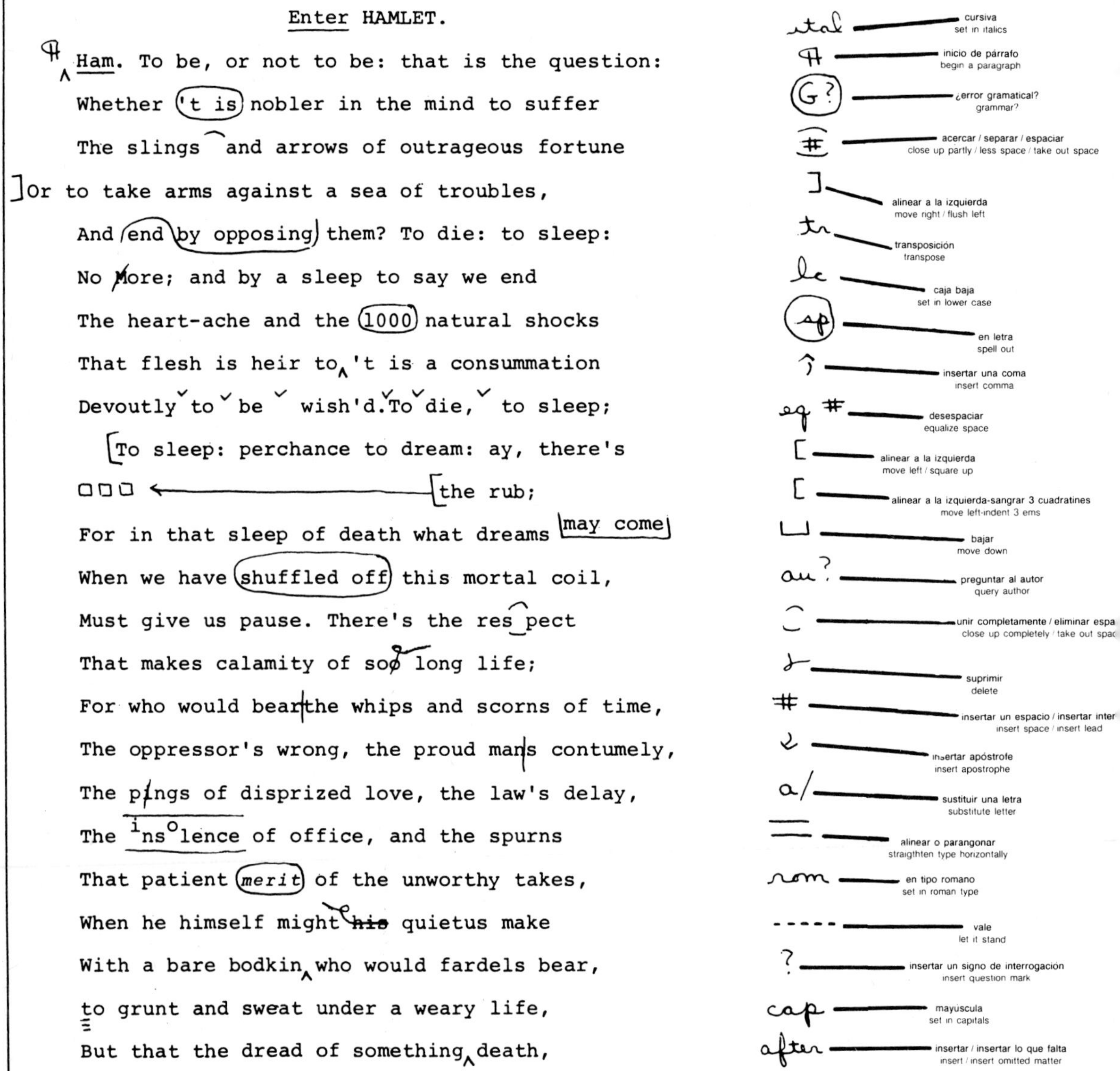
Enter HAMLET.
Ham. To be, or not to be: that is the question:
Whether 't is nobler in the mind to suffer
The slings and arrows of outrageous fortune
Or to take arms against a sea of troubles,
And end by opposing them? To die: to sleep:
No More; and by a sleep to say we end
The heart-ache and the 1000 natural shocks
That flesh is heir to 't is a consummation
Devoutly to be wish'd. To die, to sleep;
To sleep: perchance to dream: ay, there's
the rub;
For in that sleep of death what dreams may come
When we have shuffled off this mortal coil,
Must give us pause. There's the res pect
That makes calamity of soo long life;
For who would bearthe whips and scorns of time,
The oppressor's wrong, the proud mans contumely,
The pings of disprized love, the law's delay,
The insolence of office, and the spurns
That patient merit of the unworthy takes,
When he himself might his quietus make
With a bare bodkin who would fardels bear,
to grunt and sweat under a weary life,
But that the dread of something death,
cursiva
set in italics
inicio de párrafo
begin a paragraph
¿error gramatical?
grammar?
acercar / separar / espaciar
close up partly / less space / take out space
alinear a la izquierda
move right / flush left
transposición
transpose
caja baja
set in lower case
en letra
spell out
insertar una coma
insert comma
desespaciar
equalize space
alinear a la izquierda
move left / square up
alinear a la izquierda-sangrar 3 cuadratines
move left-indent 3 ems
bajar
move down
preguntar al autor
query author
unir completamente / eliminar espa
close up completely / take out spac
suprimir
delete
insertar un espacio / insertar inter
insert space / insert lead
insertar apóstrofe
insert apostrophe
sustituir una letra
substitute letter
alinear o parangonar
straigthten type horizontally
en tipo romano
set in roman type
vale
let it stand
insertar un signo de interrogación
insert question mark
mayúscula
set in capitals
insertar / insertar lo que falta
insert / insert omitted matter

Signos empleados por los vagabundos

Los símbolos, inscripciones, frases y firmas pintados en lugares públicos reciben la denominación común de graffitis. Los que mostramos aquí los emplean vagabundos y vagos.

Hobo Signs

Symbols, inscriptions, phrases and signatures drawn in public places are collectively called graffiti. Those shown here are used among tramps and vagrants.

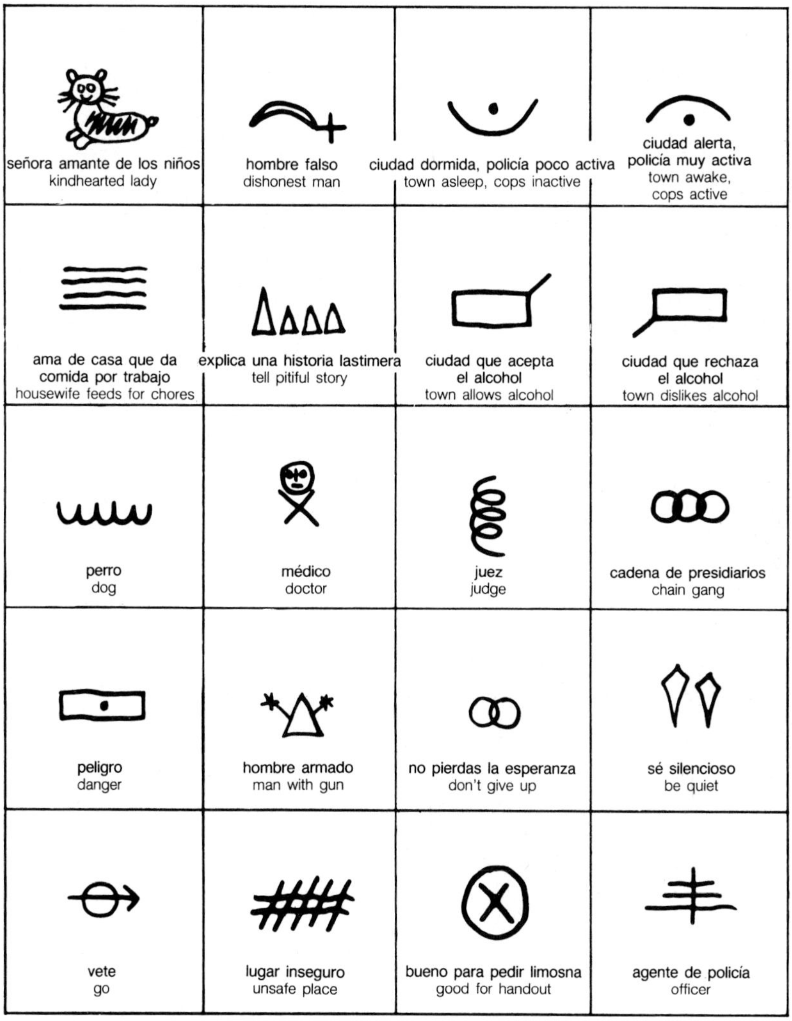
señora amante de los niños
kindhearted lady
hombre falso
dishonest man
ciudad dormida, policía poco activa
town asleep, cops inactive
ciudad alerta, policía muy activa
town awake, cops active
ama de casa que da comida por trabajo
housewife feeds for chores
explica una historia lastimera
tell pitiful story
ciudad que acepta el alcohol
town allows alcohol
ciudad que rechaza el alcohol
town dislikes alcohol
perro
dog
médico
doctor
juez
judge
cadena de presidiarios
chain gang
peligro
danger
hombre armado
man with gun
no pierdas la esperanza
don't give up
sé silencioso
be quiet
vete
go
lugar inseguro
unsafe place
bueno para pedir limosna
good for handout
agente de policía
officer

Lápida y ataúd

La piedra que está situada en el suelo a los pies de una tumba recibe el nombre de *lápida*. Las *criptas*, o *panteones*, son cámaras mortuorias total o parcialmente *enterradas*. Los *mausoleos* son grandes *tumbas subterráneas*.

Tombstone and Coffin

A stone placed at the foot of a grave is a *footstone*. *Crypts*, or *vaults*, are wholly or partly underground *burial chambers*. *Mausoleums* are large aboveground *tombs*.

ornamento / talla
ornament / carving
talla floral
floral carving
inscripción
inscription
año del nacimiento
year of birth
epitafio
epitaph
base
base
J.SMITH
1803 – 1875
I TOLD THE DOCTOR I WAS SICK
lápida / monumento / lápida sepulcral / lápida mortuoria
tombstone / memorial / monument / tablet gravestone / headstone
año del fallecimiento
year of death
corona
wreath
caballete
easel
tumba / parcela
grave / plot
MORT WALKER

Ataúd
Coffin / Casket

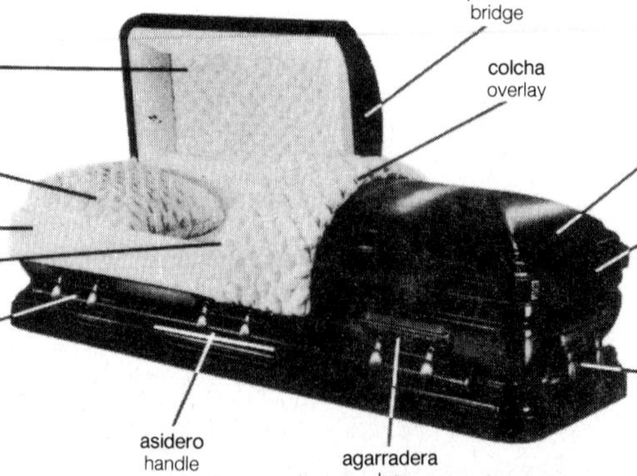

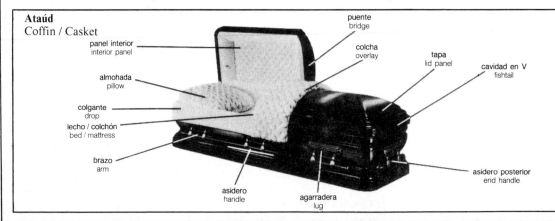

panel interior
interior panel
almohada
pillow
colgante
drop
lecho / colchón
bed / mattress
brazo
arm
asidero
handle
agarradera
lug
puente
bridge
colcha
overlay
tapa
lid panel
cavidad en V
fishtail
asidero posterior
end handle

Index

A

A: braille, 496; piano keyboard octave, 355; sheet music notation, 347; sign language, 496
aba, Arab robe, 475
abacus, 431; column, 71
ABA number, check, 222
abayeh, Arab dress, 475
abbreviation: grammatical symbol, 497; magazine mailing label, 167
abdomen: grasshopper, 39; horse, 36; human, 24; lobster, 45; spider, 38
abdominal board, universal gym, 338
ablation zone, glacier, 12
ABM, 466
abort, pilot's instrument panel, 153
abrasive material, sander, 411
abstraction, work of art, 362
abutment, arch, 70
abutment tooth, partial denture, 443
abyssal plain, continental margin, 15
academic hood, minister, 471
acceleration contest, drag racing, 333
accelerator pedal, car, 106
accelerometer, pilot's instrument panel, 153
accent, grammatical symbol, 497
access arm, launch pad, 154
access door, turbine locom[illegible] coupler, 113
accessories: musical, 361; patio, 284; photographic, 174
accessories shelf, telescope, 433
accessory cords, drum major's busby, 479
accessory panel, stove, 244
accessory rail, surgical table, 440
accessory socket, movie camera, 172
access plate, water heater, 391
access road, highway cloverleaf, 110
accidental, music notation, 346
accommodation, sailboat, 131
accommodation ladder, destroyer, 140
accordion, 360
accordion gusset, shoulder bag, 218
accordion windows, wallet, 219
account number: check, 222; credit card, 222
accumulation zone, glacier, 12
accumulator, dispenser, 263
ace, playing card, 342
A cell block, prison, 74
achene, strawberry, 53
achievement of arms, 487
Achilles heel, 25
Achilles tendon, 29; pad, running shoe, 296
acid-free backing, frame, 373
acorn, seed, 49
acorn nut, 401
acoustic guitar, 350
AC power cord, tape recorder, 175
acroterion, masonry gate post, 65
acrylic, painting medium, 364
acrylic resin, dental, 443, 445
act, circus, 88
act curtain, stage, 344, 345
act drop, stage, 344
action bolt, roller skate, 318
action nut, roller skate, 318
action strap, still camera, 171
activating lever, pencil sharpener, 273
activator button, dental x-ray, 444
active pointer, aneroid barometer, 18
active repeater satellite, 182
acute accent, grammatical symbol, 497
ACV, 145
Adam's apple, human, 25
adapter plate, tractor, 424
add, symbol, 494
adding machine, 431
addition, with abacus, 431
add-on segment weight, tractor planetary, 424
add or subtract, symbol, 494
address: check, 222; envelope, 161; letter, 161; magazine mailing label, 167
adductor longus, human, 26
adductor muscle, scallop, 45
adductor policis, human, 26
adhesive: Band-Aid, 441; roofing shingle, 66
adhesive tape, 441
adipose fin, fish, 43
adjustable arm, expansive bit, 409
adjustable barrel, hose nozzle, 418
adjustable bit gauge, drill, 409
adjustable buckle, brassiere, 191
adjustable channel, pliers, 404
adjustable C-clamp, 399
adjustable clip, jackhammer, 426
adjustable foot: potter's wheel, 367; surgical table, 440
adjustable frame, hacksaw, 406
adjustable fulcrum, diving board, 310
adjustable grill, patio accessory, 284
adjustable lamp, 235
adjustable mirror, cosmetic case, 281
adjustable neckband, ascot, 189
adjustable rear wing, racing car, 332
adjustable reference pointer, barometer, 18
adjustable screw, embroidery ring, 377
adjustable shoulder strap, bag, 218
adjustable stand, laboratory, 437
adjustable table extension, saw, 407
adjustable wheel tread, tractor planetary, 424
adjustable wrench, 405
adjuster, power mower wheel, 419
adjusting knob: knee kicker, 242; saw, 407
adjusting lever, plane, 410
adjusting nut, monkey wrench, 405
adjusting screw: expansive bit, 409; hitch and harrow, 424; pliers, 404; theodolite, 426; violin bow, 349
adjust knob, volt-ohm meter, 413
adjustment: microscope focus, 432; reflex camera, 171; speculum, 438
adjustment control, machine gun, 461
adjustment knob: lamp, 235; medical examination table, 440; microscope, 432; nozzle, 418; rifle scope, 459
adjustment lever: child's car seat, 282; stroller, 282
adjustment lines, sewing pattern, 380
adjustment nut, plane, 410
adjustment screw: lithographic press, 370; monkey wrench, 405; plane, 410; ski binding, 320
adjustment screw, volt-ohm meter, 413
administration building, prison, 74
ad service courts, tennis, 306
adult, insect, 39
advance, pocket camera, 170
advance control, cash register, 430
advanced life-support unit, ambulance, 119
adventitious root, 49
advertisement, magazine, 169
advertising panel: bus, 114; gas pump, 108; subway car, 115
adz, ice axe, 328
adze eye, hammer, 402
aerator, kitchen sink, 243
aerial: CB radio, 179; hovercraft, 145; jumbo jet, 148; tanker, 137
aerialist, circus, 88
aerial platform, tower ladder, 120
aerial tom-tom, 358
aeronautical light, nautical chart, 22
A flat, piano keyboard octave, 355
A-frame, ferris wheel, 91
aft, boat, 128
aft cabin bunk, sailboat, 131
aft controls, tugboat, 144
aft equipment bay, lunar lander, 156
afterbody, torpedo, 466
after bulkhead, powerboat, 135
after-shave lotion, 213
after steering, fireboat, 144
aft monitor, fireboat, 144
aft superstructure, tanker, 137
against shooter, craps table, 341
agate line, newspaper, 166
agent, traveler's check, 223
agitator: spreader, 420; washing machine, 276
agitron, cartoon, 374
aglet: shoelace, 200; stringtie, 188
Agulhas Current, ocean, 6
aid: hearing, 442; public sign, 490; space shuttle navigation, 155
aiguillette, enlisted man's uniform, 480
aileron: glider, 147; jumbo jet, 148; single engine airplane, 147
aileron trim, 747 cockpit, 150
air bags, blimp, 158
air bladder, seaweed, 55
air blower, drag racing dragster, 333
air brake, space shuttle, 154
airbrake hose, locomotive, 112
airbrake paddle, glider, 147
air bubble, monovial, 414
air cleaner: automobile engine, 107; bulldozer, 425; mechanical sweeper, 123; mower, 419; truck, 116
air combat maneuver panel, pilot's instrument panel, 153
air compressor, truck, 116
air conditioner, 392; camper, 126
air conditioner compressor, automobile engine, 107
air conditioning: control,

pilot's instrument panel, 153; intake, bus, 114
air connect lines, truck, 116
air control: dental unit, 444; refrigerator, 245
air-cooled engine, 396
air-cooled machine gun, 461
aircraft: airport, 93; civil, 148-149; combat, 152; instrument panel, 153; 747 cockpit, 150; single engine, 147
aircraft carrier, 142
aircraft tug, 93
air cushion vehicle (ACV), 145
air-data system, space shuttle, 154
air ducts, tunnel, 96
air filter: engine, 396; tractor, 424
airflow control, pilot's instrument panel, 153
airflow nozzle, hair dryer, 208
air foil, drag racing dragster, 333
airframe, jet fighter, 152
air gauge, subway motorman's cab, 115
airglow ultraviolet spectrometer, satellite, 182
air hole: fountain pen, 160; hair roller, 210; harmonica, 360; igloo, 83
air horn, truck, 116
air hose, skin diving, 325
air inlet: aircraft, 147, 149, 397; dishwasher, 246; surgical table, 440
air intake: destroyer, 141; heat exchanger, 393; hovercraft, 145; locomotive, 113; racing car, 332; truck, 116
airline identification location marker, airport, 92
air-motor power pedal, surgical table, 440
air movement, cloud, 16
airplane, *see* aircraft
airplane-back, cufflink, 214
air plate, standpipe, 57
airport, 92-93
air pump, bicycle, 124
air regulator; dental, 445; laboratory burner, 427
air reservoir, locomotive, 112
air scoop: automobile, 102; blimp, 158
air search radar: aircraft carrier, 142; destroyer, 141
airship, 158
air speed indicator, 747 cockpit, 150, 151
airspeed mach indicator, pilot's instrument panel, 153
airtank: fire engine, 120; skin diving, 325
air temperature, 747 cockpit, 150
air traffic control: operator facility, 93; tower, 92; transporter, 747 cockpit, 151
air transportation, public sign, 490
air valve: blimp, 158; motorcycle, 125; subway motorman's cab, 115
air vent: automobile, 103, 106; Band-Aid, 441; furnace, 390; hair dryer, 208; intercity bus, 114; pressure cooker, 253; radiator, 390
aisle: church, 85; courtroom, 87; House of Representatives, 72; theatre, 345
ait, river, 13
akal, Arab dress, 475
alarm: clock radio, 229; elevator car button, 76; powerboat, 134; prison, 74; vault, 447
alb, cardinal, 471
albedo, orange, 53
album cover, phonograph record, 176
albumen, egg, 258
alcohol, ambulance, 119
Alexander, playing card king, 342
algae, marine, 55
alignment control, radar, 434
alimentary canal, human, 27
Allen wrench, 405
alley: badminton court, 313; bowling, 311; tennis court, 306
alley light, police car, 118
all-fives, darts, 316
alligator, 41
alligator clip: dental towel, 445; and volt-ohm meter, 413
alluvial fan, river, 13
alp, mountain, 8
Alpine skiing, 320
altar, church, 85
altazimuth mounting, telescope, 443
alteration lines, sewing pattern, 380
alternator, automobile engine, 107
altimeter: pilot's instrument panel, 153; 747 cockpit, 150
altitude coarse-motion clamp, telescope, 433
altitude indicator, pilot's instrument panel, 153
altocumulus cloud, 16, 17
aluminum rim, drag racing dragster, 333
amalgam carrier, dental, 445
amateur radio operator, 179
amber starting light, drag racing, 333
ambu, ambulance, 119
ambulance, 119
ambulatory, church, 85
American Bankers Association routing number, check, 222
AM/FM controls, clock radio, 229
AM/FM radio tuning dial, phonograph receiver, 177
amidships, boat, 128
ammeter, symbol, 494
ammunition: automatic weapon, 461; combat soldier, 481; fort, 80
amount: check, 222; postal money order, 223
amp, electric guitar, 357
amperage rating, circuit breaker box, 389
ampersand, grammatical symbol, 497
amphibian, 42
amphibious hull, helicopter, 146
amphibious vehicle, 145
amplifier: guitar, 357; phonograph, 177; synthesizer, 357
AM signal meter, phonograph, 177
amulet, medal 485
amusement park, 90-91
anal fin, fish, 43
anal shield, snake, 41
anatomical snuffbox, human hand, 29
anatomy, literary, 25
anchor: boar, 128; diving board, 310; mattress cover, 267; passenger ship, 139; sailboat, 130; starting block, 298; tennis net, 306
anchorage, nautical chart, 22
anchor bolt, house, 58, 59
anchor chain: bear trap, 423; oil drilling platform, 99
anchor light, destroyer, 141
anchor spot, blackjack, 341
anchor spring, gas pump nozzle, 108
anchor tooth, denture, 443
anchor winch, oil drilling platform, 99
anchor windlass, tanker, 136
anchovies, pizza, 261
andiron, fireplace,, 228
anemometer, weather station, 18
aneroid barometer, 18
anesthetic syringe, dental, 445
angle: fort, 81; incline track, 90; lamp, 235; slide, 283; transit, 426
angled deck, aircraft carrier, 142
angle of attack indicator, pilot's instrument panel, 153
angle of light, relief map, 21
angler, fishing, 335
angle scale, circular saw, 407
angular adjustment, speculum, 438
angulation dial readout, dental x-ray unit, 444
anima, human, 25
animal: cell, 23; circus, 88, 89; composite, 46-47
animal trainer, 88
animal skin, igloo, 83
ankh, symbol, 492
ankle, human, 24, 29
ankle boot, harness racing pacer, 331
ankle bracelet, 215
ankle extension, baseball catcher's shinguard, 286
ankle guard, hockey skate, 319
ankle sock, 203
ankle strap, woman's shoe, 201
anklet, 215
ankle weight, body building, 338
announcement microphone, 747; cockpit, 150
annual ring: lumber, 66; tree, 48
annulus, mushroom, 55
anode plate, vacuum tube, 386
anorak, 197
ant, 39
antenna: aircraft carrier, 142; airport control tower, 93; automobile, 102, 103; CB radio, 179; destroyer, 140, 141; helicopter, 146; house, 61; insect, 39; jet fighter, 152; launch pad, 154; lobster, 45; lunar lander, 156; lunar rover, 157; police car, 118; radar, 434; satellite, 182; single engine airplane, 147; spacesuit, 157; submarine, 143; symbol, 494; tank, 464; tanker, 137
antependium, church, 85
anther, flower stamen, 51
antia, shield, 454
anti-ballistic missile (ABM), 466
anti-cavitation plate, outboard engine, 133
anti-fog liquid, dental, 445
anti-friction pad, ski binding, 320
antihelix, outer ear, 28
anti-kickback panel, saw, 407
antique, White House, 73
anti-reverse housing, fishing reel, 334
anti-rollback, incline track, 90
anti-shock trousers, paramedic equipment, 119
anti-skate dial, phonograph, 176
anti-submarine belt, drag racing driver, 333
antitank mine, 463
antitragus, outer ear, 28
antlers, ultimate beast, 46
anus, starfish, 44
anvil: stapler, 273; telegraph key, 159; vise, 399
anvil shears, gardening, 417
anvil toe, thundercloud, 17
aperture: microscope, 432; pencil sharpener, 273; physician's mirror, 438; univalve shell, 45
aperture ring, camera, 171
aperture scale: light meter, 174; still camera, 171; video camera, 180
apex: grass, 56; leaf, 50; pyramid, 69; univalve shell, 45
apostrophe: grammatical symbol, 497; proofreader's mark, 498
Appalachian dulcimer, 356
apparatus, animal cell, 23
apparel pocket, golf bag, 305
appendix, human, 27
appetizer, 259
apple, 53; baseball, 286; corer, 257
applicator, beauty product, 213
applicator bottle, hair styling lotion, 210
appliqué: dress, 194; quilting, 377
appliquéd lace, bridal gown, 472
approach: airport runway, 92; bowling lane, 311; javelin throw, 295; pole vault, 299
approach indexer, pilot's instrument panel, 153
approximately equal to, symbol, 495
apron: airport, 93; ascot, 189; barn, 100; boxing ring, 303; bureau, 268; circus aerialist, 88; golf course, 305; house driveway, 61; maid's uniform, 473; necktie, 189; pool table, 314; table, 238; theatre, 345; window, 63
apsidal chapel, church, 85
apterium, bird, 37
Aquarius, zodiac, 493
aquatint, printmaking, 371
Arab dress, 475
arbor lock, table saw, 407
arc: sextant, 133; soccer field, 293; Torah, 470
arcade, passenger ship, 138
arch, 70; church, 84; croquet, 312; denture, 443; dog, 34; football uniform, 288; house doorway, 60; human fingertip, 29; human foot, 29; kokoshniki, 68;

organ, 354; royal crown, 469; saddle, 329; stage, 344, 345
arch cookie, sandal, 202
arched-top glass door, corner cabinet, 239
archer, zodiac, 493
architect, house blueprint, 60
architecture, international, 68-69
architrave: column entablature, 71; vault, 447; White House, 73
archival frame, 373
arch-stones, arch, 70
arco, stringed instrument, 349
area rug, 242
A recreation yard, prison, 74
arena, circus, 88
areole, cactus,, 54
arête: glacier, 12; mountain, 9
Argine, playing card queen, 342
Aries, zodiac, 493
arithmetic unit, computer, 429
arithmetic function key, calculator, 431
ark, synagogue, 86
arm: anchor, 128; automobile, 162, 164; ballista, 457; bobby pin, 210; cactus, 54; candelabrum, 233; chaise lounge, 284; clothes hanger, 277; coffin, 500; corkscrew, 247; dental, 444, 445; dishwasher, 246; dog, 34; drill bit, 409; fishing reel, 334; folding rule, 414; frog, 42; gas pump price-poster, 108; guitar, 357; human, 24, 25; jellyfish, 44; lamp, 235; launch pad, 154; lounger, 231; L-shaped square, 414; lyre, 349; microscope, 432; movie projector, 173; octopus, 44; outboard engine, 135; organ, 354; overhead power line, 386; phonograph turntable, 176; piano, 355; revolving sprinkler, 418; rocking chair, 230; sewing machine, 274; sextant, 133; shower, 270; slot machine, 340; sofa, 232; starfish, 44; toilet, 271; toll booth gate, 110; traffic light, 109; type, 163; wheelchair, 442; *see also* arms
armament countermeasure panel, 153
armament panel, pilot's, 153
armature, sculpture, 366
armboard extension, operating table, 440
arm buckle, electric chair, 452
armed guard, prison, 74
arm grip, phonograph turntable, 176
armhole: jacket, 184, 192; undershirt, 190
armhole seam, blouse, 193
armilla, queen's regalia, 468
arming mechanism, bazooka, 462
armlet, jewelry, 215
armoire, 268
armor, 455
armored cord, pay phone, 178
armorial achievement, coat of arms, 487
armor-plated vehicle, 464-465
armory, castle, 79
arm pad, lounger, 231
arm piece, crutch, 442
armpit: frog, 42; human, 24
arm post, rocking chair, 230
arm protector, ice hockey goalie, 290
armrail, commuter bus, 114
armrest: lounger, 231; rocking chair, 230; sofa, 232; wheelchair, 442
arms: church, 85; coat of, 487; Manchu coat dress, 475; medieval, 454; royal crown, 469; *see also* arm
aro, jai alai cesta, 308
arrester, fireplace sparks, 228
arresting gear pendant, aircraft carrier, 142
arresting hock, jet fighter, 152
arresting hook panel, pilot's instrument panel, 153
arresting trap, 423
arrow, 456; bowling lane, 311; road map, 20
arrowhead, weather vane, 19
arrow loop, castle, 78
arse, wood block, 451
art: book jacket, 165; composition, 362-363; in frame, 373; magazine, 167, 168, 169; newspaper, 166
artery, human, 27
article, magazine, 167, 168
artificial abrasive material, sander, 411
artificial teeth, denture, 443
artificial turf, baseball field, 287
artillery, cowboy, 474
artist: cartoon, 374; circus, 88; painting, 364; phonograph record, 176
ASA-DIN exposure index; light meter, 174
ascender, type, 163
ascent air-data system, space shuttle, 154
ascent stage, lunar lander, 156
ascot, 189
asdic, 434
ash: cigar and cigarrette, 224; volcano, 10
A sharp, piano keyboard octave, 355
ash catcher, grill, 284
ash dump, fireplace, 228
ash lip, woodburning stove, 394
ashpit, fireplace, 228
ashtray, car, 106
asparagus, 52
asphaltum, 370
ASROC launcher, destroyer, 141
assembly: backyard equipment, 283; lamp, 235; nuclear reactor, 385; pulley block, 451; scale, 436
assigned weight, flat racing entry, 330
assistant quartermaster, frontier fort, 80
assistant's center, dental unit, 444
assist handle, truck tractor, 116
association football, 293
asterisk, grammatical symbol, 497
asteroid, Milky Way, 2
astragal: cannon barrel, 457; column, 71
A string, double bass, 349
astrologer, 493
asymmetrical closing, jacket, 192
at, symbol, 495
athletic sock, 203
athletic supporter, 190
athwartships, boat, 128
Atlantic Drift, ocean, 6
Atlantic North Equatorial Current, ocean, 6
Atlantic South Equatorial Current, ocean, 6
atmosphere, earth, 4
attaché case, 281
attached bertha, bridal gown, 472
attaching point, inflatable, 129
attaching socket, movie camera, 172
attachment: denture, 443; reflex camera, 171; vacuum cleaner, 279
attachment loop, basketball backstop, 292
attachment plug, electrical, 388
attachment weight set, scale, 436
attack indicator, pilot's instrument panel, 153
attack line, volleyball court, 313
attic, house, 60, 61
attitude indicator, space shuttle, 155
audience, circus, 89
audio control, police car, 118
audio-input, movie projector, 173
audio knob, Geiger counter, 435
audio port, Geiger counter, 435
audio power status, space shuttle, 155
auditorium, prison, 74
auditory canal, 28
auger, 412
auger bit, drill, 408, 409
auguste face, clown, 477
auricle, 28
auricular, bird, 37
author: book, 165; magazine, 167; music, 346
authorized signature, traveler's check, 223
auto gate, toll booth, 110
auto inflation, hose, skin diving, 325
automatic choke, automobile, 107
automatic citrus juicer, 251
automatic cue, phonograph turntable, 176
automatic direction finder: helicopter, 146; 747 cockpit, 150
automatic film advance, camera, 170
automatic inflator, skin diving, 325
automatic line finder, typewriter, 162
automatic noise limiter, CB radio, 179
automatic nozzle, gas pump, 108
automatic pilot disengage, 747 cockpit, 151
automatic pistol, 460
automatic rewind switch, tape measure, 414
automatic rifle, 461
automatic timer, coffee maker, 248
automatic weapons, 461
automobile: cutaway, 104-105; drag racing, 333; engine, 107; exterior, 102-103; Grand Prix racer, 332; interior, 106; police, 118; *see also* car
autopilot display, space shuttle, 155
autopilot engage switch, 747 cockpit, 150
auxiliary attaching socket, movie camera, 172
auxiliary building, nuclear reactor, 384
auxiliary car-station panel, elevator car, 76
auxiliary contact, movie camera, 172
auxiliary counterweight, lift bridge, 95
auxiliary feedwater pump, nuclear reactor, 384
auxiliary handle: hand drill, 408; plane, 410
auxiliary instruments arm, dental, 444
auxiliary lens, microscope, 432
auxiliary selector, movie camera, 172
auxiliary tank, truck, 117
avalanche area, mountain, 9
aven, cave, 11
aviation light, bridge, 95
aviation lens, eyeglasses, 217
awl: combination square, 414; knife, 416
awn, grass, 56
awning: barn, 100; tent, 336
ax: guillotine, 452; ice climbing, 328; medieval, 454
axilla, frog, 42
axillary bud, tree, 48
axis: fern, 55; peeler, 252
axle: automobile, 105; bicycle, 124; child's wagon, 283; ferris wheel, 91; Hansom cab, 127; roller skate, 318; stroller, 282; tractor, 424; wheelbarrow, 420; wheelchair, 442; windmill, 382
axle gear, seeder, 420
axle hole, tire, 101
azimuth coarse-motion clamp, telescope, 433

B

B: braille, 496; music notation, 347; piano keyboard octave, 355; sign language, 496
baby carriage, 282
baby chair, 282
baby teeth, 446
baccarat, 340
back: bird, 37; bow, 456; carpenter's saw, 406; cat, 35; chaise lounge, 284; chicken, 33; chisel, 410; coin, 221; dog 34; easel, 364; electric chair, 452; horse, 36; human, 24, 25; knife, 252, 453; playing card, 342; rocking chair, 230; saw tooth, 406; shank button, 205; sheep, 31; sofa, 232; stringed instrument, 349; wave, 14 wheelchair, 442
back arch, English saddle, 329
back beam, hand loom, 379
backboard: basketball backstop, 292; ice hockey rink, 291
backbone, hardback book, 165
back boundary line, badminton court, 313
backcombed hair, woman's, 209
backcourt: basketball, 292; tennis, 306
back cover: hardback book, 165;

matchbook, 224; reflex camera, 171
back face, hardback book, 165
backfill, underwater tunnel, 96
back finger, handball glove, 307
back flap, book jacket, 165
backgammon, 339
background, composition, 363
back guard, stove, 244
back half, piano, 355
back housing, saddle, 329
backing: carpet, 242; frame, 373; quilting, 377; sandpaper, 411; tent, 336
back jaw, vise, 399
back leg, bureau, 268
back lid, grand piano, 355
back light button, movie camera, 172
back line, volleyball court, 313
backlit composition, 362
back margin, book page, 165
back matter, book, 165
back of book, magazine, 169
back of hand, human, 29
backpack, 337; skin diving tank, 325
backpack control box, spacesuit, 157
backpacking, 337
back pad, ice hockey goalie, 290
back panel, man's jacket, 184
backplate: armor, 455; basketball backstop, 292; shoulder bag, 218; skin diving tank, 325
backplate serial number, paper money, 220
back quarter, boot, 202
back rail, rocking chair, 230
backrest: lounger, 231; stroller, 282
back roll protector, ice hockey player, 291
backshore, shoreline, 14
back sizer, football helmet, 288
back sleeve seam, jacket, 184
backspace key: key punch, 428; typewriter, 162
backsplash, stove, 244
backstay: ice skates, 319; sailboat, 130
backstep, pumper, 121
back-stick, easel, 364
backstop: basketball, 292; telegraph key, 159; workbench, 398
backstrap: brassiere, 191; revolver, 460; vest, 184
backstretch, harness racetrack, 331
backstrip, hardback book, 165
backstroke swimming race, 310
back upholstery, wheelchair, 442
back-up light, tow truck bed, 122
back wall: handball and squash courts, 307; jai alai cancha, 308
badge: coat of arms, 487; fireman's helmet, 484; flag, 486; military, 480; police, 482
badge of rank, Manchu court dress, 475
badminton, 313
baffle, stove, 336, 394
bag: backpacking, 337; bagpipe, 359; blood pressure gauge, 439; golf, 305; hot air balloon, 326; luggage, 281; lunar rover, 157; packaging, 265; paper, 262; photographic, 174; vacuum cleaner, 279,
bag compression strap, backpack, 337
bag dispenser, spacesuit, 157
baggage car, passenger train, 112
baggage check-in, public sign, 491
baggage claim, public sign, 491
baggage compartment: bus, 114; jumbo jet, 149; single engine airplane, 147
baggage locker, public sign, 490
baggage rack, intercity bus, 114
bag-holding button, garbage disposal, 243
bagpipe, 359
bag resuscitator, ambulance, 119
bag stowage, lunar rover, 157
bail: fishing reel, 334; lantern, 336; pail, 280; screen, 173; typewriter, 162
bailey, castle, 78, 79
bail roller, typewriter, 162
bait, mousetrap, 423
baked dessert, 260
bakery: frontier fort, 80; prison, 74
baking tray, toaster oven, 249
balance: laboratory, 436-437; zodiac, 493
balance beam, gymnastics, 300
balance dial, phonograph, 177
balancer, trombone, 352
balance weight, tire, 101
balcony: minaret, 68; pagoda, 69; theatre, 345; White House, 73
bald spot, 207
balistraria, castle, 78
balk, lumber, 66
ball: anchor, 128; ballpoint pen, 160; baseball, 286; bowling, 311; croquet, 312; door, 62; drum major's baton, 479; field events hammer, 297; foot, 29; golf, 304; handball, 307; jai alai, 308; Ping-Pong, 315; pool table, 314; roulette wheel, 340; shower fitting, 270; snap fastener, 204; tea, 256; tennis, 306; thumb, 29; toilet tank, 271; type, 163; typewriter, 162
ballast: hot air balloon, 326; lobster pot, 423; railroad track, 111
ballast tank, submarine, 143
ball bearing: ballpoint pen, 160; roller skate, 318
ball-cock assembly, toilet, 271
ballet dancer, 478
ballista, 457
ballistic missile, 466; submarine, 143
ball joint, automobile, 104
ball joint head, C-clamp, 399
ball of rank royal crown, 469
ballonets, blimp, 158
balloon: cartoon, 374, 375; clown, 477; hot air, 326
balloon pants, clown, 477
balloon pointer, comic strip, 375
ballot, voting booth, 427
ballpark, 287
ball-peen hammer, 402
ball pocket, golf bag, 305
ballpoint pen, 160
ball rest, roulette wheel, 340
ball return: bowling lane, 311; pool table, 314
ball side, snap fastener, 204
ball storage box, pool table, 314
ball tip head, hinge, 450
baluster: column, 71; staircase, 64
balustrade: column, 71; escalator, 77; staircase, 64
bamboo pole, pole vault, 299
banana, 53
banana clip, automatic rifle, 461
band: baren, 368; baseball uniform, 286; cigar, 224; cigarette, 224; dance, 348; dental, 443; fire extinguisher, 280; frontier fort, 80; girdle, 191; horse's hoof, 36; hot air balloon, 326; Jewish prayer shawl, 470; marching; mattress cover, 267; phonograph record, 176; ring, 215; skin diving tank, 325; spinning wheel, 379; spur, 329; woman's hat, 199; wristwatch, 216
bandage, 441; paramedic equipment, 119; racehorse, 330
Band-Aid, 441
bandanna: cowboy, 474; skier's, 320
band clamp, 399
band organ, merry-go-round, 91
band saw, 407
bang: grammatical symbol, 497; woman's hair, 209
bangle, jewelry, 215
banister, staircase, 64
banjo, 356
bank: credit card identification number, 222; elevator, 75, 76; name and address, check, 222; newspaper, 166; number, postal money order, 223; paper money, 220; passenger ship, 138; river, 13; traveler's check, 223; vault, 447
bank indicator, 747 cockpit, 150
bank rod, fishing, 335
banner: circus tent, 89; football field, 289; newspaper headline, 166
banquette, permanent fort, 81
baptistery, church, 85
bar: backgammon board, 339; backyard equipment, 283; barbell, 338; barbecue grill, 284; bicycle, 124; chain saw, 421; commuter bus, 114; courtroom, 87; craps table, 341; drag racing dragster, 333; easel, 364; electric razor, 206; etching press, 371; fastener, 204; ferris wheel, 91; Grand Prix racer, 332; hang glider, 327; hurdle, 298; hitch and harrow, 424; horizontal bar, 300; horse's foot, 36; lithographic press, 370; military uniform, 480; mousetrap, 423; movie projector, 173; music, 346, 347; necktie, 188; parallel bars, 300; passenger ship, 138; public sign, 490; railroad track, 111; saddle, 329; shoreline, 14; slalom water ski, 323; slot machine, 340; suit hanger, 277; table saw, 407; tank, 465; tow truck bed, 122; type, 163; typewriter, 162
barb: barbed wire, 422; bird, 37; fishhook, 335; lance, 454; spring beard needle, 378
barbed wire, 422
barbell, body building, 338
barbecue grill, 284
barbershop, passenger ship, 138
barbican, castle, 78, 79
Barcalounger, 231
bar clamp, 399
baren, woodcut printing, 368
bargeboard, house, 61
barge carrier, 136
barge cluster, pushboat, 144
bargello stitchery, 377
bark, wigwam, 82
barley, 56
bar line: music, 346; newspaper, 166
barn, 100
barnacle, 45
barometer, aneroid, 18
barometric altimeter 747 cockpit, 150
barrack: castle, 79; frontier fort, 80
barred door, prison, 74
barrel, 263; automatic weapons, 458, 459, 460, 461; baseball bat, 287; cannon, 457; clarinet, 351; cow, 30; curling iron, 210; dart, 316; destroyer gun, 141; fire hydrant, 121; hair dryer, 208; hinge, 450; hypodermic syringe, 441; man's shoe, 200; pen, 160; shirt cuff, 185; spool, 376; tank gun, 465
barrel cap, lead pencil, 160
barrel grille, hair dryer, 208
barrel ring: bayonet, 453; shotgun, 459
barrel spiral galaxy, 2
barrette, 210
barrier, highway, 110
barrier beach, 15
barrier gate, toll booth, 110
barrier island, 15
bar scale, political map, 21
bar tack, necktie, 189
bar tip, chair saw, 421
bartizan, castle, 78
bascule bridge, 95
base: acoustic guitar, 356; badminton shuttlecock, 313; baseball field, 287; basket, 262; basketball backstop, 292; bear trap, 423; blackjack, 341; blender, 250; canapé, 259; candelabrum, 233; cannon barrel ring, 457; CB radio station, 179; citrus juicer, 251; coat of arms, 487; column, 71; dental brace, 443; denture, 443; drag racing

starting lights, 333;
dressing table, 268; drill press, 409; easel, 364; elevator car, 76; food processor, 250; globe, 1; grandfather clock, 229; hurdle, 298; juice extractor, 251; laboratory burner, 437; laboratory scale, 437; lantern, 336; lawn sprinkler, 418; leaf, 50; light bulb, 234; makeup, 212; medical examination table, 440; microscope, 432; minaret, 68; mortar cap, 462; mousetrap, 423; music stand, 361; onion, 52; parallel bars, 300; pedestal table, 238; pencil sharpener, 273; percolator brewing basket, 248; phonograph turntable, 176; pole vault pole, 299; pommel horse, 301; pot, 367; power saw, 407; pyramid, 69; refrigerator grille, 245; rifle scope, 458, 459; sandwich cookie, 260; stapler, 273; steam engine, 395; stove burner, 244; telephone, 178; television set, 181; thimble, 376; tombstone, 500; transistor chip, 386; trimline phone, 178; trophy, 285; tuning fork, 361; vacuum tube, 386; vise, 399; White House, 73
baseball, 286-287; darts, 316
baseboard, and carpet, 242
baseline: baseball field, 287; Ping-Pong table, 315; shuffleboard court, 313; tennis court, 306; type, 163
basement, house, 58, 61
basepath, baseball field, 287
baseplate: land mine, 463; mortar, 462; railroad track, 111; saber saw, 407; sewing machine, 274
basin: ambulance, 119; dam, 98; river, 13; sink, 269
basin compartment, sink, 243
basket: basketball, 292; bee, 39; coffee maker, 248; container, 262; deep frying, 256; garbage disposal, 243; guillotine, 452; hot air balloon, 326; jai alai, 308; juice extractor, 251; nuclear reactor, 385; refrigerator, 245; sink, 243; ski pole, 320; sword, 453; toll booth, 110; typewriter type, 162; washing machine, 276
basketball, 292
basket-release handle, garbage disposal, 243
bass: accordion, 360; bagpipe drone, 359; bassoon joint, 351; fiddle, 348, 349; guitar, 357; music clef, 347; phonograph dial, 177
bas and guitar, double-neck, 357
bass clarinet, 348
bass drum, 348, 358
bass fiddle, 348, 349
bassinet, 282
bass neck, double-neck bass and guitar, 357
bassoon, 348, 351
basting brush, 255
basting ladle, 255
bastion: castle, 78, 79; permanent fort, 81
bat: badminton, 313; baseball, 287; brick wall, 67; flat racing, 330; Ping-Pong, 315
bateau neck, sweater, 195
bath, 270
bath oil, 213
batholith, volcano, 10
bathtub, 270
baton: drum major, 479; police, 482
bat pin, potter's wheel, 367
batten: hand loom, 379; stage, 344
batten pocket, mainsail, 132
batter, baseball, 286
batter head, snare drum, 358
batter's box, baseball, 287
batter's circle, baseball, 287
battery, 387; automobile, 104; buoy, 128; electronic flash, 174; Geiger counter, 435; hearing aid, 442; intercity bus, 114; lunar rover, 157; metal detector, 435; movie camera, 172; pacemaker, 442; pocket camera, 170; tape recorder, 175; truck, 116, 117
battery charger: medical examination equipment, 438; tow truck, 122
battery jumper cable, tow truck, 122
battery-powered film pack, camera, 170
battery-powered tape recorder, 175
batting, quilting, 377
batting glove, baseball, 286
batting helmet, baseball, 286
battlement, castle, 78
battleship, 140
bat weight, baseball, 286
bay: aircraft carrier, 142; barn, 100; coastline, 7, 15; space shuttle, 154
bay bar, 15
bay barrier, 15
bayit, tefillin, 470
baymouth, bar, 15
bayonet, 453
bayonet saw, 407
bay window, house, 60, 61
bazooka, 462
bazooka plate, tank, 464
B cell block, prison, 74
BC inflator mouthpiece, skin diving, 325
beach, 14, 15
beacon: helicopter, 146; police car, 118; single engine airplane, 147
bead: abacus, 431; beaker, 437; cowboy hat, 198; shotgun, 459
beading: attaché case, 281; Indian attire, 474
bead line, bell, III
beak: bird, 37; chicken, 33; clam, 45; dolphin, 43; halberd, 454; turtle, 40; type, 163
beaker: coffee maker, 248; laboratory, 437
beam: abacus, 431; automobile, 102; boat, 128; bus, 114; drag racing, 333; guillotine, 452; gymnastic, 300; hand loom, 379; house, 59; incline track, 90; laboratory scale, 437; lumber, 66; skyscraper, 75; subway car, 115; television, 181; tow truck bed, 122
beam balance, laboratory, 436-437
beanie cap, space shuttle, 154
beard: man's, 207; spring beard needle, 378; turkey, 33; type, 164; ultimate beast, 47; windmill, 382
bearing: airport runway, 92; fishing reel, 334; laboratory scale, 436; radar, 434; roller skate, 318; skateboard, 318; socket wrench, 405; transit, 426
bearing distance heading indicator, pilot's instrument panel, 153
bearing edge, horse's foot, 36
bearing line, compass, 132
bearing rail, bureau, 268
bearing ring, radar, 434
bearing surface, brick, 66
bearpaw shoe, snowshoe, 321
bear trap, 423
bear trap binding, ski, 320
beat, police, 482
beater: bass drum, 358; kitchen tool, 254; vacuum cleaner, 279
beauty products, 213
beauty salon, passenger ship, 138
beaver, armor, 455
because, symbol, 495
becket, block and tackle, 451
bed, 266-267; brick, 66; cannon carriage, 457; child's wagon, 283; coffin, 500; etching press, 371; hammock, 284; highway, 110; key punch, 428; lithographic press, 370; railroad track, 111; river, 13; slide, 283; tower, ladder, 120; trampoline, 302; wheelbarrow, 420
bed cloth, pool table, 314
bedcover, 267
bedding, 266-267
bed handle, lithographic press, 370
bed joint, brick wall, 67
bed knife, sickle-bar mower, 419
bed mold, column entablature, 71
bedplate: mortar, 462; steam engine, 395
bedrail, 266
bedroll: backpacking, 337; cowboy, 474
bedspread, 267
bee, 39
beef, 30
Beefeater, 467
beehive, woman's hair, 209
begin paragraph, proofreader's mark, 498
belfry, church, 84
bell, III; bassoon, 351; boxing, 303; buoy, 128; candle snuffer, 233; clarinet, 350; cymbal, 358; fire engine, 120, 121; foil mounting, 309 hammer, 402; jellyfish, 44; slot machine, 340; steam locomotive, 112; telephone, 178; trombone, 352, 353; vault, 447
bell boot, harness racing pacer 331
bell-bottom trousers, 187, 481
bell brace, trombone, 352
bell buoy, nautical chart, 22
bell chest piece, stethoscope, 439
bell cord, commuter bus, 114
bellows: accordion, 360; bagpipe, 359; camera, 170; fireplace, 228; organ, 354; paper bag, 262
bellows pocket, parka, 197
bellows strap, accordion, 360
bell plug, fencing foil, 309
bell rim, bugle, 353
bell shade, lamp, 234
bell wire, trumpet, 353
belly: baluster, 71; banjo, 356; cat, 35; horse, 36; human, 25; jumbo jet, 149; mandolin, 356; type, 164; violin, 349
bellybutton, 25
belowdeck storage entrance, tanker, 136
belt: automobile engine, 107; backpack, 337; cardigan sweater, 195; cowboy, 474; drag racing driver, 333; dress, 194; ice hockey player, 290; jewelry, 215; king's regalia, 468; machine gun ammunition, 461; man's, 186; military, 480, 481; Milky Way, 3; mountain climbing, 328; police, 482-483; sander, 411; shoulder bag, 218; skirt, 193; time, 5; trench coat, 196; trousers, 187; waterskiing vest, 323
belt carrier, trousers, 187
belted waistband, woman's pants, 192
belt safety guard, drill press, 409
belt sander, 411
belt-tension knob, drill press, 409
bench: baseball field, 287; basketball court, 292; courtroom, 87; football field, 289; ice hockey rink, 291; sled, 322; toboggan, 322
bench rule, 414
bench saw, 407
benchseat, powerboat, 135
bench screw, woodcarving, 366
bench top, workbench, 398
bench vise, 399
bend: fishhook, 335; paper clip, 273; tuba, 352
Benguela Current, ocean, 6
bent, roller coaster, 90
bent gouge, woodcarving, 366
bent side, grand piano 355
beret, 198
berg, glacier, 12
bergschrund, mountain, 9
bergy bit, glacier, 12
berm: permanent fort, 81; shoreline, 14
berry, tomato, 52
berth, sailboat, 131
berta, bridal gown, 472
berthing hawser, passenger ship, 138

besom, skirt, 193
beta rod, radio antenna, 179
betting: jai alai, 308; odds, flat racing, 330
bevel: chisel, 410; scriber, 369
bevel gear, hand drill, 408
bevel scale, table saw, 407
bezel: pendant, 215; watch, 216, 298
bezel facet, cut gemstone, 214
B flat, piano keyboard octave, 355
bias, fabric, 380
bias switch, tape recorder, 175
bias tape, garment seam, 192
bib: fencing mask, 309; Indian shirt, 474; maid's uniform, 473; man's shirt, 185
bibcock, 269
biceps, human 26
bicuspid, 446
bicycle, 124; body building, 338
bicycle crossing, road sign, 489
bicycle trail, public sign, 491
bifocal eyeglasses, 217
big bowtie, clown, 477
big cage, circus, 88
big 8, craps table, 341
big guns, surfboard, 324
big nose, clown, 477
bight, coastline, 15
big 6, craps table, 341
big toe, human foot, 29
big top, circus, 88
bike: body building, 338; harness racing, 331
bike route, road sign, 488
bilge, sailboat, 131
bilge alarm, powerboat, 134
bill: anchor, 128; bird, 37; duck, 33; fishing plug, 335; hook and eye, 204; man's cap, 198; paper money, 220
bill compartment, wallet, 219
billet, saddle, 329
billfold, 219
billiard table, 314
billing, magazine cover, 167
billy club, police, 482
bin: garbage disposal, 243; jumbo jet, 148; refrigerator, 245; sideboard, 239; silo, 100; tank, 464
binary code bars, Universal Product Code, 430
binary star, 3
binaural, stethoscope, 439
binder: cigar, 224; water ski, 323
binding: baseball glove, 287; hat, 198; javelin, 297; mattress, 267; pole vault pole, 299; shoe, 200, 296; ski, 320, 321, 323; tennis racket, 306
binding screw, electric plug, 388
binnacle, compass, 132
BIN number, credit card, 222
binoculars, 433
binocular tube, microscope, 432
bipod leg, mortar, 462
bird, 37; badminton, 313; space shuttle, 154
biretta, clergy, 471
birth: racing entry, 330; symbol, 494
bishop: chess, 339; vestments, 471
bishop pawn, chess, 339
bishop's arms, church, 85
bishop sleeve, bridal gown, 472
bishop's screen, church, 85
bit: dental, 445; destroyer, 140; drain cleaner, 412; fireboat, 144; flat racing, 330; gimlet, 408; glacier, 12; hand drill, 408, 409; harness racing, 331; oil drilling, 99; pipe, 225; screwdriver, 403; stopwatch, 298; tugboat, 144
bite: bugle, 353; scissors, 376
bitee stick, ambulance, 119
bit gauge, drill, 408, 409
bitty berg, glacier, 12
bivalve shell, 45
blackened copper surface, solar collector panel, 383
black hole, 2
black inner table, backgammon, 339
blackjack, 341
black outer table, backgammon, 339
black slot, roulette, 370
black square, chessboard, 339
black tie, military uniform, 480
black wire, electrical receptacle, 388
bladder: football, 288; human, 27; seeweed, 55; spacesuit, 157
blade: airplane propeller, 147; ambulance, 119; ax, 454; bicycle, 124; booties, ice skates, 319; bulldozer, 425; burnisher, 371; can opener, 247; cartridge fuse, 389; chisel, 410; cigar cutter, 224; combination square, 414; corkscrew, 247; electric plug, 388; fencing foil, 309; fern, 55; fishing rod, 335; flower petal, 51; food processor, 250; gardening shears, 417; gouge, 368; grass, 56; guillotine, 452; halberd, 454; hatchet, 402; helicopter roter, 146; hoe, 417; ice hockey stick, 291; ice skates, 319; juice extractor, 251; key, 449; knife, 240, 252, 416, 453; lawn mower, 419; leaf, 50; L-shaped square, 414; outboard engine, 133; partisan, 454; peeler, 252; Ping-Pong racket, 315; plane, 410; razor, 206; rotogravure, 164; rowboat oar, 129; saw, 406, 407; scissors, 376; screwdriver, 403; scriber, 369; seaweed, 55; shoe horn, 203; shovel, 417; silk screen squeegee, 369; skin diving fin, 325; speculum, 438; sword, 453; tape measure, 414; windmill, 382; woodcarving tool, 366
blade-bevel handwheel, table saw, 407
blade cartridge, razor, 206
blade control lever, bulldozer, 425
blade-elevating handwheel, saw, 407
blade eye hook, bulldozer, 425
blade guard, power saw, 407
blade hole, cigar cutter, 224
blade injector, shaver, 206
blade screw, saw, 407
blade shaft, can opener, 247
blank: coin, 221; key, 449
blanket: bedding, 267; police car, 118; saddle, 329
blanket bar, etching press, 371
blanket cylinder, offset press, 164
blank panel, home computer, 429
blazer jacket, woman's, 192
bleach dispenser, washing machine, 276
bleed: magazine, 169; political map, 21
bleed valve, steam engine, 395
blender, 250; pastry, 257
blimp, 158; camera, 172
blind, window, 237
blinder, flat racing, 330
blinker: automobile, 102; destroyer, 141; flat racing, 330
blister: automobile fender, 103; packaging, 264
block: automobile engine, 107; backgammon, 339; bongo drum, 358; football helmet, 288; igloo, 83; letter, 161; money order, 223; postage stamps, 161; pulley, 451; racing, 298; stapler, 273; steam engine, swimming pool, 310; and tackle, 451; toothbrush, 211; window shutters, 237; woodcut printing, 368; workbench, 398
blocked man's hat, 198
block number, city plan, 20
block valve, nuclear reactor, 384
blood factor symbols, 494
blood groove, sword, 453
bloodline, flat racing entry, 330
blood-pressure cuff, 119
blood-pressure gauge, 439
blossom end, banana, 53
blot, backgammon, 339
blouse: baseball catcher, 286; military, 480; police, 483; woman's, 193
blower: drag racing dragster, 333; heat exchanger, 393
blow wheel, humidifier, 392
blowhole: dolphin, 43; flute, 351
blow-in, magazine, 169
blowpipe, bagpipe, 359
blowout preventor, oil drilling, 99
blucher, man's shoe, 200
blue lightnin', cowboy, 474
blue line, ice hockey rink, 291
blueprint, house, 60
Blue Room, White House, 73
blue whistler, cowboy, 474
bluff, nautical chart, 22
blurb: book, IV, 165; label, 264; magazine, 167, 168
blurgit, cartoon, 375
blush, makeup, 212, 213
boar, 32
board: backgammon, 339; barbecue grill, 284; darts, 316; diving, 310; guitar, 356; hand loom, 379; horseracing, 330, 331; jai alai cancha, 308; kitchen tool, 257; merry-go-round, 91; military uniform, 480; organ, 354; roller coaster, 90; squash court, 307; stage, 344; track and field, 294; universal gym, 338; windsurfer, 324
boarding, barn, 100
boarding ladder: combat aircraft, 152; tugboat, 144
boat, 128; craps table, 341
boat boom, aircraft carrier, 142
boat deck, passenger ship, 139
boat neck, sweater, 195
bob, clock pendulum, 229
bobber, fishing, 335
bobbin: sewing machine, 274; spinning wheel, 379; tatting shuttle, 378
bobby pin, 210
bobeche, candelabrum, 233
bobsled, 322
bodice: dress, 194; maid's uniform, 473; queen's regalia, 468
body: arrow, 456; automobile, 102; baren, 368; binoculars, 433; book, 165; camera, 171, 180; can, 263; carpenter's level, 414; discus, 297; drag racing dragster, 333; drill bit, 409; ear scope, 438; faucet, 269; fishing plug, 335; garbage truck, 123; guitar, 356, 357; hand grenade, 463; human, 24-29; internal combustion engine, 396; letter, 161; levigator, 370; locking pliers, 404; locomotive, 113; nail clippers, 211; newspaper story, 166; padlock, 449; pail, 280; paper bag, 262; percolator, 248; pistol nozzle, 418; phonograph headphone, 177; piccolo, 350; pot, 367; printing press, 370, 371; saxophone, 351; shirt, 185; snake, 41; sock, 203; sweater, 195; tooth, 446; traffic light, 109; type, 164; window shade, 236, 237
body building, 338
body feather, chicken, 33
body handle, pressure cooker, 253
body lacing, snowshoe, 321
body lock handle, garbage truck, 123
body molding, automobile, 103
body oil, 213
body pad, ice hockey goalie, 290
body panel, stagecoach, 127
body-restraint strap, operating table, 440
body rivet, pliers, 404
body tube, microscope, 432
body wall, safe, 447
body whorl, univalve shell, 45
bogie, bus, 114
boiler: furnace, 390; locomotive, 112; pot, 253; steam engine, 395
bold face type, 163; magazine, 168, 169
bole, tree, 48
bollard, canal lock, 97
bolo tie, 188
bolster: chisel, 410; knife, 252; sofa, 232; stagecoach, 127
bolt, 401; bicycle, 124; saw, 407, 421;

crossbow, 456; crutch, 442; door, 448; fabric, 380; house, 59; hurdle, 298; levigator, 370; lock, 448; plane knob, 410; pliers, 404; pulley block, 451; railroad crossing signal, 111; rifle, 458, 461; roller skate, 318; ship's bell, III; vault, 447; vise, 399; wheelchair, 442
bolt-activating gear ring, vault, 447
bolt cap, toilet, 271
bolt cutter, 404
bolt ring, 214; identification bracelet, 183
bolt-retracting gear, vault, 447
bomb elevators, aircraft carrier, 142
bombproof, permanent fort, 81
bond, wall, 67
bonded insulation filling, sleeping bag, 337
bone: acoustic guitar, 356; early calculator, 431; girdle, 191; human, 25, 26; meat, 258; tile games, 339
bone marrow, meat, 258
bongos, 358
bonnet, 199; faucet, 269; fire hydrant, 121; Indian, 474
bonnet string, cowboy, 474
book, 165; postage stamps, 161; sample page, IV; type, 163
boom: aircraft carrier, 142; radio antenna, 179; sailboat, 130; tower ladder, 120; tow truck, 122; windsurfer, 324
boom bumper, windsurfer, 324
boom gallows, sailboat, 130
boom light, truck bed, 122
boom-to-mast clip, CB radio antenna, 179
booster, space shuttle, 154
booster fan, underwater tunnel, 96
booster hose-reel, pumper, 120
booster parachute canister, space shuttle, 154
booster tank, pumper, 120
boot, 202; automobile, 102; bassoon, 351; cowboy, 474; fireman, 484; harness racing pacer, 331; ice climbing, 328; ice skate, 319; panty hose, 191; race horse, 330; rain, 203; Revolutionary War general, 476; roller skate, 318; skin diving, 325; skiing, 321, 323; soldier's, 481; spark plug, 107; stagecoach, 127
booth, voting, 427
boot hook, 203
bootie, skin diving, 325
bootjack, 203
boot stripe, power boat, 134
boot top: destroyer, 141; drum major's shoe, 479; sailboat, 130
boozex, cartoon, 375
borated-water storage tank, nuclear reactor, 384
border: basket, 262; book page, IV; canape, 259; check, 222; comic strip, 374; magazine cover,, 167; paper money, 221; stage, 344
bore: spool, 376; thermometer, 439; weapons, 457, 458, 459, 460
bore evacuator, tank gun, 465
bosom, human, 25
boss, sheild, 454
bota, ski clothes, 321
botonée, symbol, 492
bottle, 263, 264; hair lotion applicator, 210; opener, 247, 416
bottle rack, oil drilling platform, 99
bottom: barrel, 263; book page, 165; girdle, 191; golf bag, 305; man's shoe, 200; parachute, 327; piano, 355; plane, 410; screen, 173; skillet, 253; stove, 394; sweater, 195; vest, 184; waterski, 323; window shutter, 237; zinc carbon cell, 387; zipper, 205
bottom bow, sousaphone, 352
bottom girdle, hot air balloon, 326
bottom pillow, stage coach, 127
bottom plate, house, 59
bottom rail: bureau, 268; door, 62; staircase, 64; venetian blind 237; window, 63
bottom sheet, bedding, 267
bottom spring, 226
bouffant hairdo, woman's, 209
bounce-angle scale, electronic flash, 174
bouche, shield, 454
boundaries, map, 5, 20
boundary line, volleyball court, 313
bouquet, bridal, 472
bout: fencing, 309; viola, 349
boutonniere, jacket, 184, 472
bow, 456; bear trap, 423; bell, III; beret, 198; boat, 128, 129, 144; bonnet, 199; brace, 408; crutch, 442; cymbal, 358; kettledrum, 358; key, 449; kite, 317; maid's uniform, 473; man's hat, 198; mousetrap, 423; rake, 417; saddle, 329; scissors, 376; sousaphone, 352; sword hilt, 453; trombone, 352; violin, 349; watch, 216, 298; windsurfer, 324
bowel, human, 25
bowl: basting ladle, 255; brazier, 284; dessert setting, 241; electric wok, 253; food processor, 250; juice extractor, 251; kitchen sink, 243; mixing, 254; pipe, 225; roulette wheel, 340; spoon, 240; stemware, 240; toilet, 271; type, 163
bowling, 311
bowl track, railroad yard, 94
bowmen, 456
bow numbers, destroyer, 141
bow pulpit, sailboat, 130
bowsprit, sailboat, 130
bowstring, 456
bow thruster, passenger ship, 139
bow tie, 188; butler, 473; clown, 477; man's formal attire, 472
bow window, house, 60
box: automobile steering gear, 104; ballet toeshoes, 478; barn, 100; baseball field, 287; blackjack table, 340; book page, IV; boot, 202; bus, 114; cigar cutter, 224; circuit breaker, 389; courtroom, 87; craps table, 341; dulcimer, 356; easel, 364; electrical receptacle, 388; handball court, 307; ice hockey rink, 291; lacrosse field, 293; light fixture, 234; lithographic press, 370; machine gun cartridge, 461; mail, 227; map, 21; metronome, 361; money, 447; packaging, 265; paramedic equipment, 119; parking meter, 109; pole vault, 299; pool table, 314; prison, 74; radar antenna, 434; railroad crossing signal, 111; razor blade injector, 206; resonance, 361; running shoe, 296; seeder, 420; sideboard, 239; sketch, 365; stagecoach, 127; steam engine, 395; subway motorman's cab, 115; tank, 464; tefillin, 470; theatre, 345; tow truck, 122; tugboat, 144; vault, 447; wrench, 405
boxcar, train, 113
box drawer, desk, 272
boxer, pugilist, 303
boxer shorts, 190
boxing, 303
box kit, 317
boxman, craps table, 341
box ratchet, brace, 408
box spring, bed, 267
bra, 191
brace, 408; balance beam, 300; basketball backstop, 292; bridge, 95; child's wagon, 283; dental, 443; fence gate, 67; guitar, 356; house, 59; kiln, 367; kite, 317; ladder, 415; locomotive, 112; man's, 186; oil drilling platform, 99; parallel bars, 300; rocking chair, 230; sponge mop, 279; stage, 344; stagecoach, 127; supportive, 442; table saw, 407; toboggan, 322; trombone, 352; venetian blind, 237; wheelbarrow, 420; wheelchair, 442; workbench, 398
brace flange, trombone, 352
bracelet: human hand, 29; identification, 183; jewelry, 215; wristwatch, 216
brace pole, tent, 336
brachioradialis, human, 26
bracket: butterfly table, 238; child's wagon, 283; citrus juicer, 251; dental unit, 444; grammatical symbol, 497; house, 60; inflatable, 129; ladder, 415; mortar, 462; orthodontic, 443; outboard engine, 133; police car, 118; radar antenna, 434; railroad crossing signal, III; royal crown, 469; sawhorse, 398; ship's bell, III; tanker, 137; tow truck bed, 122; traverse rod, 236; wheelbarrow, 420; wheelchair, 442
bracket slot, dental braces, 443
bracket table, dental, 445
bract: grass, 56; lettuce, 258; pineapple, 53
brad, 400
braid: military uniform, 480; venetian blind, 237; woman's hair, 209; woman's hat, 199
braille, 496
brains, beef, 30
brake: bicycle, 124; bobsled, 322; bulldozer, 425; car, 104, 106; chain saw, 421; locomotive, 112; motorcycle, 125; 747 cockpit, 150; ski binding, 320; space shuttle, 154; stagecoach, 127; stroller, 282; subway car, 115; tank gun muzzle, 465
brake caliper: automobile, 104; bicycle, 124; motorcycle, 125
brake caster, easel, 364
brake drum, automobile, 105
brake duct, racing car, 332
brake handle: 747 cockpit, 150; subway motorman's cab, 115
brake plate, ski binding, 320
brake pressure indicator, pilot's instrument panel, 153
branch: cactus, 54; candelabrum, 233; celery, 258; hogan, 82; horseshoe, 36; military insignia, 480; river, 13; stirrup, 329; sword hilt, 453; tree, 48; tuba, 352
brand: branding iron, 422; gas pump, 108; label, 264; pencil, 160
branding iron, 422
brandy snifter, 241
brass: musical instruments, 348, 352-353; sideboard, 239
brassard, military police, 480
brass button: military, 480; police, 482
brassie, golf club, 305
brassiere, 191
bratelles, dress, 194
brayer, woodcut printing, 368
brazier, patio, 284
Brazil Current, ocean, 6
bread: canapé base, 259; Communion, 85; loaf, 159
breadbasket, human, 25
bread rack, toaster, 249
break, cat, 35
break-arch, grandfather clock, 229
breaker: circuit, 389; magazine, 168; shoreline, 14; stained glass, 372
breaker hammer, 426
breakfront, 239
breakout, political map, 21
breakpoint, continental margin, 15
breast: chicken, 33; horse, 36; human, 24; lamb, 31; poultry, 33; woman's shoe heel, 201
breastbeam, hand loom, 379
breast collar, harness

racing, 331
breastplate: armor, 455; Torah, 470
breast pocket: parka, 197; shirt, 185; woman's jacket, 192
breast protector, fencing, 309
breaststroke swimming race, 310
breastworks, permanent fort, 81
breath-hold diving, 325
breathing aid, paramedic, 119
breathing filter, drag racing fire suit, 333
breath mark, music, 346
B recreation yard, prison, 74
breech: human, 25; weapons, 457, 460, 461
breechblock, shotgun, 458
breeches, *see* trousers
breeder reactor, nuclear power, 384
breve, grammatical symbol, 497
brewed coffee, 248
brick: building material, 66; lobster pot, 423
brickmold, window, 63
brick symbolia, cartoon, 374
brick wall, 67
bridal dress, 472
bridge, 95; aircraft carrier, 142; airport, 92; billiards, 314; bow, 456; bowling ball, 311; castle, 78, 79; coffin, 500; dental, 443; destroyer, 141; eyeglasses, 217; guitar, 356, 357; highway cloverleaf, 110; lacrosse stick, 293; nose, 28; passenger ship, 139; railroad, 111; spider web, 38; submarine, 143; tanker, 137; vault, 447; violin, 349
bridge and socket assembly, sponge mop, 278
bridge table, 238
bridle: horseracing, 330, 331; kite leg, 317; waterskiing towline, 323
briefcase, 281
briffit, cartoon, 374
brightness control, sonar, 434
brilliance-control, radar, 434
brim, hat, 198, 199
briquette, charcoal, 284
brisket: beef, 30; dog, 34; horse, 36; sheep, 31
bristle: broom, 278; brow brush, 213; hairbrush, 208; painting brush, 364; paint brush, 415; toothbrush, 211
broadcast indicator, CB radio, 179
broad jump, 294
brogues, butler's uniform, 473
broguings, man's shoe, 200
broiler, stove, 244
broken leader, book page, IV
brooch, 214, 215
brook, 13
Brooklyn pocket, bowling, 311
broom, 278; mechanical sweeper, 123
brow, human, 25
browband, Indian, 474
brow brush, beauty product, 213
brow rest, eye scope, 438
brush: beauty product, 213; cooking utensil, 225; dog, 34; drum, 358; electric, 208; house painting, 415; painting, 364, 365; photographic supplies, 174; shaving, 206; ultimate beast's tail, 46; vacuum cleaner, 279
brush bag, lunar rover, 157
brush retainer screw, saber saw, 407
brushwood, wickiup, 82
brussa shirt, Arab dress, 475
bubble: monovial, 414; theodolite, 426
buccal, tooth, 446
buccal cusp, tooth, 446
buckaroo, 474
buckboard, 127
bucket, 280; launch pad, 154; tower ladder, 120
bucket hat, sailor, 481
bucket seat, car, 106
buckle: backpack, 337; brassiere, 191; combat soldier, 481; cowboy belt, 474; electric chair, 452; harness racing, 331; man's, 186; police gun belt, 482; sandal, 202; ski boot, 320; trench coat, 196; venetian blind, 237; waterskiing vest, 323; woman's hat, 199
buckler, medieval sheild, 454
bud: flower, 51; potato, 52; taste, 28; tree, 48
buddy umbilical system bag, lunar rover, 157
buffalo horn, ultimate beast, 47
buffer: elecator shaft, 76; train track, 112
buffet, 239
bug, ice cream cone, 261
buggy, horse-drawn, 127
bugle, 353
building, 75; city plan, 20; topographic map, 22; whole-timbered, 68
building material, 66
built-in microphone, tape recorder, 175
bulb: balloon, 477; blood pressure gauge, 439; clown, 477; hourglass, 229; light, 234; onion, 52, 258; thermometer, 18, 439; vacuum tube, 386
bulb head, drain cleaner, 412
bulb of heel, horse, 36
bulkhead: passenger ship, 138; powerboat, 135; sailboat, 131; truck platform, 117
bulkhead mounting flange, aneroid barometer, 18
bulk storage: oil drilling platform, 99; refrigerator, 245
bull, 30; zodiac, 493
bull denim trousers, cowboy, 474
bulldozer, 425
bullet: cartridge, 460; police gun belt, 482; stick umbrella, 226
bulletproof vest, 483
bullhorn, police car, 118
bullion, 221
bull nose, destroyer, 141
bull's-eye, dart board, 316
bulwark: castle, 78, 79; passenger ship, 138; sailboat, 131
bump, razor blade injector, 206
bumper: automobile, 102, 103, 104; billiard cue, 314; bus, 114; citrus juicer, 251; football helmet, 288; knee kicker, 242; locomotive, 113; mechanical sweeper, 123; sled, 322; snowmobile, 126; toilet, 271; train track, 112; trombone, 353; vacuum cleaner, 279; wheelchair, 442; windsurfer, 324
bumper car, amusement park, 90
bumper steps, truck tractor, 116
bun: sandwich, 259; woman's hair, 209
bundling, package, 265
bunghole, keg, 263
bunk, sailboat, 131
bunker, golf course, 395
bunting, flag, 486
buoy, 128; nautical chart, 22
buoyancy chamber, inflatable, 129
buoyancy compensator, skin diving, 325
bureau, dresser, 268
burette, laboratory, 437
burgee, flag, 486
burial chamber, 500
burner: barbecue grill, 284; camper stove, 336; candle, 233; chafing dish, 241; furnace, 390; hot air balloon, 326; laboratory, 437; stove, 244; tea kettle, 241; water heater, 391
burnisher, 371
burn sheet, ambulance, 119
burr: dental, 445; pipe, 412
burst, label, 264
bus, 114
busby, drum major, 479
bushing: automobile, 104; roller chain, 451
business, letter, 161
business-class section, jumbo jet, 148
bust, human, 25
bustle, tank, 464
bustline, dress, 194
bus transportation, public sign, 490
butane well, gas cigarette lighter, 224
butler, 473
butt: arrow, 456; ax, 454; bassoon, 351; bazooka, 462; billiard cue, 314; cigar, 224; cigarette, 224; fishing rod, 334; halberd, 454; latch needle, 378; pork, 32; revolver, 460; rifle, 461
butt cap: fishing rod, 334; tennis racket, 306
butte, mountain, 8
butt end, paint brush bristle, 415
butter compartment, refrigerator, 245
butterfly net, 401
butterfly swimming race, 310
butterfly table, 238
butterfly tie, 188
butter knife, 240
butter plate, 240
butte stile, door, 62
butt hinge, 450
buttock: horse, 36; human, 24
button, 205; accordion, 360; ballpoint pen, 160; blender, 250; camera, 170, 172; cannon barrel, 457; cardigan sweater, 195; chain saw, 421; dental unit, 444; door lock, 448; elevator car, 76; escalator, 77; fencing foil, 309; garbage disposal, 243; guillotine, 452; human, 25; incandescent bulb, 234; jacket, 184, 192; lounger, 231; man's cap, 198; metronome, 361; military uniform, 480; organ, 354; plug fuse, 389; police car, 118; police uniform, 482; potter's wheel, 367; Revolutionary War general, 476; saxophone, 351; screen, 173; sewing machine, 274; skirt, 193; snake rattle, 40; sofa, 232; spur, 329; stopwatch, 298; suspenders, 186; sword hilt, 453; table saw, 407; tape recorder, 175; telegraph key, 159; television LaserDisc player, 181; trench coat, 196; trumpet, 353; vacuum cleaner, 279; vest, 184; video recorder, 180; violin, 349; woman's hat, 199
button-down collar, shirt, 185
button-down cuff, Revolutionary War general, 476
buttonhole: jacket, 184; Revolutionary War general, 476; shirt, 185; vest, 184
button mark, sewing pattern, 380
button nook, iron, 275
button-off collar, trench coat, 196
button-out robe lining, overcoat, 196
button rod, incandescent bulb, 234
button tab closings, pants, 187
button-through pocket, trench coat, 196
butt plate: rifle, 461; shotgun, 458
buttress, mountain, 8
butt section, fishing rod, 334
buttstock, shotgun, 458
by, symbol, 494
byline: magazine, 167, 168; newspaper, 166
by-pass shears, gardening, 417

C

C: braille, 496; piano keyboard octave, 355; music notation, 347; sign language, 496
cab: airport control tower, 93; bulldozer, 425; elevator, 76; fire engine, 120, 121; horse-drawn, 127; locomotive, 112; subway, 115; tractor, 424; truck, 116
cabin: aircraft, 146, 147, 158; hovercraft, 145; sailboat, 130, 131; space shuttle, 154
cabinet: air conditioner, 392; ambulance, 119; china, 239; desk, 272; dishwasher, 246; elevator, 76; garbage disposal, 243; guitar amplifier, 357; humidifier, 392; phonograph, 176, 177; television, 181; washing machine, 276

cabinet tip, screwdriver, 403
cabinetwork, house blueprint, 60
cabin pressure altimeter, pilot's instrument panel, 153
cabin trunk, powerboat, 134
cable: bazooka, 462; bicycle, 124; bridge, 95; camera, 171; circuit breaker box, 389; electrician's, 413; elevator shaft, 76; fencing strip, 309; gas pump, 108; motorcycle, 125; police car, 118; power line, 386; space suit, 157; stationary rings, 301; television, 181; tow truck, 122
cable stitch, sock, 203
caboose, train, 113
cabriolet, 127
cactus, 54
caduceus, symbol, 494
Caesar, playing card king, 342
cafe curtain, 236
caftan, 475
cage: baseball catcher's, 286; buoy, 128; circus, 89; drag racing dragster, 333; football helmet, 288; hammer throw, 295; ice hockey goal, 290; jai alai cancha, 308; police car, 118
caisson, cannon, 457
cake, 260
cake plate, 241
calamus, bird feather, 37
calcaneus, human, 26
calculator, 431
calculator dial, electronic flash, 174
calendar, grandfather clock, 229
calendar day, globe, 5
calf, 30, 422; frog, 42; human, 24
caliber, cartridge, 460
calibration: blood pressure gauge, 439; Geiger counter, 435
California Current, ocean, 6
caliper: automobile disc brake, 104; bicycle, 124; motorcycle, 125
calk, horseshoe, 36
calliope, merry-go-round, 91
callount, book page, IV
calm, hurricane, 17
calving, glacier, 12
calyx, coral polyp, 44
cam: lawn sprinkler, 418; motorcycle, 125; plane, 410; pliers, 404
camber, skiing, 323
cambium, tree, 48
cambox, lithographic press, 370
came, lead, 372
cameo, 214
camera: lunar rover, 157; satellite, 182; spacesuit, 157; still, 170, 171; video, 180
camera connector, video recorder, 180
camera platform, tripod, 174
camisole top, dress, 194
camouflage cover, soldier's helmet, 481
camper, 126
campfire, public sign, 491
camping, 336; road sign, 488
cam ring, brace, 408
can, 263; ammunition, 461; mercury battery, 387; nautical chart, 22; pacemaker, 442
canal lock, 97
canape, 259
canard, jet fighter, 152
Canary Current, ocean, 6
cancel button: organ, 354; video recorder, 180
cancellation, envelope, 161
Cancer, zodiac, 493
cancha, jai alai, 308
candelabrum, 233
candidate's name column, voting booth, 427
candle, 233
candlepin, bowling, 311
candle slide, sideboard, 239
candlestick, 233; church, 85
candlestick phone, 178
cane, supportive device, 442
cane rod, fishing, 335
canine teeth, 446
canister: drain cleaner, 412; film roll, 171; police gun belt, 482; space shuttle, 154; windmill, 382
can ledge, can opener, 247
cannon, 457; horse, 36; jet fighter, 152; muzzle-loading, 462; tank, 465
cannonball, 457
cannula, hypodermic syringe, 441
canoe, roulette wheel, 340
can opener, 247; pocket knife, 416
canopy: bed, 266; bulldozer, 425; elevator, 76; glider cockpit, 147; jet fighter, 152; light fixture, 234; parachute, 327; stroller, 282; tent, 336; toll booth, 110
canopy jettison handle, pilot's instrument panel, 153
canteen, soldier's, 481
cantilevered suspension, racing car, 332
cantle, saddle, 329
canton, flag, 486
cantor, synagogue, 470
cantus, eye, 28
canvas: boxing ring, 303; painting, 364
canvas holder, easel, 364
canvas slot, sketch box, 365
canyon, 7, 13
cap: backpack, 337; baseball, 286; blender, 250; blood pressure gauge, 439; bottle, 264, 265; bulldozer, 425; camera, 170; can, 263; cartridge fuse, 389; chimney, 61, 228; chisel, 410; cornet, 353; dental, 445; dishwasher, 246; dispenser, 263; engine, 107, 133, 396; fence gate, 65; fire hydrant, 121; fishing rod, 334; football, 288; hair styling, 210; hinge pin, 450; hockey skate, 319; lamp, 234; lantern, 336; magazine, 168; maid's, 473; Manchu court dress, 475; man's, 198; military, 480, 481; mortar, 462; motorcycle, 125; mower, 419; mushroom, 55; pencil, 160; pin, 204; plane, 410; plug fuse, 389; racing, 330; razor, 206; railroad crossing signal, 111; rifle, 461; royal crown, 469; saddle, 329; saw, 421; screen, 173; seeder, 420; shotgun, 458, 459; space shuttle, 154; standpipe, 57; stapler, 273; starting block, 298; stove, 244, 336; tennis racket, 306; test tube, 437; thimble, 376; toilet, 271; track lighting, 235; traffic light, 109; umbrella, 226; venetian blind, 237; washing machine, 276; waterskiing towline, 323; windmill, 382
cape: land feature, 7; stonecutting, 336
capelet, king's, 468
capillary, human, 27
capillary tube, thermometer, 439
capital: column, 71; political map symbol, 20; proofreader's mark, 498; type height, 163; White House, 73
Capitol building, 72
cap mounting, ballpoint pen, 160
cap nut, 401
capo, guitar, 356
capon, 33
cap opener, corkscrew, 247
cappuccino, 248
Capricorn, zodiac, 493
cap square, carriage, 457
capstan: sword hilt, 453; tape recorder, 175; tugboat, 144
capstem, strawberry, 53
capstone, gate post, 65
capsule: bottle, 263; medicinal, 441
captain's seat, 747 cockpit, 150
caption: book page, IV; cartoon, 374; magazine, 167, 169; newspaper, 166
car: amusement park ride, 90, 91; blimp, 158; drag racing, 333; elevator, 76; subway, 115; train, 94, 112, 113; *see also* automobile
carabiner, mountain climbing, 328
carbiner hole, ice ax, 238
carafe, coffee maker, 248
carapace: lobster, 45; turtle, 40
carbon copy, letter, 161
carbon-layered forward wing edge, space shuttle, 154
carburetor: automobile, 107; chain saw, 421; motorcycle, 125
carcass, furniture, 268
card: blister, 264; compass, 132; computer, 429; playing, 342
card bed, key punch, 428
card case, wallet, 219
car deck, hovercraft, 145
card holder: credit card, 222; elevator car, 76; typewriter, 162
card hopper, key punch, 428
cardigan: jacket, 192; sweater, 195
cardinal, religious vestments, 471
cardinal points, weather vane, 19
card loop, typewriter, 162
card punch, computer, 428
card room, passenger ship, 138
card stacker, key punch, 428
card table, 238
card window, wallet, 219
cargo, merchant ship, 136
cargo bay door, space shuttle, 154
cargo pocket, parka, 197
cargo ship, 136
cargo truck, airport, 93
caricature, cartooning, 374
caries, tooth, 446
carillon, III
car lift, passenger ship, 138
carom, billiards, 314
carousel, amusement park, 91
carousel tray, slide projector, 173
carpal, human, 26
carpels, samara, 50
carpenter's level, 414
carpenter's saw, 406
carpet, 242; sweeper, 278; tack, 242
carpus: dog, 34; human hand, 29
car ramp, hovercraft, 145
car rental, public sign, 490
carriage: baby, 282; cannon, 457; horse-drawn, 127; hot air balloon; toaster, 249; typewriter, 162
carriage bolster, stagecoach, 127
carriage brace, child's wagon, 283
carrier: aircraft, 142; dental, 445; dress, 194; etching press roller, 371; fireplace wood, 228; harness racing, 331; microscope, 432; pencil sharpener, 273; traverse rod, 236
carrot, 52
carrying chair, ambulance, 119
carrying handle: golf bag, 305; landmine, 463; machine gun, 461; movie projector, 173; outboard engine, 133; photographic bag, 174; rifle, 461
car seat, child's, 282
car service area, railroad yard, 94
car-station panel, elevator, 76
cart, lawn, 420
cartilage, human, 26
cartography, 5, 20
cartoon, stained glass, 372
cartooning, 374-375
cartridge: cowboy, belt, 474; film, 170, 171, 172; pen, 160; phonograph turntable, 176; weapons, 460, 461
cartridge fuse, 389
caruncle, turkey, 33
carving: scrimshaw, 369; tombstone, 500
carving hammer, stonecutting, 336
cascable, cannon, 457
cascade collar, bridal gown, 472
case: attaché, 281; battery, 387; beauty product, 213; blood pressure gauge, 439; cosmetic, 281; handgun cartridge, 460; hardback book, 165; harmonica, 360; lock, 448; luggage, 284; metronome, 361; padlock, 449; pencil, 160; pitch pipe, 361; police gun belt, 483; screen, 173; sideboard, 239; stapler, 273; tape measure, 414; thermometer, 18;

wallet, 219; watch, 216
casebound book, 165
casemate: castle, 78, 79; permanent fort, 87
casement window, 63
casework furniture, 239
cash register, 430
casing: calculator, 431; cartridge fuse, 389; door, 60, 62; electric meter, 389; hand grenade, 463; pacemaker, 442; pen, 160; pill, 441; pyramid, 69; slot machine, 340; telephone, 178; trumpet valve, 353; window, 63
casino, passenger ship, 138
cask, 263
casket, 500
casserole, 253
cassette: film, 171; operating table, 440; recorder, 175, 180; tape, 175
Cassini division, Saturn's rings, 3
cassock, 471
cast, denture, 443
caster; bed, 267; piano, 355; sofa, 232; wheelchair, 442
cast-iron casing, hand grenade, 463
castle, 78-79; chess, 339
castle pawn, chess, 339
castor, grand piano, 355
cast restoration, dental, 445
cat, 35; house, 59; circus, 88
catacomb, house, 60
catapult, 457; aircraft carrier, 142
cataract, river, 13
catch: door, 448; pistol, 460; swivel, 214
catcher: baseball, 286, 287; grill, 284; saw, 421
catch glove, ice hockey goalie, 290
catering truck, airport, 93
caterpillar track, tank, 464
cathedral, 84
cathedral hull, powerboat, 134
cathode-ray tube screen, radar and sonar, 434
cathode wire, vacuum tube, 386
catta, 35
cattle, 30
cattle crossing, road sign, 489
cat trainer, circus, 88
catwalk: canal lock, 97; prison, 74; tanker, 136; tunnel, 96
caudal fin, fish, 43
cadual peduncle, fish, 43
caution signal: pilot's instrument panel, 153; toll booth, 110; traffic light, 109
cautionary statement, label, 265
cavalry yard, frontier fort, 80
cave, 11
cavern, 11
cavity, tooth, 445, 446
C-band antenna, lunar lander, 156
CB radio, 179: police car, 118
C cell block, prison, 74
C-clamp, 399
cedilla, grammatical symbol, 497
ceiling: elevator car, 76; house, 59
celery, 258
cell: animal, 23; barometer, 18; battery, 387; computer, 429; electric meter, 389; flower, 51; kite, 317; octopus, 44; parachute, 327; prison, 74; solar power system, 383; telescope, 433
cellar, passenger ship, 139
cello, 348, 349
cello wrap, packaging, 265
cellular kite, 317
Celsius scale, thermometer, 18
Celtic cross, symbol, 492
cementum, tooth, 446
cent, symbol, 495
center: basketball, 292; envelope, 161; ice hockey, 291; spider web, 38; theodolite, 426
centerable lens, microscope, 432
center aisle, theatre, 345
center beam, laboratory scale, 437
center bearing wall, house, 58
center circle: basketball court, 292; ice hockey rink, 291; soccer field, 293
center dent, cowboy hat, 198
center drawer: desk, 272; dressing table, 268
center field, baseball, 287
center front panel, girdle, 191
center-front seam, skirt, 193
center hole, phonograph record, 176
centering: radar, 434; sonar, 434
centering screw, microscope, 432
center leaf, hinge, 450
center line: airport runway, 92; badminton court, 313; fencing strip, 309; ice hockey rink, 291; lacrosse field, 293; Ping-Pong table, 315; symbol, 494; volleyball court, 313
center mark, tennis court, 306
centerpiece, dessert setting, 241
center pin, pulley block, 451
center post: camera tripod, 174; tatting shuttle, 378
center ring, circus, 88-89
center slat, sled, 322
center span, bridge, 95
center stand, motorcycle, 125
center stile, door, 62
center strap, tennis net, 306
center weight, discus, 297
centigrade scale, thermometer, 18, 439
central cleft, horse's foot, 36
central computer, prison, 74
central disc, starfish, 44
central focusing drive, binoculars, 433
central incisor, tooth, 446
central instrument warning light, 747 cockpit, 151
central inventory control unit, cash register, 430
central portal, church, 85
Central Standard Time, 5
central-vent volcano, 10
centriole, animal cell, 23
cents-off corner mark, label, 265
cephalothorax, spider, 38
ceramic shell, plug fuse, 389
cereal grass, 36
cercus, grasshopper, 39
certificate holder, elevator car, 76
certification, gas pump, 108
certification plate, truck van, 117
cervical collar, ambulance, 119
cervical vertebrae, human, 26
cesta, jai alai, 308
chafing dish, 241
chain, 451; bear trap, 423; bicycle, 124; castle portcullis, 79; chain saw, 421; fire hydrant, 121; football sidelines, 289; gun belt, 483; grandfather clock, 229; hammock, 284; identification bracelet, 183; incline track, 90; jewelry, 215; king's regalia, 468; lock, 448; oil drilling platform, 99; spur, 329; swing, 283; tow truck bed, 122; zipper, 205
chain guard: bicycle, 124; lithographic press, 370; motorcycle, 125
chainlink fence, 65; prison, 74
chain lock, 448
chain mail, armor, 455
chain pin, roller chain, 451
chain reaction, nuclear reactor, 384
chain saw, 421
chain stopper, sink, 269
chair: ambulance, 119; dental, 444; electric, 452; powerboat, 135; reclining, 231; rocking, 230; wheeled, 442
chaise lounge, 284
chalice, 85
chalk, billiards, 314
chamber: burial, 500; camera, 172; cave, 11; Capitol, 72; combustion jet engine, 397; decompression, 442; fireplace, 228; revolver, 460; rocket, 397; stove, 394; torpedo, 466
chamber music ensemble, 348
champagne glass, 240
championship tee, golf course, 304
chancel, church, 85
chancellery, 84
chandelier: light fixture, 234; Senate, 72
changeout room, launch pad, 154
change pocket, jacket, 184
channel: backyard glider, 283; bowling lane, 311; canal lock, 97; CB radio, 179; laboratory scale, 437; lamp, 234; lead came, 372; nautical chart, 22; operating room table, 440; pliers, 404; police radio, 118; river, 13; stapler, 273; television set, 181; window, 63
channel selection controls, video recorder, 180
chanter, bagpipe, 359
chapel: castle, 79; church, 84, 85; frontier fort, 80; passenger ship, 139; prison, 74
chaps, cowboy, 474
chapter: book, 165; grandfather clock, 229; pocket watch, 216
character: cartooning, 374; clown face, 477; mah-jongg tile, 339; typewriter, 162
charcoal: briquette, 284; sketch box, 365
charge, flag, 486
charge container, land mine, 463
charged particle telescope, satellite, 182
charger, tow truck, 122
chariot, merry-go-round, 91
Charlemagne, playing card king, 342
Charlie, stagecoach, 127
charm, jewelry, 215
chart: electronic weather station, 18; nautical, 22
chart table, sailboat, 131
chase: cannon barrel, 457; wall, 67
chaser, engraving, 371
chassis: automobile, 102; racing car, 332-333; machine gun, 461; television, 181
chasuble, cardinal, 471
chauffeur's cab, fire engine, 120, 121
cheater, wrench, 405
check: bank, 222; lumber, 66; ticket, 343; traveler's, 223
check bars, Universal Product Code, 430
check bit, harness racing, 331
checkbook clutch, 219
check digit, credit card, 222
checker, 339
checkerboard, 339
checkering, shotgun, 458
check-in, public sign, 491
check issue date, 222
check letter, paper money, 220,221
checkout center, 430
checkpoint, prison, 74
check rein, harness racing, 331
cheek: cannon carriage, 457; dog, 34; horse, 36; hammer, 402; human, 24; latch needle, 378; piano, 355; pulley block, 451
cheese, 259; pizza, 261; slicer, 252
chelicera, spider, 38
chemin de fer, 340
chemise: dress, 194; queen's underpinnings, 468
cheng-lung, Manchu court dress, 475
cherry: ice cream cone, 261; police car, 118
cherry picker, tower ladder, 120
chess, 339
chest: dog, 34; horse, 36; human, 24; organ, 354
chest floor, cow, 30
chest of drawers, 268
chest piece, stethoscope, 439
chest pocket, jacket, 184
chest pod, still camera, 171
chest press, universal gym, 338
chest protector: baseball catcher, 286; ice hockey goalie, 290
chest pull, body building, 338
chevelure, 207
chevron, airport runway, 92
chicken, 33
chief, coat of arms, 487
chief clerk, Senate, 72
chiffonier, 268
chignon, woman's hair, 209
children: backyard equipment, 282-283; gear, 282; playroom, passenger ship, 139
chime: barrel, 263; bell, III
chimney: cave, 11; fireplace, 228;

furnace, 390; house, 60, 61; mountain, 8; volcano, 10
chin: bird, 37; human, 24
china cabinet, 239
china guard, dishwasher: 240
China Room, White House, 73
chine, powerboat, 134
chinning bar, backyard, 283
chinning station, universal gym, 338
chin piece, armor, 455
chin rest, violin, 349
chin strap: cowboy hat, 198; drum major's busby, 479; football helmet, 288; ice hockey player, 291; police helmet, 483
chip: blackjack, 341; craps table, 341; transistor, 386
chisel, 366, 368, 410
chitin, crustacean, 45
chock: destroyer, 140, 141; mountain climbing, 328
choil, knife, 453
choir, church, 85
choir keyboard, organ, 354
choir riser, orchestra, 348
choke, car, 106, 107
choked barrel, shotgun, 458
choke end, wood block, 451
choke knob, chain saw, 421
choker necklace, 215; Indian, 474; queen's, 468
chopper, helicopter, 257
chopping board, 257
chopsticks, electric wok, 253
chord: lift bridge, 95; music, 346
chord buttons, accordion, 360
chordophone, 356
choropleth map, 21
Christmas tree, drag racing starting lights, 333
chromatophore, octopus, 44
chrome, automobile, 103
chronograph, spacesuit, 157
chronometer, 216
chromosome, cell, 23
chuck: beef, 30; brace, 408; drill, 408, 409; fishing rod, 334; screwdriver, 403; scriber, 369
chuck-a-luck, 340
chuck tightener, dental, 445
church, 84-85
church key, can opener, 247
chute: dam, 98; jumbo jet, 148; mountain, 8; mower, 419; parachuting, 327; racetrack, 331; running track, 294; saw, 407; toll basket, 110
cigar, 224
cigarette, 224
cigarette lighter, 224; car, 106
cilia, eye, 28
cinch: backpack strap, 337; cowboy hat, 198; fastener, 204; saddle, 329
cincture: column, 71; religious vestments, 471
cinder, volcano, 10
cine scale, light meter, 174
cinquefoil, church, 84
circle: baseball field, 287; basketball court, 292; geodesic dome, 83; ice hockey rink, 291; shot put, 295; soccer field, 293; theodolite, 426
circlet, royal crown, 469
circuit, electric, 389
circuit breaker, 389; space shuttle, 155
circuit closer lever, telegraph key, 159
circular saw, 407
circular slide rule, 431
circulating pump: nuclear reactor, 385; solar heating system, 383
circulatory system, human, 27
circumflex accent, grammatical symbol, 497
circus, 88-89
cirque, mountain, 8
cirque glacier, 9, 12
cirrocumulus cloud, 16
cirrostratus cloud, 16, 17
cirrus cloud, 16, 17
citation: enlisted man, 480; police, 482
Citizen's Band radio, 179
citrus juicer, 251
city plan, map, 20
city symbol, political map, 20
civil aircraft, 148-149
cladophyll, asparagus, 52
clam, 45
clamp, 399; cassette tape, 175; drill press, 409; finishing sander, 411; laboratory, 436; lamp, 235; outboard engine, 133; Ping-Pong net, 315; paw, 406; telescope, 433; theodolite, 426
clamp bar, suit hanger, 277
clamp collar, camera tripod, 174
clamp holder, pumper, 121
clamp screw: combination square, 414; outboard engine, 133; sewing machine, 274; theodolite, 426
clapboard siding, house, 61
clapper: bell, III; buoy, 128
clarinet, 348, 350-351
clarstory, church, 84
clasp: denture, 443; hair roller, 210; identification bracelet, 183; keychain, 449; necktie, 188; pin, 204; royal regalia, 468
classification track, railroad yard, 94
class insignia, mainsail, 132
class interval, thematic map, 21
clavicle, human, 26
clavier, organ, 354
claw: bee, 39; bird, 37; cat, 35; clothespin, 276; flower petal, 51; grasshopper, 39; hammer, 402; lizard, 40; lobster, 45; rifle sling, 458; ring, 215; spider, 38; turkey, 33; turtle, 40; ultimate beast, 46
cleaner: automobile engine, 107; mower, 419; nail clippers, 211; pipe, 225
cleaning supplies, photographic, 174
cleanout plug, sink drain, 269
cleansing cream, 212
clear: shuffleboard court, 312; weather map, 19
clearance light: bus, 114; truck, 117
clear key, calculator, 431
cleat: baseball, 286; football, 288; sailboat, 131; snowmobile, 126; tugboat, 144
cleavage, human, 25
clef, music, 346, 347
cleft: horse's foot, 36; human, 25
clerical collar, minister, 471
clerestory, church, 84
clerk, Congress, 72
clerk's table, courtroom, 87
clew: hammock, 284; mainsail, 132
cliff, 7, 9
climax basket, 262
climbing, mountain, 328
climbing net, backyard, 283
climbing wax, ski, 321
clinch, horse's hoof, 36
clinic, White House, 73
clip: ammunition, 483; bicycle, 124; bow tie, 188; CB radio antenna, 179; chest pull, 338; dental, 445; hair, 210; jackhammer, 426; juice extractor, 251; microscope, 432; pen, 160; pistol, 460; pistol nozzle, 418; rifle, 461; stethoscope, 439; suspenders, 186; telephone, 178; venetian blinds, 237; and volt-ohm meter, 413; wallet, 219; woodcarving, 366
clip-on bow tie, 188
clip-on sunglasses, 286
clippers, gardening, 417
cloche, 199
clock, 229; basketball backstop, 292; car, 106; darts, 316; organ, 354; pilot's instrument panel, 153; 747 cockpit, 150; stove, 244
cloister, mosque, 68
close, letter, 161
closed chock, destroyer, 141
closed-circuit track, road racing, 332
closed coat, sandpaper, 411
closed quad, magazine, 169
closed teeth, zipper, 205
closer, brick wall, 67
closet, jumbo jet, 148
close up, proofreader's mark, 498
close way, permanent fort, 81
closure, 205; brassiere, 191; parka, 197; package, 264, 265; playpen, 282; swagger bag, 218; trousers, 187; woman's jacket and pants, 192
cloth: flat racing, 330; pool table, 314
cloth beam, hand loom, 379
clothes dryer, 277
clothesline, 276
clothespin, 276
clothing guard, wheelchair, 442
cloth lining, parka, 197
cloth said, windmill, 382
cloud, 2, 3, 16
cloudy, weather map, 19
cloven hoof, ultimate beast, 46
cloverleaf, highway, 110
clown, 477; circus act, 88
club: golf, 304, 305; playing cards, 342; police, 482
clubhouse, racetrack, 331
clubhouse turn, ractrack, 331
club-footed forestaysail, sailboat, 130
clutch: automobile, 104, 106, 107; checkbook, 219; handbag, 218; lithographic press, 370; powerboat, 134
clutch lever: motorcycle, 125; outboard engine, 133
clutch nut, juice extractor, 251
clutter control, radar, 434
coach: bus, 114; horse-drawn, 127; recreational vehicle, 126; train, 113
coaches' box, baseball field, 287
coach roof, sailboat, 130
coach section, jumbo jet, 149
coal hod, fireplace, 228
coal tender, steam locomotive, 112
coaming, sailboat, 131
coaming padding, powerboat, 135
coarse-adjustment beam, laboratory scale, 437
coarse calibrate, Geiger counter, 435
coarse focus adjustment, microscope, 432
coarse-motion clamp, telescope, 433
coarse teeth, hair comb, 208
coast, nautical chart, 22
coastal shield, turtle, 40
Coast Guard station, nautical chart, 22
coastline, 7, 15
coat: animal cell, 23; butler, 473; drum major, 479; fireman, 484; man, 184, 472; Revolutionary War general, 476; sandpaper, 411; ultimate beast, 46, 47
coating, sandpaper, 411
coat of arms, 487; Manchu court dress, 475
co-axial machine gun, tank, 465
cock: furnace, 390; internal combustion engine, 396; standpipe, 575
cockade, 476
cocked hat, 476
cocking handle, machine gun, 461
cocking piece, rifle, 461
cockpit: aircraft, 146, 147, 150-151; powerboat, 135; racing car, 332-333; sailboat, 130
coconut, 258; palm, 50
coda sign, music, 347
code: envelope, 161; magazine mailing label, 167; paper money, 220; traveler's check, 223
codpiece: armor, 455; boxing, 303
coffeepot, tea set, 241
coffe shop, public sign, 490
coffee strainer, 256
coffin, 500
coffin corner, football field, 289
coiffe, champagne cork, 263
coiffure, 209
coil: air conditioner, 392; automobile spring, 105; heat exchanger, 393; lasso, 422; metal detector, 435; postage stamps, 161; safety pin, 204; zipper, 205
coin, money, 221
coin bank, 447
coin box: parking meter, 109; pay phone, 178
coin chute, toll basket, 110
coin purse, wallet, 219
coin return: pay phone, 178; slot machine, 340
coin slot: parking meter, 109; pay phone, 178; slot machine, 340
col, mountain, 8
colander, 256
cold chisel, 410
cold cream, 212
cold front, 19
cold type, 164

cold-water faucet: bathtub, 270; sink, 243, 269
cold-water pipe: solar heating system, 383; water heater, 391
collapsible legs, ironing board, 275
collar: ambulance, 119; ascot, 189; barbell, 338; bishop, 471; blouse, 193; bolt, 401; bridal gown, 472; butler's, 473; camera tripod, 174; cardigan sweater, 195; drum major's coat, 479; fire extinguisher, 280; harness racing gear, 331; horizontal bar, 300; house beam, 59; jacket, 184, 472; kettledrum, 358; king's regalia, 468; maid's uniform, 473; Manchu court dress, 475; minaret, 68; minister, 471; power drill, 409; royal orb; 469; shirt, 185; shoe, 201; stove, 394; trench coat, 196; vacuum cleaner hose, 279
collarbone, human, 24
collection pan, air conditioner, 392
collector: solar panel, 383; transistor chip, 386
college pliers, dental, 445
collet, ring, 215
collimating screw, telescope, 433
collision bulkhead, passenger ship, 138
collop: human, 25; meat, 258
cologne, 213
colon: grammatical symbol, 497; human, 27
colophon, book, 165
color(s): horseracing, 330, 331; typewriter ribbon, 162
colored glass, 372
color selector, toaster oven, 249
colorstick, makeup, 212, 213
colt, 36
columbarium, church, 85
columella, nose, 28
column, 71; abacus, 431; basketball backstop, 292; cave, 11; citrus juicer, 251; cupboard, 239; drill press, 409; key punch indicator, 428; magazine, 168, 169; oil drilling platform, 99; piano, 355; punch card, 428; skycraper, 75; surgical table, 440; thermometer, 439; voting booth, 427
coma, comet, 3
comb: armor, 455; chicken, 33; escalator, 77; hair, 208; razor, 206; rifle, 461; shotgun, 458
combat aircraft, 152
combat infantry badge, 480
combat maneuver panel, pilot's instrument panel, 153
combat soldier's uniform, 481
comb holder, electric hairbrush, 208
combination dial, vault, 447
combination headlamp, automobile, 102
combination lock, safe, 447
combination pliers, 404
combination screw, telegraph key, 159
combination square, 414
combination water ski, 323
combination wrench, 405
comb strip, electric hairbrush, 208
combustion chamber: engine, 397; rocket, 397; stove, 394
combustion jet engine, 397
come box, craps table, 341
comet, 3
comfort-cable temple, eyeglasses, 217
comforter, bedding, 266
comfort lining, spacesuit, 157
comic book, 374
comic strip, 374-375
comma: grammatical symbol, 497; proofreader's mark, 498
command, television set, 181
commander's hatch, tank, 464
commander's seat, space shuttle, 155
command module, lunar lander, 156
command post, White House, 73
commemorative, coin, 211
commissary, prison, 74
commissure, horse's foot, 36
committee, room, Capitol, 72
common rafter, house, 59
common spiral galaxy, 2
communication umbilical, spacesuit, 157
Communion bread, 85
Communion cup, 85
commuter bus, 114
compact, beauty product, 213
compactor, trash, 243
companion benchseat, powerboat, 135
companionway, sailboat, 130, 131
company logo, pumper, 121
company name, letter, 161
company quarters, frontier fort, 80
compartment: backpack, 337; bus, 114; camera, 170; camper, 126; coat of arms, 487; drag racing dragster, 333; electronic flash, 174; garbage disposal, 243; hearing aid, 442; jumbo jet, 148, 149; refrigerator, 245; sealed voting booth, 427; sink, 243; wallet, 219
compass, 132; airplane, 151, 153; powerboat, 134; skin diving, 325; theodolite, 426
compass bearing, airport runway, 92
compass rose: nautical chart, 22; political map, 20
compensator sheave, elevator shaft, 76
complimentary close, letter, 161
composition: art, 362-363; typeface, 163
compote dish, 241
compound eye: bee, 39; grasshopper, 39
compound kite, 317
compound leaves, 50
compound microscope, 432
compress, medicinal, 441
compressed air: skin diving, 325; truck tractor, 116
compression member, geodesic dome, 83
compression strap, backpack, 337
compressor: automobile engine, 107; heat exchanger, 393
compressor fan, combustion engine, 397
computer, 429; key punch, 428; prison, 74; 747 cockpit, 150, 151; space shuttle, 155
computer ring, light meter, 174
concave knife, 453
concave lens, 217
concave mirror, telescope, 433
concave molding, grandfather clock, 229
concealer, makeup, 212
concentrating solar collector, 383
concentric sculpture, clam shell, 45
conceptacle, seaweed, 55
concertmaster, orchestra, 348
concha, outer ear, 28
conchology, 45
concourse, airport, 92
concrete block foundation, house, 58
concrete shield, nuclear reactor, 384
concussion grenade, 463
condensed type, 163
condenser: heat pump, 393; microscope, 432; nuclear reactor, 384
condenser coil, air conditioner, 392
condiment, 259, 261
conducting blade, cartridge fuse, 389
conducting rivet, plug fuse, 389
conductor: electrician's wire, 413; track lighting, 235
conductor's podium, orchestra, 348
conduit, 96; railroad crossing signal, 111; volcano, 10
cone: blimp, 158; citrus juicer, 251; combustion jet engine, 397; ice cream, 261; jumbo jet, 148, 149; missile, 466; phonograph receiver, 177; pine, 50; police car, 118; potting, 367; toll booth, 110; volcano, 10
Congress, 72
conical buoy, nautical chart, 22
connecting link, horizontal bar, 300
connecting rod: steam engine, 395; steam locomotive, 112
connecting wire, field events hammer, 297
connection: electric meter, 389; pacemaker, 442; parachute harness, 327; pumper, 121; sprinkler, 418; video recorder, 180
conning tower, submarine, 143
console: home computer, 429; lunar rover, 157; organ, 354; powerboat, 134, 135; skin diving tank, 325
constellation, 2
constriction, thermometer, 439
construction, road map, 20
construction sign, road, 489
contact: incandescent bulb, 234; movie camera, 172; plugfuse, 389
container, 262-263; blender, 250; land mine, 463; paint spray gun, 415
container ship, 136
containment building, nuclear reactor, 384
content, label, 264
content heading, book page, 12
contents page, magazine, 167
contest, drag racing, 333
continental margin, 15
continued line, magazine, 169
continuous battery monitor, Geiger counter, 435
continuous hinge, 450
contour: nautical chart, 22; topographic map, 22
contour feathers, bird, 37
contour line, map, 21, 22
contra-bassoon, 348
contraction, grammatical symbol, 497
contractor's saw, 407
contrast indicator, television set, 181
control, air conditioner, 392; aircraft, 150, 151, 153; automobile, 104, 106; ballista, 457; barbecue grill, 284; blender, 250; blood pressure gauge, 439; bulldozer, 425; camera, 170, 172, 180; canal lock, 97; cash register, 430; CB radio, 179; clock radio, 229; clothes dryer, 277; compass, 132; computer, 429; dam, 98; dental unit, 444; dishwasher, 246; drum, 358; engine, 396, 397; fire engine, 120, 121; food processor, 250; garbage disposal, 243; garbage truck, 123; girdle, 191; guitar, 357; hand glider, 327; hearing aid, 442; hovercraft, 145; humidifier, 392; iron, 275; key punch, 428; lunar lander, 156; lunar rover, 157; machine gun height, 461; metal detector, 435; microscope, 432; mower, 419; nozzle, 418; nuclear reactor, 384; paint spray gun, 415; parachute, 327; passenger ship, 138; phonograph, 176, 177; police car, 118; powerboat, 134, 135; projector, 173; radar, 434; railroad crossing signal, 111; saber saw, 407; sealed voting booth, 427; seeder, 420; sonar, 434; space shuttle, 155; spacesuit, 157; stove, 244, 336, 394; subway, 115; surgical table, 440; synthesizer, 357; telescope, 433; television set, 181; toaster, 249; toll booth, 110; torpedo, 466; tow truck, 122; tugboat, 144; typewriter, 162; vacuum tube, 386; video recorder, 180; wristwatch, 216
controllable landing light, helicopter, 146
control rod, window shutters, 237
control station, destroyer launcher, 141
control structure, dam 98
control tower: aircraft carrier, 142;

airport, 92, 93;
destroyer, 140
conversion scale, nautical chart, 22
converter, vacuum cleaner, 279
convertible, automobile, 102, 103
convertible sofa, 232
convex lens, 217
Conyne kite, 317
cookie, 260
cookie cutter, 257
cooking chopsticks, 253
cooking grid, barbecue grill, 284
cooking unit, camper, 126
cook top, stove, 244
coolant pump, nuclear reactor, 384
cooling fan clutch, automobile engine, 107
cooling/heating coils, heat exchanger, 393
cooling rack, kitchen, 256
cooling system: airport, 92; automobile, 104
cooling tower, nuclear reactor, 385
cool tip: curling iron, 210; percolator basket, 248
cop, police, 482
cope, bishop, 471
coping, masonry gate post, 65
coping saw, 406
copper foil, 372
copper surface, solar collector panel, 383
copra, 258
copy: letter, 161; magazine cover, 167
copyist, music, 347
copyright: book, 165; magazine, 167; music, 347; newspaper, 166; symbol, 495
coral, cave, 11
coral polyp, 44
coral reef, 44
cor anglais, 348, 351
corbel, castle, 78
corbeled arch, kokoshniki, 68
cord: air conditioner, 392; bagpipe, 359; ballista, 457; bedroll, 337; bus, 114; CB radio, 179; curling iron, 210; dental X-ray unit, 444; electrician's, 413; fastener, 204; fencing strip, 309; guillotine, 452; hand loom, 379; hot air balloon, 326; iron, 275; jackhammer, 426; juice extractor, 251; lamp, 234; movie camera microphone, 172; parachute, 327; Ping Pong net, 315; saw, 407; snowshoe, 321; spinning sheel, 379; string tie, 188; tape recorder, 175; telephone, 178; thread, 376; track lighting, 235; traverse rod, 236; venetian blind, 237; windmill, 382
cord holder, ironing board, 275
cordial glass, 241
cording, mattress, 267
cordlock, backpack, 337
cordon, king's regalia, 468
cord strain relief: CB radio microphone, 179; finishing sander, 411; hair dryer, 208; hand drill, 409; saber saw, 407; toaster oven, 249
core: apple, 53; brayer, 368; earth, 4; human, 25; mortise lock, 448; nuclear reactor, 384, 385; paint roller, 415; pineapple, 53; skyscraper, 75; typewriter, 162
corer, apple, 257
cork: bottle, 263; clarinet mouthpiece, 351
corkscrew, 247; pocket knife, 416
corn, 56
cornea, eye, 28
corner: boxing ring, 303; brick wall, 67; chessboard, 339; football field, 289; house, 60, 61; skyscraper, 75
corner cupboard, 239
corner cushion, boxing ring, 303
corner index, playing cards, 342
corner kick arc, soccer field, 293
cornering lamp, automobile, 102
corner mark, label, 265
corner post, house, 59
cornerstone, skyscraper, 75
cornet, 353
cornice: column entablature, 71; cupboard, 239; curtain, 236; house, 59, 60; merry-go-round, 91; minaret, 68; mosque, 68
cornsilk, 56
corolla, pea, 52
corona, column entablature, 71
coronary band, horse's hoof, 36
coronation mantle, king, 468
coronet: horse, 36; queen, 468; royal headpiece, 469
correctable ribbon, typewriter, 162
correctional facility, 74
correction tape, typewriter, 162
corrective device, dental, 443
corrector magnet control, compass, 132
correspondence, 161
corridor, Capitol building, 72
corrugated diaphragm chest piece, stethoscope, 439
corrugated fastener, 400
corrugated sole, ice climbing boot, 328
corrugated staple, silk screen, 369
corrugation: fastener, 400; phonograph speaker, 177
corselet, queen's, 468
corset, 191; queen's, 468
cosmetic case, 281
cosmic mass, 2
cosmic rays, 3
costal fold, salamander, 42
costal groove, salamander, 42
costilla, jai alai cesta, 308
costume, historical, 476
costume jewelry, 214
cotter pin, roller chain, 451
cotton, dental, 445
couch, upholstered, 232
couloir, mountain, 8
count, magazine mailing label, 167
counter: backgammon, 339; footware, 200, 201, 202, 296; pool table, 314; sink, 243; sailboat, 130; sealed voting booth, 427; tape recorder, 175; type, 163, 164; video recorder, 180
counterbalance, electronic weather station, 18
counter current, ocean, 6
counterfeit money, 220
counterguard, sword hilt, 453
counter hoop, drum, 358
countermeasures antenna, aircraft carrier, 142
countermeasure warning, pilot's instrument panel, 153
counterscarp, permanent fort, 81
countersignature, traveler's check, 223
countersink bit, drill, 408, 409
counterweight: elevator shaft, 76; lift bridge, 95; phonograph turntable, 176; railroad crossing signal, 111; stage pulley, 344; window, 63
counting rod, 431
coupe, automobile, 102
coupled truck, 116
coupler, locomotive, 112, 113
coupler lug, camera, 171
coupler-tilt tablet, organ, 354
coupling: gas pump, 108; hose, 418; train, 113
coupon, magazine, 169
course: brick wall, 67; drag racing, 333; harness racetrack, 331; meal, 259; river, 13
court: badminton, 313; barn, 100; basketball, 292; handball, 307; jai alai, 308; Ping-Pong table, 315; shuffleboard, 312; squash, 307; tennis, 306; volleyball, 313
court cards, 342
court clerk's table, courtroom, 87
court dress, Manchu, 475
courting seat, 232
courtroom, 87
couter, armor, 455
cove, 7
cove mold, staircase, 64
cover: automobile, 103, 107; bagpipe, 359; baseball, 286; basket, 262; battery, 387; blender, 250; book, 165; brayer, 368; camera, 170; cassette tape, 175; chain saw, 421; clarinet pad, 350; combat helmet, 481; desk, 272; fishing reel, 334; food processor, 250; football, 288; garbage disposal, 243; girdle, 191; hand loom, 379; ironing board, 275; jackhammer, 426; juice extractor, 251; kite, 317; laboratory scale, 436; magazine, 167; matchbook, 224; mattress, 267; motorcycle, 125; paint spray gun, 415; percolator basket, 248; phonograph record, 176; phonograph turntable, 176; playpen, 282; pocket watch, 216; pots and pans, 253; sewing machine, 274; sketch box, 365; skyscraper, 75; smoke alarm, 280; swing, 283; tea kettle, 241; television LaserDisc player, 181; tepee, 82, theodolite, 426; toilet, 271; vault, 447; wallet, 219; water ski, 323; window, 237
covered button cardigan sweater, 195
covered way, permanent fort, 81
cover plate: electrical, 338; solar panel, 383
cover sheet, kite, 317
covert: bird, 37; permanent fort, 81; turkey, 33
coverup, makeup, 212
cow, 30
cowboy, 474; hat, 198
cowcatcher, locomotive, 112
cow hoof, ultimate beast, 46
cowl: bobsled, 322; helicopter, 146; outboard engine, 133
cowlick, 207
cowling: airplane, 147; outboard engine, 133; racing car, 332
cow puncher, 474
coxa: grasshopper, 39; spider, 38
crab, 45; zodiac, 493
cracker, nut, 257
cradle, telephone, 178; telescope, 433; venetian blind, 237
craft, 128, 129
cramp, wall, 67
crampon, ice climbing, 328
crane: aircraft carrier, 142 launch pad, 154; oil drilling platform, 99; skyscraper, 75
cranial crest, toad, 42
cranium, human, 26
crank: brace, 408; camera, 171; drill, 408; easel, 364; engine, 395, 396, 397; fishing reel, 334; lawn sprinkler, 418; pencil sharpener, 273; printing press, 370, 371; truck platform, 117
crank arm, bicycle, 124
cranked axle, Hansom cab, 127
crankset, bicycle, 124
craps table, 341
crash helmet, 330, 332
crater, volcano, 10
cravat, 188
crawler track, tank, 464
crawler tractor, bulldozer, 425
crawl space, house, 58
crayfish, 45
crayon, lithographic, 370
cream: makeup, 212, 213; sundae, 260
creamer, tea set, 241
crease: cowboy hat, 198; human hand, 29; ice hockey rink, 291; lacrosse field, 293; soccer field, 293; trousers, 187; woman's pants, 192
C recreation yard, prison, 74
credit, magazine, 167, 169
credit card, 222
credit card logo, traveler's check, 223
credit card slots, wallet, 219
credit line, newspaper, 166
creek: frontier fort, 80; river, 13
crenel, castle, 78
crepe sole, sandal, 202
crescendo, music, 346
crescendo, shoe, organ, 354
crescent, fingernail, 29
crescent and star, symbol, 492
crescent moon, 4
crest: coat of arms, 487; dam, 98; dog, 34; enlisted men's uniform, 480; grandfather clock, 229; horse, 36; human, 25; iceberg, 12; lizard, 40; mountain, 9; rocking chair, 230; screw thread, 400; wave, 14

crest rail, sofa, 232
crevasse, mountain, 9
crevice, mountain, 9
crevice tool, vaccuum cleaner, 279
crew compartment, lunar lander, 156
crewel, stitchery, 377
crew neck sweater, 195
crew's quarters, passenger ship, 138
cricket, darts, 316
crier, and minaret, 68
crimp: cartridge, 460; painting brush, 364; spring board needle, 378
crimper, electrician's wire stripper, 413
cringle, mainsail, 132
crinoline, maid's uniform, 473
cripples, house, 59
crisper, refrigerator, 245
critical mass, nuclear power, 384
crocheting, 378
crocket, church, 84
crockpot, 253
crocodile, 41
crook: of arm, 25; bassoon, 351; brasses, 352,353
crop: cow, 30; flat racing, 330; masonry gate post, 65
croquet, 312
crosier, cardinal, 471
cross, 84, 471; symbol, 492
crossarm: power line, 386; railroad crossing signal, 111; weather station, 18
crossbar: abacus, 431; bicycle, 124; football goalpost, 289; hand glider, 327; ice hockey goal, 290; lyre, 349; pole vault, 299; sawhorse, 398; snowshoe, 321; suit hanger, 277; weather vane, 19
crossbeam: ballista, 457 gallows, 452; guillotine, 452; hand loom, 379
crossbelt, 467, 476
crossbow, 456
cross brace: ladder, 45; wheelchair, 442
crossbuck, railroad crossing signal, 111
cross-country skiing, 321
crosscut saw, 406, 407
crosse, lacrosse stick, 293
cross guard, knife, 453
crosshatching: cartoon, 374; and texture, composition, 363
crosshead, steam engine, 395
crossing: church, 85; railroad, 111
cross joint, brick wall, 67
crossknot, bow tie, 188
Cross of Christ, church, 85
crossover, railroad yard, 94
cross patee, royal regalia, 469
crosspiece: bow tie, 188; hand loom, 379; kite, 317; rocking chair, 230; sword hilt, 453; torii, 69
cross section: cave, 11; coral polyp, 44; fireplace, 228; frame, 373; hurricane, 17; insulated window, 63; lumber, 66; nuclear reactor, 385; permanent fort, 81; river, 13; stage, 344; tree trunk, 48; tunnel, 96; volcano, 10
cross stitching, 377
cross straps, overnight bag, 281
cross strings, tennis racket, 306
cross strip: kite, 317; wheelbarrow, 420
cross support, pool table, 314
crosstie, railroad track, 111
crosswise grain, fabric, 380
crotch: underpants, 190; trousers, 187
crotchet: grammatical symbol, 497; music, 346
crotch strap: child's car seat, 282; drag racing driver's belt, 333
croup: dog, 34; horse, 36; pommel horse, 301
croupier, roulette, 340
crown: anchor, 128; arch, 70; bell, III; bird, 37; cactus, 54; coat of arms, 487; croquet wicket, 312; cut gemstone, 214; human, 25; incline track, 90; man's hair, 207; man's hat, 198; needle, 376; palm, 50; pineapple, 53; royal, 469; staple, 400; tennis racket, 306; tooth, 443, 445, 446; Torah, 470; tree, 48; watch, 216, 298; woman's hat, 199
crown cap opener, 247
crowning pavilion, minaret, 68
crown stabilizer, football helmet, 288
crow's nest: tanker, 136; train caboose, 113
crucifix, church, 85
crumb, bread, 259
crumb incubator, cowboy's, 474
crumble roller, hitch and harrow, 424
crumb tray, toaster, 249
crupper, harness racing, 331
crusher claw, lobster, 45
crust: earth, 4; prepared food, 259, 261
crustacean, 45
crutch, 442
crutch socket, operating table, 440
crypt: burial chamber, 500; Capitol, 72
crystal, watch, 216
crystal pool, cave, 11
C sharp, piano keyboard octave, 355
C-strap, motorcycle, 125
cubbyhole, sailboat, 131
cube: backgammon, 339; camera, 170; slide projector, 173
cucumber, 52
cue: billiards, 314; cassette tape recorder, button, 175; phonograph turntable, 176; shuffleboard, 312
cuff: blood pressure gauge, 439; blouse, 193; bridal gown, 472; butler, 473; fencing glove, 309; golf bag, 305; ice hockey goalie's glove, 290; jacket, 192; king's regalia, 468; maid, 473; Manchu court dress, 475; paramedic, 119; parka, 197; Revolutionary War general, 476; sailor, 481; shirt, 185, 472; ski boot, 320, 321; sweater, 195; trousers, 187
cuff checklist, spacesuit, 157
cuff link, 214
cuirie, armor, 455
cuish, armor, 455
cuissard, fencing, 309
culet, cut gemstone, 214
cull, lobster, 45
culm, grass, 56
cultivator, 424
culture tube, laboratory, 437
cummerbund, 472, 479
cumulonimbus cloud, 16, 17
cumulus congestus cloud, 16
cup: armor, 455; athletic supporter, 190; ballista, 457; baseball catcher, 286; brassiere, 191; bugle, 353; citrus juicer, 251; Communion, 85; coral polyp, 44; football uniform, 288; golf course, 305; measuring, 254; plumber's plunger, 412; seed, 49; sketch box, 365; table setting, 241; thimble, 376; trombone, 352; video camera, 180; weather station, 18
cupboard, 239
cup level scale, coffee maker, 248
cupola: barn, 100; Capitol, 72; kokoshniki, 68; mosque, 68,69; tank, 464; train caboose, 113
curbside sidewall, truck van, 117
curb window, bus, 114
curd, cheese, 259
curfew, fireplace, 228
curl: pail, 280; wave, 14; woman's hair, 209
curled position, windmill, 382
curling iron, 210
currency exchange, public sign, 491
currency pocket, wallet, 219
current: electrical, 388; ocean, 6
current temperature, thermometer, 18
current unit patch, enlisted man's uniform, 480
cursor: linear slide rule, 431; radar, 434
cursor positioning key, home computer, 429
curtain: cave, 11; four-poster bed, 266; living room, 236; overnight bag, 281; permanent fort, 81; shower, 270; stage, 344; stagecoach, 127; theatre, 345; Torah, 470; voting booth, 427
curtain rod, 236
curtain wall: castle, 79; skyscraper, 75
curtein, king's regalia, 468
curve, royal scepter, 469
curved jaw, combination pliers, 404
curved slat, rocking chair, 230
cushion: bowling lane, 311; boxing ring, 303; chaise lounge, 284; dog, 34; jai alai cancha, 308; lounger, 231; phonograph headphone, 177; pool table, 314; roller skate, 318; sofa, 232
cusp, tooth, 446
cuspid, 446
cuspidor, dental unit, 444
custodian's seal, voting booth, 427
customer's receipt, money order, 223
customized automobile, 102-103
customs, public sign, 491
cut: book, 165; key blade, 449; label, 264; magazine, 168; phonograph record, 176
cutaway coat: butler's, 473; man's formal attire, 472
cut gemstone, 214
cuticle: human fingernail, 29; leaf, 50
cut line, newspaper, 166
cutoff rule, magazine, 169
cutout switch, 747 cockpit, 151
cut section, stained glass, 372
cutter: can opener, 247; chain saw chain, 421; cigar, 224; cowboy, 474; electric razor, 206; glass, 372; juice extractor, 251; kitchen tool, 257; pencil sharpener, 273; pliers, 404; wirestripper, 413
cutter adjusting-screw, expansive bit, 409
cutting board, 257; barbecue grill, 284
cutting edge: auger bit, 409; bulldozer, 425; chisel, 410; nail clippers, 211; plane, 410
cutting line, sewing pattern, 380
cutting surface, table saw, 407
cutting teeth, lobster, 45
cwm, mountain, 8
cyc, stage, 344
cyc flood, stage, 344
cycle: internal combustion engine, 396; symbol, 494
cycle selector: clothes dryer, 277; dishwasher, 246; washing machine, 276
cyclorama floodlight, stage, 344
cylinder: ambulance, 119; automobile, 104, 107; fire extinguisher, 280; internal combustion engine, 396; letterpress, 164; lock 448; locomotive, 112; offset-lithography, 164; padlock, 449; propane torch, 412; revolver, 460; rotogravure, 164; skin diving, 325; steam engine, 395
cylinder desk, 272
cylinder model, vacuum cleaner, 279
cylindrical buoy, nautical chart, 22
cylindrical slide rule, 431
cymatium, column entablature, 71
cymbal, 348, 358
cytoplasm, animal cell, 23

D

D: braille, 496; music notation, 347: piano keyboard octave, 335; sign language, 496
dabber, 371
dado, column pedestal, 71
daggerboard, windsurfer, 324
dagger point position, windmill, 382
daiwa, torii, 69
dalmatic, cardinal, 471
dal segno sign, music, 347
dam, 98; cave, 11; horse, 36, 330
dampening roller, offset-lithography, 164
damper: fireplace, 228 grill, 284; woodburning stove, 394
damper pedal, grand piano, 355
dance band, 348
dark control, camera, 170
dart: jacket, 184;

sewing pattern, 380
dart board, 316
darts, 316
dash: book page, IV;
car, 106; grammatical
symbol, 497
dashboard: car, 106; Hansom
cab, 127
dash-pot, toaster, 249
data cell, computer, 429
data code, magazine mailing
label, 167
date: check, 222; coin, 221
credit card, 222;
magazine, 167, 169;
money order, 223;
newspaper, 166; traveler's
check, 223
date display control,
wristwatch, 216
dateline: map, 5;
newspaper, 166
davenport, 232
David, playing card king,
342
davit: fireboat, 144;
powerboat, 134
day, globe, 5
day and time pre-set,
video reader, 180
daybed, sailboat, 131
day gate, vault, 447
daystick, police, 482
D cell block, prison, 74
DCmv scale, volt-ohm
meter, 413
dead bolt, mortise lock, 448
dead-end cap, track
lighting, 235
dead front plug,
electrical, 388
dead lift, universal
gym, 338
dead line, shuffle board
court, 312
dead man's stick, subway
motorman's cab, 115
dealer, blackjack, 341
deal patch, label, 265
death, darts, 316;
symbol, 494
debossed label, 264
decal, child's wagon, 283
decanter, 241; coffee
maker, 248
decathlon, 294
decay, tooth, 446
decelerator pedal,
bulldozer, 425
decimal key, electronic
calculator, 431
deck: aircraft carrier, 142;
destroyer, 140;
escalator, 77; fleet ballistic
missile submarine, 143;
house, 61;
hovercraft, 145; jumbo
jet, 148; kitchen sink, 243;
magazine, 168;
newspaper, 166; passenger
ship, 138, 139; playing
cards, 342; power
mower, 419;
powerboat, 134, 135;
skateboard, 318;
skyscraper, 75; sled, 322;
stage, 344;
surfboard, 324;
toboggan, 322; truck
platform, 117
deck brace, steam
locomotive, 112
decked craft, 129
deckhouse, tanker, 137
deck manifold, tanker, 137
decompression chamber, 442
decorated initial,
magazine, 168
decoration: cake, 260;
canape, 259; man's
hat, 198; military
uniform, 480;
minister, 471
decorative engravings,
scrimshaw, 369
decorative inlays,
armor, 455
decorative perforations,
man's shoe, 200
decorative stitching, 377
deep, continental margin, 15
deep-frying basket, 256
deep-frying thermometer, 254
deep gouge, woodcarving,
366
deep medium gouge,
woodcarving, 366
deep throat, coping paw, 406
deer crossing, road sign, 489
deer ear, ultimate beast, 46
dee ring, Western
saddle, 329
defendant's table,
courtroom, 87
defenseman, ice hockey, 291
defensive guided weapons, 140
defibrillator, paramedic
equipment, 119
deflector: aircraft carrier,
142; power mower, 419
deflexor, hang glider, 327
defog control lever,
pilot's instrument
panel, 153
defroster, car windshield, 106
degree: longitude, 5; music
notation, 347; political
map, 20
degrees of arc, symbol, 495
dehumidifier, 392
delete, proofreader's
mark, 498
delta, 7, 13
delta-keel, kite, 317
deltoid, human 26
deluge gun, pumper, 121
deluxe suite, passenger
ship, 139
demarcation groove,
escalator, 77
demineralizer, nuclear
reactor, 384
demisemiquaver, music, 347
demitasse cup, 241
Democrat, Congress, 72
demographic data code,
magazine mailing
label, 167
denier, support base, 203
denim trousers, cowboy, 474
denomination: money, 221;
postal money order, 223;
traveler's check, 223;
dental corrective devices, 443
dental equipment, 445
dental floss, 211
dental unit, 444
dentin, tooth, 446
denture, 443
department, magazine, 167
department patch,
police, 482
department voucher, money
order, 223
deposit box, vault, 447
depository, ambulance, 119
depression contour,
topographic map, 22
depth adjusting screw, hitch
and harrow, 424
depth: nautical chart, 22;
and perspective, 362
depth control, guitar
amplifier, 357
depth discriminator switch,
metal detector, 435
depth-effect hydrofoil, 145
depth gauge: 414; skin
diving, 325
depth-of-field scale,
camera, 171
depth stop, drill press, 409
derailleur, bicycle, 124
derrick: oil drilling
platform, 99; tanker, 137
derrière, human, 25
descender, type, 163
descending initial,
magazine, 168
descent stage, lunar
lander, 156
design: scrimshaw, 369;
silk screen, 369
designation: label, 264;
topographic map, 22
designer's initials, coin, 221
desk, 272; grand piano, 355
home computer, 429
desk phone, 178
dessert, 260
dessert setting, 240, 241
destination sign:
bus, 114; road, 489;
subway car, 115
destroyer, 140, 141
detachable collar,
maid's, 473
detail: house blueprint, 60;
political map, 21;
woman's jacket, 192
detection head, metal
detector, 435
detector: elevator
shaft, 76; metal, 435;
television set, 181
detent, levigator, 370
detergent dispenser,
dishwasher, 246
deuce service courts,
tennis, 306
deutsche mark,
symbol, 495
development flight
instrumentation control,
space shuttle, 155;
device: coin, 221;
execution, 452; flag, 486;
label, 264; police
uniform, 482;
supportive, 442
devilfish, 44
devotional candle, 233
dewbill, turkey, 33
dewcap, telescope, 433
dewclaw: cat, 35; cow, 30;
dog, 34; ultimate beast, 46
dewlap: cow, 30; dog, 34;
lizard, 40
dew point sensor, weather
station, 18
dexter supporter, coat of
arms, 487
D flat, piano keyboard
octave, 355
diacritic grammatical
symbol, 497
diadem, tiara, 469
diagnosis, symbol, 494
diagonal: telescope, 433;
tweezers, 211
diagonally gaited pacer, 331
diagram: political map, 21;
shuffleboard, 312;
sundial, 381
dial: aneroid
barometer, 18; clock
radio, 229; dental
unit, 444; electronic
flash, 174; electric
wok, 253; gas pump, 108;
globe, 1; grandfather
clock, 229; lawn
sprinkler, 418; parking
meter, 109;
phonograph, 176, 177;
sewing machine, 274;
sundial, 381; tape
recorder, 175;
telephone, 178; toaster
oven, 249; vault, 447;
wristwatch, 216
dialogue, comic strip, 375
dialysis machine, 442
diamond: baseball, 287;
dental burr, 445; playing
card, 342; roulette
wheel, 340; royal
scepter, 469
diamond stitch,
suspenders, 186
diaphragm: aneroid
barometer, 18;
kazoo, 360;
microscope, 432;
phonograph speaker, 177;
stethoscope, 439
diaphragm adjusting screw,
theodolite, 426
dice, 341
dice boat, craps table, 341
dice table, 341
dickey, Hansom cab, 127
die: 341; coin, 221; pipe
threader, 412
die cut, label, 264
dieresis, grammatical
symbol, 497
diesel-fueled internal
combustion engine, 396
diesel locomotive, 112
diestock, pipe threader, 412
differential, automobile, 105
differential thermostat, solar
heating system, 383
differentiation code,
magazine mailing
label, 167
diffuser, light meter, 174
digestive system, human, 27
digit: credit card, 222;
human, 25, 29; pay
phone, 178
digital display, clock
radio, 229
digital speed readout, police
car, 118
digiton, cartoon, 375
digitorium, piano, 355
dike, 98; volcano, 10
dimension: house
blueprint, 60; and
perspective, 362
diminuendo, music, 346
dimmer control, radar, 434
dimple: golf ball, 304;
human, 25; necktie, 188
dinette table, sailboat, 131
dingbat, newspaper, 166
dinghy, 129
dining car, passenger
train, 112
dining room, White
House, 73
DIN socket, movie
projector, 173
dink, 129
dinner knife, 240
dinner plate, 240
dinosaur, 40
diopter value, eye
scope, 438
dip: bow, 456; ice
cream cone, 261
dipping station,
universal gym, 338
diplomatic reception room,
White House, 73
dipstick, 107, 396
dip tube, dispenser, 263
direct drive, chain saw, 421
directional arrow, road
map, 20
directional letter,
weather vane, 19
directional light,
automobile, 102
directional-microphone
contact, movie
camera, 172
directional signal,
automobile, 102, 106
direction finder:
destroyer, 141;
helicopter, 146; 747
cockpit, 150
direction indicator: tape
recorder, 175; 747
cockpit, 150
directions for use,
package, 264
director, fencing match, 309
directory, elevator car, 76

directory number, desk phone, 178
dirigible, 158
dirigible mooring mast, skyscraper, 75
dirndl skirt, 193
dirt bike, 125
dirt shoe, mechanical sweeper, 123
disc, *see* disk
discard holder, blackjack, 341
disc brake: automobile, 104; motorcycle, 125
discharge chute, power mower, 419
discharge tube, fire extinguisher, 280
discriminator adjustment, metal detector, 435
discus, 295, 297
dish: bathtub, 270; chafing, 241; table setting, 240-241
dish rack, 256
dishwasher, 246
disk: bear trap, 423; computer, 429; eye scope, 438; harness racing sulky, 331; incandescent bulb, 234; light meter, 174; phonograph, 176; screwback earring, 214; shuffleboard, 312; starfish, 44; stingray, 43; television LaserDisc player, 181; video recorder, 180
dispenser: dishwasher, 246; kitchen sink, 243; washing machine, 276
displacement, chain saw, 421
displacement hull, powerboat, 134
display: calculator, 431; cash register, 430; CB radio, 179; home computer, 429; radar, 434; space shuttle, 155
display button, television LaserDisc player, 181
display control: pilot's instrument panel, 153; sonar, 434; wristwatch, 216
display function select switch, video recorder, 180
disposable bag, vacuum cleaner, 279
disposable razor, 206
distaff, spinning wheel, 379
distal, tooth, 446
distal transverse, human hand, 29
distance event, track and field, 294
distance heading indicator, pilot's instrument panel, 153
distance lens, eyeglasses, 217
distance runner, shoe, 296
distance scale, camera, 170, 171, 172
distilling equipment, laboratory, 437
distortion pedal, guitar, 357
distributary, river, 13
distribution map, 21
distribution of copies, letter, 161
distribution point, man's hair, 207
distributor, automobile engine, 107
distributor head, nuclear reactor, 385
district, thematic map, 21
ditch: castle, 79; permanent fort, 81
dite, cartoon, 374
divan, 232
dive break, glider, 147
divers' oxygen bottle rack, oil drilling platform, 99
diver's watch, skin diving, 325
dive timer, skin diving, 325
divided by, symbol, 495
divided highway, 110
divided highway ends, road sign, 489
divider: highway, 110; pocket knife, 416; zipper, 205
dividing line, domino, 339
diving board, 310
diving platform, 310
division: thematic map, 21; with slide rule, 431
division line, basketball court, 292
dock: horse, 36; sheep, 31
doctor blade, rotogravure, 164
doctor's unit, dental, 144
dodger cleat, inflatable, 129
dog: 34; bear trap, 423; fishing reel, 334; snack food, 261; workbench, 398
doghouse: grammatical symbol, 497; oil drilling platform, 99
dog's tooth, brick wall, 67
doldrums, wind, 6
dollar, symbol, 495
dolly, balance beam, 300
dome: Capitol, 72; compass, 132; destroyer, 141; dog, 34; locomotive, 112; mosque, 68, 69; percolator, 248; screwback earring, 214; silo, 100
dome cover, wok, 253
domed shell, cupboard, 239
domed structures, 83
domestic hot-water tank, solar heating system, 383
domino, 339
donjon, castle, 78
do not enter, road sign, 488
don't-come box, craps table, 341
don't-pass bar, craps table, 341
donut, baseball bat, 286
door: 62; automobile, 102, 103; barn, 100; bath and shower, 270; bolt, 448; bus, 114; camera, 170; church, 85; clothes dryer, 277; cupboard, 239; destroyer, 140; dishwasher, 246; elevator car, 76; fireplace ashpit, 288; garage, 61; garbage truck, 123; grandfather clock, 229; handball and squash courts, 307; helicopter, 146; house, 59, 60, 61; jumbo jet, 149; lobster pot, 423; lock, 448; locomotive, 113; mailbox, 227; mechanical sweeper, 123; piano, 355; powerboat, 135; prison, 74; refrigerator, 245; safe, 447; sealed voting booth, 427; single engine airplane, 147; space shuttle, 154; stove, 244, 394; subway car, 115; synagogue ark, 86; tent, 336; tepee, 82; toaster oven, 249; vault, 447; washing machine, 276
doorknob, 62, 448
doormat, 62
door mirror, bus, 114
doppler shift, 2
dormer: barn, 100; house, 60, 61
dorsal fin, fish, 43
dorsal scale, snake, 41
dorso-lateral fold, frog, 42
dosage, pill, 441
dot: braille, 496; curling iron, 210; dice, 341; domino, 339; ice cream cone, 261; music notation, 347; sewing machine, 274
dotted half note, music, 346
dottle, pipe, 225
double, dominos, 339
double bar, music, 347
double bar bridge, eyeglasses, 217
double bass, 348, 349
double bed, 266
double-breasted jacket, 184
double bull's eye, dart board, 316
double-circuit tower, power network, 386
double-edged blade, shaver, 206
double-clip palette cup, sketch box, 365
double corner, chessboard, 339
double cuff shirt, 185
double-front pocket, shoulder bag, 218
double-hung window, 61, 65
double interlining, necktie, 189
double lancet window, church, 84
double lock, police gun belt, 482
double-neck bass and guitar, 357
double-pointed tack, 400
double prime, grammatical symbol, 497
double reed: bagpipe, 359; English horn, 351; oboe, 350
double ring, dart board, 316
double-score ring, dart board, 316
double seam, can, 263
double slide zipper, parka, 197
doubles line, Ping-Pong table, 315
double spread, magazine, 168
doubles service court, badminton, 313
doubles sideline: badminton court, 313; tennis court, 306
double star, 3
double top handles, swagger bag, 218
double-truck, magazine, 168
double vent, jacket, 184
doubling, house, 59
doubling cube, backgammon, 339
dough blender, 257
dowel, hammock, 284
dowel bit, manual drill, 408
down, bird, 37
down haul, windsurfer, 324
downhill skiing, 320
down marker, football field, 289
downpipe, house, 61
downspout, house, 61
downstream, river, 13
downstream gate, canal lock, 97
downstream stop log hoist, dam, 98
downtube, bicycle, 124
dozer, 425
draft, boat, 128
draftsman, house blueprint, 60
draft tube, sleeping bag, 337
drag, hot air ballon, 326
dragee, sundae, 260
drag knob, fishing reel, 334
dragon, 46; Manchu court dress, 475
drag racing, 333
drag shield, power mower, 419
dragster, drag racing, 333
drain: bathtub, 270 cleaner, 412; sink, 243, 269; washing machine basket, 276; water heater, 391
drain cock, furnace, 390
drainer, kitchen tool, 255, 256
draining rack, kitchen, 256
draining spoon, kitchen utensil, 255
drainpipe, house, 61
drain tank, nuclear reactor, 384
dram, symbol, 494
drape: curtain, 236; stage, 344, 345
drapery, 236; cave, 4; four-poster bed, 266
drawbridge, 95; castle, 78; permanent fort, 81
drawer: bureau, 268; cash register, 430; desk, 272; dressing table, 268; garbage disposal, 243; home computer, 429; medical examination table, 440; sideboard, 239; workbench, 398
drawer case, furniture, 268
drawing, house, 60
draw-knob, organ, 354
drawstring: ballet slippers, 478; parka, 197
drawtube: microscope, 432; telescope, 433
draw-works, oil drilling platform, 99
dreadnought, 140
D recreation yard, prison, 74
dredger, kitchen tool, 256
dress, 194; native, 475
dress-blue jacket, military, 480
dressed pelt, 197
dresser, 268
dressing medicinal, 441
dressing table, 268
dress shoe: king's, 468; military, 480
dress suspenders, 186
dress uniform, military, 480
dried leaf, onion, 258
drift, ocean, 6
drift-free arm, dental unit, 444
drill: dental, 444, 445; hand, 408, 409; oil drilling platform, 99
drilling platform, oil, 99
drill press, 409
D-ring, trenchcoat, 196
drinking water, public sign, 491
drip coffee maker, 248
drip cup, citrus juicer, 251
drip edge, house, 60
drip hoop, overhead power line, 386
drip molding, automobile, 103
dripless candle, 233
drip pan, candelabrum, 233
drip plate, stove, 244
dripstone, cave, 11; church, 84

drive: camera, 171
chain saw, 421;
merry-go-round, 91
drive axle tire, bus, 114
drive chain: bicycle, 124;
motorcycle, 125
drive joint, hitch and
harrow, 424
driven element, CB radio
antenna, 179
drive piece, socket
wrench, 405
driver: golf club, 305;
harness racing, 331;
stagecoach, 127
driver's box, stagecoach, 127
driver's fire suit, drag
racing, 333
driver sideview mirror,
automobile, 102
driver's observation window,
tank, 465
driver's seat: bus, 114;
Hansom cab, 127
driveshaft: automobile, 105;
outboard engine, 133
drive unit, computer, 429
driveway apron, house, 61
drive wheel: can opener, 247;
locomotive, 112;
tank, 464, 465
drive yoke, hitch and
harrow, 424
driving band, spinning
wheel, 379
driving bit, harness
racing, 331
driving glove, drag
racing, 333
driving light, truck
tractor, 116
driving suit, drag
racing, 333
drone, bagpipe, 359
drone string, sitar, 356
drop: coffin, 500; roller
coaster, 90; stage, 344;
traverse rod, 236
drop armhole, woman's
jacket, 192
drop box, blackjack, 340
drop cloth, painting, 415
drop earrings, queen's
regalia, 468
drop feed button, sewing
machine, 274
drop-in cartridge, movie
film, 172
drop-leaf table, 238
drop-lid desk, 272
drop-out, bicycle, 124
dropped handlebar,
bicycle, 124
dropped initial,
magazine, 168
drop rail lock, playpen, 282
drop shoulder, woman's
jacket, 192
drop-through fin cover,
slalom water ski, 323
drug box, paramedic, 119
drum, 348, 358; automobile
brake, 105; clothes
dryer, 277;
computer, 429;
humidifier, 392;
sextant, 133; venetian
blind, 237
drum brake, motocycle, 125
drumlin, glacier, 12
drum major, 479
drum set, 358
drum shade, lamp, 234
drumstick: drum, 358;
poultry, 33
drupe, peach, 53
dry-bulk carrier, 136
dry chemical fire
extinguisher, 280
dryer: clothes, 277;
hair, 210; lettuce, 256
dry fencing match, 309
drying, laundry, 276
dry measuring cup, 254
dry sink, 239
d.s., music notation, 347
D sharp, piano keyboard
octave, 355
D string, double bass, 349
dual pneumatic liner system,
football helmet, 288
dual rear wheel, tow
truck, 122
dual scale thermometer, 18
dual wheel hub, tow
truck, 122
dubbing control, movie
projector, 173
ducat, 343
duck, 33
duckbill pliers, 404
duckpin, 311
duct: clothes dryer, 277;
eye, 28; furnace, 390; heat
exchanger, 393; jet
fighter, 152; racing
car, 332
dugout, baseball field, 287
dulcimer, Appalachian, 356
dumbbell: body
building, 338;
keychain, 449
dummy type, magazine, 168
dump: fireplace ashes, 228;
police gun belt, 482
dune: nautical chart, 22;
shoreline, 14; topographic
map, 22
dune buggy, 126
dust bag: sander, 411;
vacuum cleaner, 279
dust cover: hardback
book, 165; phonograph
turntable, 176; vault, 447
dust flap, folding box, 265
dustproof screw cover,
theodolite, 426
dusting brush, vacuum
cleaner, 279
dust jacket, hardback
book, 165
dustpan, 278
dust panel, furniture, 268
dust ruffle, bedding, 266
Dutch door, 62
dwarf star, 3
dye, hair, 210
dynamic marking, music, 346
dynamic positioning equipment,
oil drilling platform, 99

E

E: braille, 496; music
notation, 347; piano
keyboard octave, 355;
sign language, 496
ear: ax, 454; cat, 35;
corn, 56; dog, 34;
grasshopper, 39;
horse, 36; human, 24, 28;
lizard, 40; pail, 280;
pig, 32; pot, 367; rocking
chair, 230; scallop, 45;
sheep, 31; tepee, 82;
turkey, 33; turtle, 40;
ultimate beast, 46
earclip, spring, 214
ear covert, bird, 37
ear cushion, phonograph
headphone, 177
ear doctor, examination
equipment, 438
eardrum, frog, 42
ear flap, baseball batting
helmet, 286
earhole, football helmet, 288
ear hook, hearing aid, 442
earlobe, chicken, 33
earmark, cattle, 422
earphone jack, movie
camera, 172
earpiece, desk, 178
earplug case, combat
soldier's uniform, 481
earring, 215; findings, 214;
queen's regalia, 468
ear scope, 438
earth, 3; core, 4; hogan, 82
earth dam section, dam, 98
earthen breastwork,
permanent fort, 81
ear tip, stethoscope, 439
ear wire, findings, 214
easel: painting, 364, 365;
tombstone, 500
East Australia Current,
ocean, 6
Eastern Standard Time, 5
east longitude, 5
East Room, White House, 73
east-west handbag, 218
easy chair, 231
eave: barn, 100;
house, 59, 61
eave pole, tent, 336
E cell block, prison, 74
eachinus, column, 71
ecphoneme, grammatical
symbol, 497
economy-class section,
jumbo jet, 149
ecru net, maid's uniform, 473
Eddy, kite, 317
edge: auger bit, 409; ax, 454;
bayonet, 453; bugle, 353;
cheese, 259; cheese
plane, 252; coin, 221;
cymbal, 358; drop-leaf
table, 238; hang
glider, 327; hatchet, 402;
horse's foot, 36; ice
skates, 319; knife, 252,
453; necktie, 188;
paper bag, 262; razor
blade, 206; ski, 320;
space shuttle wing, 154;
sword, 453
edge flap, jumbo jet, 148
edge marking, airport
runway, 92
edger, lawn, 419
edition, book, 165
editorial cartoon, 374
EENT specialist, 438
E flat, piano keyboard
octave, 355
egg, 258; insect, 39
eggbeater: helicopter, 146;
kitchen tool, 254
egg cell, flower, 51
egg rack, refrigerator, 245
egg slicer, 257
eighth-inch mark, tape
measure, 414
eighth-mile pole, harness
racetrack, 331
eighth note, music, 346
eighth rest, music, 346
eight pin, bowling, 311
eject button, cassette tape
recorder, 175
ejector, dental unit, 444
ejector chute, circular
saw, 407
ejector rod, revolver, 460
elapsed time, drag
racing, 333
elapsed time bezel,
wristwatch, 216
elastic, mitten, 196
elastic band: baseball
uniform, 286; mattress
cover, 267
elastic facing: brassiere, 191;
girdle, 191
elasticized waist: shirt, 193;
woman's pants, 192
elastic webbing,
suspenders, 186
elbow: cat, 35; dog, 34;
fence gate, 65; horse, 36;
human, 24
elbow cup, armor, 455
elbow pad: basketball, 292;
football, 288; ice
hockey, 291;
rollerskating, 318
elbow protector, fencing, 309
electrical cable, spacesuit, 157
electrical conduit, railroad
crossing signal, 111
electrical connection:
meter, 389;
truck, 116, 117
electrical current, switch, 388
electrical power control,
space shutle, 155
electrical system,
automobile, 104
electric broom, 278
electric can opener, 247
electric chair, 452
electric cord, potter's
wheel, 367
electric eye, camera, 170
electric foil, fencing
strip, 309
electric guitar, 357
electric hair brush, 208
electrician's pliers, 404
electrician's tools, 413
electricity: nuclear
reactor, 384; solar power
system, 383
electric kiln, 367
electric locomotive, 112;
canal lock, 97
electric meter, 389; house, 61
electric organ, 354
electric pilot, stove, 244
electric potter's wheel, 367
electric range, 244
electric razor, 206
electric scoring machine,
fencing strip, 309
electric starter, barbecue
grill, 284
electric typewriter, 162
electric water heater, 391
electric wheelchair, 422
electric wire, railroad
crossing signal, 111
electric wok, 253
electrocardiogram, 119
electrode: electric chair, 452;
transistor, 386
electronic calculator, 431
eclectronic organ, 354
electronic countermeasures
antenna, aircraft
carrier, 142
electronic countermeasure
warning light, pilot's
instrument panel, 153
electronic flash,
photographic, 170, 174
electronics rack, space
shuttle, 155
electronic warfare antenna,
destroyer, 141
electronic weather
station, 18
electron tube, 386
electropneumatic retarder,
railroad yard, 94
element, CB radio
antenna, 179;
dishwasher, 246
element release lever,
typewriter, 162
elephant, ultimate beast, 47
elevated track, subway, 115
elevating tube, mortar, 462
elevating wheel, slide
projector, 173
elevation: house, 60;
topographic map, 22
elevation adjustment knob,
rifle scope, 459
elevation lead panel, pilot's
instrument panel, 153
elevator, 76; aircraft
carrier, 142; airplane, 147;
blimp, 158; glider, 147;
jumbo jet, 149; passenger
ship, 138; public
sign, 491; skycraper, 75;
stage, 344
elevator lock, camera
tripod, 174
elevator platforms, desk, 272
elevator shaft, lift

bridge, 95
elevon, space shuttle, 154
eliminator, drag racing, 333
ellipsis, grammatical
symbol, 497
elliptical galaxy, 2
embankment, railroad, 111
embattled parapet, castle, 78
emblem: drum major's
coat, 479; flag, 486; paper
money, 220
embossed label, 264
embouchure hole, flute, 351
embrasure, castle, 78
embroidered buttonhole,
Revolutionary War
general, 476
embroider cuff, king, 468
embroidered marquisette
front, girdle, 191
embroidery, 377;
queen's regalia, 468
emergency air vent, bus, 114
emergency brake: car, 106;
subway car, 115
emergency channel: CB
radio, 179; police
radio, 118
emergency core-cooling
system pump, nuclear
reactor, 384
emergency escape chute,
jumbo jet, 148
emergency exit, elevator
shaft, 76
emergency light selector,
police car, 118
emergency stop: elevator
car, 76; escalator, 77
emery board, 211
emesis basin,
ambulance, 119
emitter, transistor
chip, 386
empire shade, lamp, 234
EMT, fire engine, 120
enamel, tooth, 446
enarme, shield, 454
enclosing trap, 423
enclosure: air
conditioner, 392;
letter, 161
end: banana, 53; can, 263;
clay modeling tool, 366;
clothespin, 276;
cupboard, 239; diving
board, 310; domino, 339;
fencing foil, 309;
flag, 486; football, 288;
music, 347; spool, 376;
suspenders, 186;
theodolite, 426;
tomato, 52; wrench, 405
end assembly, backyard
equipment, 283
end cap: cartridge fuse, 389;
seeder, 420; venetian
blind, 237; waterskiing
towline, 323
end cover, sewing
machine, 274
end grain, lumber, 66
end handle, coffin, 500
end hook, tape measure, 414
endleaves, hardback
book, 165
end line: basketball
court, 292; football
field, 289; lacrosse
field, 293; Ping Pong
table, 315; volleyball
court, 313
end matter, book, 165
endocarp, peach, 53
end operating-screw
handle, hand-screw
clamp, 399
endoplasmic reticulum,
animal cell, 23
endorsed check, 222
endorsement block, money
order, 223
endpapers, hardback
book, 165
end piece: eyeglasses, 217;
starting block, 298;
zipper, 205
end plate, racing car, 332
end plug, vacuum tube, 386
endpost, fence gate, 65
end ring, fishing rod, 335
end slug, magazine, 169
end vise, workbench, 398
end wall, swimming
pool, 310
end zone, football field, 289
energy: solar, 383; steam
engine, 395
energy absorber: automobile
bumper, 104; highway
barrier, 110
engage switch, 747
cockpit, 150
engine:
automobile, 104, 106, 107;
blimp, 158;
bulldozer, 425; fire
fighter, 121;
helicopter, 146;
hovercraft, 145; internal
combustion, 396;
jet, 149, 397; lunar
lander, 156; mechanical
sweeper, 123;
motorcycle, 125;
outboard, 133; power
mower, 419; racing
car, 332, 333; single
engine airplane, 147;
space shuttle, 154;
steam, 395; train, 112;
truck tractor, 116
engine chamber,
torpedo, 466
engine company number,
pumper, 121
engineer, and transit, 426
engine fuel shutoff
handle, pilot's instrument
panel, 153
engine hour meter,
powerboat, 134
engine instrumentation, 747
cockpit, 150, 151
engine louvers, tank, 464
engine mounting brackets
inflatable, 129
engine oil-pressure gauge,
powerboat, 134
engine room, passenger
ship, 138
engine terminal, railroad
yard, 94
engine test area, aircraft
carrier, 142
English clock, darts, 316
English horn, 348, 351
English saddle, 329
engraved line,
scrimshaw, 369
engraved plate, paper
money, 220
engraving: identification
bracelet, 183; knife, 369;
and printing, 368, 371
enlarged scale detail inset,
political map, 21
enlisted man's uniform, 480
ensemble, chamber
music, 348
ensign, destroyer, 140
entablature, column, 71
entrails, fowl, 33
entrance: airport, 92;
bus, 114; circuit breaker
box, 389; highway
cloverleaf, 110; igloo, 83;
jai alai cancha, 308;
lobster pot, 423; tanker
belowdeck storage, 136;
theatre, 345; White
House, 73
entrée, meal, 259
entry, darts, 316
entry word, book page, IV
enumerating district,
thematic map, 21
envelope, 161; animal
cell, 23; hot air
balloon, 326; vacuum
tube, 386; Zeppelin, 158
environmental control,
pilot's instrument
panel, 153
environmental monitor,
space shuttle, 155
epaulet: drum major's
coat, 479; football
uniform, 288;
Revolutionary War
general,; 476; trench
coat, 196
epée, 309
epiglottis, tongue, 28
Episcopal ring, cardinal, 471
epitaph, tombstone, 500
equal, symbol, 495
equalizer; cowboy, 474;
phonograph speaker, 177
equalizer buckle, venetian
blind, 237
equalize space, proofreader's
mark, 498
equalizing switch, tape
recorder, 175
equal or greater, symbol, 495
equal or less, symbol, 495
equals: calculator key, 431;
symbol, 495
equator, 5, 6
equatorial counter current,
ocean, 6
equatorial current, ocean, 6
equipment bay, lunar
lander, 156
equipment stowage box,
tank, 464
eraser, pencil, 160
erasure table, typewriter, 162
erecting telescope, field
glasses, 433
ermine pendant, Indian, 474
eroteme, grammatical
symbol, 497
escalator, 77
escape chute, jumbo jet, 148
escarp, permanent fort, 81
escarpment, continental
margin, 15
escroll, coat of arms, 487
escutcheon: coat of
arms, 487; mortise
lock, 448
escutcheon plate: kitchen
sink, 243; safe, 447
espresso coffee, 248
E string, double bass, 349
ET, drag racing, 333
etching, 371
eternal light: synagogue, 86;
Torah, 470
evacuation tip, dental
unit, 444
evaporator coil, air
conditioner, 392
evening handkerchief,
queen's regalia, 468
event: drag racing, 333;
information, ticket, 343;
track and field, 294
ewe, 31
examination equipment,
medical, 439
examination table,
medical, 440
excavator, dental, 445
exchanger, fireplace
heat, 228
exclamation point,
grammatical symbol, 491
execution device, 452
executive office, White
House, 73
exercise, body building, 338
exercise yard, prison, 74
exhaust: automobile
engine, 107; combustion
jet engine, 397; drag
racing dragster, 333; heat
exchanger, 393; internal
combustion engine, 396;
locomotive, 113;
motorcycle, 125; steam
engine, 395; tank, 464;
truck tractor, 116
exhaust duct: clothes
dryer, 277; furnace, 390;
tunnel, 96
exhaust port, outboard
engine, 133; rocket, 397;
skin diving tank, 325
exhaust tube, incandescent
bulb, 234
exhibit hall, church, 85
exit: elevator, 76; jumbo
jet, 149; theatre, 345
exit angle, slide, 283
exit bar, bus, 114
exit door, bus, 114
exit ramp, highway
cloverleaf, 110
exit slot, instant camera, 170
exocarp: orange, 53;
pineapple, 53
exonomist, 221
exoskeleton, insect, 39
exosphere, earth, 4
expanding bit, drill, 408
expansion chamber,
thermometer, 18
expansion nozzle,
missile, 466
expansion system, home
computer, 429
expansion tank,
automobile, 104
expansive bit, drill, 409
expiration date: credit
card, 222; magazine
mailing label, 167
exploration equipment, lunar
lander, 156
explorer, dental, 445
exposure adjustment,
camera, 171
exposure index, light
meter, 174
exposure meter, 174
expression pedal, organ 354
expressway, 110
extended bay, barn, 100
extended-range flash switch,
pocket camera, 170
extender, paint roller, 415
extending ball, pen, 160
extension: automatic rifle
barrel, 461; baseball
catcher's shinguard, 286;
drop-leaf table, 238;
folding rule, 414;
operating table, 440;
political map, 21; table
saw, 407; vacuum
cleaner, 279
extension handle, lunar
rover, 157
extension ladder, pumper 120
extension scoring light,
fencing strip, 309
extension tube:
ambulance, 119;
screen, 173
exterior, window, 63
exterior decoration, coat
of arms, 487
exterior frame, tent, 336
exterior panagraph gate,
subway motorman's
cab, 115
exterior slope, permanent
fort, 87
external auditory canal,
ear, 28
external bud, potato, 52
external disk drive unit,
home computer, 429
external door switch,
dishwasher, 246
external environmental
control, pilot's instrument
panel, 153
external frame, 337

external fuel tank: jet fighter, 152; space shuttle, 154; tank, 464
external galaxy, 2
external microphone, cassette tape recorder, 175
external tank forward bay, space shuttle, 154
extinguisher: candle, 233; drag racing dragster, 333
extra cheese, pizza, 261
extractor: juice, 251; shotgun, 458
extrados, arch, 70
extravehicular activity handrail, lunar lander, 156
extravehicular visor, spacesuit, 157
extremities, human, 29
eye: ant, 39; ax, 454; bee, 39; cat, 35; cheese, 259; fish, 43; fishhook, 335; fishing jig, 335; frame, 373; frog, 42; grasshopper, 39; hammer, 402; hasp, 450; hook and eye, 204; human, 24, 28; hurricane, 17; instant camera, 170; lobster, 45; mallet, 402; needle, 376; octopus, 44; pineapple, 53; potato, 52; reptile, 40; sheep, 31; snake, 41; spider, 38; spring beard needle, 378; stirrup, 329; tadpole, 42; toad, 42
eyeball, 28
eyebolt, 401
eyebrow, 28; magazine, 169; woman's, 209
eye colorstick, 212, 213
eyecup: binoculars, 433; camera, 171, 180
eye doctor, examination equipment, 438
eyedropper, 441
eyeglasses, 217
eye guards, fireman's helmet, 484
eyelashes, 28, 209; liner, 212, 213
eyelet: baseball glove, 287; camera, 171; ice skates, 319; man's belt, 186; cap, 198; man's shoe, 200; running shoe, 296; shoulder bag, 218
eyelid: frog, 42; human, 28
eyeliner, makeup, 212
eyepatch, pirate, 476
eye pencil, 213
eyepiece: binoculars, 433; camera, 170, 172; ear scope, 438; eye scope, 438; microscope, 432; telescope, 433; theodolite, 426
eyeport shield, drag racing driver, 333
eye scope, 438
eye shadow, 213
eye socket, 28
eyespot, starfish, 44
eyestay, running shoe, 296
eye teeth, 446
eyewires, eyeglasses, 217

F

F: braille, 496; music notation, 347; piano keyboard octave, 355; sign language, 496
fabric, 380; embroidery, 377; hand knitting, quilting, 377; umbrella, 226; weaving, 379
fabric flowers, woman's hat, 199
fabric ridge, embroidery ring, 377
fabric temperature guide, iron, 275
fabric-tension lock, screen, 173
face: ax, 454; bow, 456; brick, 66; check, 222; clown, 477; coin, 221; croquet mallet, 312; dart board, 316; elliptical galaxy, 2; file, 410; gas pump, 108; geodesic dome, 83; golf club, 304; grandfather clock, 229; hammer, 402; lacrosse stick, 293; lead came, 372; lumber, 66; mountain, 8, 9; obelisk, 69; paper bag, 262; Ping-Pong racket, 315; playing cards, 342; rasp, 410; saw tooth, 406; sheep, 31; shower, 270; slot machine, 340; spider, 38; starting block, 298; sword, 453; tennis racket, 306; traffic light, 109; type, 164; voting booth, 427; wall, 67; wristwatch, 216; zipper, 205
face cards, 342
face mask: baseball catcher, 286; football helmet, 288; ice hockey goalie, 290; lacrosse, 293; skin diving, 325
face-off circle, ice hockey rink, 291
faceplate: mortise lock, 448; paper money, 221; sewing machine, 274; ski helmet, 320
face shield, police, 482
facet, cut gemstone, 214
face value, money, 220, 221
facing: brassiere, 191; girdle, 191; necktie, 189; skyscraper, 75; woman's jacket, 192
facing dragon, Manchu court dress, 475
Fahrenheit scale, thermometer, 18, 439
fairing, helicopter, 146
fair territory, baseball field, 287
fairwater, outboard engine, 133
fairway, golf course, 304
fairweather, submarine, 143
faja, jai alai player, 308
fall: grand piano, 355; pulley block rope, 451; woman's hair, 209
falling front desk, 272
falling rock, public sign, 491
false edge, knife, 453
false teeth, 443
family name, typeface, 163
fan: air circulating, 392; automobile, 104, 107; bridal costume, 472; combustion jet engine, 397; heat exchanger, 393; high jump, 294; hovercraft, 145; jumbo jet, 149; lizard throat, 40; lobster tail, 45; subway car, 115; underwater tunnel, 96; vacuum cleaner, 279
fan belt, 107
fan clutch, 107
fancy stitching, boot, 202
fang: snake, 40, 41; spider, 38; tooth, 446
fanlight, door, 62
fan plate, armor, 455
fan switch, elevator, 76
fantail: destroyer, 140; passenger ship, 138; windmill, 382
fare box, commuter bus, 114
faring, motorcycle, 125
farm machinery, road sign, 489
far turn, harness racetrack, 331
fascia, house, 58, 59
fastener, 204; corrugated, 400; football helmet, 288; hollow wall, 401; overnight bag, 281; spacesuit, 157
fastening, bell, III
fast forward: tape recorder, 175; television LaserDisc player, 181
fastigiated top, skyscraper, 75
fast-rewind button, tape recorder, 175
fat, meat, 258
fat back, pork, 32
father, flat racing entry, 330
fathom, nautical chart, 22
fatigue belt, 481
fatigue pants, 481
fatigue shirt, 481
fauces, tongue, 28
faucet, 269; bathtub, 270; hose coupling, 418; kitchen sink, 243
fault line, jai alai cancha, 308
F clef, music, 347
feather: badminton shuttlecock, 313; bird, 37; chicken, 33; turkey, 33; weather vane, 19; woman's hat, 199
feather pen, 160
feature spread, magazine, 168-169
feature stripes, powerboat, 134
feature well, magazine, 167
Federal Reserve Bank seal, paper money, 220
Federal Reserve note, 220
federal route number, road map, 20
feed: drill press, 409; machine gun ammunition, 461; track lighting, 235
feed dog, sewing machine, 274
feeder cap, blender, 250
feeder waveguide, radar antenna, 434
feeding pen, barnyard, 100
feed line, furnace, 390
feed passage, barn, 100
feed plate, machine gun, 461
feed screw, auger bit, 409
feed-through, pacemaker, 442
feed tube: food processor, 250; fountain pen, 160
feedwater pump, nuclear reactor, 384
fee indicator, toll booth, 110
feeler: cat, 35; lobster, 45
feet: nautical chart, 22; type, 164
felloe, stagecoach, 127
felt: film roll, 171; pool table, 314
felt cap, baseball gear, 286
felt hat, cowboy, 474
female, symbol, 494
female coupling, hose connection, 418
female ferrule, fishing rod, 334
female flower, corn, 56
female-male, symbol, 492
female receptacle, electrical, 388
femur: frog, 42; grasshopper, 39; human, 26; spider, 38
fence, 65; baseball field, 287; house, 61; prison, 74; table saw, 407
fence posts, 65
fencing, 309; barnyard, 100
fencing shoe, 309
fencing strip, wood fence, 65
fender: automobile, 102, 103; bicycle, 124; bulldozer, 425; fireplace, 228; lift bridge, 95; motorcycle, 125; saddle, 329; tractor, 424; tugboat, 144
fender guard, gas pump automatic nozzle, 108
fermata, music, 346
fern, 55
ferris wheel, 91
ferrule: billiard cue, 314; burnisher, 371; clay modeling tool, 366; chisel, 410; fishing rod, 334; gouge, 368; hoe, 417; jump rope, 338; paint brush, 415; painting brush, 364; pencil, 160; rake, 417; screwdriver, 403; shoe tree, 203; sousaphone, 352; stick umbrella, 226; tuba, 352; woodcarving tool, 366
fertilizer, 420
fess, coat of arms, 487
fetlock, horse, 36
fettling tool, potter's wheel, 367
F-hole, violin, 349
fiber: paper money, 220; rope, 128
fiberglass pole, pole vaulting, 299
fibula, human, 26
fiddle: bass, 349; tub, 360
field: baseball, 287; coat of arms, 487; coin, 221; craps table, 341; flag, 486; football, 289; lacrosse, 293; mountain, 9; soccer, 293; track and field, 294-295
field events equipment, 297
field fortification, 80
fieldglasses, 433
fife, marching band, 348
15' marker, bowling lane, 311
fifth wheel, truck trailer, 116
50-yard line, football field, 289
51-in-5's, darts, 316
50-point ring, dart board, 316
fighter, jet aircraft, 152
fighting chair, powerboat, 135
fighting kite, 317
fighting ship, surface, 140-141
figure skates, 319
filament: coral polyp, 44; flower stamen, 51; incandescent bulb, 234; vacuum tube, 386
file, 410; briefcase, 281; chessboard, 339; desk, 272; nail, 211; pocket knife, 416
file handle, drill, 408
filet, cannon barrel, 457
file-type handle, coping saw, 406
fill, sleeping bag, 337
filler: cigar, 224; inflatable, 129; locomotive, 113; man's

belt, 186; quilting, 377
filler neck, automobile gas tank, 105
filler tube: automobile engine power steering, 107; toilet, 271
fillet, royal regalia, 469
filling, dental, 445; dessert, 260; quiche, 259; sandwich, 259; scrimshaw, 369; sleeping bag, 337
filling port, iron, 275
fill opening, coffee maker, 248
fill unit float, dishwasher, 246
filly, horse, 36
film, camera, 170, 171, 172
filming trigger, movie camera, 172
film-loading port, movie projector, 173
film projector, 173
film speed: camera, 171; lightmeter, 174
filter: air conditioner, 392; camera, 171; cigarette, 224; dryer, 277; coffee maker, 248; drag racing driver's fire suit, 333; engine, 107, 396; heat exchanger, 393; tractor, 424; washing machine, 276
filter carrier, microscope, 432
fin: air conditioner, 392; automobile, 103; blimp, 158; fish, 43; glider, 147; hovercraft, 145; jet fighter, 152; jumbo jet, 149; missile, 466; rifle grenade, 463; single engine airplane, 147; skin diving, 325; stingray, 43; surfboard, 324; torpedo, 466; waterskiing, 323; windsurfer, 324
fin cover, slalom water ski, 323
findings, jewelry, 214
fine-adjustment beam, laboratory scale, 437
fine calibrate, Geiger counter, 435
fine focus: microscope, 432; telescope, 433
fine tooth, hair comb, 208
fine tuner, metal detector, 435
finger: baseball glove, 287; frog, 42; hair roller, 210; handball glove, 307; human, 24, 29; laboratory clamp, 436; ultimate beast, 47
fingerboard: accordion, 360; guitar, 356, 357; violin, 349
finger flange, hypodermic syringe, 441
fingerless glove, miser, 476
finger grip: hair clip, 210; sewing machine, 274
finger hole: bowling ball, 311; desk phone, 178
finger hook, trumpet, 353
fingernail, 29
finger pad, 29
fingerplate, clarinet, 350
fingerprint, human, 29
finger pump, camp stove, 336
finger stop, desk phone, 178
fingertip: dog, 34; human, 29
finial: church, 84; dressing table, 268; flagpole, 486; four-poster bed, 266; gate post, 65; grandfather clock, 229; lamp, 234; pagoda, 69; woodburning stove, 394
finish: drag racing, 333; football, 288; stained glass, 372
finishing cap, umbrella, 226
finishing nail, 400
finishing sander, 411
finishing wire, umbrella runner, 226
finish line: harness racetrack, 331; running track, 295
finned projectile, mortar, 462
fin-seal wrap, package, 265
fin stabilizer, destroyer, 141
fire, gemstone, 214
fireback, fireplace, 228
fireball, launch pad, 154
fireboat, 144
fireboot, 484
fire bowl, brazier, 284
firebox, fireplace, 228
fire curtain, stage, 344
fired handguns, 460
fired pot, 367
fire-eater, circus, 88
fire engine, 120-121
fire extinguisher, 280; drag racing dragster, 333; police car, 118; tow truck, 122
fire-fighting station, tanker, 137
fire hydrant, 121
fire irons, fireplace, 228
fireman, 484; suspenders, 186
fire pit, tepee, 82
fireplace, 228
fire plug, 121
fire screen, fireplace, 228
fire stop, house, 58
fire suit, drag racing driver's, 333
firing chamber, kiln, 367
firing cone, potting, 367
firing lever, machine gun, 461
firing pin: gun, 460; mortar, 462; torpedo, 466
firing tube, bazooka, 462
firing vent, cannon barrel, 457
firn, mountain, 9
first aid, public sign, 490
first-aid box, fire engine, 120
first-aid kit, police car, 118
first base: baseball field, 287; blackjack, 341
first baseman's mitt, 287
first bicuspid, 446
first-class section, jumbo jet, 148
first floor, White House, 73
First Lady's office, White House, 73
first meridian, globe, 5
first molar, 446
first officer's seat, 747 cockpit, 151
first premolar, 446
first quarter moon, 4
first reef position, windmill, 382
first reinforce, cannon barrel, 457
first stage: missile, 466; skin diving tank, 325
first valve, trumpet, 353
first valve slide: French horn, 352; trumpet, 353
first violin, 348
fish, 43; zodiac, 493
fishing, 334-335
fish ladder, dam, 98
fishplate, railroad track, 111
fish scaler, pocket knife, 416
fish tail, coffin, 500
fishtail chisel, woodcarving, 366
fishtail gouge, woodcarving, 366
fishway, dam, 98
fission, nuclear reactor, 384
fissure volcano, 10
fist, human, 25
fitted cuff, bridal gown, 472
fitted pillow, sofa, 232
fitted sheet, bedding, 267
fitting: nozzle, 418; pumper, 121; saw, 406; shoulder bag, 218; shower, 270; sink, 269
five pin, bowling, 311
5/8 pole, harness racetrack, 331
five-unit beads, abacus, 431
fixed bridge, 95
fixed glove, jet fighter, 152
fixed hurdle, 298
fixed jaw: C-clamp, 399; monkey wrench, 405
fixed pin, hinge, 450
fixed service structure, launch pad, 154
fixed window, 63
fixings, ice cream, 261
fixture, sink, 243
flag, 486; courtroom, 87; football field, 289; golf course, 305; mailbox, 227; music note, 347; newspaper, 166; parking meter, 109; soccer field, 293; swimming pool, 310; track and field, 295
flagged end, paint brush bristle, 415
flagpole, 486
flagstaff, destroyer, 140
flake, tennis racket, 306
flame: candle, 233; dental, 445; four-poster bed finial, 266
flame bucket, launch pad, 154
flame adjustment wheel, gas cigarette lighter, 224
flan, coin, 221
flange: barometer, 18; hypodermic syringe, 441; mace, 454; sink, 269; spool, 376; trombone, 352
flank: beef, 30; cat, 35; dog, 34; horse, 36; human, 25; lamb, 31; pelt, 197; permanent fort, 81; pork, 32
flank billet, Western saddle, 329
flap: backpack, 337; baseball helmet, 286; checkbook clutch, 219; envelope, 161; hasp, 450; jumbo jet, 148; magazine cover, 167; man's shoe, 200; matchbook, 224; package, 265; pocket, 184, 185, 192, 196; saddle, 329; sailor's uniform, 481; shoulder bag, 218; single engine airplane, 147; slalom water ski, 323; tent, 336; tepee, 82; tow truck, 122; wallet, 219
flap lever, 747 cockpit, 151
flare: police car, 118; solar, 3; trombone, 353; trousers, 187
flare fitting, plumbing, 412
flaring tool, plumbing, 412
flash: camera, 170, 171; electronic, 174; radar, 434
flasher, locomotive, 113
flash head: electronic flash, 174; lunar lander, 156
flashlight, police, 483
flash suppressor, automatic weapon, 461
flask, laboratory, 437
flat: music, 346; stage, 344
flat bed, truck, 117
flat-bottom hull, powerboat, 134
flatcar, train, 113
flat chisel, stonecutting, 366
flat coast, nautical chart, 22
flat diaphragm chest piece, stethoscope, 439
flat four-cylinder automobile engine, 107
flat grind, knife, 252
flat hat, Beefeater, 467
flat head, screw, 400
flatiron, 275
flat kite, 317
flat of stock, rifle, 458
flat pin, window shade roller, 237
flat plate, solar heating system collector unit, 383
flat racing, 330
flat surface: perspective, 362; printing, 164
flattop, 142
flatware, 240
flavedo, orange, 53
fleatrap, cowboy, 474
fleet ballistic missile submarine, 143
flesh, banana, 53
fleshy root, carrot, 52
fleshy tissue, succulent, 54
fletching, arrow, 456
fleur-de-lis, royal crown, 469
flews, dog, 34
flex, skateboard, 318
flexible kite, 317
flexible skirt, hovercraft, 145
flexor, universal gym, 338
flexor carpi radialis, human, 26
flier, staircase, 64
flies, stage, 344
flight: dart, 316; of steps, 64
flight control position indicator, 747 cockpit, 150
flight deck: aircraft carrier, 142; destroyer, 140; jumbo jet, 148
flight feather, bird, 37
flight instrumentation control, space shuttle, 155
flight officer, airplane, 153
flip, woman's hair, 209
flip chart, football down marker, 289
flipover, hurdle, 298
flip panel, football down marker, 289
flipper: dolphin, 43; skin diving, 325; turtle, 40
flip side, phonograph record, 176
float: buoy, 128; dishwasher, 246; fishing, 335; toilet, 271
floating crank, brace, 408
floating pier, pontoon bridge, 95
floating position, oil drilling platform, 99
floe, glacier, 12
floeberg, glacier, 12
flood: river, 13; stage, 344
flood plain, 13, 15
floodlight, stage, 344
floor: barn, 100; basketball court, 292; canal lock, 97; and carpet, 242; cave, 11; church, 114; elevator car, 76; house, 58, 59, 60; kiln, 367; oil drilling platform, 99; skyscraper, 75; stage, 344; White House, 73
floorboards: inflatable, 129; playpen, 282
floor cable, fencing strip, 309
floor exercise, gymnastics, 300
floor glide, desk, 272
flooring, tent, 336
floor leader, House of Representatives, 72

floor-locking system pedal, surgical table, 440
floor pan, automobile, 105
floor pedal, pedal steel guitar, 357
floor plan: church, 85; house, 60
floor plate: escalator, 77; horizontal bar, 300; rifle, 458; stage, 344; stationary rings, 301
floor selector, elevator car, 76
floor support, playpen, 282
floor tom-tom, 358
floppy disk, computer, 429
floppy shoe, clown, 477
floral carving, tombstone, 500
floral organs, grass, 56
floral tube, apple, 53
floret, grass, 56
florist shop, passenger ship, 138
flotation device: skin diving, 325; jumbo jet, 148
flounce: dress, 194; queen's regalie, 468
flour shaker, 256
flow, volcano, 10
flow distributor head, nuclear reactor, 385
flower, 51; cactus, 54; corn, 56; grass, 56; woman's hat, 199
flow indicator, pilot's instrument panel, 153
flowstone, cave, 11
flue: destroyer, 140; fireplace, 228; house, 60; stove, 244, 394; water heater, 391
fluff, chicken, 33
fluid, solar collector panel, 383
fluke: anchor, 128; dolphin, 43
fluorescent banner, football field, 289
fluorescent bulb, lighting, 234
flush, toilet, 271
flusher, sanitation vehicle, 123
flush left, proofreader's mark, 498
flush-left type, 168
flute, 348, 350-351; auger bit, 409; screwdriver, 403
fluted spire, kokoshniki, 68
fluting, column, 71
flux, plumbing, 412
fly: flag, 486; man's underpants, 190
flybridge: powerboat, 134
flybridge monitor, fireboat, 144
fly deck, stage, 344
fly end, flag, 486
flyer: circus, 88; spinning wheel, 379
fly front: blouse, 193; trousers, 187; woman's pants, 192
flying bridge: destroyer, 141; powerboat, 134
flying crate, kite, 317
flying horse, merry-go-round, 91
flying line, kite, 317
flying stovepipe, jet engine, 397
fly line, stage, 344
fly rod, fishing, 335
fly tackle, windmill, 382
flywheel: automobile engine, 107; hitch and harrow, 424; steam engine, 395
FM: movie camera, 172; phonograph receiver, 177
foal, horse, 36
foam, fire extinguisher, 280
foam brush, house painting, 415
foam monitor, tanker, 137
fob: pocket watch, 216; trousers, 187; vest, 184
focal length: microscope, 432; movie camera, 172
focal point, composition, 363
fo'c'sle, destroyer, 141
focus: binoculars, 433; camera, 170, 171, 172, 180; microscope, 432; projector, 173; rifle scope, 459; telescope, 433; theodolite, 426
fog, weather map, 19
fog whistle, destroyer, 141
foible, fencing foil, 309
foil: copper, 372; drag racing dragster, 333; electric, 309; fencing, 309; package, 265
fold: curtain, 236; frog, 42; salamander, 42
fold-down seat, automobile, 102
folder, briefcase, 281
folding box, package, 265
folding fan, 392
folding file, nail clippers, 211
folding leaf, drop-leaf table, 238
folding rule, 414
folding umbrella, 226
fold line, sewing pattern, 380
foley, 256
foliage, 50; carrot, 52
folio: book page, IV, 165; magazine, 167, 168; newspaper, 166
folk instruments, 360
follow block, stapler, 273
follower, magazine, 460
follow spring, stapler, 273
fondo, jai alai cesta, 308
food: desserts, 260; prepared, 259; raw, 258
food mill, 256
food processor, 250
foot: attaché case, 281; basket, 262; bed, 266; bird, 37; book page, 165; boot, 202; bureau, 268; camera tripod, 174; cat, 35; cigar, 224; cigarette, 224; clam, 45; cymbal, 358; drop-leaf table, 238; electronic flash, 174; fishing reel, 334; flag, 486; food processor, 250; frog, 42; garbage disposal, 243; grammatical symbol, 491; grandfather clock, 229; horse, 36; human, 24, 29; hurdle, 298; juice extractor, 251; lounger, 231; mainsail, 132; pig, 32; pot, 367; potter's wheel, 367; rail, 111; royal regalia, 469; sewing machine, 274; shoulder bag, 218; shuffleboard court, 312; sideboard, 239; slide projector, 173; sofa, 232; stapler, 273; steamer basket, 253; stemware, 240; surgical table, 440; toaster, 249; ultimate beast, 47; windsurfer mast, 324; wok, 253
football, 288-289; association, 293
foot binding, slalom water ski, 323
footboard: bed, 266; stagecoach, 127; operating table, 440
foot control, dental unit, 444
foothills, 7
footing: elevator shaft, 76; house, 58
foot joint, flute, 350
footline, book page, IV
footlight: circus, 88; stage, 344
footnote, magazine, 169
foot pad, kiln, 367
footpath, bridge, 95
foot peg: football field, 289; motorcycle, 125
footpiece, crutch, 442
footplate, wheelchair, 442
foot pocket, skin diving fin, 325
foot pump, paramedic equipment, 119
footrace, 294
footrest: baby's high chair, 282; car, 106; glider, 283; lounger, 231; medical examination table, 440; stroller, 282
foot spot, pool table, 314
footstool, 231
foot-switch input, guitar amplifier, 357
footstraps, windsurfer, 324
foot zipper, mainsail, 132
force cup, plumber's plunger, 412
fore and aft gangway, tanker, 136
forearm: dog, 34; frog, 42; horse, 36; human, 24; machine gun, 461; shotgun, 458
forebay, canal lock, 97
fore beam, hand loom, 379
forecast, weather, 18
forecastle, destroyer, 141
forecomb, shotgun, 458
forecourt: basketball, 292; tennis, 306
foredeck: powerboat, 134; sailboat, 130
fore-edge, book, 165
forefinger, hand, 29
forefoot: cat, 35; pig, 32; sailboat, 130
foregrip, fishing rod, 334
forehead: bird, 37; cat, 35; cow, 30; dog, 34; horse, 36; human, 24; sheep, 31
foreign price, magazine, 167
forel, book, 165
foreleg: bee, 39; cat, 35; sheep, 31
forelock, horse, 36
foremast, tanker, 136
forepart, shoe tree, 203
forepaw, pelt, 197
forepeak, sailboat, 131
foreshank: beef, 30; lamb, 31
foreslope, shoreline, 14
forestage, theatre, 345
forestay, sailboat, 130
forestaysail, sailboat, 130
forewing, grasshopper, 39
fork: bicycle, 124; branding iron, 422; fireplace logs, 228; kitchen utensil, 255; motorcycle, 125; river, 13; saddle, 329; spading, 417; stroller, 282; table setting, 240, 241; tuning, 361
form, etching press, 371
formal Mandarin attire, 475
formal shirt, man's, 472
formation light, jet fighter, 152
Formula One racing car, 332
for shooter, craps table, 341
fort, frontier, 80
forte: fencing foil, 309; music notation, 346
fortification, 80, 81
fortress, castle, 78
45°-angle gauge, combination square, 414
45° vial, carpenter's level, 414
forward: basketball, 292; boat, 128; destroyer, 141; fireboat, 144; hovercraft, 145; lunar lander, 156; sailboat, 131; slide projector, 173; space shuttle, 154; television LaserDisc player, 181
forward-reverse button, potter's wheel, 367
foul light, drag racing, 333
foul line: baseball field, 287; basketball court, 292; bowling lane, 311; javelin throw, 295
foundation: beauty product, 212, 213; house, 58; skyscraper, 75; undergarment, 191
foundation lines, spider web, 38
foundation plan, house, 60
fount, lantern, 336
fountain pen, 160
fourchette, glove, 196
four-cycle internal combustion engine, 396
four-cylinder automobile engine, 107
four-face traffic signals, 109
four-in-hand tie, 188-189
four-poster bed, 266
four pin, bowling, 311
fourragere, enlisted man's uniform, 480
four suit, domino, 339
14-stop, darts, 316
fourth toe, human foot, 29
fourth tooth, crocodile, 41
four-wheel drive jeep, 126
fowl, 33
foxing: boot, 202; running shoe, 296
foyer, skyscraper, 75
fraction, political map, 21
fracture, volcano, 10
fragmentation grenade, 463
frame, 373; abacus, 431; attache case, 281; automobile, 102, 105; automatic pistol, 460; backpack, 337; basket, 262; bed, 266, 267; bicycle, 124; binoculars, 433; brassiere, 191; card table, 238; carpenter's level, 414; C-clamp, 399; chaise lounge, 284; circus, 88; coffee maker, 248; comic strip, 374; drill, 408; dressing table mirror, 268; eyeglasses, 217; film, 171, 172; gallows, 452; garbage truck, 123; hammock, 284; hand loom, 379; hourglass, 229; house, 59; ironing board, 275; jai alai cesta, 308; jet fighter canopy, 152; Jew's harp, 360; lawn sprinkler, 418; man's belt buckle, 186; medical examination table, 440; paint roller, 415; piano, 355; pilot's instrument panel, 153; plane, 410; pocket watch, 216; revolver, 460; sailboat, 130; saw, 406; seeder, 420; sextant, 133; shutters, 237; silk screen, 369; skin diving tank, 325; skyscraper, 75; slot machine, 340; snowshoe, 321; solar collector panel, 383;

stationary rings, 301; steam engine, 395; stroller, 282; swagger bag, 218; telegraph key, 159; television LaserDisc player, 181; tent, 336; tepee, 82; tractor, 424; trampoline, 302; umbrella, 226; wheelbarrow, 420; window, 63
frame-counter window, camera, 171
frame cover, motorcycle, 125
frame leaf, hinge, 450
frame plate, mortise lock, 448
frame rail, truck tractor, 116
framework: denture, 443; yurt, 68; Zeppelin, 158
framing string, kite, 317
framing knob, movie projector, 173
franc, symbol, 495
frankfurter, 261
Franklin glasses, miser, 476
Franklin stove, 394
free arm, sewing machine, 274
freeboard, boat, 128
free-fall, parachuting, 327
free-reed instrument, 360
free-rotating mast, windsurfer, 324
free-sail system, windsurfer, 324
free-standing easel-back frame, 373
freestyle swimming race, 310
free-throw circle, basketball court, 292
freeway, 110
freewheel, bicycle, 124
freeze function, television LaserDisc player, 181
freezer: powerboat, 135; refrigerator, 245; thermometer, 254
freezing rain, weather map, 19
freight, merchant ship, 136
freight car: railroad yard, 94; train, 112-113
French cuff, shirt, 185, 472, 473
French door, 60, 62
French horn, 348, 352
French seam, tent, 336
frequency, television, 181
frequency selector, police car, 118
fresh air plate, standpipe, 57
fresh-air supply duct, tunnel, 96
fret: guitar, 356, 357; sitar, 356
friction post, jewelry findings, 214
frieze: column entablature, 71; drop-leaf table, 238; house, 60; White House, 73
frill, bonnet, 199
fringe: cowboy, 474; dress, 194; golf course, 305; Indian, 474; Jewish prayer shawl, 470; lizard crest, 40
frock coat, Revolutionary War general, 476
frog, 42; fastener, 204; horse's foot, 36; shovel, 417; violin bow, 349
from the sign, music notation, 347
frond: fern, 55; palm, 50; seaweed, 55
front: butler's shirt, 473; church, 85; desk, 272; eyeglasses, 217; glacier, 12; queen's regalia, 468; sailor's uniform, 481; steam locomotive boiler, 112; type, 164; weather map, 19; woman's pants, 192
frontal, church high altar, 85
frontal bone, human, 26
front apron, 189
front-axle rod, child's wagon, 283
front bead, shotgun, 459
front beam, laboratory scale, 437
front boot, stagecoach, 127
front brace, wheelbarrow, 420
front brake, bicycle, 124
front bumper: automobile, 102; bus, 114
front cover, book, 165
front crotch seam, trousers, 187
front derailleur, bicycle, 124
front disc brake, motorcycle, 125
front door: automobile, 102; bus, 114; sealed voting booth, 427; woodburning stove, 394
front end, diving board, 310
front end weight, tractor, 424
front face, book, 165
front fender, motorcycle, 125
front flap: book jacket, 165; matchbook, 224
front foot, stapler, 273
front gate, prison:, 74
front grille, air conditioner, 392
front gunner's periscope, tank, 465
front half, grand piano, 355
front handle, sander, 411
front handlebar, chain saw, 421
front housing: can opener, 247; electric razor, 206
front hub: automobile, 104; bicycle, 124
front hydraulic fork, motorcycle, 125
frontier fort, 80
frontis, jai alai cancha, 308
frontispiece, magazine, 168
front jaw, vise, 399
front jockey, saddle, 329
front leg, bee, 39
front lid, grand piano, 355
front line, craps table, 341
front-loading washing machine, 276
front matter, book, 165
fronton, jai alai, 308
front panel: jacket, 184; tape recorder, 175; toaster, 249
frontpiece, fireman's helmet, 484
front pilaster, cupboard, 239
front placket: blouse, 193; shirt, 185
front point, ice climbing boot, 328
front post: bureau, 268; hand loom, 379
front-push plate, tow truck, 122
front quarter: automobile, 102; boot, 202
front rail: piano, 355; sled, 322
front rocker, slalom water ski, 323
front service door, gas pump, 108
front sight, weapon, 459, 460, 461
front sizer, football helmet, 288
front slit, man's underpants, 190
front spray nozzle, iron, 275
front stretcher, rocking chair, 230
front strut, hydrofoil, 145
front tab, razor blade injector, 206
front thread guide, sewing machine, 274
front tire, bus, 114
front tuck, blouse, 193
front walk, house, 61
front wall: jai alai cancha, 308; squash, 307; truck van, 117
front wheel: bicycle, 124; drag racing dragster, 333
front window: automobile, 102; camper, 126; tractor, 424
front wing: grasshopper, 39; racing car, 332
front yard, house, 60
frosting, cake, 260
frostfree refrigerator, 245
fruit, 53; grass, 56; palm, 50; slot machine, 340; woman's hat, 199
fruit bowl, 241
fruit compartment, refrigerator, 245
fruit juice extractor, 251
fruitlet, pineapple, 53
fruit wall, pea, 52
fry, fish, 43
frying basket, 256
frying pan, 253
F sharp, piano keyboard octave, 355
f-stop scale, light meter, 174
fuel, rocket, 397
fuel alarm, powerboat, 134
fuel assembly, nuclear reactor, 385
fuel cap, lantern, 336
fuel cell monitor, space shuttle, 155
fuel chamber, torpedo, 466
fuel cock, internal combustion engine, 306
fuel filler, locomotive, 113
fuel gauge: barbecue grill, 284; powerboat, 134
fuel indicator, car, 106
fuel-line hose, automobile engine, 107
fuel management panel, pilot's instrument panel, 153
fuel nozzle, combustion jet engine, 397
fuel tank: bulldozer, 425; camper, 126; camp stove, 336; drag racing dragster, 333; garbage truck, 123; jet fighter, 152; motorcycle, 125; mower, 419; outboard engine, 133; space shuttle, 154; tank, 464; truck tractor, 116
fuel truck, airport, 93
fuel valve, lantern, 336
fulcrum, diving board, 310
full denture, 443
full-dress ship guideline, destroyer, 140, 141
fuller: horseshoe, 36; knife, 453; sword, 453
full face, elliptical galaxy, 2
full moon, 4
full nut, 401
full-organ button, organ, 354
full point, grammatical symbol, 497
full sail position, windmill, 382
full-service island, service station, 108
full-surface hinge, 450
fumarole, volcano, 10
fume extractor, tank gun, 465
function indicator: phonograph receiver, 177; video recorder, 180
function key, cash register, 430
function selector: air conditioner, 392; phonograph receiver, 177; video recorder, 180
funerary structure, pyramid, 68
fungi, 55
funnel: citrus juicer, 251; kitchen, 254; lobster pot, 423; passenger ship, 138; tornado, 17
funny bone, 25
funny car, drag racing, 333
furbelow, queen's regalia, 468
furnace, 390;
furniture guard, vacuum cleaner, 279
furniture nozzle, vacuum cleaner, 279
furrier, 197
furrow, horse's foot, 36
fuse: cartridge, 389; hand grenade, 463; land mine, 463; plug, 389; radar, 434
fuselage: helicopter, 146; single engine airplane, 147
fusible element, plug fuse, 389
fuzz pedal, electric guitar, 357

G

G: braille, 496; music notation, 347; piano keyboard octave, 355; sign language, 496
gable: barn, 100; church, 84; house, 61
gadget bag, photographic, 174
gaff, fishing, 335
gage, drill, 408
gain: mortise lock, 448; sonar, 434
Gainsborough, bride's hat, 472
gaited horse, 331
gaiter: drum major, 479; ski clothes, 321
gakuzuka, torii, 68, 69
galaxy, Milky Way, 2, 3
Galilean telescopes, opera glasses, 433
gall bladder, human, 27
gallery: cave, 11; church, 84; Congress, 72; house, 61; monocle, 217; stage, 344
galley, sailboat, 131
galley module, jumbo jet, 148, 149
gallon totalizer, gas pump, 108
galloper, merry-go-round, 91
gallows, 454; sailboat, 130
galluses, man's, 186
galoshes, 203
gam, human, 25
gambling equipment, 340, 341
gammadion, symbol, 492
gangplank; passenger ship, 138; tanker, 136
gantry, launch pad, 154
gap, fishhook, 335
garage; house, 61; passenger ship, 138; prison, 74
garbage disposal, 243
garbage truck, 123
gardening implement, 417
garlic press, 257
garment bag, 281
garnish, poultry, 259

garland, royal regalia, 469
garret, house, 60
garrison belt, 480
garrison cap, 480
garter belt, ice hockey player, 290
garter trolley, girdle, 191
gas bag, blimp, 158
gas barbeque, 284
gas cap, internal combustion engine, 396
gas cigarette lighter, 224
gas cloud, 3
gas cock, water heater, 391
gas cylinder, plumber's torch, 412
gas-fired water heater, 391
gas-fueled internal combustion engine, 396
gas gauge, car, 106
gas inlet, laboratory burner, 437
gash, razor blade injector, 206
gasket: dishwasher, 246; refrigerator, 245; stove oven, 244
gaskin, horse, 36
gasoline pump, 108
gas range, 244
gas regulator, laboratory burner, 437
gas shutoff valve, standpipe, 57
gas station, public sign, 491
gas sterilizing flame, dental, 445
gas supply line, water heater, 391
gas tank: automobile, 103, 105; barbeque grill, 284; chain saw, 421; internal combustion engine, 396; mower, 419
gaster, ant, 39
gastight envelope, vacuum tube, 386
gastrocnemius, human, 26
gas-vent line, tanker, 137
gate: airport, 92; canal lock, 97; dam, 98; drop-leaf table, 238; flat racing, 330; frontier fort, 80; hurdle, 298; mountain climbing carabiner, 328; powerboat, 135; prison, 74; railroad crossing signal, 111; sailboat, 130; shotgun, 458; subway motorman's cab, 115; toll booth, 110; vault, 447
gatebar, hurdle, 298
gated spillway, dam, 98
gatefold, magazine, 169
gatehouse: castle, 78, 79; lift bridge, 95
gate index, slide projector, 173
gateleg table, 238
gate pier, fence, 65
gatepost, steel chain fence, 65
gateway: castle, 79; Shinto temple, 68, 69
gather, bonnet, 199
gathered skirt, maid's uniform, 473
gathering: blouse, 193; hardback book, 165; woman's pants, 192
gauge: barbecue grill, 284; blood pressure, 439; car, 106; carpenter's level, 414; combination square, 414; drill, 409; etching press, 371; fire extinguisher, 280; furnace, 380; powerboat, 134; pumper, 121; railroad, 111; 747 cockpit, 150; skin diving, 325; steam engine, 395; subway motorman's cab, 115; table saw, 407; weather station, 18
gauge needle, paramedic equipment, 119
gauntlet: armor, 455; drum major, 479
gauze, 119, 441, 445
gavel, 87, 402
G clef, music, 346, 347
gear: can opener, 247; fishing, 335; hand drill, 408; mortar, 462; seeder, 420; single engine airplane, 147; vault, 447; venetian blinds, 237
gearbox, automobile, 104; etching press, 371; hovercraft propeller, 145; lithographic press, 370; radar antenna, 434; seeder, 420
gear bracket, citrus juicer, 251
gear cluster, bicycle, 124
gear drive, chain saw, 421
geared key chuck, power drill, 409
gear housing, fishing reel, 334
gear oil-pressure gauge, powerboat, 134
gear ring, vault, 447
gearshift: car, 106; motorcycle, 125
Geiger counter, 435
gelatin casing, pill, 441
gelding, horse, 36
gem clip, 273
Gemini, zodiac, 493
gemstone, 214
gendarme, mountain, 9
general, Revolutionary War, 476
general product category, Universal Product Code, 430
generating plant, power network, 386
generation, pacemaker, 442
generator: nuclear reactor, 384; steam engine, 395
generator control, pilot's instrument panel, 153
generic name, label, 264
genitalia, human, 24
gentleman's white glove, butler's uniform, 473
geodesic dome, 83
geographical boundaries, world, 5
geologist, 4
gesso, 364
gestures, sign language, 496
getter, vacuum tube, 386
geyser, volcano, 10
G flat, piano keyboard octave, 355
giant, circus, 88
gibbet, 452
gibbous moon, 4
giblets, fowl, 33
gift shop, public sign, 490
gig, horse-drawn carriage, 127
gill: fish, 43; mushroom, 55; pelt, 197
gimbal suspension, phonograph turntable, 176
gimlet, 408
gin pole, powerboat, 135
giraffe, ultimate beast, 46
girder: house, 58; skyscraper, 75; suspension bridge, 95
girdle, 191; cut gemstone, 214; hot air balloon, 326
girdle pad, football uniform, 288
girth, racing, 330, 331
gizzard, fowl, 33
glacial plain, mountain, 8
glacier, 8, 9, 12
glacis, permanent fort, 81
glacis plate, tank, 465
gladhand, truck van, 117
gland, octopus, 44
glass: basketball backboard, 292; cupboard door, 239; dressing table, 268; eye dropper, 441; electric meter casing, 389; fluorescent bulb tube, 234; frame, 373; light bulb, 234; sextant, 133; solar panel cover plate, 383; stained, 372; table setting, 240, 241
glass cutter, 372
glasses: field, 433; miser, 476; ski touring, 321
glass support, vacuum tube, 386
glaze, pot, 367
glazing, window, 65
glide: desk, 272; slalom water ski, 323; surgical table, 440
glider, 147; backyard, 283; hang, 327
glide slope antenna, helicopter, 146
glide slope indicator, airport runway, 92
globe, 1, 5; lantern, 336; royal regalia, 469
glochidia, cactus, 54
gloss, makeup, 212
glove, 196; baseball, 286, 287; boxing, 303; bridal costume, 472; butler's uniform, 473; drag racing driver's, 333; drum major, 479; fencing, 309; fireman, 484; hammer thrower, 297; handball, 307; ice hockey player, 290, 291; jai alai cesta, 308; jet fighter, 152; miser, 476; Revolutionary War general, 476; skiing, 320; skin diving, 325
glove compartment, car, 106
glume, grass, 56
gluteus medius, human, 26
gnomon, sundial, 381
gnu beard, ultimate beast, 47
goal: basketball, 292; football, 289; ice hockey, 290, 291; lacrosse, 293; soccer, 293
go around switch, 747 cockpit, 151
goat, zodiac, 493
goat beard, ultimate beast, 47
goatee, men's beard, 207
goggles: flat racing, 330; ski helmet, 320
gold: dental, 445; ring, 215
gold ball of rank, royal crown, 469
golf ball, 304;
golf club, 304, 305
golf course, 304, 305; passenger ship, 138
golgi apparatus, animal cell; 23
GO light, drag racing, 333
gondola: blimp, 158; ferris wheel, 91; merry-go-round, 91
gonfalon, 486
gonfannon, 486
gong, drums, 358
good luck symbol, 492
goose, 33
gooseneck: football goalpost, 289; lamp, 235
gore: hot air balloon, 326; man's cap, 198; sock, 203; umbrella, 226
gore area, highway cloverleaf, 110
gorge: human, 25; jacket, 184; permanent fort, 81; river, 13
gorget, armor, 455
gouge, 368, 410; woodcarving, 366
gouged sections, wood block, 368
gourd, sitar, 356
gour dam, cave, 11
governor: internal combustion engine, 396; power mower, 419
governor-rope tension sheave, elevator shaft, 76
gown, 194; queen's regalia, 468
grab iron, locomotive, 113
grab rail, bathtub, 270
grab strap, motorcycle, 125
gracilis, human, 26
grade: enlisted man's uniform, 480; gasoline, 108; pencil, 160; railroad crossing, 111
graduated guide, fishing rod, 335
graduated scale, metronome, 361
graduation: beaker, 437; thermometer, 18, 439
grain: fabric, 380; lumber, 66; sandpaper, 411
grain pit, barnyard, 100
grammar, proofreader's mark, 498
grammatical symbol, 497
grand drape, stage, 344, 345
grandfather clock, 229
grandmother clock, 229
grand piano, 355
Grand Prix racing, 332
grandstand, harness racetrack, 331
granule, roofing shingle, 66
graphic, hot air balloon, 326
graphic device, label, 264
graphic scale, house blueprint, 60
grasper, desk phone, 178
grasping foot, bird, 37
grass, 56; baseball field, 287
grass-catcher, lawn mower, 419
grasshopper, 39
grate: fireplace, 228; stove, 244, 336
grater, kitchen tool, 257
graticule, political map, 21
grating, castle portcullis, 79
grave, 500
grave accent, grammatical symbol, 497
gravure, printing, 164, 368
grawlix, cartoon, 375
grease skimming brush, 255
great choir, church, 85
great circle, geodesic dome, 83
greatcoat, Revolutionary officer, 476
great door, barn, 100
greater than, symbol, 495
great keyboard, organ, 354
greave, armor, 455
Greek cross, symbol, 492
green, golf course, 305
greenback, paper money, 220
green light: drag racing, 333; traffic, 109
Green Room, White House, 73
Greenwich Mean Time, 5
green wire, electrical

receptacle, 388
grenade, 463
grid: barbecue grill, 284; earth, 5; geodesic dome, 83; nuclear reactor, 385; paint tray, 415; political map, 21; stage, 344; stove broiler, 244; vacuum tube, 386
griddle, stove, 244, 394
gridiron, 289; stage, 344
grid marking, topographic map, 22
grid table extension, saw, 407
grill, barbecue, 284
grille: accordion, 360; air conditioner, 392; automobile, 102; CB radio antenna, 179; guitar amplifier, 357; hair dryer, 208; humidifier, 392; phonograph, 177; refrigerator, 245; tractor, 424; truck, 116
grind, knife, 252
grinder, kitchen tool, 257
grip: automatic weapon, 461; bobby pin, 210; bow, 456; carpenter's level, 414; chain saw, 421; chest pull, 338; field events hammer, 297; fishing rod, 334; foil mounting, 309; gardening shears, 417; golf club, 305; hair clip, 210; hammer, 402; javelin, 297; jump rope, 338; knife, 453; movie camera, 172; Ping-Pong racket, 315; revolver, 460; rowboat car, 129; seeder, 420; shoe horn, 203; shotgun, 458; ski pole, 320; stroller, 282; sword hilt, 453; tennis racket, 306; wheelbarrow, 420; wire stripper, 413
grip cap, shotgun, 458
gripper mark, nail, 400
gripping hole, clothespin, 276
grip safety, pistol, 460
grip tape, skateboard, 318
gristle, human, 26
grit, sandpaper, 411
groin, human, 25
grommet, tent, 336
groove: combination square, 414; corrugated fastener, 400; crossbow, 456; escalator, 77; guillotine, 452; horse, 36; phonograph record, 176; roulette wheel, 340; salamander, 42; ski, 320; sword, 453; type, 164
grospoint, stitchery, 377
grotto, 11
grotzen, pelt, 197
ground: flag, 486; symbol, 494
ground beam, guillotine, 452
ground coffee, 248
ground control, metal detector, 435
ground-effect machine, amphibious, 145
ground floor, White House, 73
grounding prong, electric plug, 338
grounding terminal, electrical receptacle, 388
ground steering tiller 747 cockpit, 150
ground wire: circuit breaker box, 389; electrician's, 413; electrical receptacle junction box, 388
grout, tunnel, 96
growler, glacier, 12
growthline, clam shell, 45
growth ring, lumber, 66
grozing pliers, for stained glass, 372
grunting, 32
G sharp, piano keyboard octave, 355
G string, double bass, 349
guante, jai alai cesta, 308
guard: armor, 455; basketball, 292; crossbow, 456; dishwasher, 246; drill press, 409; elevator shaft, 76; foil mounting, 309; gas pump automatic nozzle, 108; guitar, 356, 357; ice hockey player, 291; knife, 252, 453; lacrosse stick, 293; lithographic press, 370; movie camera eyepiece, 172; mower, 419; prison, 74; revolver, 460; rifle, 461; safety pin, 204; saw, 407; sharpening steel, 252; shotgun trigger, 458; stagecoach, 127; sword hilt, 453; theodolite, 426; tow truck, 122; washing machine, 276; wheelchair, 442
guard bars, Universal Product Code, 430
guard cone, potting, 367
guard house, frontier fort, 80
guardrail, highway, 110; slide, 283; tow truck, 122
guard socket, fencing foil, 309
guard tower, frontier fort, 80; prison, 74
gudgeon, window shade roller, 237
guest head, sailboat, 131
guidance chamber, torpedo, 466
guidance system, submarine, 143
guide: fishing reel, 334; fishing rod, 334, 335; Hansom cab rein, 127; incline track, 90; jackhammer, 426; pencil sharpener, 273; power saw, 407; silk screen, 369; speculum, 438; toaster, 249
guide arm, toilet, 271
guide bar, saw, 407, 421
guide cone, potting, 367
guided weapons, defensive, 140
guideline, destroyer, 140, 141
guide lug, nuclear reactor, 385
guide post, typewriter, 162
guide rail, elevator shaft, 76
guide ring, vault, 447
guide rod, workbench, 398
guide roller, cassette tape, 175
guide scope, telescope, 433
guide shoe, elevator shaft, 76
guide sign, road, 489
guide spring, pencil sharpener, 273
guide tube, nuclear reactor, 385
guide wall, dam, 98
guide wheel, roller coaster, 90
guillotine, 452
guimpe, nun, 471
guitar, 356, 357
gular region, salamander, 42
gulf, 7
Gulf Stream, ocean, 6
gullet, 25, 28; saddle, 329; saw teeth, 406
gull-wing hull, powerboat, 134
gully, mountain, 8
gum, and denture, 443
gum line, tooth, 446
gun, 460; cowboy, 474; jet fighter, 152; machine, 461; police, 483; police car, 118; pumper, 121; tank, 464, 465; television, 181
gun barrel, destroyer, 141
gun belt: cowboy, 474; police, 482-483
gun director, destroyer, 141
gunlock, cannon barrel, 457
gunmount, destroyer, 141
gunner's periscope, tank, 465
gunship, helicopter, 146
gunwale: powerboat, 135; rowboat, 129
gusset: armor, 455; handbag, 218; house, 59
gut, human, 25
gutter: barn, 100; book, 165; bowling lane, 311; house, 61; magazine, 169; swimming pool, 310; gutter broom, mechanical sweeper, 123
gutter margin, book page, 165
guy brace, uneven parallel bars, 300
guy rope, circus tent, 89
guy wire: horizontal bar, 300; stationary rings, 301
gym, universal, 338
gymnasium, passenger ship, 139
gymnastics, 300-301
gynecologist, examination equipment, 438
gyro compass, 132

H

H: braille, 496; sign language, 496
habit, nun, 471
hackle, chicken, 33
hackney carriage, 127
hacksaw, 406, 412
haft, ax, 454
hailstone, 17
hair: human, 24, 207, 209; painting brush, 364; violin bow, 349
hair band, 210
hairbrush, electric, 208
hair clip, 210
hairdo, 210
hair dryer, 208
hairline: linear slide rule, 431; man's, 207; newspaper, 166
hairpiece, man's, 207
hairpin, 210
halberd: Beefeater, 467; medieval, 454
half-court line, handball, 307
half-door, Hansom cab, 127
half-inch mark, tape measure, 414
half-jacket, fencing, 309
half-mile pole, harness racetrack, 331
half-moon, 4
half note, music, 346
half-surface hinge, 450
half-title logo, magazine, 168
halfway line, soccer field, 293
haligan tool, police car, 118
hall: church, 85; mosque, 68-69; theatre, 345; White House, 73
hallmark, ring, 215
Hall of Columns, Capitol, 72
hallux, human foot, 20
halyard: destroyer, 141; flag, 486; sailboat, 130
ham, 32; human, 24; radio operator, 179
hammer: ball-peen, 402; carillon, III; field events, 297; ice climbing, 328; jackhammer, 426; piano, 355; revolver, 460; stonecutting, 366; for testing reflexes, 439; telegraph key, 159
hammerhead crane, launch pad, 154
hammer throw, track and field, 295
hammock, 284
hance, arch, 70
hand: blackjack, 341; cattle ranch, 422; frog, 42; grandfather clock, 229; human, 24, 29; pocket watch, 216; stopwatch, 298; wristwatch, 216
handbag, 218
handball court, 307
hand brace, 408
hand controller, space shuttle, 155
hand crank, easel, 364
handcuff, police gun belt, 482
hand cup, sword hilt, 453
hand drill, 408, 409
hand excavator, dental, 445
hand flexor, body building, 338
hand grenade, 463
handgrip: bazooka, 462; body building, 338; carpenter's level, 414; crutch, 442; motorcycle, 125; movie camera, 172; pole vault pole, 299; rocking chair, 230; swimming pool, 310; video camera, 180; wheelbarrow, 420; wheelchair, 442
handguard, automatic rifle, 461; chain saw, 421
handgun, 460
handhold: harness racing driver, 331; lunar rover, 157
handicap: drag racing, 333; flat racing entry, 330
handicapped, public sign, 491
handkerchief, queen's regalia, 468
handkerchief pocket, jacket, 184
hand knitting, 378
handle: attaché case, 281; automobile door, 103; ax, 454; barbecue grill, 284; baren, 368; baseball bat, 287; basket, 262; blender, 250; bow, 456; brace, 408; branding iron, 422; brayer, 368; broom, 278; burnisher, 371; candle snuffer, 233; can opener, 247; C-clamp, 399; chafing dish, 241; cheese plane, 252; chest pull, 338; child's wagon, 283; chisel, 410; citrus juicer, 251; clay

modeling tool, 366;
clothespin, 276; coffee maker, 248; coffin, 50ʋ; croquet mallet, 312; dabber, 371; drain cleaner, 412; drill, 408, 409; ear scope, 438; etching press, 371; faucet, 269; field events hammer, 297; finishing sander, 411; fire engine, 121; fire extinguisher, 280; fishing reel, 334; fishing rod, 334; foil mounting, 309; food mill, 256; food processor, 250; garbage disposal, 243; garbage truck, 123; gimlet, 408; glass cutter, 372; gouge, 368; hair dryer, 208; hammer, 402; handbag, 218; hand loom, 379; hoe, 417; hot air balloon, 326; ice hammer, 328; internal combustion engine, 396; iron, 275; jackhammer, 426; jet fighter, 152; jump rope, 338; knife, 240, 252, 453; land mine, 463; lacrosse stick, 293; lithographic press, 370; lorgnette, 217; mace, 454; mailbox, 227; metal detector, 435; mower, 419; outboard engine, 133; pail, 280; painting brush, 364; paint roller, 415; paint spray gun, 415; paper bag, 262; parking meter, 109; peeler, 252; pencil sharpener, 273; pilot's instrument panel, 153; Ping-Pong racket, 315; plane, 410; playpen, 282; pliers, 404; plumber's plunger, 412; pocket knife, 416; pommel horse, 301; pots and pans, 253; projector, 173; radiator, 390; rake, 417; razor, 206; refrigerator door, 245; revolver, 460; rifle, 461; safe, 447; scissors, 376; saw, 406, 407, 421; screen, 173; screwdriver, 403; scriber, 369; seeder, 420; 747 cockpit, 150, 151; sewing machine, 274; sextant, 133; sharpening steel, 252; shaver, 206; shotgun, 458; shovel, 417; silk screen squeegee, 369; single engine airplane, 147; sink, 243, 269; soldering iron, 372; sponge mop, 278; stove, 336, 244, 394; stroller, 282; tea kettle, 241; telephone, 178; tennis racket, 306; thrown pot, 367; toilet, 271; toothbrush, 211; tuning fork, 361; umbrella, 226; vacuum cleaner, 279; vault, 447; vise, 398, 399; voting booth, 427; waterskiing towline, 323; wheelbarrow, 420; woodcarving tool, 366; wrench, 405
handlebar: bicycle, 124; chain saw, 421; snowmobile, 126
handlebar mustache, 207
handle grip: chain saw, 421; seeder, 420; stroller, 282; vacuum cleaner, 279
handler, boxing, 303
handle release pedal, vacuum cleaner, 279
handle screw, plane, 410
hand lever: potter's wheel, 367; spreader, 420
hand loom, 379
handpiece: crutch, 442; dental, 444, 445
hand protector, waterskiing towline, 323
hand pump: blood pressure gauge, 439; pilot's instrument panel, 153
handrail: bus, 114; elevator car, 76; escalator, 77; locomotive, 112, 113; lunar lander, 156; powerboat, 135; roller coaster, 90; sled, 322; staircase, 64; subway car, 115
hand rope, racing sled, 322
handruff, queen's regalia, 468
handsaw, 406
hand screw, 399
handset, desk phone, 178
hand slide, trombone, 353
handstrap: bus, 114; subway car, 115
hand throttle, car, 106
hand valve, solar heating system, 383
hand warming slot, parka, 197
handwheel: sewing machine, 274; table saw, 407
hangar, airport, 93
hangar bay, aircraft carrier, 142
hanger: dress, 194; fishing plug, 335; frame, 373; harness racing, 331; laboratory scale weight, 437; lamp, 235; screen, 173; swing, 283
hanger bracket, wheelchair, 442
hang glider, 327
hang hole: blister card, 264; dustpan, 278
hanging glacier, mountain, 8
hanging locker, sailboat, 131
hanging ring: can opener, 247; skillet, 353
hanging strip, window shutters, 237
hanging weight, laboratory scale, 436
hang ring, hair dryer, 208
hang-up hole, toothbrush, 211
hank, knitting yarn, 378
Hansom cab, 127
hardback book, 165
hardcover book, 165
hard-hat diving, 325
hardness, pencil lead, 160
hard suction connection hose, pumper, 121
hardware: bureau, 268; computer, 429; cowboy, 474; shoulder bag, 218; sideboard, 239
hardware sling, mountain climbing, 328
hard-way bets, craps table, 341
hare traction splint, paramedic equipment, 119
harmonica, 360
harness: drag racing driver, 333; electrical wall switch, 388; hang glider, 327; harness racing, 331; mountain climbing, 328; parachute, 327; skin diving tank, 325
harness frame, hand loom, 379
harness racing, 330, 331
harp: orchestra, 348; table lamp, 234
harrow, tractor, 424
hash mark: enlisted man's uniform, 480; football field, 289
hassock, lounger, 231
hasp, 450
hat: automobile engine, 107; Beefeater, 467; circus ringmaster, 88; clown, 477; cowboy, 474; miser, 476; pirate, 476; police, 482, 483; Revolutionary War general, 476; sailor, 481; skiing, 321; wizard, 476; woman's, 199
hatband, 198, 199
hat bow, beret, 198
hatch: bus, 114; fireboat, 144; lunar lander, 156; sailboat, 130; tank, 464, 465; tanker, 137; tugboat, 144
hatchet, 402
hatmaker, 198
hat pin, woman's hat, 199
hatter, men's hats, 198
haunch: arch, 70; human, 25
hawg leg, cowboy, 474
hawsehole: fireboat, 144; passenger ship, 138, 139
hawser: and canal lock, 97; passenger ship, 138; tugboat, 144
hay door, barn, 100
hay scale, frontier fort, 80
hay yard, frontier fort, 80
hazard, golf course, 304-305
head: Allen wrench, 405; anchor, 128; arrow, 456; automobile engine, 107; ax, 454; badminton shuttlecock, 313; barrel, 263; bell, III; billiard bridge, 314; bolt, 401; book page, IV, 165; bowling lane, 311; brace, 408; cartridge, 460; C-clamp, 399; chain saw, 421; chisel, 410; cigar, 224; coin, 221; combination square, 414; comet, 3; croquet mallet, 312; dental x-ray tube, 444; dispenser, 263; drain cleaner, 412; drill press, 409; drum, 358; electric razor, 206; electronic flash, 174; field events hammer, 297; fish, 43; fishing jig, 335; flag, 486; golf club, 304; grasshopper, 39; guitar, 356, 357; hammer, 402; hatchet, 402; helicopter rotor, 146; hinge fixed pin, 450; human, 24; javelin, 296; key punch, 428; knee kicker, 242; knitting needle, 378; lacrosse stick, 293; lance, 454; lettuce, 258; levigator bolt, 370; mace, 454; magazine, 168, 169; mainsail, 132; match, 224; mechanical sweeper gutter broom, 123; movie camera microphone, 172; music note, 347; nail, 400; newspaper, 166; octopus, 44; pelt, 197; pin, 204; saddle, 329; sailboat, 131; screw, 400; screwdriver, 403; shower, 270; shuffleboard court, 312; soldering iron, 372; spring beard needle, 378; stemware, 240; stove burner, 244; tambourine, 358; table saw, 407; tack, 400; tape recorder, 175; tennis racket, 306; theodolite, 426; toothbrush, 211; venetian blinds, 237; video camera, 180
headband: hair ornament, 210; hardback book, 165; phonograph headphone, 177; physician's mirror, 438; ski bat, 321
headboard: four-poster bed, 266; mainsail, 132
head box, venetian blind, 237
head channel, venetian blind, 237
head collar, kettledrum, 358
head cover, golf club, 305
header: brick wall, 67; drag racing dragster, 333; house, 58, 59; solar collector panel, 383
headgear: armor, 455; boxing, 303
headguard, boxing, 303
heading: book page, IV; draperies, 236; letter, 161; radar, 434
heading alignment control, radar, 434
head jamb, window, 63
head joint: brick wall, 67; flute, 351
headlight: automobile, 102; bulldozer, 425; bus, 114; locomotive, 112, 113; medical examination equipment, 438; motorcycle, 125; snowmobile, 126; tank, 465; tractor, 424; truck, 116
headlight controls, car, 106
headline: human hand, 29; magazine, 168; newspaper, 166
head lock, camera tripod, 174
head lug, bicycle, 124
head margin, book page, 165
head mold, church, 84
head piece: book, 165; rocking chair, 230
headphone, phonograph, 177
headphone jack: CB radio, 179; metal detector, 435; phonograph receiver, 177; tape recorder, 175; video recorder, 186
headpiece, Torah, 470
headpin, bowling, 311
head post, four-poster bed, 266
headquarters, frontier fort, 80
headrail, venetian blind, 237
headrest: bumper car, 90; dental unit, 444; surgical table, 440
headsail, 132
head section: flute, 351; piccolo, 350
headset, bicycle, 124
headshell, phonograph turntable, 176
head spot, pool table, 314
headstay, sailboat, 130
head step, ladder, 415
headstone, grave, 500
heads-up, drag racing, 333
head tube, bicycle, 124
headwall, mountain, 9

hearing aid, 442
heart: fowl, 33;
human, 25, 27;
lettuce, 258; playing
cards, 342
hearth, fireplace, 228
heart line, human hand, 29
heart murmur, symbol, 494
heart of came, lead
came, 372
heartwood, tree, 48
heat, drag racing, 333
heat-absorber plate, solar
collector panel, 383
heat control: barbecue
grill, 284; electric
wok, 253
heater: camper, 126;
water, 391
heater filament, vacuum
tube, 386
heater wire, vacuum tube, 386
heat exchanger: 393;
fireplace, 228; oil drilling
platform, 99
heat indicator, electric hair
brush, 208
heating controls, car, 106
heating/cooling coils, heat
exchanger, 393
heating element:
dishwasher, 246; soldering
iron, 372; stove, 244
heating system, airport, 92
heating unit: camper, 126;
solar heating system, 383
heat pump, 393
heat-resistant glass, light
bulb, 234
heat-riser valve, automobile
engine, 107
heat seal, foil pouch, 265
heat shield, lantern, 336
heat switch, hair dryer, 208
heat-transfer fluid, solar
collector panel, 383
Hector, playing card
jack, 342
heddle, hand loom, 379
heel: Achilles, 25;
automatic rifle, 461;
baseball glove, 287;
boot, 202; bread, 259;
carpenter's saw, 406;
cat, 35; file, 410; frog, 42;
golf club, 304; grand
piano, 355; guitar, 356;
horse, 36; horseshoe, 36;
human foot, 24, 29;
human hand, 29; ice
hockey goalkeeper's
stick, 290; ice skate, 319;
knife, 252; L-shaped
square, 414; man's
shoe, 200; paint
brush, 415; panty
hose, 191; plane, 410;
rasp, 410; roller
skate, 318; shoe tree, 203;
shotgun, 458; ski
binding, 320; tennis
racket, 306;
windmill, 382; woman's
shoe, 201
heel band, spur, 329
heel binding, ski, 320
heel breast, woman's
shoe, 201
heel cap, hockey skate, 319
heel chain, spur, 329
heel counter, running
shoe, 296
heel cup pivot, ski
binding, 320
heel glide, slalom water
ski, 323
heel gore, sock, 203
heelknob, dog, 34
heel lacing, snowshoe, 321
heel lift: boot, 202;
woman's shoe, 201
heel loop, wheelchair, 442
heel patch, running shoe, 296
heel piece, slalom water
ski, 323
heelplate, ski, 321, 323
heel rest, iron, 275
heel seam, sock, 203
heel seat, woman's shoe, 201
heel strap, skin diving
fin, 325
heel tip, hockey skate, 319
heifer, 30
height: and perspective, 362;
wave, 14
height adjustment: machine
gun, 461; ski binding, 320;
vacuum cleaner, 279
helical, settee, 284
helicopter, 146
helicopter flight deck,
destroyer, 140
helictite, cave, 11
helipad, White House, 73
heliport, oil drilling
platform, 99
helium valve, blimp, 158
helix, outer ear, 28
helm: coat of arms, 487;
sailboat, 130
helmath, windmill, 382
helmet: armor, 455;
baseball batter, 286; coat
of arms, 487; combat
soldier, 481; downhill
skiing, 320; drag racing
driver's fire suit, 333;
fireman, 484; flat
racing, 330; football
uniform, 288; Grand Prix
racing, 332; harness
racing, 331; ice
hockey, 291; jai alai, 308;
lacrosse, 293;
police, 482, 483; roller
skating, 318;
spacesuit, 157
helmet diving, 325
helmet skirt, drag racing
driver's fire suit, 333
helmseat, powerboat, 135
helve, axe, 454
hem: bridal gown, 472;
dress, 194; jacket, 184;
parka, 197; skirt, 193;
window shade, 236, 237
hemmer foot, sewing
machine, 274
hemming, necktie, 189
hen, 33
hence, symbol, 495
herb, prepared foods, 259
hex nut, 401; juice
extractor, 251; table
lamp, 234
hex wrench, 405
hibachi, 284
hide, ultimate beast, 47
hide rope, tepee, 82
hieroglyph, obelisk, 69
high altar, church, 85
high bar, gymanastics, 300
high beam, automobile, 102
high chair, 282
high fidelity
phonograph, 177
high-frequency antenna,
helicopter, 146
high-gain antenna, lunar
rover, 157
high heat switch, hair
dryer, 208
high-heel woman's shoe, 201
high hurdle, 298
high intensity lamp, 235
high jump, 294, 299
highlight, magazine, 168
highlighter, makeup, 212
highline, magazine, 169
high-low combination
headlamp,
automobile, 102
high-low scale, light
meter, 174
high pressure, weather
map, 19
high-pressure pump:
fireboat, 144;
paint spray gun, 415
high-pressure steam,
steam engine, 395
high pressure water spray,
tooth cleaner, 211
high pulley, universal
gym, 338
high score, darts, 316
high-speed handpiece,
dental, 445
high tide, 15
high-volume evacuation tip,
dental, 444
high water mark,
topographic map, 22
highway, 110; map, 20, 22
high-wire act, circus, 88
hi-hat cymbal, 358
hiking trail, public
sign, 491
hill, 7; road sign, 489;
roller coaster, 90
hilt: bayonet, 453;
billiard cue, 314; foil
mounting, 309; knife, 453;
mace, 454; sword, 453
hind bow, saddle, 329
hind foot: cat, 35; pig, 32;
sheep, 31
hind paw, pelt, 197
hindquarters, 35
hind scalper, harness racing
pacer, 331
hind shank, beef, 30
hind toe: cat, 35;
chicken, 33
hind wing, grasshopper, 39
hinge, 450; binoculars, 433;
book, 165; camera
tripod, 174;
cupboard, 239;
eyeglasses, 217; folding
rule, 414; hot dog
roll, 261; kiln, 367;
locomotive, 112;
phonograph
turntable, 176; railroad
signal, III; safe, 447;
scallop shell, 45;
stapler, 273; stove oven
door, 244; vault, 447;
window shutters, 37;
woodburning stove, 394
hinge cover: playpen, 282;
refrigerator, 245
hinge portion, hasp, 450
hinge rod, power
mower, 419
hip: barn, 100; bell, III;
horse, 36; human, 24
hip belt, backpack, 37
hip flexor, universal
gym, 338
hipline, dress, 194
hip pad: football, 288;
ice hockey, 291
hippodrome track, circus, 88
historical costumes, 476
history, symbol, 494
hitch, tractor, 424
hite, cartoon, 374
hobble, harness racing
gear, 331
hobble strap, saddle, 329
hock: chicken, 3; cow, 30;
dog, 34; horse, 36; jet
fighter, 152; pork, 32
hockey, ice, 290, 291
hockey skate, 319
hod, fireplace coal, 228
hoe, 417
hog, 32
hogan, 82
hogshead, 263
hoist: dam, 98; flag, 486;
helicopter, 146
hoist cable, elevator shaft, 76
hoisting equipment, oil
drilling platform, 99
hold, music notation, 346
holder: blackjack, 341;
casette tape recorder, 175;
dental, 445; easel, 364;
elevator car, 76; etching
needle, 371;
jackhammer, 426;
laboratory, 436;
lithographic press, 370;
microscope slide, 432;
police uniform, 482, 483;
stroller, 282;
telescope, 433;
tom-tom, 358; track
lighting, 235;
two-suiter, 281
holdfast, seaweed, 55
holding prong, nail
clippers, 211
holding tools, 399
hole: bagpipe, 359; blister
card, 264; bowling
ball, 311; button, 205;
cheese, 259; cigar cutter
blade, 224;
clothespin, 276; computer
diskette, 429; film, 171,
172; fireboat, 144;
fountain pen, 160; golf
course, 305; guitar, 356;
hair roller, 210;
hinge, 450; hook and
eye, 204; horsehoe, 36; ice
axe, 328; igloo, 83;
lantern, 336; man's
belt, 186; man's
underwear, 190; Milky
Way, 2; needle, 376; oil
drilling platform, 99;
phonograph record, 176;
punch card, 428; snap
fastener, 204;
snowshoe, 321;
spool, 376;
stagecoach, 127;
telephone, 178; tire, 101;
tow truck bed, 122;
vault, 447
hole punch, pocket knife, 416
hollow body, acoustic
guitar, 357
hollow grind, knife, 252
hollow lower face,
zipper, 205
hollow of throat,
human, 25
hollow wall fastener, 401
holster, 460, 474, 483
home, White House, 73
home computer, 429
home plate: baseball
field, 287; blackjack, 341
home port, passenger
ship, 138
home stake, croquet, 312
homestretch, harness
racetrack, 331
honda, lasso, 422
honing surface, sharpening
steel, 252
hood: automobile, 102;
barn, 100; basinet, 282;
bus, 114; camera
lens, 171, 172; cobra, 40;
compass, 132;
fireplace, 228; fishing
rod, 334; grandfather
clock, 229; minister, 471;
parka, 197; radar, 434;
toboggan, 322;
tractor, 424; truck, 116;
vacuum cleaner, 279
hood door, grandfather
clock, 229
hood release, car, 106
hoof: cow, 30; horse, 36;
ultimate beast, 46
hook: block and tackle, 451;
boot, 203; bulldozer, 425;
fire engine, 120, 121;
fireman, 484; fishing
jig, 335; fishing plug, 335;
frame, 373; garbage
disposal, 243;

hammock, 284; harness racing gear, 331; hearing aid, 442; ice skates, 319; latch needle, 378; parachute, 327; pendant, 215; pulley block, 451; shower curtain, 270; suit hanger, 277; tape measure, 414; tatting shuttle, 378; tow truck bed, 122; trumpet, 353; *see also* hook and eye
hookah, 225
hook and bar, fastener, 204
hook and bobbin case, sewing machine, 274
hook and eye: brassiere, 191; fastener, 204; pants, 187; skirt, 193; *see also* hook
hook and ring, mitten, 196
hook disgorger, pocket knife, 416
hooked-up truck, 116
hook grip, shoe horn, 203
hook panel, pilot's instrument panel, 153
hook tape, Velcro, 205
hook-thrust bearing assembly, pulley block, 451
hoop: banjo, 356; barrel, 263; basketball backstop, 292; croquet, 312; lasso, 422; lobster pot, 423
hopper: garbage truck, 123; key punch, 428; mechanical sweeper, 123; seeder, 420
hopper car, train, 112
hop, skip, and jump, track and field, 294
horizontal bar, gymnastics, 300
horizontal centering, radar, 434
horizontal circle, theodolite, 426
horizontal direction indicator, 747 cockpit, 150
horizontal fin, blimp, 158
horizontal gauge, carpenter's level, 414
horizontally opposed automobile engine, 107
horizontal reduction, theodolite, 426
horizontal stabilizer: helicopter, 146; jet fighter, 152; jumbo jet, 149; single engine airplane, 147
horizon glass, sextant, 133
horizon indicator, 747 cockpit, 151
horizon line, perspective, 362
horizon mirror, sextant, 133
horizon sunshade, sextant, 133
horn: car, 106; cow, 30; fire engine, 120, 121; fire extinguisher, 280; French, 352; glacier, 12; motorcycle, 125; orchestra, 348; saddle, 329; shoe, 203; subway motorman's cab, 115; truck tractor, 116; ultimate beast, 46
horny scales, crocodilians, 41
horoscope, 493
hors d'oeuvre, 259
horse, 36; flat racing entry, 330; merry-go-round, 91; pommel, 301
horse-drawn carriage, 127
horsehide, baseball, 286
horse-hoof cuff, Manchu court dress, 475
horse latitudes, wind, 6
horsepower, internal combustion engine, 396
horseracing, 330-331
horse rod, merry-go-round, 91
horse shoe, 36
horse trail, public sign, 491
hose, 203; automobile engine, 107; baseball batter, 286; fireboat, 144; fire extinguisher, 280; gas pump, 108; kitchen sink, 243; lawn sprinkler, 418; locomotive, 112; panty, 191; pumper, 121; skin diving, 325; vacuum cleaner, 279
hose-handling derrick, tanker, 137
hosel, golf club, 304
hose nozzle, 418; fire hydrant, 121
hose reel: fireboat, 144; tower ladder, 120
hospital: frontier fort, 80; passenger ship, 139; prison, 74; road sign, 488
hot air balloon, 326
hot corner, baseball field, 287
hot dog, 261
hotdogging board, surfboard, 324
hotel, airport, 92
hotel information, public sign, 490
hot gas pipe, heat exchanger, 393
hot metal, printing, 164
hot plate, coffee maker, 248
hot shoe, camera, 171
hot slot, electrical receptacle, 388
hot springs, volcano, 10
hot type, printing, 164
hot-water differential thermostat, solar heating system, 383
hot-water device, sink, 243
hot-water faucet, bathtub, 270
hot water handle, sink, 243, 269
hot-water heater, 391; camper, 126
hot-water tank, solar heating system, 383
hot wire: electrical receptacle, 388; electrician's, 413
hourglass, 229
hour hand: clock, 229; watch, 216
hour line, sundial, 381
hour meter, powerboat engine, 134
house, craps, 340; foundation, 58; exterior, 60-61; frame, 59; roof truss, 59; zodiac, 493
house ad, magazine, 169
houseboat, 134
house car, train, 113
House corridor, Capitol, 72
housekeeper's room, White House, 73
House of Representatives chamber, Capitol, 72
house organ magazine, 167
house plan, White House, 73
housing: automatic rifle, 461; automobile license plate, 102; can opener, 247; CB radio microphone, 179; compass, 132; curling iron, 210; drill, 409; electric plug, 388; eye scope, 438; finishing sander, 411; fishing reel, 334; hair dryer, 208; harmonica, 360; jackhammer, 426; juice extractor, 251; laboratory clamp, 436; lawn sprinkler, 418; mechanical sweeper, 123; outboard engine, 133; paint spray gun, 415; phonograph headphone, 177; potter's wheel, 367; power mower, 419; razor, 206; saber saw, 407; saddle, 329; stationary rings, 301; tape measure, 414; toaster, 249
hovercraft, 145
howitzer, midget, 462
hub: automobile, 104; bicycle, 124; cassette tape, 175; cupboard, 239; geodesic dome, 83; hypodermic syringe, 441; outboard engine, 133; racing car, 332; spider web, 38; stagecoach, 127; tow truck, 122; wheelchair, 442
hubble-bubble, 225
hubcap: automobile, 103
hubcap: child's wagon, 283; power mower, 419; seeder, 420
hull: boat, 128; drag racing, 333; helicopter, 146; submarine, 143; tank, 465; windsurfer, 324
hull column, oil drilling platform, 99
hull form, powerboat, 134
hull machine gun, tank, 465
hull number: mainsail, 132; submarine, 143
human body, 24-29
Humboldt Current, ocean, 6
humerus, human, 26
humidifier, 392
humidity sensor, weather station, 18
humidor, cigar, 224
hump: crocodile, 41; frog, 42; railroad yard, 94; ultimate beast, 47
hump yard, railroad, 94
hung ceiling, elevator car, 76
hurdle, 298
hurdle race, track and field, 294
hurricane, 17; weather map, 19
hurst tool, police car, 118
husk: coconut, 258; corn, 56
hutch, side piece, 239
hydrant intake, pumper, 121
hydraulic filter breather, bulldozer, 425
hydraulic fork, motorcycle, 125
hydraulic fuel tank, bulldozer, 425
hydraulic hand pump, pilot's instrument panel, 153
hydraulic lifter, tower ladder, 120
hydraulic line, garbage truck, 123
hydraulic-pneumatic device, oil drilling platform, 99
hydraulic tank, garbage truck, 123
hydroelectric powerhouse, dam, 98
hydrofoil, 145
hydrogen venting arm, launch pad, 154
hydrometer, laboratory, 437
hyphen, grammatical symbol, 497
hypodermic fang, snake, 40
hypodermic needle, 441
hypodermic syringe, 441
hydrosphere, earth, 4
hypospray, 441
hypothenar, human hand, 29

I

I: braille, 496; sign language, 496
ICBM, 466
ICC bumper, truck platform, 117
ice, thundercloud, 17
ice ax, mountain climbing, 328
iceberg, glacier, 12
icebox, 245; sailboat, 131
ice cliff, mountain, 9
ice climbing boot, 328
ice cream: cone, 261; scoop, 255; sundae, 260
ice crystal, clouds, 16
ice dispenser, refrigerator, 245
ice face, mountain, 8
icefall, mountain, 9
ice field, mountain, 9
ice hammer, mountain climbing, 328
ice hockey, 290-291
icemaker, refrigerator, 245
ice pack, 12
ice screw, mountain climbing, 328
ice sheet, 8
ice skates, 319
ice tray, refrigerator, 245
ice window, igloo, 83
icing, cake, 260
icing nozzle, 255
icing syringe, 255
idea balloon, cartoon, 375
identification: golf ball, 304; paper money, 220, 221; political map, 21
identification bracelet, 183
identification digit, credit card, 222
identification mark, dental braces, 443
identification number: credit card, 222; phonograph speaker, 117
identification tags, attaché case, 281
ideogram, public sign, 490
ideograph, public sign, 490
idler pinion, hand drill, 408
idle-speed, solenoid, automobile engine, 107
idling wheel, tank, 465
ID window, checkbook clutch, 219
igloo, 83
ignition, car, 106
ignition cable, bazooka, 462
ignition wire, automobile engine, 107
iguana, 40
ilial crest, human, 25
ilium, human, 26
illuminator, microscope, 432
illustration: book jacket, 165; book page IV, 165; cartooning, 374; magazine, 168
image: church, 84; movie film, 172; offset-lithography, 164; rotogravure, 164; still camera, 171
immature fruit, cucumber, 52
impact attenuation device, highway, 110
imperial arch, royal crown, 469
imperial mantle, royal regalia, 468
impost, arch, 70
impression, letterpress, 164
impression control, typewriter, 162
impression cylinder, printing press, 164
inboard aileron, jumbo jet, 148
inboard elevator, jumbo jet, 149
inboard engine, 133

inboard-outboard engine, **133**
inboard spoiler, jumbo jet, **148**
inbound line, football field, **289**
incandescent bulb, lighting, **234**
in-cannel, gouge, **410**
inch, grammatical symbol, **497**
inches of mercury, aneroid barometer, **18**
inch mark, tape measure, **414**
incident-light index, light meter, **174**
incised line, scrimshaw, **369**
incised printing, **371**
incisor, tooth, **446**
incline, roller coaster, **90**
incline track, amusement park, **9**
incore-instrument guide tube, nuclear reactor, **385**
indent, proofreader's mark, **498**
indented surface, thimble, **376**
index: light meter, **174**; newspaper, **166**; playing card, **342**; political map, **20**; slide projector, **173**; wristwatch, **216**
index arm, sextant, **133**
index column, voting booth, **427**
index contour, topographic map, **22**
indexer, pilot's instrument panel, **155**
index finger, human hand, **29**
index hole, computer diskette, **429**
index mark, sextant, **133**
index mirror, sextant, **133**
index reference key, political map, **20**
index sunshade, sextant, **133**
Indian, **474**
indicator: CB radio, **179**; destroyer, **141**; key punch, **428**; laboratory scale, **436**; light meter, **174**; organ, **354**; phonograph turntable, **176**; pilot's instrument panel, **153**; roadmap, **20**; 747 cockpit, **150, 151**; ski binding, **320**; space shuttle, **155**; tape recorder, **175**; television set, **181**; toll booth fee, **110**; voting booth, **427**
indicator light: airport runway, **92**; coffee maker, **248**; phonograph receiver, **177**; 747 cockpit, **151**; subway motorman's cab, **115**; toaster oven, **249**
indicia, magazine, **167**
individual account number, credit card, **222**
individual race, swimming pool, **310**
individual lever, voting booth, **427**
inductor: dispenser, **263**; elevator shaft, **76**
industry indentification digit, credit card, **222**
inertial guidance system, submarine, **143**
infantry badge, military uniform, **480**
infantry banquette, permanent fort, **81**
infantry button, Revolutionary War general, **476**
infantryman, uniform, **480, 481**
infantry rope, uniform, **480**
infield: baseball, **287**; harness racetrack, **331**
infinity, symbol, **495**
inflatable anti-shock trousers, paramedic equipment, **119**
inflation bulb, blood pressure gauge, **439**
inflation needle, football, **288**
infill, fence, **65**
inflatable, **129**
inflation hose, skin diving, **325**
inflation valve, tire, **101**
inflator, skin diving, **325**
inflorescence, grass, **56**
information: check routing, **222**; public sign, **490**; ticket, **343**; toll booth, **110**
information display, pilot's instrument panel, **153**
infrared lamp, hair styling, **210**
infrared night scope, bazooka, **462**
infrared radiometer, satellite, **182**
infrared remote-control command, television set, **181**
infrared seeker, jet fighter, **152**
infuster, tea, **256**
infusion coffee maker, **248**
ingredient, package, **264**
ingress and egress platform, lunar lander, **156**
initial: letter, **161**; magazine, **168**
injection, hypodermic syringe, **441**
injector, razor blade, **206**
injector pipe, locomotive, **112**
ink: octopus, **44**; pen, **160**; rotogravure, **164**; rubbing, **370**; well, **160**
inked surface, wood block, **368**
ink roller, offset-lithography, **164**
inlay: armor, **455**; dental, **445**; sideboard, **239**; sofa, **232**
inlet: coastline, **15**; combustion jet engine, **397**; jet fighter, **152**; laboratory burner, **437**; nuclear reactor, **385**; surgical table, **440**; toilet, **271**
in-line six automobile engine, **107**
inmate, prison, **74**
in mufti, police, **482**
innards, human, **25**
inner bailey, castle, **78, 79**
inner basket, sink, **243**
inner cantus, eye, **28**
inner cornice, merry-go-round, **91**
inner core, earth, **4**
inner deck, escalator, **77**
inner enclosure, air conditioner, **392**
inner hearth, fireplace, **228**
inner-liner pouch, package, **264**
inner lip, univalve shell, **45**
inner reflector, adjustable lamp, **235**
inner ring, embroidery, **377**
inner sash, window, **63**
inner shell, nuclear reactor, **384**
inner slide brace, trombone, **352-353**
inner sole, shoe, **200, 201**
inner spring, bed, **267**
inner table, backgammon board, **339**
inner ward, castle, **78, 79**
inner wheel, ferris wheel, **91**
input, guitar amplifier, **357**
input jack, cassette tape recorder, **175**
input plug, movie projector, **173**
inscription: money, **220**; tombstone, **500**
inseam: jacket, **184**; trousers, **187**
insect, **39**
insert: clamp, **399**; ice skates, **319**; magazine, **169**; proofreader's mark, **498**
insert steel, jackhammer, **426**
inset: magazine, **167, 168**; political map, **21**
inset sleeve, cardigan sweater, **195**
inside address, letter, **161**
inside cap, umbrella, **226**
inside drive, merry-go-round, **91**
inside leg seam, trousers, **187**
inside margin, book page, **165**
inside rail, harness racetrack, **331**
inside sleeve seam, jacket, **184**
insignia: drum major's coat, **479**; mainsail, **132**; military uniform, **480, 481**
insole: boot, **202**; man's shoe, **200**; sandal, **202**
inspection plate, buoy, **128**
instant camera, **170**
instant hot-water device, sink, **243**
instep: human foot, **29**; shoe, **200, 201**; sock, **203**
instruction: fire extinguisher, **280**; furnace, **390**; parking meter, **109**; pay telephone, **178**; sheet music, **346**; water heater, **391**
instrument, musical, **348-360**
instrument approach, airport runway, **92**
instrumentation, 747 engine, **151**
instrumentation control, space shuttle, **155**
instrument input, guitar amplifier, **357**
instrument panel: airplane, **153**; bulldozer, **425**; lunar rover, **157**; snowmobile, **126**
instrument sensitivity, volt-ohm meter, **413**
instrument tray, dental unit, **444**
instrument warning light, 747 cockpit, **151**
insulated grip, wire stripper, **413**
insulated handle: chafing dish, **241**; lineman's pliers, **404**
insulated window, **63**
insulating body, plug fuse, **389**
insulating glass, window, **63**
insulation: cartridge fuse, **389**; electrician's wire **413**; solar collector panel, **383**
insulator, overhead power line, **386**
intaglio: and etching, **371**; printing, **164**
intake: bus, **114**; destroyer, **141**; racing car, **332, 333**; silo, **100**; turbine locomotive, **113**; vacuum cleaner, **279**
integrated control panel, pilot's instrument panel, **153**
Integrated thermal meteoroid garment, 157
intensity control, radar, **434**
interaction region, transistor chip, **386**
interearpal, human, 26
interchange, highway, **110**
interchangeable lens, camera, **171**
interchange symbol number, road map, **20**
intercity bus, **114**
intercolumniation, **71**
intercom: prison, **74**; 747 cockpit, **150**
intercontinental ballistic missile (ICBM), **466**
interdigital pad, human hand, **29**
interface, ski binding, **320**
interference rejector, radar, **434**
inter-grip rim lock, **448**
interlining, necktie, **189**
interlocking timbered joint, Japanese architecture, **68**
interior: Hansom cab, **127**; window, **63**
interior panel, coffin, **500**
interior slope, permanent fort, **81**
intermediate hurdle, **298**
intermediate lens, eyeglasses, **217**
intermediate pipe, automobile, **104**
internal combustion engine, **396**
internal organs, human, **27**
internal wave, **14**
international architecture, **68-69**
International Date Line, **5**
International Standard Book Number, **165**
interpretation, punch card, **428**
interrupter, label, **264**
intersection, highway, **110**
interstate route: road map, **20**; road sign, **488**
interstellar cloud, **2**
interval, thematic map, **21**
intestine, human, **27**
intrados, arch, **70**
intravenous equipment, operating room table, **440**
introduction, magazine, **168**
intubation box, paramedic equipment, **119**
inventory control number, paperback book, **165**
inverted hub, two truck, **122**
invisible zipper, **205**
involuntary muscle, human, **26**
ion particle cloud, **3**
iris, eye, **28**
iris diaphragm, microscope, **432**
iron, **275**; branding, **422**; crossbow, **456**; fireplace, **228**; flat racing, **330**; golf club, **305**; hair styling, **210**; plane, **410**
iron curtain, stage, **344**
ironing board, **275**
iron lung, **442**
iron man, cattle ranch, **422**
irregular galaxy, **2**
isarithmic map, **21**
ISBN, book, **165**
ischium, human, **26**
is equal to, symbol, **495**
island, **7, 15**; aircraft carrier, **142**; dental, **444**; highway, **110**; river, **13**; service station, **108**; toll booth, **110**
isle, **7**
islet, **7**
is not equal to, symbol, **495**
isobar, weather map, **19**
isopleth line, thematic map, **21**
isotonic exercises, body building, **338**
issue date: check, **222**; magazine, **167**; newspaper, **166**
issuer: paper money, **220**; postal money order, **223**; traveler's check, **223**

issuing Federal Reserve Bank's code number, paper money, **221**
isthmus, **7**
italic: proofreader's mark, **498;** type, **163**
italic refer, newspaper, **166**
item-by-item tape, cash register, **430**
IV equipment, operating room table, **440**
ivory carving, scrimshaw, **369**

J

J: braille, **496;** sign language, **496**
jabot, bridal gown, **472**
jack: CB radio, **179;** garbage truck, **123;** metal detector, **435;** movie camera, **172;** phonograph receiver, **177;** playing cards, **342;** tape recorder, **175;** video recorder, **180;** volt-ohm meter, **413**
jacket: cartridge, **460;** computer diskette, **429;** fencing, **309;** hardback book, **165;** kiln, **367;** king's regalia, **468;** locomotive, **112;** Manchu court dress, **475;** man's, **184;** military uniform, **480;** phonograph record, **176;** skin diving, **325;** sweater, **195;** vacuum cleaner dust bag, **279;** waterskiing, **323;** woman's, **192;** zinc carbon cell, **387**
jacket crown, dental, **443**
jackhammer, **426**
jack knife, **416**
jack-plug socket, electric guitar, **357**
jack staff, destroyer, **141**
jack stud, house, **59**
jaguar coat, ultimate beast, **46**
jail, **74**
jai alai, **308**
jalousie window, **63**
jamb: arrow, **455;** castle portcullis, **79;** door, **62;** vault, **447;** window, **63**
jamb plate, chain lock, **448**
Japan Current, ocean, **6**
jar: beauty product, **213;** laboratory, **437**
jarn, cartoon, **375**
javelin, **295, 297**
jaw: bear trap, **423;** brace chuck, **408;** cat, **35;** clamp, **399;** drill, **409;** fish, **43;** human, **24;** nail clippers, **211;** pliers, **404;** snake, **41;** vise, **398, 399;** wire stripper, **413;** wrench, **405**
jaw pad, football helmet, **288**
jaws of life, police car, **118**
jazz band, **348**
jean pocket, trousers, **187**
jeans, **187**
jeep, **126**
Jehu, stagecoach, **127**
jellaba, Arab dress, **475**
jellyfish, **44**
jersey: basketball, **292;** football, **288;** sailor, **481**
Jersey pocket, bowling, **311**
Jerusalem cross, symbol, **492**
jet: bath, **270;** engine, **397;** fighter, **152;** hovercraft, **145;** jumbo, **148**
jet blast deflector, aircraft carrier, **142**
jet bridge, airport, **92**
jet engine test area, aircraft carrier, **142**
jet nozzle, lawn sprinkler, **418**
jettison handle, pilot's instrument panel, **153**
jetty, nautical chart, **22**
jewel drawer, dressing table, **268**
Jewish ritual items, **470**
Jew's harp, **360**
j-hook, tow truck bed, **122**
jib: sail, **132;** sailboat, **130**
jibtop, **130**
jib topsail, **130**
jig, fishing, **335**
jigsaw, **407**
jingle, tambourine, **358**
jock, **190**
jockey: flat racing, **330;** saddle, **329**
jockey shorts, **190**
jockstrap, **190**
jockey wheel, bicycle, **124**
jogger, running shoe, **296**
jogging track, passenger ship, **138**
John B., cowboy hat, **474**
"John Wayne," can opener, **247**
join, basket, **262**
joint: automobile, **105;** billiard cue, **314;** brick wall, **67;** folding rule, **414;** hardback book, **165;** hasp, **450;** hitch and harrow, **424;** human, **26, 29;** oil drilling platform, **99;** pliers, **404;** silkscreen, **369;** timbered, **68;** umbrella, **226;** windsurfer, **324**
joint bar, railroad track, **111**
joint-sealing compound, plumbing, **412**
joist, house, **58, 59**
joker, playing cards, **342**
journal, **167**
journal clerk, Congress, **12**
journal printer, cash register, **430**
jowl, pork, **32**
judge, **87;** fencing match, **309**
judge's box, ice hockey rink, **291**
judge's chambers, **87**
judge's entrance, jai alai cancha, **308**
judge's seat, courtroom, **87**
judge's secretary's table, courtroom, **87**
Judith, playing card queen, **342**
jug, infusion coffee maker, **248**
juggler, circus, **88**
jugular groove, horse, **36**
juice extractor, **251**
juicer, **251**
juice rack, refrigerator, **245**
jukebox, **176**
jumbo jet, **148-149**
jump, track and field, **294**
jumper: merry-go-round, **91;** parachuting, **327;** sailor's uniform, **481;** waterskiing, **323**
jumper cable, tow truck, **122**
jumping: ski, **320;** track and field, **294**
jumping bed, trampoline, **302**
jumping pit, high jump, **294**
jump line: magazine, **169;** newspaper, **166**
jump plane, parachuting, **327**
jump rope, body building, **338**
junction, highway, **110**
junction box: electrical receptacle, **388;** light fixture, **234**
jungle gym, backyard, **283**
Jupiter, planet, **3**
jury box, courtroom, **87**
juryroom, **87**

K

K: braille, **496;** sign language, **496**
kame, mountain, **8**
kangaroo crane, skyscraper, **75**
kangaroo pouch, ultimate beast, **46**
karat, ring, **215**
kasagi, torii, **68-69**
kazoo, **360**
keel: box kite, **317;** sailboard, **130;** turkey, **33;** waterskiing, **323**
keep, castle, **78**
keeper: dress, **194;** man's belt, **186;** saddle, **329;** tape recorder, **175;** toaster, **249**
keffiyah, **475**
keg, **263**
kennel, passenger ship, **138**
kerf, saw, **406**
kernel, grass, **56**
ketch hand, cattle ranch, **422**
ketchup, and frankfurter, **261**
kettle, tea service, **241**
kettledrum, **348, 358**
kettle grill, **284**
key, **449;** accordion, **360;** anchor, **128;** basketball court, **292;** calculator, **431;** can opener, **247;** cash register, **430;** clarinet, **350;** computer, **429;** drill press, **409;** flute, **350;** fruit, **50;** globe, **1;** guitar, **356, 357;** key punch, **428;** metronome, **361;** organ, **354;** piano, **355;** political map, **20;** saw, **401;** saxophone, **351;** telegraph key, **159;** television set, **181;** trombone, **353;** trumpet, **353;** typewriter, **162;** video recorder, **180**
keyboard: accordion, **360;** carillon, **III;** cash register, **430;** computer, **429;** key punch, **428;** organ, **354;** piano, **355;** space shuttle computer, **155;** synthesizer, **357;** typewriter, **162**
keychain, **449;** police gun belt, **483**
key chuck, power drill, **409**
keyed point of interest, city plan, **20**
keyhold, mortise lock, **448**
key holder, police gun belt, **482**
keyhole, door, **62**
keyless chuck, drill press, **409**
key lever, telegraph, **159**
key pad, computer, **429**
key punch, computer, **428**
key signature, music, **346**
keyslip, grand piano, **355**
keystone: arch, **70;** arched window, **60;** cupboard, **239;** door, **62**
keystone tip, screwdriver, **403**
keyway, lock, **448, 449**
kick, bottle, **263**
kick arc, soccer field, **293**
kicker, magazine, **169**
kick mark, soccer field, **293**
kicking pad, knee kicker, **242**
kickstand, motorcycle, **125**
kicktail, skateboard, **318**
kick-wheel, potter's wheel, **367**
kidney, human, **27**
kill, volleyball, **313**
killer, darts, **316**
killing trap, **423**
kiln, **367**
kiltie, man's shoe, **200**
king: checkers, **339;** chess, **339;** playing cards, **342;** royal regalia, **468**
king block, igloo, **83**
kingpin: bowling, **311;** roller skate, **318;** truck van, **117**
king post: hang glider, **327;** house, **59;** tanker, **137**
king row, checkers, **339**
kingside men, chess, **339**
kiss curl, woman's hair, **209**
kitchen: lobster pot, **423;** prison, **74**
kitchen range, house blueprint, **60**
kitchen sink, **243**
kitchen spoon, **255**
kitchen timer, **254**
kite, **317**
kitten, **35**
klettershoe, mountain climbing, **328**
knapsack, **337**
knave, playing cards, **342**
knee: cat, **35;** cow, **30;** dog, **34;** drop-leaf table, **238;** frog, **42;** horse, **36;** human, **24**
knee boot, harness racing, **331**
knee breeches: Beefeater, **467;** Revolutionary War general, **476**
knee cup, armor, **455**
kneehole: desk, **272;** dressing table, **268**
knee hose, fencing, **309**
knee kicker, for carpet laying, **242**
knee lever, guitar **357**
knee machine, universal gym, **338**
kneepad: basketball, **292;** football, **288;** ice hockey, **291;** rollerskating, **318;** ski pants, **320**
knee roll, saddle, **329**
knee sock, **203;** ski clothes, **321**
knickers: fencing, **309;** ski clothes, **321**
knife: corkscrew, **247;** engraving, **369;** guillotine, **452;** kitchen, **252;** mower, **419;** painting, **364;** pocket, **416;** skin diving, **325;** Swiss army, **416;** table, **240;** thrusting and cutting weapon, **453**
knife box, sideboard, **239**
knife case, sideboard, **239**
knife man, cattle ranch, **422**
knight, chess, **339**
knight pawn, chess, **339**
knitting needle, **378**
knit vest, **195**
knob: baseball bat, **287;** bathtub, **270;** bolt ring, **214;** camera, **171;** cannon barrel, **457;** can opener, **247;** chain saw, **421;** citrus juicer, **251;** coffee maker, **248;** door, **62, 448;** drain cleaner, **412;** dressing table, **268;** drill press, **409;** drum, **358;** fishing reel, **334;** handbag, **218;** knee kicker, **242;** lamp, **235;** medical examination table, **440;** microscope, **432;** mower, **419;** paint spray gun, **415;** pencil sharpener, **273;** phonograph receiver, **177;** plane, **410;** pots and pans, **253;** projector, **173;** propane torch, **412;** rifle scope, **459;** saw, **407;** seeder, **420;** telescope, **433;** theodolite, **426;** toaster, **249;** typewriter, **162;** venetian blind, **237;** volt-ohm meter, **413;** wind turbine, **382**
knob nut and bolt, plane, **410**
knocker, door, **62**
knot: ballet toeshoes, **478;** balloon, **477;** gallows, **452;** lumber, **66;** thread, **376;** woman's hair, **209**
knothole, lumber, **6**
knuckle: dog, **34;** hinge, **450;** human hand, **29**
knuckle bow, sword hilt, **453**

kokoshniki, architecture, 68
kosher symbol, label, 264
kudu horn, ultimate beast, 46
Kuroshio Current, ocean, 6
kusabi, torii, 69

L

L: braille, 496; sign language, 496
label: baseball bat, 287; cartooning, 374; church, 84; computer diskette, 429; gas pump, 108; magazine, 167; necktie, 188; package, 264-265; phonograph record, 176; shirt, 185
labeling, 264-265
labial, tooth, 446
laboratory equipment, 436-437
labrum, grasshopper, 39
laccolith, volcano, 10
lace: baseball, 286; baseball glove, 287; boxing glove, 303; bridal gown, 472; ice hockey, 291; ice skates, 319; maid's uniform, 473; man's shoe, 200; queen's regalia, 468; running shoe, 296
lace lock, ice climbing boot, 328
lacing: football, 288; snowshoe, 321
lacrosse, 293
ladder, 415; circus aerialist, 88; destroyer, 140; ferris wheel, 91; hydrofoil, 145; lunar lander, 156; powerboat, 135; silo, 100; slide, 283; tower ladder, 120; tugboat, 144; venetian blind, 237
ladle, 255
lagoon, 7, 15
La Hire, playing card jack, 342
lake, 7, 13; dam, 98; mountain, 8
lam, hand loom, 379
lamb, 31
lambrequin, coat of arms, 487
lamella, Jew's harp, 360
lamina, leaf, 50
lamp, 234; adjustable, 235; automobile, 102; blimp, 158; hair styling, 210; Hansom cab, 127; house, 61; locomotive, 112; speculum, 438; stagecoach, 127; television set, 181; track lighting, 235
lamp field diaphragm, microscope, 432
lampshade, 234
lance, medieval, 454
lance guard, armor, 455
Lancelot, playing card jack, 342
lancet window, church, 84
land feature, 7
landing, staircase, 64
landing area: aircraft carrier, 142; pole vault, 299
landing control, space shuttle, 155
landing gear, lunar lander, 156
landing gear controls: pilot's instrument panel, 153; 747 cockpit, 151
landing light, helicopter, 146
landing mat, gymnastics, 300
landing net, fishing, 335
landing pit, track and field, 294
landing system, aircraft carrier, 142
landing threshold, airport runway, 92
landing wheel: blimp, 158; glider, 147
landing-zone detector, elevator shaft, 76
landmark object, topographic map, 22
landmass, and continental shelf, 15
land mine, 463
landscaping, house, 61
lane: basketball court, 292; bowling, 311; highway, 110; running track, 294; swimming pool, 310; toll booth, 110
language, symbolic, 496
lantern, camping, 336
lanyard: cowboy hat, 198; camera, 170; stopwatch, 298
lap belt, drag racing driver, 333
lapel: jacket, 184, 192; Revolutionary War general, 476
lap-felled seam, tent, 336
lappet, bishop, 471
large branch, tuba, 352
large intestine, human, 27
large shallow gouge, woodcarving, 366
large wheel, wheelchair, 442
lariat, ranching gear, 422
larva, insect, 39
LaserDisc player, television, 181
lash brush, beauty product, 213
lashing, flat kite, 317
lasso, 422
latch: camera, 170; chain saw, 421; clothes dryer, 277; cupboard, 239; dishwasher, 246; door, 448; garbage disposal, 243; hasp, 450; mailbox, 227; mortise lock, 448; needle, 378; revolver, 460; trenchcoat, 196
latch needle, 378
latch support, pulley block, 451
lateral adjusting lever, plane, 410
lateral furrow, horse's foot, 36
lateral incisor, tooth, 446
lateral line, fish, 43
laterally gaited trotter, 331
lateral moraine, 8, 9, 12
lateral pulley, universal gym, 338
lath, lobster pot, 423
Latin cross, symbol, 492
latissimus dorsi, human, 26
latitude, parallel of, 5, 20
latticework tower, power network, 386
launch bar abort, pilot's instrument panel, 153
launcher: aircraft carrier, 142; destroyer, 141; rocket, 462
launcher tube, bazooka, 462
launching ramp, public sign, 491
launch pad, space shuttle, 154
laundry: frontier fort, 80; passenger ship, 138; prison, 74
lava flow, volcano, 10
lavaliere, 215
lavatory, 269; bus, 114; jumbo jet, 148, 149
lawn cart, 420
lawn mower, 419
lawn sprinkler, 418
layout: dominos, 339; magazine, 168; roulette, 370
LCD, wristwatch, 216
lead: internal combustion engine, 396; magazine, 168; newspaper, 166; pencil, 160; proofreader's mark, 498; and volt-ohm meter, 413
lead acid battery, 387
lead came, 372
lead connector, pacemaker, 442
leader: book page, IV; film roll, 171; fishhook, 335; house, 61; House of Representatives, 72
leader board, windmill, 382
leader-pusher, cowboy, 474
lead-in, magazine, 169
lead-in brace, toboggan, 322
leading edge: ax, 454; hang glider, 327; jumbo jet, 148
lead-in groove, phonograph record, 176
lead-in wire, bulb, 235
lead-out groove, phonograph record, 176
lead pencil, 160
lead pick-up, guitar, 357
lead pipe, trumpet, 353
lead plum, cowboy, 474
lead track, railroad yard, 94
lead weight: flat racing, 330; grandfather clock pendulum, 229; skin diving, 325
lead wire, vacuum tube, 386
leaf, 50; book, 165; canal lock, 97; carrot, 52; celery, 258; cigar, 224; corn, 56; fern, 55; grass, 56; hair clip, 210; hinge, 450; lettuce, 258; onion, 52, 258; pineapple, 53; table, 238; tree, 48
leaf springs, truck tractor, 116
lean tissue, meat, 258
leash: clown, 477; ski, 320
leather: bagpipe bag, 359; dabber pad, 371; dog, 34; flat racing, 330; football, 288; hot air balloon, 326; parka tab, 197; saddle bar, 329; stirrup, 329; suspenders, 186; tefillin strap, 470
lechurban, Jewish prayer shawl, 470
lecture hall, passenger ship, 139
lede: magazine, 168; newspaper, 166
ledge: basket, 262; bathtub, 270; can opener, 247; mountain, 9
ledger, incline track, 90
ledger line, music, 347
leech, mainsail, 132
leeward side, boat, 128
left bank, river, 13
left-channel volume unit meter, tape recorder, 175
left ear, newspaper, 166
left engine fuel shutoff handle, pilot's instrument panel, 153
left field, baseball, 287
left-handed strike pocket, bowling, 311
left-hand page, book, 165
left-hand steering lever, bulldozer, 425
left pedestal, desk, 272
left service court: badminton, 313; handball, 307
left wing, easel, 364
leg: backyard equipment, 283; bee, 39; bridge, 95; bureau, 268; camera tripod, 174; cat, 35; chaise lounge, 284; dog, 34; desk, 272; ferris wheel, 91; fishing reel, 334; human, 24; ironing board, 275; kettledrum, 358; kiln, 367; kite, 317; lamb, 31; lobster, 45; lounger, 231; medical examination table, 440; mortar, 462; panty hose, 191; paper clip, 273; parallel bars, 300; piano, 355; playpen, 282; pool table, 314; poultry, 33; rocking chair, 230; sawhorse, 398; sheep, 31; sideboard, 239; stage, 344; staple, 400; steamer basket, 253; stove, 394; table, 238; table saw, 407; telescope, 433; tom-tom, 358; trampoline, 302; trousers, 187; tweezers, 211; wheelbarrow, 420; woman's pants, 192; workbench, 398; *see also* limb
legal tender, paper money, 220
leg brace: wheelbarrow, 420; workbench, 398
legend: magazine, 169; money, 2[illegible]; political map, 21
legging: Indian, 474; sailor, 481
leg hole, man's underpants, 190
legislative clerk, Senate, 72
leg leveler, parallel bars, 300
leg lock, screen, 173
leg-of-mutton sleeve, bridal gown, 472
leg press, universal gym, 338
leg strap, athletic supporter, 190
leg support, backyard equipment, 283
legume, pea, 52
lemon press, 257
lemon squeezer, 257
length adjuster, knee kicker, 242
lengthwise grain, fabric, 380
lengthwise grain line, sewing pattern, 380
lens: automobile, 102; binoculars, 433; camera, 170, 171, 172, 180; ear scope, 438; eye, 28; eyeglasses, 217; microscope, 432; projector, 173; radar, 434; rifle scope, 459; shapes, 217; skin diving mask, 325; solar power system, 383; telescope, 433; thermometer, 439; traffic light, 109
lens-selection disc, eye scope, 438
lens tissue, photographic, 174
lenticel, tree, 48
Leo, zodiac, 493
leopard coat, ultimate beast, 46
leotard, ballet dancer, 478

less space, proofreader's mark, 498
less than, symbol, 495
let it stand, proofreader's mark, 498
letter, 161; paper money, 220, 221; weather vane, 19
letter drawer, desk, 272
letterhead, 161
letterpress printing, 164
lettuce, 52, 258
lettuce dryer, 256
levee, 98; river, 13
level: carpenter's, 414; combination square, 414; transit, 426
level control, phonograph speaker, 177
leveler: parallel bars, 300; pool table, 314
leveling bubble, theodolite, 426
leveling foot: garbage disposal, 243; slide projector, 173
lever: bathtub, 270; bicycle, 124; bulldozer, 425; camera, 171; can opener, 247; child's car seat, 282; guitar, 357; electrical wall switch, 388; fire extinguisher, 280; fishing reel, 334; gas cigarette lighter, 224; gas pump, 108; hand grenade, 463; internal combustion engine, 396; iron, 275; jackhammer, 426; machine gun, 461; motorcycle, 125; movie projector, 173; nail clippers, 211; outboard engine, 133; pay phone, 178; pencil sharpener, 273; pilot's instrument panel, 153; pistol nozzle, 418; plane, 410; pliers, 404; potter's wheel, 367; 747 cockpit, 150, 151; sextant, 133; spreader, 420; stagecoach, 127; stroller, 282; surgical table, 440; telegraph key, 159; typewriter, 162; voting booth, 427; wheelchair, 442
lever arm, corkscrew, 247
lever cap, plane, 410
lever dolly, balance beam, 300
lever knob, pencil sharpener, 273
lever lock: pistol nozzle, 418; starting block, 298
lever-wrench pliers, 404
levigator, lithography, 370
Libra, zodiac, 493
library: passenger ship, 138; White House, 73
license plate: automobile, 102, 103; tow truck bed, 122
lickings, ice cream cone, 261
lid: automobile trunk, 103; barbecue grill, 284; basket, 262; camp stove, 336; can opener, 247; coffee maker, 248; coffin, 500; juice extractor, 251; kiln, 367; percolator, 248; piano, 355; pipe bowl, 225; pots and pans, 253; tea kettle, 241; toilet, 271; washing machine, 276
lie: golf, 304; ice hockey stick, 290
life, symbol of, 492
lifeboat: destroyer, 141; oil drilling platform, 99; passenger ship, 138; tanker, 137
life jacket, waterskiing, 323
lifeline: destroyer, 140; human hand, 29; inflatable, 129; sailboat, 130
lifepack, paramedic equipment, 119
life raft: aircraft carrier, 142; jumbo jet, 148; tugboat, 144
life ring, fireboat, 144
life-support system: ambulance, 119; racing car, 332; spacesuit, 157
lift: body building, 338; boot, 202; passenger ship, 138
lift bridge, 95
lift cord, venetian blind, 237
lift cylinder, bulldozer, 425
lifter: can opener, 247; kitchen utensil, 255; phonograph, 176; tower ladder, 120
lift fan, hovercraft, 145
lifting column, surgical table, 440
lifting eye, buoy, 128
lifting ring, rowboat, 129
lift knob, toaster, 249
lift link, hitch and harrow, 424
lift lock: toaster, 249; venetian blind, 237
lift-net, tower ladder, 120
lift pedal, dental unit, 444
lift-out stem, steamer basket, 253
lift rod, sink, 269
lift span, bridge, 95
lift wires, toilet, 271
ligature: clarinet mouthpiece, 351; grammatical symbol, 497
light: aircraft carrier, 142; airport runway, 92; automobile, 102, 103; bulldozer, 425; buoy, 128; bus, 114; camera, 172; camper, 126; CB radio, 179; church, 85; coffee maker, 248; dental unit, 444; destroyer, 140, 141; door, 62; drag racing, 333; fencing strip, 309; fireboat, 144; fire engine, 120, 121; guitar amplifier, 357; helicopter, 146; house, 61; ice hockey, 290; jet fighter, 152; lift bridge, 95; locomotive, 113; lunar lander, 156; mechanical sweeper, 123; motorcycle, 125; nautical chart, 22; phonograph receiver, 177; pilot's instrument panel, 153; police car, 118; powerboat, 134; railroad crossing signal, 111; relief map, 21; sailboat, 130; 747 cockpit, 150, 151; sewing machine, 274; single engine airplane, 147; space shuttle, 155; speculum, 438; stage, 344; subway car, 115; synagogue, 86; taxi roof, 115; toaster oven, 249; toll booth, 110; Torah, 470; tow truck, 122; tractor, 424; traffic, 109; truck, 116, 117; tugboat, 144; voting booth, 427; washing machine, 276
light control: camera, 170; pilot's instrument panel, 153
light-diffuser panel, elevator car, 76
light-duty road, topographic map, 22
lighter, cigarette, 224
light-horn, nautical chart, 22
lighthouse, nautical chart, 22
lighting: and composition, 362; track, 235
lighting hole, lantern, 336
light mast, aircraft carrier, 142
light meter, photographic, 174
lightning, 17
lightning rod, launch pad, 154
light-reading index, light meter, 174
light selector, police car, 118
light source, composition, 363
light switch: elevator, 76; refrigerator, 245; stove oven, 244
light type, 167
ligule, grass, 56
limb: bow, 456; human, 24, 25; microscope, 432; sextant, 133; theodolite, 426; tree, 48; *see also* leg
limb top, microscope, 432
lime, crustacean chitin, 45
lime glass, light bulb, 234
limestone cup, coral polyp, 44
limitation plate, postal money order, 223
limited access highway, road map, 20
limiter, CB radio noise, 179
limit line, fencing strip, 309
limit switch, elevator shaft, 76
Lincoln Suite, White House, 73
line: badminton court, 313; basketball court, 292; bell, III; block and tackle, 451; boat, 128; book page, IV; bowling lane, 311; compass, 132; craps table, 341; drag racing, 333; fencing strip, 309; flat racing entry, 330; football field, 289; garbage truck, 123; globe, 5; handball court, 307; harness racetrack, 331; horse's foot, 36; hot air balloon, 326; ice hockey, 290, 291; jai alai cancha, 308; kite, 317; lacrosse field, 293; lasso, 422; magazine, 167, 169; map, 20, 21; movie film, 172; music notation, 346, 347; newspaper, 166; nuclear reactor, 384; parachute, 327; perspective, 362; power, 386; powerboat, 135; scrimshaw, 369; shuffleboard court, 312; soccer field, 293; squash court, 307; spider web, 38; stage, 344; sundial, 381; tanker, 137; theatre, 345; track and field, 294, 295; tugboat, 144; volleyball court, 313; windmill, 382; windsurfer, 324
linear perspective, and composition, 362
linear slide rule, 431
line box, tugboat, 144
line finder, typewriter, 162
line guide, fishing reel, 334
line-in jack, tape recorder, 175
line lashing, kite, 317
lineman's pliers, 404
linen, ambulance, 119
linen locker, sailboat, 131
line of perspective, 362
line printer, computer, 429
liner: automatic rifle handguard, 461; fireplace flue, 228; football helmet, 288; glove, 196; gouge, 368; makeup, 212; ship, 136, 138; Torah, 470
line-recording level control, tape recorder, 175
line roller, fishing rod, 334
line space lever, typewriter, 162
line support, power network, 386
line symbol, political map, 20
line-up light, aircraft carrier, 142
linework, map, 20
ling-t'ou, Manchu court dress, 475
lingual, tooth, 446
lingual cusp, tooth, 446
lining: beret, 198; garment, 192; hardback book, 165; man's belt, 186; man's shoe, 200; mitten, 196; parka, 197; saddle, 329; ski clothes, 321; sleeping bag, 337; trenchcoat, 196; tunnel, 96
link: bolt ring, 214 cartridge fuse, 389; chain, 451; chain saw chain, 421; hitch and harrow, 424; horizontal bar, 300; identification bracelet, 183; keychain, 449; parachute harness, 327; pendant, 215; sponge mop, 278; swivel, 214; tank track, 464; wristwatch band, 216
linkage: gardening shears, 417; vault, 447
link chain, 451
linking string, frankfurter, 261
link strap, block and tackle, 451
linseed oil, sketch, 365
lintel: church, 84; door, 62; fireplace, 228; house, 59; torii, 68-69
lint filter, washing machine, 276
lint trap, clothes dryer, 277
lion: ultimate beast, 46; zodiac, 493
lip: bell, III; blender, 250; bottle, 263; cat, 35; coffee maker, 248; dustpan, 278; embroidery ring, 377; fishing plug, 335; human, 24; mousetrap, 423; mouth, 28; pot, 367; sink, 269; stemware, 240; stove, 394; univalve shell, 45
lip brush, 213
lip gloss, 212, 213
lip liner, 212, 213
lip rest, corkscrew, 247
lipstick, 212, 213
liqueur glass, 241

liquid: dental, 445; fruit, 251
liquid-bleach dispenser, washing machine, 276
liquid-bulk carrier, 136
liquid column, dual scale thermometer, 18
liquid-cooled internal combustion engine, 396
liquid crystal display: Geiger counter, 435; wristwatch, 216
liquid fuel, rocket, 397
liquid measuring cup, 254
liquid oxygen: pilot's instrument panel indicator, 153; rocket, 397
lira, symbol, 495
li-shui portion of dragon robe, Manchu court attire, 475
listed number, telephone, 178
listing, magazine, 169
literal rendition, work of art, 362
literary anatomy, 25
lithographic crayon, 370
lithographic pencil, 370
lithographic press, 370
lithography, 164, 370
lithosphere, 4
litter bin, 243
little finger, human hand, 29
little toe, human foot, 29
littoral zone, coastline, 15
live-bait well, powerboat, 135
liver: fowl, 33; human, 27
livery, servant, 473
living quarters: oil drilling platform, 99; White House, 73
liwan, mosque, 68-69
lizard, 40
load bearing wall, house, 58
load cord, hot air balloon, 326
loader: cannon, 457; razor blade, 206
loader's hatch, tank, 464
loading bridge, airport, 92
loading door, stove, 394
loading gate: revolver, 460; shotgun, 458
loading platform, stage, 344
loading slot, razor blade, 206
load lever, typewriter, 162
load line, symbol, 495
load ring, hot air balloon, 326
load-size selector, washing machine, 276
loaf, bread, 259
loafer, man's shoe, 200
lobby, skyscraper, 75
lobe: leaf, 50; outer ear, 28; partisan, 454; ultimate beast, 47
lobster, 45
lobster cracker, 257
lobster pot, 423
local elevator, skyscraper, 75
local galaxy, 2
local organizer, backpack, 337
local political boundary, road map, 20
local route number, road map, 20
local street, city plan, 20
location marker, airport, 92
location of office, letter, 161
locator diagram, political map, 21
lock: attache case, 281; bus, 114; camera, 170; canal lock, 97; cash register, 430; cymbal stand, 358; desk, 272; garbage disposal, 243; garbage truck, 123; handbag, 218; human, 25; hurdle, 298; ice climbing boot lace, 328; lift bridge, 95; mailbox, 227; movie projector, 173; organ, 354; parallel bars, 300; parking meter, 109; phonograph tone arm, 176; playpen, 282; police gun belt, 482; pommel horse, 301; pressure cooker, 253; safe, 447; screen, 173; sonar, 434; starting block, 298; tape recorder, 175; table saw, 407; toaster, 249; tripod, 174; trombone, 352; vault, 447; venetian blinds, 237; voting booth, 427; wheelchair, 442; window, 63
locked groove, phonograph record, 176
locker: public sign, 490; sailboat, 131
locking bar, mousetrap, 423
locking bolt, vault, 447
locking pin, fire extinguisher, 280
locking plate, workbench vise, 398
locking pliers, 404
locking ring: rifle scope, 459; screwdriver, 403
locking screw, cassette tape, 174
locking system: balance beam, 300; bayonet, 453
locking tip, hypodermic syringe, 441
locking adjustable wrench, 405
lock key, typewriter shift, 162
locknut: lamp, 234; lithographic press, 370; roller skate, 318
lockout tool, tow truck, 122
lock plate, crossbow, 456
lock ring: fishing rod, 334; slide projector, 173
lock screw, lithographic press, 370
lock set, door, 448
lockside, canal lock, 97
lock stile, door, 62
lock switch: movie camera, 172; tape measure, 414
lock wall, canal lock, 97
lock washer, lamp, 234
locomotive: canal lock, 97; railroad yard, 94; train, 112-113
lodge pole, tepee, 82
loft: barn, 100; golf clubs, 304; sleeping bag, 337; stage, 344
log chute, dam, 98
loge, theatre, 345
log fork, fire iron, 228
log hoist, dam, 98
logo: baseball team, 286; bus, 114; credit card, 222; electric razor, 206; fire engine, 121; label, 264; letter, 161; locomotive, 113; magazine, 167, 168; mainsail, 132; newspaper, 166; pill, 441; postal money order, 223; single engine airplane, 147; traveler's check, 223
loin: beef, 30; lamb, 31; pork, 32
loin guard, armor, 455
loins: cat, 35; dog, 34; horse, 36; human, 25
long bar, easel, 364
longbow, 456
longeon, flat kite, 317
long-hair slot, electric razor, 206
long horse, gymnastics, 301
longitude, meridian of, 5, 20, 22
long joint, bassoon, 351
long jump, track and field, 294
long lid prop, grand piano, 355
long-life light bulb, 234
long necklace, Manchu court dress, 475
long-playing phonograph record, 176
long-range weapon system, jet fighter, 152
long service line, badminton court, 313
longshore bar, 14
longshore trough, 14
long-term parking lot, airport, 92
long-wire antenna, destroyer, 140
lookout area, tanker, 136
lookout tower, passenger ship, 139
loom: rowboat oar, 129; weaving, 379
loop: basketball backstop, 292; bell, III; book, 203; bow, 456; carpet, 242; checkbook clutch, 219; circus aerialist, 88; cowboy cartridge belt, 474; dress, 194; fastener, 204; hammock, 284; handbag, 218; human fingertip, 29; knitting, 378; overhead power line, 386; roller coaster, 90; suspenders, 186; tent, 336; trench coat, 196; type, 163; wheelchair, 442
loop-former bar, movie projector, 173
loophole, castle, 78
loop label, necktie, 188
loop ramp, highway cloverleaf, 110
loop tape, Velcro, 205
loosefooted sail, windsurfer, 324
lore, bird, 37
lorgnette, 217
lost and found, public sign, 491
lotion, beauty product, 210, 213
lotion dispenser, kitchen sink, 243
loud, music notation, 346
loudness control, phonograph receiver, 177
loudspeaker, fire engine, 120, 121
lounge: jai alai cancha, 308; jumbo jet, 148; passenger train, 112
lounger, 231
louver: air conditioner, 392; church window, 84; tank, 464; window shutters, 237
loveseat, 232
low bar, uneven parallel bars, 300
low beam, automobile, 102
lower back-stick, easel, 364
lower bolt, pulley block, 451
lower bout, viola, 349
lower bow, bear trap, 423
lower case: proofreader's mark, 498; type, 163
lower chord, lift bridge, 95
lower compartment, backpack, 337
lower control arm, automobile, 104
lower eyelid, 28
lower face, zipper, 205
lower gate, canal lock, 97
lower-girdle facet, cut gemstone, 214
lower grid assembly, nuclear reactor, 385
lower grip ring, sword hilt, 453
lower guard, sword hilt, 453
lower handle, power mower, 419
lower housing, finishing sander, 411
lower jaw, snake, 41
lower joint, clarinet, 351
lower limb, bow, 456
lower link, hitch and harrow, 424
lower mandible, bird, 37
lower margin, book page, 165
lower pool, canal lock, 97
lower rack track, dishwasher, 246
lower rail, balustrade, 71
lower rudder, jumbo jet, 149
lower sash, window, 63
lower shell, turtle, 40
lower side-rail, truck van, 117
lower spray arm, dishwasher, 246
lower table, drill press, 409
lower tail crest, tadpole, 42
lower teeth, 446
lower thigh, dog, 34
lower vertical fin, blimp, 158
low-gain antenna: lunar rover, 157; satellite, 182
low heat switch, hair dryer, 208
low hurdle, 298
low-level outlet, dam, 98
low pressure, weather map, 19
low pulley, universal gym, 338
low tide, 15
low-tide terrace, 14
lozenge, church, 84
LP phonograph record, 176
L-shaped square, 414
lubber's line, compass, 132
lubricant port, saber saw, 407
lubricating valve, steam engine, 395
lucaflect, cartoon, 374
luff, mainsail, 132
lug: bicycle, 124; camera, 171; cassette tape, 175; coffin, 500; drum, 358; hand grenade, 463; nuclear reactor, 385; truck tractor, 116
luge, 322
luggage, 284
luggage rack: camper, 126; stagecoach, 127
lug hole, tire, 101
lug nuts, automobile, 102
lumber, building material, 66
lumber girder, 58
lumber post, 58
lumen, light, 234
luminous indices, wristwatch, 216
lunar lander, 156
lunar module, 156
lunar month, 4
lunar overshoe, spacesuit, 157
lunar rover, 157
lunette, guillotine, 452
lung: human, 27; iron, 442
lunge pads, ice skates, 319
lunt, pipe, 225
lunula, human fingernail, 29

lure, fishing, 335
lyre, 349; grand piano, 355
lyre holder, trumpet
lyrics, music, 346
lysosome, animal cell, 23

M

M: braille, 496; sign language, 496
ma'abarta, tefellin, 470
mace: House of Representatives, 72; medieval, 454
mace canister, police gun belt, 482
machicolations, castle, 78
mach indicator: pilot's instrument panel, 153; 747 cockpit, 150
machine: acoustic guitar, 356; ambulance, 119; dialysis, 442; planting, 424; toll basket, 110; voting, 427
machine cabin, wind turbine, 382
machine gun, 461; tank, 464, 465
machine knitting needle, 378
machine-readable code line, traveler's check, 223
machinery tower, lift bridge, 95
machine stop, etching press, 371
machinist's vise, workbench, 398
mach speed, jet fighter, 152
mack, destroyer, 140
macrame, 378
macron, grammatical symbol, 497
MADC scale, volt-ohm meter, 413
madreporite, starfish, 44
magazine: cover and contents page, 167; feature spread, 168, 169; film roll, 171; fort, 80; pistol, 460; rifle, 458, 461; shotgun, 459; stapler, 273
Magen David, 86, 492
magic wand, wizard, 476
magma reservoir, volcano, 10
magnet, pocket knife, 416
magnetic compass, 132
magnetic lid lifter, can opener, 247
magnetic north, compass rose, 22
magnetic sound track, movie film, 172
magnetic strip, credit card, 222
magnetic tape, 175; computer, 429
magnetometer, satellite, 182
magnetometer stowage bags, lunar rover, 157
magnifier, pocket knife, 416
magnifying lens, radar, 434
magnifying power, microscope, 432
mag wheel: automobile, 102; motorcycle, 125
mah-jongg tile, 339
maid, 473
maiden, execution device, 452
mail: armor, 455; public sign, 490
mailbox, 227
mail drop, door, 62
mailing label, magazine, 167
main, furnace, 390
main body: flute, 350; furniture, 268
main breaker, circuit breaker box, 389
main bulkhead, passenger ship, 138
main cabin, sailboat, 131
main cable, suspension bridge, 95
main channel, river, 13
main circulating pump, solar heating system, 383
main compartment, backpack, 337
main control valve, camp stove, 336
main counterweight, lift bridge, 95
main-course table fork, 240
main cover title, magazine, 167
main deck, destroyer, 140
main device, coin, 221
main engine, space shuttle, 154
main-engine heat exchanger, oil drilling platform, 99
main feedwater pump, nuclear reactor, 384
main gate, frontier fort, 80
main gear, single engine airplane, 147
main housing, curling iron, 210
main illustration, book page, IV
mainland, 7
mainland beach, 15
main line: lasso, 422; railroad yard, 94
main rod, steam locomotive, 112
mainsail, 132; sailboat, 130
main sanctuary, mosque, 68, 69
mainsheet, sailboat, 130
main slide, tuba, 352
main standard, football goalpost, 289
main strings, tennis racket, 306
main table, drill press, 409
maintenance safety rope, roller coaster, 90
main towing bit, tugboat, 144
maintube, telescope, 433
main undercarriage wheel, helicopter, 146
main vein, leaf, 50
majority secretary, Senate, 72
major road, 110
maker's imprint, playing cards, 342
maker's signature, check, 222
makeup, 212, 213
malacology, 45
maladicta balloon, cartoon, 375
malar, human, 24, 26
male, symbol, ' 94
male coupling, hose connection, 418
male ferrule, fishing rod, 334
male flower, corn, 56
male plug, electrical, 388
maline, woman's hat, 199
malleolus, human foot, 29
mallet, 402; croquet, 312; drums, 358; kitchen tool, 257; woodcarving, 366
Maltese cross, symbol, 492
man: backgammon, 339; chess, 339; ranching, 422
manara, architecture, 68
manchette, lounger, 231
Manchu court dress, 475
mandible: ant, 39; bird, 37; fish, 43; grasshoppper, 39; human, 26
mandolin, 356
mandoline, kitchen cutter, 257
mane: horse, 36; human, 25; ultimate beast, 46
maneuvering system, space shuttle, 154, 155
manger, barn, 100
mang-p'ao, Manchu court dress, 475
manifold: automobile engine, 107; tanker, 137
mannaia, execution device, 452
mannish button, 205
manometer, blood pressure gauge, 439
man's formal attire, 472
man's hair, 207
man's hat, 198
mansion, White House, 73
man's shirt, 185
man's shoe, 200
man's skate, 319
man's underwear, 90
manticore, legendary beast, 46
mantle: earth, 4; fireplace, 228; lantern, 336; octopus, 44; pyramid, 69; royal regalia, 468; Torah, 470
mantlepiece, fireplace, 228
mantlet, tank, 465
mantling, coat of arms, 487
manual, organ, 354
manual citrus juicer, 251
manual drill, 408
manual focus switch, camera, 170
manual operation button, vacuum cleaner, 279
manual-pump pedal, surgical table, 440
manual stabilizer trim lever, 747 cockpit, 150
manual typewriter, 162
manual zoom lever, movie camera, 172
manubrium, jellyfish, 44
manufacturer: gas pump, 108; lithographic press, 370; organ, 354; painting brush, 365; phonograph record, 176; phonograph speaker, 177; running shoe, 296; single engine airplane, 147; Universal Product Code, 430
manure gutter, barn, 100
manure pit, barnyard, 100
map, 5, 20-22; subway car, 115
map pocket, parka, 197
marathon, 294; running shoe, 296
marbling, meat, 258
marching band, 348, 479
mare, 36
margin; book page, 165; jellyfish, 44; leaf, 50; magazine page, 169; map, 22; necktie, 189
marginal shield, turtle, 40
margin stop, typewriter, 162
marine algae, 55
marine life, 44
mark: basketball court, 292; coin, 221; dental braces, 443; grammatical symbol, 497; guitar, 356; label, 264, 265; military uniform, 480; monovial, 414; music notation, 346; nail, 400; proofreader's, 498; sextant, 133; soccer field, 293; tape measure, 414; topographic map, 22; type, 164
marked deck, playing card, 342
marker: airport, 82; bowling lane, 311; football field, 289; swimming pool lane, 310; tow truck, 122; wristwatch, 216
marker beacon, helicopter, 146
marker control, sonar, 434
marker lamp, locomotive, 112
marker light: bus, 114; fire engine, 120; locomotive, 113; truck van, 117
marking: airport runway, 92; blood pressure gauge, 439; hypodermic syringe, 441; music, 346; topographic map, 22
marking gauge, measuring tool, 414
mark of omission, grammatical symbol, 497
marksmanship badge, military uniform, 480
marrow, meat bone, 258
Mars, planet, 3
marsh: coastline, 15; river, 13; topographic map, 22
marshalling yard, railroad, 94
mars light, fire engine, 120,121
mascara, 212, 213
masher kitchen utensil, 255
mask: baseball catcher, 286; fencing, 309; football helmet, 288; ice hockey goalie, 290; lacrosse, 293; silk screen, 369; skin diving, 325; television set, 181
masonry: building material, 66; permanent fort, 81; wall, 67
masonry gate post, fence, 65
mass: cosmic, 2; nuclear reactor, 384
massager shower, 270
mast: aircraft carrier, 142; CB radio antenna, 179; destroyer, 141; flag, 486; sailboat, 130; skyscraper, 75; space shuttle, 154; tanker, 136, 137; tugboat, 144; windsurfer, 324
mastabe, pyramid, 68
master control, pilot's instrument panel, 153
master cord, snowshoe, 321
master cylinder, automobile, 104
master number, phonograph record, 176
master slide, traverse rod, 236
master's quarters, tugboat, 144
masthead: magazine, 167; sailboat, 130
masthead light: destroyer, 141; fireboat, 144
mat: in frame, 373; gymnastics, 300; phonograph turntable, 176; wigwam, 82
match, 224; fencing, 309
matchbook, 224
material identification, house blueprint, 60
ma-ti hsiu, Manchu court dress, 475
matrix, dental, 445
matrix number, phonograph record, 176
mattress, 267; coffin, 500; playpen pad, 282
mature fruit, tomato, 52
mat window, frame, 373
mausoleum, 500
maw human, 25
maxilla: fish, 43; human, 26
maximum security prison, 74
meadow, mountain, 8
mean high water mark, topographic map, 22

mean line, type, 163
mean time, 5
measure, music, 346; tape, 414
measured by, symbol, 495
measure of gold purity, ring, 215
measuring cup, 254
measuring diffuser, light meter, 174
measuring spoon, 254
measuring tool, 414; kitchen, 254; oil drilling platform, 99
meat: baseball bat, 287; beef, 30; coconut, 258; lamb, 31; pork, 32; poultry, 33; raw, 258
meat grinder, 257
meat keeper, refrigerator, 245
meat mallet, 257
meat thermometer, 254
mechanic, public sign, 491
Mechanical floor; skyscraper, 75
mechanical power, steam engine, 395
mechanical stage control, microscope, 432
mechanical sweeper, 123
mechanical unit, piano, 355
mechanic's shops frontier fort, 80
mechanism: bazooka, 462; fountain pen, 160; recliner, 231
mechanized voting machine, 427
medal, 485; collector, 221; military, 480; police, 482
medallion, boat, 202
medallion number, taxi, 115
Medal of Honor, 480
medal of order, king's regalia, 468
medial malleolus, human foot, 29
medial moraine, 9, 12
median, highway, 110
median furrow, horse, 36
medical examination equipment, 438
medical table, 440
medical treatment aids, 441
medication, 441
medicine dropper, 441
medieval arms, 454
medium, painting, 364
medium gouge, woodcarving, 366
medley relay, track and field, 294
medley swimming race, 310
meeting rails, window, 63
melody part, accordion, 360
melody pipe, bagpipe, 359
melody string, sitar, 356
melon, silo, 100
member: basketball backstop, 292; geodesic dome, 83; house, 59
membrane, animal cell, 23
membranophone, 358
memo, check, 222
memorabilia, White House, 73
memorial, tombstone, 500
memorial band, Jewish prayer vestment, 470
memory function key, electronic calculator, 431
memory lock, organ, 354
memory unit, computer, 429
menorah: symbol, 492; synagogue, 86
men's tee, golf course, 304
men's toilet, public sign, 490
mentum, human, 24
Mercator grid, map, 22
merchant ship, 136
mercury: barometer, 18; battery, 387; blood pressure gauge, 439; planet, 3; thermometer, 439
mercury sphygmomanometer, 439
merge, road sign, 489
merge left, road sign, 489
meridian of longitude, 1, 5
merlon, castle, 78
merry-go-round, 91
mesentery, coral polyp, 44
mesh: Ping-Pong net, 315; playpen net, 282; silk screen, 369
mesial, tooth, 446
mesial buccal cusp, 446
mesial lingual cusp, 446
mesocarp: orange, 53; peach, 53
mesophere, earth, 4
mess, frontier fort, 80
mess hall, prison, 74
metacarpopalangeal crease, human hand, 29
metacarpus, cat, 35
metal: fuse cap, 389; vaulting pole, 299; printing type, 164; stapler cap, 273; umbrella rod, 226
metal detector, 435
metallic jacket, fencing, 309
metal locator, 435
metal saw, pocket knife, 416
metal shop, prison, 74
metalworking vise, 399
metamorphosis, insect, 39
metatarsals, human, 26
metatarsus: cat, 35; spider, 38
meteor, 2
meteorologist, weather monitoring equipment, 18
meter: CB radio, 179; and fuse box, 389; house, 61; nautical chart, 22; parking, 109; phonograph receiver, 177; powerboat, 134; tape recorder, 175; volt-ohm, 413
meter tape, envelope, 161
metronome, 361
mezuzah, Jewish ritual item, 470
mezzanine, theatre, 345
mezzo forte, music notation, 346
M-51 gun, jet fighter, 152
mica disc, incandescent bulb, 234
Michigan marker light, bus, 114
micro-dial indicator gauge, etching press, 371
micrometer drum, sextant, 133
microphone: CB radio, 179; hearing aid, 442; movie camera, 172; police car, 118; 747 cockpit, 150; tape recorder, 175;
microphone input plug, movie projector, 173
microphone jack: CB radio, 179; movie camera, 172; tape recorder, 175; video recorder, 180
microscope, 432, 437
mid-angle, lamp, 235
midband signal, television, 181
midchannel nautical chart, 22
midcount line, basketball court, 292
middle finger, human hand, 29
middle joint, flute, 350
middle leg, bee, 39
middle operating-screw handle, clamp, 399
middle pick-up, guitar, 357
middle section, flute, 350
midfield: football, 289; soccer, 293
midget, circus, 88
midget howitzer, 462
midget pliers, 404
midground, composition, 363
midnight, globe, 5
midrange phonograph speaker, 177
midrib; fern, 55; leaf, 50
midriff, human, 25
midsole: running shoe, 296; sandal, 202
mike stand, movie camera, 172
mileage indicator, road map, 20
milestone, highway, 110
mile track, harness racing, 331
military buckle, man's belt, 186
military collar, king's regalia, 468
military uniform, 480-481
milk, coconut, 258
milk teeth, 446
milk well, cow, 30
Milky Way galaxy, 2-3
mill, pepper grinder, 257
milled edge, coin, 221
millimeters, cartridge, 460
milliner, 199
minaret: architecture, 68; iceberg, 12
mind, human, 25
mine, 463
mineral detector, 435
miniature golf course, passenger ship, 138
minim, music notation, 346
minimum security prison, 74
minimus: foot, 29; hand, 29
minister, religious vestments, 471
miniver, royal crown, 469
minor coin, 221
minor road, highway, 110
minority secretary, Senate, 72
mint mark, coin, 221
minus, symbol, 494
minus square, shuffleboard court, 312
minute, grammatical symbol, 497
minute hand: grandfather clock, 229; stopwatch, 298; wristwatch, 216
minutes of arc, symbol, 495
mirliton, 360
mirror, 213; automobile, 102, 106; bus, 114; cosmetic case, 284; dental, 445; dressing table, 268; fire engine, 121; locomotive, 113; mechanical sweeper, 123; microscope, 432; physician's, 438; pilot's instrument panel, 153; racing car, 332; sextant, 133; telescope, 433; truck tractor, 116
MIRV, 466
miser, costume, 476
missile, 466; jet fighter, 152; surface-to-air, 140; surface-to-surface, 140
missile control officer, and pilot's instrument panel, 153
missile deck, submarine, 143
missile launcher, aircraft carrier, 142
mission specialist, space shuttle, 155
mistigris, playing cards, 342
miter: bishop, 471; cardinal, 471
miter clamp, 399
mitered joint, silk screen, 369
miter gauge, table saw, 407
mitochondrion, animal cell, 23
mitt, baseball, 286, 287
mitten, 196; ski clothes, 321
mixer: kitchen sink, 243; synthesizer, 357
mixing blades, food processor, 250
mixing bowl, 254
mixing tools, kitchen, 254
moat: castle, 78, 79; mountain, 9; permanent fort, 81
mobile platform, space shuttle, 154
moccasin: Indian, 474; man's shoe, 200
model: baseball glove, 287; internal combustion engine, 396
modeling end, clay modeling tool, 366
mode lever, surgical table, 440
model number: phonograph speaker, 177; surgical table, 440
mode mute, phonograph receiver, 177
moderately loud, music, 346
mode selection control, police car, 118
mode selector: camera, 171; metal detector, 435; 747 cockpit, 151; sonar, 434
modesty panel, desk, 272
mode switch, Geiger counter, 435
modified bishop sleeve, bridal gown, 472
modified leg-of-mutton sleeve, bridal gown, 472
modifier, synthesizer, 357
modulation indicator, CB radio, 179
module, jumbo jet gallery, 148, 149
moisture collector pan, air conditioner, 392
moisturizer, beauty product, 213
molar, tooth, 446
mold: church, 84; denture, 443
molding: automobile, 102, 103; church, 84; cupboard, 239; escalator, 77; frame, 373; grandfather clock, 229; minaret, 68
molding scoop, cooking utensil, 255
moline, symbol, 492
Molotov cocktail, 463
molten material, volcano, 10
monaural record, phonograph, 176
money, 220-221
money box, 447
money order, 223
money slot, blackjack, 341
money totalizer, gas pump, 108
monitor: computer, 429; fireboat, 144; movie projector, 173; prison, 74; space shuttle, 155; tanker, 137; tape recorder, 175; television, 181; and video recorder, 180
monkey, caisson, 457
monkey bars, backyard equipment, 283
monkey board, oil drilling platform, 99
monkey ear, ultimate beast, 46
monkey wrench, 405
monocle, 217

monocoque chassis, racing car, **332**
monorial, carpenter's level, **414**
Monroe Room, White House, **73**
monsoon, **6**
montgolfier hot air balloon, **326**
month, lunar, **4**
month of purchase, postal money order, **223**
monticule, **7**
monument, tombstone, **500**
moon, **3**; phases, **4**
moon buggy, **157**
moon dial, grandfather clock, **229**
moon roof, automobile, **102**
mooring mast: airship, **158**; skyscraper,, **75**
mooring winch, tanker, **136**
moose antler, ultimate beast, **46**
mop, **278**
moraine, **8, 9, 12**
morning coat: butler's uniform, **473**; man's formal attire, **472**
morning line, flat racing entry, **330**
morse, royal regalia, **468**
mortar, **462**; kitchen tool, **257**
mortar joint, brick wall, **67**
mortice hole, stagecoach, **127**
mortise, label, **265**
mortise lock, **448**
mosque, **68**
mosquito, **39**
mosquito netting screen, tent, **336**
mother, flat racing entry, **330**
mother-in-law, bowling pin, **311**
mother-of-all, spinning wheel, **379**
motion, steam engine, **395**
motion compensator, oil drilling platform, **99**
motor: automobile, **104**; automobile engine starter, **107**; power drill, **409**
motor cruiser, **129**
motorcycle, **125**
motor drive, camera, **171**
motor home, **126**
motor housing: blender, **250**; can opener, **247**; food processor, **250**; hair dryer, **208**; jackhammer, **426**; juice extractor, **251**; lawn sprinkler, **418**; potter's wheel, **367**; power drill, **409**; vacuum cleaner, **279**
motorman's cab, subway, **115**
motor mount, automobile engine, **107**
motor scooter helmet, police, **482**
motor whaleboat, destroyer, **140**
motto: coat of arms, **487**; money, **220**
mound: baseball field, **287**; royal regalia, **469**
mount: automobile engine, **107**; bagpipe, **359**; castle, **78, 79**; coat of arms, **487**; film slide, **171**; fire engine, **120**; fishing reel, **334**; machine gun tripod, **461**; pencil sharpener, **273**
mountain, **8-9**; peak, **7**
mountain climbing, **328**
Mountain Standard Time, **5**
mount base, rifle scope, **458**
mounting: ballpoint pen, **160**; bicycle caliper brake, **124**; drill press, **409**; electrical receptacle, **388**; electrical wall switch, **388**; electronic flash, **174**; fencing foil, **309**; frame, **373**; lamp, **235**; mailbox, **227**; ski binding, **320**; telephone, **178**; telescope, **433**
mousetrap, **423**
mouth: beaker, **437**; bell, **III**; bottle, **263**; cannon, **457**; coral polyp, **44**; fish, **43**; frog, **42**; hot air balloon, **326**; human, **24, 28**; jellyfish, **44**; plane, **410**; river, **7, 13**; starfish, **44**; suspenders, **186**; tadpole, **42**
mouth organ, **360**
mouthpiece: boxing, **303**; clarinet, **351**; French horn, **352**; harmonica, **360**; kazoo, **360**; pipe, **225**; skin diving, **325**; telephone, **178**; trombone, **352**; trumpet, **353**; tuba, **352**
mouthpiece key, saxophone, **351**
movable bridge, **95**
movable control-arm, surgical table, **440**
movable fret, sitar, **356**
movable jaw: C-clamp, **399**; locking pliers, **404**; monkey wrench, **405**
move down, proofreader's mark, **498**
move left, proofreader's mark, **498**
movement, clock, **229**
movement dial, vault, **447**
move right, proofreader's mark, **498**
movie camera, **172**
movie projector, **172**
movie film, **172**
moving gate, racing, **330**
moving sidewalk, **77**
mower, lawn, **419**
MP, uniform, **480**
mucoprotein coat, animal cell, **23**
mud: hogan, **82**; nautical chart, **22**
mud flap, truck, **116, 117, 122**
mud shield, tank, **465**
muezzin, and minaret, **68**
muffler: automobile, **105**; bulldozer, **425**; internal combustion engine, **396**; miser, **476**; motorcycle, **125**; power mower, **419**; tank, **464**; tractor, **424**
muffler shield, chain saw, **421**
mufti, police, **482**
mug, shaving, **206**
mulching lawn mowe, **419**
mule, canal lock, **97**
Mulligan, darts, **316**
mullion, church, **84**
multifoil window, church, **84**
multimeter, **413**
multiple fruit, **53**
multiple independently targeted reentry vehicle (MIRV), **466**
multiplication, with slide rule, **431**
multiply, symbol, **494**
multi-position surgical table, **440**
multipurpose electrician's tool, **413**
multipurpose vacuum cleaner brush, **279**
muntins, window, **63**
muscle: human, **26**; scallop, **45**
mushroom, **55**
music: accessories, **361**; notation, **346**
music arch, organ, **354**
music desk, grand piano, **355**
music ensemble, **348**
musician, orchestra, **348**
music selector, tape recorder, **175**
music stand, **361**
music wire pliers, **404**
Muslim temple, **68-69**
muslin wrapping, dabber, **371**
mussel, **45**
mustache, **207**
mustard, and frankfurter, **261**
mute, phonograph receiver, **177**
mutton, **31**
muttonchop whiskers, **207**
muzzle: automatic rifle, **461**; bazooka, **462**; cannon barrel, **457**; cat, **35**; cow, **30**; dog, **34**; horse, **36**; mortar, **462**; neck, **263**; revolver, **460**; sheep, **31**; tank gun, **465**
muzzle-loading cannon, **462**
mycelium, mushroom, **55**
mystery gas cloud, Milky Way, **3**

N

N: braille, **496**; sign language, **496**
nacelle, jet fighter, **152**
nail, **400**; bird, **37**; frame, **373**; human hand, **29**
nail cleaner: clippers, **211**; pocket knife, **416**
nail clippers, **211**
nail crease, horseshoe, **36**
nail file, **211**
nail hole, horseshoe, **36**
nail nick: corkscrew, **247**; pocket knife, **416**
nail polish, **213**
nail pulling slot, hatchet, **402**
name: flat racing entry, **330**; label, **264**; letter, **161**; magazine mailing label, **167**; paper money, **221**; passenger ship, **138**; pencil brand, **160**; political map, **20**; tugboat, **144**
name column, voting booth, **427**
nameplate: automobile, **103**; can opener, **247**; fireboat, **144**; military uniform, **480**; newspaper, **166**; police uniform, **482**
name tag, soldier's uniform, **481**
nap, tennis ball, **306**
nape: bird, **37**; cat, **35**; human, **25**
napkin, **240**
nare, nose, **28**
narrow deep gouge, woodcarving, **366**
narthex, church, **85**
naso-labial groove, salamander, **42**
native dress, **475**
natural, music notation, **346**
natural abrasive material, sander, **411**
natural key, organ, **354**
natural lever, river, **13**
nautical chart, **22**
nautical terminology, **128**
nave, church, **85**
navel, human, **24**
navigation aerial, tanker, **137**
navigational aid, space shuttle, **155**
navigational instruments, 747 cockpit, **150, 151**
navigation system, aircraft carrier, **142**
navigator's station, sailboat, **131**
neb: bird, **37**; knife, **252**
nebula, Milky Way, **2**
neck: balloon, **477**; bottle, **263, 264**; broom, **278**; cat, **35**; column, **71**; ear scope, **438**; golf club, **304**; guitar, **356**; hammer, **402**; horse, **36**; human, **24, 25**; knee kicker, **242**; kokoshniki, **68**; lamb, **31**; lamp, **234**; Ping-Pong racket, **315**; pommel horse, **301**; pot, **367**; poultry, **33**; saddle, **329**; saxophone, **351**; suit hangar, **277**; sweater, **195**; test tube, **437**; tooth, **446**; tub fiddle, **360**; type, **164**; undershirt, **190**; violin, **349**
neckband: ascot, **189**; medal, **485**; necktie, **188**; shirt, **185**
neckband label, **264**
neck decoration, military uniform, **480**
neck developer, body building, **338**
neckerchief: cowboy, **474**; sailor, **481**
neck guard, armor, **455**
necklace: Indian, **474**; jewelry, **215**; Manchu court dress, **475**
neckline, woman's sweater, **192**
neck roll: ambulance, **119**; football uniform, **288**
neck sock, drag racing driver, **333**
neckstrap eyelet, camera, **171**
necktie, **188-189**, king's regalia, **468**
needle: crochet, **378**; dental, **445**; etching, **371**; football, **288**; hypodermic, **441**; knitting, **378**; latch, **378**; light meter, **174**; mountain, **9**; paramedic, **119**; phonograph, **176**; sewing, **376**; sewing machine, **274**; spring board, **378**
needle-nose pliers, **404**
needlepoint, **377**
needlework, **378**
negative charge, symbol, **494**
negative terminal, battery, **387**
negative test lead jack, volt-ohm meter, **413**
neighbor, teeth, **446**
Neptune, planet, **2**
Ner Tamid, **86, 470**
nest: pliers, **404**; spider, **38**
net: carrier, **142**; backyard equipment, **283**; badminton court, **313**; basketball backstop, **292**; circus aerialist, **88**; fishing, **335**; ice hockey goal, **290**; maid's uniform, **473**; Ping-Pong, **315**; playpen, **282**; tennis, **306**; soccer field, volleyball court, **313**
net contents, label, **264**
netting: lobster pot, **423**; woman's hat, **199**
netting screen, tent, **336**
network, power, **386**
neutral corner, boxing ring, **303**
neutral terminal, electrical receptacle, **388**
neutral wire: electrical receptacle, **388**; electrician's, **413**
neutral zone: ice hockey rink, **291**; shuffleboard court, **312**
neve, mountain, **9**

new crescent moon, 4
newel post, staircase, 64
newel skirt, escalator, 77
new gibbous moon, 4
new moon, 4
newspaper, 166
nib: auger bit, 409; bird, 37; fountain pen, 160
nichrome wire, toaster, 249
nick: corkscrew, 247; spool, 376; type, 164
nightclub, passenger ship, 138
night scope, bazooka, 462
night sign lamps, blimp, 158
nightstick, police, 482
nimbostratus cloud, 17
90 degree gauge, combination square, 414
nine pin, bowling, 311
nipple: eyedropper, 441; human, 24; lamp, 234
nittle, cartoon, 375
N number, hot air balloon, 326
no bicycles, road sign, 488
nock, bow and arrow, 456
node, grass, 56
no entry, public sign, 491
no-frost refrigerator, 245
noggin, human, 25
noise limiter, CB radio, 179
no left turn, road sign, 488
nonelectric fencing match, 309
non-glacial stream, mountain, 8
non-glaciated valley, 12
non-locking adjustable wrench, 405
non-overflow section, dam, 98
non-porous backing, frame, 373
nonprecision approach marking, airport runway, 92
nonrigid lighter-than-air craft, 158
non-skid strip, bath and shower, 270
non-skid surface, diving platform, 310
noon, 5
noose: gallows, 452; lasso, 422
no parking, public sign, 490
no-passing zone, road sign, 489
no right turn, road sign, 488
north, compass rose, 22
North Atlantic Drift, ocean, 6
North Equatorial Current, ocean, 6
north fork, river, 13
north latitude, globe, 5
North Pacific Drift, ocean, 6
North Pole pin, globe, 1
north porch, church, 85
north portal, church, 85
north portico, White House, 73
north-south handbag, 218
north tower, church, 85
north transept, church, 85
north wing, Capitol, 72
no-score ring, dart board, 316
nose: cartridge, 460; cat, 35; chain saw guide bar, 421; clown, 477; destroyer, 141; dog, 34; football, 288; human, 24, 28; missile, 466; pliers, 404; racing car, 332; skateboard, 318; surfboard, 324
nose bridge, airport, 92
nose bumper, football helmet, 288
nose cone: blimp, 158; glider, 147; missile, 466; snowmobile, 126
nose doctor, examination equipment, 438
nosegay, bride, 472
nose leather, cat, 35
nose pads, eyeglasses, 217
nosepiece, microscope, 432
nose radome, jet fighter, 152
nose shroud, drag racing driver's fire suit, 333
nose wheel, single engine airplane, 147
nosing, staircase, 64
no smoking, public sign, 490
nostril: alligator, 41; bird, 37; fish, 43; frog, 42; horse, 36; human, 28; tadpole, 42; toad, 42
notation: music, 346; pitch pipe, 361
notch: computer diskette, 429; laboratory scale, 437; mountain, 8; sewing pattern, 380; spool, 376; telephone, 178; woman's jacket lapel, 192
note, music, 346, 347
not equal to, symbol, 495
note position letter and number, paper money, 220, 221
notice: envelope, 161; magazine, 167; sheet music, 347
no trucks, road sign, 488
no U turn, road sign, 488
nozzle: combustion jet engine, 397; faucet, 269; fireboat, 144; fire engine, 120, 121; gas pump, 108; icing syringe, 255; iron, 275; jet fighter, 152; lawn sprinkler, 418; lunar lander, 156; missile, 466; nuclear reactor, 385; paint spray gun, 415; propane plumber's torch, 412; satellite, 182; sprinkler, 418; vacuum cleaner, 279
nuchal shield, turtle, 40
nuclear envelope, animal cell, 23
nuclear membrane, animal cell, 23
nuclear-powered attack submarine, 143
nuclear-powered ship, 140-141
nuclear power reactor, 384-385
nucleolus, animal cell, 23
nucleus, animal cell, 23
nude heel, panty hose, 191
number: airport runway, 92; baseball uniform, 286; basketball player, 292; bus, 114; check, 222; credit card, 222; destroyer, 141; envelope, 161; film slide frame, 171; football jersey, 288; hot air balloon, 326; laboratory scale, 436; magazine page, 167; mailbox, 227; mainsail, 132; map, 20; painting brush, 365; paper money, 220, 221; pencil, 160; phonograph record, 176; phonograph speaker, 177; police uniform, 482; postal money order, 223; punch card column, 428; racing program entry, 330; safe, 447; sealed voting booth, 427; submarine, 143; surgical table, 440; swimming pool lane, 310; symbol, 495; taxi, 115; telephone, 178; traveler's check, 223
number cloth, flat racing, 330
number entry keys, electronic calculator, 431
number key, television set, 181
number plate: internal combustion engine, 396; telephone, 178
one bend, paper clip, 273
one leg, paper clip, 273
#1 wood, golf club, 305
two bend, paper clip, 273
two leg, paper clip, 273
#2 wood, golf club, 305
three bend, paper clip, 273
three leg, paper clip, 273
#3 wood, golf club, 305
four leg, paper clip, 273
numerals, pocket watch, 216
numeric pad, cash register, 430
numismatist, 221
nun, religious vestments, 471
nun buoy, nautical chart, 22
nursery, public sign, 490
nursery course, harness racetrack, 331
nut: automobile, 102; banjo, 356; crossbow, 456; faucet, 269; fire hydrant, 121; food, 53; guitar, 356, 357; hacksaw, 406; hurdle, 298; ice cream cone, 261; jewelry findings, 214; juice extractor, 251; lamp, 234; levigator, 370; monkey wrench, 405; mountain climbing, 328; nuts and bolts, 401; pendulum clock, 229; Ping-Pong net, 315; plane, 410; pliers, 404; radiator, 390; rifle, 461; roller skate, 318; sink drain, 269; tub fiddle, 360; violin and bow, 349
nutcracker, 257
nuts and bolts, 401; magazine article, 168
nyki, torii, 69

O

O: braille, 496; sign language, 496
oar, rowboat, 129
oarlock: inflatable, 129; rowboat, 129
oat, 56
obelisk, 69
object ball, pool table, 314
objective, microscope, 432
objective end, theodolite, 426
objective lens: binoculars, 433; rifle scope, 459; telescope, 433
objective outer cell, telescope, 433
oboe, 348, 350
observation car, passenger train, 112
observation deck, skyscraper, 75
observation window, tank, 465
observer station, destroyer, 141
obstetrician, examination equipment, 438
obverse side, coin, 221
occiput, dog, 34
occluded front, weather map, 19
occlusal surface, tooth, 446
occulation ultraviolet spectrometer, satellite, 182
occupation, letter, 161
ocean, 7; basin, 15; currents, 6
oceanic crust, 15
ocean liner, 138-139
ocellus, grasshopper, 39
octane number, gasoline, 108
octant, 133
octave, piano, 355
octopus, 44
oculama, cartoon, 375
ocularium sight, armor, 455
ocular lens: binoculars, 433; rifle scope, 459
oculus window, house, 60
odds, flat racing entry, 330
odds board, jai alai cancha, 308
odometer, car, 106
off-duty sign, taxi, 115
office: frontier fort, 80; White House, 73
office index column, voting booth, 427
office location, letter, 161
officer: airplane, 153; police, 482
officer's braid, military uniform, 480
officer's lock and seal, voting booth, 427
officers' quarters, frontier fort, 80
office typewriter, 162
office window, airport control tower, 93
office zip code, postal money order, 223
official reporter, Congress, 72
off position, electrical wall switch, 388
offset handle, wrench, 405
offset-lithography, printing, 164
offshore rig, oil drilling, 99
off-the-road vehicle, 126
offset screwdriver, 403
ogee, cannon barrel, 457
ogee section, dam, 98
Ogier, playing card jack, 342
ohmmeter, symbol, 494
ohms scale, volt-ohm meter, 413
oil: beauty product, 213; painting medium, 364; sketch box, 365; woodcarving, 366
oil buffer, elevator shaft, 76
oil cap: automobile, engine, 107; bulldozer, 425
oil dipstick, engine, 107, 396
oil-drain plug, engine, 396
oil drilling platform, 99
oil filter, 107
oil pan, 107
oil pressure gauge: car, 106; powerboat, 134
oil-pump button, chain saw, 421
oilskin slicker, cowboy, 474
oil-tank cap, chain saw, 421
oil water heater, 391
old crescent moon, 4
old gibbous moon, 4
old lava flow, volcano, 10
old Senate chamber, Capitol, 72
omission, grammatical symbol, 497
on and off lever, gas pump, 108
on and off puck, craps table, 341
on and off switch: guitar amplifier, 357; lamp, 235; organ, 354; phonograph receiver, 177; razor, 206; power saw, 407
on-deck batter's circle, baseball field, 287
on-deck bat weight, baseball bat, 286
1¼ mile chute, harness racetrack, 331
one-arm bandit, 340
one-button cuff, blouse, 193
one-cell battery, symbol, 494
1/8 pole, harness racetrack, 331
one-eyed jack, playing card, 342
½ pole, harness racetrack, 331
100-fathom curve, continental shelf, 15
110 film cartridge, camera, 170
one pin, bowling, 311
one-point perspective, 362

¼ pole, harness racetrack, **331**
1/16 pole, harness racetrack, **331**
one-unit beads, abacus, **431**
one way, road sign, **488**
one-way traffic, road sign, **488**
on guard line, fencing strip, **309**
onion, **258, 261**
on-off button: iron, **275;** metal detector, **435;** metronome, **361;** police car, **118;** potter's wheel, **367**
on-off control, cash register, **430**
on-off switch: CB radio, **179;** coffee maker, **248;** computer, **429;** curling iron, **210;** dental unit, **444;** electric hairbrush, **208;** electronic calculator, **431;** hair dryer, **208;** toaster oven, **249**
onomatopoeia, cartoon, **374**
on position, electrical wall switch, **388**
on-purchase signature, traveler's check, **233**
01 level, destroyer, **141**
opaque background, thermometer, **439**
opaque balustrade, escalator, **77**
open and close: elevator car, **76;** voting booth, **427**
open-breech smoothbore firing tube, bazooka, **462**
open coat, sandpaper, **411**
open craft, **129**
open crown, man's hat, **198**
open end, wrench, **405**
opener, kitchen tool, **247**
open hole, bagpipe, **359**
open ID window, checkbook clutch, **219**
opening: eyedropper, **441;** harmonica, **360;** machinist's vise, **398;** pitch pipe, **361**
open outside pocket, shoulder bag, **218**
open rear sight, rifle, **459**
open-toed woman's shoe, **201**
open-top freight car, **112**
opera glasses, **433**
operating control, movie projector, **173**
operating lever: fire extinguisher, **280;** jackhammer, **426**
operating nut, fire hydrant, **121**
operating rod, machine gun, **461**
operating room table, **440**
operating screw, clamp, **399**
operating table, **440**
operator, radio, **179**
operators facility, airport control tower, **93**
operculum, fish, **43**
ophthalmoscope, **438**
opisthenar, human hand, **29**
optical landing system, aircraft carrier, **142**
optical sound track, movie film, **172**
optical unit, jet fighter, **152**
oral arm, jellyfish, **44**
oral surface, starfish, **44**
orange, **53**
orb: human, **25;** royal regalia, **469;** spider web, **38**
orbit, eye, **28**
orbital sander, **411**
orbiter, space shuttle, **154, 155**
orchestra, **348;** theatre, **345**
orchestra pit, theatre, **345**
order number, paperback book, **165**
organ, **354;** church, **85;** merry-go-round, **91**
organizer, backpack, **337**
orle, shield, **454**
ornament: automobile hood, **102;** Beefeater, **467;** church, **84;** dressing table, **268;** earring, **214;** grandfather clock, **229;** running shoe, **296;** scallop shell, **45;** sofa, **232;** tombstone, **500;** trophy, **285;** woman's jacket, **192**
ornamented type, **163**
ornament pedestal, trophy, **285**
Ortez bar, tow truck bed, **122**
orthodontia, **443**
orthodontic bracket, **443**
oscillating lawn sprinkler, **418**
oscillator: metal detector, **435;** symbol, **494;** synthesizer, **357**
otoscope, 438
Otto cycle internal combustion engine, **396**
ottoman, **231**
02 level, destroyer, **141**
ouch, jewelry, **215**
outboard aileron, jumbo jet, **148**
outboard bracket, inflatable, **129**
outboard elevator, jumbo jet, **149**
outboard engine, **133**
outboard flap, jumbo jet, **148**
outboard planetaries, tractor, **424**
outboard spoiler, jumbo jet, **148**
out-cannel, gouge, **410**
outdoor pool, passenger ship, **138**
outer bailey, castle, **78, 79**
outer cantus, eye, **28**
outer cell, telescope, **433**
outer core, earth, **4**
outer curtain wall, castle, **79**
outer ear, **28**
outer hearth, fireplace, **228**
outer hull, submarine, **143**
outer lip, univalve shell, **45**
outer panel, jet fighter, **152**
outer rim: coconut, **258;** ferris wheel, **91**
outer ring, embroidery, **377**
outer sash, window, **63**
outer shell, parka, **197**
outer slide brace, trombone, **352**
outer table, backgammon, **339**
outer ward, castle, **78, 79**
outerwear, **196**
outer wheel, ferris wheel, **91**
outfield, baseball, **287**
outhaul line, windsurfer, **324**
outlet: dam, **98;** electrical, **388;** fire engine, **121;** kazoo, **360**
outlet nozzle, nuclear reactor, **385**
outline type, **163**
out of bounds: football field, **289;** golf course, **304-305;** jai alai cancha, **308;** squash, **307**
out of town prices, newspaper, **166**
output, synthesizer, **357**
output meter, phonograph, 177
outrigger: fire engine, **120;** house, **59;** powerboat, **135**
outseam, jacket, **184**
outside collar, barbell, **338**
outside flap pocket, shoulder bag, **218**
outside guard, theodolite, **426**
outside knob, door, **448**
outside load bearing wall, house, **58**
outside margin, book page, **165**
outside pole, tepee, **82**
outside rail, harness racetrack, **331**
outside stile, window shutters, **237**
outside speaker selector, police car, **118**
outsole: boot, **202;** man's shoe, **200;** running shoe, **296;** woman's shoe, **201**
outwash mountain, **8**
outwork, castle, **78**
oval head, screw, **400**
ovary: cucumber, **52;** flower pistil, **51**
ovary wall, tomato, **52**
oven: stove, **244;** toaster, **249**
oven thermometer, **254**
overcap, disposable razor, **206**
overcoat, **196;** police uniform, **482**
overflow drain, water heater, **391**
overflow pipe, furnace, **390**
overflow plate, bathtub, **270**
overflow section, dam, **98**
overflow tube, toilet, **271**
overflow vent, sink, **269**
overhang: house, **61;** mountain, **9**
overhead, sailboat, **131**
overhead baggage rack, bus, **114**
overhead bin, jumbo jet, **148**
overhead fan, **392**
overhead ladder, backyard equipment, **283**
overhead power line, **386**
overhead switch panel, 747 cockpit, **150**
overlay, coffin, **500**
overload, fuse box, **389**
overload reset button, table saw, **407**
overlook highway, **110**
overnight bag, **181**
overpass, highway cloverleaf, **110**
overpressure plug, pressure cooker, **253**
overrun area, airport runway, **92**
overseas bars, military uniform, **480**
overseas cap, military uniform, **480**
overserve line, jai alai cancha, **308**
overshoe, spacesuit, **157**
overskirt, queen's regalia, **468**
oviposter, grasshopper, **39**
ovule, flower, **51**
owner, racing entry, **330**
owner's head, sailboat, **131**
owner's silks, racing entry, **330**
oxbow lake, river, **13**
oxen, **30**
oxford rule, magazine, **168**
oxter, human, **24**
oxygen, rocket, **397**
oxygen bottle rack, oil drilling platform, **99**
oxygen cylinder, ambulance, **119**
oxygen quantity indicator, pilot's instrument panel, **153**
oxygen tank, ambulance, **119**
oxygen tent, **442**
oxygen umbilical, spacesuit, **157**
oxygen unit, police car, **118**
oyster, **45**

P

P: braille, **496;** sign language, **496**
PA, mountain climbing, 328
pacemaker, **442**
pacer, harness racing, **331**
Pacific Drift, ocean, **6**
Pacific Standard Time, **5**
pack: backpacking, **337;** camera, **170;** glacier, **12;** playing cards, **342**
packaging, **264-265**
packer controls, garbage truck, **123**
packing, faucet, **269**
packing nut: faucet, **269;** radiator, **390**
pad: ballista, **457;** Band-Aid, **441;** baren, **368;** basketball, **292;** bed, **267;** cassette tape, **175;** cat, **35;** chaise lounge, **284;** child's car seat, **282;** clarinet, **350;** crutch, **442;** dabber, **371;** dental, **445;** dog, **34;** fire engine, **120;** football uniform, **288;** handball glove, **307;** human hand, **29;** ice hockey player, **290, 291;** kiln, **367;** knee kicker, **242;** launch, **154;** lounger, **231;** medal, **485;** medical examination table, **440;** paint roller, **415;** parallel bars, **300;** phonograph headphone, **177;** playpen, **282;** pommel horse, **301;** rifle, **458;** roller skate, **318;** rug, **242;** running shoe, **296;** saddle, **329;** sandal, **202;** sander, **411;** ski binding, **320;** stirrup, **329;** surgical table, **440;** tank, **465;** telephone, **178;** toboggan, **322;** trampoline, **302**
pad applicators, house painting, **415**
padded turnbuckles, boxing ring, **303**
padding: baseball catcher's mask, **286;** brassiere, **191;** carpet, **242;** fencing shoe, **309;** football goalpost, **289;** hockey skate, **319;** hot air balloon, **326;** playpen, **282;** powerboat, **135;** running shoe, **296;** ski clothes, **320;** woman's jacket, **192**
paddle: glider airbrake, **147;** for potting, **367;** Ping-Pong, **315**
paddock area, harness racetrack, **331**
padlock, **449**
pad pocket, football uniform, **288**
page: book, **IV, 165;** magazine, **167**
pageboy, woman's hair, **209**
pagoda, **69**
pail, **280**
pail rest, ladder, **415**
pain-killer, paramedic equipment, 119
paint: Indian, **474;** sketch box, **365**
paint brush, **415**
painter, **364;** rowboat, 129
painting, **364-365;** merry-go-round, 91; tools, 415
paired string, mandolin, 356
pair of pants, 187
pajama pants, woman's, **192**
Palas, playing card queen, **342**
palatal arch, denture, **443**
palate, mouth, **28**
pale, wood fence, **65**
palette, sketch box, **365**
palette knife, **364, 365**
palisade, frontier fort, **80**
pallet, tennis racket, 306
pallet ship, 136

palm anchor, 128; baseball glove, 387; handball glove, 307; human hand, 29; tree, 50
palpus, grasshopper, 39
pan: air conditioner, 392; automobile, 105, 107; bear trap, 423; candelabrum, 233; chafing dish, 241; dustpan, 278; kitchen, 253; potter's wheel, 367; roulette wheel, 340; stove broiler, 244
panagraph gate, subway motorman's cab, 115
pancake makeup, 212
pancake turner, 255
pancreas, human, 27
pane: postage stamps, 161; window, 63
panel: air conditioner, 392; automobile, 102, 103, 105; book page, IV; bureau, 268; bus, 114; cartoon, 37; clothes dryer, 277; coffin, 500; computer, 429; cupboard door, 239; curtain, 236; desk, 272; dishwasher, 246; door, 62; elevator car, 76; football, 288; football down marker, 289; garbage disposal, 243; girdle, 191; hot air balloon, 326; humidifier, 392; jacket, 184; jet fighter, 152; key punch, 428; lounger, 231; mainsail, 132; man's belt, 186; mower, 419; package, 264; piano, 355; pilot's instruments, 153; satellite, 182; saddle, 329; 747 cockpit, 150; sideboard, 239; snowmobile, 126; solar collector, 383; stagecoach, 127; steamer basket, 253; subway car, 115; tape recorder, 175; toaster, 249; tractor, 424; trophy, 285; umbrella, 226; video recorder, 180; window shutter, 237
panel assembly, football field, 289
panel painting, merry-go-round, 91
panier cases, motorcycle, 125
pan lock, camera tripod, 174
pantaloons, queen's underpinnings, 468
pants, 187; baseball batter, 286; clown, 477; combat soldier, 481; football, 288; ice hockey, 291; skiing, 320; skin diving, 325; woman's, 192; *see also* trousers
panty hose, 191
Papal cross, symbol, 492
paper: cigarette, 224; copper foil backing, 372; electrician's wire, 413; hair styling, 210; medical examination table, 440; printing, 164; silkscreen, 369
paper money, 220-221
paper roll compartment, sealed voting booth, 427
paperback book, 165
paper bag, 262
paper bail, typewriter, 162
paper clamp, finishing sander, 411
paper clip, 273
paper guide, typewriter, 162
paper tape, cash register, 430
papillote, poultry, 259
parabolic mirror, physician's, 438
parachute, 327; silo, 100; spider, 38;
parachute canister, space shuttle, 154
parachute vent, hot air balloon, 326
parachutist's badge, military uniform, 480
parade: circus, 88; fort, 81
parade ground, fort, 80, 81
paraffin, candle, 233
paragraph, proofreader's mark, 498
parallel bars, 300
parallel of latitude, 5
parallel tracks, railroad yard, 94
parallel-veined leaves, grass, 56
paramedic equipment, 119
parapet: castle, 78, 79; fort, 80, 81; house, 60
parenthesis, grammatical symbol, 497
parfait, dessert, 260
parimutual betting, jai alai, 308
park: amusement, 90-91; road map, 20
parka, 197
parking, public sign, 490
parking brake lever, 747; cockpit, 150
parking light, truck tractor, 116
parking lot, airport, 92, 93
parking meter, 109
parking stand, hitch and harrow, 424
parliamentarian, Congress, 72
parlor, lobster pot, 423
parocheth, Torah, 470
parotoid gland, toad, 42
parsley, and poultry, 259
part: man's hair, 207; poultry, 33
partial denture, 443
parting strip, window, 63
parting tool, woodcarving, 366
partisan, medieval weapon, 454
partition: backpack, 337; dishwasher, 246; house, 58
partly cloudy, weather map, 19
partner, teeth, 446
parure: jewelry, 214; king's regalia, 468
pash, human, 25
pasigraphy, 490
pas, mountain, 8
passage, barn, 100
pass case, wallet, 219
passenger cabin: hovercraft, 145; hydrofoil, 145
passenger car, train, 113
passenger concourse, airport, 92
passenger deck, ship, 139
passenger grab strap, motorcycle, 125
passenger loading bridge, airport, 92
passenger ship 138-139
passenger sideview mirror, automobile, 102
passenger steps, Hansom cab, 127
passenger terminal building, airport, 93
passenger train, 112
passe-partout, 373
passive satellite, 182
pass line: craps table, 341; jai alai cancha, 308
pastern: cow, 30; dog, 34; horse, 36; sheep, 31
past history, symbol, 494
pastoral staff, cardinal, 471
pastry, 260
pastry blender, 257
pastry brush, 255
pastry pin, 255
pastry wheel, 257
patch: label, 265; military uniform, 480, 481; paper bag, 262; police uniform, 482; running shoe, 296
patch pocket: cardigan, 195; woman's jacket, 192
patchwork quilting, 377
pate, human, 25
patella: human, 26; spider, 38
paten, for Communion bread, 85
path, golf course, 304
patio, 61; accessories, 284
Patriarchal cross, symbol, 492
patrol, police, 482
patrolman, police, 482
pattern: sewing, 390; stained glass, 372; table setting, 241; wind, 6
patterned indented surface, thimble, 376
pattern scale, sewing machine, 272
pauldron, armor, 455
pause button: tape recorder, 175; television LaserDisc player, 181
pavement light, church, 85
pavilion: cut gemstone, 214; minaret, 68
pavise, medieval shield, 454
paw: cat 35; dog, 34; human, 25; ultimate beast, 46
pawl: brace, 408; saw, 406, 407
pawn, chess, 339
payee: check, 222; postal money order, 223; traveler's check, 223
paying agent, traveler's check, 223
payload, missile, 466
payload changeout room, launch pad, 154
payload pallet, lunar rover, 157
payload specialist, space shuttle, 155
payoff chart, slot machine, 340
payoff return, slot machine, 340
pay phone, 178
pea, 52, anchor, 128
peace, symbol, 495
peach, 53
peacock-feather tassel, Manchu court dress, 475
peak: bonnet, 199; glacier, 12; house, 59, 61; man's cap, 198; mountain, 7
pearl: cave, 11; royal crown, 469
pebble finish, football, 288
pectoral cross, bishop, 471
pectoral fin: fish, 43; stingray, 43
pectoralis major, human, 26
ped, 206
pedal: brass drum, 358; bicycle, 124; bulldozer, 425; car, 106; cymbal, 385; dental unit, 444; guitar, 357; organ, 354; piano, 355; potter's wheel, 367; 747 cockpit, 150; starting block, 298; surgical table, 440; vacuum cleaner, 279
petal lip, mousetrap, 423
pedal steel guitar, 357
pedestal: animal tamer, 88; column, 71; desk, 272; diving board, 310; dressing table, 268; House of Representatives, 72; obelisk, 69; surgical table, 440; television set, 181; trophy, 285
pedestal table, 238
pedestrian crossing, road sign, 489
pedestrian safety mirror, mechanical sweeper, 123
pedicel: flower, 51; grass, 56; spider, 38
pedipalpi, spider, 38
peduncle, flower, 51
peel, fruit, 53
peeler, 252, 257
peen, hammer, 402
peephole: door, 62; kiln, 367
peg: banjo, 356; croquet, 312; dulcimer, 356, guitar, 356, 357; sitar, 356; tent, 336; tepee, 82; violin, 349
pegbox, violin, 349
pellet: dental, 445; shotgun, 458
pelota, jai alai, 308
pelt, 197
pelvic fin, fish, 43
pelvic region, salamander, 42
pen: barnyard, 100; writing tool, 160
penalty arc, soccer field, 293
penalty area, soccer field, 293
penalty box: ice hockey rink, 291; lacrosse field, 293
penalty kick mark, soccer field, 293
pen blade, pocket knife, 416
pencil: beauty product, 213; lithographic, 370; styptic, 206; writing tool, 160
pencil sharpener, 273
pendant: aircraft carrier, 142; Indian, 474; jewelry, 215; queen's regalia, 468
pendant pearl, royal crown, 469
pendentive, mosque, 69
pendulum: clock, 229; metronome, 361
pen holder: checkbook clutch, 219; police gun belt, 483
penhold grip, Ping-Pong
pen loop, checkbook clutch, 219
pennant, 486; circus tent, 89
pennon, lance, 454
penny size, nail, 400
penstock control, dam, 98
Pentateuch, Torah, 86
pentathlon, track and field, 294
penthouse, barn, 100
pent roof, pagoda, 69
people-mover, 77
peplum, dress, 194
pepper, raw, 258
peppercorn, 258
pepper mill, 257
pepperoni, pizza, 261
per, symbol, 495
perambulator, 282
percent key, electronic calculator, 431
percolator, 248
percussion, orchestra, 348
perforated panel, steamer basket, 253
perforated spreader, percolator brewing basket, 248
perforation: envelope, 161; foil pouch, 265; hair roller, 210; man's shoe, 200; movie film, 172
performance hall, theatre, 345
performance instruction, music, 346
performing rights organization, music, 347
perfume, 213
per hundred, symbol, 495
periapical dental x-ray unit, 444
pericarp, pea, 52
period: grammatical symbol, 497; wave, 14
periodical, 167
periople, horse's hoof, 36
periscope: submarine, 143; tank, 465

permanent current, ocean 6
permanent fort, 81
permanent lotion, hair styling, 210
permanent rod, hair styling, 210
permanent teeth, 446
per mill, symbol, 495
peroxide, ambulance, 119
personal choice, voting booth, 427
personnel safety net, aircraft carrier, 142
perspective, and composition, 362
per thousand, symbol, 495
Peru Current, ocean, 6
pestle, kitchen tool, 257
petal, flower, 51
petiole: celery, 258; fern, 55; leaf, 50
petitpoint, stitchery, 377
petronel, pirate, 476
petticoat: maid's uniform, 473; windmill, 382
pew, synagogue, 86
phalanges, human, 26, 29
pharynx, mouth, 28
phase of moon, 4
pheasant, 33
Phillips head, screw, 400
Phillips head screwdriver, pocket knife, 416
Phillips head tip, screwdriver, 403
philtrum, face, 28
phloem, tree, 48
Phoenix missile, jet fighter, 152
phone, 178
phonetic symbol, grammatical, 497
phonograph equipment, 176, 177
phonogram, public sign, 490
photo, magazine, 167, 168
photo and card case, wallet, 219
photocell, camera, 170
photo-disk, computer, 429
photograph, book jacket, 165
photographer, 171
photographic accessories, 174
photo holder, wallet, 219
phyllacteries, Jewish ritual items, 470
physician's mirror, 438
physician's room, White House, 73
pi, symbol, 495
pianissimo, music notation, 347
piano, 355; music notation, 346
piano-accordion, 360
piano frame, 373
piccolo, 348, 350
pick: figure skates, 319; ice ax, 328; ice hammer, 328; pipe tool, 225; stringed instrument, 356
picket fence, 61, 65
pick guard, guitar, 356, 357
pick-up, guitar, 357
pick-up arm, fishing reel, 334
pick-up broom, mechanical sweeper, 123
pick-up selector, guitar, 357
picnic area: public sign, 491; road sign, 488
picnic shoulder, pork, 32
pictograph, public sign, 490
picture card, 342
picture exit slot, instant camera, 170
picture frame, 373
picture hat, 199; bride's, 472
picture hook, 373
picture key, television set, 181
picture tube, television set, 181
pie, 260
piece: backgammon, 339; cake, 260; chess, 339; coin, 221; crutch, 442; jewelry, 215; kite, 317; rifle, 461; slalom water ski, 323
piece goods, fabric, 380
pier: arch, 70 bridge, 95; dam, 98; house, 58; nautical chart, 22; skyscraper, 75
pierced ear findings, 214
piercer, can opener, 247
pig, 32
pig board, windsurfer, 324
pigboat, 143
piggin, container, 262
piggy bank, 447
pigment cell, octopus, 44
pigment filling, scrimshaw, 369
pigpen, 100
pigtail, woman's hair, 209
pike, lance, 454
pike pole, fireman, 484
pilaster: cupboard, 239; house, 60
pile: arrow, 468; carpet, 242; nuclear, 384; skyscraper, 75; Velcro, 205
pileus, mushroom, 55
pill, medicinal, 441
pillar: arch, 70; automobile windshield, 105; house, 60; mountain, 9; and obelisk, 68; torii, 69
pillbox, woman's hat, 199
pillow: bedding, 266; coffin, 500; lounger, 231; police car, 118; rocking chair, 230; sofa, 232; stagecoach, 127
pilot: airplane, 153; locomotive, 112
pilot boarding ladder, tugboat, 144
pilot chute, 327
pilot hole, screw, 400
pilothouse: fireboat, 144; tugboat, 144
pilot light: guitar amplifier, 357; stove, 244
pilot's seat, space shuttle, 155
pilot-wheel feed, drill press, 409
pin: anchor, 128; attachment plug, 388; bowling, 311; can opener, 247; and carpet, 242; compass, 132; fastener, 204; fire extinguisher, 280; fluorescent bulb, 234; gallows, 452; gardening shears, 417; globe, 1; golf course, 305; hacksaw, 406; hair, 210; hand grenade, 463; hasp, 450; jewelry, 215; kitchen utensil, 255; lock cylinder, 449; mortar, 462; nail clippers, 211; pliers, 404; potter's wheel, 367; pulley block, 451; revolver safety catch, 214; rifle, 458, 459; roller chain, 451; roller skate, 318; sewing machine, 274; stapler, 273; starting block, 298; stroller, 282; tepee, 82; torpedo, 466; track link, 464; vacuum tube, 386; window shade roller, 237; woman's hat, 199
pin binding, ski, 321
pinbone, cow, 30
pincer, lobster, 45
pinch, man's hat, 198
pinch roller, tape recorder, 175
pinch valve, dental unit, 444
pincushion, 376
pineapple, 53; grenade, 463
pine cone, 50
Ping-Pong, 315
pin hinge, stove, 394
pinion, hand drill, 408
pinkie, human hand, 29
pinky ring, trumpet, 353
pin link plate, roller chain, 451
pin mark, type, 164
pinna, 28; fern, 55
pinnacle: church, 84; mountain, 9
pinnule, fern, 55
pin rail, stage, 344
pinsetter, bowling, 311
pinspotter, bowling, 311
pintle, hinge, 450
pintle mount, machine gun, 461
pin-tumbler, lock cylinder, 449
pinwood, clothespin, 276
pip: apple, 53; backgammon board, 339; dice, 341; domino, 339; pineapple, 53; playing card, 342
pip card, 342
pipe: automobile, 104; bagpipe, 359; furnace, 390; heat exchanger, 393; lamp, 234; levigator, 370; locomotive, 112; motorcycle, 125; oil drilling platform, 99; organ, 354; pitch, 361; plumbing, 412; pressure cooker, 253; silo, 100; smoking, 225; solar heating system, 383; space shuttle, 154; standpipe, 57; steam engine, 395; steel chain fence gate, 65; tank, 464; trumpet, 353; water heater, 391
pipe batten, stage, 344
pipe cleaner, 225
pipe cutter, plumbing, 412
pipe-holding jaw, vise, 399
pipeline, wave, 14
pipe nozzle, fire engine, 120
piper, bagpipe, 359
pipe standard, parking meter, 109
pipe threader, 412
pipe tool, 225
pipe umbrella, 225
pipe wrench, plumbing, 412
piping: baseball uniform, 286; bishop's cope, 471; boot, 202; handball glove, 307; jacket, 184; man's belt, 186; shoulder bag, 218; woman's shoe, 201
pipkin, 253
piquot front, butler's shirt, 473
pirate, costume, 476
Pisces, zodiac, 493
piste, fencing, 309
pistil, flower, 51
pistol, 460; lobster, 45
pistol belt, soldier, 481
pistol grip: hacksaw, 406; rifle, 461; shotgun, 458
pistol nozzle, 418
pistol port, tank, 464
pistol trigger switch, video camera, 180
piston: garbage truck, 123; dispenser, 263; organ, 354; parallel bars, 300; pommel horse, 310; steam engine, 395
piston displacement, chain saw, 421
piston rod, steam engine, 395
pit: barnyard, 100; bowling lane, 311; high jump, 299; peach, 53; pole vault, 299; snake, 41; theatre, 345
pitch: plane blade, 410; screw, 400
pitch control dial, tape recorder, 175
pitcher's mound, baseball field, 287
pitcher's rubber, baseball field, 287
pitching wedge, golf club, 304
pitch pipe, 361
pitch trim, 747 cockpit, 151
pitmans, steam engine, 395
piton, mountain climbing, 328
pitot tube, jet fighter, 152
pivot: basketball, 292; clamp, 399; compass, 132; dressing table mirror, 268; jet fighter wing, 152; laboratory, scale, 437; metronome, 361; mortar, 462; pliers, 404; roller skate, 418; scissors, 376; ski binding, 320; wire stripper, 413
pivot bolt, bicycle caliper brake, 124
pivot gear housing, mechanical sweeper, 123
pivot hinge, 450
pivot pin: can opener, 247; hinge, 450
pivot point, bicycle caliper brake, 124
pix, church, 85
pizza, 261
pizzicato, stringed instruments, 349
place, flat racing, 330
place bets, craps table, 341
placenta, tomato, 52
place setting, 240
placket: blouse, 193; parka, 197; shirt, 185
plain, 7, 8, 15
plaintiff's table, courtroom, 87
plait, woman's hair, 209
plan: church, 85; White House, 73
planchet, coin, 221
plane, 410; monovial, 414; perspective, 362
plane iron, 410
plane kite, 317
plane surface, printing, 164
planet, 2, 3
planetary, tractor, 424
planetoid, 2
planing hull, powerboat, 134
plank, lumber, 66
planographic printing, 370
plant, power network, 386
plantar arch, human foot, 29
Plantin typeface, 163
planting box, pole vault, 299
planting machine, 424
planting pit, pole vault, 299
plague: identification bracelet, 183; man's belt buckle, 186; pyrometric cone, 367
plasma membrane, animal cell, 23
plasma science, satellite, 182
plastic cap, stapler, 273
plastic disc, harness racing sulky, 331
plastic fruit, woman's hat, 199
plastic lining, man's hat, 198
plastic sheath, electrician's wire, 413
plastic squeeze bottle, 264
plasti shield, bottle, 265
plastron: fencing, 309; turtle, 40;
plate: armor, 455; automatic weapon, 461; barbell, 338; baseball field, 287; baseball pitcher's spikes, 286; bathtub, 270; blackjack, 341; beef, 30; bicycle, 241; chain lock, 448; crossbow, 456; escalator, 77; flute, 350; food mill, 256; furnace, 390; hasp, 450; horizontal bar, 300; house, 59; identification bracelet, 183; intaglio, 371; internal combustion engine, 396;

iron, 275; keypunch, 428, kitchen sink, 243; laboratory scale, 436; land mine, 463; lithographic, 370; locomotive, 112; mandolin, 356; mortise lock, 448; onion, 52; outboard engine, 133; paper money, 220; parking meter, 109; pliers, 404; postal money order, 223; pulley block, 451; racing car, 332; railroad track, 111; rifle, 458; roller chain, 451; roller skate, 318; safe, 447; sewing machine, 274; shotgun butt, 458; ski binding, 320; slalom water ski, 323; solar collector panel, 383; space shuttle, 154; sponge mop, 278; stage, 344; standpipe, 57; stationary rings, 301; sundial, 381; table setting, 240, 241; tank, 464, 465; telephone, 178; theodolite, 426; toaster, 249; tow truck, 122; tractor, 424; trophy, 285; typewriter, 162; vacuum tube, 386; vise, 398
plate number: envelope, 161; paper money, 221
plate vial, theodolite, 426
plateau, 7
plate cylinder, printing, 164
platen, typewriter, 162
platform: aircraft carrier, 142; camera tripod, 174; circus aerialist, 88; diving, 310; elevator shaft, 76; fire engine, 120; helicoper, 146; iceberg, 12; lunar lander, 156; merry-go-round, 91; powerboat, 135; slide, 283; space shuttle, 154; stage, 344; swimming pool, 310; truck, 117
platform car, train, 113
platform shoe, woman's, 210
platform tower, slide, 283
platter, phonograph, 176
playback unit: tape recorder, 175; video recorder, 180
play button: tape recorder, 175; television LaserDisc player, 181
player: basketball, 292; ice hockey, 291; jai alai cancha, 308; orchestra, 348
playground: equipment, 283; public signs, 491
playing cards, 342
playing surface, pool table, 314
playpen, child's, 282
playroom, passenger ship, 139
plaza, skyscraper, 75
pleat: ballet slippers, 478; curtain, 236; lounger, 231; shirt, 185; woman's pants, 192
pleated pants, woman's, 192
pleated ruffled shirt, man's, 472
plectrum, stringed instrument, 356
plenum assembly, nuclear reactor, 395
plewd, cartoon, 375
plexus, human, 25
pliers, 404; dental, 445; stained glass, 372
Plimsoll mark, symbol, 495
plinth: column, 71; grandfather clock, 229
plot, grave, 500
plow, 424; can opener, 247
plow anchor, sailboat, 130
plug: ballpoint pen, 160; electric, 388; fishing, 335; internal combustion engine, 396; kiln, 367; lawn sprinkler, 418; locomotive boiler, 112; mortise lock, 448; movie projector, 173; mower, 419; padlock, 449; paint spray gun, 415; percolator, 248; pots and pans, 253; vacuum tube, 386
plug body, phonograph headphone, 177
plug fuse, 389
plum, cowboy bullet, 474
plumb, transit, 426
plumber's friend, 412
plumbing tool, 412
plumb vial, carpenter's level, 414
plume: armor, 455; drum major's busby, 479
plunge pool, dam, 98
plunger: coffee maker, 248; hypodermic syringe, 441; juice extractor, 251; plumbing tool, 412; telephone, 178; torpedo, 466
plunger handle, camp stove, 336
plunger snap lock, starting block, 298
plunge step, shoreline, 14
plus, symbol, 494
plus or minus, symbol, 494
Pluto, planet, 2
pneumatic liner system, football helmet, 288
pneumoscopy port, ear scope, 438
pocket: backpack, 337; baseball glove, 287; bowling, 331; briefcase, 281; cardigan sweater, 195; cowboy, 474; football uniform, 288; golf bag, 305; handbag, 218; jacket, 184; lacrosse stick, 293; mainsail, 132; necktie, 189; parka, 197; pool table, 314; shirt, 185; skin diving gear, 325; skirt, 193 spacesuit, 157; trench coat, 196; trousers, 187; wallet, 219; woman's jacket and pants, 192; window shade, 237
pocket billiard table, 314
pocketbook, 218
pocket camera, 170
pocket flap, backpack, 337
pocketknife, 416
pocket watch, 216
pod: camera, 171; jumbo jet engine, 149; pea, 52; racing car, 332
podium, symphony orchestra, 348
pogonotomy, 207
pogonotrophy, 207
point: arrow, 456; backgammon board, 339; ballpoint pen, 160; billiard cue, 314; chicken comb, 33; clown's hat, 477; dart, 316; drill bit, 409; etching needle, 371; fencing foil, 309; fish hook, 335; grammatical symbol, 497; hockey skate, 319; ice climbing boot, 328; jai alai cesta, 308; javelin, 296; knife, 252, 453; knitting needle, 378; laboratory scale, 436; land, 7; mainsail, 132; nail, 400; needle, 376; pencil, 160; pin, 204; rasp, 410; river, 13; saw tooth, 406; screw, 400; sharpening steel, 252; star fort, 81; sword, 453; tack, 400; violin bow, 349; weather vane, 19; wrench, 405; wrought iron fence, 65
point chisel, stonecutting, 366
point d'applique, bridal gown, 472
point defense missile launcher, aircraft carrier, 142
pointed waist, queen's regalia, 468
pointer: barometer, 18; comic strip, 375; laboratory scale, 437; Torah, 470; volt-ohm meter, 413; weather vane, 19
pointillism and texture, composition, 363
point of entry, darts, 316
point of hip, horse, 36
point of hock, horse, 36
point of interest, city plan, 20
point of shoulder, horse, 36
point ring, darts, 316
point size, type, 164
point symbol, political map, 21
poise, laboratory scale, 436
poison, symbol, 495
poisonous snake, 40
poker, fire iron, 228
polarity symbol, battery, 387
pole: baseball field, 287; bumper car, 90; circus tent, 89; football field, 289; globe, 5, harness racetrack, 331; overhead power line, 386; pole vaulting, 299; powerboat, 135; skiing, 320, 321; stagecoach, 127; tent, 336; tepee, 82
pole arms, medieval, 454
pole grip, ski pole, 320
pole mount, fishing reel, 334
pole position, flat racing, 330
pole vault, 294, 299
poleyn, armor, 455
police car, 118
policeman's suspenders, 186
police officer, 482-483
polish, beauty product, 213
polisher, pipe cutter, 412
political boundary, map, 5, 20
political capital symbol, map, 20
political cartoon, 374
political map, 20-21
poll(s): ax, 454; cow, 30; hammer, 402; horse, 36; pig, 32; voting, 427
pollen, flower, 51
pollen basket, bee, 39
poll end, windmill, 382
pollen sac, flower stamen, 51
polling place, 427
polliwog, 42
pollution control valve, automobile engine, 107
poly bag, packaging, 265
polygonal base, minaret, 68
polygonal tower, architecture, 69
polyp, coral, 44
pommel: foil mounting, 309; knife, 453; pommel horse, 301; saddle, 329; sword hilt, 453
pommel horse, 301
pompon, ski hat, 321
poncho, infantryman's uniform, 481
pond, topographic map, 22
pontic, dental bridge, 443
pontoon, single engine airplane, 147
pontoon bridge, 95
ponytail, woman's hair, 209
pool, 314; canal lock, 97; cave, 11; dam, 98; passenger ship, 138, 139; swimming, 310
pool table, 314
popcorn, cave, 11
pop-up stopper, sink, 269
porcelain, dental, 445
porch: church, 85; house, 61
porcupine, ultimate beast, 46
pork, 32
port: drag racing driver's fire suit, 333; ear scope, 438; movie projector, 173; outboard, engine, 133; passenger ship, 138; rocket, 397; saber saw, 407; sailboat, 130; tank, 464
portable electrocardiogram, paramedic equipment, 119
portable life support system, spacesuit, 157
portable telemetry radio, paramedic equipment, 119
portable typewriter, 162
portal: church, 84-85; stage, 344, 345; underwater tunnel, 96
portcullis, castle, 79
port-engine clutch, powerboat, 134
portfolio, briefcase, 281
porthole, passenger ship, 138
portico: Capitol, 72; White House, 73
portlight: powerboat, 134; sailboat, 130
port quarter, boat, 128
portrait: money, 221; White House, 73
port side, boat, 128
port throttle, powerboat, 134
position: flat racing, 330; globe, 5
position indicator: elevator car, 76, 747; cockpit, 150; sonar, 434
positioning arm, dental unit, 444
positioning key, computer, 429
positioning ratchet, chaise lounge, 284
positioning scale, typewriter, 162
position letter, paper money, 220, 221
position light, jet fighter, 152
position lines, jai alai cancha, 308
position mark, guitar, 356, 357
position number, paper money, 220
positive charge, symbol, 494
positive terminal, battery, 387
positive test lead jack, volt-ohm meter, 413
post: battery, 387; bear trap, 423; bed, 266; bicycle, 124; boxing ring, 303; bureau, 268; camera tripod, 174; candelabrum, 233; fence, 65; guillotine, 452; hand loom, 379; hang glider, 327; house, 58, 59; jewelry findings, 214; kettledrum, 358; laboratory scale, 437; mailbox, 227; Ping-Pong net, 315; railroad crossing signal, 111, rocking chair, 230; snap fastener, 204; tanker, 137; tatting shuttle, 378; toilet, 271; typewriter guide, 162; wind turbine, 382
postage due notice, envelope, 161
postal money order, 223
post cap, railroad crossing signal, 111
poster arm, gas pump, 108
poster frame, garbage truck, 123
post footing, house, 58
posthole, fence, 65
post lamp, house, 61
postmark, envelope, 161
post-mounted arm, dental unit, 444
post office, Capitol, 72
post position: flat racing, 330; jai alai player, 308

postscript, letter, **161**
pot, **367;** combat soldier's helmet, **481;** kitchen, **253;** percolator, **248;** tea set, **241**
potato, **52;** masher, **255;** peeler, **257**
pot fork, **255**
pot holder, house painting, **415**
potter's wheel, **367**
pouch: athletic supporter, **190;** combat soldier's uniform, **481;** package, **264, 265;** police gun belt, **482;** tobacco, **255;** ultimate beast, **46**
pouf, footstool, **231**
poult, turkey, **33**
poultry, **33, 259**
pound, symbol, **495**
pound lock, **97**
pouring lip, blender, **250**
pour spout, package, **264**
powder: fortification, **80;** makeup, **212, 213**
powdered emery, nail file, **211**
powder eye shadow, **213**
power, steam engine **395**
powerboat, **134-135**
power bore bit, drill, **408**
power button: tape recorder, **175;** television LaserDisc player, **181**
power cable, police car, **118**
power control: sonar, **434;** space shuttle, **155**
power cord: air conditioner, **392;** camper, **126;** curling iron, **210;** lamp, **234;** tape recorder, **175**
power drill, **409**
power feed, track lighting, **235**
power handle, ear scope, **438**
power head, chain saw, **421**
powerhouse: dam, **98;** prison, **74**
power, indicator, CB radio, **179**
power key, television set, **181**
power knob, phonograph receiver, **177**
power lawn mower, **419**
power line, overhead, **386**
power network, **386**
power on indicator, phonograph turntable, **176**
power output meter, phonograph receiver, **177**
power pedal, surgical table, **440**
power saw, **407**
power station, dam, **98**
power status, space shuttle, **155**
power steering, automobile engine, **107**
power supply module, cash register, **430**
power switch: camera, **170;** radar, **434**
power takeoff, tractor, **424**
power terminal, electrical wall switch, **338**
power train, automobile, **104**
power twister, body building, **338**
power winder, camera, **171**
power window control, car, **106**
power-zoom control, camera, **172**
prayer book, Jewish, **470**
prayer hall, mosque, **68-69**
prayer shawl, Jewish, **470**
prayer vestment, Jewish, **470**
pre-amp, phonograph, **177**
preamplifier, guitar, **357**
precautionary statement, label, **264**
precinct number, police uniform, **482**
precious miter, cardinal, **471**
precipitation gauge, weather station, **18**
precision approach marking, runway, **92**
precision attachment, denture, **443**
prediction, weather map, **19**
prefix letter, paper money, **221**
preheater hose, automobile engine, **107**
prehensile lobe, ultimate beast, **47**
preliminaries, book, **165**
premolar, **446**
preparation utensils, cooking, **255**
prepared foods, **259**
prepercle, fish, **43**
pre-race betting odds, flat racing entry, **330**
presbytery, church, **85**
prescription, symbol, **494**
presentation mode selector, sonar, **434**
preset: organ, **354;** video recorder, **180**
president: fencing match, **309;** Senate, **72**
President's executive office, White House, **73**
President's living quarters, White House, **73**
press: curling iron, **21;** etching, **371;** incandescent bulb, **234;** kitchen tool, **257;** lithographic, **370;** printing, **164;** universal gym, **338**
presser, pipe tool, **225**
presser foot, sewing machine, **274**
presser plate, sponge mop, **278**
pressure, weather map, **19**
pressure altimeter, pilot's instument panel, **153**
pressure brush, house painting, **415**
pressure cooker, **253**
pressure cup, citrus juicer, **251**
pressure cuff, blood pressure gauge, **439**
pressure dial, sewing machine presser foot, **274**
pressure gauge: fire extinguisher, **280;** furnace, **390;** skin diving, **325;** steam engine, **395**
pressure hull, submarine, **143**
pressure indicator, pilot's instrument panel, **153**
pressure pad, cassette tape, **175**
pressure plate: key punch, **420;** land mine, **463**
pressure ratio gauge, **747;** cockpit, **150**
pressure regulator: pressure cooker, **253;** steam engine, **395;** water heater, **391**
pressure relief valve: tanker, **136, 137;** water heater, **391**
pressure screw, etching press, **371**
pressure sensor, weather station, **18**
pressurized helmet, spacesuit, **157**
pressurizer, nuclear reactor, **384**
pre-starting light, drag racing, **333**
pre-tuning controls, video recorder, **180**
preview, magazine, **167**
price: book, **165;** gas pump, **108;** magazine, **167;** newspaper, **166;** ticket, **343**
priced at, symbol, **495**
price spot, label, **265**
pricket, candlestick, **233**
primary, bird, **37**
primary account number, credit card, **222**
primary cable, overhead power line, **386**
primary cell: battery, **387;** electric meter, **389**
primary combination dial, vault, **447**
primary combustion chamber, woodburning stove, **394**
primary root, **49**
primary selector control, sealed voting booth, **427**
prime, grammatical symbol, **497**
prime meridian, **5**
primer: cartridge, **460;** hand grenade, **463;** painting, **364**
primer control, mower, **419**
prime ribs, beef, **30**
Prince of Wales handle, umbrella, **226**
princess waistline, bridal gown, **472**
principal doorway, church, **85**
principal rafter, house, **59**
principal street, city plan, **20**
print: camera, **170;** silk screen, **369**
printed image, **164**
printed impression, **164**
printer: cash register, **430;** computer, **429**
printing: incised, **371;** planographic, **370;** processes, **164;** silk screen, **269;** woodcut, **368**
printing surface: lithographic press, **370;** type, **164**
printmaking, **371;** silk screen, **369**
printout, computer, **429**
prison, **74**
probable morning line, flat racing, **330**
probe jack, volt-ohm meter, **413**
proboscis: mosquito, **39;** ultimate beast, **47**
procedures, computer, **429**
proceed signal, traffic light, **109**
processing unit, computer, **429**
product label, **264**
product number, pencil, **160**
profile, shoreline, **14, 15**
program, computer, **429**
program button, video recorder, **180**
programmer, computer, **428**
program number, flat racing entry, **330**
program setting button, television LaserDisc player, **181**
prohibit movement sign, road, **489**
projectile: cannon, **457;** mortar, **462**
projection, map, **20, 21**
projection speed selector, movie projector, **173**
project name, house blueprint, **60**
projector, **173**
prominence, solar, **2-3**
promotional label, **264**
prong: electric plug, **388;** fork, **240, 255;** man's belt, **186;** nail clippers, **211;** ring, **215;** tuning fork, **361;** vacuum tube, **386**
pronunciation symbol, **497**
proof-of-purchase seal, package, **264**
proofreader's marks, **498**
prop: grand piano, **355;** stage, **344**
propane gas, camper, **126**
propane plumber's torch, **412**
propeller: destroyer, **140;** hovercraft, **145;** outboard, engine, **133;** single engine airplane, **147;** submarine, **143;** torpedo, **466;** turboprop jet engine, **397**
property, stage, **344**
proposed road, road map, **20**
proposition area, craps table, **341**
prop root, corn, **56**
prop stick, grand piano, **355**
proscenium arch, stage, **344, 345**
prosecutor's table, courtroom, **87**
pro-style hair dryer, **208**
protection pad, parallel bars, **300**
protective cap, razor, **20t**
protective case, blood pressure gauge, **439**
protective chain cover, swing, **283**
protective clothing, armor, **455**
protective counter, sealed voting booth, **427**
protective cup: athletic supporter, **190;** baseball catcher, **286;** boxing, **303;** football player, **288**
protective padding, ski clothes, **320**
protective shoulder, wristwatch, **216**
protective sleeve, overhead power line, **386**
protector: banjo, **356;** baseball catcher, **286;** ice hockey player, **290, 291;** tow truck bed, **122;** waterskiing towline, **323**
protruding upper face, zipper, **205**
proximal transverse, human hand, **29**
pubes, human, **25**
pubis, human, **26**
public address switch, CB radio, **179**
public counter, sealed voting booth, **427**
public sign, **490-491**
publisher, book, **165**
puck: craps table, **341;** ice hockey, **290**
pudding fender, tugboat, **144**
p'u fang, Manchu court dress, **475**
puff, beauty product, **213**
puff sleeve: maid's uniform, **473;** queen's regalia, **468**
p'u-fu, Manchu court dress, **475**
pull: bureau, **268;** dressing table, **268;** sideboard, **239;** traverse rod, **236;** window shade, **236, 237**
pull bail, screen, **173**
pulley, **451;** automobile engine, **107;** block and tackle, **451;** stage, **344;** tow truck, **122;** universal gym, **338;** venetian blind, **237**
pulley block, **451**
pulley chain, castle portcullis, **79**
pulley rope, ballista, **457**
pulley safety guard, drill press, **409**
pullover: hurdle, **298;** sweater, **195, 321**
pull-pin, fire extinguisher, **280**
pullquote, magazine, **168**
pull ring: hand grenade, **463;** zipper slide, **205**
pull strap, boot, **202**
pull tab: package, **264;** zipper, **205**
pulp, fruit, **53, 251**
pulpit: church, **85;** sailboat, **130;** synagogue, **86**

pulsar, **3**
pulse generation, pacemaker, **442**
pulse point, and perfume, **213**
pump: automobile engine, **107;** bicycle, **124;** blood pressure gauge, 439; dishwasher, 246; fireboat, 144; gas, 108; nuclear reactor, **384, 385;** paint spray gun, **415;** paramedic equipment, **119;** percolator brewing basket, **248;** pilot's instrument panel, **153;** rocket, **397;** solar heating system, **383;** woman's shoe, **201, 472, 473**
pumper, fire engine, **121**
pumpkin, silo, **100**
pump plunger handle, camp stove, **336**
pump valve, lantern, **336**
punch card, key punch, **428**
puncheon, **263**
punch hole: man's belt, **186;** punch card, **428**
punching station, key punch, **428**
punch line, comic strip, **375**
punctuation, grammatical symbol, **497**
punt: bottle, **263;** fireboat, **144**
punta, jai alai cesta, **308**
pupa, insect, **39**
pupil, eye, **28**
pup tent, **336**
purchaser: postal money order, **223;** traveler's check, **223**
purfling, violin, **349**
purge valve, skin diving face mask, **325**
purl, knitting, **378**
purlicue, human hand, **29**
purlin, house, **59**
purl stitch, knitting, **378**
purse, **218;** miser, **476**
push arm, bulldozer, **425**
push axle tire, bus, **114**
pushboat, **144**
pushbutton: ballpoint pen, **160;** drill press, **409;** metal detector, **435;** screen, **173;** telephone, **178**
pusher: food processor, **250;** nail clippers, **211**
pusher tug, **144**
push knob, citrus juicer, **25**
push-pin, wristwatch, **216**
pushpit, sailboat, **130**
push plate, tow truck bed, **122**
push rim, wheelchair, **422**
putter, golf club, **305**
putting green, **305**
puzzle solution, magazine, **169**
pylon: helicopter, **146;** hovercraft, **145;** jumbo jet, **149**
pyramid, **69**
pyramidion, obelisk, **69**
pyrometric cones, potting, **367**

Q

Q: braille, **496;** sign language, **496**
Q-light, camera, **170**
quad, magazine column, **169**
quadrant, **133**
quadrant number, paper money, **220**
quadraphonic record, phonograph, **176**
quadredundant computer system, space shuttle, **155**
quadrilateral structure, pyramid, **68**
quantity indicator, pilot's instrument panel, **153**
quark, **3**
quarrel, crossbow, **456**
quarter: boat, **202;** horse's hoof, **36;** man's shoe, **200**
quarterdeck, passenger ship, **139**
quarter glass, automobile, **103**
quarter hoop, barrel, **263**
quarter-inch mark, tape measure, **414**
quartermaster, frontier fort, **80**
quarter-mile pole, harness racetrack, **331**
quarter moon, **4**
quarter note, music, **346**
quarter panel, automobile, **102, 103**
quarter rest, music, **347**
quarters: frontier fort, **80;** oil drilling platform, **99;** passenger ship, **138;** tugboat, **144;** White House, **73**
quarter shield, coat of arms, **487**
quasar, **3**
quasihemidemisemiquaver, music, **346**
quatrefoil, church, **84**
quaver, music, **346**
queen: chess, **339;** playing cards, **342;** royal regalia, **468**
queen post, house, **59**
queenside men, chess, **339**
query author, proofreader's mark, **498**
question index column, voting booth, **427**
question mark: grammatical symbol, **497;** proofreader's mark, **498**
quiche, **259**
quick claw, lobster, **45**
quick-release hook, parachute, **327**
quill: bird feather, **37;** brace, **408;** pen, **160;** ultimate beast, **46**
quillon: knife, **453;** sword hilt, **453**
quilt, **266, 267**
quilting, sleeping bag, **337**
quimp, cartoon, **375**
quiver, arrow, **456**
quoin: brick wall, **67;** masonry gate post, **65**
quotation mark, **497**

R

R: braille, **496;** sign language, **496**
rabbi, **470**
rabbit ear, ultimate beast, **47**
rabillo, jai alai cesta, **308**
race: hand loom, **379;** swimming, **310;** track and field, **294**
race track: Grand Prix, **332;** harness, **331**
Rachel, playing card queen, **342**
rachis: bird feather, **37;** fern, **55**
racing: drag, **333;** flat, **330;** Grand Prix, **332;** harness, **331;** starting block, **298**
racing colors, flat racing entry, **330**
racing flat, **296**
racing handlebar, bicycle, **124**
racing slick, **332, 333**
rack: automobile, **105;** bathtub, **270;** bicycle, **124;** billiards, **314;** blackjack, **314;** bowling lane, **311;** bus, **114;** camper, **126;** desk, **272;** dishwasher, **246;** kitchen tool, **256;** lamb, **31;** oil drilling platform, **99;** outboard engine, **133;** space shuttle, **155;** stagecoach, **127;** stove oven, **244;** tank, **464;** toaster, **249;** wok, **253**
racket: badminton, **313;** Ping-Pong, **315;** squash, **307;** tennis, **306**
radar, **434;** aircraft carrier, **142;** buoy, **128;** destroyer, **141;** fireboat, **144;** hovercraft, **145;** jumbo jet, **148;** pilot's instrument panel, **153;** police car, **118;** 747; cockpit, **150;** space shuttle, **155;** submarine, **143;** tanker, **137;** tugboat, **144**
radial: lumber, **66;** scallop shell, **45;** spider web, **38**
radiation belt, Milky Way, **3**
radiator, **390;** automobile, **104;** bulldozer, **425;** racing car, **332;** solar power system, **383**
radicle, root system, **49**
radii, spider web, **38**
radio: aircraft carrier, **142;** ambulance, **119;** Citizens Band, **179;** clock, **229;** hovercraft, **145;** pilot's instrument panel, **153;** police car, **118;** 747 cockpit, **150;** submarine, **143**
radioactive-waste storage tank, nuclear reactor, **384**
radio mast, skyscraper, **75**
radiometer, satellite, **182**
radio operator, **179**
radio-translucent pad, surgical table, **440**
radio tuning dial, phonograph receiver, **177**
radio wave, **2-3**
radius, human, **26**
radome, jet fighter, **152**
raft: aircraft carrier, **142;** jumbo jet, **148;** tugboat, **144**
rafter: house, **59;** lumber, **66**
ragged-right type, magazine, **168**
raglan sleeve: parka, **197;** trench coat, **196**
rail: backgammon board, **339;** backyard equipment, **283;**

rail: backgammon board, **339;** backyard equipment, **283;**

balustrade, **71;** bathtub, **270;** bed, **266;** bridge, **95;** bureau, **268;** child's wagon, **283;** church, **85;** craps table, **341;** door, **62;** drag racing, **333;** escalator, **77;** fence, **65;** flat racing, **330;** harness racetrack, **331;** ladder, **415;** passenger ship, **138; 355;** playpen, **282;** pool table, **314;** powerboat, **134, 135;** railroad, **111;** razor blade injector, **206;** rocking chair, **130;** sailboat, **130;** skin diving fin, **325;** sled, **322;** slide, **283;** snowmobile, **126;** sofa, **232;** sponge mop **278;** stage, **344;** staircase, **64;** stapler, **273;** starting block, **298;** subway, **115;** surfboard, **324;** surgical table, **440;** tanker, **137;** truck, **116, 117;** venetian blind, **237;** wheelchair, **442;** window, **63**
railing: highway, **110;** tunnel, **96**
railroad, **112-113**
railroad crossing, **111;** road sign, **488**
railroad track, **111**
railroad yard, **94**
rail transportation, public sign, **490**
rain, **17, 19**
rain boot, **203**
rain cap, bulldozer, **425**
rain check, ticket, **343**
raincoat, **196**
rain gauge, weather station, **18**
rain poncho, infantryman's uniform, **481**
rain-snow clutter control, radar, **434**
rake, **417**
ram, **31;** iceberg, **11;** zodiac, **493**
ram control, garbage truck, **123**
ramjet, **397**
rammer, cannon, **457**
ramp: airport, **92;** highway cloverleaf, **110;** hovercraft, **145;** theatre stage, **345**
rampart: castle, **78, 79;** fort, **81**
ranching gear, **422**
rand: boot, **202;** mountain climbing, **328**
range: kitchen, **233;** mountain, **7, 8;** thematic map, **21**
range control: police car, **118;** radar, **434;** sonar, **434**
range indicator, movie camera, **172**
rank: chessboard, **339;** military uniform, **480, 481**
rank badge, Manchu court dress, **475**
rapid-response thermometer, **254**
rapids, river, **13**
rapid transit system, **115**
rasp, **410**
ratcatcher, passenger ship, **138**
ratchet: brace, **408;** chaise lounge, **284;** screwdriver, **403**
ratchet angle, incline track, **90**
ratchet buckle, man's belt, **186**
ratchet handle, socket wrench, **405**
ratchet wheel, hand loom, **379**
rate control, guitar amplifier, **357**
rate of flow indicator, pilot's instrument panel, **153**
rate plate, parking meter, **109**
rating, clock, **229**
ratio: political map, **21;** symbol, **495**
rattlesnake, **40-41**
ravine, mountain, **8**
raw ingredients, food, **258**
ray: fish, **43;** medal, **485;** Milky Way, **3**
razor, **206**
razor blade, **206**
RCS nozzle, lunar lander, **156**
reaction, nuclear power, **384**
reaction control system (RCS) thruster assembly, lunar lander, **156**
reactor, nuclear, **384**
reader service coupon, magazine, **169**
reader surname, magazine mailing label, **167**
read head, key punch, **428**
reading clerk, House of Representatives, **72**
reading lens, eyeglasses, **217**
reading light, bus, **114**
readout: computer, **429;** dental unit, **444**
readout dash, newspaper, **166**
read-write window, computer diskette, **429**
reamer: citrus juicer, **251;** drill, **408;** plumbing, **412**
reaper, **424**
rear anchor, diving board, **310**
rear apron, necktie, **189**

rear axle: automobile, **105;** stroller, **282;** tractor, **424;** truck, **116;** wagon, **283**
rear bead, shotgun, **459**
rear beam, laboratory scale, **437**
rear bearing, fishing reel, **334**
rear binding heel piece, slalom water ski, **323**
rear boot, stagecoach, **127**
rear brake, bicycle, **124**
rear bumper, automobile, **103**
rear cinch, saddle, **309**
rear coil spring, automobile, **105**
rear deflector, mower, **419**
rear derailleur, bicycle, **124**
rear door, automobile, **103**
rear drive sprocket, motorcycle, **125**
rear drop-out, bicycle, **124**
rear drum brake, motorcycle, **125**
rear end, automobile, 105
rear fender, motorcycle, 125
rear foot, stapler, **273**
rear frame, wheelbarrow, **420**
rear hood, fishing rod, **334**
rear housing: can opener, **247;** razor, **206**
rear jockey, saddle, **329**
rear leg, bee, **39**
rear light, bulldozer, **425**
rear limit line, fencing strip, **309**
rear post, hand loom, **379**
rear quarter panel, automobile, **103**
rear push plate, tow truck bed, **122**
rear rigging ring, saddle, **329**
rear section, bicycle, **124**
rear shock absorber: automobile, **105;** motorcycle, **125**
rear sight, weapon, **459, 460, 461**
rear skirt, missile, **466**
rear spikers' line, volleyball court, **313**
rear stretcher, rocking chair, **230**
rear tire, bus, **114**
rear wing, racing car, **332**
rear toe binder, slalom water ski, **323**
rearview mirror: bus, 114; car, 106; locomotive, 113; pilot's instrument panel, **153;** truck, **116**
rear wheel, tow truck, **122**
rear window, automobile, **103**
rear windshield, automobile, **103**
rebote, jai alai cancha, **308**
rebound tumbling, trampoline, **302**
receipt: cash register, **430;** money order, **223;** toll booth, **110**
receiver: automatic weapon, **460, 461;** phonograph, **177;** shotgun, **458;** telephone, **178**
receiving track, railroad yard, **94**
receptacle: electrical, **388;** flower, **51;** pencil sharpener, **273;** strawberry, **53**
reception center, prison, **74**
reception room, White House, **73**
recessed back-up light, tow truck bed, **122**
recessed door, safe, **447**
recessed taillight, tow truck bed, **122**
rechargeable battery pack, tape recorder, **175**
rechargeable power handle, ear scope, **438**
recirculating valve, automobile engine, **107**
recliner, **231**
recliner stand, child's car seat, **282**
reclining seat, bus, **114**
recoil pad, rifle, **458**
recoil spring guide, automatic pistol, **460**
recoil starter plate, internal combustion engine, **396**
record: phonograph, **176;** television LaserDisc player, **181**
record button, tape recorder, **175**
recorder: tape, **175;** weather station, **18**
recording phonograph, **176**
recording lever, movie projector, **173**
red light, ice hockey, **290**
red line, ice hockey, **291**
recording mode select switch, video recorder, **180**
recording pre-set, video recorder, **180**
record meter, tape recorder, **175**
record size selector, phonograph turntable, **176**
recreational vehicle, **126**
recreation area, road map, **20**
recreation yard, prison, **74**
rectangle, basketball backstop, **292**
rectangular lens, eyeglasses, **217**
rectangular spreader, **420**
recto, book page, **165**
rectory, **84**
rectus, human, **26**
recurve, bow, **456**
red foul light, drag racing, **333**
red light, traffic light, **109**
red lighting, drag racing, **333**
red marker light, truck van, **117**
Red Room, White House, **73**
red slot, roulette, **370**
red supergiant star, **2**
reduction, theodolite, **426**
red wine glass, **240**
reed: bagpipe, **359;** clarinet, **351;** English horn, **351;** hand loom, **379;** oboe, **350**
reeding, coin, **221**
reed selector switch, accordion, **360**
reed tube opening, pitch pipe, **361**
reef, coral, **44**
reef cringle, mainsail, **132**
reefer: refrigerator ship, **136;** truck, **116**
reef point, mainsail, **132**
reel: fencing strip, **309;** fireboat, **144;** fishing, **334;** movie camera, **172;** movie projector, **173;** mower, **419;** tape measure, **414;** tape recorder, **175;** thread, **376**
reel lawn mower, **419**
reel seat, fishing rod, **334**
referee's crease, ice hockey rink, **291**
reference key, political map, **20**
reference matter, book, **165**
reference slide, desk, **272**
reflected-light window, light meter, **174**
reflecting surface, solar power system, **383**
reflecting telescope, **433**
reflective identification, buoy, **128**
reflective stripe, fireman's coat, **484**
reflector: bicycle, **124;** bus, **114;** lamp, **235;** mechanical sweeper, **123;** railroad crossing signal, **111;** truck van, **117**
reflector satellite, **182**
reflex camera, **171**
refracting telescope, **433**
refrigeration van, truck, **116, 117**
refrigerator, **245**
refrigerator ship, **136**
regalia, royal, **469**
regional code, magazine mailing label, **167**
regional name, political map, **20**
regional temperature prediction, weather map, **19**
region of interaction, transistor chip, **386**
register, electric meter, **389**
register buttons, accordion, **360**
registered, symbol, **495**
registered architect seal, house blueprint, **60**
register mark, label, **264**
registration guide, silk screen, **369**
registration number, hot air balloon, **326**
registration number, single engine airplane, **147**
registry guide, silk screen, **369**
regular section, magazine, **167**
regulator: dental, **445;** gas pump automatic nozzle, **108;** laboratory burner, **437;** pressure cooker, **253;** skin diving, **325**
regulatory sign, road, **489**
rehabilitation, prison, **74**
rehearsal marking, music, **346**
rein, horseracing, **330, 331**
reinforce, cannon barrel, **457**
reinforced shoulder, waterskiing vest, **323**
reinforced toe, panty hose, **191**
reinforce ring, cannon barrel, **457**
rein guide, Hansom cab, **127**
reject button, television LaserDisc player, **181**
relative bearing, radar, **434**
relay race, track and field, **294**
relay unit, lunar rover, **157**
release: backpack, **337;** ballista, **457;** camera, **170, 171;** can opener, **247;** chain saw, **421;** guillotine, **452;** hand loom, **379;** jet fighter, **152;** pistol, **460;** pliers, **404;** rifle, **458;** sextant, **133;** ski binding, **320;** steam engine, **395;** typewriter, **162**
relief: printing, **164;** stone sculpture, **366**
relief map, **21**
relief shading key, globe, **1**
relief valve: nuclear reactor, **384;** tanker, **136, 137;** water heater, **391**
reliever, saber saw, **407**
religious symbol, **492**
religious vestment, **471**
relish, and frankfurter, **261**
remaining-teeth mold, denture, **443**
remnants of universal veil, mushroom, **55**
remote control: camera, **170;** slide projector, **173;** television set, **181;** video recorder, **180**
remote filming jack, movie camera, **172**
remote-operated block valve, nuclear reactor, **384**
remote terminal, video recorder, **180**
rendezvous radar antenna, lunar lander, **156**
rendition, work of art, **362**
repeat button, tape recorder, **175**
repeat control, phonograph turntable, **176**
repeat sign, music, **346**
replaceable collar, maid's uniform, **473**
reporter, Congress, **72**
reptiles, **40-41**
representative fraction, political map, **21**
Republican, Congress, **72**
rerebrace, armor, **455**
rescue, hoist, helicopter, **146**
rescue platform, helicopter, **146**
reservoir: blood pressure gauge, **439;** dam, **98;** iron **275;** locomotive, **112;** pen, **160**
reset: computer, **429;** gas pump, **108;** stopwatch, **298;** table saw, **407;** tape recorder, **175;** water heater, **391**
residence number, mailbox, **227**
resin, dental, **443, 445**
resist, silk screen, **369**
resonance, stringed instruments, **349**
resonance box, tuning fork, **361**
resonator: banjo, **356;** sitar, **356**
respiratory system, human, **27**
response lamp, television set, **181**
rest: bazooka, **462;** child's glider, **283;** corkscrew, **247;** eye scope, **483;** hypodermic syringe, **441;** lantern, **336;** music notation, **346, 347;** music stand, **361**
rest area, highway, **110**
restaurant: Capitol, **72;** passenger ship, **139;** public sign, **490**
restoration, dental, **445**
restraining circle, basketball court, **292**
restraint layer, spacesuit, **157**
resuscitator, ambulance, **119**
retained cap, can, **263**
retainer: air conditioner, **392;** chain lock, **448;** phonograph headphone, **177;** saw, **407**
retaining wall fence, **65**
retarder, railroad yard, **94**
retention device, ski, **320**
reticulum, animal cell, **23**
retractable blade guard, circular saw, **407**
retractable footrest, medical examination table, **440**
retractable paper support, typewriter, **162**
retractable spike, cello, **349**
retractable step, medical examination table, **440**
retracting ball, pen, **160**
retreat zone, fencing strip, **309**
retrieving cable, gas pump, **108**
retsūah, tefillin, **470**
return: bowling lane, **311;** traverse rod, **236**
return address, envelope, **161**
return duct, heat exchanger, **393**
return end, cupboard, **239**
return panel, elevator car, **76**
return pipe: furnace, **390;** solar heating system, **383**
return section, desk, **272**
return top, desk, **272**

reverse: locomotive, **112**; money, **221**; sewing machine, **274**; slide projector, **173**
reverse light, automobile, **103**
reversible cord assembly, iron, **275**
reversible motor, power drill, **409**
revetment, canal lock, **97**
review, magazine, **168**
review button, tape recorder, **175**
Revolutionary War general, costume, **476**
revolver, **460**; pirate, **476**; police gun belt, **483**
revolver safety catch, jewelry findings, **214**
revolving nosepiece, microscope, **432**
revolving nut, crossbow, **456**
revolving sprinkler, **418**
rewind button, tape recorder, **175**
rewind crank, camera, **171**
rewind starter, outboard engine, **133**
rewind switch, tape measure, **414**
rheostat control, microscope, **432**
rhinoceros horn, ultimate beast, **47**
rhizome, grass, **56**
rhumb line, globe, **5**
rhythm pick-up, guitar, **357**
riata, **422**
rib: basket, **262**; beef, **30**; cactus, **54**; celery, **258**; dog, **34**; hollow wall fastener, **401**; horse, **36**; human, **26**; jai alai cesta, **308**; laboratory burner, **437**; lamb, **31**; lampshade, **234**; mountain, **9**; parachute, **327**; scallop shell, **45**; shield, **454**; shotgun, **459**; skin diving fin, **325**; sock, **203**; sweater, **195**; umbrella, **226**; violin, **349**
ribbon: ballet toeshoe, **378**; bonnet, **199**; hair ornament, **210**; military uniform, **480**;
ribbon cartridge typewriter, 162
rib cage, human, 24
ribosome, animal cell, **23**
rib pad, football uniform, **288**
ricasso: knife, **453**; sword hilt, **453**
rider, dress, **194**
ridge: barn, **100**; corrugated fastener, **400**; embroidery ring, **377**; file, **410**; mountain, **8, 9**
ridgeboard, house, **59**
ridgeline, house, **61**
ridgepole, house, **59**; tent, **336**
riding breeches, drum major, **479**
riding compartment, pumper, **121**
riding equipment, **329**
riding instructions, escalator, **77**
rifle, **458-459**; automatic, **461**
rifle grenade, **463**
rifle, gun, **460**
rig, **116**; oil drilling, **99**; wrecker, **122**
rigging: circus, **88**; hang glider, **327**; sailboat, **130**
rigging ring, saddle, **329**
right bank, river, **13**
right-channel volume unit meter, tape recorder, **175**
right engine fuel shutoff handle, pilot's instrument panel, **153**
right field, baseball, **287**
right-handed strike pocket, bowling, **311**
right-hand page, book, **165**
right-hand steering lever, bulldozer, **425**
right of way, railroad, **111**
right service court: badminton, **313**; handball, **307**
right wing, easel, **364**
rigid airships, **158**
rigid table, dull press, **409**
rim: basket, **262**; basketball backstop, **292**; bicycle wheel, **124**; bugle, **353**; button, **205**; cartridge, **460**; coconut, **258**; discus, **297**; ferris wheel, **91**; merry-go-round, **91**; monocle, **217**; pail, **280**; pot, **367**; racing car, **332, 333**; royal crown, **469**; saucepan, **353**; sink, **243**; spool, **376**; stagecoach wheel, **127**; stemware, **240**; thimble, **376**; tire, **101**; toilet, **271**; trombone, **352**; wheelchair, **442**
rimmon, Torah, **470**
rimstone, cave, **11**
rind: cheese, **259**; orange, **53**
ring: anchor, **128**; basketball backstop, **292**; bayonet, **453**; bicycle, **124**; blender, **250**; boxing, **303**; brace, **408**; camera, **171**; cannon barrel, **457**; can opener, **247**; cardinal, **471**; cinch fastener, **204**; circus, **88, 89**; clock, **229**; dart board, **316**; domed structure, **83**; embroidery, **377**; fire engine, **120, 121**; fishing rod, **334, 335**; grenade, **463** hair dryer, **208**; hot air balloon, **326**; jewelry, **215**; kite, **317**; lampshade, **234**; light meter, **174**; lumber, **66**; missile, **466**; mitten, **196**; mushroom, **55**; projector **173**; radar, **434**; rifle, **459, 461**; rowboat, **129**; saddle, **329**; Saturn, **3**; screwdriver, **403**; shotgun barrel, **459**; skillet, **353**; ski pole, **320**; stationary rings, **301**; stove, **336**; sword hilt, **453**; tent, **336**; tree, **48**; trumpet, **353**; vault, **447**; video camera, **180**; window shade pull, **237**
ring contact, incandescent bulb, **243**
ring finger, human hand, **29**
ring handle, scissors, **376**
ring key, clarinet, **350**
ringlet, woman's hair, **209**
ringmaster, circus, **88**
ring molding, minaret, **68**
Ring of the Fisherman, Pope, **471**
ringside, boxing, **303**
ring stand, laboratory, **437**
rink, ice hockey, **291**
riot gun, police car, **118**
riot helmet, police, **482**
rip cord, parachute, 327
rip fence, saw, 407
rip guide, saw **407**
rip panel, hot air balloon, **326**
rip teeth, saw, **407**
ripper claw, lobster, **45**
ripping panel, hot air balloon, **326**
ripsaw, **406**
rise: arch **70**; continental, **15**
riser: orchestra, **348**; parachute, **327**; staircase, **64**; trophy, **285**
riser pad, skateboard, **318**
ritard, music notation, **346**
ritual item, Jewish, **470**
river, **7, 13**; and underwater tunnel, **96**
rivet: attaché case, **281**; cheese plane, **252**; eyeglasses, **217**; jeans, **187**; knife, **252**; latch needle, **378**; laboratory clamp, **436**; nail clippers, **211**; pliers, **404**; plug fuse, **389**; sandal, **202**; sharpening steel, **252**
rivière, jewelry, **215**
rivulet, **13**
riwaq, mosque, **68**
roach, Indian, **474**
road: airport, **92**; highway, **110**; topographic map, **22**
roadbed: highway, **110**; railroad, **111**
road light, camper, **126**
road map, **20**
road racing, **332**
roadside sidewall, truck **117**
road sign, **488-489**
road under construction, map, **20**
roadway: bridge, **95**; dam, **98**, highway, **110**; railroad, **111**; tunnel, **96**
road wheel: roller coaster, **90** tank, **464**
roaring forties, wind, **6**
robe: judge, **87**; Manchu court dress, **475**; wizard, **476**
robe of state, king's regalia, **468**
rochet, bishop, **471**
rock: brazier, **284**; nautical chart, **22**
rocker: rocking chair, **230**; hitch and harrow, **424**; waterski, **323**
rocker panel, automobile, **102, 105**
rocket, **397**; bazooka, **462**
rocket, launcher, **462**
rocket motor nozzle, satellite, **182**
rockfill section, dam, **98**
rocking chair, **230**
rod: abacus, **431**; basket, **262**; belt buckle, **186**; CB radio antenna, **179**; child's wagon, **283**; coffee maker, **248**; drum, **358**; fishing, **334-335**; flute, **350**; garbage disposal, **243**; grandfather clock, **229**; hair styling **210**; Hansom cab, **127**; incandescent bulb, **234**; launch pad, **154**; locomotive, **112**; machine gun, **461**; merry-go-round, **91**; metal detector, **435**; mower, **419**; music stand, **361**; nuclear reactor, **384**; powerboat, **135**; royal scepter, **469**; shower, **270**; stagecoach, **127**; steam engine, **395**; traverse, **236**; umbrella, **226**; window shutter, **273**; workbench, **398**
Rogallo kite, **317**
roll: ambulance, **119**; football uniform, **288**; frankfurter, **261**; hand loom, **379**; saddle, **329**; sandwich, **259**
roll bag, racing car, **332**
roll cage, drag racer, **333**
roll-collar waistcoat, butler's uniform, **473**
rolled edge, necktie, **188**
rolled shoulder, shovel, **417**
roller: ballista, **457**; bulldozer, **425**; cassette tape, **175**; chain, **451**; etching press, **371**; fishing reel, **334**; hair, **210**; hitch and harrow, **424**; offset-lithography, **164**; painting, **415**; tank, **464**; tape recorder, 175; typewriter, **162**; window shade, **237**; roller, woodcut printing, **368**
roller-coaster, **90**
roller guide shoe, elevator shaft, **76**
roller link plate, chain, **451**
roller foot, sewing machine, **274**
roller skate, **318**
roller support, saw, **407**
rolling pin, **255**
rolling stock, railroad, **94, 112-113**
roll on-roll off ship, **136**
roll pin, pliers, **404**
roll top, rocking chair, **230**
rolltop desk, **272**
roll-up blind, window, **237**
Roman collar, bishop, **471**
roman type, **163**; proofreader's mark, **498**
rondel, armor, **455**
rood screen, church, **85**
roof: automobile, **102, 103, 105**; bus, **114**; church, **84**; house, **58, 59, 60, 61**; mountain, **8**; pagoda, **69**; skyscraper, **75**
roof air conditioner, camper, **126**
roofing shingle, **66**
roof light, subway, **115**
roof seam, tent, **336**
rook, chess, **339**
rook pawn, chess, **339**
room: cave, **11**; house blueprint, **60**; launch pad, **154**; White House, **73**
rooster, **33**
root: carrot, **52**; corn, **56**; grass, **56**; onion, **258**; outboard engine, **133**; screw, **400**; tertiary, **49**; tooth, **446**; tree, **48**
rope, **128**; ballista, **457**; block and tackle, **451**; boxing ring, **303**; bridge, **95**; circus tent, **89**; elevator shaft, **76**; military uniform, **480**; grandfather clock, **229**; hot air balloon, **326**; jump rope, **338**; mountain climbing, **328**; outboard engine, **133**; ranching gear, **422**; roller coaster, **90**; tent, **336**; tepee, **82**; toboggan, **322**; waterskiing towline, **323**
rope hole, sled, **322**
rope ladder, circus aerialist, **88**
rope strap, saddle, **329**
roping, hammock, **284**
Rose Room, White House, **73**
rosette: Beefeater, **467**; cupboard, **239**; guitar, **356**; queen's regalia, **468**; royal crown, **469**; sofa, **232**
rosette cap, traffic light, **109**
rose window, church, **84**
rotary beater, kitchen, **254**
rotary dial, telephone, **178**
rotary fairing, helicopter, **146**
rotary fan, **392**
rotary lawn mower, **419**
rotary press, printing, **164**
rotary spreader, **420**
rotating beacon: police car, **118**; single engine airplane, **147**
rotating frame, merry-go-round, **91**
rotating handle, food mill, **256**
rotating mast, windsurfer, **324**
rotating service structure, launch pad, **154**
rotational hand controller, space shuttle, **155**
rotational motion, steam engine, **395**
rotogravure, printing, **164**
rotor: automobile disc brake, **104**; helicopter, **146**; windmill, **382**; wind

turbine, **382**
rotunda, Capitol, **72**
rouge, **212, 213**
rough, golf course, **304-305**
roughneck, oil drilling, **99**
rough sill, house, **59**
rouleau, **430**
roulette wheel, **340**
round: beef, **30;** boxing, **303;** police ammunition, **482**
round-bottom hull, powerboat, **134**
round-end chisel, stonecutting, **366**
round head, screw, **400**
roundhouse, railroad yard, **94**
rounding board, merry-go-round, **91**
round pin, window shade roller, **237**
round shank, screwdriver, **403**
round-the-clock, darts, **316**
round-toed brogues, butler's uniform, **473**
roustabout, circus, **88**
route: bus, **114;** road map, **20;** subway, **115**
route sign, road, **489**
routing number: check, **222;** traveler's check, **223**
row, hand knitting, **378**
rowboat, **129**
rowel, spur, **329**
royal regalia, **468-469**
rubber: baseball pitcher, **287;** shoe accessory, **203**
rubber band, dental, **443**
rubber blade, silkscreen squeegee, **369**
rubber bumper, knee kicker, **242**
rubber covering, brayer, **368**
rubber face, Ping-Pong racket, **315**
rubber foot, food processor, **250**
rubber mat, phonograph turntable, **176**
rubber plug, sink, **269**
rubber-soled shoe, jai alai player, **308**
rubber tip, bobby pin, **210**
rubbing ink, **370**
ruble, symbol, **495**
rub rail: powerboat, **134;** truck platform, **117**
ruching, bonnet, **199**
rucksack: backpacking, **337;** ski touring, **321**
rudder: blimp, **158;** destroyer, **140,** glider, **147;** jumbo jet, **149;** sailboat, **130;** single engine airplane, **147;** space shuttle, **154;** submarine, **143;** torpedo, **466**
rudder pedal, 747 cockpit, **150**
rudimentary root, **49**
ruff, Beefeater, **467**
ruffled shirt, man's, **472**
rug, **242;** hairpiece, **207**
rule: magazine, **168, 169;** measuring, **414**
ruler, **414;** pocket knife, **416**
rumble seat, automobile, **102**
rump: beef, **130;** bird, **37;** cat, **35;** dog, **34;** horse, **36;** pelt, **197;** sheep, **31**
run: step tread, **64;** track and field, **294**
run and lock switch, movie camera, **172**
rung: ladder, **415;** rocking chair, **230**
run light, movie camera, **172**
runner: grass, **56;** ice skates, **319;** rug, **242;** running shoe, **296;** sled, **322;** slide rule, **431;** umbrella, **226**
running board, automobile, **103**
running foot: book page, **IV;** magazine, **169**
running knot, gallows, **452**
running light: camper, **126;** destroyer, **141;** fireboat, **144;** single engine airplane, **147;** tow truck, **122;** tugboat, **144**
running mold, church, **84**
running noose, lasso, **422**
running ornament, church, **84**
running rigging, sailboat, **130**
running shoe, **296**
running title, magazine, **168**
running track, **294**
run number: bus, **114;** paper money, **221**
runway: airport, 92; bowling lane, 311; javelin throw, 295; pole vault, 299; stage, 345
rupee, symbol, 495
rural mailbox, 227
Russian Cross, symbol, **492**
rustproof oil, woodcarving, **366**

S

S: braille, 496; sign language, 496
saber saw, 407
sabot, blackjack, 341
sabre, 309
sabre and épée warning line, fencing strip, 309
sac: flower stamen, 51; octopus, 44
sacral hump, frog, 42
sacristy, church, 85
sacrum, human, 26
saddle: bicycle, 124; door, 62; guitar, 356; horse, 329, 330, 331; matchbook, 224; motorcycle, 125; mountain, 8; pipe, 225; pommel horse, 301; screen, 173
saddlebag: 329; motorcycle, 125
saddle feather, chicken, 33
saddle head, dispenser, 263
saddle plate, iron, 275
safe, 447
safe deposit box, 447
safe side, file, 410
safety: elevator shaft, 76; weapon, 458, 460, 461
safety bar, ferris wheel, 91
safety belt: car, 106; lunar rover, 157
safety binding, ski, 320
safety cage, hammer throw, 295
safety catch, revolver, 214
safety-chain hole, tow truck bed, 122
safety cool tip, curling iron, 210
safety dome, train tank car, 112
safety edge, elevator door, 76
safety guard: drill press, 409; paint spray gun, 415
safety guardrail, slide, 283
safety hasp, 450
safety jacket, waterskiing, 323
safety ladder, ferris wheel, 91
safety lever: hand grenade, 463; pistol, 460
safety line, inflatable, 129
safety-line track, submarine, 143
safety loop, circus aerialist, 88
safety lug, cassette tape, 175
safety matches, 224
safety mirror, mechanical sweeper, 123
safety net: aircraft carrier, 142; circus aerialist, 88
safety observer station, destroyer, 141
safety pad, trampoline, 302
safety padding, football goalpost, 289
safety pin, 204; hand grenade, 463
safety rail: bathtub, 270; bridge, 95; powerboat, 135
safety razor, 206
safety rope, roller coaster, 90
safety shield, child's car seat, 282
safety stripe, fireman's coat, 484
safety trigger, chain saw, 421
safety valve, furnace, 390
safety warning, dental x-ray unit, 444
Sagittarius, zodiac, 493
sail, 130, 132; hang glider, 327; submarine, 143; windmill, 382; windsurfer, 324
sailboard, 324
sailboat, 130-131
sailing thwart, rowboat, 129
sailor, uniform, 481
sailplane, 147; submarine, 143
St. Anthony's cross, symbol, 492
salad bowl, 241
salad fork, 240
salad plate, 241
salad shaker, 256
salamander, 42
salient angle, 81
saline, paramedic equipment, 119
saliva ejector, dental unit, 444
sally port, frontier fort, 80
salon, sailboat, 131
salt shaker, 257
salutation, letter, 161
samara, 50
Sam Browne belt, 480
same name differentiation code, magazine mailing label, 167
same scale extension inset, political map, 21
sample bag dispenser, lunar rover, 157
sanctuary: church, 85; mosque, 68-69
sand, hourglass, 229
sandal, 202
sand area, topographic map, 22
sandbag: ambulance, 119; hot air balloon, 326
sandbar: coastline, 14, 15; river, 13
sandbox: backyard, 283; locomotive, 112, 113
sander, 411
sandglass, 229
sandhill, nautical chart, 22
sandpaper, 411
sand shoe, truck van, 117
sand tower, railroad yard, 94
sand trap, golf course, 305
sand wedge, golf club, 304
sandwich, 259
sandwich cookie, 260
sanitary hose, baseball, 286
sanitary paper, medical examination table, 440
sanitary sock, football, 288
sanitation vehicle, 123
sanman, 123
sans serif type, 163
sapwood, tree, 48
sari, 475
sarong, 475
sartorius, human, 26
sash: drum major, 479; jai alai player, 308; royal regalia, 468; window, 63
satellite, 3, 182
Saturn, planet, 3
sauce, sundae, 260
saucepan, 253
saucer, 241
sauerkraut, and frankfurter, 261
sauna, passenger ship, 139
sausage, pizza, 261
saw, 406, 407; pocket knife, 416
sawbuck, 398
sawhorse, 398
saxophone, 351
S-band antenna, lunar lander, 156
S bend, tuba, 352
scabbard: knife, 453; Revolutionary War general, 476
scaffold, gallows, 452
scaffolding web, spider, 38
scale: bird foot, 37; blood pressure gauge, 439; camera, 170, 171, 172, 180; coffee maker, 248; crocodilian, 41; electronic flash, 174; fish, 43; frontier fort, 80; house blueprint, 60; hypodermic syringe, 441; kitchen, 254; knife, 416, 453; laboratory, 436-437; lettuce, 258; light meter, 174; metronome, 361; nautical chart, 22; pine cone, 50; political map, 21; saw, 407; sewing machine, 274; slide rule, 431; snake, 41; thermometer, 18, 439; typewriter, 162; volt-ohm meter, 413
scallop, 45; bridal gown hem, 472; curtain, 236
scalp, 207; mortise lock, 448
scalper, harness racing pacer, 331
scan button, television LaserDisc player, 181
scanner: cash register, 430; hovercraft, 145; radar, 434
scapha, outer ear, 28
scaphoid pad, sandal, 202
scapula, human, 26
scapular, bird, 37
scapular region, salamander, 42
scarf, pirate, 476
scarp, fort, 81
scend, wave, 14
scenery, stage, 344
scenic overlook, highway, 110
scent, 213
scepter, royal, 469
school: fish, 43; prison, 74
school crossing, road sign, 489
scimitar antenna, lunar lander, 156
scintillometer, 435
scissor grip, body building, 338
scissors, 376; pocket knife, 416
scoop: ice cream cone, 261; kitchen tool, 254, 255; pipe tool, 225
scoop stretcher, ambulance, 119
scooter car, amusement park, 90
scooter helmet, police, 483
scope: bazooka, 462; rifle, 459; telescope, 433
scopula, spider, 38

score: matchbook, 224;
pulley block, 451
scoreboard, jai alai
cancha, 308
score counter, pool
table, 314
score ring, darts, 316
scorer's box, ice hockey
rink, 291
scorer's table: basketball
court, 292; lacrosse
field, 293
scoring diagram,
shuffleboard court, 312
scoring lines, golf club, 304
scoring machine, fencing
strip, 309
scoring triangle, shuffleboard
court, 312
Scorpio, zodiac, 493
scorpion, 46; zodiac, 493
scotch rule, magazine, 168
scotia, column, 71
scraper, lithographic
press, 370
scratch line, track and
field, 294, 295
screen: camera, 171;
case, 173; church, 85;
fireplace, 228; internal
combustion engine, 396;
jai alai cancha, 308;
projector, 173; radar, 434;
silk, 369; sonar, 434;
television set, 181;
tent, 336
screendoor, 62
screen fence, 65
screen plug, mower, 419
scree slope, mountain, 8
screw, 400; banjo, 356;
brayer, 368; cassette
tape, 175; clamp, 399;
combination square, 414;
drill bit, 409; earring, 214;
electric plug, 388;
embroidery ring, 377;
etching press, 371;
eyeglasses, 217;
faucet, 269; golf
club, 304; hitch and
harrow, 424;
kettledrum, 358;
lithographic press, 370;
lock, 448;
microscope, 432;
outboard engine, 133;
paramedic
equipment, 119;
plane, 410; pliers, 404;
saw, 407; sewing
machine, 274; ski
binding, 320; telegraph
key, 159; telescope, 433;
theodolite, 426; violin, 349;
violin bow, 349; vise, 399;
volt-ohm meter, 413;
woodcarving, 366;
wrench, 405
screwback earring
findings, 214
screw cap, test tube, 437
screwdriver, 403; pocket
knife, 416
screwdriver bit, drill, 408
screw eye, frame, 373
screw hole, hinge, 450
screw nozzle, 418
screw thread, plug fuse, 389
scribe, phonograph
record, 176
scribed line, scrimshaw, 369
scriber, 369; combination
square, 414
scrim, stage, 344
scrimshander, 369
scrimshaw, 369
scrip, collector, 221
Scripture, Torah, 86
scroll: coat of arms, 487;
fence, 65; Torah, 86;
violin, 349
scrolled arm, sofa, 232
scroll saw, 407
scrubboard, 276
scruff, human, 25
scruple, symbol, 494
scruto, stage, 344
scuba diving, 325
scuff leather, hot air
balloon, 326
sculpting tools, 366
scupper: fireboat, 144;
tugboat, 144
scythe, 419
sea, 7
seabag, 481
sea clutter control,
radar, 434
seal: frame, 373; house
architect, 60;
package, 264-265;
paper money, 220;
voting booth, 427
sealant strip, roofing
shingle, 66
sealed voting booth, 427
sealed vegetable
compartment,
refrigerator, 245
seam: blouse, 193; boot, 202;
can, 263; football, 288;
garment, 192; girdle, 191;
hot air balloon, 326;
inflatable, 129;
jacket, 184; mainsail, 132;
necktie, 188; sewing
pattern, 380; skirt, 193;
sock, 203; tennis
ball, 306; tent, 336;
trousers, 187; and
zipper, 205
search button, television
LaserDisc player, 181
search coil, metal
detector, 435
searchlight: fireboat, 144;
tank, 464; tugboat, 144
search loop, metal
detector, 435
search switch, video
recorder, 180
seasonal current, ocean, 6
seasoning: frankfurter, 261;
prepared food, 259
seasoning check, lumber, 66
sea star, 44
seat: ambulance, 119;
automobile, 102, 103, 106,
282; backyard glider, 283;
bicycle, 124; bumper
car, 90; bus, 114;
courtroom, 87; electric
chair, 452; ferris
wheel, 91; fishing
rod, 334; harness racing
sulky, 331;
inflatable, 129;
lounger, 231; lunar
rover, 157;
motorcycle, 125;
pants, 187; rocking
chair, 230; rowboat, 129;
saddle, 329;
747 cockpit, 150, 151;
snowmobile, 126;
sofa, 232; space
shuttle, 155;
stagecoach, 127;
stroller, 282; subway
car, 115; swing, 283;
theatre, 345; toilet, 271;
wheelchair, 442; woman's
shoe heel, 201
seat belt, car, 106
seat location, ticket, 343
seaweed, 55
second, grammatical
symbol, 497
secondary cable, overhead
power line, 386
secondary cell,
battery, 387
secondary combustion
chamber, stove, 394
secondary con,
destroyer, 140
secondary feather, 33, 37
secondary highway, 22
secondary root, 49
secondary tank, lunar
lander, 156
secondary vein, leaf, 50
second base, baseball, 287
second bicuspid, 446
second bow, bell, III
second floor, White
House, 73
second hand, watch, 216, 298
second molar, 446
second premolar, 446
second reinforce, cannon
barrel, 457
seconds bit, stopwatch, 298
seconds dial, grandfather
clock, 229
seconds of arc, symbol, 495
second stage: missile, 466;
skin diving tank, 325
second thigh: dog, 34;
horse, 36
second toe, human foot, 29
second valve slide: French
horn, 352; trumpet, 353
second violin, orchestra, 348
secretarial pedestal, desk, 272
secretary, Senate, 72
secretary's table,
courtroom, 87
section: dam, 98;
fishing rod, 334; jumbo
jet, 148, 149; lumber, 66;
magazine, 167;
orange, 53; theatre, 345;
torpedo, 466
sectional center,
envelope, 161
sectional sofa, 232
section code, magazine
mailing label, 167
sectioned floorboard,
inflatable, 129
sector, track and field, 294
sector flag, hammer
throw, 295
security number, credit
card, 222
security system, prison, 74
sedan, automobile, 102
sediment bleed valve, water
heater, 391
seed, 49; apple, 53;
flower, 51;
gardening, 420; grass, 56;
pea, 52; peach, 53;
pepper, 258;
sandwich, 259; tomato, 52
seeder, gardening, 420
seeker, jet fighter, 152
seesaw, 283
see-through window,
package, 265
segment: orange, 53; snake
rattle, 40
seiche, 14
select button, video
recorder, 180
selection, phonograph
record, 176
selection lever, voting
booth, 427
selection plate, toaster, 249
selector: accordion, 360; air
conditioner, 392;
camera, 171, 172; CB
radio, 179; clothes
dryer, 277; light
meter, 174; movie
projector, 173;
phonograph, 176, 177;
radar, 434; surgical
table, 440; toaster
oven, 249; video
recorder, 180; volt-ohm
meter, 413; washing
machine, 276
selector control, sealed
voting booth, 427
self-belt: dress, 194;
trousers, 187
self-clasping hair roller, 210
self-cleaning oven, 244
self-filling mechanism,
pen, 160
self-service gas station
island, 108
self-starting timer, parking
meter, 109
self-threading projector, 173
self-timer, camera, 171
selling copy, magazine
cover, 167
selvage: fabric, 380;
weaving, 379
semaphore, 496
semibreve, music, 346
semicolon, grammatical
symbol, 497
semiconductor,
transistor, 386
semiflexible kite, 317
semi-hollow body,
guitar, 357
semiquaver, music, 346
semirigid lighter-than-air
craft, 158
semisubmersible design, oil
drilling platform, 99
semitrailer, truck, 117
Senate side, Capitol, 72
sense organs, 28
sensitivity, volt-ohm
meter, 413
sensitivity control, video
camera, 180
sensor: electronic flash, 174;
solar heating system, 383;
weather station, 18
sepals, flower, 51
separation triangle,
shuffleboard court, 312
separator wire,
typewriter, 162
sepher, Jewish prayer
book, 470
septum, nose, 28
septum linguae, tongue, 28
sequential serial number,
postal money order, 223
sequenced starting light,
drag racing, 333
sequins, woman's hat, 199
serac, mountain, 9
sergeant at arms, Senate, 72
serial number: internal
combustion engine, 396;
laboratory scale, 436;
paper money, 220, 221;
postal money order, 223;
safe, 447; sealed voting
booth, 427; surgical
table, 440
series identification, paper
money, 221
series number, painting
brush, 365
serif, type, 163
serigraphy, 369
serrated body, hand
grenade, 463
serrated edge: knife, 252;
paper bag, 262
serration: coin, 221;
key, 449
server, dessert, 241
service, tea, 241
service area: highway, 110;
jai alai cancha, 308;
railroad yard, 94;
volleyball court, 313
service article, magazine, 168
service box, handball, 307
service cabinet, elevator, 76
service cap, military
uniform, 480
service code, credit
card, 222
service coupon,
magazine, 169
service court:
badminton, 313;
barn, 100; handball, 307
service door, gas pump, 108

service line: handball, 307; jai alai, 308; squash, 307; tennis, 306
service mast, space shuttle, 154
service revolver, police gun belt, 483
service ribbon, military uniform, 480
service road, highway, 110
service sideline, tennis court, 306
service sign, road, 489
service station island, 108
service structure, launch pad, 154
service time, military, 480
service vehicle, airport, 93
service zone, handball, 307
serving, bow, 456
serving apron, maid, 473
serving cap, maid, 473
serving player's line, jai alai, 308
serving silverware drawer, sideboard, 239
serving tray, 241; baby's high chair, 282
servopneumatic altimeter, pilot's instrument panel, 153
set: scale weights, 436; stage, 344; tea, 241; television, 181
setback, skyscraper, 75
set button, video recorder, 180
set-in cap, magazine, 168
set-in sleeve: blouse, 193; jacket, 192
set of tail, dog, 34
setscrew: barbell, 338; faucet, 269
settee: patio, 284; sailboat, 131
setting: clock radio, 229; light meter, 174; ring, 215
setting dots, sewing machine, 274
setting lotion, hair, 210
setup: bowling lane, 311; chess, 339
7/8 mile chute, harness racetrack, 331
7/8 pole, harness racetrack, 331
747 cockpit, 150-151
seven furlong chute, harness racetrack, 331
seven pin, bowling, 311
70mm camera: lunar rover, 157; spacesuit, 157
sewer valve, camper, 126
sewing hole: hook and eye, 204; snap fastener, 204
sewing machine, 274
sewing pattern, 380
sew-through button, 205
sextant, 133
sforzando, organ, 354
shackle: block and tackle, 451; padlock, 449; pocket knife, 416
shade: and composition, 362; lamp, 234, 235; stagecoach, 127; track lighting 235; window covering, 236
shading: relief map, 21; and texture, compostion, 363
shading key, globe, 1
shadow: and composition, 362; makeup, 212, 213; sundial, 381
shadow pin, compass, 132
shaft: arrow, 456; billiard cue, 314; bird feather, 37; boot, 202; bridge, 95; can opener, 247; cave, 11; column, 71; croquet mallet, 312; dart, 316; destroyer, 140; drum major's baton, 479; electric meter, 389; elevator, 76; golf club, 304; Hansom cab, 127; halberd, 454; harness racing, 331; ice ax, 328; ice hockey stick, 291; internal combustion engine, 396; javelin, 297; lamp, 235; lance, 454; longbow, 456; metronome, 361; music stand, 361; oar, 129; obelisk, 69; pin, 204; printing press, 370, 371; ski pole, 320; stagecoach 127; tennis racket, 306; umbrella, 226; underwater tunnel, 96; White House, 73
shaftment, arrow, 456
shake, wooden roofing shingle, 66
shakedown, cowboy, 474
shake-hands grip, Ping-Pong racket, 315
shaker: kitchen tool, 256; salt, 257
shako, drum major, 479
shallow gouge, woodcarving, 366
Shanghai, darts, 316
shank: anchor, 128; bolt, 401; boot, 202; brasses, 352; button, 205; cat, 35; chicken, 33; chisel, 410; shank, drill, 409; fishhook, 335; gimlet, 408; gouge, 368; hoe, 417; human, 25; lamb, 31; latch needle, 378; nail, 400; needle, 376; pipe, 225; ring, 215; screw, 400; screwdriver, 403; shoe, 200, 201; trombone, 352; type, 164
shape, pipe, 225
sharp: music, 346; organ, 354
sharpening oil, woodcarving, 366
sharpening steel, 252
sharpening stone: gouge, 368; woodcarving, 366
shaver, 206
shaving brush, 206
shawl, Jewish prayer vestment, 470
shawl collar, sweater, 195
shears, 376; gardening, 417
sheath: cat, 35; grass, 56; knife, 453; safety pin, 204; skin diving, 325; snake fang, 41; wire, 413
sheathing, house, 58
sheave: block and tackle, 451; elevator shaft, 76
shed, oil drilling platform, 99
sheep, 31
sheer line, powerboat, 135
sheet: ambulance, 119; bedding, 267; kite, 317; postage stamps, 161
sheet-fed press, printing, 164
sheet music notation, 346-347
sheet-transfer cylinder, offset-lithography, 164
shelf: cupboard, 239; fireplace, 228; igloo, 83; refrigerator, 245; stove oven, 244; telescope, 433
shelfback, book, 165
shelf break, continental margin, 15
shelf mount, telescope, 433
shell: attaché case, 281; baseball catcher's mask, 286; bivalve, 45; block and tackle, 451; brace chuck, 408; coconut, 258; cupboard, 239; drill, 409; drum, 350; egg, 258; fire extinguisher, 280; football helmet, 288; iron, 275; lamp, 234; lobster, 45; necktie, 188; nuclear reactor, 384; parka, 197; pea, 52; plug fuse, 389; quiche, 259; sleeping bag, 337; tambourine, 358; tart, 260; toaster, 249; turtle, 40; univalve, 45; vacuum tube, 386; video camera, 180
shellfish, 45
shell plate, mandolin, 356
shel rosh, Jewish ritual item, 470
shelter, destroyer, 141
shel yad, tefillin, 470
shield: car seat, 282; chain saw muffler, 421; coat of arms, 487; drag racing driver's fire suit, 333; drum major's coat, 479; hollow wall fastener, 401; lantern, 336; medieval, 454; merry-go-round, 91; mower 419; nuclear, 384; police, 482; racing car, 332; tank, 465; toll basket, 110; tunnel, 96; turtle, 40
Shield of David, 86, 492
shift, doppler, 2
shifter, bicycle, 124
shifting head, theodolite, 426
shift key, typewriter, 162
shift lever, bulldozer, 425
shimagi, torii, 68-69
shin, human, 24
shin boot, harness racing pacer, 331
shiner, brick wall, 67
shingle, roofing, 66
shinguard: baseball, 286; ice hockey, 291; soccer, 293
shin pad, ice hockey, 291
Shinto temple gateway, 68-69
ship: aircraft carrier, 142; cargo, 136-137; passenger, 138-139; submarine, 143; surface fighting, 140-141
shipboard lines, canal lock, 97
shipping lane, 140
shirring: blouse, 193; woman's pants, 192
shirt, 185; Arab dress, 475; baseball, 286; butler, 473; cowboy, 474; Indian, 474; man's formal attire, 472; military, 480, 481; police, 483
shoaling wave, shoreline, 14
shoat, 32
shock absorber: automobile, 105; motorcycle, 125; single engine airplane, 147; snowmobile, 126
shoe: accessories, 203; blackjack, 341; boxing, 303; bridge, 95; bulldozer track, 425; camera, 171; clown, 477; drag racing driver, 333; drum major, 479; elevator shaft, 76; fencing, 309; football, 288; horse, 36; jai alai, 308; king's regalia, 468; ladder, 415; man's, 200; mechanical sweeper, 123; military, 480; mountain climbing, 328; organ, 354; police, 482; running, 296; sander, 411; saw, 407; screen, 173; snowshoe, 321; stagecoach, 127; woman's, 201
shoe brace, guitar, 356
shoe horn, 203
shoelace, 200
shoe shop, prison, 74
shoestring strap, dress, 194
shoe tree, 203
shoot: asparagus, 52; grass, 56
shooter: dice, 340; craps table, 341
shooting star, 2
shop: frontier fort, 80; passenger ship, 138; prison, 74; railroad yard, 94
shore, 14
shoreline, 14; iceberg, 12; nautical chart, 22
short bar, easel, 364
short bar clamp, 399
short bent gouge, woodcarving, 366
short circuit, fuse box, 389
short lid prop, grand piano, 355
short line, handball, 307
short loin, beef, 30
short ribs, beef, 30
shorts, 187; basketball, 292; man's underwear, 190
short service line, badminton court, 313
short stick, grand piano, 355
shortstop area, baseball, 287
short-term parking lot, airport, 93
shot, field events equipment, 297
shotgun, 458-459; stagecoach, 127
shotgun chaps, cowboy, 474
shot put, 295, 297
shot timer, basketball backstop, 292
shoulder: bell, iii; bottle, 263; broom, 278; cat, 35; chisel, 410; dog, 34; highway, 110; horse, 36; human, 24; key, 449; lamb, 31; mountain, 8; pencil, 160; pork, 32; razor blade, 206; shovel, 417; suit hanger, 277; tennis racket, 306; type, 164; waterskiing vest, 323; wave, 14; woman's jacket, 192; wristwatch, 216
shoulder bag, 218
shoulder blade, human, 24
shoulderboard, military uniform, 480
shoulder butt, pork, 32
shoulder harness, drag racing driver, 333
shoulder hook, frame, 373
shoulder pad: football, 288; ice hockey, 291
shoulder pad strap, backpack, 337
shoulder press, universal gym, 338
shoulder protector, ice hockey goalie, 290
shoulder rest, bazooka, 462
shoulder seam, jacket, 184
shoulder sling, mountain climbing, 328
shoulder strap: accordion, 360; brassiere, 191; child's car seat, 282; combat soldier, 481; golf

bag, 305; handbag, 218
shoulder vise, workbench, 398
shoulder yoke blouse, 193
shovel, 417; fire iron, 228; ski, 320
show, flat racing, 330
shower: bath, 270; thunderstorm, 17; weather map, 19
shrapnel, grenade, 463
shredding disc, food processor, 250
shrimp, 45
shrine, pyramid, 68
shrinkwrap, packaging, 264
shroud: internal combustion engine, 396; parachute line, 327; sailboat, 130
shuffleboard, 312
shutoff handle, pilot's instrument panel, 153
shutoff valve: radiator, 390; standpipe, 57; toilet, 271; water heater, 391
shutter: camera, 170, 171; house, 60, 61; laboratory burner, 437; windmill, 382; window, 237
shutter scale, light meter, 174
shuttle: badminton, 313; sewing machine, 274; space, 154; tatting, 378
shuttlecock, badminton, 313
shuttle race, hand loom, 379
siamese: hose, 418; standpipe, 57
sickle, chicken, 33
sickle-bar lawn mower, 419
side: accordion, 360; basket, 262; elliptical galaxy, 2; lumber, 66; organ, 354; phonograph record, 176; piano, 355; skillet, 253; snap fastener, 204; violin, 349
sidearm, 460; juice extractor, 251
sidebar: courtroom, 87; magazine, 168; pulley block, 451
side belt, handbag, 218
side bit: fireboat, 144; tugboat, 144
sideboard, 239; ice hockey rink, 291
side body molding, automobile, 103
sidebones, brassiere, 191
side broom balance assembly, mechanical sweeper, 123
sideburns, 207
side cleft, horse's foot, 36
side curtains, four-poster bed, 266
side cushion, sofa, 232
side cutter, pliers, 404
side deck, powerboat, 135
side drop, bedding, 266
side drum, 358
side fender, tugboat, 144
side handle, drill, 408
side handrail, subway car, 115
side horse, gymnastics, 301
side jamb, window, 63
side leg, playpen, 282
sidelight: door, 62: Hansom cab, 127; house, 60; stagecoach, 127
sideline, basketball, 292; fencing strip, 309; football, 289; lacrosse, 293; Ping-Pong, 315; volleyball, 313
side link, chain saw chain, 421
sidelit composition, 362
side-loading collection truck, 123
side loading door, stove, 394
side loop, handbag, 218
side marker: automobile, 102; bus, 114; tow truck, 122
side panel: bureau, 268; bus, 114; curtain, 236; lounger, 231; package, 264; sideboard, 239; tractor, 424
side pieces, furniture, 239
side plate: pulley block, 451; racing car, 332; revolver, 460
side pocket, backpack, 337
side pod, racing car, 332
side rail: bed, 266; child's wagon, 283; ladder, 45; skin diving fin, 325; sled, 322; slide, 283; surgical table, 440; truck van, 117
side seam: boot, 202; trousers, 187
side shell, block and tackle, 451
sideshow, circus, 88
side sign: bus, 114; subway car, 115
side slats, sled, 322
side span, bridge, 95
sidestand, motorcycle, 125
side stretcher, rocking chair, 230
side vent, volcano, 10
sideview mirror: automobile, 102; mechanical sweeper, 123
sidewalk, moving, 77
sidewall: can, 263; circus tent, 89; horse's hoof, 36; man's hair, 207; slalom water ski, 323; squash, 307; swimming pool, 310; tire, 101; truck van, 117
side welt, boot, 202
side whiskers, 207
Sidewinder missile, 152
side window: bus, 114; camper, 126
siding: house, 60, 61; railroad yard, 94
sieve, 256
sifter, 256
sight: armor, 455; automatic weapons, 460, 461; bazooka, 462; crossbow, 456; pool table, 314; rifle, 459; tank, 464
sight bracket, mortar, 462
sight cut, bayonet, 453
sight glass, furnace, 390
sightseeing bus, 114
sign: bus, 114; music, 346, 347; public, 490-491; road, 488-489; subway car, 115
signal: automobile, 102; bus, 114; railroad crossing, 111; television, 181; traffic light, 109
signal ahead, road sign, 489
signal baton, drum major, 479
signal bridge, destroyer, 141
signal deck, passenger ship, 139
signal halyard, destroyer, 141
signal intensity meter, metal detector, 435
signal light: automobile, 102; bus, 114; coffee maker, 248; mechanical sweeper, 123; motorcycle, 125; taxi, 115
signal meter, phonograph, 177
signal shelter, destroyer, 141
signal tower, passenger ship, 139
signature: baseball bat, 287; cartoon, 374; check, 222; letter, 161; music, 346; traveler's check, 223
sign: taxi roof light, 115; toll booth, 110; zodiac, 493
signature panel, credit card, 222
sign language, 496
sign-off, magazine article, 168
silencer, 460
silent alarm, vault, 447
silent anti-reverse housing, fishing reel, 334
silk: corn, 56; flat racing, 330
silk screen, 369
silk threads, spider, 38
sill: dam, 98; door, 62; house, 58, 59, 60; volcano, 10
sill cock, standpipe, 57
silo, 100
silver amalgam, dental, 445
silver-bullion embroidered cuff, king's regalia, 468
silver certificate, paper money, 220
silverware, 240
silverware drawer, sideboard, 239
simple eye, grasshopper, 39
simple microscope, 432
simple miter, bishop, 471
since, symbol, 495
single-breasted jacket, 184
single corner, checkerboard, 339
single cuff, shirt, 185
single engine airplane, 147
single lens reflex camera, 171
single-membered foot, ultimate beast, 47
single pleat, woman's pants, 192
single quotation mark, 497
single ring, dart board, 316
single-score ring, dart board, 316
single service court, badminton, 313
singles sideline: badminton, 313; tennis, 306
single system movie sound camera, 172
sinister side, coat of arms, 487
sinister supporter, coat of arms, 487
sink, 60, 243, 269; sailboat, 131; sidepiece, 239
sinker, fishing, 335
sinus, leaf, 50
siphon: clam, 45; octopus, 44
sire, horse, 36, 330
siren: fire engine, 120, 121; police car, 118
sirloin, beef, 30
sissy bar, motorcycle, 125
sitar, 356
situation display indicator, pilot's instrument panel, 153
six pin, bowling, 311
six-shooter, cowboy, 474
16mm camera, lunar rover, 157
sixteenth note, music, 346
sixteenth-of-a-mile pole, harness racetrack, 331
sixty-fourth note, music, 347
size: electrician's wire, 413; nail, 400; painting brush, 365; tire, 101; type, 164
sizer, football helmet, 288
size selector, phonograph turntable, 176
skate: ice, 319; ice hockey, 291
skateboard, 318
skeg: outboard engine, 133; sailboat, 130; surfboard, 324; waterskiing, 323; windsurfer, 324
skein: ballista cord, 457; knitting yarn, 378
skeleton: coral polyp, 44; human, 26; skyscraper, 75; umbrella, 226
skeleton key, 449
skeleton tower, buoy, 128
sketch box, painting, 365
skewback: arch, 70; handsaw, 406
skew chisel, woodcarving, 366
skewer, 255
ski, 320, 321, 323; snowmobile, 126
skid, glider, 147
skiff, 129
skiing: cross-country, 321; downhill, 320; water, 323
skillet, 253
skimmer, 255
skimming brush, 255
skin: fruit, 53; geodesic dome, 83; igloo, 83; skyscraper, 75; tepee, 82; vegetables, 52, 258; yurt, 68
skin diving, 325
skink, 40
skip rope, body building, 338
skirt: badminton shuttlecock, 313; bedding, 266; bureau, 268; drag racing driver's helmet, 333; dress, 194; escalator, 77; fishing jig, 335; fishing reel, 334; gas pump, 108; girdle, 191; hot air balloon, 326; hovercraft, 145; maid's, 473; missile, 466; octopus, 44; palm, 50; racing car, 332; Revolutionary War general's coat, 476; saddle, 329; skin diving mask, 328; window, 63; window shade, 236; woman's, 193
skull: armor, 455; human, 26
skull cap: flat racing, 330; Jewish prayer vestment, 470
skull temple, eyeglasses, 217
sky, 2
skydiver, 327
sky drop, stage, 344
skyline, newspaper, 166
skyscraper, 75
slab: house, 58; lumber, 66
slacks, 187
slalom skiing, 320, 323
slant: gouge, 368; grammatical symbol, 497; type, 163
slant-front desk, 272
slash, grammatical symbol, 497
slash pocket, trousers, 187
slat: fence, 65; lobster pot, 423; rocking chair, 230; screen, 173; sled, 322; train stock car, 113; venetian blind, 237; window, 63; window shade, 237
sled, 322
sleeper, railroad track, 111
sleeping bag, backpacking, 337
sleeping box, truck cab, 116
sleeping car, passenger train, 112
sleeping shelf, igloo, 83
sleet, 17

sleeve: baluster, 71; barbell 338; blouse, 193; bridal gown, 472; cardigan, 195; fencing, 309; jacket, 184, 192; jackhammer, 426; lamp, 234, 235; maid's uniform, 473; overhead power line, 386; parka, 197; phonograph record, 176; queen's regalia, 468; scriber, 369; shirt, 185; sponge mop, 278; telescope, 433; trenchcoat, 196; windsurfer mast, 324
sleeve protector, banjo, 356
slice: bread, 259; cake, 260; pizza, 261; quiche, 259
slicer, vegetable, 257
slicing disc, food processor, 250
slick, racing, 332, 333
slicker, cowboy, 474
slide: backyard equipment, 283; cigar cutter, 224; cornet, 353; cowboy hat, 198; desk, 272; film, 171; French horn, 325; hand loom, 379; laboratory, 437; pistol, 460; projector, 173; rule, 414, 431; string tie, 188; suspenders, 186; traverse rod, 236; trombone, 352, 353; trumpet, 353; tuba, 352; vise, 399; zipper, 205
slide bed, 283
slide bolt, chain lock, 448
slide fastener, 205
slide handle, shotgun, 458
slide holder, microscope, 432
slide hook, garbage disposal, 243
slide-out shelf, refrigerator, 245
slide plate, sewing machine, 274
slide projector, 173
slider, parachute, 327
slide rail, snowmobile, 126
slide rule, 431
slide support, 282
sliding block, steam engine, 395
sliding cover, desk, 272
sliding door: barn, 100; helicopter, 146; powerboat, 135
sliding eyepiece, ear scope, 438
sliding jaw, monkey wrench, 405
sliding pond, backyard, 283
sliding pressure plate, key punch, 428
sliding tandem wheels, truck, 117
slim fin, skin diving, 325
slim skirt, 193
sling: bazooka, 462; elevator shaft, 76; golf bag, 305; ice hammer, 328; mountain climbing, 328; rifle, 458
sling shoe, woman's, 201
slingshot dragster, 333
sling swivel, rifle, 458
slipcase, book, 165
slip-joint pliers, 404
slip nut, sink drain, 269
slipper, ballet, 478
slippery when wet, road sign, 489
slip printer, cash register, 430
slip ring, automatic rifle, 461
slip seat, rocking chair, 230
slip stitched seam, necktie, 188-189
slit: cheese plane, 252; man's underpants, 190; tepee, 82
slit pocket, skirt, 193
slogan, coat of arms, 487
sloop, sail, 132
slope: continental, 15; mountain, 8; permanent fort, 81; suit hanger, 277
slope indicator, runway, 92
sloping dormer, house, 60
slot: blackjack, 341; camera, 170; checkbook clutch, 219; clothespin, 276; dental brace, 443; electrical receptacle, 388; electrical switch, 388; hasp, 450; hovercraft, 145; ice hockey rink, 291; parking meter, 109; pliers, 404; razor, 206; roulette wheel, 340; sandal, 202; screw head, 400; sketch box, 365; slot machine, 340; table saw, 407; telephone, 178; toaster, 249; toggle bolt, 401; toll basket, 110; wallet, 219
slot machine, 340
slotted lifter, kitchen tool, 255
slow down, music notation, 346
slow forward and reverse, television LaserDisc player, 181
slow-motion control knobs, telescope, 433
slow-moving vehicle symbol, hitch and harrow, 424
slug: book page, IV; cartridge, 460; magazine, 169; and parking meter, 109
sluice gate: canal lock, 97; dam, 98
slur, music notation, 346
small intestine, human, 27
small of back, human, 25
small of stock, shotgun, 458
smock mill, 382
smoke alarm, 280
smoke bomb discharger, tank, 465
smoke chamber, fireplace, 228
smoke detector, 280
smoked sausage, 261
smoke ejector, fire engine, 120
smoke flap, tepee 82
smoke grenade, 463
smokehouse, 100
smoke path, stove, 394
smoke shelf, fireplace, 228
smokestack, locomotive, 112
smoke-wagon, cowboy, 474
smooth bore, shotgun, 458
smoothbore firing tube, bazooka, 462
smooth-soled climbing shoe, 328
SMV symbol, hitch and harrow, 424
snack food, 261
snail, 45
snake, 40-41; plumbing tool, 412
snap, fishhook, 335
snap bar, suit hanger, 277
snap fastener, 204; fireman's coat, 484; parka, 197; spacesuit, 157; waterskiing vest, 323
snap lock, starting block, 298
snare drum, 358
snaste, candlewick, 233
sneaker, basketball, 292
snifter, 241
snood, 199; turkey, 33
snooker, billiards, 314
snooze alarm, clock radio, 229
snorkel, skin diving, 325
snorkel tube, submarine, 143
snot, candlewick, 233
snout: crocodilian, 41; fish, 43; glacier, 12; pig, 32; stingray, 43
snow, 19
snow block, igloo, 83
snow couloir, 8
snow cuff, ski boot, 321
snowfield, 9, 12
snow gully, 8
snowmobile, 126
snow plow, garbage truck, 123; hockey skate, 319
snow spoiler, snowmobile, 126
snow ring, ski pole, 320
snowshoe, 321
snuff, candlewick, 233
snuffbox, anatomical, 29
snuffer, candle, 233
soap dish: bathtub, 270; sink, 269
soap dispenser, 243
soaring, glider, 147
soccer field, 293
sock, 203; baseball, 286; basketball, 292; drag racing driver, 333; fencing, 309; football, 288; ice hockey, 291; skiing, 321; windsurfer, 324
socket: bayonet, 453; camera, 172; candlestick, 233; eye, 28; guitar, 357; lamp, 234; movie projector, 173; nozzle, 418; operating table, 440; rowboat, 129; shovel, 417; snap fastener, 204; teeth, 446
socket wrench, 405
sod, hogan, 82
soda-acid fire extinguisher, 280
soda straw, cave, 11
sofa, 232
soft, music notation, 346, 347
softback book, 165
softbound book, 165
softcover book, 165
soft dorsal fin, fish, 43
soft ground, printmaking, 371
softnose, canal lock, 97
soft ray, fish, 43
soft suction connection hose, pumper, 121
soft tissue, and denture, 443
software: computer, 429; television LaserDisc player, 181
solar flare, 3
solar heating system, 383
solar panel: satellite, 182; weather station, 18
solar plexus, 25
solar power system, 383
solar prominence, 3
solar radiation sensor, weather station, 18
solar time, 5
solar system, 2-3
solder, plumbing, 412
soldering iron, 372
soldier: brick wall, 67; uniform, 480, 481
sole: ballet slippers, 478; boot, 202; golf club, 304; horse's foot, 36; human foot, 29; ice climbing boot, 328; ice skates, 319; man's shoe, 200; plane, 410; running shoe, 296; sailboat, 131; sandal, 202; sock, 203; woman's shoe, 201
solenoid, automobile engine, 107
soleplate: house, 59; iron, 275; rollerskate, 318
soleus, human, 26
solid body, guitar, 357
solid-rocket booster, space shuttle, 154
solid spoke wheel, motorcycle, 125
solitary confinement, prison, 74
solleret, armor, 455
solrad, cartoon, 375
solution, magazine puzzle, 169
sommelier, corkscrew, 247
sonar, 434
sonar dome, destroyer, 141
sonar focus transducer, camera, 170
sostenuto pedal, piano, 355
soul, human, 25
sound, movie film, 172
soundboard, violin, 349
sound box: dulcimer, 356; lyre, 349
sound hole: guitar, 256; violin, 349
sounding, nautical chart, 22
sounding board, guitar, 356
sounding datum reference, nautical chart, 22
soundome, sonar, 434
sound-test button, movie camera, 172
soundtrack: movie film, 172; phonograph record, 176
soundtrack control, television LaserDisc player, 181
soup spoon, 240
source, composition lighting, 363
source code, magazine mailing label, 167
source lake, river, 13
sousaphone, 352
South Equatorial Current, ocean, 6
south fork, river, 13
south latitude, globe, 5
South Pole pin, globe, 1
south wing, Capitol, 72
sow, 32
space: music clef, 347; proofreader's mark, 498
space bar, typewriter, 162
space mark, basketball court, 292
spacer: typewriter, 162; wheelchair, 442
space shuttle, 154-155
spacesuit, 157
spade, 417; playing cards, 342
spade bit, drill, 408
spading fork, 417
spaghetti spoon, 255
spaghetti strap, dress, 194
spaghetti tongs, 255
spall, brick, 66
span: arch, 70; bowling ball, 311; bridge, 95
spandrel: arch, 70; mosque, 69
spandrel ornament, grandfather clock, 229
spangle, 215
spanner screw, mortise lock, 448
span wire, traffic light, 109
spar: kite, 317; sailboat, 130
spareribs, 32
spare tire, automobile, 102
spare wheel, truck, 116
spark-arrester: chain saw, 421; fireplace, 228
spark plug: automobile engine, 107; internal combustion engine, 396
sparring, 303
Sparrow missile, jet fighter, 152
spats, drum major, 479
spatula, 255
spawning, fish, 43
speaker: CB radio, 179; guitar amplifier, 357; House of Representatives, 72; metal detector, 435; phonograph, 177;

projector, 173; sonar, 434; tape recorder, 175; telephone, 178; television set, 181; theatre, 345
speaker selector: phonograph, 177; police car, 118
spear: asparagus, 52; window shade roller, 237
spear blade: partisan, 454; pocket knife, 416
spearhead, partisan, 454
spear point, fence, 65
special-effect pedal, guitar, 357
special-feature photo treatment, magazine, 168
special instructions card holder, elevator car, 76
specialist, space shuttle, 155
special-purpose lens, camera, 171
specification: electric motor, 389; internal combustion engine, 396
specific edition, book, 165
specific product code, Universal Product Code, 430
specimen holder, microscope, 432
spectacles, 217
spectator seating, courtroom, 87
spectrometer, 435; satellite, 182
speculum, 438
speech balloon, comic strip, 374
speech selector, tape recorder, 175
speed, jet fighter, 152
speed controls: blender, 250; car, 106; motorcycle, 125; phonograph turntable, 176; police car, 118; 747 cockpit, 150; tape recorder, 175
speedway racing, 332
spell out, proofreader's mark, 498
spelunking, 11
sphericasia, cartooning, 374
sphygmomanometer, 439
spice, 259
spider, 38; lampshade, 234
spigot, 243, 269
spike, 400; baseball batter, 286; castle portcullis, 79; cello, 349; fence, 65; football field, 289; halberd, 454; ice climbing, 328; mace, 454; pineapple, 53; railroad track, 111; track shoe, 296; volleyball, 313
spiked foot, camera tripod, 174
spiked heel, woman's shoe, 201
spikelet, grass, 56
spillway, dam, 98
spindle: faucet, 269; movie projector, 173; phonograph turntable, 176; rocking chair, 230; roulette wheel, 340; screwdriver, 403; sewing machine, 274; spinning wheel, 379; stethoscope, 439; television LaserDisc player, 181; typewriter, 162; weather vane, 19
spindle hole, computer diskette, 429
spindle locking plate, workbench vise, 398
spindrift, wave, 14
spine: book, 165; cactus, 54; dust jacket, 165; hair comb, 308; kite, 317; starfish, 44; stingray, 43
spinnaker, sail, 132
spinner: dominos, 339; seeder, 420; single engine airplane, 147
spinneret, spider, 38
spinning reel, 334
spinning rod, 334-335
spinning wheel, 379
spiny dorsal fin, fish, 43
spiny ray, fish, 43
spiracle: grasshopper, 39; tadpole, 42
spiral: phonograph record, 176; spider web, 38
spiral bone, girdle, 191
spiral brush, vacuum cleaner, 279
spiral galaxy, 2
spiral ratchet screwdriver, 403
spiral tip, drain cleaner, 412
spire: church, 84; kokoshniki, 68; mountain, 9; univalve shell, 45
spirit level, 414
spit, of land, 7, 15, 22
spit curl, 207
spit key: trombone, 353; trumpet, 353
spitter, toll basket, 110
spitz, glacier, 12
splashboard: Hansom cab, 127; sink, 243
splash guard: truck, 116, 117, 122; washing machine, 276
splash pan, potter's wheel, 367
splash rim, sink, 269
splat, rocking chair, 230
splayed leg, butterfly table, 238
spleen, human, 25, 27
splint, 119, 441
split ballot, voting, 427
split end, paint brush bristle, 415
split line, pill, 441
split-rail fencing, barnyard, 100
split-rim wheel, tow truck, 122
split rudder, space shuttle, 154
splitter, table saw, 407
splitting tool, stonecutting, 366
spoiler: glider, 147; jumbo jet, 148; racing car, 332; snowmobile, 126
spoke: bicycle, 124; ferris wheel, 91; geodesic dome, 83; harness racing sulky, 331; spider web, 38; stagecoach, 127
sponge: cannon, 457; mop, 278
sponge face, Ping-Pong racket, 315
sponge mop, 278
sponge-tip applicator, 213
sponson, helicopter, 146
spool, 376; film roll, 171; fishing reel, 334; typewriter, 162
spool pin, sewing machine, 274
spoon: golf club, 305; hand grenade, 463; kitchen, 254, 255; pipe tool, 255; table setting, 240
spore, fern, 55
sports car, 102
sports deck, passenger ship, 139
spot: billiard table, 314; blackjack, 341; bowling lane, 311; dice, 341; ice hockey rink, 291; label, 265; playing card, 342; sun, 3
spot label, 264
spotlight: circus, 89; pumper, 121; stage, 344; truck bed, 122
spot-meter reading index, light meter, 174
spotter, gymnastics, 300
spot weld, tweezers, 211
spout: bathtub, 270; beaker, 437; faucet, 269; gas pump automatic nozzle, 108; coffee maker, 248; juice extractor, 251; package, 264; pot, 367; sink, 243, 269; tea kettle, 241
spray: bathtub, 270; dishwasher, 246; iron, 275; lawn sprinkler, 418; paint, 415; pistol nozzle, 418; shower, 270; sink, 243
spread: book, 165; canape, 259; magazine, 168-169; sandwich, 259; shirt collar, 185
spreader: gardening tool, 420; ladder, 415; powerboat, 135; sailboat, 130; saw, 407
spreading spinner, seeder, 420
spring: automobile, 105; ballpoint pen, 160; bear trap, 423; bed, 267; chest pull, 338; clothespin, 276; etching press, 371; gardening shears, 417; gas pump nozzle, 108; hair clip, 210; internal combustion engine, 396; lamp, 235; mousetrap, 423; pencil sharpener, 273; pistol magazine, 460; racing car, 332; sewing machine, 274; shoe tree, 203; sponge mop, 278; stapler, 273; trampoline, 302; truck, 116; umbrella, 226
spring-bar, wristwatch, 216
spring beard needle, 378
springboard: diving, 310; gymnastics, 301; trampoline, 302
spring catch, swivel, 214
spring clamp, 399
spring clip: juice extractor, 251; woodcarving, 366
spring earclip, 214
springer, arch, 70
spring guide, pistol, 460
spring hanger, lamp, 235
spring hinge, 450
springhouse, barnyard, 100
spring slot, clothespin, 276
spring wing, toggle bolt, 401
sprinkle: cake, 260; ice cream cone, 261
sprinkler, 418
sprocket, motorcycle, 125
sprocket drive housing, bulldozer, 425
sprocket hole, film, 171, 172
sprocket-tip cutting bar, chain saw, 421
spud, laboratory burner, 437
spur: auger bit, 409; chicken, 33; flat racing, 330; revolver hammer, 460; riding equipment, 329
spurl, cartoon, 375
spyglass, 433
squall cloud, 17
square: cannon carriage, 457; chessboard, 339; combination, 414; Manchu court dress, 475; shuffleboard court, 312
square nut, 401
square up, proofreader's mark, 498
square root: calculator key, 431; symbol, 495
square shank, screwdriver, 403
squash, vegetable, 52
squash court, 307
squean, cartoon, 375
squeegee, silk screen, 369
squeeze bottle, 264
squeezer, kitchen tool, 257
squelch control, CB radio, 179
squid, 44
S/RF meter, CB radio, 179
stabilizer: destroyer, 141; fire engine, 120; glider, 147; helicopter, 146; jet fighter, 152; jumbo jet, 149; missile, 466; parachute, 327; passenger ship, 139; single engine airplane, 147
stabilizer block, football helmet, 288
stabilizer trim, 747 cockpit, 150
stable, frontier fort, 80
stack: destroyer, 140; fireboat, 144; furnace, 390; passenger ship, 138; racing car, 332
stacker, keypunch, 428
stadia circle, theodolite, 426
stadium, baseball, 287
staff: cardinal, 471; destroyer, 140, 141; flag, 486; halberd, 454; lance, 454; music, 346-347; royal scepter, 469; weather vane, 19
stage, 344-345; microscope, 432; missile, 466
stagecoach, 127
staggeration, cartoon, 374
staggered starting line for distance events, track and field, 294
stained glass, 372
stairs: 64; house blueprint, 60; jumbo jet, 148; White House, 73
stake: basket frame, 262; croquet, 312; tent, 89, 336
stake pockets, truck platform, 117
stalactite, 11
stalagmite, 11
stalk: asparagus, 52; celery, 258; corn, 56; flower, 51; mushroom, 55; seaweed, 55
stalk end, tomato, 52
stall: railroad yard, 94; shower, 270
stallion, 36
stamen, flower, 51
stamp: coin, 221; envelope, 161; house blueprint, 60
stamp board, track and field, 294
stamp plate number, envelope, 161
stanchion: barn, 100; basketball backstop, 292; ice skates, 319; sailboat, 130; tow truck, 122
stand: chafing dish, 241; child's car seat, 282; courtroom, 87; curling iron, 210; cymbal, 358; etching press, 371; frame, 373; hammock, 284; kiln, 367; laboratory, 437; lithographic press, 370; movie camera microphone, 172; music, 361; pencil sharpener, 273; slot machine, 340
standard: armor, 455; football goalpost, 289;

hose nozzle, 418; pole vault, 299; sled, 322; spinning wheel, 379; theodolite, 426
standard desk phone, 178
standard ratchet screwdriver, 403
standard time, 5
stand brace, table saw, 407
standby altimeter, 747 cockpit, 150
standby altitude indicator, pilot's instrument panel, 153
standby compass: pilot's instrument panel, 153; 747 cockpit, 151
standee window, bus, 114
standing collar: drum major's coat, 479; man's formal attire, 472
standing rigging, sailboat, 130
standing sail, 132
stand leg, table saw, 407
standpipe, fire hydrant, 121
stang, fire engine, 120-121
staple, 400; hasp, 450; silk screen frame, 369
stapler, 273
star: Milky Way, 2-3; sea, 44
starboard: boat, 128; powerboat, 134
star diagonal, telescope, 433
star facet, cut gemstone, 214
starfish, 44
star fort, 81
star note, paper money, 220
Star of David, 86, 492
star of order, queen's regalia, 468
starter: automobile, 104, 107; barbecue, 284; bulldozer, 425; chain saw, 421; clothes dryer, 277; elevator, 76; internal combustion engine, 396; mower, 419; outboard engine, 133; phonograph, 176; 747 cockpit, 151; stopwatch, 298
starting block: racing, 298; swimming pool, 310
starting gate, flat racing, 330
starting light, drag racing, 333
starting line: drag racing, 333; running track, 294
state abbreviation, magazine mailing label, 167
state dining room, White House, 73
state political division, thematic map, 21
stateroom: passenger ship, 138; sailboat, 131
state route: road map, 20; road sign, 488
statesman's name, paper money, 221
static discharge wick, jumbo jet, 148
static line, parachuting, 327
station: dam, 98; keypunch, 428; nautical chart, 22; subway, 115; universal gym, 338
stationary front, weather map, 19
stationary jaw, wrench, 405
stationary leaf, table, 238
stationary rings, gymnastics, 301
stationery, 161
stationery rack, desk, 272
station model, weather map, 19
station wagon, 102
Statue of Freedom, Capitol, 72
stave, barrel, 263
stay: bicycle, 124; checkbook clutch, 219; girdle, 191; running shoe, 296; shirt collar, 185; sousaphone, 352; wallet, 219
stay rope, bridge, 95
staysail, sailboat, 130
steam-and-dry iron, 275
steam engine, 395
steamer, pot, 253
steamer cap, fire hydrant, 121
steam generator, nuclear reactor, 384
steam heat, furnace, 390
steam line, nuclear reactor, 384
steam locomotive, 112
steam main, furnace, 390
steel: jackhammer, 426; sharpening, 252
steel blade, food processor, 250
steel burr, dental, 445
steel cage, circus, 88
steel guitar, 357
steel helmet, combat soldier, 481
steel inner shell, nuclear reactor, 384
steel pin, and carpet, 242
steel shield, tunnel, 96
steeplechase: harness racetrack, 331; hurdle, 298; track and field, 294
steeple-crowned hat, wizard, 476
steer, 30
steerable front strut, hydrofoil, 145
steerable high-gain antenna, satellite, 182
steering: automobile, 104, 106; bulldozer, 425; bumper car, 90; fireboat, 144; fire engine, 121; outboard engine, 133; 747 cockpit, 150; sled, 322; snowmobile, 126
stela, architecture, 69
stem: apple, 53; bicycle, 124; cactus, 54; candelabrum, 233; carrot, 52; celery, 258; faucet, 269; fern, 55; fishing reel, 334; flower, 51; grass, 56; hose nozzle, 418; laboratory burner, 437; latch needle, 378; leaf, 50; lettuce, 52; mushroom, 55; onion, 52; pepper, 258; percolator brewing basket, 248; pipe, 225; potato, 52; powerboat, 134; razor blade injector, 206; rowboat, 129; royal orb, 469; steamer basket, 253; glassware, 240; spring beard needle, 378; thermometer, 439; tuning fork, 361; type, 163-164; watch, 216
stem press, incandescent bulb, 234
stemware, 240
stencil, silk screen, 369
stenographer's table, courtroom, 87
step: cannon carriage, 457; church, 85; escalator, 77; fire engine, 120; gallows, 452; Hansom cab, 127; house, 61; ladder, 415; locomotive, 112-113; medical examination table, 440; sailboat, 131; shoreline, 14; shovel, 417; staircase, 64; tractor, 424; truck, 116, 122; windsurfer mast, 324
stepladder, 415
step well, bus, 114
stereo camera, lunar rover, 157
stereo indicator light, phonograph receiver, 177
stereo record, phonograph, 176
sterilizing flame, dental, 445
stern: boat, 128; destroyer, 140; dog, 34; sailboat, 130; tugboat, 144; windsurfer, 324
sterndrive engine, 133
sternocleidomastoid, human, 26
sternum, human, 26
stet, proofreader's mark, 498
stethoscope, 439
stetson, cowboy hat, 474
steward, corkscrew, 247
stew pot, 253
stick: ambulance, 119; beauty product, 213; billiard bridge, 314; car shift, 106; craps table, 341; folding rule, 414; golf course, 305; ice hockey, 291; internal combustion engine, 396; lacrosse, 293; piano, 355; pilot's instrument panel, 153; space shuttle, 155; subway motorman's cab, 115; violin bow, 349; walking, 442
stick glove, ice hockey goalie, 290
stickman, craps table, 341
stick pin, 188
stick umbrella, 226
stiff backing, frame, 373
stiffening truss, bridge, 95
stifle: cow, 30; dog, 34; horse, 36
stigma, flower pistil, 51
stile: door, 62; rocking chair, 230; shutters, 237; sideboard, 239; window, 63
stiletto heel, 201
still camera, 170, 171
still-frame button, video recorder, 180
stilling basin, dam, 98
stimulator tip, toothbrush, 211
sting, bee, 39
stingray, 43
stipe: fern, 55; mushroom, 55
stipule, leaf, 50
stirrup: crossbow, 456; medical examination table, 440; saddle, 329-331
stirrup sock, baseball batter, 286
stitch and stitching, 376: baseball, 286; boot, 202; broom, 278; checkbook clutch, 219; decorative, 377; handbag, 218; knitting, 378; man's belt, 186; sandal, 202; sewing machine, 247; sleeping bag, 337; sock, 203; suspenders, 186
stitching line, sewing pattern, 380
stock: anchor, 128; bagpipe, 359; bell, iii; crossbow, 456; rifle, 458, 461; shotgun, 458; slide rule, 431; windmill, 382
stockade, frontier fort, 80
stockcar, train, 113
stock grip cap, shotgun, 458
stocking, Beefeater, 467
stock pot, 253
stock saddle, 329
stogies, 224
stole, bishop, 471
stolon, grass, 56
stomach: human, 27, 29; jellyfish, 44
stomach teeth, 446
stone: backgammon, 339; dominos, 339; lithographic press, 370; peach, 53; pendant, 215; ring, 215; wall, 67; woodcarving, 366
stonecutting, 366
stool: boxing, 303; window, 63
stool bed, cannon carriage, 457
stoop, 64; door, 62; house, 61
stop: dam, 98; dog, 34; drill press, 409; elevator car, 76; etching press, 371; gardening shears, 417; mower, 419; organ, 354; road sign, 488; subway, 115; tape recorder, 175; typewriter, 162; window, 63; zipper, 205
stop-act, clown, 477
stopboard, shot put, 295
stoplight, truck, 117, 122
stopper: backpack, 337; bathtub, 270; hypodermic syringe, 441; sink, 269
stopping medium, silk screen, 369
stop plate, internal combustion engine, 396
stop sign, road, 489
stop signal, traffic light, 109
stopwatch, 216, 298
stop wire, umbrella runner, 226
storage: ambulance, 119; buoy, 128; camper, 126; car, 106; computer, 429; fire engine, 120, 121; garbage disposal, 243; gasoline pump, 108; laboratory scale, 437; nuclear reactor, 384; oil drilling platform, 99; pool table, 314; refrigerator, 245; stagecoach, 127; tanker, 136
storm, 19
storm door: house, 61; subway car, 115
storm flap, backpack, 337
storm igloo, 83
storm patch, trench coat, 196
storm surge, 14
story: minaret, 68; newspaper, 166; skyscraper, 75
stove: camping, 336; kitchen, 244; sailboat, 131; woodburning, 394
stovepipe leg, woman's pants, 192
stowage: jumbo jet, 148; lunar rover, 157; tank, 464
stowed derrick bracket, tanker, 137
straight arm, bobby pin, 210
straightaway, roller coaster, 90
straighten type horizontally, proofreader's mark, 498
straight gouge, 368
straight jaw, pliers, 404
straight leg: trousers, 187; woman's pants, 192
straight-line course, drag racing, 333
straight-line sander, 411
straight of goods, sewing pattern, 380
straight pin, 204
straight razor, 206
straight side, grand piano, 355

straight ticket, voting, 427
straight tray, slide projector, 173
straight-up ribbed top, sock, 203
strainer: dishwasher, 246; juice extractor, 251; kitchen tool, 256
strain insulator, overhead power line, 386
strain reliever: curling iron cord, 210; hand drill cord, 409; toaster oven cord, 249
strait, 7
strand: barbed wire, 422; basket, 262; electrician's wire, 413; hair, 209, 210; land feature, 7; mop, 278; rope, 128; thread, 376
strap: accordion, 360; athletic supporter, 190; backpack, 337; baseball catcher, 286; bicycle, 124; block and tackle, 451; boot, 202; brassiere, 191; camera, 170, 171; chain saw chain, 421; child's car seat, 282; cinch fastener, 204; cowboy hat, 198; drag racing driver, 333; dress, 194; electrical wall switch, 388; electric chair, 452; fencing half-jacket, 309; football helmet, 288; glove, 196, 307; golf bag, 305; hasp, 450; ice climbing boot, 328; ice hockey player, 291; man's undershirt, 190; motorcycle, 125; operating table, 440; overnight bag, 281; photographic, 174; police uniform, 483; sandal, 202; handbag, 218; saddle, 329; sandal, 202; skin diving gear, 325; ski pole, 320; stationary rings, 301; subway car, 115; tefillin, 470; trench coat, 196; umbrella, 226; waterskiing vest, 323; woman's shoe, 201; wristwatch, 216
strap hinge, 450
strapping, chaise lounge, 284
stratocumulus cloud, 16, 17
stratosphere, 4
stratus cloud, 16
straw, cave, 11
strawberry, 53
stream: mountain, 8; ocean, 6; river, 13; topographic map, 22
streamer: drum major's waist sash, 479; flagpole, 486
streamway, cave, 11
street, city plan, 20
street address, magazine mailing label, 167
street cleaner, 123
stretcher: ambulance, 119; brick wall, 67; drop-leaf table, 238; fire engine, 120; painting canvas, 364; rocking chair, 230; umbrella, 226; workbench, 398
stretch pants, skiing, 320
strike: bell, iii; lock, 448
strike pocket, bowling, 311
striker, croquet, 312
striker plate, door lock, 448
striker wheel, cigarette lighter, 224
striking weapons, medieval, 454
string: balloon, 477; cowboy hat, 474; double bass, 349; frankfurter, 261; guitar, 356, 357; jai alai cesta, 308; kite, 317; mandolin, 356; orchestra section, 348; saddle, 329; sitar, 356; tennis racket, 306; tie, 188; tub fiddle, 360; violin, 349
string bass, 348
string brace, kite, 317
stringed instruments, 349, 356
string hole: tennis racket, 306; tub fiddle, 360
string tie, 188
strip: bath, 270; cartridge fuse, 389; fence, 65; fencing, 309; Indian shirt, 474; kite, 317; matchbook, 224; postage stamps, 161; roofing shingle, 66; staples, 273; tackless, carpet, 242; wheelbarrow, 420; window shutters, 237
stripe: enlisted man's uniform, 480; powerboat, 134; runway, 92; toll booth, 110
striped morning trousers, butler, 473
stripper, wire, 413
strip title, comic strip, 374
strobe, photographic, 174
strobe flasher, locomotive, 113
stroller, child's, 282
strongbox, 447
strongbox storage, stagecoach, 127
strop, razor, 206
structural unit, piano, 355
structure: domed, 83; launch pad, 154; pyramids, 68
strut: bulldozer, 425; destroyer, 140; geodesic dome, 83; helicopter, 146; house, 59; hydrofoil, 145; racing car, 332; sled, 322
stub: candle, 233; pliers, 404; ticket, 343
stubble, beard, 207
stud: butler's uniform, 473; house, 59; man's formal attire, 472; organ, 354; running shoe tread, 296
stud hole, shirt, 185
stud side, snap fastener, 204
stuffing box, steam engine, 395
stuffsack, backpacking, 337
stump: rocking chair, 230; tree, 48
stupa, pagoda, 69
style: art, 362; flower pistil, 51; pea, 52
styled man's hat, 198
stylet, mosquito, 39
stylus, phonograph turntable, 176
styptic pencil, 206
subcategory, book page, iv
sub-control panel, video recorder, 180
subdued unit patch, combat soldier, 481
subflooring, house, 58
subhead: book page, iv; magazine, 167-168; newspaper, 166
subject, work of art, 362
subleaflet, fern, 55
submarine, 143
submerged foil hydrofoil, 145
submerged rock, nautical chart, 22
submersible watch, skin diving, 325
subordinate illustration, book page, iv
subscriber, magazine, 167
subsidiary coin, 221
subsidiary road, 110
substitute letter, proofreader's mark, 498
subtract, symbol, 494
subtraction, with abacus, 431
subtractive process, stone sculpture, 366
subway, 115; city plan, 20
succulent, 54
sucker, octopus, 44
suction cup, plumber's plunger, 412
suction machine, ambulance, 119
suction unit, paramedic equipment, 119
sudden death, darts, 316
suffix letter, paper money, 221
sugar bowl, 241
sugar cone, ice cream, 261
sugar shaker, 256
suicide king, playing cards, 342
suit: basketball, 292; drag racing driver, 333; playing cards, 342; sails, 132
suitcase, 281
suit hanger, 277
suite, passenger ship, 139
sulky, harness racing, 331
summer berm, shoreline, 14
summer squash, 52
summer uniform, police, 483
summit, mountain, 8
summons pouch, police, 482
sump, nuclear reactor, 384
sun, 3
sundae, 260
sun deck, passenger ship, 138
sundial, 381
sunglasses, baseball gear, 286
sunglasses pocket, spacesuit, 157
sun roof, automobile, 102
sunshade: satellite, 182; sextant, 133; telescope, 433
sun spot, 3
sun visor, car, 106
superband signal, television, 181
supercooled water, thundercloud, 17
supergiant star, 2
superior slope, permanent fort, 81
supernova, 3
superstructure, tanker, 137
super tanker, 136-137
supertweeter, phonograph speaker, 177
Super-Vee racing car, 332
supply duct, heat exchanger, 393
supply line, water heater, 391
supply pipe: space shuttle, 154; water heater, 391
supply plate, solar collector panel, 383
supply reel: movie camera, 172; projector, 173; tape recorder, 175
support: backyard equipment, 283; camp stove, 336; citrus juicer, 251; desk, 272; ferris wheel, 91; helicopter, 146; hot air balloon, 326; mailbox, 227; playpen, 282; pole vault, 299; pool table, 314; power line, 386; power saw, 407; pulley block, 451; rocking chair arm, 230; stroller, 282; traverse rod, 236; vacuum tube, 386; wheelbarrow, 420
support assembly, nuclear reactor, 385
support bar, drag racing dragster, 333
support beam: bus, 114; subway car, 115
supporter: athletic, 190; coat of arms, 487
support hose, 203
supporting members, fence, 65
supporting plate, land mine, 463
supportive devices, 442
support leg, truck, 117
support post, Ping-Pong net, 315
support system, racing car, 332
support tube, lamp, 235
support unit, basketball backstop, 292
support wire, incandescent bulb, 234
suppressor, automatic weapon flash, 461
surbase, column pedestal, 71
surcingle, flat racing, 330
surf, 14
surface: brick, 66; desk, 272; diving platform, 310; lithographic press, 370; parachute, 327; and perspective, 362; pool table, 314; printing, 164; solar power system, 383; starfish, 44; table saw, 407; type, 164
surface fighting ship, 140-141
surface-piercing hydrofoil, 145
surface search radar: aircraft carrier, 142; destroyer, 141
surface-to-air missiles, 140
surface-to-surface missiles, 140
surface wave, 14
surfboard, 325
surfing, 324
surgical table, 440
surname: basketball player, 292; magazine mailing label, 167
surplice, minister, 471
surveyor, and transit, 426
suspended ceiling, elevator car,76
suspender, harness racing gear, 331
suspender cable, bridge, 95
suspenders, 186; ice hockey player, 290
suspension: phonograph turntable, 176; racing car, 332
suspension bridge, 95
suspension cable, stationary rings, 301
suspension line, parachute, 327
suspension pivot, laboratory scale, 437
suspension rope, hot air balloon, 326
suspension system: automobile, 104; football helmet, 288
suspension wheel, snowmobile, 126
sutler, frontier fort, 80
su-tshu, Manchu court dress, 475
suture, univalve shell, 45
swab, cannon, 457
swagger bag, 218
swalloop, cartoon, 374
swallowtail: flag, 486; surfboard, 324
swallowtail pennant, 486
swami belt, mountain climbing, 328

swamp: coastline, 15; river, 13
swan neck, house, 61
swash, wave, 14
swatch, fabric, 380
swastika, symbol, 492
sweatband, beret, 198
sweater, 195; skiing, 320, 321
sweat sock, 203
sweat soldering, plumbing, 412
sweep: brace, 408; windmill, 382
sweeper: carpet, 278; lawn, 419
sweep indicator, pilot's instrument panel, 153
sweet goods, 260
sweet spot, tennis racket, 306
sweet tooth, 446
swell, 14; saddle, 329
swelling, lance, 454
swell keyboard, organ, 354
swell shoe, organ, 354
swim fin, skin diving, 325
swimming, 310
swimming foot, bird, 37
swine, 32
swing, backyard, 283
swing-away bar, suit hanger, 277
swing chain, 283
swing gouge, woodcarving, 366
swing hanger, 283
swinging gate, drop-leaf table, 238
swing mirror, dressing table, 268
swing seat, 283
Swiss army knife, 416
switch: accordion, 360 calculator,431; camera, 170, 172, 180; car directional signal, 106; CB radio, 179; clothes dryer, 277; computer, 429; cow, 30; curling iron, 210; dental unit, 444; dishwasher, 246; drill press, 409; electric, 388; electric hairbrush, 208; electric razor, 206; elevator, 76; finishing sander, 411; food processor, 250; guitar amplifier, 357; hair dryer, 208; jackhammer, 426; kiln, 367; lamp, 234, 235; microphone, 179; organ, 354; outboard engine, 133; phonograph receiver, 177; pilot's instrument panel, 153; radar, 434; railroad yard, 94; saw, 407, 421; 747 cockpit, 150, 151; tape recorder, 175; tape measure, 414; telephone, 178; toaster oven, 249; video recorder, 180
swivel: camera tripod, 174; C-clamp, 399; field events hammer, 297; fishhook, 335; hasp, 450; jewelry findings, 214; jump rope, 338; mortar, 462; peeler, 252; pulley block, 451; rifle, 458, 459; stationary rings, 301; stroller, 282; suit hanger, 277; vise, 399
swivel holster, police gun belt, 483
sword, 453, 476
sword point position, windmill, 382
sword-swallower, circus, 88
symbol: grammatical, 497; label, 264, 265; of life, 492; mah-jongg tile, 339; map, 20; religious, 492; science, business, and commerce, 494-495
symbolia, cartoon, 375
symbolic date, coin, 221
symbolic decoration, minister, 471
symbolic language, 496
sympathetic string, sitar, 356
symphony orchestra, 348
synagogue, 86, 470
synodic period, moon, 4
synoptic chart, weather, 19
synthesizer, 357
synthetic coil, zipper, 205
synthetic porcelain, dental, 445
syringe: dental, 444, 445; hypodermic, 441; kitchen, 255; paramedic, 119
syrup, sundae, 260

T

T: braille, 496; sign language, 496; windsurfer, 324
tab: electrical receptacle, 388; eyeglasses, 217; handbag, 218; package, 264; parka, 197; powerboat, 134; racing car, 332; razor, 206; roofing shingle, 66; wallet, 219; zipper, 205
tabernacle, church, 85
table, 238; basketball court, 292; courtroom, 87; cut gemstone, 214; dental, 445; drill press, 409; lacrosse field, 293; medical, 440; Ping-Pong, 315; pocket billiards, 314; sailboat, 131; saw, 407; violin, 349
table arm, dental, 445
table lamp, 234
table lock, camera tripod, 174
table-locking clamp, drill press, 409
table position selector, surgical table, 440
table saw, 407
table setting, 240-241
tablet: medicinal, 441; organ, 354; tombstone, 500
table tennis, 315
tabletop, dressing table, 268
tabling, mainsail, 132
tabloid newspaper, 166
tabulator control, typewriter, 162
TACAN antenna, destroyer, 140
Tacan navigation system, aircraft carrier, 142
tace, armor, 455
tach, car, 106
tachometer: car, 106; motorcycle, 125; pilot's instrument panel, 153; powerboat, 134
tack, 400; carpet, 242; mainsail, 132; necktie, 189; racehorse, 330; tambourine, 358; umbrella, 226
tack cloth, painting, 415
tackle, fishing, 335
tackless strip, carpet, 242
taco, jai alai cesta, 308
tactical information display, pilot's instrument panel, 153
tadpole, 42
taenia, column entablature, 71
taffrail, sailboat, 130
tag: attaché case, 281; combat soldier's uniform, 451
tail: cat, 35; coffin, 500; coin, 221; comet, 3; cow, 30; dog, 34; fish, 43; horse, 36; house, 59; kite, 317; lobster, 45; pelt, 197; pig, 32; single engine airplane, 147; skateboard, 318; ski, 320, 323; snowshoe, 321; stingray, 43; surfboard, 324; ultimate beast, 46; weather station vane, 18; windsurfer, 324
tail coat: butler's uniform, 473; circus ringmaster, 88; drum major, 479; man's formal attire, 472
tail crest, tadpole, 42
tail fan, lobster, 45
tail feather, 33, 37
tail fin: automobile, 103; fish, 43; jet fighter, 152; jumbo jet, 149
tailgate piston, garbage truck, 123
tailhead, cow, 30
taillight: automobile, 103; locomotive, 113; motorcycle, 125; truck, 117, 122
tail nozzle, jet fighter, 152
tailored pillow, sofa, 232
tailor shop, prison, 74
tailor's loop, shirt, 185
tail-out groove, phonograph record, 176
tailpiece: banjo, 356; sink drain, 269; violin, 349
tailpipe, tow truck, 122
tail plane, jumbo jet, 149
tail pylon, helicopter, 146
tail rocker, slalom water ski, 323
tail rotor, helicopter, 146
tail section: flute, 350; snowmobile, 126; torpedo, 466
tail service mast, space shuttle, 154
tail vise, workbench, 398
tail water, dam, 98
tail wheel, helicopter, 146
taintor gate, dam, 98
takeoff area, high jump, 299
takeoff board, track and field, 294
takeoff engine, lunar lander, 156
takeoff fan, high jump, 294
take out space, proofreader's mark, 498
take-up motion handle, hand loom, 379
take-up reel: movie camera, 172; movie projector, 173; tape recorder, 175
take-up spool, typewriter, 162
talk switch, CB radio microphone, 179
tall-case clock, 229
tallith, Jewish prayer vestment, 470
tallow, candle, 233
tally clerk, House of Representatives, 72
tally man, cattle ranch, 422
tallywhacker, sailor's uniform, 481
talon, bird, 37
talus slope, mountain, 8
tambourine, 348, 358
tamer, circus, 88
Tamid, 86, 470
tamper, pipe tool, 225
tandem wheels, truck, 117
tang: drill bit, 409; file, 410; knife, 240, 252, 453; rake, 417; rasp, 410; skillet, 253
tangential section, lumber, 66
tank, 464-465; ambulance, 119; automobile, 103, 104, 105; barbecue grill, 284; camper, 126; camp stove, 336; chain saw, 421; drag racing dragster, 333; fire engine, 120; garbage truck, 123; gasoline storage, 108; internal combustion engine, 396; iron, 275; jet fighter, 152; lantern, 336; lunar lander, 156; mower, 419; nuclear reactor, 384; oil drilling platform, 99; railroad yard, 94; skin diving, 325; solar heating system, 383; space shuttle, 154; submarine ballast, 143; toilet, 271; truck, 116, 117; water heater, 391
tank car, train, 112
tanker, ocean-going, 136-137
tank forward bay, space shuttle, 154
tap, 269
tape: Band-Aid, 441; baseball bat, 287; boxing, 303; cash register, 430; cassette, 175; coat of arms, 487; computer, 429; envelope, 161; garment seam, 192; measuring, 414; mountain climbing, 328; package, 265; Ping-Pong net, 315; skateboard, 318; tennis net, 306; typewriter, 162; Velcro, 205; venetian blind, 237; video recorder, 180; volleyball net, 313; zipper, 205
tape measure, 414
tape-monitor switch, phonograph receiver, 177
taper, 233
tape recorder, 175
tapered leg, woman's pants, 192
taphole, keg, 263
tapper: buoy, 128; glass cutter, 372
taproot, 49; carrot, 52
tare poise, laboratory scale, 436
target: medieval shield, 454; radar, 434; railroad crossing signal, 111
target arrow, bowling lane, 311
target designate switch, pilot's instrument panel, 153
target lock, sonar, 434
tassel: drum major's boot top, 479; king's regalia, 468; Manchu court dress, 475; venetian blind, 237; window shade, 236; woman's hat, 199
tasset, armor, 455
taste buds, tongue, 28
tasting spoon, 255
tatting shuttle, 378
tattooed lady, circus, 88
tau cross, symbol, 492
Taurus, zodiac, 493
taxi roof light, 115
taxi stand, public sign, 490
taxiway, airport, 93
t-bar, truck bed, 122
tea ball, 256
teacup, 241
tea infuser, 256
team logo, baseball, 286
team number, jai alai, 308
team race, swimming pool, 310
teamsters' mess, frontier fort, 80
teamsters' quarters, frontier fort, 80

teapot, 241
tear-away jersey, football uniform, 288
tear drop, surfboard, 324
tear duct, eye, 28
tear tape, package, 265
teased hair, woman's, 209
teaser: magazine, 169; stage, 344
tea set, 241
tea spoon, 241
tea strainer, 256
teat: cow, 30; pig, 32
technical magazine, 167
technician's set, ambulance, 119
tee: golf, 304; pagoda, 69
teepee, 82
teeterboard, circus, 88
teeter-totter, backyard, 283
teeth, *see* tooth
tefillin, Jewish ritual items, 470
teflon pad, baren, 368
telegraph aerial, tanker, 137
telegraph key, 159
telemetry radio, ambulance, 119
telephone, 178; road sign, 488
telephone monitor, tape recorder, 175
telephoto lens, camera, 171
telescope, 433; satellite, 182; sextant, 133; tank, 465; theodolite, 426
telescopic helicopter ranger, destroyer, 140
telescopic sight, rifle, 459
television, 180-181; antenna, house, 61; mast, skyscraper, 75
telltale: mainsail, 132; squash court, 307
telson, lobster, 45
tempera, painting medium, 364
temperature: 747 cockpit, 150; thermometer, 18; weather map, 19
temperature control: air conditioner, 393; dryer, 277; iron, 275; toaster oven, 249; washing machine, 276
temperature gauge, car engine, 106
temperature prediction, weather map, 19
temperature scale, volt-ohm meter, 413
temperature sensor, weather station, 18
temple: eyeglasses, 217; human, 24; Jewish, 86, 470; Muslim, 68-69
temple gateway, Shinto, 68
temple memorial band, Jewish prayer shawl, 470
temporary traffic-control device, toll booth, 110
tempura rack, wok, 253
tenant floor, skyscraper, 75
tender, 129; locomotive, 112
tenderloin, pork, 32
tender truck, locomotive, 112
tendon, human foot, 29
tendon guard, hockey skate, 319
tendril, hair, 209
ten-gallon hat, 198, 474
tennis, 306
10-off square, shuffleboard court, 312
tenon, bagpipe, 359
tenor drone, bagpipe, 359
tenor drum, 358
tenor joint, bassoon, 35
tenpins, bowling, 311
tension adjustment pin, gardening shears, 417
tension arm, bobby pin, 210
tension bar: razor, 206; steel chain fence gate, 65
tension clamp, lamp, 235
tension control knob, snare drum, 358
tension cord, Ping-Pong net, 315
tension guide, sewing machine, 274
tension hoop, banjo, 356
tension ring, dome, 83
tension rod: bass drum, 358; man's buckle, 186
tension screw: banjo, 356; kettledrum, 358; paramedic equipment, 119
tension sheave, elevator shaft, 76
tension wheel, bicycle, 124
tent, 336; circus, 88; oxygen, 442; yurt, 68
tentacle: coral polyp, 44; jellyfish, 44; octopus, 44; starfish, 44
10-yard chain, football, 289
10-yard line, football field, 289
tepal, flower, 51
tepee, 82
terminal: airport, 93; electrical wall switch, 388; fence gate, 65; railroad yard, 94; video recorder, 180
terminal block, stove, 244
terminal bud, tree, 48
terminal moraine, 8, 12
terminology, nautical, 128
terminus, glacier, 12
terrace: house, 61; shoreline, 14
terrace server, 241
terreplein, permanent fort, 81
territory, baseball field, 287
tertiary root, 49
test area, aircraft carrier, 142
test button: police car, 118; smoke alarm, 280
test lead jack, volt-ohm meter, 413
test panel, pilot's instrument, 153
test tube, 437
tether line, hot air balloon, 326
text: book, 165; magazine, 168
textblock, book page, IV
texture, and composition, 363
T-handle, pommel horse, 301
theatre, 345; passenger ship, 39
thematic map, 21
thenar, human hand, 29
theodolite, 426
therefore, symbol, 495
thermal dot, curling iron, 210
thermal energy, steam engine, 395
thermal-storage tank, solar heating system, 383
thermistor, weather station, 18
thermometer, 439; dual scale, 18; kitchen, 254; laboratory, 437
thermosphere, earth, 4
thermostat: refrigerator, 245; solar heating system, 383; stove, 394; water heater, 391
thick stroke, type, 163
thigh: bird, 37; cat, 35; chicken, 33; cow, 30; dog, 34; frog, 42; horse, 36; human, 24; poultry, 33
thigh pad, football uniform, 288
thigh machine, universal gym, 338
thimble, 376; harness racing, 331; stove, 394
thin stroke, type, 163
third base, baseball field, 287
third eye, tuatara, 40
third molar, 446
third quarter moon, 4
third rail, subway, 115
third stage, missile, 466
third toe, human foot, 29
third valve, trumpet, 353
third valve slide: French horn, 352; trumpet, 353
thirty-second-inch mark, tape measure, 414
thirty-second note, music, 347
thobe, Arab dress, 475
thong: cowboy holster, 474; police nightstick, 482; sandal, 202
thorax, grasshopper, 39
thorn, ultimate beast, 46
thoroughbrace, stagecoach, 127
thoroughbred, flat racing, 330
thought balloon, cartoon, 374
thread, bolt, 401; plug fuse, 389; screw, 400; sewing, 376; spider, 38; weaving, 379
threaded fitting, nozzle, 418
threaded handle, paint roller, 415
threaded neck, bottle, 264
threaded pipe, 412
thread guide, sewing machine, 274
three dimensions, stone sculpture, 366
3/8 pole, harness racetrack, 331
301, darts, 316
three pin, bowling, 311
three-point line, basketball court, 292
three-point perspective, 362
3/4 pole, harness racetrack, 331
three-ring circus, 88
three-second lane, basketball court, 292
3/16 pole, harness racetrack, 331
three suit, domino, 339
three-way light bulb, 234
three-way syringe, dental, 445
three-yard line, football, 289
threshold: airport runway, 92; door, 62; house, 60
throat: anchor, 128; auger bit, 409; bird, 37; clamp, 399; cornet, 353; fireplace, 228; human, 24, 25, 28; lacrosse stick, 293; latch needle, 378; salamander, 42; saw, 406; shoe, 200, 201; tennis racket, 306
throat doctor, examination equipment, 438
throat fan, lizard, 40
throating, church, 84
throat latch strap, trenchcoat, 196
throat opening, vise, 398
throatpiece, tennis racket, 306
throat plate, sewing machine, 274
throat protector, baseball catcher, 286
throat pump, paramedic equipment, 119
throttle: car, 106; horse, 36; internal combustion engine, 396; motorcycle, 125; outboard engine, 133; pilot's instrument panel, 153; powerboat, 134
throttle latch, chain saw, 421
throw: bedding, 266; track and field, 295
throwing circle, shot put, 295
throwing sector, javelin, 294
thrown pot, 367
throw rug, 242
thrust cone, jumbo jet, 149
thruster: lunar lander, 156; passenger ship, 139; space shuttle, 154
thrusting and cutting weapon, 453
thrust lever, 747 cockpit, 151
thrust ring, missile, 466
thrust tube, ballpoint pen, 160
thruway, 110
thumb: baseball glove, 287; dog, 34; frog, 42; human hand, 29
thumbhole: bowling ball, 311; painter's palette, 365
thumbpiece, revolver safety catch, 214
thumb press, curling iron, 210
thumb rest: hypodermic syringe, 441; iron, 275
thumbscrew: blood pressure gauge, 439; clarinet mouthpiece, 351; drain cleaner, 412; earring, 214; laboratory clamp, 436
thumb-string peg, banjo, 356
thunder, 17
thundercloud, 17
thunderhead, 16, 17
thunderstorm, 17, 19
thurl, cow, 30
thwart, rowboat, 129
tiara, 215, 468, 469
tibia: frog, 42; grasshopper, 39; human, 26; spider, 38
tibialis anterior, 26
tibialis posterior, 26
ticket, 343; police, 482; voting, 427
ticket pocket flap, jacket, 184
ticket spitter, toll basket, 110
tidal inlet, 15
tidal marsh, 15
tidal wave, 14
tide, 15
tie: butler, 473; man, 188-189, 472; military, 480; music notation, 347; package, 265; police, 483; railroad track, 111; saddle, 329; skirt, 193; wall, 67
tieback, curtain, 236
tie bar, 188
tie beam: house, 59; incline track, 90
tie brace, bridge, 95
tie clasp, 188
tie closure: blouse, 193; umbrella, 226
tie-down, inflatable, 129
tie holder, suitcase, 281
tie plate: railroad track, 111; stapler, 273
tie rod end, automobile, 104
tie strap, chain saw chain, 421
tie wing, dental brace, 443
tiger, circus, 88
tightener, dental, 445
tightrope act, circus, 88
tights, ballet dancer, 478
tilde, grammatical symbol, 497
tile: domino, 339; mah-jongg, 339
till, cash register, 430
tiller: boat, 130; grass, 56; 747 cockpit, 150
tilt control, sonar, 434
tilt cord, venetian blind, 237
tilting arbor handwheel, saw, 407
tilting base, saw, 407
tilting knob, movie projector, 173
tilt lock, saw, 407
tilt rod, window shutters, 237
timber, 66; castle portcullis, 79

timbered joint, Japanese building, 68
timberline, 8
time: drag racing, 333; map, 5; parking meter, 109
time belt, 5
time cord, dental x-ray unit, 444
time dial, globe, 1
time dot, music, 347
timekeeper: House of Representatives, 72; ice hockey, 291
time lock, vault, 447
timer: basketball, 292; clothes dryer, 277; dishwasher, 246; kitchen, 254; parking meter, 109; skin diving, 325; stove, 244; traffic light, 109
times, symbol, 494
time signature, music, 346
Times Square, prison, 74
time zone, map, 5
time zone display control, wristwatch, 216
timing case cover, automobile engine, 107
timpani, 348, 358
tin, squash court, 307
tin can, surface fighting ship, 140
tine: fork, 240; hitch and harrow, 424; rake, 417
tip: arrow, 456; asparagus, 52; ballpoint pen, 160; bicycle, 124; billiard cue, 314; bobby pin, 210; bow, 456; cheese plane, 252; crutch, 442; curling iron, 210; dental unit, 444; drain cleaner, 412; drum major's baton, 479; fencing foil, 309; fishing rod, 335; grass, 56; hypodermic syringe, 441; iceberg, 12; icing nozzle, 255; javelin, 296; knife, 252, 453; leaf, 50; man's belt, 186; nose, 28; outboard engine, 133; peeler, 252; pelt, 197; pliers, 404; saw, 421; screwdriver, 403; sharpening steel, 252; ski, 320, 323; soldering iron 372; sword, 453; tent pole, 336; toothbrush, 211; tweezers, 211; umbrella, 226; univalve shell, 45; violin bow, 349; woman's shoe, 201
tip contact, incandescent bulb, 234
tip guard, hockey skate, 319
tipi, 82
tip-in, magazine, 169
tip-on label, 264
tippet, minister, 471
tipping, necktie, 189
tipping lever, wheelchair, 442
tip top, fishing rod, 335
tire, 101; automobile, 102, 103; bicycle, 124; bus, 114; drag racing dragster, 333; harness racing sulky, 331; motorcycle, 125; seeder, 420; stagecoach, 127; tractor, 424; truck, 116; wheelbarrow, 420
tissue: and denture, 443; fruit, 251; meat, 258; photographic supplies, 174; succulent, 54
Titan, 3
title: book, 165; comic strip, 374; magazine, 167, 168, 169; map, 21; music, 346; nautical chart, 22; phonograph record, 176
title block, house blueprint, 60
T-neck, ski clothes, 321
TNT, hand grenade, 463
toad, 42
toadstool, 55
toaster, 249
toaster oven, 249
tobacco, 224
tobacco pouch, 225
toboggan, 322
toe: bird, 37; boot, 202; cat, 35; chicken, 33; dog, 34; frog, 42; hockey skate, 319; golf club, 304; horseshoe, 36; horse's hoof, 36; human, 24, 29; ice skate, 319; man's shoe, 200; panty hose, 191; piano, 355; plane, 410; roller skate, 318; running shoe, 296; saw, 406; shotgun, 458; ski, 320, 321, 323; snowshoe, 321; sock, 203
toeboard, shot put, 295
toe clip: bicycle, 124; horse's hoof, 36
toe disc, toad, 42
toe guard: elevator shaft, 76; mower, 419
toenail: cat, 35; human, 29; turkey, 33; ultimate beast, 47
toe plate: baseball pitcher, 286; refrigerator, 245
toe rail, sailboat, 130
toeshoe, ballet dancer, 478
toe strap, bicycle, 124
toe stud, organ, 354
toga, 475
toggle bolt, 401
toggle lever, pliers, 404
toggle link, sponge mop, 278
togglelock, backpack, 337
toilet, 271; public sign, 490
toilet mirror, dressing table, 268
token, collector, 221
toll basket, 110
toll booth, highway, 110
tom, turkey, 33
tomato, 52
tomb, 500
tombolo, 7
tombstone, 500
tomcat, 35
tom-tom, 358
tone: tuning fork, 361; woodwind, 350, 352, 353
tone arm, phonograph turntable, 176
tone control: guitar, 357; tape recorder, 175
tone unit, piano, 355
tone-up wheel, body building, 338
tong(s): kitchen, 255; lunar rover, 157; oil drilling platform, 99; revolver safety catch, 214
tongue: bolt ring, 214; child's wagon, 283; cow, 30; curling iron, 210; film roll, 171; flag, 486; human, 28; Jew's harp, 360; L-shaped square, 414; man's belt, 186; man's shoe, 200; running shoe, 296; skate, 318, 319; sled, 322; snake, 41
tongue-and-groove pliers, 404
tongue blade, 119, 439
tongue depressor, 439
tonsil, 28
tool: ice climbing, 328; pipe, 225; pocket knife, 416; police car, 118; sculpting, 366
tool stowage: bulldozer, 425; jackhammer, 426; lunar rover, 157; motorcycle, 125; tow truck, 122; workbench, 398
tooth, 446; bear trap, 423; corrugated fastener, 400; crocodile, 41; denture, 443; duck bill, 33; fern, 55; file, 410; hair comb, 208; ice hammer, 328; knee kicker, 242; lobster, 45; pliers, 404; rake, 417; rasp, 410; saw, 406, 407; scissors, 376; scrimshaw, 369; snake, 41; suspenders, 186; tank drive wheel, 465; zipper, 205
toothbrush, 211
toothed chisel, 366
toothpick, pocket knife, 416
top: automobile, 103; balance beam, 300; battery, 387; button, 205; can, 263; circus, 88; desk, 272; fishing rod, 335; golf bag, 305; handbag, 218; horizontal bar, 300; hurdle, 298; juice extractor, 251; laboratory burner, 437; lettuce, 258; medical examination table, 440; microscope limb, 432; mountain, 8; parachute, 327; parallel bars, 300; piano, 355; rocking chair, 230; sideboard, 239; skyscraper, 75; sock, 203; stove, 394; thimble, 376; violin, 349; workbench, 398; zipper, 205
top block, window shutters, 237
tope, pagoda, 69
top exit, elevator, 76
top fabric, quilting, 377
top hat: circus ringmaster, 88; miser, 476
top housing, electric razor, 206
top link, hitch and harrow, 424
toplit composition, 362
top-loading washing machine, 276
top margin, book page, 165
topographic map, 22
top pad, child's car seat, 282
top pillow, stagecoach, 127
topping: canapé, 259; dessert, 260
top plate: house, 59; typewriter, 162
top pocket flap, backpack, 337
top rail: backyard equipment, 283; bureau, 268; door, 62; fence gate, 65; playpen, 282; staircase, 64; window, 63
top ring, fishing rod, 335
top roller, etching press, 371
topsail, sailboat, 130
top sheet, bedding, 267
top spring, umbrella, 226
top stitching: checkbook clutch, 219; handbag, 218; man's belt, 186
top strap, revolver, 460
top thread guide, sewing machine, 274
top tube, bicycle, 124
toque, 199
Torah, 86, 470
torch, propane, 412
torii, 68-69, 492
tormentor: fire engine, 120; stage, 344
tornado, 17
torpedo, 466; submarine, 143
torsade, wrought iron fence, 65
torse, coat of arms, 487
torso: cow, 30; human, 24; space suit, 157
tortoise, 40
torus, column, 71
tossut, igloo, 83
total air temperature, 747 cockpit, 150
totalizer, gas pump, 108
totalizer board, flat racing, 330
tote board, horseracing, 330, 331
touchdown area, airport runway, 93
touch-line, soccer field, 293
toupee, 207
touring, ski, 321
tourist section, jumbo jet, 149
tournament darts, 316
towboat, 144
tow-cable pulley, tow truck, 122
towel bar, barbecue grill, 284
towel clip, dental, 445
towel rack, bathtub, 270
tower: aircraft carrier, 142; bridge, 95; castle, 78, 79; church, 84, 85; destroyer, 140; ferris wheel, 91; fireboat, 144; frontier fort, 80; globe, 1; mountain, 9; nautical chart, 22; passenger ship, 139; polygonal, 69; powerboat, 135; power network, 386; prison, 74; railroad yard, 94; slide, 283; windmill, 382
tower bin, silo, 100
tower control, airport, 93
tower ladder, 120
towing gear: glider, 147; fire engine, 120, 121; tank, 465; tow truck, 122; tugboat, 144
towing light: destroyer, 141; tugboat, 144
towing ring, kite, 317
towline, waterskiing, 323
town: magazine mailing label, 167; map, 20; nautical chart, 22
towpath, canal lock, 97
tow ring, fire engine, 120, 121
tow truck, 122
tracery, church, 84
track: baseball field, 287; bulldozer, 425; canal lock, 97; circus, 88-89; dishwasher, 246;

sleeping bag, 337; solar collector panel, 383; stethoscope, 439; submarine, 143; subway, 115; tank gun, 465; telescope, 433; television set, 181; test, 437; thermometer, 439; toilet, 271; torpedo, 466; vacuum, 386; wave, 14
tuber, potato, 52
tubercles, stingray, 43
tube sock, 203
tub fiddle, 360
tubing: backyard glider, 283; dental, 445; plumbing, 412; stethoscope, 439
tub ring and filter, washing machine, 276
tuck: blouse, 193; cigar, 224
tucker, queen's regalia, 468
tuck flap, package, 265
tuft: lounger, 231; man's hair, 207; sofa, 232; toothbrush, 211
tug, 144; airport, 93
tugboat, 144
tumbling: trampoline, 302
tumbrel, execution vehicle, 452
tummy, human, 25
tuna tower, powerboat, 135
tuner, phonograph, 177
tunic: Beefeater, 467; king's regalia, 468
tuning fork, 361
tuning gear: cornet, 353; dulcimer, 356; French horn, 352; guitar, 356; phonograph receiver, 177; radar, 434; sitar, 356; trombone, 352-353; trumpet, 353
tunnel, 96; igloo, 83; prison, 74; railroad, 111; subway, 115; wave, 14
tunnel bottom, waterski, 323
tunnel visor, traffic light, 109
turban, woman's, 199
turbine: combustion jet engine, 397; nuclear reactor, 384
turbine engine, helicopter, 146
turbine locomotive, 112
turbofan jet engine, 149, 397
turboprop jet engine, 397
turf: baseball field, 287; racetrack, 330, 331
turkey, 33
turn: lamp, 235; racetrack, 331
turnback, suit hanger, 277
turnback cuff: blouse, 193; jacket, 192
turnbuckle, boxing ring, 303
turned step, shovel, 417
turner, kitchen utensil, 255
turn indicator, 747 cockpit, 152
turning, drop-leaf table, 238
turning gear, can opener, 247
turning signal, automobile, 102
turning stake, croquet, 312
turning wall, swimming pool, 310
turn-lock, handbag, 218
turnouts, fireman, 484
turnover, 260
turnover collar, king's regalia, 468
turn signal light: bus, 114; truck, 116, 117
turntable: fire engine, 120; phonograph, 176; railroad yard, 94; television LaserDisc, 181
turret: castle, 78; stethoscope, 439; tank, 465
turtle, 40
turtleback, submarine, 143
turtleneck: clothes, 321; sweater, 195
tusche stencil, silk screen, 369
tush, ultimate beast, 47
tusk, ultimate beast, 47
tutu, ballerina, 478
tuxedo, man's formal attire, 472
TV camera: aircraft carrier, 142; lunar rover, 157; satellite, 182
TV monitor, prison, 74
TV optical unit, jet fighter, 152
TV power status, space shuttle, 155
tweeter, phonograph speaker, 177
tweezers, 211; pocket knife, 416
twelve foot marker, bowling lane, 311
21, layout, 341
25-point ring, dart board, 316
20mm cannon, jet fighter, 152
24-second clock, basketball, 292
twig, tree, 48
twilight zone, cave, 11
twin bed, 266
twine, frankfurter, 261
twinned stories, newspaper, 166
twins, zodiac, 493
twin soundtrack, stereo phonograph record, 176
twist: drill bit, 408, 409; paper clip, 273
twisted handle, paper bag, 262
twister, 17; body building, 338
twist-off cap, bottle, 265
twist tie, package, 265
two-button closing, woman's jacket, 192
two-color eye pencil, 213
two-cycle internal combustion engine, 396
two-deck head, magazine, 169
two-pronged fork, 255
two-suiter, 281
two-point perspective, 362
two-stick kite, 317
two-way traffic, road sign, 489
two-way zipper, 205
two-yard line, football, 289
typanum: church, 84; frog, 42; grasshopper, 39; toad, 42
type, 163; magazine, 168, 169; printing, 164; typewriter, 162
type of subscription code, magazine mailing label, 167
typewriter, 162
typhoon, 17
typist's initials, letter, 161
typography, 163
tzit, Torah, 470

U

U: braille, 496; sign language, 496
U-boat, 143
udder, cow, 30
U-gouge, 368
UHF radio, pilot's instrument panel, 153; 747 cockpit, 150
ullage, bottle, 263
ulna, human, 26
ultimate beast, 46-47
ultra-high frequency signal, television, 181
ultraviolet spectrometer, satellite, 182
umbilical: spaceshuttle, 154; spacesuit, 157
umbilical system bag, lunar rover, 157
umbilicus, human, 24
umbo, shield, 454
umbone, clam, 45
umbrella, 226; golf, 305; pipe, 225; silo, 100
umlaut, grammatical symbol, 497
umpire's area, baseball field, 287
una corda pedal, piano, 355
undercarriage, stagecoach, 127
undercarriage protector, tow truck bed, 122
undercarriage wheels, helicopter, 146
undercoat, bird, 37
undercut, razor blade, 206
underline, grammatical symbol, 497
underpants, 190
underpass, 110
underpinnings queen's regalia, 468
underscore, grammatical symbol, 497
under-seat bag stowage, lunar rover, 157
underserve line, jai alai cancha, 308
undershirt, 190, 286
underwater tunnel, 96
underwear, man's, 190
underwiring, brassiere, 191
uneven parallel bars, 300
unexposed film, movie camera, 172
unicycle, 124
uniform: baseball, 286; basketball, 292; boxer, 303; butler, 473; drag racing driver, 333; fencing, 309; football, 288; ice hockey, 290, 291; jai alai, 308; jockey, 330, 331; maid, 473; military, 480-481; police, 482-483; Revolutionary War general, 476; skiing, 320, 321; skin diving, 325
unimproved road, topographic map, 22
union: flag, 486; water heater, 391
unistrut, ferris wheel, 91
unit: ambulance, 191; computer, 429; masonry, 66
unit citation, military uniform, 480
unit column, abacus, 431
unit crest, military cap, 480
US insignia, military uniform, 480
United States notes, paper money, 220
U.S. interstate route number, road map, 20
U.S. route, road sign, 488
unit number, fireman's helmet, 484
unit patch, military uniform, 480, 481
unit point, abacus, 431
unit value, thematic map, 21
univalve shell, 45
universal cross connection, traffic light, 109
universal drive joint, hitch and harrow, 424
universal gym, 338
universal joint: automobile, 105; windsurfer, 324
Universal Product Code, 430; symbol, label, 265
Universal Transverse Mercator grid marking, topographic map, 22
universal veil, remnants, mushroom, 55
universe, 2-3
UPC label, 430
updraft, tornado, 17
uphaul, windsurfer, 324
upholstery: sofa, 232; wheelchair, 442
upper: ice skate, 319; man's shoe, 200; running shoe, 296; sandal, 202
upper arm: dog, 34; frog, 42; human, 24; traffic light, 109
upper back-stick, easel, 364
upper ball joint, automobile, 104
upper blade guard, saw, 407
upper bolt, pulley block, 451
upper bout, viola, 349
upper bow, bear trap, 423
upper case, type, 163
upper chord, bridge, 95
upper control arm, automobile, 104
upper control line, parachute, 327
upper deck, passenger ship, 139
upper eyelid, frog, 42
upper face, zipper, 205
upper frame, piano, 355
upper gate, canal lock, 97
upper-girdle facet, cut gemstone, 214
upper grid, nuclear reactor, 385
upper grip ring, sword hilt, 453
upper handle, mower, 419
upper hatch, lunar lander, 156

upper header, solar collector panel, 383
upper housing, sander, 411
upper jaw, fish, 43
upper joint, clarinet, 351
upper limb, bow, 456
upper lounge, jumbo jet, 148
upper mandible, bird, 37
upper panel, piano, 355
upper plate, theodolite, 426
upper spray arm, dishwasher, 246
upper tail crest, tadpole, 42
upper teeth, 446
upper thigh, dog, 34
upper pool, canal lock, 97
upper rack, dishwasher, 246
upper rail, balustrade, 71
upper receiver, rifle, 461
upper rudder, jumbo jet, 149
upper sash, window, 63
upper shell, turtle, 40
upper side-rail, truck van, 117
upper windshield, bus, 114
upright: basketball backstop, 292; croquet wicket, 312; easel, 364; etching press, 371; football, 289; guillotine, 452; hand loom, 379; horizontal bar, 300; hurdle, 298; lithographic press, 370; parallel bars, 300; pole vault, 299; pommel horse, 301; roller coaster, 90; tow truck, 122
upright handlebar, bicycle, 124
upright piano, 355
upright pole, tent, 336
upright standard, theodolite, 426
upright vacuum cleaner, 279
uprush, wave, 14
upstop wheel, roller coaster, 90
upstream, river, 13
upstream gate, canal lock, 97
Uranus, planet, 3
urine transfer connector, spacesuit, 157
urn, bed finial, 266
uropod, lobster, 45
usage register, electric meter, 389
use, label, 264
used-blade box, razor blade injector, 206
utility belt, police, 482-483
utility pocket: cowboy, 474; spacesuit, 157
uvula, 28

V

V: braille, 496; sign language, 496
VAC scale, volt-ohm meter, 413
vacuum cleaner, 279
vacuum hose, automobile engine, 107
vacuum jar, laboratory, 437
vacuum mount, pencil sharpener, 273
vacuum relief valve, tanker, 136, 137
vacuum tube, 386
valance: curtain, 236; stage, 344
validation, postal money order, 223
valley, 7; house roof, 61; non-glaciated, 12; river, 13
valley glacier, 12
value: coin, 221; thematic map, 21
value range, isarithmic map, 21
valve: automobile engine, 107; bicycle, 124; blood pressure gauge, 439; camper, 126; camp stove, 336; clam, 45; cornet, 353; drag racing dragster, 333; dental unit, 444; faucet, 269; football, 288; French horn, 352; furnace, 390; hot air balloon, 326; inflatable, 129; laboratory burner, 437; lantern, 336; motorcycle, 125; nuclear reactor, 384; playing cards, 342; plumber's torch, 412; radiator, 390; scallop, 45; skin diving, 325; solar heating system, 383; standpipe, 57; steam engine, 395; subway motorman's cab, 115; tanker, 136, 137; toilet, 271; trumpet, 353; water heater, 391
vambrace, armor, 455
vamp: boot, 202; man's shoe, 200; running shoe, 296; sandal, 202; woman's shoe, 201
van, truck, 117
Vandyke beard, 207
vane: barn, 100; bird feather, 37; missile, 466; weather, 18, 19; windmill, 382
vanishing point, perspective, 362
vanity, dresser, 268
varashield, truck cab, 116
variable range marker, radar and sonar, 434
variable spacer, typewriter, 162
variable-speed control, saw, 407
variable sweep wing, jet fighter, 152
vase, church, 85
VASI, airport runway, 92
vastus medialis, human, 26
vault: bank, 447; burial chamber, 500; dome, 83; parking meter, 109; pay telephone, 178; pole, 294, 299
vaulter: gymnastics, 301; pole vault, 299
vaulting board, 301
vaulting horse, 301
V-berth, sailboat, 131
V-bottom hull, powerboat, 134
VDC scale, volt-ohm meter, 413
vegetable, 52, 53, 258; juice extractor, 251; refrigerator compartment, 245
vegetable organ, grass, 56
vegetable slicer, 257
vehicle: airport, 93; armor-plated, 464-465
V-8 automobile engine, 107
veil: bride's, 472; nun's, 471; remnants of universal, mushroom, 55; woman's hat, 199
vein: human, 27; leaf, 50
Velcro closure, 205; football helmet, 288; parka cuff, 197
velocity indicator: pilot's instrument panel, 153; space shuttle, 155
velocity stack, racing car, 332
velvet cap, royal crown, 469
venetian blind, 237
venom, snake, 40
vent: automobile, 103; Band-Aid, 441; battery, 387; bus, 114; cannon barrel, 457; furnace, 390; hair dryer, 208; hot air balloon, 326; house gable, 61; jacket, 184; paint spray gun, 415; radiator, 390; shoe tree, 203; skin diving fin, 325; stove, 244; truck van, 117; volcano, 10; water heater, 391
vent field astragal and filets, cannon barrel, 457
ventilated rib, shotgun, 459
ventilation building, underwater tunnel, 96
ventilation hatch, bus, 114
ventilation-heating controls, car, 106
ventilation pack, hovercraft, 145
ventilation umbilical, spacesuit, 157
ventilator: barn, 100; lantern, 336; locomotive, 113; subway car, 115; tank, 465
venting arm, launch pad, 154
vent pipe: house, 60; pressure cooker, 253
vent port, drag racing driver's fire suit, 333
ventral fin: fish, 43; jet fighter, 152
ventral scale, snake, 41
vent screw, outboard engine, 133
venturi windshield, powerboat, 135
Venus, planet, 3
veranda, house, 61
verge, barn, 100
vergeboard, house, 61
Vermeil Room, White House, 73
vernier, theodolite, 426
verso, book page, 165
vertebral column, human, 26
vertebral shield, turtle, 40
vertex, pyramid, 69
vertical, transit, 426
vertical adjustment, speculum, 438
vertical aerial, volleyball net, 313
vertical angulation dial readout, dental x-ray unit, 444
vertical brace: bridge, 95; oil drilling platform, 99
vertical centering, radar, 434
vertical circle, theodolite, 426
vertical exhaust, truck tractor, 116
vertical fin: blimp, 158; glider, 147; single engine airplane, 147
vertical gauge, carpenter's level, 414
vertical reduction, theodolite, 426
vertical speed indicator, 747 cockpit, 150
vertical stabilizer, jumbo jet, 149
vertical tail fin, jet fighter, 152
vertical updraft, tornado, 17
vertical velocity indicator, pilot's instrument panel, 153
very high frequency antenna, destroyer, 140
very high frequency signal, television, 181
very soft, music notation, 347
vessel, 128
vest, 184; butler, 473; cowboy, 474; man's formal attire, 472; police, 483; ski clothes, 321, 323; sweater, 195
vestibule, vault, 447
vestment, Jewish ritual, 470
vestry, church, 85
V-gouge, 368
VHF aerial, jumbo jet, 148
VHF antenna: destroyer, 140, 141; helicopter, 146; lunar lander, 156
VHF radio, 747 cockpit, 151
vial: carpenter's level, 414; theodolite, 426
vibration damper pulley, automobile engine, 107
vibrissa: cat, 35; ultimate beast, 46
vice president, Senate, 72
video camera, 180
video cassette tape, 180
video display, computer, 429
video recorder, 180
viewer, television LaserDisc player, 181
viewfinder: camera, 170, 171; telescope, 433
viewing area, public sign, 491
viewing hood, radar, 434
vignette: book, 165; label, 264
viola, 348, 349
violation flag, parking meter, 109

violin, **348, 349**
violoncello, **349**
virgule, grammatical symbol, **497**
virgin, zodiac, **493**
Virgo, zodiac, **493**
viscid spiral, spider web, **38**
vise, **399**; workbench, **398**
visor: armor, **455**; drum major's busby, **479**; fireman's helmet, **484**; man's cap, **198**; spacesuit, **157**; traffic light, **109**
visual-approach slope indicator light, airport runway, **92**
vite, cartoon, **374**
vitellus, egg, **258**
V-neck, sweater, **195**
vocational rehabilitation, prison, **74**
voice, organ, **354**
void, type, **163**
volcanic rock, brazier, **284**
volcano, **7, 10**
volleyball court, **313**
voltmeter: powerboat, **134**; symbol, **494**
volt-ohm meter, **413**
volt-ohm milliameter, **413**
volume, stringed instruments, **349**
volume control: CB radio, **179**; guitar, **357**; hearing aid, **442**; metal detector, **435**; movie projector, **173**; police radio, **118**; sonar, **434**; tape recorder, **175**
volume dial, phonograph receiver, **177**
volume graduation, beaker, **437**
volume key, television set, **181**
volume number, newspaper, **166**
volume unit meter, tape recorder, **175**
voluntary muscle, human, **26**
volva, mushroom, **55**
voting booth, **427**
voting machines, mechanized, **427**
voucher, postal money order, **223**
voussoir, arch, **70**
VRM range-intensity control, radar, **434**
V-tail, surfboard, **324**
V-waist, queen's regalia, **468**

W

W: braille, **496**; sign language, **496**
wafer, Communion, **85**
wafer ice cream cone, **261**
waffle ice cream cone, **261**
waftarom, cartoon, **375**
wagon, child's toy, **283**
wagon masters' quarters, frontier fort, **80**
wagon pole, stagecoach, **127**
wah-wah pedal, guitar, **357**
waist: ant, **39**; bell, **III**; guitar, **356**; hourglass, **229**; human, **24**; queen's regalia, **468**; skirt, **193**; viola, **349**; woman's pants, **192**
waistband: athletic supporter, **190**; man's formal attire, **472**; man's underpants, **190**; panty hose, **191**; skirt, **193**; trousers, **287**; woman's pants, **192**
waistcoat: butler, **473**; man's formal attire, **472**; Revolutionary War general, **476**
waistline: bridal gown, **472**; dress, **194**
waist trimmer, body building, **338**
walk, house, **61**
walk-around, clown, **477**
walk board, roller coaster, **90**
walkie-talkie radio, **179**
walking leg, lobster, **45**
walking race, **294**
walking stick, **442**
wall: barn, **100**; baseball field, **287**; brick, **67**; canal lock, **97**; and carpet, **242**; cave, **11**; circus tent, **89**; dam, **98**; dustpan, **278**; elevator car, **76**; fort, **81**; handball court, **307**; horse's hoof, **36**; house, **58, 60**; jai alai cancha, **308**; lacrosse stick, **293**; mah-jongg, **339**; mountain, **9**; oil drilling platform, **99**; pea, **52**; pepper, **258**; prison, **74**; safe, **447**; squash court, **307**; stage, **344**; stove oven, **244**; swimming pool, **310**; tomato, **52**; truck, **117**; wave, **14**
wallaby pouch, ultimate beast, **46**
wallet, **219**
wall fastener, **401**
wall flange: aneroid barometer, **18**; sink drain, **269**
wall socket, electrical, **388**
wall switch, electrical, **388**
wall tent, **336**
wall-to-wall carpet, **242**
wand: venetian blind, **237**; wizard, **476**
waning moon, **4**
war bonnet, Indian, **474**
ward, castle, **78, 79**
warding, key, **449**
wardrobe, **268**
warhead: missile, **466**; torpedo, **466**
warm front, weather map, **19**
warming element, percolator, **248**
warming grid, barbecue grill, **284**
warming unit, coffee maker, **248**
warm liquid pipe, heat exchanger, **393**
warm-up jersey, baseball batter, **286**
warm-up suit, basketball, **292**
warning: dental x-ray unit, **444**; postal money order, **223**
warning light: car, **106**; fire engine, **120, 121**; pilot's instrument panel, **153**; railroad crossing signal, **111**; 747 cockpit, **150, 151**; space shuttle, **155**; tractor, **424**
warning lines, fencing strip, **309**
warning sign, road, **489**
warning track, baseball field, **287**
warp, hand loom, **379**
war paint, Indian, **474**
warship, **140**
warts, toad, **42**
washbasin, sailboat, **131**
washcloth rack, bathtub, **270**
washer, **401**; faucet, **269**; hose coupling, **418**; lamp, **234**; levigator, **370**; and parking meter, **109**
washing machine, **276**
washline, **276**
washout plug, locomotive boiler, **112**
washtub, **276**
waste disposal, dental, **445**
watch, **216**; skin diving, **325**
watchband, **216**
watch cap, sailor's, **481**
watch pocket: skirt, **193**; trousers, **187**; vest, **184**
watchtower, train caboose, **113**
water: dam, **98**; public sign, **491**; thundercloud, **17**
water bearer, zodiac, **493**
water buffalo horn, ultimate beast, **47**
water closet, sailboat, **131**
watercolor, painting medium, **364**
water control, dental unit, **444**
watercourse, river, **13**
water droplet, cave, **11**
waterfalls, **13**
water fill: camper, **126**; iron, **275**
watergate: castle, **79**; frontier fort, **80**
water glass, **240**
water hazard: golf course, **304-305**; steeplechase race, **298**
water heater, **391**; camper, **126**
water hook, harness racing, **331**
water kettle, tea set, **241**
water key: trombone, **353**; trumpet, **353**
water level sight glass, furnace, **390**
waterline: boat, **128**; destroyer, **141**
water pipe, **225**
water pressure gauge, pumper, **121**
water pump: automobile engine, **107**; nuclear reactor, **385**
water regulator, dental, **445**
water reservoir, coffee maker, **248**
water return pipe, furnace, **390**
waterskiing, **323**
water spray: mechanical sweeper, **123**; tooth cleaner, **211**
water tank: iron, **275**; railroad yard, **94**; water heater, **391**
water temperature gauge, powerboat, **134**
watertight bulkhead, passenger ship, **138**
watertight door, destroyer, **140**
water tower, nautical chart, **22**
wattage selector, CB radio, **179**
wattle: chicken, **33**; turkey, **33**
wattmeter, symbol, **494**
watts, phonograph, **177**
wave, **14**; radio, **3**
wave-cut platform, iceberg, **12**
waveguide, radar antenna, **434**
wave height, **14**
wavelength, **14**
wax: candle, **233**; ski, **321**
waxing moon, **4**
way, permanent fort, **81**
W.C., sailboat, **131**
weaponry, **453-466**; combat soldier, **481**; defensive guided, **140**; jet fighter, **152**
weather boarding, barn, **100**
weather deck, passenger ship, **139**
weather ear, newspaper, **166**
weather forecast, **18**
weather map, **19**
weather radarscope, 747 cockpit, **150**
weather stripping, window, **63**
weather vane, **19**; barn, **100**
weaving, **379**
web: bird foot, **33, 37**; circus aerialist, **88**; horseshoe, **36**; knife, **252**; spider, **38**; toad, **42**; weaving, **379**
web area, wrench, **405**
webbing: baseball glove, **287**; football uniform, **288**; suspenders, **186**
web-fed press, printing, **164**
web sling, bazooka, **462**
wedding bouquet, bride, **472**
wedge: cannon carriage, **457**; crossbow, **456**; dental, **445**; hammer, **402**; quiche, **259**; running shoe, **296**; sawhorse, **398**; snowmobile, **126**
weep hole: brick wall, **67**; fence, **65**
weft, weaving, **379**
weight: barbell, **338**; baseball bat, **286**; bowling ball, **311**; discus, **297**; flat racing, **330**; grandfather clock, **229**; guillotine, **452**; hurdle, **298**; laboratory scale, **436, 437**; lobster, **423**; metronome, **361**; skin diving, **325**; tractor, **424**; type, **163**; universal gym, **338**
weight floor, stage, **344**
weights and measures certification, gas pump, **108**
weight to be carried, flat racing entry, **330**
weiner, **261**

weld: link chain, **451;**
tweezers, **211**
welded channel,
backyard
glider, **283**
well: automobile, **102, 105;**
bus steps, **114;**
cigarette lighter,
224; ink, **160;**
magazine, **167;**
powerboat, **135;**
saucer, **241;** toaster,
249; workbench, **398**
well-contents
measuring tool, oil
drilling platform, **99**
welt: boot, **202;** shoe, **200**
welting: baseball
glove, **287;** lounger, **231;**
handbag, **218;**
mattress, **267**
welt pocket flap,
jacket, **184**
West Australia Current,
ocean, **6**
West Coast mirror,
truck, **116**
westerlies, wind, **6**
western pocket,
trousers, **187**
western saddle, **329**
western yoke shirt,
cowboy, **474**
west front, church, **85**
west longitude, **5**
west portico,
Capital, **72**
west wind drift,
ocean, **6**
wet boot, slalom water
ski, **323**
wet compass,
747 cockpit, **151**
wet suit, skin
diving, **325**
whaleboat,
destroyer, **140**
whalebone carving,
scrimshaw, **369**
whale's tooth,
scrimshaw, **369**
wharf, castle, **78, 79**
wheat, **56**
wheel: automobile, **102,**
103; balance beam,
300; ballista, **457;**
bicycle, **124;** blimp,
158; body building,
338; bumper car, **90;**
camera, **170;**
cannon carriage, **457;**
can opener, **247;**
child's wagon, **283;**
cigarette lighter,
224; drag racing
dragster, **333;** ferris,
91; glass cutter, **372;**
hand loom, **379;**
helicopter, **146;**
humidifier, **392;**
locomotive, **112;**
motorcycle, **125;** mower,
419; pastry cutter, **257;**
potter's, **367;** powerboat
134; roller coaster, **90;**
roller skate, **318;**
roulette, **340;**
sailboat, **130;**
seeder, **420;** single
engine airplane,
147; skateboard, **318;**
slide projector, **173;**
slot machine, **340;**
snowmobile, **126;**
spinning, **379;**
stagecoach, **127;**
stroller, **282;** tank, **464,**
465; tire, **101;** tractor,
424; truck, **116, 117,**
122; vacuum
cleaner, **279;**
wheelbarrow, **420;**
wheelchair, **442**
wheelbarrow, **420**
wheelchair, **442**
wheelhouse: hydrofoil,
145; tanker, **137**
wheel of fortune, **340**
wheels-flaps position
indicator, pilot's
instrument panel, **153**
wheel speed fairing,
single engine
airplane, **147**
wheel window, church, **84**
whey, and cheese, **259**
whip: flat racing, **330;**
harness racing,
331; stagecoach,
127; windmill, **382**
whip roll, hand loom, **379**
whirlpool jet, bath, **270**
whirlybird, **146**
whisk, kitchen
tool, **254**
whiskers: cat, **35;** man,
207; ulimate beast, **46**
whistle: destroyer, **141;**
locomotive, **112;**
police gun belt, **483;**
subway motorman's
cab, **115**
white, egg, **258**
whitecap, wave, **14**
white dwarf star, **3**
whiteface, clown, **477**
white glove, butler, **473**
White House, **73**
white inner table,
backgammon
board, **339**
white line, horse's
foot, **36**
white outer table,
backgammon
board, **339**
white paint, sketch
box, **365**
white room, launch
pad, **154**
white square,
chessboard, **339**
white tie, man's, **472**
whitewall tire,
automobile, **103**
white wine glass, **240**
white wire,
electrical
receptacle, **388**
whole note, music, **346**
whole note rest,
music, **346**
whole-timbered
building, **68**
whorl: human fingertip,
29; univalve shell, **45**
wick: candle, **233;**
jumbo jet, **148;** Molotov
cocktail, **463**
wicket, croquet, **312**
wickiup, **82**
wide-angle lens,
camera, **171**
wide swing gouge,
woodcarving, **366**
wide tire, tractor, **424**
width, and
perspective, **362**
widow, bowling pin, **311**
widow's peak,
hair, **207**
widow's walk, house, **60**
width, type, **163**
wig, **207, 476**
wiggle nail, **400**
wigwag, symbolic
language, **496**
wigwam, **82**
wild card, **342**
wimple, nun, **471**
win, flat racing, **330**
winch: oil drilling
platform, **99;**
sailboat, **130;**
tanker, **136;**
tow truck, **122**
wind: fishing rod, **334;**
thunderstorm, **17**
windage adjustment
knob, rifle scope, **459**
wind baffle, camp
stove, **336**
windbag, bagpipe, **359**
windbreaker,
automobile, **103**
wind chest, organ, **354**
wind direction sensor,
weather station, **18**
wind-door, garbage
truck, **123**
wind drift, ocean, **6**
winder, camera, **171**
wind indicator,
destroyer, **141**
winding, fishing
rod, **334**
winding road, road
sign, **489**
wind instruments: brass,
352-353; wood, **350-351**
windlass: ballista,
457; sailboat, **130;**
tanker, **136**
windmill, **382**
window, **63;** airport
control tower, **93;**
automobile, **102, 103;**
bridge, **95;** bus, **114;**
camera, **171;** camper, **126;**
checkbook clutch,
219; church, **84;**
computer diskette,
429; house, **60, 61;**
igloo, **83;** light meter,
174; lunar lander, **156;**
mainsail, **132;** mat,
373; package, **265;**
parking meter, **109;** plug
fuse, **389;** powerboat,
135; slot machine, **340;**
stove oven door, **244;**
subway car, **115;**
tank, **465;** tractor,
424; wallet, **219;**
washing machine
door, **276;**
windsurfer, **324**
window control, car, **106**
window coverings, **236, 237**
window flap, tent, **336**
window shade, **236, 237**
wind patterns, **6**
windscreen:
passenger ship, **138;**
747 cockpit, **150;**
single engine
airplane, **147**
windshaft, windmill, **382**
windshield:
automobile, **102, 103;**
bus, **114;** jet fighter,
152; powerboat, **135;**
747 cockpit, **150;**
single engine
airplane, **147;**
snowmobile, **126;**
space shuttle, **155;**
truck, **116**
windshield
defroster, **106**
windshield frame,
pilot's instrument
panel, **153**
windshield wiper: bus,
114; car, **102, 106;**
locomotive, **113;**
subway motorman's
cab, **115**
Windsor knot,
necktie, **188**
wind speed sensor,
weather station, **18**
windsurfer, **324**
wind system, **382**
wind turbine, **382**
wind vane, **18, 19**
wind wall, oil drilling
platform, **99**
windward side,
boat, **128**
wine, consecrated, **85**
wine bin,
sideboard, **239**
wine cellar,
passenger ship, **139**
wine drawer,
sideboard, **239**
wine glass, **240**
wine steward's
corkscrew, **247**
wing: baseball
catcher's
shinguard, **286;**
bassoon, **351;** bird, **37;**
bow tie, **188;** Capitol,
72; dental braces,
443; destroyer bridge,
141; easel, **364;**
grasshopper, **39;**
house, **61;** hydrofoil,
145; ice hockey, **291;**
jet fighter, **152;** lamp,
234; poultry, **33;**
racing car, **332,**
333; safety razor, **206;**
scallop, **45;** single
engine airplane,
147; space shuttle,
154; stroller, **282;**
tanker, **137;** theatre,
345; toggle bolt, **401;**
turkey, **33;** wallet, **219**
wing area, lacrosse
field, **293**
wing-back cuff link, **214**
wing fixed glove, jet
fighter, **152**
wing nut, **401;**
hacksaw, **406;** hurdle,
298; Ping-Pong net, **315**
wing strut, racing
car, **332**
wing sweep
indicator, pilot's
instrument panel, **153**
wing tip: butler's shirt,
473; man's shoe, **200;**
single engine
airplane, **147**
winter berm,
shoreline, **14**
winter cap, Manchu
court dress, **475**
winter squash, **52**
winter uniform,
police, **482**
wipe, cowboy, **474**
wiper: bus windshield,
114; car windshield,
102, 106; locomotive
windshield, **113**
wire: automobile
engine, **107;** barbed,
422; circuit
breaker box, **389;**
dental, **443;** earring,
214; electrical
receptacle, **388;**
electrician's, **413;**
field events
hammer, **297;** fire
engine, **120;** frame,
373; horizontal bar,
300; incandescent
bulb, **234;** plug fuse, **389;**
railroad crossing
signal, **111;** size, **413;**
stationary rings, **301;**
toaster, **249;**
traffic light, **109;**
trumpet, **353;** typewriter
162; vacuum tube, **386**
wire cutter:
electrician's
wire stripper, **413;**
pliers, **404**
wire end, clay
modeling tool, **366**
wire hood, champagne
cork, **263**
wire knob, seeder, **420**
wireless aerial,
tanker, **137**
wireline-logging
unit, oil drilling
platform, **99**
wire stripper:
electrician's, **413;**
pocket knife, **416**

wire support, camp stove, **336**
wiring tube, lamp, **235**
wisdom teeth, **446**
wishbone, poultry, **33**
wishbone boom, windsurfer, **324**
wisp, woman's hair, **209**
withers: cow, **30**; dog, **34**; sheep, **31**
witness cone, potting, **367**
witness stand, courtroom, **87**
wizard, costume, **476**
wok, **253**
woman's hair, **209**
woman's hat, **199**
woman's jacket, **192**
woman's pants, **192**
woman's shoe, **201**
woman's skate, **319**
women's tee, golf course, **304**
women's toilet, public sign, **490**
wood, jai alai cancha, **308**
wood block, **368, 451**
woodburning stove, **394**
wood carrier, fireplace, **228**
woodcarving tool, **366**
wood clamp, **399**
woodcut printing, **368**
wooded marsh, topographic map, **22**
wooden beam, tow truck bed, **122**
wooden mallet, woodcarving, **366**
wooden pipe, levigator, **370**
wooden roofing shingle, **66**
wooden siding, house, **60**
wooden spoon, **255**
wood fence, **65**
woofer, phonograph speaker, **177**
wood form, etching press, **371**
wood saw, pocket knife, **416**
wood shaft, umbrella, **226**
wood splice, house, **59**
woodwind, **348, 350-351**
woodworking vise, **399**
woodyard, frontier fort, **80**
woof, weaving, **379**
wool collar, trench coat, **196**
word, book page, **IV**
word processor, computer, **429**
workbench, **398**
work bowl, food processor, **250**
working drawing, house, **60**
workingman, circus, **88**
workingman's suspenders, **186**
working surface, balance beam, **300**
workshelf, potter's wheel, **367**
work spotlight, tow truck bed, **122**
work surface, desk, **272**
worktop, kitchen sink, **243**
worm: cannon, **457**; corkscrew, **247**
worm gear, venetian blind, **237**
woven backing, carpet, **242**
woven basket, guillotine, **452**
woven side, basket, **262**
woven wire fabric, steel chain fence, **65**
wrap: boxing, **303**; packaging, **265**
wrap belt, cardigan, **195**
wrapper: cigar, **224**; paperback book, **165**; Torah, **86**
wrapping, dabber, **371**
wreath: medal, **485**; tombstone, **500**
wreck, nautical chart, **22**
wrecker, **122**
wrench, **405**
wringer, **276**
wrist: cat, **35**; human, **24, 29**; steam engine crank, **395**
wrist pad, football uniform, **288**
wrist sling, ice hammer, **328**
wrist strap, ski pole, **320**
wristwatch, **216**
wrist weight, body building, **338**
write-in, voting, **427**
write-protect notch, computer diskette, **429**
writer's initials, letter, **161**
writing area, desk, **272**
writing arm, rocking chair, **230**
writing slide, desk, **272**
writing tip, pen, **160**
wrought iron fence, **65**

X

X: braille, **496**; sign language, **496**
x-height, type, **163**
x-indication, voting booth, **427**
x-ray cassette, operating room table, **440**
x-ray dental unit, **444**
xylem, tree, **48**
xylography, **368**

Y

Y: braille, **496**; sign language, **496**
yacht, **129**
yad, Torah, **470**
y adjusting lever, plane, **410**
yankee, sailboat, **130**
yard: barn, **100**; frontier fort, **80**; house, **60**; prison, **74**
yardarm, destroyer, **141**
yard goods, fabric, **380**
yard line, football field, **289**
yardmaster, railroad yard, **94**
yarmulke, Jewish prayer vestment, **470**
yarn: knitting, **378**; rope, **128**; weaving, **379**
yarn loop, **242**
year of birth: flat racing entry, **330**; tombstone, **500**
year of death, tombstone, **500**
year of puchase, postal money order, **223**
yellow traffic light, **109**
yen, symbol, **495**
Yeoman warder, **467**
yield, road sign, **488**
Yin-Yang, symbol, **492**
yod, tefillin, **470**
yoke: blouse, **193**; dental x-ray unit, **444**; dress, **194**; 747 cockpit, **150**; shirt, **185**; tennis racket, **306**; tuning fork, **361**; window, **63**
yoke cable, bicycle caliper brake, **124**
yoke shirt, cowboy, **474**
yolk, egg, **258**
yurt, **68**

Z

Z: braille, **496**; sign language, **496**
zebra coat, ultimate beast, **47**
zecher lechurban, Jewish prayer vestment, **470**
Zeppelin, **158**
zero adjust knob, volt-ohm meter, **413**
zero mark, wristwatch, **216**
zester, kitchen tool, **257**
ziggurat, pyramid, **68**
zigzag rule, **414**
zinc carbon cell, **387**
zip code: envelope, **161**; magazine mailing label, **167**; postal money order, **223**
zip-out robe lining, overcoat, **196**
zipper, **205**; backpack, **337**; mainsail, **132**; package, **264**; parka, **197**; skirt, **193**; sleeping bag, **337**; trousers, **187**; woman's pants, **192**
zippered door, tent, **336**
zipper foot, sewing machine, **274**
zipper foot, sewing machine, **274**
zipper line, sewing pattern, **380**
zizith, Jewish prayer shawl, **470**
zonal pattern, wind, **6**
zone: envelope, **161**; football field, **289**; glacier, **12**; handball court, **307**; ice hockey rink, **291**; shuffleboard court, **312**; time, **5**
zoom control, video camera, **180**
zooming ring, movie projector, **173**
zoom lens, **171, 172, 180**
zoom ring: movie camera, **172**; video camera, **180**

INDICE

A

A causa de, símbolos científicos y comerciales, 494
Abaco: 431
calculadoras, 431
columna, 71
Abanico, novia y novio, 472
Abanico aluvial, río, 13
Abdomen:
arañas, 38
caballo, 36
crustáceos y moluscos, 45
cuerpo humano, 24
insectos, 39
Abeja, 39
Abertura:
crustáceos y moluscos, 45
instrumentos populares, 360
pesca, 334-335
Abertura calientamanos, prendas de abrigo, 197
Abertura central, blusa y falda, 193
Abertura de aireación, carreras de dragsters, 333
Abertura de aspiración, intercambiador de calor, 393
Abertura de carga, escopeta y fusil, 458-459
Abertura de la manga:
camisa, 185
chaqueta y chaleco, 184
Abertura de escape, motor fuera borda, 133
Abocardador, útiles de fontanería, 412
Abolladura, sombrero masculino, 198
Abono, carretilla y sembradora, 420
Abrasivo, equipo dental, 445
Abrazadera:
bicicleta, 124
exprimidores, 251
tenis de mesa, 315
utensilios de limpieza doméstica, 278
utensilios para el peinado, 210
útiles de pintura, 415
valla, 65
vehículos de bomberos, 120-121
Abrazadera de unión brazo-mástil, emisor-receptor, 179
Abrazadera del cañón, escopeta y fusil, 458-459
Abrazaderas del yugo de popa, motor fuera borda, 133
Abrazadera para las boquillas, aspiradora, 279
Abrebotellas, 247
Abrechapas, abridores, 247
Abrelatas, navaja múltiple, 416
Abrelatas de excursionista, abridores, 247
Abrelatas eléctrico, 247
Abrelatas manual de tijera, abridores, 247
Abreviatura, signos ortográficos, 497
Abridor, navaja múltiple, 416
Abridor de botellas, navaja múltiple, 416
Abridor de uso múltiple, 247
Abridores, 247
Abrigo, prendas de abrigo, 196
Acampada, 336
Acanaladuras, columna, 71
Acantilado:
montañas, 8-9
paisajes terrestres, 7
Acantilado de hielo, montañas, 8-9
Acceso, túnel, 96
Acceso al pañol de la cubierta inferior, petrolero, 136-137
Accesorio:
fregadero, 243
grifo y lavabo, 269
útiles de fontanería, 412
Accesorio para el apoyo de brazo, mesas médicas, 440
Accesorio para el apoyo de pie, mesas médicas, 440
Accesorio prismático para observación estelar, telescopio y gemelos, 433
Accesorio teatral, escenario, 344
Accesorios, 279
Accesorios de jardín, 283-284
Accesorios del calzado, 203
Accesorios fotográficos, 174
Accesorios musicales, 361
Accesorios para bebés, 282
Aceite antioxidante, herramientas de escultor, 366
Aceite cosmético, productos de belleza, 213
Aceite de linaza, pintura, 364-365
Aceite para afilar, herramientas de escultor, 366
Acelerador:
cortacésped, 419
motocicleta, 125
motor de combustión interna, 396
símbolos científicos y comerciales, 494
Acelerador del motor de babor, yates a motor, 134-135
Acelerador del motor de estribor, yates a motor, 134-135
Acelerador manual, interior de un automóvil, 106
Acelerómetro, tablero de instrumentos, 153
Acento agudo, signos ortográficos, 497
Acento circunflejo, signos ortográficos, 497
Acento grave, signos ortográficos, 497
Acera móvil, escalera mecánica, 77
Acerico, costura, 376
Acolchado, 377
Acolchado:
esgrima, 309
globo aerostático, 326
zapatilla deportiva, 296
Acolchado de seguridad, cama elástica, 302
Acolchado para el tendón de Aquiles, zapatilla deportiva, 296
Acolchado protector, esquí alpino, 320
Acondicionador de aire, 392
Acondicionador de aire, vehículos de recreo, 126
Acondicionamiento de aire, 392
Acoplamiento, bicicleta, 124
Acorde, partitura, 346
Acordeón, 360
Acordeón, bolso de mano, 218
Acordeón, cartera, 219
Acrílico, pintura, 364-365
Acróbata, circo, 88-89
Acrótera, valla, 65
Actividades recreativas, 285
Activo, interruptor, 388
Actor, teatro, 345
Acuarela, pintura, 364-365
Acuario, signos del Zodiaco, 493
Acúleos, vida marina, 44
Acumulador:
batería, 387
recipientes, 263
Acumulador de plomo, 387
Adaptador, vehículos de bomberos, 120-121
Adaptador para el cuerpo de la aspiradora, aspiradora, 279
Adarga, armas medievales, 454
Adarve, castillo, 78-79
Aderezo:
anillo, 215
gema o piedra preciosa, 214
Adhesivo, medios terapéuticos, 441
Adición, símbolos científicos y comerciales, 494
Admiración, signos ortográficos, 497
Admisión de aire, buque de guerra de superficie, 140-141
Adorno:
gema o piedra preciosa, 214
jefe de majorettes, 479
sofá, 232
sombreros femeninos, 199
sombreros masculinos, 198
Adorno abocinado, mobiliario de comedor, 239
Adorno convexo, gema o piedra preciosa, 214
Adorno de aplicación, vestido, 194
Adorno de enjuta, reloj de pared, 229
Adorno de incrustación, sofá, 232
Adorno de la puntera, bota y sandalia, 202
Adorno del capó, carrocería, 102-103
Adorno del fabricante, zapatilla deportiva, 296
Aduana, señales públicas, 490-491
Adulto, insectos, 39
Aerodeslizadores, 145
Aeromotor, 382
Aeropuerto, 92-93
Aeropuerto, señales públicas, 490-491
Aerosol, utensilios para el peinado, 210
Aerostato, 158
Afianzador velcro, fútbol americano, 288
Afilador, 252
Afilalápices, 273
Afluentes, río, 13
Agalla, pesca, 334-335
Agallas, vida marina, 43
Agarradera, trineo y deslizador, 322
Agarradero, autobús, 114
Agarrador del carro, litografía, 370
Agarre:
instrumentos para pruebas en pista, 297
salto con pértiga, 299
Agenda, bolso de mano, 218
Agitador, carretilla y sembradora, 420
Aglomerante, muro de ladrillo, 67
Agrupación de impactos, escopeta y fusil, 458-459
Agua:
golf, 304
sistemas tormentosos, 17
Agua de descarga, presa, 98
Agua oxigenada, ambulancia, 119
Agua potable, señales públicas, 490-491
Agua sobreenfriada, sistemas tormentosos, 17
Aguador, signos del Zodiaco, 493
Aguafuerte, calcografía, 371
Aguanieve, sistemas tormentosos, 17

Aguatinta, calcografía, 371
Aguijón, insectos, 39
Aguilón, camión remolque, 122
Aguja, 376
Aguja:
estación de clasificación, 94
glaciar, 12
máquina de coser, 274
medios terapéuticos, 441
montañas, 8-9
pipa, 225
punto, 378
vaca, 30
zapato de señora, 201
Aguja calibrada, ambulancia, 119
Aguja de grabar, 371
Aguja de horquilla, 378
Aguja de inyecciones, 441
Aguja de lengüeta, 378
Aguja de mechar, utensilios para preparaciones, 255
Aguja indicadora:
accesorios fotográficos, 174
equipo meteorológico, 18
instrumentos eléctricos, 413
Agujas, sección transversal de una caverna, 11
Agujas de tricotosa, 378
Agujero:
cinturón y tirantes, 186
medios terapéuticos, 441
Agujero de anclaje, valla, 298
Agujero de la hoja, cigarro y cigarrillo, 224
Agujero de toma de aire, utensilios para el cuidado del cabello, 208
Agujero del pulgar, bolos, 311
Agujero guía, clavos y tornillos, 400
Agujero negro, universo, 2-3
Agujero para barrilete, banco de trabajo, 398
Agujero para el dedo, bolos, 311
Agujero para la cuerda, trineo y deslizador, 322
Agujero para tornillo, bisagra y aldabilla, 450
Agujero producido por un nudo, materiales de construcción, 66
Aireador:
fregadero, 243
interior de un automóvil, 106
Aislador de amarre, línea de alta tensión, 386
Aislamiento, instrumentos eléctricos, 413
Aislamiento calorífugo, sistema de energía solar, 383
Ajedrez, 339
Ajustador de cuña, equipo dental, 445
Ajustador de longitud, alfombra, 242
Ajustador de tensión, útiles de jardinería, 417
Ajustador frontal, fútbol americano, 288
Ajustador posterior, fútbol americano, 288
Ajuste angular, equipo de exploración, 438
Ajuste de la corredera, metal, 352-353
Ajuste de la exposición, cámara y película fotográficas, 171
Ajuste de las ruedas, cortacésped, 419
Ajuste del brazo, cortacésped, 419
Ajuste del discriminador, detectores, 435
Ajuste del pabellón, metal, 352-353
Ajuste fino de la sintonización, detectores, 435
Ajuste fino del enfoque, telescopio y gemelos, 433
Ajuste grueso de la calibración, detectores, 435
Ajuste vertical, equipo de exploración, 438
Ala, 291
Ala:
aves, 37
aves de corral, 33
avión particular, 147
crustáceos y moluscos, 45
despiece de un ave, 33
exterior de la casa, 61
hidroalas, 145
hockey sobre hielo, 291
hoja, 50
lanzadera espacial y plataforma de lanzamiento, 154
paracaídas y planeador, 327
sombreros femeninos, 199
sombreros masculinos, 198
Ala anterior, insectos, 39
Ala de resorte, tuercas, 401
Ala del puente, buque de guerra de superficie, 140-141
Ala delta, 327
Ala en flecha variable, avión de caza, 152
Ala posterior, insectos, 39
Ala sumergida, hidroalas, 145
Alabarda, 454
Alabarda, guardián de la Torre de Londres, 467
Alabe de compresor, motores a reacción, 397
Alambre:
cañón y catapulta, 457
marco para cuadros, 373
utensilios para preparaciones, 255
Alambre circular, paraguas, 226
Alambre de espino, 422
Alambre guía, máquina de escribir, 162
Alambre separador, máquina de escribir, 162
Alambre trenzado, equipo de ganadero, 422
Alambre/varilla de unidades, calculadoras, 431
Alargador del cañón, armas automáticas, 461
Alarma, prisión, 74
Alarma de humo, 280
Alba, ornamentos religiosos, 471
Albañilería, material de, 66
Albardilla, estación de clasificación, 94
Albufera, costa y margen continental, 15
Albumen, ingredientes crudos, 258
Alcachofa, 258
Alcachofa, baño y ducha, 270
Alcancía, cámara acorazada y caja fuerte, 447
Alcohol, ambulancia, 119
Aldaba, puerta, 62
Aldabilla, 450
Aleación para soldar, útiles de fontanería, 412
Alero:
armazón, 59
establo y silo, 100
exterior de la casa, 61
Alerón:
avión particular, 147
tienda india, 82
Alerón aerodinámico, carreras de dragsters, 333
Alerón aerodinámico delantero, grandes premios automovilísticos, 332
Alerón aerodinámico trasero ajustable, grandes premios automovilísticos, 332
Alerón del puente, petrolero, 136-137
Alerón exterior, avión comercial, 148-149
Alerón interior, avión comercial, 148-149
Aleta:
béisbol, 286
crustáceos y moluscos, 45
equipo de montar, 329
esquí acuático, 323
medios terapéuticos, 441
mortero y bazooka, 462
submarinismo, 325
surf, 324
utensilios de limpieza doméstica, 278
vaca, 30
Aleta anal, vida marina, 43
Aleta canard, avión de caza, 152
Aleta caudal, vida marina, 43
Aleta de babor, terminología náutica, 128
Aleta de control, misil y torpedo, 466
Aleta de estribor, terminología náutica, 128
Aleta de guiado, misil y torpedo, 466
Aleta de la torre, submarino, 143
Aleta del armazón de la lámpara, lámparas e iluminación, 234
Aleta del evaporador, acondicionamiento de aire, 392
Aleta delantera, carrocería, 102-103
Aleta dorsal, vida marina, 43
Aleta dorsal adiposa, vida marina, 43
Aleta dorsal espinosa, vida marina, 43
Aleta estabilizadora, misil y torpedo, 466
Aleta horizontal, aerostato, 158
Aleta pectoral, vida marina, 43
Aleta pélvica, vida marina, 43
Aleta trasera, carrocería, 102-103
Aleta ventral:
avión de caza, 152
vida marina, 43
Aleta vertical inferior, aerostato, 158
Aletas, reptiles, 40-41
Alfabeto Braille, 496
Alfardilla, vestimenta local, 475
Alfareme, vestimenta local, 475
Alfarería, 367
Alféizar, ventana, 63
Alfil de dama, ajedrez y damas, 339
Alfil de rey, ajedrez y damas, 339
Alfiler, 204
Alfiler:
gema o piedra preciosa, 214
sombreros femeninos, 199
utensilios para el peinado, 210
Alfiler de corbata, corbatas, 189
Alfiletero, costura, 376
Alfombra, 242
Alga, 55
Alicate cortapernos, alicates, 404
Alicate de «pico de pato», alicates, 404
Alicate de punta redonda, alicates, 404
Alicate especial para cuerdas de piano, alicates, 404
Alicate universal, alicates, 404
Alicates, 404
Alicates ajustables, 404
Alicates bloqueables, 404
Alicates de articulación móvil, 404
Alicates de electricista, 404
Alicates de engaste, 413
Alidada, sextante, 133
Alimentador, aparatos ortopédicos, 442
Alimentador de corredera, material de escritorio, 273
Alimentador de corriente, lámparas e iluminación, 235
Alimentos preparados, 259
Aliñar, alimentos preparados, 259
Alisios, vientos y corrientes oceánicas, 6
Aliviadero, presa, 98
Aljaba, arco y flecha, 456
Alma, energía eólica, 382
Almadreña, accesorios del calzado, 203
Almeja, 45
Almena, castillo, 78-79
Alminares, 68-69
Almirez, ralladores y picadoras, 257
Almocrafe, útiles de jardinería, 417
Almohada, cama y accesorios, 266
Almohadilla:
aparatos ortopédicos, 442
automóvil de policía, 118
gato, 35
gimnasia, 301
madera, 350-351
xilografía, 368
Almohadilla de ángulo, boxeo, 303
Almohadilla de goma, alfombra, 242
Almohadilla de inserción de las púas, utensilios para el cuidado del cabello, 208
Almohadilla de la pata, alfarería, 367
Almohadilla de presión, magnetófonos, 175
Almohadilla del arco, bota y sandalia, 202
Almohadilla dorsal, hockey sobre hielo, 290
Almohadilla nasal, gafas, 217
Almohadillado, béisbol, 286
Almohadillado radiotransparente, mesas médicas, 440
Almohadillamiento de seguridad, fútbol americano, 289
Almohadillamiento protector, 288
Almohadillas, perro, 34
Almohadillas interdigitales, extremidades, 29
Almuédano, arquitectura internacional, 68-69
Alojamiento, plataforma de perforación submarina, 99
Alojamiento de la batería:
camión tractor, 116-117
terminología náutica, 128
Alojamiento de la rueda motriz, bulldozer, 425
Alojamiento de las baterías, camión tractor, 116-117
Alojamiento del cable de

alimentación, vehículos de recreo, 126
Alojamiento del eje propulsor, motor fuera borda, 133
Alojamiento del eslabón giratorio, gimnasia, 301
Alojamiento del pasador, cerraduras de puerta, 448
Alojamiento del sistema de ventilación de la cabina, aerodeslizadores, 145
Alojamiento para los teleros, camión tractor, 116-117
Alojamiento paracaídas del cohete acelerador, lanzadera espacial y plataforma de lanzamiento, 154
Alpargata, zapato de señora, 201
Alpinismo, 328
Alquiler de automóviles, señales públicas, 490-491
Alta fidelidad, equipo de, 176-177
Alta frecuencia, televisión, 181
Alta presión, máquina de vapor, 395
Altar, 85
Altar mayor, interior de una iglesia, 85
Altar mayor con antipendio, interior de una iglesia, 85
Altas presiones, mapa meteorológico, 19
Altavoces, guitarra eléctrica, 357
Altavoz:
  detectores, 435
  emisor-receptor, 179
  magnetófonos, 175
  teatro, 345
  televisión, 181
  vehículos de bomberos, 120-121
Altavoz para frecuencias graves, equipo de alta fidelidad, 177
Altavoz para frecuencias medias, equipo de alta fidelidad, 177
Altavoz supertweeter, equipo de alta fidelidad, 177
Altavoz tweeter, equipo de alta fidelidad, 177
Alteración de la clave, partitura, 346
Alternador, motor de automóvil, 107
Alternador de fuzz, guitarra eléctrica, 357
Altímetro barométrico:
  cabina de pilotaje del 747, 150-151
  tablero de instrumentos, 153
Altímetro de reserva:
  cabina de pilotaje del 747, 150-151
  tablero de instrumentos, 153
Altímetro radar, cabina de pilotaje del 747, 150-151
Altímetro servoneumático, tablero de instrumentos, 153
Altocúmulo:
  nubes, 16
  sistemas tormentosos, 17
Altura, olas y costa, 14
Alumbrado de suelo, interior de una iglesia, 85
Aluvión glaciar, montañas, 8-9
Alvéolo, dientes, 446
Alza:
  armas automáticas, 461
  armas cortas, 460
  escopeta y fusil, 458-459
  mortero y bazooka, 462
Alza de ranura, escopeta y fusil, 458-459
Alzacuello, ornamentos religiosos, 471
Alzado, tejo y croquet, 312
Alzapaño, coberturas para ventanas, 236
Alligator, 40-41
Amalgama de plata, equipo dental, 445
Amarra, 128
Amarra, buque de pasajeros, 138-139
Amarra de popa, remolcador, 144
Amarradero para globos meteorológicos, rascacielos, 75
Ambulancia, 119
Ametralladora, 461
Ametralladora coaxial, carro de combate, 464-465
Ametralladora de la torreta, carro de combate, 464-465
Ametralladora del casco, carro de combate, 464-465
Ametralladora refrigerada por aire, armas automáticas, 461
Amígdala palatina, órganos de los sentidos, 28
Amito, ornamentos religiosos, 471
Amortiguador:
  ascensor, 76
  avión particular, 147
  cañón y catapulta, 457
  motocicleta, 125
  patinaje sobre ruedas, 318
  vehículos de recreo, 126
Amortiguador del parachoques, vista en sección de un automóvil, 104-105
Amortiguador del retroceso, escopeta y fusil, 458-459
Amortiguador trasero, vista en sección de un automóvil, 104-105
Amperímetro, símbolos científicos y comerciales, 494
Ampliación de la tobillera, béisbol, 286
Amplificador, 357
Amplificador, guitarra eléctrica, 357
Ampolla:
  lámparas e iluminación, 234
  línea de alta tensión, 386
  reloj de pared, 229
Amuleto, anillo, 215
Amura, compartimentos de un barco de vela, 131
Amurada:
  buque de pasajeros, 138-139
  yates a motor, 134-135
Anagrama, ferrocarril, 112-113
Ananás, frutos, 53
Anaquel:
  mobiliario de comedor, 239
  refrigerador, 245
Anaquel para zumos, refrigerador, 245
Anatomía popular, 25
Anca, caballo, 36
Ancas, gato, 35
Ance, arco y flecha, 456
Ancla, 128
Ancla, buque de pasajeros, 138-139
Ancla de arado, velero, 130
Anclaje, accesorios de jardín, 283
Anclaje de la red, 306
Anclaje trasero, natación, 310
Ancho de tabla, sierra mecánica, 407
Ancho de vía, paso a nivel, 111
Anchura, banderas, 486
Andén:
  parque de atracciones, 90
  túnel, 96
Anea, bolsas y cestas, 262
Anemómetro:
  buque de guerra de superficie, 140-141
  equipo meteorológico, 18
Anfibios, 42
Angulo:
  ajedrez y damas, 339
  boxeo, 303
  teodolito, 426
Angulo de salida, accesorios de jardín, 283
Angulo saliente, fortificaciones. 81
Anilla:
  autobús, 114
  coberturas para ventanas, 236-237
  cometas, 317
  escopeta y fusil, 458-459
  gimnasia, 301
  granada y mina, 463
  pesca, 334-335
  prendas de abrigo, 196
  relojes de pulsera y bolsillo, 216
Anilla de salida, pesca, 334-335
Anilla de sujeción, material de laboratorio, 436-437
Anilla de sujeción para papeles gruesos, máquina de escribir, 162
Anilla encarrilada, coberturas para ventanas, 236
Anilla guía, pesca, 334-335
Anilla para colgar, utensilios para el cuidado del cabello, 208
Anillas, 301
Anillo, 215-226
Anillo:
  atributos reales, 469
  cámara y película fotográficas, 171
  cúpulas, 83
  esquí alpino, 320
  paraguas, 226
  plantas inferiores, 55
  tenis, 306
Anillo bloqueador, proyectores, 173
Anillo de base, cañón y catapulta, 457
Anillo de boca, globo aerostático, 326
Anillo de cálculo, accesorios fotográficos, 174
Anillo de cierre:
  destornillador, 403
  escopeta y fusil, 458-459
Anillo de contacto, lámparas e iluminación, 234
Anillo de crecimiento, materiales de construcción, 66
Anillo de crecimiento anual, árbol, 48
Anillo de doble puntuación, juego de dardos, 316
Anillo de empuje, misil y torpedo, 466
Anillo de enfoque:
  cámara y película fotográficas, 171
  escopeta y fusil, 458-459
Anillo de fijación, pesca, 334-335
Anillo de la corona, caballo, 36
Anillo de mando manual del zoom, cámara de cine, 172
Anillo de Pescador, ornamentos religiosos, 471
Anillo de puntuación sencilla, juego de dardos, 316
Anillo de refuerzo principal, cañón y catapulta, 457
Anillo de refuerzo secundario, cañón y catapulta, 457
Anillo de retención, taladradora de mano, 408
Anillo de triple puntuación, juego de dardos, 316
Anillo del cañón, armas blancas, 453
Anillo del orificio de gases, cañón y catapulta, 457
Anillo del visor, escopeta y fusil, 458-459
Anillo del zoom, proyectores, 173
Anillo deslizante, armas automáticas, 461
Anillo episcopal, ornamentos religiosos, 471
Anillo giratorio, cultura física, 338
Anillo guía:
  cámara acorazada y caja fuerte, 447
  reactor nuclear, 384-385
Anillo inferior del puño, armas blancas, 453
Anillo superior del puño, armas blancas, 453
Anillo y escala de apertura, cámara y película fotográficas, 171
Anillos articulados, reptiles, 40-41
Anillos de Saturno, universo, 2-3
Anima:
  armas cortas, 460
  escopeta y fusil, 458-459
Anima lisa, escopeta y fusil, 458-459
Animales sueltos, señales de tráfico, 488-489
Ankh, símbolos religiosos, 492
Ano, vida marina, 44
Anorak, 197
Anorak, esquí de fondo, 321
Anotación de fraseo, partitura, 346
Antagonista, dientes, 446
Antebrazo:
  anfibios, 42
  caballo, 36
  cuerpo humano, 24
  gato, 35
  perro, 34
Antecamas, alfombra, 242
Antehélix, órganos de los sentidos, 28
Antehogar, chimenea, 228
Antena, 179
Antena:
  aeropuerto, 92-93
  avión de caza, 152
  avión particular, 147
  carro de combate, 464-465
  carrocería, 102-103
  crustáceos y moluscos, 45
  insectos, 39
  lanzadera espacial y plataforma de lanzamiento, 154
  radar y sonar, 434
  símbolos científicos y comerciales, 494
  vehículo lunar, 157
Antena de alta frecuencia, helicóptero, 146
Antena de alta ganancia:
  orientable, satélite, 182
  vehículo lunar, 157

Antena de alunizaje, módulo lunar, 156
Antena de baja ganancia:
satélite, 182
vehículo lunar, 157
Antena de banda C, módulo lunar, 156
Antena de banda de policía, automóvil de policía, 118
Antena de banda normal, automóvil de policía, 118
Antena de banda S de vuelo, módulo lunar, 156
Antena de guerra electrónica, buque de guerra de superficie, 140-141
Antena de media luna, módulo lunar, 156
Antena de navegación, petrolero, 136-137
Antena de radar, submarino, 143
Antena de radar de cita espacial, módulo lunar, 156
Antena de radio:
aerodeslizadores, 145
portaaeronaves, 142
submarino, 143
Antena de radio y televisión, rascacielos, 75
Antena de senda de planeo, helicóptero, 146
Antena de TACAN, buque de guerra de superficie, 140-141
Antena de televisión, exterior de la casa, 61
Antena de VHF:
avión comercial, 148-149
buque de guerra de superficie, 140-141
módulo lunar, 156
Antena del radar, 434
Antena del radar:
aerodeslizadores, 145
automóvil de policía, 118
petrolero, 136-137
Antena del radiotelégrafo, petrolero, 136-137
Antena direccional de banda S, módulo lunar, 156
Antena VHF/UHF, helicóptero, 146
Anténula, crustáceos y moluscos, 45
Anteojo, teodolito, 426
Anteojo astronómico, telescopio y gemelos, 433
Anteojo buscador, telescopio y gemelos, 433
Anteojo de Galileo, telescopio y gemelos, 433
Anteojos, trajes de época, 476
Antepecho:
armazón, 59
tejido, 379
Antera, flor, 51
Antigua colada de lava, volcán, 10
Antineurálgico, ambulancia, 119
Antitrago, órganos de los sentidos, 28
Anuladores, órgano, 354
Anular, extremidades, 29
Anverso, máquina de votar, 427
Anzuelo, 334-335
Apagado, interruptor, 388
Apagador, chimenea, 228
Apagallamas, armas automáticas, 461
Apagavelas, 233
Aparato anotador eléctrico, esgrima, 309
Aparato de Golgi, célula animal, 23
Aparato para desarrollar el cuello, cultura física, 338
Aparato para ejercitar los tríceps, cultura física, 338
Aparato para muslo y rodilla, cultura física, 338
Aparato para reducir la cintura, cultura física, 338
Aparato para sordos, 442
Aparatos ortopédicos, 442
Aparcamiento, aeropuerto, 92-93
Aparcamiento autorizado, señales públicas, 490-491
Aparejo, 451
Aparejo:
muro de ladrillo, 67
vela, 132
Aparejo de panderete, muro de ladrillo, 67
Apartamentos, rascacielos, 75
Apellido del jugador, baloncesto, 292
Apéndice ambulacral, crustáceos y moluscos, 45
Apéndice vermicular, órganos internos, 27
Apéndices bucales, vida marina, 44
Apero, tractor, 424
Apertura del capó, interior de un automóvil, 106
Apertura diafragmática, microscopio, 432
Apice:
crustáceos y moluscos, 45
gramíneas, 56
hoja, 50
hortalizas, 52
suculentas, 54
Apio, 258
Aplicación, costura decorativa, 377
Aplicación de blonda, novia y novio, 472
Aplicador, productos de belleza, 213
Aplicador de esponja, productos de belleza, 213
Aplique, lámparas e iluminación, 234
Aplique para iluminación, puerta, 62
Apósito, medios terapéuticos, 441
Apósito de algodón, equipo dental, 445
Apósito de gasa, equipo dental, 445
Apóstrofe, signos ortográficos, 497
Apoyafrente, equipo de exploración, 438
Apoyapiés, aparatos ortopédicos, 442
Apoyo, piano, 355
Apoyo corto, piano, 355
Apoyo de la boca, mortero y bazooka, 462
Apoyo de la flecha, arco y flecha, 456
Apoyo del hombro, mortero y bazooka, 462
Apoyo del pulgar, medios terapéuticos, 441
Aproximadamente igual a, símbolos científicos y comerciales, 494
Apterio, aves, 37
Apuesta, jai alai, 308
Apuntador, escenario, 344
Aquenio, frutos, 53
Arado mecánico, tractor, 424
Arandela:
accesorios fotográficos, 174
armas medievales, 454
aspersores y boquillas, 418
grifo y lavabo, 269
lámparas e iluminación, 234
litografía, 370
tuercas, 401
valla, 65
velas y candelabros, 233
Arandela de seguridad, lámparas e iluminación, 234
Arandela fija, pesca, 334-335
Arandela móvil, pesca, 334-335
Araña, lámparas e iluminación, 234
Arañas, 38
Arbol, 48
Arbol:
energía eólica, 382
procedimientos de impresión, 164
Arbol de la caja de levas, litografía, 370
Arbol de Navidad, 333
Arbol de transmisión, vista en sección de un automóvil, 104-105
Arbotante, buque de guerra de superficie, 140-141
Arción, equipo de montar, 329
Arco, 70-349-456
Arco:
aparatos ortopédicos, 442
atletismo en pista, 295
atributos reales, 469
camping, 336
cometas, 317
fútbol americano, 288
reloj de pared, 229
sierras de mano, 406
taladradora de mano, 408
tejo y croquet, 312
útiles de jardinería, 417
Arco, sextante, 133
Arco ajustable, sierras de mano, 406
Arco de afinación, metal, 352-353
Arco de penalty, fútbol y lacrosse, 293
Arco del lanzamiento del saque de esquina, fútbol y lacrosse, 293
Arco del proscenio, teatro, 345
Arco imperial, atributos reales, 469
Arco lobulado, iglesia, 84
Arco palatino completo, prótesis y correctores dentales, 443
Arco plantar, extremidades, 29
Arco transversal del pie, extremidades, 29
Archivolta, iglesia, 84
Area de final de pista, aeropuerto, 92-93
Area de impulso, atletismo en pista, 295
Area de penalty, fútbol y lacrosse, 293
Area de portería, fútbol y lacrosse, 293
Area de tiros libres, baloncesto, 292
Area de trabajo, escritorio, 272
Area entre bases, béisbol, 287
Arena:
circo, 88-89
reloj de pared, 229
Arenero, ferrocarril, 112-113
Aréola, suculentas, 54
Arete, cinturón y tirantes, 186
Arganeo, terminología náutica, 128
Argolla:
equipo de montar, 329
instrumentos de ejecución, 452
navaja múltiple, 416
proyectores, 173
Argolla de izado, bote de remos, 129
Argolla de la arción, equipo de montar, 329
Argolla de proa, bote de remos, 129
Argolla para la correa, cámara y película fotográficas, 171
Aries, signos del Zodiaco, 493
Ariete, glaciar, 12
Arista:
cometas, 317
glaciar, 12
gramíneas, 56
montañas, 8-9
Arista lateral de pantoque, yates a motor, 134-135
Arlequín, payaso, 477
Arma, escudo de armas, 487
Armadura, 455
Armadura:
bicicleta, 124
buzón, 227
circo, 88-89
mochila y saco de dormir, 337
parque de atracciones, 91
prótesis y correctores dentales, 443
taladradora de mano, 408
útiles de medida, 414
Armadura de la hebilla, cinturón y tirantes, 186
Armadura del brazo, aparatos ortopédicos, 442
Armamento, 152
Armamento, tablero de instrumentos, 153
Armamento de largo alcance, avión de caza, 152
Armario, ambulancia, 119
Armario de banderas, buque de guerra de superficie, 140-141
Armario de luna, mobiliario de dormitorio, 268
Armas, 381
Armas automáticas, 461
Armas blancas, 453
Armas con asta, 454
Armas cortas, 460
Armas medievales, 454
Armas para golpear, 454
Armazón, 59
Armazón:
arquitectura internacional, 68-69
cometas, 317
instrumentos populares, 360
lámparas e iluminación, 234
mesas médicas, 440
rascacielos, 75
reloj de pared, 229
tienda india, 82
aerostato, 158
sextante, 133
Armella:
llave y candado, 449
tuercas, 401
Armería, castillo, 78-79
Armiño, atributos reales, 469
Armónica, 360
Arnés:
carreras de calesines, 331
paracaídas y planeador, 327
submarinismo, 325
Arnés de escalada, alpinismo, 328
Aro:
anillo, 215
baloncesto, 292

batería, 358
gafas, 217
gimnasia, 301
jai alai, 308
lámparas e iluminación. 234
valla, 298
Aro de ajuste, batería, 358
Aro de empuje, aparatos ortopédicos, 442
Aro de enfoque, vídeocassette, 180
Aro de la base del motor, multirrobot de cocina, 250
Aro de la guarda, armas blancas, 453
Aro de protección contra salpicaduras, lavado y secado, 276
Aro del zoom, vídeocassette, 180
Aro exterior, costura decorativa, 377
Aro interior, costura decorativa, 377
Arpa, orquesta, 348
Arquería, arquitectura internacional, 68-69
Arquero:
arco y flecha, 456
signos del Zodiaco, 493
Arquitectura internacional, 68-69
Arquitrabe, columna, 71
Arquitrave, cámara acorazada y caja fuerte, 447
Arrecife coralino, vida marina, 44
Arroyo:
fortificaciones, 80
río, 13
Arruga yugular, caballo, 36
Artefacto de feria, parque de atracciones, 90
Arteria, órganos internos, 27
Artes, 343
Articulación:
alicates, 404
armadura, 455
bisagra y aldabilla, 450
lámparas e iluminación, 235
paraguas, 226
paso a nivel, 111
sistema muscular y esquelético, 26
telescopio y gemelos, 433
útiles de jardinería, 417
útiles de medida, 414
Articulación de la dirección, bicicleta, 124
Articulación de la oruga, carro de combate, 464-465
Articulación del tobillo, extremidades. 29
Articulación giratoria, microscopio, 432
Articulación metacarpofalángica, extremidades, 29
Articulación tarsiana, aves, 37
Artículos de uso personal, 183
Artista y título del disco, equipo de alta fidelidad, 176
Arzón, equipo de montar, 329
Arzón delantero, equipo de montar, 329
Arzón trasero, equipo de montar, 329
As, juegos de cartas, 342
Asa:
accesorios de jardín, 284
accesorios para bebés, 282
alfarería, 367
armas medievales, 454
batería de cocina, 253
bolsas y cestas, 262
bolso de mano, 218
cafeteras, 248
equipaje, 281
exprimidores, 251
máquina de coser, 274
medios de lucha contra incendios, 280
multirrobot de cocina, 250
proyectores, 173
servicio de postre, 241
sierra de cadena, 421
Asa de fijación, cañón y catapulta, 457
Asa de la barquilla, globo aerostático, 326
Asa de liberación de la cesta, compactador de basura, 243
Asa del brazo, equipo de alta fidelidad, 176
Asa para transportar el motor y mando telescópico, motor fuera borda, 133
Asa para transporte:
armas automáticas, 461
granada y mina, 463
Asa retorcida, bolsas y cestas, 262
Asalto:
boxeo, 303
esgrima, 309
Asas, campana, iv
Ascensor, 76
Ascensor:
buque de pasajeros, 138-139
escenario, 344
rascacielos, 75
señales públicas, 490-491
Ascensor de aeronaves, portaaeronaves, 142
Ascensor de coches, buque de pasajeros, 138-139
Ascensor para aeronaves, portaaeronaves, 142
Ascensor para bombas, portaaeronaves, 142
Asdic, radar y sonar, 434
Aseo, autobús, 114
Aseo de caballeros, señales públicas, 490-491
Aseo de señoras, señales públicas, 490-491
Asidero:
aparatos ortopédicos, 442
ascensor, 76
avión particular, 147
baño y ducha, 270
batería de cocina, 253
camión tractor, 116-117
ferrocarril, 112-113
módulo lunar, 156
silla, 230
útiles de medida, 414
Asidero de escalerilla de acceso, avión de caza, 152
Asiento:
accesorios de jardín, 283
accesorios para bebés, 282
aparatos ortopédicos, 442
autobús, 114
bote de remos, 129
carreras de calesines, 331
carrocería, 102-103
equipo de montar, 329
grifo y lavabo, 269
inodoro, 271
instrumentos de ejecución, 452
parque de atracciones, 90-91
servicio de postre, 241
silla, 230
vehículo lunar, 157
Asiento anatómico, interior de un automóvil, 106
Asiento de la válvula, inodoro, 271
Asiento del comandante, cabina de mando de la lanzadera espacial, 155
Asiento del conductor, autobús, 114
Asiento del copiloto, cabina de pilotaje del 747, 150-151
Asiento del piloto:
cabina de mando de la lanzadera espacial, 155
cabina de pilotaje del 747, 150-151
Asiento del tapón, grifo y lavabo, 269
Asiento del técnico, ambulancia, 119
Asiento plegable, carrocería, 102
Asiento reclinable, autobús, 114
Asiento tapizado, sofá, 232
Aspa, energía eólica, 382
Aspersor giratorio, aspersores y boquillas, 418
Aspersor oscilante para césped, 418
Aspersores, 418
Aspillera:
carro de combate, 464-465
castillo, 78-79
Aspirador, ambulancia, 119
Aspiradora, 279
Aspiradora de carro, aspiradora, 279
Aspiradora de mango, aspiradora, 279
Asta:
armas medievales, 454
banderas, 486
buque de guerra de superficie, 140-141
pintura, 364-365
Asterisco, signos ortográficos, 497
Asteroides, universo, 2-3
Astil:
alpinismo, 328
arco y flecha, 456
armas medievales, 454
aves, 37
instrumentos para pruebas en pista, 297
metal, 352-353
útiles de jardinería, 417
Astrágalo:
cañón y catapulta, 457
columna, 71
Astrágalo de la boca, cañón y catapulta, 457
Astrólogo, signos del Zodiaco, 493
Atabal, 358
Atacador, 225
Atacador, cañón y catapulta, 457
Atadura, boxeo, 303
Atalaje:
carreras de calesines, 331
paracaídas y planeador, 327
Atención: carretera preferente, señales de tráfico, 488-489
Atizador, chimenea, 228
Atletismo en pista, 295
Atmósfera, estructura de la Tierra, 4
Atributos reales, 469
Atril, 361
Atril:
marco para cuadros, 373
piano, 355
órgano, 354
Atrio, interior de una iglesia, 85
Audífono, 442
Auditorio, prisión, 74
Augusto, payaso, 477
Aumento, microscopio, 432
Aurícula, gramíneas, 56
Auricular:
equipo de alta fidelidad, 177
extremidades, 29
material de exploración física, 439
teléfono, 178
Auriculares, 177
Autobomba, 120-121
Autobús, 114
Autobús interurbano, 114
Autobús urbano, interior de un, 114
Autocar, 114
Automático, prendas de abrigo, 197
Automáticos, 204
Automóvil:
interior de un, 106
vista en sección de un, 104-105
Automóvil de policía: 118
exterior de un, 118
interior de un, 118
Autopista, señales de tráfico, 488-489
Autoservicio, surtidor de gasolina, 108
Avambrazo, armadura, 455
Ave, 259
Ave, despiece de un, 33
Avena, gramíneas, 56
Avenida, río, 13
Aves, 37
Aves de corral, 33
Avío, equipo de montar, 329
Avión, aeropuerto, 92-93
Avión comercial, 148-149
Avión de caza, 152
Avión monomotor, 147
Avión particular, 147
Avisador acústico:
camión tractor, 116-117
interior de un automóvil, 106
Avisador de combustible, yates a motor, 134-135
Avisador del agua de sentinas, yates a motor, 134-135
Aviso de seguridad, unidad dentaria, 444
Axila:
anfibios, 42
cuerpo humano, 24
Ayuda a la navegación, cabina de mando de la lanzadera espacial, 155
Ayudante, boxeo, 303
Azada, 417
Azotea de observación, rascacielos, 75
Azucarero, servicio de postre, 241

B

Babera, armadura, 455
Babero:
esgrima, 309
ornamentos religiosos, 471
Babilla:
caballo, 36
perro, 34
vaca,30
Babor, terminología náutica, 128
Baca:
carruajes de caballos, 127
vehículos de recreo, 126

Bacía, maquinillas de afeitar, 206
Backgammon, 339
Báculo, ornamentos religiosos, 417
Badajo:
campana, iv
terminología náutica, 128
Badil, chimenea, 228
Badminton, 313
pista para, 313
Bafles, 177
Bailarina de ballet, ballet, 478
Bajante, exterior de la casa, 61
Bajas presiones, mapa meteorológico, 19
Bajo:
blusa y falda, 193
prendas de abrigo, 197
vestido, 194
Bajo de la chaqueta, chaqueta y chaleco, 184
Bajo del canesú, galas reales, 468
Bajo del chaleco, chaqueta y chaleco, 184
Bala:
armas cortas, 460
escopeta y fusil, 458-459
Bala de cañón, cañón y catapulta, 457
Balanceador, metal, 352-353
Balancín, 283
Balancín:
silla, 230
tractor, 424
Balanza:
medidas y mezcladores, 254
signos del Zodiaco, 493
Balanza horizontal, 436-437
Balasto, paso a nivel, 111
Balaustrada,71
Balaustrada:
escalera, 64
escalera mecánica, 77
Balaustrada del presbiterio, interior de una iglesia, 85
Balaustre:
columna, 71
escalera, 64
Balcón, arquitectura internacional, 68-69
Balcones, arquitectura internacional, 68-69
Baliza de destellos, avión particular, 147
Baliza de localización de líneas aéreas, aeropuerto, 92-93
Balon,288
Balón:
baloncesto, 292
balonvolea y badminton, 313
Balón de oxígeno, ambulancia, 119
Baloncesto, 292
Balonvolea:
Balonvolea: 313
terreno de juego para, 313
Balsa salvavidas:
avión comercial, 148-149
buque de guerra de superficie, 140-141
portaaeronaves, 142
remolcador, 144
Baluarte:
castillo, 78-79
fortificaciones, 81
Baluma, vela, 132
Ballena:
camisa, 185
prendas interiores, 191
Ballenera a motor, buque de guerra de superficie, 140-141
Ballerina, ballet, 478
Ballesta, camión tractor, 116-117
Ballesta,456
Ballesta, trampas, 423
Ballesta inferior, trampas, 423
Ballesta superior, trampas, 423
Ballet, 478
Bambalina, escenario, 344
Banana, frutos, 53
Bancada:
bote de remos, 129
máquina de vapor, 395
Bancada inflable, bote de remos, 129
Bancada para remar, bote de remos, 129
Banco:
baloncesto, 292
béisbol, 287
buque de pasajeros, 138-139
fútbol americano, 289
vida marina, 43
Banco de los jugadores, hockey sobre hielo, 291
Banco de trabajo, 398
Banco para acompañantes, yates a motor, 134-135
Banda:
billar, 314
cigarro y cigarrillo, 224
corbatas, 189
equipo de alta fidelidad, 176
esgrima, 309
globo aerostático, 326
jefe de majorettes, 479
ligadora portátil, 411
medios de lucha contra incendios, 280
orquesta, 348
prótesis y correctores dentales, 443
terminología náutica, 128
utensilios para el peinado, 210
xilografía, 368
Banda acolchada, bolos, 311
Banda antideslizante, patinaje sobre ruedas, 318
Banda central, aeropuerto, 92-93
Banda de caucho, tenis, 306
Banda de desgarre, globo aerostático, 326
Banda de goma, prótesis y correctores dentales, 443
Banda de la manga, globo aerostático, 326
Banda de música, fortificaciones, 80
Banda de rodadura, rueda, 101
Banda de sujeción de la botella, submarinismo, 325
Banda en bandolera, jefe de majorettes, 479
Banda indicadora, frontón y squash, 307
Banda lateral:
aeropuerto, 92-93
rueda, 101
Banda militar, orquesta, 348
Banda reflectante, bombero, 484
Banda sonora:
cámara de cine, 172
equipo de alta fidelidad, 176
Bandeja, 415
Bandeja:
proyectores, 173
servicio de postre, 241
trampas, 423
útiles de pintura, 415
Bandeja colectora de agua, acondicionamiento de aire, 392
Bandeja de goteo, cocina, 244
Bandeja de instrumental, unidad dentaria, 444
Bandeja de la impresora y el teclado, caja registradora, 430
Bandeja de la parrilla, cocina, 244
Bandeja deslizable, refrigerador, 245
Bandeja escamoteable, escritorio, 272
Bandeja para accesorios, telescopio y gemelos, 433
Bandeja para cenizas, estufa de leña, 394
Bandeja para cosméticos, equipaje, 281
Bandeja para migas, tostador de pan, 249
Bandeja portaobjetos, interior de un automóvil, 106
Bandeja:
buque de guerra de superficie, 140-141
lenguaje simbólico, 496
Bandeja fluorescente, fútbol americano, 289
Banderas, 486
formas de, 486
Banderín:
buzón, 227
fútbol y lacrosse, 293
golf, 304
Banderín de demarcación, atletismo en pista, 295
Banderola:
armas medievales, 454
circo, 88-89
Bandolera:
alpinismo, 328
escopeta y fusil, 458-459
golf, 304
Bandolera ajustable, bolso de mano, 218
Banjo, 356
Banqueta, fortificaciones, 81
Banquillo de penalización:
fútbol y lacrosse, 293
hockey sobre hielo, 291
Bañera, 270
Bañera, velero, 130
Baño,postres, 260
Baño reflectante, lámparas e iluminación, 235
Baptisterio, interior de una iglesia, 85
Baquetilla, columna, 71
Bar:
buque de pasajeros, 138-139
señales públicas, 490-491
Baraja:
figuras de la, 342
juegos de cartas, 342
Baranda, billar, 314
Barandal:
columna, 71
valla, 65
Barandal inferior, escalera, 64
Barandal superior, escalera, 64
Barandilla:
accesorios de jardín, 283
camión remolque, 122
escalera, 64
ferrocarril, 112-113
parque de atracciones, 90
túnel, 96
Barandilla de seguridad:
puente, 95
yates a motor, 134-135
Barandilla exterior, carreras de calesines, 331
Barandilla interior, carreras de calesines, 331
Barba:
aves, 37
aves de corral, 33
cabello masculino, 207
gramíneas, 56
hoja, 50
Barba corrida, cabello masculino, 207
Barba de cabra, mamífero fantástico, 46-47
Barba rala, cabello masculino, 207
Barbacana, castillo, 78-79
Barbacoa, accesorios de jardín, 284
Barbacoa cerrada, accesorios de jardín, 284
Barbacoa de gas, 284
Barbacoa Hibachi, accesorios de jardín, 284
Barbada, carreras de calesines, 331
Barbilla:
anatomía popular, 25
aves, 37
cuerpo humano, 24
Barboquejo:
fútbol americano, 288
hockey sobre hielo, 291
jefe de majorettes, 479
sombreros masculinos, 198
vaquero e indio, 474
Barco de vela, compartimentos de un, 131
Barlovento, terminología náutica, 128
Barniz de reserva, serigrafía y huesos tallados, 369
Barniz de vetrificado, alfarería, 367
Barómetro aneroide, 18
Barquilla, aerostato, 158
Barquilla, globo aerostático, 326
Barquilla de motor, avión de caza, 152
Barquillo, comida rápida, 261
Barra:
autobús, 114
bicicleta, 124
caballo, 36
cámara acorazada y caja fuerte, 447
cultura física, 338
cúpulas, 83
esquí acuático, 323
gimnasia, 300
partitura, 346
punto, 378
reactor nuclear, 384-385
signos ortográficos, 497
trampas, 423
Barra antivuelco:
carreras de dragsters, 333
grandes premios automovilísticos, 332
Barra arenosa:
costa y margen continental, 15
olas y costa, 14
Barra central, accesorios fotográficos, 174
Barra de arena, río, 13
Barra de control, código universal de productos, 430
Barra de control:
paracaídas y planeador, 327
reactor nuclear, 384-385
Barra de cortina, coberturas para ventanas, 236
Barra de equilibrio, 300

Barra de la escuadra de guía, sierra mecánica, 407
Barra de la salida, autobús, 114
Barra de labios:
maquillaje, 212
productos de belleza, 213
Barra de movimiento alternativo, parque de atracciones, 91
Barra de presión, litografía, 370
Barra de pulverización de agua, vehículos de saneamiento, 123
Barra de remolque, carro de combate, 464-465
Barra de rotación de las tablillas, coberturas para ventanas, 237
Barra de seguridad:
baño y ducha, 270
parque de atracciones, 91
Barra de separación, backgammon, 339
Barra de soporte:
ambulancia, 119
carreras de dragsters, 333
Barra de sujeción, escenario, 344
Barra dentada reguladora de la posición del respaldo, accesorios de jardín, 284
Barra espaciadora, máquina de escribir, 162
Barra fija, 300
Barra golpeadora, aspiradora, 279
Barra guía, sierra de cadena, 421
Barra inferior, gimnasia, 300
Barra litoral, olas y costa, 14
Barra luminosa, automóvil de policía, 118
Barra para la cortina, baño y ducha, 270
Barra para paños de cocina, accesorios de jardín, 284
Barra pisapapeles para papeles gruesos, máquina de escribir, 162
Barra portadientes, tractor, 424
Barra superior, gimnasia, 300
Barra transversal:
calcografía, 371
lavado y secado, 277
Barra trasera de apoyo para el pasajero, motocicleta, 125
Barras de código binario, código universal de productos, 430
Barras de protección, código universal de productos, 430
Barranco de alud, montañas, 8-9
Barredora mecánica, 123
Barrena, taladradora de mano, 408
Barrena ajustable, 409
Barrena de mano, 408
Barrena helicoidal, 409
Barrendero, vehículos de saneamiento, 123
Barreño, lavado y secado, 276
Barrera, paso a nivel, 111
Barrera litoral, costa y margen continental, 15
Barretina, sombreros femeninos, 199
Barricada, recipientes, 263
Barrido por el pistón en el cilindro, sierra de cadena, 421
Barriga:
anatomía popular, 25
guitarra, 356
Barril, 263
Barro, tienda india, 82
Barrote, valla, 65
Basa:
arquitectura internacional, 68-69
columna, 71
Basada del cañón, cañón y catapulta, 457
Basamento:
columna, 71
muro de ladrillo, 67
Báscula para el heno, fortificaciones, 80
Base:
abridores, 247
accesorios musicales, 361
accesorios para bebés, 282
alfarería, 367
arquitectura internacional, 68-69
ascensor, 76
balonvolea y badminton, 313
cafeteras, 248
costura, 376
equipo de alta fidelidad, 176
estufa de leña, 394
exprimido, 251
gimnasia, 300-301
globo aerostático, 326
golf, 304
herramientas de cepillar y dar forma, 410
instrumentos de ejecución, 452
lijadora portátil, 411
línea de alta tensión, 386
litografía, 370
manipulador telegráfico, 159
máquina de coser, 274
material de escritorio, 273
material de laboratorio, 436-437
microscopio, 432
mobiliario de dormitorio, 268
pintura, 364-365
procedimientos de impresión, 164
prótesis y correctores dentales, 443
reloj de pared, 229
salto con pértiga, 299
servicio de mesa, 240
sierra mecánica, 407
taladradora eléctica, 409
teléfono, 178
televisión, 181
Tierra, 1
tornillos de sujeción, 399
trampas, 423
trofeo, 285
valla, 298
velas y candelabros, 233
Base almohadillada, baloncesto, 292
Base de apoyo, carreras de dragsters, 333
Base de galleta, postres, 260
Base de la copa, prendas interiores, 191
Base de la dentadura, prótesis y correctores dentales, 443
Base de la vaina, armas cortas, 460
Base de maquillaje, productos de belleza, 213
Base de pan, alimentos preparados, 259
Base del aparato, camping, 336
Base del canapé, cama y accesorios, 267
Base del humero, chimenea, 228
Base del poste, camping, 336
Base del primer metatarsiano, extremidades, 29
Base del puente, guitarra, 356
Base del quemador, cocina, 244
Base del teclado, órgano, 354
Base del teclado, piano, 355
Base foliar:
hoja, 50
hortalizas, 52
Base inclinable, sierra mecánica, 407
Base para maquillaje, maquillaje, 212
Base poligonal, arquitectura internacional, 68-69
Base, equipo de montar, 329
Bastidor:
armas cortas, 460
aspersores y boquillas, 418
cama elástica, 302
carretilla y sembradora, 420
carruajes de caballos, 127
coberturas para ventanas, 237
escenario, 344
esquí de fondo, 321
mesa, 238
parque de atracciones, 91
pintura, 364-365
serigrafía y huesos tallados, 369
sistema de energía solar, 383
teatro, 345
tornillos de sujeción, 399
tractor, 424
útiles de medida, 414
ventana, 63
vista en sección de un automóvil, 104-105
Bastidor de parabrisas, tablero de instrumentos, 153
Bastidor giratorio:
mesa, 238
parque de atracciones, 91
Bastidor para el letrero, vehículos de saneamiento, 123
Bastidor trasero, carretilla y sembradora, 420
Bastón:
aparatos ortopédicos, 442
esquí alpino, 320
jefe de majorettes, 479
paraguas, 226
Bastón de esquí, esquí de fondo, 321
Bastones, 304
Basurero, vehículos de saneamiento, 123
Batán, tejido, 379
Batayola:
buque de guerra de superficie, 140-141
buque de pasajeros, 138-139
petrolero, 136-137
Bate, 287
Batea:
buque contraincendios, 144
ferrocarril, 112-113
Batea para vómitos, ambulancia, 119
Bateador, 286
Batería, 358-387
Batería, vista en sección de un automóvil, 104-105
Batería de cocina, 253
Batería de focos, escenario, 334
Batería eléctrica de una sola placa, símbolos científicos y comerciales, 494
Batería mezcladora:
fregadero, 243
grifo y lavabo, 269
Batería recargable, magnetófonos, 175
Batidor, guitarra, 356
Batidor, guitarra eléctrica, 357
Batidor de varillas, medidas y mezcladores, 254
Batidor giratorio para claras, medidas y mezcladores, 254
Batidora, 250
Batolito, volcán, 10
Batuta, jefe de majorettes, 479
Bauprés, velero, 130
Baya, hortalizas, 52
Bayoneta, 453
Bazo:
anatomía popular, 25
órganos internos, 27
Bazooka, 462
Becerra, vaca, 30
Becuadro, partitura, 346
Béisbol, 286-287
Belfos, perro, 34
Bellota, sistema radicular, 49
Bemol, partitura, 346
Bengala, automóvil de policía, 118
Berbiquí, 408
Brema, fortificaciones, 81
Bermuda, pantalones, 187
Biblioteca, buque de pasajeros, 138-139
Bicicleta, 124
Bicicleta, cultura física, 338
Bicuspídeo, dientes, 446
Bichero, bombero, 484
Biela:
aspersores y boquillas, 418
máquina de vapor, 395
Biela de acoplamiento, ferrocarril, 112-113
Biela motriz, ferrocarril, 112-113
Bies:
cama y accesorios, 267
chaqueta y pantalón, 192
Bifurcación norte, río, 13
Bifurcación sur, río, 13
Bigote:
cabello masculino, 207
mamífero fantástico, 46-47
Bigotes, gato, 35
Bigudí, utensilios para el peinado, 210
Billar, 314
Billetero, 219
Binoculares, microscopio, 432
Bípode, mortero y bazooka, 462
Birimbao, 360
Birrete, ornamentos religiosos, 471
Bisagra, 450
Bisagra:
alfarería, 367
cámara acorazada y caja fuerte, 447
coberturas para ventanas, 237
cocina, 244
cortacésped, 419
equipo de alta fidelidad, 176
estufa de leña, 394
ferrocarril, 112-113
gafas, 217
mobiliario de comedor, 239
ventana, 63
Bisagra de piano, bisagra y aldabilla, 450
Bisagra plana, bisagra y aldabilla, 450
Bisagra de doble efecto, bisagra y aldabilla, 450
Bisagra de la pata, accesorios fotográficos, 174
Bisagra de muelle, bisagra y aldabilla, 450
Biscuit glacé, postres, 260
Bisel:
herramientas de cepillar y dar forma, 410
relojes de pulsera y bolsillo, 216
Bisel de tiempo transcurrido,

relojes de pulsera y bolsillo, 216
Bisutería, gema o piedra preciosa, 214
Bita, buque de guerra de superficie, 140-141
Bita de costado:
buque contraincendios, 144
remolcador, 144
Bita de palo, remolcador, 144
Bita principal de remolque, remolcador, 144
Bitácora, vela, 132
Bizcocho, postres, 260
Blanca, partitura, 346
Blanca con puntillo, partitura, 346
Blanco, radar y sonar, 434
Blasón, escudo de armas, 487
Blindaje de hormigón con plancha interior de acero, reactor nuclear, 384- 385
Bloque angular, cúpulas, 83
Bloque de celdas «A», prisión, 74
Bloque de celdas «B», prisión, 74
Bloque de celdas «C», prisión, 74
Bloque de celdas «D», prisión, 74
Bloque de celdas «E», prisión, 74
Bloque de cierre, escopeta y fusil, 458-459
Bloque de cilindros, motor de automóvil, 107
Bloque de hielo, montañas, 8-9
Bloque de nieve, cúpulas, 83
Bloque de salida, natación, 310
Bloque del cilindro, motor de combustión interna, 396
Bloque estabilizador, fútbol americano, 288
Bloqueador de altura, accesorios fotográficos, 174
Bloqueador de disparo y de avance de película, cámara fotográfica, 170
Bloqueador de giro, accesorios fotográficos, 174
Bloqueador de la palanca de grabación, proyectores, 173
Bloqueo del eje de inclinación, sierra mecánica, 407
Blusa, 193
Blush, maquillaje, 212
Bobina, detectores, 435
Bobina alimentadora:
magnetófonos, 175
proyectores, 173
Bobina detectora, detectores, 435
Bobina receptora, magnetófonos, 175
Bobina recogedora, proyectores, 173
Bobsled, trineo y deslizador, 322
Boca, 28
Boca:
anfibios, 42
armas cortas, 460
banco de trabajo, 398
campana, iv
cañón y catapulta, 457
carro de combate, 464-465
cepillo de dientes, 211
cuerpo humano, 24
chimenea, 228
destornillador, 403
escenario, 344
globo aerostático, 326
grifo y lavabo, 269
guitarra, 356
herramientas de cepillar y dar forma, 410
llave, 405
martillo, 402
material de laboratorio, 436-437
medios de lucha contra incendios, 280
mortero y bazooka, 462
órganos de los sentidos, 28
paisajes terrestres, 7
payaso, 477
recipientes, 263
vida marina, 43-44
Boca caña, zapato de señora, 201
Boca cruciforme, destornillador, 403
Boca de carga de arena, ferrocarril, 112-113
Boca de carga de combustible, ferrocarril, 112-113
Boca de ebanista, destornillador, 403
Boca de incendios, 120-121
Boca de llenado de aceite, motor de automóvil, 107
Boca de llenado de agua, vehículos de recreo, 126
Boca de llenado del sistema de servodirección, motor de automóvil, 107
Boca de salida, vehículos de bomberos, 120-121
Boca del cepo, trampas, 423
Boca normal, destornillador, 403
Boca plana, martillo, 402
Bocacha apagallamas, armas automáticas, 461
Bocadillo, 259
Bocado, carreras de calesines, 331
Bocallave, cerraduras de puerta, 447
Bocamanga:
jefe de majorettes, 479
trajes de época, 476
Bocana de flujo de mareas, costa y margen continental, 15
Bocatapa, zapato de señora, 201
Bocina:
camión tractor, 116-117
interior de un automóvil, 106
motocicleta, 125
teléfono, 178
vehículos de bomberos, 120-121
Bocoye, recipientes, 263
Bodega, buque de pasajeros, 138-139
Bodoque, arco y flecha, 456
Bogavante, 45
Bogil, ferrocarril, 112-113
Bogil del ténder, ferrocarril, 112-113
Boina, sombreros femeninos, 199
Bola, 304-311
Bola:
béisbol, 287
cierres de mercería, 204
instrumentos para pruebas en pista, 297
jefe de majorettes, 479
máquina de escribir, 162
martillo, 402
material de exploración, física, 439
Bola de cepo, terminología náutica, 128
Bola de helado, comida rápida, 261
Bola de bolígrafo, Bolígrafo, 160
Bola de taco, billar, 314
Bola objetivo, billar, 314
Bolardo, esclusa, 97
Bolas, calculadoras, 431
Bolas de 1 unidad, calculadoras, 431
Bolas de 5 unidades, calculadoras, 431
Boleadores, equipo de ganadero, 422
Boliche, cama y accesorios, 266
Bolígrafo, 160
Bolo delantero, bolos, 311
Bolos, 311
Bolsa:
accesorios fotográficos, 174
béisbol, 287
fútbol y lacrosse, 293
pipa, 225
ropa interior, 190
Bolsa de algodón, equipo dental, 445
Bolsa de apertura rápida, mochila y saco de dormir, 337
Bolsa de canguro, mamífero fantástico, 46-47
Bolsa de golf, 304
Bolsa de papel, 262
Bolsa de respiración «ambu», ambulancia, 119
Bolsa desechable, aspiradora, 279
Bolsa para almohadilla, fútbol americano, 288
Bolsa para captación del polvo o serrín, lijadora portátil, 411
Bolsa para el polvo, aspiradora, 279
Bolsas, 262
Bolsillo:
cartera, 219
esquí de fondo, 321
submarinismo, 325
vaquero e indio, 474
Bolsillo auxiliar, vehículo lunar, 157
Bolsillo con pinza y tapeta, prendas de abrigo, 197
Bolsillo de la billetera, chaqueta y chaleco, 184
Bolsillo de parche:
camisa, 185
chaqueta y jersey, 195
chaqueta y pantalón, 192
Bolsillo de pecho:
chaqueta y chaleco, 184
chaqueta y pantalón, 192
Bolsillo de pecho con tapeta, prendas de abrigo, 197
Bolsillo de sastre, pantalones, 187
Bolsillo de tapeta, chaqueta y pantalón, 192
Bolsillo de vaquero, pantalones, 187
Bolsillo exterior, bolso de mano, 218
Bolsillo inclinado, blusa y falda, 193
Bolsillo lateral, mochila y saco de dormir, 337
Bolsillo para accesorios, golf, 304
Bolsillo para el encendedor, pantalones, 187
Bolsillo para gafas de sol, vehículo lunar, 157
Bolsillo para las pelotas, golf, 304
Bolsillo para mapas, prendas de abrigo, 197
Bolsillo para reloj, chaqueta y chaleco, 184
Bolsillo recto, blusa y falda, 193
Bolsillo superior, mochila y saco de dormir, 337
Bolso de bandolera, 218
Bolso de mano, 218
Bolso de paseo, 218
Bollo:
alimentos preparados, 259
comida rápida, 261
Bomba:
motores a reacción, 397
sistema de energía solar, 383
Bomba auxiliar de agua, reactor nuclear, 384-385
Bomba de agua:
motor de automóvil, 107
reactor nuclear, 384-385
Bomba de alta presión:
buque contraincendios, 144
útiles de pintura, 415
Bomba de aire, bicicleta, 124
Bomba de calor, intercambiador de calor, 393
Bomba de condensados, reactor nuclear, 384-385
Bomba de pie, ambulancia, 119
Bomba de refrigeración del núcleo en emergencia, reactor nuclear, 384-385
Bomba de vacío, material de laboratorio, 436-437
Bomba del colector, reactor nuclear, 384-385
Bomba del refrigerante del reactor, reactor nuclear, 384-385
Bomba del sistema de servodirección, motor de automóvil, 107
Bomba extractora de agua, lavavajillas, 246
Bomba hidráulica manual, tablero de instrumentos, 153
Bomba principal de alimentación de agua, reactor nuclear, 384-385
Bomba principal de circulación, sistema de energía solar, 383
Bombeo, escalera, 64
Bombero, 484
Bombilla, accesorios fotográficos, 174
Bombo, 358
Bombo, orquesta, 348
Bombona de gas:
accesorios de jardín, 284
útiles de fontanería, 412
Bombona de oxígeno de reserva, ambulancia, 119
Bonete, ornamentos religiosos, 471
Bongos, 358
Boquilla:
accesorios musicales, 361
bolso de mano, 218
instrumentos populares, 360
madera, 350-351
metal, 352-353
pipa, 225
submarinismo, 325
utensilios para preparaciones, 255
útiles de pintura, 415
vehículos de bomberos, 120-121
Boquilla de evacuación de gran volumen, unidad dentaria, 444
Boquilla de pistola, 418
Boquilla del depósito, plancha, 275
Boquilla del regulador, submarinismo, 325
Boquilla difusora, aspersores y boquillas, 418
Boquilla infladora del chaleco flotador, submarinismo, 325
Boquilla para el polvo, aspiradora, 279
Boquilla para huecos reducidos, aspiradora, 279

Boquilla para muebles, aspiradora, 279
Boquilla para paredes y techos, aspiradora, 279
Boquilla pulverizadora:
aspersores y boquillas, 418
plancha, 275
Boquilla recta, 418
Boquilla roscada, lámparas e iluminación, 234
Boquilla surtidora automática, 108
Boquilla teléfono, 178
Boquillas, 418
Bordado, 377
Bordado, galas reales, 468
Bordado a punto de cruz, costura decorativa, 377
Bordado de reserva, costura decorativa, 377
Bordado de tapicería, costura decorativa, 377
Bordado sencillo, costura decorativa, 377
Borde,iv
Borde:
alfarería, 367
alimentos preparados, 259
batería, 358
billar, 314
costa y margen continental, 15
inodoro, 271
instrumentos para pruebas en pista, 297
golf, 304
mesa, 238
metal, 352-353
montañas, 8-9
natación, 310
servicio de mesa, 240
Borde aserrado, bolsas y cestas, 262
Borde de ataque, paracaídas y planeador, 327
Borde de ataque de ala con revestimiento de carbono, lanzadera espacial y plataforma de lanzamiento, 154
Borde de la bañera, baño y ducha, 270
Borde de la sección a cortar, costura decorativa, 377
Borde de salida, avión comercial, 148-149
Borde del ala, sombreros masculinos, 198
Borde del pabellón, metal, 352-353
Borde doble, corbatas, 189
Borde emplomado, vidrio emplomado, 372
Borde inferior:
energía eólica, 382
golf, 304
Borde inferior de la túnica del dragón, vestimenta local, 475
Borde posterior, energía eólica, 382
Borde principal, energía eólica, 382
Borde reforzado, alpinismo, 328
Borde superior:
armas medievales, 454
golf, 304
recipientes, 263
Bordillo, natación, 310
Bordón, gaita, 359
Borla:
coberturas para ventanas, 236
esquí de fondo, 321
gaita, 359
galas reales, 468
guardián de la Torre de Londres, 467
jefe de majorettes, 479
ornamentos religiosos, 471
productos de belleza, 213
sombreros femeninos, 199
Borrén delantero, equipo de montar, 329
Borrén trasero, equipo de montar, 329
Bota, 202
Bota:
bombero, 484
patinaje sobre hielo, 319
patinaje sobre ruedas, 318
submarinismo, 325
vaquero e indio, 474
Bota alta, trajes de época, 476
Bota de baloncesto, baloncesto, 292
Bota de boxeo, boxeo, 303
Bota de esquí, esquí alpino, 320
Bota de pilotaje, carreras de dragsters, 333
Bota flexible, esquí de fondo, 321
Bota ligera, fútbol americano, 288
Bota para hielo, 328
Botaganado, ferrocarril, 112-113
Botalón, yates a motor, 134-135
Botavara, velero, 130
Botavara de horquilla, surf, 324
Botavara de trinquetilla, velero, 130
Bote, 263
Bote auxiliar, bote de remos, 129
Bote de remos, 129
Bote neumático, 129
Bote salvavidas:
buque de pasajeros, 138-139
petrolero, 136-137
Botella, 263-325
Botella de aire, submarinismo, 325
Botella de gas, útiles de fontanería, 412
Botella de oxígeno, vehículos de bomberos, 120-121
Botella de oxígeno para los buzos, plataforma de perforación submarina, 99
Botellón, servicio de postre, 241
Botiquín:
ambulancia, 119
vehículos de bomberos, 120-121
Botiquín de primeros auxilios, automóvil de policía, 118
Botón:
blusa y falda, 193
bolígrafo, 160
camisa, 185
cerraduras de puerta, 448
equipo de montar, 329
esgrima, 309
lámparas e iluminación, 234
madera, 350-351
prendas de abrigo, 196
sillón reclinable, 231
sofá, 232
sombreros femeninos, 199
sombreros masculinos, 198
violín, 349
Botón comprobación pilas, magnetófonos, 175
Botón corriente, 205
Botón de acorde y bajo, instrumentos populares, 360
Botón de activar y parar, accesorios musicales, 361
Botón de adorno:
chaqueta y chaleco, 184
chaqueta y pantalón, 192
Botón de alarma, ascensor, 76
Botón de apertura y cierre de la puerta, ascensor, 76
Botón de avance rápido, magnetófonos, 175
Botón de bloqueo del anteojo, teodolito, 426
Botón de comprobación de pilas, cámara de cine, 172
Botón de comprobación de sonido, cámara de cine, 172
Botón de conexión, magnetófonos, 175
Botón de disparo, cámara fotográfica, 170
Botón de emergencia, escalera mecánica, 77
Botón de enfoque:
proyectores, 173
teodolito, 426
Botón de grabación, magnetófonos, 175
Botón de parada, magnetófonos, 175
Botón de parada de emergencia, ascensor, 76
Botón de paro, cortacésped, 419
Botón de pausa, magnetófonos, 175
Botón de pie, 205
Botón de puesta a cero, magnetófonos, 175
Botón de rebobinado rápido, magnetófonos, 175
Botón de regulación, útiles de pintura, 415
Botón de repetición, magnetófonos, 175
Botón de reproducción, magnetófonos, 175
Botón de sforzando/juego lleno, órgano, 354
Botón de selección de piso, ascensor, 76
Botón de sujeción de la bolsa, compactador de basura, 243
Botón de supresión, órgano, 354
Botón del chaleco, chaqueta y chaleco, 184
Botón del despertador, reloj de pared, 229
Botón del pistón, metal, 352-353
Botón disparador, instrumentos de ejecución, 452
Botón floral, flor, 51
Botón forrado, chaqueta y jersey, 195
Botón o pulsador de puesta a cero, valla, 298
Botón para enfoque manual, cámara fotográfica, 170
Botón para luz posterior, cámara de cine, 172
Botón para soltar la tapa, medios de lucha contra incendios, 280
Botonadura, novia y novio, 472
Botones, 205
Bóveda:
atributos reales, 469
campana, iv
cúpulas, 83
Bovedilla, velero, 130
Boxeador, 303
Boxeo, 303
Boya, 128
Boza, bote de remos, 129
Bozal de alambre, recipientes, 263
Bráctea, ingredientes crudos, 258
Brácteas:
frutos, 53
gramíneas, 56
Bragadura, armadura, 455
Bragueta:
chaqueta y pantalón, 192
pantalones, 187
Branquias, vida marina, 43
Brassie, golf, 304
Braza:
costa y margen continental, 15
natación, 310
Brazal, armas medievales, 454
Brazalete:
anillo, 215
extremidades, 29
Brazo:
accesorios de jardín, 284
accesorios musicales, 361
accesorios para bebés, 282
alfombra, 242
anfibios, 42
aspiradora, 279
atributos reales, 469
bicicleta, 124
caballo, 36
camión remolque, 122
cañón y catapulta, 457
carretilla y sembradora, 420
cepillo de dientes, 211
cierres de mercería, 204
cuerpo humano, 24
emisor-receptor, 179
equipo de alta fidelidad, 176
equipo meteorológico, 18
exprimidores, 251
lámparas e iluminación, 235
máquina de coser, 274
microscopio, 432
órgano, 354
perro, 34
piano, 355
silla, 230
sillón reclinable, 231
suculentas, 54
terminología náutica, 128
velas y candelabros, 233
violín, 349
Brazo articulado, 436-437
Brazo articulado, utensilios de limpieza doméstica, 278
Brazo de ducha, baño y ducha, 270
Brazo de elevación, tractor, 424
Brazo de empuje, bulldozer, 425
Brazo de guía, inodoro, 271
Brazo de la bobina alimentadora, proyectores, 173
Brazo de la mesa de soporte, equipo dental, 445
Brazo de la pinza, utensilios para el peinado, 210
Brazo de la silla, accesorios para bebés, 282
Brazo de posición, unidad dentaria, 444
Brazo de suspensión inferior, vista en sección de un automóvil, 104-105
Brazo de suspensión superior, vista en sección de un automóvil, 104-105
Brazo de ventilación de hidrógeno, lanzadera espacial y plataforma de lanzamiento, 154
Brazo del asiento, autobús, 114
Brazo del eje, accesorios de jardín, 283
Brazo del flotador, inodoro, 271
Brazo del pedal, bicicleta, 124
Brazo del toldo, accesorios para bebés, 282

Brazo del tubo, unidad dentaria, 444
Brazo inferior:
arco y flecha, 456
cortacésped, 419
Brazo inferior del enganche, tractor, 424
Brazo fijo, unidad dentaria, 444
Brazo flotante, unidad dentaria, 444
Brazo rígido, utensilios para el peinado, 210
Brazo superior:
arco y flecha, 456
cortacésped, 419
Brazo superior del enganche, tractor, 424
Brazo tensor, utensilios para el peinado, 210
Brazola, compartimentos de un barco de vela, 131
Brazos, río, 13
Brazos, vida marina, 44
Brazuelo, cordero, 31
Breeder, reactor nuclear, 384-385
Brida:
campana, iv
carreras de calesines, 331
cometas, 317
esquí acuático, 323
grifo y lavabo, 269
paso a nivel, 111
tuercas, 401
Brillo, gema o piedra preciosa, 214
Brillo de labios, maquillaje, 212
Brillo para labios, productos de belleza, 213
Broca:
taladradora de mano, 408
taladradora eléctrica, 409
Broca de avellanar, 409
Broca de avellanar, taladradora de mano, 408
Broca helicoidal, taladradora de mano, 408
Broca plana, taladradora de mano, 408
Brocas, 409
Brocha:
accesorios fotográficos, 174
útiles de pintura, 415
Brocha de afeitar, maquinillas de afeitar, 206
Brocha de espumar, utensilios para preparaciones, 255
Brocha para colorete, productos de belleza, 213
Brochal, armazón, 59
Broche:
anillo, 215
gema o piedra preciosa, 214
prótesis y correctores dentales, 443
Broche de cierre, paraguas, 226
Broche de cierre redondo, pulsera de identificación, 183
Broche sujetador, vehículo lunar, 157
Brocheta, utensilios para preparaciones, 255
Brote, 48
Brote:
árbol, 48
hortalizas, 52
Brujo, 476
Brújula:
submarinismo, 325
teodolito, 426
Brújula de reserva, tablero de instrumentos, 153
Brújula sumergida de reserva, cabina de pilotaje del 747, 150-151
Bruñidor, 371
Bucal (molares), dientes, 446
Buceo, submarinismo, 325
Buceo a pulmón libre, 325
Bucle:
accesorios de jardín, 284
cabello femenino, 209
cierres de mercería, 205
Buena suerte, símbolos religiosos, 492
Buey, vaca, 30
Bufanda, trajes de época, 476
Buhardilla:
establo y silo, 100
exterior de la casa, 61
Bujía:
motor de automóvil, 107
velas y candelabros, 233
Bulbo:
equipo meteorológico, 18
hortalizas, 52
ingredientes crudos, 258
Bulbo del talón, caballo, 36
Bulldozer, 425
Bunker, golf, 304
Buque contraincendios, 144
Buque de carga, petrolero, 136-137
Buque de carga líquida, petrolero, 136-137
Buque de carga seca, petrolero, 136-137
Buque de guerra de superficie, 140-141
Buque de pasajeros, 138-139
Buque mercante, petrolero, 136-137
Buque tramp, petrolero, 136-137
Burbuja de aire, útiles de medida, 414
Burda, velero, 130
Bureta, material de laboratorio, 436-437
Buril, xilografía, 368
Burlete, ventana, 63
Burlete perióplico, caballo, 36
Busco, presa, 98
Busto:
anatomía popular, 25
vestido, 194
Buzón, 227
Buzón, puerta, 62
Buzón rural, 227

C

Cabalgadura, equipo de montar, 329
Caballete, 364-365
Caballete:
arco y flecha, 456
armazón, 59
exterior de la casa, 61
instrumentos de ejecución, 452
marco para cuadros, 373
motocicleta, 125
Caballete de aserrar, 398
Caballito fijo, parque de atracciones, 91
Caballito volador, parque de atracciones, 91
Caballitos, 91
Caballo, 36
Caballo, parque de atracciones, 91
Caballo de la dama, ajedrez y damas, 339
Caballo de rey, ajedrez y damas, 339
Caballo de vapor, motor de combustión interna, 396
Caballón, montañas, 8-9
Cabaña, tienda india, 82
Cabecera, esgrima, 309
Cabecero:
cama y accesorios, 266
cerraduras de puerta, 448
mesas médicas, 440
puerta, 62
silla, 230
sofá, 232
valla, 65
Cabecero de la jamba, ventana, 63
Cabellera, cabello masculino, 207
Cabellera de cometa, universo, 2-3
Cabello:
cuerpo humano, 24
utensilios para el cuidado del, 208
Cabello femenino, 209
Cabello masculino, 207
Cabestrante, camión remolque, 122
Cabeza:
accesorios fotográficos, 174
alfombra, 242
arco y flecha, 456
armas medievales, 454
balonvolea y badminton, 313
bisagra y aldabilla, 450
cámara de cine, 172
cepillo de dientes, 211
cierres de mercería, 204
cigarro y cigarrillo, 224
clavos y tornillos, 400
coberturas para ventanas, 237
costura, 376
cuerpo humano, 24
equipo de montar, 329
fútbol y lacrosse, 293
golf, 304
herramientas de cepillar y dar forma, 410
insectos, 39
madera, 350-351
martillo, 402
partitura, 346
paso a nivel, 111
pesca, 334-335
prendas de abrigo, 197
recipientes, 263
sierra mecánica, 407
taladradora de mano, 408
tejo y croquet, 312
tenis, 306
tuercas, 401
útiles de medida, 414
vida marina, 43-44
zapatilla deportiva, 296
Cabeza articulada, tornillos de sujeción, 399
Cabeza avellanada abombada, clavos y tornillos, 400
Cabeza avellanada plana, clavos y tornillos, 400
Cabeza cruciforme, clavos y tornillos, 400
Cabeza de aspa, energía eólica, 382
Cabeza de cometa, universo, 2-3
Cabeza de ducha, baño y ducha, 270
Cabeza de gota de sebo, clavos y tornillos, 400
Cabeza de la tuerca, litografía, 370
Cabeza de lectura, perforadora de fichas, 428
Cabeza del cepillo para la calzada, vehículos de saneamiento, 123
Cabeza del mango, destornillador, 403
Cabeza del rotor, helicóptero, 146
Cabeza del tornillo, gema o piedra preciosa, 214
Cabeza del tubo de rayos X, unidad dentaria, 444
Cabeza detectora, detectores, 435
Cabeza esférica, bisagra y aldabilla, 450
Cabeza explosiva, misil y torpedo, 466
Cabeza giratoria, tornillos de sujeción, 399
Cabeza grabadora, magnetófonos, 175
Cabeza ranurada, clavos y tornillos, 400
Cabeza redonda, clavos y tornillos, 400
Cabeza vista de frente, 38
Cabezal:
carreras de calesines, 331
maquinillas de afeitar, 206
taladradora eléctrica, 409
terminología náutica, 128
Cabezal de tapicería, coberturas para ventanas, 236
Cabezas de tornillos, 400
Cabezal distribuidor de flujo, reactor nuclear, 384-385
Cabilla, relojes de pulsera y bolsillo, 216
Cabina, 76
Cabina:
ascensor, 76
bulldozer, 425
ferrocarril, 112-113
tractor, 424
yates a motor, 134-135
Cabina de mando:
avión de caza, 152
avión particular, 147
esclusa, 97
Cabina de mando de la nave, lanzadera espacial y plataforma de lanzamiento, 154
Cabina de ocupantes, vehículos de bomberos, 120-121
Cabina de pasajeros:
aerodeslizadores, 145
avión particular, 147
hidroalas, 145
Cabina de pasajeros de proa, hidroalas, 145
Cabina de pilotaje:
carreras de dragsters, 333
helicóptero, 146
Cabina de pilotaje del 747, 150-151
Cabina de seguridad, buque de guerra de superficie, 140-141
Cabina de tripulación, módulo lunar, 156
Cabina de vuelo, avión comercial, 148-149
Cabina del conductor, vehículos de bomberos, 120-121
Cabinas, aerostato, 158
Cabio:
materiales de construcción, 66
ventana, 63
Cabio de alero, armazón, 59
Cabio inferior, puerta, 62
Cabio superior, puerta, 62
Cable, 413

Cable:
alfarería, 367
cadena y polea, 451
cámara de cine, 172
cámara y película fotográficas, 171
camión remolque, 122
emisor-receptor, 179
energía eólica, 382
instrumentos para pruebas en pista, 297
plancha, 275
Cable acorazado, teléfono, 178
Cable ahorquillado, bicicleta,124
Cable de alimentación:
acondicionamiento de aire, 392
automóvil de policía, 118
sierra mecánica, 407
Cable de antena:
automóvil de policía, 118
buque de guerra de superficie, 140-141
Cable de arranque, cortacésped, 419
Cable de aviso, autobús, 114
Cable de bujía:
motor de automóvil, 107
motor de combustión interna, 396
Cable de carrete, esgrima, 309
Cable d.: conexión para batería, camión remolque, 122
Cable de ignición, mortero y bazooka, 462
Cable de la lámpara, lámparas e iluminación, 234
Cable de remolque, remolcador, 144
Cable de seguridad:
ascensor, 76
parque de atracciones, 90
Cable de suelo, esgrima, 309
Cable de suspensión:
ascensor, 76
gimnasia, 301
Cable de tierra, interruptor, 388
Cable del altavoz, vehículos de bomberos, 120-121
Cable del cambio, bicicleta, 124
Cable del cuentarrevoluciones, motocicleta, 125
Cable del distribuidor, motor de automóvil, 107
Cable del freno delantero, bicicleta, 124
Cable del teléfono, teléfono, 178
Cable desviador, bicicleta, 124
Cable eléctrico:
paso a nivel, 111
vehículo lunar, 157
Cable en diagonal, gimnasia, 300
Cable principal, puente, 95
Cable tensor, gimnasia, 300-301
Cabo, 128
Cabo:
costura, 376
esclusa, 97
paisajes terrestres, 7
velas y candelabros, 233
Cabo de izar, cadena y polea, 451
Cabo de seguridad, bote de remos, 129
Cabo del torno, cañón y catapulta, 457
Cabo para arranque manual con rebobinado automático, motor fuera borda, 133
Cabo para banderas de engalanado, buque de guerra de superficie, 140-141
Cabo salvavidas, bote de remos, 129
Cabra, signos del Zodiaco, 493
Cabestante:
camión remolque, 122
remolcador, 144
Cabriolé, carruajes de caballos, 127
Cabriolé de plaza, 127
Cacerola, batería de cocina, 253
Cacillo:
batería de cocina, 253
utensilios para preparaciones, 255
Cacillo agujereado, utensilios para preparaciones, 255
Cacto, 54
Cactus, 54
Cacha:
anatomía popular, 25
cuchillo, 252
Cacha rugosa, navaja múltiple, 416
Cachorro, gato, 35
Cadalso, instrumentos de ejecución, 452
Caddy, golf, 304
Cadena, 451
Cadena:
accesorios de jardín, 283-284
anillo, 215
bicicleta, 124
castillo, 78-79
cerraduras de puerta, 448
equipo de montar, 329
galas reales, 468
parque de atracciones, 90
reloj de pared, 229
sierra de cadena, 421
Cadena de anclaje:
plataforma de perforación submarina, 99
trampas, 423
Cadena de 10 yardas, fútbol americano, 289
Cadena de eslabones, 451
Cadena de la tapa, vehículos de bomberos, 120-121
Cadena de rodillos, 451
Cadena de seguridad, 448
Cadena de transmisión, motocicleta, 125
Cadena lateral, fútbol americano, 289
Cadena montañosa, paisajes terrestres, 7
Cadeneta, punto, 378
Cadera:
anatomía popular, 25
cuerpo humano, 24
prendas interiores, 191
vaca, 30
Caduceo, símbolos científicos y comerciales, 494
Café exprés, cafeteras, 248
Café-teatro, buque de pasajeros, 138-139
Cafetera, servicio de postre, 241
Cafetera automática, 248
Cafetera exprés, 248
Cafeteras, 248
Cafetería, señales públicas, 490-491
Caftán, vestimenta local, 475
Caída:
banderas, 486
cama elástica, 302
Caída libre, paracaídas y planeador, 327
Caída nasofrontal, perro, 34
Caimán, 40-41
Caimanes, 40-41
Caja, 76
Caja:
accesorios de jardín, 283
accesorios musicales, 361
acondicionamiento de aire, 392
alicates, 404
arco y flecha, 456
armas automáticas, 461
batería, 358-387
calculadoras, 431
carretilla y sembradora, 420
cerraduras de puerta, 448
cometas, 317
equipo de exploración, 438
equipo de alta fidelidad, 176-177
guitarra, 356
guitarra eléctrica, 357
herramientas de cepillar y dar forma, 410
instrumentos populares, 360
material de escritorio, 273
medios terapéuticos, 441
orquesta, 348
piano, 355
relojes de pulsera y bolsillo, 216
útiles de fontanería, 412
útiles de medida, 414
vehículos de saneamiento, 123
Caja clara, batería, 358
Caja de almacenamiento, carro de combate, 464-465
Caja de almacenamiento de equipos, carro de combate, 464-465
Caja de batería, vehículo lunar, 157
Caja de cabos, remolcador, 144
Caja de cambios, vista en sección de un automóvil, 104-105
Caja de cartuchos, armas automáticas, 461
Caja de caudales, cámara acorazada y caja fuerte, 447
Caja de cerillas, 224
Caja de cojinetes, pesca, 334-335
Caja de conexión, interruptor, 388
Caja de conexiones, alfarería, 367
Caja de control, paso a nivel, 111
Caja de control del sistema de supervivencia, vehículo lunar, 157
Caja de dirección, vista en sección de un automóvil, 104-105
Caja de engranajes:
calcografía, 371
litografía, 370
Caja de herramientas:
bulldozer, 425
camión remolque, 122
motocicleta, 125
Caja de la cinta, coberturas para ventanas, 237
Caja de la esfera, reloj de pared, 228
Caja de levas, litografía, 370
Caja de mecanismos:
armas cortas, 460
escopeta y fusil, 458-459
Caja de munición, 461
Caja de pesas, reloj de pared, 229
Caja de pinturas, 364-365
Caja de primeros auxilios a traumatizados, ambulancia, 119
Caja de recaudación:
autobús, 114
teléfono, 178
Caja de resonancia:
accesorios musicales, 361
guitarra, 356
violín, 349
Caja de seguridad, cámara acorazada y caja fuerte, 447
Caja de sistema umbilical, vehículo lunar, 157
Caja de válvulas de cubierta, petrolero, 136-137
Caja del enchufe, interruptor, 388
Caja del engranaje del pivote, vehículos de saneamiento, 123
Caja del interruptor, martillo perforador, 426
Caja del magnetómetro, vehículo lunar, 157
Caja del mecanismo, coberturas para ventanas, 237
Caja del motor, aspersores y boquillas, 418
Caja del péndulo, reloj de pared, 229
Caja fuerte, 447
Caja fuerte, carruajes de caballos, 127
Caja hueca, guitarra eléctrica, 357
Caja maciza, guitarra eléctrica, 357
Caja semihueca, guitarra eléctrica, 357
Caja voladora, 317
Cajetín, salto con pértiga, 299
Cajón:
buzón, 227
caja registradora, 430
compactador de basura, 243
escritorio, 272
mesas médicas, 440
mobiliario de dormitorio, 268
Cajón archivador, escritorio, 272
Cajón central:
escritorio, 272
mobiliario de dormitorio, 268
Cajón de herramientas, banco de trabajo, 398
Cajón de la puerta, refrigerador, 245
Cajón del cronometrador y del anotador, hockey sobre hielo, 291
Cajón del guía, béisbol, 287
Cajón del juez de portería, hockey sobre hielo, 291
Cajón para carpetas colgadas, escritorio, 272
Cajón para la cubertería, mobiliario de comedor, 239
Cajón verdulero cerrado, refrigerador, 245
Cajoncillo, banco de trabajo, 398
Cal, crustáceos y moluscos, 45
Cala:
costa y margen continental, 15
paisajes terrestres, 7
Calabaza, guitarra, 356
Calabaza de resonancia, guitarra, 356
Calado, terminología náutica, 128
Cálamo, aves, 37
Calcáneo:
extremidades, 29
sistema muscular y esquelético, 26
Calcetín, 203
Calcetín:
baloncesto, 292
hockey sobre hielo, 291
Calcetín alto, accesorios del calzado, 203
Calcetín bajo, accesorios del calzado, 203

Calcetín de uniforme, fútbol americano, 288
Calcetín sanitario:
béisbol, 286
fútbol americano, 288
Calcografía, 371
Calcomanía, accesorios de jardín, 283
Calculadora electrónica, 431
Calculadoras, 431
Caldera, ferrocarril, 112-113
Caldera, caldera de calefacción, 390
Caldera, máquina de vapor, 395
Caldera de calefacción, 390
Calderón, partitura, 346
Calefacción:
intercambiador de calor, 393
vehículos de recreo, 126
Calefacción solar, sistema de, 383
Calendario:
reloj de pared, 229
relojes de pulsera y bolsillo, 216
Calentador, lavavajillas, 246
Calentador de agua, 391
Calentador de agua:
servicio de postre, 241
vehículos de recreo, 126
Calentador eléctrico, calentador de agua, 391
Calentador instantáneo, fregadero, 243
Calesa, carruajes de caballos, 127
Calesín, 331
Calesines, carreras de, 331
Calibrador:
calcografía, 371
material de exploración física, 439
Calibre:
armas cortas, 460
clavos y tornillos, 400
Calibre de profundidad, útiles de medida, 414
Calibre del hilo, instrumentos eléctricos, 413
Cáliz:
flor, 51
interior de una iglesia, 85
Cáliz calcáreo, vida marina, 44
Calle:
atletismo en pista, 295
natación, 310
Callejón, bolos, 311
Callo, caballo, 36
Calma, sistemas tormentosos, 17
Calmas ecuatoriales, vientos y corrientes oceánicas, 6
Calva, cabello masculino, 207
Calzada, túnel, 96
Calzado, accesorios del, 203
Calzador, 203
Calzapedales, bicicleta, 124
Calzón, galas reales, 468
Calzoncillo, 190
Calzoncillo largo, ropa interior, 190
Calzones, guardián de la Torre de Londres, 467
Cama, cúpulas, 83
Cama camera, cama y accesorios, 266
Cama con dosel, 266
Cama de matrimonio, cama y accesorios, 266
Cama elástica, 302
Cama y accesorios, 266
Camafeo, gema o piedra preciosa, 214
Cámara:
alfarería, 367
armas cortas, 460
compartimientos de un barco de vela, 131
esclusa, 97
Cámara acorazada, 447
Cámara de 16 mm, vehículo lunar, 157
Cámara de 70 mm, vehículo lunar, 157
Cámara de aire, vehículo lunar, 157
Cámara de bolsillo, 170
Cámara de cine, 172
Cámara de combustible y guiado, misil y torpedo, 466
Cámara de combustión, motores a reacción, 397
Cámara de combustión secundaria, estufa de leña, 394
Cámara de descompresión, aparatos ortopédicos, 442
Cámara de expansión, equipo meteorológico, 18
Cámara de flotabilidad, bote de remos, 129
Cámara de la maquinaria, energía eólica, 382
Cámara de máquinas, buque de pasajeros, 138-139
Cámara de proa, compartimientos de un barco de vela, 131
Cámara de TV:
portaaeronaves, 142
satélite, 182
vehículo lunar, 157
Cámara de vídeo, 180
Cámara del reactor, reactor nuclear, 384-384
Cámara estereofotogramétrica, vehículo lunar, 157
Cámara fotográfica, 170-171
Cámara instantánea, 170
Cámara magmática, volcán, 10
Cámara principal, compartimientos de un barco de vela, 131
Cámara principal de combustión, estufa de leña, 394
Cámara réflex de un objetivo, 171
Camarote de la tripulación, buque de pasajeros, 138-139
Camarote de lujo, buque de pasajeros, 138-139
Camarote de pasaje, buque de pasajeros, 138-139
Camarote del capitán, compartimientos de un barco de vela, 131
Camarote del capitán, remolcador, 144
Cambio de divisas, señales públicas, 490-491
Cambio de marcha, ferrocarril, 112-113
Cambio de moneda, señales públicas, 490-491
Cambium, árbol, 48
Cambrillón:
bota y sandalia, 202
zapato de caballero, 200
zapato de señora, 201
Camilla, ambulancia, 119
Camilla acolchada, mesas médicas, 440
Camino cubierto, fortificaciones, 81
Camión cisterna, vehículos de saneamiento, 123
Camión de recogida de basuras, 123
Camino de sirga, esclusa, 97
Camión remolque, 122
Camión tractor, 116-117
Camisa, 185
Camisa:
galas reales, 468
vaquero e indio, 474
vestimenta local, 475
Camisa de etiqueta, novia y novio, 472
Camiseta, 190
Camiseta:
baloncesto, 292
béisbol, 286
Campana:
batería, 358
ferrocarril, 112-113
iv
material de exploración física, 439
terminología náutica, 128
vehículos de bomberos, 120-121
velas y candelabros, 233
vida marina, 44
Campana de barco, iv
Campana de la chimenea, chimenea, 228
Campanario, iglesia, 84
Campanilla, vehículos de bomberos, 120-121
Camping, 336
Camping:
señales de tráfico, 488-489
Campo, 292
Campo:
atletismo en pista, 294
escudo de armas, 487
tenis de mesa, 315
Campo de béisbol, 287
Campo de ejercicios, prisión, 74
Campo de fútbol, 289-293
Campo de golf, 304
Campo exterior, béisbol, 287
Campo interior, béisbol, 287
Campo de lacrosse, 293
Canal:
arco y flechas, 456
armas blancas, 453
bolos, 311
esclusa, 97
establo y silo, 100
instrumentos de ejecución, 452
lámparas e iluminación, 234
procedimientos de impresión, 164
vaca, 30
vidrio emplomado, 372
Canal de almacenamiento de pesas, material de laboratorio, 436-437
Canal de condensación, ventana, 63
Canal de emergencia, automóvil de policía, 118
Canal de hélix, órganos de los sentidos, 28
Canal soldado, accesorios de jardín, 283
Canalón, exterior de la casa, 61
Canana, vaquero e indio, 474
Canapé, 259
Canapé, cama y accesorios, 267
Canasta, baloncesto, 292
Canastilla de popa:
buque de guerra de superficie, 140-141
buque de pasajeros, 138-139
Cáncamo, tuercas, 401
Cáncamo de maniobra, terminología náutica, 128
Cáncamo de proa, bote de remos, 129
Cancel, puerta, 62
Cáncer, signos del Zodiaco, 493
Cancha, 292-308
Cancha, tejo y croquet, 312
Cancha de pelota mano, 307
Cancha de squash, 307
Candado, 449
Candela, velas y candelabros, 233
Candelabro de siete brazos, símbolos religiosos, 490-491
Candelabros, 233
Candelero:
velas y candelabros, 233
velero, 130
Candelero del altar, interior de una iglesia, 85
Candileja, escenario, 344
Canesú:
blusa y falda, 193
camisa, 185
mayordomo y doncella, 473
vestido, 194
Canesú suelto, prendas de abrigo, 196
Cangrejo:
crustáceos y moluscos, 45
signos del Zodiaco, 493
Canilla, anatomía popular, 25
Canillero:
máquina de coser, 274
recipientes, 263
Canino, dientes, 446
Canon, caballo, 36
Cantina:
equipo de montar, 329
fortificaciones, 80
Canto:
armas blancas, 453
cinturón y tirantes, 186
cuchillo, 252
esquí acuático, 323
esquí alpino, 320
mesa, 238
recipientes, 263
Canto de la caja, relojes de pulsera y bolsillo, 216
Canto de la cuchilla, maquinillas de afeitar, 206
Canto metálico, equipaje, 281
Cantón, banderas, 486
Cantonera:
armas automáticas, 461
escopeta y fusil, 458-459
Caña, 334-335
Caña:
billar, 314
bota y sandalia, 202
bote de remos, 129
caballo, 36
cañón y catapulta, 457
costura, 376
esquí alpino, 320
gramíneas, 56
juego de dardos, 316
patinaje sobre hielo, 319
punto, 378
relojes de pulsera y bolsillo, 216
terminología náutica, 128
vaca, 30
velero, 130
Caña de la bota, jefe de majorettes, 479
Caña del bastón, jefe de majorettes, 479
Caña delantera, bota y sandalia, 202
Caña fija, pesca, 334-335
Caña trasera:
bota y sandalia, 202
zapato de caballero, 200

Cañamazo, alfombra, 242
Cáñamo, zapato de señora, 201
Caño:
baño y ducha, 270
grifo y lavabo, 269
surtidor de gasolina, 108
Cañón, 457
Cañón:
armas automáticas, 461
armas cortas, 460
aves, 37
buque de guerra de superficie, 140-141
carro de combate, 464-465
chimenea, 228
escopeta y fusil, 458-459
paisajes terrestres, 7
río, 13
utensilios para el cuidado del cabello, 208
velas y candelabros, 233
Cañón de 20 mm, avión de caza, 152
Cañón de agua, vehículos de bomberos, 120-121
Cañón de la chimenea, caldera de calefacción, 390
Cañón M-51, avión de caza, 152
Capa:
cigarro y cigarrillo, 224
trajes de época, 476
Capa de armiño, galas reales, 468
Capa de bizcocho, postres, 260
Capa de encaje, novia y novio, 472
Capa pluvial, ornamentos religiosos, 471
Capa protectora, vehículo lunar, 157
Caparazón, crustáceos y moluscos, 45
Caparazón dorsal, reptiles, 40-41
Caparazón ventral, reptiles, 40-41
Capazo, accesorios para bebés, 282
Caperuza:
chimenea, 228
lanzadera espacial y plataforma de lanzamiento, 154
Caperuza de la chimenea, exterior de la casa, 61
Caperuza para la lluvia, bulldozer, 425
Capilar, órganos internos, 27
Capilla:
buque de pasajeros, 138-139
castillo, 78-79
fortificaciones, 80
prisión, 74
Capilla del ábside, interior de una iglesia, 85
Capillo, cigarro y cigarrillo, 224
Capirote:
payaso, 477
trajes de época, 476
Capitel, columna, 71
Capó:
camión tractor, 116-117
carrocería, 102-103
guitarra, 356
tractor, 424
Capón:
aves de corral, 33
caballo, 36
Capot, cortacésped, 419
Capota, trineo y deslizador, 322
Capota abatible, carrocería, 102-103
Capricornio, signos del Zodiaco, 493
Cápsula, 441
Cápsula:
equipo de alta fidelidad, 176
recipientes, 263
Cápsula aneroide, equipo meteorológico, 18
Cápsula para infusiones, coladores y filtros, 256
Capucha, prendas de abrigo, 197
Capuchino, cafeteras, 248
Capuchón:
equipo dental, 445
reptiles, 40-41
Capuchón guardapolvo, teodolito, 426
Capuchón incandescente, camping, 336
Capullo, flor, 51
Cara:
arco y flecha, 456
arquitectura internacional, 68-69
cartera, 219
cordero, 31
golf, 304
instrumentos populares, 360
materiales de construcción, 66
muro de ladrillo, 67
sierras de mano, 406
tejo y croquet, 312
tenis de mesa, 315
Cara abrasiva, lijadora portátil, 411
Cara anterior, precedimientos de impresión, 164
Cara de la carta, juegos de cartas, 342
Cara enharinada, payaso, 477
Cara inferior cóncava, cierres de mercería, 205
Cara interna del pedal, esquí alpino, 320
Cara oclusal (molares), dientes, 446
Cara posterior, lijadora portátil, 411
Cara trasera, sierras de mano, 406
Caracol, 45
Carácter, juegos de fichas, 339
Carambola, billar, 314
Carátula, equipo de alta fidelidad, 176
Caravana, vehículos de recreo, 126
Carbón vegetal, accesorios de jardín, 284
Carboncillo, pintura, 364-365
Carburador:
motocicleta, 125
motor de automóvil, 107
Carcaj, arco y flecha, 456
Carcasa:
alfarería, 367
aspiradora, 279
bolígrafo, 160
equipo de alta fidelidad, 177
maquinillas de afeitar, 206
motor fuera borda, 133
sierra mecánica, 407
teléfono, 178
tostador de pan, 249
útiles de pintura, 415
Carcasa de la pluma, pluma, 160
Carcasa del motor:
abridores, 247
alfarería, 367
exprimidores, 251
martillo perforador, 426
multirrobot de cocina, 250
taladradora eléctrica, 409
utensilios para el cuidado del cabello, 208
Carcasa delantera, abridores, 247
Carcasa inferior, lijadora portátil, 411
Carcasa superior, lijadora portátil, 411
Cárcava, montañas, 8-9
Cárcava de derrubios, montañas, 8-9
Cárcava de nieve, montañas, 8-9
Cárcel, 399
Cárcola, tejido, 379
Cardado, cabello femenino, 209
Cardenal, 471
Cardume, vida marina, 43
Carena:
motocicleta, 125
velero, 130
Carenado, helicóptero, 146
Carenado de ruedas, avión particular, 147
Carenado del motor:
avión particular, 147
helicóptero, 146
Careta:
béisbol, 286
esgrima, 309
esquí alpino, 320
hockey sobre hielo, 290
Carga, petrolero, 136-137
Carga eléctrica negativa, símbolos científicos y comerciales, 494
Carga eléctrica positiva, símbolos científicos y comerciales, 494
Carga frontal, lavado y secado, 276
Carga por la boca, mortero y bazooka, 462
Carga superior, lavado y secado, 276
Cargador, 460
Cargador:
armas automáticas, 461
cámara y película fotográficas, 171
maquinillas de afeitar, 206
material de escritorio, 273
pluma, 160
Cargador de batería, camión remolque, 122
Cargador de baterías, equipo de exploración, 438
Caries, dientes, 446
Carina, aves de corral, 33
Carnaza, prendas de abrigo, 197
Carne, 258
Carne:
béisbol, 287
frutos, 53
Carnero:
cordero, 31
signos del Zodiaco, 493
Carona, equipo de montar, 329
Carpa, 88-89
Carpa, circo, 88-89
Carpelo, hoja, 50
Carpo:
extremidades, 29
perro, 34
sistema muscular y esquelético, 26
Carrera, atletismo en pista, 294
Carrera de fondo, atletismo en pista, 294
Carrera de medio fondo, atletismo en pista, 294
Carrera de obstáculos:
atletismo en pista, 294
valla, 298
Carrera de relevos, atletismo en pista, 294
Carrera de vallas, atletismo en pista, 294
Carrera de velocidad, atletismo en pista, 294
Carreras de calesines, 331
Carreras de dragsters, 333
Carrete, 334-335
Carrete:
cámara y película fotográficas, 171
esgrima, 309
punto, 378
útiles de medida, 414
Carrete de hilo, 376
Carrete de película, 171
Carrete recogedor, máquina de escribir, 162
Carretel para las mangueras, buque contraincendios, 144
Carretera, puente, 95
Carretera de acceso, aeropuerto, 92-93
Carretero, fortificaciones, 80
Carretilla, 420
Carretilla de jardín, carretilla y sembradora, 420
Carretilla de obra, carretilla y sembradora, 420
Carretón, instrumentos de ejecución, 452
Carril:
parque de atracciones, 90
paso a nivel, 111
Carril de deslizamiento:
compactador de basura, 243
sierra de cadena, 421
Carril de deslizamiento de la oruga, vehículos de recreo, 126
Carril de la lanzadera, tejido, 379
Carril del asiento, aparatos ortopédicos, 442
Carril del cesto inferior, lavavajillas, 246
Carril del cesto superior, lavavajillas, 246
Carril elevador, 90
Carril lateral, mesas médicas, 440
Carrito, 283
Carro, máquina de escribir, 162
Carro de combate, 464-465
Carro de la prensa:
calcografía, 371
litografía, 370
Carro de municiones, cañón y catapulta, 457
Carrocería, 102-103
Carrocería:
carreras de dragsters, 333
ferrocarril, 112-113
Carroza, parque de atracciones, 91
Carruajes de caballos, 127
Carta marcada, juegos de cartas, 342
Carta marina, compartimientos de un barco de vela, 131
Cartela, armazón, 59
Cárter, pesca, 334-335
Cárter de aceite, motor de automóvil, 107
Cárter de cigüeñal, motor de combustión interna, 396
Cartera, 219-281
Cartera, bolso de mano, 218
Cartera con chequera, 219
Cartera del bolsillo grande, chaqueta y chaleco, 184
Cartera del bolsillo pequeño, chaqueta y chaleco, 184
Cartílago, sistema muscular y esquelético, 26

Cartografía, 5
Cartuchera, vaquero e indio, 474
Cartucho, 460
Cartucho:
armas automáticas, 461
armas cortas, 460
cámara fotográfica, 170
cámara y película fotográficas, 171
pluma, 160
Cartucho de la cinta, 162
Cartucho insertable, cámara de cine, 172
Cartuchos, caja registradora, 430
Cartulina, marco para cuadros, 373
Cartulina exenta de ácidos, marco para cuadros, 373
Carúncula, aves de corral, 33
Casa:
exterior de la, 61
la, 227
signos del Zodiaco, 493
tejo y croquet, 312
Casa flotante, yates a motor, 134-135
Casa rodante, 126
Casaca:
guardián de la Torre de Londres, 467
trajes de épocas ,476
vestimenta local, 475
Casaca de cuero, vaquero e indio, 474
Casamata:
castillo, 78-79
fortificaciones, 81
Cascabel, reptiles, 40-41
Cascadas, río, 13
Cascanueces, Ralladores y picadoras, 257
Cáscara:
frutos, 53
ingredientes crudos, 258
Casco, 36-288
Casco:
armadura, 455
béisbol, 286
bombero, 484
caballo, 36
esquí alpino, 320
hockey sobre hielo, 290-291
jai alai, 308
patinaje sobre ruedas, 318
plancha, 275
sombreros femeninos, 199
surf, 324
terminología náutica, 128
Casco anfibio, helicóptero, 146
Casco cuaderna en V, yates a motor, 134-135
Casco de bateador, béisbol, 286
Casco de la herradura, carreras de calesines, 331
Casco de presión, submarino, 143
Casco exterior, submarino, 143
Casco fusiforme, submarino, 143
Casco presurizado, vehículo lunar, 157
Casco protector:
carreras de calesines, 331
grandes premios automovilísticos, 332
Cascote, material de construcción, 66
Caseta del cabestrante, plataforma de perforación submaria, 99
Caseta sellada, 427
Casilla blanca, ajedrez y damas, 339
Casilla del guarda, puente, 95
Casilla negra, ajedrez y damas, 339
Casino, buque de pasajeros, 138-139
Casquete, 57
Casquete:
armadura, 455
arquitectura internacional, 68-69
costura, 376
energía eólica, 382
paracaídas y planeador, 327
Casquete compresor, exprimidor, 251
Casquillo:
cadena y polea, 451
campana, iv
destornillador, 403
lámparas e iluminación, 234
línea de alta tensión, 386
Casquillo a rosca, aspersores y boquillas, 418
Casquillo del brazo superior, vista en sección de un automóvil, 104-105
Cassette de cinta, 175
Cassettes vídeo, vídeocassette, 180
Castillete, línea de alta tensión, 386
Castillo, 78-79
Castillo:
accesorios de jardín, 283
buque de guerra de superficie, 140-141
Casulla, ornamentos religiosos, 471
Catafaros, camión tractor, 116-117
Catalejo, telescopio y gemelos, 433
Catapulta, 457
Catapulta, portaaeronaves, 142
Cataratas, río, 13
Catavientos, vela, 132
Catedral, 84
Categoría general del producto, código universal de productos, 430
Cátodo, línea de alta tensión, 386
Cauce, río, 13
Cauce principal, río, 13
Caverna:
sección transversal de una, 11
tienda india, 82
Caveto, escalera, 64
Cavidad:
dientes, 446
equipo dental, 445
sección transversal de una caverna, 11
Cavidad interior, trampas, 423
Cavidad torácica, vaca, 30
Cayado, madera, 350-351
Cazo, 253
Cazoleta:
pipa, 225
armas blancas, 453
armas medievales, 454
Cazoletas, equipo meteorológico, 18
Cazuela, batería de cocina, 253
Cebada, gramíneas, 56
Cebador, camping, 336
Cebo, trampas, 423
Cebo artificial, 334-335
Cebolla, 258
Cebolla, hortalizas, 52
Cebos, 334-335
Ceda el paso, señales de trafico, 488-489
Cedazo, coladores y filtros, 256
Cedilla, signos ortográficos, 497
Cefalotórax, arañas, 38
Ceja:
anatomía popular, 25
cabello femenino, 209
órganos de los sentidos, 28
Cejilla:
guitarra, 356
guitarra eléctrica, 357
instrumentos populares, 360
violín, 349
Celada, armadura, 455
Celda:
establo y silo, 100
paracaídas y planeador, 327
prisión, 74
Celda de datos, ordenador, 429
Celda exterior del objetivo, telescopio y gemelos, 433
Celdas incomunicadas, prisión, 74
Celosía, cobertura para ventanas, 237
Célula animal, la, 23
Célula fotoeléctrica, cámara fotográfica, 170
Célula huevo, flor, 51
Célula pigmentaria, vida marina, 44
Célula solar, sistema de energía solar, 383
Cemento, dientes, 446
Cenefa, cobertura para ventanas, 236
Cenicero:
chimena, 228
interior de un automóvil, 106
Ceniza, cigarro y cigarrillo, 224
Centavo, símbolos científicos y comerciales, 494
Centinela armado, prisión, 74
Centrado horizontal, radar y sonar, 434
Centrado vertical, radar y sonar, 434
Central eléctrica, prisión, 74
Central hidroeléctrica, presa, 98
Centriolos, célula animal, 23
Centro, 291
Centro:
arañas, 38
escudo de armas, 487
frutos, 53
ingredientes crudos, 258
Centro comercial, buque de pasajeros, 138-139
Centro de la bocina, mobiliario de comedor, 239
Centro de la varilla, vidrio emplomado, 372
Centro de pegada, tenis, 306
Centro de recepción, prisión, 74
Cepillo de carpintero, 410
Cepillo de dientes, 211
Cepillo de fondear, útiles de pintura, 415
Cepillo de garlopas, herramientas de cepillar y dar forma, 410
Cepillo de molduras, herramientas de cepillar y dar forma, 410
Cepillo en espiral, aspiradora, 279
Cepillo metálico, herramientas de cepillar y dar forma, 410
Cepillo-moldeador eléctrico, 208
Cepillo multiuso, aspiradora, 279
Cepillo para la calzada, vehículos de saneamiento, 123
Cepillo para pestañas, productos de belleza, 213
Cepillo recogedor, vehículos de saneamientos, 123
Cepo:
instrumentos de ejecución, 452
terminología náutica, 128
trampas, 423
Cera, velas y candelabros, 233
Cerca, gafas, 217
Cerco:
cámara acorazada y caja fuerte, 447
puerta, 62
recipientes, 263
ventana, 63
zapato de caballero, 200
Cerco de la llanta, grandes premios automovilísticos, 332
Cerco de la suela, bota y sandalia, 202
Cerco de puerta, armazón, 59
Cercos, insectos, 39
Cerda:
cepillo de dientes, 211
productos de belleza, 213
útiles de pintura, 415
violín, 349
Cerdas, pintura, 364-365
Cerdo, 32
Cerdo de muerte, cerdo, 32
Cerdo de vida, cerdo, 32
Cereal, gramíneas, 56
Cerilla, cigarro y cigarrillo, 224
Cerilla de seguridad, cigarro y cigarrillo, 224
Cero verdadero, útiles de medida, 414
Cerradero, cerraduras de puerta, 448
Cerradura:
autobús, 114
buzón, 227
equipaje, 281
escritorio, 272
órgano, 354
ventana, 63
Cerradura del cajón, caja registradora, 430
Cerradura embutida, 448
Cerradura entrecruzada, 448
Cerradura de combinación, cámara acorazada y caja fuerte, 447
Cerradura de contacto, interior de un automóvil, 106
Cerradura del empleado, máquina de votar, 427
Cerraduras de puertas, 448
Cerramiento, muro de ladrillo, 67
Cerro testigo, montañas, 8-9
Cerrojo:
armas cortas, 460
escopeta y fusil, 458-459
Certificado de pesos y medidas, surtidor de gasolina, 108
Cerviz, anatomía popular, 25
Césped, tienda india, 82
Cesta, 308
Cesta:
armas blancas, 453
baloncesto, 292
esquí alpino, 320
jai alai, 308
Cesta para los desperdicios, compactador de basura, 243
Cesta para vapor, 253
Cesta punta, 308
Cestas, 262
Cestilla para fritura, coladores y filtros, 256
Cestillo, cafeteras, 248
Cestillo de polen, insectos, 39
Cesto, refrigerador, 245
Cesto congelador, refrigerador, 245
Cesto de mimbre, instrumentos de ejecución, 452

Cesto para artículos voluminosos, refrigerador, 245
Cesto superior, lavavajillas, 246
Cetro, 469
Cicatriz escamosa de la yema terminal, árbol, 48
Cicatriz foliar, árbol, 48
Ciclorama, escenario, 344
Cielo, universo, 2-3
Cierre:
armas automáticas, 461
bolso de mano, 218
bombero, 484
cañón y catapulta, 457
cierres de mercería, 204
compactador de basura, 243
esquí acuático, 323
llave y candado, 449
mochila y saco de dormir, 337
recipientes, 263
Cierre antipolvo, cámara acorazada y caja fuerte, 447
Cierre asimétrico, chaqueta y pantalón, 192
Cierre de anillo, 214
Cierre de dos botones, chaqueta y pantalón, 192
Cierre de la bañera, compartimientos de un barco de vela, 131
Cierre de la bota, esquí alpino, 320
Cierre de la caja de engranajes, carretilla y sembradora, 420
Cierre de los cordones, alpinismo, 328
Cierre de seguridad, 214
Cierre giratorio, bolso de mano, 218
Cierres, 214
Cierres de mercería, 204-205
Cifra:
reloj de pared, 229
relojes de pulsera y bolsillo, 216
Cigala, crustáceos y moluscos, 45
Cigarrillo, 224
Cigarro, 224
Cigüeñal, motores a reacción, 397
Cilindrada, sierra de cadena, 421
Cilindro:
batería, 387
bisagra y aldabilla, 450
ferrocarril, 112-113
llave y candado, 449
máquina de vapor, 395
medios de lucha contra incendios, 280
motor de combustión interna, 396
utensilios para el peinado, 210
útiles de pintura, 415
Cilindro elevador, bulldozer, 425
Cilindro exterior, batería, 387
Cilindro extractor de pliegos, procedimientos de impresión, 164
Cilindro giratorio, cerraduras de puerta, 448
Cilindro grabado, procedimientos de impresión, 164
Cilindro impresor, procedimientos de impresión, 164
Cilindro maestro de freno, vista en sección de un automóvil, 104-105
Cilindro portacaucho, procedimientos de impresión, 164
Cilindro portaplanchas, procedimientos de impresión, 164
Cima:
crustáceos y moluscos, 45
montañas, 8-9
Cimacio, columna, 71
Cimentación, 58
Cincel, xilografía, 368
Cincel ancho, herramientas de escultor, 366
Cincel espátula, herramientas de escultor, 366
Cincel redondo, herramientas de escultor, 366
Cincelado, herramientas de, 366
Cincha:
accesorios de jardín, 284
carreras de calesines, 331
equipo de montar, 329
fútbol americano, 288
Cincha regulable, mochila y saco de dormir, 337
Cinchera, caballo, 36
Cincho, recipientes, 263
Cíngulo, ornamentos religiosos, 471
Cinta:
balonvolea y badminton, 313
ballet, 478
béisbol, 287
boxeo, 303
cerdo, 32
cierres de mercería, 205
coberturas para ventanas, 237
equipo de exploración, 438
escudo de armas, 487
esquí de fondo, 321
magnetófonos, 175
medalla, 485
procedimientos de impresión, 162
sombreros masculinos, 198
sombreros femeninos, 199
tenis, 306
tenis de mesa, 315
utensilios para el peinado, 210
zapato de señora, 201
Cinta adhesiva, materiales de construcción, 66
Cinta cobertora del liguero, prendas interiores, 191
Cinta con abalorios, vaquero e indio, 474
Cinta correctora, máquina de escribir, 162
Cinta corregible, máquina de escribir, 162
Cinta de bucles de nylón, cierres de mercería, 205
Cinta de ganchos de nylón, cierres de mercería, 205
Cinta de grogrén, sombreros masculinos, 198
Cinta de la manga, prendas de abrigo, 196
Cinta de munición, armas automáticas, 461
Cinta elástica:
béisbol, 286
cinturón y tirantes, 186
elástica, equipaje, 281
Cinta magnética:
magnetófonos, 175
ordenador, 429
Cinta metálica, útiles de medida, 414
Cinta métrica, 414
Cinta para lazada, blusa y falda, 193
Cinta selladora, útiles de fontanería, 412
Cinta:
campana, iv
cuerpo humano, 24
guitarra, 356
globo aerostático, 326
insectos, 39
violín, 349
Cinturilla:
blusa y falda, 193
pantalones, 187
prendas interiores, 191
ropa interior, 190
vestido, 194
Cinturilla con cinturón, chaqueta y pantalón, 192
Cinturilla elástica:
blusa y falda, 193
chaqueta y pantalón, 192
Cinturón, 186
Cinturón:
anillo, 215
blusa y falda, 193
mochila y saco de dormir, 337
chaqueta y jersey, 195
guardián de la Torre de Londres, 467
prendas de abrigo, 196
vaquero e indio, 474
Cinturón de radiación, universo, 2-3
Cinturón de seguridad:
interior de un automóvil, 106
vehículo lunar, 157
Cinturón horizontal del arnés de seguridad, carreras de dragsters, 333
Cinturón inferior del arnés de seguridad, carreras de dragsters, 333
Cinturón para pesas, submarinismo, 325
Circo, 88-89
Circo, montañas, 8-9
Circo con tres pistas, 88-89
Circo de glaciar, montañas, 8-9
Circuito cerrado, grandes premios automovilísticos, 332
Circuito detector, detectores, 435
Círculo, reloj de sol, 381
Círculo central:
baloncesto, 292
hockey sobre hielo, 291
Círculo de encare, hockey sobre hielo, 291
Círculo de la esfera donde están las cifras que indican las horas, reloj de pared, 229
Círculo de lanzamiento, atletismo en pista, 295
Círculo de marcación, radar y sonar, 434
Círculo del bateador, béisbol, 287
Círculo estadimétrico, teodolito, 426
Círculo exterior, juego de dardos, 316
Círculo restringido, baloncesto, 292
Circulación, señales de tráfico, 488-489
Cirio, velas y candelabros, 233
Cirro:
nubes, 16
sistemas tormentosos, 17
Cirrocúmulo, nubes, 16
Cirrostrato:
nubes, 16
sistemas tormentosos, 17
Cisterna, inodoro, 271
Citoplasma, célula animal, 23
Cladófilo, hortalizas, 52
Clara, ingredientes crudos, 258
Clarín, 352-353
Clarinete, 350-351
Clarinete, orquesta, 348
Clarinete bajo, orquesta, 348
Clasificador de material, escritorio, 272
Claustro, arquitectura internacional, 68-69
Clave:
arco, 70
mobiliario de comedor, 239
puerta, 62
Clave de canales, televisión, 181
Clave de fa, 346
Clave de imágenes, televisión, 181
Clave de numeración de los canales, televisión, 181
Clave de sol, 346
Clave de volumen, televisión, 181
Claveras, caballo, 36
Clavícula:
cuerpo humano, 24
sistema muscular y esquelético, 26
Clavija, 388
Clavija:
alfarería, 367
camping, 336
equipo de alta fidelidad, 177
guitarra, 356
guitarra eléctrica, 357
útiles de pintura, 415
violín, 349
Clavija de afinación, guitarra, 356
Clavija de conexión, interruptor, 388
Clavija de la cuerda del pulgar, guitarra, 356
Clavija inferior, fútbol americano, 289
Clavija inferior de contacto, manipulador telegráfico, 159
Clavija mando a distancia, cámara de cine, 172
Clavija para disparador de cable, cámara fotográfica, 170
Clavija para micrófono, cámara de cine, 172
Clavijero:
guitarra, 356
guitarra eléctrica, 357
violín, 349
Clavo:
alpinismo, 328
marco para cuadros, 373
Clavo de acero, alfombra, 242
Clavo delantero, alpinismo, 328
Clavos, 400
Claxon, camión tractor, 116-117
Clérigo, 471
Clip, 273
Clip, prendas de abrigo, 196
Coberteras del ala:
aves, 37
aves de corral, 33
Cobertor, cama y accesorios, 266
Coberturas para ventanas, 236
Cocina, 244
Cocina:
compartimientos de un barco de vela, 131
prisión, 74
vehículos de recreo, 126
Cocina de camping, 336
Cocina de gas, 244
Coco, 258
Coco, hoja, 50
Cocodrilo, instrumentos eléctricos, 413

Cocodrilos, 40-41
"Cóctel Molotov", granada y mina, 463
Coche:
ferrocarril, 112-113
parque de atracciones, 90
Coche-cama, ferrocarril, 112-113
Coche de choque, 90
Coche de línea, 114
Coche deportivo, carrocería, 102
Coche descapotable, carrocería, 102
Coche-restaurante, ferrocarril, 112-113
Coche-salón, ferrocarril, 112-113
Cochecito, accesorios para bebés, 282
Cochero, carruajes de caballos, 127
Cochiquera, establo y silo, 100
Codal, armadura, 455
Codaste, velero, 130
Codera:
esgrima, 309
patinaje sobre ruedas, 318
Código de barras, caja registradora, 430
Código de fabricante, código universal de productos, 430
Código específico de producto, código universal de productos, 430
Código universal de productos, 430
Codillera:
fútbol americano, 288
hockey sobre hielo, 291
Codo:
anatomía popular, 25
caballo, 36
cuerpo humano, 24
gato, 35
lámparas e iluminación, 235
perro, 34
valla, 65
Cofa del serviola, petrolero, 136-137
Cofia, 199
Cofia:
mayordomo y doncella, 473
sistema radicular, 49
Cogedor, 278
Cogedor de dientes, utensilios para preparaciones, 255
Cogollo:
hortalizas, 52
ingredientes crudos, 258
Cogote, anatomía popular, 25
Cohete, 397
Cohete acelerador de combustible sólido, lanzadera espacial y plataforma de lanzamiento, 154
Cojín, sofá, 232
Cojín del asiento, sillón reclinable, 231
Cojín lateral, sofá, 232
Cojinete de protección, gimnasia, 300
Cojinete trasero, pesca, 334-335
Cola:
arco y flecha, 456
caballo, 36
cometas, 317
crustáceos y moluscos, 45
esquí acuático, 323
esquí alpino, 320
esquí de fondo, 321
gato, 35
herramientas de cepillar y dar forma, 410
juego de dardos, 316
mamífero fantástico, 46-47
novia y novio, 472
patinaje sobre ruedas, 318
perro, 34
piano, 355
prendas de abrigo, 197
surf, 324
vida marina, 43
Cola de caballo, cabello femenino, 209
Cola de carnero, perro, 34
Cola de cometa, universo, 2-3
Cola de golondrina, surf, 324
Cola de la veleta, equipo meteorológico, 18
Cola en escoba, perro, 34
Cola en V, surf, 324
Colada de fisura, volcán, 10
Colada de lava, volcán, 10
Colador, exprimidores, 251
Colador de mango, coladores y filtros, 256
Colador de pie, coladores y filtros, 256
Coladores, 256
Colcha, cama y accesorios, 266
Colcha edredón, cama y accesorios, 266
Colchón, cama y accesorios, 267
Colchón de aire, aerodeslizadores, 145
Colchoneta, accesorios de jardín, 284
Colchoneta de caída, salto con pértiga, 299
Colchoneta de saltos, atletismo en pista, 295
Colchoneta para ejercicios de suelo, gimnasia, 300
Colchoneta protectora, gimnasia, 300
Colector:
cortacésped, 419
línea de alta tensión, 386
reactor nuclear, 384-385
Colector de escape:
carreras de dragsters, 333
motor de automóvil, 107
Colector solar, 383
Colector solar plano, sistema de energía solar, 383
Coleta, cabello femenino, 209
Colgador:
batería de cocina, 253
proyectores, 173
Colgante, 215
Colgante, anillo, 215
Colgante de armiño, vaquero e indio, 474
Colilla, cigarro y cigarrillo, 224
Colina, paisajes terrestres, 7
Colmillo, dientes, 446
Colmillo de elefante, mamífero fantástico, 46-47
Colmillo hipodérmico, reptiles, 40-41
Colmillos, reptiles, 40-41
Colon, órganos internos, 27
Colonia:
productos de belleza, 213
utensilios para el peinado, 210
Colorete:
maquillaje, 212
productos de belleza, 213
Columbario, interior de una iglesia, 85
Columela, órganos de los sentidos, 28
Columna, 71
Columna:
accesorios musicales, 361
ajedrez y damas, 339
arquitectura internacional, 68-69
camión remolque, 122
mobiliario de comedor, 239
mobiliario de dormitorio, 268
plataforma de perforación submarina, 99
sección transversal de una caverna, 11
taladradora eléctrica, 409
trofeo, 285
velas y candelabros, 233
Columna calibrada, material de exploración física, 439
Columna de control, cabina de pilotaje del 747, 150-151
Columna de dirección, vista en sección de un automóvil, 104-105
Columna de índices de preguntas, máquina de votar, 427
Columna de los pies, cama y accesorios, 266
Columna de mercurio, material de exploración física, 439
Columna de nombres de candidatos, máquina de votar, 427
Columna del cabecero, cama y accesorios, 266
Columna del índice de la oficina, máquina de votar, 427
Columna líquida, equipo meteorológico, 18
Columna vertebral, sistema muscular y esquelético, 26
Columnas, rascacielos, 75
Columpio, 283
Collado, montañas, 8-9
Collar:
anillo, 215
gema o piedra preciosa, 214
tuercas, 401
vaquero e indio, 474
Collar fijo, cerraduras de puerta, 448
Collarete, ambulancia, 119
Collarín, taladradora eléctrica, 409
Collarín de fijación, grifo y lavabo, 269
Collarín de la salida de humos, estufa de leña, 394
Collarín de montaje, taladradora eléctrica, 409
Collarino, columna, 71
Coma, signos ortográficos, 497
Comandancia, fortificaciones, 80
Comba, 338
Combo, recipientes, 263
Combustible líquido, motores a reacción, 397
Comedor, prisión, 74
Comedor de fuego, circo, 88-89
Comedor de los carreteros, fortificaciones, 80
Comensal, servicio de mesa, 240
Comercio, símbolos científicos y comerciales, 494
Cometa, universo, 2-3
Cometa combinada, cometas, 317
Cometa de competición, cometas, 317
Cometa de juego, cometas, 317
Cometa flexible, cometas, 317
Cometa mixta, cometas, 317
Cometa plana, cometas, 317
Cometa semiflexible, cometas, 317
Cometas, 317
Comilla simple, signos ortográficos, 497
Comillas, signos ortográficos, 497
Comisura del párpado, órganos de los sentidos, 28
Comisura externa, órganos de los sentidos, 28
Comisura interna, órganos de los sentidos, 28
Cómoda, 268
Comodín, juegos de cartas, 342
Compactador de basura, 243
compartimiento:
cartera, 219
equipaje, 281
navaja múltiple, 416
compartimiento de carga:
avión comercial, 148-149
helicóptero, 146
Compartimiento de carga bajo asiento, vehículo lunar, 157
Compartimiento de equipos, módulo lunar, 156
Compartimiento de intercambio de carga útil lanzadera espacial y plataforma de lanzamiento, 154
Compartimiento de la cassette de vídeo, vídeocassette, 180
Compartimiento de las pilas, accesorios fotográficos, 174
Compartimiento de motor, misil y torpedo, 466
Compartimiento inferior, mochila y saco de dormir, 337
Compartimiento inflable, bote de remos, 129
Compartimiento lateral individual, avión comercial, 148-149
Compartimiento para billetes, cartera, 219
Compartimiento para corbatas, equipaje, 281
Compartimiento para el equipaje, autobús, 114
Compartimiento para el pie, submarinismo, 325
Compartimiento para las pilas, aparatos ortopédicos, 442
Compartimiento para pilas:
cámara de cine, 172
cámara fotográfica, 170
Compartimiento principal, mochila y saco de dormir, 337
Compartimiento superior de pasajeros, avión comercial, 148-149
Compartimiento tarjetas de crédito, cartera, 219
Compartimiento de almacenaje, vehículos de recreo, 126
Compartimiento de almacenamiento, vehículos de bomberos, 120-121
Compartimiento de la batería, autobús, 114
Compartimiento de la bombilla, máquina de coser, 274
Compartimiento del filtro, cafeteras, 248
Compartimiento del motor:
aspiradora, 279
bulldozer, 425
Compartimiento del triturador de desperdicios, fregadero, 243
Compartimiento para carnes, refrigerador, 245
Compartimiento para cuchillas usadas, maquinillas de afeitar, 206

Compartimiento para el rollo de papel, máquina de votar, 427
Compartimiento para frutas y verduras, refrigerador, 245
Compartimiento para hielo, refrigerador, 245
Compartimiento para la cristalería, mobiliario de comedor, 239
Compartimiento para la mantequilla, refrigerador, 245
Compartimiento para la porcelana, mobiliario de comedor, 239
Compartimiento para vinos, mobiliario de comedor, 239
Compás, 132
Compás, yates a motor, 134-135
Compás (indicación del ritmo), partitura, 346
Compás magnético, vela, 132
Compensador de alerón, cabina de pilotaje del 747, 150-151
Compensador de cabeceo, cabina de pilotaje del 747, 150-151
Compensador de timón de dirección, cabina de pilotaje del 747, 150-151
Compensador de empuje lateral del brazo, equipo de alta fidelidad, 176
Competición automovilística, grandes premios automovilísticos, 332
Composición, 362-363
Composición, elementos de la, 362-363
Compositor, partitura, 46
Compotera, servicio de postre, 241
Compresa, medios terapéuticos, 441
Compresor:
intercambiador de calor, 393
pipa, 225
Compresor de aire, camión tractor, 116-117
Compresor del acondicionador de aire, motor de automóvil, 107
Compresor manual:
exprimidores, 251
multirrobot de cocina, 250
Comprimido, 441
Comprobación continua de la batería, detectores, 435
Compuerta, calentador de agua, 391
Compuerta de carga, lanzadera espacial, y plataforma de lanzamiento, 154
Compuerta de descarga, presa, 98
Compuerta de segmento, presa, 98
Compuerta de servicio, surtidor de gasolina, 108
Compuerta inferior, esclusa, 97
Compuerta superior, esclusa, 97
Computadora, central, prisión, 74
Comunicación, medios de, 159
Concavidad:
armas blancas, 453
cierres de mercería, 204
servicio de mesa, 240
Concavidad para el pulgar, plancha, 275
Conceptáculo, plantas inferiores, 55
Cencertino, orquesta, 348
Concología, crustáceos y moluscos, 45
Concha, escenario, 344
Concha bivalva, 45
Concha univalva, 45
Condensador:
intercambiador de calor, 393
microscopio, 432
reactor nuclear, 384-385
Condimento:
alimentos preparados, 259
comida rápida, 261
Conducción de líquido de frenos, grandes premios automovilísticos, 332
Conducción de vapor, reactor nuclear, 384-385
Conducto:
aerodeslizadores, 145
volcán, 10
Conducto auditivo externo, órganos de los sentidos, 28
Conducto de admisión de aire, camión tractor, 116-117
Conducto de entrada de aire puro, túnel, 96
Conducto de evacuación del aire viciado, túnel, 96
Conducto de retorno, intercambiador de calor, 393
Conducto eléctrico, paso a nivel, 111
Conducto lacrimal, órganos de los sentidos, 28
Conductor, 331
Conductor, instrumentos eléctricos, 413
Conductor de entrada de corriente, lámparas e iluminación, 234
Conductos de veneno, reptiles, 40-41
Conector de entrada para la fuente de iluminación, detectores, 435
Conector para auriculares:
detectores, 435
videocassette, 180
Conector para cámara, videocassette, 180
Conector para la punta de prueba "negativa", instrumentos eléctricos, 413
Conector para la punta de prueba "positiva", instrumentos eléctricos, 413
Conector par la sonda de temperatura, instrumentos eléctricos, 413
Conector par micrófono, vídeocassette, 180
Conector principal, aparatos ortopédicos, 442
Conector y símbolo de auriculares, emisor-receptor, 179
Conexión, surtidor de gasolina, 108
Conexión de jack, guitarra eléctrica, 357
Conexión directa a la red de corriente alterna, magnetófonos, 175
Conexión eléctrica, camión tractor, 116-117
Conexión eléctrica con el semirremolque, camión tractor, 116-117
Conexión en Y, aspersores y boquillas, 418
Conexión neumática con el semirremolque, camión tractor, 116-117
Conexión para transferencia de orina, vehículo lunar, 157
Confalón, banderas, 486
Confluencia, río, 13
Congelador:
petrolero, 136-137
refrigerador, 245
yates a motor, 134-135
Conjunto de depósito y placa de asiento (de grapas), material de escritorio, 273
Conjunto de equilibrado del cepillo lateral, vehículos de saneamiento, 123
Conjunto de música de cámara, orquesta, 348
Conjunto de paneles, fútbol americano, 289
Conjunto de propulsores del sistema de control de reacción (RCS), módulo lunar, 156
Conjunto integrado térmico meteoroide, vehículo lunar, 157
Conmutador baño-ducha, baño y ducha, 270
Conmutador de banda ciudadana (CB) y megafonía, emisor-receptor, 179
Conmutador de profundidad del discriminador, detectores, 435
Cono, 50
Cono:
automóvil de policía, 118
equipo de alta fidelidad, 177
taladradora eléctrica, 409
Cono colador, exprimidores, 251
Cono de cenizas, volcán, 10
Cono de cocción, alfarería, 367
Cono de empuje, avión comercial, 148-149
Cono de escape, motores a reacción, 397
Cono de la aguja, medios terapéuticos, 441
Cono de la hélice, avión particular, 147
Cono de morro:
avión particular, 147
misil y torpedo, 466
Cono de proa, aerostato, 158
Cono de radar, avión comercial, 148-149
Cono de referencia, alfarería, 367
Cono de seguridad, alfarería, 367
Conos de Seger, 367
Consigna de equipajes, señales públicas, 490-491
Consola:
ordenador, 429
órgano, 354
Consola de control, 134-135
Consola de control:
mesas médicas, 440
yates a motor, 134-135
Consola de mandos, vehículo lunar, 157
Consola de piloto automático, cabina de mando de la lanzadera espacial, 155
Constelación:
universo, 2-3
signos del Zodiaco, 493
Construcción:
juntas de, 57
materiales de, 66
Construcciones, 57
Contacto para micrófono direccional, cámara de cine, 172
Contactos auxiliares, cámara de cine, 172
Contador de centelleo, 435
Contador de cinta:
magnetófonos, 175
vídeocassette, 180
Contador de electricidad, exterior de la casa, 61
Contador de protección, máquina de votar, 427
Contador de público, máquina de votar, 427
Contador Geiger, 435
Contador horario del motor, yates a motor, 134-135
Contentor, atletismo en pista, 295
Contera:
accesorios fotográficos, 174
armas medievales, 454
billar, 314
mochila y saco de dormir, 337
paraguas, 226
pesca, 334-335
útiles de pintura, 415
Continente, paisajes terrestres, 7
Contrabajo, 349
Contrabajo, orquesta, 348
Contracción, signos ortográficos, 497
Contracorrientes ecuatoriales, vientos y corrientes oceánicas, 6
Contraescarpa, fortificaciones, 81
Contraestay, velero, 130
Contrafagot, orquesta, 348
Contrafilo, armas blancas, 453
Contrafuerte:
bota y sandalia, 202
montañas, 8-9
patinaje sobre hielo, 319
presa, 98
zapato de caballero, 200
zapato de señora, 201
Contraguarda, armas blancas, 453
Contrahierro, herramientas de cepillar y dar forma, 410
Contrahuella:
ascensor, 76
escalera, 64
Contramarcha, ferrocarril, 112-113
Contramedida electrónica, portaaeronaves, 142
Contrapeso:
ascensor, 76
equipo meteorológico, 18
material de laboratorio, 436-437
paso a nivel, 111
tractor, 424
valla, 298
Contrapeso auxiliar, puente, 95
Contrapeso de equilibrado, rueda, 101
Contrapeso delantero, tractor, 424
Contrapeso principal, puente, 95
Contrapuerta, exterior de la casa, 61
Contrasuela, bota y sandalia, 202
Contrasuela, zapato de caballero, 200
Contratuerca, lámparas e iluminación, 234
Contraventana, exterior de la casa, 61
Contraventanas, 237
Control:
consola de, 134-135
módulo lunar, 156
Control compensación de cabeceo, cabina de pilotaje del 747, 150-151
Control de aire, refrigerador, 245
Control de aire acondicionado, tablero de instrumentos, 153

Control de ajuste del condensador, microscopio, 432
Control de alineación del rayo de barrido, radar y sonar, 434
Control de aterrizaje, cabina de mando de la lanzadera espacial, 155
Control de avance, caja registradora, 430
Control de brillo, radar y sonar, 434
Control de centrado de presentación, radar y sonar, 434
Control de columnas partidas, máquina de votar, 427
Control de combinado, proyectores, 173
Control de encuadre, proyectores, 173
Control de energía eléctrica, cabina de mando de la lanzadera espacial, 155
Control de frecuencia, guitarra eléctrica, 357
Control de funcionamiento, proyectores, 173
Control de generador principal, tablero de instrumentos, 153
Control de gravedad de sonido, guitarra eléctrica, 357
Control de holgura de rizo, proyectores, 173
Control de impresión, máquina de escribir, 162
Control de inclinación del transductor, radar y sonar, 434
Control de instrumentación de vuelo, cabina de mando de la lanzadera espacial, 155
Control de intensidad y brillo, radar y sonar, 343
Control de fijación al suelo, mesas médicas, 440
Control de la intensidad de campo de la marca variable de distancias, radar y sonar, 434
Control de la marca variable de distancias, radar y sonar, 434
Control de la unidad de expansión, 429
Control de luz y sombra, cámara fotográfica, 170
Control de popa, remolcador, 144
Control de potencia, radar y sonar, 434
Control de purga, cortacésped, 419
Control de sintonización, radar y sonar, 434
Control de temperatura, batería de cocina, 253
Control de tobera de salida, motores a reacción, 397
Control de tono y volumen, guitarra eléctrica, 357
Control de tonos, guitarra eléctrica, 357
Control de UHF, tablero de instrumentos, 153
Control de ventilación de oxígeno, tablero de instrumentos, 153
Control de volumen:
aparatos ortopédicos, 442
guitarra eléctrica, 357
proyectores, 173
Control del centrado de portaobjetos, microscopio, 432
Control del cursor, radar y sonar, 434
Control del empleado, máquina de votar, 427
Control del estabilizador, buque de pasajeros, 138-139
Control del rayo de barrido, radar y sonar, 434
Control del reostato, microscopio, 432
Control del torno, cañón y catapulta, 457
Control del volumen de la señal, radar y sonar, 434
Control luminoso, radar y sonar, 434
Control magnético de corrección, vela, 132
Control selector primario, máquina de votar, 427
Controles, guitarra eléctrica, 357
Copa:
árbol, 48
batería, 358
cama y accesorios, 266
costura, 376
fútbol americano, 288
hoja, 50
metal, 352-353
prendas interiores, 191
sombreros femeninos, 199
sombreros masculinos, 198
Copa armada, prendas interiores, 191
Copa de agua, servicio de mesa, 240
Copa de cognac, servicio de postre, 241
Copa de champán, servicio de mesa, 240
Copa de vino blanco, servicio de mesa, 240
Copa de vino tinto, servicio de mesa, 240
Copa protectora, fútbol americano, 288
Copa variada, 260
Copia, cámara fotográfica, 170
Copita de licor, servicio de postre, 241
Copón, interior de una iglesia, 85
Copra, ingredientes crudos, 258
Coral, vida marina, 44
Coraza, fútbol americano, 288
Corazón:
anatomía popular, 25
aves de corral, 33
escudo de armas, 487
extremidades, 29
frutos, 53
ingredientes crudos, 258
juegos de cartas, 342
órganos internos, 27
tenis, 306
Corbata, banderas, 486
Corbata blanca, novia y novio, 472
Corbatas, 189
Corchea, partitura, 346
Corchera, natación, 310
Corchete:
anillo, 215
blusa y falda, 193
partitura, 346
prendas interiores, 191
signos ortográficos, 497
Corchetes, 204
Corcho:
madera, 350-351
tenis de mesa, 315
Cordaje:
circo, 88-89
paracaídas y planeador, 327
Cordal, violín, 349
Cordal, guitarra, 356
Cordel, payaso, 477
Cordero, 31
Cordero lechal, cordero, 31
Cordero pascual, cordero, 31
Cordillera:
montañas, 8-9
paisajes terrestres, 7
Cordón:
ballet, 478
coberturas para ventanas, 236
corbatas, 189
exprimidores, 251
fútbol americano, 288
gaita, 359
galas reales, 468
hockey sobre hielo, 291
jefe de majoretes, 479
lámparas e iluminación, 234-235
patinaje sobre hielo, 319
terminología náutica, 128
utensilios para el peinado, 210
valla, 298
zapatilla deportiva, 296
zapato de caballero, 200
Cordón de alimentación, acondicionamiento de aire, 392
Cordón de apertura, paracaídas y planeador, 327
Cordón de rotación de las tablillas, coberturas para ventanas, 237
Cordón de subida y bajada, coberturas para ventanas, 237
Cordón del micrófono, teléfono, 178
Cordón del reloj con botón avisador, unidad dentaria, 444
Cordón inferior, puente, 95
Cordón litoral, costa y margen continental, 15
Cordón superior, puente, 95
Cordoncillo, frontón y squash, 307
Corillón, campana, iv
Cornamenta de alce, mamífero fantástico, 46-47
Cornamusa:
compartimientos de un barco de vela, 131
remolcador, 144
Cornamusa de proa con lona de refuerzo, bote de remos, 129
Córnea, órganos de los sentidos, 28
Corneta, 352-353
Corneta, banderas, 486
Corneta trifarpada, banderas, 486
Cornijal:
armazón, 59
exterior de la casa, 61
muro de ladrillo, 67
Cornisa:
armazón, 59
arquitectura internacional, 68-69
columna, 71
mobiliario de comedor, 239
montañas, 8-9
Corno inglés, 350-351
Corno inglés, orquesta, 348
Coro, interior de una iglesia, 85
Corola:
flor, 51
hortalizas, 52
Corona, 469
Corona:
bicicleta, 124
caballo, 36
columna, 71
dientes, 446
equipo dental, 445
escudo de armas, 487
frutos, 53
gema o piedra preciosa, 214
medalla, 485
prótesis y correctores dentales, 443
relojes de pulsera y bolsillo, 216
tejo y croquet, 312
tenis, 306
Corona cónica, taladradora de mano, 408
Corona de actuación de las barras, cámara acorazada y caja fuerte, 447
Corona de la transmisión, motocicleta, 125
Corona exterior, parque de atracciones, 91
Corona interior, parque de atracciones, 91
Coronación:
presa, 98
rascacielos, 75
Coronación del muro, valla, 65
Coronamiento:
parque de atracciones, 90
presa, 98
valla, 65
Coronamiento de popa, velero, 130
Coronilla:
anatomía popular, 25
cabello masculino, 207
Corpiño, galas reales, 468
Corral, establo y silo, 100
Correa:
accesorios fotográficos, 174
armadura, 455
armazón, 59
bota y sandalia, 202
cámara fotográfica, 170
gimnasia, 301
instrumentos de ejecución, 452
paracaídas y planeador, 327
paraguas, 226
prendas de abrigo, 196
relojes de pulsera y bolsillo, 216
Correa de accionamiento del alternador, motor de automóvil, 107
Correa de accionamiento del sistema de servodirección, motor de automóvil, 107
Correa de alero, armazón, 59
Correa de la pistolera, vaquero e indio, 474
Correa de las trabas, carreras de calesines, 331
Correa de sujeción:
esquí acuático, 323
frontón y squash, 307
Correa de sujeción de la maniota, carreras de calesines, 331
Correa de sujeción para el pasajero, motocicleta, 125
Correa del alero, cimentación, 58
Correa del calza pedales, bicicleta, 124
Correa del crampón, alpinismo, 328
Correa del fuelle, instrumentos populares, 360
Correa en bandolera, trajes de época, 476
Correa para el hombro, instrumentos populares, 360
Correa para la sujeción del cuerpo, mesas médicas, 440
Correa para los pies, surf, 324
Correa portaarmas, mortero y bazooka, 462
Correa superior del arnés de

seguridad, carreras de dragsters, 333
Corrector, maquillaje, 212
Correctores dentales, 443
Corredera:
calculadoras, 431
cigarro y cigarrillo, 224
material de escritorio, 273
Corredera de la arcada, tejido, 379
Corredera de mano, metal, 352-353
Correo, señales públicas, 490-491
Corriente, sección transversal de una caverna, 11
Corriente ascendente vertical, sistemas tormentosos, 17
Corriente atlántica nordecuatorial, vientos y corrientes oceánicas, 6
Corriente atlántica sudecuatorial, vientos y corrientes oceánicas, 6
Corriente australiana occidental, vientos y corrientes oceánicas, 6
Corriente australiana oriental, vientos y corrientes oceánicas, 6
Corriente continua, símbolos científicos y comerciales, 494
Corriente de Agulhas, vientos y corrientes oceánicas, 6
Corriente de Benguela, vientos y corrientes oceánicas, 6
Corriente de Brasil, vientos y corrientes oceánicas, 6
Corriente de California, vientos y corrientes oceánicas, 6
Corriente de Canarias, vientos y corrientes oceánicas, 6
Corriente de Humboldt, vientos y corrientes oceánicas, 6
Corriente de Perú, vientos y corrientes oceánicas, 6
Corriente del Golfo, vientos y corrientes oceánicas, 6
Corriente del Japón, vientos y corrientes oceánicas, 6
Corriente eléctrica, interruptor, 388
Corriente estacional, vientos y corrientes oceánicas, 6
Corriente no glaciar, montañas, 8-9
Corriente nordecuatorial, vientos y corrientes oceánicas, 6
Corriente permanente, vientos y corrientes oceánicas, 6
Corriente sudecuatorial, vientos y corrientes oceánicas, 6
Corrientes ecuatoriales, vientos y corrientes oceánicas, 6
Corrientes glaciares, montañas, 8-9
Corrientes oceánicas, 6
Corsé:
galas reales, 468
prendas interiores, 191
Cortaalambres, alicates, 404
Cortacésped, 419
Cortacésped mecánico, 419
Cortadora de tubos, útiles de fontanería, 412
Cortafríos, herramientas de cepillar y dar forma, 410
Cortafuegos, cimentación, 58
Cortahilos, instrumentos eléctricos, 413
Cortapatillas, maquinillas de afeitar, 206
Cortaplumas, navaja múltiple, 416
Cortapuros, 224
Cortauñas, 211
Cortavientos, carrocería, 102-103
Corte:
armas blancas, 453
cuchillo, 252
sierras de mano, 406
xilografía, 368
Corte al hilo, sierras de mano, 406
Corte camisero, camisa, 185
Corte de superficie, hidroalas, 145
Corteza:
alimentos preparados, 259
árbol, 48
tienda india, 82
Corteza continental, costa y margen continental, 15
Corteza oceánica, costa y margen continental, 15
Corteza terrestre, estructura de la Tierra, 4
Cortina de ducha, baño y ducha, 270
Cortina impermeable, baño y ducha, 270
Cortinajes, cama y accesorios, 266
Cortinas, 236
Cortinilla:
carruajes de caballos, 127
máquina de votar, 427
Cortinilla enrollable, coberturas para ventanas, 236
Corva, cuerpo humano, 24
Corvejón:
caballo, 36
gato, 35
perro, 34
vaca, 30
Costa, 14-15
Costa:
costa y margen continental, 15
olas y costa, 14
paisajes terrestres, 7
Costado:
caballo, 36
cordero, 31
escritorio, 272
maquinillas de afeitar, 206
perro, 34
sillón reclinable, 231
vaca, 30
violín, 349
Costado de la escuadra, coberturas para ventanas, 236
Costilla:
cerdo, 32
ingredientes crudos, 258
jai alai, 308
sierras de mano, 406
silla, 230
suculentas, 54
Costilla radial, crustáceos y moluscos, 45
Costillar, vaca, 30
Costillas:
caballo, 36
perro, 34
sistema muscular y esquelético, 26
Costura, 376
Costura:
bote de remos, 129
cinturón y tirantes, 186
fútbol americano, 288
mochila y saco de dormir, 337
prendas interiores, 191
utensilios de limpieza doméstica, 278
vela, 132
Costura de entrepierna, pantalones, 187
Costura de la bragueta, pantalones, 187
Costura de la puntera, accesorios del calzado, 203
Costura de la sisa, blusa y falda, 193
Costura de la solapa, chaqueta y chaleco, 184
Costura decorativa, 377
Costura del hombro, chaqueta y chaleco, 184
Costura del talón, accesorios del calzado, 203
Costura delantera, blusa y falda, 193
Costura exterior de la manga, chaqueta y chaleco, 184
Costura horizontal, globo aerostático, 326
Costura interior de la manga, chaqueta y chaleco, 184
Costura invisible, corbatas, 189
Costura lateral, pantalones, 187
Costura vertical, globo aerostático, 326
Cota de malla, armadura, 455
Cotillo, martillo, 402
Cow-boy, equipo de ganadero, 422
Coxa:
arañas, 38
insectos, 39
Coyuntura, sistema muscular y esquelético, 26
Crampón, alpinismo, 328
Cran, procedimientos de impresión, 164
Cráneo:
aves, 37
caballo, 36
cerdo, 32
perro, 34
sistema muscular y esquelético, 26
vaca, 30
Cráter, volcan, 10
Crema:
postres, 260
productos de belleza, 213
Crema limpiadora, maquillaje, 212
Cremallera, 205
Cremallera:
blusa y falda, 193
equipaje, 281
mochilla y saco de dormir, 337
Cremallera antirretroceso, parque de atracciones, 90
Cremallera de ajuste de la inclinación, motor fuera borda, 133
Cremallera de grátil, vela, 132
Cremallera de pasador doble, prendas de abrigo, 197
Cremallera de pujamen, vela, 132
Cremallera reversible, cierres de mercería, 205
Crescendo, partitura, 346
Cresta:
armas automáticas, 461
aves de corral, 33
caballo, 36
escopeta y fusil, 458-459
glaciar, 12
montañas, 8-9
olas y costa, 14
reloj de pared, 229
reptiles, 40-41
vaquero e indio, 474
Cresta craneana, anfibios, 42
Cresta de cima, montañas, 8-9
Cresta de espuma, olas y costa, 14
Cresta del cuello, perro, 34
Cresta inferior de la cola, anfibios, 42
Cresta superior de la cola, anfibios, 42
Crestería, montañas, 8-9
Crin, caballo, 36
Crisálida, insectos, 39
Cristal:
marco para cuadros, 373
ventana, 63
Cristal aislante, ventana, 63
Cristal de hielo, nubes, 16
Cristal ovoidal, gafas, 217
Cristal rectangular, gafas, 217
Cristal trasero, carrocería, 102-103
Cristalería, 240
Cristalino, órganos de los sentidos, 28
Crochete, iglesia, 84
Cromado, carrocería, 102-103
Cromatóforo, vida marina, 44
Cromosoma, célula animal, 23
Cronógrafo, vehículo lunar, 157
Cronómetro, 298
Cronómetro, relojes de pulsera y bolsillo, 216
Croquet, 312
Cruce:
esquí acuático, 323
señales de tráfico, 488-489
Cruce con prioridad, señales de tráfico, 488-489
Cruce regulado por semáforo, señales de tráfico, 488-489
Crucero, interior de una iglesia, 85
Cruceta:
mapa meteorológico, 19
máquina de vapor, 395
velero, 130
Cruceta de poste, línea de alta tensión, 386
Cruceta transversal, línea de alta tensión, 386
Crucifijo:
interior de una iglesia,85
ornamentos religiosos, 471
Crustáceos, 45
Cruz:
armas blancas, 453
cometas, 317
cordero, 31
iglesia, 84
perro, 34
terminología náutica, 128
vaca, 30
Cruz ancorada, símbolos religiosos, 492
Cruz céltica, símbolos religiosos, 492
Cruz de Jerusalén, símbolos religiosos, 492
Cruz de Lorena, símbolos religiosos, 492
Cruz de Malta:
atributos reales, 469
símbolos religiosos, 492
Cruz de San Antonio, símbolos religiosos, 492
Cruz de forma de letra «T», símbolos religiosos, 492
Cruz flordelisada, símbolos religiosos, 492
Cruz gamada, símbolos religiosos, 492
Cruz griega, símbolos religiosos, 492
Cruz latina, símbolos religiosos, 492
Cruz papal, símbolos religiosos, 492

Cruz patriarcal, símbolos religiosos, 492
Cruz pectoral, ornamentos religiosos, 471
Cruz potenzada, símbolos religiosos, 492
Cruz rusa, símbolos religiosos, 492
Cuadernal, cadena y polea, 451
Cuadrado menor, tejo y croquet, 312
Cuadrante, motor fuera borda, 133
Cuadrante de cálculo, accesorios fotográficos, 174
Cuadrifolia, iglesia, 84
Cuadrilátero, 303
Cuadro:
accesorios para bebés, 282
bicicleta, 124
calculadoras, 431
escenario, 344
Cuadro de mandos:
acondicionamiento de aire, 392
compactador de basuras, 243
Cuadro de servicio derecho, balonvolea y badminton, 313
Cuadro de servicio izquierdo, balonvolea y badminton, 313
Cuadro de servicio para dobles, balonvolea y badminton, 313
Cuadro de servicio para individuales, balonvolea y badminton, 313
Cuadro derecho de servicio, tenis, 306
Cuadro izquierdo de servicio, tenis, 306
Cuajo, alimentos preparados, 259
Cuartel:
castillo, 78-79
escudo de armas, 487
Cuarterón, puerta, 62
Cuartilla, perro, 34
Cuarto creciente, estructura de la Tierra, 4
Cuarto de derrota, compartimientos de un barco de vela, 131
Cuarto dedo, extremidades, 29
Cuarto diente, reptiles, 40-41
Cuarto menguante, estructura de la Tierra, 4
Cuarto trasero, vaca, 30
Cuartos traseros, gato, 35
Cuatro, juegos de fichas, 339
Cuatro cilindros en línea, motor de automóvil, 107
Cuatro cilindros horizontales enfrentados, motor de automóvil, 107
Cuba, recipientes, 263
Cubertería, mobiliario de comedor, 239
Cubeta:
acondicionamiento de aire, 392
útiles de pintura, 415
Cubeta del detergente, lavavajillas, 246
Cubeta para lejía, lavado y secado, 276
Cubichete, vela, 132
Cubierta 01, buque de guerra de superficie, 140-141
Cubierta 02, buque de guerra de superficie, 140-141
Cubierta a la intemperie, buque de pasajeros, 138-139
Cubierta de botes, buque de pasajeros, 138-139
Cubierta de castillo, yates a motor, 134-135
Cubierta de coches, aerodeslizadores, 145
Cubierta de competición tipo slick (sin dibujo), grandes premios automovilísticos, 332
Cubierta de costado, yates a motor, 134-135
Cubierta de cuero, fútbol americano, 288
Cubierta de deportes, buque de pasajeros, 138-139
Cubierta de la cámara, velero, 130
Cubierta de la manguera, vehículos de bomberos, 120-121
Cubierta de la pinza, material de laboratorio, 436-437
Cubierta de misiles, submarino, 143
Cubierta de pelo o pluma de la mosca artificial, pesca, 334-335
Cubierta:
aerostato, 158
béisbol, 286
bote de remos, 129
cometas, 317
compartimientos de un barco de vela, 131
escritorio, 272
exterior de la casa, 61
globo aerostático, 326
iglesia, 84
mochila y saco de dormir, 337
rascacielos, 75
rueda, 101
surf, 324
surtidor de gasolina, 108
tienda india, 82
Cubierta de plástico:
instrumentos eléctricos, 413
material de escritorio, 273
Cubierta de proa, velero, 130
Cubierta de señales, buque de pasajeros, 138-139
Cubierta de vidrio, sistema de energía solar, 383
Cubierta de vuelo, portaaeronaves, 142
Cubierta de vuelo para helicópteros, buque de guerra de superficie, 140-141
Cubierta del carburador, sierra de cadena, 421
Cubierta del cojinete, material de laboratorio, 436-437
Cubierta del interruptor, martillo perforador, 426
Cubierta interior, escalera mecánica, 77
Cubierta interior (entrepuentes), buque de pasajeros, 138-139
Cubierta lateral, escalera mecánica, 77
Cubierta metálica, material de escritorio, 273
Cubierta mucoproteica, célula animal, 23
Cubierta principal, buque de guerra de superficie, 140-141
Cubierta protectora, motor de combustión interna, 396
Cubierta superior, buque de pasajeros, 138-139
Cubierto, mapa meteorológico, 19
Cubierto, servicio de mesa, 240
Cubiertos, 240
Cúbito, sistema muscular y esquelético, 26
Cubo, 280
Cubo:
accesorios de jardín, 283
carretilla y sembradora, 420
cortacésped, 419
magnetófonos, 175
motor fuera borda, 133
Cubo de la doble rueda, camión remolque, 122
Cubo de la llanta, grandes premios automovilísticos, 332
Cubo de la rueda, carruajes de caballos, 127
Cubo de la rueda delantera, vista en sección de un automóvil, 104-105
Cubo invertido, camión remolque, 122
Cubrebisagra, refrigerador, 245
Cubrecadena, bicicleta, 124
Cubrecolchón guateado, cama y accesorios, 267
Cubreteclado, piano, 355
Cucurucho de barquillo, comida rápida, 261
Cucurucho de helado, 261
Cuchara, pipa, 225
Cuchara de cocina, utensilios para preparaciones, 255
Cuchara de madera, utensilios para preparaciones, 255
Cuchara de medida, medidas y mezcladores, 254
Cuchara de postre, servicio de mesa, 240
Cuchara de té, servicio de postre, 241
Cuchara escurridera, utensilios para preparaciones, 255
Cuchara sopera, servicio de mesa, 240
Cucharón, utensilios para preparaciones, 255
Cucharón de helado, utensilios para preparaciones, 255
Cuchilla:
abridores, 247
armas medievales, 454
cepillo de dientes, 211
cortacésped, 419
herramientas de cepillar y dar forma, 410
instrumentos de ejecución, 452
litografía, 370
maquinillas de afeitar, 206
material de escritorio, 273
patinaje sobre hielo, 319
procedimientos de impresión, 164
sierra de cadena, 421
Cuchilla ajustable, taladradora eléctrica, 409
Cuchilla de acero, multirrobot de cocina, 250
Cuchilla de corte, bulldozer, 425
Cuchilla mezcladora, multirrobot de cocina, 250
Cuchilla para laminar, ralladores y picadoras, 257
Cuchilla para tallar, 369
Cuchillo, 252-453
Cuchillo, submarinismo, 325
Cuchillo de mesa, servicio de mesa, 240
Cuchillo para mantequilla, servicio de mesa, 240
Cuello:
alfarería, 367
arquitectura internacional, 68-69
batería, 358
blusa y falda, 193
caballo, 36
cordero, 31
cuerpo humano, 24
chaqueta y chaleco, 184
chaqueta y jersey, 195
chaqueta y pantalón, 192
despiece de un ave, 33
dientes, 446
equipo de exploración, 438
equipo de montar, 329
gato, 35
gimnasia, 301
golf, 304
herramientas de cepillar y dar forma, 410
lámparas e iluminación, 234
lavado y secado, 277
madera, 350-351
martillo, 402
material de laboratorio, 436-437
medios de lucha contra incendios, 280
payaso, 477
prendas de abrigo, 196
recipientes, 263
reloj de pared, 229
tenis, 306
tenis de mesa, 315
terminología náutica, 128
utensilios de limpieza doméstica, 278
Cuello con botón, camisa, 185
Cuello de camisa, corbatas, 189
Cuello de cisne:
esquí de fondo, 321
exterior de la casa, 61
fútbol americano, 289
Cuello de enmangue, martillo, 402
Cuello de pie, novia y novio, 472
Cuello de piel desmontable, prendas de abrigo, 196
Cuello de vestir, camisa, 185
Cuello desmontable, mayordomo y doncella, 473
Cuello duro, jefe de majorettes, 479
Cuello polo, chaqueta y jersey, 195
Cuello militar, galas reales, 468
Cuello vuelto, chaqueta y jersey, 195
Cuenca fluvial, río, 13
Cuenco, esclusa, 97
Cuenco de amortiguación, presa, 98
Cuenco para macedonia, servicio de postre, 241
Cuenco para mezclas, medidas y mezcladores, 254
Cuenta deslizable, sombreros masculinos, 198
Cuentagotas, 441
Cuentakilómetros, interior de un automóvil, 106
Cuentarrevoluciones:
interior de un automóvil, 106
motocicleta, 125
Cuerda, 348
Cuerda:
arco y flecha, 456
boxeo, 303
cadena y polea, 451
circo, 88-89
cultura física, 338
esquí acuático, 323
guitarra, 356
instrumentos de ejecución, 452
instrumentos populares, 360
mochila y saco de dormir, 337
piano, 355
reloj de pared, 229
tenis, 306
violín, 349

Cuerda de acompañamiento, guitarra, 356
Cuerda de anclaje, globo aerostático, 326
Cuerda de arrastre, 323
Cuerda de carga, globo aerostático, 326
Cuerda de control superior, paracaídas y planeador, 327
Cuerda de disparo, cañón y catapulta, 457
Cuerda de escalada, alpinismo, 328
Cuerda de la, violín, 348
Cuerda de la bambalina, escenario, 344
Cuerda de la cárcola, tejido, 379
Cuerda de la válvula, globo aerostático, 326
Cuerda de mi, violín, 349
Cuerda de re, violín, 349
Cuerda de sol, violín, 349
Cuerda de sujeción, tenis, 306
Cuerda de suspensión:
  zapato de caballero, 200
Cuerpo de guardia:
  castillo, 78-79
  fortificaciones, 80
Cuerpo de la cámara, cámara y película fotográficas, 171
Cuerpo de la máquina, máquina de vapor, 395
Cuerpo de la persiana, coberturas para ventanas, 236
Cuerpo de la pulidora, litografía, 370
Cuerpo de ventanales, iglesia, 84
Cuerpo del lápiz, lápiz, 160
Cuerpo humano, el, 24
Culata:
  armas automáticas, 461
  armas cortas, 460
  escopeta y fusil, 458-459
  gema o piedra preciosa, 214
  motor de automóvil, 107
Cultivadora, tractor, 424
Cultura física, 338
Cumbre, montañas, 8-9
Cumbrera:
  armazón, 59
  camping, 336
  establo y silo, 100
  exterior de la casa, 61
Cúmulo congestus, nubes, 16
Cumuloninbo:
  nubes, 16
  sistemas tormentosos, 17
Cuña:
  alpinismo, 328
  arco y flecha, 456
  banco de trabajo, 398
  cañón y catapulta, 457
  equipo dental, 445
  herramientas de cepillar y dar forma, 410
  martillo, 402
  prendas de abrigo, 196
Cutícula:
  extremidades, 29
  hoja, 50
Cuña de media suela, zapatilla deportiva, 296
Cupé, carrocería, 102
Cúpula:
  arquitectura internacional, 68-69
  carro de combate, 464-465
  establo y silo, 100
  sistema radicular, 49
  vela, 132
Cúpula de radar de morro, avión de caza, 152
Cúpula geodésica, 83
Cúpulas, 83
Cupulín, arquitectura internacional, 68-69
Cureña, 457
Cureña, arco y flecha, 456
Curso, río, 13
Curso de agua, esclusa, 97
Cursor, calculadoras, 431
Curva, material de escritorio, 273
Curva de la mandíbula, alicates, 404
Curva del arco de afinación, metal, 352-353
Curva derecha-izquierda, señales de tráfico, 488-489
Curva inferior, metal, 352-353
Curvatura, esquí alpino, 320
Cúspide:
  globo aerostático, 326
  paracaídas y planeador, 327
Cuerda de tensión, tenis de mesa, 315
Cuerda freno, globo aerostático, 326
Cuerda melódica, guitarra, 356
Cuerda principal:
  equipo de ganadero, 422
  esquí de fondo, 321
  tenis, 306
Cuerda simpática, guitarra, 356
Cuerda transversal, tenis, 306
Cuerdas, guitarra eléctrica, 357
Cuerno, vaca, 30
Cuerno de búfalo acuático, mamífero fantástico, 46-47
Cuerno de jirafa, mamífero fantástico, 46-47
Cuerno de kudu, mamífero fantástico, 46-47
Cuerno de rinoceronte, mamífero fantástico, 46-47
Cuero:
  calcografía, 371
  vaca, 30
Cuerpo:
  abridores, 247
  accesorios del calzado, 203
  accesorios musicales, 361
  alfarería, 367
  alicates, 404
  aspersores y boquillas, 418
  batería, 358
  batería de cocina, 253
  bolígrafo, 160
  bolsas y cestas, 262
  cámara acorazada y caja fuerte, 447
  cepillo de dientes, 211
  cierres de mercería, 204
  crustáceos y moluscos, 45
  dientes, 446
  emisor-receptor, 179
  equipo de exploración, 438
  gaita, 359
  guitarra, 356
  instrumentos para pruebas en pista, 297
  interruptor, 388
  juego de dardos, 316
  línea de alta tensión, 386
  llave y candado, 449
  madera, 350-351
  material de escritorio, 273
  material de laboratorio, 436-437
  medios de lucha contra incendios, 280
  medios terapéuticos, 441
  mobiliario de dormitorio, 268
  pesca, 334-335
  pluma, 160
  procedimientos de impresión, 164
  recipientes, 263
  reptiles, 40-41
  servicio de mesa, 240
  taladradora eléctrica, 409
  teléfono, 178
  telescopio y gemelos, 433
  utensilios para el peinado, 210
  útiles de medida, 414
  útiles de pintura, 415
  vehículos de bomberos, 120-121
  vídeocassette, 180
  xilografía, 368
  crustáceos y moluscos, 45
  glaciar, 12
  parque de atracciones, 90
Cúspide bucal distal, dientes, 446
Cúspide bucal mesial, dientes, 446
Cúspide lingual distal, dientes, 446
Cúspide lingual mesial, dientes, 446

CH

Chaleco, 184
Chaleco:
  chaqueta y jersey, 195
  mayordomo y doncella, 473
  novia y novio, 472
  trajes de época, 476
  vaquero e indio, 474
Chaleco flotador, submarinismo, 325
Chaleco salvavidas, 323
Chalina, 189
Chalina, corbatas, 189
Chambergo, trajes de época, 476
Champú, utensilios para el peinado, 210
Chancleta, zapato de señora, 201
Chanclo, accesorios del calzado, 203
Chantilly, postres, 260
Chapa aislante, camping, 336
Chapa de glacis, carro de combate, 464-465
Chapa de la caldera, ferrocarril, 112-113
Chapa de montaje, interruptor, 388
Chapa de piso, escalera mecánica, 77
Chapa de protección contra el barro, carro de combate, 464-465
Chapa del piso, vista en sección de un automóvil, 104-105
Chapa indicadora, frontón y squash, 307
Chapa inferior del cargador, escopeta y fusil, 458-459
Chapa perforada, batería de cocina, 253
Chaparrera, vaquero e indio, 474
Chapitel:
  iglesia, 84
  vela, 132
Chapitel acanalado, arquitectura internacional, 68-69
Chaqueta, 184-192-195
Chaqueta de etiqueta, novia y novio, 472
Chaqueta de punto, 195
Chaqueta isotérmica, submarinismo, 325
Chaqueta larga, mayordomo y doncella, 473
Chaqueta sastre, 192
Chaqueta suelta, 192
Charanga, orquesta, 348
Charleston, 358
Charnela:
  bisagra y aldabilla, 450
  crustáceos y moluscos, 45
Charretera:
  jefe de majorettes, 479
  trajes de época, 476
Charro, equipo de ganadero, 422
Chasis:
  carrocería, 102-103
  tractor, 424
Chasis monocasco, grandes premios automovilísticos, 332
Chasis portacápsula, equipo de alta fidelidad, 176
Chaveta, terminología náutica, 128
Cheng-lung, vestimenta local, 475
Chiffonier, mobiliario de dormitorio, 268
Chigre de amarre, petrolero, 136-137
Chilaba, vestimenta local, 475
Chimenea, 228
Chimenea:
  buque contraincendios, 144
  buque de guerra de superficie, 140-141
  buque de pasajeros, 138-139
  caldera de calefacción, 390
  exterior de la casa, 61
  ferrocarril, 112-113
  montañas, 8-9
  sección transversal de una, 228
  sección transversal de una caverna, 11
  túnel, 96
  volcán, 10
Chimenea adventicia, volcán, 10
Chinchorro, bote de remos, 129
Chino:
  coladores y filtros, 256
  exprimidores, 251
Chip de un transistor, 386
Chistera:
  circo, 88-89
  jefe de majorettes, 479
  trajes de época, 476
Chorrera, novia y novio, 472
Chorro, aerodeslizadores, 145
Choza, tienda india, 82
Chubascos, mapa meteorológico, 19
Chuletas:
  cerdo, 32
  vaca, 30
Chuletas de palo, cordero, 31
Chumacera, bote de remos, 129
Chupeta, yates a motor, 134-135
Chuzo, bombero, 484

D

Dado, columna, 71
Daiwa, arquitectura internacional, 68-69
Dalmática, ornamentos religiosos, 471
Dama, 342
Dama, ajedrez y damas, 339
Dama de corazones, juegos de cartas, 342

Dama de diamantes, juegos de cartas, 342
Dama de picas, juegos de cartas, 342
Dama de tréboles, juegos de cartas, 342
Damas, 339
Dardo, 316
Deambulatorio, interior de una iglesia, 85
Decapado, útiles de pintura, 415
Decatlón, atletismo en pista, 294
Decoración:
alimentos preparados, 259
globo aerostático, 326
postres, 260
Decorado, escenario, 344
Dedal, 376
Dedil, frontón y squash, 307
Dedo:
béisbol, 287
caballo, 36
extremidades, 29
perro, 34
Dedo gordo, extremidades, 29
Dedo posterior, aves de corral, 33
Dedos:
anatomía popular, 25
anfibios, 42
aves, 37
aves de corral, 33
cuerpo humano, 24
gato, 35
Dedos del pie, cuerpo humano, 24
Dedos retraídos, gato, 35
Defensa, 291
Defensa, puente, 95
Defensa de costado, remolcador, 144
Defensa de proa, remolcador, 144
Deflector, estufa de leña, 394
Deflector aerodinámico, camión tractor, 116-117
Deflector de llama, lanzadera espacial y plataforma de lanzamiento, 154
Deflector de nieve, vehículos de recreo, 126
Deflector de rebufo, portaaeronaves, 142
Deflector posterior, cortacésped, 419
Deflexor, paracaídas y planeador, 327
Degüello, caballo, 36
Delantal, mayordomo y doncella, 473
Delantero, chaqueta y chaleco, 184
Delantero, chaqueta y jersey, 195
Delantero, prendas de abrigo, 197
Delfín, 43
Delineador para labios, productos de belleza, 213
Delta:
paisajes terrestres, 7
río, 13
Dentadura completa, 443
Dentadura fundamental de resina acrílica, prótesis y correctores dentales, 443
Dentadura parcial, 443
Dentina, dientes, 446
Departamento especial, mesas médicas, 440
Deportes, 285
Depósito de aire, órgano, 354
Depósito de gas, aerostato, 158
Depósito:
módulo lunar, 156
plataforma de perforación submarina, 99
pluma, 160
útiles de pintura, 415
Depósito auxiliar:
camión tractor, 116-117
módulo lunar, 156
Depósito de agua:
cafeteras, 248
calentador de agua, 391
estación de clasificación, 94
plancha, 275
Depósito de agua con boro, reactor nuclear, 384-385
Depósito de aire, ferrocarril, 112-113
Depósito de aire comprimido, camión tractor, 116-117
Depósito de almacenamiento, sistema de energía solar, 383
Depósito de arena, estación de clasificación, 94
Depósito de borde, sección transversal de una caverna, 11
Depósito de butano, cigarro y cigarrillo, 224
Depósito de combustible:
camión tractor, 116-117
camping, 336
carreras de dragsters, 333
motor de combustión interna, 396
vehículos de recreo, 126
vehículos de saneamiento, 123
Depósito de condensados, reactor nuclear, 384-385
Depósito de desagüe, reactor nuclear, 384-385
Depósito de desechos radiactivos, reactor nuclear, 384-385
Depósito de gasolina:
cortacésped, 419
sierra de cadena, 421
vista en sección de un automóvil, 104-105
Depósito de jeringas, ambulancia, 119
Depósito de mercurio, material de exploración física, 439
Depósito de virutas, material de escritorio, 273
Depósito del aceite hidráulico, bulldozer, 425
Depósito doméstico de agua caliente, sistema de energía solar, 383
Depósito exterior de combustible:
avión de caza, 152
lanzadera espacial y plataforma de lanzamiento, 154
Depósito hidráulico, vehículos de saneamiento, 123
Depósitos de cenizas, volcán, 10
Depresor de lengua, ambulancia, 119
Depresor lingual, material de exploración física, 439
Depurador de aire, vehículos de saneamiento, 123
Derecho, cinturón y tirantes, 186
Derechos de autor, símbolos científicos y comerciales, 494
Deriva de los vientos de poniente, vientos y corrientes oceánicas, 6
Deriva nordatlántica, vientos y corrientes oceánicas, 6
Deriva norpacífica, vientos y corrientes oceánicas, 6
Desagüe, 269
Desagüe, grifo y lavabo, 269
Desagüe de la bañera, baño y ducha, 270
Desagüe inferior, presa, 98
Desatascador, 412
Descamador, navaja múltiple, 416
Descanso, escalera, 64
Descenso, 320
Descenso, parque de atracciones, 90
Descenso peligroso, señales de tráfico, 488-489
Desconexión piloto automático, cabina de pilotaje del 747, 150-151
Desembocadura:
paisajes terrestres, 7
río, 13
Desempolvado, útiles de pintura, 415
Desfibrilador, ambulancia, 119
Desfiladero, montañas, 8-9
Desfile, circo, 88-89
Deshumidificador, acondicionamiento de aire, 392
Deslizador, 322
Deslizador, esquí acuático, 323
Desmarginador, máquina de escribir, 162
Desmineralizador, reactor nuclear, 384-385
Despejado, mapa meteorológico, 19
Despepitador de manzanas, ralladores y picadoras, 257
Desplantador, útiles de jardinería, 417
Desplazamiento, yates a motor, 134-135
Desprendimiento de tierras, señales públicas, 490-491
Destello, gema o piedra preciosa, 214
Destino, autobús, 114
Destornillador, navaja múltiple, 416
Destornillador angular, destornillador, 403
Destornillador de berbiguí, 403
Destornillador de carraca, destornillador, 403
Destornillador de mango acodado, destornillador, 403
Destornillador en estrella, navaja múltiple, 416
Destral, bombero, 484
Destructor, buque de guerra de superficie, 140-141
Desván, exterior de la casa, 61
Desviador delantero, bicicleta, 124
Detector de control remoto, televisión, 181
Detector de humo, 280
Detector de la zona de parada, ascensor, 76
Detector de metales, 435
Detector de plasma solar, satélite, 182
Detectores, 435
Deterioro, dientes, 446
Detonador, armas cortas, 460
Diadema:
anillo, 215
atributos reales, 469
equipo de alta fidelidad, 177
galas reales, 468
Diafragma:
anatomía popular, 25
equipo de alta fidelidad, 177
instrumentos populares, 360
material de exploración física, 439
Diafragma acanalado, material de exploración física, 439
Diafragma luminoso, microscopio, 432
Diafragma plano, material de exploración física, 439
Diagnóstico médico, símbolos científicos y comerciales, 494
Diagrama, reloj de sol, 381
Dial, equipo meteorológico, 18
Dial de control de la angulación vertical, unidad dentaria, 444
Dial de mando de los rayos X, unidad dentaria, 444
Dial de presión de la pata, máquina de coser, 274
Dial de sintonía, equipo de alta fidelidad, 177
Dial de temperaturas, tostador de pan, 249
Dial lumínico de sintonía para AM y FM, equipo de alta fidelidad, 177
Diamante, 287
Diamante:
atributos reales, 469
juegos de cartas, 342
Diana, 316
Diana doble, juego de dardos, 316
Diana sencilla, juego de dardos, 316
Diapasón, 361
Diapasón:
guitarra, 356
violín, 349
guitarra eléctrica, 357
Diapasón de viento, 361
Diapositiva, 171
Diapositiva, proyectores, 173
Diente:
alicates, 404
alpinismo, 328
anillo, 215
aves de corral, 33
cierres de mercería, 205
cinturón y tirantes, 186
clavos y tornillos, 400
herramientas de cepillar y dar forma, 410
llave, 405
llave y candado, 449
plantas inferiores, 55
servicio de mesa, 240
tractor, 424
trampas, 423
utensilios para el peinado, 210
útiles de jardinería, 417
Diente (vista coronal), 446
Diente (vista lateral), 446
Diente artificial, prótesis y correctores dentales, 443
Diente cerrado, cierres de mercería, 205
Diente cortante, crustáceos y moluscos, 45
Diente de anclaje, prótesis y correctores dentales, 443
Diente de ballena, serigrafía y huesos tallados, 369
Diente de la infancia, dientes, 446
Diente de la rueda motriz, carro de combate, 464-465
Diente de leche, dientes, 446
Diente de perro, muro de ladrillo, 67
Diente de sujeción, cepillo de dientes, 211
Diente estribo, prótesis y correctores dentales, 443
Diente falso, prótesis y correctores dentales, 443

Diente postizo, prótesis y correctores dentales, 443
Diente triturador, crustáceos y moluscos, 45
Dientes, 406-446
Dientes, reptiles, 40-41
Dientes inferiores, 446
Dientes permanentes, 446
Dientes superiores, 446
Diéresis, signos ortográficos, 497
Diferencial, vista en sección de un automóvil, 104-105
Difusor para medición de luz incidente, accesorios fotográficos, 174
Digitorium, piano, 355
Diligencia, 127
Dimensión, rueda, 101
Diminuendo, partitura, 346
Dinosaurio, reptiles, 40-41
Dintel:
armazón, 59
arquitectura internacional, 68-69
ascensor, 76
chimenea, 228
iglesia, 84
puerta, 62
Dique, volcán, 10
Dique concordante, volcán, 10
Dique natural, río, 13
Dirección, teodolito, 426
Director de coro, orquesta, 348
Director de misiles, portaaeronaves, 142
Director de pista, circo, 88-89
Director de tiro, buque de guerra de superficie, 140-141
Dirigible, 158
Dirigible flexible, aerostato, 158
Dirigible rígido, aerostato, 158
Dirigible semirrígido, aerostato, 158
Disco, 176-297
Disco:
cultura física, 338
hortalizas, 52
sierra mecánica, 407
tejo y croquet, 312
televisión, 181
vida marina, 43
Disco central, vida marina, 44
Disco cuadrofónico, equipo de alta fidelidad, 176
Disco de combinación primaria, cámara acorazada y caja fuerte, 447
Disco flexible, 429
Disco magnético, ordenador, 429
Disco de freno, vista en sección de un automóvil, 104-105
Disco de marcar, teléfono, 178
Disco de mica, lámparas e iluminación, 234
Disco del péndulo, reloj de pared, 229
Disco digital, anfibios, 42
Disco estereofónico, equipo de alta fidelidad, 176
Disco monoaural, equipo de alta fidelidad, 176
Disco para graduar la sensibilidad de la película, accesorios fotográficos, 174
Disco picador, multirrobot de cocina, 250
Disco plástico, carreras de calesines, 331
Disco rebanador, multirrobot de cocina, 250
Disco selector de lentes, equipo de exploración, 438
Disco triturador, exprimidores, 251
Diseño:
serografía y huesos tallados, 369
vidrio emplomado, 372
Diskette, 429
Disparador:
armas automáticas, 461
esquí acuático, 323
vídeocassette, 180
Disparador y avance automático de película, cámara fotográfica, 170
Disparar, armas cortas, 460
Dispensador de hielo, refrigerador, 245
Display, caja registradora, 430
Display, calculadoras, 431
Dispositivo de amarre, aerostato, 158
Dispositivo de apertura retardada, cámara acorazada y caja fuerte, 447
Dispositivo de aporte de aire fresco al piloto, grandes premios automovilísticos, 332
Dispositivo de flotación, avión comercial,148-149
Dispositivo de frenado de aviones, portaaeronaves, 142
Dispositivo de retracción, bolígrafo, 160
Dispositivo de vacío del avance del encendido, motor de automóvil, 107
Dispositivo de ventilación, lavavajillas, 246
Dispositivo eléctrico, esgrima, 309
Dispositivo hidroneumático, plataforma de perforación submarina, 99
Disruptor, avión particular, 147
Distal, dientes, 446
Distancia focal, microscopio, 432
Distintivo de clase, vela, 132
Distorsionador, guitarra eléctrica, 357
Distorsionador de mano, guitarra eléctrica, 357
Distribuidor, vehículo lunar, 157
Distribuidor de muestras, vehículo lunar, 157
Distribuidora, 420
Distribuidora giratoria, carretilla y sembradora, 420
Distribuidora rectangular, carretilla y sembradora, 420
Disyuntor de compensación estabilizador, cabina de pilotaje del 747, 150- 151
Disyuntor eléctrico, cabina de mando de la lanzadera espacial, 155
Diván, sofá, 232
Dividido por, símbolos científicos y comerciales, 494
Divisa, escudo de armas, 487
División de Cassini, universo, 2-3
División de centímetro, útiles de medida, 414
División de decímetro, útiles de medida, 414
División de medio centímetro, útiles de medida, 414
División de milímetro, útiles de medida, 414
Dobladillo:
coberturas para ventanas, 236
corbatas, 189
Dobladillo hueco, coberturas para ventanas, 237
Doble barra, partitura, 346
Doble barra de pinza o barra giratoria sencilla, lavado y secado, 277
Doble bolsillo, bolso de mano, 218
Doble estría helicoidal, destornillador, 403
Doble lengüeta, madera, 350-351
Dogal, equipo de ganadero, 422
Dólar, símbolos científicos y comerciales, 494
Domador, circo, 88-89
Domador de fieras, 88-89
Domador de potros, vaquero e indio, 474
Dominó, juegos de fichas, 339
Domo de seguridad, ferrocarril, 112-113
Domo de vapor, ferrocarril, 112-113
Domo del sonar:
buque de guerra de superficie, 140-141
radar y sonar, 434
Doncella, 473
«Donut», béisbol, 286
Dormitorio, mobiliario de, 268
Dormitorio de la tropa, fortificaciones, 80
Dorso:
aves, 37
aves de corral, 33
cierres de mercería, 205
Dos puntos, signos ortográficos, 497
Dosel, cama y accesorios, 266
Dosificador de detergente, fregadero, 243
Dosificador de jabón, fregadero, 243
Dosis, medios terapéuticos, 441
Dovelas, arco, 70
Dozer, bulldozer, 425
Dracma, símbolos científicos y comerciales, 494
Drag strip, carreras de dragsters, 333
Dragón:
mamífero fantástico, 46-47
vestimenta local, 475
Dragsters, 333
Dragsters, carreras de, 333
Drenaje, valla, 65
Driver, golf, 304
Driza:
banderas, 486
velero, 130
Driza de señales, buque de guerra de superficie, 140-141
Drumlin, glaciar, 12
Drupa, frutos, 53
Ducha, 270
Ducha de teléfono, baño y ducha, 270
Duela, recipientes, 263
«Dugout», béisbol, 287
Dulcémele de pulgar, 356
Dunas, olas y costa, 14

E

Eclisa, paso a nivel, 111
Economato, prisión, 74
Ecuador:
cartografía, 5
vientos y corrientes oceánicas, 6
Ecualizador, equipo de alta fidelidad, 177
Edificio auxiliar, 384-385
Edificio de contención, 384-385
Edificio de la administración, prisión, 74
Edificio de turbinas, 384-385
Edificio de ventilación, túnel, 96
Edificio terminal de pasajeros, aeropuerto, 92-93
Edificios, 57
Editor, partitura, 346
Edredón:
cama y accesorios, 267
mochila y saco de dormir, 337
Efe, violín, 349
Efecto de profundidad, hidroalas, 145
Efecto Doppler, universo, 2-3
Efecto especial, guitarra eléctrica, 357
Eje:
aparatos ortopédicos, 442
bisagra y aldabilla, 450
buque de guerra de superficie, 140-141
cadena y polea, 451
carretilla y sembradora, 420
carruajes de caballos, 127
coberturas para ventanas, 237
costura, 376
cuchillo, 252
equipo de alta fidelidad, 176
máquina de escribir, 162
material de exploración física, 439
parque de atracciones, 91
patinaje sobre ruedas, 318
plantas inferiores, 55
punto, 378
televisión, 181
Eje de articulación:
instrumentos eléctricos, 413
material de escritorio, 273
útiles de medida, 414
Eje de giro:
mapa meteorológico, 19
útiles de pintura, 415
Eje de la bobina, proyectores, 173
Eje de la caja de engranajes, calcografía, 371
Eje de la manivela, máquina de vapor, 395
Eje de la palanca, exprimidores, 251
Eje de los pedales, bicicleta, 124
Eje del acelerador, motor de combustión interna, 396
Eje del soporte, proyectores, 173
Eje delantero:
accesorios de jardín, 283
bicicleta, 124
Eje trasero:
accesorios de jardín, 283
accesorios para bebés, 282
camión tractor, 116-117
patinaje sobre ruedas, 318
tractor, 424
vista en sección de un automóvil, 104-105
Ejercicio de suelo, gimnasia, 300
Ejercicio isotónico, cultura física, 338
Elástico:
accesorios del calzado, 203
béisbol, 286
prendas de abrigo, 196
Elástico del bajo, chaqueta y jersey, 195

Elástico del puño, chaqueta y
jersey, 195
Electricidad estática, avión
comercial, 148-149
Electrocardiógrafo portátil,
ambulancia, 119
Electrodo, instrumentos de
ejecución, 452
Electrónica, símbolos científicos y
comerciales, 494
Elemento:
caldera de calefacción, 390
emisor-receptor, 179
Elemento calefactor, vidrio
emplomado, 372
Elemento combustible, reactor
nuclear, 384-385
Elemento de fijación, sierras de
mano, 406
Elemento de la oruga, carro de
combate, 464-465
Elemento de sostén, valla, 65
Elemento excitado,
emisor-receptor, 179
Elementos de expansión, tuercas,
401
Elementos de fijación, 400
Elepé, equipo de alta fidelidad, 176
Elevación de peso, cultura física,
338
Elevador, escenario, 344
Elevador del cartucho, armas
cortas, 460
Elevador del pie, gimnasia, 300
Elevador hidráulico, vehículos de
bomberos, 120-121
Elevón, lanzadera espacial y
plataforma de lanzamiento, 154
Eliminador de interferencias,
radar y sonar, 434
Embalse, presa, 98
Embarcación, bote de remos, 129
Embarcación de colchón de aire,
145
Embarcadero, castillo, 78-79
Embellecedor, cerraduras de
puerta, 448
Embellecedor lateral, carrocería,
102-103
Emblema:
banderas, 486
guardián de la Torre de
Londres, 467
jefe de majorettes, 479
Emblema con el escudo de armas
y el distintivo del rango del
Mandarín, vestimenta local,
475
Emblema del equipo, béisbol, 286
Embrague:
litografía, 370
vista en sección de un
automóvil, 104-105
Embrague del ventilador, motor
de automóvil, 107
Embrazadura, armas medievales,
454
Embocadura:
escenario, 344
madera, 350-351
metal, 352-353
Embocadura de la vara, carreras
de calesines, 331
Embolo:
medios terapéuticos, 441
pluma, 160
Embolo de la puerta trasera,
vehículos de saneamiento, 123
Embudo:
medidas y mezcladores, 254
trampas, 423
vida marina, 44
Embudo del tornado, sistemas
tormentosos, 17
Embutido, comida rápida, 261
Emerillón, pesca, 334-335
Eminencia hipotenar,
extremidades, 29
Eminencia tenar, extremidades, 29
Emisor:
línea de alta tensión, 386
teléfono, 178
Emisor-receptor, 179
Empalizada, fortificaciones, 80
Empalme:
billar, 314
calentador de agua, 391
Empalme, incorporación por la
derecha, señales de tráfico,
488-489
Empaquetadora, grifo y lavabo,
269
Empaste, equipo dental, 445
Empeine:
accesorios del calzado, 203
extremidades, 29
zapato de caballero, 200
Empella, zapatilla deportiva, 296
Empenaje de cola, avión
particular, 147
Emplastecido, útiles de pintura,
415
Empujador, exprimidores, 251
Empuñadura, 309-453
Empuñadura:
accesorios para bebés, 282
arco y flecha, 456
armas automáticas, 461
armas cortas, 460
béisbol, 287
billar, 314
cultura físcia, 338
esquí acuático, 323
herramientas de cepillar y dar
forma, 410
instrumentos para pruebas en
pista, 297
lijadora portátil, 411
martillo, 402
martillo perforador, 426
medios de lucha contra
incendios, 280
mortero y bazooka, 462
pesca, 334-335
sextante, 133
sierra mecánica, 407
sierras de mano, 406
surf, 324
taladradora eléctrica, 409
teléfono, 178
tenis, 306
tenis de mesa, 315
útiles de fontanería, 412
útiles de pintura, 415
vehículo lunar, 157
vehículos de bomberos, 120-121
videocassette, 180
Empuñadura curva, accesorios del
calzado, 203
Empuñadura de las riendas,
carreras de calesines, 331
Empuñadura del bastón, esquí
alpino, 320
Empuñadura delantera, escopeta y
fusil, 458-459
Empuñadura deslizante,
taladradora de mano, 408
Empuñadura frontal:
herramientas de cepillar y dar
forma, 410
sierra de cadena, 421
Empuñadura lateral, taladradora
de mano, 408
Empuñadura tipo pistola, sierras
de mano, 406
En medio, terminología náutica,
128
Enagua:
galas reales, 468
mayordomo y doncella, 473
Enana blanca, universo, 2-3
Enano, circo, 88-89
Encaje de aguja, costura
decorativa, 377
Encaje de frivolité, punto, 378
Encastre, gaita, 359
Encastre, armas blancas, 453
Encastre de las cuerdas,
instrumentos populares, 360
Encastre del mástil, guitarra, 356
Encendedor automático, accesorios
de jardín, 284
Encendedor de gas, 224
Encendedor eléctrico, interior de
un automóvil, 106
Encendido, interruptor, 388
Encendido automático, cocina,
244
Encendido del motor de arrastre,
cámara y película fotográficas,
171
Enceste, baloncesto, 292
Encía, prótesis y correctores
dentales, 443
Encimera:
cocina, 244
estufa de leña, 394
fregadero, 243
mobiliario de comedor, 239
Encintado:
instrumentos para pruebas en
pista, 297
salto con pértiga, 299
Enclavamiento de la palanca de
control, aspersores y boquillas,
418
Enclavamiento y retención bobina,
magnetófonos, 175
Encofrado de acero, túnel, 96
Encofrado del túnel, túnel, 96
Encordado central, esquí de
fondo, 321
Encordado delantero, esquí de
fondo, 321
Encordado trasero, esquí de
fondo, 321
Encuentro, esgrima, 309
Enchufe, 388
Enchufe:
aspersores y boquillas, 418
cafeteras, 248
medios terapéuticos, 441
Enchufe auxiliar, cámara de cine,
172
Enchufe de la taza, esgrima, 309
Enchufe de pared, 388
Enchufe DIN, proyectores, 173
Enchufe hembra, 388
Enchufe macho, 388
Enchufe para altavoz, proyectores,
173
Enchufe para auricular, cámara de
cine, 172
Enchufe para auriculares, equipo
de alta fidelidad, 177
Enchufe para el flash, cámara
fotográfica, 170
Enchufe para micrófono,
proyectores, 173
Endocarpo, frutos, 53
Energía eléctrica, sistema de
energía solar, 383
Energía eólica, 382
Energía mecánica, máquina de
vapor, 395
Energía solar, sistema de, 383
Energía térmica, máquina de
vapor, 395
Enfermería:
buque de pasajeros, 138-139
fortificaciones, 80
prisión, 74
Enfoque automático por sonar,
cámara fotográfica, 170
Enganche, 424
Enganche:
cadena y polea, 451
camión tractor, 116-117
carreras de calesines, 331
carruajes de caballos, 127
ferrocarril, 112-113
Enganche de hoja, bulldozer, 425
Enganche de la botella a la
espalda, submarinismo, 325
Enganche del fiador, cadena y
polea, 451
Enganche deslizante, cerraduras de
puerta, 448
Engarce, armas cortas, 460
Engaste:
anillo, 215
valla, 298
Engranaje, carretilla y sembradora,
420
Engranaje de la hélice,
aerodeslizadores, 145
Engranaje de movimiento lateral,
mortero y bazooka, 462
Engranaje de rotación de las
tablillas, coberturas para
ventanas, 237
Engrasador, máquina de vapor,
395
Enjaezar, carreras de calesines,
331
Enjulio, tejido, 379
Enorme pajarita, payaso, 477
Enrejado, castillo, 78-79
Ensamble, armazón, 59
Ensenada:
costa y margen continental, 15
paisajes terrestres, 7
Ensillar, carreras de calesines, 331
Entablamento, columna, 71
Entalladura, costura, 376
Entalladura de ajuste, carruajes de
caballos, 127
Entalladura para botones, plancha,
275
Entalladura para la uña, abridores,
247
Entrada, 343
Entrada:
aeropuerto, 92-93
alimentos preparados, 259
cabello masculino, 207
cúpulas, 83
teatro, 345
Entrada de aire:
avión comercial, 148-149
carrocería, 102-103
intercambiador de calor, 393
mesas médicas, 440
motores a reacción, 397
Entrada de aire al motor:
aerodeslizadores, 145
avión particular, 147
grandes premios
automovilísticos, 332
Entrada de aire para el ventilador

de sustentación, aerodeslizadores, 145
Entrada de gas, material de laboratorio, 436-437
Entrada del aire de refrigeración del radiador, grandes premios automovilísticos, 332
Entrada del interruptor de pie, guitarra eléctrica, 357
Entrada del instrumento, guitarra eléctrica, 357
Entrada para grabación de otras fuentes externas, magnetófonos, 175
Entrada para micrófono, magnetófonos, 175
Entrada para teléfono, magnetófonos, 175
Entramado de cubierta compuesta, 59
Entrañas, anatomía popular, 25
Entrecejo, gato, 35
Entrelazado de cuerda, cañón y catapulta, 457
Entremeses, alimentos preparados, 259
Entrepaño lateral, mobiliario de comedor, 239
Entresuela, bota y sandalia, 202
Entretejido de cabello, cabello masculino, 207
Entretela:
cinturón y tirantes, 186
corbatas, 189
Envoltura, aerostato, 158
Envoltura, globo aerostático, 326
Envuelta, armas cortas, 460
Envuelta de protección, armas automáticas, 461
Envuelta estriada de hierro fundido, granada y mina, 463
Epé, equipo de alta fidelidad, 176
Epiglotis, órganos de los sentidos, 28
Equino, columna, 71
Equipaje, 281
Equipo:
juego de dardos, 316
natación, 310
Equipo de destilación, material de laboratorio, 436-437
Equipo de escalada, 328
Equipo de exploración, 438
Equipo de ganadero, 422
Equipo de iluminación, microscopio, 432
Equipo de montar, 329
Equipo de oxígeno, automóvil de policía, 118
Equipo de transfusión, mesas médicas, 440
Equipo dental, 445
Equipo elevador, plataforma de perforación submarina, 99
Equipo exploratorio, módulo lunar, 156
Equipo médico, 119
Equipo meteorológico, 18
Escala:
buque de guerra de superficie, 140-141
vehículos de bomberos, 120-121
yates a motor, 134-135
Escala alta y baja, accesorios fotográficos, 174
Escala Celsius:
equipo meteorológico, 18
material de exploración física, 439
Escala centígrada, equipo meteorológico, 18
Escala central, material de laboratorio, 436-437
Escala de abertura de diafragma, videocassette, 180
Escala de ajuste fino, material de laboratorio, 436-437
Escala de ajuste grueso, material de laboratorio, 436-437
Escala de distancias:
cámara de cine, 172
cámara fotográfica, 170
cámara y película fotográficas, 171
Escala de equivalencias, accesorios fotográficos, 174
Escala de inclinación, sierra mecánica, 407
Escala de longitud focal, cámara de cine, 172
Escala de MACC, instrumentos eléctricos, 413
Escala de medición de luz, accesorios fotográficos, 174
Escala de mv CC, instrumentos eléctricos, 413
Escala de ohmios, instrumentos eléctricos, 413
Escala de profundidad de campo, cámara y película fotográficas, 171
Escala de reconocimiento, remolcador, 144
Escala de temperatura, instrumentos eléctricos, 413
Escala de valores tensionales, material de exploración física, 439
Escala de VCA, instrumentos eléctricos, 413
Escala de VCC, instrumentos eléctricos, 413
Escala de valor de exposición del obturador, accesorios fotográficos, 174
Escala Fahrenheit:
equipo meteorológico, 18
material de exploración física, 439
Escala frontal, material de laboratorio, 436-437
Escala graduada:
accesorios musicales, 361
material de exploración física, 439
Escala indicadora de apertura, accesorios fotográficos, 174
Escala indicadora de tiempo de exposición, accesorios fotográficos, 174
Escala para cine, accesorios fotográficos, 174
Escala posterior, material de laboratorio, 436-437
Escala real, buque de guerra de superficie, 140-141
Escalas, calculadoras, 431
Escalera, 64
Escalera:
accesorios de jardín, 283
establo y silo, 100
exterior de la casa, 61
hidroalas, 145
instrumentos de ejecución, 452
Escalera a cámara, compartimientos de un barco de vela, 131
Escalera de caracol, avión comercial, 148-149
Escalera de emergencia, parque de atracciones, 91
Escalera de la cámara, velero, 130
Escalera de mano, 415
Escalera de mano, vehículos de bomberos, 120-121
Escalera de seguridad, parque de atraciones, 91
Escalera extensible, 120-121
Escalera mecánica, 77
Escalera sin fin, accesorios de jardín, 283
Escalerilla:
circo, 88-89
módulo lunar, 156
tractor, 424
Escalinata:
escalera, 64
exterior de la casa, 61
puerta, 62
Escalón:
cañón y catapulta, 457
escalera, 64
vehículos de bomberos, 120-121
Escalón abatible, mesas médicas, 440
Escalón incorporado al parachoques, camión tractor, 116-117
Escalones, escalera mecánica, 77
Escama, hoja, 50
Escamas:
aves, 37
vida marina, 43
Escamas córneas, reptiles, 40-41
Escamas ventrales, reptiles, 40-41
Escape, máquina de vapor, 395
Escape de aire, intercambiador, de calor, 393
Escape de seguridad, motor fuera borda, 133
Escápula, sistema muscular y esquelético, 26
Escapulares, aves, 37
Escarapela, trajes de época, 476
Escarbadiente, navaja múltiple, 416
Escarbadientes, cepillo de dientes, 211
Escarcela, armadura, 455
Escariador:
taladradora de mano, 408
útiles de fontanería, 412
Escarpa, fortificaciones, 81
Escarpe, armadura, 455
Escarpe de playa, olas y costa, 14
Escarpia, marco para cuadros, 373
Escena, escenario, 344
Escenario, 344
Escenario, teatro, 345
Escinco, reptiles, 40-41
Esclavina, vestimenta local, 475
Esclerótica, órganos de los sentidos, 28
Esclusa, 97
Escoba, 278
Escobén:
buque contraincendios, 144
buque de pasajeros, 138-139
Escobén para la amarra de popa, buque de pasajeros, 138-139
Escobilla del limpiaparabrisas, interior de un automóvil, 106
Escocia, columna, 71
Escofina, 410
Escofina, herramientas de escultor, 366
Escollera, presa, 98
Escopeta, 458-459
Escoplo, herramientas de escultor, 366
Escópula, arañas, 38
Escorpión:
mamífero fantástico, 46-47
signos del Zodiaco, 493
Escota de la mayor, velero, 130
Escotadura:
arco y flecha, 456
armas blancas, 453
banderas, 486
Escote:
maquinillas de afeitar, 206
ropa interior, 190
zapato de caballero, 200
zapato de señora, 201
Escote a la caja, chaqueta y jersey, 195
Escote de barco, chaqueta y jersey, 195
Escote en pico, chaqueta y jersey, 195
Escote sin cuello, chaqueta y pantalón, 192
Escotilla:
autobús, 114
carro de combate, 464-465
remolcador, 144
velero, 130
Escotilla de acople, módulo lunar, 156
Escotilla de carga, carro de combate, 464-465
Escotilla de entrada, carro de combate, 464-465
Escotilla de la cámara, velero, 130
Escotilla de los tanques, petrolero, 136-137
Escotilla delantera, módulo lunar, 156
Escotilla superior, módulo lunar, 156
Escotillón, escenario, 344
Escritorio, 272
Escritorio de cierre enrollable, escritorio, 272
Escritura, máquina de votar, 427
Escritura fonética, señales públicas, 490-491
Escritura ideográfica, señales públicas, 490-491
Escritura pictográfica, señales públicas, 490-491
Escrúpulo, símbolos científicos, y comerciales, 494
Escuadra, coberturas para ventanas, 236
Escuadra de 45°, útiles de medida, 414
Escuadra de 90°, útiles de medida, 414
Escuadra de combinaciones, 414
Escuadra de ingletes, útiles de medida, 414
Escuadra de talón, útiles de medida, 414
Escuadra para ingletes, útiles de medida, 414
Escudete, armadura, 455
Escudo, 454
Escudo:
banderas, 486
cámara acorazada y caja fuerte, 447
cerraduras de puerta, 448
escudo de armas, 487
Escudo anal, reptiles, 40-41
Escudo de armas, 487
Escuela, prisión, 74
Escultor, herramientas de, 366
Escultura modelada, herramientas de escultor, 366

Escultura tallada, herramientas de escultor, 366
Escupidera, unidad dentaria, 444
Escurridor, útiles de pintura, 415
Escurridor de lechuga, coladores y filtros, 256
Esfera:
reloj de pared, 229
relojes de pulsera y bolsillo, 216
Tierra, 1
Esfera lunar, reloj de pared, 229
Esfigmomanómetro de mercurio, 439
Esgrima, 309
Esgrimista, esgrima, 309
Eslabón:
anillo, 215
cadena y polea, 451
gema o piedra preciosa, 214
llave y candado, 449
paracaídas, y planeador, 327
pesca, 334-335
relojes de pulsera y bolsillo, 216
sierra de cadena, 421
Eslabón de la cadeneta, pulsera de identificación, 183
Eslabón giratorio, instrumentos para pruebas en pista, 297
Esmalte, dientes, 446
Esófago, órganos internos, 27
Espacio, 346
Espacio entre dientes, sierra de mano, 406
Espacio para el neumático, carrocería, 102-103
Espacio para la escalera, autobús, 114
Espacio para las piernas, escritorio, 272
Espada:
esgrima, 309
tejido, 379
Espada de gala, galas reales, 468
Espalda:
arco y flecha, 456
cuerpo humano, 24
natación, 310
olas y costa, 14
Espaldar, armadura, 455
Espaldilla, vaca, 30
Espaldón, herramientas de cepillar y dar forma, 410
Esparadrapo, alpinismo, 328
Espárrago, hortalizas, 52
Esparto, zapato de señora, 201
Espátula:
pintura, 364-365
utensilios para preparaciones, 255
Espátula de modelado, alfarería, 367
Especia, alimentos preparados, 259
Especialista de equipos, cabina de mando de la lanzadera espacial, 155
Especialista de misión, cabina de mando de la lanzadera espacial, 155
Espectrómetro, 435
Espectrómetro ultravioleta de aculación satélite, 182
Espectrómetro ultravioleta de luminiscencia del aire, satélite, 182
Espéculo, 438
Espéculo, equipo dental, 445
Espéculo del oído, equipo de exploración, 438
Espejo:
microscopio, 432
productos de belleza, 213
sistema de energía solar, 383
vehículos de bomberos, 120-121
Espejo cóncavo, telescopio y gemelos, 433
Espejo de la puerta, autobús, 114
Espejo de popa:
bote de remos, 129
yates a motor, 134-135
Espejo de salida, autobús, 114
Espejo de seguridad, vehículos de saneamiento, 123
Espejo frontal, 438
Espejo grande, sextante, 133
Espejo inclinable, mobiliario de dormitorio, 268
Espejo lateral:
carrocería, 102-103
vehículos de saneamiento, 123
Espejo lateral del conductor, carrocería, 102-103
Espejo lateral del pasajero, carrocería, 102-103
Espejo parabólico, equipo de exploración, 438
Espejo pequeño, sextante, 133
Espejo regulable, equipaje, 281
Espejo retrovisor:
autobús, 114
camión tractor, 116-117
ferrocarril, 112-113
grandes premios automovilísticos, 332
interior de un automóvil, 106
tablero de instrumentos, 153
Espeleología, sección transversal de una caverna, 11
Espetón, utensilios para preparaciones, 255
Espícula, gramíneas, 56
Espiga:
accesorios musicales, 361
armas blancas, 453
batería de cocina, 253
cuchillo, 252
equipo de montar, 329
grifo y lavabo, 269
herramientas de cepillar y dar forma, 410
mobiliario de dormitorio, 268
servicio de mesa, 240
taladradora eléctrica, 409
útiles de jardinería, 417
Espiga del cabrestante, magnetófonos, 175
Espigón, alpinismo, 328
Espiguilla, gramíneas, 56
Espina:
suculentas, 54
vida marina, 43
Espina dorsal, rascacielos, 75
Espinas, vida marina, 44
Espinas blandas, vida marina, 43
Espinas duras, vida marina, 43
Espinilla:
anatomía popular, 25
cuerpo humano, 24
Espinillera:
béisbol, 286
carreras de calesines, 331
hockey sobre hielo, 290-291
Espira, crustáceos y moluscos, 45
Espiráculo, anfibios, 42
Espiráculos, insectos, 39
Espiral:
abridores, 247
arañas, 38
cierres de mercería, 204
equipo de alta fidelidad, 176
Espita, recipientes, 263
Espita de vapor, batería de cocina, 253
Espoleta:
despiece de un ave, 33
granada y mina, 463
Espolón:
aves de corral, 33
esclusa, 97
gato, 35
mamífero fantástico, 46-47
paisajes terrestres, 7
perro, 34
vaca, 30
Espolvoreado, postres, 260
Esponja:
cañón y catapulta, 457
utensilios de limpieza doméstica, 278
Esponjera, baño y ducha, 270
Espora, plantas inferiores, 55
Esporangio, plantas inferiores, 55
Espuela, 329
Espuma, medios de lucha contra incendios, 280
Espumadera, utensilios para preparaciones, 255
Esqueleto:
lámparas e iluminación, 234
sistema muscular y esquelético, 26
Esqueleto calcáreo, vida marina, 44
Esquí acuático, 323
Esquí alpino, 320
Esquí de descenso, esquí alpino, 320
Esquí de fondo, 321
Esquí de fondo, esquí alpino, 320
Esquí de slalom, 323
Esquí nórdico, esquí alpino, 320
Esquife, bote de remos, 129
Esquina:
ajedrez y damas, 339
muro de ladrillo, 67
Esquina ingletada, serigrafía y huesos tallados, 369
Esquís, vehículos de recreo, 126
Estabilizador:
buque de guerra de superficie, 140-141
buque de pasajeros, 138-139
paracaídas, y planeador, 327
Estabilizador de la coronilla, fútbol americano, 288
Estabilizador horizontal:
avión comercial, 148-149
avión de caza, 152
avión particular, 147
helicóptero, 146
Estabilizador vertical:
avión comercial, 148-149
avión de caza, 152
avión particular, 147
Establo, 100
Establo, fortificaciones, 80
Estaca:
circo, 88-89
tejo y croquet, 312
tienda india, 82
valla, 65
Estaca de salida, tejo y croquet, 312
Estaca de vuelta, tejo y croquet, 312
Estación, cultura física, 338
Estación base, 179
Estación de autobuses, señales públicas, 490-491
Estación de clasificación, 94
Estación de control del lanzador, buque de guerra de superficie, 140-141
Estación de dominadas, cultura física, 338
Estación de ferrocarril, señales públicas, 490-491
Estación de fondo en paralelas, cultura física, 338
Estación de servicio:
señales públicas, 490-491
surtidor de gasolina, 108
Estación generadora, presa, 98
Estación meteorológica electrónica, 18
Estacionamiento de aviones, aeropuertos, 92-93
Estacionamiento limitado, aeropuerto, 92-93
Estalactitas, sección transversal de una caverna, 11
Estalactitas en colgadura, sección transversal de una caverna, 11
Estalactitas en cortinaje, sección transversal de una caverna, 11
Estalagmitas, sección transversal de una caverna, 11
Estambre, 51
Estanque, presa, 98
Estanque cristalino, sección transversal de una caverna, 11
Estanque de borde, sección transversal de una caverna, 11
Estanque de concreción nodular, sección transversal de una caverna, 11
Estantería, escritorio, 272
Estatorreactor, motores a reacción, 397
Estatua, iglesia, 84
Estay, velero, 130
Estearina, velas y candelabros, 233
Estela, 68-69
Estela, arquitectura internacional, 68-69
Estera:
alfombra, 242
tienda india, 82
Esterilizador de llama, equipo dental, 445
Esternón, sistema muscular y esquelético, 26
Estetoscopio, 439
Estigma, flor, 51
Estiletes, insectos, 39
Estilo:
elementos de la composición, 362-363
flor, 51
hortalizas, 52
Estilo abstracto, elementos de la composición, 362-363
Estilo figurativo, elementos de la composición, 362-363
Estípite, plantas inferiores, 55
Estípula, hoja, 50
Estique, herramientas de escultor, 366
Estola, ornamentos religiosos, 471
Estolón, gramíneas, 56
Estómago:
anatomía popular, 25
cuerpo humano, 24
órganos internos, 27
vida marina, 44
Estopín, granada y mina, 463
Estrangulador automático de arranque, motor de automóvil, 107
Estrangulador de arranque, interior de un automóvil, 106
Estrato, nubes, 16
Estratocúmulo:

nubes, 16
sistemas tormentosos, 17
Estratosfera, estructura de la Tierra, 4
Estrechamiento, material de exploración física, 439
Estrecho, paisajes terrestres, 7
Estrella:
diskette, 429
equipo de alta fidelidad, 176
Etiqueta de instrucciones, surtidor de gasolina, 108
Exactitud, relojes de pulsera y bolsillo, 216
Exactitud, reloj de pared, 229
Excavador manual, equipo dental, 445
Exocarpo, frutos, 53
Exosfera, estructura de la Tierra, 4
Exosqueleto, insectos, 39
Explanada, fortificaciones, 81
Explanada para la caballería, fortificaciones, 80
Exploración física, material de, 439
Explorador, equipo dental, 445
Explosivo, (TNT), granada y mina, 463
Exposímetro, 174
Exprimelimones, ralladores y picadoras, 257
Exprimidor automático de cítricos, 251
Exprimidor manual de cítricos, 251
Exprimidores, 251
Expulsor, sierra mecánica, 407
Expulsor de saliva, unidad dentaria, 444
Extensor, 338
Exterior, ventana, 63
Exterior de la copa, 226
Extintor, 280
Extintor, automóvil de policía, 118
Extintor de espuma:
medios de lucha contra incendios, 280
petrolero, 136-137
Extintor de incendios:
camión remolque, 122
carreras de dragsters, 333
Extintor de polvo, medios de lucha contra incendios, 280
Extractor, escopeta y fusil, 458-459
Extractror de gases, carro de combate, 464-465
Extradós, arquitectura internacional, 68-69
Extremidades, las, 29
Extremo:
fútbol americano, 288
madera, 350-351
reptiles, 40-41
Extremo anterior de la guía de cadena, sierra de cadena, 421
Extremo de ala, avión particular, 147
Extremo de la patilla, gafas, 217
Extremo del brazo, velas y candelabros, 233
Extremo del mango, pesca, 334-335
Extremo libre, banderas, 486
Extremo para modelar, herramientas de escultor, 366
Extremo pinzante, lavado y secado, 276
Extremo recto, herramientas de escultor, 366
Extremo redondo, herramientas de escultor, 366
Eye liner, maquillaje, 212
equipo de montar, 329
llave, 405
símbolos religiosos, 492
Estrella de David, símbolos religiosos, 492
Estrella de mar, 44
Estrella fugaz, universo, 2-3
Estrellas, universo, 2-3
Estrellas binarias, universo, 2-3
Estrellas dobles, universo, 2-3
Estría:
destornillador, 403
golf, 304
Estría de ajuste, alicates, 404
Estriado, escopeta y fusil, 458-459
Estrías, campana, iv
Estribaciones, paisajes terrestres, 7
Estribera:
béisbol, 286
equipo de montar, 329
Estribo, 329
Estribo:
arco, 70
arco y flechas, 456
camión remolque, 122
carreras de calesines, 331
carrocería, 102-103
carruajes de caballos, 127
mesas médicas, 440
puente, 95
Estribo de suspensión, cadena y polea, 451
Estribo trasero, vehículos de bomberos, 120-121
Estribor, terminología náutica, 128
Estropajo, cañón, y catapulta, 457
Estructura:
accesorios de jardín, 284
bolsas y cestas, 262
gimnasia, 301
rascacielos, 75
tienda india, 82
Estructura central de la carrocería, grandes premios automovilísticos, 332
Estructura de la base, valla, 298
Estructura de la cabina de mando, avión de caza, 152
Estructura de la Tierra, 4
Estructura de la torre, terminología náutica, 128
Estructura de servicio rotativo, lanzadera, espacial y plataforma de lanzamiento, 154
Estructura delantera de la carrocería, grandes premios automovilísticos, 332
Estructura lateral de la carrocería, grandes premios automovilísticos, 332
Estructura metálica, accesorios de jardín, 283
Estructura soporte del núcleo, reactor nuclear, 384-385
Estuche:
aparatos ortopédicos, 442
productos de belleza, 213
Estuche para intubación, ambulancia, 119
Estuche protector, material de exploración física, 439
Estufa de leña, 394
Esvástica, símbolos religiosos, 492
Etcétera, signos ortográficos, 497
Etiqueta:
camisa, 185
Eyector de hierba, cortacésped, 419

F

Fabricante:
equipo de alta fidelidad, 176
pintura, 364-365
Faceta, gema o piedra preciosa, 214
Faceta cuadrangular, gema o piedra preciosa, 214
Faceta estrella, gema o piedra preciosa, 214
Faceta fundamental inferior, gema o piedra preciosa, 214
Faceta principal, gema o piedra preciosa, 214
Faceta triangular de la corona, gema o piedra preciosa, 214
Faceta triangular de la culata, gema o piedra preciosa, 214
Factor Rh negativo, símbolos científicos y comerciales, 494
Factor Rh positivo, símbolos científicos y comerciales, 494
Facturación de equipajes, señales públicas, 490-491
Fachada oeste, interior de una iglesia, 85
Faetón, carruajes de caballos, 127
Fagot, 350-351
Fagot, orquesta, 348
Fairway, golf, 304
Faisán, aves de corral, 33
Faja, 191
Faja:
galas reales, 468
jai alai, 308
vestimenta local, 475
Fajín, jefe de majorettes, 479
Falanges:
extremidades, 29
sistema muscular y esquelético, 26
Falda, 193
Falda:
armadura, 455
billar, 314
cigarro y cigarrillo, 224
cordero, 31
golf, 304
vaca, 30
vestido, 194
Falda de vuelo:
blusa y falda, 193
mayordomo y doncella, 473
Falda flexible, aerodeslizadores, 145
Falda recta, blusa y falda, 193
Falda, armadura, 455
Faldilla delantera, cigarro y cigarrillo, 244
Faldilla posterior, misil y torpedo, 466
Faldón:
boxeo, 303
equipo de montar, 329
escalera mecánica, 77
novia y novio, 472
ventana, 63
Faldón de la levita, trajes de época, 476
Faldón del casco, carrera de dragsters, 333
Faldón del pilar inferior, escalera mecánica, 77
Faldón del tambor, pesca, 334-335
Faldón lateral de la carrocería, grandes premios automovilísticos, 332
Falso cerco, bota y sandalia, 202
Falta, baloncesto, 292
Falta personal, baloncesto, 292
Falta técnica, baloncesto, 292
Falúa, bote de remos, 129
Faringe, órganos de los sentidos, 28
Farmacia, símbolos científicos y comerciales, 494
Faro:
autobús, 114
bulldozer, 425
camión tractor, 116-117
carro de combate, 464-465
carrocería, 102-103
ferrocarril, 112-113
motocicleta, 125
vehículos de recreo, 126
Faro de corta-larga, carrocería, 102-103
Faro principal, tractor, 424
Farol, 336
Farol, carruajes de caballos, 127
Farol de señales, ferrocarril, 112-113
Farola, exterior de la casa, 61
Farolillo del pórtico, exterior de la casa, 61
Faros de señalización nocturna, aerostato, 158
Farpa, banderas, 486
Fase, interruptor, 388
Felpudo, puerta, 62
Femenino, símbolos científicos y comerciales, 494
Femenino-masculino, símbolos religiosos, 492
Fémur:
anfibios, 42
arañas, 38
insectos, 39
sistema muscular y esquelético, 26
Ferrocarril, 112-113
Férula:
ambulancia, 119
medios terapéuticos, 441
útiles de jardinería, 417
Férula de tracción, ambulancia, 119
Festón, coberturas para ventanas, 236
Fiador, puente, 95
Fiador de la tensión del tejido, proyectores, 173
Fiador de las patas, proyectores, 173
Fiador del tambor, armas cortas, 460
Fibra:
material de construcción, 66
terminología náutica, 128
Fibra externa, ingredientes crudos, 258
Fibra vegetal, exprimidores, 251
Ficha, ordenador, 429
Ficha de backgammon, backgammon, 339
Ficha de mah-jong, juegos de fichas, 339
Ficha del juego de damas, ajedrez y damas, 339
Ficha perforada, 428
Fieltro:
billar, 314
cámara y película fotográficas, 171
Figura acrobática, esquí acuático, 323
Figura en relieve, medalla, 485

Figuras de la baraja, 342
Figurilla, trofeo, 285
Fijación, 320
Fijación, campana, iv
Fijación de la puntera, esquí alpino, 320
Fijación del blanco, radar y sonar, 434
Fijación del carrete, pesca, 334-335
Fijación del talón, esquí alpino, 320
Fijación delantera, esquí de fondo, 321
Fijador, utensilios para el peinado, 210
Fijador del tubo extensible, proyectores, 173
Fila:
ajedrez y damas, 339
bolos, 311
Fila de dama, ajedrez y damas, 339
Filamento:
flor, 51
lámparas e iluminación, 234
Filamento calefactor, línea de alta tensión, 386
Filamento de caldeo, línea de alta tensión, 386
Filamentos mesentéricos, vida marina, 44
Filete, atributos reales, 469
Filetín, gema o piedra preciosa, 214
Filo:
armas blancas, 453
armas medievales, 454
costura, 376
cuchillo, 252
herramientas de cepillar y dar forma, 410
maquinillas de afeitar, 206
martillo, 402
patinaje sobre hielo, 319
serigrafía y huesos tallados, 369
sierras de mano, 406
taladradora eléctrica, 409
utensilios de limpieza doméstica, 278
Filo biselado, cuchillo, 252
Filo cóncavo, cuchillo, 252
Filo dentado, cuchillo, 252
Filo plano, cuchillo, 252
Filtiré, costura decorativa, 377
Filtro:
cafeteras, 248
cámara y película fotográficas, 171
cigarro y cigarrillo, 224
exprimidores, 251
intercambiador de calor, 393
lavavajillas, 246
Filtro compensador de graves, equipo de alta fidelidad, 177
Filtro de aceite, motor de automóvil, 107
Filtro de aire:
acondicionamiento de aire, 392
bulldozer, 425
camión tractor, 116-117
cortacésped, 419
motor de combustión interna, 396
tractor, 424
Filtro de caferera, 248
Filtro de hilazas, lavado y secado, 276-277
Filtro para té y café, coladores y filtros, 256
Filtro supresor de interferencias, equipo de alta fidelidad, 177
Filtros, 256
Fin, partitura, 346
Fin de autopista, señales de tráfico, 488-489
Fin de limitación, señales de tráfico, 488-489
Fin de limitación de velocidad, señales de tráfico, 488-489
Fin de prohibición, señales de tráfico, 488-489
Fin de semana, 281
Fin del largo, natación, 310
Final, alimentos preparados, 259
Firmamento, signos del Zodiaco, 493
Fisión, reactor nuclear, 384-385
Fisura, montañas, 8-9
Flámula, jefe de majorettes, 479
Flan, accesorios de jardín, 283
Flanco:
anatomía popular, 25
caballo, 36
fortificaciones, 81
gato, 35
perro, 34
prendas de abrigo, 197
vaca, 30
Flanco diestro, escudo de armas, 487
Flap, avión particular, 147
Flap de borde de ataque, avión comercial, 148-149
Flap exterior, avión comercial, 148-149
Flap interior, avión comercial, 148-149
Flash electrónico, 174
Flash incorporado, cámara fotográfica, 170
Flauta, 350-351
Flauta, orquesta, 348
Flautín, 350-351
Fleco:
utensilios de limpieza doméstica, 278
vaquero e indio, 474
vestido, 194
Flecha, iv
Flecha, 456
Flecha:
arco, 70
mapa meteorológico, 19
paisajes terrestres, 7
Flecha litoral, costa y margen continental, 15
Fleje:
tejido, 379
valla, 65
Fleje superior, armas cortas, 460
Flequillo, cabello femenino, 209
Flete, petrolero, 136-137
Flexo de brazo helicoidal, lámparas e iluminación, 235
Flexor de cadera, cultura física, 338
Flexor de mano, cultura física, 338
Floema, árbol, 48
Flor, 51
Flor:
gramíneas, 56
prendas de abrigo, 197
suculentas, 54
Flor de lis, atributos reales, 469
Flor de tela, sombreros femeninos, 199
Flor femenina, gramíneas, 56
Flor masculina, gramíneas, 56
Florete, esgrima, 309
Florete eléctrico, esgrima, 309
Floristería, buque de pasajeros, 138-139
Florón:
escudo de armas, 487
reloj de pared, 229
Flotación, buque de guerra de superficie, 140-141
Flotador:
avión particular, 146
inodoro, 271
pesca, 334-335
terminología náutica, 128
Flotador de llenado, lavavajillas, 246
Flotador estabilizador, helicóptero, 146
Fluido transmisor del calor, sistema de energía solar, 383
Foco:
circo, 88-89
escenario, 344
vehículos de bomberos, 120-121
Foco de alta intensidad, lámparas e iluminación, 235
Foco del ciclorama, escenario, 344
Focos sobre riel, 235
Folio, iv
Folíolo, hoja, 50
Follaje:
hoja, 50
hortalizas, 52
Fondillo, pantalones, 187
Fondo:
batería de cocina, 253
elementos de la composición, 362-363
estufa de leña, 394
jai alai, 308
recipientes, 263
servicio de mesa, 240
Fondo de la rosca, clavos y tornillos, 400
Fondo del vaso, multirrobot de cocina, 250
Fondo liso, yates a motor, 134-135
Fondo redondeado, yates a motor, 134-135
Fondue, recipiente para, 241
Fonendoscopio, 439
Fonograma, señales públicas, 490-491
Fontanería, útiles de, 412
Foque:
vela, 132
velero, 130
Forma, pipa, 225
Forma aerodinámica, granada y mina, 463
Forma de casco, yates a motor, 134-135
Forma de madera, calcografía, 371
Forma galvanotípica, procedimientos de impresión, 164
Formón, 410
Formón, herramientas de escultor, 366
Fórmula, grandes premios automovilísticos, 332
Fórmula I, grandes premios automovilísticos, 332
Forro:
cartera, 219
cinturón y tirantes, 186
corbatas, 189
costura decorativa, 377
chaqueta y pantalón, 192
equipo de montar, 329
esquí de fondo, 321
mochila y saco de dormir, 337
prendas de abrigo, 196
sombreros masculinos, 198
zapato de caballero, 200
Forro de lanilla, tenis, 306
Forro de tejido, prendas de abrigo, 197
Forro interno, vehículo lunar, 157
Fortaleza, castillo, 78-79
Forte, partitura, 346
Fortificación permanente:
corte transversal de una, 81
detalle de una, 81
Fortificaciones, 80-81
Fosa, costa y margen continental, 15
Fosa orbitaria, órganos de los sentidos, 28
Fosa sensorial, reptiles, 40-41
Fosetas visuales, vida marina, 44
Foso:
bolos, 311
castillo, 78-79
fortificaciones, 81
montañas, 8-9
teatro, 345
Foso con arena, accesorios de jardín, 283
Foso de arena, golf, 304
Foso de caída, atletismo en pista, 295
Foso de caída del salto de altura, salto con pértiga, 299
Fotodisco, ordenador, 429
Fotograma, cámara de cine, 172
Fotómetro, 174
Frac:
circo, 88-89
jefe de majorettes, 479
Fragmento del velo general, plantas inferiores, 55
Franco, símbolos científicos y comerciales, 494
Francobordo, terminología náutica, 128
Franja, banderas, 486
Franja de sellado, materiales de construcción, 66
Franja lateral, yates a motor, 134-135
Frecuencia media, televisión, 181
Frecuencia ultra-alta, televisión, 181
Fregadero, 243
Fregadero de cocina, 243
Fregaderos, compartimentos de un barco de vela, 131
Fregona de esponja, 278
Freidora eléctrica, 253
Freno:
accesorios para bebés, 282
aparatos ortopédicos, 442
carreras de calesines, 331
esquí alpino, 320
patinaje sobre hielo, 319
patinaje sobre ruedas, 318
Freno aerodinámico, avión particular, 147
Freno aerodinámico exterior, avión comercial, 148-149
Freno aerodinámico interior, avión comercial, 148-149
Freno de cadena, sierra de cadena, 421
Freno de estacionamiento, interior de un automóvil, 106
Freno de las cárcolas, tejido, 379
Freno de mano, interior de un automóvil, 106
Freno de zapatas, 124
Freno del eje, carretilla y sembradora, 420

Freno delantero, bicicleta, 124
Freno delantero de disco, motocicleta, 125
Freno en la boca, carro de combate, 464-465
Freno aerodinámico, lanzadera espacial y plataforma de lanzamiento, 154
Freno trasero, bicicleta, 124
Freno trasero de tambor, motocicleta, 125
Frente:
arco y flecha, 456
aves, 37
bolsas y cestas, 262
caballo, 36
cerraduras de puerta, 448
cordero, 31
cuerpo humano, 24
gato, 35
herramientas de cepillar y dar forma, 410
perro, 34
vaca, 30
Frente cálido, mapa meteorológico, 19
Frente del botón, cierres de mercería, 205
Frente estacionario, mapa meteorológico, 19
Frente frío, mapa meteorológico, 19
Frente glaciar, glaciar, 12
Frente ocluido, mapa meteorológico, 19
Fresa, frutos, 53
Fresa de avellanar, 409
Fresa de diamante, equipo dental, 445
Freza, vida marina, 43
Frigorífico, petrolero, 136-137
Friso:
campana, iv
columna, 71
mesa, 238
Fritura, medidas y mezcladores, 254
Fronde, plantas inferiores, 55
Frontal. sistema muscular y esquelético, 26
Frontón, 307-308
Frontón, jai alai, 308
Frontón de pelota mano, 307
Frontón de squash, 307
Frunce:
blusa y falda, 193
coberturas para ventanas, 236
chaqueta y pantalón, 192
sombreros femeninos, 199
Frunce de hilo elástico, cierres de mercería, 204
Fruta, frutos, 53
Fruta de plástico, sombreros femeninos, 199
Frutero, servicio de postre, 241
Fruto:
gramíneas, 56
hoja, 50
Fruto comestible, frutos, 53
Fruto complejo, frutos, 53
Fruto inmaduro, hortalizas, 52
Fruto maduro, hortalizas, 52
Frutos, 53
Fuegos, compartimientos de un barco de vela, 131
Fuelle:
bolsas y cestas, 262
cámara fotográfica, 170
chimenea, 228
equipo de alta fidelidad, 177
gaita, 359
instrumentos populares, 360
ropa interior, 190
Fuente:
mobiliario de comedor, 239
servicio de postre, 241
Fuente de luz, elementos de la composición, 362-363
Fuentes termales, volcán, 10
Fuera borda, motor, 133
Fuera de límites, golf, 304
Fuerte, fortificaciones, 80
Fuerte fronterizo, 80
Fuerza de hombros, cultura física, 338
Fuerza de pectorales, cultura física, 338
Fuerza de piernas, cultura física, 338
Fulcro ajustable, natación, 310
Fumarola, volcán, 10
Funámbulo, circo, 88-89
Funda:
diskette, 429
medios terapéuticos, 441
patinaje sobre hielo, 319
Funda de corona, prótesis y correctores dentales, 443
Funda de la cadena, accesorios de jardín, 283
Funda de la pantalla, proyectores, 173
Funda de oro, equipo dental, 445
Funda de sable, vela, 132
Funda del cuchillo, submarinismo, 325
Funda guatada, plancha, 275
Funda transparente para documentos y fotos, cartera, 219
Fundente, útiles de fontanería, 412
Funny car, carreras de dragsters, 333
Furgón de cola, ferrocarril, 112-113
Furgón de equipajes, ferrocarril, 112-113
Furgoneta, carrocería, 102
Fusa, partitura, 346
Fuselado, helicóptero, 146
Fuselaje:
avión particular, 147
helicóptero, 146
Fusible, radar y sonar, 434
Fusil, 458-459
Fusil ametrallador, 461
Fusta, carreras de calesines, 331
Fuste:
arquitectura internacional, 68-69
béisbol, 287
bisagra y aldabilla, 450
clavos y tornillos, 400
columna, 71
costura, 376
equipo de montar, 329
juego de dardos, 316
punto, 378
tuercas, 401
Fuste del bastón, jefe de majorettes, 479
Fútbol, 293
Fútbol americano, 288-289

G

Gabán, trajes de época, 476
Gabardina, prendas de abrigo, 196
Gablete, iglesia, 84
Gafas, 217
Gafas:
esquí alpino, 320
esquí de fondo, 321
submarinismo, 325
Gaita, 359
Gajo:
frutos, 53
sombreros masculinos, 198
Gakuzuka, arquitectura internacional, 68-69
Galas reales, 468
Galaxias elípticas, universo, 2-3
Galaxia elíptica achatada, universo, 2-3
Galaxia elíptica esférica, universo, 2-3
Galaxia espiral barrada, universo, 2-3
Galaxias espirales normales, universo, 2-3
Galaxias irregulares, universo, 2-3
Galaxia local, universo, 2-3
Galaxia periférica, universo, 2-3
Galería:
exterior de la casa, 61
iglesia, 84
túnel, 96
Galería inferior, escenario, 344
Galería superior, escenario, 344
Galga, clavos y tornillos, 400
Galocha, accesorios del calzado, 203
Galón:
béisbol, 286
jefe de majorettes, 479
sombreros femeninos, 199
Gallardete:
banderas, 486
circo, 88-89
jefe de majorettes, 479
Gallardete escotado, banderas, 486
Galleta, banderas, 486
Galleta rellena, 260
Gallina, aves de corral, 33
Gallina clueca, aves de corral, 33
Gallo, aves de corral, 33
Gallo de veleta, mapa meteorológico, 19
Gamba, crustáceos y moluscos, 45
Ganado bovino, vaca, 30
Ganado vacuno, vaca, 30
Ganancia, radar y sonar, 434
Ganchillo, punto, 378
Gancho:
accesorios de jardín, 284
baño y ducha, 270
cadena y polea, 451
cierres de mercería, 204
escopeta y fusil, 458-459
lavado y secado, 277
metal, 352-353
patinaje sobre hielo, 319
punto, 378
útiles de medida, 414
Gancho auricular, aparatos ortopédicos, 442
Gancho conmutador, teléfono, 178
Gancho de apertura rápida, paracaídas y planeador, 327
Gancho de arrastre, avión particular, 147
Gancho de frenado, avión de caza, 152
Gancho de la cadena, camión remolque, 122
Gancho de remolque, vehículos de bomberos, 120-121
Ganso, aves de corral, 33
Garaje:
buque de pasajeros, 138-139
exterior de la casa, 61
prisión, 74
Garañón, caballo, 36
Garganta:
anfibios, 42
aves, 37
aves de corral, 33
caballo, 36
cadena y polea, 451
clavos y tornillos, 400
columna, 71
cuerpo humano, 24
equipo de montar, 329
fútbol y lacrosse, 293
metal, 352-353
río, 13
Garganta de la culata, escopeta y fusil, 458-459
Gargantilla:
anillo, 215
esgrima, 309
galas reales, 468
Garita, 78-79
Garra:
aves, 37
dientes, 446
material de laboratorio, 436-437
taladradora de mano, 408
taladradora eléctrica, 409
Garra delantera, prendas de abrigo, 197
Garra trasera, prendas de abrigo, 197
Garrapatea, partitura, 346
Garras, aves de corral, 33
Garrucho, vela, 132
Gas ardiente, lanzadera espacial y plataforma de lanzamiento, 154
Gas propano, vehículos de recreo, 126
Gasa, ambulancia, 119
Gasa estéril, medios terapéuticos, 441
Gáster, insectos, 39
Gatillo:
armas automáticas, 461
armas cortas, 460
cámara de cine, 172
escopeta y fusil, 458-459
sierra de cadena, 421
surtidor de gasolina, 108
taladradora eléctrica, 409
útiles de pintura, 415
Gatillo de seguridad, sierra de cadena, 421
Gatillo interruptor, lijadora portátil, 411
Gato, 35
Gato de carpintero, 399
Gaucho, equipo de ganadero, 422
Gaveta, caja registradora, 430
Gaveta de almacenamiento, ordenador, 429
Gavilán:
armas blancas, 453
taladradora eléctrica, 409
Gaznate:
anatomía popular, 25
caballo, 36
Géiser, volcán, 10
Gema, 214
Gema, anillo, 215
Gemelos, 433
Gemelos, signos del Zodiaco, 493
Gemelos de campaña, telescopio y gemelos, 433
Gemelos de teatro, telescopio y gemelos, 433

Generador, reactor nuclear, 384-385
Generador de impulsos, aparatos ortopédicos, 442
Generador de vapor, reactor nuclear, 384-385
General del siglo XVIII, 476
Genitales, cuerpo humano, 24
Geodesia, teodolito, 426
Gesto, lenguaje simbólico, 496
Getter, línea de alta tensión, 386
Gigante, circo, 88-89
Gimnasia, 300-301
Gimnasio, buque de pasajeros, 138-139
Gimnasio general, 338
Gimnasta, gimnasia, 300
Ginecólogo, equipo de exploración, 438
Giradiscos, 176
Giro, esquí acuático, 323
Girocompás, vela, 132
Glaciar, 12
Glaciar, montañas, 8-9
Glaciar colgado, montañas, 8-9
Glaciar de circo, glaciar, 12
Glaciar de valle, glaciar, 12
Glacis, fortificaciones, 81
Glándula de tinta, vida marina, 44
Glándulas parotoides, anfibios, 42
Glaseado, postres, 260
Globo, 477
Globo:
  atributos reales, 469
  cámara de cine, 172
Globo aerostático, 326
Globo compensador, aerostato, 158
Globo hinchado, payaso, 477
Globo ocular, órganos de los sentidos, 28
Globo terráqueo, 1
Gloquidios, suculentas, 54
Gloss, maquillaje, 212
Glumas, gramíneas, 56
Gnomon, reloj de sol, 381
«Goal crease»:
  fútbol y lacrosse, 293
  hockey sobre hielo, 291
Gola:
  armadura, 455
  fortificaciones, 81
Golf, 304
Golfo, paisajes terrestres, 7
Golpeador:
  guitarra, 356
  guitarra eléctrica, 357
Gollete, recipientes, 263
Goma:
  medios terapéuticos, 441
  tenis de mesa, 315
Goma de borrar, lápiz, 160
Goma de refuerzo, prendas interiores, 191
Goma del émbolo, medios terapéuticos, 441
Goma del lanzador, béisbol, 287
Goma elástica, cama y accesorios, 267
Góndola, parque de atracciones, 91
Góndola de motor, avión comercial, 148-149
Gonfalón, banderas, 486
Gorguera:
  armadura, 455
  guardián de la Torrre de Londres, 467
Gorra, 198
Gorra de plato, jefe de majorettes, 479
Gorro, esquí de fondo, 321
Gorro de mandarín, vestimenta local, 475
Gorro de terciopelo, atributos reales, 469
Gotas de agua, sección transversal de una caverna, 11
Gouache, pintura, 364-365
Gozne, estufa de leña, 394
Gozne de la puerta, cámara acorazada y caja fuerte, 447
Grabación, equipo de alta fidelidad, 176
Grabado, pulsera de identificación, 183
Grada, 424
Grada, tractor, 424
Graderío, jai alai, 308
Grado, lápiz, 160
Grado de ángulo, símbolos científicos y comerciales, 494
Grado de arco, símbolos científicos y comerciales, 494
Grado débil, esgrima, 309
Grado fuerte, esgrima, 309
Graduación, medios terapéuticos, 441
Graduación volumétrica, material de laboratorio, 436-437
Graduaciones, equipo meteorológico, 18
Gragea de chocolate, postres, 260
Gramil, útiles de medida, 414
Gramíneas, 56
Gran collar, vestimenta local, 475
Granada, 463
Granada de choque, granada y mina, 463
Granada de fusil, granada y mina, 463
Granada de humo, granada y mina, 463
Granada de mano, 463
Grandes premios automovilísticos, los, 332
Granero, establo y silo, 100
Granizo, sistemas tormentosos, 17
Grano, gramínea, 56
Gránulo, materiales de construcción, 66
Grapa, 400
Grapa:
  equipo de montar, 329
  esquí de fondo, 321
  material de escritorio, 273
  muro de ladrillo, 67
Grapa ondulada, 400
Grapa ondulada, serigrafía y huesos tallados, 369
Grapadora, 273
Grasa, ingredientes crudos, 258
Grátil:
  banderas, 486
  vela, 132
Greba, armadura, 455
Green, golf, 304
Gridiron, 289
Grieta, montañas, 8-9
Grifería, grifo y lavabo, 269
Grifo, 269
Grifo:
  aspersores y boquillas, 418
  baño y ducha, 270
Grifo de agua caliente, baño y ducha, 270
Grifo de agua fría, baño y ducha, 270
Grifo de combustible, motor de combustión interna, 396
Grifo de desagüe, caldera de calefacción, 390
Grifo de flotador, inodoro, 271
Grifo de plato, 269
Grifo giratorio, fregadero, 243
Grúa:
  camión remolque, 122
  rascacielos, 75
Grúa de martillo, lanzadera espacial y plataforma de lanzamiento, 154
Grúa de rescate, helicóptero, 146
Grúa de servicio, plataforma de perforación submarina, 99
Grúa para botes y aeronaves, portaaeronaves, 142
Grúa para troncos, presa, 98
Grujidor, 372
Grupa:
  caballo, 36
  carreras de calesines, 331
  cordero, 31
  gimnasia, 301
  perro, 34
Grupera, armas cortas, 460
Grupo de barcazas, remolcador, 144
Grupo de jazz, orquesta, 348
Grupo de música ligera, orquesta, 348
Gruta, sección transversal de una caverna, 11
Guadaña, cortacésped, 419
Gualdera, cañón y catapulta, 457
Guante, 196
Guante:
  bombero, 484
  esgrima, 309
  hockey sobre hielo, 291
  instrumentos para pruebas en pista, 297
  jai alai, 308
  jefe de majorettes, 479
  submarinismo, 325
  trajes de época, 476
Guante blanco, mayordomo y doncella, 473
Guante de batear, béisbol, 286
Guante de boxeo, boxeo, 303
Guante de defensor, 287
Guante de encaje, novia y novio, 472
Guante de esquí, esquí alpino, 320
Guante de frontón, 307
Guante de pilotaje, carreras de dragsters, 333
Guante de receptor, béisbol, 286
Guante de recogida, hockey sobre hielo, 290
Guante para el palo, hockey sobre hielo, 290
Guantelete:
  armadura, 455
  jefe de majorettes, 479
Guantera, interior de un automóvil, 106
Guarda:
  arco y flecha, 456
  armas blancas, 453
  carruajes de caballos, 127
  cuchillo, 252
  esgrima, 309
  sierra de cadena, 421
  surtidor de gasolina, 108
Guarda de la cadena, motocicleta, 125
Guarda de la hoja, sierra mecánica, 407
Guarda del depósito de combustible, motocicleta, 125
Guarda superior, sierra mecánica, 407
Guardabarro, carruajes de caballos, 127
Guardabarros:
  bicicleta, 124
  bulldozer, 425
  camión remolque, 122
  carrocería, 102-103
  tractor, 424
Guardabarros delantero, motocicleta, 125
Guardabarros trasero, motocicleta, 125
Guardabrazo, armadura, 455
Guardacabo, carreras de calesines, 331
Guardafango, carruajes de caballos, 127
Guardafuegos, chimenea, 228
Guardamalleta:
  coberturas para ventanas, 236
  escenario, 344
  teatro, 345
Guardamano, sierra de cadena, 421
Guardamanos, armas automáticas, 461
Guardamonte:
  armas automáticas, 461
  armas cortas, 460
  escopeta y fusil, 458-459
Guardapapo, armadura, 455
Guardería infantil, señales públicas, 490-491
Guardián de la Torre de Londres, 467
Guarnición, 309
Guarnición:
  alimentos preparados, 259
  fútbol y lacrosse, 293
  mobiliario de dormitorio, 268
Guarnición del asa, sierra de cadena, 421
Guata, costura decorativa, 377
Gubia, herramientas de cepillar y dar forma, 410
Gubia acodada, herramientas de escultor, 366
Gubia de «pico de cabra», herramientas de cepillar y dar forma, 410
Gubia en U, xilografía, 368
Gubia en V, xilografía, 368
Gubia espátula, herramientas de escultor, 366
Gubia exterior, herramientas de cepillar y dar forma, 410
Gubia hueca grande, herramientas de escultor, 366
Gubia mediana, herramientas de escultor, 366
Gubia profunda, herramientas de escultor, 366
Gubia profunda estrecha, herramientas de escultor, 366
Gubia recta, xilografía, 368
Gubias, 368
Guedeja, anatomía popular, 25
Guía:
  ascensor, 76
  banco de trabajo, 398
  calcografía, 371
  cámara y película fotográficas, 171
  coberturas para ventanas, 236
  lámparas e iluminación, 235
  martillo perforador, 426
  parque de atracciones, 90
  pesca, 334-335

Guía central, lanzadera espacial y plataforma de lanzamiento, 154
Guía de deslizamiento, paracaídas y planeador, 327
Guía de ingletes, sierra mecánica, 407
Guía de la luz, equipo de exploración, 438
Guía de la oruga, bulldozer, 425
Guía de los contrapesos, ventana, 63
Guía de riendas, carruajes de caballos, 127
Guía de serrar, sierra mecánica, 407
Guía de temperaturas, plancha, 275
Guía del muelle recuperador, armas cortas, 460
Guía del tramo levadizo, puente, 95
Guía deslizante, tornillos de sujeción, 399
Guía para rebanadas, tostador de pan, 249
Guía revólver, material de escritorio, 273
Guiacabos, buque de guerra de superficie, 140-141
Guiacabos cerrado, buque de guerra de superficie, 140-141
Guiatipos, máquina de escribir, 162
Guillotina, 452
Guinda, postres, 260
Guindaleza, esclusa, 97
Guión:
bote de remos, 129
signos ortográficos, 497
Guión largo, signos ortográficos, 497
Guisante, hortalizas, 52
Guitarra, 356
Guitarra acústica, 356
Guitarra de doble mástil, 357
Guitarra eléctrica, 357
Guitarra hawaiana de pedales, 357
Gusanillo, taladradora eléctrica, 409
Gusanillo de fontanero, 412
Gusanito de chocolate, comida rápida, 261

H

Hábito, ornamentos religiosos, 471
Hacia adelante, proyectores, 173
Hacia atrás, proyectores, 173
Hacha, 402-454
Hacha, bombero, 484
Halteras, 338
Hamaca, 284
Hamburguesa, comida rápida, 261
Hangar, aeropuerto, 92-93
Hangar telescópico para el helicóptero, buque de guerra de superficie, 140- 141
Hardware, ordenador, 429
Hastial, exterior de la casa, 61
Haz de hebras, accesorios de jardín, 284
Hebijón, cinturón y tirantes, 186
Hebilla, bota y sandalia, 202
Hebilla, carreras de calesines, 331
Hebilla, coberturas para ventanas, 237
Hebilla, esquí acuático, 323
Hebilla, esquí alpino, 320
Hebilla, mochila y saco de dormir, 337
Hebilla, prendas de abrigo, 196
Hebilla, sombreros femeninos, 199
Hebilla, vaquero e indio, 474
Hebilla ajustable, prendas interiores, 191
Hebilla del cinturón, prendas de abrigo, 196
Hebilla forrada, cinturón y tirantes, 186
Hebra, costura, 376
Helado, postres, 260
Helecho, 55
Hélice, aerodeslizadores, 145
Hélice, buque de guerra de superficie, 140-141
Hélice, misil y torpedo, 466
Hélice, motores a reacción, 397
Hélice, submarino, 143
Hélice, aerostato, 158
Hélice, motor fuera borda, 133
Hélice transversal de maniobra, buque de pasajeros, 138-139
Helicóptero, 146
Helicóptero de ataque, helicóptero, 146
Helictitas, sección transversal de una caverna, 11
Helipuerto, plataforma de perforación submarina, 99
Hélix, órganos de los sentidos, 28
Hembra, cierres de mercería, 204
Hembra de la virola, pesca, 334-335
Hembrilla, marco para cuadros, 373
Hembrilla giratoria, bisagra y aldabilla, 450
Hendidura nasolabial, anfibios, 42
Hendidura pectoral, anatomía popular, 25
Hendiduras costales, anfibios, 42
Henil:
establo y silo, 100
fortificaciones, 80
Heráldica, escudo de armas, 487
Hermano sensato, payaso, 477
Herradura, 36
Herradura trasera, carreras de calesines, 331
Herraje de la botavara, surf, 324
Herramienta, navaja múltiple, 416
Herramienta de inserción, martillo perforador, 426
Herramienta de sujeción, tornillos de sujeción, 399
Herramienta multifunción, 413
Herramientas de cepillar y dar forma, 410
Herrete:
cultura física, 338
zapato de caballero, 200
Hidroalas, 145
Hidrómetro, material de laboratorio, 436-437
Hidrosfera, estructura de la Tierra, 4
Hielo, sistemas tormentosos, 17
Hierba alta y arbustos, golf, 304
Hierba aromática, alimentos preparados, 259
Hierro:
equipo de ganadero, 422
golf, 304
herramientas de cepillar y dar forma, 410
Hierro para marcar reses, 422
Hígado:
aves de corral, 33
órganos internos, 27
High hat, 358
Hilera, bolos, 311
Hilera central derecha, bolos, 311
Hilera central izquierda, bolos, 311
Hilera de bolas de oro, atributos reales, 469
Hilera de púas, utensilios para el cuidado del cabello, 208
Hileras, arañas, 38
Hilo, 376
Hilo:
cometas, 317
prótesis y correctores dentales, 443
terminología náutica, 128
Hilo activo, instrumentos eléctricos, 413
Hilo aerostato, arañas, 38
Hilo blanco, interruptor, 388
Hilo calefactor, línea de alta tensión, 386
Hilo conductor, línea de alta tensión, 386
Hilo cordel interior, cometas, 317
Hilo de la tela, patrón de corte y confección, 380
Hilo de rosca:
clavos y tornillos, 400
tuercas, 401
Hilo de seda, arañas, 38
Hilo de tierra:
instrumentos eléctricos, 413
interruptor, 388
Hilo negro, interruptor, 388
Hilo neutro, instrumentos eléctricos, 413
Hilo puente, arañas, 38
Hilo transversal, patrón de corte y confección, 380
Hilo trenzado, instrumentos eléctricos, 413
Hilo verde, interruptor, 388
Hilos soporte, arañas, 38
Hipódromo, 331
Historial clínico, símbolos científicos y comerciales, 494
Historial médico símbolos científicos y comerciales, 494
Historial médico anterior, símbolos científicos y comerciales, 494
Hocico:
caballo, 36
cordero, 31
gato, 35
perro, 34
reptiles, 40-41
vaca, 30
Hockey sobre hielo, 290-291
Hogar, chimenea, 228
Hoja, 50
Hoja:
árbol, 48
armas blancas, 453
calcografía, 371
cigarro y cigarrillo, 224
coberturas para ventanas, 237
costura, 376
cuchillo, 252
destornillador, 403
esclusa, 97
esgrima, 309
frutos, 53
gramíneas, 56
herramientas de cepillar y dar forma, 410
herramientas de escultor, 366
hoja, 50
hortalizas, 52
ingredientes crudos, 258
instrumentos de ejecución, 452
martillo, 402
navaja múltiple, 416
plantas inferiores, 55
serigrafía y huesos tallados, 369
servicio de mesa, 240
sierra mecánica, 407
sierras de mano, 406
utensilios para el peinado, 210
útiles de jardinería, 417
útiles de medida, 414
Hoja abatible, mesa, 238
Hoja compuesta, hoja, 50
Hoja de afeitar, 206
Hoja de aleta, submarinismo, 325
Hoja de empuje, bulldozer, 425
Hoja de goma, serigrafía y huesos tallados, 369
Hoja de sierra, sierra mecánica, 407
Hoja fija, mesa, 238
Hoja paralelinervia, gramíneas, 56
Hoja principal, navaja múltiple, 416
Hoja ranurada, cuchillo, 252
Hoja seca, ingredientes crudos, 258
Hombrera:
accesorios para bebés, 282
armadura, 455
fútbol americano, 288
hockey sobre hielo, 291
lavado y secado, 277
mochila y saco de dormir, 337
montañas, 8-9
prendas de abrigo, 196
prendas interiores, 191
ropa interior, 190
Hombrera reforzada, esquí acuático, 323
Hombro:
caballo, 36
cuerpo humano, 24
gato, 35
lápiz, 160
perro, 34
procedimientos de impresión, 164
recipientes, 263
tenis, 306
útiles de jardinería, 417
Hombro armado, chaqueta y pantalón, 192
Hombro caído, chaqueta y pantalón, 192
Home, béisbol, 287
Hongo, plantas inferiores, 55
Hora de Greenwich, cartografía, 5
Hora internacional, Tierra, 1
Hora oficial central, cartografía, 5
Hora oficial de la costa atlántica, cartografía, 5
Hora oficial de las Rocosas, cartografía, 5
Hora oficial del Pacífico, cartografía, 5
Hora y día programados para la grabación, videocassette, 180
Horca:
instrumentos de ejecución, 452
punto, 378
útiles de jardinería, 417
Horizonte artificial, cabina de pilotaje del 747, 150-151
Hormiga, 39
Horno, cocina, 244
Horno eléctrico, 367
Horno tostador, 249
Horquilla, 210
Horquilla:
chimenea, 228

bicicleta, 124
bote de remos, 129
equipo de ganadero, 422
teléfono, 178
tractor, 424
unidad dentaria, 444
útiles de jardinería, 417
Horquilla anterior, carretilla y sembradora, 420
Horquilla de ajuste, herramientas de cepillar y dar forma, 410
Horquilla giratoria, accesorios para bebés, 282
Horquilla hidráulica, motocicleta, 125
Horquilla trasera, bicicleta, 124
Horóscopo, signos del Zodiaco, 493
Hortalizas, 52
Hospital, señales de tráfico, 488-489
Hotel, aeropuerto, 92-93
Hoyo, golf, 304
Hoyuela, anatomía popular, 25
Hoyuelo, golf, 304
Hoyuelo de la barbilla, anatomía popular, 25
Hoyuelos de la espalda, anatomía popular, 25
Hucha, cámara acorazada y caja fuerte, 447
Hueco:
escalera, 64
mobiliario de dormitorio, 268
Hueco delantero, esquí de fondo, 321
Huecograbado, 164
Huella:
equipo de montar, 329
escalera, 64
Huella dactilar, extremidades, 29
Hueso:
frutos, 53
ingredientes crudos, 258
sistema muscular y esquelético, 26
Hueso de la risa, anatomía popular, 25
Huesos tallados, 369
Huevera, refrigerador, 245
Huevo, 258
Huevo, insectos, 39
Humectador, 392
Húmero, sistema muscular y esquelético, 26
Humero:
chimenea, 228
establo y silo, 100
Humidificador:
accesorios de jardín, 284
cigarro y cigarrillo, 224
Huracán:
mapa meteorológico, 19
sección transversal de un, 17
Husillo, tornillos de sujeción, 399
Huso, tejido, 379
Huso, horario, 5
Hypospray, medios terapéuticos, 441

I

Ibón, montañas, 8-9
Iceberg, 12
Ideograma, señales públicas, 490-491
Iglesia, 84
Iglesia, interior de la, 85
Iglú, 83
Iglú, interior de un, 83
Iglú de acceso, cúpulas, 83
Igual a, símbolos científicos y comerciales, 494
Igual o mayor que, símbolos científicos y comerciales, 494
Igual o menor que, símbolos científicos y comerciales, 494
Iguana, 40-41
Ijada, caballo, 36
Ijares:
caballo, 36
perro, 34
Ilion, sistema muscular y esquelético, 26
Iluminación, 234-362-363
Iluminación, escenario, 344
Iluminación cenital-lateral, elementos de la composición, 362-363
Iluminación lateral, elementos de la composición, 362-363
Iluminación posterior, elementos de la composición, 362-363
Iluminador, maquillaje, 212
Ilustración principal, iv
Ilustración secundaria, iv
Imagen:
cámara de cine, 172
cámara y película fotográficas, 171
Imagen impresa, procedimientos de impresión, 164
Imán de sujeción de la tapa, abridores, 247
Imbornal:
buque contraincendios, 144
compartimientos de un barco de vela, 131
remolcador, 144
Imperdible, 204
Impermeable reversible, bombero, 484
Impertinentes, 217
Implantación de la cola, perro, 34
Implantación del pedúnculo, hortalizas, 52
Imposta, arco, 70
Impresión:
procedimientos de, 164
serigrafía y huesos tallados, 369
Impresión planográfica, litografía, 370
Impresora de diario, caja registradora, 430
Impresora de líneas, ordenador, 429
Impresora de recibos, caja registradora, 430
Impresora de ticket, caja registradora, 430
Imprimación, pintura, 364-365
Incisión, serigrafía y huesos tallados, 369
Incisivo central, dientes, 446
Incisivo lateral, dientes, 446
Incrustación, armadura, 455
Incrustación calcárea, sección transversal de una caverna, 11
Indicación de derechos de autor, partitura, 346
Indicación de la nota, accesorios musicales, 361
Indicación de unidades, calculadoras, 431
Indicador:
esquí alpino, 320
material de laboratorio, 436-437
Indicador de altitud, cabina de mando de la lanzadera espacial, 155
Indicador de ángulo de ataque, tablero de instrumentos, 153
Indicador de apertura y cierre del punto electoral, máquina de votar, 427
Indicador de aproximación, tablero de instrumentos, 153
Indicador de canal seleccionado, videocassette, 180
Indicador de canales, televisión, 181
Indicador de cantidad de combustible, tablero de instrumentos, 153
Indicador de cantidad de oxígeno líquido, tablero de instrumentos, 153
Indicador de columna, perforadora de fichas, 428
Indicador de combustible, yates a motor, 134-135
Indicador de dirección:
camión tractor, 116-117
carrocería, 102-103
interior de un automóvil, 106
motocicleta, 125
Indicador de dirección horizontal, cabina de pilotaje del 747, 150-151
Indicador de encendido y velocidad del plato, equipo de alta fidelidad, 176
Indicador de enfoque del zoom, cámara de cine, 172
Indicador de estacionamiento, camión tractor, 116-117
Indicador de final de cinta, máquina de escribir, 162
Indicador de flecha alar, tablero de instrumentos, 153
Indicador de flecha variable de ala, tablero de instrumentos, 153
Indicador de flujo, tablero de instrumentos, 153
Indicador de función, videocassette, 180
Indicador de grabación:
magnetófonos, 175
videocassette, 180
Indicador de la numeración, juegos de cartas, 342
Indicador de la posición del transductor, radar y sonar, 434
Indicador de la presión de aceite del motor, yates a motor, 134-135
Indicador de la presión del aceite de la caja de engranajes, yates a motor, 134-135
Indicador de la presión del agua, vehículos de bomberos, 120-121
Indicador de la radio, reloj de pared, 229
Indicador de la temperatura del agua, yates a motor, 134-135
Indicador de las pesas, material de laboratorio, 436-437
Indicador de Mach, tablero de instrumentos, 153
Indicador de modulación, emisor-receptor, 179
Indicador de nivel de agua, caldera de calefacción, 390
Indicador de nivel de combustible, interior de un automóvil, 106
Indicador de n.º de Mach y velocidad respecto al aire, cabina de pilotaje del 747, 150-151
Indicador de piso, ascensor, 76
Indicador de planta, ascensor, 76
Indicador de posición de control de vuelo, cabina de pilotaje del 747, 150-151
Indicador de posición de flaps, tablero de instrumentos, 153
Indicador de posición de ruedas, tablero de instrumentos, 153
Indicador de presión de aceite, interior de un automóvil, 106
Indicador de presión de frenado, tablero de instrumentos, 153
Indicador de presión del vapor, caldera de calefacción, 390
Indicador de relación de presión de motores, cabina de pilotaje del 747, 150-151
Indicador de rumbo, tablero de instrumentos, 153
Indicador de sensibilidad de película, accesorios fotográficos, 174
Indicador de sentido de giro, magnetófonos, 175
Indicador de señales de precaución, tablero de instrumentos, 153
Indicador de suministro, surtidor de gasolina, 108
Indicador de televisión por cable, televisión, 181
Indicador de temperatura, utensilios para el cuidado del cabello, 208
Indicador de temperatura del motor, interior de un automóvil, 106
Indicador de velocidad, cabina de mando de la lanzadera espacial, 155
Indicador de velocidad verdadera con respecto al aire, cabina de pilotaje del 747, 150-151
Indicador de velocidad vertical, cabina de pilotaje del 747, 150-151
Indicador de volumen y contraste, televisión, 181
Indicador de yardas, fútbol americano, 289
Indicador del ángulo de rebote del flash, accesorios fotográficos, 174
Indicador del palo, juegos de cartas, 342
Indicador giratorio luminoso, automóvil de policía, 118
Indicador lateral:
camión remolque, 122
carrocería, 102-103
Indicador luminoso:
interior de un automóvil, 106
vehículos de saneamiento, 123
Indicador luminoso de transmisión, emisor-receptor, 179
Indicador nivel de grabación, magnetófonos, 175
Indicador posición de flaps, cabina de pilotaje del 747, 150-151
Indicador remoto de UHF, tablero de instrumentos, 153
Indicador teléfono, magnetófonos, 175
Indicador vídeo-TV y conmutador vídeo-TV, videocassette, 180

Indicadores, órgano, 354
Indicadores senda de planeo, aeropuerto, 92-93
Indice, extremidades, 29
Indice de diapositivas, proyectores, 173
Indice de octano, surtidor de gasolina, 108
Indio, 474
Inductor, ascensor, 76
Indumentaria, trajes de época, 476
Infinito, símbolos científicos y comerciales, 494
Inflador automático, submarinismo, 325
Inflorescencia, gramíneas, 56
Información, señales públicas, 490-491
Información sobre el espectáculo, entrada/localidad, 343
Información sobre hoteles, señales públicas, 490-491
Infula, ornamentos religiosos, 471
Ingeniería, símbolos científicos y comerciales, 494
Ingle, anatomía popular, 25
Ingredientes crudos, 258
Inmersión con escafandra autónoma, submarinismo, 325
Inmersión en escafandra rígida, submarinismo, 325
Inodoro, 271
Insectos, 39
Inserción definitiva, prótesis y correctores dentales, 443
Inserción del bigote, gato, 35
Inserción del tallo, ingredientes crudos, 258
Insignia, trajes de época, 476
Instrucción de inclinación de la cabina, camión tractor, 116-117
Instrucciones de uso, escalera mecánica, 77
Instrumentista, orquesta, 348
Instrumento de cuerda:
  guitarra, 356
  violín, 349
Instrumento de motor, cabina de pilotaje del 747, 150-151
Instrumento de percusión, batería, 358
Instrumento de viento, metal, 352-353
Instrumentos de control, 425
Instrumentos de ejecución, 452
Instrumentos, 381
Instrumentos eléctricos, 413
Instrumentos para pruebas en pista, 297
Instrumentos populares, 360
Intendencia, fortificaciones, 80
Intercambiador de calor, 393
Intercambiador de calor del motor principal, plataforma de perforación submarina, 99
Intercolumnio, columna, 71
Interior:
  acondicionamiento de aire, 392
  carruajes de caballos, 127
  lavavajillas, 246
  ventana, 63
Interior de la boina, sombreros masculinos, 198
Interior de la copa, paraguas, 226
Intermedio, gafas, 217
Intermitente:
  autobús, 114
  carrocería, 102-103
Intermitente lateral, autobús, 114
Interpretación, perforadora de fichas, 428
Interrogación, signos ortográficos, 497
Interruptor, 388
Interruptor:
  alfarería, 367
  automóvil de policía, 118
  cafeteras, 248
  calculadoras, 431
  emisor-receptor, 179
  guitarra eléctrica, 357
  lámparas e iluminación, 234-235
  lavado y secado, 277
  maquinillas de afeitar, 206
  multirrobot de cocina, 250
  órgano, 354
  sierra mecánica, 407
  tostador de pan, 249
  utensilios para el cuidado del cabello, 208
  utensilios para el peinado, 210
Interruptor de aire caliente, utensilios para el cuidado del cabello, 208
Interruptor de aire templado, utensilios para el cuidado del cabello, 208
Interruptor de arranque, bulldozer, 425
Interruptor de arranque y parada, sierra de cadena, 421
Interruptor de calculadora navegacional, cabina de pilotaje del 747, 150-151
Interruptor de corriente:
  equipo de alta fidelidad, 177
  máquina de coser, 274
  utensilios para el cuidado del cabello, 208
Interruptor de designación de objetivo, tablero de instrumentos, 153
Interruptor de encendido:
  detectores, 435
  emisor-receptor, 179
  radar y sonar, 434
Interruptor de encendido y apagado, ordenador, 429
Interruptor de exploración, radar y sonar, 434
Interruptor de fin de carrera, ascensor, 76
Interruptor de flash electrónico, cámara fotográfica, 170
Interruptor de la pletina, equipo de alta fidelidad, 177
Interruptor de los rayos X, unidad dentaria, 444
Interruptor de luz:
  máquina de coser, 274
  refrigerador, 245
Interruptor de luz del horno, cocina, 244
Interruptor de micrófono, cabina de pilotaje del 747, 150-151
Interruptor de motor y al aire, cabina de pilotaje del 747, 150-151
Interruptor de parada del motor, yates a motor, 134-135
Interruptor de pared, 388
Interruptor de puesta en marcha y parada, sierra mecánica, 407
Interruptor de reinicialización, ordenador, 429
Interruptor de vapor, plancha, 275
Interruptor de enlace, automóvil de policía, 118
Interruptor del gas, 57
Interruptor del piloto automático, cabina de pilotaje del 747, 150-151
Interruptor para graduar la luminosidad del flash, cámara fotográfica, 170
Interruptor para las aletas estabilizadoras, yates a motor, 134-135
Interruptor principal, televisión, 181
Interruptor selector de computadora, cabina de pilotaje del 747, 150-151
Intestino delgado, órganos internos, 27
Intestino grueso, órganos internos, 27
Intradós, arco, 70
Inundación, río, 13
Inversión de giro, taladradora eléctrica, 409
Inyección, medios terapéuticos, 441
Inyección de aire, abridores, 247
Inyector de combustible, motores a reacción, 397
Inyector de cuchillas, 206
Iris, órganos de los sentidos, 28
Isla:
  costa y margen continental, 15
  paisajes terrestres, 7
  portaaeronaves, 142
Isla dentaria, unidad dentaria, 444
Islas, río, 13
Isleta fluvial, río, 13
Islote litoral, costa y margen continental, 15
Islotes, paisajes terrestres, 7
Isobaras, mapa meteorológico, 19
Isquion, sistema muscular y esquelético, 26
Istmo, paisajes terrestres, 7

J

Jabalí, cerdo, 32
Jabalina, 297
Jabalina:
  armas medievales, 454
  atletismo en pista, 295
Jabato, cerdo, 32
Jabonera:
  baño y ducha, 270
  grifo y lavabo, 269
Jácena, puente, 95
Jai alai, 308
Jamba:
  castillo, 78-79
  puerta, 62
  ventana, 63
Jamón, cerdo, 32
Jarcia de labor, velero, 130
Jarcia firme, velero, 130
Jardín, exterior de la casa, 61
Jardín central, béisbol, 287
Jardín derecho, béisbol, 287
Jardín izquierdo, béisbol, 287
Jardinería, útiles de, 417
Jareta, camisa, 185
Jaretón:
  camisa, 185
  prendas de abrigo, 197
Jarra, cafeteras, 248
Jarra para infusiones, 248
Jarrete:
  cerdo, 32
  vaca, 30
Jarrita de leche, servicio de postre, 241
Jarrón, interior de una iglesia, 85
Jaula:
  atletismo en pista, 295
  béisbol, 286
  circo, 88-89
  fútbol americano, 288
Jaula de fieras, circo, 88-89
Jeans, pantalones, 187
«Jeep», vehículos de recreo, 126
Jefe, escudo de armas, 487
Jefe de majorettes, 479
Jeringa, 441
Jeringa:
  ambulancia, 119
  unidad dentaria, 444
Jeringa 3 formas, equipo dental, 445
Jeringa de anestesia con aguja, equipo dental, 445
Jeringa para decorar, utensilios para preparaciones, 255
Jeroglíficos, arquitectura internacional, 68-69
Jersey, 195
Jersey:
  béisbol, 286
  esquí alpino, 320
  esquí de fondo, 321
Juego, gema o piedra preciosa, 214
Juego de dardos, 316
Juego de la rodilla, equipo de montar, 329
Juego de palos, 304
Juego de velas, vela, 132
Juego trasero patinaje sobre ruedas, 318
Juegos de cartas, 342
Juegos de fichas, 339
Juez de pista, esgrima, 309
Juez principal, esgrima, 309
Jugador, 291-292
Jugo, exprimidores, 251
Jukebox, equipo de alta fidelidad, 176
Junco, bolsas y cestas, 262
Junquillo del parabrisas, carrocería, 102-103
Junta:
  bisagra y aldabilla, 450
  calentador de agua, 391
Junta cardan, vista en sección de un automóvil, 104-105
Junta de la puerta:
  cocina, 244
  lavavajillas, 246
  refrigerador, 245
Junta del tarso con la tibia, aves de corral, 33
Junta horizontal de mortero, muro de ladrillo, 67
Junta universal:
  surf, 324
  tractor, 424
Junta vertical de mortero, muro de ladrillo, 67
Juntas de construcción, 57
Juntura de la carcasa, maquinillas de afeitar, 206
Júpiter, universo, 2-3

K

Kame, montañas, 8-9
Kasagi, arquitectura internacional, 68-69

Ketchup, comida rápida, 261
Kokoshniki, 68-69
Kuro-Shivo, vientos y corrientes oceánicas, 6
Kusabi, arquitectura internacional, 68-69

L

Labial (caninos, incisivos), dientes, 446
Labio:
campana, iv
cuerpo humano, 24
metal, 352-353
pesca, 334-335
recipientes, 263
gato, 35
órganos de los sentidos, 28
Labio externo, crustáceos y moluscos, 45
Labio interno, crustáceos y moluscos, 45
Labores manuales, 343
Labro, insectos, 39
Laca, utensilios para el peinado, 210
Laca para uñas, productos de belleza, 213
Lacolito, volcán, 10
Lacrosse, 293
Ladera de derrubios, montañas, 8-9
Lado, muro de ladrillo, 67
Lado curvado, piano, 355
Lado recto, piano, 355
Ladrillo, 66
Ladrillo canteado, muro de ladrillo, 67
Lagarto, 40-41
Lago:
paisajes terrestres, 7
río, 13
Lago de circo, montañas, 8-9
Lago semilunar, río, 13
Laguna, paisajes terrestres, 7
Laguna lateral, caballo, 36
Laguna media, caballo, 36
Lambrequín, escudo de armas, 487
Lámina:
aves, 37
flor, 51
hoja, 50
instrumentos populares, 360
marco para cuadros, 373
plantas inferiores, 55
vidrio emplomado, 372
Lámina concéntrica, crustáceos y moluscos, 45
Lámina de cobre, 372
Lámina de guarnición, tenis, 306
Lámina de material mullido, alfombra, 242
Laminador de huevos, ralladores y picadoras, 257
Lámpara, equipo de exploración, 438
Lámpara de incandescencia, 234
Lámpara de larga duración, lámparas e iluminación, 234
Lámpara de mesa, 234
Lámpara de soldar de propano, 412
Lámpara del brazo, camión remolque, 122
Lámpara frontal, equipo de exploración, 438
Lámpara trimodal, lámparas e iluminación, 234
Lámparas, 234
Lancha de salvamento, plataforma de perforación submarina, 99
Langosta, crustáceos y moluscos, 45
Langostera, 423
Lanza, armas medievales, 454
Lanza hidráulica de mástil, buque contraincendios, 144
Lanza hidráulica de popa, buque contraincendios, 144
Lanza hidráulica de proa, buque contraincendios, 144
Lanza hidráulica del puente alto, buque contraincendios, 144
Lanzadera de frivolité, 378
Lanzadera espacial, 154
Lanzadera espacial, cabina de mando de la, 155
Lanzador ASROC, buque de guerra de superficie, 140-142
Lanzador de bombas de humo, carro de combate, 464-465
Lanzador de cuchillos, circo, 88-89
Lanzador de misiles, portaaeronaves, 142
Lanzador de misiles de defensa de punto, portaaeronaves, 142
Lanzador de sables, circo, 88-89
Lanzamiento, atletismo en pista, 294
Lanzamiento abortado, tablero de instrumentos, 153
Lanzamiento de jabalina, atletismo en pista, 294
Lanzamiento de martillo y disco, atletismo en pista, 295
Lanzamiento de peso, atletismo en pista, 295
Lapicero, 160
Lapicero bicolor para ojos, productos de belleza, 213
Lápiz, 160
Lápiz de labios, bolso de mano, 218
Lápiz de ojos, maquillaje, 212
Lápiz hemostático, maquinillas de afeitar, 206
Larguero:
banco de trabajo, 398
carruajes de caballos, 127
cometas, 317
parque de atracciones, 90
vista en sección de un automóvil, 104-105
Larguero colgante:
coberturas para ventanas, 237
puerta, 62
Larguero de hoja, puerta, 62
Larguero del asiento, sofá, 232
Larguero del marco, coberturas para ventanas, 237
Larva, insectos, 39
Lastre:
globo aerostático, 326
trampas, 423
Lata, 263
Lateral:
accesorios de jardín, 283
autobús, 114
cometas, 317
materiales de construcción, 66
Lateral de la jamba, ventana, 63
Lateral del tobogán, accesorios de jardín, 283
Látigo, carreras de calesines, 331
Latitud, cartografía, 5
Latitudes tropicales, vientos y corrientes oceánicas, 6
Lavabo, 269
Lavabo:
avión comercial, 148-149
compartimientos de un barco de vela, 131
Lavado, 276
Lavadora, 276
Lavadora automática, lavado y secado, 276
Lavandería:
buque de pasajeros, 138-139
fortificaciones, 80
prisión, 74
Lavavajillas, 246
Lazada:
blusa y falda, 193
sombreros femeninos, 199
vestido, 194
Lazo, 189-422
Lazo:
arco y flecha, 456
béisbol, 287
cometas, 317
corbatas, 189
instrumentos de ejecución, 452
mayordomo y doncella, 473
sombreros masculinos, 198
utensilios para el peinado, 210
Lazo de goteo, línea de alta tensión, 386
Lazo de seguridad, circo, 88-89
Lazo de unión, baloncesto, 292
Lectura, gafas, 217
Lectura de velocidad, automóvil de policía, 118
Lectura de luz incidente, accesorios fotográficos, 174
Lectura de mediciones puntuales, accesorios fotográficos, 174
Lectura magnética, cámara de cine, 172
Lectura óptica, cámara de cine, 172
Leche, ingredientes crudos, 258
Lecho:
accesorios de jardín, 284
materiales de construcción, 66
Lecho del, río, 13
Lecho ungueal, extremidades, 29
Lechón, cerdo, 32
Lechuga, ingredientes crudos, 258
Legumbre, hortalizas, 52
Lejos, gafas, 217
Lema, escudo de armas, 487
Lengua, 28
Lengua:
glaciar, 12
vaca, 30
Lengua bífida, reptiles, 40-41
Lengua de la dirección, accesorios de jardín, 283
Lenguaje por señas, 496
Lenguaje simbólico, 496
Lengüeta:
abridores, 247
armas medievales, 454
cámara y película fotográficas, 171
cinturón y tirantes, 186
gema o piedra preciosa, 214
instrumentos populares, 360
maquinillas de afeitar, 206
materiales de construcción, 66
patinaje sobre hielo, 319
patinaje sobre ruedas, 318
punto, 378
trineo y deslizador, 322
utensilios para el peinado, 210
zapatilla deportiva, 296
zapato de caballero, 200
Lengüeta acolchada, patinaje sobre hielo, 319
Lengüeta de cierre, bolso de mano, 218
Lengüeta de montaje, interruptor, 388
Lengüeta de seguridad, magnetófonos, 175
Lente:
equipo de exploración, 438
microscopio, 432
sistema de energía solar, 383
submarinismo, 325
Lente bicóncava, gafas, 217
Lente biconvexa, gafas, 217
Lente bifocal, gafas, 217
Lente de aumento, radar y sonar, 434
Lente del ocular, telescopio y gemelos, 433
Lente trifocal, gafas, 217
Lentejuela:
anillo, 215
sombreros femeninos, 199
Lentes, tipos de, 217
Lentes auxiliares centrables, microscopio, 432
Lenticela, árbol, 48
Leñera, fortificaciones, 80
Leño, árbol, 48
Leo, signos del Zodiaco, 493
León, signos del Zodiaco, 493
Letra, partitura, 346
Letrero, carrocería, 102-103
Letrero indicador, surtidor de gasolina, 108
Letrero lateral, autobús, 114
Leva, aspersores y boquillas, 418
Levita:
circo, 88-89
trajes de época, 476
Ley, anillo, 215
Leyenda, iv
Liberador del cierre de la tapa posterior, cámara y película fotográficas, 171
Liberador del disparador, cámara y película fotográficas, 171
Liberador del selector, cámara y película fotográficas, 171
Libra, signos del Zodiaco, 493
Libra esterlina, símbolos científicos y comerciales, 494
Libre, natación, 310
Librea, mayordomo y doncella, 473
Licuadora, 251
Lienzo, pintura, 364-365
Lienzo para quemaduras, ambulancia, 119
Liga, accesorios del calzado, 203
Ligadura:
madera, 350-351
partitura, 346
pesca, 334-335
Liguero:
accesorios del calzado, 203
prendas interiores, 191
Lígula, gramíneas, 56
Lijado, útiles de pintura, 415
Lijadora de cinta, lijadora portátil, 411
Lijadora orbital, lijadora portátil, 411
Lijadora portátil, 411
Lima, 410
Lima:
cepillo de dientes, 211
navaja múltiple, 416
Lima plegable, cepillo de dientes, 211
Limahoya, exterior de la casa, 61

Limatesa, establo y silo, 100
Limbo:
aves, 37
gramíneas, 56
hoja, 50
Limbo graduado, sextante, 133
Limbo horizontal, teodolito, 426
Limbo vertical, teodolito, 426
Limitador automático de ruido, emisor-receptor, 179
Límite de pista, aeropuerto, 92-93
Limpiamoquetas, utensilios de limpieza doméstica, 278
Limpiaparabrisas:
autobús, 114
carrocería, 102-103
ferrocarril, 112-113
Limpiapipas, pipa, 225
Limpiauñas:
cepillo de dientes, 211
navaja múltiple, 416
Limpieza doméstica, utensilios de, 278
Línea, iv
Línea, 346
Línea, pesca, 334-335
Línea adicional, partitura, 346
Línea aérea de alta tensión, 386
Línea azul, hockey sobre hielo, 291
Línea blanca, caballo, 36
Línea central:
balonvolea y badminton, 313
fútbol y lacrosse, 293
hockey sobre hielo, 291
tenis de mesa, 315
Línea de alta tensión, 386
Línea de alteración, patrón de corte y confección, 380
Línea de ataque, balonvolea y badminton, 313
Línea de aviso de florete, esgrima, 309
Línea de aviso de sable y espada, esgrima, 309
Línea de bosques, montañas, 8-9
Línea de carga máxima, símbolos científicos y comerciales, 494
Línea de 50 yardas, fútbol americano, 289
Línea de compás, partitura, 346
Línea de corte, patrón de corte y confección, 380
Línea de costa, glaciar, 12
Línea de costura, patrón de corte y confección, 380
Línea de crecimiento, crustáceos y moluscos, 45
Línea de cremallera, patrón de corte y confección, 380
Línea de demora, vela, 132
Línea de diez yardas, fútbol americano, 289
Línea de doblez, patrón de corte y confección, 380
Línea de dos yardas (fútbol profesional), fútbol americano, 289
Línea de 3 yardas (fútbol universitario), fútbol americano, 289
Línea de falta:
bolos, 311
jai alai, 308
Línea de fe, vela, 132
Línea de flotación:
símbolos científicos y comerciales, 494
terminología náutica, 128
yates a motor, 134-135
Línea de fondo:
baloncesto, 292
balonvolea y badminton, 313
fútbol americano, 289
fútbol y lacrosse, 293
tenis, 306
tenis de mesa, 315
Línea de fuera de cancha, frontón y squash, 307
Línea de giro en espalda, natación, 310
Línea de gol, fútbol americano, 289
Línea de hora, reloj de sol, 381
Línea de la cabeza, extremidades, 29
Línea de la vida, extremidades, 29
Línea de los tres puntos, baloncesto, 292
Línea de medio campo:
baloncesto, 292
fútbol americano, 289
fútbol y lacrosse, 293
Línea de meta:
carreras de calesines, 331
fútbol y lacrosse, 293
hockey sobre hielo, 290
Línea de mitad de cancha, frontón y squash, 307
Línea de perspectiva, elementos de la composición, 362-363
Línea de pestaña del tacón, zapato de señora, 201
Línea de popa, vela, 132
Línea de portería, hockey sobre hielo, 291
Línea de posición, jai alai, 308
Línea de puesta en guardia, esgrima, 309
Línea de referencia, calculadoras, 431
Línea de salida, carreras de calesines, 331
Línea de saque:
frontón y squash, 307
jai alai, 308
Línea de saque (exterior), frontón y squash, 307
Línea de saque (interior), frontón y squash, 307
Línea de saque corto, jai alai, 308
Línea de saque largo, jai alai, 308
Línea de separación entre fotogramas, cámara de cine, 172
Línea de servicio corto, balonvolea y badminton, 313
Línea de servicio largo (dobles), balonvolea y badminton, 313
Línea de servicio largo (individuales), balonvolea y badminton, 313
Línea de tirada, tejo y croquet, 312
Línea de tiros libres, baloncesto, 292
Línea de yardas, fútbol americano, 289
Línea del bies, patrón de corte y confección, 380
Línea del corazón, extremidades, 29
Línea del horizonte, elementos de la composición, 362-363
Línea del telón, teatro, 345
Línea derecha de "foul", béisbol, 287
Línea discontinua, iv
Línea divisoria, juegos de fichas, 339
Línea eléctrica central, símbolos científicos y comerciales, 494
Línea férrea, paso a nivel, 111
Línea gingival, dientes, 446
Línea interior, fútbol americano, 289
Línea internacional de cambio de fecha, cartografía, 5
Línea izquierda de "foul", béisbol, 287
Línea lateral:
baloncesto, 292
balonvolea y badminton, 313
esgrima, 309
fútbol americano, 289
fútbol y lacrosse, 293
tenis de mesa, 315
vida marina, 43
Línea lateral de dobles, balonvolea y badminton, 313
Línea lateral de servicio, tenis, 306
Línea lateral para dobles, tenis, 306
Línea lateral para individuales:
balonvolea y badminton, 313
tenis, 306
Línea límite, tejo y croquet, 312
Línea loxodrómica, cartografía, 5
Línea media, esgrima, 309
Línea para dobles, 315
Línea principal, línea de alta tensión, 386
Línea regular, petrolero, 136-137
Línea roja, hockey sobre hielo, 291
Línea secundaria, línea de alta tensión, 386
Línea trasera de límite, esgrima, 309
Ling-tú, vestimenta local, 475
Lingual, dientes, 446
Líquido, accesorios fotográficos, 174
Líquido antivaho, equipo dental, 445
Lira, 349
Lira:
piano, 355
símbolos científicos y comerciales, 494
Lisosomas, célula animal, 23
Lista completa, máquina de votar, 427
Lista de datos de comprobación, vehículo lunar, 157
Listón:
coberturas para ventanas, 237
escenario, 344
salto con pértiga, 299
silla, 230
trampas, 423
valla, 298
Listón central, tejido, 379
Listón de pedalera, piano, 355
Listón de separación, ventana, 63
Listón de sujeción, alfombra, 242
Listón del borde, energía eólica, 382
Listón del telón, escenario, 344
Listón delantero de la base, tejido, 379
Listón derecho, pintura, 364-365
Listón distribuidor, accesorios de jardín, 284
Listón inferior, coberturas para ventanas, 237
Listón izquierdo, pintura, 364-365
Listón lateral, trineo y deslizador, 322
Listón superior, coberturas para ventanas, 237
Listones del bastidor, ventana, 63
Listones del cono de proa, aerostato, 158
Litera de la cámara de popa, compartimientos de un barco de vela, 131
Literas, compartimientos de un barco de vela, 131
Litografía, 164-370
Litosfera, estructura de la Tierra, 4
Liwan, arquitectura internacional, 68-69
Lizo, tejido, 379
Lóbulo:
hoja, 50
órganos de los sentidos, 28
Lóbulo de la oreja, aves de corral, 33
Lóbulo prénsil, mamífero fantástico, 46-47
Localidad, 343
Loción, productos de belleza, 213
Loción desrizadora, utensilios para el peinado, 210
Loción para antes y después del afeitado, productos de belleza, 213
Loción rizadora, utensilios para el peinado, 210
Locomotora, ferrocarril, 112-113
Locomotora de turbina, 112-113
Locomotora de vapor, 112-113
Locomotora diesel, ferrocarril, 112-113
Locomotora eléctrica, ferrocarril, 112-113
Logotipo:
autobús, 114
ferrocarril, 112-113
medios terapéuticos, 441
vehículos de bomberos, 120-121
Logotipo del fabricante, avión particular, 147
Lomo:
anatomía popular, 25
armas blancas, 453
caballo, 36
clavos y tornillos, 400
cordero, 31
equipo de montar, 329
gato, 35
montañas, 8-9
olas y costa, 14
perro, 34
prendas de abrigo, 197
sierras de mano, 406
utensilios para el cuidado del cabello, 208
Lomo alto, vaca, 30
Lomo bajo, vaca, 30
Lona:
boxeo, 303
zapato de señora, 201
Lona alquitranada, remolcador, 144
Lona lateral, circo, 88-89
Loncha, ingredientes crudos, 258
Longitud:
banderas, 486
cartografía, 5
olas y costa, 14
Lonja, ingredientes crudos, 258
Luchadero, bote de remos, 129
Lugar de saque, frontón y squash, 307
Lumbre, caballo, 36
Lumbrera, herramientas de cepillar y dar forma, 410
Lúmen, lámparas e iluminación, 234
Luna, fases de la, 4
Luna, universo, 2-3

Luna delantera, tractor, 424
Luna llena, estructura de la Tierra, 4
Luna nueva, estructura de la Tierra, 4
Lúnula, extremidades, 29
Lupa:
material de exploración física, 439
navaja multiple, 416
Luz:
arco, 70
autobús, 114
máquina de votar, 427
puente, 95
sierras de mano, 406
terminología náutica, 128
tornillos de sujeción, 399
Luz amarilla de aviso previo, carreras de dragsters, 333
Luz amarilla de precalentamiento, en secuencia, carreras de dragsters, 333
Luz central, puente, 95
Luz corta, carrocería, 102-103
Luz de alumbrado interior de un automóvil, 106
Luz de aterrizaje regulable, helicóptero, 146
Luz de aviso:
cabina de mando de la lanzadera espacial, 155
paso a nivel, 111
vehículos de bomberos, 120-121
Luz de aviso de contramedidas, tablero de instrumentos, 153
Luz de destellos delantera, módulo lunar, 156
Luz de fondeadero de proa, buque de guerra de superficie, 140-141
Luz de formación, avión de caza, 152
Luz de foro, escenario, 344
Luz de freno, camión remolque, 122
Luz de gálibo, camión tractor, 116-117
Luz de la matrícula, carrocería, 102-103
Luz de límite, aeropuerto, 92-93
Luz de maniobra, módulo lunar, 156
Luz de marcha, camión remolque, 122
Luz de marcha atras:
camión remolque, 122
carrocería, 102-103
Luz de navegación:
avión particular, 147
buque contraincendios, 144
buque de guerra de superficie, 140-141
remolcador, 144
Luz de popa, buque de guerra de superficie, 140-141
Luz de posición:
autobús, 114
avión de caza, 152
camión tractor, 116-117
ferrocarril, 112-113
interior de un automóvil, 106
motocicleta, 125
tractor, 424
vehículos de recreo, 126
Luz de posición de la cabina, camión tractor, 116-117
Luz de puntuación, esgrima, 309
Luz de referencia para la zona de aterrizaje, portaaeronaves, 142
Luz de remolque:
buque de guerra de superficie, 140-141
remolcador, 144
Luz de señales, buque de guerra de superficie, 140-141
Luz de señalización:
ferrocarril, 112-113
vehículos de bomberos, 120-121
Luz de tope:
buque contraincendios, 144
buque de guerra de superficie, 140-141
Luz destellante, ferrocarril, 112-113
Luz fija de ala, avión de caza, 152
Luz giratoria, automóvil de policía, 118
Luz indicadora de aproximación visual VASL, aeropuerto, 92-93
Luz indicadora de tren de aterrizaje, cabina de pilotaje del 747, 150-151
Luz larga, carrocería, 102-103
Luz lateral, puente, 95
Luz para leer, autobús, 114
Luz roja de aviso de falta, carreras de dragsters, 33
Luz roja de posición, camión tractor, 116-117
Luz trasera, bulldozer, 425
Luz trasera de posición, vehículos de recreo, 126

LL

LLaga, muro de ladrillo, 67
Llama, velas y candelabros, 233
Llamador, puerta, 62
LLanta:
bicicleta, 124
camión tractor, 116-117
carreras de calesines, 331
carrocería, 102-103
rueda, 101
Llanta de aleación, motocicleta, 125
Llanta de aluminio, carreras de dragsters, 333
Llanura, paisajes terrestres, 7
Llanura abisal, costa y margen continental, 15
Llanura aluvial:
costa y margen continental, 15
río, 13
Llanura glaciar, montañas, 8-9
Llave, 405-449
Llave:
accesorios musicales, 361
arco y flecha, 456
bolso de mano, 218
grifo y lavabo, 269
madera, 350-351
taladradora eléctrica, 409
valla, 298
Llave ajustable inglesa, llave, 405
Llave Allen, 405
Llave anular, madera, 350-351
Llave combinada, 405
Llave de agua caliente, fregadero, 243
Llave de agua fría, fregadero, 243
Llave de cadena, útiles de fontanería, 412
Llave de cubo, llave, 405
Llave de embocadura, madera, 350-351
Llave de gas, calentador de agua, 391
Llave de paso:
inodoro, 271
sistema de energía solar, 383
Llave de paso del agua fría, calentador de agua, 391
Llave del interruptor de cierre, sierra mecánica, 407
Llave del portabrocas, 409
Llave en bruto, llave y candado, 449
Llave grifo, útiles de fontanería, 412
Llave maestra, llave y candado, 449
Llave mariposa, batería, 358
Llave para salida de líquido, metal, 352-353
Llave para tubos, útiles de fontanería, 412
Llave reguladora:
gimnasia, 300
útiles de fontanería, 412
Llave tensora, batería, 358
Llaves de memoria, órgano, 354
Lluvia:
mapa meteorológico, 19
sistemas tormentosos, 17
Lluvia helada, mapa meteorológico, 19

M

Macareo, olas y costa, 14
Macizo de cimentación de hormigón, cimentación, 58
Macramé, punto, 378
Macuto, mochila y saco de dormir, 337
Macho, cierres de mercería, 204
Macho de la virola, pesca, 334-335
Madera, 66, 350-351
Madera, lavado y secado, 276
Madera número 1, golf, 304
Madera número 2, golf, 304
Madera número 3, golf, 304
Madereña, accesorios del calzado, 203
Magnetófono de bobinas verticales, 175
Magnetófono de cassettes, 175
Magnetófonos, 175
Magnetómetro, satélite, 182
Magnetoscopio, 180
Mago, 476
Magro, ingredientes crudos, 258
Maiden, instrumentos de ejecución, 452
Maillot, ballet, 478
Maíz, 56
Malabarista, circo, 88-89
Malacología, crustáceos y moluscos, 45
Malar, cuerpo humano, 24
Malecón, esclusa, 97
Maleolo interno, extremidades, 29
Maleta, equipaje, 281
Maleta lateral, motocicleta, 125
Maletín, 281
Maletín de muestras lunares, vehículo lunar, 157
Malla:
ballet, 478
cúpulas, 83
tenis de mesa, 315
Malla fina, accesorios para bebés, 282
Mamífero, mamífero fantástico, 46-47
Mamífero fantástico, 46-47
Mamila, cuerpo humano, 24
Mampara delantera, camión tractor, 116-117
Mamparo, compartimientos de un barco de vela, 131
Mamparo contra el viento, buque de pasajeros, 138-139
Mamparo de colisión, buque de pasajeros, 138-139
Mamparo de popa, yates a motor, 134-135
Mamparo estanco, buque de pasajeros, 138-139
Mamparo principal, buque de pasajeros, 138-139
Mamperlán, escalera, 64
Mampostería:
fortificaciones, 81
muro de ladrillo, 67
Manchas solares, universo, 2-3
Mandarín chino, atavío de, 475
Mandíbula:
aves, 37
cuerpo humano, 24
insectos, 39
instrumentos eléctricos, 413
llave, 405
sistema muscular y esquelético, 26
vida marina, 43
Mandíbula de corte lateral, alicates, 404
Mandíbula fija:
alicates, 404
llave, 405
Mandíbula inferior, reptiles, 40-41
Mandíbula móvil:
alicates, 404
llave, 405
Mandíbula superior, vida marina, 43
Mandíbulas del cepo, trampas, 423
Mandilete, armadura, 455
Mando a distancia:
proyectores, 173
televisión, 181
Mando automático de puerta, ascensor, 76
Mando de agudos, equipo de alta fidelidad, 177
Mando de ajuste de cero del óhmetro, instrumentos eléctricos, 413
Mando de ajuste de la sintonía, videocassette, 180
Mando de alcance, automóvil de policía, 118
Mando de apertura, televisión, 181
Mando de audio:
automóvil de policía, 118
detectores, 435
Mando de avance y retroceso a cámara lenta, televisión, 181
Mando de avance y retroceso rápidos, televisión, 181
Mando de cambio de color de la cinta, máquina de escribir, 162
Mando de control, carretilla y sembradora, 420
Mando de desembrague del carro, máquina de escribir, 162
Mando de encendido y apagado, caja registradora, 430
Mando de enfoque, telescopio y gemelos, 433
Mando de exploración, televisión, 181

Mando de grabación, magnetófonos, 175
Mando de graduación, tostador de pan, 249
Mando de graduación de la boquilla aspiradora, aspiradora, 279
Mando de graves, equipo de alta fidelidad, 177
Mando de imagen fija, televisión, 181
Mando de inversión del sentido de giro, alfarería, 367
Mando de la bomba de aceite, sierra de cadena, 421
Mando de la devanadera, máquina de coser, 274
Mando de la empacadora, vehículos de saneamiento, 123
Mando de la parrilla encimera, cocina, 244
Mando de la pista de sonido, televisión, 181
Mando de la radio, reloj de pared, 229
Mando de movimiento lento, telescopio y gemelos, 433
Mando de operación manual, aspiradora, 279
Mando de pausa, televisión, 181
Mando de pie, unidad dentaria, 444
Mando de reproducción, televisión, 181
Mando de rotación del cable, plancha, 275
Mando de sensibilidad, videocassette, 180
Mando de sintonía para AM y FM, equipo de alta fidelidad, 177
Mando de sistema de calefacción y ventilación, interior de un automóvil, 106
Mando de sujeción de la lata, abridores, 247
Mando de televisión por cable, televisión, 181
Mando de temperatura, acondicionamiento de aire, 392
Mando de temperaturas, tostador de pan, 249
Mando de tierra, detectores, 435
Mando de tono, magnetófonos, ·175
Mando de variación de velocidad, sierra mecánica, 407
Mando de velocidad, multirrobot de cocina, 25
Mando de volumen:
automóvil de policía, 118
detectores, 435
emisor-receptor, 179
equipo de alta fidelidad, 177
magnetófonos, 175
Mando de volumen para grabación con micrófono, magnetófonos, 175
Mando de volumen para grabación directa de fuentes externas, magnetófonos, 175
Mando del agua, unidad dentaria, 444
Mando del aire, unidad dentaria, 444
Mando del ariete, vehículos de saneamiento, 123
Mando del cabestrante, camión remolque, 122
Mando del cable de perforación, plataforma de perforación submarina, 99
Mando del elevalunas eléctrico, interior de un automóvil, 106
Mando del estrangulador de arranque, sierra de cadena, 421
Mando del horno y la parrilla inferior, cocina, 244
Mando del programador, lavado y secado, 276-277
Mando del quemador, cocina, 244
Mando del regulador, motor de combustión interna, 396
Mando del zoom a motor, cámara de cine, 172
Mando ecualizador, magnetófonos, 175
Mando elevador de las tostadas, tostador de pan, 249
Mando equilibrador de los bafles, equipo de alta fidelidad, 177
Mando graduador de la concentración, cafeteras, 248
Mando monitor, magnetófonos, 175
Mando para cambiar las diapositivas, proyectores, 173
Mando para reducción del ruido de fondo, emisor-receptor, 179
Mando polarización, magnetófonos, 175
Mando regulador de la intensidad de frenado, pesca, 334-335
Mando regulador de la temperatura, accesorios de jardín, 284
Mando selector de carga, lavado y secado, 276
Mando selector de la anchura de puntada, máquina de coser, 274
Mando selector de la longitud de puntada, máquina de coser, 274
Mando selector de modos, automóvil de policía, 118
Mando selector de puntos, máquina de coser, 274
Mandolina, 356
Mandos de control, 425
Mandos de la impresora, ordenador, 429
Mandril, alfarería, 367
Manecilla, relojes de pulsera y bolsillo, 216
Manecilla horaria, reloj de pared, 229
Maneta:
caldera de calefacción, 390
Maneta, grifo y lavabo, 269
Maneta de agua caliente, fregadero, 243
Maneta de agua fría, fregadero, 243
Maneta del embrague, motocicleta, 125
Maneta del freno, motocicleta, 125
Maneta del grifo de agua caliente, grifo y lavabo, 269
Maneta del grifo de agua fría, grifo y lavabo, 269
Manga:
camisa, 185
chaqueta y chaleco, 184
globo aerostático, 326
terminología náutica, 128
Manga de bullón, novia y novio, 472
Manga de farol:
galas reales, 468
mayordomo y doncella, 473
Manga del plastrón, esgrima, 309
Manga pegada:
blusa y falda, 193
chaqueta y jersey, 195
chaqueta y pantalón, 192
Manga raglán, prendas de abrigo, 196-197
Mango:
abridores, 247
accesorios de jardín, 283
accesorios musicales, 361
alicates, 404
alpinismo, 328
armas blancas, 453
armas medievales, 454
aspiradora, 279
batería de cocina, 253
béisbol, 287
calcografía, 371
cámara de cine, 172
carretilla y sembrador, 420
cepillo de dientes, 211
cuchillo, 252
cultura física, 338
destornillador, 403
detectores, 435
equipo de ganadero, 422
esgrima, 309
fútbol y lacrosse, 293
gafas, 217
herramientas de cepillar y dar forma, 410
herramientas de escultor, 366
hockey sobre hielo, 291
lavado y secado, 276
llave, 405
maquinillas de afeitar, 206
martillo, 402
navaja múltiple, 416
pesca, 334-335
pintura, 364-365
plancha, 275
proyectores, 173
serigrafía y huesos tallados, 369
servicio de mesa, 240
sierra de mano, 406
taladradora de mano, 408
taladradora eléctrica, 409
tejo y croquet, 312
tenis, 306
tenis de mesa, 315
utensilios de limpieza doméstica, 278
utensilios para el cuidado del cabello, 208
útiles de fontanería, 412
útiles de jardinería, 417
útiles de pintura, 415
velas y candelabros, 233
vidrio emplomado, 372
xilografía, 368
Mango acodado, llave, 405
Mango aislado:
alicates, 404
instrumentos eléctricos, 413
Mango aislante, servicio de postre, 241
Mango con batería recargable, equipo de exploración, 438
Mango de armar, armas automáticas, 461
Mango de la olla, batería de cocina, 253
Mango del asa, batería de cocina, 253
Mango del cerrojo, escopeta y fusil, 458-459
Mango del husillo central, tornillos de sujeción, 399
Mango del husillo lateral, tornillos de sujeción, 399
Mango fijo, alicates, 404
Mango giratorio, coladores y filtros, 256
Mango móvil, alicates, 404
Mango para dos o tres dedos, costura, 376
Mango para el pulgar, costura, 376
Mang-pao, vestimenta local, 475
Manguera:
buque contraincendios, 144
medios de lucha contra incendios, 280
surtidor de gasolina, 108
Manguera acoplable de aspiración fuerte, vehículos de bomberos, 120-121
Manguera acoplable de aspiración suave, vehículos de bomberos, 120-121
Manguera de pértiga, vehículos de bomberos, 120-121
Manguito:
material de exploración física, 439
pesca, 334-335
taladradora de mano, 408
utensilios de limpieza doméstica, 278
útiles de pintura, 415
Manguito de apriete, taladradora de mano, 408
Manguito de conexión de las bujías, motor de automóvil, 107
Manguito de protección, línea de alta tensión, 386
Manguito de tensión arterial, ambulancia, 119
Manguito del armazón, lámparas e iluminación, 234
Manguito del cable, martillo perforador, 426
Manguito del dispositivo de precalentamiento, motor de automóvil, 107
Manguito del porta bocas, destornillador, 403
Manguito del portabrocas, taladradora eléctrica, 409
Manguito protector del cable:
sierra mecánica, 407
taladradora eléctrica, 409
Manija, cámara acorazada y caja fuerte, 447
Manija de corte combustible a motor derecho, tablero de instrumentos, 153
Manija de corte combustible a motor izquierdo, tablero de instrumentos, 153
Manija de extensión, vehículo lunar, 157
Manija de flap desacelerador, cabina de pilotaje del 747, 150-151
Manija de la puerta de carga, estufa de leña, 394
Manija de la puerta frontal, estufa de leña, 394
Manija de lanzamiento de cabina, tablero de instrumentos, 153
Manija del pabellón, metal, 352-353
Manija del registro, estufa de leña, 394
Manija del regulador de tiro, estufa de leña, 394
Manija exterior de la corredera, metal, 352-353
Manija interior de la corredera, metal, 352-353

Manillar:
accesorios para bebés, 282
aparatos ortopédicos, 442
trineo y deslizador, 322
vehículos de recreo, 126
Manillar alto, bicicleta, 124
Manillar de carrera, bicicleta, 124
Maniota, carreras de calesines, 331
Manipulador, unidad dentaria, 444
Manipulador telegráfico, 159
Manivela:
buzón, 227
calcografía, 371
litografía, 370
máquina de vapor, 395
material de escritorio, 273
pesca, 334-335
pintura, 364-365
Manivela de las patas soporte, camión tractor, 116-117
Manivela de rebobinado, cámara y película fotográficas, 171
Mannaia, instrumentos de ejecución, 452
Mano, 29
Mano:
anatomía popular, 25
anfibios, 42
cerdo, 32
cordero, 31
cuerpo humano, 24
gato, 35
ralladores y picadoras, 257
Manómetro:
caldera de calefacción, 390
máquina de vapor, 395
material de exploración física, 439
medios de lucha contra incendios, 280
submarinismo, 325
Manopla, 196
Manopla:
armadura, 455
esquí de fondo, 321
Manta:
automóvil de policía, 118
cama y accesorios, 267
vaquero e indio, 474
Mantelería, mobiliario de comedor, 239
Mantelete, carro de combate, 464-465
Mantícora, mamífero fantástico, 46-47
Mantilla, equipo de montar, 329
Mantilla de goma, xilografía, 368
Manto:
estructura de la Tierra, 4
vida marina, 44
Manto imperial, galas reales, 468
Manubrio, vida marina, 44
Manzana, frutos, 53
Mapa meteorológico, 19
Maquillaje, 212
Máquina, ferrocarril, 112-113
Máquina de coser, 274
Máquina de escribir, 162
Máquina de escribir eléctrica, 162
Máquina de escribir manual, 162
Máquina de vapor, 395
Máquina de votar, 427
Máquina sumadora, calculadoras, 431
Máquinas, 381
Maquinilla, velero, 130
Maquinilla desechable, 206
Maquinilla eléctrica, 206
Maquinillas de afeitar, 206
Maratón, atletismo en pista, 294
Marca:
equipo de gandero, 422
lápiz, 160
maquinillas de afeitar, 206
surtidor de gasolina, 108
útiles de medida, 414
Marca central, tenis, 306
Marca de agarre, clavos y tornillos, 400
Marca de fábrica, béisbol, 287
Marca de identificación, prótesis y correctores dentales, 443
Marca de la pelota, golf, 304
Marca de posición, guitarra, 356
Marca de puesto, baloncesto, 292
Marca de referencia:
máquina de coser, 274
serigrafía y huesos tallados, 369
Marca del fabricante:
medios terapéuticos, 441
órgano, 354
Marca del impresor, juegos de cartas, 342
Marca del punzón, procedimientos de impresión, 164
Marca indicadora de canal de emergencia, emisor-receptor, 179
Marca para botón, patrón de corte y confección, 380
Marca reflectante, relojes de pulsera y bolsillo, 216
Marca registrada, símbolos científicos y comerciales, 494
Marca y número de modelo, equipo de alta fidelidad, 177
Marcación relativa, radar y sonar, 434
Marcador:
billar, 314
carreras de calesines, 331
jai alai, 308
Marcapasos, 442
Marcas de posición, guitarra eléctrica, 357
Marco:
arañas, 38
bolos, 311
cámara y película fotográficas, 171
instrumentos de ejecución, 452
puerta, 62
tenis, 306
ventana, 63
Marco alemán, símbolos científicos y comerciales, 494
Marco de la pantalla, televisión, 181
Marco de la parrilla, carrocería, 102-103
Marco de la ventana lateral, puerta, 62
Marco de mallas, tejido, 379
Marco del arnés, submarinismo, 325
Marco del escenario, teatro, 345
Marco del espejo, mobiliario de dormitorio, 268
Marco del faro, carrocería, 102-103
Marco exterior, ventana, 63
Marco inferior, ventana, 63
Marco interior, ventana, 63
Marco para cuadros, 373
Marco superior, ventana, 63
Marcha, atletismo en pista, 294
Marea alta, costa y margen continental, 15
Marea baja, costa y margen continental, 15
Marejada, olas y costa, 14
Margen:
hoja, 50
vida marina, 44
Margen continental, perfil del, 15
Marginador, máquina de escribir, 162
Mariposa, natación, 310
Mariposa de ajuste:
accesorios musicales, 361
batería, 358
Marisco, crustáceos y moluscos, 45
Marisma, río, 13
Marismas de marea, costa y margen continental, 15
Marjal, río, 13
Marmita, batería de cocina, 253
Marrana, cerdo, 32
Marte, universo, 2-3
Martillo, 297-328-402
Martillo:
alpinismo, 328
material de exploración física, 439
piano, 355
Martillo de bola, 402
Martillo de mecánico, 402
Martillo perforador, 426
Más, símbolos científicos y comerciales, 494
Masa:
alimentos preparados, 259
comida rápida, 261
Masa cósmica, universo, 2-3
Masa crítica, reactor nuclear, 384-385
Máscara, esgrima, 309
Mascote, béisbol, 286
Mascotín, 287
Masculino, símbolos científicos y comerciales, 494
Mastaba, arquitectura internacional, 68-69
Mástil:
banderas, 486
buque contraincendios, 144
buque de guerra de superficie, 140-141
circo, 88-89
emisor-receptor, 179
guitarra, 356
guitarra eléctrica, 357
instrumentos populares, 360
portaaeronaves, 142
rascacielos, 75
remolcador, 144
surf, 324
velero, 130
violín, 349
Mástil de amarre, aerostato, 158
Mástil de apoyo, autobús, 114
Mástil de bajo, guitarra eléctrica, 357
Mástil de guitarra, guitarra eléctrica, 357
Matacán, castillo, 78-79
Matemáticas, símbolos científicos y comerciales, 494
Material de campo, fútbol americano, 289
Material de escritorio, 273
Material de exploración física, 439
Material de laboratorio, 436-437
Material de relleno, valla, 65
Material fisible, reactor nuclear, 384-385
Material fundido, volcán, 10
Material móvil, 112-113
Material rodante, 112-113
Material rodante, estación de clasificación, 94
Material semiconductor, línea de alta tensión, 386
Ma-ti-siu, vestimenta local, 475
Matraz, material de laboratorio, 436-437
Matrícula:
avión particular, 147
carrocería, 102-103
globo aerostático, 326
Matriz:
entrada/localidad, 343
equipo dental, 445
material de escritorio, 273
Maxila, vida marina, 43.
Maxilar, gato, 35
Maxilar inferior:
aves, 37
sistema muscular y esquelético, 26
Maxilar superior:
aves, 37
sistema muscular y esquelético, 26
Mayonesa, comida rápida, 261
Mayor que, símbolos científicos y comerciales, 494
Mayordomo, 473
Maza, 454
Mazo, 402
Mazo:
batería, 358
herramientas de escultor, 366
ralladores y picadoras, 257
tejo y croquet, 312
utensilios de limpieza doméstica, 278
Mazo de madera, herramientas de escultor, 366
Mazorca:
columna, 71
gramíneas, 56
Mecanismo de accionamiento, parque de atracciones, 91
Mecanismo de ajuste:
armas automáticas, 461
aspersores y boquillas, 418
Mecanismo de armado, mortero y bazooka, 462
Mecanismo de carraca:
llave, 405
taladradora de mano, 408
Mecanismo de cierre, cerraduras de puerta, 448
Mecanismo de dirección, vehículos de recreo, 126
Mecanismo de disparo, mortero y bazooka, 462
Mecanismo de elevación, mortero y bazooka, 462
Mecanismo de inclinación, sillón reclinable, 231
Mecanismo de los cerrojos, cámara acorazada y caja fuerte, 447
Mecanismo de relojería, reloj de pared, 229
Mecanismo del cambio, bicicleta, 124
Mecanismo del medidor, instrumentos eléctricos, 413
Mecanismo equilibrador del brazo, equipo de alta fidelidad, 176
Mecanismo para extraer el cargador, escopeta y fusil, 458-459
Mecedora, 230

Mecha:
granada y mina, 463
tejido, 379
velas y candelabros, 233
Mecha suelta, cabello masculino, 207
Mechero de gas, 436-437
Mechón:
anatomía popular, 25
utensilios para el peinado, 210
Mechón de cerdas, aves de corral, 33
Mechón lacio, cabello femenino, 209
Medalla, 485
Medalla, galas reales, 468
Medallón, 215
Médanos, olas y costa, 14
Media:
accesorios del calzado, 203
esgrima, 309
guardián de la Torre de Londres, 467
prendas interiores, 191
Media de lana, esquí de fondo, 321
Media luna:
armas medievales, 454
extremidades, 29
símbolos religiosos, 492
Media sombra, elementos de la composición, 362-363
Medias panty, 191
Medicina, símbolos científicos y comerciales, 494
Medida, útiles de, 414
Medidas, 254
Medido por, símbolos científicos y comerciales, 494
Medidor de la potencia eléctrica (unidad el Watio), símbolos científicos y comerciales, 494
Medidor de la precipitación, equipo meteorológico, 18
Medidor de la resistencia eléctrica (unidad en Ohmio), símbolos científicos y comerciales, 494
Medidor de la señal de radiofrecuencia, emisor-receptor, 179
Medidor de potencia de salida, equipo de alta fidelidad, 177
Medidor de radiaciones infrarrojas, satélite, 182
Medidor de señal y comprobación del estado de la batería, detectores, 435
Medio:
exrtemidades, 29
pintura, 364-365
Medio campo, elementos de la composición, 362-363
Medios de comunicación, 159
Medios de lucha contra incendios, 280
Medios de transporte, 101
Medios terapéuticos, 441
Médula:
árbol, 48
ingredientes crudos, 258
Medusa, 44
Mejilla:
caballo, 36
perro, 34
Mejillón, crustáceos y moluscos, 45
Melena, campana, iv
Melena, cabello femenino, 209
Melena de león, mamífero fantástico, 46-47
Melocotón, frutos, 53
Membrana:
anfibios, 42
béisbol, 287
Membrana interdigital, aves, 37
Membrana nuclear, célula animal, 23
Membrana plasmática, célula animal, 23
Menor que, símbolos científicos y comerciales, 494
Menos, símbolos científicos y comerciales, 494
Ménsula:
castillo, 78-79
mesa, 238
Ménsula oscilatoria, motor fuera borda, 133
Mente, anatomía popular, 25
Mentón:
anatomía popular, 25
cuerpo humano, 24
Mentonera, violín, 349
Menudillo:
aves de corral, 33
caballo, 36
Meñique, extremidades, 29
Mercurio, universo, 2-3
Meridiano:
cartografía, 5
Tierra, 1
Merlón, castillo, 78-79
Mes lunar, estructura de la Tierra, 4
Mesa, 238
Mesa:
banco de trabajo, 398
ordenador, 429
servicio de, 240
sierra mecánica, 407
Mesa abatible, compartimientos de un barco de vela, 131
Mesa auxiliar, escritorio, 272
Mesa de billar, 314
Mesa de escritorio de tablero inclinado, escritorio, 272
Mesa de exploración, 440
Mesa de juego, mesa, 238
Mesa de operaciones, 440
Mesa de pedestal, mesa, 238
Mesa de ping-pong, 315
Mesa de soporte, equipo dental, 445
Mesa de trabajo, taladradora eléctrica, 409
Mesa de anotador:
baloncesto, 292
fútbol y lacrosse, 293
Mesa extensible, 238
Mesa quirúrgica, 440
Mesa multiposicional, mesas médicas, 440
Mesas médicas, 440
Mesenterio, vida marina, 44
Meseta, paisajes terrestres, 7
Mesial, dientes, 446
Mesilla de noche, mobiliario de dormitorio, 268
Mesocarpo, frutos, 53
Mesosfera, estructura de la Tierra, 4
Meta, atletismo en pista, 295
Metacarpo:
gato, 35
sistema muscular y esquelético, 26
Metal, 348-352-353
Metamorfosis, insectos, 39
Metatarso:
arañas, 38
gato, 35
sistema muscular y esquelético, 26
Meteoro, universo, 2-3
Metereólogo, equipo meteorológico, 18
Metralla, granada y mina, 463
Metro plegable, 414
Metrónomo, 361
Mezclador, guitarra eléctrica, 357
Mezclador de masas, ralladores y picadoras, 257
Mezcladores, 254
Mezquita, 68-69
Mezzo forte, partitura, 346
Mezzo piano, partitura, 346
Micelio, plantas inferiores, 55
Micrófono, 172-179
Micrófono:
aparatos ortopédicos, 442
automóvil de policía, 118
magnetófonos, 175
teléfono, 178
Micrófono de intercomunicación y aviso a pasajeros, cabina de pilotaje del 747, 150-151
Micrófono externo, magnetófonos, 175
Micrófono incorporado, magnetófonos, 175
Microscopio, 432
Microscopio, material de laboratorio, 436-437
Microscopio compuesto, microscopio, 432
Microscopio simple, microscopio, 432
Microteléfono, teléfono, 178
Miembro, cuerpo humano, 24
Miembro, superior, cuerpo humano, 24
Miga, alimentos preparados, 259
Milímetro, armas cortas, 460
Milímetro de mercurio, equipo meteorológico, 18
Mimbre, bolsas y cestas, 262
Mina, 463
Mina, lápiz, 160
Mina antitanque, 463
Minarete, arquitectura internacional, 68-69
Minaretes, 68-69
Minigolf, buque de pasajeros, 138-139
Minusválidos, señales públicas, 490-491
Minutero:
reloj de pared, 229
relojes de pulsera y bolsillo, 216
valla, 298
Minuto, signos ortográficos, 497
Minuto de ángulo, símbolos científicos y comerciales, 494
Minuto de arco, símbolos científicos y comerciales, 494
Mira:
arco y flecha, 456
carro de combate, 464-465
Mira del artillero, carro de combate, 464-465
Mira telescópica, 458-459
Mirilla, puerta, 62
Mirilla para el conductor, carro de combate, 464-465
Mirlitón, 360
Misil, 466
Misil, submarino, 143
Misil antibalístico, misil y torpedo, 466
Misil balístico intercontinental, misil y torpedo, 466
Misil de objetivos múltiples independientes, misil y torpedo, 466
Misil de reentrada a la atmósfera, misil y torpedo, 466
Misiles Phoenix, avión de caza, 152
Misiles Sidewinder, avión de caza, 152
Misiles Sparrow, avión de caza, 152
Mitad superior, violín, 349
Mitocondria, célula animal, 23
Mitra ornada, ornamentos religiosos, 471
Mitra sencilla, ornamentos religiosos, 471
Mitón, trajes de época, 476
Mixto, natación, 310
Mobiliario de comedor, 239
Mobiliario de dormitorio, 268
Mocasín:
vaquero e indio, 474
zapato de caballero, 200
Moco, aves de corral, 33
Mochila, 337
Mochila pequeña, esquí de fondo, 321
Modelar arcilla, herramientas para, 366
Modelo de tipo, máquina de escribir, 162
Modelo del guante, béisbol, 287
Modificadores, guitarra eléctrica, 357
Módulo de alimentación, caja registradora, 430
Módulo de teclado y display, caja registradora, 430
Módulo lunar, 156
Módulo servicio de cocina, avión comercial, 148-149
Moharra:
armas medievales, 454
valla, 65
Moisés, accesorios para bebés, 282
Molde:
prótesis y correctores dentales, 443
utensilios para preparaciones, 255
Molde de galletas, ralladores y picadoras, 257
Moldura:
escalera, 64
escalera mecánica, 77
iglesia, 84
marco para cuadros, 373
mobiliario de comedor, 239
Moldura cóncava, reloj de pared, 229
Moldura corrida, iglesia, 84
Moldura de la boca, cañón y catapulta, 457
Moldura lateral inferior, camión tractor, 116-117
Moldura lateral superior, camión tractor, 116-117
Moldura para el goteo, carrocería, 102-103
Moldura poligonal, arquitectura internacional, 68-69
Moldura protectora, camión tractor, 116-117
Molinete, velero, 130
Molineta del ancla, petrolero, 136-137
Molinillo de pimienta, ralladores y picadoras, 257
Molinillo inferior, lavavajillas, 246
Molinillo superior, lavavajillas, 246
Molino de viento, 382
Moluscos, 45
Molleja, aves de corral, 33
Mollera, anatomía popular, 25

Monedero:
bolso de mano, 218
cartera, 219
trajes de época, 476
Monitor:
ordenador, 429
proyectores, 173
Monitor de televisión:
prisión, 74
videocassette, 180
Monitor teléfono, magnetófonos, 175
Monja, 471
Mono ignífugo del piloto, 333
Monociclo, bicicleta, 124
Monóculo, 217
Monocuspídeo, dientes, 446
Monopatín, 318
Montaje, buque de guerra de superficie, 140-141
Montaje de pivotes, armas automaticas, 461
Montaje:
calcografía, 371
gimnasia, 300
instrumentos de ejecución, 452
litografía, 370
mobiliario de comedor, 239
mobiliario de dormitorio, 268
patinaje sobre hielo, 319
pintura, 364-365
puerta, 62
silla, 230
útiles de pintura, 415
valla, 298
Montante de la báscula, material de laboratorio, 436-437
Montante del parabrisas, vista en sección de un automóvil, 104-105
Montante delantero, tejido, 379
Montante lateral, carruajes de caballos, 127
Montante trasero, tejido, 379
Montante y travesaño del armazón, parque de atracciones, 90
Montaña rusa, 90
Montañas, 8-9
Montículo, paisajes terrestres, 7
Montura:
anillo, 215
equipo meteorológico, 18
gafas, 217
Montura altacimutal, telescopio y gemelos, 433
Montura del talón, esquí acuático, 323
Montura en doble barra, gafas, 217
Monzones, vientos y corrientes oceánicas, 6
Moño, cabello femenino, 209
Moqueta, alfombra, 242
Moquetas, instalador de, 242
Morcillo, vaca, 30
Mordaza:
banco de trabajo, 398
cultura física, 338
instrumentos eléctricos, 413
tornillos de sujeción, 399
Mordaza de sujeción, magnetófonos, 175
Mordaza de sujeción del pelo, sierras de mano, 406
Mordaza fija, tornillos de sujeción, 399
Mordaza móvil, tornillos de sujeción, 399
Mordaza tornillo, banco de trabajo, 398
Morillo, chimenea, 228
Morrena central:
glaciar, 12
montañas, 8-9
Morrena lateral:
glaciar, 12
montañas, 8-9
Morrena terminal:
glaciar, 12
montañas, 8-9
Morrión, jefe de majorettes, 479
Morro:
caballo, 36
cerdo, 32
esclusa, 97
misil y torpedo, 466
patinaje sobre ruedas, 318
vaca, 30
vehículos de recreo, 126
vida marina, 43
Mortero, 462
Mortero, ralladores y picadoras, 257
Mosca, cabello masculino, 207
Mosca artificial, 334-335
Mosquetón, 214
Mosquetón:
alpinismo, 328
pesca, 334-335
relojes de pulsera y bolsillo, 216
Mosquitero, camping, 336
Mosquito, 39
Mostaza, comida rápida, 261
Mote, escudo de armas, 487
Motivo, elementos de la composición, 362-363
Motivo decorativo, valla, 65
Moto de montaña, motocicleta, 125
Moto de trial, motocicleta, 125
Moto para nieve (snowmobile), 126
Motocicleta, 125
Motor:
aerostato, 158
cadena y polea, 451
cafeteras, 248
carreras de dragsters, 333
cortacésped, 419
grandes premios automovilísticos, 332
motocicleta, 125
vista en sección de un automóvil, 104-105
Motor de alunizaje, módulo lunar, 156
Motor de arranque:
motor de automóvil, 107
vista en sección de un automóvil, 104-105
Motor de arrastre, cámara y película fotográficas, 171
Motor de automóvil, 107
Motor de combustión interna, 396
Motor de cuatro tiempos, motor de combustión interna, 396
Motor de despegue, módulo lunar, 156
Motor de dos tiempos, motor de combustión interna, 396
Motor de turbina, helicóptero, 146
Motor de cabestrante, plataforma de perforación submarina, 99
Motor fuera borda, 133
Motor intraborda, motor fuera borda, 133
Motor principal, lanzadera espacial y plataforma de lanzamiento, 154
Motor reversible, taladradora eléctrica, 409
Motor turbofan, avión comercial, 148-149
Motor turbohélice, motores a reacción, 397
Motora, bote de remos, 129
Motores a reacción, 397
Movimiento a derechas, destornillador, 403
Movimiento a izquierdas, destornillador, 403
Movimiento alternativo, máquina de vapor, 395
Movimiento giratorio, máquina de vapor, 395
Movimiento rectilíneo, lijadora portátil, 411
Movimiento vertical del aire, nubes, 16
Mozo de pista, circo, 88-89
Mueca, ornamentos religiosos, 471
Muebles:
acondicionamiento de aire, 392
compactador de basura, 243
lavado y secado, 276
lavavajillas, 246
televisión, 181
Muecín, arquitectura internacional, 68-69
Muela, energía eólica, 382
Muela del juicio, dientes, 446
Muelle:
accesorios del calzado, 203
bolígrafo, 160
cultura física, 338
lámparas e iluminación, 235
lavado y secado, 276
material de escritorio, 273
trampas, 423
utensilios de limpieza doméstica, 278
utensilios para el peinado, 210
útiles de jardinería, 417
Muelle de regulador de velocidad, motor de combustión interna, 396
Muelle de retención, surtidor de gasolina, 108
Muelle de sujeción de la tapa, exprimidores, 251
Muelle del cargador, armas cortas, 460
Muelle helicoidal de suspensión trasero, vista en sección de un automóvil, 104-105
Muelle tensor, cama elástica, 302
Muerte, símbolos científicos y comerciales, 494
Muesca:
arco y flecha, 456
armas blancas, 453
cigarro y cigarrillo, 224
teléfono, 178
Muesca de protección contra la grabación, diskette, 429
Muesca del contrapeso, material de laboratorio, 436-437
Muesca del soporte, prótesis y correctores dentales, 443
Muesca para la uña, navaja múltiple, 416
Mujer forzuda, circo, 88-89
Mujer tatuada, circo, 88-89
Muleta, 442
Muletilla, medalla, 485
Multímetro, 413
Multiplicado por, símbolos científicos y comerciales, 494
Multipower, 338
Multirrobot de cocina, 250
Munición, armas automáticas, 461
Muñeca:
cuerpo humano, 24
extremidades, 29
gato, 35
Muñequera:
alpinismo, 328
esquí alpino, 320
paraguas, 226
Muñequilla de la manivela, máquina de vapor, 395
Muñón, cañón y catapulta, 457
Muralla:
caballo, 36
castillo, 78-79
fortificaciones, 81
Muro, olas y costa, 14
Muro de cabecera de circo, montañas, 8-9
Muro de carga exterior, cimentación, 58
Muro de contención, valla, 65
Muro de cortina, fortificaciones, 81
Muro de cortina exterior, castillo, 78-79
Muro de gran altura, prisión, 74
Muro de ladrillo, 67
Muro de piñón, establo y silo, 100
Músculo aductor, crustáceos y moluscos, 45
Músculo aproximador del pulgar, sistema muscular y esquelético, 26
Músculo aproximador mediano, sistema muscular y esquelético, 26
Músculo bíceps braquial, sistema muscular y esquelético, 26
Músculo cardiaco, sistema muscular y esquelético, 26
Músculo deltoides, sistema muscular y esquelético, 26
Músculo dorsal ancho, sistema muscular y esquelético, 26
Músculo estrenocleidomastoideo, sistema muscular y esquelético, 26
Músculo involuntario, sistema muscular y esquelético, 26
Músculo palmar mayor, sistema muscular y esquelético, 26
Músculo pectoral mayor, sistema muscular y esquelético, 26
Músculo recto anterior, sistema muscular y esquelético, 26
Músculo recto interno, sistema muscular y esquelético, 26
Músculo sartorio, sistema muscular y esquelético, 26
Músculo sóleo, sistema muscular y esquelético, 26
Músculo supinador largo, sistema muscular y esquelético, 26
Músculo tibial anterior, sistema muscular y esquelético, 26
Músculo tibial posterior, sistema muscular y esquelético, 26
Músculo trapecio, sistema muscular y esquelético, 26
Músculo tríceps braquial, sistema muscular y esquelético, 26
Músculo vasto externo, sistema muscular y esquelético, 26
Músculo vasto interno, sistema muscular y esquelético, 26
Músculo voluntario, sistema muscular y esquelético, 26
Músculos gemelos, sistema muscular y esquelético, 26

Música, iv
Músico:
orquesta, 348
teatro, 345
Muslera, armadura, 455
Muslo:
anfibios, 42
aves, 37
aves de corral, 33
caballo, 36
cuerpo humano, 24
despiece de un ave, 33
gato, 35
perro, 34
vaca, 30
Muy nuboso, mapa meteorológico, 19

N

Nacimiento, símbolos científicos y comerciales, 494
Nacimiento de la cola, vaca, 30
Naipe, juegos de cartas, 342
Nalga:
anatomía popular, 25
caballo, 36
cuerpo humano, 24
Naranja, frutos, 53
Narguilé, pipa, 225
Nariz, 28
Nariz:
cuerpo humano, 24
gato, 35
perro, 34
Narizota, payaso, 477
Nasa, 423
Nata, postres, 260
Natación, 310
Navaja, abridores, 247
Navaja de afeitar, maquinillas de afeitar, 206
Navaja múltiple, 416
Nave, interior de una iglesia, 85
Nave del hangar, portaaeronaves, 142
Nave lateral, interior de una iglesia, 85
Nave orbitadora, lanzadera espacial y plataforma de lanzamiento, 154
Navegante, tablero de instrumentos, 153
Nebulosa, universo, 2-3
Neceser, 281
Negra, partitura, 346
Neptuno, universo, 2-3
Nervadura:
paracaídas y planeador, 327
útiles de jardinería, 417
Nervadura interior, submarinismo, 325
Nervio:
armas medievales, 454
ingredientes crudos, 258
Nervio central:
accesorios del calzado, 203
hoja, 50
Nervio de toldo, yates a motor, 134-135
Nervio lateral, submarinismo, 325
Nervio medial:
hoja, 50
plantas inferiores, 55
Nesga, paraguas, 226
Neumático:
bicicleta, 124
camión tractor, 116-117
carrocería, 102-103
motocicleta, 125
rueda, 101
Neumático ancho especial, tractor, 424
Neumático de banda blanca, carrocería, 102-103
Neumático de competición tipo slick (sin dibujo), carreras de dragsters, 333
Neumático de repuesto, carrocería, 102-103
Neutro, interruptor, 388
«Neveras», prisión, 74
Nevera, compartimientos de un barco de vela, 131
Nevero:
glaciar, 12
montañas, 8-9
Nido, arañas, 38
Niebla, mapa meteorológico, 19
Nieve, mapa meteorológico, 19
Nimboestrato, sistemas tormentosos, 17
Niños, señales de tráfico, 488-489
Nivel, teodolito, 426
Nivel de 45.º, útiles de medida, 414
Nivel de burbuja, útiles de medida, 414
Nivel de carpintero, 414
Nivel de horizontales, útiles de medida, 414
Nivel de verticales, útiles de medida, 414
Nivel del anteojo, teodolito, 426
Nivel del limbo horizontal, teodolito, 426
Nivel individual, útiles de medida, 414
Nivel inferior, esclusa, 97
Nivel superior, esclusa, 97
Nivelador, billar, 314
No igual a, símbolos científicos y comerciales, 494
No tocar, símbolos científicos y comerciales, 494
Nombre:
buque contraincendios, 144
buque de pasajeros, 138-139
remolcador, 144
Nombre del fabricante, litografía, 370
Nonio del limbo horizontal, teodolito, 426
Nonio del limbo vertical, teodolito, 426
Nonio, sextante, 133
Noria, 91
Nota, 346
Novia, 472
Novilla, vaca, 30
Novio, 472
Nube de chubascos, sistemas tormentosos, 17
Nube de partículas iónicas, universo, 2-3
Nube de tormenta:
nubes, 16
sistemas tormentosos, 17
Nube gaseosa de naturaleza desconocida, universo, 2-3
Nube interestelar, universo, 2-3
Nubes, 16
Nuca, gato, 35
Nuca, aves, 37
Núcleo, xilografía, 368
Núcleo, célula animal, 23
Nucleolo, célula animal, 23
Núcleo central, estuctura de la Tierra, 4
Núcleo del ayudante, unidad dentaria, 444
Núcleo del médico, unidad dentaria, 444
Núcleo del reactor, reactor nuclear, 384-385
Núcleo exterior, estructura de la Tierra, 4
Nudillo, perro, 34
Nudillos, extremidades, 29
Nudo:
ballet, 478
corbatas, 189
costura, 376
cúpulas, 83
gramíneas, 56
materiales de construcción, 66
payaso, 477
Nudo corredizo:
equipo de ganadero, 422
instrumentos de ejecución, 452
Nuez:
arco y flecha, 456
frutos, 53
Nuez de Adán, anatomía popular, 25
Número:
baloncesto, 292
golf, 304
lápiz, 160
símbolos científicos y comerciales, 494
Número corto, payaso, 477
Número de columnas, perforadora de fichas, 428
Número de dioptrías, equipo de exploración, 438
Número de embarcación, vela, 132
Número de exposición, cámara y película fotográficas, 171
Número de identificación:
buque de guerra de superficie, 140-141
submarino, 143
Número de identificación del jugador, jai alai, 308
Número de la autobomba, vehículos de bomberos, 120-121
Número de la calle, natación, 310
Número de la unidad, bombero, 484
Número de la vivienda, buzón, 227
Número de matriz, equipo de alta fidelidad, 176
Número de página, iv
Número de pista, aeropuerto, 92-93
Número de registro, medios terapéuticos, 441
Número de serie:
cámara acorazada y caja fuerte, 447
material de laboratorio, 436-437
mesas médicas, 440
pintura, 364-365
Número de tazas, cafeteras, 248
Número del autobús, autobús, 114
Número del bombero, bombero, 484
Número del grano, lijadora portátil, 411
Número del teléfono, teléfono, 178
Número del trayecto, autobús, 114
Número reflectante de identificación de la boya, terminología náutica, 128
Nyki, arquitectura internacional, 68-69

O

Obelisco, 68-69
Obelisco:
arquitectura internacional, 68-69
Obenque, velero, 130
Obispillo, aves, 37
Obispo, 471
Objetivo:
cámara de cine, 172
cámara fotográfica, 170
cámara y película fotográficas, 171
escopeta y fusil, 458-459
microscopio, 432
proyectores, 173
telescopio y gemelos, 433
Objetivo de acoplamiento, módulo lunar, 156
Objetivo del anteojo, teodolito, 426
Objetivo intercambiable, cámara y película fotográficas, 171
Objetivo zoom, videocassette, 180
Objeto torneado, alfarería, 367
Objetos perdidos, señales públicas, 490-491
Oboe, 350-351
Oboe:
orquesta, 348
Obra, señales de tráfico, 488-489
Obturación, equipo dental, 445
Obturador, armas automáticas, 461
Ocelo, insectos, 39
Ocelos, vida marina, 44
Octante, motor fuera borda, 133
Octava del teclado, 355
Octavín, 350-351
Ocular:
cámara de cine, 172
equipo de exploración, 438
escopeta y fusil, 458-459
telescopio y gemelos, 433
teodolito, 426
Ocular corredizo, equipo de exploración, 438
Ocular del visor, cámara fotográfica, 170
Ocho cilindros en V, motor de automóvil, 107
Odre, gaita, 359
Offset, 164
Oficial de control de misiles, tablero de instrumentos, 153
Oficina, fortificaciones, 80
Oftalmólogo, equipo de exploración, 438
Oftalmoscopio, 438
Oído:
aves, 37
aves de corral, 33
insectos, 39
reptiles, 40-41
Oído externo, 28
Ojal:
camisa, 185
camping, 336
cierres de mercería, 204
cinturón y tirantes, 186
chaqueta y chaleco, 184
zapatilla deportiva, 296
Ojal bordado, trajes de época, 476
Ojal de la solapa, chaqueta y chaleco, 184
Ojal para gemelo, camisa, 185
Ojera:
telescopio y gemelos, 433
videocassette, 180

Ojete:
béisbol, 287
patinaje sobre hielo, 319
sombreros masculinos, 198
zapato de caballero, 200
Ojete del cierre, bolso de mano, 218
Ojete-guía del hilo, máquina de coser, 274
Ojiva, cañón y catapulta, 457
Ojo, 28
Ojo:
alimentos preparados, 259
anfibios, 42
armas medievales, 454
cordero, 31
costura, 376
crustáceos y moluscos, 45
cuerpo humano, 24
equipo de montar, 329
gato, 35
gema o piedra preciosa, 214
hortalizas, 52
insectos, 39
llave y candado, 449
martillo, 402
pesca, 334-335
procedimientos de impresión, 164
puente, 95
reptiles, 40-41
vida marina, 43-44
Ojo compuesto, insectos, 39
Ojo de buey:
buque de pasajeros, 138-139
lavado y secado, 276
Ojo de la cerradura, puerta, 62
Ojo del huracán, sistemas tormentosos, 17
Ojo mágico, radar y sonar, 434
Ojo simple, insectos, 39
Ojos, arañas, 38
Ola de marea, olas y costa, 14
Ola de superficie, olas y costa, 14
Ola interna, olas y costa, 14
Olas, 14
Olas de bajío, olas y costa, 14
Oleo, pintura, 364-365
Oliva, material de exploración física, 439
Olla, 253
Olla a presión, 253
Ollao del rizo, vela, 132
Ollar, caballo, 36
Ombligo:
anatomía popular, 25
cuerpo humano, 24
Omóplato, cuerpo humano, 24
Onda:
cabello femenino, 209
novia y novio, 427
Ondas de radio, universo, 2-3
Ondulación, clavos y tornillos, 400
Ondulaciones precontinentales, costa y margen continental, 15
Opérculo, vida marina, 43
Opistenar, extremidades, 29
Orbe, 469
Orbita:
anatomía popular, 25
órganos de los sentidos, 28
Ordenador, 429
Ordenador doméstico, 429
Oreja, 28
Oreja:
armas medievales, 454
caballo, 36
cerdo, 32
cordero, 31
cuerpo humano, 24
gato, 35
martillo, 402
perro, 34
Oreja de ciervo, mamífero fantástico, 46-47
Oreja de conejo, mamífero fantástico, 46-47
Oreja de elefante, mamífero fantástico, 46-47
Oreja de mono, mamífero fantástico, 46-47
Orejera, tienda india, 82
Orejeras, béisbol, 286
Orejeta:
granada y mina, 463
medios de lucha contra incendios, 280
Organillo, parque de atracciones, 91
Organo, 354
Organo eléctrico, órgano, 354
Organo electrónico, órgano, 354
Organo floral, gramíneas, 56
Organo vegetativo, gramíneas, 56
Organos internos, 27
Orificio:
accesorios del calzado, 203
cierres de mercería, 205
costura, 376
equipo de exploración, 438
litografía, 370
maquinillas de afeitar, 206
material de escritorio, 273
utensilios para el peinado, 210
Orificio central, equipo de alta fidelidad, 176
Orificio de carga, armas cortas, 460
Orificio de costura, cierres de mercería, 204
Orificio de desagüe, grifo y lavabo, 269
Orificio de drenaje, muro de ladrillo, 67
Orificio de enclavamiento para la barra, cámara acorazada y caja fuerte, 447
Orificio de engrase, sierra mecánica, 407
Orificio de la embocadura, madera, 350-351
Orificio de la llanta, camión tractor, 116-117
Orificio de puesta en atmósfera, motor fuera borda, 133
Orificio de referencia, diskette, 429
Orificio de sujeción, lavado y secado, 276
Orificio de tierra, interruptor, 388
Orificio de ventilación:
cocina, 244
medios terapéuticos, 441
Orificio de vertido de los desperdicios, compactador de basura, 243
Orificio del activo, interruptor, 388
Orificio del aire caliente, utensilios para el peinado, 210
Orificio del eje de accionamiento, diskette, 429
Orificio del neumoscopio, equipo de exploración, 438
Orificio del neutro, interruptor, 388
Orificio del oído, fútbol americano, 288
Orificio dentado, llave, 405
Orificio humidificador, plancha, 275
Orificio nasal:
anfibios, 42
aves, 37
reptiles, 40-41
vida marina, 43
Orificio para colgar:
abridores, 247
utensilios de limpieza doméstica, 278
Orificio para el dedo, pintura, 364-365
Orificio para el dedo, teléfono, 178
Orificio par el eje, rueda, 101
Orificio para el mosquetón, alpinismo, 328
Orificio para la cuerda, tenis, 306
Orificio para las cerdas, cepillo de dientes, 211
Orificio para los tornillos de fijación, rueda, 101
Orificio para salida de gases, cañón y catapulta, 457
Origen cársico, sección transversal de una caverna, 11
Origen de la leche, vaca, 30
Origen volcánico, sección transversal de una caverna, 11
Orilla derecha, río, 13
Orilla izquierda, río, 13
Orillo:
patrón de corte y confección, 380
tejido, 379
Orla:
armas medievales, 454
escudo de armas, 487
guitarra, 356
violín, 349
Ornamento, mobiliario de dormitorio, 268
Ornamentos religiosos, 471
Orquesta, 348
Orquesta, teatro, 345
Orquesta sinfónica, 348
Ortodoncia, prótesis y correctores dentales, 443
Oruga:
bulldozer, 425
carro de combate, 464-465
insectos, 39
vehículos de recreo, 126
Orza:
surf, 324
velero, 130
Oscilador:
detectores, 435
símbolos científicos y comerciales, 494
Osciladores, guitarra eléctrica, 357
Ostra, crustáceos y moluscos, 45
Otorrinolaringólogo, equipo de exploración, 438
Otoscopio, 438
Ovario, flor, 51
Oveja, cordero, 31
Ovillo, punto, 378
Ovopositor, insectos, 39
Ovulo, flor, 51
Oxígeno líquido, motores a reacción, 397

P

Pabellón:
arquitectura internacional, 68-69
batería, 358
gema o piedra preciosa, 214
madera, 350-351
metal, 352-353
Pabellón auricular, 28
Pabellón de oficiales, fortificaciones, 80
Pabito, velas y candelabros, 233
Página, número de, iv
Pagoda, 68-69
Paisajes de interés, señales públicas, 490-491
Paisajes terrestres, 7
Pajar, establo y silo, 100
Pajar auxiliar, establo y silo, 100
Pajarita, 189
Pajarita:
mayordomo y doncella, 473
novia y novio, 472
Pala, 315-417
Pala:
accesorios del calzado, 203
alpinismo, 328
armas medievales, 454
cañón y catapulta, 457
bisagra y aldabilla, 450
bota y sandalia, 202
bote de remos, 129
esquí alpino, 320
medidas y mezcladores, 254
motor fuera borda, 133
servicio de mesa, 240
tenis de mesa, 315
útiles de jardinería, 417
zapatilla deportiva, 296
zapato de caballero, 200
zapato de señora, 201
Pala de la hélice, avión particular, 147
Pala de la sandalia, bota y sandalia, 202
Pala del rotor, helicóptero, 146
Pala grande, corbatas, 189
Pala pequeña, corbatas, 189
Paladar, órganos de los sentidos, 28
Palanca:
abridores, 247
banco de trabajo, 398
cepillo de dientes, 211
exprimidores, 251
interruptor, 388
surtidor de gasolina, 108
taladradora eléctrica, 409
tornillos de sujeción, 399
utensilios para el peinado, 210
útiles de fontanería, 412
Palanca antirretroceso, pesca, 334-335
Palanca arranque de motor, cabina de pilotaje del 747, 150-151
Palanca de accionamiento, medios de lucha contra incendios, 280
Palanca de actuación:
martillo perforador, 426
material de escritorio, 273
sierra de cadena, 421
Palanca de adaptación, alicates, 404
Palanca de agua caliente, fregadero, 243
Palanca de agua fría, fregadero, 243
Palanca de ajuste, accesorios para bebés, 282
Palanca de ajuste lateral, herramientas de cepillar y dar forma, 410
Palanca de apriete, tornillos de sujeción, 399
Palanca de armar, armas automáticas, 461
Palanca de avance, taladradora eléctrica, 409
Palanca de avance de película,

cámara y película fotográficas, 171
Palanca de bloqueo:
tornillos de sujeción, 399
valla, 298
Palanca de bloqueo de inclinación, sierra mecánica, 407
Palanca de bloqueo del tope, sierra mecánica, 407
Palanca de bloqueo y rebobinado automático, útiles de medida, 414
Palanca de cambio de velocidades, bulldozer, 425
Palanca de carga de cinta, máquina de escribir, 162
Palanca de carga de la cinta correctora, máquina de escribir, 162
Palanca de cierre, accesorios para bebés, 282
Palanca de «cierre de circuito», manipulador telegráfico, 159
Palanca de compensación manual de estabilizador, cabina de pilotaje del 747, 150-151
Palanca de control, aspersores y boquillas, 418
Palanca de control de desagüe, baño y ducha, 270
Palanca de control del zoom, videocassette, 180
Palanca de desbloqueo, alicates, 404
Palanca de descarga, inodoro, 271
Palanca de desmontaje, bicicleta, 124
Palanca de devolución, teléfono, 178
Palanca de elevación y descenso del brazo, equipo de alta fidelidad, 176
Palanca de extracción del cargador, armas cortas, 460
Palanca de fijación de la mesa, taladradora eléctrica, 409
Palanca de flap, cabina de pilotaje del 747, 150-151
Palanca de freno:
bicicleta, 124
carruajes de caballos, 127
Palanca de gases:
cabina de pilotaje del 747, 150-151
tablero de instrumentos, 153
Palanca de giro, accesorios fotográficos, 174
Palanca de grabación, proyectores, 173
Palanca de inclinación:
accesorios fotográficos, 174
aparatos ortopédicos, 442
Palanca de interlineación y desplazamiento del carro, máquina de escribir, 162
Palanca de la cuña, herramientas de cepillar y dar forma, 410
Palanca de liberación de elementos, máquina de escribir, 162
Palanca de mando:
cabina de mando de la lanzadera espacial, 155
carretilla y sembradora, 420
Palanca de mando anti-niebla, tablero de instrumentos, 153
Palanca de mando de dirección de la oruga derecha, bulldozer, 425
Palanca de mando de dirección de la oruga izquierda, bulldozer, 425
Palanca de mando de la dirección, bulldozer, 425
Palanca de mando de la hoja de empuje, bulldozer, 425
Palanca de mando de tren de aterrizaje, cabina de pilotaje del 747, 150-151
Palanca de mando del avión, tablero de instrumentos, 153
Palanca de manejo, máquina de votar, 427
Palanca de presión, granada y mina, 463
Palanca de regulación del régimen del motor, bulldozer, 425
Palanca de reposición, surtidor de gasolina, 108
Palanca de seguridad, granada y mina, 463
Palanca de selección, máquina de votar, 427
Palanca de vaciado, inodoro, 271
Palanca de voto individual, máquina de votar, 427
Palanca del cambio, bicicleta, 124
Palanca del cambio de velocidades, interior de un automóvil, 106
Palanca del embrague, motor fuera borda, 133
Palanca del embrague del motor de babor, yates a motor, 134-135
Palanca del embrague del motor de estribor, yates a motor, 134-135
Palanca del gas, cigarro y cigarrillo, 224
Palanca del manipulador, manipulador telegráfico, 159
Palanca del regulador de velocidad, motor de combustión interna, 396
Palanca desmontadora, camión remolque, 122
Palanca disparadora, sextante, 133
Palanca en «T», gimnasia, 301
Palanca frenos de estacionamiento, cabina de pilotaje del 747, 150-151
Palanca liberadora del carro, máquina de escribir, 162
Palanca liberadora del papel, máquina de escribir, 162
Palanca mando dirección en tierra, cabina de pilotaje del 747, 150-151
Palanca manual, alfarería, 367
Palanca para zoom manual, cámara de cine, 172
Palanca reguladora de la interlineación, máquina de escribir, 162
Palanca reguladora del respaldo, accesorios para bebés, 282
Palanca tirahilos, máquina de coser, 274
Palancas de rodilla, guitarra eléctrica, 357
Palco, teatro, 345
Paleta:
chimenea, 228
pesca, 334-335
pintura, 364-365
Paleta cortadora de queso, 252
Paletilla:
cerdo, 32
cordero, 31
Paletina, útiles de pintura, 415
Paletón, llave y candado, 449
Palia, interior de una iglesia, 85
Palillo de cocina, batería de cocina, 253
Palma, béisbol, 287
Palma acolchada, frontón y squash, 307
Palma de la mano, extremidades, 29
Palmatoria, velas y candelabros, 233
Palmera, 50
Palmilla, zapato de caballero, 200
Palmo, bolos, 311
Palo:
cometas, 317
hockey sobre hielo, 290-291
juegos de cartas, 342
silla, 230
tejo y croquet, 312
utensilios de limpieza doméstica, 278
velero, 130
Palo alargador, útiles de pintura, 415
Palo de armazón, tienda india, 82
Palo de la serviola, buque de pasajeros, 138-139
Palo de señales, buque de pasajeros, 138-139
Palo del alero, camping, 336
Palo del radar, petrolero, 136-137
Palo exterior, tienda india, 82
Palo trinquete, petrolero, 136-137
Palomilla, mesa, 238
Palos, 304
Palpo, insectos, 39
Pamela con adornos, novia y novio, 472
Pan de molde, 259
Panadería:
fortificaciones, 80
prisión, 74
Panceta, cerdo, 32
Páncreas, órganos internos, 27
Pandereta, 358
Pandereta, orquesta, 348
Pandero, 358
Panel, autobús, 114
Panel alimentación de audio, TV y radar, cabina de mando de la lanzadera espacial, 155
Panel auxiliar, videocassette, 180
Panel auxiliar de selección, ascensor, 76
Panel basculante, carrocería, 102-103
Panel de condiciones ambientales exteriores, tablero de instrumentos, 153
Panel de contraarmamento electrónico, tablero de instrumentos, 153
Panel de contramedidas, tablero de instrumentos, 153
Panel de control, perforadora de fichas, 428
Panel de control de brújula, tablero de instrumentos, 153
Panel de control de combustible, tablero de instrumentos, 153
Panel de control de presentaciones, tablero de instrumentos, 153
Panel de control de radar meteorológico, cabina de pilotaje del 747, 150-151
Panel de control de tren de aterrizaje, tablero de instrumentos, 153
Panel de control luminoso principal, tablero de instrumentos, 153
Panel de gancho de frenado, tablero de instrumentos, 153
Panel de instrumentación, cabina de mando de la lanzadera espacial, 155
Panel de instrumentos, vehículo lunar, 157
Panel de luces de aviso, cabina de pilotaje del 747, 150-151
Panel de mandos:
cocina, 244
lavado y secado, 277
Panel de maniobra de combate aéreo, tablero de instrumentos, 153
Panel de predicción de elevación, tablero de instrumentos, 153
Panel del techo, carrocería, 102-103
Panel delantero elástico, prendas interiores, 191
Panel deslizante, carrocería, 102
Panel difusor, ascensor, 76
Panel electrónico, cabina de mando de la lanzadera espacial, 155
Panel exterior de ala, avión de caza, 152
Panel frontal:
ascensor, 76
magnetófonos, 175
tostador de pan, 249
Panel inferior, piano, 355
Panel instrumental de techo, cabina de pilotaje del 747, 150-151
Panel integrado de control, tablero de instrumentos, 153
Panel lateral:
carruajes de caballos, 127
mobiliario de comedor, 239
tractor, 424
Panel para anuncios, autobús, 114
Panel principal de prueba, tablero de instrumentos, 153
Panel publicitario luminoso, surtidor de gasolina, 108
Panel solar:
equipo meteorológico, 18
satélite, 182
Panel superior, piano, 355
Pantalón, 192
Pantalón:
esgrima, 309
esquí de fondo, 321
galas reales, 468
novia y novio, 472
payaso, 477
vaquero e indio, 474
Pantalón a rayas, mayordomo y doncella, 473
Pantalón con pinzas, 192
Pantalón corto:
baloncesto, 292
pantalones, 187
Pantalón de montar:
jefe de majorettes, 479
trajes de época, 476
Pantalón elástico, esquí alpino, 320
Pantalón fruncido, 192
Pantalón isotérmico, submarinismo 325
Pantalón vaquero, pantalones, 187
Pantalones, 187
Pantalones:
béisbol, 286
boxeo, 303

fútbol americano, 288
jai alai, 308
Pantalones inflables anti-shock, ambulancia, 119
Pantalones y cordones, hockey sobre hielo, 291
Pantalla, 173-234
Pantalla:
equipo de alta fidelidad, 177
lámparas e iluminación, 235
ordenador, 429
proyectores, 173
televisión, 181
Pantalla datos computadora 1, cabina de mando de la lanzadera espacial, 155
Pantalla datos computadora 2, cabina de mando de la lanzadera espacial, 155
Pantalla datos computadora 3, cabina de mando de la lanzadera espacial, 155
Pantalla de cristal líquido:
detectores, 435
relojes de pulsera y bolsillo, 216
Pantalla de datos de computadora 4, cabina de mando de la lanzadera espacial, 155
Pantalla de enfoque, cámara y película fotográficas, 171
Pantalla de la marca variable de distancias, radar y sonar, 434
Pantalla de presentación de posiciones, tablero de instrumentos, 153
Pantalla de presentación visual, radar y sonar, 434
Pantalla de seda, serigrafía y huesos tallados, 369
Pantalla de tubos de rayos catódicos, radar y sonar, 434
Pantalla del radar, 434
Pantalla del sonar, 434
Pantalla digital:
reloj de pared, 229
relojes de pulsera y bolsillo, 216
Pantalla indicadora del número del canal, emisor-receptor, 179
Pantalla protectora, chimenea, 228
Pantalla quitavientos, camping, 336
Pantalla radar meteorológico, cabina de pilotaje del 747, 150-151
Pantalla reflectora para el radar, terminología náutica, 128
Pantano:
costa y margen continental, 15
presa, 98
Pantoque, compartimientos de un barco de vela, 131
Pantorrilla, cuerpo humano, 24
Panty, prendas interiores, 191
Panza:
arco y flecha, 456
campana, iv
Paño:
billar, 314
fútbol americano, 288
vela, 132
Pañoles, compartimientos de un barco de vela, 131
Pañol mural, compartimientos de un barco de vela, 131
Pañol para la ropa, compartimientos de un barco de vela, 131
Pañuelo:
esquí alpino, 320
galas reales, 468
trajes de época, 476
vaquero e indio, 474
Papada:
cerdo, 32
perro, 34
reptiles, 40-41
vaca, 30
Papel:
accesorios fotográficos, 174
cigarro y cigarrillo, 224
instrumentos eléctricos, 413
procedimientos de impresión, 164
serigrafía y huesos tallados, 369
utensilios para el peinado, 210
Papel de lija, 411
Papel engomado, marco para cuadros, 373
Papel protector, vidrio emplomado, 372
Papeleta, máquina de votar, 427
Papeleta partida, máquina de votar, 427
Papilas gustativas, órganos de los sentidos, 28
Papillotte, alimentos preparados, 259
Papo, perro, 34
Paquete de película, cámara fotográfica, 170
Par, armazón, 59
Par de cuerda, guitarra, 356
Par principal, armazón, 59
Parabarros, camión tractor, 116-117
Parabrisas:
autobús, 114
avión de caza, 152
avión particular, 147
cabina de mando de la lanzadera espacial, 155
cabina de pilotaje del 747, 150-151
camión tractor, 116-117
carrocería, 102-103
ferrocarril, 112-113
vehículos de recreo, 126
yates a motor, 134-135
Parabrisas superior, autobús, 114
Parabrisas trasero, carrocería, 102-103
Paracaídas, 327
Paracaídas, ascensor, 76
Paracaídas auxiliar, paracaídas y planeador, 327
Paracaidista, paracaídas y planeador, 327
Parachispas, chimenea, 228
Parachoques:
aparatos ortopédicos, 442
camión tractor, 116-117
ferrocarril, 112-113
metal, 352-353
parque de atracciones, 90
trineo y deslizador, 322
vehículos de recreo, 126
vehículos de saneamiento, 123
Parachoques delantero:
autobús, 114
carrocería, 102-103
Parachoques trasero, carrocería, 102-103
Parada, circo, 88-89
Parada de taxis, señales públicas, 490-491
Parafina, velas y candelabros, 233
Paragolpes:
aspiradora, 279
surtidor de gasolina, 108
Paraguas, 226
Paraguas, golf, 304
Paraguas corriente, 226
Paraguas de pipa, pipa, 225
Paraguas plegable, 226
Paralelas, 300
Paralelas asimétricas, 300
Paralelo, cartografía, 5
Paramento:
muro de ladrillo, 67
rascacielos, 75
Paramidón, arquitectura internacional, 68-69
Parapeto:
castillo, 78-79
fortificaciones, 80-81
Parapeto almenado, 78-79
Parapeto terreno, fortificaciones, 81
Pararrayos, lanzadera espacial y plataforma de lanzamiento, 154
Parasol, telescopio y gemelos, 433
Parche:
batería, 358
trajes de época, 476
Parche del bombo, batería, 358
Pare, camión tractor, 116-117
Pared:
alfombra, 242
ascensor, 76
batería de cocina, 253
caballo, 36
cámara acorazada y caja fuerte, 447
fortificaciones, 81
ingredientes crudos, 258
utensilios de la limpieza doméstica, 278
Pared de hastial, establo y silo, 100
Pared del fruto, hortalizas, 52
Pared del horno, cocina, 244
Pared del ovario, hortalizas, 52
Pared divisoria, cimentación, 58
Pared frontal, camión tractor, 116-117
Pared izquierda, escenario, 344
Pared lateral:
frontón y squash, 307
natación, 310
Pared lateral derecha (lado arcén), camión tractor, 116-117
Pared lateral izquierda (lado carretera), camión tractor, 116-117
Pared trasera, jai alai, 308
Paréntesis, signos ortográficos, 497
Párpado inferior, órganos de los sentidos, 28
Párpado superior:
anfibios, 42
órganos de los sentidos, 28
Parque, 282
Parque de atracciones, 90-91
Parrilla:
camping, 336
carrocería, 102-103
cocina, 244
compartimiento de, 244
tostador de pan, 249
Parrilla ajustable, accesorios de jardín, 284
Parrilla costal, cuerpo humano, 24
Parrilla de asado, accesorios de jardín, 284
Parrilla de calentamiento, accesorios de jardín, 284
Parrilla de control manual del rodillo con desembrague, máquina de escribir, 162
Parrilla del horno, cocina, 244
Parrilla del quemador, cocina, 244
Parrilla del radiador:
camión tractor, 116-117
tractor, 424
Parrilla para platos, lavavajillas, 246
Parte alta:
escenario, 344
instrumentos populares, 360
Parte de la boca, instrumentos populares, 360
Parte del bajo, instrumentos populares, 360
Parte delantera:
accesorios del calzado, 203
armas automáticas, 461
esquí acuático, 323
Parte dentada, llave, 405
Parte estructural, piano, 355
Parte fija:
calculadoras, 431
llave, 405
Parte inferior, batería, 387
Parte lateral de la caja, órgano, 354
Parte mecánica, piano, 355
Parte melódica, instrumentos populares, 360
Parte rebajada, xilografía, 368
Parte tallada de la barrena, taladradora de mano, 408
Parte tonal, piano, 355
Parte trasera:
aparatos ortopédicos, 442
esquí acuático, 323
Parte trasera del motor, camión tractor, 116-117
Parteluz, iglesia, 84
Partida, bolos, 311
Partitura, 346
Pasador:
aparatos ortopédicos, 442
bisagra y aldabilla, 450
cadena y polea, 451
cámara acorazada y caja fuerte, 447
cerraduras de puerta, 448
cierres de mercería, 205
cinturón y tirantes, 186
coladores y filtros, 256
corbatas, 189
mayordomo y doncella, 473
prendas de abrigo, 196
sierras de mano, 406
terminología náutica, 128
tienda india, 82
valla, 298
Pasador de anilla, escopeta y fusil, 458-459
Pasador de articulación, alicates, 404
Pasador de cremallera, prendas de abrigo, 197
Pasador de enclavamiento, llave y candado, 449
Pasador de la cinta, prendas de abrigo, 196
Pasador de seguridad, granada y mina, 463
Pasador del eje, aparatos ortopédicos, 442
Pasador hendido, cadena y polea, 451
Pasador-precinto, medios de lucha contra incendios, 280
Pasamano, escalera, 64
Pasamanos:
ascensor, 76
escalera mecánica, 77
ferrocarril, 112-113
velero, 130
yates a motor, 134-135

Pasamanos acolchado, accesorios para bebés, 282
Pasapurés, coladores y filtros, 256
Pasarela:
cámara acorazada y caja fuerte, 447
esclusa, 97
teatro, 345
Pasarela de proa a popa, petrolero, 136-137
Pasarela y túnel, prisión, 74
Pasear, payaso, 477
Pasillo:
balonvolea y badminton, 313
tenis, 306
Pasillo central, teatro, 345
Pasillo de talonamiento, salto con pértiga, 299
Paso:
carreras de calesines, 331
montañas, 8-9
Paso a nivel, 111
Paso a nivel con barrera, señales de tráfico, 488-489
Paso de ganado, señales de tráfico, 488-489
Paso de rosca, clavos y tornillos, 400
Paso de rueda, vista en sección de un automóvil, 104-105
Paspartú, marco para cuadros, 373
Pasta de untar, alimentos preparados, 259
Pastel, 260
Pastel de queso, 259
Pastilla de agudos, guitarra eléctrica, 357
Pastilla de bajos, guitarra eléctrica, 357
Pastilla de punteo, guitarra eléctrica, 357
Pastilla rítmica, guitarra eléctrica, 357
Pastilla de tonos medios, guitarra eléctrica, 357
Pata:
accesorios de jardín, 383-284
accesorios fotográficos, 174
alfarería, 367
arañas, 38
aves de corral, 33
banco de trabajo, 398
batería, 358
batería de cocina, 253
billar, 314
clavos y tornillos, 400
cama elástica, 302
cama y accesorios, 266
carretilla y sembradora, 420
despiece de un ave, 33
escritorio, 272
estufa de leña, 394
exprimidores, 251
mesa, 238
mesas médicas, 440
mobiliario de comedor, 239
mobiliario de dormitorio, 268
perro, 34
piano, 355
sierra mecánica, 407
silla, 230
sillón reclinable, 231
sofá, 232
teléfono, 178
tostador de pan, 249
Pata acolchada, accesorios para bebés, 282
Pata ajustable, alfarería, 367
Pata anterior, insectos, 39
Pata de botones, máquina de coser, 274
Pata de cabra, motocicleta, 125
Pata de cordones, máquina de coser, 274
Pata de coser, máquina de coser, 274
Pata de cremalleras, máquina de coser, 274
Pata de elefante, mamífero fantástico, 46-47
Pata de goma, multirrobot de cocina, 250
Pata de ojales, máquina de coser, 274
Pata del carrete, pesca, 334-335
Pata del tambor, batería, 358
Pata del trípode, telescopio y gemelos, 433
Pata delantera, cordero, 31
Pata graduable:
mesas médicas, 440
proyectores, 173
Pata media, insectos, 39
Pata niveladora, compactador de basura, 243
Pata plegable, plancha, 275
Pata posterior:
insectos, 39
mobiliario de dormitorio, 268
Pata recta, pantalones, 187
Pata soporte, camión tractor, 116-117
Pata tapizada, sillón reclinable, 231
Pata trasera:
cerdo, 32
cordero, 31
Patata, hortalizas, 52
Patchwork, costura decorativa, 377
Patela, arañas, 38
Patena, interior de una iglesia, 85
Patíbulo con horca, 452
Patilla:
anatomía popular, 25
cabello masculino, 207
gafas, 217
interruptor, 388
línea de alta tensión, 386
Patilla corrida, cabello masculino, 207
Patilla elástica, gafas, 217
Patilla plana, gafas, 217
Patín:
hockey sobre hielo, 290-291
paso a nivel, 111
Patín de aterrizaje, avión particular, 147
Patín de hombre, 319
Patín de la guía, ascensor, 76
Patín de mujer, 319
Patín de ruedas, 318
Patín oscilante, silla, 230
Patín para hockey, 319
Patinaje sobre hielo, 319
Patinaje sobre ruedas, 318
Patines de patinaje artístico, 319
Patio:
establo y silo, 100
exterior de la casa, 61
Patio de armas:
castillo, 78-79
fortificaciones, 80-81
Patio de butacas, teatro, 345
Patio de recreo del bloque «A», prisión, 74
Patio de recreo del bloque «B», prisión, 74
Patio de recreo del bloque «C», prisión, 74
Patio de recreo del bloque «D», prisión, 74
Patio exterior, castillo, 78-79
Pato, aves de corral, 33
Patrón de corte y confección, 380
Patrón zonal, vientos y corrientes oceánicas, 6
Patrones de los vientos, 6
Pausa, partitura, 346
Pava, servicio de postre, 241
Paveses, armas medievales, 454
Pavo, 33
Payaso, 477
Payaso, circo, 88-89
Paz, símbolos científicos y comerciales, 494
Peana:
columna, 71
exprimidores, 251
reloj de pared, 229
Peatones, señales de tráfico, 488-489
Pecina, cordero, 31
Pecíolo:
plantas inferiores, 55
hoja, 50
ingredientes crudos, 258
Pechera:
camisa, 185
carreras de calesines, 331
jefe de majorettes, 479
Pechera con abalorios, vaquero e indio, 474
Pechera de encaje, galas reales, 468
Pechera de piqué, mayordomo y doncella, 473
Pechera plisada, novia y novio, 472
Pechinas, arquitectura internacional, 68-69
Pecho:
anatomía popular, 25
aves de corral, 33
caballo, 36
cordero, 31
cuerpo humano, 24
perro, 34
vaca, 30
Pechuga, despiece de un ave, 33
Pedal:
alfarería, 367
batería, 358
bicicleta, 124
órgano, 354
tejido, 379
Pedal charlestón, batería, 358
Pedal de desaceleración, bulldozer, 425
Pedal de elevación manual, mesas médicas, 440
Pedal de freno, bulldozer, 425
Pedal de prolongación, piano, 355
Pedal de regulación de la longitud del brazo, aspiradora, 279
Pedal de timón dirección y frenos, cabina de pilotaje del 747, 150-151
Pedal del acelerador, interior de un automóvil, 106
Pedal del cambio de velocidades, motocicleta, 125
Pedal del embrague, interior de un automóvil, 106
Pedal del freno:
esquí alpino, 320
interior de un automóvil, 106
Pedal elevador, unidad dentaria, 444
Pedal hidráulico, mesas médicas, 440
Pedal tonal, piano, 355
Pedal «una corda», piano, 355
Pedalera, piano, 355
Pedales, guitarra eléctrica, 357
Pedales, órgano, 354
Pedales de expresión, órgano, 354
Pedales de sostenidos, órgano, 354
Pedestal:
atributos reales, 469
circo, 88-89
columna, 71
mesas médicas, 440
natación, 310
teodolito, 426
trofeo, 285
Pedicelo:
arañas, 38
flor, 51
gramíneas, 56
Pedipalpos, arañas, 38
Pedúnculo, flor, 51
Pedúnculo caudal, vida marina, 43
Peinado, utensilios para el, 210
Peinado hueco, cabello femenino, 209
Peinazo, puerta, 62
Peine, 208
Peine:
escalera mecánica, 77
tejido, 379
utensilios para el peinado, 210
Peine cortador, cortacésped, 419
Peine de cartuchos, armas automáticas, 461
Peineta, utensilios para el peinado, 210
Pelacables, 413
Pelacables:
instrumentos eléctricos, 413
navaja múltiple, 416
Pelador de patatas, ralladores y picadoras, 257
Pelaje de cebra, mamífero fantástico, 46-47
Pelapatatas, 252
Peldaño:
camión tractor, 116-117
escalera, 64
ferrocarril, 112-113
puerta, 62
útiles de pintura, 415
Peldaño superior, útiles de pintura, 415
Peldaños, escalera mecánica, 77
Película de cine, 172
Película fotográfica, 171
Peligro, símbolos científicos y comerciales, 494
Pelo, sierras de mano, 406
Pelo de jirafa, mamífero fantástico, 46-47
Pelo de la moqueta, alfombra, 242
Pelo de leopardo, mamífero fantástico, 46-47
Pelo radicular, sistema radicular, 49
Pelota, 304-306
Pelota:
jai alai, 308
tejo y croquet, 312
tenis de mesa, 315
Pelota de béisbol, 286
Pelota mano, 307
Pelota vasca, 308
Pelotari, jai alai, 308
Peluca:
cabello masculino, 207
trajes de época, 476
Peluquería, buque de pasajeros, 138-139
Peluquero profesional, utensilios

para el peinado, 210
Peluquín, cabello masculino, 207
Pellizco, sombreros masculinos, 198
Penacho, armadura, 455
Penacho de la cola, vaca, 30
Penacho de plumas de la guerra, vaquero e indio, 474
Penca, ingredientes crudos, 258
Pendiente:
anillo, 215
banderas, 486
galas reales, 468
gema o piedra preciosa, 214
paso a nivel, 111
Pendiente de alfiler, 214
Pendiente de hielo, montañas, 8-9
Pendiente de presión, 214
Pendiente de tornillo, 214
Péndola:
armazón, 59
puente, 95
reloj de pared, 229
Pendolón:
armazón, 59
paracaídas y planeador, 327
Péndulo:
accesorios musicales, 361
reloj de pared, 229
Península, paisajes terrestres, 7
Penol, buque de guerra de superficie, 140-141
Pentagrama, 346
Pentatlón, atletismo en pista, 294
Peña, martillo, 402
Peón de alfil de dama, ajedrez y damas, 339
Peón de alfil del rey, ajedrez y damas, 339
Peón de caballo de dama, ajedrez y damas, 339
Peón de caballo de rey, ajedrez y damas, 339
Peón de dama, ajedrez y damas, 339
Peón de rey, ajedrez y damas, 339
Peón de torre de dama, ajedrez y damas, 339
Peón de torre del rey, ajedrez y damas, 339
Percebe, crustáceos y moluscos, 45
Percusión, 348
Percutor:
armas cortas, 460
manipulador telegráfico, 159
misil y torpedo, 466
mortero y bazooka, 462
Percha, 277
Perdigón, escopeta y fusil, 458-459
Perejil, alimentos preparados, 259
Perfil, vidrio emplomado, 372
Perfil de costa, 14
Perfilador de labios, maquillaje, 212
Perfiladora, cortacésped, 419
Perforación, perforadora de fichas, 428
Perforación de arrastre:
cámara de cine, 172
cámara y película fotográficas, 171
Perforación decorativa, zapato de caballero, 200
Perforador, abridores, 247
Perforadora de fichas, 428
Perforadora lunar, vehículo lunar, 157
Perfume, productos de belleza, 213
Pericarpo, hortalizas, 52
Perilla:
cabello masculino, 207
cigarro y cigarrillo, 224
equipo de montar, 329
Perilla ajustadora de la longitud de los dientes, alfombra, 242
Perilla de alineación manual, máquina de escribir, 162
Perilla de insuflación de aire, material de exploración física, 439
Período, olas y costa, 14
Periscopio, submarino, 143
Periscopio del conductor, carro de combate, 464-465
Periscopio delantero del artillero, carro de combate, 464-465
Perla, atributos reales, 469
Perla colgante, atributos reales, 469
Permanente, utensilios para el peinado, 210
Permitido encender hogueras, señales públicas, 490-491
Pernera, ropa interior, 190
Pernera acampanada, pantalones, 187
Pernera entallada, chaqueta y pantalón, 192
Pernera recta, chaqueta y pantalón, 192
Pernito, 203
Perno:
campana, iv
cepillo de dientes, 211
paso a nivel, 111
patinaje sobre ruedas, 318
Perno central, cadena y polea, 451
Perno de anclaje:
armazón, 59
cimentación, 58
Perno de articulación, cadena y polea, 451
Perno de la rueda, accesorios para bebés, 282
Perno inferior, cadena y polea, 451
Perno superior, cadena y polea, 451
Perno y tuerca de mariposa, valla, 298
Pernos, 401
Perol, servicio de postre, 241
Peroné, sistema muscular y esquelético, 26
Perpiaño, cimentación, 58
Perrera, buque de pasajeros, 138-139
Perrito caliente, 261
Perro, 34
Persiana:
acondicionamiento de aire, 392
coberturas para ventanas, 237
energía eólica, 382
escritorio, 272
Persiana enrollable, 237
Persiana semienrollada, coberturas para ventanas, 237
Persianas graduables, 237
Perspectiva, 362-363
Perspectiva de 1 punto, elementos de la composición, 362-363
Perspectiva de 2 puntos, elementos de la composición, 362-363
Perspectiva de 3 puntos, elementos de la composición, 362-363
Pértiga, 299
Pértiga de bambú, salto con pértiga, 299
Pértiga de fibra de vidrio, salto con pértiga, 299
Pértiga de metal, salto con pértiga, 299
Pesa:
cultura física, 338
instrumentos de ejecución, 452
material de laboratorio, 436-437
reloj de pared, 229
Pesa corrediza, accesorios musicales, 360
Pesa de plomo, submarinismo, 325
Pesa para muñeca, cultura física, 338
Pesa para tobillo, cultura física, 338
Pesca, 334-335
Pescante:
buque contraincendios, 144
carruajes de caballos, 127
yates a motor, 134-135
Pesebre, establo y silo, 100
Peso:
bolos, 311
instrumentos para pruebas en pista, 297
símbolos científicos y comerciales, 494
Peso central, instrumentos para pruebas en pista, 297
Pespunte de la solapa, bolso de mano, 218
Pespunte exterior, cartera, 219
Pespunteado, bota y sandalia, 202
Pespunteado de adorno, bota y sandalia, 202
Pespunteado de la pala, bota y sandalia, 202
Pespunteado trasero, bota y sandalia, 202
Pestaña:
caballo, 36
cabello femenino, 209
terminología náutica, 128
Pestaña de fijación a la pared, equipo meteorológico, 18
Pestañas, órganos de los sentidos, 28
Pestillo:
bisagra y aldabilla, 450
buzón, 227
cerraduras de puerta, 448
lavavajillas, 246
mobiliario de comedor, 239
Pestillo de apertura y cierre, lavado y secado, 277
Pestillo de la tapa de la película, cámara fotográfica, 170
Pestillo de la tapa del compartimiento de película, cámara fotográfica, 170
Pétalo, flor, 51
Petate, alfombra, 242
Peto:
armadura, 455
armas medievales, 454
ornamentos religiosos, 471
Petrolero, 136-137
Pez, 43
Pez, signos del Zodiaco, 493
Pezuña, vaca, 30
Pezuña hendida de vaca, mamífero fantástico, 46-47
Pi, símbolos científicos y comerciales, 494
Pianissimo, partitura, 346
Piano, 355
Piano, partitura, 346
Piano de cola, 355
Piano vertical, 355
Pica, juegos de cartas, 342
Picacho, glaciar, 12
Picado, herramientas de cepillar y dar forma, 410
Picadora de carne, ralladores y picadoras, 257
Picadora de verduras, ralladores y picadores, 257
Picadoras, 257
Piccolo, 350-351
Pico:
alpinismo, 328
aves, 37
aves de corral, 33
cepillo de dientes, 211
cuchillo, 252
maquinillas de afeitar, 206
material de laboratorio, 436-437
paisajes terrestres, 7
pesca, 334-335
reptiles, 40-41
servicio de postre, 241
vida marina, 43
Pico de la cara superior, cierres de mercería, 205
Pico de loro, terminología náutica, 128
Pico de viudez, cabello masculino, 207
Pico del ala, sombreros femeninos, 199
Pico piolet, 328
Pícolo, orquesta, 348
Pictograma, señales públicas, 490-491
Pie, iv
Pie, 29-36
Pie:
accesorios fotográficos, 174
alfarería, 367
anfibios, 42
aparatos ortopédicos, 442
atributos reales, 469
aves, 37
batería de cocina, 253
bolso de mano, 218
camisa, 185
cierres de mercería, 205
cigarro y cigarrillo, 224
corbatas, 189
crustáceos y moluscos, 45
cuerpo humano, 24
equipaje, 281
gato, 35
gema o piedra preciosa, 214
gimnasia, 300
mesa, 238
mobiliario de comedor, 239
muro de ladrillo, 67
piano, 355
plantas inferiores, 55
procedimientos de impresión, 164
proyectores, 173
reloj de pared, 229
servicio de mesa, 240
tejo y croquet, 312
utensilios para el peinado, 210
Pie (longitud), signos ortográficos, 497
Pie ajustable, corbatas, 189
Pie de muro, cimentación, 58
Pie del carrete, pesca, 334-335
Pie de mástil, surf, 324
Pie del micrófono, cámara de cine, 172
Pie delantero, material de escritorio, 273
Pie derecho:

armazón, 59
gimnasia, 300-301
Pie en garra, 37
Pie palmeado, 37
Pie palmeado, aves de corral, 33
Pie regulable para nivelación, escritorio, 272
Pie trasero, material de escritorio, 273
Piedra, litografía, 370
Piedra angular:
rascacielos, 75
valla, 65
Piedra de afilar:
herramientas de escultor, 366
xilografía, 368
Piedra graneada, litografía, 370
Piedra litográfica, litografía, 370
Piedra preciosa, 214
Piedra preciosa, anillo, 215
Piedra tallada, 214
Piel, 197
Piel:
cúpulas, 83
frutos, 53
hortalizas, 52
ingredientes crudos, 258
tienda india, 82
Piel de búfalo curtida, tienda india, 82
Piel de elefante, mamífero fantástico, 46-47
Pieles, arquitectura internacional, 68-69
Pierna:
anatomía popular, 25
caballo, 36
cordero, 31
cuerpo humano, 24
gato, 35
Pierrot, payaso, 447
Pieza:
ajedrez y damas, 339
patrón de corte y confección, 380
Pieza central de sujeción, coberturas para ventanas, 236
Pieza de elevación, mesas médicas, 440
Pieza final, valla, 298
Pieza hembra, aspersores y boquillas, 418
Pieza lateral, bolso de mano, 218
Pieza macho, aspersores y boquillas, 418
Pieza ocular, gafas, 217
Pífano, orquesta, 348
Pigmento de relleno, serigrafía y huesos tallados, 369
Pila:
aparatos ortopédicos, 442
magnetófonos, 175
puente, 95
Pila de carbón-cinc, 387
Pila de mercurio, 387
Pila primaria, batería, 387
Pila secundaria, batería, 387
Pilar:
arco, 70
arquitectura internacional, 68-69
cimentación, 58
energía eólica, 382
montañas, 8-9
Pilar de hormigón armado, rascacielos, 75
Pilar de la torre, puente, 95
Pilar de mampostería, 65
Pilar posterior, órganos de los sentidos, 28
Pilar superior, escalera mecánica, 77
Pilares, rascacielos, 75
Pilastra:
arco, 70
plataforma de perforación submarina, 99
presa, 98
Píleo, plantas inferiores, 55
Pileta:
fregadero, 243
grifo y lavabo, 269
Pilón de soporte de góndola, avión comercial, 148-149
Piloto:
cafeteras, 248
cámara de cine, 172
guitarra eléctrica, 357
tablero de instrumentos, 153
televisión, 181
tostador de pan, 249
Piloto de control del bafle, equipo de alta fidelidad, 177
Piloto de respuesta, televisión, 181
Piloto indicador de la función seleccionada, equipo de alta fidelidad, 177
Piloto indicador de reproducciones en estéreo, equipo de alta fidelidad, 177
Piloto trasero:
camión remolque, 122
carrocería, 102-103
Pimentero, ingredientes crudos, 258
Pimienta, ingredientes crudos, 258
Pimiento, 258
Pina exterior, carruajes de caballos, 127
Pina interior, carruajes de caballos, 127
Pináculo:
arquitectura internacional, 68-69
iglesia, 84
montañas, 8-9
Pincel, útiles de pintura, 415
Pincel de repostería, utensilios para preparaciones, 255
Pincel para labios, productos de belleza, 213
Pinceles, 364-365
Pinceles, pintura, 364-365
Ping-pong, 315
Pinna, plantas inferiores, 55
Pínnula, plantas inferiores, 55
Pintura, 364-365
Pintura, útiles de, 415
Pintura blanca, pintura, 364-365
Pintura de guerra, vaquero e indio, 474
Pintura de la corona, parque de atracciones, 91
Pinza, 436-437
Pinza:
caballo, 36
cinturón y tirantes, 186
crustáceos y moluscos, 45
chaqueta y chaleco, 184
chaqueta y pantalón, 192
herramientas de escultor, 366
navaja múltiple, 416
patrón de corte y confección, 380
serigrafía y huesos tallados, 369
utensilios para preparaciones, 255
vehículo lunar, 157
Pinza ajustable, martillo perforador, 426
Pinza de cocodrilo, equipo dental, 445
Pinza de freno, motocicleta, 125
Pinza de freno de disco, vista en sección de un automóvil, 104-105
Pinza de la ropa, 276
Pinza de pelo, 210
Pinza de spaghetti, utensilios para preparaciones, 255
Pinza del regulador, surtidor de gasolina, 108
Pinza para el papel, lijadora portátil, 411
Pinza rasgadora, crustáceos y moluscos, 45
Pinza sujetadora del portaobjetos, microscopio, 432
Pinza trituradora, crustáceos y moluscos, 45
Pinzas, 211
Pinzas de Kocher, equipo dental, 445
Piña, 50
Piña, frutos, 53
Piñón:
exterior de la casa, 61
taladradora de mano, 408
taladradora eléctrica, 409
Piñón de actuación del pasador, cámara acorazada y caja fuerte, 447
Piñón grande, bicicleta, 124
Piñón libre, bicicleta, 124
Piñón loco, taladradora de mano, 408
Piñón pequeño, 124
Pipa, 225
Pipa, recipientes, 263
Pipa de agua, pipa, 225
Pipeta, material de laboratorio, 436-437
Piquete:
camping, 336
fútbol americano, 289
patrón de corte y confección, 380
Pirámide, 68-69
Pirámide, arquitectura internacional, 68-69
Pirata, 476
Piscina, 310
Piscina, buque de pasajeros, 138-139
Piscina cubierta, buque de pasajeros, 138-139
Piscis, signos del Zodiaco, 493
Piso:
armazón, 59
ascensor, 76
zapatilla deportiva, 296
Piso del campanario, iglesia, 84
Piso deslizante, señales de tráfico, 488-489
Pisos, rascacielos, 75
Pista, 291-306-309-311
Pista:
accesorios de jardín, 283
atletismo en pista, 294
circo, 88-89
tejo y croquet, 312
Pista 1, circo, 88-89
Pista 2, circo, 88-89
Pista 3, circo, 88-89
Pista circular, circo, 88-89
Pista de advertencia, béisbol, 287
Pista de aterrizaje, 92-93
Pista de césped, carreras de calesines, 331
Pista de «jogging», buque de pasajeros, 138-139
Pista de rodaje, aeropuerto, 92-93
Pista ecuestre, circo, 88-89
Pista para bicicletas, señales públicas, 490-491
Pista para caballerías, señales públicas, 490-491
Pista para excursionistas, señales públicas, 490-491
Pistilo, flor, 51
Pistola:
armas cortas, 460
vaquero e indio, 474
Pistola automática, 460
Pistola de pintar, 415
Pistola surtidora, surtidor de gasolina, 108
Pistolera:
armas cortas, 460
vaquero e indio, 474
Pistolón, trajes de época, 476
Pistón:
gimnasia, 300-301
máquina de vapor, 395
recipientes, 263
Pistón de disparo, misil y torpedo, 466
Pistones a pedal, órgano, 354
Pistones para combinaciones prefijadas, órgano, 354
Pitot de ala, avión de caza, 152
Pivote:
accesorios musicales, 361
cuchillo, 252
energía eólica, 382
patinaje sobre ruedas, 318
Pivote de enganche, camión tractor, 116-117
Pivote de suspensión, material de laboratorio, 436-437
Pivote del anclaje trasero, esquí alpino, 320
Pivote del Polo Norte, Tierra, 1
Pivote del Polo Sur, Tierra, 1
Pizza, 261
Pizzicato, violín, 349
Placa, 388
Placa:
cimentación, 58
coladores y filtros, 256
equipo de ganadero, 422
reloj de sol, 381
trofeo, 285
Placa abridora, sierra mecánica, 407
Placa anódica, línea de alta tensión, 386
Placa anti-cavitación, motor fuera borda, 133
Placa calentadora, cafeteras, 248
Placa corrediza, máquina de coser, 274
Placa de alimentación, armas automáticas, 461
Placa de anclaje, paso a nivel, 111
Placa de apoyo:
baloncesto, 292
escenario, 344
mortero y bazooka, 462
Placa de base, granada y mina, 463
Placa de características, camión tractor, 116-117
Placa de carey, guitarra, 356
Placa de cierre, cerraduras de puerta, 448
Placa de chasis, armas automáticas, 461
Placa de empuje frontal, camión remolque, 122
Placa de empuje posterior, camión remolque, 122
Placa de fijación, bisagra y aldabilla, 450
Placa de fijación del husillo, banco de trabajo, 398

Placa de identificación, bombero, 484
Placa de inspección, terminología náutica, 128
Placa de instrucciones:
ascensor, 76
caldera de calefacción, 390
calentador de agua, 391
medios de lucha contra incendios, 280
Placa de la aguja, máquina de coser, 274
Placa de la esfera, reloj de pared, 229
Placa de logotipo, abridores, 247
Placa de marco, cerraduras de puerta, 448
Placa de pasadores, cadena y polea, 451
Placa de presión, utensilios de limpieza doméstica, 278
Placa de puerta, cerraduras de puerta, 448
Placa de remate lateral del alerón, grandes premios automovilísticos, 332
Placa de rodillos, cadena y polea, 451
Placa de seguridad, accesorios para bebés, 282
Placa de soporte, granada y mina, 463
Placa de sujeción, paso a nivel, 111
Placa de sujeción de la cuchilla, abridores, 247
Placa de sujeción de la pantalla, lámparas e iluminación, 235
Placa de ventilación, 57
Placa del bastidor, cerraduras de puerta, 448
Placa del cierre, bolso de mano, 218
Placa del disco, teléfono, 178
Placa del fabricante, motor de combustión interna, 396
Placa del número, teléfono, 178
Placa del rebosadero, baño y ducha, 270
Placa del suelo, gimnasia, 300-301
Placa digital, madera, 350-351
Placa distintiva (vehículo lento), tractor, 424
Placa giratoria:
abridores, 247
estación de clasificación, 94
vehículos de bomberos, 120-121
Placa indicadora de tostadura, tostador de pan, 249
Placa lateral:
armas cortas, 460
cadena y polea, 451
Placa madrepórica, vida marina, 44
Placa nucal, reptiles, 40-41
Placa para grabar los datos de identificación del poseedor, pulsera de identificación, 183
Placa protectora, plataforma de perforación submarina, 99
Placa radiográfica, mesas médicas, 440
Placa reflectante, bicicleta, 124
Placa técnica, ascensor, 76
Placas costales, reptiles, 40-41
Placas marginales, reptiles, 40-41
Placas vertebrales, reptiles, 40-41
Placenta, hortalizas, 52
Plancha, 275
Plancha:
calcografía, 371
xilografía, 368
Plancha antibazooka, carro de combate, 464-465
Plancha de madera, 368
Plancha de portalón, buque de pasajeros, 138-139
Plancha de vapor, plancha, 275
Plancha deslizante de presión, perforadora de fichas, 428
Plancha para asados, cocina, 244
Planeador, 147-327
Planeo, yates a motor, 134-135
Planeta, universo, 2-3
Planetoides, universo, 2-3
Plano:
armas blanchas, 453
elementos de la composición, 362-363
útiles de medida, 414
Plano de trabajo, banco de trabajo, 398
Planta:
accesorios del calzado, 203
arquitectura internacional, 68-69
interior de una iglesia, 85
valla, 65
Planta del pie, extremidades, 29
Plantas inferiores, 55
Plantilla, patinaje sobre hielo, 319
Plaqueta, lámparas e iluminación, 235
Plástico protector del cable, utensilios para el cuidado del cabello, 208
Plastrón:
esgrima, 309
reptiles, 40-41
Plastrón metálico, esgrima, 309
Plataforma, 116-117
Plataforma:
accesorios de jardín, 283
hortalizas, 52
microscopio, 432
parque de atracciones, 91
trampas, 423
trineo y deslizador, 322
vehículos de bomberos, 120-121
yates a motor, 134-135
Plataforma aérea, vehículos de bomberos, 120-121
Plataforma continental, costa y margen continental, 15
Plataforma de abrasión, glaciar, 12
Plataforma de acceso, exterior de la casa, 61
Plataforma de carga útil, vehículo lunar, 157
Plataforma de control de la escalera, vehículos de bomberos, 120-121
Plataforma de enganche, camión tractor, 116-117
Plataforma de entrada, establo y silo, 100
Plataforma de invierno, olas y costa, 14
Plataforma de lanzamiento, 154
Plataforma de perforación submarina, 99
Plataforma de remolque, 122
Plataforma de salvamento, helicóptero, 146
Plataforma de verano, olas y costa, 14
Plataforma del lanzador, béisbol, 287
Plataforma giratoria, estación de clasificación, 94
Plataforma móvil, lanzadera espacial y plataforma de lanzamiento, 154
Plataforma para el oficial de señales de aterrizaje, portaaeronaves, 142
Plataforma replegable de acceso, módulo lunar, 156
Plataforma semisumergible, plataforma de perforación submarina, 99
Plátano, frutos, 53
Platea, teatro, 345
Platillo, 358
Platillo:
material de laboratorio, 436-437
servicio de postre, 241
Platillo doble, 358
Platillos, orquesta, 348
Platito de pan, servicio de mesa, 240
Plato, 124
Plato:
alimentos preparados, 259
bicicleta, 124
equipo de alta fidelidad, 176
Plato de ducha, baño y ducha, 270
Plato de postre, servicio de postre, 241
Plato giradiscos, televisión, 181
Plato lijador, lijadora portátil, 411
Plato llano, servicio de mesa, 240
Plato plano, mobiliario de comedor, 239
Plato sopero, mobiliario de comedor, 239
Playa:
costa y margen continental, 15
olas y costa, 14
paisajes terrestres, 7
Plaza, rascacielos, 75
Plaza central, prisión, 74
Plectro, guitarra, 356
Plegador del tejido, tejido, 379
Pletina de la culata, escopeta y fusil, 458-459
Pletina lateral, 451
Plexo solar, anatomía popular, 25
Plica, partitura, 346
Pliegue:
cartera, 219
coberturas para ventanas, 236
sillón reclinable, 231
Pliegue del codo, anatomía popular, 25
Pliegue del delantero, blusa y falda, 193
Pliegue del primer interóseo dorsal, extremidades, 29
Pliegue dorsolateral, anfibios, 42
Pliegue longitudinal, extremidades, 29
Pliegue transverso distal, extremidades, 29
Pliegue transverso proximal, extremidades, 29
Plinto, columna, 71
Plomo, pesca, 334-335
Pluma, 37-160
Pluma:
arco y flecha, 456
balonvolea y badminton, 313
jefe de majorettes, 479
mapa meteorológico, 19
mochila y saco de dormir, 337
vehículos de bomberos, 120-121
Pluma de pavo real, vestimenta local, 475
Pluma de vuelo, aves, 37
Pluma estilográfica, 160
Pluma para manejo de las mangueras, petrolero, 136-137
Pluma remera, aves, 37
Pluma timonera, aves, 37
Plumas coberteras:
aves, 37
aves de corral, 33
Pluma de la cola:
aves, 37
aves de corral, 33
Plumas timoneras, aves de corral, 33
Plumero, armadura, 455
Plumilla, pluma, 160
Plumín, pluma, 160
Plumón:
aves, 37
aves de corral, 33
Plutón, universo, 2-3
Pluviómetro, equipo meteorológico, 18
Podaderas, 417
Polaina:
esquí de fondo, 321
jefe de majorettes, 479
vaquero e indio, 474
Polaridad, batería, 387
Polea, 451
Polea, camión remolque, 122
Polea alta, cultura física, 338
Polea baja, cultura física, 338
Polea de carga, yates a motor, 134-135
Polea de rotación, coberturas para ventanas, 237
Polea del cable de remolque, camión remolque, 122
Polea del cable de seguridad, ascensor, 76
Polea del cigüeñal con amortiguador de vibraciones, motor de automóvil, 107
Polea del contrapeso, escenario, 344
Polea del regulador, ascensor, 76
Polea lateral, cultura física, 338
Polen, flor, 51
Polipasto, 451
Pólipo madreporario, sección de un, 44
Politipo, signos ortográficos, 497
Polo, cartografía, 5
Polvera:
bolso de mano, 218
productos de belleza, 213
Polvo compacto, productos de belleza, 213
Polvorín, fortificaciones, 80
Polvos, maquillaje, 212
Pollo, 33
Pomo:
armas blancas, 453
banderas, 486
cerraduras de puerta, 448
escalera, 64
esgrima, 309
material de escritorio, 273
puerta, 62
útiles de fontanería, 412
Pomo de ajuste del chorro pulverizado, baño y ducha, 270
Pomo de ajuste del tope de guía, sierra mecánica, 407
Pomo de guía, sierra mecánica, 407
Pomo de guiado, sierra mecánica, 407
Pomo de la palanca de actuación, material de escritorio, 273
Pomo del tensor de la correa, taladradora eléctrica, 409
Pomo exterior, cerraduras de puerta, 448
Pómulo:

cuerpo humano, 24
sistema muscular y esquelético, 26
Póntico, prótesis y correctores dentales, 443
Ponzoña, reptiles, 40-41
Popa:
surf, 324
terminología náutica, 128
Por tanto, símbolos científicos y comerciales, 494
Porcelana sintética, equipo dental, 445
Porción:
alimentos preparados, 259
comida rápida, 261
postres, 260
Porción frontal, gafas, 217
Porción recta de la mandíbula, alicates, 404
Pororoca, olas y costa, 14
Porta bocas, destornillador, 403
Portaaeronaves, 142
Portaboquilla, surtidor de gasolina, 108
Portabrocas, taladradora de mano, 408
Portabrocas de apriete sin llave, taladradora eléctrica, 409
Portabrocas dentado, taladradora eléctrica, 409
Portabultos, motocicleta, 125
Portabultos delantero, carruajes de caballos, 127
Portabultos trasero, carruajes de caballos, 127
Portacarretes, máquina de coser, 274
Portacassettes, magnetófonos, 175
Portacontenedor, petrolero, 136-137
Portacorredera, cigarro y cigarrillo, 224
Portadocumentos, cartera, 219
Portador de amalgama, equipo dental, 445
Portador del condensador, microscopio, 432
Portaequipajes:
vehículos de recreo, 126
vista en sección de un automóvil, 104-105
Portafiltros, microscopio, 432
Portafolio, 281
Portafotos, cartera, 219
Portafusil, escopeta y fusil, 458-459
Portaherramientas:
martillo perforador, 426
vehículo lunar, 157
Portalámparas, lámparas e iluminación, 234
Portalón, velero, 130
Portaminas, lápiz, 160
Portaocular, telescopio y gemelos, 433
Portaterrajas, útiles de fontanería, 412
Portería:
fútbol y lacrosse, 293
hockey sobre hielo, 291
Portero, 290
Portezuela, carruajes de caballos, 127
Pórtico, exterior de la casa, 61
Pórtico norte, interior de una iglesia, 85
Portillo:
buque de pasajeros, 138-139
tejo y croquet, 312
velero, 130
yates a motor, 134-135
Portón, establo y silo, 100
Posadera, anatomía popular, 25
Posapapeles, accesorios musicales, 361
Posición de la cámara de 70 mm, vehículo lunar, 157
Poso, pipa, 225
Poste:
baloncesto, 292
balonvolea y badminton, 313
boxeo, 303
escalera, 64
fútbol americano, 289
hockey sobre hielo, 290
línea de alta tensión, 386
paso a nivel, 111
salto con pértiga, 299
tenis, 306
valla, 65
Poste central, camping, 336
Poste de cola, helicóptero, 146
Poste de equilibrado, material de laboratorio, 436-437
Poste de «foul», béisbol, 287
Poste de la puerta, valla, 65
Poste del toldo, camping, 336
Poste indicador, carreras de calesines, 331
Postelero de carga, petrolero, 136-137
Postigo:
coberturas para ventanas, 237
puerta, 62
Postizo:
cabello femenino, 209
cabello masculino, 207
Postre, servicio de, 241
Postres, 260
Poterna, castillo, 78-79
Potranca, caballo, 36
Potrillo, caballo, 36
Potro:
caballo, 36
gimnasia, 301
Potro de saltos, gimnasia, 301
Potros con aros, 301
Pozo, 76
Pozo del ascensor, puente, 95
Pradera, montañas, 8-9
Preamplificador, equipo de alta fidelidad, 177
Preamplificador, guitarra eléctrica, 357
Precio, entrada/localidad, 343
Precio de venta a, símbolos científicos y comerciales, 494
Precio por unidad de combustible, surtidor de gasolina, 108
Precisión, relojes de pulsera y bolsillo, 216
Predicción del tiempo, equipo meteorológico, 18
Predicción regional de temperatura, mapa meteorológico, 19
Prendas de abrigo, 196-197
Prendas interiores, 191
Prendedor:
bolígrafo, 160
cartera, 219
galas reales, 468
teléfono, 178
Prensa litográfica, 370
Prensador de ajos, ralladores y picadoras, 257
Prensaestopas, máquina de vapor, 395
Prensapatatas, utensilios para preparaciones, 255
Preopérculo, vida marina, 43
Presa, 98
Presa de cúpula con aliviadero, presa, 98
Presa de retención, presa, 98
Presa de tierra, presa, 98
Presbiterio, interior de una iglesia, 85
Presentación de información táctica, tablero de instrumentos, 153
Presentación sistema de maniobra orbital, cabina de mando de la lanzadera espacial, 155
Presidente, esgrima, 309
Presilla:
bolso de mano, 218
cierres de mercería, 204
corbatas, 189
cultura física, 338
Presilla de cuero, cinturón y tirantes, 186
Presilla de la capa, galas reales, 468
Presilla de tela, camisa, 185
Presilla del bolígrafo, cartera, 219
Presilla del manto, galas reales, 468
Presilla para cinturón, pantalones, 187
Presurizador, reactor nuclear, 384-385
Primer meridiano, cartografía, 5
Primer pistón, metal, 352-353
Primer plano, elementos de la composición, 362-363
Primer violín, orquesta, 348
Primera base, béisbol, 287
Primera curva, carreras de calesines, 331
Primera etapa, misil y torpedo, 466
Primero molar, dientes, 446
Primero premolar, dientes, 446
Primeros auxilios, señales públicas, 490-491
Primeros auxilios respiratorios, ambulancia, 119
Prisión, 74
Prisión, fortificaciones, 80
Proa:
surf, 324
terminología náutica, 128
Probóscide, insectos, 39
Procedimientos, ordenador, 429
Procesador de textos, 429
Productos de belleza, 213
Profundímetro, submarinismo, 325
Programación, videocassette, 180
Programador:
cocina, 244
perforadora de fichas, 428
Programador automático, cafeteras, 248
Programas, ordenador, 429
Prohibida la circulación de bicicletas, señales de tráfico, 488-489
Prohibida la circulación de camiones pesados, señales de tráfico, 488-489
Prohibida la entrada, señales públicas, 490-491
Prohibido aparcar, señales públicas, 490-491
Prohibido fumar, señales públicas, 490-491
Prohibido girar a la derecha, señales de tráfico, 488-489
Prohibido girar a la izquierda, 488-489
Prolongación ajustable, sierra mecánica, 407
Prolongación de la mesa, sierra mecánica, 407
Prolongación de la pista, carreras de calesines, 331
Prominencia, reptiles, 40-41
Prominencia sacral, anfibios, 42
Propiedad literaria, símbolos científicos y comerciales, 494
Propulsión nuclear, buque de guerra de superficie, 140-141
Propulsor de maniobra, lanzadera espacial y plataforma de lanzamiento, 154
Propulsor delantero, lanzadera espacial y plataforma de lanzamiento, 154
Proscenio, teatro, 345
Protección, surtidor de gasolina, 108
Protección de la bisagra, accesorios para bebés, 282
Protección de la cadera, hockey sobre hielo, 291
Protección de la correa y la polea, taladradora eléctrica, 409
Protección de la rodilla, fútbol americano, 288
Protección de las cadenas, litografía, 370
Protección de las costillas, fútbol americano, 288
Protección del cable, lijadora portátil, 411
Protección del punto de mira, armas automáticas, 461
Protección frontal y alojamiento del filtro de respiración, carreras de dragsters, 333
Protector:
bicicleta. 124
útiles de pintura, 415
Protector contra salpicaduras, cocina, 244
Protector contra tirones, emisor-receptor, 179
Protector de cabeza, boxeo, 303
Protector de goma, aparatos ortopédicos, 442
Protector de la cadera y la cintura, fútbol americano, 288
Protector de la garganta, béisbol, 286
Protector de la manga, guitarra, 356
Protector de la mano, esquí acuático, 323
Protector de la muñeca, fútbol americano, 288
Protector de la nariz, fútbol americano, 288
Protector de los hombros, fútbol americano, 288
Protector del bastidor, camión remolque, 122
Protector del cordón, utensilios para el peinado, 210
Protector del dorso de la mano, hockey sobre hielo, 291
Protector del extremo del cable, tostador de pan, 249
Protector del hombro y del brazo, hockey sobre hielo, 290
Protector del maxilar, fútbol americano, 288
Protector del muslo, fútbol americano, 288
Protector del parachoques, carrocería, 102-103
Protector del pecho:

béisbol, 286
hockey sobre hielo, 290
Protector dental, boxeo, 303
Protector eje de cola, motor fuera borda, 133
Protector exterior, teodolito, 426
Protector genital, boxeo, 303
Protector lateral, aparatos ortopédicos, 442
Protector pectoral, esgrima, 309
Protector retirable, sierra mecánica, 407
Prótesis dental, 443
Protuberancia solar, universo, 2-3
Proyectil:
cañón y catapulta, 457
mortero y bazooka, 462
Proyector:
buque contraincendios, 144
carro de combate, 464-465
ferrocarril, 112-113
remolcador, 144
vehículos de bomberos, 120-121
Proyector de cine, 173
Proyector de diapositivas, 173
Proyectores, 173
Prueba de aceleración, carreras de dragsters, 333
Prueba individual, natación, 310
Púa:
equipo de ganadero, 422
fútbol americano, 289
guitarra, 356
punto, 378
utensilios para el cuidado del cabello, 208
utensilios para el peinado, 210
útiles de jardinería, 417
Púa de puercoespín, mamífero fantástico, 46-47
Púa fina, utensilios para el cuidado del cabello, 208
Púa gruesa, utensilios para el cuidado del cabello, 208
Pubis:
anatomía popular, 25
sistema muscular y esquelético, 26
Público:
circo, 88-89
teatro, 345
Puente, 95
Puente:
aerodeslizadores, 145
arco y flecha, 456
armazón, 59
bolos, 311
buque contraincendios, 144
buque de guerra de superficie, 140-141
buque de pasajeros, 138-139
castillo, 78-79
fútbol y lacrosse, 293
gafas, 217
guitarra, 356
guitarra eléctrica, 357
hidroalas, 145
paso a nivel, 111
petrolero, 136-137
portaaeronaves, 142
prótesis y correctores dentales, 443
remolcador, 144
violín, 349
Puente alto:
buque de guerra de superficie, 140-141
yates a motor, 134-135
Puente basculante, puente, 95
Puente colgante, 95
Puente de acceso a la nave, lanzadera espacial y plataforma de lanzamiento, 154
Puente de elevación vertical, 95
Puente de embarque, aeropuerto, 92-93
Puente de gobierno, yates a motor, 134-135
Puente de gobierno desde popa, buque contraincendios, 144
Puente de la nariz, órganos de los sentidos, 28
Puente de mando, submarino, 143
Puente de mando de reserva, buque de guerra de superficie, 140-141
Puente de pontones, puente, 95
Puente de señales, buque de guerra de superficie, 140-141
Puente fijo, puente, 95
Puente giratorio, puente, 95
Puente levadizo:
castillo, 78-79
puente, 95
Puente móvil, puente, 95
Puerco, cerdo, 32
Puerta, 62
Puerta:
ascensor, 76
buzón, 227
ferrocarril, 112-113
fortificaciones, 80
iglesia, 84
lavado y secado, 277
lavavajillas, 246
tienda india, 82
tostador de pan, 249
trampas, 423
Puerta acristalada, mobiliario de comedor, 239
Puerta corredera:
baño y ducha, 270
establo y silo, 100
helicóptero, 146
Puerta corrediza, yates a motor, 134-135
Puerta de cabina, avión particular, 147
Puerta de carga, estufa de leña, 394
Puerta de cremallera, camping, 336
Puerta de cuarterones, mobiliario de comedor, 239
Puerta de descarga, vehículos de saneamiento, 123
Puerta de día, cámara acorazada y caja fuerte, 447
Puerta de entrada, autobús, 114
Puerta de la caja de humos, ferrocarril, 112-113
Puerta de la caja de la esfera, reloj de pared, 229
Puerta de la caja del péndulo, reloj de pared, 229
Puerta de la cámara, cámara acorazada y caja fuerte, 447
Puerta de la tolva, vehículos de saneamiento, 123
Puerta de los árbitros, jai alai, 308
Puerta de salida:
autobús, 114
avión particular, 148-149
Puerta de tela metálica, 65
Puerta del aparador, mobiliario de comedor, 239
Puerta del arroyo, fortificaciones, 80
Puerta del cenicero, chimenea, 228
Puerta del compartimiento de carga, avión particular, 147
Puerta del compartimiento, cocina, 244
Puerta del enganche, ferrocarril, 112-113
Puerta del garaje, exterior de la casa, 61
Puerta del horno, cocina, 244
Puerta del pajar, establo y silo, 100
Puerta delantera:
autobús, 114
carrocería, 102-103
Puerta en el espejo de popa, yates a motor, 134-135
Puerta estanca, buque de guerra de superficie, 140-141
Puerta francesa, puerta, 62
Puerta frontal:
estufa de leña, 394
máquina de votar, 427
Puerta levadiza, 78-79
Puerta norte, interior de una iglesia, 85
Puerta posterior, carrocería, 102-103
Puerta principal:
fortificaciones, 80
interior de una iglesia, 85
prisión, 74
Puerta rebajada, cámara acorazada y caja fuerte, 447
Puertecilla del depósito de combustible, carrocería, 102-103
Puerto, montañas, 8-9
Puerto base, buque de pasajeros, 138-139
Puerto deportivo, señales públicas, 490-491
Puesto contraincendios, petrolero, 136-137
Puesto de observación, ferrocarril, 112-113
Puesto de pilotaje, grandes premios automovilísticos, 332
Puesto del torrero, plataforma de perforación submarina, 99
Puesto electoral, máquina de votar, 427
Puf, sillón reclinable, 231
«Pú-fang», vestimenta local, 475
Púgil, 303
Pujamen, vela, 132
Pulgada, signos ortográficos, 497
Pulgar:
anfibios, 42
béisbol, 287
extremidades, 29
Pulidora, útiles de fontanería, 412
Pulmón de acero, aparatos ortopédicos, 442
Pulmones, órganos internos, 27
Pulpa:
exprimidores, 251
frutos, 53
Pulpejo:
caballo, 36
perro, 34
Púlpito, interior de una iglesia, 85
Púlpito de popa, velero, 130
Púlpito de proa, velero, 130
Pulpo, 44
Pulsador:
bolígrafo, 160
manipulador telegráfico, 159
teléfono, 178
utensilios para el peinado, 210
Pulsador de fecha y segundos, relojes de pulsera y bolsillo, 216
Pulsador de hora, relojes de pulsera y bolsillo, 216
Pulsador de inversión de la costura, máquina de coser, 274
Pulsador de prueba, medios de lucha contra incendios, 280
Pulsador de reposición, calentador de agua, 391
Pulsador de reposición trassobrecarga, sierra mecánica, 407
Pulsador de temperatura, lavavajillas, 246
Pulsador del interruptor, taladradora eléctrica, 409
Pulsador o botón de marcha y parada, valla, 298
Púlsar, universo, 2-3
Pulsera:
anillo, 215
relojes de pulsera y bolsillo, 216
Pulsera de identificación, 183
Punta:
alicates, 404
alpinismo, 328
arco y flecha, 456
armas blancas, 453
armas cortas, 460
armas medievales, 454
backgammon, 339
bolígrafo, 160
calcografía, 371
cepillo de dientes, 211
cierres de mercería, 204
clavos y tornillos, 400
costura, 376
cuchillo, 252
escudo de armas, 487
esgrima, 309
esquí acuático, 323
esquí alpino, 320
golf, 304
hortalizas, 52
jai alai, 308
jefe de majorettes, 479
juego de dardos, 316
lápiz, 160
maquinillas de afeitar, 206
medalla, 485
motor fuera borda, 133
paisajes terrestres, 7
paraguas, 226
patinaje sobre hielo, 319
pesca, 334-335
punto, 378
sierras de mano, 406
taladradora eléctrica, 409
violín, 349
zapatilla deportiva, 296
Punta de cabeza perdida, clavos y tornillos, 400
Punta de contacto, lámparas e iluminación, 234
Punta de destornillador, taladradora de mano, 408
Punta de diamante, 372
Punta de hierro, castillo, 78-79
Punta de la cola, prendas de abrigo, 197
Punta de la horquilla, bicicleta, 124
Punta de los dedos, extremidades, 29
Punta de prueba, instrumentos eléctricos, 413
Punta de seguridad, utensilios para el peinado, 210
Punta del poste, camping, 336
Punta del talón, patinaje sobre hielo, 319
Punta desatascadora, útiles de

fontanero, 412
Punta redondeada, utensilios para el peinado, 210
Punta seca, calcografía, 371
Puntada:
béisbol, 286
costura, 376
Puntal:
armazón, 59
escenario, 344
trineo y deslizador, 322
valla, 65
Puntal de madera, cimentación, 58
Puntal superior, bulldozer, 425
Puntas, aves de corral, 33
Punteado, elementos de composición, 362-363
Puntera:
accesorios del calzado, 203
bota y sandalia, 202
esquí acuático, 323
patinaje sobre hielo, 319
patinaje sobre ruedas, 318
pesca, 334-335
zapatilla deportiva, 296
zapato de caballero, 200
zapato de señora, 201
Puntera plegada, ballet, 478
Puntera reforzada:
ballet, 478
prendas interiores, 191
Puntero:
gaita, 359
herramientas de escultor, 366
Puntillo, partitura, 346
Punto, 378
Punto:
billar, 314
juegos de fichas, 339
signos ortográficos, 497
Punto a mano, 378
Punto acanalado, chaqueta y jersey, 195
Punto al derecho, punto, 378
Punto al revés, punto, 378
Punto cero, relojes de pulsera y bolsillo, 216
Punto de amarre, bote de remos, 129
Punto de anclaje, trineo y deslizador, 322
Punto de bordado, máquina de coser, 274
Punto de control, prisión, 74
Punto de cruz, accesorios del calzado, 203
Punto de distribución, cabello masculino, 207
Punto de encare, hockey sobre hielo, 291
Punto de fuga, elementos de la composición, 362-363
Punto de inflexión, patinaje sobre ruedas, 318
Punto de loma, billar, 314
Punto de mira:
armas automáticas, 461
armas cortas, 460
escopeta y fusil, 458-459
Punto de penalty, fútbol y lacrosse, 293
Punto de referencia:
arco y flecha, 456
billar, 314
bolos, 311
Punto de referencia para el selector de temperaturas, plancha, 275
Punto focal, elementos de la composición, 362-363
Punto y coma, signos ortográficos, 497
Puntos cardinales, mapa meteorológico, 19
Puntos suspensivos, signos ortográficos, 497
Punzón:
herramientas de escultor, 366
navaja múltiple, 416
Puño:
anatomía popular, 25
armas blancas, 453
armas medievales, 454
esgrima, 309
golf, 304
hockey sobre hielo, 290
lijadora portátil, 411
motocicleta, 125
paraguas, 226
sierras de mano, 406
Puño bordado en plata, galas reales, 468
Puño con cierre Velcro, prendas de abrigo, 197
Puño de acelerador y timón, motor fuera borda, 133
Puño de amura, vela, 132
Puño de encaje, mayordomo y doncella, 473
Puño de escota, vela, 132
Puño de la manivela:
pesca, 334-335
taladradora de mano, 408
Puño de pena, vela, 132
Puño de punto, prendas de abrigo, 196
Puño de tirilla, blusa y falda, 193
Puño doble:
camisa, 185
mayordomo y doncella, 473
Puño en casco de caballo, vestimenta local, 475
Puño largo, novia y novio, 472
Puño para gemelos, novia y novio, 472
Puño sencillo, camisa, 185
Puño vuelto:
blusa y falda, 193
chaqueta y pantalón, 192
Pupa, insectos, 39
Pupila, órganos de los sentidos, 28
Purgador de aire, caldera de calefacción, 390
Puro, cigarro y cigarrillo, 224
Putter, golf, 304

Q

Quark, universo, 2-3
Quásar, universo, 2-3
Quela, crustáceos y moluscos, 45
Quelíceros, arañas, 38
Quemador:
accesorios de jardín, 284
caldera de calefacción, 390
calentador de agua, 391
camping, 336
globo aerostático, 326
servicio de postre, 241
Quemador de gas-oil, calentador de agua, 391
Queso, 259
Queso, comida rápida, 261
Quijada, cadena y polea, 451
Quijera, arco y flecha, 456
Quijote, armadura, 455
Quilla:
aves de corral, 33
esquí acuático, 323
velero, 130
Quilla del motor, motor fuera borda, 133
Química, símbolos científicos y comerciales, 494
Quinquefolia, iglesia, 84
«Quinta rueda», camión tractor, 116-117
Quinto dedo, extremidades, 29
Quitanieves, vehículos de saneamiento, 123
Quitapiedras, ferrocarril, 112-113
Quitasoles (espejo grande), sextante, 133
Quitasoles (espejo pequeño), sextante, 133
Quitina, crustáceos y moluscos, 45

R

Rabadilla:
aves, 37
caballo, 36
cordero, 31
vaca, 30
Rabicorto, perro, 34
Rabillo, jai alai, 308
Rabiones, río, 13
Rabo:
cerdo, 32
frutos, 53
mamífero fantástico, 46-47
vaca, 30
Rabón, perro, 34
Raca, velero, 130
Ración, alimentos preparados, 259
Racor:
aspersores y boquillas, 418
surtidor de gasolina, 108
Racor para la manguera, aspersores y boquillas, 418
Radar, 434
Radar:
automóvil de policía, 118
buque contraincendios, 144
remolcador, 144
Radar aéreo:
buque de guerra de superficie, 140-141
portaaeronaves, 142
Radar de aproximación de aviones al portaaeronaves, portaaeronaves, 142
Radar de superficie:
buque de guerra de superficie, 140-141
portaaeronaves, 142
Radar del director de tiro, buque de guerra de superficie, 140-141
Radar para control de aeronaves, portaaeronaves, 142
Radiador, 390
Radiador:
sistema de energía solar, 383
vista en sección de un automóvil, 104-105
Radícula, sistema radicular, 49
Radio:
bicicleta, 124
carreras de calesines, 331
carruajes de caballos, 127
lámparas e iluminación, 234
parque de atracciones, 91
sistema muscular y esquelético, 26
Radio de navegación, cabina de pilotaje del 747, 150-151
Radio despertador, 229
Radio en banda de policía, automóvil de policía, 118
Radio en banda normal, automóvil de policía, 118
Radio telemétrica, ambulancia, 119
Radio telemétrica portátil, ambulancia, 119
Radio tensor, paraguas, 226
Radio UHF, cabina de pilotaje del 747, 150-151
Radio VHF, cabina de pilotaje del 747, 150-151
Radioaficionado, emisor-receptor, 179
Radiobaliza, helicóptero, 146
Radioaltímetro, tablero de instrumentos, 153
Radiogoniómetro automático:
cabina de pilotaje del 747, 150-151
helicóptero, 146
Radiogonómetro, buque de guerra de superficie, 140-141
Radios, arañas, 38
Radioteléfono portátil, emisor-receptor, 179
Radioterapia, mesas médicas, 440
Raíl, valla, 298
Raíl para parrilla, cocina, 244
Raíz:
árbol, 48
dientes, 446
gramíneas, 56
hortalizas, 52
ingredientes crudos, 258
Raíz adventicia, sistema radicular, 49
Raíz axonomorfa:
hortalizas, 52
sistema radicular, 49
Raíz carnosa de almacenamiento, hortalizas, 52
Raíz cuadrada, símbolos científicos y comerciales, 494
Raíz de ala, avión particular, 147
Raíz del helix, órganos de los sentidos, 28
Raíz, motor fuera borda, 133
Raíz pivotante, sistema radicular, 49
Raíz primaria, sistema radicular, 49
Raíz rudimentaria, sistema radicular, 49
Raíz secundaria, sistema radicular, 49
Raíz terciaria, 49
Raíz terciaria, sistema radicular, 49
Ralladores, 257
Rama:
caballo, 36
equipo de montar, 329
suculentas, 54
Rama principal, árbol, 48
Rama secundaria, árbol, 48
Ramal principal, metal, 352-353
Ramas, río, 13
Ramilla flexible, utensilios de limpieza doméstica, 278
Ramo de novia, novia y novio, 472
Rampa:
parque de atracciones, 90
teatro, 345
Rampa de acceso, aeropuerto, 92-93
Rampa de partida, parque de atracciones, 90
Rampa de proa para coches,

aerodeslizadores, 145
Rampa de salida, carreras de calesines, 331
Rampa de salida de emergencia, avión comercial, 148-149
Rampa del pick-up, pesca, 334-335
Ramplón, caballo, 36
Rana, 42
Ranilla, caballo, 36
Ranura:
bisagra y aldabilla, 450
cuchillo, 252
instrumentos de ejecución, 452
maquinillas de afeitar, 206
medios terapéuticos, 441
tienda india, 82
tostador de pan, 249
tuercas, 401
Ranura de desclavar, martillo, 402
Ranura de desplazamiento del tornillo, alicates, 404
Ranura de ingletes, sierra mecánica, 407
Ranura de montaje, interruptor, 388
Ranura de retención, cerraduras de puerta, 448
Ranura de salida de las copias, cámara fotográfica, 170
Ranura de separación, escalera mecánica, 77
Ranura del muelle, lavado y secado, 276
Ranura guía, útiles de medida, 414
Ranura para cabellos largos, maquinillas de afeitar, 206
Ranura para el punto de mira, armas blancas, 453
Ranura para introducir el lienzo, 364-365
Ranura para la tira, bota y sandalia, 202
Ranura para las monedas, teléfono, 178
Rápido, montañas, 8-9
Rápidos, río, 13
Raqueta, 293, 306, 315, 321
Raqueta:
balonvolea y bádminton, 313
frontón y squash, 307
Raquis:
aves, 37
plantas inferiores, 55
Rascacielos, 75
Rascacielos acabado, 75
Rascacielos en construcción, 75
Raspador:
cigarro y cigarrillo, 224
exprimidores, 251
Rasqueta:
procedimientos de impresión, 164
serigrafía y huesos tallados, 369
Rastrillo, 78-79, 417
Ratonera, trampas, 423
Raya, 43
Raya:
cabello masculino, 207
chaqueta y pantalón, 192
pantalones, 187
signos ortográficos, 497
Rayado, armas cortas, 460
Rayos cósmicos, universo, 2-3
Rayo, sistemas tormentosos, 17
Rayo de barrido, radar y sonar, 434
Reacción en cadena, reactor nuclear, 384-385
Reactor:
corte longitudinal del, 384-385
reactor nuclear, 384-385
Reactor autorregenerable, reactor nuclear, 384-385
Reactor de caza, 152
Reactor nuclear, 384-385
Realce, costura decorativa, 377
Rebaba:
procedimientos de impresión, 164
útiles de fontanería, 412
Rebanada, alimentos preparados, 159
Reborde:
armas cortas, 460
batería de cocina, 253
cierres de mercería, 205
costura, 376
fregadero, 243
material de laboratorio, 436-437
medios de lucha contra incendios, 280
pintura, 364-365
relojes de pulsera y bolsillo, 216
Reborde de la manija, metal, 352-353
Reborde de las gafas, submarinismo, 325
Reborde incisivo, (caninos, colmillos), dientes, 446
Reborde, pintura, 364-365
Reborde trasero del alerón, grandes premios automovilísticos, 332
Rebosadero, grifo y lavabo, 269
Rebote:
frontón y squash, 307
jai alai, 308
Recámara:
armas automáticas, 461
cañón y catapulta, 457
Recámara abierta, mortero y bazooka, 462
Recazo, armas blancas, 453
Recéptaculo:
flor, 51
frutos, 53
Receptáculo de la ficha a perforar, perforadora de fichas, 428
Receptáculo para las fichas ya perforadas, perforadora de fichas, 428
Receptor, 286
Receptor, teléfono, 178
Receptor-amplificador, 177
Receta, símbolos científicos y comerciales, 494
Recibimiento de ladrillo, ventana, 63
Recibo, caja registradora, 430
Recipiente:
alfarería, 367
exprimidores, 251
multirrobot de cocina, 250
Recipiente de la carga, granada y mina, 463
Recipiente de los pistones, metal, 352-353
Recipiente del reactor, reactor nuclear, 384-385
Recipiente para cenizas, accesorios de jardín, 284
Recipiente para el zumo, exprimidores, 251
Recipiente para fondue, 241
Recipientes, 263
Recogida de desechos, equipo dental, 445
Recogida de equipajes, señales públicas, 490-491
Recta de llegada, carreras de calesines, 331
Recta opuesta, carreras de calesines, 331
Rectángulo, baloncesto, 292
Rectángulo del bateador, béisbol, 287
Rectángulo del receptor, béisbol, 287
Recuadro, IV
Recubrimiento de tela asfáltica, rascacielos, 75
Recuperación de bolas, billar, 314
Recurva, arco y flecha, 456
Red, 315
Red:
baloncesto, 292
balonvolea y bádminton, 313
hockey sobre hielo, 290
tenis, 306
trampas, 423
Red de distribución, línea de alta tensión, 386
Red de la portería, fútbol y lacrosse, 293
Red de seguridad, circo, 88-89
Red de seguridad para la tripulación, portaaeronaves, 142
Red provisional, arañas, 38
Red salvavidas, vehículos de bomberos, 120-121
Redonda, partitura, 346
Redondo, vaca, 30
Reductor de las reflexiones producidas por el mar, radar y sonar, 434
Reductor de las reflexiones producidas por fenómenos atmosféricos, radar y sonar, 434
Reductor de presión, línea de alta tensión, 386
Referencia, Tierra, 1
Referencia del disco, equipo de alta fidelidad, 176
Refector:
autobús, 114
circo, 88-89
escenario, 344
paso a nivel, 111
satélite, 182
vehículos de saneamiento, 123
Refrigeración, intercambiador de calor, 393
Refrigerador, 245
Refuerzo:
armazón, 59
bolso de mano, 218
bolsas y cestas, 262
cinturón y tirantes, 186
cuchillo, 252
esquí acuático, 323
trineo y deslizador, 322
útiles de pintura, 415
zapatilla deportiva, 296
Refuerzo central adornado con encaje, prendas interiores, 191
Refuerzo con aligeramientos, escopeta y fusil, 458-459
Refuerzo de alambre, prendas interiores, 191
Refuerzo de defensa, yates a motor, 134-135
Refuerzo de la solapa, zapato de caballero, 200
Refuerzo del asa, bolsas y cestas, 262
Refuerzo del borde, mochila y saco de dormir, 337
Refuerzo interior trasero, 364-365
Refuerzo principal, cañón y catapulta, 457
Refuerzo secundario, cañón y catapulta, 457
Refuerzo superior trasero, 364-365
Regala:
bote de remos, 129
surf, 324
velero, 130
yates a motor, 134-135
Regatón:
armas medievales, 454
paraguas, 226
Región escapular, anfibios, 42
Región pélvica, anfibios, 42
Registradora, equipo meteorológico, 18
Registro:
calentador de agua, 391
equipo meteorológico, 18
surtidor de gasolina, 108
Registro de limpieza, ferrocarril, 112-113
Registros, órganos, 354
Regla de cálculo, 431
Registro sinóptico, mapa meteorológico, 19
Regla de cálculo circular, calculadoras, 431
Regla, útiles de medida, 414
Regla de alineación graduada, máquina de escribir, 162
Regleta de prolongación, útiles de medida, 414
Regla imantada, navaja múltiple, 416
Regulador, 325
Regulador ambiental, cabina de mando de la lanzadera espacial, 155
Regulador de agua y aire, equipo dental, 445
Regulador de combustible, cabina de mando de la lanzadera espacial, 155
Regulador de la entrada de aire, material de boratorio, 436-437
Regulador de la llama:
cigarro y cigarrillo, 224
material de laboratorio, 436-437
Regulador de presión:
batería de cocina, 253
calentador de agua, 391
Regulador de pulverización, aspersores y boquillas, 418
Regulador de salida de gas, accesorios de jardín, 284
Regulador del ocular, microscopio, 432
Regulador del timbre, teléfono, 178
Reguladores, guitarra eléctrica, 357
Rehabilitación profesional, prisión, 74
Reina, 468
Reina, ajedrez y damas, 339
Reja, prisión, 74
Rejilla:
acondicionamiento de aire, 392
autobús, 114
baño y ducha, 270
batería de cocina, 253
camión tractor, 116-117
carrocería, 102-103
coladores y filtros, 256
emisor-receptor, 179
equipo de alta fidelidad, 177
fregadero, 243
motor de combustión interna, 396

refrigerador, 245
tractor, 424
utensilios para el cuidado del cabello, 208
Rejilla con trípode, material de laboratorio, 436-437
Rejilla de control, línea de alta tensión, 386
Rejilla de ventilación, carrocería, 102-103
Rejilla del hogar, chimenea, 228
Rejilla del motor, cortacésped, 419
Rejilla del radiador, bulldozer, 425
Rejilla frontal, acondicionamiento de aire, 392
Rejilla inferior, reactor nuclear, 384-385
Rejilla protectora, lavavajillas, 246
Rejilla superior, reactor nuclear, 384-385
Relicario, anillo, 215
Relieve antideslizante, baño y ducha, 270
Reloj:
cabina de pilotaje del 747, 150-151
cocina, 244
interior de un automóvil, 106
Reloj con cronómetro, medidas y mezcladores, 254
Reloj de arena, 229
Reloj de bolsillo, 216
Reloj de los 24 segundos, baloncesto, 292
Reloj de pared, 229
Reloj de péndulo, 229
Reloj de pie, 229
Reloj de pulsera, 216
Reloj de sol, 381
Reloj digital, tablero de instrumentos, 153
Reloj, órgano, 354
Reloj submarino, submarinismo, 325
Rellano, escalera, 64
Relleno:
alimentos preparados, 259
calcografía, 371
mochilla y saco de dormir, 337
postres, 260
Relleno de protección entre cuadernas, yates a motor, 134-135
Remache:
bota y sandalia, 202
cepillo de dientes, 211
cuchillo, 252
equipaje, 281
gafas, 217
material de laboratorio, 436-437
pantalones, 187
punto, 378
Remache de fijación, alicates, 404
Remaches, caballo, 36
Remate:
alfarería, 367
arquitectura internacional, 68-69
banderas, 486
cama y accesorios, 266
cobertura para ventanas, 237
corbatas, 189
escalera, 64
estufa de leña, 394
lámparas e iluminación, 234
mobiliario de dormitorio, 268
muro de ladrillo, 67
reloj de pared, 229
silla, 230
zapatilla deportiva, 296
Remate de blonda, sombreros femeninos, 199
Remate de la baranda, billar, 314
Remate de la base, alfarería, 367
Remate de la cinta de la capucha, prendas de abrigo, 197
Remate de piedra, valla, 65
Remate del alerón, tienda india, 82
Remate del aro exterior, costura decorativa, 377
Remate del gancho, lavado y secado, 277
Remate del poste de la puerta, valla, 65
Remate del poste, paso a nivel, 111
Remeras primarias, aves, 37
Remeras secundarias:
aves, 37
aves de corral, 33
Remo, bote de remos, 129
Remolcador, 144
Remolcador de empuje, remolcador, 144
Remolino, cabello masculino, 207
Remolque, camión tractor, 116-117
Remolque vivienda, señales de tráfico, 488-489
Renacuajo, 42
Renuevo, gramíneas, 56
Reo, instrumentos de ejecución, 452
Repetición desde el signo, partitura, 346
Repisa:
alfarería, 367
chimenea, 228
máquina de escribir, 162
mobiliario de dormitorio, 268
Repisa delantera, máquina de escribir, 162
Repisa para pinturas, pintura, 364-365
Repliegues costales, anfibios, 42
Repollo, hortalizas, 52
Reposabrazos:
aparatos ortopédicos, 442
sillón reclinable, 231
sofá, 232
Reposacabeza, parque de atracciones, 90
Reposacabezas, unidad dentaria, 444
Reposacabezas acolchado, accesorios para bebés, 282
Reposapié, interior de un automóvil, 106
Reposapiés:
carruajes de caballos, 127
accesorios de jardín, 283
accesorios para bebés, 282
motocicletas, 125
sillón reclinable, 231
Reposapiés abatible, mesas médicas, 440
Repostería, postres, 260
Reproductor láser de vídeodiscos, 181
Reptiles, 40-41
Repujado:
armadura, 455
servicio de postre, 241
Resalte, montañas, 8-9
Resbalón, cerraduras de puerta, 448
Resina acrílica, equipo dental, 445
Resistencia, tostador de pan, 249
Resta, calculadoras, 431
Resonador, guitarra, 356
Resorte:
calcografía, 371
gema o piedra preciosa, 214
trampas, 423
Resorte de la guía, material de escritorio, 273
Resorte de suspensión, grandes premios automovilísticos, 332
Resorte inferior, paraguas, 226
Resorte superior, 226
Respaldo:
accesorios para bebés, 282
accesorios de jardín, 284
aparatos ortopédicos, 442
instrumentos de ejecución, 452
silla, 230
Respaldo guateado, sillón reclinable, 231
Respaldo tapizado, sofá, 232
Respiración, partitura, 346
Respiradero:
calentador de agua, 391
cúpulas, 83
pluma, 160
útiles de pintura, 415
Respiradero de piñón, exterior de la casa, 61
Respiradero del filtro hidráulico, bulldozer, 425
Respirador, submarinismo, 325
Resta, símbolos científicos y comerciales, 494
Restaurante:
buque de pasajeros, 138-139
señales públicas, 490-491
Restinga:
costa y margen continental, 15
río, 13
olas y costa, 14
Retardador de disparo, cámara y película fotográficas, 171
Retén, gema o piedra preciosa, 214
Retén de subida, coberturas para ventanas, 237
Retículo endoplasmático, célula animal, 23
Retorno de las bolas, bolos, 311
Retranqueos, rascacielos, 75
Retrete, 271
Retrete, compartimientos de un barco de vela, 131
Revellín, chimenea, 228
Revés, arco y flecha, 456
Revés de la moqueta, alfombra, 242
Revestimiento:
arquitectura internacional 68-69
cimentación, 58
cúpulas, 83
rascacielos, 75
trofeo, 285
Revestimiento de hormigón, túnel, 96
Revestimiento de la cubierta, cimentación, 58
Revestimiento de tablas de madera, exterior de la casa, 61
Revestimiento del cañón, chimenea, 228
Revestimiento del cierre de la bota, esquí de fondo, 321
Revirón, bota y sandalia, 202
Revólver, 460
Revólver:
microscopio, 432
vaquero e indio, 474
Rey, 342, 468
Rey:
ajedrez y damas, 339
bolos, 311
Rey de corazones, juegos de cartas, 342
Rey de diamantes, juegos de cartas, 342
Rey de picas, juegos de cartas, 342
Rey de tréboles, juegos de cartas, 342
Ría, valla, 298
Riachuelo, río, 13
Riada, río, 13
Ribete:
béisbol, 287
bolso de mano, 218
coberturas para ventanas, 236
galas reales, 468
ornamentos religiosos, 471
sillón reclinable, 231
vestimenta local, 475
zapato de caballero, 200
zapato de señora, 201
Ribete de cordón forrado, cama y accesorios, 267
Ribete del borde, bolsas y cestas, 262
Ribete elástico, prendas interiores, 191
Ribete reforzado, equipaje, 281
Ribosomas, célula animal, 23
Riel, 236
Riel:
lámparas e iluminación, 235
maquinillas de afeitar, 206
Riel delantero, trineo y deslizador, 322
Rienda, carreras de calesines, 331
Rimaya, montañas, 8-9
Rímel, productos de belleza, 213
Rimmel, maquillaje, 212
Rincón, boxeo, 303
Rincón de ataúd, fútbol americano, 289
Rincón neutral, boxeo, 303
Ring, 303
Riñón:
arco, 70
aves de corral, 33
Riñón artificial, aparatos ortopédicos, 442
Riñonada, cordero, 31
Riñones:
gato, 35
órganos internos, 27
Río, 13
Río:
paisaje terrestres, 7
sección transversal de un, 13
túnel, 96
Riostra:
accesorios de jardín, 283
armazón, 59
camping, 336
plataforma de perforación submarina, 99
puente, 95
útiles de pintura, 415
Riostra cruzada, útiles de pintura, 415
Riostre, ferrocarril, 112-113
Ripia, materiales de construcción, 66
Ristre, armadura, 455
Ritardando, partitura, 346
Riwaq, arquitectura internacional, 68-69
Rizador, utensilios para el peinado, 210
Rizador eléctrico, 210
Rizar, utensilios para el peinado, 210
Rizo:

cabello femenino, 209
violín, 349
Rizoide, plantas inferiores, 55
Rizoma, gramíneas, 56
Roca volcánica, accesorios de jardín, 284
Roda:
bote de remos, 129
yates a motor, 134-135
Rodaja, equipo de montar, 329
Rodamiento a bolas, patinaje sobre ruedas, 318
Rodamiento de empuje del gancho, cadena y polea, 451
Rodapié:
alfombra, 242
ascensor, 76
Rodela, armas medievales, 454
Rodete, escudo de armas, 487
Rodilla:
anfibios, 42
caballo, 36
cuerpo humano, 24
gato, 35
perro, 34
vaca, 30
Rodillera:
armadura, 455
hockey sobre hielo, 291
patinaje sobre ruedas, 318
Rodillera acolchada, esquí alpino, 320
Rodillo, 368, 415
Rodillo:
ambulancia, 119
cadena y polea, 451
cañón y catapulta, 457
cobertura para ventanas, 237
máquina de escribir, 162
utensilios para el peinado, 210
utensilios para preparaciones, 255
Rodillo de apoyo, bulldozer, 425
Rodilo de crescendo, órgano, 354
Rodillo desmenuzador, tractor, 424
Rodillo entintador, procedimientos de impresión, 164
Rodillo guía, magnetófonos, 175
Rodillo mojador, procedimientos de impresión, 164
Rodillo pisapapel, máquina de escribir, 162
Rodillo portahilos, tejido, 379
Rodillo superior, calcografía, 371
Roldana, cadena y polea, 451
Rollo, equipo de ganadero, 422
Rollo del cuello, fútbol americano, 288
Rombo, iglesia, 84
Rompiente, olas y costa, 14
Roncón, gaita, 359
Ropa de cama, ambulancia, 119
Ropa de colores, carreras de calesines, 331
Ropa interior, 190
Roquete, ornamentos religiosos, 471
Ro-ro, petrolero, 136-137
Rosa, vela, 132
Roscador de tubos, útiles de fontanería, 412
Roseta:
atributos reales, 469
iglesia, 84
mobiliario de comedor, 239
sofá, 232
Roseta, guardián de la Torre de Londres, 467
Rosetón,:
iglesia, 84
lámparas e iluminación, 234
Rotonda, estación de clasificación, 94
Rotor de cola, helicóptero, 146
Rótula:
baño y ducha, 270
mortero y bazooka, 462
sistema muscular y esquelético, 26
Rótula de biela de dirección, vista en sección de un automóvil, 104-105
Rótula del brazo superior, vista en sección de una automóvil, 104-105
Rótulo, carrocería, 102-103
Rótulo con el número, teléfono, 178
Roza, muro de ladrillo, 67
Rublo, símbolos científicos, y comerciales, 494
Rueca, tejido, 379
Rueda, 101
Rueda:
accesorios de jardín, 283
accesorios para bebé, 282
alfarería, 367
aspiradora, 279
cama y accesorios, 267
cañón y catapulta, 457
carretilla y sembradora, 420
carrocería, 102-103
cultura física, 338
gimnasia, 300
patinaje sobre ruedas, 318
piano, 355
sofá, 232
tejido, 379
yates a motor, 134-135
Rueda de ajuste, mesas médicas, 440
Rueda de aterrizaje, aerostato, 158
Rueda de aterrizaje, avión particular, 147
Rueda de cola, helicóptero, 146
Rueda de deslizamiento, parque de atracciones, 90
Rueda de elevación de la hoja, sierra mecánica, 407
Rueda de enrollado, cañón y catapulta, 457
Rueda de inclinación, sierra mecánica, 407
Rueda de la oruga, carro de combate, 464-465
Rueda de llantas con hendiduras, camión remolque, 122
Rueda de morro, avión particular, 147
Rueda de repuesto, camión tractor, 116-117
Rueda de seguridad, parque de atracciones, 90
Rueda de suspensión, vehículos de recreo, 126
Rueda de tren principal:
avión particular, 147
helicóptero, 146
Rueda del timón, velero, 130
Rueda delantera:
autobús, 114
carreras de dragsters, 333
Rueda distribuidora, carretilla y sembradora, 420
Rueda elevadora, proyectores, 173
Rueda en tándem, camión tractor, 116-117
Rueda exterior, parque de atracciones, 91
Rueda guía:
bulldozer, 425
carro de combate, 464-465
parque de atracciones, 90
Rueda interior, parque de atracciones, 91
Rueda motriz:
carro de combate, 464-465
ferrocarril, 112-113
Rueda para enfoque manual, cámara fotográfica, 170
Rueda pequeña, aparatos ortopédicos, 442
Rueda percutora, cigarro y cigarrillo, 224
Rueda principal, aparatos ortopédicos, 442
Rueda tensora, bicicleta, 124
Rueda transportadora, abridores, 247
Rucda trasera, autobús, 114
Rueda trasera doble, camión remolque, 122
Ruedas con freno, pintura, 364-365
Ruedecilla para cortar pasta, ralladores y picadoras, 257
Rugientes cuarenta grados, vientos y corrientes oceánicas, 6
Rulo, 210
Rumbo magnético, aeropuerto, 92-93
Rumo, recipientes, 263
Rupia, símbolos científicos y comerciales, 494
Ruta de navegación, buque de guerra de superficie, 140-141

S

Sábana bajera, cama y accesorios, 267
Sábana de papel desechable, mesas médicas, 440
Sábana encimera, cama y accesorios, 267
Sable, 453
Sable:
esgrima, 309
trajes de época, 476
Sacaanzuelos, navaja múltiple, 416
Sacabotas, accesorios del calzado, 203
Sacacorchos:
abridores, 247
navaja múltiple, 416
Sacadera, pesca, 334-335
Saco de arena, ambulancia, 119
Saco de dormir, 337
Saco de dormir enrollable, 337
Saco de pareja, mochila y saco de dormir, 337
Saco individual, mochila y saco de dormir, 337
Saco polínico, flor, 51
Saco tipo momia, mochila y saco de dormir, 337
Sacristía, interior de una iglesia, 85
Sacro, sistema muscular y esquelético, 26
Saeta, 456
Saetera, castillo, 78-79
Saetilla horaria, relojes de pulsera y bolsillo, 216
Sagitario, signos del Zodiaco, 493
Sagrario, interior de una iglesia, 85
Sala de espera de pasajeros, aeropuerto, 92-93
Sala de fiestas, buque de pasajeros, 138-139
Sala de jugadores, jai alai, 308
Sala infantil de juegos, buque de pasajeros, 138-139
Salamandra, 42
Salchicha, comida rápida, 261
Salero, ralladores y picadoras, 257
Saleta, grifo y lavabo, 269
Salida:
instrumentos populares. 360
teatro, 345
Salida de aire fría o caliente, intercambiador de calor, 393
Salida de audio, detectores, 435
Salida de emergencia, ascensor, 76
Salida de humos de la chimenea, buque de guerra de superficie, 140-141
Salida de vapor, máquina de vapor, 395
Salida de aire de refrigeración del radiador, grandes premios automovilísticos, 332
Salida de vapor, batería de cocina, 253
Salida escalonada, atletismo en pista, 295
Salida impresa, ordenador, 429
Salida recta, atletismo en pista, 295
Salidas, guitarra eléctrica, 357
Salmer, arco, 70
Salón de actos, buque de pasajeros, 138-139
Salón de belleza, buque de pasajeros, 138-139
Salón de cartas, buque de pasajeros, 138-139
Salpicadero:
fregadero, 243
interior de un automóvil, 106
Salsa:
alimentos preparados, 259
postres, 260
Salsera, mobiliario de comedor, 239
Salserillas, pintura, 364-365
Saltador:
gimnasia, 301
salto con pértiga, 299
Saltamontes, 39
Salto:
atletismo en pista, 294
cama elástica, 302
Salto con pértiga, 299
Salto con pértiga, atletismo en pista, 295
Salto de altura, atletismo en pista, 295
Salto de longitud, atletismo en pista, 295
Salto de trampolín, 310
Salvapiés, cortacésped, 419
Salvavidas, buque contraincendios, 144
Sámara, 50
Sandalia, 202
Sandwich, 259
Santuario, interior de una iglesia, 85
Santuario principal, arquitectura internacional, 68-69
Sapo, 42
Sari, vestimenta local, 475
Sartén, 253
Satélite, 182
Satélite pasivo, satélite, 182
Satélite repetidor activo, satélite, 182
Satélite, universo, 2-3

Satélites, universo, 2-3
Saturno, universo, 2-3
Sauna, buque de pasajeros, 138-139
Saxofón, 350-351
Sazonar, alimentos preparados, 259
Scorpio, signos del Zodiaco, 493
Sebo, velas y candelabros, 233
Secado, 276
Secador de cabello, 208
Secador de campana, utensilios para el peinado, 210
Secador manual, utensilios para el peinado, 210
Secadora, 277
Sección bajo, madera, 350-351
Sección de clase turística, avión comercial, 148-149
Sección de cola:
misil y torpedo, 466
vehículos de recreo, 126
Sección de equipo posterior, módulo lunar, 156
Sección de primera clase, avión comercial, 148-149
Sección de segunda clase, avión comercial, 148-149
Sección delantera de depósito exterior, lanzadera espacial y plataforma de lanzamiento, 154
Sección inferior, madera, 350-351
Sección inferior de descenso, módulo lunar, 156
Sección larga, madera, 350-351
Sección media, madera, 350-351
Sección radial, materiales de construcción , 66
Sección superior, madera, 350-351
Sección tangencial, materiales de construcción, 66
Sección tenor, madera, 350-351
Sección transversal, materiales de construcción, 66
Sección trasversal, 344
Sector de lanzamientos, atletismo en pista, 295
Sector final, madera, 350-351
Seda dental, cepillo de dientes, 211
Sedal, pesca, 334-335
Sedán, carrocería, 102
Sedante, ambulancia, 119
Segadora, tractor, 424
Segadora aguadañadora, cortacésped, 419
Segadora de acolchado, cortacésped, 419
Segadora de rodillo, cortacésped, 419
Segmento, útiles de medida, 414
Seguidor de infrarrojos, avión de caza, 152
Segunda base, béisbol, 287
Segunda etapa, misil y torpedo, 466
Segundero:
reloj de pared, 229
relojes de pulsera y bolsillo, 216
valla, 298
Segundo (tiempo), signos ortográficos, 497
Segundo ayudante de dirección, orquesta, 348
Segundo de ángulo, símbolos científicos y comerciales, 494
Segundo de arco, símbolos científicos y comerciales, 494
Segundo dedo, extremidades, 29
Segundo molar, dientes, 446
Segundo muslo:
caballo, 36
perro, 34
Segundo pistón, metal, 352-353
Segundo premolar, dientes, 446
Segundo violín, orquesta, 348
Segundos y fracciones, valla, 298
Seguro:
armas automáticas, 461
armas cortas, 460
cámara de cine, 172
escopeta y fusil, 458-459
Seguro antirretroceso, sierra mecánica, 407
Seguro de empuñadura, armas cortas, 460
Seguro de sobrepresión, 253
Seguro del brazo, equipo de alta fidelidad, 176
Seguro del mando elevador, tostador, de pan, 249
Seis cilindros en línea, motor de automóvil, 107
Seis cilindros en V, motor de automóvil, 107
Seis cilindros horizontales enfrentados, motor de automóvil, 107
Selección de funciones, equipo de alta fidelidad, 177
Selección personal, máquina de votar, 427
Selector auxiliar, cámara de cine, 172
Selector conversación, magnetófonos, 175
Selector de altura, mesas médicas, 440
Selector de bafles, equipo de alta fidelidad, 177
Selector de campo, radar y sonar, 434
Selector de canales:
emisor-receptor, 179
videocassette, 180
Selector de ciclos, lavavajillas, 246
Selector de concentraciones, cafeteras, 248
Selector de escala, accesorios fotográficos, 174
Selector de escalas, instrumentos eléctricos, 413
Selector de fecuencia, automóvil, de policía, 118
Selector de funciones:
acondicionamiento de aire, 392
videocassette, 180
Selector de la forma de presentación, radar y sonar, 434
Selector de la fuerza de apoyo del brazo, equipo de alta fidelidad, 176
Selector de la luz de emergencia, automóvil de policía, 118
Selector de la modalidad de toma, cámara y película fotográficas, 171
Selector de las funciones de la pantalla indicadora, videocassette, 180
Selector de lengüetas, instrumentos populares, 360
Selector de modo de funcionamiento, detectores, 435
Selector de modo de grabación, videocassette, 180
Selector de modo de navegación, cabina de pilotaje del 747, 150-151
Selector de modo de velocidad, cabina de pilotaje del 747, 150-151
Selector de número de fotogramas/segundo, cámara de cine, 172
Selector de posiciones, mesas médicas, 440
Selector de potencia de emisión, emisor-receptor, 179
Selector de programas, televisión, 181
Selector de sensibilidad de película, cámara y película fotográficas, 171
Selector de temperaturas:
lavado y secado, 276, 277
plancha, 275
Selector de tensión del hilo, máquina de coser, 274
Selector de tostadura, tostador de pan, 249
Selector de velocidad:
automóvil de policía, 118
magnetófonos, 175
Selector de velocidad de disparo, cámara y película fotográficas, 171
Selector de velocidad de proyección, proyectores, 173
Selector de velocidad del zoom, cámara de cine, 172
Selector de velocidades, equipo de alta fidelidad, 176
Selector del altavoz exterior, automóvil de policía, 118
Selector del canal de emergencia, emisor-receptor, 179
Selector del diámetro del disco, equipo de alta fidelidad, 176
Selector del sentido de giro, destornillador, 403
Selector música, magnetófonos, 175
Sello de la puerta frontal, máquina de votar, 427
Sello del empleado, máquina de votar, 427
Sello del encargado, máquina de votar, 427
Semáforo, lenguaje simbólico, 496
Semáforo de señalización de arrancada, 333
Sembradora, 420
Semental, caballo, 36
Semicírculo, pesca, 334-335
Semicorchea, partitura, 346
Semilla, 49
Semilla:
carretilla y sembradora, 420
flor, 51
frutos, 53
hortalizas, 52
ingredientes crudos, 258
Semilla de sésamo, alimentos preparados, 259
Semillero, establo y silo, 100
Semirremolque frigorífico, 116-117
Semirremolque, camión tractor, 116-117
Sencillo, equipo de alta fidelidad, 176
Senda para carritos, golf, 304
Seno:
anatomía popular, 25
fregadero, 243
grifo y lavabo, 269
hoja, 50
olas y costa, 14
Sensibilidad del aparato, instrumentos eléctricos, 413
Sensor, accesorios fotográficos, 174
Sensor, sistema de energía solar, 383
Sensor de dirección del viento, equipo meteorológico, 18
Sensor de humedad, equipo meteorológico, 18
Sensor de la temperatura, equipo meteorológico, 18
Sensor de la velocidad de viento, equipo meteorológico, 18
Sensor de presión, equipo meteorológico, 18
Sensor de radiación, solar, equipo meteorológico, 18
Sensor del punto de rocío, equipo meteorológico, 18
Sensor para el flash auxiliar, cámara fotográfica, 170
Sentido obligatorio, señales de tráfico, 488-489
Sentidos, órganos de los, 28
Señal de aproximación de precisión, aeropuerto, 92-93
Señal de aproximación por instrumentos, aeropuerto, 92-93
Señal de aproximación visual, aeropuerto, 92-93
Señal de identificación, béisbol, 287
Señal de proximidad de paso a nivel, 111
Señal de salida, autobús, 114
Señal indicadora, paso a nivel, 111
Señal luminosa, paso a nivel, 111
Señales de peligro, señales de tráfico, 488-489
Señales de tráfico, 488-489
Señales públicas, 490-491
Sépalo, flor, 51
Separación, mochila y saco de dormir, 337
Separador:
equipaje, 281
mobiliario de dormitorio, 268
navaja múltiple, 416
Sérac, montaña, 8-9
Seres vivos, 23
Serigrafía, 369
Serpentín, fregadero, 243
Serpentín de calefacción, intercambiador de calor, 393
Serpentín de refrigeración, intercambiador de calor, 393
Serpentín del condensador, acondicionamiento de aire, 392
Serpentín del evaporador, acondicionamiento de aire, 392
Serpiente, 40-41
Serpiente venenosa, reptiles, 40-41
Serrar a contra fibra, sierra mecánica, 407
Serra a la fibra, sierra mecánica, 407
Serra de través, sierra mecánica, 407
Serrucho de carpintero, 406
Servicio, avión comercial, 148-149
Servicio completo, servicio de mesa, 240
Servicio de mesa, 240
Servicio de postre, 241
Servicio de té, 241
Servilleta, servicio de mesa, 240
Sesos, vaca, 30
Seta, 55
Sextante, 133
Shimagi, arquitectura

internacional, 68-69
Shorts, pantalones, 187
Sien:
cabello masculino, 207
cuerpo humano, 24
Sierra, paisaje terrestre, 7
Sierra circular, 407
Sierra de cadena, 421
Sierra de calar, 406
Sierra de cinta, sierra mecánica, 407
Sierra de hender, sierras de mano, 406
Sierra de mesa, 407
Sierra de través, sierras de mano, 406
Sierra de vaivén, 407
Sierra mecánica, 407
Sierra para madera, navaja múltiple, 416
Sierra para metal, navaja múltiple, 416
Sierra para metales, 406
Sierra para metales, útiles de fontanería, 412
Sierras de mano, 406
Sifón, 263
Sifón:
crustáceos y moluscos, 45
grifo y lavabo, 269
Signo "dal segno" (desde el signo), partitura, 346
Signo de coda, partitura, 346
Signo de puntuación, signos ortográficos, 497
Signo de repetición, partitura, 346
Signo diacrítico, signos ortográficos, 497
Signo fonético, signos ortográficos, 497
Signos, 485
Signos de invierno, 493
Signos de otoño, 493
Signos de primavera, 493
Signos de verano, 493
Signos del Zodiaco, 493
Signos ortográficos, 497
Silbato, ferrocarril, 112-113
Silenciador:
armas cortas, 460
bulldozer, 425
carro de combate, 464-465
cortacésped, 419
sierra de cadena, 421
vista en sección de un automóvil, 104-105
Silenciador de escape:
motocicleta, 125
motor de combustión interna, 396
tractor, 424
Silenciador del antirretroceso, pesca, 334-335
Silencio de corchea, partitura, 346
Silencio de negra, partitura, 346
Silencio de redonda, partitura, 346
Silo, 100
Silla, 230
Silla:
carreras de calesines, 331
cigarro y cigarrillo, 224
gimnasia, 301
pipa, 225
Silla americana, 329
Silla de brazo, accesorios para bebés, 282
Silla de pescar, yates a motor, 134-135
Silla de ruedas, 282, 442
Silla de ruedas, ambulancia, 119
Silla de tijera, silla, 230
Silla eléctrica, 452
Silla eléctrica, aparatos ortopédicos, 442
Silla iglesia, 329
Silla para coche, 282
Sillín:
bicicleta, 124
motocicleta, 125
vehículos de recreo, 126
Sillón dental, unidad dentaria, 444
Sillón reclinable, 231
Sima, sección transversal de una caverna, 11
Símbolos, 485
Símbolos científicos, 494
Símbolos comerciales, 494
Símbolos religiosos, 492
Single, equipo de alta fidelidad, 176
Sintetizador, 357
Sintonizador, equipo de alta fidelidad, 177
Sirena:
automóvil de policía, 118
vehículos de bomberos, 120-121
Sirena de niebla, buque de guerra de superficie, 140-141
Sirope, postre, 260
Sisa:
chaqueta y chaleco, 184
ropa interior, 190
Sisa caída, chaqueta y pantalón, 192
Sistema antivaho, interior de un automóvil, 106
Sistema Braille, lenguaje simbólico, 496
Sistema calefacción y refrigeración de aeropuerto, aeropuerto, 92-93
Sistema central de aviso de instrumentos, cabina de pilotaje de 747, 150-151
Sistema circulatorio, órganos internos, 27
Sistema de ajuste del chorro, aspersores y boquillas, 418
Sistema de alarma, cámara acorazada y caja fuerte, 447
Sistema de cierre, gimnasia, 300
Sistema de colgar, marco para cuadros, 373
Sistema de datos de aire en ascenso, lanzadera espacial y plataforma de lanzamiento, 154
Sistema de doble forro neumático, fútbol americano, 288
Sistema de encastre, armas blancas, 453
Sistema de expansión de disco, ordenador, 429
Sistema de fijación, esquí alpino, 320
Sistema de frenos, vista en sección de un automóvil, 104-105
Sistema de guiado inercial, submarino, 143
Sistema de navegación TACAN, portaaeronaves, 142
Sistema de refrigeración, vista en sección de un automóvil, 104-105
Sistema de suspensión, vista en sección de un automóvil, 104-105
Sistema de tubos, equipo dental, 445
Sistema esquelético, 26
Sistema fluvial, río, 13
Sistema integrado de cuatro ordenadores, cabina de mando de la lanzadera espacial, 155
Sistema muscular, 26
Sistema óptico para el aterrizaje, portaaeronaves, 142
Sistema portátil de supervivencia, vehículo lunar, 157
Sistema radicular, 49
Sistema respiratorio, órganos internos, 27
Sistema solar, universo, 2-3
Sistema umbilical de comunicación y ventilación, vehículo lunar, 157
Sistemas tormentosos, 17
Sitar, 356
Slalom:
esquí acuático, 323
esquí alpino, 320
Slip deportivo, 190
"Slot", hockey sobre hielo, 291
Snorkel, submarino, 143
Sobaco, cuerpo humano, 24
Sobrecodal, armadura, 455
Sobrepelliz, ornamentos religiosos, 471
Sobretodo, trajes de época, 476
Socalce:
armazón, 59
cimentación, 58
Sociedad arrendataria de los derechos de ejecución, partitura, 346
Sofá, 232
Sofá-cama, compartimientos de un barco de vela, 131
Sofá, compartimientos de un barco de vela, 131
Sofá convertible, sofá, 232
Sofá modular, sofá, 232
Sofá-cama, sofá, 232
Sofito, columna, 71
Software, ordenador, 429
Soga, bombero, 484
Sol, universo, 2-3
Solapa:
bolso de mano, 218
cartera, 219
chaqueta y chaleco, 184
chaqueta y jersey, 195
chaqueta y pantalón, 192
equipaje, 281
trajes de época, 476
zapato de caballero, 200
Solapa de la ventana, camping, 336
Solarium, buque de pasajeros, 138-139
Soldador, 372
Soldadura, cadena y polea, 451
Soldadura con estaño, útiles de fontanería, 412
Solenoide de bajo régimen, motor de automóvil, 107
Solera:
armazón, 59
carruajes de caballos, 127
Solitario, anillo, 215
Solomillo:
cerdo, 32
vaca, 30
Solución salina, ambulancia, 119
Sollado de proa, compartimientos de un barco de vela, 131
Sombra, elementos de la composición, 362-363
Sombra para ojos, productos de belleza, 213
Sombra, reloj de sol, 381
Sombreado, elementos de la composición, 362-363
Sombreador, maquillaje, 212
Sombreador de ojos en polvo, productos de belleza, 213
Sombrerete:
chimenea, 228
exterior de la casa, 61
Sombrero, plantas inferiores, 55
Sombrero de tres picos, trajes de época, 476
Sombrero de vaquero, 198
Sombrero de viuda, sombreros femeninos, 199
Sombrero, guardián de la Torre de Londres, 467
Sombreros femeninos, 199
Sombreros masculinos, 198
Sombrilla, satélite, 182
Sonaja, batería, 358
Sonar, 434
Sonda, útiles de fontanería, 412
Sonido, metal, 352-353
Sonido de alta fidelidad, equipo de alta fidelidad, 177
Soplante:
acondicionamiento de aire, 392
intercambiador de calor, 393
Soplete, gaita, 359
Soplo cardiaco, símbolos científicos y comerciales, 494
Soporte, 292
Soporte:
accesorios de jardín, 283
accesorios para bebés, 282
alfarería, 367
armazón, 59
aspersores y boquillas, 418
atributos reales, 469
automóvil de policía, 118
baloncesto, 292
batería, 358
billar, 314
buzón, 227
cafeteras, 248
calcografía, 371
cámara y película fotográficas, 171
camión remolque, 122
campana, IV
escopeta y fusil, 458-459
metal, 352-353
parque de atracciones, 91
paso a nivel, 111
teléfono, 178
tenis de mesa, 315
Tierra, 1
útiles de pintura, 415
vehículos de bomberos, 120-121
Soporte acodado, útiles de pintura, 415
Soporte ajustable, material de laboratorio, 436-437
Soporte auxiliar, aparatos ortopédicos, 442
Soporte basculante, telescopio y gemelos, 433
Soporte cruzado, aparatos ortopédicos, 442
Soporte de alambre:
camping, 336
lámparas e iluminación, 234
Soporte de atril, metal, 352-353
Soporte de estacionamiento, tractor, 424
Soporte de la bandeja, telescopio y gemelos, 433
Soporte de la barra, coberturas para ventanas, 237
Soporte de la botavara, velero, 130

Soporte de la cámara, accesorios fotográficos, 174
Soporte de la cuchilla, litografía, 370
Soporte de la hélice, aerodeslizador, 145
Soporte de la lámpara, camión remolque, 122
Soporte de la lira, piano, 355
Soporte de la matrícula, carrocería, 102-103
Soporte de la mesa, billar, 314
Soporte de la sierra, sierra mecánica, 407
Soporte de las barras laterales, accesorios de jardín, 283
Soporte de los ojales, zapatilla deportiva, 296
Soporte de matrices, equipo dental, 445
Soporte de vidrio:
lámparas e iluminación, 234
línea de alta tensión, 386
Soporte del alerón aerodinámico trasero, grandes premios automovilísticos, 332
Soporte del amortiguador, ascensor, 76
Soporte del asidero, aparatos ortopédicos, 442
Soporte del brazo, silla, 230
Soporte del brazo del tubo, unidad dentaria, 444
Soporte del colgador, aparatos ortopédicos, 442
Soporte del estabilizador, helicóptero, 146
Soporte del filtro:
acondicionamiento de aire, 392
exprimidores, 251
Soporte del flotador, helicóptero, 146
Soporte del lienzo, pintura, 364-365
Soporte del listón, salto con pértiga, 299
Soporte del mástil, surf, 324
Soporte del motor, motor de automóvil, 107
Soporte del platillo, batería, 358
Soporte del plegador, tejido, 379
Soporte del quemador, globo aerostático, 326
Soporte del quitanieves, vehículos de saneamiento, 123
Soporte del recipiente, exprimidores, 251
Soporte deslizante, escritorio, 272
Soporte elástico, carro de combate, 464-465
Soporte frontal de ángulo variable, hidroalas, 145
Soporte giratorio, abridores, 247
Soporte horizontal, proyectos, 173
Soporte inferior, carruajes de caballos, 127
Soporte no poroso, marco para cuadros, 373
Soporte ortodóncico, 443
Soporte para almacenamiento, carro de combate, 464-465
Soporte para el cubo, útiles de pintura, 415
Soporte para el motor fuera borda, bote de remos, 129
Soporte para el visor, escopeta y fusil, 458-459
Soporte para estibar las plumas, petrolero, 136-137
Soporte para la chumacera, bote de remos, 129
Soporte para la horquilla, bote de remos, 129
Soporte para la instalación del motor, bote de remos, 129
Soporte para la lata, útiles de pintura, 415
Soporte para la mira, mortero y bazooka, 462
Soporte para las cañas de pescar, yates a motor, 134-135
Soporte para los contrapesos, tractor, 424
Soporte principal, fútbol americano, 289
Soporte retráctil del papel, máquina de escribir, 162
Soporte rígido, marco para cuadros, 373
Soporte superior, carruajes de caballos, 127
Soporte vertical:
balonvolea y bádminton, 313
teodolito, 426
Sortija, anillo, 215
Sostén retráctil, violín, 349
Sostenido, partitura, 346
Sotana, ornamentos religiosos, 471
Sótano:
cimentación, 58
exterior de la casa, 61
Sotavento, terminología naútica, 128
Sousafón, 352-353
Sparring, boxeo, 303
Speedway, grandes premios automovilísticos, 332
Spinaker, vela, 132
Spoon, golf, 304
Squash, 307
Stetson, vaquero e indio, 474
Stick, hockey sobre hielo, 290, 291
Stop:
perro, 34
señales de tráfico, 488-489
Suavizador, maquinillas de afeitar, 206
Subcategoría, IV
Submarinismo, 325
Submarino, 143
Submarino de ataque de propulsión nuclear, 143
Submarino de misiles balísticos, 143
Subrayado, signos ortográficos, 497
Subtítulo, IV
Suculentas, 54
Sudadera, equipo de montar, 329
Sudadero, carreras de calesines, 331
Suegra, bolos, 311
Suela, 296
Suela:
ballet, 478
billar, 314
bota y sandalia, 202
caballo, 36
patinaje sobre hielo, 319
patinaje sobre ruedas, 318
zapatilla deportiva, 296
zapato de caballero, 200
zapato de señora, 201
Suela de crepé, bota y sandalia, 202
Suela rugosa, alpinismo, 328
Suelo:
accesorios para bebés, 282
alfombra, 242
ascensor, 76
baloncesto, 292
camping, 336
jai alai, 308
Suelo acolchado, accesorios para bebés, 282
Suelo, compartimientos de un barco de vela, 131
Suero, alimentos preparados, 259
Sufridera de palanca, gimnasia, 300
Sujeción de la barra o resorte, trampas, 423
Sujeción del aro a la rueda, aparatos ortopédicos, 442
Sujeción delantera, esquí acuático, 323
Sujeción trasera, esquí acuático, 323
Sujetacable, plancha, 275
Sujetador, 191
Sujetador:
bolígrafo, 160
gimnasia, 300
Sujetador de las gomas, material de exploración física, 439
Sujetador del separador, equipaje, 281
Sujetamuelle, lámparas e iluminación, 235
Sujetatalón, aparatos ortopédicos, 442
Suma, calculadoras, 431
Super Vee, grandes premios automovilísticos, 332
Superestructura, petrolero, 136-137
Superficie:
esquí alpino, 320
utensilios de limpieza doméstica, 278
Superficie de afilar, cuchillo, 252
Superficie de apoyo:
materiales de construcción, 66
valla, 298
Superficie de carga, camión tractor, 116-117
Superficie de cobre ennegrecida, sistema de energía solar, 383
Superficie de juego, billar, 314
Superficie de la barra, gimnasia, 300
Superficie de trabajo, escritorio, 272
Superficie entintada, xilografía, 368
Superficie impresora:
litografía, 370
procedimientos de impresión, 164
Superficie inferior, paracaídas y planeador, 327
Superficie oral, vida marina, 44
Superficie para borrado manual, máquina de escribir, 162
Superficie superior, paracaídas y planeador, 327
Superficie texturada, costura, 376
Superficie-aire, buque de guerra de superficie, 140-141
Superficie-superficie, buque de guerra de superficie, 140-141
Supergigante roja, universo, 2-3
Supernova, universo, 2-3
Superpetrolero, petrolero, 136-137
Suplemento, aspiradora, 279
Surco:
clavos y tornillos, 400
equipo de alta fidelidad, 176
esquí acuático, 323
esquí alpino, 320
Surco cerrado, equipo de alta fidelidad, 176
Surco de salida, equipo de alta fidelidad, 176
Surco inicial, equipo de alta fidelidad, 176
Surco medio, órganos de los sentidos, 28
Surco subnasal, órganos de los sentidos, 28
Surf, 324
Surf a vela, 324
Surtidor de gasolina, 108
Surtidor de gasolina, señales de tráfico, 488-489
Su-shu, vestimenta local, 475
Suspensión de cantilever, grandes premios automovilísticos, 332
Sustrato, línea de alta tensión, 386
Sutura, crustáceos y moluscos, 45

T

Tabaco, cigarro y cigarrillo, 224
Tabaquera automática, extremidades, 29
Tabernáculo, interior de una iglesia, 85
Tabica, escalera, 64
Tabique nasal, órganos de los sentidos, 28
Tabla:
coberturas para ventanas, 236
esquí alpino, 320
gema o piedra preciosa, 214
hockey sobre hielo, 291
lavado y secado, 276
materiales de construcción, 66
natación, 310
parque de atracciones, 91
patinaje sobre ruedas, 318
surf, 324
valla, 65
Tabla central, trineo y deslizador, 322
Tabla de abdominales, cultura física, 338
Tabla de batida, atletismo en pista, 295
Tabla de chilla para tejado, 66
Tabla de grátil, vela, 132
Tabla de picar, ralladores y picadoras, 257
Tabla de plancha, 275
Tabla de resonancia, guitarra, 356
Tabla de surf, 324
Tabla del piso, bote de remos, 129
Tabla indicadora, frontón y squash, 307
Tabla lateral, trineo y deslizador, 322
Tabla para cortar, accesorios de jardín, 284
Tablazón del piso, cimentación, 58
Tablero:
baloncesto, 292
banco de trabajo, 398
escritorio, 272
mesa, 238
puente, 95
Tablero de extensión, mesa, 238
Tablero de instrumentos, 153
Tablero de instrumentos:
bulldozer, 425
interior de un automóvil, 106
vehículos de recreo, 126
Tablero de la mesa auxiliar,

escritorio, 272
Tablero exterior blanco, backgammon, 339
Tablero exterior negro, backgammon, 339
Tablero interior blanco, backgammon, 339
Tablero interior negro, backgammon, 339
Tablero lateral, mobiliario de dormitorio, 268
Tableta, 441
Tableta combustible especial, accesorios de jardín, 284
Tablilla:
coberturas para ventanas, 237
ferrocarril, 112-113
trampas, 423
vehículos de recreo, 126
Tablillas para combinaciones de teclas, órgano, 354
Tablón, materiales de construción, 66
Taburete, boxeo, 303
Taco, 314
Taco:
billar, 314
carrocería, 102-103
inodoro, 271
jai alai, 308
teléfono, 178
valla, 298
vehículos de bomberos, 120-121
zapatilla deportiva, 296
Tacómetro:
tablero de instrumentos, 153
yates a motor, 134-135
Tacón bota y sandalia, 202
Tacón:
patinaje sobre hielo, 319
patinaje sobre ruedas, 318
zapato de caballero, 200
zapato de señora, 201
Taconera, esquí de fondo, 321
Tacos de salida, 298
Tachón, armas medievales, 454
Tachuela, 400
Tachuela, batería, 358
Tahalí, trajes de época, 476
Tahona, fortificaciones, 80
Tajada, ingredientes crudos, 258
Tajamar, esclusa, 97
Taladradora de columna, 409
Taladradora de mano, 408
Taladradora eléctrica, 409
Taladradora portátil, 409
Taladro:
clavos y tornillos, 400
plataforma de perforación submarina, 99
unidad dentaria, 444
Taladro de alta velocidad, equipo dental, 445
Taladro rasgado, bisagra y aldabilla, 450
Tálamo, flor, 51
Talo, plantas inferiores, 55
Talón:
accesorios del calzado, 203
anfibios, 52
armas automáticas, 461
aves, 37
béisbol, 287
caballo, 36
cuchillo, 252
cuerpo humano, 24
escopeta y fusil, 458-459
esquí alpino, 320
extremidades, 29
golf, 304
herramientas de cepillar y dar forma, 410
hockey sobre hielo, 290
mortero y bazooka, 462
perro, 34
plancha, 275
punto, 378
sierras de mano, 406
tenis, 306
útiles de medida, 414
violín, 349
Talón de Aquiles, anatomía popular, 25
Talón del fuste, punto, 378
Talón sin refuerzo, prendas interiores, 191
Talonera:
esquí acuático, 323
zapatilla deportiva, 296
Talud, fortificaciones, 81
Talud continental, costa y margen continental, 15
Talud exterior, fortificaciones, 81
Talud interior:
fortificaciones, 81
olas y costa, 14
Talud superior, fortificaciones, 81
Talla en madera, herramientas para, 366
Tallado helicoidal, taladradora eléctrica, 409
Talle, vestido, 194
Talle ajustado, novia y novio, 472
Taller, fortificaciones, 80
Taller mecánico, señales públicas, 490-491
Taller para locomotoras, estación de clasificación, 94
Talleres de zapatería y sastrería, prisión, 74
Talleres metalúrgicos, prisión, 74
Tallo:
frutos, 53
gramíneas, 56
hortalizas, 52
pipa, 225
plantas inferiores, 55
suculentas, 54
Tallo floral, flor, 51
Tallo foliar, hoja, 50
Tamaño del pincel, pintura, 364-365
Tambor, 358
Tambor:
armas cortas, 460
lavado y secado, 276-277
ordenador, 429
pesca, 334-335
utensilios para el peinado, 210
vehículos de bomberos, 120-121
Tambor de freno, vista en sección de un automóvil, 104-105
Tambor micrométrico, sextante, 133
Tambores gemelos, 358
Tamiz, coladores y filtros, 256
Tamizador de azúcar y harina, coladores y filtros, 256
Tampón, 368, 371
Tangón para botes, portaaeronaves, 142
Tanque:
establo y silo, 100
plataforma de perforación submarina, 99
surtidor de gasolina, 108
Tanque de combustible exterior, carro de combate, 464-465
Tanque de lastre, submarino, 143
Tanto por ciento, símbolos científicos y comerciales, 494
Tanto por mil, símbolos científicos y comerciales, 494
Tapa, 388
Tapa:
accesorios de jardín, 284
alfarería, 367
batería, 387
batería de cocina, 253
bota y sandalia, 202
cafeteras, 248
camping, 336
cartera, 219
cigarro y cigarrillo, 224
equipaje, 281
equipo de alta fidelidad, 176
exprimidores, 251
inodoro, 271
lavado y secado, 276
madera, 350-351
magnetófonos, 175
maquinillas de afeitar, 206
medios de lucha contra incendios, 280
multirrobot de cocina, 250
proyectores, 173
recipientes, 263
servicio de postre, 241
zapato de señora, 201
Tapa de alimentación, multirrobot de cocina, 250
Tapa de apriete de la culata, escopeta y fusil, 458-459
Tapa de cazoleta, pipa, 225
Tapa de cierre de la base, mortero y bazooka, 462
Tapa de cristal, relojes de pulsera y bolsillo, 216
Tapa de fijación del muñón, cañón y catapulta, 457
Tapa de la arcada, tejido, 379
Tapa de la batería, batería, 387
Tapa de la boquilla para la manguera, vehículos de bomberos, 120-121
Tapa de la caja de distribución, motor de automóvil, 107
Tapa de la carcasa, martillo perforador, 426
Tapa de la cisterna, inodoro, 271
Tapa de la conexión para la bomba, vehículos de bomberos, 120-121
Tapa de la cuchilla, cortacésped, 419
Tapa de la chequera, cartera, 219
Tapa de la turbina, lavado y secado, 276
Tapa de mecanismos, escalera mecánica, 77
Tapa de salida de gases, batería, 387
Tapa de unidad no utilizada, ordenador, 429
Tapa de vaciado, material de escritorio, 273
Tapa de válvulas:
motocicleta, 125
motor de automóvil, 107
Tapa de vidrio, sistema de energía solar, 383
Tapa del compartimiento de película, cámara fotográfica, 170
Tapa del compartimiento de la batería, detectores, 435
Tapa del depósito:
cafeteras, 248
compactador de basura, 243
útiles de pintura, 415
Tapa del depósito de aceite:
bulldozer, 425
sierra de cadena, 421
Tapa del depósito del combustible, motor fuera borda, 133
Tapa del distribuidor, motor de automóvil, 107
Tapa del eje, televisión, 181
Tapa del filtro del aire, motor de automóvil, 107
Tapa del fogón, estufa de leña, 394
Tapa del guardamanos, armas automáticas, 461
Tapa del mecanismo de arranque manual, motor de combustión interna, 396
Tapa del motor, vehículos de saneamiento, 123
Tapa del portaequipajes, carrocería, 102-103
Tapa del portalámparas, lámparas e iluminación, 234
Tapa del quemador, cocina, 244
Tapa del tubo cargador, escopeta y fusil, 458-459
Tapa del visor, cámara fotográfica, 170
Tapa de la caja, pintura, 364-365
Tapa delantera, piano, 355
Tapa frontal, máquina de coser, 274
Tapa lateral del bastidor, motocicleta, 125
Tapa para poner la película, proyectores, 173
Tapa perforada, cafeteras, 248
Tapa posterior:
cigarro y cigarrillo, 224
máquina de coser, 274
Tapa protectora, maquinillas de afeitar, 206
Tapa superior:
camping, 336
violín, 349
Tapa trasera:
piano, 355
relojes de pulsera y bolsillo, 216
Tapacabezas, golf, 304
Tapacubos, carrocería, 102-103
Tapadera, batería de cocina, 253
Tapajuntas, útiles de fontanería, 412
Taparrabo, esgrima, 309
Tapeta con ojal, prendas de abrigo, 196
Tapete de caucho, equipo de alta fidelidad, 176
Tapia, valla, 65
Tapilla, camisa, 185
Tapón:
bolígrafo, 160
camping, 336
grifo y lavabo, 269
Tapón de corcho, recipientes, 263
Tapón de goma, grifo y lavabo, 269
Tapón de la bañera, baño y ducha, 270
Tapón de purga, grifo y lavabo, 269
Tapón de vaciado de aceite, motor de combustión interna, 396
Tapón del depósito, cortacésped, 419
Tapón del depósito de combustible:
motocicleta, 125
motor de combustión interna, 396
Tapón del depósito del mercurio,

material de exploración física, 439
Tapón enroscable, material de laboratorio, 436-437
Taquilla del jugador, jai alai, 308
Taracea, mobiliario de comedor, 239
Tarima del director, orquesta, 348
Tarjeta, perforadora de fichas, 428
Tarjeta de identificación, equipaje, 281
Tarjeta de instrucciones, teléfono, 178
Tarrina, comida rápida, 261
Tarso:
arañas, 38
aves, 37
insectos, 39
sistema muscular y esquelético, 26
Tarta, 260
Tartaleta, postres, 260
Tartaleta de masa, postres, 260
Tartera, batería de cocina, 253
Tauro, signos del Zodiaco, 493
Taza:
armas blancas, 453
esgrima, 309
inodoro, 271
Taza de medida, medidas y mezcladores, 254
Taza de té, servicio de postre, 241
Té, servicio de, 241
Teatro, 345
Tecla:
instrumentos populares, 360
manipulador telegráfico, 159
órgano, 354
piano, 355
Tecla de anulación de programa, vídeocassette, 180
Tecla de avance, magnetófonos, 175
Tecla de borrado parcial, calculadoras, 431
Tecla de borrado total, calculadoras, 431
Tecla de control de la cinta, vídeocassette, 180
Tecla de control de la velocidadd de la cinta, vídeocassette, 180
Tecla de expulsión, magnetófonos, 175
Tecla de grabación, magnetófonos, 175
Tecla de igual, calculadoras, 431
Tecla de imagen fija, vídeocassette, 180
Tecla de letra, máquina de escribir, 162
Tecla de localización, vídeocassette, 180
Tecla de mayúsculas, máquina de escribir, 162
Teclas de memoria, calculadoras, 431
Tecla de parada, magnetófonos, 175
Tecla de parada de imagen, vídeocassette, 180
Tecla de piano, instrumentos populares, 360
Tecla de porcentajes, calculadoras, 431
Tecla de programa, vídeocassette, 180
Tecla de puesta en hora, vídeocassette, 180
Tecla de puesta en marcha, equipo de alta fidelidad, 176
Tecla de punto decimal, calculadoras, 431
Tecla de raíz cuadrada, calculadoras, 431
Tecla de rebobinado, magnetófonos, 175
Tecla de repetición, equipo de alta fidelidad, 176
Tecla de retroceso:
máquina de escribir, 162
perforadora de fichas, 428
Tecla de selección, vídeocassette, 180
Tecla del sintonizador, detectores, 435
Tecla del tabulador, máquina de escribir, 162
Tecla fijamayúsculas, máquina de escribir, 162
Tecla para grabaciones telefónicas, magnetófonos, 175
Tecla pausa, magnetófonos, 175
Teclado:
campana, iv
guitarra eléctrica, 357
instrumentos populares, 360
máquina de escribir, 162
ordenador, 429
perforadora de fichas, 428
piano, 355
Teclado computadoras, cabina de mando de la lanzadera espacial, 155
Teclado de marcación, teléfono, 178
Teclado mano izquierda, instrumentos populares, 360
Teclado manual para el órgano de coro, órgano, 354
Teclado manual para la caja de expresión, órgano, 354
Teclado manual para la caja principal, órgano, 354
Teclado numérico, caja registradora, 430
Teclado silencioso, piano, 355
Teclado y teclas de control del cursor, ordenador, 429
Teclas de función, caja registradora, 430
Teclas de función aritmética, calculadoras, 431
Teclas de notas naturales, órgano, 354
Teclas de sostenidos, órgano, 354
Teclas numéricas, calculadoras, 431
Techo:
armazón, 59
carrocería, 102-103
Techo de la columna de mercurio, material de exploración física, 439
Techo protector, bulldozer, 425
Techo suspendido, ascensor, 76
Tee, golf, 304
Tee de campeones, golf, 304
Tee para hombres, golf, 304
Tee para mujeres, golf. 304
Teja:
bulldozer, 425
equipo de montar, 329
procedimientos de impresión, 164
Tejado con voladizo, arquitectura internacional, 68-69
Tejido, 379-380
Tejido, punto, 378
Tejido blando, prótesis y correctores dentales, 443
Tejido de red, accesorios de jardín, 284
Tejido laminado, caballo, 36
Tejido principal, costura decorativa, 377
Tejo, 312
Tela, costura decorativa, 377
Tela acolchada, trineo y deslizador, 322
Tela adhesiva, arañas, 38
Tela del aspa, energía eólica, 382
Tela impermeable, paraguas, 226
Tela metálica:
prisión, 74
valla, 65
Tela protectora, guitarra eléctrica, 357
Telar, escenario, 344
Telar mecánico, 379
Telaraña, 38
Teléfono, 178
Teléfono, señales de tráfico, 488-489
Teléfono antiguo, 178
Teléfono corriente, 178
Teléfono de góndola, 178
Teléfono de sobremesa, 178
Teléfono público, 178
Telescopio, 433
Telescopio, sextante, 133
Telescopio de partículas cargadas, satélite, 182
Telescopio del artillero, carro de combate, 464-465
Telescopio reflector, telescopio y gemelos, 433
Telescopio refractor, telescopio y gemelos, 433
Televisión, 181
Televisor, 181
Televisor, vídeocassette, 180
Telón corto, escenario, 344
Telón de boca:
escenario, 344
teatro, 345
Telón de cuadro, escenario, 344
Telón de foro, escenario, 344
Telón metálico contra incendios, escenario, 344
Telson, crustáceos y moluscos, 45
Tema, elementos de la composición, 362-363
Témpano:
glaciar, 12
recipientes, 263
Temperatura actual, equipo meteorológico, 18
Temperatura total del aire, cabina de pilotaje del 747, 150-151
Templo musulmán, 68-69
Templo shinto, puerta de un, 68-69
Tempo (velocidad de ejecución), partitura, 346
Temporizador de apertura, cámara acorazada y caja fuerte, 447
Tenante diestro, escudo de armas, 487
Tenante siniestro, escudo de armas, 487
Tenazas, vidrio emplomado, 372
Ténder, ferrocarril, 112-113
Tendón de Aquiles:
caballo, 36
extremidades, 29
Tenedor de carne, servicio de mesa, 240
Tenedor de ensalada, servicio de mesa, 240
Tenedor de madera, utensilios para preparaciones, 255
Tenedor de pescado, servicio de mesa, 240
Tenedor de postre, servicio de postre, 241
Tenedor de trinchar, utensilios para preparaciones, 255
Tenia, columna, 71
Tenis, 306
Tenis de mesa, 315
Tensor:
bicicleta, 124
boxeo, 303
camping, 336
guitarra, 356
maquinillas de afeitar, 205
vehículos de bomberos, 120-121
Tensor acolchado, boxeo, 303
Tensor de la cadena del árbol de levas, motocicleta, 125
Tensor del lizo, tejido, 379
Tentáculos, vida marina, 44
Teodolito, 426
Tépalo, flor, 51
Tercer dedo, extremidades, 29
Tercer ojo, reptiles, 40-41
Tercer pistón, metal, 352-353
Tercera base, béisbol, 287
Tercera etapa, misil y torpedo, 466
Tercero molar, dientes, 446
Terminal:
interruptor, 388
línea de alta tensión, 386
Terminal de conexión, lámparas e iluminación, 234
Terminal de tierra, interruptor, 388
Terminal del neutro, interruptor, 388
Terminal eléctrico, interruptor, 388
Terminal negativo, batería, 387
Terminal para el mando a distancia, videocassette, 180
Terminal positivo, batería, 387
Terminología náutica, 128
Termistor, equipo meteorológico, 18
Termómetro, 439
Termómetro de doble escala, 18
Termómetro de frigorífico, medidas y mezcladores, 254
Termómetro de horno, medidas y mezcladores, 254
Termómetro de laboratorio, material de laboratorio, 436-437
Termómetro de respuesta rápida, medidas y mezcladores, 254
Termómetro para carne, medidas y mezcladores, 254
Termosfera, estructura de la Tierra, 4
Termostato:
calentador de agua, 391
estufa de leña, 394
refrigerador, 245
Termostato diferencial de agua caliente, sistema de energía solar, 383
Termostato diferencial del captador solar, sistema de energía solar, 383
Ternero, vaca, 30
Terraja, útiles de fontanería, 412
Terraplén:
fortificaciones, 81
paso a nivel, 111
túnel, 96

Terraza, exterior de la casa, 61
Terraza de marea baja, olas y costa, 14
Terreno bueno, béisbol, 287
Terreno central, carreras de calesines, 331
Terreno de «foul», béisbol, 287
Terreno de juegos, señales públicas, 490-491
Terreno fuera del cuadro, béisbol, 287
Terreno para picnic, señales públicas, 490-491
Tesoro, interior de una iglesia, 85
Testero, cerraduras de puerta, 448
Testigo de grabación, magnetófonos, 175
Testigo de pausa, magnetófonos, 175
Tetera, servicio de postre, 241
Tetilla, vaca, 30
Tetillas, cerdo, 32
Texto, iv
Textura, 362-363
Tiara, atributos reales, 469
Tibia:
anfibios, 42
arañas, 38
insectos, 39
sistema muscular y esquelético, 26
Tienda de campaña, 336
Tienda de doble techo, camping, 336
Tienda de oxígeno, aparatos ortopédicos, 442
Tienda de regalos, señales públicas, 490-491
Tienda de triple techo, camping, 336
Tienda hinchable, camping, 336
Tienda india, 82
Tiento, equipo de montar, 329
Tierra:
fortificaciones, 81
la, 1
universo, 2-3
Tifón, sistemas tormentosos, 17
Tigre, circo, 88-89
Tija, llave y candado, 449
Tijera:
cultura física, 338
útiles de jardinería, 417
Tijeras, 376
Tijeras, navaja múltiple, 416
Tijeras de picos, costura, 376
Tilde, signos ortográficos, 497
Timbal, 358
Timbal, orquesta, 348
Timbre:
autobús, 114
escudo de armas, 487
Timbre de llamada, puerta, 62
Timón:
buque de guerra de superficie, 140-141
energía eólica, 382
misil y torpedo, 466
submarino, 143
velero, 130
Timón de dirección, avión particular, 147
Timón de dirección, aerostato, 158
Timón de dirección inferior, avión comercial, 148-149
Timón de dirección superior, avión comercial, 148-149
Timón de profundidad, aerostato, 158
Timón de profundidad, avión particular, 147
Timón de profundidad exterior, avión comercial, 148-149
Timón de profundidad interior, avión comercial, 148-149
Timón dirección seccionado, lanzadera espacial y plataforma de lanzamiento, 154
Timón estabilizador, aerodeslizadores, 145
Timoneras, aves, 37
Tímpano, 358
Tímpano:
anfibios, 42
arco, 70
iglesia, 84
insectos, 39
Tina, instrumentos populares, 360
Tingle, vidrio emplomado, 372
Tinta de impresión, serigrafía y huesos tallados, 369
Tiovivo, 91
Tipi, 82
Tipo, 164
Tipo, máquina de escribir, 162
Tipo de gasolina, surtidor de gasolina, 108
Tipo de modelo, mesas médicas, 440
Tipografía en máquina rotativa, 164
Tipo de situación de la localidad, entrada/localidad, 343
Tira:
bota y sandalia, 202
surf, 324
Tira ajustadora de la aleta del talón, submarinismo, 325
Tira ajustadora de las gafas, submarinismo, 325
Tira central, tenis, 306
Tira de calzar, bota y sandalia, 202
Tira de grapas, material de escritorio, 273
Tira de papel, caja registradora, 430
Tira del empeine, zapato de señora, 201
Tira del tobillo, zapato de señora, 201
Tirabuzón, cabello femenino, 209
Tirador:
cámara acorazada y caja fuerte, 447
cañón y catapulta, 457
cierres de mercería, 205
coberturas para ventanas, 236
cocina, 244
esgrima, 309
gema o piedra preciosa, 214
mobiliario de comedor, 239
mobiliario de dormitorio, 268
puerta, 62
refrigerador, 245
Tirador de arranque, motor de combustión interna, 396
Tirador de cierre de la caja, vehículos de saneamiento, 123
Tirador de la portezuela, carrocería, 102-103
Tirador del tapón, 263
Tirador del tapón, grifo y lavabo, 269
Tiradores manuales, órgano, 354
Tirafondo, paso a nivel, 111
Tirante:
armazón, 59
baloncesto, 292
carreras de calesines, 331
silla, 230
vestido, 194
Tirante de recuperación, surtidor de gasolina, 108
Tirante de seguridad, útiles de pintura, 415
Tirante de unión, cadena y polea, 451
Tirante lateral, prótesis y correctores dentales, 443
Tirante trasero, carruajes de caballos, 127
Tirante vertical, puente, 95
Tirantes, 186, 443
Tirita, 441
Tiro, chimenea, 228
Tiro de caballos, carruajes de caballos, 127
Titán, universo, 2-3
Título, partitura, 346
Título de la página, iv
Tiza, billar, 314
Tizón:
chimenea, 228
muro de ladrillo, 67
Toallero, baño y ducha, 270
Tobera:
buque contraincendios, 144
útiles de pintura, 415
Tobera de entrada:
avión de caza, 152
reactor nuclear, 384-385
Tobera de expansión, misil y torpedo, 466
Tobera de motor de descenso, módulo lunar, 156
Tobera de RCS, módulo lunar, 156
Tobera de salida:
avión de caza, 152
motores a reacción, 397
reactor nuclear, 384-385
Tobera de cohete impulsor, satélite, 182
Tobillera:
anillo, 215
carreras de calesines, 331
patinaje sobre hielo, 319
Tobillo, cuerpo humano, 24
Tobogán, 283
Tobogán, vehículos de bomberos, 120-121
Toca, ornamentos religiosos, 471
Tocador, 268
Tocino, cerdo, 32
Tocólogo, equipo de exploración, 438
Tocón, árbol, 48
Toga, vestimenta local, 475
Toldilla, buque de pasajeros, 138-139
Toldo:
accesorios para bebés, 282
camping, 336
establo y silo, 100
Tolva, carretilla y sembradora, 420
Tom, 358
Toma:
aspersores y boquillas, 418
establo y silo, 100
Toma de agua, vehículos de bomberos, 120-121
Toma de aire, ferrocarril, 112-113
Toma de contacto, aeropuerto, 92-93
Toma de corriente, batería de cocina, 253
Toma de fichas en blanco, perforadora de fichas, 428
Toma de la estación generadora, presa, 98
Toma de red, 388
Toma de tierra, símbolos científicos y comerciales, 494
Toma del aire acondicionado, autobús, 114
Toma para auriculares, magnetófonos, 175
Toma para clavija, alfarería, 367
Tomate, hortalizas, 52
Tomavistas, cámara de cine, 172
Tómbolo, paisajes terrestres, 7
Tonel, 263
Tonelete, armadura, 455
Tono, accesorios musicales, 361
Tope:
banco de trabajo, 398
costura, 376
equipo de alta fidelidad, 177
ferrocarril, 112-113
lámparas e iluminación, 235
llave y candado, 449
manipulador telegráfico, 159
maquinillas afeitar, 206
motor de combustión interna, 396
paraguas, 226
puente, 95
punto, 378
tenis, 306
útiles de jardinería, 417
velero, 130
ventana, 63
Tope de apoyo, abridores, 247
Tope de la empuñadura, esquí acuático, 323
Tope de la máquina, calcografía, 371
Tope de profundidad, taladradora eléctrica, 409
Tope de sujeción:
abridores, 247
lámparas e iluminación, 235
Tope del carro, calcografía, 371
Tope del contrapeso, material de laboratorio, 436-437
Tope del disco, teléfono, 178
Tope-guía del papel, máquina de escribir, 162
Tope-guía para serrar al hilo, sierra mecánica, 407
Tope inferior, cierres de mercería, 205
Tope superior, cierres de mercería, 205
Tope y juntura superior, accesorios de jardín, 283
Topografía, teodolito, 426
Tórax:
cuerpo humano, 24
insectos, 39
Torcida, velas y candelabros, 233
Tórculo, 371
Torera, vestido, 194
Torii, 68-69
Tormenta, 17
Tormenta tropical, mapa meteorológico, 19
Tormentas, mapa meteorológico, 19
Tornado, sistemas tormentosos, 17
Tornapunta, armazón, 59
Torneado, mesa, 238
Tornillo:
calcografía, 371
carrocería, 102-103
gafas, 217
gema o piedra preciosa, 214
golf, 304
litografía, 370

paso a nivel, 111
taladradora eléctrica, 409
xilografía, 368
Tornillo ajustable, costura decorativa, 377
Tornillo ajustador, material de laboratorio, 436-437
Tornillo bloqueador, litografía, 370
Tornillo de ajuste:
alicates, 404
aspersores y boquillas, 418
esquí alpino, 320
herramientas de cepillar y dar forma, 410
litografía, 370
llave, 405
manipulador telegráfico, 159
violín, 349
Tornillo de ajuste aproximado de acimut, telescopio y gemelos, 433
Tornillo de ajuste aproximado de la altura, telescopio y gemelos, 433
Tornillo de ajuste de cero, instrumentos eléctricos, 413
Tornillo de ajuste de elevación y corrección por el viento, escopeta y fusil, 458-459
Tornillo de ajuste de la cuchilla, taladradora eléctrica, 409
Tornillo de ajuste de la cuña, herramientas de cepillar y dar forma, 410
Tornillo de ajuste de profundidad, tractor, 424
Tornillo de ajuste del diafragma, teodolito, 426
Tornillo de aletas expansibles, 401
Tornillo de banco, 399
Tornillo de banco:
banco de trabajo, 398
herramientas de escultor, 366
Tornillo de banco giratorio, tornillos de sujeción, 399
Tornillo de bloqueo:
alicates, 404
útiles de medida, 414
Tornillo de carpintero, tornillos de sujeción, 399
Tornillo de cierre, magnetófonos, 175
Tornillo de colimación del visor, telescopio y gemelos, 433
Tornillo de control de entrada y salida de aire, material de exploración física, 439
Tornillo de enclavamiento de la guía, sierra de cadena, 421
Tornillo de engranaje, coberturas para ventanas, 237
Tornillo de fijación:
grifo y lavabo, 269
herramientas de cepillar y dar forma, 410
inodoro, 271
teodolito, 426
tornillos de sujeción, 399
Tornillo de fijación de la hoja, sierra mecánica, 407
Tornillo de fijación del disco, sierra mecánica, 407
Tornillo de liberación, esquí alpino, 320
Tornillo de mano, 399
Tornillo de mano de boca achaflanada, tornillos de sujeción, 399
Tornillo de mariposa, útiles de fontanería, 412
Tornillo de montaje, interruptor, 388
Tornillo de presión, cultura física, 338
Tornillo de seguridad, cerraduras de puerta, 448
Tornillo de sujeción:
interruptor, 388
lámparas e iluminación, 235
Tornillo de sujeción de la aguja, máquina de coser, 274
Tornillo de tensión:
ambulancia, 119
guitarra, 356
Tornillo del anclaje delantero, esquí alpino, 320
Tornillo del mango, herramientas de cepillar y dar forma, 410
Tornillo del parachoques, carrocería, 102-103
Tornillo del portaescobillas, sierra mecánica, 407
Tornillo frontal, banco de trabajo, 398
Tornillo lateral, banco de trabajo, 398
Tornillo macrométrico, microscopio, 432
Tornillo micrométrico, microscopio, 432
Tornillo nivelación, teodolito, 426
Tornillo para el centrado de las lentes auxiliares, microscopio, 432
Tornillo regulador de presión, calcografía, 371
Tornillo tensor:
batería, 358
bicicleta, 124
Tornillos, 400-401
Tornillos con rótula de las abrazaderas, motor fuera borda, 133
Tornillos de sujeción, 399
Tornillos para fijaciones especiales, 401
Torno:
ascensor, 76
lámparas e iluminación, 235
Torno de anclaje, plataforma de perforación submarina, 99
Torno de hilar, 379
Torno eléctrico, 367
Torno mecánico, alfarería, 367
Toro:
columna, 71
signos del Zodiaco, 493
vaca, 30
Torpedo, 466
Torpedo, submarino, 143
Torre:
accesorios de jardín, 283
castillo, 78-79
energía eólica, 382
iglesia, 84
línea de alta tensión, 386
montañas, 8-9
puente, 95
submarino, 143
Torre albarrana, castillo, 78-79
Torre articulada de servicio permanente, lanzadera espacial y plataforma de lanzamiento, 154
Torre de celosía, parque de atracciones, 91
Torre de control, 92-93
Torre de control, portaaeronaves, 142
Torre de control de desagüe, presa, 98
Torre de control de helicópteros, buque de guerra de superficie, 140-141
Torre de control de tráfico aéreo, aeropuerto, 92-93
Torre de dama, ajedrez y damas, 339
Torre de guardia:
fortificaciones, 80
prisión, 74
Torre de la maquinaria, puente, 95
Torre de mando, aeropuerto, 92-93
Torre de perforación, plataforma de perforación submarina, 99
Torre de refrigeración, 384-385
Torre de rey, ajedrez y damas, 339
Torre del homenaje, castillo, 78-79
Torre norte, interior de una iglesia, 85
Torre para localizar la pesca, yates a motor, 134-135
Torre poligonal, 68-69
Torrentera, montañas, 8-9
Torreta, 78-79
Torreta:
carro de combate, 464-465
castillo, 78-79
material de exploración física, 439
Torreta de servicio a sección de cola, lanzadera espacial y plataforma de lanzamiento, 154
Torrotito, buque de guerra de superficie, 140-141
Torso, cuerpo humano, 24
Tortuga, 40-41
Tostador de pan, 249
Totalizador de combustible, surtidor de combustible, 108
Totalizador de importe, surtidor de gasolina, 108
Traba, carreras de calesines, 331
Trabadero, caballo, 36
Trabilla, béisbol, 286
Trabilla cinturón, chaqueta y chaleco, 184
Tracería, iglesia, 84
Tractocamión, 116-117
Tractor, 424
Tractor de orugas, bulldozer, 425
Tractor eléctrico, esclusa, 97
Trago, órganos de los sentidos, 28
Trailer, 116-117
Traílla, payaso, 477
Traje árabe, 475
Traje de etiqueta para novio, 472
Traje espacial, 157
Trajes, 467
Trajes de época, 476
Trama:
bolsas y cestas, 262
tejido, 379
Tramado, elementos de la composición, 362-363
Tramo, escalera, 64
Tramo central, puente, 95
Tramo elevable, puente, 95
Tramo lateral, puente, 95
Tramo recto, material de oficina, 273
Tramoya, escenario, 344
Trampa de jaula, trampas, 423
Trampas, 423
Trampilla:
ascensor, 76
carruajes de caballos, 127
escenario, 344
instrumentos de ejecución, 452
Trampilla de ventilación, camión tractor, 116-117
Trampolín, 310
Trampolín:
cama elástica, 302
circo, 88-89
gimnasia, 301
Transatlántico, 138-139
Transbordo a los ascensores de distribución, rascacielos, 75
Transceptor, emisor-receptor, 179
Transductor, radar y sonar, 434
Transepto, interior de una iglesia, 85
Transformador, reactor nuclear, 384-385
Transistor, 386
Transistor, órgano, 354
Transmisión, vista en sección de un automóvil, 104-105
Transmisión directa, sierra de cadena, 421
Transmisión por engranajes, sierra de cadena, 421
Transparencia:
cámara y película fotográficas, 171
proyectores, 173
Transparente, interior de una iglesia, 85
Transpondedor de control de tráfico aéreo, cabina de pilotaje del 747, 150-151
Transportador, máquina de coser, 274
Transporte, guitarra, 356
Transporte, medios de, 101
Transportín, bicicleta, 124
Trapa, surf, 324
Trapecio, circo, 88-89
Trapecista, circo, 88-89
Trapecistas, 88-89
Trapunto, costura decorativa, 377
Trasdós, arco, 70
Trasfuego, chimenea, 228
Trahoguero, chimenea, 228
Trasportín, carrocería, 102
Traste, guitarra, 356
Traste móvil, guitarra, 356
Trastes, guitarra eléctrica, 357
Travesaño:
arquitectura internacional, 68-69
banco de trabajo, 398
calculadoras, 431
cometas, 317
fútbol americano, 289
hockey sobre hielo, 290
instrumentos de ejecución, 452
mesa, 238
paracaídas y planeador, 327
paso a nivel, 111
sierra mecánica, 407
trineo y deslizador, 322
valla, 65, 298
violín, 349
Travesaño central, esquí de fondo, 321
Travesaño corto, pintura, 364-365
Travesaño de la base, tejido, 379
Travesaño de la mesa, billar, 314
Travesaño de las patas, carretilla y sembradora, 420
Travesaño de suspensión, ascensor, 76
Travesaño del bastidor, camión tractor, 116-117
Travesaño del chasis, camión tractor, 116-117

Travesaño delantero, silla, 230
Travesaño inferior, mobiliario de dormitorio, 268
Travesaño lateral, silla, 230
Travesaño superior, mobiliario de dormitorio, 268
Travesaño trasero:
esquí de fondo, 321
silla, 230
Travesaños largos, pintura, 364-365
Traviesa:
banco de trabajo, 398
cañón y catapulta, 457
parque de atracciones, 90
paso a nivel, 111
Traviesa de madera, castillo, 78-79
Trébede, servicio de postre, 241
Trebejo, ajedrez y damas, 339
Trébol:
juegos de cartas, 342
medalla, 485
Tren:
estación de clasificación, 94
parque de atracciones, 90
Tren de alunizaje, módulo lunar, 156
Tren de pasajeros, ferrocarril, 112 113
Trenza, cabello femenino, 209
Trenzado, bolsas y cestas, 262
Trenzado cruzadillo, bolsas y cestas, 262
Trenzado enrejado, bolsas y cestas, 262
Trenzado simple, bolsas y cestas, 262
Trépano, plataforma de perforación submarina, 99
Tres, juegos de fichas, 339
Tresillo, partitura, 346
Triángulo:
bolos, 311
orquesta, 348
Triángulo de separación, tejo y croquet, 312
Triángulo de tanteo, tejo y croquet, 312
Tribu india, vaquero e indio, 474
Tribuna, carreras de calesines, 331
Tributarios, río, 13
Triciclo, bicicleta, 124
Tricornio, trajes de época, 476
Trifolio, iglesia, 84
Triforio, iglesia, 84
Trigo, gramíneas, 56
Trinca, bote de remos, 129
Trinchera, 196
Trinchero, 239
Trineo, 322
Trinquete:
llave, 405
pesca, 334-335
taladradora de mano, 408
tejido, 379
trampas, 423
Trinquetilla, velero, 130
Tripa, cigarro y cigarrillo, 224
Tripa de embutir, comida rápida, 261
Tripas, anatomía popular, 25
Triple anzuelo, pesca, 334-335
Triple salto, atletismo en pista, 295
Trípode, 174
Trípode:
accesorios musicales, 361
armas automáticas, 461
cámara y película fotográficas, 171
proyectores, 173
teodolito, 426
Trocánter:
arañas, 38
insectos, 39
Trofeo, 285
Trofeo, medalla, 485
Trole, parque de atracciones, 90
Trombón, 352-353
Trombón, orquesta, 348
Trompa, 352-353
Trompa, orquesta, 348
Trompa de elefante, mamífero fantástico, 46-47
Trompeta, 352-353
Trompeta, orquesta, 348
Trompeta de admisión, grandes premios automovilísticos, 332
Tronco:
árbol, 48
cuerpo humano, 24
hoja, 50
sección del, 48
sistema radicular, 49
vida marina, 43-44
Tronera:
billar, 314
castillo, 78-79
Troposfera, estructura de la Tierra, 4
Trote, carreras de calesines, 331
Trotón, 331
Trueno, sistemas tormentosos, 17
Trufa, perro, 34
Tsunami, olas y costa, 14
Tuatara, reptiles, 40-41
Tuba, 352-353
Tuba, orquesta, 348
Tubérculo, hortalizas, 52
Tubérculos, vida marina, 43
Tubería, plataforma de perforación submarina, 99
Tubería alimentación a depósito exterior, lanzadera espacial y plataforma de lanzamiento, 154
Tubería de agua caliente, sistema de energía solar, 383
Tubería de agua fría:
calentador de agua, 391
sistema de energía solar, 383
Tubería de alimentación, 57
Tubería de alimentación, sistema de energía solar, 383
Tubería de alimentación del agua de relleno, caldera de calefacción, 390
Tubería de combustible, motor de automóvil, 107
Tubería de conducción, establo y silo, 100
Tubería de desagüe, grifo y lavabo, 269
Tubería de descarga de gas, petrolero, 136-137
Tubería de entrada, sistema de energía solar, 383
Tubería de líquido caliente, intercambiador de calor, 393
Tubería de líquido de frenos, motocicleta, 125
Tubería de retorno, sistema de energía solar, 383
Tubería de retorno de agua, caldera de calefacción, 390
Tubería de salida, sistema de energía solar, 383
Tubería de salida del agua caliente, calentador de agua, 391
Tubería de suministro, sistema de energía solar, 383
Tubería de suministro de gas, calentador de agua, 391
Tubería de vapor, máquina de vapor, 395
Tubería de vapor caliente, intercambiador de calor, 393
Tubería del inyector, ferrocarril, 112-113
Tubería doble, 57
Tubería hidráulica, vehículos de saneamiento, 123
Tubería principal de vapor, caldera de calefacción, 390
Tubería roscada, útiles de fontanería, 412
Tubo:
accesorios de jardín, 283
caldera de calefacción, 390
carro de combate, 464-465
cultura física, 338
gema o piedra preciosa, 214
lámparas e iluminación, 234
línea de alta tensión, 386
material de laboratorio, 436-437
medios terapéuticos, 441
mortero y bazooka, 462
órgano, 354
productos de belleza, 213
proyectores, 173
recipientes, 263
Tubo binocular, microscopio, 432
Tubo capilar, material de exploración física, 439
Tubo cargador, escopeta y fusil, 458-459
Tubo colector, sistema de energía solar, 383
Tubo colector superior, sistema de energía solar, 383
Tubo de afinación, metal, 352-353
Tubo de alimentación:
multirrobot de cocina, 250
pluma, 160
Tubo de ánima lisa, mortero y bazooka, 462
Tubo de avance y retroceso, bolígrafo, 160
Tubo de cultivo, 436-437
Tubo de desagüe, lavado y secado, 277
Tubo de descarga, surtidor de gasolina, 108
Tubo de elevación, mortero y bazooka, 462
Tubo de ensayo, 436-437
Tubo de entrada de agua, inodoro, 271
Tubo de escape:
camión remolque, 122
carro de combate, 464-465
motocicleta, 125
motor de combustión interna, 396
vista en sección de un automóvil, 104-105
Tubo de escape vertical, camión tractor, 116-117
Tubo de expulsión, armas cortas, 460
Tubo de extensión, ambulancia, 119
Tubo de fijación, utensilios de limpieza doméstica, 278
Tubo de goma, material de exploración física, 439
Tubo de humos, estufa de leña, 394
Tubo de imágenes, televisión, 181
Tubo de inflado, submarinismo, 325
Tubo de inflado automático, submarinismo, 325
Tubo de líquido caliente, intercambiador de calor, 393
Tubo de llenado, inodoro, 271
Tubo de llenado del depósito, vista en sección de un automóvil, 104-105
Tubo de madera, litografía, 370
Tubo de oxígeno, vehículo lunar, 157
Tubo de purga, exterior de la casa, 61
Tubo de rebose:
caldera de calefacción, 390
calentador de agua, 391
inodoro, 271
Tubo de salida de arena, ferrocarril, 112-113
Tubo de salida de humos:
calentador de agua, 391
estufa de leña, 394
Tubo de tinta, bolígrafo, 160
Tubo de vaciado, lámparas e iluminación, 234
Tubo de vacío, 386
Tubo de vacío, motor de automóvil, 107
Tubo de vapor, cafeteras, 248
Tubo de vapor caliente, intercambiador de calor, 393
Tubo de vidrio, lámparas e iluminación, 234
Tubo del freno neumático, ferrocarril, 112-113
Tubo del manillar, bicicleta, 124
Tubo del manómetro, submarinismo, 325
Tubo del presurizador, submarinismo 325
Tubo del primer pistón, metal, 352-353
Tubo del rociador, fregadero, 243
Tubo del segundo pistón, metal, 352-353
Tubo del sillín, bicicleta, 124
Tubo del telón, escenario, 344
Tubo del tercer pistón, metal, 352-353
Tubo delantero, bicicleta, 124
Tubo diagonal, bicicleta, 124
Tubo digestivo, órganos internos, 27
Tubo en «ese», metal, 352-353
Tubo extensible, proyectores, 173
Tubo flexible, aspiradora, 279
Tubo floral, frutos, 53
Tubo fluorescente, 234
Tubo guía de los instrumentos del interior del núcleo, reactor nuclear, 384-385
Tubo guía de una barra de control, reactor nuclear, 384-385
Tubo lanzador, mortero y bazooka, 462
Tubo lanzatorpedos, misil y torpedo, 466
Tubo pitot, avión de caza, 152
Tubo portacable, lámparas e iluminación, 235
Tubo principal, metal, 352-353
Tubo principal del telescopio, telescopio y gemelos, 433
Tubo pulverizador, aspersores y boquillas, 418
Tubo regulable del sillín, bicicleta, 124
Tubo respirador, submarinismo, 325

Tubo superior, accesorios de jardín, 283
Tubo telescópico, telescopio y gemelos, 433
Tubos de pintura, pintura, 364-365
Tuerca:
alpinismo, 328
armas blancas, 453
lámparas e iluminación, 234
litografía, 370
madera, 350-351
patinaje sobre ruedas, 318
reloj de pared, 229
tornillos de sujeción, 399
Tuerca bloqueadora, litografía, 370
Tuerca ciega, tuercas, 401
Tuerca cuadrada, tuercas, 401
Tuerca de ajuste:
herramientas de cepillar y dar forma, 410
llave, 405
Tuerca de aletas, tuercas, 401
Tuerca de anclaje, patinaje sobre ruedas, 318
Tuerca de bloqueo, alicates, 404
Tuerca de cañón, armas automáticas, 461
Tuerca de fijación, herramientas de cepillar y dar forma, 410
Tuerca de maniobra, vehículos de bomberos, 120-121
Tuerca de mariposa:
sierras de mano, 406
tenis de mesa, 315
tuercas, 401
Tuerca de orejas, tuercas, 401
Tuerca de presión, gema o piedra preciosa, 214
Tuerca de sombrerete, tuercas, 401
Tuerca de sujeción del disco triturador, exprimidores, 251
Tuerca de unión, grifo y lavabo, 269
Tuerca del prensaestopas:
caldera de calefacción, 390
grifo y lavabo, 269
Tumbona, 284
Túnel, 96
Túnel:
cúpulas, 83
paso a nivel, 111
sección transversal de un, 96
Túnel subfluvial, 96
Túnica, trajes de época, 476
Túnica ceñida, galas reales, 468
Túnica del dragón, vestimenta local, 475
Tupé, caballo, 36
Turbante, sombreros femeninos, 199
Turbina:
lavado y secado, 276
motores a reacción, 397
reactor nuclear, 384-385
Turbocompresor, carreras de dragsters, 333
Turboventilador, motores a reacción, 397
Tutú, ballet, 478

U

Ubre, vaca, 30
Ultima curva, carreras de calesines, 331
Umbela, vida marina, 44
Umbo, crustáceos y moluscos, 45
Umbral:
presa, 98
puerta, 62
Unidad aritmética y lógica, ordenador, 429
Unidad calefactora, sistema de energía solar, 383
Unidad central de control de existencias, caja registradora, 430
Unidad de disco, ordenador, 429
Unidades de disco externas, ordenador, 429
Unidad de memoria, ordenador, 429
Unidad de presentación de datos de computadora, cabina de pilotaje del 747, 150-151
Unidad de primeros auxilios, ambulancia, 119
Unidad de proceso, ordenador, 429
Unidad de refrigeración, camión tractor, 116-117
Unidad de relés de comunicaciones lunares, vehículo lunar, 157
Unidad de TV, avión de caza, 152
Unidad dentaria, 444
Unidad orbitadora, cabina de mando de la lanzadera espacial, 155
Unidad radiográfica, unidad dentaria, 444
Uniforme, 288
Uniformes, 467
Unión:
batería, 358
calentador de agua, 391
llave y candado, 449
trofeo, 285
Unión de las asas, bolso de mano, 218
Unión de los brazos, cepillo de dientes, 211
Universo, el, 2-3
Uña:
aves, 37
esquí de fondo, 321
extremidades, 29
flor, 51
gato, 35
insectos, 39
mamífero fantástico, 46-47
terminología náutica, 128
Uña de garra, mamífero fantástico, 46-47
Uña del percutor, armas cortas, 460
Uña rudimentaria, perro, 34
Uñas:
arañas, 38
aves de corral, 33
reptiles, 40-41
Urano, universo, 2-3
Urdimbre, tejido, 379
Urópodo, crustáceos y moluscos, 45
Usurero, 476
Utensilios de limpieza doméstica, 278
Utensilios para preparaciones, 255
Utiles de chimenea, chimenea, 228
Utiles de fontanería, 412
Utiles de jardinería, 417
Utiles de medida, 414
Utiles de pintura, 415
Uvula, órganos de los sentidos, 28

V

Vaca, 30
Vaciado de dientes permanentes, prótesis y correctores dentales, 443
Vagón cerrado, ferrocarril, 112-113
Vagón cisterna, ferrocarril, 112-113
Vagón de ganado, ferrocarril, 112-113
Vagón de mercancías:
estación de clasificación, 94
ferrocarril, 112-113
Vagón plataforma, ferrocarril, 112-113
Vagón tolva, ferrocarril, 112-113
Vaguemaestre, fortificaciones, 80
Vaina:
armas blancas, 453
armas cortas, 460
golf, 304
gramíneas, 56
hortalizas, 52
trajes de época, 476
vela, 132
Vajilla, servicio de mesa, 240
Valet, 342
Valet de corazones, juegos de cartas, 342
Valet de diamantes, juegos de cartas, 342
Valet de picas, juegos de cartas, 342
Valet de tréboles, juegos de cartas, 342
Valva:
crustáceos y moluscos, 45
equipo de exploración, 438
Válvula:
bicicleta, 124
cafeteras, 248
camping, 336
fútbol americano, 288
útiles de fontanería, 412
Válvula de admisión, carreras de dragsters, 333
Válvula de ahorro, unidad dentaria, 444
Válvula de aire, aerostato, 158
Válvula de apertura-cierre del suministro de gas, calentador de agua, 391
Válvula de cabeza, globo aerostático, 326
Válvula de cierre:
caldera de calefacción, 390
inodoro, 271
reactor nuclear, 384-385
Válvula de cierre a control remoto, reactor nuclear, 384-385
Válvula de control, camping, 336
Válvula de control de contaminación, motor de automóvil, 107
Válvula de control térmico, motor de automóvil, 107
Válvula de drenaje, vehículos de recreo, 126
Válvula de expulsión, submarinismo, 325
Válvula de flotador, inodoro, 271
Válvula de gas, calentador de agua, 391
Válvula de helio, aerostato, 158
Válvula de hinchado, bote de remos, 129
Válvula de inflado:
motocicleta, 125
rueda, 101
Válvula de la cisterna, inodoro, 271
Válvula de limpieza, calentador de agua, 391
Válvula de lubricación, máquina de vapor, 395
Válvula de primera fase, submarinismo, 325
Válvula de purga, calentador de agua, 391
Válvula de reciclado de los gases de escape, motor de automóvil, 107
Válvula de sedimento, calentador de agua, 391
Válvula de segunda fase, submarinismo, 325
Válvula de seguridad:
batería de cocina, 253
caldera de calefacción, 390
calentador de agua, 391
petrolero, 136-137
reactor nuclear, 384-385
Válvula de seguridad y de purga, máquina de vapor, 395
Válvula electrónica, 386
Válvula electrónica, órgano, 354
Válvula para el paso de aire, material de exploración física, 439
Válvula purgadora, submarinismo, 325
Valla, 65-298
Valla:
béisbol, 287
establo y silo, 100
exterior de la casa, 61
Valla baja, valla, 298
Valla de madera, 65
Valla fija, valla, 298
Valla intermedia, valla, 298
Valle:
paisajes terrestres, 7
río, 13
Valle no glaciar, glaciar, 12
Vaquero, 474
Vara:
atributos reales, 469
carreras de calesines, 331
carruajes de caballos, 127
Varilla:
bicicleta, 124
cafeteras, 248
golf, 304
madera, 350-351
paraguas, 226
reloj de pared, 229
utensilios para el peinado, 210
violín, 349
xilografía, 368
Varilla beta, emisor-receptor, 179
Varilla de expulsión, armas cortas, 460
Varilla de nivel de aceite:
motor de automóvil, 107
motor de combustión interna, 396
Varilla de plomo, 372
Varilla de sujeción de la tapa, alfarería, 367
Varilla de transmisión, armas automáticas, 461
Varilla del botón, lámparas e iluminación, 234
Varilla del péndulo, reloj de pared, 229
Varillaje, paraguas, 226
Varillaje de elevación, inodoro, 271

Variómetro, tablero de instrumentos, 153
Varita mágica, trajes de época, 476
Vasija torneada, 367
Vaso:
batería, 387
multirrobot de cocina, 250
Vaso de expansión, vista en sección de un automóvil, 104-105
Vaso de precipitados, 436-437
Vaso medidor para líquidos, medidas y mezcladores, 254
Vástago:
accesorios del calzado, 203
árbol, 48
clavos y tornillos, 400
gramíneas, 56
grifo y lavabo, 269
mapa meteorológico, 19
material de laboratorio, 436-437
pipa, 225
taladradora de mano, 408
taladradora eléctrica, 409
Vástago cuadrado, destornillador, 403
Vástago de sección cuadrada, coberturas para ventanas, 237
Vástago de sección redonda, coberturas para ventanas, 237
Vástago de sujeción de la aguja, máquina de coser, 274
Vástago de sujeción de la pata, máquina de coser, 274
Vástago del pistón, máquina de vapor, 395
Vástago hexagonal, exprimidores, 251
Vástago redondo, destornillador, 403
Vatímetro, emisor-receptor, 179
Vecino, dientes, 446
Vega, río, 13
Vehículo anfibio, aerodeslizadores, 145
Vehículo blindado, carro de combate, 464-465
Vehículo de aprovisionamiento, aeropuerto, 92-93
Vehículo de carga, aeropuerto, 92-93
Vehículo de combustible, aeropuerto, 92-93
Vehículo de competición de Fórmula 1, 332
Vehículo de efecto de superficie, aerodeslizadores, 145
Vehículo de exploración lunar, vehículo lunar, 157
Vehículo de servicio, aeropuerto, 92-93
Vehículo grúa, 122
Vehículo lunar, 157
Vehículo todo terreno, vehículos de recreo, 126
Vehículos de bomberos, 120-121
Vehículos de recreo, 126
Vehículos de saneamiento, 123
Vejiga urinaria, órganos internos, 27
Vela, 132
Vela, paracaídas y planeador, 327
Vela de capa, vela, 132
Vela mayor, 132
Vela mayor, velero, 130
Velas, 233
Velcro, 205
Velero, 130-147
Veleta, 19
Veleta:
equipo meteorológico, 18
establo y silo, 100
Velo:
novia y novio, 472
ornamentos religiosos, 471
sombreros femeninos, 199
Velo de fondo, escritorio, 272
Velocidad de barrido del limpiaparabrisas, interior de un automóvil, 106
Velocidad limitada, señales de tráfico, 488-489
Velocidad supersónica, avión de caza, 152
Velocímetro:
interior de un automóvil, 106
motocicleta, 125
Vena, órganos internos, 27
Vena mayor primaria, hoja, 50
Vena secundaria, hoja, 50
Venablo, armas medievales, 454
Venda:
ambulancia, 119
medios terapéuticos, 441
Vendaje:
boxeo, 303
medios terapéuticos, 441
Veneno, símbolos científicos y comerciales, 494
Ventalle, armadura, 455
Ventana, 63
Ventana:
módulo lunar, 156
puente, 95
surf, 324
televisión, 181
vela, 132
yates a motor, 134-135
Ventana basculante, ventana, 63
Ventana con aislamiento, sección transversal de una, 63
Ventana de celosía, ventana, 63
Ventana de corredera, ventana, 63
Ventana de doble lanceta, iglesia, 84
Ventana de guillotina, exterior de la casa, 61
Ventana de guillotina, ventana, 63
Ventana de hielo, cúpulas, 83
Ventana de lanceta, iglesia, 84
Ventana de lectura y grabación, diskette, 429
Ventana de oficina, aeropuerto, 92-93
Ventana del catavientos, vela, 132
Ventana del horno, cocina, 244
Ventana en chaflán, exterior de la casa, 61
Ventana geminada, iglesia, 84
Ventana lateral, puerta, 62
Ventanas, coberturas para, 236
Ventanas nasales, órganos de los sentidos, 28
Ventanilla, submarinismo, 325
Ventanilla con escala de iluminación, cámara y película fotográficas, 171
Ventanilla con número de exposición, cámara y película fotográficas, 171
Ventanilla de devolución de la moneda, teléfono, 178
Ventanilla de la puerta, autobús, 114
Ventanilla de la puerta delantera, carrocería, 102-103
Ventanilla de la puerta trasera, carrocería, 102-103
Ventanilla de maniobra, módulo lunar, 156
Ventanilla delantera:
carrocería, 102-103
vehículos de recreo, 126
Ventanilla inferior, autobús, 114
Ventanilla lateral:
autobús, 114
vehículos de recreo, 126
Ventanilla para la luz reflejada, accesorios fotográficos, 174
Ventanilla para los viajeros a pie, autobús, 114
Ventanilla portadocumentos, cartera, 219
Ventanilla trasera, carrocería, 102-103
Ventilación, carrocería, 102-103
Ventilación de emergencia, autobús, 114
Ventilación de la transmisión, carro de combate, 464-465
Ventilación del motor, carro de combate, 464-465
Ventilador:
acondicionamiento de aire, 392
avión comercial, 148-149
carro de combate, 464-465
establo y silo, 100
intercambiador de calor, 393
motor de automóvil, 107
vista en sección de un automóvil, 104-105
Ventilador aspirante, túnel, 96
Ventilador de sustentación, aerodeslizadores, 145
Ventilador extractor, ferrocarril, 112-113
Ventosa, útiles de fontanería, 412
Ventosa, vida marina, 44
Venus, universo, 2-3
Veranda, exterior de la casa, 61
Verdugo ignífugo de protección de la cabeza, carreras de dragsters, 333
Verificación del estado de curado, materiales de construcción, 66
Verja de día, cámara acorazada y caja fuerte, 447
Verja de hierro forjado, 65
Verraco, cerdo, 32
Verrugas, anfibios, 42
Vértebras cervicales, sistema muscular y esquelético, 26
Vertedero, presa, 98
Vertedor:
alfarería, 367
cafeteras, 248
exprimidores, 251
multirrobot de cocina, 250
Vértice:
armazón, 59
arquitectura internacional, 68-69
Vértice de la culata, gema o piedra preciosa, 214
Vértice de la rosca, clavos y tornillos, 400
Vértice nasal, órganos de los sentidos, 28
Vertiente:
establo y silo, 100
exterior de la casa, 61
Vesícula aérea, plantas inferiores, 55
Vesícula biliar, órganos internos, 27
Vestíbulo:
cámara acorazada y caja fuerte, 447
rascacielos, 75
Vestíbulo superior, rascacielos, 75
Vestido, 194
Vestido de novia, 472
Vestido exterior, galas reales, 468
Vestido interior, galas reales, 468
Vestido recto, vestido, 194
Vestimenta local, 475
Vestimentas ceremoniales, 467
Veta, materiales de construcción, 66
Vía, esclusa, 97
Vía de clasificación, estación de clasificación, 94
Vía de desviación, estación de clasificación, 94
Vía de ferrocarril, 111
Vía de llegada, estación de clasificación, 94
Vía de abanico, estación de clasificación, 94
Vía Láctea, galaxia de la, 2-3
Vía muerta, estación de clasificación, 94
Vía obligatoria para bicicletas y ciclomotores, señales de tráfico, 488-489
Vía obligatoria para peatones, señales de tráfico, 488-489
Vía principal, estación de clasificación, 94
Vibrisa, mamífero fantástico, 46-47
Vibrisas, gato, 35
Vida, símbolos religiosos, 492
Vida marina, 43-44
Vídeocassette, 180
Vidriera, puerta, 62
Vidrio:
baloncesto, 292
medios terapéuticos, 441
Vidrio cálcico, lámparas e iluminación, 234
Vidrio de colores, vidrio emplomado, 372
Vidrio emplomado, 372
Vidrio refactario, lámparas e iluminación, 234
Vieira, 45
Viento, 348
Viento:
camping, 336
circo, 88-89
puente, 95
sistemas tormentosos, 17
Vientos, 6
Vientos del oeste, vientos y corrientes oceánicas, 6
Vientre:
anatomía popular, 25
caballo, 36
gato, 35
Viga:
armazón, 59
materiales de construcción, 66
Viga de celosía, puente, 95
Viga de madera, cimentación, 58
Viga de solera, armazón, 59
Viga de techo, armazón, 59
Vigas, rascacielos, 75
Vigilante, gimnasia, 300
Vigueta, armazón, 59
Vigueta de piso, cimentación, 58
Viola, 349
Viola, orquesta, 348
Viola de tina, 360
Violín, 314-349
Violoncello, 349
Violoncello, orquesta, 348
Vira:
bota y sandalia, 202
zapato de caballero, 200
Vira lateral, bota y sandalia, 202

Viradera, utensilios para
preparaciones, 255
Virgen, signos del Zodiaco, 493
Virgo, signos del Zodiaco, 493
Virola:
accesorios del calzado, 203
billar, 314
bolígrafo, 160
calcografía, 371
herramientas de cepillar y dar forma, 410
herramientas de escultor, 366
metal, 352-353
pintura, 364-365
serigrafía y huesos tallados, 369
útiles de jardinería, 417
útiles de pintura, 415
xilografía, 368
Viruta, bolsas y cestas, 262
Visera:
armadura, 455
autobús, 114
bombero, 484
cámara de cine, 172
carreras de dragsters, 333
establo y silo, 100
grandes premios automovilísticos, 332
jefe de majorettes, 479
sombreros masculinos, 198
Visera quitasol, interior de un automóvil, 106
Visga de madera, camión remolque, 122
Visillo, coberturas para ventanas, 236
Visor, 458-459
Visor:
cámara fotográfica, 170
cámara y película fotográficas, 171
vehículo lunar, 157
Visor de rayos infrarrojos, mortero y bazooka, 462
Vitelo, ingredientes crudos, 258
Vitrina aparador, 239
Vivero de carnada, yates a motor, 134-135
Vivo:
bota y sandalia, 202
chaqueta y chaleco, 184
zapato de caballero, 200
zapato de señora, 201
Viuda, bolos, 311
Vocal breve, signos ortográficos, 497
Vocal larga, signos ortográficos, 497
Voladizo, exterior de la casa, 61
Volante, 313
Volante:
balonvolea y badminton, 313
cama y accesorios, 266
coberturas para ventanas, 236
galas reales, 468
máquina de coser, 274
sombreros femeninos, 199
taladradora eléctrica, 409
Volante de control, vehículos de bomberos, 120-121
Volante de dirección:
interior de un automóvil, 106
parque de atracciones, 90
vehículos de bomberos, 120-121
Volante de inercia:
máquina de vapor, 395
motor de automóvil, 107
tractor, 424
Volátiles, aves de corral, 33
Volcán, 10
Volcán, paisajes terrestres, 7
Voltímetro:
símbolos científicos y comerciales, 494
yates a motor, 134-135
Volumen, violín, 349
Voluta:
atributos reales, 469
valla, 65
Voluta del brazo, sofá, 232
Volva, plantas inferiores, 55
Votante, máquina de votar, 427
Voz guía, iv
Vuelo de la falda, vestido, 194
Vuelo del canesú, vestido, 194
Vuelo planeado, avión particular, 147
Vuelta:
pantalones, 187
punto, 378
Vuelta de los ojales, blusa y falda, 193
Vuelta del escote, blusa y falda, 193
Vuelta prohibida, señales de tráfico, 488-489
Vúmetro canal derecho, magnetófonos, 175
Vúmetro canal izquierdo, magnetófonos, 175

W

Wah-wah, guitarra eléctrica, 357
Watio, equipo de alta fidelidad, 177
WC, compartimientos de un barco de vela, 131
Windsurf, surf, 324

X

Xilema, árbol, 48
Xilografía, 368

Y

Y, signos ortográficos, 497
Yate, bote de remos, 129
Yates a motor, 134-135
Yegua, caballo, 36
Yelmo:
armadura, 455
escudo de armas, 487
Yema, ingredientes crudos, 258
Yema auxiliar, árbol, 48
Yema de los dedos, extremidades, 29
Yema externa, hortalizas, 52
Yema lateral, árbol, 48
Yen, símbolos científicos y comerciale,s 494
Yeso mate, pintura, 364-365
Ying-Yang, símbolos religiosos, 492
Yugo, campana, IV
Yunque:
sistemas tormentosos, 17
tornillos de sujeción, 399
útiles de jardinería, 417
Yurta, 68-69

Z

Zahón, vaquero e indio, 474
Zampeado, esclusa, 97
Zanahoria, hortalizas, 52
Zapapico, bombero, 484
Zapata:
bicicleta, 124
cimentación, 58
patinaje sobre ruedas, 318
plancha, 275
Zapata con conexión para flash, cámara y película fotográficas, 171
Zapata de apoyo, camión tractor, 116-117
Zapata de freno, carruajes de caballos, 127
Zapata para el barro, vehículos de saneamiento, 123
Zapatilla:
grifo y lavabo, 269
Zona de retirada, esgrima, 309
Zona de saltos, atletismo en pista, 295
Zona de saque:
balonvolea y bádminton, 313
frontón y squash, 307
Zona de saque correcto, jai alai, 308
Zona de seguridad, submarino, 143
Zona de árbitro:
béisbol, 287
hockey sobre hielo, 291
Zona de jugador de ala, fútol y lacrosse, 293
Zona derecha de saque, frontón y squash, 307
Zona entre segunda y tercera base, béisbol, 287
Zona izquierda de saque, frontón y squash, 307
Zona litoral, costa y margen continental, 15
Zona neutral:
hockey sobre hielo, 291
tejo y croquet, 312
Zona redondeada, buque de guerra de superficie, 140-141
Zona sin penalización, tejo y croquet, 312
Zoquete, armazón, 59
Zueco, accesorios del calzado, 203
Zumo, exprimidores, 251
Zuncho, trampas, 423
zapato de señora, 201
Zapatilla con suelo de goma, jai alai, 308
Zapatilla de atletismo, béisbol, 286
Zapatilla de clavos, zapatilla deportiva, 296
Zapatilla de entrenamiento, zapatilla deportiva, 296
Zapatilla de esgrima, esgrima, 309
Zapatilla de suela lisa, alpinismo, 328
Zapatillas de media punta, 478
Zapatillas de punta, 478
Zapatilla de tacos:
béisbol, 286
fútbol americano, 288
Zapatilla deportiva, 296
Zapato:
boxeo, 303
jefe de majorettes, 479
mayordomo y doncella, 473
Zapato abierto, zapato de señora, 201
Zapato de caballero, 200
Zapato de gala, galas reales, 468
Zapato de punta redonda, mayordomo y doncella, 473
Zapato de señora, 201
Zapato de vestir blanco, novia y novio, 472
Zapato lunar, vehículo lunar, 157
Zapatón, payaso, 477
Zarpa:
gato, 35
perro, 34
Zarpa de león, mamífero fantástico, 46-47
Zepelín, aerostato, 158
Zigurat, arquitectura internacional, 68-69
Zócalo:
ascensor, 76
calcografía, 371
columna, 71
litografía, 370
Zodiaco, signos del Zodiaco, 493
Zona de ablación, glaciar, 12
Zona de acumulación, glaciar, 12
Zona de alud, montañas, 8-9
Zona de aproximación, fútbol americano, 289
Zona de batida, salto con pértiga, 299
Zona de disparo, arco y flecha, 456
Zona de fondo, tenis, 306
zona de fuera de cancha, jai alai, 308
Zona de interacción, línea de alta tensión, 386
Zona de la tolva, vehículos de saneamiento, 123
Zona de los tres segundos, baloncesto, 292
Zona de mantenimiento de los vagones, estación de clasificación, 94
Zona de perforación, perforadora de fichas, 428
Zona de portería, fútbol y lacrosse, 293
Zona de prueba de los motores de propulsión a chorro, portaaeronaves, 142
Zona de red, tenis, 306